GNM

Das Germanische National-museum Nürnberg 1852-1977

Beiträge zu seiner Geschichte · Im Auftrag des Museums herausgegeben von Bernward Deneke und Rainer Kahsnitz

Deutscher Kunstverlag

Reproduktionen: Brend'Amour, Simhart & Co, München, und Schütte und Behling, Berlin. – Satz und Druck: Georg Appl, Wemding. ISBN 3 422 00684 2. Erschienen im Deutschen Kunstverlag GmbH., München Berlin 1978.

Inhalt

Anhang

Texte zur Geschichte des Museums

Vorwort

Das vorliegende Werk ist der Geschichte des Germanischen Nationalmuseums von den Voraussetzungen an, die zu seiner Gründung geführt hatten, bis zur Gegenwart gewidmet. Für seine Erarbeitung und für sein Erscheinen war sein 125jähriges Bestehen in diesem Jahre Ansporn und Anlaß, ein Desideratum war es seit langem gewesen. Daß es erst jetzt, so spät, hatte erfüllt werden können, hat mancherlei Gründe, die in einzelnen Kapiteln des Werkes aufscheinen. Einer von ihnen, nämlich die komplexe Natur dieses Museums, die seine Sonderstellung bedingt, sei in diesem Vorwort kurz angesprochen.

Wer sich eingehend mit der Geschichte des Germanischen Nationalmuseums befaßt, wird sie, je mehr er sich in sie vertieft und sich von ihr ergreifen läßt, als „Biographie" erleben, nicht anders als die einer Persönlichkeit, die ihre besondere Individualität der Entwicklung vielfältiger Anlagen in Auseinandersetzungen und Verflechtungen mit Zeitbedingtheiten verdankt und durch sie herausragende Bedeutung gewinnt.

Bleibt man bei diesem Vergleich, so stellt sich die Frage nach den Voraussetzungen, die das Phänomen der Individualität dieses Museums und seiner geschichtlichen Sonderstellung erklären könnten, die Frage, ob sich gleichgerichtete Anlagen potenziert oder ob heterogene „Erbanlagen" die Grundlagen für eine komplexe, aber in sich vielgestaltige und originäre Begabung gebildet haben.

An seiner Entstehung als Nationalanstalt, ihrer Entwicklung und ihren Interpretationen durch die Öffentlichkeit über einen langen Zeitraum hinweg hatte die „patriotische Phantasie" (Justus Möser) ganz wesentlichen Anteil. Sie war „romantisch", da es keine staatliche Realität gab, in der sie sich hätte erfüllen können und doch in einem geistigeren Sinne nicht wirklichkeitsfremd, weil die Traditionskräfte des alten Reiches, das sich 1806 aufgelöst hatte, durch das gemeindeutsche Erlebnis der Freiheitskriege wieder erstarkt waren und nun nach einer neuen Einheit strebten und weil durch die sich um das ehemalige Reichsgebiet bildenden und sich dagegen abgrenzenden Nationalstaaten der deutsche Sprachraum trotz seiner territorialen Zergliederung als Heimatboden einer gemeinsamen Kultur erlebbar wurde. Wenn der Kaiser von Österreich das Museum noch viele Jahre nach seiner Gründung mit bedeutenden Summen förderte, wenn Deutsche in aller Welt, gleich aus welchen deutschen Ländern sie stammten, sich zu seiner Unterstützung zusammenfanden, so ist dies ein Hinweis, welche Projektionsfläche es damals einer mächtig drängenden patriotischen Phantasie bot.

Bleibt man bei obigem Vergleich, so könnte man sie als den „mütterlichen" Beitrag zu seiner komplexen Natur verstehen und es stellt sich die Frage nach der „väterlichen" Komponente. Sie findet ihre Antwort in dem Konzept seines Begründers, des Freiherrn von und zu Aufseß, in der von ihm ins Auge gefaßten, aufs Universalistische ausgerichteten Dokumentierung von Quellen zur Geschichte deutscher Kunst, Kultur und Literatur. Obwohl er mit seinem Vorhaben scheiterte, weil es den Zeitgenossen utopisch erschien, so hat doch die hier zum Ausdruck kommende rationalistische Nüchternheit und enzyklopädische Gesinnung, beide undenkbar ohne die vorausgegangene Epoche der Aufklärung, als starker Impuls auf die junge Stiftung gewirkt. Ihr verdankt sie, daß sich Forschung schon in der Gründungssatzung als eine ihrer Hauptaufgaben verankert findet. Ihr verdankt sie, als die patriotische Phantasie an tragender Kraft verlor und allmählich ins Gefühlhafte verflachte, nicht nur ihr Weiterbestehen, sondern die konsequente Ausweitung der Sammlungen und den Zuwachs neuer Aufgaben. In der Verschränkung solch heterogener Anlagen gründete die

Individualität des Museums, die es entgegen allen Änderungen musealer Gedanken bis heute bewahren konnte und die bis heute seine Stärke geblieben ist.

Blicken wir zurück auf die Anliegen, die zur Gründung des Museums geführt hatten und auf seinen Weg durch die Geschichte. Es war nie, wie die großen aus dynastischen Sammlungen erwachsenen Kunstmuseen und die Zweckgründung der Kunstgewerbemuseen, im weiteren oder engeren Sinne eine „Vorbildersammlung". Um seine Inhalte, ihre Bedeutung und um seine Aufgaben zu charakterisieren, müßte man vielmehr von einer „Urbildersammlung" sprechen. Urbilder wessen? Urbilder der Heimat, des Raumes unseres Lebens, der sich in konzentrischen Ringen vom Haus zum Ort, zur Landschaft, zum Land bis hin zum „Reich" weitet. Der Begriff Heimat war und ist vielen Wandlungen unterworfen und nicht unabhängig von äußerlichen Bedingtheiten, aber ist doch zugleich ein von politischen Zufälligkeiten unberührter Begriff. Unter ihm läßt sich die ganze Vielgestaltigkeit dieses einzigartigen Museums wie die seiner Aufgaben begreifen. So kann es nach einem Wort von Theodor Heuss „Fluchtburg der deutschen Seele" sein wie Ort exakter wissenschaftlicher Forschung. Die Tore dieses Museums, die Zugänge zu seinen Inhalten, stehen allen offen. Es ist nach wie vor, wie auch eine frühere Schrifttafel vor seiner Zerstörung bekundet hatte „Eigenthum der deutschen Nation", Eigentum des deutschen Volkes.

Der Band ist das Ergebnis einer mir vorbildlich erscheinenden Gemeinschaftsarbeit. Der aufrichtige Dank des Museums gebührt zunächst den Autoren der Beiträge, die sich so eingehend mit den ihnen gestellten Themen befaßt haben. Durch schwierige, aber notwendige Quellenforschungen haben sie neue Einblicke in die Geschichte des Museums ermöglicht. Ganz besonders aber haben sich um das Erscheinen dieses Werkes, und dafür sei ihnen die Anerkennung des Museums ausgesprochen, meine Mitarbeiter Dr. Bernward Deneke und Dr. Rainer Kahsnitz verdient gemacht. Sie hatten sich bereit erklärt, die Konzeption des Sammelbandes zu erarbeiten, die Beiträge zu koordinieren und zu redigieren. Bei der Planung wirkte auch Dr. Jörn Bahns mit. Frau Dr. Barbara Hellwig, die einen Hauptteil der Korrekturen mitgelesen hat, und Frau Dr. Ursula Mende, die die Mühsal der Anfertigung des Registers auf sich genommen hat, haben bei der Fertigstellung nicht hoch genug zu schätzende Hilfe geleistet. Zu den Verzeichnissen der Mitglieder der Gelehrten- und Verwaltungsausschüsse sowie der wissenschaftlichen Beamten haben Archive, Museen und Behörden durch Auskünfte beigetragen. Dr. Michael Meier, der Verleger, hat auf der Grundlage seiner großen Erfahrungen wie seines Interesses an dieser Publikation unser Unternehmen mit Rat und Tat gefördert. Die Feldmühle AG, Düsseldorf, hat einen großen Teil des benötigten Papiers unentgeltlich zur Verfügung gestellt, wofür wir besonders Herrn Helfried Krug verpflichtet sind. Zahlreiche Mitglieder haben durch Sonderspenden zu den Druckkosten beigetragen und dadurch ihre Verbundenheit mit dem Museum erneut bewiesen.

ARNO SCHÖNBERGER

Chronik des Germanischen
Nationalmuseums

1. Umschlagtitel der von Hans Freiherrn von und zu Aufseß begründeten und herausgegebenen Monatsschrift „Anzeiger für Kunde des deutschen Mittelalters", Jg. 1, 1832. Die Burg im Landschaftsausschnitt ist unter Verwendung von Motiven der Stammburg Unteraufseß wiedergegeben; unten links am Rahmen das Wappen Aufseß

2. Dr. jur. Hans Freiherr von und zu Aufseß, Gründer und Erster Vorstand des Germanischen Nationalmuseums 1852–1862. Stahlstich von Christian Riedt, um 1855

Chronik des Germanischen Nationalmuseums

Nach gedruckten Quellen, insbesondere den Jahresberichten,
zusammengestellt von LUDWIG VEIT

1830 15. September. Berchtesgaden, Kabinettsorder König Ludwigs I. von Bayern an Freiherrn Hans von und zu Aufseß: „. . . Ich habe schon früher den Wunsch gehabt, daß auch in Bayern, wie dieses in Prag bereits besteht, Besitzer von merkwürdigen Gegenständen solche mit Vorbehalt ihres Eigenthums in einem öffentlichen Lokal zur gemeinsamen Beschauung und Belehrung aufstellen . . . Ihre Sammlungen . . . setzen sie in den Stand, ein solches nützliches Unternehmen zu begründen. Bamberg scheint hiefür ein ganz geeigneter Platz . . .“.

1832 Januar. Das 1. Heft des 1. Jahrgangs des „Anzeiger für Kunde des deutschen Mittelalters“ erscheint. Er wird zunächst von Aufseß herausgegeben, ab 1835 von Franz Joseph Mone als „Anzeiger für Kunde der teutschen Vorzeit“ weitergeführt, 1839 jedoch eingestellt.

Herbst. Aufseß zieht mit seinen Sammlungen nach Nürnberg, gründet Ende Jan. 1833 die „Gesellschaft zur Erhaltung älterer deutscher Geschichte, Literatur und Kunst“, die ein Museum aus seiner Sammlung und anderen Leihgaben im Scheurlhaus der Burgstraße einrichtet.

13

3. Hans Freiherr von und zu Aufseß in seiner Studierstube. Gemälde von August von Kreling (1818–1876), Vorstand der Kunstgewerbeschule in Nürnberg seit 1853

1832   Anfrage im Anzeiger für Kunde des deutschen Mittelalters 1832: „Warum wird in Nürnberg das schon vor vielen Jahren projektierte Conservatorium für Alterthümer nicht errichtet? Welches sind die Hindernisse, und auf welche Art wären solche zu beseitigen?" – „Unser Anzeiger könnte ein längsterwünschtes Repertorium der gesamten historischen deutschen Literatur, nicht bloß der neuesten, bilden, und so am besten zugleich auf die Lücken aufmerksam machen, die noch auszufüllen sind ... Könnte man daher Verfasser und Herausgeber, so wie Verleger Deutschland betreffender historischer Werke bewegen, diese dem Vaterlande zu schenken, und andere Patrioten, aus ihrem Bücherschatze Beiträge zu liefern, und auf solche Weise eine allg. histor. deutsche Bibliothek bilden, so würde dadurch eine Anstalt begründet, die uns eben so viel Ehre erwerben, als Nutzen gewähren würde." Daraufhin antwortet Aufseß: „Da ich nun vorläufig Nürnberg zum Wohnsitz gewählt habe, so würde es mir nicht so schwer fallen, Theilnahme für die vorgeschlagene Anstalt noch weiter zu erwecken und vielleicht sogar am Ende mit der Bibliothek ein allgemeines deutschhistorisches Museum zu verbinden, wozu gerade in Nürnberg die beste Gelegenheit wäre."

1834   Nachdem Aufseß' Plan, ein Zentralinstitut im Dienste aller deutschen historischen Vereine zu schaffen, als „Riesenverein" und das Museum als „dilettantisches Beginnen" allenthalben auf Widerstand stoßen, zieht sich Aufseß von Nürnberg auf die Burg Unteraufseß zurück.

1846   „Sendschreiben an die erste allgemeine Versammlung deutscher Rechtsgelehrten, Geschichts- und Sprachforscher zu Frankfurt am Main von Freiherrn Hans von und zu Aufseß, der Rechte Doctor."
Aufseß legt folgende Pläne dar:

1846 1. Bildung eines Ausschusses von Bevollmächtigten der einzelnen historischen Vereine Deutschlands;
2. Errichtung eines großen historisch-antiquarischen National-Museums, welches jedoch nicht aus Originalen, sondern bloß Kopien, Auszügen und Umrissen der in den verschiedenen öffentlichen und Vereinssammlungen befindlichen Gegenstände bestehen soll;
3. Verbesserung oder Wiederherstellung eines Monats- oder Wochenblattes für die historischen Vereine.

1851 Aufseß zieht abermals mit seinen Sammlungen nach Nürnberg; Unterbringung im Tiergärtnertorturm.

1852 1. August. Aufseß veröffentlicht erstmals „Satzungen des germanischen Museums zu Nürnberg" (Text vgl. S. 951–952).
1. August. Eine Aktiengesellschaft zur Unterstützung des germanischen Museums wird in Nürnberg gegründet. Der Aktionär kann Aktien zu je 100 Gulden erwerben. Der Nominalwert wird nach zehn Jahren zurückerstattet. Darüber hinaus kann man dem Museum auf 10 Jahre die Zinsen aus einem in Staatsobligationen angelegten Kapital von 100 Gulden überlassen (Satzung vgl. S. 953).
17. August. Beschluß der Versammlung deutscher Geschichts- und Altertumsforscher vom 16.–19. August 1852 in Dresden unter Vorsitz des Prinzen Johann von Sachsen:
„1. es möge die weitere Begründung und Ausbildung des germanischen Museums der Generalversammlung dringend anzuempfehlen sein.
2. es möge Letztere, soweit die Gründung einer so großartigen Anstalt durch die aufopfernde Bemühung eines Privatmannes möglich, das Museum von dem heutigen Datum als begründet betrachten".
Die von Aufseß vorgelegten Satzungen finden allgemeine Billigung.
Die Gründung des Gesamtvereins deutscher Geschichtsvereine war unmittelbar vorausgegangen.
18. September. Gründung des Römisch-Germanischen Zentralmuseums in Mainz. Das Mainzer und das

4. Aktie der 1852 begründeten „Actiengesellschaft für Unterstützung des germanischen Museums". Nach den dem Aufruf zur Zeichnung von Aktien und jährlichen Geldbeträgen vom 31. August 1853 beigegebenen Mustern wird neben dem Formular für Barzahlung ein solches für die Einzahlung durch Staatsobligationen verwendet. 1881 war die Gesellschaft mit dem Verzicht des letzten Aktionärs auf sein Depositum aufgelöst

5. Das Toplerhaus am Paniersplatz in Nürnberg. Archiv, Bibliothek und Teile der Kunst- und Altertumssammlung, vor allem die Graphik, die Münz- und Siegelsammlung waren hier bis zur Übernahme der Kartause untergebracht. Deckfarbenmalerei von J. Huibers, 1864

1852 Nürnberger Museum werden als innerlich selbständige Teile eines Nationalmuseums mit getrennten Aufgabenbereichen (vorchristlich-römisch bzw. christlich-mittelalterlich) bezeichnet.
Sog. Pflegschaften des Germanischen Nationalmuseums werden zugleich mit dem Museum gebildet. Die Pfleger, auch Agenten genannt, vermitteln zwischen dem Museum und den in ihrem Bereich wohnenden Freunden desselben, unterrichten über Wesen und Organisation des Museums und dessen Leistungen, nehmen die für das Museum bestimmten Gelder, Kunstgegenstände und Altertümer entgegen, machen die Direktion auf günstige Erwerbungsangebote aufmerksam und leiten Ankäufe in die Wege. Das Museum verdankt den Pflegschaften eine ganz bedeutende Festigung seiner finanziellen Mittel und einen großen Teil der wertvollsten Ausstellungsobjekte. – (Vgl. S. 1027–1036).

1853 18. Februar. München, Entschließung des Königlich Bayerischen Staatsministeriums des Innern für Kirchen- und Schulangelegenheiten über die Bildung eines germanischen Museums in Nürnberg: Der König genehmigt, daß ein „germanisches Museum für deutsche Geschichte, Literatur und Kunst gegründet werde [und] daß dieses Museum als Stiftung zum Zwecke des Unterrichts die Eigenschaft und Rechte einer juridischen Person erlange". Außerdem wird die Bildung einer Aktiengesellschaft zur Aufbringung der Mittel genehmigt (vgl. S. 953).

16

6. Der Waffensaal im ersten Geschoß des Tiergärtnertorturms mit Kopien des spätgotischen Leuchters aus Gelbguß im Rathaus zu Regensburg und des hölzernen Adlerpults in der Stiftskirche zu Herrieden, einem stark ergänzten, angeblich aus Sterzing stammenden Schrank, dem Relief mit der hl. Barbara des Meisters von Ottobeuren, um 1515, der Majestas Christi mit den Aposteln, um 1500, sowie dem Teppichfragment mit Szenen aus dem „Busant", Oberrhein, um 1490. Vorzeichnung von dem zeitweise in den Ateliers des Museums tätigen Willibald Maurer für einen Holzschnitt im Wegweiser GNM von 1853

7. Der Bildersaal im zweiten Geschoß des Tiergärtnertorturms. An der Decke der angeblich aus dem Rathaus in Forchheim stammende Leuchterengel. An den Wänden u. a. das Gemälde „Beweinung Christi", niederdeutsch, um 1500–1520, das Relief mit der Enthauptung der hl. Katharina, Schwaben, um 1500, das Gemälde der Anna Selbdritt von Michael Wolgemut mit den als Flügel verwendeten Tafeln mit den Hl. Georg und Mauritius, schwäbisch, um 1525, das Teppichfragment mit vier Szenen aus der Geschichte der Königin von Frankreich und dem ungetreuen Marschalk, Oberrhein, 1492. In der Nische links die Plieningen-Scheiben aus Kleinbottwar in Schwaben, 1499. Vorzeichnung von Georg Christian Wilder (1797–1855) für einen Holzschnitt im Wegweiser GNM von 1853

8. Zweiter Teil der Bildergalerie im vierten Geschoß des Tiergärtnertorturmes mit dem Reli-
quienaltar, Nürnberg, um 1350, der Tafel mit sechzehn Legenden und Heiligen, fränkisch, um
1500, sowie dem Teppich mit dem Liebesgarten, Nürnberg, Mitte 15. Jahrhundert. Vorzeichnung von Georg Christian Wilder (1797–1855) für einen Holzschnitt im Wegweiser GNM von
1853

Nürnberg, am

P. P.

Nachdem Sie durch Ihre gütige Erklärung v.
zu dem patriotischen Opfer Sich verpflichteten, für die Bibliothek des germanischen Nationalmuseums diejenigen Ihrer Verlagsartikel gratis einzusenden, welche dahin einschlagen und
passen, so erlauben wir uns um nachstehende Werke hiemit
ganz ergebenst zu bitten, durch

Das Bibliothekariat des germanischen Museums.

P. P.

In der Anlage haben wir das Vergnügen Ihnen unter
gebührendem Danke für Ihre patriotische Gabe an das germanische National-Museum den gedruckten Bericht über die
eingegangenen Geschenke zuzusenden, wo Sie an der roth-
angestrichenen Stelle das schätzbare Ihrige aufgeführt finden
werden.

Hochachtungsvoll

Nürnberg, am   185

Der Vorstand des germanischen Museums

Dr. Frhr. v. u. z. Auffeß.   Dr. Beeg.

9. Formulare eines Dankschreibens des Museums für Geschenke an die Sammlung sowie einer Aufforderung zu Bücher-
spenden an Verlage, die sich generell zur Unterstützung der Museumsbibliothek bereit erklärt hatten. Im Gebrauch in den
fünfziger Jahren des 19. Jahrhunderts

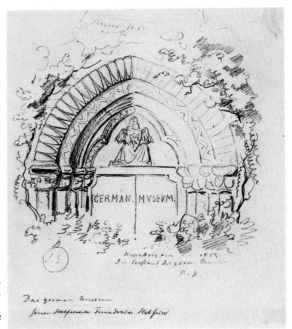

10. Entwurf zum Diplom für die Mitglieder des Gelehrtenausschusses, vielleicht von Karl Alexander von Heideloff (1789–1865), 1853. Die Ausführung des den Mitgliedern des Ausschusses seit Frühjahr 1854 zugestellten Diploms ist im Bildschmuck einfacher als die Entwürfe, die zu den Akten des Gelehrtenausschusses genommen werden

1853   April. Angebot des Herzogs Ernst II. von Sachsen-Coburg und Gotha, die Veste Coburg für ewige Zeiten dem germanischen Nationalmuseum als Aufenthaltsort zur unentgeltlichen Benutzung zu überlassen.

15. Juni. Eröffnung des Germanischen Nationalmuseums in Nürnberg. Es ist zunächst im Tiergärtnertorturm und im Toplerhaus am Paniersplatz untergebracht.

Juli. Angebot Großherzog Karl Alexanders von Sachsen-Weimar-Eisenach, dem Museum die Wartburg bei Eisenach und das am Fuße des Burgberges gelegene große St. Georgenkloster mit Kirche zu überlassen.

28. Juli. Beschluß der Deutschen Bundesversammlung in Frankfurt am Main:

„1. Das germanische Museum zu Nürnberg, als ein für die vaterländische Geschichte wichtiges, nationales Unternehmen, der schützenden Theilnahme und wohlwollenden Unterstützung der höchsten und hohen Regierungen zu empfehlen;

2. Den Freiherrn v. Aufseß, als dermaligen Vorstand des germanischen Museums, hievon unter Anerkennung der vaterländischen Gesinnungen und Bestrebungen, welche dieses Unternehmen ins Leben gerufen haben, auf seine Eingaben vom 8. Mai und 8. Juli d. J. in Kenntnis zu setzen."

24. August. Gutachtlicher Brief Leopold von Rankes an den preußischen Kabinettsrat Illaire über das Germanische Museum: Ranke erkennt den „germanischen Eifer" des Herrn von Aufseß an, wendet sich jedoch gegen das Generalrepertorium: „Wie kann man sich einbilden, die Fragen, die im Laufe der Zeit entstehen, und die von den jedesmal Lebenden an die Vergangenheit gerichtet werden, im Voraus zu wissen und Antworten darauf fertig zu halten? ... Die Schematisierung des Stoffes, wie sie Herr von Aufseß aufstellt, mag ihren Wert haben für allerhand Merkwürdigkeiten und Curiosa: für lebendiges Wissen ist sie tödtlich ... Welch ein Fundament von Sand! Aber darauf denkt Herr von Aufseß ein Monument aufzurichten, das, wie er in seinem Anschreiben sagt, den Cölner Dom überragen soll! ... Meinem unmaßgeblichen Dafürhalten nach könnte die Unterstützung eines Unternehmens, das keine Gewähr eines festen Bestandes in sich trägt, Sr. Majestät dem König so im Allgemeinen nicht empfohlen werden... Als Sammler mag Herr von Aufseß alle Anerkennung und Aufmunterung verdienen: zum Gründer eines großen internationalen Institutes scheint er nicht geschaffen zu sein."

19

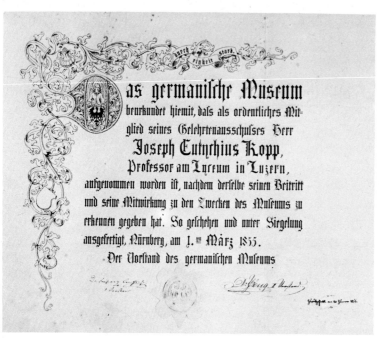

11. Diplom für den zum Mitglied des Gelehrtenausschusses gewählten Historiker
Joseph Eutychius Kopp aus Luzern, ausgefertigt Nürnberg 1855, von dem Inhaber
bei seinem Austritt aus dem Ausschuß Anfang 1856 zurückgegeben

1853   16. September. Wahl der 24 Beisitzer des Verwaltungsausschusses durch den Gelehrtenausschuß und
erste Sitzung.

1. Oktober. Nürnberg, „Vertrag zwischen dem germanischen Museum und Hans von Aufseß, die
Überlassung der Sammlungen an ersteres betreffend . . .": Aufseß überläßt seine Sammlungen , „wie sie
im Tiergärtnertorturm sowie im Hause am Paniersplatz untergebracht sind", dem Museum auf zehn
Jahre.

Veröffentlichung: „System der deutschen Geschichts- und Alterthumskunde, entworfen zum Zwecke
der Anordnung der Sammlungen des germanischen Museums von Fhr. Hans v. u. z. Aufseß, Dr. der
Rechte, d. Z. Vorstand des Germanischen Museums. Druck in der Artistisch-literarischen Anstalt des
Germanischen Museums zu Nürnberg . . . 1853" (vgl. das Faksimile S. 975–992).

August von Eye: Das germanische Museum. Wegweiser durch dasselbe für die Besuchenden. Theil I:
Literatur und Kunst, Haus am Paniersberge; Theil II: Kunst und Alterthum. Thurm am Thiergärtner-
Thor.

Erster Band des „Anzeiger für Kunde der deutschen Vorzeit. Neue Folge. Organ des Germanischen
Museums", Nürnberg 1853.

1854   Endgültige Entscheidung des Museums, in Nürnberg zu bleiben und auf das Angebot der Veste Coburg
und der Wartburg zu verzichten, nachdem die bayerische Regierung die Gebäude der Nürnberger
Kartause dem Museum zu überlassen versprochen hat.

1855   Die Bibliothek der Nationalversammlung in Frankfurt/M. (1848) wird dem Museum übergeben.

1856   Veröffentlichung: Das Germanische Nationalmuseum. Organismus und Sammlungen. Abt. 1: Organismus und literarische Sammlungen, Abt. 2: Kunst- und Alterthumssammlungen (Denkschriften des
Germanischen Nationalmuseums, Bd. 1). Nürnberg 1856.

1857   20. April. Das Kartäuserkloster in Nürnberg wird zum bleibenden Sitz des Museums bestimmt. Soweit es
Staatseigentum war, wird es aufgrund einer Bewilligung König Maximilians II. von Bayern um 15 000 fl.
erworben, der städtische Besitz als Schenkung des Stadtmagistrats übergeben. Im September sind
zunächst drei große Säle, sechs kleinere Säle und Hallen, 23 Zimmer und etliche Kammern, die restaurierte Kapelle und ein provisorisch hergestellter Teil der Kreuzgänge bezugsfähig. Die Kunst- und Alter-

12. Die Kartause zu Nürnberg mit dem Kapitelsaal, der Kirche, der Sakristei und dem Nordflügel des Großen Kreuzgangs von Osten. Aquarellierte Federzeichnung von Heinrich Stelzner (1833–1910), 1857

1857 tumssammlung wird neu gegliedert: Eine Halle zu ebener Erde im sogenannten Kunstgebäude enthält Kriegs- und Jagdgeräte. In das anschließende ehemalige Refektorium kommt Hausgerät. Der im oberen Stockwerk befindliche Saal ist mit verschiedenen Kunstgegenständen (Münzen, Medaillen, Siegeln und den wertvolleren Schmucksachen und Schnitzwerken) ausgestattet und enthält zugleich die Handzeichnungs-, Miniaturen-, Kupferstich- und Holzschnittsammlung. Die kirchlichen Gegenstände haben in der Kapelle Platz gefunden, die Gemälde, die größeren Gipsabgüsse, Totenschilde und Grabsteine in dem vorläufig nur notdürftig renovierten linken Flügel des großen Kreuzganges. Der kleine Kreuzgang enthält die „heidnischen Altertümer", dann Kopien und Modelle von Waffen und Kriegsgerät.

Es bestehen insgesamt 156 Pflegschaften, u. a. auch in Siebenbürgen, in den Nordamerikanischen Staaten, in Rußland, in Italien. Von besonderer Bedeutung ist der Hilfsverein für Berlin und die Provinz Brandenburg.

Eine photographische Anstalt, Ateliers und Werkstätten werden zum Kopieren von Handzeichnungen, Holzschnitten und Kupferstichen in einem Hintergebäude der Kartause eingerichtet; Medaillen und Siegel werden in Blei und Gips abgegossen; dadurch wird ein Austausch mit auswärtigen Sammlern und Kabinetten angebahnt. Eine kleine Tischler- und Schlosserwerkstätte sowie eine Buchbinderei kommen dazu.

1858 Der Gesamtbestand der Museumssammlungen umfaßt über 116000 Gegenstände, Abschriften, Repertoriensammlung und Leihgaben nicht gerechnet. Kunstwerke aus der Zeit nach 1650 werden im Tiergärtnertorturm aufgestellt. Der Turm ist jeden Sonntag von 11 bis 13 Uhr dem Publikum geöffnet, die Hauptsammlungen in der Kartause täglich von 9 bis 16 Uhr. An den Montagabenden werden Sonderausstellungen einzelner Abteilungen der Kunstsammlungen veranstaltet.

Grundrifs der Karthause zu Nürnberg

mit Bezeichnung der jetzigen Einrichtungen für das germanische Museum.

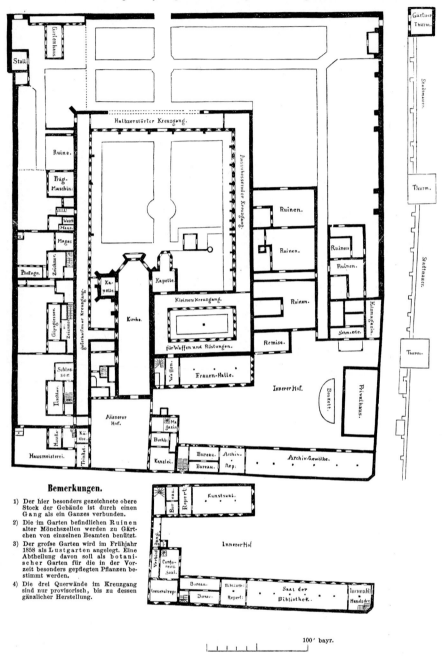

Bemerkungen.

1) Der hier besonders gezeichnete obere Stock der Gebäude ist durch einen Gang als ein Ganzes verbunden.
2) Die im Garten befindlichen Ruinen alter Mönchszellen werden zu Gärtchen von einzelnen Beamten benützt.
3) Der grofse Garten wird im Frühjahr 1858 als Lustgarten angelegt. Eine Abtheilung davon soll als botanischer Garten für die in der Vorzeit besonders gepflegten Pflanzen bestimmt werden.
4) Die drei Querwände im Kreuzgang sind nur provisorisch, bis zu dessen gänzlicher Herstellung.

100′ bayr.

13. Grundriß der Kartause zur Zeit der Übernahme durch das Museum mit Angaben zur Verwendung der Räumlichkeiten für die einzelnen Sammlungsabteilungen. Illustration im Jahresbericht des GNM vom 1. Oktober 1856 bis Ende 1857, 1858

22

14. Teil der vor allem im Kleinen Kreuzgang eingerichteten Waffenhalle des Museums, vorne der Turniersattel mit dem Wappen des Regensburger Geschlechts Paulsdorfer, 2. Hälfte 15. Jahrhundert; an der Wand u. a. Handtartsche mit dem Wappen des Deutschen Ritterordens, 15. Jahrhundert, Tartsche mit dem Wappen der Stadt Deggendorf, 1. Hälfte 15. Jahrhundert. Durchblick in das vor allem den Hausaltertümern gewidmete Refektorium, wegen der dort ausgestellten Sammlungen auch Frauensaal genannt. Vorzeichnung von Paul Ritter von 1857 für eine Abbildung in der Illustrirten Zeitung von 1858

1859   Die auf Anweisung und Kosten des Herzogs von Braunschweig abgegossenen Grabmonumente Heinrichs des Löwen und dessen Gemahlin sind „ein wertvoller Beitrag zur Verwirklichung des Planes, die bedeutendsten Grab- und Denkmäler deutscher Fürsten und Helden in den Hallen des Museums aufzustellen".

Wilhelm von Kaulbach malt im Sommer in der Kartäuserkirche ein großes Wandgemälde: Otto III. in der Gruft Karls des Großen in Aachen. Aufseß erklärt bei der Enthüllung im gleichen Jahr: „Doch weiß ich gewiß, daß dem germanischen Museum kein treffenderes und schöneres Sinnbild seines Strebens gegeben werden konnte als dies. Denn auch wir sind berufen, hinabzusteigen in die lang verborgenen Tiefen der Vorzeit, um aufzusuchen des alten Reiches Herrlichkeit, sie, die längst abgestorbene wieder hell zu beleuchten mit dem Fackelschein der Wissenschaft, auf daß sich jedermann daran erfreue und stärke, ja, wie Kaiser Otto wollte, zu neuen Taten der Ehre und des Ruhmes der deutschen Nation sich ermanne."

Der auf Grund eines Verwaltungsratsbeschlusses durch Sachverständige festgestellte materielle Wert der Sammlungen beträgt 214 388 fl. 1 kr. (88 600 fl. 34 kr. Eigentum des Museums und 125 788 fl. 27 kr. zur Benutzung überlassene Leihgaben).

Zahl der Besucher etwa 4000. Eintrittsgeld 24 kr. Freier Eintritt wird allen Wohltätern und Förderern der Anstalt gewährt. Jeder deutsche Staatsbürger ist zur Benützung der Sammlungen und Repertorien berechtigt, „da das Museum deutsches Nationaleigentum ist, an welchem alle deutschen Stämme gleichen Anteil haben, als an einer durch öffentlichen Staatsschutz geheiligten, unveräußerlichen Nationalstiftung."

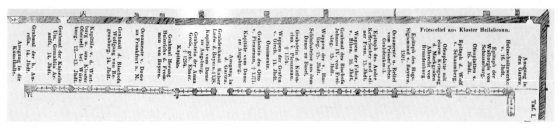

15. Grundriß des als Grabsteinhalle bezeichneten Nordflügels des Großen Kreuzgangs mit der Benennung der dort aufgestellten Gipsabgüsse von Grabsteinen und Architekturteilen. Aus dem Wegweiser GNM von 1860

1860   Zur Zeit bestehen 281 Pflegschaften. „Der Pfleger von Zwickau, Herr Pfau, hat auch dieses Jahr 90 Ztr.
Kohlen übersendet". Ein Frauenverein in Berlin trägt zur Ausschmückung und Vervollständigung der
Frauenhalle des Museums bei.

Über 5000 Personen besuchen das Museum. „Zur besseren Belehrung der Fremden" wird ein Wegweiser
mit Abbildungen herausgegeben.

„Ungeachtet einer temporären Verringerung der Arbeitskräfte und der vielfachen Revisions- und Ergän-
zungsarbeiten, sind im letzten Jahre die Repertorien doch wieder um Beträchtliches gewachsen. So wurde
das Generalrepertorium um c. 2000 Blätter, das Archiv um 1718 Regesten, darunter die nach eigenen
Urkunden sehr ausführlich ausgearbeiteten, die Bibliothek um 6000 Einträge für das Literaturrepertorium und um 5036 Blätter zum Hauptkatalog der Literatur, die Kunst- und Alterthumssammlung um
2600 Einträge und 5000 Zeichnungen für das Bilderrepertorium, außerdem um 1200 Nummern für den
Hauptkatalog der Kupferstiche, 1500 für den der Münzen und 12000 für das Wappenlexikon vermehrt.
Insgesamt zählt gegenwärtig das Generalrepertorium 91000 Nummern, das Archiv etwa 153500 Rege-
sten und 42000 Repertorienzettel, die Bibliothek 103500 Katalogs- und 82000 Repertorienzettel, die
Kunst- und Alterthumssammlung etwa 110300 Katalogzettel, worunter 33000 Zeichnungen für das
Bilderrepertorium, so daß der Gesammtbestand der Repertorien sich in einer Summe auf etwa 581800
Blätter beläuft."

1861   Die protestantische Kirchenstiftung Heilig-Geist in Nürnberg übergibt als Leihgabe den silbernen,
1438–1440 im Auftrag der Stadt Nürnberg von Hans Scheßlitzer und Peter Ratzko geschaffenen Heiltumsschrein, in dem in Nürnberg bis 1796 die Reichsreliquien aus dem Schatz der Reichskleinodien
aufbewahrt wurden.

Der König von Preußen gibt ein 40 Fuß hohes Fenster, das für die Kunsthalle des Museums (Kartäuserkirche) bestimmt ist, in Auftrag. August von Kreling entwirft den Karton. Dargestellt ist die Gründung
der Kartause 1381. Das von der Eisengießerei Anspach, Förderreuter & Comp. zu Martinlamnitz
gestiftete eiserne Tor für den Eingang des Vorhofes der Kartause wird seiner Bestimmung übergeben.

Der Fremdenbesuch erhält durch das vom 21. bis 23. Juli 1861 in Nürnberg gefeierte deutsche Sängerfest
einen ungewöhnlichen Zuwachs.

1862   Zehn Jahre Germanisches Nationalmuseum – „Mündigsprechung durch seinen Stifter und väterlichen
Leiter" Aufseß, der am 17. August 1862 die persönliche Leitung niederlegt: „Weder Erkaltung für unsere
gute deutsche Sache, noch Erschöpfung meiner Kräfte sind Ursache meines Rücktritts, sondern die feste
Überzeugung, daß das Vertrauen des Publikums auf den Fortbestand und das Wachsen unseres Nationalinstituts erst vollkommen befestigt wird, wenn man den tatsächlichen Beweis vor Augen hat, das
Museum könne ohne seinen jetzigen Vorstand und Begründer so gut wie bisher bestehen und gedeihen
und sei daher in keiner Weise gefährdet durch meinen Tod oder Austritt". In Anerkennung seiner
außerordentlichen Verdienste wird Aufseß zum Ehrenvorstand des Museums ernannt.

Die Stadt Nürnberg, die dem Museum schon 1857 sämtliche zum Kartäuserkloster gehörigen Kreuzgän-
ge und Gärten unentgeltlich überlassen hatte, schenkt auch die anstoßenden Grundstücke (62640 qm) im
Wert von etwa 25000 fl. Es ist geplant, daß deutsche Künstler die Front des Haupteingangs „durch
Darstellungen ruhmreicher Taten des deutschen Volkes früherer Jahrhunderte beleben werden".

27. Oktober. Der Geheime Justiz- und Oberappellationsgerichtsrat Dr. jur. et phil. Andreas Ludwig
Jakob Michelsen wird zum Vorstand gewählt. Feierlicher Amtsantritt Mitte Januar 1863.

Die Zahl der Pflegschaften ist um 106 Niederlassungen angewachsen, so daß nunmehr an 411 Orten des
In- und Auslandes Vertreter des Museums wirken.

24

Drittes Preisverzeichnifs

von

im germanischen Museum zu Nürnberg gefertigten Gypsabgüssen.

Verpackung wird besonders berechnet. Die Zahlung geschieht, wenn sie nicht vor der Absendung eingetroffen ist, durch Nachnahme. Die Preise sind nach dem 24 fl. Fufs berechnet. Bei Bestellungen über 25 fl. werden 10 pr. Ct. Rabatt gegeben.

		fl.	kr.
	A. Denkmäler in Bronce und andern Metallen.		
1	Grabmal des Wolf v. Schaumberg, v. J. 1529. Halbfig. in Harnisch. H. 1′ 8″; Br. 2′. In der Stadtpfarrkirche zu Lichtenfels	5	24
2	Grabmal eines Herrn v. Schaumberg und seiner Gemahlin, geb. Förtsch v. Thurnau, v. J. 1528. Halbfig. H. 1′ 8″; Br. 1′ 7″. Ebendaselbst	5	24
3	Brunnenfigur: Bauer mit Wein und Brod, Statuette aus dem Anfang des 16. Jhdts. H. 11″	3	—
4	Der Leib Christi am Kreuz. H. 6″. 11. Jhdt.	—	36
5	Aquamanile in Gestalt eines Löwen. H. 9″. 14. Jhdt.	2	24
6	Giefsfafs zum Händewaschen mit eingravirten Verzierungen. H. 1′ 9″. 15. Jhdt. (Abgebildet in Heideloffs Ornamentik XIX, 12.)	1	45
7	Handleuchter mit reichen Ornamenten. H. 6″. 12. Jhdt.	1	12
8	Handglocke mit Verzierungen und Inschriften in Relief. H 5″. 1544.	1	—
9	Messer von Bronce mit durchbrochenverziertem Griff; altgermanisch. L. 8″ 6″.	—	36
	Broncirt nach dem Original	1	—
10	Dolch von Eisen mit versteinertem Griff. L. 7″.	—	36
	Bemalt	—	48
11	Verzierung eines Thürschlosses. H. 5″; Br. 6″. 15. Jhdt.	—	24
	B. Denkmäler in Stein und gebrannter Erde.		
12	Architektonische Verzierung, goth. Blätterwerk. H. 4″; Br. 6″. 14. Jhdt.	—	18
13	Aehnliches Ornament	—	18
14	Capitäl einer Halbsäule in Gestalt eines fratzenhaften Gesichtes. H. 3″.	—	18
15	Tod der 10000 Märtyrer, Relief in Alabaster. H. 6″; Br. 8″. 15. Jhdt.	1	12
16	Bildnifs Kaiser Maximilians I. in halber Figur, Relief in Lithographirstein. H. 5″; Br. 4″. 16. Jhdt.	—	24
17	Kaiser Karl V. und Ferdinand I. über den Häuptern ihrer Rosse sich die Hand reichend, Relief aus Lithographirstein. H. 6″; Br. 7″ 6‴. 1527.	—	48
18	Medaillon König Ludwigs von Ungarn, Relief aus gebranntem Thon. Drchm. 3″. 16. Jhdt.	—	15
19	Medaillon des Willibald Imhof, Relief aus gebranntem Thon. Drchm. 3′ 9‴. 16. Jhdt.	—	15
	Bemalt	—	30
20	Tänzerpaar aus einem Hochzeitszuge, Relief aus gebr. Thon. H. 5″ 6‴; Br. 3″ 6‴. 16. Jhdt.	—	24
21	St. Hubert auf der Jagd, Relief, rund, aus gebranntem Thon. Drchm. 4″. 15. Jhdt.	—	30
	C. Denkmäler in Holz.		
22	Eva mit dem Apfel, Statuette. H. 1′. 16. Jhdt	1	12
23	Wappen der Letscher, Relief mit durchbrochener Arbeit. H. 9″; Br. 7″ 6‴. 1487.	3	30
24	Kästchen mit eingeschnittenen Inschriften und abenteuerlichen Figuren. H. 3″ 7‴, Br. 5″ 6‴; L. 7″ 3‴. 13. Jhdt.	2	—
	Aehnl. Kästchen v. 14. Jhdt.	2	—
25	Medaillon mit dem Bilde der Königin Eleonore v. Frankreich. Drchm. 2″. 16. Jhdt.	—	18
26	Medaillon mit dem Bildnifs einer jungen Frau. Drchm 1″ 9‴. 16. Jhdt.	—	12
	D. Denkmäler in Elfenbein.		
27	Gruppe von drei weiblichen stehenden Figuren, aus einem Stücke. H. 9″. 14. Jhdt.	3	—
28	Reitergefecht, Relief mit durchbrochener Arbeit. H. 6″. 14. Jhdt.	3	—
29	St. Georg zu Pferd, Relief mit durchbrochener Arbeit. H. 4″ 9‴. 15. Jhdt.	3	—
30	Tod der Maria, Hautrelief. H. 3″ 3‴. 14. Jhdt.	1	—
31	Die Geburt Christi, Relief. H. u. Br. 2″ 3‴. 14. Jhdt.	—	24
32	Die Anbetung der heil. drei Könige; Gegenstück zum vorigen	—	24
33	St. Johannes, Relief. H. 2″ 6‴. 14. Jhdt.	—	15
34	St. Paulus; Gegenstück zum vorigen	—	15
35	Mann und Frau zwischen Bäumen, Relief, rund. Drchm. 4″. 14. Jhdt.	—	24
36	Kästchen mit eingeschnittenen Darstellungen von Tänzen und Jagden. H. 2″ 6‴; Br. 5″ 9‴; L. 7″. 1425. (Abgebildet in C. Beckers Kunstwerken und Geräthschaften, II, 16.)	1	36

16. Drittes Preisverzeichnis von im germanischen Museum zu Nürnberg gefertigten Gipsabgüssen. Beilage zum Anzeiger GNM 1857. In den Ateliers des Museums werden nicht nur die den Dokumentationsabsichten der Anstalt dienenden Kopien von Altertümern zur Ergänzung der Sammlungen gefertigt. Es werden von außen kommende Aufträge angenommen, um auf diese Weise auf die vaterländische Kunst- und Geschmacksbildung Einfluß zu nehmen. Auf der Rückseite des Blattes sind Abgüsse von Siegeln und Medaillen verzeichnet

17. Wilhelm von Kaulbach (1805–1874), Öffnung der Gruft Karls des Großen im Dom zu Aachen durch Kaiser Otto III. Fresko an der Südwand der Kartäuserkirche, 1859. Aus konservatorischen Gründen wurde das Fresko 1920 in den 1882 erbauten ehemaligen Saal I, der zuletzt als Vortragssaal benutzt wurde, übertragen und ging hier bei den Abbrucharbeiten 1962 zugrunde

1863 31. Mai. Für den Ankauf der Aufseß'schen Sammlungen werden 50 000 Gulden von König Ludwig I. von Bayern in Aussicht gestellt; die fehlenden 70 000 Gulden sollen durch Zuwendungen der übrigen deutschen Fürsten beigebracht werden. Am 31. Dezember Kaufvertrag.
„Ein bedeutendes Geschenk" gibt Veranlassung, dem großen Keller der Kartause seinen ursprünglichen Zweck wiederzugeben: Freiherr von Zwierlein auf Geisenheim übersendet „48 Flaschen des köstlichen Rheingauer Weines, die unter dem Wunsche im gedachten Keller niedergelegt wurden, daß sich ihnen aus anderen Weingegenden des Vaterlandes bald weitere derartige Gaben zugesellen".
Im Monat Juli werden 1153, im August 1643 Eintrittskarten gelöst.
Das Wandgemälde von Wilhelm von Kaulbach in der „Kunsthalle" wird durch das von dem Maler Jacob Eberhardt eingerichtete photographische Atelier in Lichtbildern vervielfältigt.

1864 3. Oktober. Rücktritt des 1. Vorstandes Dr. Andreas Ludwig Jakob Michelsen, der einem Ruf des Herzogs Friedrich von Schleswig-Holstein nach Kiel folgt.

1865 In den Räumen der Bibliothek werden die Arbeitstische der Brüder Jakob und Wilhelm Grimm mit ihrer ursprünglichen Ausstattung aufgestellt.
Als Beitrag zur Belebung der zeitgenössischen kunstgewerblichen Produktion zeigt das Museum die Herausgabe photographischer Abbildungen kunstgewerblich wichtiger Gegenstände aus seinen Beständen an.

1866 1. März. August Essenwein wird 1. Vorstand des Museums.
Neuordnung der Sammlungen mit neuen technischen Vorkehrungen: Man ist bemüht, den Entwicklungsgang der Formen von den ältesten Zeiten bis zum 17. Jahrhundert darzulegen. Die Museumsleitung versucht, wesentliche Lücken zu füllen. Zugleich werden durch Anschaffung von Glasschränken die Gegenstände gegen Entwendung und schädliche Einwirkung des in Nürnberg, insbesondere in der Gegend des Museums, lästigen Kohlenstaubes gesichert. Infolge der tiefen Lage der Gebäude und des

18. Die Kartäuserkirche mit den im Chor aufgestellten Kopien der Triforiumsbüsten aus dem Dome in Prag; anschließend an den Wänden Kopien der Apostel aus der Schloßkirche in Blutenburg. Im mittleren Chorfenster Andeutung des von Wilhelm I. von Preußen 1861 für diese Stelle gestifteten Fensters „Die Grundsteinlegung der Kartause 1381", das jedoch erst 1869 in der sog. Wilhelmshalle eingebaut wurde. In der Raummitte Kopie des Hochgrabes Ulrichs von Ebersberg und seiner Gemahlin, an den Seiten u. a. Kopien der Gräber Heinrich des Löwen und seiner Gemahlin, die für das Museum auf Kosten des Herzogs von Braunschweig 1859 gefertigt wurden. Der Rednerstuhl ist ein Geschenk des Hilfsvereins zu Berlin. Stich von Franz Hablitschek (1824–1867), um 1864

1866   Fehlens von Pflasterung, Dachrinnen und Wasserableitung sind Feuchtigkeitsschäden entstanden, denen durch Abzugsgräben, unterirdische Kanäle und Zuführung von Luft und Licht entgegengearbeitet wird. Ankauf von Gipsabgüssen und galvanoplastischen Arbeiten. „Der Leitung der Anstalt kommt es wesentlich darauf an, daß die Sammlungen sich lehrreich gestalten". Darum soll statt der Erwerbung einzelner teurer Originale die Nachbildung der hervorragendsten Objekte ins Auge gefaßt werden. Das Bilderrepertorium (Handzeichnungen, Photographien, Lithographien) wird um mehrere tausend Nummern vermehrt. In den Ateliers werden größere Serien alter Miniaturen kopiert und Gipsabgüsse nach den Originalen bemalt.

19. Haupteingang des Museums an der Kartäusergasse mit dem von Bernhard Solger 1857 errichteten
Nordflügel des Archivbaus. Über dem Torbogen
die dort Ende 1859 angebrachte Tafel mit der in
vergoldeten Antiqua-Buchstaben ausgeführten Inschrift „Germanisches Museum Eigenthum der
Deutschen Nation". Aus dem Jahresbericht GNM
für 1859, 1860

1866   Deponierung der Bibliothek des Humanisten Dr. Christoph Scheurl mit mehreren hundert Inkunabeln
und Handschriften sowie der Bibliothek des 1. Vorstandes, August Essenwein, die meist kunsthistorische Werke, darunter größere Kupferstichwerke, enthält.
Appell an die deutsche Tagespresse: Das Museum „stets in das Gedächtnis der Öffentlichkeit zu rufen
und diese von dem zu unterrichten, was die Anstalt leistet. Möge sie aber auch stets darauf aufmerksam
machen, daß dazu vor allem Geld gehört und außer dem Gelde auch lebendige, tätige Teilnahme in allen
Ständen".

1867   17. Januar. Kreßbronn, Brief Hans von Aufseß' an Fürst Chlodwig von Hohenlohe-Schillingsfürst,
bayerischen Ministerpräsidenten (späteren Reichskanzler), gibt der Hoffnung Ausdruck, daß Fürst
Hohenlohe dazu beitragen werde, „die große Aufgabe meines Lebens, das germanische Museum, auch in
Bayern, wo es auf bedeutenden Widerstand stieß, zur Anerkennung zu bringen". Ludwig Freiherr von
der Pfordten habe es als staatsgefährlich erklärt, König Max II. als schädlichen Konkurrenten seines
Museums (des Bayerischen Nationalmuseums) bezeichnet, „so daß Bayerns König der einzige deutsche
Monarch (außer Hessen-Cassel) war, der nie einen Heller zu dieser deutschen Sache gab".
König Ludwig II. übernimmt das Protektorat des Museums: „Möge sich das deutsche Volk um den edlen
Fürsten scharen, dessen Haus so ruhmvoll auf dem Gebiete der Kunst und Wissenschaft strahlt, dessen
edle, echt deutsche Gesinnung uns die beste Gewähr leistet, daß die dem germanischen Museum
gespendeten Gaben nicht vergebens sein, sondern daß ein großartiges, des deutschen Namens würdiges
Werk daraus erwachsen werde".

1868   Neuaufstellung der Gemälde- sowie der Waffensammlung. Die Sammlungen der Spielkarten, Gläser,
Metallpokale und Kannen werden neu geordnet, die Krüge in Glasschränken untergebracht, die Öfen
und Ofenkacheln zusammen chronologisch aufgestellt, die neuangelegte Sammlung der Gewebe und
Stickereien teilweise ausgestellt.
Das vom König von Preußen gestiftete, in der kgl. Glasmalereianstalt in Berlin hergestellte Fenster mit
der Darstellung der Grundsteinlegung der Kartause, das auf der internationalen Ausstellung in Paris
1867 den ersten Preis erhalten hat, ist eingetroffen. Es war ursprünglich für die Kirche bestimmt; da
jedoch bei der jetzigen Verwendung des Kirchenraumes die moderne Form des Fensters zu sehr mit den
in diesem Raume befindlichen Kunstwerken in formellem Widerspruch wäre, so wird eine eigene Halle
dafür erbaut und dieser der Name Wilhelmshalle beigelegt. In dem nunmehr wiederhergestellten Kreuz-

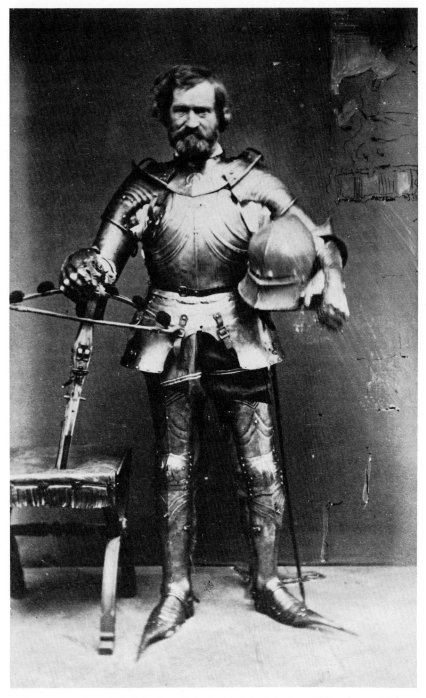

20. Hans von und zu Aufseß in einem Reiterharnisch im Stile der 2. Hälfte des 15. Jahrhunderts mit einer Armbrust der Zeit um 1650. Photographie aus dem Atelier des als Inspektor der artistischen Anstalt des Museums tätigen Johann Jacob Eberhardt, 1864

21. Dr. phil. et jur. Andreas Ludwig Jakob Michelsen, Erster Vorstand 1863–1864. Gemälde von William Kemlein (1818–1900), Kgl. Bibliothek Stockholm

1868 gang wird eine Serie von Gipsabgüssen der hervorragendsten Grabdenkmäler Deutschlands untergebracht und so die Entwicklung der Skulptur veranschaulicht; zugleich werden so auch die Namen großer Männer Deutschlands und ihrer Familien im Museum vergegenwärtigt.
Gleichzeitig mit dem 15. Jahrgang des „Anzeiger für Kunde der deutschen Vorzeit" erscheinen folgende Veröffentlichungen: „Die Sammlungen des germanischen Museums" (123 Seiten, 10 Tafeln und 112 Holzschnitte im Text), „Katalog der im germanischen Museum befindlichen Sammlung von Bautheilen und Baumaterialien aus älterer Zeit" (38 Seiten und 10 Tafeln). Vorbereitet werden die Kataloge der Sammlungen der Gewebe und Stickereien und der kirchlichen Geräte und Gefäße.

1868/69 Der Reichstag des Norddeutschen Bundes spricht sich mit großer Mehrheit zu Gunsten des Museums aus. Zuschuß von jährlich 6000 Taler. Nach dem Gutachten des Professors Dr. Moriz Haupt wird „jener Teil unserer (des Museums) Aufgabe, gegen welchen sich die kgl. preußische Regierung von Anfang an und bei jeder Gelegenheit ausgesprochen hatte, jetzt durchaus nicht mehr an die Spitze gestellt", vielmehr werde gegenwärtig „eine mehr praktische Richtung verfolgt" (vor allem durch Aufgabe des Generalpertoriums, Erweiterung der kulturgeschichtlichen Sammlungen).
Auseinandersetzung der Museumsleitung mit Aufseß, der in seiner Veröffentlichung „Das germanische Museum und seine nationalen Ziele. Denkschrift zur Erläuterung des dem Norddeutschen Bundesrat vorliegenden Haupt'schen Gutachtens über das Museum", Lindau 1869, das Generalrepertorium verteidigt.

1869 Die Wilhelmshalle (mit dem vom König von Preußen gestifteten Glasgemälde), der südliche Flügel sowie ein Teil des östlichen Kreuzgangflügels werden vollendet. Die in den Jahren 1867 und 1868 begonnene Ausstattung mit Glasschränken wird vorläufig abgeschlossen. Damit ist auch eine „mehr wissenschaftliche Aufstellung" erreicht worden. So bildet die Medaillensammlung eine Übersicht über den Entwicklungsgang und die vorzüglichsten Schulen in Deutschland vom 16.–18. Jahrhundert. Mit der Neuordnung der Gemäldesammlung wird fortgefahren; die einzelnen Gemälde werden mit neuen, einfachen

30

22. Augsut von Essenwein, Erster Vorstand (später mit dem Titel Erster Direktor) 1866–1892. Gemälde von Karl Jäger (1833–1887), 1873

1869   Rahmen versehen, sorgfältig gereinigt und schadhafte Stellen ausgebessert. Eine große gotische Bettstätte, eine eingelegte Renaissancetruhe und zwei von den neuerworbenen Renaissanceschränken werden restauriert.

Auf Fürbitte der österreichischen Regierung hin überläßt der türkische Sultan dem Museum eine Anzahl mittelalterlicher Geschütze aus Rhodos, deren Beförderung die österreichische Regierung durch Kriegsschiffe besorgt, während die Bayerische Eisenbahn den Transport von Kufstein bis Nürnberg unentgeltlich übernimmt. Der König von Bayern überläßt 14 Gobelins aus dem Inventar der Zivilliste. Ankauf eines Lederfutterals aus dem 14. Jahrhundert, das ehemals zu den deutschen Reichskleinodien gehörte.

In das Bilderrepertorium werden Abdrucke der von der Zentralkommission für Baudenkmale und dem Altertumsverein zu Wien in ihren Publikationen benützten Holzstöcke sowie die durch die polytechnische Schule Stuttgart vervielfältigten Aufnahmen älterer Bau- und Kunstdenkmäler eingereiht. Jede Abbildung (Photographie, Handzeichnung, Durchzeichnung, Lithographie, Stich, Holzschnitt) eines alten Kunstdenkmals ist wichtig; jüngere Künstler werden aufgefordert, aus den ihnen zugänglichen Gemäldesammlungen und Miniaturen in Bibliotheken Kopien von Einzelheiten jeder Art – wie Kostüme, Schmuckgegenstände, Teppichmuster, Mobiliar, Eß-und Trinkgeschirre, auch interessante Szenen, wie Festlichkeiten, Tafeln, Aufzüge usw. – zu kopieren.

1870   1. Januar. Neue Satzungen: Da „. . . die ursprünglichen Satzungen vor der eigentlichen Gründung der Anstalt verfaßt waren, die Anerkennung des Museums aber als einer „Stiftung" von Seite der bayerischen Staatsregierung erst erfolgt war, nachdem die Anstalt in Bayern ihren Sitz genommen hatte, und somit ihre Garantie als Stiftung durch den Schutz der bayer. Verfassung nicht in die Satzungen selbst aufgenommen war, ebenso wie die ursprünglichen Satzungen, weil vor der Gründung der Anstalt verfaßt, diese noch nicht als specifische Nationalanstalt bezeichnet, noch die Unveräußerlichkeit ihres Besitzes erklärt hatten, so wurde diesem Punkt in den neuen Satzungen specieller Ausdruck gegeben." (Text der Satzung im Anhang dieses Bandes, S. 954–956).

Die Neufassung der Satzungen macht einen Ersatz für den „Organismus", der als Ausführungsverordnung bisher die Aufgaben und das gegenseitige Verhältnis der einzelnen Organe des Museums festgelegt hatte, nötig. Eine Generalrevision der Geschäftsordnungen, Instruktionen usw. wird vorgenommen (vgl. im Anhang dieses Bandes S. 962–973).

Der östliche Kreuzgangflügel wird eröffnet, obwohl er noch nicht vollständig mit den dafür bestimmten Abgüssen von Grabdenkmälern ausgestaltet ist. Mit erhöhter Aufmerksamkeit wendet man sich der Trockenlegung feuchter Gebäudeteile zu.

Das Museum erhält für die Sammlungen historischer Reliquien als Geschenk zwei Glasschränke, in dem die Reichskleinodien in Nürnberg zuletzt ausgestellt waren.

Im Winter halten Professoren und Dozenten der Universität Heidelberg öffentliche Vorträge und überlassen den Erlös (180 fl.) der Baukasse des germanischen Museums.

1871   Heftige Agitationen des Hans v. Aufseß zugunsten der Übernahme des Museums durch das Reich. Der Verwaltungsausschuß lehnt mit sämtlichen Stimmen gegen die einzige des Museumsgründers ab, unter anderem, um die Selbständigkeit seiner Verwaltung zu bewahren, Österreich als „Mitstifter" nicht zu verärgern und im Hinblick auf die bestehende Schirmherrschaft des bayerischen Königs.

Der Haupteingang des Museums wird verlegt; dadurch ergibt sich ein geräumiger, heller Saal, in dem die vor- und frühchristlichen Altertümer aufgestellt werden; ein zweiter Saal an der Nordseite des Kreuzganges, zur Aufstellung verschiedener Bauteile bestimmt, nimmt vorläufig die Renaissancemöbel auf. Ein Saal wird für die Folter- und Strafrequisiten sowie für die Zunftaltertümer eingerichtet.

Die Freiherrlich von Holzschuher'sche Familie übergibt unter Eigentumsvorbehalt das Porträt des Hieronymus Holzschuher von Albrecht Dürer.

Die Bayerische Regierung schenkt eine Reihe von Geschützen, Handfeuerwaffen und sonstigen Waffen sowie Ausrüstungsgegenstände aus der Beute des Krieges von 1870/71.

Sonderausstellung anläßlich des 400jährigen Geburtstags Albrecht Dürers (1471–1528). Lebhafter Besuch, der auch den übrigen Sammlungen zugute kommt.

1872   6. Mai. Aufseß stirbt in Münsterlingen/Schweiz auf der Rückreise von der Gründungsfeier der Universität Straßburg nach seinem Wohnsitz Kreßbronn am Bodensee. Begraben wird er in der Schloßkirche zu Unteraufseß. Im Jahresbericht des GNM heißt es: „Mit innigem Schmerze hat die Anstalt den Tod ihres Gründers, des Freiherrn von und zu Aufseß, zu verzeichnen. Wenn er auch schon vor 10 Jahren die Leitung der Anstalt niedergelegt, hatte er doch als Ehrenvorstand noch stets im Verwaltungsausschusse mitberaten."

23. Germania von Philipp Veit (1793–1877), Gemälde über dem Präsidentenstuhl der Nationalversammlung in der Paulskirche zu Frankfurt am Main 1848. Vermutlich seit 1867 im Museum,
das damals dem Wunsche der Bundesliquidationskommission entsprach, eine Anzahl von Gegenständen historischen Wertes für die Sammlung „historische Reliquien" zu übernehmen

24. Skizze zu einem Erinnerungsblatt an das Germanische Nationalmuseum. Um die Ansicht des Kircheninneren (vgl. Abb. 18) sind gruppiert oben der Eingang (Abb. 19), unten der Refektoriumstrakt mit dem 1868 vollendeten Treppenturm mit quadratischem Grundriß, seitlich links oben die „Monumentenhalle", die Sammlung der Grabdenkmale und Bauteile im Großen Kreuzgang, rechts die Waffensammlung im Kleinen Kreuzgang, links unten das Vorzimmer der Bibliothek im ersten Stockwerk des Archivbaus, rechts der Kapitelsaal (damals südliche Kapelle genannt) mit einem 1921 abgegebenen Altar mit den Skulpturen von Maria, Katharina und einem hl. Bischof aus der Sammlung von Aufseß im Chor, dem Totenleuchter für Martin Behaim, Nürnberg 1519, sowie einem Abguß des Taufbeckens aus dem Dome von Hildesheim. Lavierte Bleistiftzeichnung von Ludwig Braun (geb. 1836), nach 1868

34

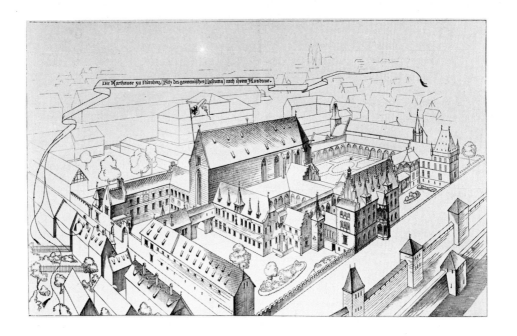

25. Erstes Ausbauprojekt von August von Essenwein mit dem 1872–1874 translozierten Augustinerbau. Illustration eines Spendenaufrufs 1872

26. **Zweites Ausbauprojekt von August von Essenwein.** Der u. a. in der Deutschen Bauzeitung 1877 veröffentlichte Plan zeigt die projektierten und mit Änderungen bis in die Zeit um 1890 durchgeführten Erweiterungen, die an den Großen Kreuzgang der Kartause anschlossen: im Süden zur Frauentormauer der Augustinerbau und der sog. Südbau, im Osten zur Grasersgasse der Viktoria- und Friedrich-Wilhelm-Bau mit dem Reichshof

27. Quittung über den Jahresbeitrag und Karte für freien Einritt (Mitgliedskarte) für 1873. In ihrer von Jahr zu Jahr wechselnden Ornamentik zeigen die Quittungen besonders der siebziger und achtziger Jahre die Vielfalt der Ausdrucksmöglichkeiten des Historismus

1872   Juni. Herzog Ernst von Sachsen-Coburg und Gotha schenkt dem Museum einen jungen Bären, der in einem für ihn hergerichteten Zwinger im danach benannten „Bärenhof" mehrere Jahrzehnte, und zwar bis 1904 lebt.

1873   Das Germanische Nationalmuseum erhält auf der Weltausstellung in Wien eine Verdienstmedaille.
Die Übertragung der Gebäude des Nürnberger Augustinerklosters vom Ende des 15. Jahrhunderts in das Museum wird zu einer Angelegenheit allgemeinen nationalen Interesses: Kaiser Wilhelm und Kaiser Franz Josef von Österreich, andere deutsche Fürstenhäuser und Mitglieder des Großbürgertums machen namhafte Spenden. Zur Förderung des Unternehmens wird ein Komitee gebildet. Durch die Verlosung von 300 gestifteten Werken zeitgenössischer deutscher Künstler im Taxwert von 45000 Mark sollen die Baukosten weitgehend abgedeckt werden. Der Erlös soll auch der Errichtung eines Verbindungsbaues mit der Kartause in Form eines Kreuzganges dienen, dessen Fenster mit den Wappen der bedeutendsten Kronländer der k. k. Monarchie ausgestaltet werden. Eine Reihe von Fenstern des Augustinerbaues lassen die Mitglieder des Nürnberger Patriziats herstellen, deren Ahnen ehemals das Augustinerkloster gestiftet und bereichert hatten.

1874   Die von Kreß'sche Familie gibt eine namhafte Spende für die Restaurierung der zum Augustinerkloster gehörenden ehemaligen Leonhardskapelle, die von einem ihrer Ahnen gestiftet worden war und in der viele Familienmitglieder ehemals ihre Ruhestätte gefunden hatten. Die Familie von Tucher übernimmt die Baukosten für die zugehörige Treppe.
Die zur Paul Wolfgang Merkel'schen Familienstiftung gehörigen Kunstsammlungen und Bibliothek werden als Leihgabe im Museum aufgestellt. Sie enthalten außer dem berühmten Tafelaufsatz von Wenzel Jamnitzer eine reichhaltige Sammlung Dürer'scher Kupferstiche und Holzschnitte, die Panzer'sche Porträtsammlung, die ehemals von Welser'sche Bibliothek, gegen 1700 Handschriften, darunter die bekannte Holl'sche Liederhandschrift, sowie das Manuskript von Albrecht Dürers „Unterweisung der Messung".

28. Urkunde über die Verleihung einer Verdienstmedaille aus Anlaß der Weltausstellung 1873 in Wien.
Zu der Weltausstellung hatte das Germanische Nationalmuseum seine Schriften eingesandt

1875   Das Erdgeschoß des Augustinerbaues, der Kreuzgang, die St. Leonhardskapelle und zwei Säle werden der Öffentlichkeit übergeben.
Die wichtigsten Teile der städtischen Kunstsammlungen Nürnbergs – zunächst mit Ausnahme der Gemäldesammlung – werden als ungetrenntes Ganzes an das Museum übergeben und im Erdgeschoß des Augustinerbaues untergebracht.
Drei weitere große Geschützrohre aus dem 15. und der ersten Hälfte des 16. Jahrhunderts aus Konstantinopel, Geschenk des türkischen Sultans aus dem vorigen Jahr, sind durch Geh. Kommerzienrat Fr. Krupp in Essen unentgeltlich zur See nach Antwerpen gebracht und durch die rheinische Eisenbahngesellschaft, die hessische Ludwigsbahn und die bayerische Staatsbahn gebührenfrei auf Krupp'schen Spezialwagen von der belgischen Grenze bis Nürnberg befördert worden.

1876   Die beiden großen, durch dekorative Malerei reich geschmückten Säle der deutschen Standesherren sowie der deutschen Reichsstädte sind vollendet und darin die Waffensammlung bzw. die Kostümsammlung aufgestellt. Zwei Säle der Kartause und die Wilhelmshalle werden ausgemalt, ebenso ein Teil des Kreuzganges, wo inzwischen die meisten der gestifteten Glasgemälde eingesetzt sind. 41 größere und kleinere Räume sind der Öffentlichkeit zugänglich, wobei die nur zeitweilig bedingt geöffneten Räumlichkeiten von Kupferstichsammlung, Münzsammlung, Bibliothek und Archiv nicht mitgerechnet sind. Durch die Erweiterung der Räume wird eine fast vollständige Neuaufstellung aller Abteilungen der kunst- und kulturgeschichtlichen Sammlungen möglich.
In Würdigung der Bedeutung einer größeren Gemäldegalerie für die Stadt Nürnberg genehmigt König Ludwig II. von Bayern die Vereinigung der hiesigen Gemäldegalerien im Germanischen Museum. Zunächst werden die Reste der ehemaligen Gemäldegalerie im Landauerhause – 86 Ölgemälde und 6 Glasgemälde –, dann 130 Gemälde aus dem Depot zu Schleißheim dem Museum übergeben.

1877   Als neue Abteilung kommt die Sammlung mathematischer, astronomischer, physikalischer und sonstiger wissenschaftlicher Instrumente zur Aufstellung. Die städtischen Behörden Nürnbergs genehmigen die Übertragung der städtischen Gemäldesammlung in das Germanische Museum.

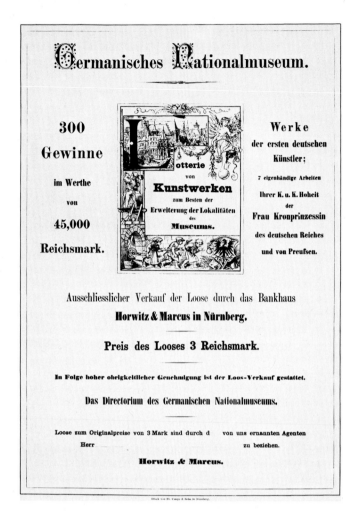

Germanisches Nationalmuseum.

300 Gewinne
im Werthe von **45,000 Reichsmark.**

Lotterie von **Kunstwerken** zum Besten der Erweiterung der Lokalitäten des **Museums.**

Werke der ersten deutschen Künstler; 7 eigenhändige Arbeiten Ihrer K. u. K. Hoheit der **Frau Kronprinzessin** des deutschen Reiches und von Preußen.

Ausschliesslicher Verkauf der Loose durch das Bankhaus **Horwitz & Marcus in Nürnberg.**

Preis des Looses 3 Reichsmark.

In Folge hoher obrigkeitlicher Genehmigung ist der Loos-Verkauf gestattet.

Das Directorium des Germanischen Nationalmuseums.

Loose zum Originalpreise von 3 Mark sind durch d   von uns ernannten Agenten Herr   zu beziehen.

Horwitz & Marcus.

Druck von Fr. Campe & Sohn in Nürnberg.

29. Werbeblatt für die Ende 1874 beginnende Verlosung mit Werken, die deutsche Künstler, u. a. Andreas und Oswald Achenbach, Düsseldorf, Eduard Julius Friedrich Bendemann, Düsseldorf, Eduard Grützner, München, Ludwig Knaus, Düsseldorf, Carl Friedrich Lessing, Karlsruhe, Adolf Menzel, Berlin, Ludwig Richter, Dresden, Carl Spitzweg, München, zugunsten des Augustinerbaus stiften. Die Kronprinzessin Viktoria übersendet ein Ölgemälde sowie einige Abgüsse eigenhändig modellierter Skulpturen

1877   Es erscheint ein Tafelwerk von August Essenwein: Kunst- und kulturgeschichtliche Denkmale des Germanischen National-Museums. Eine Sammlung von Abbildungen hervorragender Werke aus sämtlichen Gebieten der Kultur, zusammengestellt und allen Freunden der deutschen Vorzeit gewidmet.

1878   An der Ostseite der Kartause wird ein Neubau errichtet, der mit Zustimmung der preußischen Kronprinzessin den Namen Victoria-Bau erhält.

1879   Der Bau einer großen mechanischen Uhr mit Figurenschmuck wird durch Spenden von Mitgliedern des Bayerischen Königshauses ermöglicht. Die Uhr wird 1880 am Tage des Wittelsbacher Jubiläums in Gang gesetzt.
Die Katalogisierung der Kupferstichsammlung ist abgeschlossen. Sie gliedert sich in drei Hauptabteilungen: 1. die kunstgeschichtliche mit den Unterabteilungen Miniaturen (311 Nummern), Handzeichnungen (1009 Nummern), Kupferstiche (9856 Nummern), Holzschnitte (4750 Nummern), Lithographien (311 Nummern) und Schrift- und Druckproben (3331 Nummern) – sämtlich Originalblätter. Die zweite Abteilung umfaßt die historischen Blätter (9276 Nummern), Landkarten (1175 Nummern), Stadtprospekte und Pläne (3000 Nummern) sowie die Porträts (10892 Nummern). Dazu kommt das Bilderrepertorium mit ca. 30000 Blättern, Photographien und sonstigen Kopien.
Gründung des deutschen Handelsmuseums, das untrennbar mit dem Germanischen Museum verbunden werden soll und durch den deutschen Handelsstand unterstützt wird.

1880   Die Überführung der in der Gemäldegalerie der Moritzkapelle ausgestellten altdeutschen Bilder aus

30. Innenansicht der 1412 von Hilpolt Kress gestifteten, dem hl. Leonhard geweihten Kapelle, die mit der Übertragung des Augustinerklosters in den Jahren 1872–74 Bestandteil des Museums wird. Die Kapelle wird nach der Translozierung mit Hilfe einer Spende der Familie von Kress neu bemalt und mit von gräflichen und freiherrlichen Familien gestifteten Fenstern versehen. Photographie um 1937

31. Innenansicht der Kress-Kapelle mit Rüstungen, u. a. Renn- und Stechzeugen, Nürnberg 15./16. Jahrhundert, die dort nach dem Erwerb der Sammlung von Sulkowski 1889 aufgestellt werden. Photographie um 1896

32. Raum mit Geräten der Rechtspflege am Kreuzgang vor dem Augustinerbau. Die ausgestellten Folterwerkzeuge entstammen zu großen Teilen den Gerichtsstätten der Burggrafen von Nürnberg zu Cadolzburg; die angeblich aus dem Großherzogtum Berg stammende Guillotine vom Ende des 18. Jahrhunderts gelangte 1881 aus dem vormals Nassauischen Archiv zu Idstein an das Museum. Photographie um 1896

1880   königlich bayerischem Besitz in das Germanische Nationalmuseum soll nach Fertigstellung der Galerie-
        gebäude erfolgen; darunter befinden sich wesentliche Teile der Sammlungen Wallerstein und Boisserée.
        Eine der bei Miltenberg liegenden, riesigen römischen Säulen – Heunensäulen genannt – wird frachtfrei
        durch die bayerische Eisenbahn befördert und wohlbehalten hier aufgestellt.
        Die Sammlung wird durch zwei umfangreiche Abgüsse bereichert: Die Kreuzabnahme von den Extern-
        steinen bei Detmold und die Bremer Rolandsstatue. Letzterer wird mit einem Kostenaufwand von 1177
        Mark von dem Bremer Bildhauer Arnold in Zementguß hergestellt.
        Der von der Paul Wolfgang Merkel'schen Familienstiftung überlassene Tafelaufsatz wird von der Familie
        wieder zurückgenommen und verkauft.

1881   Graf Botho zu Stolberg-Wernigerode hinterläßt dem Museum über 30000 Blätter mit älteren und neueren
        Abbildungen zur Geschichte des Burgenbaues, der bäuerlichen und bürgerlichen Wohnhäuser, der
        Turniere, Waffen, Kostüme und Volkstrachten. Dazu kommt eine Bibliothek mit etwa 500 Bänden.
        Als Geschenk des Vaters des verstorbenen Notars Ernst Wolf, Altenburg, erhält das Museum eine
        Sammlung von 900 Gegenständen des Kunstgewerbes, vor allem Gläser und Keramik, vornehmlich aus
        Mitteldeutschland.
        Vermächtnis der prähistorischen Sammlung des in Berlin verstorbenen Landgerichtsrats Alexander
        Julius Robert Rosenberg.
        Stiftung von 10000 Mark durch Leopold Freiherrn von Borch in Innsbruck. Damit werden u. a.
        angekauft: die Plattner'sche Prachtbettstätte, gotische Möbel, romanische und gotische Kirchengeräte
        und Waffen sowie eine Reihe von Gipsabgüssen hervorragender mittelalterlicher Skulpturen.
        Das räumlich erweiterte Handelsmuseum gibt einen eigenen Jahresbericht heraus.

33. Schiffsmodelle aus dem 1879 begründeten deutschen Handelsmuseum. Die als selbständige Stiftung dem Germanischen Nationalmuseum verbundenen Sammlungen zur Geschichte des Handels und Verkehrs zeigen in den Schauräumen neben Maßen und Gewichten vor allem Modelle von Fahrzeugen und Schiffen. Stereoskop-Photographie um 1895/97

1882   Mit Zustimmung des Bundesrates wird die deutsche Reichsregierung die Finanzierung sämtlicher baulicher Erweiterungen für die nächsten zehn Jahre übernehmen. Dazu genehmigt die Stadt Nürnberg die unentgeltliche Benützung des nötigen Baugrundes.
Im Vordergrund steht die systematische Abrundung der einzelnen Abteilungen des Museums, „die nicht ein Konglomerat mehr oder minder interessanter Sachen, sondern eine wissenschaftliche Einheit" darstellen müssen. Die Sache eilt, denn „welche Preise werden jetzt verlangt gegenüber den vor einem Jahrzehnt geforderten! Welch vorzügliches Geschäft haben wir mit den Sachen gemacht, die wir vor Jahrzehnten auf Borg gekauft haben, trotzdem wir Zinsen zahlen mußten und heute noch teilweise unter der Schuldenlast seufzen, obwohl sie ja, wie die Rechnungen ausweisen, sich von Jahr zu Jahr mindern! Was müßten wir heute dafür zahlen?"
Einrichtung der Gemäldegalerie mit den Beständen des ehemals in der Moritzkapelle aufbewahrten aufgelösten königlichen Bildersaales. Im Museum befinden sich nunmehr 259 hervorragende Werke der altdeutschen Schulen des 15. und 16. Jahrhunderts und 134 aus späterer Zeit. Dazu kommen 408 Gemälde, bei denen der kulturgeschichtliche Wert den Kunstwert überragt, und die deshalb teils zu eigenen Sammlungen vereinigt sind, wie z. B. die Serie der Kostümbilder, teils jenen Abteilungen angeschlossen werden, zu denen sie inhaltlich gehören, wie den Denkmälern des kirchlichen Lebens, des Kriegswesens, des häuslichen Lebens usw. Folge der Aufstellung der Gemäldegalerie ist eine beträchtliche räumliche Umgruppierung der übrigen Sammlungen.
Gründung einer Stiftung, die bedrohte Kunstwerke für Nürnberg retten soll. 1173 Personen haben 3437 Mark Jahresbeiträge gezeichnet. Aus dieser Stiftung wird u. a. ein silberner, von einem holzgeschnitzten Winzer getragener Pokal erworben.

34. Das Innere der Kartäuserkirche mit der 1855 von der Generaldirektion der königl. Museen in Berlin übermittelten Kopie der Bronzetüren des Domes zu Hildesheim, des 1865 als Geschenk des Königs von Hannover übergebenen, von Friedrich Küsthardt (1830–1900) in Hildesheim ausgeführten Abgusses der Bernwardssäule und der im Auftrage des Braunschweigischen Staatsministeriums durch Georg Howaldt (1802–1883) in Braunschweig 1866 besorgten, 1867 aufgestellten Nachbildung des Löwen. Photographie um 1879

1882   Der Wegweiser durch die Sammlungen wird in vier Auflagen mit insgesamt 10 200 Exemplaren gedruckt. Der Katalog der Gemälde, dessen erster Teil von Direktor Franz von Reber und Konservator Adolf Bayersdorfer verfaßt wurde, erscheint in der Folge in drei Auflagen.

Anläßlich der in Nürnberg abgehaltenen Bayerischen Landes-Industrie-, Kunst- und Gewerbe-Ausstellung kann das Museum einen besonders regen Besuch (über 150000 Personen) verzeichnen, wovon etwa 27000 teils das ermäßigte, teils das volle Eintrittsgeld von einer Mark zahlen, so daß im ganzen Jahr an Eintrittsgeldern die Summe von 21 817 Mark und 60 Pfennigen eingenommen wird.

1883   Einbeziehung der alten Stadtbefestigung, soweit diese an die Kartause anstößt, in das Museum. Die Stadt Nürnberg stellt dieselbe in einer Ausdehnung von etwas mehr als zwei Tagwerken zur Verfügung. Herstellung einer großen Stützmauer und des Unterbaues eines Turmes mit Mitteln der Reichsregierung. An der Ostseite des Museums Bau eines großen Treppenhauses, dessen Hallen und Wände zur Aufstellung von Gipsabgüssen bestimmt sind, im Westen eines großen Saales für die prähistorischen Altertümer der Rosenberg'schen Sammlung.

Der Besitzer der Kannenapotheke zu Nürnberg schenkt die Feldapotheke des ehemaligen fränkischen Kreises aus dem 17. Jahrhundert; sie hatte u. a. die fränkischen Kreistruppen vor 200 Jahren zum Entsatz Wiens begleitet.

35. Das Innere der Kartäuserkirche nach der Überführung eines großen Teils der dort aufgestellten Gipsabgüsse in den Ostbau 1879/80. Während die in der Kirche ausgestellten Kunstwerke vorher allgemein als „Sammlungen für die Geschichte der Sculptur" zusammengefaßt waren, heißt die Abteilung nunmehr „Sammlungen zur Geschichte der kirchlichen Kunst". Photographie um 1882

36. Fenster am Nordflügel des Großen Kreuzgangs. Die Scheiben sind zum Teil Stiftungen Thüringer Adelsfamilien, die Geldbeträge wurden vor allem 1880 durch Vermittlung des preußischen Gesandten in München Georg Grafen von Werthern-Beichlingen gesammelt. Photographie um 1937

1884   Schenkung des romanischen Heilsbronner Klosterportals durch Kaiser Wilhelm I. Der Augustinerbau erhält neuen Schmuck durch drei alte Nürnberger Dacherker.

Der Zuwachs an Neubauten ermöglicht die Neuaufstellung nahezu sämtlicher Sammlungen, die nunmehr in 65 größeren und kleineren Sälen untergebracht sind.

Das Dürer'sche Porträt des Hieronymus Holzschuher, das als Leihgabe der Freiherrlich von Holzschuher'schen Familie deponiert war, wird zurückgezogen und an die kgl. Gemäldegalerie in Berlin veräußert.

Das pharmazeutische Zentralmuseum wird als Stiftung des Deutschen Apothekervereins gegründet.

Die vom Museum herausgegebene Zeitschrift, der „Anzeiger für Kunde der deutschen Vorzeit", endet mit dem dreißigsten Jahrgang; seit 1884 erscheinen in Monatsheften der „Anzeiger des germanischen Nationalmuseums", der Nachrichten über das Museum und die Fundchronik bringt, und als separat paginierte Beilage die „Mitteilungen aus dem germanischen Museum", die zur Aufnahme von Aufsätzen bestimmt sind.

1885   Der große Hauptflügel des südlichen Gebäudekomplexes ist im Rohbau errichtet.

1886   Der große zweischiffige, gewölbte Saal im Hauptgeschoß des neuerbauten Südbaus wird teilweise in Benützung genommen. In dem darüber liegenden Geschoß ist die früher im Saale des Freiherrlich von Bibra'schen Hauses zu Nürnberg befindliche Wand- und Deckenvertäfelung aus dem 17. Jahrhundert eingebaut worden. Das obere Stockwerk dient als Sitzungssaal der Ausschüsse des Museums und als Direktorenwohnung, das Untergeschoß des ganzen Baues als Arbeitsraum der Beamten des Museums.

1888   Umstellung der Denkmäler des häuslichen Lebens, bei der fast alle bisher deponierten Gegenstände ausgestellt werden. Im neuen Südbau werden ein gotisches Zimmer aus Tirol vom Beginn des 16. Jahrhunderts, ein großes Renaissancezimmer aus Nürnberg vom Ende des 16. oder Beginn des 17. Jahrhunderts, ein Zimmer aus der 2. Hälfte des 17. Jahrhunderts aus Tirol und ein ähnliches aus der Schweiz gezeigt; in einem Raum, der das Aussehen einer Küche hat, ist Küchengerät untergebracht.

37. Fenster, gestiftet von Reichskanzler Otto von Bismarck und seinen Agnaten, 1883, im Treppenhaus des Ostbaus seit 1884. Auftrag für die Ausarbeitung des Projekts 1881. Entwurf Friedrich Wanderer (1840–1910), Nürnberg, Ausführung durch den Glasmaler Seb. Eisgruber, Nürnberg

38. Glasfenster im Nordflügel des Kleinen Kreuzgangs. Stiftung der niedersächsischen
Familie Wedekind zur Horst mit Darstellungen aus der Familiengeschichte. Nach Entwurf Friedrich Wanderer (1840–1910), Nürnberg 1885. Ausführung kgl. bayer. Hof-
Glasmalerei F.-X. Zettler, München. Beispiel zahlreicher ähnlicher fürstlicher, adeliger
und bürgerlicher Fensterstiftungen aus den Kreuzgängen des Museums

39. Portal des um 1250 erbauten Refektoriums des ehemaligen Zisterzienserklosters Heilsbronn. Abbruch und Überführung in das Museum 1884, nachdem sich entgegen den Wünschen Kaiser Wilhelms I. die Entfernung vom überkommenen Standort nicht verhindern läßt. Wiedererrichtung am Durchgang vom Großen Kreuzgang zum Südbau. Im 2. Weltkrieg weitgehend zerstört. Photographie um 1896

1889   Der Erste Direktor August Essenwein erhält den bayerischen Kronenorden, verbunden mit der Verleihung des persönlichen Adels unter dem Titel eines Ritters von Essenwein.
Die Stadt Nürnberg ernennt ihn zum Ehrenbürger.
Durch den Erwerb der Sulkowski'schen Sammlung wird ein großer Teil der kunst- und kulturgeschichtlichen Sammlungen, vor allem die Waffensammlung, wesentlich bereichert. Wichtige Stücke stammen aus dem Nürnberger Zeughaus.
Der Erste Direktor August von Essenwein muß sich aus Gesundheitsgründen zeitweilig von der Leitung der Geschäfte zurückziehen. Der Rechtskonsulent kgl. Advokat Georg Freiherr von Kreß übernimmt nach § 8 der Satzungen die Leitung des Museums. Mit der Durchführung der laufenden Geschäfte wird Sekretär Hans Bösch betraut.
1890   Schenkung der Reißfeder Albrecht Dürers, die vor längerer Zeit in seinem Haus gefunden wurde und ehemals im Besitz des Architekten Alexander von Heideloff war. Das geschnitzte Kästchen, in dem sie sich befunden hatte, ist schon früher erworben worden.

47

40. Der Viktoriabau mit Gipsabgüssen. Die Errichtung eines eigenen Baues zur Aufstellung der Abgüsse nach romanischen Skulpturen und die ständige Ergänzung der Abgußsammlung dienen dem Ziel, einen möglichst umfassenden Überblick über die Geschichte der deutschen Skulptur – in Abgüssen – zu bieten. 1899 erhält das Museum als Geschenk seiner Pflegschaft zu Leipzig den links sichtbaren Abguß der Kreuzigungsgruppe aus der Stiftskirche zu Wechselburg. Photographie um 1900

1891   Die verschiedenen Befestigungssysteme des bereits vielfach unterbrochenen Nürnberger Mauergürtels sollen an der am Museum entlanglaufenden Stadtmauer dargeboten werden. Unter anderem wird ein ca. 20 m langer Mauergang vom Walchentor hierher übertragen und bis zum nächsten Mauerturm nach diesem Vorbilde fortgeführt.

Im September tritt Geheimrat Dr. August von Essenwein nach 25jähriger Leitung des Museums zurück, sollte aber im Frühjahr 1892 sein vom Verwaltungsausschuß nur provisorisch angenommenes Rücktrittsgesuch vorläufig wieder zurücknehmen. Die Verwaltung des Museums leitet in provisorischer Weise der Zweite Direktor Hans Bösch, den Vorsitz im Verwaltungs- und Lokalausschuß übernimmt Rechtskonsulent Georg Freiherr von Kreß. Der Verwaltungsausschuß trägt der Kgl. Bayerischen Staatsregierung die Bitte vor, die Zukunft des Museums und seiner Beamten zu sichern. Im Interesse des Museums will man den Verhandlungen, die sich auch auf die künftige Stellung des Ersten Direktors beziehen, nicht durch vorzeitige Wahl vorgreifen.

1892   13. Oktober. Tod des Ersten Direktors August von Essenwein. „Ein ausgezeichnetes schöpferisches und organisatorisches Talent war in Essenwein mit einer außerordentlichen Arbeitskraft, mit seltener Menschenkenntnis, mit einer vor nichts zurückschreckenden Energie und einem außerordentlichen reichen Wissen, das sich auf alle Gebiete der Denkmäler der Vorzeit erstreckte, vereinigt. . . . So woldurchdacht die Auswahl der Stücke war, so systematisch und künstlerisch zugleich war die Aufstellung der Sammlungen, denen er ein neues, originelles und mit ihnen harmonierendes Heim errichtete, und wodurch er in weiten Kreisen Schule machte . . . Haben auch andere vor Essenwein den Grund zu dem großen Werke gelegt, hat er auch mancherlei fleißige Mitarbeiter gehabt, so ist das germanische Nationalmuseum, so wie es jetzt vor uns steht, doch unbedingt als seine Schöpfung zu betrachten, ist es ein Ausfluß seines Geistes, ein unvergängliches Denkmal seines Wollens und Könnens, seines Wirkens und Schaffens".

48

41. Saal mit Mobiliar und Öfen des 16.–18. Jahrhunderts im 1884–1886 errichteten Südbau; die Aufstellung im wesentlichen von 1889. Photographie um 1896

1893   In der Gemäldegalerie wird jedes Bild mit einem Täfelchen versehen, auf welchem der Name des Meisters oder die Schule und die Zeit der Entstehung angegeben sind.

Die Sammlung technischer Modelle wird in den neuerrichtetem Saal im oberen Geschoß des Baus am nördlichen Kreuzgangsflügel überführt und mit der von Geheimrat Dr. Ludwig von Rau geschaffenen, von seiner Witwe gestifteten Sammlung vereinigt. Diese umfaßt Modelle von Pflügen und Handgeräten zur Bodenbearbeitung aus allen Zeiten und Völkern. Zwei Tafeln zeigen die Sammlung alten Werkzeuges.

Aus Anlaß des kunsthistorischen Kongresses, der vom 25.–27. September in den Räumen des Museums tagt, wird eine kleine Ausstellung von Kunstwerken aus Nürnberger Privatbesitz veranstaltet.

Die Reichsregierung, die Kgl. Bayerische Staatsregierung und die Stadt Nürnberg übernehmen zur Sicherung der Zukunft des Museums und seiner Beamten den Bedarf der Anstalt an Verwaltungskosten persönlicher und sachlicher Art, so daß alle übrigen Jahresbeiträge, Stiftungen und einmalige Gaben ausschließlich zur Vermehrung und Vervollständigung der Sammlungen und zur Vollendung des Ausbaues Verwendung finden werden.

1894   Die neue Organisation des Germanischen Nationalmuseums kommt zum Abschluß. Nachdem die erhöhten Beiträge seitens des Deutschen Reiches, des Königreiches Bayern und der Stadt Nürnberg die Zustimmung des Reichstages, des Bayerischen Landtages und der Nürnberger Gemeindekollegien gefunden hatten, erfolgt am 15. Juni die Genehmigung der Satzungen durch die Bayerische Staatsregierung (Text der neuen Satzung S. 956–960). „Mehr und mehr verbreitet sich das Bewußtsein, welch hohe Bedeutung dem germanischen Museum für die Kunde deutscher Vorzeit zukommt. Getragen von der Gunst weitester Kreise, volkstümlich wie kein zweites, ist es der wichtigste Mittelpunkt für die Veranschaulichung des deutschen Lebens von der Urzeit bis zum Beginn des 19. Jahrhunderts in seinen mannigfachen Erscheinungsformen in Kunst und Wissenschaft, in öffentlichen wie häuslichen Einrichtungen."

Enthüllung der im ersten Saal des Museums aufgestellten, von dem Bildhauer Prof. Heinrich Schwabe

42. Medaille auf den Tod von August von Essenwein 1892. Geprägt auf Veranlassung der Berliner Pflegschaft in der Münzprägeanstalt Ludwig Christian Lauer, Nürnberg. Bronze. Dm 6 cm. Die Ansicht des Germanischen Nationalmuseums variiert den Plan von 1877; vgl. Abb. 26.

1894 von der Kunstgewerbeschule Nürnberg geschaffenen Büste August von Essenweins mit einer Festrede des Geheimrats Professor Wilhelm Wattenbach.
Wahl des Konservators am Bayerischen Nationalmuseum, Gustav von Bezold, zum Ersten Direktor. Am 27. Juli erfolgt die königliche Ernennung der beiden Direktoren des Museums aufgrund der neuen Satzungen, und zwar für den Zweiten Direktor Hans Bösch mit sofortiger, für den Ersten Direktor Gustav von Bezold mit Wirkung vom 1. Oktober.
Erwerb des sogenannten Ardennenkreuzes, eines karolingischen mit Edelsteinen besetzten goldenen Vortragekreuzes, des ersten bedeutenden Werkes der frühmittelalterlichen Goldschmiedekunst in den Sammlungen zum Preis von 7500 Mark.

1895 Die Dienst- und Geschäftsordnungen für die Verwaltung des Museums werden beschlossen. Es obliegen danach dem Ersten Direktor die Verwaltung des Museums, die Leitung und Ergänzung der Sammlungen – mit Ausnahme des Kupferstichkabinetts – und der Bauten sowie das Personalwesen; dem Zweiten die Leitung des Finanzwesens und des Kupferstichkabinetts.

1896 Es werden zwei Räume neben dem pharmazeutischen Laboratorium errichtet, in denen die im vergangenen Jahre erworbene Einrichtung der Material- und Kräuterkammer der Sternapotheke in Nürnberg ihre Aufstellung findet. Ein an das Museumsareal stoßendes Haus an der oberen Grasersgasse wird angekauft und in demselben eine Wohnung für den Hausmeister des Museums eingerichtet. Außerdem werden zwei Häuser an der Frauentormauer erworben, um die Ausführung eines größeren Neubaues westlich vom Augustinerbau zu ermöglichen.

1897 Im Mittelpunkt der Sammlungstätigkeit stehen die deutschen Volksaltertümer (Trachten, Hausgeräte, Möbel usw.), ein Gebiet des Volkslebens, das in raschem Verschwinden begriffen ist.
Planung eines Neubaues an der südwestlichen Ecke des Areals. Der Bau wird im Erdgeschoß eine Waffenhalle erhalten; im ersten Obergeschoß werden einige Bauernstuben mit ihrer vollständigen Ausstattung eingerichtet und außerdem bäuerliche Möbel und Hausgeräte Aufstellung finden. Das zweite Obergeschoß nimmt ein großer Saal für Volkstrachten ein.
Kauf des sog. Königsstiftungshauses in der Grasersgasse, das für die Bibliothek, das Kupferstichkabinett und das Archiv vorgesehen ist.
Vermächtnis des Ende 1896 in Regensburg verstorbenen k. k. Kämmerers und Rittmeisters a. D. Ernst Graf von Dörnberg zu Herzberg. Von seinem hinterlassenen Vermögen wird dem Museum nach Ausführung verschiedener anderer Stiftungen in der Zeit vom 91. bis 99. Jahre nach dem Tode des Erblassers jährlich die Summe von 110000 Mark und im 100. Jahre die Summe von 87500 Mark ausbezahlt. Ferner werden dem Museum vom 101. bis 110. Jahre je 21875 Mark und vom 111. bis 119. Jahre je 13750 Mark zukommen. Die Gesamtsumme der ersten zehn Jahre soll zur Anlage einer Sammlung von Werken deutscher Kunst und Wissenschaft verwendet werden, die unter dem Namen Gräflich von Dörnberg'sche Sammlung im germanischen Museum in gesonderten Räumen aufgestellt werden soll.

1898 Aufruf „an alle deutschen Innungen . . . zur Errichtung einer Zunfthalle. Wie nun andere Berufskreise für Errichtung und sinngemäße Ausstattung der betreffenden Räume selbst Sorge getragen haben, so werden es sich auch die deutschen Innungen sicherlich nicht nehmen lassen, durch Bestreitung der Kosten für die

43. Gustav von Bezold, Erster Direktor 1894–1920.
Nach einer Postkarte von 1902

1898   neu zu erbauende Zunfthalle ihrerseits zu einer würdigen Repräsentation des Handwerks innerhalb der
       großen vaterländischen Anstalt beizutragen" (Meister Konrads Wochenzeitung, Organ des Verbandes
       badischer Arbeiter-Bildungs-Vereine, Jg. 14, Nr. 19 vom 5. Februar 1898, S. 146).

1899   Für die Abteilung der frühchristlichen und germanischen Altertümer werden zwölf byzantinische und
       langobardische Goldblattkreuze erworben.

1900   Am Südwest-Neubau ist das Äußere im wesentlichen vollendet. Die dreischiffige Waffenhalle im Erdge-
       schoß wird eingewölbt, die Profilierung der Gewölberippen und der Fenstermaßwerke sowie die
       Bildhauerarbeiten der Kapitelle ausgeführt, ferner die Fenster eingeglast. In den Schildbögen der östli-
       chen Abschlußwand werden die Gipsabgüsse der Ritter Dollinger und Krako sowie Kaiser Heinrichs II.
       aus dem Dollingersaal zu Regensburg, die Stiftung eines Freundes und Gönners des Museums, ange-
       bracht. Im Zwischengeschoß ist mit dem Aufschlagen des Fletts und der Stube eines niedersächsischen
       Hauses begonnen. Um einen freieren Zugang zum Museum zu erhalten, wurde die südliche Giebelmauer
       des Königsstiftungshauses um 2 Meter zurückgerückt und neu aufgeführt. Sie ist mit dem Erker eines
       Nürnberger Hauses aus dem 17. Jahrhundert ausgestattet.
       Erhöhung der Zuschüsse für die Verwaltung von bisher 85 000 Mark auf 105 000 Mark (vom Deutschen
       Reiche 70 000 Mark, von Bayern 25 867 Mark und von der Stadt Nürnberg 9133 Mark).

1901   Vom Abbruch des ehemaligen Hofes des Klosters Ebrach in Nürnberg, in dem zuletzt das Königliche
       Bezirks- und Rentamt untergebracht war, erhält das Museum die Kapelle aus dem späten 15. Jahrhun-
       dert, zwei Stuckdecken aus dem 18. Jahrhundert, die im Lesesaal der neuen Bibliothek bzw. im
       Treppenhaus des Südwestbaues eingebaut werden, und einen Teil der hölzernen Treppe.
       Der Umbau des Königsstiftungshauses als Bibliotheksgebäude ist abgeschlossen.
       Am 7. September findet im Saale I des Museums eine Gedächtnisfeier zum 100. Geburtstag des Gründers
       des Germanischen Nationalmuseums, Hans Freiherr von und zu Aufseß, statt.
       Für die ständigen Bediensteten des Museums, die bisher keine Anwartschaft auf eine Pension hatten, wird

51

44, 45. Quittung für den Jahresbeitrag und Karte für freien Eintritt (Mitgliedskarte) für 1899 (links) und 1907. Entwurf Georg Kellner (1874–1924) in Nürnberg

1901 für den Fall der durch Krankheit oder Alter herbeigeführten Dienstunfähigkeit eine besondere Versorgungskasse errichtet.

1902 Die Neubauten sind zum Abschluß gebracht. An der Treppe des Südwestbaues wird ein spätbarockes Geländer aus Würzburg eingebaut.
Aus Anlaß des Jubiläums erscheint die von Theodor Hampe im Auftrage des Direktoriums verfaßte Festschrift „Das Germanische Nationalmuseum von 1852 bis 1902".
50jähriges Jubiläum des Museums: Die großen Höfe des Museums und die Waffenhalle, in der das Fest abgehalten wird, sind von hiesigen Künstlern festlich geschmückt; vor dem Tor ist eine malerische Vorhalle errichtet. Am Vormittag des 15. Juni wird im Museum ein Festakt abgehalten; Professor Alfred Lichtwark, Hamburg, hält die Festrede über Meister Bertram und die Aufgaben der historischen Museen. Am 16. Juni treffen vormittags 9 Uhr der Prinzregent und dann in kurzen Abständen der Großherzog von Baden, der König von Württemberg und der Kaiser und die Kaiserin in Nürnberg ein. Dem feierlichen Empfang durch die Behörden folgt eine Parade. Um 2 Uhr kommen die Fürsten ins Museum. Direktor Bezold hält eine kurze Ansprache. Hierauf verliest der Kaiser die Urkunde, durch die er dem Museum die von Dr. Otto Posse in Dresden gefertigte Sammlung von galvanoplastischen Nachbildungen der sämtlichen bekannten deutschen Kaisersiegel in einem dafür angefertigten großen Schrank stiftet. Hieran schließt sich ein Gang durch die Sammlungen. Am Abend gibt die Stadt Nürnberg den Gästen ein Fest im Stadtpark. Eine glänzende Hoftafel findet im Rathaussaal statt. „Das Jubiläum hatte über den Rahmen eines akademischen Festaktes hinaus den Charakter einer allgemeinen patriotischen Feier angenommen, eine begeisterte Stimmung waltete unter den Festgenossen, und die Festtage werden sicher allen Teilnehmern unvergeßlich bleiben."
Anläßlich des Jubiläums schenkt der Prinzregent Luitpold von Bayern die Handschrift der Partitur der „Meistersinger" von Richard Wagner. Kapellmeister Georg Richard Kruse aus Friedenau bei Berlin schenkt die Originalpartitur von Albert Lortzings Meistersingeroper „Hans Sachs".

46. Das Museum von Südosten mit dem 1897 erworbenen, seit 1902 für Archiv, Bibliothek und Kupferstichkabinett verfügbaren Königsstiftungshaus, errichtet 1856, dem Giebel des 1880–1882 errichteten Friedrich-Wilhelm-Baues am Reichshof, dem Südbau von 1884–1886, dem 1872–1874 übertragenen Augustinerbau und dem nach Plänen von Gustav von Bezold 1898–1902 ausgeführten Südwestbau. Photographie von 1902

1903 Neuaufstellung der Waffensammlung. Die den städtischen Kunstsammlungen einverleibten alten Skulpturenreste des Schönen Brunnens kommen im Lichthof neben der Kirche zur Aufstellung; ebenso die sonstigen im Museum befindlichen Nürnberger Steinskulpturen. Im Lichthof 35 werden die früher in der Kapelle aufgestellten Nürnberger Holzskulpturen, soweit sie den städtischen Sammlungen angehören, untergebracht. Die frühchristlichen und germanischen Altertümer, die in den beiden Lichthöfen an der Vorderseite der Kirche aufgestellt waren, kommen in den Saal, in dem früher das Archiv war. Der Umbau der alten Bibliothek zu Sammlungsräumen wird im Laufe des Sommers durchgeführt. Das Handelsmuseum wird in dem Saal eingerichtet, der ehemals das Kupferstichkabinett enthielt. Zwei kleine Räume werden mit Tapeten aus dem 18. und dem Anfang des 19. Jahrhunderts ausgestattet. Sie sollen, wie die übrigen freien Räume, zur Aufstellung von Möbeln und Geräten aus dem 17. und 18. sowie aus der Frühzeit des 19. Jahrhunderts benützt und in nächster Zeit eröffnet werden.
       19. Mai. Der Verwaltungsausschuß verliert durch Tod sein ältestes Mitglied, Geheimrat Dr. Jakob Heinrich von Hefner-Alteneck. Er war von der Gründung des Museums an über 50 Jahre Mitglied des Ausschusses.

1904 5. April. Die Sammlung von Denkmälern der Heilkunde wird in Gegenwart des Prinzen und der Prinzessin Ludwig Ferdinand von Bayern eröffnet und dem allgemeinen Besuch zugänglich gemacht.
       Im Mai werden die in der alten Bibliothek eingerichteten Sammlungsräume, das Zimmer aus dem Wespienschen Hause in Aachen und das gemalte Nürnberger Zimmer – beide aus dem 18. Jahrhundert – eröffnet.

1905 Eröffnung der Aufstellung der Sammlung Dr. Oskar Kling von Volkstrachten und Bauernaltertümern: „Welche Bedeutung die Sammlung für die deutsche Volkskunde hat, wird sich je mehr offenbaren, je mehr sich diese junge Wissenschaft ausbreitet und vertieft."

47. Saal im Erdgeschoß des Südwestbaus. Die dreischiffige Halle nimmt, nachdem sie als Festsaal bei den Jubiläumsfeierlichkeiten zum fünfzigjährigen Bestehen des Museums benutzt worden war, seit 1903 die Waffensammlung auf. Die Aufstellung wird durch die Abgüsse einiger waffengeschichtlich wichtiger Skulpturen, so der Nachbildungen des Reliefs mit der Turnierszene zwischen Hans Dollinger und dem Ungarn Krako in Regensburg, um 1300, ergänzt. Photographie um 1905/10

48. Einband der von Theodor Hampe verfaßten Festschrift aus Anlaß des fünfzigjährigen Jubiläums des Museums 1902. Entwurf des Einbands von Georg Kellner (1874–1924), in Nürnberg. Druck durch den Verlag der Illustrirten Zeitung (J. J. Weber), Leipzig 1902

1908   Die Frage der Erweiterung des Museums bildet den Hauptgegenstand der Beratungen des Verwaltungsausschusses. Die räumliche Trennung der Kunstsammlungen von den kulturgeschichtlichen Sammlungen ist dabei oberster Grundsatz. Folgende Mißstände bestehen: Die Gemälde sind in ganz ungeeigneten Räumen untergebracht, die Skulpturen in der Kirche und den anstoßenden Kapellen und Lichthöfen, die Kunstsammlungen der Stadt Nürnberg in verschiedenen Räumen verteilt. Der Neubau soll außer diesen Sammlungen auch Studien- und Verwaltungsräume aufnehmen. Damit wird Raum zu freierer und besserer Anordnung der in den bestehenden Gebäuden verbleibenden kulturgeschichtlichen Sammlungen gewonnen.

Die im vorigen Jahr begonnene Neuaufstellung der Gewebesammlung wird zum Abschluß gebracht.

1909   Ankauf der Verkündigung Mariae von Konrad Witz zusammen mit einem Bild von Philipp F. Hetsch für 2500 Mark.

Durch Stiftung der Münzen- und Altertümersammlung des verstorbenen Kommerzienrats Johann Kahlbaum erhält das Museum die bedeutendste Zuwendung seit seiner Gründung. Die Münzsammlung besitzt einen Wert von fast 90 000 Mark; sie enthält ausschließlich mittelalterliche und neuzeitliche Gold- und Silbermünzen, dazu eine Anzahl Medaillen, fast alle in vorzüglichster Erhaltung. „Die Sammlung wird, äußerlich mit dem Namen ihres Schöpfers gekennzeichnet, im Museum gesondert aufgestellt bleiben und so für immer die Erinnerung an den Wohltäter festhalten." Die Altertümersammlung enthält Waffen, Kupfer- und Messinggeräte, vor allem aber Zinngeschirre, deren hervorragendste Stücke aus dem Besitz der ehemaligen Zünfte der Stadt Wismar stammen.

Vertrag mit den Besitzern der Beckh'schen Fabrik, wonach diese am 1. Oktober 1910 um den Preis von 1 200 000 Mark in den Besitz des Museums übergeht; 482 000 Mark sind bereits aufgebracht. Durch eine Lotterie in allen größeren Staaten Deutschlands werden weitere Geldmittel beschafft.

1910   Verhandlungen mit der Direktion der Königlich Bayerischen Staatsgalerien wegen Austausches einer Anzahl von Gemälden aus dem Besitz des bayerischen Staates und des königlichen Hauses. Das Museum gibt einige seiner altniederländischen und zwei französische Bilder (Clouet und Meister von Moulins) an die Alte Pinakothek ab und wird dafür durch eine ansehnliche Zahl oberdeutscher und fränkischer

1910 Gemälde, u. a. das Bildnis Michael Wohlgemuts von Albrecht Dürer und den Altar von Hans Pleiden-
wurff aus der Katharinenkriche in Nürnberg, entschädigt.
Die Pflegschaft Berlin, die vor sechs Jahren den Übergang vom Museum zur Stadtmauer finanziert hat,
übernimmt die Erbauung einer Geschützhalle am westlichen Ende des Zwingers.

1911 Spenden aus Kreisen des Nürnberger Patriziats ermöglichen es dem Museum, die Anzahl der Stammbücher auf einer Auktion bei Boerner in Leipzig durch Käufe vor allem aus der Sammlung Friedrich
Warneckes zu erweitern.

1912 12. Dezember. Tod des Prinzregenten Luitpold von Bayern, des Protektors des Museums. Übernahme
des Protektorats durch König Ludwig III., der am 30. Juli 1913 in den Räumen des Museums anwesend
ist.

1913 Professor Dr. German Bestelmeyer in Dresden wird mit der Bearbeitung eines Neubau-Projektes
(Galeriebau) betraut. Zur Aufstellung eines neuen Gesamtprogramms wird eine aus Geheimrat Wilhelm
Bode, Generaldirektor der Berliner Museen, Professor Alfred Lichtwark, Direktor der Kunsthalle
Hamburg, und Hans Stegmann, Direktor des Bayerischen Nationalmuseums München, bestehende
Kommission gebildet.

1915 Der am 14. März verstorbene Rentier Anton Bürkel in München hat das Germanische Museum zu
seinem einzigen Erben eingesetzt. Die Höhe des Vermögens beträgt etwa 1 242 000 Mark. Die Stiftung
ist die größte, die dem Museum seit seiner Gründung zuteil geworden ist.

1916 „Zum dauernden Gedächtnis und als sichtbares Zeichen des Dankes" wird seine lebensgroße Büste von
dem Bildhauer Johannes Seiler in Marmor ausgeführt und in der künftigen Ehrenhalle des Neubaues, der
durch die Bürkel'sche Millionenstiftung erst möglich wird, seine Aufstellung finden.
8. Februar. Beginn des Erweiterungsbaus des Museums. 20. Juni. Grundsteinlegung. Die eiserne Grund-
steinmedaille stiften Kunstschulprofessor Max Heilmaier (Nürnberg) und die Münzpräge-Anstalt L.
Chr. Lauer.

1917 Um einen Ausgleich für die als Folge des Krieges rückläufigen Jahresbeiträge der Pflegschaften zu
schaffen und den Preissteigerungen zu begegnen, wendet sich das Museum unter Darlegung des Notstan-
des an weite Kreise besonders der Industrie. Diese „Kriegshülfe für das Germanische Nationalmuseum"
erbringt 1917 107 350 Mark, insgesamt sichert die Aktion bis Kriegsende dem Museum 160 000 Mark.

1918 In den Wintermonaten werden, wie auch 1919, die Besucher in Gruppen durch die Sammlungen geführt,
weil der dauernde Aufenthalt in diesen wegen Mangels an Heizmaterial eiskalten Räumen für den
Aufsichtsdienst nicht zumutbar ist.
August. Entsprechend einer vom Deutschen Germanistenverband gegebenen Anregung hält das Mu-
seum einen einwöchigen Lehrkurs über deutsche Altertümer für Gymnasiallehrer mit einleitenden
Vorträgen und Führungen ab. Der Lehrgang umfaßt das Bauwesen, die Hausaltertümer, Trachten und
Waffen. Das Bauwesen behandelt Direktor Gustav von Bezold, dessen durch Lichtbilder erläuterte
Vorträge ihre Ergänzungen finden durch Führungen zu den Befestigungswerken der Stadt, deren
Kirchen sowie öffentlichen Gebäuden und Wohnhäusern. Konservator Dr. Heinrich Heerwagen behandelt im Anschluß an die Sammlungen des Museums die Volksaltertümer, Kustos Dr. Walter Stengel die
bürgerlichen Hausaltertümer, Direktor Dr. Theodor Hampe Tracht und Waffen. Eine willkommene
Ergänzung erhält der Lehrkurs durch einen Vortrag von Geheimrat Professor Dr. Walter Wilhelm Goetz
aus Leipzig über das Schriftwesen. Obwohl gleichzeitig zwei Parallelkurse gehalten werden, können nur
etwa die Hälfte der Anmeldungen berücksichtigt und sechzig Teilnehmer zugelassen werden.

1919 Juli. In einer Notiz der „Fränkischen Tagespost" wird die Öffentlichkeit der Sitzungen des Verwaltungsausschusses und die Zulassung der Presse verlangt. Die „sozialen Organisationen" werden im Museum
durchgeführt. Die Angestellten schließen sich zu einem Angestelltenausschuß, die Beamten unter Führung von Kustos Dr. Walter Stengel zu einem Beamtenbund zusammen. Der Beamtenbund beantragt die
sofortige Umordnung der Sammlungen, um der berechtigten Kritik an den bestehenden Verhältnissen zu
begegnen. Stengel veröffentlicht seine Pläne zur Umorganisierung in der „Museumskunde" und scheidet
am 1. November aus Protest gegen die Direktion aus den Diensten des Museums aus.
Ankauf einer Sammlung von 102 Nummern sozialistischer Literatur, meist Broschüren.
August. Zweiter Lehrgang über deutsche Altertümer. Direktor Gustav von Bezold behandelt das
deutsche Bauwesen, die Bauernaltertümer und die Technik der graphischen Künste, Direktor Dr.
Theodor Hampe die germanische Vorgeschichte, Professor Dr. Fritz Traugott Schulz die Nürnberger
Heimatkunde, Kustos Dr. Wilhelm Wenke die kirchlichen Altertümer, Kustos Dr. August Neuhaus die
Waffen. Der Andrang ist groß.

49. Medaille auf das fünfzigjährige Bestehen des Museums. Nürnberg 1902, Silber. Die Ansicht des Museums hebt besonders den im Jubiläumsjahre fertiggestellten Südwestbau hervor. Dm 3,5 cm

50. Medaille zur Erinnerung an den Fürstenbesuch im Museum aus Anlaß des fünfzigjährigen Bestehens des Museums mit den Porträts Kaiser Wilhelms II., des Prinzregenten Luitpold von Bayern, des Königs Wilhelm II. von Württemberg und des Großherzogs Friedrich von Baden. Nürnberg, 1902, Silber. Dm 3,3 cm

1920   31. Juli. Rücktritt des Ersten Direktors, Geheimrat Dr. Gustav von Bezold (bereits 1919 angekündigt). In der Sitzung des Verwaltungsausschusses führt von Bezold aus, es sei ihm schwer gefallen, auf den Abschluß seines Lebenswerkes, den er in langjähriger Arbeit vorbereitet habe, zu verzichten; an der Spitze einer Anstalt, welche so sehr von der öffentlichen Meinung abhänge wie das Germanische Museum, könne nur ein Mann stehen, der das allgemeine Vertrauen genieße; die heftigen Angriffe, welche seit mehr als einem Jahr gegen ihn gerichtet würden, zeigten, daß ihm dies nicht zugestanden werde; er habe die Folgerungen daraus gezogen.
1. August. Dem am 28. Mai vom Verwaltungsrat zum Nachfolger gewählten und vom Bayerischen Unterrichtsministerium ernannten Direktoralassistenten am Kunstgewerbemuseum zu Berlin, Dr. E. Heinrich Zimmermann wird kommissarisch die Verwaltung des Museums übertragen. Am 1. Oktober tritt er sein Amt als Erster Direktor an.
2. bis 7. August. Lehrgang über deutsche Altertümer.
Erwerbung der weit überlebensgroßen hölzernen Grabfigur des Grafen Heinrich III. von Sayn, einer der bedeutendsten mittelrheinischen Skulpturen aus der Mitte des 13. Jahrhunderts.

Nürnberg, Parade am 16. Juni
vor Sr. Majestät dem Deutschen Kaiser, Ihrer Majestät der Kaiserin Victoria, Sr. Kgl. Hoheit dem Prinzregenten
Luitpold von Bayern, Sr. Majestät dem König von Württemberg u. Sr. Kgl. Hoheit dem Großherzog von Baden.

51. Parade aus Anlaß des Fürstenbesuchs in Nürnberg beim fünfzigjährigen Bestehen des Museums am Vormittag des 16. Juni 1902. Die am Färbertor bei Regenwetter veranstaltete Parade vor Kaiser Wilhelm II. (mit Marschallstab), dem Prinzregenten Luitpold von Bayern, König Wilhelm II. von Württemberg, Großherzog Friedrich von Baden. Postkarte

52. Parade aus Anlaß des Fürstenbesuchs in Nürnberg beim fünfzigjährigen Bestehen des Museums am Vormittag des 16. Juni 1902. Im Pavillon am Färbertor die Kaiserin Auguste Viktoria in Begleitung der Prinzessin Gisela, Gemahlin des Prinzen Leopold von Bayern. Postkarte

53. Besuch der Fürsten im Museum am 16. Juni 1902, nachmittags vor der Westpforte des Südwestbaus mit dem nach einem Entwurf des Direktors der Kunstgewerbeschule Nürnberg, Franz Brochier (1852–1926), entworfenen Portalbaudekoration. Von links nach rechts u. a. der Prinz Ludwig von Bayern, Arthur Graf Posadowsky-Wehner, König Wilhelm II. von Württemberg (in der Mitte links mit Pickelhaube), Gustav von Bezold, der bayerische Kultusminister Robert von Landmann, der Großherzog Friedrich von Baden, der Regierungspräsident von Schelling

54. Besuch der Fürsten im Museum 16. Juni 1902, nachmittags vor der Westpforte des Südwestbaus mit der nach einem Entwurf des Direktors der Kunstgewerbeschule Nürnberg, Franz Brochier (1852–1926), entworfenen Portalbaudekoration. Von links nach rechts im Gespräch Kaiserin Auguste Viktoria mit dem König Wilhelm II. von Württemberg, Prinz Ludwig von Bayern, Graf Seinsheim

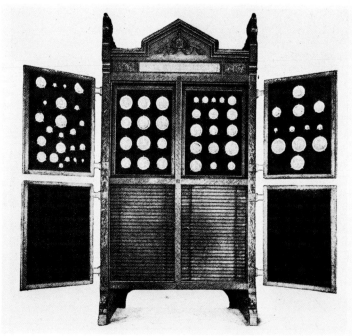

55. Schrank mit versilberten galvanischen Nachbildungen der Siegel der deutschen Kaiser und Könige, Jubiläumsgeschenk Kaiser Wilhelms II. an das Museum; aufgestellt in der Kartäuserkirche, dort 1917/18 zuletzt nachweisbar. Der Schrank enthält die von dem sächsischen Staatsarchivar Dr. Otto Posse (1847–1921), Dresden in einem Zeitraum von dreißig Jahren zusammengetragenen über tausend Abdrücke von Siegeln des Zeitraumes von 752–1806. Der im romanischen Stil gefertigte Schrank ist etwa 3 m hoch und aus Eiche. Illustrationen in der Gartenlaube von 1902

56. Direktion und Mitarbeiter des Germanischen Nationalmuseums im sog. Bibra-Zimmer, Nürnberg 1560–85, 1902. In Anlehnung an ein Gemälde sind um den in der Mitte stehenden Ersten Direktor Gustav von Bezold gruppiert: am Tische sitzend der Verwalter August Steinbrüchel, der Zweite Direktor Hans Bösch, Dr. Theodor Hampe, Dr. Hans Stegmann. Stehend von links nach rechts Dr. Ernst Wilhelm Bredt, der Kassenverwalter Nikolaus Aures, Bezold, Dr. Otto Lauffer, Dr. Hermann Uhde-Bernays, Dr. Heinrich Heerwagen

57. Das Dienstpersonal des Museums 1908

58. Anzeige der Möbelfabrik Theodor Prasser, Nürnberg mit Hinweis auf das Lager
an Kopien nach Beständen aus dem Germanischen Nationalmuseum. Entsprechend
der Tendenz zu historisierender Gestaltung der Wohnungseinrichtungen hatten sich
Firmen in Nürnberg darauf spezialisiert, Möbel und andere Gegenstände aus dem
Germanischen Nationalmuseum nachzubilden. Anzeige im Wegweiser des Museums
1905/1906

1920   11. Dezember. Direktor Zimmermann eröffnet die Ehrenhalle und das Obergeschoß des Neubaues am
Kornmarkt für den allgemeinen Besuch; anwesend sind Reichsminister Dr. Erich Koch-Weser, der
Bayerische Kultusminister Dr. Franz Matt, der Oberbürgermeister der Stadt Nürnberg Dr. Hermann
Luppe, Vertreter des Reichstages, des Bayerischen Landtages und des Nürnberger Stadtrates.
In den 30 Räumen des Obergeschosses werden die Denkmäler der Malerei und Plastik sowie die Gold-
und Silbergeräte untergebracht. Im Erdgeschoß gelangen die Steinskulpturen und die kunstgewerblichen
Sammlungen zur Aufstellung. Die Kartäuserkirche wird von der Überfülle von Bildern, Skulpturen und
Ausstellungsvitrinen befreit, so daß ihre architektonische Wirkung wieder voll zur Geltung kommt.
Das Kaulbach-Fresko (Kaiser Otto III. in der Gruft Karls des Großen zu Aachen) wird aus konservatori-
schen Gründen von der Kirchenwand in einen anderen Raum übertragen. Das seit Jahren nicht mehr
zugängliche Handelsmuseum wird in den an die südliche Kapelle angrenzenden Saal verlegt. Für die
bisher gedrängt aufgestellten Zunftaltertümer wird in einem größeren Saal des Altbaues eine bessere
Unterkunft gewonnen. Die Umgruppierung der Sammlungen bildet die Hauptaufgabe der nächsten
Jahre. „Das Direktorium wird es sich angelegen sein lassen, dieselbe mit möglichster Schnelligkeit
durchzuführen". Die Ordnung der Studienabteilungen, zu denen auch die umfangreiche Gipssammlung
zählt, wird später folgen.

1921   20. Mai. Eine neue Satzung des Germanischen Nationalmuseums wird in der Sitzung des Verwaltungs-
ausschusses angenommen und am 18. Juli 1921 mit Entschluß des Bayerischen Staatsministeriums für
Unterricht und Kultus genehmigt (Text im Anhang dieses Bandes, S. 960–962).
Die Aufstellung und Einrichtung der kunstgewerblichen Sammlungen im Erdgeschoß des Neubaues am
Kornmarkt ist abgeschlossen. Die ersten drei Säle geben Querschnitte durch die Epochen der Gotik, der
Renaissance und des Barocks; in den folgenden neun Sälen ist mehr das Prinzip der Fachsammlungen
beachtet, doch sind überall durch Beigabe von Möbeln, Bildern, Skulpturen, Gobelins, Öfen, Kaminen,
Glasmalereien und Kronleuchtern sowie durch die Wahl passender Wandanstriche in sich geschlossene
Raumbilder geschaffen. Dem Saal mit Nürnberger, Ansbacher, Bayreuther, Hanauer und Frankfurter

59. Quittung für den Jahresbeitrag und Karte für den freien Eintritt (Mitgliedskarte) für 1915. Entwurf von Karl Schmidt-Helmbrechts (1872–1936), Nürnberg

60. Quittung für den Jahresbeitrag und Karte für den freien Eintritt (Mitgliedskarte) für 1917. Entwurf von Georg Kellner (1874–1924), Nürnberg

1921   sowie den frühen deutschen Fayencen wird eine seit längerem erworbene Decke des Danziger Malers Anton Möller (um 1600) eingefügt.

Die Verwaltung des Vereinigten Protestantischen Kirchenvermögens der Stadt Nürnberg übergibt leihweise eine Reihe durch Kopien ersetzter Bildwerke aus St. Sebald und St. Lorenz, wodurch vor allem die figurale Skulptur des 14. und der 1. Hälfte des 15. Jahrhunderts ergänzt wird.

Umgruppierung der Sammlungen im alten Museum: Die Ausstattung der Kartäuserkirche wird zu Ende geführt. Die Adam Kraft'schen Leidensstationen finden hier einen würdigen Platz, dazu kommen Grabsteine, Bilder, ein Altar, Totenschilde, ein Triumphbogenkreuz, Prozessionsstangen, Gobelins und in die hohen Fenster eingefügte farbenprächtige Glasmalereien. Die anstoßenden beiden Seitenkapellen werden nur mit wenigen kirchlichen Kunstgegenständen ausgestattet, so daß sie in ihrer architektonischen Schönheit voll zur Geltung kommen.

Die Waffensammlung wird aus dem Erdgeschoß des Bezold'schen Südwestbaues entfernt und in einzelne zusammengehörige Fachgruppen aufgeteilt.

Durch Neuerwerbung einer Reihe von Skulpturen kann eine Abteilung barocker Großplastik geschaffen werden; erworben werden u. a. die Figuren der vier Evangelisten und des Apostels Paulus aus St. Georg in Augsburg, Arbeiten des Ehrgott Bernhard Bendel vom Jahre 1697, eine große Kreuzigungsgruppe aus der Bodenseegegend (2. Hälfte des 17. Jahrhunderts) und ein Engel aus einer Anbetung, eine gefaßte Lindenholzfigur, die möglicherweise von Egid Quirin Asam (1692–1750) stammt.

19./20. Mai. Nach der neuen Satzung wird zum Vorsitzenden des Verwaltungsrates Staatsminister a. D. Dr. Arthur Graf Posadowsky-Wehner, Naumburg, gewählt. Bisher hatte das Direktorium des Museums auch den Vorsitz im Verwaltungsrat geführt.

Mit dem Jahrgang 1920/21 wird das Erscheinen der Mitteilungen aus dem Germanischen Nationalmu-

61. Grundsteinlegung für den Galeriebau am 20. Juni 1916. Am Grundstein mit dem Hammer der Vertreter der Bayerischen Regierung, Staatsminister Eugen von Knilling, zwischen diesem und dem das Kissen haltenden Gesellen der Architekt Professor Dr. h. c. German Bestelmeyer, links der Erste Direktor Gustav von Bezold, in der rechten Gruppe Dr. Otto von Falke, der für den Verwaltungsrat spricht, und als weitere Mitglieder des Verwaltungsrats Dr. Oskar von Petri, Dr. Hans Schnorr von Carolsfeld Franz Brochier, sowie der Zweite Direktor, Dr. Theodor Hampe

1921   seum (seit 1884) eingestellt, der Anzeiger des Germanischen Nationalmuseums entwickelt sich in der Folge zu einem für wissenschaftliche Aufsätze bestimmten Publikationsorgan des Museums.

1922   Umgruppierung und Neuaufstellung der im alten Museum untergebrachten kulturhistorischen Sammlungen: Im Obergeschoß des westlichen Verbindungsbaues vom Bestelmeyer'schen Neubau am Kornmarkt zum alten Museum ist eine Münzschausammlung aufgestellt, im Obergeschoß des östlichen Verbindungsbaues eine nach Meistern geordnete Medaillenschausammlung. Die Wandflächen des benachbarten Treppenhauses schmückt nunmehr die wertvolle Sammlung der Bronze-Epitaphien von den alten Nürnberger Friedhöfen zu St. Rochus und St. Johannis. Im Erdgeschoß des östlichen Verbindungsbaues sind Steinskulpturen aus Resten von Grabsteinen sowie Architekturstücke untergebracht. Die zahlreichen Räume am nördlichen Kreuzgang bergen die nach Fachgruppen geordnete Sammlung der vorgeschichtlichen Denkmäler, ferner die Denkmäler aus der Römer- und Völkerwanderungszeit sowie der merowingischen Epoche.

Die zweischiffige, gotisierende Halle am Heilsbronner Portal enthält die stattliche Sammlung der Stangenwaffen, Schwerter und Dolche. Damit ist die Aufstellung der Waffensammlung zum Abschluß gebracht. Im Stockwerk darüber ist das 1917 erworbene Flötner-Zimmer von 1546 eingebaut. Einer neuen Gruppe von Denkmälern der Kleinplastik sind die beiden Säle, die früher dem deutschen Handwerk und dem Kinderspielzeug gewidmet waren, nach entsprechender Umgestaltung zugewiesen. Eine

62. Museumseingang. Mit der Eröffnung des Galeriebaus am 11. Dezember 1920 wird der Haupteingang des Museums von der Kartäusergasse an den Kornmarkt verlegt. Vor dem Eingang der bereits 1872 im Museum vorhandene Bronzenachguß des römischen Pinienzapfens aus dem karolingischen Münster in Aachen. Photographie um 1925

1922   größere Zahl von Leihgaben der Erlanger Burschenschaft Germania ermöglicht die Einrichtung eines Studentenzimmers. Der südliche Neubauhof ist in einen Friedhof umgewandelt; dort sind zunächst die im Museumsbesitz befindlichen schmiedeeisernen Grabkreuze aufgestellt.

22. November. Zum ersten Mal sind Vertreter aller Parteien des Reichstages, des Reichsrates und der Reichsregierung zu Besuch im Museum. „Die Wanderung durch das Germanische Museum war ein Lichtblick, eine lautlose gewaltige Predigt der Urkraft des Deutschen Volkes" (Staatssekretär Heinrich Schulz). „Es sei eine nationale Selbstverständlichkeit, daß seitens des Reiches alles aufgeboten würde, um das Germanische Museum entwicklungsfähig und auf seiner alten Höhe zu erhalten" (Universitätsprofessor Dr. Konrad Beyerle). Der Vorsitzende des Verwaltungsrates Arthur Graf Posadowsky-Wehner erklärt: „Die Bewilligung neuer Mittel für das Germanische Museum ist gleichbedeutend mit einer Förderung des gesamten Deutschen Volkes".

63. Dr. Ernst Heinrich Zimmermann, Erster Direktor 1920–1936. Photographie um 1930

1923 Die Arbeiten zur Umgestaltung des alten Museums und zur Umgruppierung und Neuaufstellung der in ihm untergebrachten kulturgeschichtlichen Sammlungen werden fortgesetzt. Industrie und Großhandel stellen dem Museum die benötigten Materialien für die von den Werkstätten ausgeführten Arbeiten kostenlos zur Verfügung. Im ehemaligen Raum der Denkmäler des deutschen Handwerks wird ein Nürnberger Saal eingerichtet. An Hand von Bildern, Handzeichnungen, Kupferstichen und Holzschnitten wird ein Einblick in die Geschichte der ehemaligen Reichsstadt gegeben.

Die Sammlung der Denkmäler des deutschen Handwerks wird in den früheren, dem Kinderspielzeug vorbehaltenen Räumen neu aufgestellt und dadurch endlich eine ihrem kulturgeschichtlichen Wert gemäße Anschauungsmöglichkeit gewonnen. Der nach Norden anschließende Langsaal wird zu einem Rokokozimmer umgestaltet.

Die einzigartige Sammlung alter Kinderspielsachen wird in die Räume nordwärts des Rolandshofes überführt und hier übersichtlich aufgestellt.

Im Laufe des Sommers kann der neugeschaffene Vortragssaal für die allgemeine Benutzung freigegeben werden. Er findet vorzugsweise für die vom Germanischen Museum veranstalteten Kurse für deutsche Altertumskunde Verwendung. Nach dem Kreuzgang zu ist der Vortragssaal von einem aus einem Nürnberger Vorstadtgarten stammenden, reizenden Rokokogitter abgeschlossen, das die Stadt Nürnberg leihweise zur Verfügung gestellt hat. Der Entwurf zu dessen seitlichen Einfassungen stammt von Geheimrat German Bestelmeyer.

Dr. Fritz Traugott Schulz verfaßt eine Schrift über das Germanische Museum, die über Gründung,

64. Der 1920 eröffnete sog. „Goldsaal". Im Obergeschoß des nach Norden gerichteten Flügels des seit dem 11. Dezember 1920 zugänglichen Teils des Galeriebaus wird der bis dahin auf verschiedene Räumlichkeiten des Museums verteilte Bestand an kirchlichem und weltlichem Gerät aus Edelmetallen zusammengefaßt. Vorn links die spätgotische Zenobüste, in der Mitte das Schlüsselfelder Schiff von 1503, an der Stirnwand ein Augsburger Ebenholz-Tabernakel mit Silberauflagen, um 1700. Die über den Vitrinenschränken aufgehängten Porträts sollen der Erläuterung des ausgestellten Schmucks dienen. Photographie vor der Neugestaltung 1926

65. Das Innere der Kartäuserkirche. Die mit der Fertigstellung des Galeriebaus eingeleitete Neuordnung eines Teils der Sammlungen erlaubt es, 1920/21 die Kirche von der Überfülle der dort aufgestellten Bilder, Skulpturen, Vitrinen mit kirchlichem Gerät zu befreien. Der Wegweiser von 1922/23 verdeutlicht die Absicht der Neueinrichtung; demnach werden hier nur Kunstwerke dargeboten, die „einerseits die Bedeutung des Raumes als Kirche unterstreichen, andererseits durch eigene Monumentalität den schon an sich vorhandenen Eindruck von Würde und Größe steigern". Photographie nach 1921

66. Die Bediensteten des Museums um 1925. In der Mitte vorne der jugendliche Erste Direktor Dr. E. Heinrich Zimmermann, zu seiner Rechten der Zweite Direktor Dr. Theodor Hampe sowie Dr. Walter Fries. Rechts auf dem Bären Dr. August Neuhaus

1923   Entwicklung und Ziele sowie über die Reorganisation der Anstalt durch Direktor Zimmermann berichtet.

Die beiden bisher getrennt verwalteten Kupferstichsammlungen der Stadt und des Museums werden künftig integriert und als einheitliche Sammlung ins erste Obergeschoß des Verwaltungsgebäudes am Kornmarkt überführt. Die sich durch die Vereinigung ergebenden Dubletten werden im folgenden Jahr durch die Firma C. G. Boerner in Leipzig versteigert.

Im Zusammenhang mit dem neuen Kupferstichkabinett werden Ausstellungsräume geschaffen, in denen kostbare Miniaturhandschriften, wertvolle Autographen, kalligraphische Kunstwerke, Bucheinbände und in monatlichem Wechsel Teile der Bestände der graphischen Sammlung gezeigt werden.

1924   18. Februar. Generalvertrag mit der Stadt Nürnberg über die seit langem im Museum befindlichen bedeutenden städtischen Leihgaben. § 5 bestimmt: „Die städtische Kupferstichsammlung soll mit der des Germanischen Museums verbunden bleiben, solange dieses in Nürnberg sich befindet, weil nur so eine Zersplitterung der Kräfte vermieden und ein geschlossenes großes Kupferstichkabinett in Nürnberg ermöglicht wird."

Finanzlage: Die empfindlichste Einbuße bringt der durch Geld- und Kapitalentwertung bedingte Wegfall der Zinsen aus dem Vermögensfonds, der aus dem Legat des 1915 verstorbenen Rentners Anton Bürkel in München und aus anderen Stiftungen besteht. Außerdem sind die Jahresbeiträge der vormals regierenden Häuser fortgefallen, die in der Vorkriegszeit die Höhe von rund 9000 Mark erreichten und nur noch in vereinzelten Fällen von den betreffenden Landesregierungen übernommen werden. Durch die Auflösung des alten Heeres haben die Jahresbeiträge des deutschen Offizierskorps mit rund 2500 Mark aufgehört. Ebenso sind fast sämtliche Beiträge, die von wirtschaftlichen Vereinigungen, von geselligen und wissenschaftlichen Vereinen sowie Kunstinstitutionen in Höhe von rund 5000 Mark jährlich zugingen, ausgeblieben. Auch die Beiträge von öffentlichen Körperschaften, vor allem von den Landgemeinden, sind erheblich zurückgegangen.

69

67. Medaille aus Anlaß des fünfundsiebzigjährigen Bestehens des Museums 1927. Entwurf von Josef Pöhlmann (geb. 1882). Bronze. Dm 7,1 cm

1924 Bei dieser unerfreulichen Rückschau bildet die nach wie vor bestehende Einrichtung der Pflegschaften den einzigen Lichtblick.

Die Sammlung der bürgerlichen und höfischen Trachten wird in den Sälen 103–106 untergebracht und zeitgemäß angeordnet. Die Rokoko-Grabmäler vom ehemaligen Garnisonsfriedhof in Rudolstadt, die bislang im großen Kreuzganggarten aufgestellt waren, werden zur Sicherung ihrer Erhaltung an den Wänden des kleinen Kreuzgangs, der das sogenannte Waffenhöflein umschließt, aufgestellt. Die Sammlung der Denkmäler des deutschen Handwerks soll durch Aufstellung von Werkstätten bereichert werden (Harscher'sche Kupferschmiedewerkstatt aus Nürnberg und aus Ansbach stammende Zeugdruckstube). Neuaufstellung der Sammlung der Gipsabgüsse. Die Hauptstücke werden in die ehemalige Waffenhalle im Erdgeschoß des von Bezold'schen Südwestbaues übertragen. Es handelt sich um eine mühevolle und zugleich zeitraubende Arbeit, da die Gipse in den früheren Räumen teilweise durch Feuchtigkeit oder Alter gelitten haben.

Kursus für deutsche Altertumskunde mit Lichtbildervorträgen zu den Themen: „Die Idee des Germanischen Museums und ihre Verwirklichung", „Nürnbergs Bedeutung für die deutsche Kultur und Kunst", „Tracht und Schmuck im Wandel der Zeiten", „Wehr und Waffen im Mittelalter", „Die Technik in alten Metallarbeiten", „Mobiliar und Raumgestaltung", „Geschichte und Wappenkunst", „Bäuerliche Altertümer", „Heraldik und Genealogie" und „Die Technik der graphischen Künste". Die Vorträge werden durch Demonstrationen vor dem Objekt und durch Führungen ergänzt.

Erwerbung des sog. Kaßlerrades, das angeblich in den Jahren 1760–70 gebaut wurde und demnach das älteste existierende Fahrrad wäre.

1925 Reorganisation der im alten Museumsbau untergebrachten kunst- und kulturgeschichtlichen Sammlungen: Von den Gipsabgüssen werden in der ehemaligen Waffenhalle zunächst die Großwerke des romanischen Stils als eigene Abteilung aufgestellt. Im westlichen Teil der Halle sind die monumentalen Grabdenkmäler von Peter Vischer und seiner Werkstatt, vor den Wandnischen der Nordseite die beiden großen Grabdenkmäler von Tilman Riemenschneider aus dem Würzburger Dom untergebracht. Durch diese Umgruppierung sind Möglichkeiten zu fachwissenschaftlichen Studien geschaffen. In den nach Norden anschließenden fünf Räumen des früher die Bibliothek und das Kupferstichkabinett enthaltenen Altbaues werden die kleineren Gipse in chronologischer Folge aufgestellt. Im Standesherrensaal des Augustinerbaues sind in lockerer Anordnung vor allem niedersächsische, niederdeutsche und österreichische Bauernmöbel sowie die im Museum vorhandenen Modelle von Bauernhäusern, Hinterglasmalereien, Votivfiguren aus Wachs, Spinnräder, Amulette und Textilien untergebracht.

Neu aufgestellt wird die Medico-historische Abteilung. Die Gruppen werden straffer zusammengefaßt, das weniger Wichtige ausgeschieden und jeder einzelne Gegenstand durch Wahl eines lichten blauen Grundtones, der sich für das hellglänzende Metall besonders eignet, in seiner Greifbarkeit für Auge und

68. Das Museum von Nordwesten. Luftaufnahme wahrscheinlich 1928

69. Das Museum von Südwesten. Luftaufnahme 26. 7. 1921

70. Festakt mit Festansprache von Professor Dr. Heinrich Wölfflin, Zürich, am 10. April 1928 im Großen Rathaussaal zu Nürnberg anläßlich der Dürer-Feiern zum 400. Todestag des Künstlers

1925   Studium gehoben. An den Wänden sind Bildnisse berühmter Ärzte und anatomische Darstellungen aus
        dem Jahre 1545 ausgestellt.
        Die ehemalige Wilhelmshalle wird in einen Studienraum für Kunstgewerbe in wissenschaftlicher Anord-
        nung umgewandelt und später als Depot benutzt.
        Erbauung eines Verbindungsflügels zwischen dem Bestelmeyer'schen Neubau und dem Verwaltungsge-
        bäude am Kornmarkt, in dem die von den Kirchenverwaltungen St. Sebald und St. Lorenz zur Übergabe
        an das Museum vorgesehenen, meist aus dem Ende des 14. und der ersten Hälfte des 15. Jahrhunderts
        stammenden gotischen Bildwirkteppiche ausgestellt werden sollen. Im Erdgeschoß dieses Baues werden
        Denkmäler der dekorativen Plastik des 18. Jahrhunderts und kunstgewerbliche Gegenstände unterge-
        bracht.
1926   Die Neuaufstellung der Sammlung von Gipsabgüssen ist im wesentlichen abgeschlossen. Die figuralen
        Bildwerke und Reliefs sind historisch und nach Schulen gruppiert. Dazwischen sind reich skulptierte
        Kapitelle und Konsolen aufgestellt, um das jeweilige Zeitbild in seiner Einheitlichkeit zu veranschauli-
        chen. Dazu kommen Proben der Kleinplastik, von Diptychen, Elfenbeinschnitzereien, Kämmen,
        Schachfiguren, Kästen und Kästchen, Türklopfern, Schlußsteinen, Buchdeckeln, Trinkhörnern und
        kirchlichen Geräten in mannigfaltigster Art. Die so entstandene Sammlung bietet in ihrer Reichhaltigkeit
        eine wichtige Ergänzung zu den Abteilungen originaler Bildwerke und Denkmäler.
        Die in den letzten beiden Jahren erworbenen Gemälde und Skulpturen machen die Umstellung bzw.
        Neueinrichtung verschiedener Kabinette im Obergeschoß des Bestelmeyer'schen Neubaus erforderlich.
        Die Werke von Hans Baldung Grien sind sämtlich in dem südwärts an den Dürer-Saal anstoßenden Raum
        122 untergebracht. Der neu erworbene große herzförmige Altar von Lucas Cranach d. J. vom Jahre 1584
        hängt an der Nordwand des nach Osten folgenden Kabinetts Nr. 124. Infolgedessen mußte das Kabinett
        116, welches früher Großwerke der Barockkunst enthielt, geräumt werden, um in ihm die größeren
        Bilder der niederländischen, niederrheinischen und westfälischen Schule unterzubringen.
        Durch die Herausnahme der Gipsabgüsse aus den Erdgeschoßräumen um den sogenannten Rolandshof
        können dort die von Geheimem Baurat Dombaumeister Dr. Joseph Schmitz angelegten Modellsamm-
        lungen von den Restaurierungen von St. Sebald und St. Lorenz in Nürnberg aufgestellt werden. Die
        Kreuzgänge um den Rolandshof werden in ihrer Architektur vereinfacht.

72

71. Festversammlung mit Vertretungen des Deutschen Reiches, vieler deutscher Staaten, der Stadt Nürnberg, Abordnungen der Leihgeber, Repräsentanten der Kunst und Wissenschaft in der Kartäuserkirche aus Anlaß der Eröffnung der Dürerausstellung im Germanischen Nationalmuseum am 11. April 1928

1926   Der im Obergeschoß des alten Baues gelegene Saal 114 wird als Zugangssaal eingerichtet, um die Neuerwerbungen zu zeigen, bevor man sie in die Fachsammlungen einreiht.

In der Sammlung der Gold- und Silbergeräte erhalten die Schränke und Vitrinen einen schneeweißen Anstrich; als Grund wird ein weichrot getönter Leinenstoff gewählt.

Der im Vorjahr nach Plänen von Geheimrat Dr. German Bestelmeyer errichtete Verbindungsbau ist im Rohbau fertiggestellt. Das Kellergeschoß ist als Studienraum für Ofenkacheln und Bodenfliesen eingerichtet; das Untergeschoß nimmt die monumentalen Denkmäler der Barockkunst auf. Im hohen, mit Oberlicht versehenen Obergeschoß sind in zwei Reihen übereinander die mäßig hohen, zumeist sehr langen Bildwirkteppiche aus dem Besitz der Kirchenverwaltungen von St. Lorenz und St. Sebald untergebracht.

1927 Im Zuge des museumstechnischen Ausbaus werden folgende Arbeiten durchgeführt: Einrichtung von Depots für Kacheln und Bodenfliesen und für Gegenstände der Prähistorie; Ausbesserung und Tönung der Gipse im großen Gipssaal; Pflasterung des Kreuzganges im Ostflügel und der Hälfte des Südflügels mit Klinkern; Einwölbung des Nordflügels des Rolandshofes mit Rabitzgewölben. Gleichzeitig werden folgende Sammlungen neu aufgestellt: Die niederrheinischen Gemälde, die Abgüsse der frühmittelalterlichen Elfenbeinplastik sowie die Gipsabgüsse vom Nordportal des Augsburger Domes; ferner die Steinplastik des 18. Jahrhunderts (Diele). Die beiden Säle im Erdgeschoß des Neubaues werden eingerichtet und mit gemalten Decken ausgestattet. Etwa zehn steinerne Wappen der Barockzeit, die bisher in Höfen und an Außenseiten der Gebäude angebracht waren, werden zu ihrer Erhaltung in Innenräumen deponiert. Die Madonna vom Obstmarkt Nr. 16 in Nürnberg wird restauriert und im Lichthof aufgestellt.

17./18. August. Jubiläum des 75jährigen Bestehens: Begrüßungsabend am 17. August in den Räumen des Industrie- und Kulturvereins. Von Professor Josef Pöhlmann entworfene Jubiläumsdenkmünze, von Hauptkonservator Prof. Dr. Fritz Traugott Schulz verfaßte Festschrift über die Geschichte des Museums in den letzten 25 Jahren.

Am 18. August Festakt in der Kartäuserkirche des Germanischen Museums. Die Festrede hält Universitätsprofessor Dr. Josef Sauer, Freiburg, der nach einem Rückblick auf die Geschichte des Germanischen Museums dessen Sonderart hervorhebt: Seine Aufgabe sei es, die Kenntnis der deutschen Vorzeit zu erhalten und zu mehren, die bedeutsamen Denkmäler der deutschen Geschichte, Kunst und Literatur vor der Vergessenheit zu bewahren und ihr Verständnis auf alle Weise zu fördern.

Der bayerische Kultusminister Dr. Franz Xaver Goldenberger überbringt die Glückwünsche seines Ministeriums, übergibt als Geschenk des bayerischen Staates zwei wertvolle Gemälde von Jörg Breu d. Ä. und verleiht den beiden Direktoren, Dr. Ernst Heinrich Zimmermann und Dr. Theodor Hampe, Titel und Rang von Geheimen Regierungsräten. Dr. Zweigert, Staatssekretär im Reichsministerium des Innern, überbringt die Grüße des Reichspräsidenten, des Reichskanzlers und der Reichsregierung und schenkt im Auftrag des Reichspräsidenten ein elsässisches Tafelgemälde: die „Geburt Christi". Oberbürgermeister Dr. Hermann Luppe stiftet im Namen der Stadt Nürnberg eine kostbare Sandsteingruppe „Heimsuchung Mariä" und betont den engen organischen Zusammenhang zwischen Museum und Stadt, in der dieses seine Heimat gefunden hat. Der Vorsitzende des Industrie- und Kulturvereins Nürnberg, Justizrat Dr. Stauder, stiftet als bleibende Erinnerung die österreichische Figur einer hl. Katharina aus dem Anfang des 16. Jahrhunderts. Geheimrat Zimmermann dankt im Namen des von ihm geleiteten Museums für die reichen Geschenke und führt mit dem Zweiten Direktor Geheimrat Hampe die Gäste durch die Ausstellung der Jubiläumsgeschenke. Ein Festmahl im durch Professor Pöhlmanns Adlerdekoration geschmückten alten Rathaussaal vereinigt abschließend die Gäste.

1928 Übertragung des Schlüsselfelder'schen Christophorus ins Museum nach Anfertigung einer Gußstein-Kopie zur Aufstellung an der Sebalduskirche. Renovierung der bisherigen Wohnräume im Beckh-Haus für die Unterbringung des Kupferstichkabinetts. Neueinrichtung des Saales für Barock- und Rokokomalerei. Einbau einer alten Backstube in eine der Zellen des nördlichen Kreuzgangflügels.

Zum Vorsitzenden des Verwaltungsrates wird Staatssekretär a.D. Wirklicher Geheimrat Exz. Dr. Theodor Lewald gewählt.

11. April–16. September. Anläßlich der 400jährigen Wiederkehr des Todestages Albrecht Dürers zeigt das Museum eine Ausstellung seines Lebenswerkes. „Man durfte sich der Hoffnung hingeben, daß dieser Akt pietätvoller Verehrung . . . vor allem dazu angetan sein könnte, auch in den Herzen der Laien die Ehrfurcht zu steigern und die Liebe zu dieser Verkörperung der deutschen Seele zu entzünden und anzufachen." Die Ausstellung zeigt 127 Gemälde von Dürer, seinen Vorläufern und Zeitgenossen und 182 Handzeichnungen, überwiegend von Dürer selbst. Eröffnet wird die Ausstellung am 11. April mit einem Festakt im Kirchenraum des Germanischen Museums. Ansprachen und Vorträge des Nürnberger Oberbürgermeisters Dr. Hermann Luppe, des Reichsministers von Keudell, des bayerischen Kultusministers Dr. Goldenberger, des italienischen Botschafters in Berlin Conte Luigi Aldrovandi, des ungarischen Gesandten in Berlin Graf Koloman von Kanya, des österreichischen Ministers Dr. Franck, des französischen Geschäftsträgers in München Comte de Ormesson, des Vertreters Portugals Direktor Dr. de Figueiredo, des schwedischen Dürerforschers Dr. Axel L. Romdahl, des Präsidenten der Bayerischen Akademie der Künste Geheimrat Dr. German Bestelmeyer. Der Tag findet seinen Abschluß in einer Festvorstellung im Stadttheater mit Richard Wagners Meistersingern unter Kapellmeister Heger, Wien, als Gastdirigenten. Die Ausstellung endet am 16. September mit etwa 200000 Besuchern.

72. Andrang zur Dürerausstellung 1928. Wegen des freien Eintritts an des Künstlers Geburtstag am 21. Mai 1928 ist der Zustrom zu den Schauräumen so stark, daß ein Polizeiaufgebot angefordert wird, um die wartenden Besuchermassen zu ordnen

1930   Verlegung des Archivs vom Bibliotheksbau in der Grasersgasse (Erdgeschoß) in den Verwaltungsbau am Kornmarkt. In den Räumen des Kupferstichkabinetts findet zur Feier der 300sten Wiederkehr des Todestages von Johannes Kepler eine Ausstellung von astronomischen Instrumenten und graphischen Blättern statt. Übertragung der Madonna vom Hause Kaiserstr. 13 in das Museum.

1931   Zum Gedächtnis des 100. Geburtstages August von Essenweins (geboren am 2. November 1831 in Karlsruhe) Ausstellung einer größeren Anzahl seiner Skizzen und Entwürfe zu Bauten und kunstgewerblichen Arbeiten, zumeist aus dem Besitz der Familie.

Juni–August. Sonderausstellung Nürnberger Malerei aus der Zeit von 1350–1450, wissenschaftlicher Katalog und Tafelband mit Abbildungen sämtlicher ausgestellter Werke im Anzeiger GNM 1930/31.

1932   Einrichtung von fünf Sälen mit kirchlicher Skulptur und Malerei des 17. und 18. Jahrhunderts. Sicherstellung einer Steinmadonna von der unteren Talgasse in Nürnberg. Freilegung von alten Fassungen, insbesondere im Zusammenhang mit der Neuaufstellung der Barockabteilung.

80jähriges Bestehen des Germanischen Museums: „Seit der Gründung des Germanischen Museums bis vor nicht allzu langer Zeit erblickte die kunstgeschichtliche Forschung im Mittelalter die Blüte der deutschen Geistesart. Erschien schon die Renaissance manchem als eine Überfremdung unserer heimischen Kunstsprache, so galt vollends der Barock und das Rokoko den meisten als eine unerträgliche Verwelschung und Verfälschung der germanischen Empfindung, als eine Modetorheit, die nur durch die unselige Sucht der Deutschen, fremdes Wesen nachzuäffen, bei uns Eingang finden konnte. Man glaubte vielfach, daß erst der Klassizismus unser Volk in die Heimat aller Kunst und die Romantik insbesondere uns zu den Quellen der arteigenen künstlerischen Weltanschauung zurückgeführt habe. Gegenüber dieser stärker ethisch und ethnologisch betonten Auffassung rang sich nur allmählich eine rein ästhetisch bestimmte durch, die zunächst einmal die hohen bildnerischen Werte in der Plastik und Malerei, in der Architektur des 17. und 18. Jahrhunderts entdeckte, an denen man so lange blind vorübergegangen war.

73. Ausschnitt aus der Ausstellung Nürnberger Malerei 1350–1450; Juni–August 1931 in der Galerie des Museums. An der Längswand unter anderem der Bamberger Altar von 1429 aus dem Bayerischen Nationalmuseum München, an der Schmalseite der Deocarusaltar, 1437 aus der Lorenzkirche, Nürnberg, dessen Predella im Raum auf einen Sockel gestellt ist

1932   Dann aber stellte man auf dem Wege der stilkritischen Sonderung fest, daß der deutsche Barock und das deutsche Rokoko eine Kunst sei, die sich von den italienischen und französischen gleichlaufenden Bestrebungen wesentlich unterscheide; man erkannte darüber hinaus, daß ein ganz bestimmter Zug des deutschen Wesens, nämlich der wagemutige Wille zu einer heroischen Tat, seine Wiederverkörperung in den Bauwerken und ihrem Schmuck gerade dieser einst als undeutsch verschrieenen Zeit gefunden habe. Mächtig gefördert wurde diese Einsicht durch die Veröffentlichungen deutscher Kunstgelehrter; gleichzeitig richteten die Museen ihr Augenmerk auf jene Kostbarkeiten, die ein allzu eifriges Puritanertum zum Teil aus den Gotteshäusern verbannt hatte, und die nun auf den Kirchenböden ein vergessenes Dasein in Staub und Moder führten."

1933   Im Vordergrund des Interesses steht die „Übernahme der Macht im Reich durch Adolf Hitler. Dieser Vorgang spielte sich zwar außerhalb der eigenen vier Wände ab, aber er war in seinem universalen Wert wie für die gesamte deutsche Geisteskultur so auch insbesondere für den Bestand unseres Museums von grundlegender Bedeutung. Oder glaubt vielleicht jemand, eine siegreiche Internationale hätte diesen höchsten und edelsten Ausdruck germanischer Gesinnung und nationalen Willens ruhig fortbestehen lassen? . . ."
Im Winter werden zusammen mit dem Kampfbund für deutsche Kultur monatliche Lichtbildervorträge veranstaltet.
Ende Mai bis Anfang September. Veit Stoß-Gedächtnisausstellung anläßlich des 400jährigen Todesjahres des Meisters: außer den polnischen Werken sind nahezu alle transportablen Arbeiten aus deutschem und österreichischem Kirchen-, Museums- und Privatbesitz vereinigt. Die Ausstellung findet in vier Oberlichtsälen und zwei Seitenkabinetten statt, deren Mittelpunkt der „Englische Gruß" aus der Lorenzkirche ist. Der Katalog ist von Eberhard Lutze bearbeitet.
11. September. Auf der Sitzung des Verwaltungsrates wird zum Vorsitzenden Ministerialdirektor Dr. Rudolf Buttmann, Leiter der Kulturabteilung des Reichs-Ministeriums des Innern, Berlin, gewählt.

1934   Bau und Einrichtung des Galerieerweiterungstraktes: Eröffnung am 4. September, so daß schon zum

74. Verwaltungsrat und wissenschaftliche Beamte des Museums. Aufnahme anläßlich der Verwaltungsratssitzung am 11. September 1933. Von links nach rechts: Der Erste Direktor des GNM Dr. E. Heinrich
Zimmermann (zweiter von links vor der linken Säule stehend); (neben ihm vor der zweiten Säule) der
Zweite Bürgermeister der Stadt Nürnberg Dr. Walter Eickemeyer, anwesend in Vertretung des Oberbürgermeisters; (daneben vorn stehend) Dr. Oskar von Petri, Nürnberg; (sitzend) der ehemalige Erste Direktor
des Museums Dr. Gustav von Bezold; (links hinter von Bezold stehend) Hans Freiherr von Imhoff,
Nürnberg; (rechts dahinter stehend, mit Brille) Prälat Professor Dr. Georg Schreiber, Mitglied des Reichs-
tags; (hinter ihm) der Direktor der Erlanger Universitätsbibliothek Dr. Eugen Stollreither; (vorn rechts
hinter von Bezold stehend) der Vorsitzende des Verwaltungsrates Staatssekretär a. D. Exzl. Dr. Theodor
Lewald, Berlin; (neben ihm mit Zeitung in der Rocktasche) der Direktor der Bayerischen Gewerbeanstalt
Nürnberg Dr. Karl Hager; (hinter Hager und Lewald) der ehemalige Generaldirektor der Berliner Museen
Dr. Otto von Falke; (rechts ganz hinten) der Freiburger Ordinarius für Kirchengeschichte und christliche
Archäologie Prälat Professor Dr. Josef Sauer; (rechts vor ihm) der Direktor des Leipziger Grassi-Museums
Professor Dr. Richard Graul; (rechts hinten vor dem Pilaster) der Direktor des Bayerischen Nationalmu-
seums München Dr. Hans Buchheit; (daneben an der Säule) Dr. Otto Posse, Direktor der Gemäldegalerie in
Dresden. (Ganz rechts außen) Dr. Eberhard Lutze, GNM; (links neben ihm hinten) Dr. Rudolf Helm, GNM.
An der Sitzung des Verwaltungsrates hatten auch teilgenommen: Ministerialrat Dr. Max Donnevert, der
Präsident der Notgemeinschaft Deutscher Wissenschaften Exzl. Dr. Friedrich Schmidt-Ott, beide Berlin,
Ministerialdirektor Karl August Fischer, München, der Nürnberger Industrielle Dr. Fritz Neumeyer und
Dr. Franz Haniel, München

1934   Parteitag der NSDAP, der einen äußerst regen Besuch des Museums bringt, die neugeschaffenen Räume
zugänglich sind. Der Bau gliedert sich in eine lichte und luftige Erdgeschoßhalle für die Gartenplastiken
von Ferdinand Dietz und drei darüberliegende Säle für die Malerei des Barock und Rokoko. Im
Oberlichtsaal sind die großfigurigen Bilder, vor allem repräsentative Porträts, untergebracht. Ein kleiner
Oberlichtsaal enthält Skizzen, vornehmlich Altar- und Deckenentwürfe, ein weiterer umfaßt die Kabi-
nettmalerei bis zum Beginn des 19. Jahrhunderts. Über die Bilder dieser Abteilung ist ein von Eberhard
Lutze bearbeiteter Katalog und außerdem ein Bilderbuch im Selbstverlag des Germanischen Museums
erschienen. „Wenngleich in keinem anderen deutschen Museum die deutsche Malerei jener Zeit auch nur
annähernd so gut vertreten ist, so bedeutet dies doch erst einen Anfang."
Die Aufmerksamkeit von Verwaltungsrat und Direktion richtet sich auf eine feuersichere Aufstellung der
Handschriften und kostbaren Drucke wie auf Vorkehrungen für eine größere Feuersicherheit in den
Altbauten.

1934 In den Wintermonaten finden regelmäßig an den Samstagnachmittagen öffentliche Führungen durch einzelne Abteilungen statt, die sich eines äußerst regen Besuches erfreuen. Außerdem gibt es geschlossene Führungen durch wissenschaftliche Beamte des Museums.

1935 Eine gründliche wissenschaftliche Durcharbeitung und Neuaufstellung wird der vorgeschichtlichen Sammlung zuteil. Die Darbietung wird durch Übersichtstabellen und bildliche Darstellungen erläutert. Öffentlichkeitsarbeit: Die mehr für den Fremdenverkehr berechneten sommerlichen Mittwochführungen beschränken sich auf die Hauptwerke im Museum; dagegen erschließen die Winterführungen der Nürnberger Bevölkerung die Schätze des Museums in enger gefaßten Einzelthemen aus allen Gebieten. Die durchschnittliche Teilnehmerzahl beläuft sich auf 50.

1936 Der Harnisch des Augsburger Plattners Anton Peffenhauser wird dank namhafter Stiftungen des Führers und Reichskanzlers Adolf Hitler, des Reichsministers des Innern, des Reichsministers für Wissenschaft, Erziehung und Volksbildung, der Bayerischen Staatsregierung und des Oberbürgermeisters der Stadt der Reichsparteitage Nürnberg für das Museum erworben und in der Ehrenhalle erstmals den Besuchern des „Reichsparteitages der Ehre" gezeigt.
Zu Beginn des Parteitages der NSDAP findet in der Kartäuserkirche die feierliche Eröffnung der von der Dienststelle des Reichsleiters Alfred Rosenberg in Zusammenarbeit mit dem Museum, der Preußischen und der Bayerischen Staatsbibliothek besorgten Ausstellung „Das Politische Deutschland" statt. „Der Schicksalsweg des deutschen Volkes wird an Urkunden, Handschriften, Bildern, Büchern und Karten" veranschaulicht. Ein Weiheraum „Ewiges Deutschland" beschließt die in historischer Abfolge aufgebaute Ausstellung. Die Reichsstelle zur Förderung des deutschen Schrifttums gibt einen Katalog der Ausstellung heraus. Über 35 000 Besucher.
Es erscheint der Katalog der Gemälde des 13. bis 16. Jahrhundert, bearbeitet von Eberhard Lutze und Eberhard Wiegand. Dem Textband folgt 1937 ein Tafelband.
Vorsitzender des Verwaltungsrates ist nach dem Rücktritt von Ministerialdirektor Dr. Rudolf Buttmann jetzt Ministerialdirektor Dr. Wolf Meinhard von Staa vom Reichs-Ministerium für Wissenschaft, Erziehung und Volksbildung, Berlin.
Am 30. September folgt der Erste Direktor Geh. Regierungsrat Dr. Ernst Heinrich Zimmermann einer Berufung als Direktor bei den Staatlichen Museen zu Berlin. Bis zur Wiederbesetzung der Stelle werden mit der kommissarischen Leitung Hauptkonservator Professor Dr. August Neuhaus bzw. Hauptkonservator Dr. Wilhelm Wenke beauftragt.

1937 Am 1. Januar 1937 ernennt das Bayer. Staatsministerium für Unterricht und Kultus im Einvernehmen mit dem Reichs- und Preußischen Ministerium für Wissenschaft, Erziehung und Volksbildung auf einstimmigen Vorschlag des Verwaltungsrates den Direktor des Schlesischen Museums für Kunstgewerbe und Altertümer und des Schloßmuseums in Breslau, Dr. Heinrich Kohlhaußen, zum Ersten Direktor.
Programm von Dr. Kohlhaußen: Aufgabe ist es, bei dem unübersichtlichen Grundriß des Museums die Sammlungen so lange in den vorhandenen Baulichkeiten zu verschieben, bis ein Höchstmaß an Ordnung und Klarheit erreicht wird. Das bedeutet, das zusammenhanglose Nebeneinander verschiedener Fachsammlungen in ein sinnvolles Nacheinander und Zueinander zu bringen, einen Entwicklungsablauf zu bieten, zeitlich und sachlich zusammenhängende Raumfolgen zu schaffen. Es soll ein Überblick über die Meisterwerke aus Kunst und Kultur von der Völkerwanderungszeit bis zum 30jährigen Krieg entstehen, wobei zugunsten der Galerie Gemälde und Plastik weniger beansprucht werden, dafür aber die Kleinkunst hervorgehoben wird.
Galerie und Plastiksammlung werden neu geordnet: Versuch einer stärkeren landschaftlichen Geschlossenheit, die durch Gesamtbeschriftungen der Räume dem Besucher vermittelt wird. Dadurch soll die mühelose Erkenntnis von Wesen und Bedeutung der heimischen Kulturlandschaft und deren Vergleich mit anderen deutschen Stammeskulturen vermittelt werden. Eine dem Kunstwerk nach Maßgabe seiner Qualität dienende, sozusagen dynamische Aufstellung verlangt zwangsläufig mehr Raum als eine absatzlos gereihte Fülle. Die Schausammlung wendet sich an alle, auch an den Unvorbereiteten, den sie an die Hauptwerke heranführen soll. Denn das Beste darzubieten, ist der Sinn der Schausammlung; dies ist aber immer der Feind des Guten, vor allem des weniger Guten. Werke geringeren Gehalts, schlechter Erhaltung, Doppelstücke oder Wiederholungen wandern deshalb in die Magazine. – Die vorhandenen „scheußlichen" Schauschränke, die größtenteils weder den Anforderungen nach Sicherung noch nach gutem Aussehen und Zweckmäßigkeit entsprechen, werden ersetzt durch neuangefertigte, graugebeizte Ahorn-Schauschränke, -Tische und -Wandkästen.
Der neue Direktor wendet sich zu Beginn des neuen Jahres an alle Mitglieder, insbesondere aber an die

75. Die Eingangs- oder Ehrenhalle des Museums mit dem 1936 mit namhaften Stiftungen des Führers und Reichskanzlers, des Reichsministers des Inneren, des Reichsministers für Wissenschaft, Erziehung und Volksbildung, der Bayerischen Staatsregierung und des Oberbürgermeisters der Stadt Nürnberg erworbenen Harnisch des Augsburger Plattnermeisters Anton Peffenhauser, um 1560/70. Der Harnisch wird zum „Parteitag der Ehre" 1936 in der Halle aufgestellt

76. Dr. phil. Heinrich Kohlhaußen, Erster Direktor des Museums 1937–1945. Photographie von 1934/36

1937   Pfleger mit der Bitte, mitzuhelfen bei dem großen Ziel, in der Stadt der Reichsparteitage die alte Idee des Gründers Hans von Aufseß neu zu gestalten und zur Wirksamkeit zu bringen.
4. August. Der Führer und Reichskanzler Adolf Hitler besichtigt im Hotel Deutscher Hof im Beisein von Oberbürgermeister Willy Liebel, Nürnberg, und des Ersten Direktors des Museums den mit seiner Spende angekauften Behaim-Globus (Nürnberg 1490–92).
7. September. Anläßlich des Reichsparteitages wird in den Parterreräumen des Galeriebaues die Ausstellung „Nürnberg, die deutsche Stadt" durch den Stellvertreter des Führers, Rudolf Heß, mit einer Ansprache des Reichsleiters Alfred Rosenberg eröffnet; anwesend sind die übrigen Reichsminister, das diplomatische Korps, die Reichs- und Gauleiter und viele geladene Gäste.
Neuverglasung „von 45 Fenstern des großen Kreuzganges . . ., deren wahrhaft scheußlich bunte Glasgemälde von 1882 mit Wappen von Standesherren und Stiftern, dabei eines Baron Rothschild, zu den hervorstechendsten Hausgreueln gehörten." – Im nördlichen Kreuzgang wird der ältere Teil der Glasgemäldesammlung in zeitlicher Ordnung an den Fenstern montiert.
Ein Prospekt in Form eines Faltheftes mit Illustrationen von Fritz Griebel, Heroldsberg, wird in der Auflage von 30000 Exemplaren gedruckt.
An den eintrittsfreien Wintersonntagen hat das Museum durchschnittlich 1000 Besucher.
1938   Der Reichsminister für Wissenschaft, Erziehung und Volksbildung, Bernhard Rust, übernimmt den Vorsitz des Verwaltungsrates.
Das Museum hat 102460 Besucher, etwa 5000 weniger als im Vorjahre. Die Anziehungskraft der

77. Der Eingang des Museums mit Fahnenschmuck aus Anlaß eines Reichsparteitages der NSDAP, wohl 1937/38. Postkarte

1938   Reichskleinodien in der Katharinenkirche in Nürnberg wie die Abwanderung der großen parteioffiziellen Ausstellungen in die Norishalle erklären die rückläufige Entwicklung.

1939   Die schon lange antiquierte Aufstellung der volkskundlichen Sammlungen wird durch eine stärker regionale Ordnung der Bestände modernisiert.

1941   Beginn der Bergungsarbeiten, die sich bis 1945 hinziehen. Wichtigste Bergungsorte: Schloß Neidstein, Cadolzburg, Schloß Weisendorf bei Erlangen, Schloß Schwarzenberg bei Scheinfeld, Plassenburg in Kulmbach, Kastenhof in Mörnsheim, Schloß Wiesenthau, Schloß Banz, Schloß Hexenagger, Schloß Unterleinleiter, Schloß Trieb, Staatsarchiv Bamberg.
Die durch Auslagerung eingeschränkte Darbietung der Museumsbestände hat 37 628 Besucher.

1942   In den ersten sieben Monaten des Jahres, in denen die Erdgeschoßräume des Galeriebaus ständig geöffnet bleiben, hat das Museum, das die Ausstellungen „Europa sieht Ostasien" und „Baum und Blüte im Bereiche der Kunst" veranstaltet, 22 097 Besucher.

1943   In der Nacht vom 8. zum 9. März entsteht durch Luftangriff der erste bedeutendere Schaden im Museum: Das obere Stockwerk des Gebäudes um den Rolandshof brennt aus. Die zuvor in diesen Räumen befindliche Spielzeugabteilung und die bürgerlichen Trachten waren schon geborgen; jedoch werden zehn Glasschränke und einige Liegevitrinen zerstört.
Der Nachtangriff vom 10. zum 11. August richtet verheerenden Schaden an Verwaltungsgebäude, Galeriebau, nördlichem Kreuzgang und Kartäuserkirche durch eine auf dem Kornmarkt niedergegangene schwere Mine an. Glas- und Ziegeldächer, Türen, Innenwände und fast alle Fenster werden zerstört. Der nachfolgende Regen verschlimmert den Zustand der Gebäude. Eine Phosphorbrandbombe dringt in die Bibliothek ein, die vorsorglich schon bis auf das Parterregeschoß geräumt war. Etwa 60 weitere Brandbomben werden in langwieriger Arbeit gelöscht.
Das Museum kauft die seit Jahrzehnten als Leihgabe in den Dresdner Sammlungen stehende Standuhr Philipps des Guten von Burgund, um 1430.
3. Dezember. Urteil des Reichsgerichtes und damit erfolgreicher Abschluß des Prozesses um eine

78. Neuaufstellung im Erdgeschoß des Galeriebaus im Jahre 1937. Saal mit weltlichen Altertümern der ritterlichen Kultur des Mittelalters; neben dem Fenster Grabfigur des Grafen Heinrich Sayn, mittelrheinisch um 1250

79. Neuaufstellung im Erdgeschoß des Galeriebaus im Jahre 1937 mit Nürnberger Werken um 1500 unter dem Thema: Die Reichsstadt Nürnberg als Kulturträger; links der Behaim-Globus von 1492, rechts der Rahmen zu Dürers Allerheiligenbild von 1511, Waffen und Totenschilde

80. Werbetafel des Museums im Nürnberger Hauptbahnhof, 1938. Entwurf von Herbert Ott, Nürnberg

1943   gefälschte Adlerfibel. Das angeblich ostgotische Schmuckstück aus der Völkerwanderungszeit war für die Schausammlung vorgesehen.

1944   3. Oktober. Bei einem Tagesangriff wird der Museumsbereich von über 300 Brandbomben getroffen, von denen etwa 110 auf die Gebäude fallen. Von 14 Bränden können 12 schon in der Entstehung erstickt werden; hartnäckiger sind die Brände über dem Saal (56) der Musikinstrumente, und über dem Flügel des alchimistischen Laboratoriums und der Zunftsammlungen, da die altmodischen Dachstühle dieser Räume die Löscharbeiten erschweren.

1945   Abend des 2. Januar. Vier schwere und eine kleinere Sprengbombe, dazu eine nicht zählbare Masse von Brandbomben und die Spreng- und Luftdruckwirkung benachbarter Minen und schwerer Bomben machen das Museum zu einem Trümmerfeld. Eine schwere Sprengbombe zerschlägt das Verwaltungsgebäude am Kornmarkt zu einem Steinhaufen, dessen Reste noch vollends ausbrennen. Eine Kette von drei schweren Sprengbomben trifft den Komplex von der Kartäuserkirche bis zum Augustinerbau. Die erste zerreißt die Südmauer des Kirchenchores und bringt dessen Dach sowie die südlich anschließende Geuder-Kapelle zum Einsturz. Die zweite Bombe schlägt in die Nordostecke des Wittelsbacher Hofes und zerstört den Ostteil des kleinen gotischen Kreuzganges um den sogenannten Waffenhof, wo ehemals

81. Aufstellung der Reichskleinodien in der Katharinenkirche in Nürnberg, 1938. Die von 1424 bis 1796 in Nürnberg und seitdem in Wien verwahrten Reichskleinodien werden 1938 auf Anordnung Adolf Hitlers von Wien nach Nürnberg überführt, entgegen ursprünglichen Planungen jedoch nicht im Museum, sondern in einer eigenen Aufstellung in der Katharinenkirche gezeigt. Vorn in der Mitte vor dem Kaisermantel der Heiltumschrein

1945   die Fayencen und Porzellane aufgestellt waren; ferner die Südwestecke des großen Kreuzganges und die Anschlußgebäude am Wittelsbacher Hof. Die dritte schwere Bombe durchschlägt den Augustinerbau bis in den Keller. Hier brennt auch der angebaute offene Treppenturm am Wasserhof ab. Eine kleinere Sprengbombe dringt durch die Wand des Verbindungsbaues am „Blauen Tor" unmittelbar neben der Heizung und richtet Schäden im Rahmendepot an. Durch Brand geht das isoliert stehende Gebäude der Schreinerwerkstatt, Ecke Kornmarkt-Obere Grasersgasse, mit der im Obergeschoß befindlichen Dienstwohnung des Oberpräparators Rabus zugrunde. In dem zum Museum gehörigen Zwingergarten brennen der westliche Wehrturm und ein niedriger Turm der Maueranlage am Stadtgraben aus. Infolge des Wassermangels brennen noch am 3. und 4. Januar die Bauten östlich und westlich des Bärenhofes ab: der östliche Bau in beiden Stockwerken, wo früher die Sammlungen der Uhren und wissenschaftlichen Instrumente und das Handelsmuseum beherbergt waren, der westliche Bau in seinem Obergeschoß, wo sich die mitteldeutsche Bauernkunst befand. Zerstörung aller Fenster und Abdeckung aller Dächer.

20. Februar. Der Volltreffer einer schweren Sprengbombe reißt den Westteil der Vorgeschichtsräume mit dem darüberliegenden Saal 111 (zuletzt Kupferschmiedewerkstatt) bis zum Grund auf. Zwei weitere schwere Bomben schlagen unmittelbar vor der Westpforte der Kartäuserkirche und an der Westseite des Bärenhofes ein. Einige Brände in der Hausmeisterei, bei der alten Nürnberger Küche (Raum 109) und über der Eingangshalle zum Vortragssaal werden gelöscht. Am 21. Februar treffen zwei schwere Sprengbomben das bis dahin in seinem Mauerbestand intakt gebliebene Galeriegebäude von Bestelmeyer. Dreißig Meter voneinander entfernt, durchschlagen sie dessen südliches Seitenschiff; an der westlichen Einschlagstelle dringt die Bombe bis hinunter in das Kellerdepot. Eine dritte, gleich schwere Sprengbombe trifft in die Mitte zwischen dem Gartensaal des Galeriebaues und der Hausmeisterei und reißt die Fundamente auf, so daß das Bücherdepot unter dem Gartensaal und der Heizungsraum unter der Hausmeisterei offen liegen. Eine weitere Bombe fällt in den zum Schutze des Kellerdepots an der Südseite des Galeriebaues unterhalb der Ebracher Kapelle angefahrenen Aschenhaufen und kann daher nur geringen Schaden anrichten. Im Klostergarten und im Zwingergarten klaffen riesige Sprengtrichter von weiteren schweren Bombeneinschlägen. Fünf Brände in der Bibliothek, drei im alten Direktionsgebäude,

84

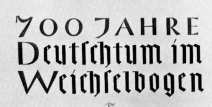

82. Plakat der Ausstellung „700 Jahre Deutschtum im Weichselbogen", 20. Oktober bis 30. November 1939. Die Ausstellung verdeutlicht in vierzehn Räumen mit eigenen Beständen den Anteil des Deutschen Ordens und deutscher Kaufleute, Bürger und Bauern, Gelehrter und Künstler an der Kultur vor allem des Deutschordensgebietes, der Stadt Danzig und der polnischen Krönungsstadt Krakau

83. Hitlerjungen im Museum bei der Betrachtung der Tobiasgruppe des Veit Stoß, etwa 1937–1940

1945   weitere im Südwestbau, im Vortragssaal, im Trümmerfeld der vorgeschichtlichen Sammlungsräume und in der Hausmeisterei werden gelöscht.

Abend des 16. März. Das ganze Gelände wird erneut mit Brandmitteln belegt. Eine Flammenstrahlbombe trifft das alte Direktionsgebäude, in dem früher auch die sogenannten altdeutschen Zimmer eingebaut und in dessen Untergeschoß die Waffensammlungen verwahrt waren. Damit brennt auch dieses bis dahin kaum beschädigte Haus bis zum Souterrain, das zuletzt die Direktionsräume enthielt, vollständig aus. Ein weiterer Brand im oberen Saal des Südwestbaues (früher bäuerliche Trachtensammlung Kling) kann durch die Feuerwehr gelöscht werden, nachdem das jedem Nürnberger bekannte gotische Türmchen eingestürzt und große Teile des Dachstuhles und der Saaldecke verbrannt sind. Der dritte Großbrand vernichtet den Gebäudeteil an der Kartäusergasse, in dem früher die bürgerlichen Wohnräume des 18. Jahrhunderts (Aachener Zimmer u. a.) eingebaut waren, bis auf die Außenmauern. In den Obergeschossen der Bibliothek und in der Hausmeisterei können Entstehungsbrände gelöscht werden. Diesmal brennt in der Frauentormauer der östliche Wehrturm vollständig aus.

5. April. Bei einem letzten Luftangriff auf Nürnberg stürzt das alte Direktionsgebäude durch einen Bombentreffer vollends zusammen und begräbt unter sich das fest eingebaute romanische Portal aus dem Kloster Heilsbronn.

84. Attrappe des Neptunbrunnens des Georg Schweigger (1613–90) aus Schloß Peterhof
bei Leningrad im Hof des Germanischen Nationalmuseums vor dem 1925–1926 erbauten
Verbindungsbau zwischen Gemäldegalerie und Verwaltungsgebäude (sog. Teppichsaal);
der 1652–60 in Nürnberg gegossene Brunnen war 1797 nach Rußland verkauft worden.
Die Photographie aus dem Archiv des Museums (Nachlaß Kohlhaußen) spiegelt offensichtlich Überlegungen, Kunstwerke deutscher Herkunft aus den von der Wehrmacht
eroberten fremden Gebieten nach Deutschland zu überführen. Aufnahme nach 1941

1945   17. bis 19. April. Schwere Schäden entstehen durch Artilleriekämpfe um Nürnberg. Betroffen sind:
        Bibliotheksgebäude, Südwestbau und Ostseite des Gebäudes um den Rolandshof, östlicher Flügel des
        großen Kreuzganges, Eingangshalle am Kornmarkt und der Galeriebau.
        20. April. Endgültige Eroberung Nürnbergs durch amerikanische Soldaten. Wenige Tage später wird das
        Museum durch die amerikanische Militärregierung unter militärische Bewachung gestellt, um Plünde-
        rungen zu verhindern.
        Kriegsende: Nahezu alle Sammlungsbestände sind an 18 verschiedenen Orten außerhalb des Museums-
        bereiches geborgen. Die Direktion befindet sich in den beiden letzten Kriegsmonaten auf Schloß
        Strößendorf bei Burgkunstadt, die Verwaltung auf Schloß Neidstein bei Pommelsbrunn.
        Kriegsverluste: Durch Brandschatzung der Cadolzburg bei Fürth Mitte April 1945: 7 Schränke und 8
        Truhen des 16. und 17. Jahrhunderts, darunter der eingelegte Nürnberger Schrank mit sechs Musen von

85. Spätmittelalterliche Skulpturen des Museums im Bergungsbunker unter der Nürnberger Burg, rechts die sog. Nürnberger Madonna aus dem Anfang des 16. Jahrhunderts. Aufnahme von 1944

1945   1582, 15 Holzplastiken des 14. bis 17. Jahrhunderts, darunter fast sämtliche großformatigen Werke, sowie 92 Gemälde, von denen allerdings die meisten geringere Depotbilder darstellten; von den 108 bäuerlichen Trachtenfiguren der Sammlung Kling fehlen 65. – In der Plassenburg ob Kulmbach sind Gegenstände verschiedener Sammlungsbereiche durchwühlt, zum Teil verschleppt und als Brennholz verwendet: Schrein des großen Hersbrucker Altares, Terrakotta-Epitaph des Ruprecht Heller 1554 (schwer beschädigt), Musikinstrumente, Möbel, bäuerliches Holzgerät, Zinnarbeiten des 14.–18. Jahrhunderts, 24 bäuerliche Fastnachtsmasken, 600 hölzerne Druckstöcke, eine Kiste mit 90 Stück Spielzeug, Stickereien, bäuerliche Kissen, 25 Zunftgläser und -keramiken, 260 Apothekengefäße, 13 bäuerliche Gläser der Sammlung Kling, 6 Kisten mit bäuerlichem Schmuck und Brautkronen, 80 gedrechselte Elfenbeinarbeiten, 14 barocke Elfenbeinreliefs, etwa 330 vorgeschichtliche Metallgeräte und 11 Kisten vorgeschichtliche Keramik. – In Schloß Weisendorf bei Erlangen ist eine Anzahl der dort geborgenen barocken Möbel nicht mehr auffindbar. Eine in Hörmannsberg (Bayerischer Wald) belassene, erst im Jahre 1944 aus der dortigen Burg erworbene gotische Balkendecke wurde im letzten Winter als Brennholz verfeuert. – Im Museum haben der größere Teil der Bibliothek und ein Teil der Waffensammlung den Krieg ohne Schaden überstanden. Von der nicht transportablen Gips-Sammlung wurde mehr als die Hälfte durch die Luftdruckwirkung der Bombenangriffe vernichtet, ferner einige größere Musikinstrumente, einige Möbel des frühen 19. Jahrhunderts, ein Puppenhaus und weniger bedeutende kunsthandwerkliche Gegenstände. – Ein Teil wichtiger Akten aus jüngster Zeit, namentlich über Verwaltungsratssitzungen und Neuerwerbungen, sowie das Inventar der Abteilung „Bauteile" sind beim Brand des Verwaltungsgebäudes zugrunde gegangen.

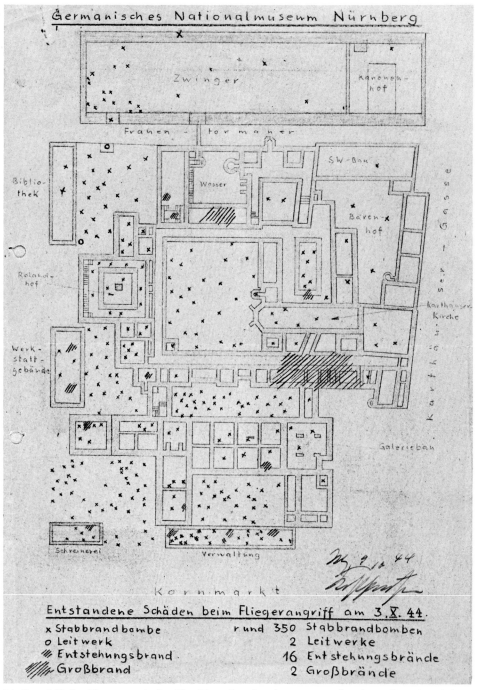

Germanisches Nationalmuseum Nürnberg

Zwinger

Kanonen-hof

Frauen - tor mauer

Biblio-thek

Wasser

SW-Bau

Bären-hof

Karthäuser-Kirche

Rolands-hof

Karthäuser-Gasse

Werk-statt-gebäude

Galeriebau

Schreinerei

Verwaltung

K o r n m a r k t

Entstandene Schäden beim Fliegerangriff am 3. X. 44.

x Stabbrandbombe   rund 350 Stabbrandbomben
o Leitwerk   2 Leitwerke
⚏ Entstehungsbrand   16 Entstehungsbrände
▨ Großbrand   2 Großbrände

86. Grundriß des Museums mit den Einschlagstellen der über 300 Brandbombem, die während des Tagesangriffs am 3. Oktober 1944 auf das Museumsgelände abgeworfen wurden; rechts die Unterschrift des Ersten Direktors Dr. Heinrich Kohlhaußen

87. Die zerstörte Museumsfront mit Eingangshalle am Kornmarkt, vorne in der Mitte die Trümmer des völlig vernichteten Verwaltungsgebäudes GNM, des ehemaligen Hauses der Beckhschen Fabrik. Zustand 1945

1945   Auf Veranlassung der Militärregierung von Ansbach und Nürnberg wird ein Komitee zur Erhaltung der Nürnberger Denkmäler, Bibliotheken und Archive gegründet, das am 28. August die Eröffnungssitzung abhält. Ihm gehören der zuständige Offizier der Militärregierung und die Amtsvorstände des Bayerischen Staatsarchives Nürnberg, des Hochbauamtes der Stadt Nürnberg, der Stadtbibliothek, des Stadtarchives und des Germanischen Nationalmuseums an. Eine schriftliche und durch Fotografien erläuterte Übersicht über den Zustand der Nürnberger Kulturdenkmäler wird angelegt; die notwendigen Sicherungsmaßnahmen werden in ihrer Dringlichkeit und ihrem Materialbedarf abgestimmt.

15. August. Dr. Ernst Günter Troche, bisheriger Mitarbeiter am Germanischen Nationalmuseum, wird an Stelle des Ersten Direktors Heinrich Kohlhaußen durch den Oberbürgermeister von Nürnberg, Martin Treu, zum vorläufigen Direktor ernannt; in seinem Amt als Erster Direktor wird er am 22. Mai 1946 durch den Verwaltungsrat bestätigt.

Programm Dr. Troche: „Das Germanische Nationalmuseum ... hat seine Tradition und seine auch jetzt nicht abänderungsbedürftige Verfassung von der demokratischen Bewegung des 19. Jahrhunderts ererbt ... (Es) ist berufen, für alle Deutschen ein einigendes Band des Wahren und Guten über Stammes- und Machtgrenzen hinweg zu bilden ... Das Germanische Nationalmuseum ... wird nicht aufhören, die Kultur des gesamten deutschen Volkes auf allen Gebieten der bildenden Kunst, der Literatur, der Musik, jede Dokumentation seiner geistigen Geschichte und seiner ständischen und landschaftlichen Gliederung darzustellen und zu sammeln ... in einem neuen Begriff der Zusammenschau des Wesentlichen ... in einer vertieften Tätigkeit der Forschung, wie ihrer Weiterreichung für die Bildung weitester menschlicher Schichten ..."

Seit dem 23. August ist die Direktion des Germanischen Nationalmuseums wie schon früher bis zum Jahre 1928 und wiederum in den Jahren 1938 bis 1940 mit der Leitung der Städtischen Galerien und Kunstsammlungen betraut.

88, 89. Das zerstörte Museumsareal im Bereich des Wittelsbacher Hofes, Blick nach Südwesten mit der weitgehend erhaltenen Ruine des Südwestbaues (oben) und Blick vom Augustinerbau auf die Nordwand des zerstörten Chores der Kartäuserkirche (unten). Zustand 1945

90. Luftaufnahme des zerstörten Museumsgeländes von Südosten nach Kriegsende. Erhalten sind im wesentlichen der Bibliotheksbau an der Grasersgasse, die ausgebrannte Ruine des Augustinerbaues, der Südwestbau an der Kartäusergasse, das Langhaus der Kirche, der Galeriebau, der Nordflügel des Kreuzganges mit der Wilhelmshalle und Teile der ausgebrannten Ruinen am Reichshof. Aufnahme von 1947

1945 25. Oktober. Eröffnung des Vortragssaales durch einen vom Museum veranstalteten Konzertzyklus. Die Neuartigkeit des Unternehmens wird in einer Ansprache Dr. Troches erläutert: „In die universale Idee des Museums als Repräsentant deutscher Kultur soll fortan die musikalische Kunst mit gehören: Möge es auch von tieferer Bedeutung sein, daß der Neuanfang mit der geistigsten aller Künste gemacht wurde, daß die Wiederaufrichtung des Hauses mit den ‚bebendsten Steinen‘, wie Rilkes Sonett es ausdrückt, begann". Das an der Stirnseite des Vortragssaales befindliche, „gar zu dunkle" Fresko Wilhelm von Kaulbachs wird durch einen Vorhang, die Stiftung eines Museumsfreundes, verdeckt. Der Saal, der 220 Sitzplätze umfaßt, ist der einzige für kleinere musikalische Veranstaltungen in Nürnberg, während größere Konzerte nur das Opernhaus bieten kann.

Direktion und Verwaltung arbeiten zusammen mit den wichtigsten Werkstätten in der winzigen Hausmeisterei an der Oberen Grasersgasse. Alle anderen Gebäude sind mehr oder weniger unbenutzbar. Im Hauptgeschoß der Bibliothek hat sich eine Filiale der Bayerischen Staatsbank eingerichtet, die nach längeren Verhandlungen am 2. Oktober zum Auszug veranlaßt werden kann; daraufhin Wiedereinrichtung der Lesesaalbibliothek und Aufstellung der Kataloge. Am 17. Dezember siedelt die Direktion aus dem allzu engen Hausmeistergebäude in die Bibliothek über.

Weihnachten. Ausstellung „Weihnachtliche Kostbarkeiten aus dem Germanischen National-Museum" in der Fränkischen Galerie am Marientor. Diese Ausstellung ist wohl die erste Teilschau eines der großen Museen Deutschlands nach dem Kriege.

1945/46 In zeitlicher Reihenfolge werden folgende Bergungsorte geräumt: im Oktober Schloß Neidstein (Museumsregistratur), Cadolzburg (Reste der bäuerlichen Trachten der Sammlung Kling), im November

91. Der beschädigte Roland von Bremen. Zementabguß nach dem Original von 1404 im Reichshof des Museums; Geschenk Bremer Bürger aus dem Jahre 1880; abgebrochen 1968. Zustand nach 1960

92. Dr. phil. Ernst Günter Troche, Erster Direktor des Museums 1945–1951. Photographie von 1949

1945/46 Schloß Weisendorf bei Erlangen (Plastik, Barockmöbel, bäuerliche Möbel), von November bis Dezember Schloß Schwarzenfeld bei Scheinfeld (Trachtenfiguren der Sammlung Kling, bäuerliche und bürgerliche Trachtenstücke, Plastik, Möbel, Zunfttruhen, Gewebesammlung, Teile der Jagdabteilung, der Sammlungen von bäuerlichem Holzgerät, Zinngerät, Fayencen, Keramiken und Gläsern, 8 Gobelins); Ende Dezember Kulmbach (Abholung der dort verbliebenen Reste aus dem Bergungsort der Plassenburg: Gemälde, Plastik, 1 Schlitten, bäuerliche Möbel). Von Dezember bis Januar 1946 Kastenhof in Mörnsheim (Möbel, Orgelgehäuse); von Februar bis März Schloß Wiesenthau (Plastik, bürgerliche und bäuerliche Möbel, Totenschilde, Handwerkertruhen, Keramik, 4 Wandvertäfelungen); im März Schloß Banz (Waffen, Möbel, Gewebe, bürgerliche und bäuerliche Trachtenteile, Zeichnungen, Kupferstiche, Spielzeug); ferner Schloß Hexenagger (Archiv); von März bis Mai Schloß Unterleinleiter (Bibliothek und Musikinstrumente); im April Schloß Trieb (Plastik, Gemälde, Möbel) und im Mai Staatsarchiv Bamberg (Gemälde und Graphik). Die Rückführungen finden am 19. 12. 1946 mit einer letzten Räumung aus dem Bergungskeller bei Greding ihren Abschluß.

1946 20. Februar. Einsturz eines Raumes im bis dahin erhaltenen Untergeschoß des Flügels zwischen Bärenhof und Vorderer Kartäusergasse; dadurch Vernichtung eines Teiles der Gipsabguß-Sammlung, u. a. des wertvollen Abgusses des Bamberger Reiters.

22. Mai. Erste Sitzung des Verwaltungsrates nach dem Kriege.

In der Sitzung wird die Direktion durch den Verwaltungsrat ermächtigt, die erheblich beschädigten Stücke aus den im Erdgeschoß des Südwestbaues untergebrachten Sammlungen von Gipsabgüssen mit Ausnahme jener Abgüsse zu vernichten, deren Originale im Krieg zugrunde gegangen sind.

17. Juli 1946. Zweite Sitzung des durch Zuwahl ergänzten Verwaltungsrates.

„Das leitende Organ der Museumsstiftung nahm hierdurch die repräsentative und zielbewußte Wahrnehmung seiner Obliegenheiten wieder in feste Hände". Vorsitzender ist der Oberbürgermeister von Nürnberg, Hans Ziegler.

Der westliche, tiefer gelegene Teil des zum Museum gehörigen Zwingergartens an der Frauentormauer einschließlich der vom Museum auf diesem Gelände erbauten Geschützhalle wird in Ergänzung eines mit

93. Blick in die zerstörte Kartäuserkirche. Am vorderen Rand des Schuttberges Trümmer des Grabmals des 1591 gestorbenen Reichsfreiherrn und kaiserlichen Rates Georg Ludwig von Seinsheim aus der Kirche zu Markt Nordheim in Mittelfranken, darüber monumentale Michaelsfigur, fränkisch 17. Jahrhundert. Zustand im August 1945

94. Wiedereröffnung der ersten Schauräume des Museums nach dem Kriege am 13. Dezember 1947 mit Ansprache des Ersten Direktors Dr. Ernst Günter Troche in der Eingangshalle des Museums

1946   der Stadt 1882 geschlossenen Vertrages zurückgegeben zum Zwecke der Einrichtung einer Gaststätte durch eine Nürnberger Brauereigesellschaft.

20. September. Wiederaufnahme der öffentlichen Vortragsveranstaltungen mit einem Vortrag von Ernst Günter Troche: Das Germanische National-Museum und Nürnberg.

1946/47   14. Dezember–28. Februar/16. März. Ausstellung des Germanischen Nationalmuseums und der Stadt Nürnberg in der Fränkischen Galerie „Peter Flötner und die Renaissance in Deutschland" aus Anlaß des 400. Todestages des Künstlers.

1947   2. Februar. Wiedereröffnung der Bibliothek.

4. März. Richtfest des wiederhergestellten Südtraktes am Galeriebau (Bestelmeyer-Bau).
Die Bestände des Archivs, Kupferstichkabinetts und der Münz- und Medaillensammlung sind wieder benutzbar.

13. Dezember. Wiedereröffnung der Kunstsammlungen in der Eingangshalle, im Lapidarium, in fünf Südräumen und vier Nordräumen im Erdgeschoß des Bestelmeyer-Baues.

1948   10. September. In der Sitzung des Verwaltungsrates wird Staatsminister a. D. Prof. Dr. Theodor Heuss, Stuttgart-Degerloch, einstimmig als Mitglied und zum Vorsitzenden gewählt.

1949   12. September. Wahl des Vorsitzenden des Verwaltungsrates, Prof. Dr. Theodor Heuss, zum Bundespräsidenten.

22. Oktober. Eröffnung der beiden letzten großen Säle im Untergeschoß des Galeriebaues mit einer Ausstellung von Kunstwerken aus den Kirchen Nürnbergs.

1950   22. April. Öffnung des gangartigen Galerieraumes, des ehemaligen Goldsaales, seitlich oberhalb der Ehrenhalle. Der Raum war nach dem Kriege als Gemäldemagazin benutzt worden und soll nunmehr für Ausstellungen – in etwa vierteljährlichem Turnus – aus den Beständen der graphischen Sammlungen und aus den Schätzen der Bibliothek dienen.

95. Verwaltungsratssitzung am 7. Oktober 1949, stehend der Vorsitzende Bundespräsident Prof. Dr. Theodor Heuss, links neben ihm sitzend der bayerische Kultusminister Dr. Dr. Alois Hundhammer; an der Sitzung nahm auch der bayerische Ministerpräsident Dr. Hans Ehard teil

1950   Vollendung des Wiederaufbaues des Galeriebaus German Bestelmeyers. Am 7. Oktober Eröffnung des Obergeschosses, vorausgegangen war am 17. Dezember 1949 eine Teileröffnung von Schauräumen mit Gemälden und Skulpturen, die der Darstellung des Renaissancezeitalters dienten.
    29. September. Eröffnung einer besonderen kunstpädagogischen Abteilung unter Leitung von Ernst Königer.

1951   Mai. Rücktritt des Ersten Direktors Dr. Ernst Günter Troche.
    Oktober. Gründung der Abteilung „Heimatgedenkstätten", die Dokumente deutscher Kultur aus den Ostgebieten vereinigt.
    27. Oktober. Der Verwaltungsrat wählt Dr. Ludwig Grote zum Ersten Direktor, Dienstantritt 5. November; seit 1958 Titel Generaldirektor.

1952   Bauliche Fertigstellung und Einrichtung der Nordseite des Kreuzgangs, der sog. Mönchshäuser, der Kartäuserkirche, der Volckamerkapelle, des Lichthofes und der Apotheken.
    9. und 10. August. Hundertjahrfeier mit Sonderausstellung „Aufgang der Neuzeit. Deutsche Kunst und Kultur von Dürers Tod bis zum Ende des 30jährigen Krieges" (15. Juli bis 15. Oktober 1952). Am 9. August Festsitzung des Verwaltungsrats, nachmittags führen Trachtengruppen aus verschiedenen Gebieten Volkstänze vor. Dieser Teil der Veranstaltung, zu dem Eugen Roth einen Prolog verfaßte, wird an den folgenden Tagen wiederholt. Am Abend Festvortrag von Carl Jakob Burckhardt, Basel: „Städte – Geist". Am 10. August Festrede von Theodor Heuss im Opernhaus. Abends Festaufführung der Oper „Mathis der Maler" von Paul Hindemith, gleichfalls im Opernhaus.
    Es erscheint ein Bildband mit einer Einleitung Ludwig Grotes: Deutsche Kunst und Kultur im Germanischen National-Museum.
    Beschluß des Verwaltungsrates über die Einführung von Ehrenmitgliedschaften des Germanischen

96. Vitrine mit Silber und Porzellan auf der Ausstellung „Aus Goethes Tagen" aus Anlaß des zwei-
hundertjährigen Geburtstages Johann Wolfgang von Goethes, 13. August bis 6. November 1949

1952   Nationalmuseums: Persönlichkeiten, die sich um das Germanische Nationalmuseum oder um die
        Erforschung der deutschen Kunst- und Kulturgeschichte verdient gemacht haben, können zu Ehrenmit-
        gliedern des Museums ernannt werden. Ihre Zahl soll 12 nicht übersteigen. Zu Ehrenmitgliedern werden
        gewählt: Kronprinz Rupprecht von Bayern; Geheimrat Dr. Max J. Friedländer, Amsterdam (früher
        Berlin); Prof. Dr. Georg Swarzenski, Boston (früher Frankfurt/Main); Direktor Dr. Ing. h. c. Heinrich
        Thielen, Nürnberg; Prof. Dr. Wilhelm Vöge, Ballenstedt/Harz. 1953 folgen: Prof. Dr. Edmund
        Wilhelm Braun, Nürnberg; Direktor William Matthewson Milliken, Cleveland; Dr. Oskar Reinhart,
        Winterthur.

1953   Instandsetzung des Südwestbaues und Aufstellung der Volkskunde-Sammlungen (Eröffnung 1954).
        Einrichtung eines Besucher- und Verwaltungsraumes für Kupferstichkabinett, Münzsammlung und
        Archiv im Pförtnerhaus. Einrichtung des Gemäldedepots in der sog. Eisengalerie über dem großen
        Kreuzgang. Unterbringung der Waffen als Studiensammlung im Dachgeschoß des Refektoriums.
        Erwerbung des bei Etzelsdorf, Landkreis Neumarkt bei Nürnberg, gefundenen großen vorgeschichtli-
        chen Goldkegels aus der späten Bronzezeit (12. Jahrhundert vor Christus).

1954   Auf Anregung des Vorsitzenden des Verwaltungsrates, Bundespräsident Prof. Dr. Theodor Heuss, wird
        der Fördererkreis der deutschen Industrie und Wirtschaft unter Leitung von Dr. h. c. Heinrich Thielen,
        Direktor der MAN Nürnberg, gegründet.
        17. Mai. Historische Kostümschau des Germanischen Nationalmuseums vor dem Kulturkreis im
        Bundesverband der deutschen Industrie in der Villa Hügel in Essen. Vorgeführt werden originale
        Kostüme von der Ritterrüstung bis zu Kostümen des 19. Jahrhunderts. Die Modenschau wird später auf
        dem Petersberg bei Bonn und zweimal im Germanischen Nationalmuseum mit großem Erfolg wieder-
        holt.

1955   Das Museum erwirbt von der Herzogin-Witwe von Sachsen-Coburg-Gotha unter beträchtlichen An-
        strengungen den Echternacher Codex, eine ottonische Prunkhandschrift aus dem Kloster Echternach mit
        einem Gold-Elfenbein-Buchdeckel, der eine Stiftung Ottos III. und seiner Mutter Theophanu an die

97. Wiederaufbau des Chores der Kartäuserkirche. September 1949

98. Dr. Ernst Günter Troche und Dr. Heinz Stafski im Depot des Museums, Skulpturen, Totenschilde, Möbel. Aufnahme etwa 1948/49

1955   Abtei Echternach war. Der Kaufpreis von 1,2 Millionen DM wird durch den Verkauf eines bedeutenden Altars von Lukas van Leyden an das Museum in Boston zum Preis von 500000,- DM, einen Zuschuß der Bundesrepublik Deutschland (Bundesministerium des Innern) von 300000,- DM und einen weiteren Zuschuß der Länder der Bundesrepublik aufgebracht.

91252 cbm Raum sind bis 1955 baulich wieder instandgesetzt. 1939 umfaßte der Baubestand des Germanischen Nationalmuseums insgesamt 131958 cbm.

1956   Erster Band der von Ludwig Grote herausgegebenen „Bilder aus deutscher Vergangenheit". Bibliothek des Germanischen National-Museums zur deutschen Kunst- und Kulturgeschichte. Bis 1975 erscheinen 35 Bände dieser Serie, die jeweils an die Mitglieder des Museums als Jahresgabe verteilt werden.

1958   6. September. Als erster Neubau nach dem Kriege wird der von den Architekten Sep Ruf und Harald Roth erbaute Theodor-Heuss-Bau am Kornmarkt fertiggestellt und mit der Sonderausstellung „Aus dem Danziger Paramentenschatz und dem Schwarzhäupterschatz zu Riga" eröffnet.

1959   Übernahme der Leitung des Fördererkreises durch Dr. Ing. Karl Knott, Mitglied des Vorstandes der Siemens-Schuckert-Werke AG, Erlangen.

Schloß Neunhof bei Kraftshof, ein typisches fränkisches Weiherhaus aus dem ausgehenden 16. Jahrhundert, wird als Jagdmuseum eingerichtet. Es enthält eine vollständige alte Küche mit einer Vielzahl von Kupfer- und Zinngeschirr, Krügen, Tellern, Herdgerät und dergleichen, ferner eine sogenannte Prangküche mit Fayencegeschirr und Porzellan des 18. Jahrhunderts.

1961   Das Germanische Nationalmuseum übernimmt vom Deutschen Verein für Kunstwissenschaft die Bearbeitung des Schrifttums zur deutschen Kunst, von dem seit 1935 21 Jahrgänge erschienen sind. Eine ähnliche Bibliographie aller in- und ausländischen Veröffentlichungen zur Geschichte der deutschen Kunst war dem Museum bereits in seinem Gründungsprogramm zugedacht und entspricht seinem Charakter als Zentral-Institut für deutsche Kunst- und Kulturgeschichte.

Erwerb der Bibliothek des Baron Ferdinand von Neufforge, die von Südamerika nach Deutschland

99. Dr. phil. Ludwig Grote, Erster Direktor (seit 1958 mit dem Titel Generaldirektor) 1951–1962. Photographie von 1962

1961   zurückgebracht wird. Unter den rund 1000 Bänden befinden sich u. a. zum Teil sehr seltene Inkunabeln, illustrierte Bücher vom Ulmer Zeitglöcklein bis zur Erstausgabe von „Max und Moritz", 21 Werke der Dürerzeit, ferner 44 sehr rare Volksbücher, 24 literarische Werke der Goethezeit, Frühwerke deutscher Geschichtsschreibung, Philosophie, Naturwissenschaft (u. a. Kopernikus und Kepler), Medizin (u. a. 10 Werke von Paracelsus).

Das Museum wird Sitz der Deutschen Volkskunstkommission, deren Vorsitz Landeskonservator Dr. Erich Meyer-Heisig inne hat. Der Entschluß ergab sich aus der Tatsache, daß das Germanische National-museum heute die einzige Sammlung ist, die alle Landschaften des deutschen Sprachgebietes in seiner Volkskunde-Abteilung vertreten hat.

1962   Der Verwaltungsrat verabschiedet einen Generalbebauungsplan, der den endgültigen Ausbau des Mu-seums während der nächsten sechs bis acht Jahre vorsieht. Er geht von einer lockeren Verteilung der einzelnen Baugruppen aus. Die verschiedenen Abteilungen sollen von einer breiten Nord-Süd-Achse aufgeschlüsselt werden, so daß dem Besucher künftig die Orientierung in dem weitverzweigten Mu-seumskomplex leichter fallen wird.

20. Juni–16. September: „Barock in Nürnberg", Ausstellung anläßlich der Dreihundertjahrfeier der Nürnberger Akademie, die 1662 als älteste in Deutschland gegründet wurde.

100. Die Kartäuserkirche, als Museumsraum wieder eröffnet 1952

101. 5-DM-Münze von 1952. Ausprägung des Bayerischen Hauptmünzamtes von 200000 Stück mit einem Avers auf das hundertjährige Bestehen des Museums: Abbildung der ostgotischen Adlerfibel, um 500, Umschrift „*Germanisches Museum Eigenthum der deutschen Nation* Nürnberg 1852 1952". Dm 2,9 cm

1962   Vom Auswärtigen Amt ist Prof. Dr. Ludwig Grote als deutscher Kommissar mit der Auswahl, Vorbereitung und Organisation des deutschen Beitrages für die 8. Europaratsausstellung in Wien beauftragt: „Europäische Kunst um 1400" vom 7. Mai–31. Juli 1962. Bei der Durchführung wird er von Dr. Günther Schiedlausky unterstützt.

Depositum der Erbengemeinschaft Blasius, Braunschweig, für das Kupferstichkabinett: 20 Zeichnungen und 140 Blatt Druckgraphik Albrecht Dürers und seines Kreises.

28. September. Vertrag zwischen dem Germanischen Nationalmuseum und Dr. Dr. h. c. Ulrich Rück, durch den die knapp 1500 Stücke zählende „Sammlung historischer Musikinstrumente Dr. Dr. h. c. Ulrich Rück" dem Germanischen Nationalmuseum übereignet wird. Hiermit wird eine selbständige Abteilung für historische Musikinstrumente gegründet. Zu rund 180 Tasteninstrumenten kommen wertvolle und seltene Streichinstrumente, an die 150 Zupfinstrumente und 400 Blasinstrumente. Volksinstrumente, musikalische Kinderspielzeuge und rund 150 teilweise hochwertige außereuropäische Stücke vervollständigen das Bild. Wichtig ist, daß die meisten Instrumente noch spielbar sind.

31. Oktober. Prof. Dr. Ludwig Grote gibt aus Altersgründen die Leitung des Museums ab. Dr. Erich Steingräber, bisher Oberkonservator am Bayerischen Nationalmuseum in München, wird Generaldirektor. Dienstantritt 1. November.

1963   Im Zuge der Errichtung des neuen für die musikhistorische Sammlung und die volkskundlichen Sammlungen bestimmten Südbaues wird auch die gotische Leonhards- oder Kresskapelle von 1412 abgerissen, die mit weiteren Teilen des Nürnberger Augustinerklosters in den Jahren 1872–1874 auf das Museumsgelände übertragen worden war und im letzten Kriege ausgebrannt war. 18 kleinere zum originalen Baubestand gehörige Baufragmente wurden in die Sammlung der Bauteile aufgenommen.

12. Dezember. Tod des Altbundespräsidenten Prof. Dr. Theodor Heuss, Vorsitzenden des Verwaltungsrates. Am Geburtstag von Prof. Heuss (geb. 31. Januar 1884) veranstaltet das Museum zusammen mit dem Deutschen Müttergenesungswerk eine Gedenkfeier in der Kartäuserkirche.

1964   31. Januar. In einer außerordentlichen Sitzung des Verwaltungsrates wird Dr. Hans Christoph Freiherr Tucher von Simmelsdorf zum Vorsitzenden des Verwaltungsrates gewählt. Baron Tucher gehört dem Verwaltungsrat seit 1936 an.

16. April. Das von den Architekten Sep Ruf und Harald Roth erbaute neue Bibliotheks- und Verwaltungsgebäude wird eröffnet.

Seit Mai zeigt das Museum im monatlichen Wechsel in der Eingangshalle „Die Neuerwerbung des Monats".

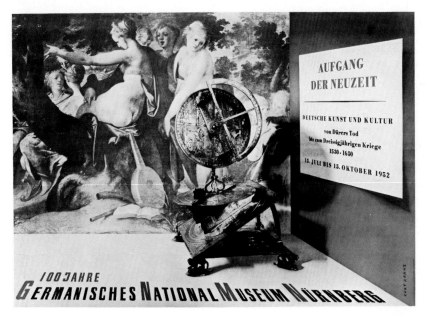

102. Plakat zur Jubiläumsausstellung „Aufgang der Neuzeit – Deutsche Kunst und Kultur von Dürers Tod bis zum Dreißigjährigen Kriege, 1530–1650". 15. Juli bis 19. Oktober 1952. Entwurf von Kurt Kranz, Landeskunstschule Hamburg

103. Jubiläumsausstellung „Aufgang der Neuzeit" 1952, Blick in den Saal mit geographischen und astronomischen Instrumenten

104. Volkstanz-Vorführungen im Hof des Großen Kreuzganges bei den Feiern aus Anlaß des hundertjährigen Bestehens des Museums am 9. August 1952

1964   1. Juni. Der neue Studienraum des Kupferstichkabinetts, des Archivs und der Münzsammlung im neu
errichteten Bau wird für die Besucher freigegeben.
1. September. Wiedereröffnung der Bibliothek im Stockwerk darüber.
Vom 17. bis 30. August und vom 8. bis 13. Dezember wird eine Fragebogenaktion durchgeführt und für
die Öffentlichkeitsarbeit ausgewertet. Von den Museumsbesuchern wird ermittelt: Zusammensetzung
des Publikums nach Alter, Geschlecht, Beruf und Herkunft (Nürnberg, übriges Bundesgebiet, Ausland);
Lieblingswerke, Bevorzugung bestimmter Abteilungen, Benutzung des gedruckten „Wegweisers" usw.;
Beanstandungen (um gegebenenfalls Mängel zu beheben); Anregungen für die Bauplanung.
Zu den Aufgaben des Museums gehört die Erweiterung seines Sammlungsprogrammes über die bisherige
Zeitgrenze um 1800 hinaus. Die Stadt Nürnberg stellt die wichtigsten Kunstwerke des 19. Jahrhunderts
aus städtischem Besitz als Dauerleihgaben zur Verfügung, die einen beachtlichen Grundstock für die
neue Museumsabteilung bilden. Gleichzeitig ist die Koordinierung der künftigen Erwerbungspolitik der
Städtischen Sammlungen und des Germanischen Nationalmuseums beabsichtigt. Teil des angestrebten
umfangreichen Vertragswerkes mit der Stadt Nürnberg ist ein Kunstpädagogisches Zentrum.

1965   1. Januar. Die „Zentrale Dokumentationsstelle für die Geschichte der bildenden Kunst im deutschen
Sprachgebiet" bzw. das „Archiv für bildende Kunst" nimmt unter Leitung von Dr. Ludwig Veit die
Arbeit auf: Alle erreichbaren schriftlichen Quellen über bildende Kunst (Nachlässe und Autographen)
von Malern, Bildhauern, Architekten, Kunsthandwerkern, Kunstgelehrten werden in einer Zentralkartei
nachgewiesen; einschlägige Nachlässe und Autographen werden im Original erworben und damit die
schon bestehende allgemeine Autographen- und Nachlaß-Sammlung im Hinblick auf die bildende Kunst
ausgebaut. Die Dokumentation wird zunächst mit Unterstützung der Fritz-Thyssen-Stiftung für das 19.
Jahrhundert verwirklicht. Damit erhält das Archiv des Museums eine zentrale Aufgabe im Dienst der
Kunst- und Kulturgeschichte.
16. Juni. Es wird ein Bildhauer-Symposium über die Ausgestaltung der Innenhöfe und des Hauptein-

105. Vorführung von Volkstrachten im Hof des Großen Kreuzganges bei den Feiern aus Anlaß des hundertjährigen Bestehens des Museums am 9. August 1952. Siebenbürger Sachsen beim Kirchgang unter Vorantritt des Kirchvaters

106. Heimatgedenkstätten, Raum Sudeten-Egerland und Schlesien mit Textilien, Schmuck und Hafnerkeramik, vorn rechts Relief eines Beischlages aus Danzig, 17. Jahrhundert, Aufstellung 1952/53

107. Erwerbung des Codex aureus aus Echternach, um 1020–30, mit einem Deckel aus Gold und Elfenbein, 985–991. Übergabe durch die Herzogin Victoria von Sachsen-Coburg-Gotha an Ludwig Grote am 9. Mai 1955

1965   gangs abgehalten. 1966 werden aufgestellt: vor dem Hauptportal „Il guerriero" (Bronze) von Marino Marini und die Bronze „Phönix" von Bernhard Heiliger sowie ein aus Kupferplatten zusammengeschweißter Brunnen von Georg Brenninger im sog. Bärenhof westlich des Refektoriums; des weiteren werden erworben von Toni Stadler eine in Bronze gegossene „Nereiden"-Gruppe, von Karl Hartung eine aus römischem Travertin gemeißelte „Columna". Diese Arbeiten und eine aus Zürcher Privatbesitz erworbene Bronze „Ptolomäus" des kürzlich verstorbenen Jean Arp sollen 1967 ihren endgültigen Platz erhalten. In der Eingangshalle des Museums werden die Bronzebildnisse von Dr. Hans Christoph Freiherr von Tucher (von Josef Henselmann) und Prof. Dr. Ludwig Grote (von Gustav Seitz) aufgestellt.

8.–12. Juni. 55. Deutscher Bibliothekarstag im Museum.

5. Juli. Die neue Abteilung der Kunst des 19. Jahrhunderts wird eröffnet: Dauerleihgaben aus dem Besitz der Stadt Nürnberg bilden den Grundstock für die einstweilige Ausstellung von Gemälden des 19. Jahrhunderts im Erdgeschoß des Theodor-Heuss-Baues. Zu den Bildern aus eigenem Besitz kommen Leihgaben der Sammlung Dr. Georg Schäfer, Schweinfurt, der Bayerischen Staatsgemäldesammlungen, München, der Stiftung Preußischer Kulturbesitz, Nationalgalerie, Berlin, und des Wallraf-Richartz-Museums, Köln.

1966   Überführung des „Deutschen Glockenarchivs" von Hamburg in das Archiv für bildende Kunst.

Schaffung der Theodor-Heuss-Medaille durch den Bildhauer Karl Knappe. Die Medaille wird an Persönlichkeiten verliehen, die sich um das Germanische Nationalmuseum verdient gemacht haben.

Bundesschatzminister Dr. Werner Dollinger übergibt 18 Gemälde des 16. und 19. Jahrhunderts aus ehemaligem Reichsbesitz als Dauerleihgaben der Bundesrepublik, darunter Werke von Lukas Cranach d. Ä., Hans Muelich, Julius Schnorr von Carolsfeld, Franz Krüger, Karl Theodor Piloty, Franz von Stuck und Hans Makart.

1967   Mitarbeiter der Restaurierungsabteilungen arbeiten mehrere Wochen in Florenz und wirken an der

108. Neuaufstellung im Erdgeschoß des Theodor-Heuss-Baues, Goldschmiedewerke des Nürnberger Patriziats, vorn das Schlüsselfelder Schiff von 1503, in der dritten Vitrine der sog. Ernestinische Willkomm von Wentzel Jamnitzer, Nürnberg 1508–1585, vorübergehende Leihgabe des Herzoglichen Hauses Sachsen-Coburg-Gotha. Eröffnet am 6. September 1958

1967   Wiederherstellung der bei der Flutkatastrophe im November 1966 beschädigten Kunstwerke mit: Konservator und Leiter der Abteilungen Fritz Reimold (Gemälde), Oberrestaurator Friedemann Hellwig (Musikinstrumente); Waffenmeister Heinz Dauer weist Florentiner Hilfskräfte in das Restaurieren von Waffen ein.

Die Vorträge des Winters 1966/67 unter dem Thema „Europäische Hauptstädte" haben einen außerordentlichen Erfolg. Das Atrium des Bibliotheksbaues kann die Besucher nicht mehr fassen, so daß die Veranstaltungen in die Kartäuserkirche verlegt werden müssen. – Die Vorträge des Winters 1967/68 behandeln die „Florentiner Kunst der Renaissance".

Für die Eingangshalle schafft Prof. Georg Meistermann ein farbiges Glasfenster, das aus mundgeblasenen Opak- und Überfanggläsern besteht und von der Glasmaler-Werkstatt Hans Bernd Gossel in Urberach bei Frankfurt/M. ausgeführt wird.

22. Juni. Die neue Abteilung „Frühes und hohes Mittelalter" wird im Erdgeschoß des neuen Verbindungstraktes zwischen Lapidarium und Kreuzgang eröffnet. Die Neuaufstellung versucht die mittelalterliche deutsche Kunst aus ihren wichtigsten Voraussetzungen, der mittelmeerisch-antiken und der germanischen Kunst, abzuleiten.

Ankauf des Selbstbildnisses „Der Trinker" von Ernst Ludwig Kirchner (1880–1938), eines Hauptwerkes des deutschen Expressionismus. Die Erwerbung kennzeichnet das Engagement des Museums beim Ausbau seiner neuen Abteilung für die Kunst des 19. und 20. Jahrhunderts.

109. Eröffnung der Ausstellung „Meister um Albrecht Dürer" (4. Juni bis 17. September 1961): Theodor Heuss mit Ludwig Grote und Frau Lilo Urschlechter, der Gattin des Nürnberger Oberbürgermeisters

110. Plakat der Ausstellung „Barock in Nürnberg" aus Anlaß des dreihundertjährigen Bestehens der Akademie der bildenden Künste in Nürnberg, 20. Juni bis 16. September 1962. Der Schrift unterlegt ein Stich Joachim von Sandrarts aus dessen Deutscher Academie, Frankfurt am Main 1679, 2. Hauptteil, 3. Titelblatt zu Teil III, „Von unterschiedlichen antiquarischen oder uralten Gefäßen, Gebäuen, Ruinen, Hörnern"

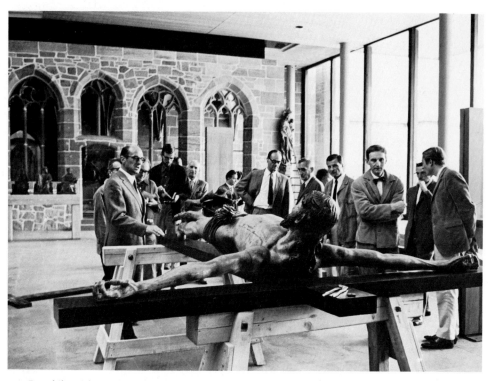

111. Dr. phil. Erich Steingräber, Generaldirektor des Museums 1962–1969, im Kreis der Mitarbeiter bei der Einrichtung des Kleinen Kreuzganges vor dem Kruzifix des Veit Stoß; in der Mitte Dr. Heinz Stafski und Dr. Günther Schiedlausky, links im Hintergrund Dr. Peter Strieder, vorn (dritter von rechts) Dipl. Arch. Lothar Hennig, 3. Juni 1968

1968   Abriß der im Kriege schwer beschädigten Museumsbauten des 19. Jahrhunderts an der Grasergasse.

Beginn der Bauarbeiten des nach Plänen von Sep Ruf errichteten großen neuen Ostbaues, der in zwei Kellergeschoßen die notwendigen Depots und eine Großgarage, sowie in drei Obergeschoßen Ausstellungsräume für die Waffensammlung und die Bestände des 18., 19. und 20. Jahrhunderts aufnehmen wird.

Als letzte Ergebnisse des 1965 veranstalteten Bildhauer-Symposions für die künstlerische Ausgestaltung der Innenhöfe kommen zur Aufstellung: das bronzene „Kreuz V" von Fritz König im Hof südlich des Bibliotheksgebäudes und der ebenfalls in Bronze gegossene, auf einem Monolithen stehende „Ganymed" von Josef Henselmann östlich des Theodor-Heuss-Baues an der Klaragasse. Hans Wimmer übergibt ein Bronzebildnis des Malers Oskar Kokoschka. Für das Foyer des neuen Vortragssaales werden zwei große Holzschnitte („Persephone" und „Les Noces" 1962) von HAP Grieshaber erworben.

26. 3. Abschluß des seit 1964/65 behandelten Vertragswerkes mit der Stadt Nürnberg. Damit ist das von der Stadt Nürnberg und dem Museum gemeinsam betriebene Kunstpädagogische Zentrum gegründet. Eine enge Zusammenarbeit mit den Städtischen Kunstsammlungen sowie ein umfangreicher Leihgabentausch im Sinne einer Koordinierung der kulturellen Bemühungen auf dem Sektor der bildenden Kunst innerhalb Nürnbergs sind vereinbart.

Am 9. Mai Unterzeichnung des Kaufvertrages zwischen dem Germanischen Nationalmuseum und der Familie Neupert, durch den das Museum die „Klavierhistorische Sammlung Neupert" dank äußersten Entgegenkommens der Familie und einer großzügigen Unterstützung der Stiftung Volkswagenwerk erwirbt. Die nahezu 300 Stücke dieser seit etwa 1895 in drei Generationen zusammengetragenen Sammlung dokumentieren die gesamte Geschichte des Saitenklaviers und seiner Vorläufer. Zu 215 Tasteninstrumenten kommen noch als Instrumente ohne Klaviatur vor allem solche aus der Familie der Zithern mit Typen, die zur Entwicklung der Saitenklaviere geführt oder doch dazu beigetragen haben. Das

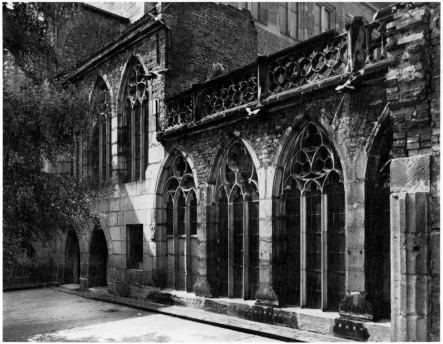

112, 113. Wittelsbacher Hof. Blick auf die 1963 abgerissenen Ruinen des Augustinerbaues, und zwar des Dormitoriumsflügels (oben) und des westlichen Kreuzgangflügels (unten). Zustand September 1963

114, 115. Ruine der Leonhards- und Augustinuskapelle des Augustinerbaues von 1412 vor dem Abriß 1963, Innen- und Außenansicht. Zustand September 1963

1968 Germanische Nationalmuseum besitzt nunmehr eine der bedeutendsten, wenn nicht die bedeutendste Klaviersammlung der Welt. Die optisch und akustisch schönsten Exemplare der Sammlung Neupert werden in der Musikinstrumentenaufstellung im Erdgeschoß des Südbaues im Juli 1969 der Öffentlichkeit zugänglich gemacht.

4. Juli. Eine Reihe von neueingerichteten Sammlungsräumen für den Besuch geöffnet: Im Obergeschoß des Verbindungstraktes zwischen Haupteingang und großem Kreuzgang sind das Kunsthandwerk des 16. und 17. Jahrhunderts und die wissenschaftlichen Instrumente aufgestellt. Die beiden Lichthöfe nördlich der Kartäuserkirche haben die Nürnberger Steinskulpturen des Mittelalters aufgenommen, vor allem die originalen Reste des Schönen Brunnens vom Hauptmarkt. Im überdachten Hof des kleinen Kreuzgangs, in der Mittelalterhalle und im Refektorium werden Malerei und Plastik der Spätgotik (1350–1500) ausgestellt; die bisher gesondert gezeigte Nürnberger Kunst ist in die übrigen Sammlungen integriert. Der freigewordene Ostteil des Theodor-Heuss-Baues wird für das frühe 20. Jahrhundert zur Verfügung gestellt. In diesem Bereich wird ein Dunkelraum mit ausschließlich indirekter, künstlicher Beleuchtung eingebaut, um ständig einen Teil der Graphik des 20. Jahrhunderts zeigen zu können. Am Westende des großen Kreuzganges ist ein Glasgemälderaum für die Sammlung der mittelalterlichen Scheiben des Museums eingerichtet worden, die zuvor von Dr. Gottfried Frenzel, Nürnberg, restauriert wurden. Im Dezember wird in den Obergeschoßräumen des Refektoriums die Spielzeugsammlung mit den Nürnberger Puppenhäusern des 17. Jahrhunderts eröffnet.

116. Bildhauersymposion über die Ausgestaltung der Innenhöfe mit modernen Skulpturen am 16. Juni 1965. Von links nach rechts: Toni Stadler, Hans Wimmer, Direktor Dr. Peter Strieder, Josef Henselmann, Konservator Dr. Wulf Schadendorf, Generaldirektor Dr. Erich Steingräber und der Architekt der Neubauten des Museums, Professor Sep Ruf

1968   Neue Räume für die Restaurierungs-, Foto- und Handwerkswerkstätten in der Nordostecke des Museumsgeländes werden bis Oktober bezogen.

Vom Auswärtigen Amt war Dr. Erich Steingräber als deutscher Kommissar mit der Auswahl, Vorbereitung und Organisation der deutschen Leihgaben für die 12. Europaratsausstellung in Paris beauftragt: „L'Europe Gothique XIIe–XIVe siècles" vom 2. April–25. August 1968. Die Durchführung und technische Abwicklung der Arbeiten für den deutschen Anteil liegen in den Händen von Dr. Günther Schiedlausky.

1969   16.–17. Januar. In Zusammenarbeit mit der Kommission für Volkskunst wird eine Tagung „Volkskunst im 19. Jahrhundert" veranstaltet.

4. März. In den drei Obergeschossen des Südbaues werden die neuaufgestellten volkskundlichen Sammlungen eröffnet. Während im ersten Stockwerk der reichen Trachtensammlung Schmuck und Einzeltextilien zugeordnet sind, veranschaulichen im zweiten der Hausrat aus Holz (Möbel und Kleingerät), Eisen, Messing, Zinn, Flechtwerk, Keramik und Glas sowie die Masken die handwerkliche Arbeit und die brauchtümliche Bindung; im dritten Stock sind die Zeugnisse religiösen Volksglaubens ausgebreitet. Dabei wird die Aufmerksamkeit auf den Zusammenhang der Altertümer mit dem allgemeinen Ablauf der Geschichte der Kultur gelenkt.

6.–8. Mai. Symposion: „Die Bedeutung, die optische und akustische Darbietung und die Aufgaben einer Musikinstrumentensammlung."

31. Mai. Generaldirektor Dr. Erich Steingräber scheidet aus dem Dienst des Museums aus und folgt einem Ruf als Generaldirektor der Bayerischen Staatsgemäldesammlungen in München.

1. Juni. Dienstantritt des neuen Generaldirektors Dr. Arno Schönberger, bisher Direktor des Kunstgewerbemuseums, Stiftung Preußischer Kulturbesitz, Berlin.

8. Juli. Im Erdgeschoß des Südbaues wird die Sammlung historischer Musikinstrumente eröffnet, zu der

117. Professor Sep Ruf im Gespräch mit Frau Luise Erhard (Mitte), der Gattin des Bundeskanzlers, und Frau Dr. Hildegard Martin, der Gattin des früheren Generaldirektors der Bayerischen Staatsgemäldesammlungen Prof. Dr. Kurt Martin bei der Eröffnung der neuen Abteilung „19. Jahrhundert" am 5. Juli 1965

118. Professor Dr. Ludwig Erhard, der frühere Bundeskanzler, im Gespräch mit dem Sammler Dr. h. c. Georg Schäfer bei der Eröffnung der Ausstellung „Der frühe Realismus in Deutschland, 1800–1850. Gemälde und Zeichnungen aus der Sammlung Georg Schäfer, Schweinfurt" am 22. Juni 1967

119. Eingang des Museums mit dem „Phönix" von Bernhard Heiliger und dem „Gestürzten Reiter" von Marino Marini, 1966

120. Abriß der letzten Reste der Ruine der Reichshofgebäude östlich des Großen Kreuzganges, rechts die noch stehende Wilhelmshalle, im Hintergrund links der neuerrichtete Südbau. Zustand 1968

121. Fritz König und Dr. Erich Steingräber nach der Aufstellung der Bronze „Kreuz V" von Fritz König im Hof des Museums zwischen Verwaltungsbau und Westkopf, 1968

122. Dr. Arno Schönberger, Generaldirektor des Museums seit 1969, bei der Eröffnung der Ausstellung „1471 Albrecht Dürer 1971" am 21. Mai 1971 in der Kartäuserkirche zwischen dem Festredner Prof. Dr. Wolfgang Stechow, Oberlin/USA (links) und dem russischen Botschafter Valentin Mihailowitsch Falin (rechts) und Prof. Dr. Carlo Schmidt (ganz rechts)

123. Eröffnung der Ausstellung „1471 Albrecht Dürer 1971" am 21. Mai 1971 in der Kartäuserkirche. Von links nach rechts: die Bundesgesundheitsministerin Frau Käte Strobel, der Minister-präsident des Freistaates Bayern Dr. Alfons Goppel mit Gattin, Bundespräsident Dr. Gustav Heinemann und der Vorsitzende des Verwaltungsrates GNM Dr. Klaus Dohrn

124. Ausstellung „1471 Alberecht Dürer 1971" vom 21. Mai bis 1. August 1971, Raum mit den Selbstbildnissen Dürers aus Madrid und München und dem Bildnis seines Vaters aus London

1969 neben dem Altbestand die Sammlung historischer Musikinstrumente Dr. Dr. h. c. Ulrich Rück sowie die klavierhistorische Sammlung Neupert gehören.

9. Juli. Dr. Klaus Dohrn, Frankfurt am Main, wird als Nachfolger des am 11. August 1968 verstorbenen Dr. Hans Christoph Freiherrn Tucher von Simmelsdorf zum Vorsitzenden des Verwaltungsrates gewählt.

29. 9.–3. 10. Museologisches Praktikum für etwa dreißig Studenten der Volkskunde von verschiedenen Universitäten der Bundesrepublik.

1970 24. Februar. Die Ende 1969 bezogenen Räume des Kunstpädagogischen Zentrums werden vorgestellt und eröffnet. Als Einrichtung des GNM und der Stadt Nürnberg soll das Kunstpädagogische Zentrum die Bildungsarbeit der Schulen und anderer Institutionen unter Verwendung der Sammlungsbestände durch Unterricht und Führungen fördern und die Kenntnis der Kunst und Kultur von der Vorgeschichte bis zur Gegenwart erweitern und vertiefen. Seit August 1969 wurden durch die Leiter des KPZ und die Mitarbeiter des Museums zwölf Museumspädagoginnen und -pädagogen ausgebildet, die ihre Unterrichts- und Führungsarbeit als freie Mitarbeiter im November 1969 begonnen haben.

April. Im zweiten Geschoß des Südwestbaues werden die neueingerichteten Werkstätten für Restaurierung der volkskundlichen Sammlungen, der Musikinstrumente und der Textilien sowie mehrere Handwerkswerkstätten bezogen. Zum Schutz der textilen Objekte werden die nach Süden und Westen gehenden Fenster der Werkstatt mit ultraviolettes Licht und Wärme absorbierenden Scheiben verglast.

25. Juni. Eröffnung der Bauernstuben im 1. Stock des Südwestbaues, Abschluß der Aufstellung der volkskundlichen Sammlungen.

Dr. Hans Bühler wird Vorsitzender des Fördererkreises.

In den östlichen Verbindungstrakt zwischen Galerie- und Heuss-Bau wird der neue Vortragssaal mit ca. 300 Plätzen, Foyer und Garderobe eingebaut. Seine Akustik ist den unterschiedlichen Bedingungen von Sprache und Musik anpaßbar. Lichtbildprojektoren und Kinoapparate stehen zur Verfügung. Im westlichen Verbindungstrakt wird eine Cafeteria eingerichtet. Im Hof, der mit Natursteinplatten ausgelegt wird, findet die Bronzegruppe der Nereiden von Toni Stadler in einem Wasserbecken Aufstellung.

125. Andrang bei der Ausstellung „1471 Albrecht Dürer 1971", Museumseingang mit der Bronzeskulptur „Phönix" von Bernhard Heiliger. Aufnahme aus dem Juli 1971

1970 Über die Restaurierung der „Verkündigung" von Konrad Witz, eines der Hauptwerke des Museums, wird ein Dokumentarfilm gedreht, in dem alle entscheidenden Phasen der schwierigen Restaurierung und der Übertragung auf einen neuen Bildträger festgehalten werden.
Der große Neubau an der Grasersgasse, der sogenannte Ostbau ist im Rohbau fertiggestellt, so daß er 1971 die didaktische Ausstellung „Dürerstudio" und die Ausstellung der Albrecht-Dürer-Gesellschaft „Dürer zu Ehren" aufnehmen kann.

1971 Zu Beginn des Jahres Neuaufstellung der mittelalterlichen Malerei und Plastik in der Mittelalterhalle südwestlich des kleinen Kreuzganges.
21. Mai–1. August. Die Ausstellung des Germanischen Nationalmuseums „1471 Albrecht Dürer 1971" ist der bedeutendste Beitrag zum 500. Geburtstag Albrecht Dürers, der sich, wie die Dürerausstellungen in vielen Ländern der Erde gezeigt haben, als ein weit über Deutschland hinausgreifendes Ereignis erweist. Die unter der Leitung von Dr. Peter Strieder vorbereitete Ausstellung macht anhand einer Reihe von Gemälden, über 200 Handzeichnungen sowie einer großen Zahl von Druckgraphiken aus allen Schaffensgebieten Dürers Rang innerhalb der geistigen und künstlerischen Bewegung seiner Zeit sichtbar und gibt Gelegenheit, die Bedeutung seines Schaffens für unsere Zeit zu überprüfen. In Anwesenheit von Bundespräsident Dr. Gustav Heinemann, des Vizepräsidenten des Deutschen Bundestages Professor Carlo Schmid, des bayerischen Ministerpräsidenten Alfons Goppel und des Oberbürgermeisters der Stadt Nürnberg Dr. Andreas Urschlechter wird die Ausstellung, deren Kosten die Bundesrepublik Deutschland, der Freistaat Bayern und die Stadt Nürnberg getragen haben, am 21. Mai in einem Festakt in der Kartäuserkirche des Museums eröffnet. Mit 360 000 Besuchern ist die Ausstellung der größte Erfolg in der Geschichte der Ausstellungen älterer deutscher Kunst. Die Ausstellung von originalen Werken Dürers wird durch eine didaktische Einführungsschau begleitet, durch die Kinder, Jugendliche und Erwachsene mit bestimmten Aspekten einer Ausstellung alter Kunst vertraut gemacht werden. Die Stadt Nürnberg, der Bayerische Rundfunk, Abteilung Fernsehen, das Germanische Nationalmuseum und das

126. Ausstellung „Dürer-Studio. Sehen, Verstehen, Erleben" vom 21. Mai bis 5. September
1971. Erläuterungen zu Dürers Kupferstich Adam und Eva von 1504

1971   Kunstpädagogische Zentrum veranstalten im neuen Ostbau des Museums das „Dürer-Studio". Vom 21. Mai bis 5. September wird das Dürer-Studio von über 300 000 Personen besucht. Anschließend wird es von der Graphischen Sammlung Albertina in Wien für ihre Dürer-Ausstellung vom 12. Oktober bis 19. Dezember übernommen.

23. Mai–29. August. Gleichzeitig mit der Dürerausstellung zeigt die Albrecht-Dürer-Gesellschaft im Ostbau eine Ausstellung mit Werken zeitgenössischer Künstler „Albrecht-Dürer zu Ehren". – Vom 12. September–28. November folgt die Ausstellung „Mit Dürer unterwegs".

7. Mai–31. Oktober. Austellung in der Nürnberger Burg „Kostbare Waffen und Jagdgeräte" aus den noch deponierten Beständen des Germanischen Nationalmuseums.

27. August–31. Dezember. Auf die Dürer-Ausstellung folgt in den gleichen Räumen die Ausstellung aus eigenen Beständen: „Malerei und Graphik der Dürerzeit".

1972   30. Juni. Das Obergeschoß des Galeriebaues wird mit Werken der Malerei und Plastik von 1500 bis zum 18. Jahrhundert wieder eröffnet. Die Neuaufstellung umfaßt auch hervorragende Beispiele der Wohnkultur des 16. Jahrhunderts. Zwei Nürnberger Zimmer des späten 16. Jahrhunderts (Bibra-Zimmer und ein nach dem Kriege erworbenes Zimmer aus der Karlstraße 3) sind eingebaut. Der Erdglobus von Martin

130. Dr. Arno Schönberger bei der Kranzniederlegung vor der Büste des Museumsgründers Hans von und zu Aufseß in Schloß Unteraufseß aus Anlaß des hundertjährigen Todestages am 6. Mai 1972

1973 29. Januar–2. Februar. Im Museum findet ein wissenschaftliches Kolloquium über die Standuhr Philipps des Guten von Burgund statt, bei dem die Uhr weitgehend zerlegt wird. Dabei erweist sich, daß alle gelegentlich geäußerten Bedenken sowohl gegen die Entstehung der Uhr um 1430 als auch gegen die Zusammengehörigkeit von Werk und Gehäuse sowie ihre ursprüngliche Bestimmung als Tischuhr jeglicher Grundlage entbehren.

Das alte, 1900/01 zur Bibliothek umgestaltete Königsstiftungshaus an der Ecke Grasersgasse und Frauentorgraben, in dem von 1945 bis 1964 auch Direktion und Verwaltung untergebracht waren, wird im Zuge der Verkehrsplanung abgerissen.

1974 Der Theodor-Heuß-Bau am Kornmarkt wird wegen Umbauarbeiten geräumt, eine Auswahl der Abteilung 19. Jahrhundert vorübergehend im Atrium, später in zwei Räumen östlich des Lapidariums gezeigt; die prähistorische Sammlung wird für mehrere Jahre bis zu einer geplanten Neuaufstellung deponiert. Im zweiten Kellergeschoß des Neubaues an der Grasersgasse werden die Depots für wissenschaftliche Instrumente, Glasgemälde, Keramik und Gläser ausgebaut. Im Kellergeschoß des Südbaues wird das neue Gemäldedepot bezogen. Im Dachgeschoß des Bestelmeyer'schen Galeriebaues können für die vor- und frühgeschichtlichen Sammlungen neue Depoträume geschaffen werden. Die Kostümsammlung zieht in das 1973 fertiggestellte Depot und wird dabei neu geordnet.

7.–10. Mai. Symposion für Restauratoren von Musikinstrumenten ohne Klaviatur.

1975 Maximilian von Vopelius wird Vorsitzender des Fördererkreises.

9.–11. April. Im Zusammenhang mit der Planung des Sammelwerkes zur Geschichte des Germanischen Nationalmuseums findet unter Beteiligung deutscher und ausländischer Gelehrter ein Symposion unter dem Thema „Geschichte des kunst- und kulturgeschichtlichen Museums im 19. Jahrhundert" statt. Die Vorträge werden in der Reihe „Studien zur Kunst des 19. Jahrhundert – Forschungsunternehmen der Fritz-Thyssen-Stiftung" erscheinen.

18. Juli. Im Erdgeschoß des Ostbaues wird die neuaufgestellte Sammlung der Waffen und der Jagdaltertümer nach langjähriger Deponierung als eigene Museumsabteilung wiedereröffnet. Im südlichen Bereich des Erdgeschosses ist die Gartenplastik des 18. Jahrhunderts aufgestellt.

1976 10. Juli. Eröffnung der im ersten Obergeschoß des Ostbaues neu aufgestellten Sammlung „Kunsthandwerk des 18. Jahrhunderts" in gegenüber der früheren Aufstellung im Theodor-Heuss-Bau wesentlich erweitertem Umfang: Fayence, Steinzeug, Porzellan und Silber des 18. Jahrhunderts, geschnittene Gläser des 17. und 18. Jahrhunderts, einige Möbel des 18. Jahrhunderts, darunter auch der 1974 erworbene Bernsteinschrank, insgesamt über 1200 Gegenstände. Eine Kostüm-Passage sucht in veränderter Gestalt den Gedanken der Barock-Passage aus den fünfziger Jahren aufzunehmen. Hinter dieser Passage eingebaut ist das seit 1939 nicht mehr gezeigte Aachener Zimmer mit seinen in die holzgeschnitzte Vertäfelung eingelassenen Brüsseler Gobelins, um 1740.

1977 2. Juni. Festakademie aus Anlaß des 125-jährigen Bestehens des Museums in Anwesenheit des Bundespräsidenten Walter Scheel und zahlreicher Festgäste im Opernhaus der Stadt Nürnberg. Der Bundespräsident würdigt in seiner Ansprache die Bedeutung des Museums für die Darstellung nationaler Einheit, die im Rahmen einer größeren europäischen Verantwortung gesehen werden müsse. Der bayerische Ministerpräsident Alfons Goppel und der Nürnberger Oberbürgermeister Dr. Andreas Urschlechter entbieten Grußworte. Die Festrede hält Prof. Dr. Hans Mayer, Tübingen, unter dem Titel „Das deutsche Selbstempfinden".

Die Zahl der Mitglieder des Germanischen Nationalmuseums (früher in Pflegschaften zusammengefaßt) beträgt 8632, die Zahl der Förderer 243. Das Museum hat 215 890 Besucher, der Lesesaal der Bibliothek 6439.

Das Museum, dessen Wiederaufbau und -einrichtung nach den Zerstörungen des Zweiten Weltkrieges mit der Eröffnung der neuen Räume für die Zunft- und Handwerksaltertümer, die pharmaziegeschichtliche und medizinhistorische Sammlung abgeschlossen ist, umfaßt jetzt 95 Ausstellungsräume mit einer Gesamtfläche von 26 890 m². Die Bibliothek enthält schätzungsweise 390 000 Bände. Das Museum beschäftigt 151 ständige Mitarbeiter, darunter 24 Wissenschaftler. Am Kunstpädagogischen Zentrum sind 22 Mitarbeiter tätig.

Zur Geschichte der Institution Germanisches Nationalmuseum

PETER BURIAN
Das Germanische Nationalmuseum und die deutsche Nation

Theodor Schieder zum 11. April 1978

Hans Freiherr von Aufseß hat die Anstalt, deren Gründung ihm – nach mehreren vergeblich
gebliebenen Versuchen in den dreißiger und vierziger Jahren – im August 1852 endlich geglückt
ist, von Anfang an in ein Verhältnis besonderer Art zur deutschen Nation stellen wollen[1]. Sein
Vorhaben hat in der wissenschaftlichen und politischen Öffentlichkeit seiner Zeit große Zustimmung gefunden[2], und bis heute wird dieser nationale Charakter für so wesentlich gehalten, daß die
Berufung auf ihn den Bestand des Museums, seine Sammlungs- und Ausstellungstätigkeit und
seine Förderung von öffentlicher wie privater Seite zu rechtfertigen vermag[3]. Eine Studie wie
diese, in der Wesen, Umfang und Stärke der Beziehungen zwischen dem Germanischen Nationalmuseum und der deutschen Nation untersucht werden sollen, beschäftigt sich deshalb nicht nur
mit einem Thema, das aus der Geschichte des Museums selbst gewonnen wurde, sondern sie kann
auch zu Ergebnissen führen, die, eben wegen dieser zentralen Bedeutung des nationalen Gedankens im Museumsplan, dazu beitragen sollen, manches an den Vorstellungen, nach denen das

Für diesen Beitrag wurden Bestände folgender Archive ausgewertet: Bayerisches Staatsarchiv Coburg (Archiv C); Bundesarchiv, Außenstelle Frankfurt am Main (Archiv F); Generallandesarchiv Karlsruhe (Archiv K); Bayerisches Hauptstaatsarchiv München (Archiv M); Archiv des Germanischen Nationalmuseums (Altregistratur GNM). Für die Zeit nach
1945 konnten Direktionsakten des Germanischen Nationalmuseums benutzt werden (Direktionsakten GNM).
Die Arbeit entstand während meiner Zugehörigkeit zur Forschungsabteilung des Historischen Seminars der Universität
Köln. Für Hilfen bei der Vorbereitung des Manuskripts, vor allem durch die Überprüfung biographischer Einzelheiten,
danke ich den Hilfskräften am Münsteraner Lehrstuhl für neuere Geschichte, den ich im Sommersemester 1977 vertreten
habe, namentlich Klaus-Michael Guse, Klaus Neumann und Ulf Schriewer.

[1] Zwei Zitate für viele: In Aufseß' „Sendschreiben an die erste allgemeine Versammlung deutscher Rechtsgelehrten,
Geschichts- und Sprachforscher zu Frankfurt am Main" aus dem Sommer 1846 wurde das geplante Museum als
„Nationalanstalt", als „Gemeingut des deutschen Volks" bezeichnet (Nürnberg 1846, S. 24). In dem Schreiben, mit
dem Aufseß dem bayerischen König die Gründung seines Museums anzeigte, hieß es: „Seit etwa 20 Jahren habe ich
es mir zu einer Lebensaufgabe gemacht die Grundlagen zu einem deutschen Nationalmuseum vorzubereiten durch
Anlegung eines deutschen Archivs, einer deutsch-historischen Bibliothek und einer deutschen Kunst und Alterthumssammlung" (Aufseß an Maximilian II., München, 4.10.1852, Ausfertigung; Archiv M, MK 14187).
[2] Als Beispiele dafür seien aus dem ersten Jahrzehnt nach der Gründung die Urteile Gustav Freytags, Ignaz Döllin-
gers und des badischen Innenministers August Lamey genannt: „Gestatten Sie mir . . ., Ihnen zu wiederholen, dass
ich lebhaft die Freude und Dankbarkeit gegen Sie empfinde, welche Ihnen die ganze Nation für Ihr patriotisches
und großes Werk schuldet . . ." (Freytag an Aufseß, Siebleben bei Gotha, 7.7.1853; abgedruckt bei Hampe, Festschrift, S. 145). „Auf die gefällige Mittheilung, dass ich in den Gelehrten-Ausschuss des Germanischen Museums als
Mitglied gewählt sei, habe ich die Ehre, zu erwiedern (!), dass schon seit dem Beginne dieses Unternehmens das
Gedeihen und Aufblühen desselben ein Gegenstand meiner wärmsten Wünsche gewesen . . ." (Döllinger an Aufseß,
München, 17.1.1859; abgedruckt bei Hampe, Festschrift, S. 144). „Wenn auch die achtjährigen Resultate dieses
vaterländischen Instituts schon höchst erfreuliche genannt werden dürfen, . . ., so erfordert doch die glückliche
Durchführung des großartigen Unternehmens noch weitere Mittel, die zu beschaffen namentlich eine Ehrensache
deutscher Staatsregierungen sein wird" (Vortrag des badischen Innenministers, Karlsruhe, 28.6.1861, Nr.6728,
Ausfertigung; Archiv K, Staats-Ministerium 233/31628).
[3] Als Beleg dafür sollen aus der frühen Nachkriegszeit die Bemühungen des Germanischen Nationalmuseums, den
Echternacher Kodex zu erwerben, erwähnt werden. Sie wurden eingeleitet durch ein Schreiben des Direktors der
Staatlichen Münzsammlung München, Hans Gebhardt, in dem er dieses Evangeliar „ein einmaliges Kunstwerk"
nannte, „das nach meiner Meinung unter allen Umständen Deutschland erhalten bleiben muß. Ich glaube nun, daß
das Germanische Museum in erster Linie an dem Erwerb dieser Handschrift interessiert sein müßte. Es ist wohl
kaum möglich, diesen Codex anders als unter nationalen Aspekten zu werten" (Gebhardt an den damaligen Ersten
Direktor des Germanischen Nationalmuseums, Ludwig Grote, München, 14.12.1953, Ausfertigung; Sonderakten
„Echternacher Kodex"; Altregistratur GNM, Abt. III, o. Nr.). Grote machte sich dieses nationale Argument sogleich
zu eigen: „Wenn ein Kunstwerk überhaupt als nationales Denkmal angesprochen werden kann, ist es dieses Buch.
Es darf für Deutschland auf keinen Fall verloren gehen" (Grote an Bundesinnenminister, Nürnberg, 29.1.1954,
unparaphierte Durchschrift; Sonderakten „Echternacher Kodex"; Altregistratur GNM, Abt. III, o. Nr.).

Museum eingerichtet wurde, und an den Versuchen zu ihrer Verwirklichung besser zu verstehen, als dies bisher möglich gewesen war.

Aber schon wenn man das Urteil der Gründergeneration über das Germanische Nationalmuseum und sein Programm für eine inhaltliche Bestimmung des Problems, um das es in diesem Beitrag geht, heranziehen und daraus methodische Überlegungen für eine erfolgreiche Durchführung des Vorhabens ableiten will, zeigt sich deutlich, unter welch verschiedenen Erscheinungsformen der nationale Charakter des Museums sichtbar wurde und wie schwierig es deshalb ist, eine zutreffende Darstellung des Verhältnisses zwischen dem Museum und der Nation zu geben. Im Jahre 1865 wurde der wesentliche Unterschied zwischen dem Germanischen Nationalmuseum und allen anderen Museen in Deutschland so definiert: „Der Geschichte Gesammtdeutschlands gewidmet und dazu bestimmt, alles für die Kenntniß deutscher Vorzeit Wichtige ... nicht nur aufzunehmen und zu bergen, sondern auch durch wissenschaftliche Bearbeitung allgemeinster Benutzung zugänglich zu machen, und weiter berufen, in seinen Sammlungen ein treues, möglichst vollständiges Bild des Lebens und Treibens unserer Vorvorderen zu gewähren, in seinen Hallen an die wichtigsten Momente vaterländischer Geschichte zu erinnern und das Andenken der hervorgendsten Männer und Frauen Deutschlands zu ehren, ist das germanische Museum in seinem ganzen Plane, seinem innersten Wesen nach ein Institut entschieden nationalen Charakters. Diese Eigenschaft des germanischen Museums, die es vor jedem ihm sonst verwandten Institute des Vaterlandes voraus hat, und in deren Wahrung und möglichster Kräftigung für unsere Anstalt die sicherste Bürgschaft für eine bedeutende Zukunft liegt, in immer weiteren Kreisen zur Anerkennung gelangen, das german. Museum mehr und mehr als deutsche Nationalsache zur Geltung kommen zu sehen, dies war von jeher unser erster und hauptsächlichster Wunsch"[4]. Im Vergleich zu den damals bereits bestehenden außerdeutschen Nationalmuseen war einige Jahre zuvor, im Februar 1861, die Besonderheit des Germanischen Nationalmuseums so beschrieben worden: „Während andere Nationen, während Frankreich und England sich begnügen, in ihren Nationalmuseen Vieles des Schönsten in unschätzbaren Originalen aufzustellen und ihre Genugthuung finden in der Bewunderung, welche die Welt den hier zusammengebrachten Schätzen zollt, kann der Deutsche gern auf den Ruhm verzichten, die prachtvollste Ausstellung von Kunst- und Literaturschätzen auf Einen Punkt vereinigt zu haben, gegen die mühevoll errungene Gewißheit, nicht blos Vieles, sondern Alles zu kennen und zu benützen, was für das deutsche Volk und Land von bleibendem historischen Werth ist. Das germanische Museum will nicht sowohl eine Schau- oder Ausstellung von Originalprachtwerken sein als vielmehr ein einheitlicher Mittelpunkt zur Belehrung und Ueberschau über die gesammte deutsch-nationale Literatur, Kunst, Geschichte und Kultur ..."[5]. Und zwischen der Auflösung des Deutschen Bundes und der Gründung des deutschen Nationalstaates, also zu einer Zeit, in der die Beibehaltung eines deutschnationalen Programms für das Museum problematisch geworden war, wurde das, was als nationale Eigenart des Nürnberger Museums verstanden wurde, besonders anschaulich dargestellt. Im Jahresbericht für 1869 hieß es, das Germanische Nationalmuseum sei „national durch seine Gründung, welche von einer Versammlung von Männern der Kunst und der Wissenschaft aus allen Gauen Deutschlands beschlossen wurde, (es ist) national durch seine Aufgabe, welche in der Erforschung und Darstellung des gesammten Kulturlebens des deutschen Volkes im Ganzen wie im Einzelnen in seinem Entwicklungsgange besteht, national dadurch, daß alle Stämme, alle Gesellschaftsklassen im weiten deut-

[4] Jahresbericht GNM 12 (für 1865), 1866, S. 1.
[5] Spendenaufruf von „Vorstand und Localausschuß des germanischen Nationalmuseums. Nürnberg, im Februar 1861" (Archiv F, DB I/302).

schen Vaterlande sich opferwillig und thätig dafür erwiesen haben, national, indem damit die Förderung der deutschen Wissenschaft bezweckt wird, national, weil dadurch die Nation selbst in freier Vereinigung ein Ehrendenkmal sich schafft, das hoffentlich in nicht zu ferner Zeit den Stolz aller Deutschen und das Gefühl ihrer Zusammengehörigkeit wecken und nähren wird!"[6].

Wie diese drei aus einer großen Zahl gleichlautender Texte ausgewählten Quellenstücke zeigen, stellte also die Nation Stifterin und Eigentümerin des Museums zugleich dar, ihre in einem sehr umfassenden Sinn verstandene Geschichte bildete seinen einzigen Sammlungsgegenstand, und die in Nürnberg unter Beachtung dieser inhaltlichen Selbstbeschränkung zusammengetragenen Bestände boten den Deutschen Material zu wissenschaftlichen Studien, dienten ihrer vaterländischen Erbauung und stärkten ihr Nationalbewußtsein. Die Selbstverständlichkeit, mit der hier alles, Entstehung, Inhalt und Zweck des Museums, in Beziehung gesetzt wurde zur Nation, widerlegt die Vermutung, der von den Gründern behauptete nationale Charakter des Nürnberger Instituts habe bloß dekorative Funktion besessen[7] und sei für das neue Unternehmen allein als modisches Etikett in Anspruch genommen worden. Vollends glaubwürdig wurde das nationale Motiv in dem hier skizzierten Museumsprogramm durch die Absicht, die Bedeutung, die ein Museumsobjekt für die deutsche Geschichte hatte, für wichtiger zu halten als dessen künstlerische Qualität[8], und besonders Aufseß hat der Aufgabe seiner Gründung, eine wissenschaftliche und nationalpädagogische

[6] Jahresbericht GNM 16 (für 1869), 1870, (S. 3).
[7] Diese Vermutung könnte sich auf die Beobachtung stützen, daß der Name „Nationalmuseum" in der Frühzeit der Museumsgeschichte nur gelegentlich, und wenn, dann nicht in offiziellen Dokumenten verwendet wurde. Aufseß gebrauchte ihn zum ersten Mal in seinem Rundschreiben an die Direktionen aller historischen Vereine in Deutschland vom 27. 10. 1846: „Die Anlegung eines großen historisch-antiquarischen National-Museums . . ." (Altregistratur GNM, Kapsel 1). In den Entwürfen von 1833 war von einem „allgemeinen deutschen Museum für Denkmale der vaterländischen Geschichte, Literatur und Kunst" die Rede gewesen (ebenda). Der Satzungsentwurf von 1852 enthielt diesen Namen überhaupt nicht, der nationale Charakter des „germanischen Museums" ergab sich aus der Aufzählung seines „dreifachen" Zwecks: „Generalrepertorium über das ganze Quellenmaterial für die deutsche Geschichte, Literatur und Kunst", Errichtung eines allgemeinen Museums, „bestehend in Archiv, Bibliothek, Kunst- und Alterthumssammlung" sowie „Herausgabe der vorzüglichsten Quellenschätze und belehrenden Handbücher" (Satzungen des germanischen Museums zu Nürnberg, § 1; abgedruckt im Anhang dieses Bandes, S. 951–952; Heinrich Wilhelm Schulz: Bericht über die . . . vom 16. bis 19. August 1852 zu Dresden abgehaltene Versammlung deutscher Geschichts- und Alterthumsforscher. In: Mittheilungen des Königlich Sächsischen Vereins für Erforschung und Erhaltung vaterländischer Alterthümer, H. 6. Dresden 1852, S. 109–155; Beilage I). Auch in den späteren Fassungen der Satzung ist bei der Vorstellung des Instituts in § 1 jeweils nur vom „germanischen Museum" die Rede, das eine „deutsche Nationalanstalt" (1863), eine „Nationalanstalt für alle Deutschen" (1869, 1894) oder eine „dem gesamten deutschen Volk gewidmete Stiftung" sei (1921). Erst in der Satzung von 1949 wurde die Anstalt in § 1 ausdrücklich als „Germanisches Nationalmuseum" bezeichnet (vgl. die Texte im Anhang). All dem steht aber die Tatsache gegenüber, daß schon Aufseß selbst unmittelbar nach der Gründung den Namen „Nationalmuseum" oft verwendet hat, vor allem in den zahlreichen Aufrufen, mit denen er das deutsche Volk um Unterstützung für sein Vorhaben bat, und wie das gedruckte und ungedruckte Material zeigt, das dieser Studie zugrunde liegt, wurde die Verwendung der Benennung „Nationalmuseum" sowohl durch die Museumsleitung als auch in Zuschriften an sie binnen kurzem zur Selbstverständlichkeit.
[8] Diese Absicht stieß auf Verständnis und Billigung. So hieß es in einem Bericht, den der für das Germanische Nationalmuseum zuständige Referent im bayerischen Kultusministerium, Giehrl, im Mai 1868 über einen Besuch des Museums erstattete: „Als Kunst- und Alterthumssammlung läßt es überall seinen Ursprung aus einer Privatsammlung und die dadurch bedingte Beschränktheit der Mittel erkennen . . . und wenn seine Bedeutung als Kunst- und Alterthumssammlung allein in das Auge gefaßt werden wollte, so könnte ihm nur eine mehr untergeordnete Wichtigkeit beigelegt werden. Das germanische Museum hat aber . . . nach einer andern Seite, welche ihm einen Werth von hervorragender Bedeutung verschafft . . . Die ganze Anstalt hat von Anfang an alle ihre Lebensbedingungen, die Kraft ihrer bisherigen Fortentwicklung und die begründete Hoffnung künftiger Blüthe aus dem festen Grunde des nationalen Gedankens geschöpft und nunmehr während 16 Jahren . . . auf dieser Grundlage eine ehrenvolle Stellung sich behauptet. Es ist vielleicht kein Beispiel aus der neueren Zeit anzuführen, daß eine Anstalt gleichwie das germanische Museum ganz wesentlich durch das Zusammenwirken opferwilliger Freunde in ganz Deutschland gegründet, ausgestattet und Jahrelang erhalten worden ist. Diese Thatsache allein spricht dafür, daß mit der Gründung des germanischen Museums einer tief im Gemüthe des deutschen Volkes liegenden Idee ein thatsächlicher Ausdruck gegeben worden ist, und daß wer zur Förderung des germanischen Museums beiträgt sicher auf den Beifall der großen Mehrheit der deutschen Gesamtbevölkerung rechnen kann" (Aufzeichnung Giehrls für Ludwig II., München, 14. 5. 1868, Ausfertigung; Archiv M, MK 14190). Noch rund 90 Jahre später hat Theodor Heuss auf Grotes Bitte um Unterstützung für den Kauf des Echternach Kodex zu bedenken gegeben, eigentlich habe das

Bildungsanstalt zu sein, stets den Vorrang vor ihrer Funktion einer musealen Schatzkammer[9] eingeräumt.

Die Durchführung des gestellten Themas wird aber nicht so sehr erschwert durch diese Vielzahl und Verschiedenartigkeit der Beziehungen zwischen dem Museum und der Nation oder durch die Tatsache, daß es sich hier nicht um einmalige, punktuelle Erscheinungen handelt, sondern um Zustände und Entwicklungen, die die Geschichte des Museums von ihren Anfängen bis zur Gegenwart begleitet haben. Das Problem besteht vielmehr darin, daß diese Nation, zu deren Nutzen die Nürnberger Anstalt ins Leben gerufen worden war, keine feststehende Größe ist, sondern gerade in den knapp eineinhalb Jahrhunderten seit den ersten Entwürfen Aufseß' durchgreifende Veränderungen erfahren hat. Die deutsche Nation zur Zeit des Deutschen Bundes ist eine andere als die deutsche Nation zur Zeit des kleindeutschen Nationalstaates von 1871 oder in der Epoche nach dem Zweiten Weltkrieg. Es wird deshalb nur dann gelingen können, die Qualität des Verhältnisses, das zwischen dem Germanischen Nationalmuseum und der deutschen Nation bestanden hat und heute noch besteht, zutreffend zu bestimmen, wenn zuvor die Frage beantwortet ist, was man im Museum während dieses ganzen Zeitraums jeweils unter der deutschen Nation verstanden hat und welche Auswirkungen der Ablauf der deutschen Nationalgeschichte und vor allem die Sprünge und Zäsuren in dieser Geschichte auf die Formulierung des Museumsprogramms und auf seine Anwendung gehabt haben.

Der wesentliche Inhalt dieser deutschen Nationalgeschichte wird gebildet durch die wiederholt unternommenen Versuche, eine angemessene staatliche Organisationsform für diese deutsche Nation zu finden, und durch die Art und Weise, wie die europäische Umwelt auf diese Versuche reagiert hat. Das, was Aufseß und seine Mitarbeiter und Nachfolger sich jeweils unter der deutschen Nation vorgestellt haben, wird deshalb nicht allein aus ihren theoretischen Überlegungen über den Zustand der Nation abgeleitet werden können, sondern auch daraus, welche Einstellung sie zur politischen Ordnung ihrer Zeit gehabt haben. Und weil es sich bei dem Verhältnis zwischen dem Museum und der deutschen Nation notwendigerweise um wechselseitige Beziehungen gehandelt hat und noch immer handelt – für die Erfüllung der nationalen Museumsaufgabe ist es wesentlich, daß die Nation auf das ihr hier gemachte Angebot eingeht –, darf in dieser Studie auch nicht unbeachtet bleiben, welche Aufnahme der nationale Anspruch des Museums bei der Nation und namentlich bei den staatlichen Gewalten in dieser Nation gefunden hat.

Zur Antwort auf die Frage, weshalb ein solches nationales Museum ins Leben gerufen wurde und mit welchen Argumenten seither seine nationale Aufgabe begründet wurde und wird, stehen allerdings nur Zeugnisse der musealen Selbstdarstellung zur Verfügung, also offizielle oder offiziöse Äußerungen der Museumsleitung: die von ihr geführte Korrespondenz und die Niederschriften

Germanische Nationalmuseum „den Akzent nicht auf die Unika, so wunderbar sie sein können, zu legen, sondern auf das qualitätsvoll Typische des Kulturgeschichtlichen" (Heuss an Grote, Bonn, 16. 2. 1954, Ausfertigung; Sonderakten „Echternacher Kodex"; Altregistratur GNM, Abt. III, o. Nr.).

9 „Der Name ‚Museum' bezeichnet . . . die Sache nicht vollkommen; ein entsprechenderer stand uns nicht zu Gebot, wollte man nicht den für's Erste wohl zu hochklingenden einer deutsch-historischen National-Academie nehmen. Man würde dabei allerdings richtiger die Arbeiten anstatt die Sammlungen in den Vordergrund gestellt haben, welch letztere dem Institut mehr als Hülfsmittel denn als Selbstzweck beigegeben sind . . ." (Chronik des germanischen Museums. In: Anzeiger GNM 1855, Sp. 289–300 [289]). Im Herbst 1856 verwies Aufseß in einem Schreiben an die Bundesversammlung in Frankfurt voller Stolz auf die Gründung des Instituts für österreichische Geschichtsforschung in Wien: „Da mehrere der bedeutendsten Männer, welche an der Spitze der k. oesterreichischen Archive stehen, Mitglieder des Gelehrtenausschusses sind und genaue Wissenschaft von dessen Einrichtungen u. Arbeiten haben, so glaubten wir uns schmeicheln zu dürfen, daß unsere bereits erprobten u. für den praktischen Gebrauch sich trefflich bewährenden Einrichtungen des Archivwesens nicht ganz ohne allen Einfluß auf die allenfalls abgegebenen Gutachten jener gelehrten Männer gewesen sein dürften. So hat auch das germanische Museum begonnen eine noch nirgends in Deutschland existirende Pflanzschule für junge Archivare zu bilden" (Vorstände an Bundesversammlung, Nürnberg, 31. 10. 1856, Reinkonzept; Altregistratur GNM, Kapsel 21).

über die in ihren Entscheidungsgremien abgehaltenen Beratungen ebenso wie Jahresberichte, Spendenaufrufe und die an Einzelpersonen, aber auch an die Öffentlichkeit gerichteten Bitten, das Museum auf jede Weise zu fördern. Diese Tatsache nun stellt die hier begonnene Studie über die Beziehungen zwischen dem Germanischen Nationalmuseum und der deutschen Nation vor ein methodisches Problem besonderer Art. Es ist nämlich zu vermuten, daß die verständliche Absicht, für das Museum und seine Zwecke möglichst wirkungsvoll zu werben und den jeweiligen Adressaten für die Wünsche des Museums geneigt zu stimmen, nicht eben selten dazu geführt hat, daß schon in den museumsinternen Überlegungen, vor allem aber in den verschiedenen Bittschreiben die eine oder andere Einzelheit der Museumsgeschichte und des Museumsprogramms besonders hervorgehoben oder aber auch als eher nebensächlich und zweitrangig behandelt wurde[10]. Bei der Bewertung der zahlreichen museumsamtlichen Erklärungen für den nationalen Charakter des Museums muß deshalb jeweils darauf geachtet werden, ob ihre Formulierung nicht auch von solchen taktischen Motiven mitbestimmt gewesen war. Diese Notwendigkeit, die überlieferten Texte auch in dieser Hinsicht kritisch zu prüfen, stellt aber keineswegs eine prinzipielle Erschwerung des Vorhabens dar. Im Gegenteil, gerade die Art und Weise, in der nach Meinung der Museumsgründer und ihrer Nachfolger sich das Museum „seiner" Nation, aber auch der außerdeutschen Umwelt möglichst vorteilhaft präsentieren ließ, ist ein wichtiger Bestandteil des nationalen Charakters der Nürnberger Anstalt, dessen Bestimmung im einzelnen die Aufgabe dieses Beitrags ist.

I. Im Deutschen Bund, 1852–1866

Die einleitend vorgetragene Beschreibung des gestellten Themas und die aus ihr entwickelten methodischen Überlegungen für einen dem Untersuchungsgegenstand entsprechenden Aufbau der Darstellung gingen von der Voraussetzung aus, daß es die deutsche Nation sei, die durch diese Gründung eines Nationalmuseums angesprochen werden sollte. Dieser Annahme aber scheint der bis heute als selbstverständlich gebrauchte Museumsname zu widersprechen: die Nürnberger Anstalt hieß von Anfang an Germanisches, nicht Deutsches Nationalmuseum. Es liegt deshalb nahe, die Erläuterung der nationalen Vorstellungen und Erwartungen, die Aufseß zum Entwerfen seines Museumsplans geführt haben, mit dem Versuch zu beginnen, eine einleuchtende Erklärung für die Wahl dieses gerade unter nationalem Aspekt auffälligen, um nicht zu sagen irritierenden Namens zu geben[11]. Als Zugang zum Nationsverständnis, von dem der Museumsgründer geleitet war,

---

[10] Zahlreiche Beispiele dafür sind gerade aus den ersten Jahren nach der Gründung überliefert, als das Museum noch über keine vertraglich zugesicherte Unterstützung auf Dauer verfügte und deshalb trotz seiner nationalen Grundlegung als besonders vielseitig vorgestellt werden mußte, damit auch außerhalb Deutschlands das Interesse für die Arbeit des Museums geweckt werden konnte. So wurden etwa nichtgermanische Nachbarvölker, wie zum Beispiel die Ungarn, zur Unterstützung der Nürnberger Anstalt eingeladen mit der Begründung, daß sie „durch ihre Schicksale, wie durch ihre staatliche und literarische Entwicklung mit unserem deutschen Vaterlande stets in enger Verbindung geblieben" seien, was nun gerade für die Ungarn nicht zutraf (Aufseß an den Präsidenten der Ungarischen Akademie der Wissenschaften, Joseph Graf Teleki d. J., Nürnberg, 19. 12. 1853, Reinkonzept; Altregistratur GNM, Kapsel 9). Als im Jahre 1869 der französische Kaiser gebeten wurde, der Bibliothek des Museums französische Bücher, unter anderem auch seine „Histoire de Jules César", 2 Bände, Paris 1865/66, zum Geschenk zu machen, wurde ihm versichert, das Museum habe „die Aufgabe ...", nicht nur Dokumente zu sam`eln die auf deutsche Geschichte u vorzugsweise die Kultur Bezug haben, sondern" es habe „auch der Erforschung der Zustände und der Verzeichnung einschlägiger Materialien sein Augenmerk zuzuwenden ..." und habe „deßhalb auch Alles zu erforschen und in den Kreis seiner Studien zu ziehen, was allgemeiner Art ist und wēn auch nicht specifisch deutsch doch der Cultur angehört, welche Gemeingut der ganzen europäischen Völkerfamilie des Mittelalters und der darauffolgenden Zeiten war und woraus sich demgemäß die deutschen Zustände allein vollständig richtig beurtheilen lassen" (Essenwein an Napoleon III., Nürnberg, 2. 3. 1869, Reinkonzept; Altregistratur GNM, Kapsel 23). Und es ist gewiß kein Zufall, daß wichtige Argumente für die Entscheidung Aufseß', seine Gründung als germanisches und nicht als deutsches Nationalmuseum zu bezeichnen, in Briefen an den dänischen König enthalten sind (s. u.).

[11] Wie ratlos auch heute noch das Publikum diesem Museumsnamen gegenübersteht und sich mit fragwürdigen Erklärungen aus der Verlegenheit zu helfen sucht, zeigt eine politische Bemerkung, die aus den frühen fünfziger Jahren

dürfte ein solcher Versuch auch vor allem deshalb besonders gut geeignet sein, weil die Originalität der Museumsbezeichnung unbestritten ist: es steht zweifelsfrei fest, daß es sich bei dieser Namengebung um eine ganz persönliche Entscheidung Aufseß' gehandelt hat. Als er im Oktober 1852 dem bayerischen König die vollzogene Museumsgründung anzeigte, fügte er erläuternd hinzu: „Die im August dieses Jahres zu Dresden ... abgehaltene Versammlung deutscher Geschichts und Alterthumsforscher gab mir die Gelegenheit dem dort repräsentirten deutschen gelehrten Publikum meine Vorschläge zur Errichtung eines deutschen Nationalmuseums, von mir absichtlich germanisches Museum genannt, zu machen"[12].

Aber wenn durch dieses offene Bekenntnis der Urheber des Museumsnamens sich auch ohne Mühe feststellen läßt, der Nachweis, weshalb der fränkische Edelmann eine solche Benennung für das von ihm ins Leben gerufene wissenschaftliche Institut gewählt hat, ist um so schwieriger. Aufseß selbst äußerte sich in den zehn Jahren seines Direktorats und auch später nur sehr selten über den mit dieser Namengebung behaupteten germanischen Charakter der Nürnberger Anstalt – und zudem waren seine Erklärungen nicht frei von Widersprüchen –, während in derselben Zeit die unmißverständliche Zuordnung des Museums zur Geschichte und Kultur der deutschen Nation und die Erwähnung seines Nutzens für die deutsche Wissenschaft die Regel darstellten[13], wozu auch die häufige Verwendung der nicht offiziellen Bezeichnung „Deutsches Nationalmuseum" gezählt werden muß[14]. Auf der anderen Seite muß festgehalten werden, daß die Präsentierung des Museums als einer germanischen Institution damals offensichtlich weder in der wissen-

überliefert ist. Hugo Decker, Abgeordneter der Bayernpartei im 1. Deutschen Bundestag, erläuterte in einer Kommissionsberatung über eine eventuelle finanzielle Unterstützung des Museums durch die Bundesregierung, „dass es ‚Germanisches' Museum heisse, weil es die Kulturkreise aller deutschen Stämme umfasse" (Kurzprotokoll der 5. Sitzung des Unterausschusses „Kunst" des 37. Ausschusses des Deutschen Bundestags, Abschrift; Direktionsakten GNM). Auch was der erste Direktor des Germanischen Nationalmuseums nach dem Zweiten Weltkrieg, Ernst Günter Troche, in seinem großen Vortrag über „Das Germanische National-Museum und Nürnberg" im September 1946 über den Museumsnamen sagte, war weniger eine zutreffende Erklärung als ein Versuch, das Problem geschickt zu umgehen: „Die Gründung des Germanischen National-Museums geschah in bewußtem Anschluß ... an die wohl immer größte Zeit deutschen Geisteslebens. ... Goethe und Herder begründeten ... die geschichtsphilosophische Einsicht, daß nur die individuelle nationale, in unserem Fall als ‚germanisch' formulierte Ausprägung der künstlerischen Schöpfung ihren überzeitlichen und übernationalen Wert ermögliche, denn alle Kulturen der Vergangenheit wurzeln im Seelentiefen ihrer Völker" (Jahresbericht GNM 92 [für 1946], 1947, S. 6). Die Existenz einer germanischen Nation oder eines germanischen Volkes, die Troche hier als geistesgeschichtliche Voraussetzung für die Museumsgründung nannte, war von Aufseß niemals behauptet worden.

[12] Aufseß an Maximilian II., München, 4.10.1852, Ausfertigung; Archiv M, MK 14187. Die Tatsache, daß die Entscheidung für diesen Museumsnamen bewußt getroffen worden war, wurde von Aufseß bei der Feier zum zehnjährigen Bestehen des Museums noch einmal ausdrücklich erwähnt (Rede des I. Vorstands bei Eröffnung der Stiftungsfeier, August 1862, vervielfältigtes Manuskript; Altregistratur GNM, Kapsel 731).

[13] Einige besonders charakteristische Belege: „Dieses großartige der deutschen Nation würdige Unternehmen, ... entflammte mich bei meinen deutschhistorischen Studien und Forschungen schon von Jugend an mit der Idee, ein deutsches Nationalmuseum zu gründen, dessen Aufgabe es sey dasjenige wozu die Frankfurter Gesellschaft für Herausgabe der Geschichtsquellen die Grundlage legte, weiter und zwar bis in die innersten Lebenszustände des deutschen Volkes gehend, fortzuführen" (Aufseß an Bundesversammlung, Nürnberg, 8.5.1853, Reinkonzept; Altregistratur GNM, Kapsel 21). „Das germanische Nationalmuseum zu Nürnberg, bestrebt, einen Mittelpunkt für deutsche Geschichts- und Alterthumsforschung zu bilden ..." (Aufruf des Vorstands aus dem September 1854; Altregistratur GNM, Kapsel 1a). „Die Kunde von der Existenz eines germanischen Museums, als des gemeinsamen nationalen Sammelplatzes für historische Quellen deutscher Vergangenheit, ist wohl schon weit verbreitet" (Jahresbericht GNM 3 [für 1855/56], 1856, S. 1).

[14] Zusätzlich zu den bereits genannten Beispielen seien noch genannt: „So lange ich über ein deutsches Nationalmuseum nachdachte und ein solches zu begründen strebte ..." (Verhältniss der historischen Vereine zum germanischen Museum. Rede (Aufseß'), gehalten auf der Generalversammlung der beiden oberfränkischen Vereine in Kulmbach, 6.7.1853. Bayreuth 1853, S. 3). „Euere Königliche Majestät geruhten gegen mich Allerhöchstdero Willensmeinung dahin auszusprechen, daß etwas Großartiges geschaffen werden solle, was dem Plane eines deutschen Nationalmuseums anpassend sey" (Aufseß an Maximilian II., Nürnberg, 19.8.1853, Ausfertigung; Ablichtung aus dem Geheimen Hausarchiv München, Nachlaß Maximilian II., 81/6/349; Altregistratur GNM, Kapsel 1a). „Bei einem so allgemein nützlichen u. großartigen Unternehmen eines deutschen Nationalmuseums ..." (Vorstände an Bundesversammlung, Nürnberg, 31.10.1856, Reinkonzept; Altregistratur GNM, Kapsel 21).

schaftlichen noch in der politischen Öffentlichkeit auf Kritik und Widerspruch gestoßen ist[15]; der Name muß also von den durch die Museumsgründung angesprochenen Zeitgenossen verstanden oder zumindest als nicht problematisch empfunden worden sein[16]. Dieser Quellenbefund läßt vermuten, daß es nur dann gelingen dürfte, eine überzeugende Erklärung für den Museumsnamen zu geben, wenn man bei der Untersuchung dieser Frage von der Annahme ausgeht, der Begriff „germanisch" habe in dem von Aufseß gemeinten Sinn nicht bloß eine einzige, sondern mehrere, voneinander unterschiedene Bedeutungen.

Eine erste Bedeutung läßt sich aus der Beobachtung ableiten, daß Aufseß in seinen Entwürfen, die aus den dreißiger und vierziger Jahren überliefert sind, das von ihm geplante Museum stets nur mit der deutschen Geschichte und der deutschen Kultur in Verbindung brachte, aber nicht ein einziges Mal einen solchen germanischen Charakter des Instituts erwähnt hat[17]. Um so mehr muß die Selbstverständlichkeit überraschen, mit der er jetzt, 1852, als er endlich an die Verwirklichung seines Projekts gehen konnte, den Namen „Germanisches Nationalmuseum" gebrauchte[18]. Es liegt deshalb nahe anzunehmen, daß in den Jahren unmittelbar vor der Gründung etwas geschehen war, was es Aufseß ratsam erscheinen ließ, sich für eine solche Benennung zu entscheiden; wenn er wollte, daß sein Vorhaben Erfolg hatte, durfte er Zustimmung für sein Unternehmen nur dann erwarten, wenn schon der Museumsname als eine eindrucksvolle Vorstellung seiner Absichten verstanden werden konnte[19].

[15] Schon in dem Gutachten, das der badische Bundestagsgesandte, August Freiherr Marschall von Bieberstein, im Namen der Reklamationskommission der Deutschen Bundesversammlung in ihrer Sitzung vom 28.7.1853 über den ersten Antrag Aufseß' auf Unterstützung des germanischen Museums durch den Deutschen Bund vorlegte, hieß es: „Die Gründung des germanischen Museums darf . . . als ein bedeutungsvolles nationales Unternehmen bezeichnet werden . . ." (Protokolle der Deutschen Bundesversammlung, 1853, 2, § 214, S. 674; Archiv F). An diesem selbstverständlichen Gebrauch des Museumsnamens durch die Organe des Bundes änderte sich auch später nichts.
Die Kritik, der die Nürnberger Anstalt von seiten der Wissenschaft ausgesetzt war, richtete sich vor allem gegen den Plan des Generalrepertoriums. So urteilte kurz nach der Museumsgründung Leopold von Ranke in einem Brief an den preußischen Kabinettsrat Illaire: „Herr von Aufseß hat wohl nie in einem großen deutschen Archiv ernsthaft gearbeitet; sonst würde er wissen, daß zuweilen die Reliquien einzelner Jahre ganze Zimmer erfüllen. Wie soll es möglich sein, diese massenhaften Acten nur so genau zu registriren, daß darüber ein Generalrepertorium angefertigt werden könnte?" (24.8.1853; Günter Johannes Henz: Zu Leopold von Rankes Briefwechsel. Forschungsbericht und Nachlese. In: Archiv für Kulturgeschichte Bd. 54 [1972], S. 308–309).
[16] In einem Gutachten über die Arbeit des Germanischen Nationalmuseums, zu dem die Akademie der Wissenschaften in Berlin im Jahre 1859 von den preußischen Ministern für Finanzen und für Unterrichtsangelegenheiten gebeten worden war, wurde allerdings auch das Problem des Museumsnamens berührt: „Der Umfang der Anstalt, nicht nur für ganz Deutschland, sondern auch für die übrigen germanischen Länder, Schweiz, Niederlande, Großbritannien, Dänemark, Schweden, Norwegen, Lievland, war schon in dem Namen ausgesprochen und auch später ausdrücklich anerkannt, obwohl in der Regel auf den angeblich deutschen Charakter der Sache der Nachdruck gelegt und bei Einsammlung von Beiträgen auch auf die Deutschen in allen fremden Ländern gegriffen wird" (Königliche Akademie der Wissenschaften an die Minister Robert Freiherrn von Patow und Moritz August von Bethmann Hollweg, Berlin, 5.5.1859, Abschrift der Ausfertigung; Altregistratur GNM, Kapsel 1 a).
[17] Belege dafür enthalten die Mitteilungen Aufseß' in den ersten drei Jahrgängen (1832–1834) des Anzeigers für Kunde des deutschen Mittelalters und im Archiv des Germanischen Nationalmuseums vorhandene Material, vor allem eine Denkschrift Aufseß' aus dem Januar 1833 „Ueber Anlage eines allgemeinen deutschen Museums für Denkmäler der vaterländischen Geschichte, Literatur und Kunst zu Nürnberg" und die Niederschriften von den Beratungen, die über diese Vorschläge im September 1833 in Nürnberg stattgefunden haben (Altregistratur GNM, Kapsel 1). Hinzuweisen ist auch auf das „Sendschreiben" an den Frankfurter Germanistentag aus dem Sommer 1846 (Anm. 1) und auf das Rundschreiben an die Direktionen aller historischen Vereine in Deutschland aus dem Oktober 1846 (Anm. 7).
[18] Aufseß hatte zur Dresdner Tagung, auf der er einen Beschluß über die Gründung des Museums herbeizuführen hoffte, bereits gedruckte „Satzungen der Aktiengesellschaft zur Unterstützung des germanischen Museums zu Nürnberg", die auf den 1.8.1852 datiert waren, mitgebracht (Altregistratur GNM, Kapsel 1 a; abgedruckt im Anhang, S. 953). Die Berichte über den Verlauf der Dresdner Beratungen zeigen, daß hier der von Aufseß gewählte Museumsname unangefochten verwendet wurde (Schulz [Anm. 7], passim).
[19] Dafür, daß es sich bei dieser Benennung in der Tat um eine nominelle und nicht um eine inhaltliche Änderung der Pläne Aufseß' handelte, sprechen vor allem seine Äußerungen aus der Zeit unmittelbar nach der Gründung, die in den Anm. 1 und 13 bereits mitgeteilt wurden; er betonte hier ausdrücklich die Kontinuität seiner Vorstellungen, deren Verwirklichung er jetzt endlich in Angriff nehmen könne.

Als Erklärung für ein solches taktisches Motiv Aufseß' bietet sich ein Vorgang im deutschen wissenschaftlichen Leben wenige Jahre zuvor geradezu von selbst an. Der Begriff „Germanistik", der schon seit dem Anfang des Jahrhunderts zur Bezeichnung der Wissenschaft vom deutschen Recht gedient hatte[20], war im September 1846 auf dem Frankfurter Germanistentag, der auch von Aufseß um Unterstützung für seine Museumspläne gebeten worden war, zum neuen „Band zwischen drei Wissenschaften" proklamiert worden, „denen so Vieles und zumal der Begriff der Deutschheit, worauf der Name hinweist, wesentlich gemeinsam ist"[21]; diese drei Wissenschaften waren die Wissenschaft „der deutschen sprache, geschichte und alterthümer"[22]. Nach dem Konzept Aufseß' sollte sich das von ihm geplante Museum auf die wissenschaftliche Beschäftigung mit den historischen Überresten nur eines einzigen Volkes, eben des deutschen, beschränken, aber dafür sollten auch alle Bereiche – Geschichte, Kultur, Kunst, Literatur – der deutschen Vergangenheit berücksichtigt werden. Die Einsicht nun, daß ein solches Vorhaben dem von der Germanistik behaupteten Totalitätscharakter vollkommen entsprach, könnte in der Tat Aufseß die von ihm gewählte Benennung nahegelegt haben, und nicht zuletzt die Tatsache, daß diese Herleitung des Museumsnamens aus der deutschen Wissenschaftsgeschichte des 19. Jahrhunderts noch heute von der Museumsleitung zur Erläuterung des fraglichen Begriffs herangezogen wird, stützt eine solche Erklärung[23]. Neben der Überlegung freilich, daß das Museum, entgegen den Gesetzen der Wortbildung, als eine germanische und nicht als eine germanistische Anstalt bezeichnet wurde und wird, ist vor allem die Feststellung ein schwerwiegender Einwand gegen diese wissenschaftsgeschichtliche Deutung, daß weder von Aufseß noch von seinen Mitarbeitern aus der Gründungszeit irgendeine Äußerung überliefert ist, die zum zweifelsfreien Beweis für die Richtigkeit dieser Erklärung herangezogen werden könnte. Dieses Schweigen der Quellen nun darf zwar keineswegs als Widerlegung der hier entwickelten Erläuterung verstanden werden, aber es dürfte doch feststehen, daß diese erste Deutung zumindest keine erschöpfende Erklärung des Museumsnamens darstellt.

Zur Feststellung einer zweiten Bedeutung des strittigen Begriffs kann die bereits erwähnte Tatsache genutzt werden, daß in der Frühzeit die Beiwörter deutsch und germanisch offensichtlich wahllos und ununterschieden, also als austauschbare Begriffe, zur Bezeichnung des Museums und seiner nationalen Aufgabe verwendet wurden[24]. Das läßt den Schluß zu, bei dieser Namengebung habe es sich lediglich um eine simple Gleichsetzung gehandelt: germanisch hätte dann nur als ein volltönendes, gewichtiges oder aber auch wissenschaftlich-abstraktes Synonym für deutsch zu dienen gehabt[25]. Für eine solche Erklärung spräche auch die Beobachtung, daß Aufseß wiederholt

---

[20] „Germanist, kenner und lehrer des deutschen rechts im gegensatz zu dem romanisten, eine erst im 19. jahrh. aufgekommene bezeichnung" (Jacob Grimm und Wilhelm Grimm: Deutsches Wörterbuch, Bd. 4, Abt. 1, Teil 2. Leipzig 1897, Sp. 3718).

[21] Verhandlungen der Germanisten zu Frankfurt am Main am 24., 25. und 26. September 1846. Frankfurt am Main 1847, S. 103–104. Der Begriff Germanist „drückt . . . gar nichts aus als einen, der sich deutscher Wissenschaft ergibt . . ." (S. 104).

[22] Grimm, Germanist. In: Wörterbuch (Anm. 20), Sp. 3718, mit ausdrücklichem Hinweis auf den Frankfurter Germanistentag.

[23] Manfred Sack: Uhren, Trachten und Madonnen. Das Germanische Nationalmuseum in Nürnberg ist Deutschlands größtes Heimatmuseum. In: Die Zeit, Nr. 49 vom 26. 11. 1976, S. 47–48 (48). Auch ich habe auf dem Nürnberger Symposion im April 1975 den Museumsnamen mit solchen „wissenschaftshistorischen" Argumenten erklärt (Peter Burian: Die Idee der Nationalanstalt. In: Das kunst- und kulturgeschichtliche Museum im 19. Jahrhundert. Vorträge des Symposions im Germanischen Nationalmuseum, Nürnberg [Studien zur Kunst des 19. Jahrhunderts, Bd. 39]. Hrsg. von Bernward Deneke und Rainer Kahsnitz. München 1977, S. 11–18 [15]); aber ich bin inzwischen zur Überzeugung gekommen, daß der Begriff „germanisch" in dem von Aufseß gemeinten Sinn mehrere Deutungen nahelegt.

[24] S. o. S. 132 und die in den Anm. 13 und 14 genannten Belege.

[25] Noch heute sind die Wörter „germanisieren" und „Germanismus" politische oder wissenschaftliche Begriffe, die eindeutig einen „deutschen" Inhalt haben.

betont hat, das Museum sei die endliche Erfüllung seiner früheren Pläne[26], die er freilich niemals als germanisch charakterisiert hatte, und keineswegs etwas Neues, das sich von diesen alten Projekten prinzipiell unterscheide[27]. Schließlich kann diese Erläuterung auch auf den Hinweis gestützt werden, daß eine solche Verwendung des Begriffs germanisch den Zeitgenossen nicht unvertraut war, vor allem, wenn deutsch in einer Art tonus solemnior oder gar mit historischem Pathos gebraucht wurde[28]. Ein Museum wie dieses Nürnberger, das in so betonter Weise der Beschäftigung mit der deutschen Geschichte gewidmet war, konnte durchaus in diesem Sinn ein germanisches Museum genannt werden.

Aber es gibt Hinweise dafür, daß Aufseß und die von ihm zur Mitarbeit eingeladene Öffentlichkeit das Wort germanisch doch nicht nur als bloßes Synonym für deutsch verstanden haben konnten. Einmal konnte gerade von einem Institut, das sich mit den Überresten der Geschichte eines bestimmten Volkes, eben des deutschen, beschäftigen sollte, diese deutsche Geschichte nicht einfach als germanische Geschichte bezeichnet werden, wenn es wissenschaftlich ernst genommen werden wollte[29]. Dann aber ist auch zu beobachten, daß Aufseß, wenn er sich zu dem von ihm „absichtlich" gewählten Museumsnamen äußerte, was selten genug geschah, dies meist in Form einer erläuternden Differenzierung zwischen germanisch und deutsch tat. Germanisch wurde hier als ein umfassender Oberbegriff vorgestellt, durch dessen Verwendung offensichtlich eine sinnvolle Erweiterung der „deutschen" Museumsaufgabe angezeigt werden sollte: „Ist ja auch das Museum kein blos deutsches, sondern ein germanisches, zu dessen Förderung alle germanischen Stämme eingeladen und berufen sind . . . Wie jeder deutsche, jeder germanische Stammesgenosse berechtigt ist, die Früchte und Segnungen (der Museumsarbeit) zu genießen . . ."[30]; „. . . weil das Museum kein blos deutsches, sondern ein germanisches ist . . ."[31]. Und schließlich zeigen vor allem die Beratungen des Gelehrtenausschusses im September 1855 über die Frage, wie die nationalen Vorstellungen des Museumsgründers im einzelnen zur Grundlage für die Arbeit der Nürnberger Anstalt gemacht werden sollten, daß deutlich zwischen germanisch und deutsch unterschieden wurde[32].

Der Versuch aber, diesen begrifflichen Unterschied zwischen germanisch und deutsch nun genau zu bestimmen, stößt auf letztlich unlösbare Schwierigkeiten, die das Ergebnis der deutschen Nationalgeschichte sind, und besonders der politische Zustand der deutschen Nation, so wie ihn

[26] „Ein alter Wunsch, den ich schon in meinem Anzeiger so wie in dem Sendschreiben von 1846 aussprach, ist nun in seiner Erfüllung begriffen – die Errichtung eines deutsch-historischen Museums" (Aufzeichnung Aufseß' über den Gelehrtenausschuß, Nürnberg, 5. 11. 1852; Altregistratur GNM, Kapsel 9).

[27] Vgl. o. Anm. 19.

[28] „Germanisch, . . . im engern sinne deutsch, echt deutsch, besonders in der napoleonischen zeit gern mit nationalem stolz als gegensatz gegen das verhaszte fremde gebraucht, da sich gewissermaszen die Kämpfe der alten Germanen gegen den von jenseit des Rheines eingedrungenen Cäsar wiederholten . . ." (Grimm [Anm. 20], Sp. 3717–3718). Auch die Nationaldenkmäler der zweiten Hälfte des 19. Jahrhunderts zeigen die Germania als Personifikation des deutschen Volkes; vgl. dazu Thomas Nipperdey: Nationalidee und Nationaldenkmal in Deutschland im 19. Jahrhundert. In: Historische Zeitschrift Bd. 206 (1968), S. 529–585 (566–567).

[29] Die führende deutsche Enzyklopädie der Zeit enthält zum Stichwort „Germanien, Germanen" folgende Bemerkung: „Unter diesem Worte wird von Teutschland der alten Welt gehandelt, das Teutschland des Mittelalters und der neueren Geschichte wird unter Teutschland besprochen werden" (Allgemeine Encyklopädie der Wissenschaften und Künste. Hrsg. von Johann Samuel Ersch und Johann Gottfried Gruber. Section I. Theil 61. Leipzig 1855, S. 211, Anm. 1).

[30] Gedruckter „Aufruf, das Germanische Nationalmuseum betreffend", mit Datum vom 1. 3. 1855 von Vorstand und Lokalausschuß des Museums veröffentlicht (Altregistratur GNM, Kapsel 1 a).

[31] Aufseß an Friedrich VII. von Dänemark, Nürnberg, 5. 6. 1861, Reinkonzept; Altregistratur GNM, Kapsel 23.

[32] Die Fragen, mit denen sich der Gelehrtenausschuß auf dieser Tagung beschäftigen sollte, waren vom Vorstand zwei Monate zuvor, im Juli, veröffentlicht worden (Jahreskonferenz des germanischen Museums. In: Anzeiger GNM 1855, Sp. 189–192); auch die Entscheidungen des Gelehrtenausschusses wurden nach Beendigung der Beratungen publiziert (Chronik des germanischen Museums. In: Anzeiger GNM 1855, Sp. 232–244 [235–238]). Die Protokolle der einzelnen Sektionen des Gelehrtenausschusses enthält Kapsel 729 der Altregistratur GNM, s. auch u. S. 139–141.

Aufseß und seine Mitarbeiter zur Zeit der Museumsgründung vor Augen hatten und den sie bei der Verwirklichung ihres Vorhabens selbstverständlich nicht unberücksichtigt lassen konnten, muß zur Erklärung dafür herangezogen werden, weshalb auch diese dritte Deutung des Museumsnamens nicht widerspruchsfrei gelingt. Zugleich zeigt sich aber auch, daß diese definitorischen Bemühungen um eine zutreffende Beschreibung der so wenig exakt überlieferten Absichten, die Aufseß zu der von ihm gewählten Bezeichnung für seine Anstalt geführt haben, keine terminologischen Spielereien sind, die etwa mit dem Hinweis auf Aufseß' wissenschaftlichen Dilettantismus als nebensächlich oder gar als überflüssig abgetan werden könnten, sondern daß gerade im Gegenteil die Beschäftigung mit diesem Problem zu einer ersten vorläufigen Antwort auf die im Thema gestellte Frage nach der Qualität der Beziehungen, die nach dem Willen des Museumsgründers zwischen der deutschen Nation und diesem Museum hergestellt werden sollten, führen kann.

Vor fünfzig Jahren hat Theodor Hampe die Meinung vertreten, in „der Frühzeit" des Museums habe, „wie der offizielle Name erkennen läßt, der spätromantische Gedanke eines engeren Zusammenschlusses der germanischen Völker und auch ihrer Vertretung in den Sammlungen des Germanischen Museums mitgewirkt"[33]. Aber Aufseß hat sich zu einem solchen engen Zusammenhang der germanischen Völker ausdrücklich nur in den beiden Briefen bekannt, in denen er den dänischen König Friedrich VII., der ein bekannter Altertumsliebhaber war, für die Arbeit des Museums zu interessieren suchte und um finanzielle Unterstützung bat, und wegen der schon erwähnten methodischen Bedenken[34] kann eine solche ganz auf die Person des Empfängers zugeschnittene Argumentation nur mit Vorsicht als eine zutreffende Beschreibung von Aufseß' Museumskonzept gewertet werden[35]. In beiden Fällen zählte Aufseß die skandinavischen Völker zu den von ihm hier angesprochenen Germanen[36].

Überzeugender schon sind die Hinweise, die auf einen wesentlich enger gefaßten Inhalt des fraglichen Begriffs schließen lassen. Er wurde nämlich besonders gern verwendet, wenn betont werden sollte, daß auch die Geschichte der Deutschen in der Schweiz, im Elsaß, in Siebenbürgen und in den Westprovinzen des Zarenreiches Gegenstand der Museumstätigkeit sein sollte. Die unter Berufung auf das Museumsprogramm ausgesprochene Einladung zur Mitarbeit an diesem Nürnberger „Nationalwerk"[37] wurde deshalb auch an sie gerichtet, und ihre Zustimmung wurde als Rechtfertigung des im Museumsnamen behaupteten „germanischen" Charakters verstanden[38].

[33] Theodor Hampe: Germanisches Nationalmuseum (Nürnberg). In: Sachwörterbuch der Deutschkunde Bd. 1. Leipzig 1930, S. 449.

[34] S. o. S. 131.

[35] Diese captatio benevolentiae ist in beiden Briefen festzustellen: „Angeregt durch die großen Vorbilder der Nationalmuseen zu Copenhagen, zu London, Paris, Prag haben auch wir in der Mitte Deutschlands nun ein germanisches Nationalmuseum zu errichten begonnen". Aus einer beigefügten Denkschrift „werden Allerhöchstdieselben finden wie bereits eine feste Grundlage gegeben ist und es nur hauptsächlich an der Unterstützung der hohen Souverains u. Staatsregierungen liegt, um das große Unternehmen zur planmäßigen Durchführung zu bringen. . . . Es bieten sich hier alle germanischen Stäme des Nordens u. des Südens zu gemeinsamen Werke die Hände, unbekümmert um Zolllinien u. Grenzpfähle der Territorien. . . . Sollte der altgermanische Norden, von dem der Cultus und die Cultur ältester Zeit auf uns kam, ausgeschlossen seyn?" (Aufseß an Friedrich VII., Nürnberg, 30. 7. 1853, Reinkonzept; Altregistratur GNM, Kapsel 23). Die hier vorgetragene Bitte um Unterstützung hatte keinen Erfolg. Im zweiten Brief, der acht Jahre später abgefaßt wurde, wurde die Förderung durch den dänischen Monarchen erbeten nicht „nur weil Euer pp. als souverainer Landesherr . . . Mitglied des deutschen Bundes sind, sondern insbesondere auch weil das Museum kein blos deutsches, sondern ein germanisches ist und gleicher Weise die Geschichte und Alterthumskunde, die Literatur u. Kunst des scandinavischen Nordens umfaßt wie die der deutschen Lande . . ." (Aufseß an Friedrich VII., Nürnberg, 5. 6. 1861, Reinkonzept; Altregistratur GNM, Kapsel 23). Von der dänischen Bundestagsgesandtschaft wurden am 24. 8. 1861 dem Museum im Namen des Königs 100 fl überwiesen.

[36] Dafür, daß Aufseß auch Großbritannien zu diesen germanischen Ländern gezählt habe, wie dies in der Denkschrift der Berliner Akademie der Wissenschaften aus dem Mai 1859 behauptet wurde (Anm. 16), gibt es keinen Beweis.

[37] In den ersten Jahren nach der Gründung wurde das Nürnberger Museum besonders oft als Nationalwerk oder Nationalsache bezeichnet.

[38] „Schon hat in der Schweitz ja bis zu den alten Sachsen in Siebenbürgen hinein sowie in Frankreich u. in den

In diesem Sinn wäre der offizielle Gebrauch des Begriffs germanisch ein Ausweg aus der Schwierigkeit gewesen, eine passende Bezeichnung für die Gesamtheit aller Deutschen ohne Rücksicht auf ihre staatliche Zugehörigkeit zu finden. Die überlieferten Zeugnisse erlauben zwar keineswegs die Feststellung, der Museumsgründer habe als Deutsche im eigentlichen Sinn nur die Einwohner der Länder des Deutschen Bundes angesehen, aber gerade weil er, wie noch im einzelnen gezeigt werden wird, in seinem Projekt die gegenwärtige politische Organisationsform der deutschen Nation bewußt unbeachtet ließ, konnte er nicht an der Tatsache vorbeigehen, daß es, wie es in einer anderen Quelle der Zeit hieß, eben doch einen Unterschied zwischen „deutsch" und „deutschländisch" gab[39]. Die undifferenzierte Verwendung des Begriffs deutsch auch außerhalb der Bundesgrenzen hätte aber die Arbeit des Museums in „nichtdeutschen" Staaten unter Umständen erschweren können. Dieser Versuch, den Gebrauch des Begriffs germanisch als einen Akt politischer Klugheit zu erklären, kann überdies auch noch auf folgende Überlegung gestützt werden: Aufseß hat zwar stets „germanische" Fürsten und Staatsregierungen um großzügige Förderung seines Unternehmens gebeten[40], er hat aber mit Nachdruck und völlig zurecht immer wieder betont, daß seine Gründung nicht auf Befehl eines Monarchen oder durch die Verfügung einer Behörde ins Leben gerufen worden sei; sie sei deshalb auch keine Staatsanstalt, sondern eine freie Stiftung und müsse diesen Charakter auch in Zukunft behalten[41]. Auch in diesem Sinn hätte eine offizielle Bezeichnung „Deutsches Nationalmuseum" die Nürnberger Anstalt als eine Einrichtung des Deutschen Bundes erscheinen lassen können[42], was freilich nicht nur im Ausland, sondern auch im Deutschen Bund selbst zu Schwierigkeiten hätte führen können. So hatte Aufseß ursprünglich daran gedacht, die Frankfurter Bundesversammlung zu bitten, im Namen des Bundes das Protektorat über das Germanische Nationalmuseum zu übernehmen; er verzichtete aber dann doch darauf, einen entsprechenden Antrag zu stellen, weil er mit Recht befürchtete, daß nicht alle Bundesstaaten mit einer so demonstrativen Bindung des Museums an den Deutschen Bund einverstanden wären[43]: germanisch war politisch neutraler als deutsch. Gegen diese hier vorgetragenen Argumente für die dritte Bedeutung des Museumsnamens muß allerdings eingewendet werden, daß das, was hier als germanisch erklärt wurde, nicht selten eben doch auch als deutsch oder gesamtdeutsch

Niederlanden das Interesse für das germanische Nationalmuseum sich geregt" (Aufseß an Friedrich VII., Nürnberg, 30.7.1853, Reinkonzept; Altregistratur GNM, Kapsel 23), „. . . wobei besonders erfreulich erscheint, daß sich nicht nur deutsche, sondern auch außerdeutsche Museen und Vereine freigebig zeigen, wie wir dieß namentlich aus der Schweiz und den Niederlanden zu rühmen haben" („Aufruf, das Germanische Nationalmuseum betreffend", 1.3.1855; Anm. 30).

[39] „Die Schweiz . . . hat trotz ihrer Abtrennung vom Reiche ihren ethnographischen Charakter nicht verändert, und so weit in derselben der alamannische Stamm reicht, ist das Volk ächt deutsch, wenn auch nicht ‚deutschländisch' geblieben" (Konrad Maurer: Germanische Völker. In: Deutsches Staats-Wörterbuch. Hrsg. von Johann Kaspar Bluntschli und Karl Brater, Bd. 4. Stuttgart 1859, S. 212–229 [223]). Bei den Beratungen des Gelehrtenausschusses im September 1855 über die Durchführung des Museumsprogramms wurde, wie noch im einzelnen gezeigt werden wird, die Konzentrierung der Museumsarbeit auf die deutsche Geschichte verbindlich festgelegt.

[40] „Unbekümmert um politische Verhältnisse, wurde im Jahre 1853 . . . das germanische Museum eröffnet und zugleich eine Denkschrift sämtlichen Fürsten germanischer Lande, insbesondere auch des deutschen Bundes zur Berücksichtigung unterbreitet" (Aufseß an Friedrich VII. von Dänemark, Nürnberg, 5.6.1861, Reinkonzept; Altregistratur GNM, Kapsel 23).

[41] „Da das Museum weder eine Staats-, noch eine Privatanstalt, sondern eine ausschließliche Nationalanstalt ist, so muß es sich auf gemeinsame Hülfe sowohl der Staaten als der Privaten stützen, und gerade darin glaubt es sich nicht zu täuschen . . ." (Chronik des germanischen Museums. In: Anzeiger GNM 1857, Sp. 49–62 [49]). Nach der Reichsgründung von 1870/71 hat sich Aufseß allerdings nachdrücklich dafür eingesetzt, daß das Germanische Nationalmuseum in den Status einer Reichsanstalt übergeführt werde. Die Motive, die Aufseß zu diesem Verzicht auf ein fundamentales Prinzip seines Konzepts bewogen haben können, werden noch dargestellt werden, s. u. S. 205–211.

[42] „Wenn auch das germanische Museum mehr eine deutsche National-, als eine deutsche Bundessache ist, indem dasselbe seine Grenzen viel weiter gesteckt hat, als die des Bundes gehen, . . ." (Chronik des germanischen Museums. In: Anzeiger GNM 1859, Sp. 217–228 [217]).

[43] Vorstand an Bundes„tags"versammlung, Nürnberg, 12.9.1853, Konzept, nicht expediert; Altregistratur GNM, Kap-

bezeichnet wurde und daß Aufseß wohl von einer deutschen Nation, aber niemals von einer germanischen Nation, sondern immer nur von germanischen Völkern oder Stämmen gesprochen hat.

Aber ganz gleich, ob das von Aufseß zur Charakterisierung seiner Gründung „absichtlich" gewählte Beiwort wissenschaftshistorisch, stilistisch oder politisch erklärt wird, in einem stimmen die verschiedenen hier erörterten Bedeutungen überein: „germanisch" meint „deutsch" in einem überhöhenden oder umfassenden Sinn. Diese Beobachtung einer demonstrativen Totalität des verwendeten Begriffs nun legt den Schluß nahe, Aufseß habe sich vor allem deshalb für diese Bezeichnung entschieden, weil er die deutsche Nation sowohl in ihrer Geschichte als auch in der Gestalt, die sie zur Mitte des 19. Jahrhunderts hatte, in größtmöglicher Vollständigkeit mit der Nürnberger Anstalt in Verbindung bringen wollte. Der Museumsname ist also nur scheinbar verwirrend, bei näherer Überlegung läßt er sich durchaus als Bestätigung für das bereits skizzierte Vorhaben Aufseß' verstehen, zwischen der deutschen Nation und dem Germanischen Nationalmuseum seien Beziehungen besonderer Art herzustellen.

Für die Untersuchung dieser Beziehungen, die nach dieser notwendigen terminologischen Klärung als eigentliche Aufgabe des Beitrags nun in Angriff genommen werden kann, ist vor allem die eingehende Beschäftigung mit der Gründungsphase wichtig. In diesen ersten Jahren waren Aufseß und seine Mitarbeiter gezwungen, die nationalen Ziele des neuen Instituts besonders sorgfältig zu formulieren, überall bekannt zu machen und durch deren ständige Wiederholung zu verhindern, daß sie wieder in Vergessenheit gerieten: sie wollten nicht allein Interesse für das Museumsprogramm wecken, sondern sie warben auch zu dessen Verwirklichung besonders eindringlich um tatkräftige Unterstützung für ihr Vorhaben. Diese Eigenart der Museumsarbeit in der Frühzeit erklärt die Reichhaltigkeit der Quellen und deren Wert als authentische Dokumente für die Bestimmung des nationalen Charakters der Nürnberger Anstalt. Eine zeitliche Begrenzung dieses ersten Abschnitts ist nicht schwer zu finden: für eine Studie, die sich mit den nationalen Zwecken des Museums beschäftigt, bietet sich als Endpunkt dieser Gründungsphase die Auflösung des Deutschen Bundes im Jahre 1866 von selbst an. Nicht nur der Krieg innerhalb der deutschen Staatengemeinschaft, sondern vor allem auch die durch ihn bewirkten politischen Veränderungen – Ausscheiden der Habsburgermonarchie aus Deutschland, preußische Annexionen im Norden und unfreiwilliger Erwerb der völligen Souveränität durch die Staaten im Süden – stellten wesentliche Voraussetzungen für die Durchführung des nationalen Museumsprogramms in Frage. Aber auch Vorgänge in anderen Bereichen der Museumsarbeit sprechen für eine solche Zäsur: mit dem Verzicht auf das Generalrepertorium und der Übertragung des Direktorats an August Essenwein begann zweifellos eine neue, von der Gründungsphase deutlich abgehobene Epoche in der Geschichte des Museums.

Wie schon in der Einleitung gezeigt, trat im Museumskonzept die deutsche Nation in drei Funktionen in Erscheinung: als Objekt sammlerischer Bemühungen, als Eigentümerin und als Nutznießerin des Museums. Die Bestimmung der ersten Funktion als Grundlegung für die Museumsarbeit im eigentlichen Sinn stieß in dieser Frühzeit kaum auf Schwierigkeiten. Aufseß hat für seine Absicht, die Überreste einer umfassend verstandenen deutschen Geschichte in Nürnberg zusammenzutragen und das Museum auf diese Weise zum „gemeinsamen nationalen Sammelplatz für historische Quellen deutscher Vergangenheit" zu machen[44], in der Öffentlichkeit sehr schnell

sel 729. Auf der Jahreskonferenz im September 1853 war der Beschluß gefaßt worden, „mit dieser Bitte (i. e.: Protektorat durch den Bund) noch so lange zuzuwarten, bis man sich deren Erfüllung zuvor vollständig vergewissert haben werde" (Chronik des germanischen Museums. In: Anzeiger GNM 1853, Sp. 81–94 [84]). Über die Beziehungen des Germanischen Nationalmuseums zum Deutschen Bund s. u. S. 153–161.

[44] Jahresbericht GNM 3 (für 1855/56), 1856, S. 1.

zustimmendes Interesse gefunden. Schon im ersten Gutachten, das von der Reklamationskommission des Deutschen Bundestags im Juli 1853 über den Antrag Aufseß' auf Förderung seines Unternehmens durch den Bund erstattet wurde, wurden die wichtigsten Punkte im Programm für dieses deutsche kulturhistorische Museum zutreffend und beifällig aufgezählt: „Der Gegenstand der gesetzten Aufgabe ist die Geschichte des deutschen Volkes und Landes in der weitesten Bedeutung welche nicht nur das äußerlich hervortretende politische, sondern auch das sociale, häusliche und geistige Leben des Volkes, überhaupt das ganze Staats- und Volksleben nach allen seinen Beziehungen umfaßt. Zu diesem Zwecke soll ein Centralpunct geschaffen werden, in welchem Alles, was als Quelle der deutschen Geschichte in dieser weitesten Bedeutung gelten kann, vereinigt ist – im Originale oder als Copie, oder doch durch Hinweisung, wo es zu finden ist . . . Der Plan ist großartig angelegt, und in der That darf das germanische Museum, wenn es nicht nur eine Sammlung neben anderen Sammlungen seyn, wenn es seiner Aufgabe wirklich entsprechen soll, nicht Stückwerk bleiben, sondern muß den Charakter der Vollständigkeit möglichst an sich tragen"[45]. Diese kulturhistorische Aufgabe des Germanischen Nationalmuseums ist später, zu Beginn der sechziger Jahre, von Aufseß noch einmal anschaulich beschrieben worden: „Namentlich ist es unbedingt nothwendig, auch das kulturhistorische Quellenmaterial in seine Rechte einzusetzen, und, wie man Verzeichnisse aller schriftlichen Denkmäler anzufertigen sich bestrebt, auch die noch vorhandenen Epitaphien, Siegel, Portraite, Geräthschaften, Waffen, Münzen und sonstigen Kunstwerke und Alterthümer systematisch zu repertorisiren. Der Nutzen hievon ist unberechenbar groß, deñ nur bei sorgfältiger Beachtung solcher kulturhistorischer Quellen können lebendige, warme u. wahrheitsgetreue Darstellungen der einzelnen Abschnitte im Lebensprozeße des ganzen deutschen Volkes gegeben werden. Während längst die Wissenschaft sich mit den speziellsten Kulturzuständen des griechischen u. römischen Alterthums, der asiatischen u. afrikanischen Völker tief eingehend beschäftigt hat, Franzosen und Engländer bereits bedeutende Fortschritte in der Erforschung der Kultur- u. Lebenszustände ihres Landes gemacht haben, ist hierfür in Deutschland sehr wenig, u. dieß nur vereinzelt, geschehen. Kein Land ist aber reicher an Quellen hiezu als Deutschland. Sie kennen zu lernen u. wissenschaftlich zu ordnen, ist die Aufgabe des germanischen Nationalmuseums"[46].

Auch der Entscheidung über die Fragen, was im Sinn des Museumsprogramms als deutsche Geschichte zu verstehen sei und aus welchem Zeitraum dieses soeben beschriebene Material gesammelt werden solle, standen keine unüberwindlichen Probleme entgegen. Wichtig waren hier die sehr ins einzelne gehenden Festlegungen, die der Gelehrtenausschuß während der Jahreskonferenz des Museums im September 1855 getroffen hat, nachdem Aufseß schon drei Jahre zuvor, auf der Gründungsversammlung in Dresden, mit seinem Vorschlag, die Arbeit des Museums vorläufig bis zum Ende des Dreißigjährigen Krieges, also bis zur Mitte des 17. Jahrhunderts, zu führen, auf keinen Widerspruch gestoßen war und deshalb diese zeitliche Begrenzung auch in die erste Satzung hatte aufnehmen können[47]. Der Gelehrtenausschuß definierte als territoriale Grundlage für die Tätigkeit des Germanischen Nationalmuseums „die Ausdehnung des deutschen Reiches vom Jahre 1200 . . ., so daß, was sich hieran anschließt, sowohl zeitaufwärts, als abwärts mit den allmä-

---

[45] Protokolle der Deutschen Bundesversammlung, 28. 7. 1853, § 214, S. 673–674; Archiv F. Der Berichterstatter, der badische Bundestagsgesandte August Freiherr Marschall von Bieberstein, legte seinem Text offensichtlich Gedanken zugrunde, die Aufseß zuvor in seiner gedruckten „Denkschrift für die hohen deutschen Staatsregierungen das germanische Museum zu Nürnberg betreffend. 1853" (Altregistratur GNM, Kapsel 1 a) und in seinem Schreiben an die Bundesversammlung (Nürnberg, 8. 5. 1853, Reinkonzept; Altregistratur GNM, Kapsel 21) entwickelt hatte.

[46] Aufseß an die beiden Häuser des preußischen Landtags, Nürnberg, 10. 2. 1860, Reinkonzept; Altregistratur GNM, Kapsel 25.

[47] Hampe, Festschrift, S. 23, und Schulz (Anm. 7), Beilage I.

lig zutretenden Gebieten zu verfolgen und zu behandeln sei"[48]. Zusätzlich präzisierte der Gelehr-tenausschuß, „daß die geographische Eintheilung (der Sammlungen) der geschichtlichen Entwick-lung zu folgen und sich genau nach den Veränderungen der Stämme und ihrer Gebiete zu richten habe".

Darüber hinaus aber zeichneten sich die Beschlüsse des Gelehrtenausschusses vor allem durch die Konsequenz aus, mit der in ihnen für alle Disziplinen, mit denen sich das Museum beschäfti-gen sollte, die Bedeutung der einzelnen Überreste für die deutsche Vergangenheit als das einzige Kriterium für ihre Berücksichtigung durch das Museum festgestellt wurde. So wurde die Frage, inwieweit die „Sprachdenkmäler der nicht deutsch redenden germanischen Stämme" zu beachten seien, mit der klaren Entscheidung beantwortet: „Vor der Hand gar nicht, wenigstens nur da, wo die deutschen Thatsachen und Zustände innerhalb des oben festgesetzten Gebietes eine klare und gründliche Erklärung von dort her erfordern"[49]. Die Beschäftigung mit „fremden in Deutschland recipirten Rechten" sollte „nur insoweit" erfolgen, „als dieselben auf deutsche Rechtsinstitute unmittelbar eingewirkt haben". Das „Kriegswesen und die Befestigungskunst derjenigen fremden Völker, mit denen die Deutschen in nähere Berührung kamen – Sarazenen etc. –", sollten vom Museum „an und für sich nicht" behandelt werden; einen Gegenstand der Museumsarbeit sollten sie erst bilden, wenn „das Fremde unmittelbaren Einfluß gehabt hat auf die Gestaltung deutscher Zustände und Verhältnisse"[50]. Bei der Erörterung der Frage, wieweit das Museum „in die ältere Geschichte des Christenthums außerhalb Deutschlands . . . zurückzugreifen" habe, wurde die „entschiedene Ansicht" vertreten, „daß die Thätigkeit des Museums bei dem Uebergange nach Deutschland und der Entwicklung auf deutschem Boden stehen zu bleiben habe". Auch die Sammlung der „theologischen, insbesondere der scholastischen, mystischen und ascetischen Lite-ratur" sollte vom Museum nur soweit betrieben werden, „als das öffentl., häusliche und religiöse Leben der Deutschen dem unmittelbaren Einflusse derselben unterliegt". Eine gleiche Entschei-dung wurde für die Beschäftigung mit dem Studium „der philosophischen und classischen Litera-tur auf deutschem Boden" gefällt: „nur insoweit dieselben mit irgend einem Momente des äußeren Lebens des deutschen Volkes zusammentreffen". Mit der „Geschichte auswärtiger Universitäten und Schulen als Bildungsanstalten für Deutsche" sollte sich das Museum „nur da" befassen, „wo dieselben an das deutsche Leben unmittelbar angeknüpft werden können". Für die Behandlung „fremder Culturzustände" durch das Germanische Nationalmuseum schließlich wurde verfügt, daß dies nur der Fall sein solle, „insoweit der Einfluß derselben auf deutsche Geschichte und Verhältnisse unmittelbar hervortritt". „Unter derselben Beschränkung sind auch die Cultur- und Handelsverhältnisse der mit den Deutschen in Verbindung getretenen, oder auf deutschem Boden wohnenden fremden Volksstämme in den Bereich des germ. Museums zu ziehen"[51]. Die Frage freilich, nach welchen Kriterien der Anfang der deutschen Geschichte, für deren Beachtung durch

---

[48] Hier und im folgenden wird aus der Niederschrift zitiert, die über die Beratungen des Gelehrtenausschusses am 14.9.1855 geführt wurde (Altregistratur GNM, Kapsel 729). Dieser protokollierte Wortlaut der einzelnen Beschlüsse gibt den gemeinten Sinn anschaulicher wieder als ihre auf der Jahreskonferenz verabschiedete und dann auch im Druck erschienene Fassung, die stilistisch geglättet wurde (Chronik des germanischen Museums. In: Anzeiger GNM 1855, Sp. 233–244 [235–238]).

[49] Weniger mißverständlich lautete dieser Beschluß in der verabschiedeten Fassung: „Die Sprachdenkmäler . . . behan-delt das germ. Museum vor der Hand nur insoweit, als dort für deutsche Thatsachen und Zustände . . . Erklärung gefunden wird".

[50] Über dieses Problem gab es auf der Vollversammlung der Jahreskonferenz am 15.9.1855 eine längere Aussprache, die mit dem hier zitierten Beschluß beendet wurde (Protokoll der Jahreskonferenz 1855; Altregistratur GNM, Kapsel 729). Zur Frage der in Deutschland „recipirten Rechte" vgl. auch S. 706.

[51] Chronik (Anm. 48), Sp. 237.

140

das Museum man sich hier so entschieden einsetzte, eigentlich zu bestimmen sei, wurde vom Gelehrtenausschuß nicht erörtert[52].

So sehr aber auch Aufseß mit diesen Beschlüssen des Gelehrtenausschusses, die deutsche Geschichte zum ausschließlichen Sammlungsobjekt zu machen, einverstanden sein konnte, die ebenfalls damals vereinbarte territoriale Festlegung, „die Thätigkeit des Germanischen Museums durchaus auf . . . Deutschland in seiner größten Ausdehnung zu beschränken"[53], entsprach doch nicht ganz seiner Absicht, einer politisch begründeten Einengung der Museumsarbeit zu entgehen, und zwar auch dann, wenn sie, wie hier, nur historisch zu rechtfertigen war. Es kam hinzu, daß diese Fixierung, die der Gelehrtenausschuß für nötig gehalten hatte, „um Zersplitterung zu vermeiden", in einem gewissen Widerspruch zu der sonst von dieser Kommission eingehaltenen Tendenz stand, in Übereinstimmung mit dem Konzept des Gründers die Geschichte der Nation und nicht die Geschichte eines bestimmten Gebietes zum Gegenstand für die Museumstätigkeit zu machen. Als deshalb in der Vollversammlung der Jahreskonferenz über diesen Beschluß abgestimmt werden sollte, versuchte Aufseß zusammen mit einigen anderen, unter Hinweis auf die Tatsache, daß die Geschichte der stets außerhalb des Deutschen Reiches gebliebenen Siebenbürger Sachsen unbestreitbar zur deutschen Geschichte gehöre, eine Modifizierung des Territorialbeschlusses zu erreichen: man müsse bedenken, „welche Theilnahme das Germanische Museum bei den Siebenbürgern gefunden habe, weßhalb es als Akt der Dankbarkeit anzusehen sei, die Geschichte der Siebenbürger in den Bereich des Germanischen Museums zu ziehen"[54]. Nach längerer Aussprache, in der auch „politische Gründe" eine Rolle spielten, wurde von der Jahreskonferenz der ursprüngliche Beschluß des Gelehrtenausschusses zwar gebilligt, aber das Germanische Nationalmuseum beschäftigte sich trotzdem auch weiter mit der Geschichte der Siebenbürger Sachsen[55].

Die Frage, ob es sich bei der Erwerbung der Bibliothek, die während der Revolution von 1848/49 für das Paulskirchenparlament eingerichtet worden war, um eine nationalpolitisch motivierte Mißachtung der in der Satzung festgelegten Beschränkung der Museumstätigkeit auf die deutsche Geschichte vor 1650 gehandelt habe, ist nicht leicht zu beantworten. Die im September 1854 gestellte Bitte um Überlassung dieser Bibliothek, die nach der Wiederherstellung des Deutschen Bundes in das Eigentum der Bundesversammlung übergegangen war, begründete Aufseß mit der Aufgabe seiner Anstalt, auch „eine deutsche Nationalbibliothek" zu bilden, die ebenso wie seinerzeit diese Frankfurter Parlamentsbibliothek „ihre Zuflüsse aus Geschenken des deutschen Buchhandels hat"[56]. Dieses unpolitische Argument, das sich allein auf die Sammlungsfunktion des Germanischen Nationalmuseums stützte, blieb auf die Reklamationskommission des Bundestags, von dem ein Gutachten über diesen Nürnberger Antrag zu erstatten war, nicht ohne Eindruck. Im

---

[52] Zum heutigen Forschungsstand s. Josef Fleckenstein: Grundlagen und Beginn der deutschen Geschichte (Deutsche Geschichte. Bd. 1). Göttingen 1974.

[53] Dieses und das folgende Zitat stammen aus dem Bericht, den der damals in München lehrende Schweizer Staatsrechtler Johann Kaspar Bluntschli auf der Vollversammlung der Jahreskonferenz über den Territorialbeschluß erstattete (Protokoll [Anm. 50]).

[54] Protokoll (Anm. 50).

[55] Besonders bezeichnend dafür war die damals erfolgte Wahl des siebenbürgischen Oberlandeskommissars und Historikers Joseph Bedeus Edlen von Scharberg in den Gelehrtenausschuß. Die Annahme der Wahl verband Bedeus mit einer bezeichnenden Präzisierung: „Das spezielle wissenschaftliche Fach, dem ich meine Mußestunden vorzüglich gewidmet habe, ist zwar durch siebenbürgische Geschichte ganz richtig bezeichnet; um jedoch meine Beziehung zum germanischen Museum näher zu bestimmen und meine Aufnahme in den Gelehrten-Ausschuß dieser Anstalt zu rechtfertigen, könnte mein Wirkungskreis vielleicht noch richtiger folgendermaßen angedeutet werden: Geschichte der deutschen Colonien in Siebenbürgen" (Bedeus an Vorstand, Hermannstadt, 27. 1. 1856, Ausfertigung; Altregistratur GNM, Kapsel 10).

[56] Aufseß an Bundesversammlung, Nürnberg, 4. 9. 1854, Reinkonzept; Altregistratur GNM, Kapsel 21.

Auftrag der Kommission empfahl der badische Bundestagsgesandte August Freiherr Marschall von Bieberstein der Bundesversammlung, die Bitte Aufseß' zu erfüllen: „Hierbei kommt ... das Moment in Betracht, daß die Buchhandlungen, durch deren Liberalität jene Büchersammlung hauptsächlich gegründet worden ist, ihre Verlagsartikel ausdrücklich behufs der Gründung einer Nationalbibliothek zur Disposition stellten, ... So sehr sich nun auch seiner Zeit die Centralcommission[57] und dann die Bundesversammlung, als Organe der Gesammtheit, verpflichtet sehen mußten, sämtliches Bundeseigenthum unter ihre Verwahrung zu nehmen, so steht doch wohl nicht entgegen, jener Büchersammlung wiederum eine ihrer ursprünglichen Bestimmung entsprechende Verwendung zu geben und dieselbe gemeinnützig zu machen. Hierzu scheint nun ein passender Anlaß durch das Gesuch des Vorstandes des germanischen Museums geboten zu sein. Dieses Institut will die Originalschätze der Literatur und Kunst in sich vereinigen, daher es die Anlegung einer Büchersammlung ebenfalls in den Bereich seiner Thätigkeit gezogen hat. ... Hieraus ergibt sich, daß dieser Bibliothek, obwohl hiebei das Augenmerk zunächst und vorzugsweise auf die Literatur deutscher Geschichtswissenschaft gerichtet ist, doch ein alle Fächer umfassender Inhalt zugedacht ist. Durch die Einverleibung der bei der Nationalversammlung erwachsenen Büchersammlung würde ... (sie) dem Zwecke, der bei ihrer Stiftung vorgewaltet hat, möglichst wiedergegeben werden, da die Bibliothek des Museums den Charakter einer deutschen Nationalbibliothek an sich tragen und nach den Statuten allgemein nutzbar und zugänglich sein soll"[58]. Anfang Januar 1855 stimmte die Bundesversammlung einem entsprechenden Antrag der Reklamationskommission zu und überließ die Bibliothek der Frankfurter Nationalversammlung dem Germanischen Nationalmuseum[59].

Aber wenn auch die Überlegung, gerade während der Gründungsphase sei es vorteilhaft, durch eine solche Schenkung die Bestände des Museums erheblich zu vergrößern[60], für Aufseß ausschlaggebend gewesen sein mochte, so mußte er sich doch darüber völlig im klaren gewesen sein, daß hier eine Einrichtung der gescheiterten deutschen Revolution, also ein Überrest der nationalen Zeitgeschichte, als Ganzes Bestandteil der Nürnberger Sammlungen wurde. Für diese Annahme spricht einmal die Tatsache, daß für diese Frankfurter Bibliothek eine „von der übrigen Bibliothek gesonderte" Aufstellung beschlossen wurde. Gleichzeitig aber verzichtete man, sicher mit Rücksicht auf die herrschende politische Reaktion, darauf, die an die bayerische Regierung zu richtende Bitte um räumliche Vergrößerung des Museums[61] auch noch mit einem Hinweis auf die Übernahme dieser Paulskirchenbestände zu begründen, weil „die Frankfurter Bibliothek wohl nicht viel Begünstigung finden möchte in Bayern"[62]. Darüber hinaus hat es die Museumsleitung wiederholt für nötig gehalten, auch öffentlich einer aktualisierenden politischen Deutung dieser Erwerbung entgegenzutreten. Nicht ungeschickt wurde dabei der betont unpolitische Charakter des Germanischen Nationalmuseums geradezu als Voraussetzung dafür genannt, daß die Nürnberger Anstalt

[57] In der Spätphase der Revolution, im September 1849, war zwischen Preußen und Österreich die Bildung einer „interimistischen Bundeszentralkommission" vereinbart worden, die für eine befristete Zeit die Funktionen der vor der Selbstauflösung stehenden Frankfurter Reichszentralgewalt ausüben sollte (Ernst Rudolf Huber: Deutsche Verfassungsgeschichte seit 1789, Bd. 2, 2. Aufl. Stuttgart 1960, S. 883–884).
[58] Protokolle der Deutschen Bundesversammlung, 9. 12. 1854, § 370, S. 1142–1146 (1145–1146); Archiv F. Eine Abschrift dieses Referats wurde Aufseß als „Vertrauliche Mittheilung" zugeschickt (Altregistratur GNM, Kapsel 21).
[59] Protokolle der Deutschen Bundesversammlung, 4. 1. 1855, § 7, S. 23; Archiv F. Zur Bibliothek der Nationalversammlung vgl. auch Elisabeth Rücker in diesem Band, S. 550–553 und Abb. 324 u. 332.
[60] Die Frankfurter Parlamentsbibliothek enthielt knapp 3000 Titel (Chronik des germanischen Museums. In: Anzeiger GNM 1855, Sp. 73–88 [73]).
[61] Schon seit geraumer Zeit wurden Verhandlungen wegen der Überlassung der Kartause an das Museum geführt.
[62] Protokolle der Kommission des Verwaltungsausschusses, 10. 2. 1855 und 28. 1. 1855 (Altregistratur GNM, Kapsel 729).

„mehr Garantie" für die Verwirklichung des Plans einer „deutschen Nationalbibliothek" biete „als jene, von äussern Einflüssen bewegte politische Korporation (i. e. das Paulskirchenparlament)"[63].

Für die Durchführung des nationalen Museumsprogramms war die Konzentrierung der Sammlungstätigkeit auf die deutsche Geschichte zweifellos sehr wichtig. Das Nationsverständnis des Gründers und seiner Mitarbeiter wird sich aber bei der Beschäftigung mit der Frage, wie sie sich die deutsche Nation in der Ausübung ihrer zweiten Funktion, nämlich als wahre Eigentümerin der Nürnberger Anstalt, vorgestellt haben, gewiß noch anschaulicher zeigen lassen. Der Versuch, die Geschichte der ganzen Nation und alle Bereiche ihrer Historie zum Objekt der Museumsarbeit zu machen, war ein weithin unproblematischer Akt akademischer Abstraktion gewesen; ungleich schwieriger war es aber, eben diese ganze Nation auch zur Besitzerin eines realen wissenschaftlichen Unternehmens zu proklamieren, denn jetzt war man gezwungen, den politischen Zustand, in dem sich diese Nation im Augenblick befand, auf irgendeine Weise zu berücksichtigen. Offen war vor allem, ob es gelingen werde, die angestrebte nationale Totalität und die politische Wirklichkeit miteinander zur Deckung zu bringen.

Am leichtesten noch war die nationale Definition des Museumssitzes. Aufseß hatte sich schon in seinen Entwürfen aus den frühen dreißiger Jahren für Nürnberg ausgesprochen, „da die geographische Lage unserer Stadt wohl fast in der Mitte Deutschlands" eine solche Entscheidung nahelege[64]. Nach der Errichtung des Germanischen Nationalmuseums wurde eine gleiche Begründung dafür gegeben, daß „Nürnberg ... der beste und geeignetste Sitz für eine solche deutsche Nationalanstalt" sei[65]: „Daß inmitten der germanischen Volksstämme, fast im Mittelpunkte des ehemaligen Reiches deutscher Nation, in der altehrwürdigen Stadt Nürnberg ein germanisches Nationalmuseum errichtet worden ..."[66]. Neben diesen topographischen Überlegungen war aber für die Entscheidung Aufseß' zweifellos auch die Tatsache wichtig gewesen, daß Nürnberg Jahrhunderte hindurch Reichsstadt gewesen war; so nämlich war es ihm möglich, sich „den alten Nürnberger Adler" zum Siegelbild für seine Gründung zu erbitten[67], aber mit dem lokalen Symbol zugleich auch ein nationales Symbol zu erwerben.

Schwieriger war es schon, die Mitwelt davon zu überzeugen, daß die Niederlassung des Museums in einer bayerischen Stadt und die für sein Bestehen im juristischen Sinn nötig gewesene Anerkennung als „Anstalt zum Zweck wissenschaftlicher Forschung und Bildung" nach dem öffentlichen Recht des Königreichs Bayern[68] das Museum nicht zum Institut eines deutschen Einzel-

---

[63] Chronik des germanischen Museums. In: Anzeiger GNM 1854, Sp. 309–320 (312). Einige Monate später wurde noch einmal versichert, „daß der Hauptinhalt der Bibliothek weder eine politische, noch weniger, wie Manche irrthümlich zu glauben sich veranlaßt fühlen mochten, eine oppositionelle Bedeutung hat" (Chronik des germanischen Museums. In: Anzeiger GNM 1855, Sp. 73–78 [73]).

[64] Bericht über die vom 24. bis 28. September 1833 in Nürnberg abgehaltene General-Versammlung der Gesellschaft zur Untersuchung, Erhaltung und Bekanntmachung der Denkmäler älterer, insbesondere deutscher Geschichte, Literatur und Kunst in Nürnberg, gestützt auf die vorliegenden Protokolle; Anlage zum Protokoll des II. Ausschusses, 25. 9. 1833; Altregistratur GNM, Kapsel 1.

[65] Aufseß an Maximilian II., Nürnberg, 31. 8. 1854, Ausfertigung; Ablichtung aus dem Geheimen Hausarchiv München, Nachlaß Maximilian II., 81/6/349; Altregistratur GNM, Kapsel 1 a.

[66] Von Vorstand und Lokalausschuß am 24. 4. 1855 veröffentlichter „Aufruf das Germanische Nationalmuseum betreffend" (häufig als Anlage zum Anzeiger GNM 1855, nach Sp. 112). Als noch die Möglichkeit bestand, sich für Coburg als Sitz des Museums zu entscheiden, wurde darauf hingewiesen, daß auch diese Stadt, „gleich Nürnberg, im Mittelpunkt Deutschlands" liege (Chronik des germanischen Museums. In: Anzeiger GNM 1853, Sp. 81–94 [85]).

[67] Aufseß an die Regierung von Mittelfranken, Nürnberg, 27. 2. 1853, Ausfertigung; Archiv M, MK 14187. Am 25. 6. 1853 wurde der Antrag vom bayerischen König genehmigt: „Wenn wider das Hier Beantragte keine Erinnerung seitens der Stadtgemeinde Nürnberg besteht, genehmige ich es, jedoch mit dem Beyfügen, daß fragliches Siegel mit der Umschrift ‚Siegel des germanischen Museums in Nürnberg' zu versehen sey".

[68] Am 21. 2. 1853 durch einen Erlaß des bayerischen Staatsministeriums des Innern für Kirchen- und Schulangelegenheiten (Hampe, Festschrift, S. 39). Vgl. den Text im Anhang dieses Bandes, S. 953.

staates mache. Schon im September 1853 wollte Aufseß seinen Antrag auf Übernahme des Protektorats durch den Deutschen Bund mit dem angestrebten gesamtdeutschen Charakter des Germanischen Nationalmuseums begründen: „Dieses Museum, obgleich es in einem oder dem andern Bundesstaate seinen zeitlichen Sitz haben und in so ferne der Landeshoheit desjenigen Staates wo es sich gerade befindet, untergeordnet sein muß, ist doch seiner ganzen Anlage und Wirkung nach ein gemeinsames deutsches, nicht auf einen speziellen Staat gerichtetes und demselben angehöriges, und bedarf daher in allen seinen Bestrebungen der geistigen wie der materiellen Unterstützung jeder Einzelregierung mehr oder minder"[69]. Deutlicher noch wurde Aufseß drei Jahre später: „Wenn nun gleichwohl Bayern, in dessen Landesgebiet das germanische Museum seinen Sitz aufgeschlagen hat, vorzugsweise eine Art moralische Verpflichtung haben dürfte, dasselbe kräftig zu unterstützen, ... so darf das Museum doch als eine nicht bayerische, sondern allgemein deutsch-nationale Anstalt um so mehr auf gnädige Unterstützung aller übrigen deutschen höchsten und hohen Regierungen hoffen, als Eine hohe pp. ... die wohlwollende Unterstützung des Unternehmens anempfohlen hat"[70].

Aber auch der Öffentlichkeit gegenüber wurde dieser Anspruch des Museums, wegen seines nationalen Charakters allen deutschen Staaten in gleicher Weise verbunden zu sein, überzeugend vertreten. Im Jahre 1855 schrieb der damalige I. Sekretär des Museums, Johannes Heinrich Müller: „Indem sie (i. e.: die Wissenschaft) uns ein Gesammtbild der Entwicklung der Menschheit vor Augen hält, insbesondere aber mit der Gestaltung unserer eigenen vaterländischen früheren Zustände in Kirche, Staat, Familie, sowie mit dem Gang unserer Kultur, Kunst und Wissenschaft durch vergangene Jahrhunderte uns bekannt macht, gewinnen wir eine richtige Anschauung unserer Gegenwart und lernen weise Fürsorge üben für die Zukunft. Ein solches Gemeingut schaffen und fördern helfen, zu dessen Auffindung und Aneignung den Weg erleichtern, ist wahrlich eine gute Sache zu nennen, welche Anspruch hat als Nationalsache eines Volkes zu gelten und als solche unterstützt zu werden. Niemand kann ihr mit Fug entgegentreten, eben weil sie jedes Standes Nutzen und Ehre bezweckt, jedes deutsche Land gleichmäßig betrifft, wie die Gesammtheit der Länder im Großen"[71]. Daß solche Appelle richtig verstanden wurden, zeigte sich etwa im Jahre 1857 bei der Gründungsversammlung des Hilfsvereins in Berlin, in der der preußische Geschichtsforscher Leopold Karl Freiherr von Ledebur über das Museum sagte: „... wie Deutschland einmal gestaltet sei, müsse auch das, was allen Deutschen gemeinsam sei, in einem Territorialstaate eine Stätte suchen, wodurch jedoch keineswegs der gemeinsame deutsche Charakter aufgehoben werde ..."[72]. Mit Recht konnte deshalb gegen Ende der Gründungsphase der Verzicht auf eine engere Bindung an einen bestimmten deutschen Staat geradezu als Voraussetzung dafür genannt werden, daß die Nürnberger Anstalt von überall her gefördert werde: „Daß dem germani-

---

[69] Vorstand an Bundes„tags"versammlung, Nürnberg, 12.9.1853, Konzept, nicht expediert; Altregistratur GNM, Kapsel 729.

[70] Vorstände an Bundesversammlung, Nürnberg, 6.6.1856, Reinkonzept; Altregistratur GNM, Kapsel 21. Für die politischen Schwierigkeiten, mit denen man im Germanischen Nationalmuseum rechnete, wenn der gesamtdeutsche Charakter als eine Art Gegensatz zu bayerischen Ansprüchen definiert werde würde, war es bezeichnend, daß vor der Ausfertigung dieses Schreibens die Worte „nicht bayerische, sondern" gestrichen wurden. Mit der Empfehlung war der Beschluß der Bundesversammlung vom 28.7.1853 gemeint, s. u. S. 156.

[71] Jahresbericht GNM 2 (für 1854/55), 1855, S. 3. Daß diese Beschreibung des nationalen Charakters der Nürnberger Anstalt auf Aufseß zurückging, zeigt die Tatsache, daß dieser einige Monate früher seine Bitte um Überlassung der Frankfurter Parlamentsbibliothek mit einem gleichen Argument gestützt hatte: die Genehmigung seines Antrags liege „im wahren Interesse des deutschen Vaterlandes u. aller Einzelstaaten" (Aufseß an Bundesversammlung, Nürnberg, 4.9.1854, Reinkonzept; Altregistratur GNM, Kapsel 21).

[72] Bericht über die Gründungsversammlung des Berliner Hilfsvereins am 21.3.1857 (Chronik des germanischen Museums. In: Anzeiger GNM 1857, Sp. 121–130 [122]).

schen Museum aus allen Theilen des großen Vaterlandes Unterstützungen zufließen, . . . verdankt es vor Allem seinem nationalen Charakter"[73].

Aber um zu zeigen, daß das Germanische Nationalmuseum der ganzen deutschen Nation als Eigentum zugedacht war, genügte es nicht, dieses Museum bloß zur Gesamtheit der deutschen Staaten in Beziehung zu setzen. Ebenso wichtig waren die Einsicht, daß die Nation nicht nur eine politische – und noch dazu eine staatlich geteilte –, sondern vor allem auch eine soziale Größe war, und der aus dieser Einsicht gezogene Schluß, der angestrebte nationale Charakter der Anstalt werde erst dann gesichert sein, wenn sie bei allen Schichten Zustimmung und Förderung gefunden habe. Schon kurz nach der Gründung wies die Museumsleitung darauf hin, die Liste der Spender zeige, „daß keine Klasse der deutschen Bevölkerung . . . sich ausschloß, zu unserem Nationalwerk etwas beizusteuern"[74]. Wenig später bereits wurde der nationale Charakter des Museums zutreffend aus der gesellschaftlichen Wirklichkeit hergeleitet: „Denn hier ist es . . . eine allseitige, wohlwollende Theilnahme aller deutschen Stände und Classen, was dem Unternehmen den Stempel der Großartigkeit und Nationalität aufdrückt"[75]. „Hier ist ein Gesammteigenthum der deutschen Nation, wie kein anderes irgendwo, hier sind Zeugnisse der germanischen Kultur, Wissenschaft und Kunst . . . Daß sie durch den freien Willen der Nation, aller ihrer Glieder und Stämme zusammenflossen, nicht auf ein Meisterwort, nicht durch das Kapital eines Einzigen, das gibt ihnen erst einen höheren Werth und die Bürgschaft ewiger Dauer und großen Wachsthums"[76]. Schließlich konnte Aufseß zu Beginn der sechziger Jahre seine Anträge auf weitere Förderung der Nürnberger Anstalt durch die Frankfurter Bundesversammlung zutreffend auf die Behauptung stützen, das Museum sei „von dem Volke in allen seinen Gliederungen anerkannt"[77].

An dieser Stelle der Untersuchung ist es zwar noch nicht möglich, die Frage befriedigend zu beantworten, wie die Gründergeneration das Verhältnis zwischen dem Museum und den politischen Gewalten der Zeit und damit auch seine Stellung zum Problem der deutschen Einheit gesehen hat. Die soeben besprochene Erklärung, weshalb in der Meinung von Aufseß und seinen Mitarbeitern das Germanische Museum ein Nationaleigentum war, hat aber schon deutlich gezeigt, daß das Vorhaben, auch hier die Anstalt in eine besonders enge Beziehung zur deutschen Nation als ganzer zu bringen, nur gelingen konnte, weil der staatliche Zustand dieser Nation möglichst unerörtert blieb, ganz gleich, ob die Förderung des Museums durch die Gesamtheit der deutschen Staaten oder durch die Gesamtheit der deutschen „Stände" als konstitutiv für den nationalen Charakter des Nürnberger Instituts ausgegeben wurde. Vor allem die territoriale Argumentation läßt keine verbindliche Feststellung darüber zu, ob hier nur die Glieder des Deutschen Bundes oder alle Gebiete, in denen Deutsche lebten, gemeint gewesen waren. Es spricht manches dafür, daß die Nichtbeachtung, ja geradezu Verdrängung der politischen Wirklichkeit als Voraussetzung für eine erfolgreiche Tätigkeit des Museums gegolten hat.

Dieselbe Einstellung ist auch in den Überlegungen nachzuweisen, nach welchen nationalen Kriterien der Gelehrtenausschuß, das wissenschaftliche Organ dieser nationalen Anstalt, zusammengesetzt werden sollte. Im September 1853 kam es auf der Jahreskonferenz zu einer längeren Aussprache über die Frage, ob „in den Gelehrten-Ausschuß auch Männer aus nicht deutschen Ländern, aber Länder(n) der Germanischen Geschichte zugehörig", aufgenommen werden könnten[78].

[73] Chronik des germanischen Museums. In: Anzeiger GNM 1863, Sp. 257–264 (257).
[74] Jahresbericht GNM 2 (für 1854/55), 1855, S. 5.
[75] Jahresbericht GNM 3 (für 1855/56), 1856, S. 6.
[76] Jahresbericht GNM 6 (für 1859), 1860, S. 2.
[77] Vorstände an Bundesversammlung, Nürnberg, 22. 4. 1861, Reinkonzept; Altregistratur GNM, Kapsel 21.
[78] Protokoll der III. ao. Sitzung des Ausschusses des Germanischen Museums, 11. 9. 1853; Altregistratur GNM, Kapsel 729.

Man einigte sich darauf, der Ausschuß habe „aus einer unbestimmten und unbegränzten Zahl solcher Männer der Wissenschaft (zu bestehen), welche in einem der Fächer des Museums ... etwas Bedeutendes zu leisten im Stande sind, abgesehen davon, ob sie innerhalb oder ausserhalb der Grenzen Deutschlands wohnen"[79]. Dadurch war es möglich, auch Deutsche aus der Schweiz, aus Siebenbürgen, aus dem Elsaß oder aus den baltischen Provinzen des Zarenreiches in den Ausschuß zu berufen[80]. Gelegentlich wurden auch Nichtdeutsche aufgenommen, wie etwa František Palacký, einer der bedeutendsten Wortführer der tschechischen Wiedergeburt[81]. Im Statutenentwurf von 1863 wurde überhaupt auf jede nationale Definition des Gelehrtenausschusses verzichtet[82]. Bei der Feststellung der Voraussetzungen für die Mitgliedschaft im Verwaltungsausschuß jedoch, der „gewissermaßen als Oberaufsichtsbehörde"[83] für diese öffentlichrechtliche Anstalt tätig sein sollte, wurde schon auf eine engere Verbindung mit der staatlichen Wirklichkeit Wert gelegt: „24 Männer der Wissenschaft ... in verschiedenen Theilen Deutschlands wohnend" (1853)[84], „... aus mindestens 24 Männern der Wissenschaft und Kunst verschiedener deutscher Staaten" (1863)[85].

Nach den Vorstellungen von Aufseß und seinen Mitarbeitern sollte die deutsche Nation aber nicht nur Objekt und Eigentümerin des Germanischen Nationalmuseums sein, sondern auch dessen Nutznießerin, und die Beschreibung der Nation in dieser ihrer dritten Funktion, also die Beschäftigung mit der Frage, welchen Gewinn die Deutschen nach der Absicht des Gründers aus der Sammlungtätigkeit der Nürnberger Anstalt ziehen sollten, läßt eine besonders zuverlässige Bestimmung des nationalen Gehalts des Museumsprogramms erwarten. Der Zweck eines Museums nämlich, also das, was, über seine rein konservatorische Aufgabe hinaus, durch seine Errichtung für die Zukunft bewirkt werden soll, gibt die eigentliche Rechtfertigung für seine Gründung, und in dieser Studie über das Germanische Nationalmuseum ist die Feststellung solcher nationalen Ziele vor allem auch deshalb notwendig, damit die bisher besprochenen Einzelheiten des Museumskonzepts – Beschränkung auf die Sammlung von Überresten der deutschen Geschichte und Proklamierung der deutschen Nation zur Eigentümerin des Instituts – in ihrer wahren Bedeutung für das Museum gezeigt werden können.

Als erstes ist hier die wiederholt ausgesprochene Erwartung zu nennen, das Germanische Nationalmuseum werde durch seine Tätigkeit Entscheidendes zur Förderung der deutschen Wissenschaft beitragen, ja sogar zu einem wichtigen Mittelpunkt der Forschung in Deutschland werden

---

[79] Chronik des germanischen Museums. In: Anzeiger GNM 1853, Sp. 113–118 (114). Wie unbestimmt hier das Verhältnis zwischen Nation und Staat gesehen wurde, zeigt sich an einigen Varianten, in denen die Formulierung dieser Voraussetzung für die Mitgliedschaft im Gelehrtenausschuß vom zitierten Wortlaut abwich, obwohl überall dasselbe gemeint war. Der Ausschuß hatte beschlossen, „auch solche Männer, welche nicht innerhalb der politischen deutschen Grenzen leben, als Mitglieder zum Vorschlag zu bringen" (Protokoll, 11.9.1853), während es dann in der Mitteilung an die Öffentlichkeit hieß: „ohne Rücksicht auf die engern Grenzen Deutschlands" (Chronik des germanischen Museums. In: Anzeiger GNM 1853, Sp. 81–94 [83]).

[80] So enthielt das Verzeichnis der im Jahre 1855 in den Gelehrtenausschuß gewählten „Männer der Wissenschaft aus fast allen deutschen Staaten" auch Gelehrte, die in Basel, Luzern, Straßburg oder Hermannstadt lebten. Im Jahre 1858 wurde der in der Eremitage in St. Petersburg als Numismatiker tätige Bernhard Freiherr von Koehne in den Gelehrtenausschuß berufen (Dankschreiben Koehnes, St. Petersburg, 18./30.12.1858, Ausfertigung; Altregistratur GNM, Kapsel 10). Vgl. im übrigen das Verzeichnis der Mitglieder des Gelehrtenausschusses im Anhang dieses Bandes.

[81] Palacký, der wegen der Zugehörigkeit Böhmens zum Deutschen Bund im staatlichen Sinn als Deutscher angesehen werden konnte, lehnte die auf ihn gefallene Wahl wegen seiner nachlassenden Sehkraft ab, erklärte sich aber zur Erteilung kurzer Auskünfte bereit (Palacký an Vorstand, Prag, 30.4.1855, Ausfertigung; Altregistratur GNM, Kapsel 10).

[82] Statutenentwurf, Nürnberg, 11.8.1863, §§ 31–38; Altregistratur GNM, Kapsel 4.

[83] Hampe, Festschrift, S. 30.

[84] Chronik des germanischen Museums. In: Anzeiger GNM 1853, Sp. 113–118 (114).

[85] Statutenentwurf (Anm. 82), § 16.

können. Belege für diese Auffassung sind aus allen Abschnitten der Gründungsphase überliefert. Bereits vor der Dresdner Versammlung definierte Aufseß das geplante Museum als eine „für deutsche Wissenschaft und Kunst und deren allgemeine Verbreitung höchst gemeinnützige Anstalt"[86]. 1853 schrieb er dem bayerischen König, sein Museum sei eine „Anstalt . . ., welche einst der Stapelplatz der vaterländischen Geschichtskunde, Kunst- und Alterthums-Forschung seyn wird"[87]. Später wurde der Frankfurter Bundesversammlung gegenüber diese wissenschaftliche Aufgabe des Museums etwas ausführlicher erläutert; die Nürnberger Anstalt wurde hier als ein „allgemein nützliches und großartiges Unternehmen" vorgestellt, „welches neben eigenen Saṁlungen die Aufgabe verfolgt alle deutschen StaatsSaṁlungen für Diplomatik, Literatur, Alterthum u. Kunst in eine wohlgeordnete Uebersicht durch in sich selbst zusammenhängende systematische Repertorien zu bringen"[88]. Ebenso eingehend war eine Beschreibung, die Aufseß zu Beginn der sechziger Jahre in einer Bittschrift an „die hohe Ständekammer des Landtages von Luxemburg" über die Bedeutung des Museums für die Forschung in Deutschland gab: „Das germanische Museum hat den Zweck, durch umfassende Repertorien und wissenschaftlich geordnete Sammlungen . . . für die gesammtdeutsche Geschichtswissenschaft in ihrer ganzen Ausdehnung einen Vereinigungspunkt zu bilden . . ."[89]. Und auch Aufseß' Nachfolger Andreas Ludwig Jakob Michelsen sprach von der „Lösung der großen Aufgaben", der das Museum „sich im Interesse deutscher Wissenschaft und Kunst unterzogen hat und in der es von den bedeutendsten wissenschaftlichen Kräften der Nation unterstützt wird"[90].

Daß die Gründer eines Museums erwarten, das von ihnen ins Leben gerufene Institut werde zur Förderung der Forschung in den von ihm betreuten Disziplinen beitragen, ist eine Selbstverständlichkeit und brauchte hier nicht besonders erwähnt zu werden. Daß dies trotzdem geschieht, wird durch die Beobachtung gerechtfertigt, daß im Programm des Germanischen Nationalmuseums dieser wissenschaftliche Nutzen nahezu ausschließlich national definiert wurde: stets und immer wurde betont, die Tätigkeit der Nürnberger Anstalt sollte vor allem Wissenschaft und Kunst in Deutschland zugute kommen. Und daß dieser erhoffte Gewinn primär nationaler Natur sein sollte, wurde dann besonders überzeugend formuliert, wenn die wissenschaftliche Bedeutung des Museums mit der schon früher besprochenen Auffassung von der Nation als einer territorialen und sozialen Totalität in Verbindung gebracht wurde: „Wie aber die Arbeiten des Museums nicht etwa einer bestimmten Corporation oder einem bestimmten Orte oder Lande, sondern allen Ge-

---

[86] Satzungen der Aktiengesellschaft zur Unterstützung des germanischen Museums zu Nürnberg, 1.8.1852, § 1; Altregistratur GNM, Kapsel 1a; abgedruckt im Anhang, S. 953.

[87] Aufseß an Maximilian II., Nürnberg, 19.8.1853, Ausfertigung; Ablichtung aus dem Geheimen Hausarchiv München, Nachlaß Maximilian II., 81/6/349; Altregistratur GNM, Kapsel 1a.

[88] Vorstände an Bundesversammlung, Nürnberg, 31.10.1856, Reinkonzept; Altregistratur GNM, Kapsel 21. Nicht uninteressant ist, daß dieses hier erwähnte Lieblingsprojekt Aufseß', das Generalrepertorium, noch zu einer Zeit Befürworter in der Bundesversammlung fand, als es im Museum selbst bereits sehr umstritten war. Im Mai 1861 erstattete im Namen der Reklamationskommission des Bundestags der „Herr Gesandte der 15. Stimme" (Oldenburg, Anhalt, Schwarzburg), Wilhelm von Eisendecher, ein Gutachten über einen neuen Antrag Aufseß' auf Unterstützung des Museums durch den Deutschen Bund. In diesem Gutachten wurde das Generalrepertorium als der „wesentlichste und nützlichste" Teil des Museums eingeschätzt. „Dieses großartig angelegte Repertorium über sämmtliche Quellen und Ueberlieferungen der vaterländischen Geschichte soll bekanntlich nach und nach die sämmtlichen vorhandenen historischen Nachweise aller Art für jeden Fleck deutscher Erde und für jeden in Bezug auf Menschen, Sachen und Lebensformen bedeutsamen Moment der deutschen Vorzeit systematisch geordnet in sich aufnehmen. . . . Es läßt sich wohl kaum bezweifeln, daß gerade durch diesen umfassenden Grundgedanken der Anstalt, wenn er kräftig und beharrlich fortgeführt wird, das g. Museum eine hervorragende und für die Kunde der vaterländischen Vergangenheit eben so nützliche als für Deutschland rühmliche Schöpfung werden müsse, . . ." (Protokolle der Deutschen Bundesversammlung, 31.5.1861, § 150, S. 397–400 [398–399]; Archiv F).

[89] Aufseß an den luxemburgischen Landtag, Nürnberg, 18.12.1860, Reinkonzept; Altregistratur GNM, Kapsel 23.

[90] Michelsen an den Landtag des Herzogtums Sachsen-Coburg, Nürnberg, 22.5.1863, Ausfertigung; Archiv C, Landtagsarchiv 944.

bildeten der deutschen Nation zugute kommen . . .“[91]. Auch in der Funktion als Bildungsanstalt wurde dem Museum eine spezifisch nationale Aufgabe zugeschrieben: schon kurz nach der Gründung wurde „von dem wohlthätigsten Einfluß auf die vaterländische Kunst- und Geschmacksbildung“ gesprochen, „wenn das Museum neben seinen wissenschaftlichen Bestrebungen auch dahin wirkt, daß der germanische Styl nicht allein in Bauwerken, sondern auch in allen übrigen Lebensbedürfnissen, in so weit überhaupt hier ein ausgeprägter Styl möglich erscheint, wieder in sein Recht eingesetzt werde“[92]. Im Jahre 1861 wurde auf der Jahreskonferenz darüber geklagt, daß der Anzeiger des Museums den „Anforderungen der Wissenschaft“ insofern nicht genüge, „als denselben von einer Centralanstalt für deutsche Geschichte entsprochen werden sollte, daher eine Erweiterung und sorgfältigere Behandlung des wissenschaftlichen Theiles im Hauptblatt dringend zu wünschen sei“. Dabei wurde aber auch die Frage erörtert, „in wieweit man in der Darstellung über den Kreis der Fachgelehrsamkeit hinaus dem Bedürfniß der allgemeinen Bildung entgegen kommen dürfe“[93].

Die Überlegungen über das Verhältnis, das zwischen dem Germanischen Nationalmuseum und der deutschen Einigungsbewegung hergestellt werden sollte und die nun im einzelnen zu untersuchen sind, bilden zweifellos den Kern von Aufseß’ nationalem Konzept. Das, was während der öffentlichen Diskussion über einen möglichen Nationalkrieg gegen Frankreich im Frühjahr 1859 über den Zusammenhang zwischen dem politischen Zustand der deutschen Nation und der Tätigkeit der Nürnberger Anstalt geschrieben wurde, war von Anfang an eine Konstante in der Geschichte des Museums: „Obgleich das Museum, fern von aller und jeder politischen Schwankung, seine festbezeichneten Wege geht, so hängt zum Theil doch seine äußere Förderung davon ab, welche politische Zustände und Ansichten bestehen. Wenn der Kriegszustand die materiellen Mittel für sich in Anspruch nimmt und den Werken des Friedens entzieht, so ist dies für den Augenblick zwar empfindlich, aber nichtsdestoweniger gerecht, und das Museum – wenn es darunter leiden sollte, was bis jetzt noch nicht der Fall war – würde sich der gemeinsamen Noth und Hülfe nicht entziehen können, noch wollen, selbst auf die Gefahr hin, seine begonnenen Arbeiten bis auf bessere Zeiten unterbrechen zu müssen. Und daß diese letzteren nicht ausbleiben, ja, gerade für die Sache des german. Museums nach hergestellter Ruhe erst recht kommen, dafür bürgt uns die Erfahrung früherer Zeiten, wo unser großes Vaterland durch gemeinsame Gefahr und Noth stets besser erkannte, daß es einig sein müsse, und dann gern Werke deutscher Einheit förderte, für die man zuvor kalt war. Wäre es undankbar, dies in Bezug auf das german. Nationalmuseum zu sagen, so wird es dennoch uns erlaubt sein, die Hoffnung auszusprechen, daß der immer stärker sich geltend machende Sinn für deutsche Einheitsbestrebungen nach vorübergegangener äußerer Gefahr auch sich auf die innern Werke deutscher Einheitsbestrebungen – und wo ist ein schöneres, als unser germanisches Nationalmuseum, auf eigenem Boden deutscher Nation gegründet? – erstrecken werde. Ja, wir hoffen, daß die Zeit kommen müsse, wo man dieses Nationalinstitut nicht blos nothdürftig, oft nur, um es nicht ganz abzuweisen, unterstützt, sondern ihm, als dem einzigen geistigen und sichtbaren Mittelpunkt deutschen Lebens für Gegenwart und Vorzeit, mit freigebigen Händen gewährt, was es zur Vollführung seiner großen patriotischen Aufgabe eben braucht“[94].

Schon in der Denkschrift, in der Aufseß im Sommer 1846 dem Frankfurter Germanistentag seine Pläne für ein deutsches Nationalmuseum, das damals noch in einer engen Verbindung mit

[91] Aufseß an den luxemburgischen Landtag (Anm. 89).
[92] Chronik des germanischen Museums. In: Anzeiger GNM 1855, Sp. 73–78 (75).
[93] Protokoll über die Verhandlungen der literarisch-historischen Sektion des Gelehrtenausschusses, 11. 9. 1861; Altregistratur GNM, Kapsel 731.
[94] Chronik des germanischen Museums. In: Anzeiger GNM 1859, Sp. 177–186 (177).

den historischen Vereinen gedacht war, erläuterte, wurde mit Nachdruck auf die Bedeutung der Einigungsbewegung für eine national verstandene wissenschaftliche Arbeit hingewiesen: „Die Gefahren einer noch grössern Zersplitterung des deutschen Vaterlandes in Westen und Norden[95] weckten seit den letzten Jahren den Sinn für deutsche Einheit und gemeinsame Unternehmungen auf eine Weise, wovon man früher gar keine Ahnung hatte. . . . Der Einheitssinn und Einigungstrieb beurkundete sich nicht allein in materiellen Interessen, sondern ging auch in das geistige Gebiet über, in Kirche, Kunst und Wissenschaft. Hatten die historischen Gesellschaften bisher nur eine provinzielle Bedeutung, so möchte ich kaum bezweifeln, dass es an der Zeit sey, auch ihre allgemeine für das gesammte Vaterland hervortreten zu lassen und geltend zu machen"[96]. Die Zeugnisse aus den fünfziger Jahren dann, also nach dem Scheitern des revolutionären Einigungsversuchs von 1848/49, sind zunächst Ausdruck einer nicht unverständlichen nationalen Resignation gewesen: „Nur dann würde es (i. e. das deutsche Volk) sinken und fallen, wenn es sein Sendungsbewußtsein als Nation verlöre, wenn es nicht gegen Außen seine Gesammtehre und Kraft, nicht gegen Innen seine angestammten Fürsten und Rechte festhielte, in sich selbst aber in Particularismus zerfällt. Aber auch dann würde noch das germanische Nationalmuseum als ewiges Denkmal großer Vergangenheit bestehen können und geehrt sein von Allen, die noch einer Erinnerung an Deutschlands Größe fähig sind"[97].

Aber diese Einstellung hatte auch einen positiven Aspekt. Man verzichtete bewußt auf eine politische Parteinahme im Sinn eines Kampfes gegen den gegenwärtigen Zustand der Nation, um nicht die von allen Seiten erbetene und gewährte Förderung des Museums aufs Spiel zu setzen, und definierte die jetzt mögliche nationale Einheit als einen geistigen Zustand. Im Sommer 1858 gab Aufseß in einem Schreiben an die Frankfurter Bundesversammlung eine eindrucksvolle Erklärung für diese Haltung: „Vielleicht wäre jetzt, wo die Segnungen des Friedens und fruchtreiche Jahre das Land beglücken, ein reges Treiben und Streben auf allen Gebieten des Geistes sich kund gibt, die allergünstigste Zeit, auf deutschem Boden der Wissenschaft einen Tempel zu errichten, der hinter keinem öffentlichen des Auslandes zurückstände. Vor allem zur Ergründung der deutschen Vorzeit nach allen Richtungen hin zeigt sich eine eifrige Forscher u. Sammellust (u. mit Grund, weil unter dem Einflusse einer nivellirenden Zeitströmung die Spuren immer mehr zu verschwinden drohen), ein so reiches Material, so unermeßliche Schätze werden zu Tage gefördert, daß nothwendig eine Verwirrung eintreten, der spätere Bearbeiter unter der Masse u. Mannichfaltigkeit des Gesammelten erliegen muß, wenn nicht rechtzeitig für eine gemeinsame systematische Anordnung und Repertorisirung gesorgt und auf diese Weise das Material Jedem leicht zugänglich gemacht, handlich u. übersichtlich zubereitet . . . wird. Wenn es nun gelänge, eine Anstalt ins Leben zu rufen, welche diesen Zweck verfolgte, einen Einigungspunkt für die zahlreichen u. vielseitigen Ergebnisse der Geschichtsforschung bildete u. zugleich geeignet wäre, der Vaterlandsliebe eine kräftige gesunde Nahrung zu bieten, die Einheitsbestrebungen eines großen, aber verschiedenartig gruppirten Volkes in ein friedliches Bett hinüberzuleiten und an die Stelle der abstrakten zerstörenden Idee die historische Thatsache zu überwiegender Geltung zu bringen; so müßte man dies als ein wahrhaft zeitgemäßes, einem dringendsten Bedürfniß abhelfendes Unternehmen bezeichnen, für die Nachwelt ein unschätzbares Vermächtnis, ein würdiges, weithin leuchtendes Denkmal vereinigten deutschen Gelehrtenfleißes, dem in allen Landen kaum ein anderes dürfte an die Seite gestellt werden"[98].

[95] Gemeint waren die Rheinkrise von 1840 und die immer gefährlicher werdende Auseinandersetzung um die staatsrechtliche Zukunft der beiden Elbherzogtümer Schleswig und Holstein.
[96] Aufseß, Sendschreiben (Anm. 1), S. 14.
[97] Jahresbericht GNM 3 (für 1855/56), 1856, S. 12.
[98] Vorstände an die Bundesversammlung, Nürnberg, 14. 7. 1858, Reinkonzept; Altregistratur GNM, Kapsel 21.

Aber auch bei einer solchen Selbstbeschränkung des nationalen Museumsprogramms konnte die Tätigkeit der Nürnberger Anstalt durchaus mithelfen, eine evolutionäre, unkriegerische Veränderung des politischen Zustands vorzubereiten: „Ist auch das Museum kein Einigungspunkt für materielle Kräfte, die zuletzt, wenn es sein muß, mit Kanonen dem deutschen Worte Nachdruck und Wahrheit verleihen, so ist es doch ein geistiger Einigungspunkt, dessen Gewicht dadurch unterstützt wird, daß es zugleich auf materiellem Fundamente ruht und frei ist von äusseren Einflüssen, sie kommen von oben oder von unten, unberührt von Partheistellungen jeglicher Art. Hier ist gleichsam ein geistiger und doch sichtbarer Kern deutscher Einheit tief aus deutscher Erde bereits aufgegangen und gepflegt von allen Stämmen deutschen Namens. Und wer einen Herzschlag für diesen hat, der komme und pflege nach der ihm verliehenen Kraft mit uns diesen aufkeimenden Baum deutscher Zukunft und Einheit! Denn wo wir einig im Geiste sind, werden wir es auch in Thaten deutscher Treue und Tugend sein"[99]. Durch die Schillerfeiern von 1859, mehr noch durch einige tagespolitische Ereignisse im folgenden Jahr (Fürstentreffen in Baden-Baden, Begegnung des österreichischen Kaisers mit dem preußischen Prinz-Regenten in Teplitz, Eröffnung der durchgehenden Eisenbahnverbindung zwischen Wien und München) glaubte sich die Museumsleitung zu der Erwartung berechtigt, „daß die deutsche Einheit doch mehr sei als ein bloßes Phantasiebild". Dies könne der Nürnberger Anstalt nur willkommen sein, denn: „Erst mit dem starken Volksbewußtsein der Einheit wird das germanische Nationalmuseum aus der Rolle eines Stiefkindes, als welches es bisher von allen deutschen Staaten ohne Ausnahme angesehen und unterstützt worden ist, in die eines rechten und leiblichen Kindes des deutschen Vaterlandes übergehen"[100]. Und in der Mitte der sechziger Jahre schließlich wurde der Zusammenhang zwischen Museumsarbeit und Einigungsbewegung ganz offen ausgesprochen: „Daß in einer Zeit, wo die Nation die Lösung ihrer wichtigsten Fragen beschäftigt, die Theilnahme an unsern Bestrebungen nicht abnimmt, im Gegentheil ... in erhöhtem Grade unserer Anstalt sich zuwendet, gerade das spricht am deutlichsten dafür, daß das german. Museum in den Augen des deutschen Volkes etwas Anderes als eine Sammlung von Dokumenten, Büchern und Alterthümern, vielmehr in Wahrheit eine Nationalsache ist"[101]. Gerade deshalb wurde aber nach wie vor an der Vorstellung festgehalten, daß die „Anerkennung unserer Anstalt als einer deutschen, gemeinsamen Nationalsache" die „durch nichts getrübte Einstimmigkeit der verschiedensten Parteien und Stände" zur unbedingten Voraussetzung habe, und aus dieser Einsicht der Wunsch abgeleitet: „Möge es uns auch ferner vergönnt sein, durch gewissenhafte Beobachtung der strengsten Neutralität in allen politischen

[99] Chronik des germanischen Museums. In: Anzeiger GNM 1859, Sp. 257–270 (257). Aufseß hatte schon früh über die Fähigkeit verfügt, aus einer an sich pessimistischen Diagnose hoffnungsvolle Erwartungen abzuleiten. Im Januar 1831 schrieb er dem bayerischen Kronprinzen, dem späteren König Maximilian II.: „Der innere Zustand unseres deutschen Vaterlandes ist leider in mancher Beziehung ein höchst trauriger, der, nach meinem Dafürhalten, nur durch treues Zusammenwirken derjenigen Männer, die auf historischem Boden stehend, noch nicht in Abwege eines sogenannten und falsch verstandenen Zeitgeistes gekommen sind, vielleicht dereinst mit Gottes Hülfe verbessert werden könnte. . . . halte ich dafür, daß die moralische und geistige Macht Deutschlands, in so fern sie noch deutsch und christlich ist, sich vereinigen solle zu festem Bunde wider das Fremde und Unchristliche, welche Deutschland schon seit langer Zeit zu keiner Blüthe und Kraft in sich selbst kommen ließ(en). Es scheint mir daher wichtig, die Bestandtheile jener moralischen Kraft Deutschlands kennen zu lernen und zugleich zu vereinigen in ein großes Ganzes, wodurch uns allein der Sieg im Kampfe mit dem falsch verstandenen Zeitgeiste, der ohne auf Recht, Religion und Wahrheit Rücksicht zu nehmen, nur sich gelten lassen will, möglich wird. . . . Einen geistigen Sammelplatz auszufinden, auf den sich alle für deutsche Sitte und Art empfängliche Männer einfänden und mitbrächten was sie aus Trümmern eines untergegangenen Volkslebens retteten, war längst mein Sehnen und Streben, . . ." (Aufseß an Maximilian, München, 12. 1. 1831, Ausfertigung; Ablichtung aus dem Geheimen Hausarchiv München, Nachlaß Maximilian II., 82/6/357; Altregistratur GNM, Kapsel 1 a).
[100] Chronik des germanischen Museums. In: Anzeiger GNM 1860, Sp. 289–298 (289).
[101] Chronik des germanischen Museums. In: Anzeiger GNM 1864, Sp. 17–28 (17).

und confessionellen Dingen eine, wenigstens nach dieser Seite möglich gewordene deutsche Einheit zu bewahren!"[102].

Dieser Anspruch der Gründergeneration, mit dem Germanischen Nationalmuseum ein wirksames Instrument zur Festigung einer unpolitischen, geistig verstandenen nationalen Einheit geschaffen zu haben, fand die Zustimmung der Öffentlichkeit. So erklärte Friedrich Fürst von Öttingen-Wallerstein in der Debatte über den zu erhöhenden Zuschuß des bayerischen Staates an das Museum, die im April 1856 in der Kammer der Abgeordneten des Münchner Landtags geführt wurde: „Wenn dieses Germanische Museum den vorgesetzten Weg so fortschreitet, wie es ihn betreten hat, so erhält Deutschland hier einen Quellenschatz, wie kaum ein anderes Land ihn besitzt, und fürwahr kein Land braucht einen solchen Quellenschatz mehr als Deutschland, vermöge seiner politischen Trennung in zahlreiche Einzelstaaten". Und ein anderes Mitglied der Kammer, Julius Freiherr von Rotenhan, sekundierte ihm: „In einer Zeit, in der der deutsche Patriotismus hauptsächlich nur in dem Gebiete materieller und geistiger Interessen seine Einigungspunkte suchen kann, in dieser Zeit ist es ganz gewiss doppelte Aufgabe der deutschen Nation, solche Institute zu unterstützen und zu fördern"[103]. 1859 erklärte der Königsberger Historiker Johannes Voigt, der Mitglied des Gelehrtenausschusses war, er zähle das Germanische Nationalmuseum „unter die Zeugen und Bürgen für das Fortbestehen einer wahrhaft ächt deutschen Gemeinsamkeit ... Es wurzelt in seiner Entstehung, in seinem Aufblühen und Wachsthum und in der Fruchtreife, in der es jetzt schon dasteht, in einem großartigen, wahrhaft deutschen Gedanken"[104]. Dennoch war sich Aufseß durchaus im klaren darüber, daß auch trotz des Festhaltens an der nationalpolitischen Neutralität das Verhältnis zwischen dem Germanischen Nationalmuseum und der politischen Wirklichkeit in Deutschland nicht immer spannungsfrei bleiben könne. Auf der Jahreskonferenz von 1861 sagte er in seinem Überblick über die ersten neun Jahre des Museums: „Anfangs habe man die Anstalt mit mißtrauischen Augen angesehen; die Einen hätten gesagt, sie sei einseitig protestantisch, die Anderen hätten politische Tendenzen gewittert, aber mit Politik habe das Museum sich nie abgegeben, obwol es als Centralanstalt für deutsche Geschichte die geistige Einheit Deutschlands vertrete"[105].

Abschließend muß festgehalten werden, daß zwar zahlreiche Äußerungen grundsätzlicher Art über die verschiedenen Einzelheiten des nationalen Programms, das durch die Gründung des Museums verwirklicht werden sollte, überliefert sind, daß es aber offensichtlich nur sehr selten Überlegungen zur tatsächlichen Lage der Nation gegeben hat. Nicht nur fehlt jede über Allgemeinheiten hinausgehende Stellungnahme zu den großen nationalen Problemen in der Spätzeit des Deutschen Bundes – was mit der bewußten Zurückhaltung gegenüber politischen Fragen hinreichend erklärt ist –, auch ein ernsthaftes Eingehen auf die Situation der Nationsgenossen an den Grenzen des deutschen Siedlungsgebiets in Europa oder in den Sprachinseln ist nicht nachzuweisen. Auch hier blieb es, ebenso wie im Verhalten zur politischen Entwicklung in Deutschland selbst, bei einem bloß passiven Registrieren. Das schloß allerdings nicht aus, daß die Bewohner dieser nationalen Randgebiete ihrerseits die Möglichkeit, diese deutsche Nationalanstalt zu unterstützen, durchaus als nationale Hilfe verstanden haben. Schon kurz nach der Gründung bekundete das Direktorium des historischen Vereins für Krain mit dem Sitz in Laibach große Freude über die Errichtung des Museums: „Auch an den äussersten Gränzmarken Deutschlands, in Krain, dem

[102] Jahresbericht GNM 8 (für 1861), 1862, S. 1.
[103] Zitiert bei Hampe, Festschrift, S. 40–41. Die Parlamentsdebatte fand am 30.4.1856 statt. Vgl. auch den Bericht in der Chronik des germanischen Museums. In: Anzeiger GNM 1856, Sp. 145–152 (145–147).
[104] Chronik des germanischen Museums. In: Anzeiger GNM 1859, Sp. 417–428 (417–418).
[105] Protokoll über die Eröffnungssitzung der Jahreskonferenz, 11.9.1861; Altregistratur GNM, Kapsel 731.

slavischen Lande, das den Vereinigungspunct des germanischen mit dem romanischen und slavischen Elemente bildet, – auch hier wird die Verwirklichung des grossen Gedankens, die Begründung des germanischen Museums, mit wahrhafter Freude begrüsst und es ist nicht zu zweifeln, dass das unter den Südslaven hie und da emporsprossende Pflänzchen deutscher Wissenschaft, Literatur und Kunst mit Liebe sich an die grosse Eiche anschmiegen werde, deren weite Zweige bis zu uns hieher reichen. Sind wir auch ferne vom Centralsitze, so steht unser Wille nicht minder fest, zum Gedeihen des grossen Nationalunternehmens unser Schärflein beizutragen. Möge es gütig entgegengenommen werden, um so mehr, da es aus einem Lande kommt, in welchem das Germanenthum eine exotische Pflanze ist". Die Museumsleitung veröffentlichte diesen Brief mit der Bemerkung: „Wir geben dieses Beispiel . . ., um zu zeigen, wie das germanische Element auch da durch das Museum angeregt wird, wo das Slaventhum weit überwiegend ist"[106].

Bitterer klang, was im folgenden Jahr der Straßburger Archivar und Kunsthistoriker Ludwig Schneegans schrieb, als er die auf ihn gefallene Wahl zum Mitglied des Gelehrtenausschusses annahm: „Obgleich gewaltsam abgerissen, seit zwei Jahrhunderten bald, von unserm gemeinsamen deutschen Stamm- und Mutterlande, und immer mehr überfluthet, auf jegliche Weise, von gallischem Einflusse und Ueberdrang, enthält dennoch das Elsass immer noch eine, leider täglich mehr sich vermindernde Schaar von Getreuen, die, trotz der unaufhaltsam wachsenden Strömung, ihre Herkunft nicht verläugnen und der glorreichen Vergangenheit ihres Landes in treuen Herzen gedenken und denen, trotz ihrer Abgeschiedenheit Deutschland in geistiger und sittlicher Hinsicht noch immerfort ein theures, unvergessliches Vaterland bleibt. . . . Gleich einer alten vielgeliebten Weise erklingt . . . jeglicher sympathische Zuruf von jenseits des Rheines herüber zu uns an den Strand der Ill. Und wo es sich darum handelt, das Unsrige beizutragen zu edlen, gemeinsamen deutsch-vaterländischen Zwecken, da bieten wir in biederm Pflichtgefühle und mit freudigem Stolze stets willig die Hand zum willkommen erhebenden Bunde. Was nur immer und irgendwie dazu beitragen kann, die Fortdauer unseres alten National-Elementes noch zu wahren oder zu fristen, ist zu jeder Stunde und auf jegliche Weise unserer vollen unbeschränkten Theilnahme gewiss"[107]. Aus einem im Jahre 1856 zusammengestellten Bericht über die Tätigkeit historischer Vereine in Deutschland sowie in der Schweiz, im Elsaß, in den „deutsch-österreichischen" Provinzen und in den Ostseegouvernements des Zarenreiches wurde ein Schluß gezogen, der sich fast wie eine Bestätigung der soeben im Zitat vorgestellten nationalen Resignation liest: „So finden wir gegenwärtig keinen selbständigen Theil des deutschen Volkes in seinem Innern und keinen noch lebensfähigen Theil an seinen Gränzen, der nicht durch wohlorganisirte, thätige Vereine fleißig und aufmerksam auf die Denkmale seiner Vergangenheit zurückschaut"[108]. Daß Deutsche an den Grenzen des Siedlungsgebiets Vorteile aus einer Unterstützung der Nürnberger Anstalt für ihre nationale Auseinandersetzung mit einer nichtdeutschen Umwelt zu ziehen hofften[109], war selbstverständlich nicht auszuschließen, eine solche Hilfe war aber nicht Bestandteil des Museumsprogramms, und was in einer der wenigen Feststellungen des Vorstands während der Gründungsphase über das Verhältnis des Museums zu den Nachbarn Deutschlands – gemeint waren Ungarn, Franzosen und Russen – gesagt wurde, traf durchaus zu: diese Nachbarn erkennten „mit Recht in demselben (i. e. im Germanischen Nationalmuseum) keine Demonstration gegen andere Nationa-

---

[106] Chronik des germanischen Museums. In: Anzeiger GNM 1854, Sp. 17–24 (19–20).

[107] Schneegans an Aufseß, Straßburg, 24. 11. 1855; abgedruckt bei Hampe, Festschrift, S. 142.

[108] Chronik der historischen Vereine. In: Anzeiger GNM 1856, Sp. 23–28 (28).

[109] Hier sollte auch erwähnt werden, daß 1862 der Gemeinderat von Brünn seine Spende für das Germanische Nationalmuseum mit der Feststellung begründete, Brünn müsse „seines vorwiegend deutschen Charakters wegen zu den deutschen Städten gezählt werden" (Chronik des germanischen Museums. In: Anzeiger GNM 1862, Sp. 121–130 [121]).

litäten, vielmehr ein Werk des Friedens, der Wissenschaft und Bildung, die Gemeingut der Menschheit sind"[110].

Die Beschreibung der nationalen Aufgaben, zu deren Erfüllung Aufseß das Nürnberger Museum ins Leben gerufen hat, bliebe unvollständig, wenn sie, wie es in diesem Beitrag bis jetzt geschehen ist, allein auf die Auswertung von grundsätzlich-programmatischen Überlegungen der Gründergeneration gestützt werden würde. Ebenso wichtig ist die Beschäftigung mit der Frage, wie das Verhältnis des Museums zur staatlichen Wirklichkeit in Deutschland während dieser seiner ersten Phase war, das heißt also, wie Aufseß den politischen Machthabern der Zeit den Sinn seines Instituts zu erklären versuchte und mit welchen Hoffnungen er zu ihnen in Verbindung trat sowie, auf der anderen Seite, wie diese staatlichen Instanzen die Gründung des Germanischen Nationalmuseums und dessen Programm aufgenommen haben. Neue Aufschlüsse über den nationalen Gehalt des Museumsplans sind durch die Untersuchung dieser Beziehungen schon allein deshalb zu erwarten, weil ein Institut, das bewußt die ganze deutsche Nation zur Grundlage seiner Tätigkeit machte, sich mit einem solchen Konzept in einem gewissen Widerspruch zur Tatsache befand, daß eben diese Nation zur Zeit der Museumsgründung staatlich geteilt war, und zwar, was für das Museumsprogramm besonders wichtig sein mußte, nicht bloß vorübergehend, etwa als zu überwindendes Resultat eines verlorenen Krieges oder als Folge beklagenswerter Zufälle, sondern als konsequentes Ergebnis eben der deutschen Nationalgeschichte, die doch gerade das Objekt der Museumsarbeit sein sollte.

Aufseß wußte selbstverständlich, daß seine Gründung nur Bestand haben konnte, wenn nicht allein Privatpersonen und Gelehrte, sondern vor allem auch die politische Öffentlichkeit seiner Zeit die Zwecke des Museums billigen und zu einer materiellen Förderung der Museumstätigkeit bereit sein würden. Hier war zweifellos die bereits erwähnte Genehmigung der Museumssatzung durch das bayerische Ministerium des Innern für Kirchen- und Schulangelegenheiten wichtig, die am 21. Februar 1853 erfolgte und durch die dem Museum „als einer öffentlichen Anstalt zum Zwecke wissenschaftlicher Forschung und Bildung die Eigenschaften und Rechte einer juristischen Person beigelegt wurden"[111]; das Unternehmen erhielt dadurch eine juristisch unangreifbare Organisationsform und wurde so aus einem privaten Projekt ein öffentlichrechtliches Institut. Wichtig war auch, daß Aufseß wenig später sich „in gesonderten Petitionen . . . an sämtliche Regierungen der deutschen Bundesstaaten" mit der Bitte um Unterstützung wandte[112] und darüber hinaus denselben Wunsch auch an die Bundesfürsten selbst, die apanagierten Prinzen, mediatisierten Fürsten und Standesherren richtete[113]. Aufschlußreich für das hier allein interessierende Nationsverständnis der Gründergeneration ist aber vor allem die Art der Beziehungen des Museums zum Deutschen Bund als dem damaligen deutschen Gesamtstaat und zum Königreich Bayern als dem Land, in dem das Museum seinen Sitz hatte.

Grundlegend für das Verhältnis, das Aufseß zwischen der Nürnberger Anstalt und den staatlichen Instanzen, vornehmlich aber dem Deutschen Bund, herstellen wollte, war eine Art staatspädagogische Deutung seines Museumsplans, mit der er der Bundesversammlung und den „hohen deutschen Staatsregierungen" seine Absichten bei der Gründung des Museums verständlich zu machen suchte. In einer Denkschrift aus dem März 1853, die Aufseß dem Frankfurter Bundestag und allen deutschen Kabinetten zuleitete, hieß es: „Es bedarf nicht erst eines Beweises, dass die

[110] Chronik (Anm. 109), Sp. 121.
[111] Hampe, Festschrift, S. 39. Vgl. in diesem Band S. 953.
[112] Chronik des germanischen Museums. In: Anzeiger GNM 1853, Sp. 19–22 (22).
[113] Chronik des germanischen Museums. In: Anzeiger GNM 1853, Sp. 41–48 (42).

Geschichte, namentlich die vaterländische von höchstem Einfluss auf Bildung und Gesinnung eines Volkes ist, dass sie nur von denen verachtet wird, die mit Vergangenheit und Gegenwart brechen, und tabula rasa machen wollen, um ihren eigenen Ideen Eingang zu verschaffen. Von jeher haben daher weise Regenten von Carl dem Grossen bis Maximilian I. und von diesem bis zur Gegenwart für Erhaltung geschichtlicher Denkmäler und Lehre der vaterländischen Geschichte gesorgt. Die deutschen Regierungen, namentlich in neuerer Zeit, machen es sich zur Aufgabe gründlichen Geschichtsunterricht und Geschichtsforschung zu fördern ... (Es) darf nicht daran gezweifelt werden, dass das ... Germanische Museum nicht ohne Berücksichtigung und Hülfe von Seite der deutschen Regierungen bleibe, um so mehr als eine so grossartige und alle Zweige der Geschichtswissenschaften umfassende Nationalanstalt unmöglich zum vollen Gedeihen kommen kann, ohne thätige und hülfreiche Unterstützung der Regierungen, ein Versagen derselben also einer indirekten Unterdrückung der Anstalt selbst gleich kommen würde"[114]. Diese Gedanken wurden später noch weiter ausgeführt, etwa durch den Hinweis auf die „Vortheile für das allgemeine Beste, für die deutsche Bildung und das wahrhaft conservative Element"[115], oder durch die Versicherung, es sei „nicht zu bezweifeln, daß in unserer Zeit von dieser Seite[116] gerne ein Unternehmen unterstützt wird das geeignet ist die Gemüther von dem politischen Treiben ab und in ein Gebiet hinzulenken welches nur in Friede u. Ruhe gehörig gedeihen kann, zu den Künsten u. Wissenschaften des Friedens"[117].

Um den Anträgen auf Unterstützung durch den Bund, mit deren Vorbereitung Aufseß beschäftigt war, eine möglichst günstige Aufnahme zu verschaffen, wurde Ende März 1853 Johann Caspar Beeg, Aufseß' Schwiegersohn und von 1853 bis 1859 Zweiter Vorstand des Museums, zu ersten Verhandlungen mit den Bundestagsgesandten nach Frankfurt geschickt. Die Aufgabe, die Beeg gestellt war, wurde in seinem „Auftrag" genannten Empfehlungsschreiben so definiert: „... bey dem königl. bayrischen wie auch bei anderen Herren Bundestagsgesandten genau zu erkundigen: ob der hohe Bund wohl geneigt seyn dürfte nach dem Beispiel der Frankfurter Gesellschaft für ältere deutsche Geschichtskunde das germanische Museum unter seinen besonderen Schutz zu nehmen, solches der kräftigen Unterstützung der einzelnen deutschen Bundesstaaten zu empfehlen u., wo möglich, aus Bundesmitteln selbst zu unterstützen, zugleich die Wege zu ermitteln, welche zur Erzielung dessen zu betreten seyen"[118].

Beeg, der Aufseß täglich Bericht erstattete und dessen Briefe eine anschauliche Darstellung vom Alltag der Bundesversammlung sind, mußte schnell die Erfahrung machen, daß das Nürnberger Unternehmen bei den Bundestagsgesandten noch so gut wie unbekannt war[119] und daß es nahezu ausgeschlossen schien, eine finanzielle Unterstützung durch den Bund zu erreichen. Schon der

[114] „Denkschrift für die hohen deutschen Staatsregierungen das germanische Museum zu Nürnberg betreffend. 1853" (Altregistratur GNM, Kapsel 1 a), wortgleich mit der „Denkschrift für die hohe deutsche Bundesversammlung das germanische Museum betreffend. 1853" (Bibliothek GNM und Archiv F, DB I/302). Beide Fassungen sind im Druck erschienen. Zur Datierung s. Chronik des germanischen Museums. In: Anzeiger GNM 1853, Sp. 19–22 (21).
[115] Aufseß an Bundesversammlung, Nürnberg, 8.7.1853, Reinkonzept; Altregistratur GNM, Kapsel 21.
[116] Gemeint waren die „hohen Souverains u. Staatsregierungen".
[117] Aufseß an Friedrich VII. von Dänemark, Nürnberg, 30.7.1853, Reinkonzept; Altregistratur GNM, Kapsel 23.
[118] „Auftrag für Dr. Beeg ...", Nürnberg, 25.3.1853, Reinkonzept; Altregistratur GNM, Kapsel 21. Über die hier erwähnte Förderung der Monumenta durch den Deutschen Bund s. Harry Breßlau: Geschichte der Monumenta Germaniae historica (Neues Archiv der Gesellschaft für ältere deutsche Geschichtskunde Bd. 42). Hannover 1921, S. 46–47 (1819), 55–57 (1820), 203–205 (1834), 286–287 (1844), 294–296 (1853). Bezeichnend war auch, daß nur der Gesandte desjenigen deutschen Staates, durch den die juristische Anerkennung ausgesprochen worden war, ausdrücklich erwähnt wurde.
[119] Beeg über seinen Besuch beim sächsischen Gesandten, Julius Gottlob von Nostitz und Jänckendorf: „Ich fand bei ihm, was sich bei allen andern wiederholte, eine völlige Unkenntniß der Sache, die Leute müssen gar keine als die politischen Zeitungsartikel lesen. Und wer eine dunkle Idee von diesen geschichtlichen Vereinen hat, bei dem herrscht eine heillose Confusion, Mainzer, Frankfurter, Dresdener Verein, das scheidet sich ihnen nicht klar auseinander, das germ. Museum ist ihnen völlig unbekannt und ich habe Jedem lange dociren müssen, um die principiell

erste Besuch beim bayerischen Gesandten, Karl Freiherrn von Schrenck, zeigte Beeg die Schwierigkeiten: „Ich hatte erwähnt, daß für das Museum eine analoge Unterstützung wie für die Frankfurter Gesellschaft d. d. 1819 angesprochen werden würde. ‚Gott' sagte er, ‚wie war der Bund 1819 was ganz anderes als heutzutage! und die Männer dazu! Damals waren Leute dabei, die sich für so etwas interessirten, heutzutage ist Niemand unter uns als etwa Strauß, der Lippe'sche Bevollmächtigte, der ein Interesse daran hätte' . . . Ich setzte Hrn. v. Schrenk die Bedeutsamkeit und das bereits Geschehene weiter auseinander, von beiden hatte er nur oberflächliche oder keine Idee. Allmälig wurde er wärmer . . . So viel ist mir klar, daß ohne ein persönliches Betreiben eine Eingabe beim Bund völlig, oder wenigstens höchst wahrscheinlich ohne Erfolg wäre . . . ferner: eine materielle Unterstützung irgend einer Art vom Bundestag als solchen erscheint mir nach Schrenks Äußerung, fast unmöglich; die Finanzverhältniß(e) sind durch die Parlamentswirtschaft so verwirrt und verwickelt, daß sich Niemand zurecht findet. Die moralische Unterstützung in Form von Anerkennung und Empfehlung wird – so hoffe ich -- wohl zu erreichen seyn. Wenn das vorläufig schon etwas genügend erscheint, so ist meine Reise nicht ohne Zweck"[120]. Und die Gespräche mit den anderen Bundestagsgesandten[121] bestärkten Beeg nur darin, es sei richtig gewesen, „daß ich allenthalben das Hauptgewicht auf die moralische Unterstützung legte, welche der Bund durch Anerkennung und Empfehlung etc. der Sache gewähren könne, die materielle resp. pecuniäre ließ ich mehr in den Hintergrund treten. Die Frankfurter Gesellschaft hat die Geldsubvention ebenfalls erst viel später erhalten, und ich dachte, wenn wir nur einmal erst den Finger haben, wird die spendende Hand am Ende auch nachfolgen. Du wirst hoffentlich nicht unzufrieden damit seyn, verdorben ist dadurch keinesfalls, durch besonderes Markiren des Geldpunktes hätte ich die Herren gleich scheu gemacht"[122]. Für das Nationsverständnis von Aufseß' Intimus ist übrigens bezeichnend, daß er die Bemerkung des mecklenburgischen Gesandten, Jasper von Oertzen, „es seyen mehrere verneinende Elemente darin (i. e.: im Bundestag), denen deutsche Historie völlig gleichgiltig sey", auf die Vertreter Dänemarks und der Niederlande bezog[123].

Die Berichte, die Aufseß über diese Gespräche in Frankfurt erhalten hatte, und vor allem Beegs Feststellung, „Geld . . . wird zunächst nicht gegeben werden können"[124], wurden von ihm bei der Formulierung seines Antrags an die Bundesversammlung vom 8. Mai 1853 verständlicherweise berücksichtigt. In dem ersten der drei Punkte, die schon in dem Empfehlungsschreiben für Beeg genannt worden waren, verzichtete er auf eine Erwähnung der Monumenta, stellte statt dessen die von Beeg als möglich genannte „moralische Unterstützung" des Unternehmens durch den Bund in den Mittelpunkt und bat, „das germanische Museum . . . als eine deutsche Nationalstiftung und Centralanstalt für deutsche Geschichte, Literatur und Kunst gnädigst anzuerkennen". Die zweite Bitte, jetzt aus dieser ersten abgeleitet, lautete: „als solche (i. e. als Nationalstiftung) das Museum der Unterstützung der deutschen hohen Bundesstaaten dringend anzuempfehlen". Die finanzielle Förderung hingegen wurde als weniger wichtig dargestellt: Aufseß bat „endlich, wenn es möglich wäre, aus der Bundeskasse einen, wenn auch noch so geringen Beitrag, zur Unterhaltung des Museums gnädigst zu bewilligen, lediglich als thatsächlichen Beweis der Anerkennung"[125].

verschiedene Tendenz, welche sich namentl. durch die Aufgabe der Herstellung eines Generalrepertoriums manifestirt, klar zu machen. Ob ich überall verstanden worden bin, weiß ich nicht; gethan haben sie alle, als seyen sie jetzt völlig eingeweiht" (Beeg an Aufseß, Frankfurt, 30. 3. 1853, Ausfertigung; Altregistratur GNM, Kapsel 21).

[120] Beeg an Aufseß, Frankfurt, 29. 3. 1853, Ausfertigung; Altregistratur GNM, Kapsel 21.

[121] „Ich bin den ganzen Tag mit einem Pack Akten unter dem Arm, wie ein Commis voyageur von Haus zu Haus marschirt, morgen mache ich es gerade wieder so" (29. 3. 1853).

[122] Beeg an Aufseß, Frankfurt, 30. 3. 1853 (Anm. 119).

[123] Beeg an Aufseß, Frankfurt, 30. 3. 1853 (Anm. 119).

[124] Beeg an Aufseß, Frankfurt, 1. 4. 1853, Ausfertigung; Altregistratur GNM, Kapsel 21.

[125] Aufseß an Bundesversammlung, 8. 5. 1853, Reinkonzept; Altregistratur GNM, Kapsel 21.

Im Namen der Reklamationskommission ging der badische Gesandte, Marschall von Bieberstein, ausführlich und zustimmend auf das Museumskonzept ein, wobei Aufseß' Absicht, den nationalen Gedanken zu fördern, ohne die staatliche Ordnung in Zweifel zu ziehen, offensichtlich nicht ohne Wirkung geblieben war: „Die Gründung des germanischen Museums darf hiernach als ein bedeutungsvolles nationales Unternehmen bezeichnet werden, welches der vollen Würdigung und Aufmunterung von Seiten hoher Bundesversammlung ebenso würdig ist, als die vaterländischen Gesinnungen und Bestrebungen, welche dasselbe in's Leben gerufen haben, deren Anerkennung verdienen"[126]. Von den drei Bitten, die Aufseß gestellt hatte, wurde allerdings nur die zweite erfüllt: das Museum wurde „der schützenden Theilnahme und wohlwollenden Unterstützung der höchsten und hohen Regierungen" empfohlen[127]. Eine finanzielle Unterstützung wurde deshalb nicht befürwortet, weil „allseitiges Einverständniß voraussetzende Bewilligung von Bundesmitteln zu gemeinnützigen Zwecken ... so sehr als Ausnahme" erscheine, „daß ein Antrag hierauf nur durch die gewichtigsten Gründe und durch die sichere Voraussicht gerechtfertigt werden könnte, daß dadurch auch wirklich der vorgesetzte Zweck erreicht wird. Nun ist aber das germanische Museum, wenn auch der Anfang zu dessen Gründung gemacht ist, doch erst im Entstehen begriffen; es muß sich erst zeigen, ob die Gelehrten, welche zu dessen Errichtung mitgewirkt haben, sich mit gleich regem Eifer der Durchführung der gesetzten grossen Aufgabe widmen, ... endlich in wie weit die deutschen Regierungen auf die gestellten Gesuche einzugehen sich veranlaßt sehen werden. Erst wenn sich nach dem Stande des Unternehmens ermessen ließe, welcher Zuschuß aus Bundesmitteln erforderlich seyn würde, um die Erreichung des gesetzten Zieles zu sichern, könnte nach Ansicht der Commission etwa auf diese Frage zurückgekommen werden"[128]. Aus der erbetenen Anerkennung des Museums als „Nationalstiftung und Centralanstalt" wurde schließlich die unbestimmte Formel: „ein für die vaterländische Geschichte wichtiges, nationales Unternehmen". Begründet wurde diese Entscheidung von der Reklamationskommission damit, daß es „nicht im Behufe der Bundesversammlung liegen (dürfte), eine solche Anerkennung formell auszusprechen", und daß der König von Bayern ohnehin die Gründung des Museums „genehmigt und demselben die Eigenschaft und Rechte einer juridischen Person beigelegt" habe. „Uebrigens wird sich das Museum durch das, was es leistet, selbst am besten zu einer deutschen Nationalstiftung und Centralanstalt für deutsche Geschichte, Literatur und Kunst stempeln".

Es kann als sicher gelten, daß für die Entscheidung, das Germanische Nationalmuseum nicht im Namen des Deutschen Bundes als eine deutsche Nationalstiftung anzuerkennen und ihm keine Geldunterstützung zu gewähren, das Votum des bayerischen Gesandten ausschlaggebend gewesen ist. Schrenck hatte den bayerischen Ministerpräsidenten, Ludwig Freiherrn von der Pfordten, über Aufseß' Wünsche unterrichtet. In dem Vortrag, den von der Pfordten über diesen Bericht erstattete, wurde betont, Schrenck habe sich zwar „nicht für ermächtigt gehalten, dieses Gesuch ohne Euerer Königlichen Majestät allerhöchste Genehmigung zu befürworten", er habe aber gebeten, „es wolle ihm, in Anbetracht, daß fragliches Unternehmen jeder Unterstützung würdig erscheine, und sich bereits der huldvollsten Berücksichtigung Euerer Königlichen Majestät zu erfreuen gehabt habe, die allerhöchste Ermächtigung zur Vertretung des bezeichneten Gesuches ertheilt werden". Diese Ermächtigung hatte von der Pfordten auch ausgesprochen, allerdings ohne Wissen des Königs. Maximilian II. jedoch, der erst spät über diese Vorgänge unterrichtet wurde, war mit der

[126] Protokolle der Deutschen Bundesversammlung, 28.7.1853, § 214, S. 670–676 (674); Archiv F.
[127] Protokolle (Anm. 126), S. 676; der Wortlaut des Beschlusses ist auch abgedruckt in der Chronik des germanischen Museums. In: Anzeiger GNM 1853, Sp. 41–48 (41).
[128] Protokolle (Anm. 126), S. 675; dort auch das folgende Zitat.

Entscheidung seines Ministers nicht einverstanden und erledigte den Vortrag mit dieser Entschließung: „Ertheile zu Ihrem Erlaße an meinen Bundestags-Gesandten nachträglich Meine Genehmigung, mit dem Beyfügen, daß damit kein Zugeständniß einer Participirung Seitens des Bundes, oder der etwa Beyträge leistenden Regierungen an den Mir ausschließlich zustehenden landeshoheitsrechtlichen Aufsichts- und Verfügungsrechten bey dieser Stiftung ausgesprochen ist, wovon Sie, absichtlich dessen rechtzeitiger Verlautbarmachung pp. Freyherrn von Schrenk des Näheren verständigen sollen. Das Unternehmen darf keine Bundessache werden". Eigenhändig fügte der König hinzu: „Eine bayerische, keine deutsche Nationalanstalt hat dieses Museum zu seyn und zu bleiben"[129]. Dieser Befehl des Königs wurde sogleich an Schrenck weitergeleitet. Nach der entscheidenden Sitzung des Bundestags berichtete Schrenck seinem Monarchen über den Beschluß und knüpfte daran die Bemerkung: „Eure Königliche Majestät geruhen hieraus allergnädigst zu ersehen, daß der Bitte um Anerkennung des Museums als eine deutsche National-Stiftung und Central-Anstalt nicht willfahrt und daß durch den gefaßten Bundes-Beschluß das landeshoheitliche Aufsichts- und Verfügungs-Recht bezüglich dieser Stiftung in keiner Weise berührt, den höchsten und hohen Bundesregierungen vielmehr nur die Unterstützung des Unternehmens empfehlend anheim gegeben worden ist. Es dürfte hiernach dieser Beschluß den in der höchsten Weisung . . . kundgegebenen Allerhöchsten Absichten vollkommen entsprechen"[130].

Es wäre gewiß falsch, dieses bescheidene Ergebnis der ersten Bemühungen Aufseß' um Förderung und Anerkennung durch den Deutschen Bund allein als Beweis für partikularstaatlichen Egoismus und für die Ohnmacht der Bundesversammlung selbst bei der Entscheidung über eine politisch so unerhebliche Frage, wie sie das Verhalten der deutschen Staatenwelt zu einem soeben ins Leben getretenen wissenschaftlichen Institut sicher darstellte, zu sehen. Gewiß spielte auf bayerischer Seite eine Art Besitzanspruch der Nürnberger Anstalt gegenüber mit, die kurz zuvor durch einen bayerischen Regierungsakt legalisiert worden war und in Bayern ihren Sitz hatte[131], und die Schwierigkeit, etwa in der Frage einer finanziellen Unterstützung, Einmütigkeit unter den Bundestagsmitgliedern herzustellen[132], unterstrich den staatenbündischen Charakter der Frankfur-

---

[129] Von der Pfordten an Maximilian II., München, 25.5.1853, Ausfertigung; Archiv M, MK 14187. Die Entschließung des Königs erfolgte am 29.6.1853.

[130] Schrenck an Maximilian II., Frankfurt, 30.7.1853, Ausfertigung; Archiv M, MK 14187.

[131] Ein besonders krasses Beispiel für die Auffassung, das Museum dürfe von Bayern nur so lange gefördert werden, solange es hier domiziliert sei, ist ein Bericht des Direktors der Münchner Hof- und Staatsbibliothek, Philipp von Lichtenthaler, an das Ministerium des Innern für Kirchen- und Schulangelegenheiten. Aufseß hatte sich zur Vorbereitung des von ihm geplanten Generalrepertoriums an alle Archive und Bibliotheken mit der Bitte um Auskünfte über ihre Bestände gewandt. Lichtenthaler hatte offensichtlich die Absicht, ein Eingehen auf diesen Wunsch Aufseß' von dem weiteren Verbleiben des Museums in Bayern abhängig zu machen: „Dr. Freiherr v. Aufseß, der auch zu den Secaturen der Bibliothek gehört, an welchen diese Anstalt ohnehin keinen Mangel hat, stellt mehrere Fragen an die Direction. . . . Auf die von dem Bar. v. Aufseß verlangte Mittheilung des Catalogs der Bavarica kann die unterthänigst unterzeichnete Stelle . . . nicht eingehen, um so weniger als es noch problematisch ist, ob das germanische Museum in Bayern bleibt, das vielleicht nach Coburg verlegt wird" (Lichtenthaler an Innenministerium, München, 18.1.1854, Ausfertigung; Archiv M, MK 14188).

[132] Im Unterschied zum Gutachten der Reklamationskommission, in dem diese notwendige Einmütigkeit als eine eher formale Voraussetzung nur beiläufig erwähnt worden war, nannte Schrenck in seinem Bericht an Aufseß über den Verlauf der Plenarsitzung vom 28.7.1853 die Gefahr, daß das eine oder andere Mitglied der Bundesversammlung eine solche Förderung ablehnen könnte, als Grund für die Nichtbehandlung der dritten Bitte: „Ich hätte gerne gewünscht auch einen Antrag auf materielle Unterstützung des Unternehmens gestellt zu sehen; es wurde aber eingewendet, daß zur Zeit jeder Maßstab zur Bemessung einer derartigen Unterstützung fehle, daß ferner eine Einstimigkeit aller Regierungen – welche bekäntlich nöthig wäre, um einen Beschluß zur Verwendung von Bundesmitteln für den fraglichen Zweck zu erzielen, voraussichtlich nicht erwartet werden köne, und daß es demgemäß selbst im Interesse der Sache liege, von dem Versuche abzusehen, einen solchen Beschluß zu provociren, da das Scheitern desselben nachtheilig wirken würde. Es wurde deßhalb für sachgemäßer erachtet, die Unterstützung den Regierungen anheimzustellen" (Schrenck an Aufseß, Frankfurt, 29.7.1853, Ausfertigung; Altregistratur GNM, Kapsel 21). Es ist nicht ausgeschlossen, daß Aufseß den Wortlaut des Kommissionsgutachtens gekannt hat. Zwei Tage vor der Plenarsitzung unterrichtete der Berichterstatter, Marschall von Bieberstein, Aufseß brieflich über die Aus-

ter Körperschaft als Organ einer Vereinigung selbständiger politischer Einheiten. Aber für die Bestimmung des Verhältnisses zwischen einem deutschen Nationalmuseum und der bestehenden staatlichen Ordnung in Deutschland war etwas anderes aufschlußreicher: nicht das von Aufseß geschickt vorgestellte Museumsprogramm und die für dieses Programm bezeichnende gesamtdeutsche Tendenz erregten Anstoß, sondern der Versuch des Gründers, sich diesen gesamtdeutschen Charakter seines Unternehmens durch den damals, wenn auch nur rudimentär, existierenden gesamtdeutschen Staat gewissermaßen amtlich bestätigen zu lassen. Dieser Versuch zielte aber nicht nur auf eine förmliche Anerkennung des Museums als einer „Nationalstiftung und Centralanstalt" ab, sondern auch auf die Gewährung eines Zuschusses aus Bundesmitteln, die, wie Aufseß ausdrücklich betonte, nicht wegen ihrer Höhe, sondern als eine Art materielle Bestätigung einer solchen Anerkennung erbeten wurde, und wenn man sich in der Bundesversammlung über den demonstrativen Akt einer offiziellen Billigung von Aufseß' Vorhaben durch den Deutschen Bund nicht einigen konnte, war es nur konsequent, wenn beide Bitten abgeschlagen wurden.

Wichtig an diesen Vorgängen war auch, daß Aufseß es offenkundig für selbstverständlich hielt, daß allein der Deutsche Bund befugt sei, eine solche gesamtnationale Anerkennung auszusprechen, und so sehr er auch sonst darum bemüht war, bei der Verwirklichung seines Konzepts die „Zolllinien u. Grenzpfähle der Territorien" unberücksichtigt zu lassen[133] und auch die außerhalb des Deutschen Bundes lebenden Nationsgenossen bei der Durchführung seines Vorhabens mit einzubeziehen, so respektierte er doch stets die Tatsache, daß der Deutsche Bund der einzige Gesamtstaat und die in ihm zusammengeschlossenen Bundesländer die einzigen Einzelstaaten waren, mit denen allein das Nürnberger Museum als eine deutsche Nationalanstalt „amtliche" Beziehungen unterhalten konnte. Weder jetzt noch später hat sich Aufseß mit der Bitte um Unterstützung jemals an die Regierung eines Landes gewendet, in dem zwar auch Deutsche lebten, die aber nicht zum Deutschen Bund gehörten, wie etwa die französische Regierung, den Bundesrat in Bern oder die Regierung in einem der deutschschweizerischen Kantone[134]. Sobald es sich um die Förderung des Museums von Staats wegen handelte, hatte auch der Begriff „deutsch" für Aufseß eine ausschließlich staatliche Bedeutung. Wichtig an diesen Entscheidungen in München und Frankfurt im Sommer 1853 war schließlich auch, daß Aufseß damals die Spannung zwischen gesamtnationalem Anspruch des Museums und mehrstaatlicher Wirklichkeit deutlich vor Augen geführt wurde, so daß er nun, wenn auch gestützt auf die Empfehlung durch die Bundesversammlung, gezwungen

sichten für ein Eingehen der Bundesversammlung auf die gestellten Bitten: „Ich zweifle nicht, daß die vaterländischen Gesinnungen und Bestrebungen, welche das Museum ins Leben gerufen haben, sowie dessen Wichtigkeit für die deutsche Geschichte in dieser hohen Versammlung ihre volle Würdigung finden, und dieselbe – so weit es in ihrem Behufe liegt, – gerne dazu einwirken werde, um diesem nationalen Unternehmen den entsprechenden Erfolg zu sichern" (Marschall von Bieberstein an Aufseß, Frankfurt, 26.7.1853, Ausfertigung; Altregistratur GNM, Kapsel 21). Das wesentlich weniger wichtige Gutachten Marschalls von Bieberstein über die Frage einer Überlassung der Paulskirchenbibliothek an das Nürnberger Museum jedenfalls ist in einer als „Vertrauliche Mittheilung" genannten Abschrift im Archiv des Museums vorhanden (s. o. Anm. 58).

[133] Aufseß an Friedrich VII. von Dänemark, Nürnberg, 30.7.1853, Reinkonzept; Altregistratur GNM, Kapsel 23.

[134] Aufseß scheint zwar solche Anträge geplant zu haben. Im Februar 1854 bat er den bayerischen König, dem Museum möge „aus Staatsmitteln ein jährlicher ständiger Beitrag ... bewilligt werden". Er schrieb einer günstigen Entscheidung durch die bayerische Staatsleitung sogar Vorbildcharakter zu, denn „auswärts" werde „eine Anstalt, die in Bayern ihren Sitz hat, hauptsächlich darnach beurtheilt (werden), wie sie von Seite der königlich bayerischen Regierung, als der ihr zunächst stehenden beurtheilt und behandelt wird ... Es ist daher von höchster Bedeutung und maßgebend für alle übrigen hohen Staatsregierungen Deutschland's und der angrenzenden germanischen Länder Dänemark, Schweden, Holland, Frankreich (: deutsche Provinzen :), Schweiz, Siebenbürgen, Liefland und Curland, was Euere königliche Majestät als Jahresbeitrag für den Etat des germanischen Nationalmuseums allergnädigst anzuweisen geruhen werden" (Vorstand an Maximilian II., Nürnberg, 18.2.1854, Ausfertigung; Archiv M, MK 14188). Aber es gibt keinen Beweis dafür, daß sich Aufseß tatsächlich an diese „nichtdeutschen" Regierungen gewendet hat. Die Anträge an die niederländische Regierung wurden ausdrücklich auf die Zugehörigkeit von Luxemburg zum Deutschen Bund gestützt (Protokolle des Lokalausschusses, 1.2.1854; Altregistratur GNM, Kapsel

war, sich für die materielle Unterstützung seines Unternehmens von staatlicher Seite in erster Linie an die deutschen Bundesländer zu wenden. Festgehalten werden muß aber auch, daß Aufseß damals keineswegs die Absicht hatte, das Museum im organisationsrechtlichen Sinn zu einer Bundesanstalt zu machen, wie es ja auch keine Staatseinrichtung der bayerischen Monarchie war. Ob Aufseß die bayerischen Vorbehalte gekannt hat, ist ungewiß – vom bayerischen Bundestagsgesandten war er nur über die Ablehnung seiner Bitte um finanzielle Förderung durch den Bund unterrichtet worden[135] –, aber es fällt auf, daß, offensichtlich aufgrund seines Berichts über die Verhandlungen mit der Bundesversammlung, im September 1853 die Jahreskonferenz den bereits erwähnten Beschluß gefaßt hat, den Bundestag erst dann um die Übernahme des Protektorats über das Museum zu bitten, wenn die für die Erfüllung dieser Forderung notwendige Einmütigkeit unter den Mitgliedern der Bundesversammlung als gesichert gelten könne[136]. Dieser Antrag ist aber auch später nie gestellt worden.

Trotzdem wiederholte Aufseß seine Bitten um eine materielle Unterstützung des Museums durch den Deutschen Bund fast in jedem Jahr. Zur Rechtfertigung seiner Eingaben verwies er nicht nur auf die Förderung der Monumenta Germaniae historica von seiten des Bundes, denen die Nürnberger Anstalt gleichgestellt werden möge, und auf den stetig fortschreitenden Ausbau der Sammlungen, der ständig größere Mittel erfordere, sondern immer auch auf die nationalen Aufgaben, zu deren Erfüllung er das Museum ins Leben gerufen hatte und die in ihren charakteristischen Einzelheiten hier bereits dargestellt worden sind. Auch jetzt ging es nicht so sehr um die Höhe der Summe[137], sondern darum, daß, wie es etwa in dem Antrag aus dem Juni 1856 hieß, „eine jährliche Geldunterstützung (das Museum) in den Stand setzen (würde), seine wissenschaftliche und nationale Aufgabe besser und früher zu erfüllen als dieß ohne alle Hülfe von Seite Einer hohen pp. möglich wäre". In einer solchen finanziellen Förderung durch den Deutschen Bund würden „alle Freunde der Sache, ja das ganze gebildete deutsche Volk . . . eine Anerkennung finden, welche nicht nur materiell, sondern auch moralisch von den besten Folgen für das Gedeihen des glücklich begonnenen Unternehmens sein müßte"[138]. In der Eingabe aus dem April 1861 wurde diese gesamtnationale Funktion einer Unterstützung durch den Frankfurter Bundestag noch eindrucksvoller beschrieben: „Es würde für unsere Anstalt von unendlicher Tragweite u. Beruhigung sein, wenn auch ihr wie der Frankfurter Gesellschaft ihre Subsistenzmittel, welche die einzelnen deutschen Staaten ihr gewähren, im Ganzen durch die Hand Euer pp. gereicht würden, indem solche dadurch einen nicht nur weit gesicherteren Bestand, sondern zugleich einen öffentlichen und gemeinsamen Charakter erhielten, wodurch das Vertrauen auf den soliden Fortbestand

729. Aufseß an den luxemburgischen Landtag, Nürnberg, 18. 12. 1860, Reinkonzept; Altregistratur GNM, Kapsel 23). Ein Antrag an den belgischen König (nicht an die belgische Regierung) wurde persönlich und historisch, nicht staatlich oder national begründet: „Die höchst erfreuliche Theilnahme, welche das germanische Museum von Seite des erlauchten Hauses Coburg gefunden hat, die innigen früheren Beziehungen zwischen Belgien und dem alten deutschen Reiche, vorzüglich aber das hohe Vertrauen, welches die Vertreter des germanischen Museums in Ew. Maj. erhabenen Sinn für alles wahrhaft Gute u. Schöne setzen . . ." (Aufseß an Leopold I., Nürnberg, 2. 8. 1854, Reinkonzept; Altregistratur GNM, Kapsel 23).

[135] S. o. Anm. 132.

[136] S. o. Anm. 43 u. S. 144. Als weiterer Beweis für die Richtigkeit der hier gegebenen grundsätzlichen Erklärung für Aufseß' Verhalten gegenüber dem Deutschen Bund ist die Beobachtung zu werten, daß in dem Konzept des nicht abgeschickten Protektoratsantrags die Bundesversammlung ursprünglich „als oberste und einzige Centralbehörde Deutschlands" bezeichnet worden war und diese offensichtlich für zu wenig staatenbündisch gehaltene Formel dann durch: „als Centralorgan Deutschlands" ersetzt wurde (Anm. 69).

[137] „. . . wenngleich die unterthänigst Unterzeichneten weit entfernt sind der Weisheit und dem hohen Ermessen Einer hohen pp. in irgend einer Weise vorzugreifen und jede gnädige Unterstützung, welche gewährt werden wolle, mit dem freudigsten Dank aufnehmen würden" (Vorstände an Bundesversammlung, Nürnberg, 6. 6. 1856, Reinkonzept; Altregistratur GNM, Kapsel 21).

[138] Vorstände an Bundesversammlung, Nürnberg, 6. 6. 1856, Reinkonzept; Altregistratur GNM, Kapsel 21.

der Anstalt gestärkt und damit die Neigung zur thatkräftigen Unterstützung derselben im Volke wachsen würde"[139].

Keiner dieser Anträge hatte jedoch Erfolg. Die Bundesversammlung erklärte sich zwar immer sehr beeindruckt von den Fortschritten der Museumsarbeit und äußerte die Hoffnung, die Nürnberger Anstalt werde „wesentlich zur Kenntniß deutschen Volks- und Staatslebens der Vorzeit, so wie zur Nährung vaterländischer Gesinnung beitragen"[140]. Auch wurden die Regierungen der Bundesstaaten wiederholt gebeten, die Tätigkeit des Museums auf jede nur mögliche Weise zu fördern. Aber eine Unterstützung aus Mitteln des Bundes wurde stets abgelehnt. Als Begründung wurde einmal die Tatsache genannt, daß die Berufung auf die Förderung der Monumenta Germaniae historica in Aufseß' Anträgen insofern unzutreffend sei, als die Frankfurter Gesellschaft erst mehr als dreißig Jahre nach ihrer Gründung eine solche Hilfe erhalten habe, die zudem befristet sei; im übrigen handle es sich hier nicht um eine Unterstützung von seiten des Bundes, sondern es sei lediglich „in Folge eines in Mitte hoher Bundesversammlung gestellten ... Antrags ein Ersuchen an sämmtliche höchsten und hohen Regierungen gerichtet, und nach dessen günstigem Erfolge die Einleitung getroffen worden ..., daß die Auszahlung der auf eine Reihe von Jahren zugesagten jährlichen Beiträge (der Einzelstaaten) durch die Bundescassen-Verwaltung vermittelt wird"[141]. Unerwähnt blieb bei dieser Argumentation freilich, daß hier doch mehr als eine bloß zufällige Verbindung zwischen dem wissenschaftlichen Institut der Monumenta und der Bundesversammlung hergestellt worden war: für die Höhe der Zahlungen, die die einzelnen Bundesländer für die Monumenta zu leisten hatten, wurde nämlich „die matrikularmäßige Berechnung" zugrunde gelegt[142]; sie war damit dem freien Ermessen der deutschen Regierungen entzogen.

Den zweiten, gewichtigeren Grund für die Unmöglichkeit, das Germanische Nationalmuseum von Bundes wegen zu unterstützen, enthielt der Hinweis, daß die „Dotierung der Frankfurter Gesellschaft (durch den Bund) ... auf besonderer einhelliger Vereinbarung der Regierungen beruht, welche letztere Voraussetzung bei dem germanischen Museum bekanntlich nicht zutrifft, da verschiedene hohe Regierungen bisher Geldunterstützungen ausdrücklich versagt haben"[143]. In der Tat war es Aufseß zwar gelungen, die meisten deutschen Bundesfürsten zu der Zusage zu bewegen, die Nürnberger Anstalt mit Spenden aus ihrem Privatvermögen zu unterstützen, die Regierungen der einzelnen Bundesstaaten aber waren wesentlich zurückhaltender. Im Juni 1856 klagte Aufseß deshalb, das Germanische Nationalmuseum sei „zur Zeit ... noch nicht so glücklich gewesen aus irgend einer deutschen Regierungs- und Staatskasse, außer von Bayern und den 4 freien Städten, einen Beitrag zu erhalten, wenn gleich die meisten der allerhöchsten und höchsten deutschen Souveraine aus ihren Privatkassen in huldvollster Weise das Unternehmen zu unterstützen geruhen"[144]. Und noch zu Beginn der sechziger Jahre sah sich Aufseß gezwungen, einen seiner

[139] Vorstände an Bundesversammlung, Nürnberg, 22.4.1861, Reinkonzept; Altregistratur GNM, Kapsel 21.

[140] Gutachten der Reklamationskommission des Bundestags (Referent war der badische Gesandte, August Freiherr Marschall von Bieberstein), Protokolle der Deutschen Bundesversammlung, 9.12.1854, § 370, S. 1142–1146 (1144); Archiv F.

[141] Gutachten der Reklamationskommission des Bundestags (Referent war der badische Gesandte, August Freiherr Marschall von Bieberstein), Protokolle der Deutschen Bundesversammlung, 6.11.1856, § 293, S. 697–698 (698); Archiv F. Auf diese Funktion der Bundeskasse als eine Art Clearingstelle bezog sich Aufseß in der oben zitierten Eingabe vom 22.4.1861.

[142] Breßlau, Geschichte (Anm. 118), S. 294; hier auch ein ausführlicher Bericht über die Verärgerung in einigen der größeren Bundesstaaten über dieses Verfahren, denn sie hatten jetzt wesentlich höhere Beiträge zu entrichten als bisher.

[143] Gutachten der Reklamationskommission des Bundestags (Referent war der Gesandte der 15. Stimme – Oldenburg, Anhalt, Schwarzburg –, Wilhelm von Eisendecher), Protokolle der Deutschen Bundesversammlung, 31.5.1861, § 150, S. 397–399 (398); Archiv F.

[144] Vorstände an Bundesversammlung, Nürnberg, 6.6.1856, Reinkonzept; Altregistratur GNM, Kapsel 21.

Unterstützungsanträge an die Frankfurter Bundesversammlung auch mit dem Hinweis darauf zu begründen, daß gerade einige der größeren Bundesländer, wie Hannover, Kurhessen, Luxemburg oder Braunschweig, dem Germanischen Nationalmuseum „noch immer" keine Staatsmittel zuwendeten. „Bevor aber die Anstalt einer ständigen Beihilfe von allen Staaten sich zu erfreuen hat, kann sie zu ihrer planmäßigen Entfaltung unmöglich gelangen noch weniger ihre Zukunft als gesichert halten"[145].

Diese Weigerung einiger Regierungen, die Nürnberger Anstalt zu unterstützen, wurde aber nicht nur dem Museum gegenüber ausgesprochen, sondern – und das war für das Verhalten der Bundesversammlung entscheidend – sie wurde auch in Frankfurt bei den Abstimmungen über die von der Reklamationskommission vorgelegten Förderungsanträge zu Protokoll gegeben, auch wenn es sich hier nur darum handelte, die deutschen Regierungen von Bundes wegen zu ersuchen, das Germanische Nationalmuseum nach Belieben zu unterstützen. Die Gründe, sofern sie mitprotokolliert wurden, waren vornehmlich fiskalischer Natur. Vor allem hatte man Bedenken, aus gelegentlichen Spenden regelmäßige Unterstützungen, aus der Zuweisung freiwilliger Beträge die Verpflichtung zu jährlich wiederkehrenden Zahlungen zu machen. So erklärte zu Beginn des Jahres 1857 die Regierung von Sachsen-Weimar, sie sei „keinesfalls vor Ablauf der Bewilligung für die Gesellschaft für ältere deutsche Geschichtskunde . . . geneigt . . ., auch noch dem germanischen Museum zu Nürnberg jährliche Geldunterstützungen zu gewähren"[146], und von preußischer Seite wurde damals zu Protokoll gegeben, die Berliner Regierung sei „zwar fortdauernd geneigt, dem germanischen Museum zu Nürnberg die dessen Vorstand bereits zugesicherte Förderung auch ferner zu Theil werden zu lassen", sie habe „sich indessen nicht bewogen gefunden, demselben eine jährliche Geldunterstützung zu gewähren"[147]. Ähnliches erklärte später der niederländische Gesandte, als er für seinen Monarchen in dessen Eigenschaft als Großherzog von Luxemburg feststellte, dieser habe „sich nicht bewogen gefunden . . ., dem germanischen Museum zu Nürnberg noch andere als die ihm bisher schon gemachten Concessionen zu bewilligen"[148]. Soviel kameralistischer Vorsicht gegenüber sollte aber die Haltung von Lippe-Detmold nicht vergessen werden: als einziges Mitglied der Bundesversammlung war der Frankfurter Gesandte dieses Fürstentums zu der Erklärung ermächtigt, Durchlaucht würden „keinen Anstand nehmen, zur Förderung und Sicherung des für ganz Deutschland so interessanten und wichtigen Unternehmens einem Beschlusse hoher Bundesversammlung auf Bewilligung einer Matrikulardotation beizutreten"[149].

Aber nicht immer waren es bloß Bedenken der Finanzverwaltungen, die für die Ablehnung der Bitte um Unterstützung des Germanischen Nationalmuseums aus Staatsmitteln verantwortlich gemacht werden können. Diejenige Regierung, die mit konsequenter Beharrlichkeit jedesmal, wenn in Frankfurt über Aufseß' Unternehmen beraten wurde, einer jeden Förderung der Nürnberger Anstalt entschieden widersprach, war die Regierung von Sachsen-Coburg[150]. Dies war um so erstaunlicher, als kurz nach der Gründung Herzog Ernst II. seine Residenzstadt Coburg Aufseß als Domizil für dessen Sammlungen angetragen hatte und daraufhin Verhandlungen über eine Verle-

---

[145] Aufseß an die bayerische Bundestagsgesandtschaft, Nürnberg, 26.4.1861, Reinkonzept; Altregistratur GNM, Kapsel 21.
[146] Protokolle der Deutschen Bundesversammlung, 8.1.1857, § 8, S. 7; Archiv F.
[147] Protokolle der Deutschen Bundesversammlung, 5.3.1857, § 110, S. 193; Archiv F.
[148] Protokolle der Deutschen Bundesversammlung, 11.7.1861, § 203, S. 587; Archiv F.
[149] Protokolle (Anm. 148), S. 588.
[150] Protokolle der Deutschen Bundesversammlung, 8.1.1857, § 8, S. 7; 9.9.1858, § 375, S. 1029; 11.7.1861, § 203, S. 587 (Nichtbeteiligung an der Abstimmung); Archiv F.

gung des Museumssitzes nach Thüringen geführt worden waren[151]. Als sich die Museumsleitung dann aber doch entschloß, das Coburger Angebot auszuschlagen und in Nürnberg zu bleiben, schien dies von Ernst als eine persönliche Kränkung empfunden worden zu sein, die ihn dazu brachte, nicht nur jede Hilfe für das Germanische Nationalmuseum zu verweigern, sondern auch dem Gesandten der 12. Stimme (Großherzoglich und herzoglich sächsische Häuser) in Frankfurt jedesmal die Instruktion für ein ablehnendes Votum zugehen zu lassen. Äußerungen aus der Mitte der sechziger Jahre[152] legen diese Erklärung nahe.

Im Mai 1863 wandte sich Andreas Ludwig Jakob Michelsen, der neue Nürnberger Vorstand, mit der Bitte um „eine angemessene, jährliche Unterstützung des germanischen Museums aus der coburgischen Staatskasse" an den Coburger Landtag. Er begründete seinen Antrag damit, „die Einkünfte, die dem germanischen Museum zufließen", hätten zwar „schon eine bedeutende Höhe erreicht, doch reichen sie noch immer nicht völlig hin, der Anstalt jene freie Bewegung zu er-möglichen, die für ein wissenschaftliches Unternehmen nothwendig, einem Nationalinstitute aber angemessen ist"[153]. Der Landtag erklärte sich bereit, einen jährlichen Beitrag in Höhe von 50 fl zu bewilligen, und erwartete einen entsprechenden Antrag der Regierung, der aber nicht gestellt wurde. Ein Jahr später rügte der Landtag dieses Verhalten des Staatsministeriums; es kam zu einer Auseinandersetzung zwischen Kammer und Kabinett, in die auch der Landesherr hineingezogen wurde. Überzeugender noch als das Beharren Maximilians II. auf dem Germanischen Nationalmuseum als einer bayerischen Nationalanstalt[154] vermag diese Auseinandersetzung zu zeigen, wie schwierig es für eine auf die staatslose Gesamtnation hin ausgerichtete wissenschaftliche Anstalt war, in einem aus vielen Staaten bestehenden Deutschland eine zuverlässige institutionelle und finanzielle Grundlage zu finden; diese Kontroverse wird deshalb hier ausführlicher dargestellt.

Der Regierungsvertreter, Ministerialrat Lotz, erklärte die Untätigkeit der Regierung zunächst damit, daß es hier „nicht um eine Sache der Nothwendigkeit, sondern der Freigebigkeit" gehe; „eine Freigebigkeit kann man aber erst dann üben, wenn die dringlichen und nothwendigen Aus-gaben durch die Einnahmen völlig gedeckt sind und noch ein Einnahmeüberschuß verbleibt. . . . Uebrigens will ich noch bemerken, daß wir hier zu Lande auch ein Museum haben, welches ähnliche Tendenzen, wie das Germanische Museum, nur in kleinerem Maßstab, verfolgt und aus Landesmitteln noch keine Unterstützung erhalten hat"[155]. Daraufhin erneuerte die Finanzkommis-sion des Landtags den Beschluß vom Vorjahr und forderte die Regierung auf, ein entsprechendes „Postulat" vorzulegen. In der Aussprache darüber erklärte der Abgeordnete Albrecht: „Ich lebe der festen Ueberzeugung, daß, wenn man nur will, man diese 50 fl. und auch noch mehr zu verwenden haben wird. Deßhalb bin ich der Ansicht, daß der Landtag dem Commissionsantrag beitreten und die Herzogl. Staatsregierung veranlassen soll, nunmehr schleunig dem Germanischen

[151] Hampe, Festschrift, S. 45–47.
[152] Die Entwicklung, die das Urteil des Herzogs und seiner Regierung über das Germanische Nationalmuseum im ersten Jahrzehnt nach der Gründung durchlaufen hat, läßt sich anhand des im Archiv C vorhandenen Materials nicht darstellen, denn die „Coburger Ministerial-Acten über das germanische Museum zu Nürnberg sind auf hohe An-ordnung der gothaischen Registratur einverleibt worden, weil sie eine gemeinschaftliche Angelegenheit enthalten" (Registraturvermerk, Coburg, 20. 6. 1863; Archiv C, Ministerialarchiv D 8).
[153] Michelsen an den Landtag von Sachsen-Coburg, Nürnberg, 22. 5. 1863, Ausfertigung; Archiv C, Landtagsarchiv 944; der im folgenden erwähnte Landtagsbeschluß wurde am 19. 6. 1863 gefaßt.
[154] S. o. S. 157.
[155] Gedrucktes Protokoll der Landtagssitzung vom 14. 6. 1864, S. 483; Archiv C, Landtagsarchiv 944. Auch andere deutsche Regierungen waren zu einer Unterstützung des Germanischen Nationalmuseums nur mit dem Vorbehalt bereit, daß ähnliche einheimische Institute darüber nicht zu kurz kommen dürften: Erlaß des württembergischen Ministeriums für Kirchen- und Schulwesen vom 30. 10. 1854 (Chronik des germanischen Museums. In: Anzeiger GNM 1854, Sp. 277–286 [277–279]); Erlaß des Großherzogs von Sachsen-Weimar vom 4. 11. 1854 (Chronik des germanischen Museums. In: Anzeiger GNM 1854, Sp. 309–320 [309]); Beschluß des Bremer Senats vom 14. 12. 1854 (Sp. 311).

Museum diese Unterstützung zukommen zu lassen. Denn bei dem Leumund, dessen die Herzogl. Staatsregierung im Auslande genießt . . ., finde ich es rathsam, die Besprechung des unangenehmen Themas, daß Coburg nichts für das Germanische Museum gebe, in der Presse zu vermeiden; sonst würde leicht auch der Conflict zur öffentlichen Verhandlung kommen, aus welchem wohl die Verweigerung der Unterstützung herstammt". Und der Abgeordnete Forkel führte diese Argumentation weiter: „Der Betrag, um den es sich handelt, ist so unbedeutend, daß wir diesen Gegenstand nicht als eine Geldfrage, sondern als eine patriotische Ehrensache ansehen müssen. Das Germanische Museum hat sich aus einer Privatsammlung zu einem deutschen Nationalinstitut emporgearbeitet und wird jetzt fast von allen deutschen Staaten anerkannt und unterstützt. Deßhalb ist diese patriotische Sache auch aus der Staatscasse zu Coburg zu unterstützen, nicht wohl aus Rücksicht auf die Hülfe, welche dem Museum durch die kleine Beisteuer zu Theil wird, sondern damit auch Coburg die Unterstützung des Germanischen Museums als eine deutsche Nationalsache anerkennt"[156]. Das Staatsministerium erstattete nun einen Vortrag an den Herzog und empfahl eine jährliche Unterstützung an das Germanische Nationalmuseum in der vom Landtag vorgeschlagenen Höhe: „Aus finanziellen Rücksichten wird einer Verwilligung von der geringen jährl. Unterstützung ein Bedenken nicht entgegen zu setzen sein, und diejenigen Gründe, welche früherhin einer solchen Verwilligung entgegengestanden haben, und aus dem Verhalten des vormaligen Vorstandes jener Anstalt abzuleiten waren, dürften gegenwärtig um deßwillen wegfällig geworden sein, weil der frühere Vorstand Freiherr v. Aufseß von der Leitung der Geschäfte zurückgetreten ist, – hiernächst aber das germanische Museum allerdings als eine deutsche Nationalunternehmung mehr und mehr Anerkennung sich erworben hat . . ."[157]. Der Herzog konnte aber nicht umgestimmt werden: „Ich bleibe bei meiner ausgesprochenen Ansicht, daß die Ausgabe vollkom̄en überflüssig ist. Bei der jetzigen Lage der Dinge habe ich keine Lust, Geschenke die der Landtag zu machen wünscht, pflichtschuldigst zu genehmigen". Mit folgendem Vermerk des Staatsministeriums wurde der Vorgang schließlich zu den Akten gelegt: „Se Hoheit der Herzog haben in heutiger Conferenz die Bewilligung eines Jahresbeitrags von 50 fl für das Germanische Museum aus der Staatscasse wiederholt und entschieden abgelehnt, da einestheils eine Bewilligung von nur 50 fl als zu unbedeutend bezeichnet werden müsse, als daß damit dem German Museum eine wesentliche Aushülfe verschafft würde, andererseits bei der Unzulänglichkeit der disponiblen Mittel der Staatscasse zur Bestreitung der Ausgaben nothwendiger Bedürfnisse des Landes, . . . die Anträge des Landtags auf Verwilligung eines überflüßigen Geschenks für das germanische Museum, welches vorzugsweise von bair Seite unterstützt werde, – nicht gerechtfertigt seien. Die Bedeutung des Germanischen Museums als einer deutschen NationalUnternehmung sei zweifelhaft . . ."[158].

So wichtig aber die Unterstützung des Museums durch möglichst viele deutsche Bundesländer, nicht wegen der Höhe der Summe, sondern als Bestätigung des gesamtdeutschen Charakters der Anstalt, für die Gründergeneration auch war, entscheidender war selbstverständlich die Hilfe, die das Nürnberger Institut von den größeren Staaten, wie Österreich, Preußen oder Bayern, erhielt. Auch hier gingen „materielle und moralische" Erwartungen ineinander über: bei größeren Staaten konnte mit der Zahlung größerer Beträge gerechnet werden, und die Förderung durch die deutschen Führungsmächte galt mit Recht als eine wesentliche Voraussetzung für die Anerkennung des Museums als einer überstaatlichen, gesamtnationalen Anstalt. Hinzu kam, daß sich Aufseß nicht

[156] Gedrucktes Protokoll der Landtagssitzung vom 18. 6. 1864, S. 499; Archiv C, Landtagsarchiv 944.
[157] Vortrag des Staatsministeriums, Coburg, 20. 6. 1864, Ausfertigung; Archiv C, Landtagsarchiv 944. Die (undatierte) Erledigung durch den Herzog erfolgte eigenhändig.
[158] 6. 7. 1864; Archiv C, Landtagsarchiv 944.

ohne Erfolg darum bemühte, einerseits die Unterstützung des Museums durch den einen dieser größeren Staaten gegenüber den Regierungen der anderen als Beispiel auszugeben, dem sie um der „wahrhaft große(n) und vaterländische(n) Sache"[159] willen folgen sollten, auf der anderen Seite aber die Hilfe der gerade angeschriebenen Regierung als allein entscheidend hinzustellen.

So versicherte Aufseß dem bayerischen König, als er sich für die Zusage einer jährlichen Geldunterstützung bedankte, daß „das germanische Museum durch solche Wohlthat sich für immer mit Bayern und für Bayern verbunden erachten" werde[160], dem österreichischen Bundestagsgesandten aber wurde eine andere Priorität genannt: „. . . ich gebe mich der schönen Hoffnung hin, daß Euer Exzellenz . . . die Sache der deutschen Wissenschaft und Kunst, die zugleich eine Ehrensache für Deutschland ist, gerne zu unterstützen und sowohl bei der hohen Bundesversammlung als bei Sr. Majestät dem Kaiser . . . resp. der kaiserlichen Regierung, gnädigst zu befürworten geruhen wollen. Geht das mächtige Oesterreich voran, so folgt Preußen auch nach, Bayern kann sich der Unterstützung ohnehin nicht entziehen"[161]. Dem preußischen Bundestagsgesandten aber schrieb Aufseß: „Die bald zusammentretenden Stände Preußens würden gewiß eine Budgetposition für eine allgemeine deutsche nützliche Anstalt so wenig verweigern, als dieß die Stände Bayerns gethan haben . . ."[162]. Den bayerischen Bundestagsgesandten schließlich versuchte Aufseß durch den Hinweis darauf, daß eine Unterstützung durch den Bund eine finanzielle Entlastung für das süddeutsche Königreich bedeuten würde, dazu zu bewegen, sich für eine günstige Erledigung seines Antrags auf Hilfe durch die Bundesversammlung einzusetzen: „Abgesehen von dem allgemeinen deutschen Interesse dürfte wohl die gemeinsame Unterstützung unserer Anstalt insbesondere im Interesse des baierischen Staates liegen, welcher nicht nur zunächst als Besitzer derselben der Vortheile daraus mehr als andere deutsche Staaten genießt, sondern bereits hiefür solche Opfer gebracht hat, daß selbst nach unserer Petition weitere nicht mehr zu bringen sind"[163].

Aber auch hier war das Ausmaß der finanziellen Unterstützung nicht allein entscheidend. Als Friedrich Wilhelm IV. im April 1855 eine jährliche Spende aus der königlichen Kabinettskasse zusagte, wurde dies „als eine der wichtigsten (Nachrichten) seit dem Bestehen des Museums" bezeichnet, „weil eben gerade Preußen als deutscher Großstaat, nächst Oestreich, einem deutschen Nationalunternehmen erst das Gepräge der Allgemeinheit aufdrücken kann, während ohne dieser beiden größten deutschen Staaten Mitwirkung ein deutsches Nationalmuseum unausführbar sein müßte"[164]. Und als Aufseß im Sommer 1863 nach Frankfurt reiste, um die Teilnehmer am Fürstentag dazu zu bewegen, zur Finanzierung des Ankaufs seiner Sammlungen durch das Museum

[159] Aufseß an den bayerischen Ministerpräsidenten von der Pfordten, Nürnberg, 25. 10. 1853, Ausfertigung; Ablichtung aus dem Geheimen Hausarchiv München, Nachlaß Maximilian II., 83/6/449; Altregistratur GNM, Kapsel 1 a.

[160] Aufseß an Maximilian II., Nürnberg, 12. 6. 1854, Ausfertigung; Ablichtung aus dem Geheimen Hausarchiv München, Nachlaß Maximilian II., 816/349; Altregistratur GNM, Kapsel 1 a.

[161] Aufseß an Johann Bernhard Graf von Rechberg, Nürnberg, 3. 11. 1856, Abschrift; Altregistratur GNM, Kapsel 21.

[162] Aufseß an Otto von Bismarck, Nürnberg, 18. 11. 1856, Abschrift; Altregistratur GNM, Kapsel 21.

[163] Aufseß an die bayerische Bundestagsgesandtschaft, Nürnberg, 26. 4. 1861, Reinkonzept; Altregistratur GNM, Kapsel 21.

[164] Chronik des germanischen Museums. In: Anzeiger GNM 1855, Sp. 129–134 (129). Die Zusage einer Unterstützung durch Franz Joseph I. folgte auf dem Fuße: „Wenn wir im vorigen Blatte unsere feste Zuversicht aussprachen, daß Se. Majestät der Kaiser von Oestreich dem germanischen Museum gewiß noch seine Unterstützung werde angedeihen lassen, . . . so ist dieß Vertrauen noch früher, als wir es erwarten durften, mit reichlichster Erfüllung unserer Bitten und Wünsche belohnt worden, indem der wahrhaft kaiserliche Beschluß, dem Museum einen jährlichen Zuschuß von 1000 Gulden Conv.-Münze zu gewähren, noch ehe das vorige Blatt unseres Anzeigers ausging, bereits gefaßt war. Es bedarf wohl keiner nähern Auseinandersetzung, welche Tragweite dieses kaiserliche Geschenk und die damit verbundene Anerkennung für unsere Nationalanstalt hat;" (Chronik des germanischen Museums. In: Anzeiger GNM 1855, Sp. 153–158 [153]). Friedrich Wilhelm hatte eine jährliche Zahlung von 500 Talern zugesichert.

beizutragen[165], hielt er einerseits die Gespräche mit dem österreichischen Bundestagsgesandten für besonders wichtig, „da mir am Kaiser das Meiste lag", auf der anderen Seite befürchtete er aber, durch diese Frankfurter Verhandlungen die Regierung der anderen deutschen Großmacht, deren Herrscher dem Treffen ferngeblieben war, zu verärgern: „Wäre eine Reform geglückt, unter Theilnahme des Königs von Preußen, wäre ein einiges Deutschland, mit einer Spitze und einem Parlament geworden, dann hätte allerdings unsere Ansprache an die Fürsten einen ganz andern Anklang gefunden, während sie so fast allen ungelegen kam und bei Preußen den übelsten Eindruck machen mußte, wenn ... in Berlin davon Notiz genommen worden war"[166].

Die Untersuchung der Frage, wie nach dem Willen der Gründer das Verhältnis des Nürnberger Museums zu den politischen Gewalten in Deutschland gestaltet werden sollte, bestätigt die schon früher nachgewiesene Überzeugung, die nationale Aufgabe des Unternehmens könne erfolgreich nur erfüllt werden, wenn die staatliche Organisationsform der deutschen Nation unbeachtet bleibe. Die Notwendigkeit, zur deutschen Staatenwelt in Beziehung zu treten, war allein von der Sorge um Bestand und Ausbau des Instituts bestimmt und hatte keinen Einfluß auf das Programm. Weder versuchte die Museumsleitung, materielle Unterstützung von seiten deutscher Staaten durch das Versprechen zu erreichen, die Sammlungstätigkeit etwa auf das Territorium des Deutschen Bundes zu beschränken, noch auch wurde die Gewährung staatlicher Mittel jemals von der Erfüllung solcher politisch motivierter Änderungen des Museumskonzepts abhängig gemacht. Der historische Gehalt der Museumsarbeit bewahrte die Gründer davor, den gegenwärtigen politischen Zustand der Nation für absolut zu halten und zum Maß für die Organisierung ihrer Tätigkeit zu nehmen, und die Selbstverständlichkeit, mit der staatliche Stellen auf jeden Versuch verzichteten, auf das Museumsprogramm und dessen Verwirklichung Einfluß auszuüben, kann als überzeugender Hinweis auf die Offenheit der nationalen Situation in Deutschland zu Beginn der zweiten Hälfte des 19. Jahrhunderts verstanden werden: allen staatlichen Rivalitäten und allen politischen Gegensätzen zum Trotz galt die deutsche Nationalgeschichte als gemeinsame Grundlage der gesamten deutschen Staatenwelt. Daß der Plan Aufseß', sich gerade mit der Geschichte dieser unstaatlich verstandenen deutschen Nation eingehend zu beschäftigen, von Anfang an auch bei den politischen Gewalten der Zeit Zustimmung erfahren hat, findet in dieser Beobachtung eine letzte Erklärung.

II. Vom Ende des Deutschen Bundes bis zur Reichsgründung, 1866–1870
Die Geschichte des Germanischen Nationalmuseums seit dem Ausgang der Gründungsphase bestätigt die Richtigkeit der Entscheidung, die Nürnberger Anstalt auf die deutsche Nation hin auszurichten und auf jede staatliche Bindung des Instituts oder seines Programms zu verzichten. Die Prinzipien, nach denen die Beziehungen zwischen Museum und Nation geplant gewesen und seit der Gründung entwickelt worden waren, brauchten auch später nicht geändert zu werden. Das nationale Museumskonzept bestand seine erste Probe in den politischen Umbrüchen des Jahres 1866.

Es ist leicht einzusehen, daß in Zeiten, in denen sich deutsche Regierungen auf den drohenden Ausbruch eines Krieges vorbereiteten oder gar selbst Krieg führten, Bestand und Ausbau des Germanischen Nationalmuseums im materiellen Sinn gefährdet waren; das war während des

---

[165] Hampe, Festschrift, S. 79–80.
[166] „Der Ehrenvorstand des germanischen Museums an den verehrlichen Verwaltungsausschuß desselben", Nürnberg, 18. 11. 1863; Altregistratur GNM, Kapsel 12.

Krimkrieges nicht anders als in der Krise von 1859 oder in den Kriegen von 1866 und 1870[167]. Aber der deutsch-deutsche Krieg unterbrach nicht nur den Zufluß von Unterstützungen und führte zu einer „Kassenkrise"[168], sondern durch ihn wurde vor allem die geistige Grundlage dieses gesamtdeutschen Unternehmens in Frage gestellt. Schon im Juni 1866 klagte August Essenwein, seit Anfang des Jahres neuer Direktor, dem Museum werde „durch die deutsche Zerrissenheit der Boden unter den Füßen weggezogen", denn: „Ein neuer Krieg zerfleischt Deutschland und Brüder stehen wieder in Waffen. Wer denkt jetzt an eine Anstalt des Friedens, wer an eine gemeinsame Nationalsache?"[169]. Noch eindringlicher beschrieb die Museumsleitung einen Monat später diesen Krieg als nationales Unglück für dieses nationale Institut: „Gesammtdeutschland gewidmet, Eigenthum des ganzen deutschen Volkes und somit Repräsentant seiner Einheit, fühlt unser Institut jeden Sieg, auf welcher Seite er auch erfochten werde, als eine Niederlage, und nur die Hoffnung kann uns Trost geben, daß ein fester, dauernder Friede wohl bald wieder das deutsche Volk vereinige, daß der Krieg den Patriotismus wecke und läutere. Der traurige Bruderkrieg muß ein Ende nehmen; dann wird das Museum, das weder Parlament noch Bundestag, weder Zoll- noch National-Verein, sondern der einmüthige, freie Wille des deutschen Volkes und sämmtlicher Fürsten geschaffen, wieder auf's neue Zeugniß geben, daß ein Vaterland alle Stämme umfaßt"[170].

Die hier ausgesprochene Hoffnung, der Bruderkrieg werde keinen bleibenden Schaden für die Museumsarbeit zur Folge haben, wurde zur Gewißheit, als sich nach wenigen Wochen zeigte, daß die nationalpolitischen Konsequenzen des Krieges – Auflösung des Deutschen Bundes und Ausschluß Österreichs aus dem deutschen Staatsverband – die Nürnberger Anstalt unberührt ließen. In den Erklärungen, die damals von der Museumsleitung dafür genannt wurden, daß das Germanische Nationalmuseum „ohne Umfall den Sturm überdauert (hat), der Regierungen Fürsten und Staaten darniederwarf"[171], ist die Freude darüber unüberhörbar, daß die institutionelle Gestalt wie die programmatische Fundierung des Museums die „Feuerprobe" bestanden hatten[172]. Drei Über-

---

[167] So wurden bereits im Jahre 1855 die Schwierigkeiten, die der Krimkrieg für die Anfänge des Museums mit sich gebracht hatte, anschaulich geschildert: „Wenn einerseits nicht verkannt werden kann, daß gerade die Zeit, wo Kriegsrüstungen fast alle materiellen Staatskräfte Deutschlands in Anspruch nehmen, wo drohende Kriegsgefahr und das Gewicht der Umstände, zu denen sich noch allgemeine Theuerung und manche aussergewöhnliche Elementarereignisse gesellten, die Aufmerksamkeit und Theilnahme der Staatsregierungen von allen Dingen, die nicht zur augenblicklichen und äußern Nothwendigkeit gehören, ablenken müssen, die allerungeeignetste ist, um thätige Beihülfe zu einem wissenschaftlichen Unternehmen zu erbitten, so wird man andererseits eben so wenig verkennen, daß das Museum, welches gerade am Vorabend dieser ungünstigen Ereignisse und Gestaltungen seine Begründung erhielt, ... eine rückgängige Bewegung nicht machen durfte, ohne sich selbst aufzugeben. ... Sollten ... die Männer, welche das Vertrauen zur Leitung der unter günstigen Verhältnissen begründeten Nationalanstalt berufen hatte, bei der ersten Wendung dieser Verhältnisse die als gut und nützlich erkannte Sache im Stiche lassen und an deren Durchführung verzweifeln, wenn nicht sogleich alle gehegten Erwartungen eintrafen, wenn Ereignisse dazwischen traten, die man Anfangs nicht in die Berechnung zu ziehen vermochte? ... Wer wollte daran zweifeln, daß, wenn dereinst die Zeit der Ruhe und des Friedens, die ja doch nicht ausbleiben kann, wiederkehrt, ein fruchtbarer Boden für unsere, auch in ungünstiger Zeit fortschreitende Sache gefunden werde?" (Chronik des germanischen Museums. In: Anzeiger GNM 1855, Sp. 129–134 [129–130]). Zur Bewertung der Krise von 1859 durch die Museumsleitung vgl. den o. S. 148 mitgeteilten Text. 1884 bekannte Essenwein, daß es 1866 und 1870 „Kassenkrisen" gegeben habe. „1866 war es nur der rasche Verlauf, 1870 die rasche Wendung zu glücklichem Ausgange, die wieder neue Zuflüsse brachte ... Wohin hätte es kommen müssen bei unglücklicher Wendung und bei langer Dauer jenes Krieges? Was wäre geschehen, wenn der Feind ins Land gekommen wäre? Wer hätte Mittel für die nationale Anstalt gehabt und gegeben?" (August Essenwein: Die Sicherstellung der Zukunft des germanischen Museums. Eine Denkschrift. Als Manuskript gedruckt. Nürnberg 1884, S. 3).
[168] Essenwein (Anm. 167), S. 3.
[169] Essenwein an Ludwig I., Nürnberg, 25.6.1866, Reinkonzept; Altregistratur GNM, Kapsel 14.
[170] Chronik des germanischen Museums. In: Anzeiger GNM 1866 (15.7.), Sp. 249–258 (249).
[171] Essenwein an Bismarck, Nürnberg, undatiertes Konzept; Altregistratur GNM, Kapsel 14. Aus dem Inhalt (s. u. S. 170–171) ergibt sich als Datierung Anfang August 1866. Die Friedensverhandlungen, vor deren Eröffnung Essenwein diesen Brief schrieb (s. u. Anm. 197), begannen am 10.8.1866 (Bismarck: Die gesammelten Werke [Friedrichsruher Ausgabe], Bd. 6. Berlin 1929, S. 105, Vorbemerkung zu Nr. 536).
[172] Jahresbericht GNM 13 (für 1866), 1867, (S. 1).

legungen waren es vor allem, die Essenwein und seine Mitarbeiter erwähnten, wenn sie den Fortbestand des Museums trotz der durchgreifenden Veränderung in der deutschen Staatenwelt verständlich zu machen suchten. Als erstes wurde der durch das Programm geforderte Verzicht auf jede ausschließliche Bindung des Unternehmens an einen bestimmten Staat als entscheidend ausgegeben: das Museum, „welches total selbständig u unabhängig dasteht", werde „weder das Schicksal der Flotte noch des Bundestages theilen"[173]. Zweitens wurde daran erinnert, daß das Museum eben keine Einrichtung der Politik, sondern der Wissenschaft sei, „in der Wissenschaft (aber) ist Deutschland geeint, in der Wissenschaft ist Deutschland geachtet vom Auslande in den Wissenschaften ist (Deutschland) groß und mächtig. So ist auch das germanische Museum ungefährdet geblieben als die Zeitereignisse den Bundestag gelöscht und Staaten niedergeworfen haben"[174]. Zudem konnte man feststellen, daß das Interesse an Erscheinungen des nationalen Lebens nach dem Krieg genauso stark sei wie früher; auch das komme der Museumsarbeit zugute. Ein Jahr nach Kriegsschluß schrieb Essenwein: „Der politische Zustand Deutschlands hat in den letzten Jahren eine wesentliche Umgestaltung erfahren. Allein, wie sehr auch die Ansichten über den Werth des neugeschaffenen Zustandes auseinandergehen, jede Partei glaubt auf echt deutschem Standpunkte zu stehen, und nie ist der nationale Gedanke mehr genannt worden, als in dem eben ablaufenden Jahre, und das Gefühl des Deutschthums, das alle Parteien mächtig durchdrungen, hat nicht wenig dazu beigetragen, daß das germanische Museum im Sturm und Drange der Zeit nicht nur nicht vergessen wurde, ja, daß sich ihm neue Hilfsquellen erschlossen haben"[175]. Wichtig war schließlich, daß diese Erklärungen für den Fortbestand des Museums auch von der politischen Öffentlichkeit als zutreffend anerkannt wurden. Im Mai 1868 schrieb der für die Angelegenheiten der Nürnberger Anstalt zuständige Referent des bayerischen Kultusministeriums, Ministerialrat Joseph Giehrl: „Die Erschütterungen des Jahres 1866 haben demselben (i. e. dem Museum) zwar manche Einbuße gebracht, der Gedanke aber, auf dem die Anstalt beruht, hat die Zerrüttung des politischen Systems Deutschlands, welches in Folge der Ereignisse des genannten Jahres eingetreten ist, überlebt"[176].

Die Pflege der dem Museumskonzept zugrunde liegenden Vorstellung von der deutschen Nation als der wahren Eigentümerin der Anstalt war für die Fortführung der Museumsarbeit unerläßlich. War man bei dieser Zuweisung des Instituts an alle Deutschen schon in den fünfziger Jahren über die Grenzen des damaligen deutschen Gesamtstaates bewußt hinausgegangen, so glaubte man nun mit noch größerer Berechtigung an dem Gedanken festhalten zu müssen, das Museum sei „das einzige Eigenthum des gesammten deutschen Volkes"[177]. Um keinen Zweifel an

[173] Essenwein an den Ulmer Stadtrat Philipp Ludwig Adam, Mitglied des Verwaltungsausschusses, Nürnberg, 9.9.1866, Reinkonzept; Altregistratur GNM, Kapsel 14. Mit der Flotte ist die Reichsmarine von 1848/49 gemeint; Essenwein bemühte sich damals, eventuell noch vorhandene Gelder des deutschen Flottenvereins dem Germanischen Nationalmuseum zuzuführen, s. u. S. 173–174. Die organisatorische Unabhängigkeit des Museums wurde wenig später auch vom bayerischen Kultusminister Franz von Gresser gegenüber als entscheidend für den Fortbestand des Museums genannt: „Dank seiner Selbständigkeit ... konnte es den Sturz des Bundestags und mancher Staaten überdauern" (Essenwein an Gresser, Nürnberg, 22.9.1866, Ausfertigung; Archiv M, MK 14189).

[174] Essenwein an die Frankfurter Bundesliquidationskommission, Nürnberg, 16.10.1866, Reinkonzept; Altregistratur GNM, Kapsel 25. Ähnlich heißt es im Anzeiger GNM vom 15.9.1866: das Germanische Nationalmuseum „ist ein Institut deutscher Wissenschaft, ein Band, das durch keine äußere Gewalt gesprengt werden kann" (Chronik des germanischen Museums. In: Anzeiger GNM 1866, Sp. 313–318 [313]).

[175] Promemoria, das germanische Museum zu Nürnberg betreffend; Archiv M, MK 14189. Diese Denkschrift sollte den Mitgliedern des bayerischen Landtags zugeleitet werden, um sie davon zu überzeugen, daß eine Erhöhung des Staatszuschusses unbedingt erforderlich sei. Die Übernahme des Protektorats über das Germanische Nationalmuseum durch König Ludwig II. (s. u.) machte diese Denkschrift in den Augen Essenweins überflüssig, sie ist lediglich dem bayerischen Kultusminister zur Kenntnisnahme übermittelt worden (Essenwein an Gresser, Nürnberg, 5.12.1867, Ausfertigung; Archiv M, MK 14189).

[176] Aufzeichnung Giehrls für Ludwig II., München, 14.5.1868, Ausfertigung; Archiv M, MK 14190.

[177] Chronik des germanischen Museums. In: Anzeiger GNM 1866, Sp. 313–318 (313).

der Überzeugung aufkommen zu lassen, daß die politischen Veränderungen des Jahres 1866 den Zustand der Nation und deshalb auch deren Funktion als Besitzerin des Museums nicht berührt hätten, betonte Essenwein sowohl gegenüber Bismarck als auch gegenüber der Frankfurter Bundesliquidationskommission, also in offiziellen Äußerungen, die Nürnberger Anstalt sei das „Eigenthum des gesamten deutschen Volkes und auch derjenigen Stäme, die politisch nicht mehr mit Deutschland verbunden sind, wie die Schweiz, Elsaß usw. u jetzt Österreich"[178]. Damit korrespondierte die Feststellung, bisher habe sich der „nationale Gedanke eines germanischen Museums . . . vorzugsweise in der Betheiligung Aller im weiten Vaterlande geltend gemacht, und auch ferner wird diese Theilnahme der ganzen Nation ein schönes Zeichen der Zusammengehörigkeit aller Stämme sein"[179], „Die Regierungen Preußens und Oesterreichs, fast alle Regierungen und Fürsten des Nordens und des Südens und das gesammte Volk aus allen Gauen Deutschlands, ohne Rücksicht auf Stamm oder politische Färbung, unterstützen die Anstalt, und durch ihre reichlichen Beiträge steht sie anerkannt als ein mächtiger Faktor für das wissenschaftliche Leben Deutschlands da"[180].

Klar wurde hier ausgesprochen, daß auch die Aufgaben, zu deren Erfüllung das Museum ins Leben gerufen worden war, dieselben blieben. Nach wie vor wurde der Sinn dieses „der Vorzeit des Gesammtvaterlandes" gewidmeten Instituts[181] darin gesehen, als „ein mächtiges Förderungsmittel deutscher Wissenschaft und deutscher Kunst" zu wirken[182] und in seinen Sammlungen „dem deutschen Volke eine so große Erinnerung an seine glorreiche Vergangenheit" zu geben[183], um „in trüben Tagen der Trost der Nation" zu sein[184] und zu einem „Ehrendenkmal" des deutschen Volkes zu werden[185]. „Die deutsche Wissenschaft, die deutsche Kultur, ist ja der gemeinsame Boden, auf dem das ganze Volk zu einem Werke des Friedens sich die Hand reichen möge. Wenn auch Stammesverschiedenheiten, wenn religiöse Differenzen, politische Fragen die Nation trennten, die Früchte des deutschen Geistes haben stets die Trennung auszugleichen und die Nation als solche zu erhalten gewußt. Was der Gelehrte geschaffen, wie die Werke der Dichter und Künstler, welches auch ihre engere Heimat sei, sind Früchte des großen deutschen Geistes, der in allen Stämmen lebendig ist, aus dem alle Künstler und Dichter geschöpft, wie ihre Werke hinwiederum überallhin gehen, so weit die deutsche Zunge klingt. Deutsche Wissenschaft und deutsche Kunst halten auch jetzt alle Stämme der Nation hoch; . . ."[186].

Ebenso wie bei dem Festhalten an der Vorstellung, die Nürnberger Anstalt sei der Besitz des ganzen deutschen Volkes, zeigte auch die hier ausgesprochene Zuversicht in das Fortbestehen einer allen Deutschen gemeinsamen Kultur, daß Essenwein und seine Mitarbeiter ihre Überlegungen aus der zutreffenden Einsicht herleiteten, der Zustand der Nation habe sich durch die Vorgänge des Jahres 1866 nicht verändert, so daß die spezifisch nationalen Funktionen des Museums ihre

[178] Essenwein an Bismarck, Anfang August 1866, Konzept; Altregistratur GNM, Kapsel 14; vgl. o. Anm. 171. In dem Schreiben an die Frankfurter Kommission hieß es: „Nach den Satzungen des germanischen Museums . . ., ist das Museum gemeinsames untheilbares und unveräußerliches Eigenthum aller Deutschen, sowohl derjenigen die jetzt noch politisch zu Deutschland gehören als derjenigen, die davon getrent sind, wie die Schweiz, Elsaß, die russischen Ostseeprovinzen" (Essenwein an Bundesliquidationskommission, Nürnberg, 16. 10. 1866, Reinkonzept; Altregistratur GNM, Kapsel 25). Daß in diesem zweiten Schreiben der staatliche Ausschluß Österreichs unerwähnt blieb, läßt sich vermutlich mit einer Rücksichtnahme Essenweins auf die Tatsache erklären, daß dieser Kommission auch noch ein Vertreter der Wiener Regierung angehörte.
[179] Chronik des germanischen Museums. In: Anzeiger GNM 1867, Sp. 377–380 (377).
[180] Promemoria (Anm. 175).
[181] Chronik des germanischen Museums. In: Anzeiger GNM 1866, Sp. 97–104 (97).
[182] Jahresbericht GNM 15 (für 1868), 1869, (S. 3).
[183] Essenwein an Ludwig II., Nürnberg, 1. 2. 1868, Ausfertigung; Archiv M, MK 14190.
[184] Essenwein an Ludwig I., Nürnberg, 25. 6. 1866, Reinkonzept; Altregistratur GNM, Kapsel 14.
[185] Chronik des germanischen Museums. In: Anzeiger GNM 1869, Sp. 173–178 (174).
[186] Jahresbericht GNM 16 (für 1869), 1870, (S. 3).

Bedeutung behalten hätten. Die Beachtung der neuen politischen Lage führte die Museumsleitung sogar zu der Überzeugung, der Nutzen, den die Nation aus der Tätigkeit der Anstalt ziehen sollte, habe eher noch zugenommen. Immer wieder wurde mit Nachdruck darauf hingewiesen, daß, nachdem „die politischen Bande gesprengt sind, welche die Glieder des alten deutschen Reiches bisher noch zusammenhielten, ... das germanische Museum eine erhöhte nationale Bedeutung erhalten" habe[187]. Das Nürnberger Museum sei das einzige noch vorhandene deutsche Nationalinstitut[188], „das nationale Band, welches jetzt Deutschlands Stäme umschließt"[189], und somit ein „Zeichen deutscher Einmüthigkeit"[190] und ein Beweis dafür, „daß die deutsche Nation Gemeinsinn hat"[191]. Der Patriotismus habe „nun kein anderes greifbares Objekt mehr" und möge sich „desto eifriger ... unserer Sache annehmen"; vor allem „die jetzt politisch ganz von Deutschland getrennten Stämme" sollten an diesem geistigen Einheitsband festhalten, „das Alle freiwillig und selbstthätig um sich geknüpft haben"[192].

Es war ein Beweis für die konsequente Beachtung der nationalen Prinzipien, nach denen das Museum eingerichtet worden war, daß ebenso wie in der Gründungsphase auch jetzt die Institutsleitung es vermied, mit solchen aktualisierenden Erläuterungen des Museumsprogramms zu den drängenden Problemen der deutschen Politik in diesen Jahren Stellung zu nehmen. Der hier zitierte Appell an die Deutschen in der Habsburgermonarchie ist in der Erregung der Stunde – im September 1866 – im Vergleich zu anderen Äußerungen fast schon zu deutlich ausgefallen[193]. Sonst begnügte man sich mit dem Hinweis auf die Fortdauer der geistigen Einheit der Nation und einem vorsichtigen Bedauern über die bisher mißglückten Versuche, die Deutschen politisch zu einigen: „Wir geben uns der frohen Hoffnung hin, daß das Volk sich um unsere Anstalt schaaren werde, in der ja ein Symbol der langersehnten Einigung gegeben ist, für die man auf politischen Gebieten noch immer die Form nicht gefunden hat, die Allen zusagte"[194]. Noch aus dem Juni 1870 ist ein Zeugnis dieser nationalpolitischen Zurückhaltung überliefert; im Vorwort zum Tätigkeitsbericht schrieb damals Essenwein: „Die ganze deutsche Nation, an deren Spitze Deutschlands Fürsten und Regierungen, ihnen folgend Tausende und aber Tausende aus allen Ständen, allen Gauen, ohne Unterschied des Stammes, ohne Rücksicht auf religiöses Bekenntniß, noch auf politische Parteistellung, haben ... das Ihrige gethan und es übernommen, auch in Zukunft weiter zu sorgen für die Anstalt, welche als eine gemeinsame That zeigt, daß die deutsche Nation, auch ohne politische Einheit, doch ein einheitliches, großes Ganze ist"[195].

Aber alle diese recht allgemein gehaltenen Äußerungen über die Gesamtnation als Eigentümerin der Anstalt und über das Fortgelten der nationalen Museumsaufgaben dürfen nicht zu dem Schluß führen, man habe in Nürnberg den Ereignissen von 1866 und ihren Auswirkungen unbeteiligt und uninteressiert gegenübergestanden. Die Bemühungen der Institutsleitung um allein tagespolitisch zu begründende Erweiterungen der Sammlungen und um einen erfolgversprechenden Ausweg aus den finanziellen Schwierigkeiten, in denen sich das Museum, im Grunde seit seinen Anfängen,

---

[187] Chronik des germanischen Museums. In: Anzeiger GNM 1866, Sp. 313–318 (313).
[188] Essenwein an Adam, Nürnberg, 9.9.1866, Reinkonzept; Altregistratur GNM, Kapsel 14.
[189] Essenwein an Bundesliquidationskommission, Nürnberg, 16.10.1866, Reinkonzept; Altregistratur GNM, Kapsel 25.
[190] Chronik des germanischen Museums. In: Anzeiger GNM 1869, Sp. 305–310 (305).
[191] Chronik des germanischen Museums. In: Anzeiger GNM 1869, Sp. 173–178 (175).
[192] Chronik des germanischen Museums. In: Anzeiger GNM 1866, Sp. 313–318 (313).
[193] Es war bezeichnend, daß im unmittelbaren Zusammenhang mit dieser Aufforderung an die Deutschen in Österreich ein österreichischer Brief auszugsweise abgedruckt wurde, der die Behauptung enthielt, „ohne deutsche Kultur gibt es in Österreich überhaupt keine Kultur" (Chronik [Anm. 192], Sp. 313). Solche nationalistischen Entgleisungen sind in den Papieren des Museums sonst nicht zu finden.
[194] Chronik des germanischen Museums. In: Anzeiger GNM 1867, Sp. 17–24 (17).
[195] Essenwein, Bericht 1870, S. 2; in diesem Band S. 994. Das Vorwort ist mit „Juni 1870" datiert.

befand, zeigen deutlich, daß man die politischen Veränderungen sehr aufmerksam zur Kenntnis genommen hatte und sie geschickt und zielstrebig zum Besten des Museums auszunutzen suchte. So vermochte man bereits im August 1866 dem sonst aufrichtig beklagten Bruderkrieg auch eine günstige Seite abzugewinnen. Die Besetzung Nürnbergs durch preußische Truppen führte die Museumsleitung zu der Feststellung, die „nationale Bedeutung unserer Anstalt und die allgemeine Theilnahme aller deutschen Bruderstämme hat sich auch bei diesem Anlasse auf's glänzendste bewährt", weil zahlreiche Angehörige der Okkupationsarmee die Gelegenheit wahrgenommen hätten, die Sammlungen des Museums eingehend zu besichtigen: „Mancher langjährige auswärtige Freund und Förderer des Museums wurde so durch den Gang des Krieges in's Museum geführt, mancher neue Freund gewonnen"[196].

Mitten hinein in die hohe Politik führte der Versuch Essenweins, in den Prager Friedensvertrag eine Bestimmung aufnehmen zu lassen, durch die der österreichische Kaiser verpflichtet werden sollte, die Reichskleinodien, die „nach Auflösung des Reiches herrenloses Gut" geworden seien und auf die Österreich weder einen Rechtstitel gehabt habe noch geltend gemacht hätte, nach Nürnberg bringen zu lassen, wo das Germanische Nationalmuseum „der richtigste Ort für die Aufbewahrung der jedem Deutschen hochwichtigen historischen Erinnerungszeichen" sei[197]. So sehr war Essenwein darum bemüht, die vermeintliche Gunst der Stunde zu nutzen und eine wertvolle Erwerbung für seine Anstalt in die Wege zu leiten, daß er gar nicht bemerkte, daß die Gründe, mit denen er Bismarck von der Berechtigung dieses Wunsches zu überzeugen suchte, in sich nicht schlüssig waren und zudem den zahlreichen soeben dargelegten programmatischen Äußerungen der Museumsführung über den unverändert gebliebenen Zustand der Nation deutlich widersprachen. Ungewöhnlich war schon, daß Essenwein seinen Antrag ausdrücklich auf die damals vollzogene staatsrechtliche Umgestaltung Deutschlands stützte, während sonst immer nur von der unpolitisch, unstaatlich verstandenen Nation aus argumentiert wurde. „Das deutsche Volk kañ jetzt nachdem Österreich aus Deutschland ausgeschieden ist, nachdem es die Verbindung mit den anderen Stämen gelöst hat, diese Reliquien nicht mehr außerhalb Deutschlands in Österreich lassen; es muß sie in seiner Mitte haben." Demgegenüber wurde der Anspruch des Germanischen Nationalmuseums als des Instituts, „wo sie naturgemäß jetzt ihre Aufbewahrung finden müssen", gerade mit dem Charakter der Nürnberger Anstalt als „Eigenthum des gesamten deutschen Volkes und auch derjenigen Stäme, die politisch nicht mehr mit Deutschland verbunden sind", begründet. Der Hinweis schließlich, „daß Nürnberg fast im Herzen Deutschlands ist, daß also diese Insignien im Falle einer Gefahr von außen stets leicht nach Norden oder Süden, Osten (!) oder Westen gerettet werden köñen", ist mit der zu Beginn aufgestellten und allein im politischen Sinn zutreffenden Behauptung, Österreich sei kein Teil Deutschlands mehr, überhaupt nicht zur Deckung zu bringen. Am ehesten überzeugen noch die lokalhistorischen und museumsbezogenen Argumente: „. . . so koñt endlich noch dazu, daß Nürnberg die Stadt ist, der das Recht der Aufbewahrung bis zum Untergange des Reiches zustand, daß im germanischen Museum selbst sich noch der kostbare Schrein befindet in dem ehemals die Insignien u Reliquien aufbewahrt wurden. Auch sollten die

[196] Chronik des germanischen Museums. In: Anzeiger GNM 1866 (15.8.), Sp. 281–288 (281).
[197] Essenwein an Bismarck (Anm. 171). Dieses undatierte Schriftstück enthält keinen Vermerk über eine Expedierung; aus dem bereits erwähnten Schreiben Essenweins an Adam vom 9.9.1866 (Anm. 173) ergibt sich aber zweifelsfrei, daß dieser Brief an Bismarck abgeschickt wurde: „Ich habe vor wenigen Wochen, als eben die Friedensverhandlungen Preussens mit Österreich beginen sollten, den Grafen Bismarck darauf aufmerksam gemacht, daß Österreich noch die deutschen Reichskleinodien besitzt, die im germanischen Museum ihre einzige naturgemäße Stellung haben und gebeten beim Friedensschlusse darauf Rücksicht nehmen zu wollen; ich habe nicht gehört, daß dies der Fall war". Auch die folgenden in diesem Abschnitt verwendeten Zitate sind dem Brief Essenweins an Bismarck entnommen.

Insignien so lange das Reich dauerte an geweihter Stelle aufbewahrt werden. Das germanische Museum ist in der Lage (in) einer über der Sakristei seiner jetzt als Kunsthalle dienenden Kirche befindlichen Kapelle, die in gothischem Stil erbaut, ganz gewölbt ist, noch den alten Altar hat eine Stätte bieten zu köñen, die auch in dieser Rücksicht der Würde der Gegenstände vollkom̄en entspräche".

Bismarck ist auf diese Anregungen nicht eingegangen[198]. Essenwein aber hat die Verwirklichung seines Plans nicht aufgegeben. Als er, wie noch gezeigt werden wird, im Februar 1868 durch Vermittlung des bayerischen Königs eine „Neutralisierung" des Germanischen Nationalmuseums erreichen wollte, war eines der mit besonderem Nachdruck vorgetragenen Argumente die mögliche Aufbewahrung der Reichskleinodien in der Nürnberger Anstalt. „Wenn sie auch im jetzigen Momente keine politische Bedeutung haben, so könnte in Zukunft auf irgend einer Seite der Wunsch sich regen, ihnen eine solche zu geben und Se Majestät der Kaiser von Österreich dürfte schwerlich geneigt sein, sie wieder nach Nürnberg zu geben, wenn nicht durch Neutralität der Anstalt die Gewähr geleistet ist, daß keine Macht sie derselben entziehen kann, während er kaum Anstand nehmen könnte, sie einer Anstalt zu geben, deren gesammtdeutscher Charakter durch alle Regierungen direkt anerkannt ist und durch keine politische Bewegung alterirt werden kann, an der Österreich in jedem Falle Theil nimmt, wie auch die politischen Verhältnisse der Zukunft sich gestalten mögen"[199].

Mehr Erfolg hatte Essenwein mit seinem Versuch, bei der materiellen Liquidierung des Deutschen Bundes „dasjenige unter dem Eigenthum des Bundes, das historischen Werth hat, zur immerwährenden Aufbewahrung" für das Germanische Nationalmuseum zu erwerben[200]. Die Anregung dazu scheint von dem Ulmer Stadtrat Philipp Ludwig Adam, einem offensichtlich rührigen Mitglied des Verwaltungsausschusses[201], ausgegangen zu sein. Bereits Anfang September 1866 schrieb Adam an Essenwein: „Ich werde mir angelegen sein lassen, daß der württ. Bevollmächtigte der Commission für Vertheilung des Bundeseigenthums dahin instruirt werde, das Germ(anische) M(useum) als Depositar deutscher Verlassenschaften zu bedenken, zweifle aber nicht, daß auch von Ihnen bei dieser Commission direkt darum nachgesucht werde"[202]. Fünf Wochen später wandte sich Essenwein mit dieser Bitte unmittelbar an die Bundesliquidationskommission in Frankfurt, die inzwischen ihre Arbeit aufgenommen hatte[203].

Im Januar 1867 beschloß diese Kommission, das „vorhandene Bundesmobiliar aller Art" öffentlich versteigern zu lassen, „Gegenstände von geschichtlichem Interesse" aber, die von der Kom-

---

[198] Die damalige Aktion Essenweins scheint unbekannt geblieben zu sein. Im November 1870 wurde in der deutschen Presse in einem unsignierten Artikel, dessen Verfasser dem Germanischen Nationalmuseum anscheinend nahestand, eine solche Forderung auf Übertragung der Reichskleinodien nach Nürnberg öffentlich erhoben. Ausdrücklich wurde aber festgestellt: „Wenn im Jahre 1866 die Frage danach nicht auftauchte, so lag dieß einerseits daran, daß der Herr der Situation von damals Gf. Bismarck nicht an die Geschichte des deutschen Reiches anknüpfte, und andererseits daß dieselbe Gewalt, die ihm ein Halt in der Gestaltung der politischen Einheit des um Oesterreich verkleinerten Deutschlands auferlegt hatte (i. e. Frankreich), auch in der Anknüpfung an die Kaisererinnerung eine Kriegserklärung gegen sich gesehen hätte". Der Zeitungsartikel ist als Anlage 15a abgedruckt bei Theodor Schieder: Das Deutsche Kaiserreich von 1871 als Nationalstaat (Wissenschaftliche Abhandlungen der Arbeitsgemeinschaft für Forschung des Landes Nordrhein-Westfalen, Bd. 20). Köln 1961, S. 160–163 (161).
[199] Essenwein an Ludwig II., Nürnberg, 1.2.1868, Ausfertigung; Archiv M, MK 14190.
[200] Essenwein an Bundesliquidationskommission, Nürnberg, 16.10.1866, Reinkonzept; Altregistratur GNM, Kapsel 25.
[201] „Ich weiß wohl, daß ich mich an einen Mañ wende, der beschäftigt genug ist ... Ich weiß aber auch daß dieser Mañ den deutschen Nationalfragen seine ganze Kraft gewidmet hat" (Essenwein an Adam, Nürnberg, 9.9.1866, Reinkonzept; Altregistratur GNM, Kapsel 14).
[202] Adam an Essenwein, Ulm, 10.9.1866, Ausfertigung; Altregistratur GNM, Kapsel 14.
[203] Essenwein an Bundesliquidationskommission, Nürnberg, 16.10.1866, Reinkonzept; Altregistratur GNM, Kapsel 25. Wie noch gezeigt werden wird, war Essenwein allerdings nicht in erster Linie an der Übernahme von historisch bedeutsamen Einrichtungsgegenständen des Bundestags interessiert, sondern an der Zuweisung eines möglichst großen Teils des Bundesvermögens, das jetzt liquidiert wurde.

mission im einzelnen noch zu bezeichnen seien, sollten von diesem Verkauf ausgenommen werden; „in Betreff deren Uebernahme und Aufbewahrung" solle sich die Kommission mit dem Germanischen Nationalmuseum in Verbindung setzen[204]. Es handelte sich dabei um „Gegenstände aus der Paulskirche, dem Sitzungslocale der ersten deutschen Nationalversammlung"[205], und um „Modelle aus dem Reichs-Marine-Ministerium" von 1848/49. „Bei dem historischen Werthe, welchen alle diese, wenn auch zum Theil an sich unbedeutenden Gegenstände haben, darf erwartet werden, daß das Germanische Museum zu Nürnberg sich zur Uebernahme und Aufbewahrung derselben geneigt zeigen werde"[206]. Essenwein war bereit, „die im . . . Bundeseigenthum befindlichen historischen Reliquien" zu übernehmen. „Wenn auch manche der Gegenstände keinen großen materiellen Werth haben, so sind sie so interessante Eriñerungen an eine wichtige Zeit, daß sicher Jedermañ der Siñ für historische Eriñerungen hat, dem Beschlusse der Commission Dank wissen wird, diese Erinnerungszeichen auf historischem Boden aufzubewahren." Ausdrücklich betonte er aber, daß seine Zusage eine nationalpolitische Konzession darstelle, denn in „die der Vorzeit gewidmeten nach wissenschaftlichem System geordneten Sammlungen köñen" diese „uns angebotenen historischen Reliquien . . . nicht eingereiht werden"[207]. Unerfüllt blieb Essenweins Bitte, auch das Mobiliar „des Sitzungszimmers der Bundesversam̃lung", das „sicher nicht minder hohen Werth auf Beachtung" habe, vor allem den „grüne(n) Tisch von dem Deutschlands Schicksale ein halbes Jahrhundert geleitet wurden, sowie die Sessel auf denen die Bevollmächtigten aller Staaten des Bundes Platz genom̃en haben", dem Museum zu überlassen[208]. Lediglich der österreichische Bevollmächtigte bei der Bundesliquidationskommission, von Dumreicher, ließ mitteilen, „daß er von seiner Regierung ermächtigt sei, die derselben eigenthümlich gehörigen Einrichtungs-Gegenstände des Sitzungszimmers der vormaligen Bundesversammlung an das Germanische Museum zu Nürnberg abzugeben"[209].

Für die Untersuchung der Beziehungen zwischen dem Germanischen Nationalmuseum und der deutschen Nation ist an diesen nur zum Teil erfolgreich verlaufenen Versuchen um eine nicht durch die Satzung gedeckte, ausschließlich national motivierte Aktualisierung des Sammlungsprogramms vor allem die Tatsache wichtig, daß die von der Institutsleitung angesprochenen staatlichen Stellen nur soweit auf solche Wünsche eingingen, als politische Folgen aus der Deponierung der erbetenen Objekte in Nürnberg nicht zu befürchten waren. Die Rückführung der Reichskleinodien aus Wien nach Nürnberg, unmittelbar nach dem Ende des Krieges, wäre nicht nur eine bedeutsame nationalpolitische Demonstration gewesen, sondern hätte, gerade wegen des Symbolgehalts dieser Übertragung, von der Führungsschicht der Habsburgermonarchie als eine unnötige und darum um so schmerzhaftere Demütigung empfunden werden müssen; die im europäischen Interesse nötige Normalisierung der Beziehungen Österreichs zu dem im Entstehen begriffenen kleindeutschen Nationalstaat wäre dadurch gewiß nicht erleichtert worden[210]. Essenwein scheint

[204] 22. Sitzung der Bundesliquidationskommission, 30. 1. 1867, Beilage 1; Archiv F, Protokolle der Bundesliquidationskommission, S. 152.
[205] Im einzelnen: „1. das Bildniß des Reichsverwesers mit Familie . . ., 2. eine Ehrentafel aus dem Schleswig-Holsteinischen Feldzuge von 1848, 3. ein Tableau, die Wiedergeburt Deutschlands darstellend, von Steinpappe, 4. ein Tableau, die Germania darstellend, auf Leinwand gemalt, 5. ein großer deutscher Reichsadler auf Goldgrund, 6. ein kleiner Reichsadler, 7. fünf Stimmvasen von Blech lackirt (schwarz roth gold), 8. viele Fahnen mit den deutschen Farben, 9. vier Kandelaber von Bronze (für Gas), 10. zwei Gasarme von Bronze".
[206] Bundesliquidationskommission an Essenwein, Frankfurt, 26. 2. 1867, Ausfertigung; Altregistratur GNM, Kapsel 25.
[207] Essenwein an Bundesliquidationskommission, Nürnberg, 2. 3. 1867, Reinkonzept; Altregistratur GNM, Kapsel 25.
[208] Essenwein an Bundesliquidationskommission (Anm. 207).
[209] Von Schuberth, bayerischer Bevollmächtigter bei der Bundesliquidationskommission, an Essenwein, Frankfurt, 3. 7. 1867, Ausfertigung; Altregistratur GNM, Kapsel 25.
[210] Es ist unbekannt, ob Essenweins Antrag die preußische Staatsleitung überhaupt erreicht hat, aber was wir von Bismarcks deutscher Politik im Jahr 1866 wissen, legt den Schluß nahe, daß der preußische Ministerpräsident nicht bereit gewesen wäre, die Auslieferung der Reichskleinodien in die Friedensbedingungen aufzunehmen.

diese möglichen internationalen Konsequenzen einer Übernahme der Reichskleinodien durch das Germanische Nationalmuseum später auch selbst erkannt zu haben, die nicht ungeschickte Verknüpfung dieses Projekts mit seinem Neutralisierungsvorschlag von 1868 jedenfalls legt dies nahe: sie entsprach weit eher dem sonst befolgten nationalen Museumsprogramm als die aufgeregte Aktion aus dem August 1866.

Eine ähnliche Dominanz politisch bestimmter Überlegungen zeigte auch das Verhalten der Frankfurter Kommission. Es war gewiß ein eindrucksvolles Zeugnis für die Bedeutung, die dem Nürnberger Museum als nationalem Institut nach nur knapp eineinhalb Jahrzehnten seiner Tätigkeit von der politischen Öffentlichkeit in Deutschland zugesprochen wurde, daß es als selbstverständlich galt, Stücke des Bundesvermögens, die man für historisch nicht uninteressant halten mochte, dieser Anstalt zu überlassen. Aber nicht Essenwein wurde eingeladen sich auszusuchen, was er erwerben wollte, sondern im Protokoll der entscheidenden Sitzung ist ausdrücklich festgehalten, daß die Kommission diese Objekte bestimmen werde. Auch handelte es sich – bis auf die späte österreichische Spende – nicht um Gegenstände aus dem Gebrauch des Bundestags, sondern aus dem Gebrauch des Episode gebliebenen Paulskirchenparlaments, die bisher in der Verwahrung der Bundesversammlung gewesen waren und deren Bedeutung für die Nationalgeschichte zudem nicht gerade hoch anzusetzen war. Essenwein hat das ihm von der Bundesliquidationskommission gemachte Angebot selbstverständlich nicht zurückgewiesen, aber er hat sich auch keineswegs mit derselben hartnäckigen Beredsamkeit um den Erwerb dieser „Reliquien" bemüht wie um den der Reichskleinodien. Im übrigen entsprach es ganz dem in der Gründungsphase entwickelten nationalen Museumskonzept, daß in beiden Fällen nicht der kunsthistorische Wert der erbetenen Gegenstände, sondern deren tatsächliche oder vermeintliche Bedeutung für die deutsche Nationalgeschichte entscheidend waren für die Anträge der Museumsleitung.

Die organisatorische Selbständigkeit des Germanischen Nationalmuseums, die sich in den Ereignissen von 1866 so augenfällig bewährt hat, war mit der Unsicherheit seiner materiellen Lage erkauft. Nach wie vor lebte die Anstalt von freiwilligen Zuwendungen aus öffentlicher und privater Hand. Vor allem der durch eine großherzige Schenkung Ludwigs I. in die Wege geleitete Erwerb der Sammlungen des Freiherrn von Aufseß im Jahre 1864, ohne die der Fortbestand des Museums sinnlos geworden wäre, hatte der Direktion die Verpflichtung auferlegt, dem inzwischen aus der Leitung des Instituts ausgeschiedenen Gründer innerhalb einer nicht zu weit bemessenen Frist eine von diesem zunächst gestundete Schuld in Höhe von 70000 fl zu zahlen[211]. Essenwein versuchte auch hier, die politischen Veränderungen des Jahres 1866 einer Verbesserung der finanziellen Situation des Museums dienstbar zu machen.

Als erstes bemühte sich Essenwein, Gelder von Vereinen, die durch die „politischen Ereignisse ... über den Haufen geworfen" worden seien, „einer freiwilligen Annexion (zu) unterwerfen"[212]. Anfang September 1866 bat er mehrere Mitglieder des Verwaltungsausschusses, ihm „behilflich sein zu wollen, daß die noch disponiblen Gelder welche seiner Zeit für die deutsche Flotte gesam̃elt wurden, ebenso wie noch die disponiblen Schleswig-Holsteingelder dem germanischen Museum ... zugewiesen werden. ... Das Geld wäre für die Entwicklung des Museums ungeheuer wichtig; noch werthvoller wäre es aber um des Eindruckes willen, den eine Überweisung an das Museum auf das Volk machen würde"[213].

Der Erfolg dieser Aktion scheint gering gewesen zu sein. Der Erlanger Germanist Rudolf von Raumer schrieb: „Die Schleswig-Holstein-Vereine, fürchte ich, dürften es meist so gemacht haben

[211] Vgl. dazu Hampe, Festschrift, S. 79–81.
[212] Essenwein an Adam, Nürnberg, 9.9.1866, Reinkonzept; Altregistratur GNM, Kapsel 14.
[213] Essenwein an Adam (Anm. 212).

wie der unsrige, daß sie nämlich aus ihren Kassenresten ... die Kriegsbeschädigten unterstützt haben. ... die Flottengelder werden größtentheils an Preußen gelangt sein. Wo dieß nicht der Fall ist, möchten sie sich zumeist in demokratischen Händen befinden, und obschon wir mit allen Parteien auf national deutschem, mithin auf bestem Fuße stehen, dürfte doch nur ein Theil der Demokraten Sinn für unsere Bestrebungen haben"[214]. Der Ulmer Stadtrat Adam berichtete, die Kasse des großdeutschen Vereins für Württemberg leide „selbst an einem Defizit und kann daher anderen Defiziten nicht aushelfen. Dagegen hat der deutsche Reformverein ... noch einen Kassenvorrath von einigen hundert Gulden". Auch verwies er auf „großdeutsche Vereinsgelder" in anderen deutschen Staaten, gab aber zu bedenken, daß „die meisten Vereinskassen das Sinken der großdeutschen Hoffnungen auch im Sinken ihrer Einnahmen empfunden haben (werden)"[215]. Ein Gewährsmann aus Darmstadt schließlich vertröstete Essenwein mit einer anschaulichen Beschreibung der Situation in einem nicht annektierten deutschen Mittelstaat unmittelbar nach dem Krieg von 1866 auf die Zukunft: „Der dermal, factisch wenigstens erloschene, hiesige großdeutsche Verein besitzt zwar allerdings noch einen Cassavorrath von ca. 200 fl, ... allein es steht mir keine Befugniß zu"; nur der Verein als ganzer dürfte darüber entscheiden. „Indessen kann ich nach der jetzigen Lage der politischen Verhältniße, insbesondere der unglücklichen Lage unseres Großherzogthums auf beiden Seiten des Mains, eine Versammlung noch nicht einladen, um über unser Verhalten für die Zukunft deliberiren zu lassen, namentlich da wir jetzt noch nicht wissen können, inwiefern wir noch für unsere Ansichten und unsere Zwecke Geldmittel nöthig haben? Auf dem Wege von Privatsammlungen ist hier gar nichts zu erreichen. Nachdem unser Land erst lange Zeit Bundestruppen beherbergt hatte, hat später und bis heute die preußische Bruderhand schwer auf uns gelastet"[216].

Sollten auf diese Weise Gelder von politisch für überholt gehaltenen nationalen Vereinen einem neuen patriotischen Zweck zugeführt werden, so waren die Bemühungen Essenweins um eine Zuwendung aus dem jetzt nutzlos gewordenen Bundesvermögen der letzte Versuch der Museumsleitung, doch noch eine finanzielle Förderung durch den inzwischen aufgelösten gesamtdeutschen Staat zu erhalten. Im Oktober 1866 verband Essenwein in einer umfangreichen Eingabe an die Frankfurter Liquidationskommission die Anerkennung der neuen politischen Lage geschickt mit dem überstaatlichen Nationalprogramm der Nürnberger Anstalt und verwies auf die Ähnlichkeit der Beziehungen, die das Museum wie den alten Bundestag mit dem deutschen Volk verbanden. „Nach Auflösung des Bundes ist nun das germanische Museum an die Unterstützung der einzelnen höchsten und hohen Regierungen gewiesen, die ehemals den deutschen Bund bildeten, und die fast ohne Ausnahme dem Institute nicht blos hohes Wohlwollen, sondern auch materielle Unterstützung gewähren. ... Es gibt sich ... deßhalb auch der freudigen Hoffnung hin, daß die hohen Regierungen geneigt sein werden, dem Institute, das nun das einzige gemeinsame Eigenthum aller Deutschen ist, in diesem Augenblicke auch jetzt eine Begünstigung zuzuwenden. ... Das germanische Museum ... ist ... anerkañt von Deutschland selbst u. vom Auslande als eine Stätte des Wissens, die dem deutschen Namen Ehre macht. Aber Anerkennung ist für sein ferneres Gedeihen allein nicht hinreichend, es bedarf auch materieller Mittel. Um solche wendet sich das einzige nationale Band, welches jetzt Deutschlands Stäme umschließt an eine hohe Comission. Das Eigenthum des Bundestags war gemeinsames deutsches Eigenthum, wie es das germanische Museum noch ist. Die gemeinsame deutsche Stiftung besitzt durchaus kein zinsbringendes Vermögen und ist dadurch so vielfältig in seiner Thätigkeit u Entwicklung gehemt. Mögen die höchsten und

[214] Raumer an Essenwein, Erlangen, 6.9.1866, Ausfertigung; Altregistratur GNM, Kapsel 14.
[215] Adam an Essenwein, Ulm, 10.9.1866, Ausfertigung; Altregistratur GNM, Kapsel 14.
[216] Geheimrat Goldmann an Essenwein, Darmstadt, 18.9.1866, Ausfertigung; Altregistratur GNM, Kapsel 14.

hohen Regierungen jetzt wo es die Vertheilung des gemeinschaftlichen Bundesvermögens gilt, sich vereinigen und dem germanischen Museum ein Stiftungskapital aus dem gemeinsamen Bundesvermögen zuweisen, welches die Anstalt in Stande setzt, sich so weit zu entwickeln, daß es mit Recht ein Stolz des Volkes von Denkern und Forschern werden kañ. Durch seine Stiftung ist das Museum unauflöslich, wie es sich auch entwickeln mag, es kañ nicht zu Grunde gehen, wohl aber kañ es sich glänzend entwickeln, weñ es Unterstützung findet; es kañ verkümern, weñ es sie nicht findet. Es kañ bei glänzender Entfaltung Deutschlands Zierde werden; es kañ bei Verkümerung ein Schandmal deutscher Unfähigkeit werden. Es ist jetzt ganz auf freiwillige Beiträge angewiesen, die ihm nur zum Theile von den Regierungen zu größtem Theile aber aus dem Publikum zufließen. Die Unterstützung durch das Publikum ist aber unsicher und wohl ist es kaum wahrscheinlich, daß sie stets anhaltend fortfließen wird. Die fortdauernde Entwicklung kañ nur durch (ein) Stañvermögen gesichert werden. Mögen die hohen Regierungen jetzt, wo sie sich gewissermaßen zur letzten gemeinsamen Handlung zusañengefunden haben, den Bund durch eine That beschließen, die dem deutschen Volke auf ewig ein gemeinsames Institut der Wissenschaft sichert, das bestiñt ist, seine Vergangenheit nach jeder Richtung hin zu erforschen und der Gegenwart vor Augen zu führen. Möge man aus dem zu vertheilenden Bundesvermögen dem germanischen Museum ein beträchtliches Stañvermögen überweisen. Möge man aus den vielen Millionen die zur Auseinandersetzung[217] komen, eine oder zwei dem Museum überweisen"[218].

Die Bundesliquidationskommission ging aber auf diesen Wunsch nicht ein, sondern beschloß lediglich, wie schon erwähnt, historisch bedeutsame Gegenstände aus dem Inventar des Bundestags als nationale Erinnerungsstücke dem Germanischen Nationalmuseum zur Aufbewahrung zu überlassen. Essenwein nutzte deshalb vier Monate später seine Zusage, diese deutschen „Reliquien" in die Obhut seines Instituts zu nehmen, zu einer Wiederholung der Bitte um finanzielle Unterstützung, wobei er auf der einen Seite seine Ansprüche deutlich mäßigte, auf der anderen Seite aber seinen Antrag zusätzlich mit der Notwendigkeit begründete, für eine „würdige Bewahrung" der Gegenstände sorgen zu müssen, die die Frankfurter Kommission dem Museum zugedacht hatte. „Das Vermögen des aufgelösten Bundes dürfte deñ doch nicht gerade absolut aufgehen. Es wird jedenfalls ein Rest, sei er groß oder klein, übrig bleiben. Ist er klein, so kañ den höchsten und hohen Regierungen an dessen Vertheilung unter sich wenig gelegen sein. Ist er groß, so kañ leicht ein Theil davon als letztes Vermächtniß dem germanischen Museum übergeben werden. Es tritt sogar gerade durch die Übernahme der uns angebotenen historischen Reliquien eine neue nicht unbedeutende Auslage für das germanische Museum ein. In die der Vorzeit gewidmeten . . . Samlungen könen diese Gegenstände nicht eingereiht werden. Der (Lokal-)Ausschuß (des germanischen Museums) hat also beschlossen, um sie in würdiger Weise aufzubewahren, einen eigenen Raum für diese anderen historischen Reliquien einzurichten. Das bringt eine Auslage von fast 2000 fl mit sich. . . . Weñ nicht soviel sich ergeben sollte, daß ein großes Stañkapital die Fortentwicklung der Anstalt für alle Zeiten garantiren sollte, so möge man demselben wenigstens durch eine kleine Suñe die Kosten ersetzen, die es für würdige Aufbewahrung der ihm zu übergebenden Gegenstände (?) zu leisten hat"[219].

Wer sich erinnert, wie entschieden die Bundesversammlung in den fünfziger und frühen sechziger Jahren aus grundsätzlichen Erwägungen sich stets geweigert hatte, eine offizielle Förderung des Germanischen Nationalmuseums von Bundes wegen zu beschließen[220], wird sich nicht darüber

[217] Geändert aus: „Vertheilung".
[218] Essenwein an Bundesliquidationskommission, Nürnberg, 16. 10. 1866, Reinkonzept; Altregistratur GNM, Kapsel 25.
[219] Essenwein an Bundesliquidationskommission, Nürnberg, 2. 3. 1867, Reinkonzept; Altregistratur GNM, Kapsel 25.
[220] S. o. S. 156–159.

wundern, daß auch diese letzten Appelle der Nürnberger Leitung erfolglos blieben. Nach dem Ausweis der Quellen[221] hat die Bundesliquidationskommission eine auch nur teilweise Erfüllung der finanziellen Bitten Essenweins nicht einmal in Erwägung gezogen.

Essenwein aber ließ sich nicht entmutigen. Zu Beginn des Jahres 1868 entwickelte er in einer großen Denkschrift an den bayerischen König ein Konzept für eine dauerhafte finanzielle Sicherung seiner Anstalt, das in veränderter Gestalt in den neunziger Jahren verwirklicht wurde und im Grunde bis heute die materielle Basis für den Bestand des Germanischen Nationalmuseums bildet. Essenwein schlug vor, die deutschen Regierungen sollten sich in Form von untereinander abzuschließenden Staatsverträgen verpflichten, Zuschüsse in bestimmter Höhe für den Unterhalt des Museums zu leisten. Die Tatsache, daß Ludwig II., wie noch im einzelnen gezeigt werden wird, kurz zuvor das Protektorat über das Museum übernommen hatte, suchte Essenwein dadurch zu nutzen, daß er mit seinem Vorschlag nicht selbst an diese deutschen Regierungen herantrat, sondern die bayerische Staatsführung um die Weiterleitung seiner Anregungen auf diplomatischem Wege bat, was dieser Aktion einen offiziellen Charakter verleihen sollte. Auch hier versäumte Essenwein es nicht, auf die politischen Veränderungen des Jahres 1866 und deren Folgen für das von ihm geleitete gesamtdeutsche Institut aufmerksam zu machen.

„Es dürfte ... ebenso im Interesse des Staates Bayern liegen, als es insbesondere im Interesse derjenigen Kreise liegt, welche den nächsten Nutzen aus der Fortentwicklung der Anstalt ziehen, also der Stadt Nürnberg und als es endlich in eigenem Interesse des germanischen Museums liegt, die Zuflüße für dasselbe aus anderen Ländern zu fixiren. Es kann dies aber am einfachsten und besten geschehen, wenn die hohe bayrische Staatsregierung die Verhandlung mit den einzelnen Regierungen in die Hand nimmt, die bisher theils ausschließlich von der Anstalt selbst, theils von dem nunmehr aufgelösten Bundestage geführt wurden. Der Verwendung dieser hohen Behörde hatte die Anstalt beträchtliche Dotationen der einzelnen Regierungen zu danken und leider haben dieselben jetzt schon, also kurz nach Auflösung des Bundestages zum Theile aufgehört ... und leider müssen wir fürchten, daß noch ein oder der andere Beitrag für ein gemeinsames deutsches Institut jetzt in Wegfall kommen kann, wo die politische Verbindung gelöst ist. Der hohen Regierung Bayerns kann es jedoch kaum von irgend einer Seite abgeschlagen werden, wenn diese die einzelnen Regierungen zu einem gemeinsamen Schritte einladet. Wenn Euere Majestät durch die kgl. bayerische Regierung den übrigen deutschen Fürsten und den Regierungen einschließlich Österreichs ... die Mittheilung gelangen lassen, daß Euere Majestät nunmehr das Protektorat über die Anstalt Allergnädigst übernommen haben und daß damit der Anstalt eine neue Garantie für ihr Fortbestehen gegeben ist und daran anknüpfend, diese Regierungen einladen lassen, über einen bestimmten Beitrag für kommende Zeiten sich zu erklären, zugleich aber auch diese hohen Regierungen aufmerksam machen lassen, daß die jetzigen Beiträge nach nunmehr 15jährigem Bestande der Anstalt sich als ungenügend herausgestellt haben und immer ungenügender sein werden, als die Privatthätigkeit nicht für die Dauer als eine Basis der Existenz des Instituts betrachtet werden kann, daß also eine entsprechende Erhöhung eintreten müsse, dann kann und wird sich keine Regierung der nationalen Pflicht entziehen, ein so lange bestandenes gemeinsames Institut auch ferner zu erhalten und zu hoher Blüthe gelangen zu lassen, ein Institut, das sich mit der großen Vergangenheit befaßt, die ja so lange eine gemeinsame war, wenn auch jetzt eine Isolirung der einzelnen Theile entstanden ist"[222].

Eine zusätzliche Sicherung der Nürnberger Anstalt erwartete Essenwein durch die von ihm in derselben Denkschrift angeregte „Neutralisierung" des Museums, eine Vorstellung, die erst nach

[221] Protokolle der Bundesliquidationskommission; Archiv F.
[222] Essenwein an Ludwig II., Nürnberg, 1.2.1868, Ausfertigung; Archiv M, MK 14190.

dem Zweiten Weltkrieg in allgemeiner Form ihre Verwirklichung in der Haager Konvention für den Schutz von Kulturgut bei bewaffneten Konflikten vom 14. Mai 1954 gefunden hat. Auch zur Begründung dieses Vorschlags verwies Essenwein auf die gegenwärtige politische Situation in Deutschland: „Es werden … alle hohen Regierungen bereit sein, diesem gemeinsamen Institute eine Neutralität für alle Eventualitäten zu garantiren. Mag wohl das Institut in seinem Besitze nicht als Staats; als städtisches – sondern als Stiftung und somit als Privatgut betrachtet werden, so kann eine solche Neutralität ihm doch, wenn, was Gott verhüten möge, neuer Krieg ausbrechen sollte, nötig werden, da noch immer Plünderung einer eingenommenen Stadt völkerrechtlich nicht undenkbar ist, da ein Institut, dem eine solche Neutralität zugestanden ist, auf den direkten Schutz im Falle einer Occupation – die Gott für immer abwenden wolle – selbst der Feinde Anspruch hätte, da einer solchen neutralen Anstalt, selbst wenn Bayern in Krieg mit einer andern deutschen Macht verwickelt würde die Beiträge der übrigen Staaten fortgeleistet werden müßten"[223].

In der Tat wandte sich die bayerische Regierung, nachdem der Kultusminister diesem Projekt zugestimmt hatte[224], im Juli 1868 durch ihre diplomatischen Vertretungen an das Präsidium des Norddeutschen Bundes und an die Regierungen Württembergs, Hessens, Badens und Österreichs mit dem Vorschlag, sie mögen sich im Sinne der Anregungen Essenweins für die Zukunft zur Zahlung von Zuschüssen zum Haushalt des Germanischen Nationalmuseums verpflichten[225]. Dieser Versuch blieb aber erfolglos. Das Bundeskanzleramt in Berlin teilte mit, daß es erst das Ergebnis eigener Erhebungen über die Lage des Museums abwarten wolle[226], die Stuttgarter Regierung wollte es bei dem bisherigen Verfahren der direkten, freiwilligen Zuwendung belassen, der österreichische Gesandte in München zeigte an, daß seine Regierung vom nächsten Jahr ab ihre Zahlungen überhaupt einstellen werde, und aus Baden und Hessen gab es keine Antwort[227].

Für die Untersuchung der Beziehungen zwischen dem Germanischen Nationalmuseum und der deutschen Nation sind an diesem Plan und an seiner Begründung, an dem Versuch, ihn zu verwirklichen, wie an dessen Ergebnis mehrere Einzelheiten wichtig. Als erstes ist die Bereitwilligkeit festzustellen, mit der die Regierung in München die Vorschläge des Leiters einer Anstalt, die zwar in Bayern ihren Sitz hatte, die aber kein staatliches Institut war, zu ihren eigenen machte. Trotz der völkerrechtlichen Unabhängigkeit, die dieses süddeutsche Königreich im Jahre 1866 erworben hatte, wurde an der Förderung gesamtdeutscher Vorhaben festgehalten, zumal wenn deren unpolitische Tendenzen so offenkundig waren wie beim Germanischen Nationalmuseum. Als zweites fällt auf, daß Essenwein die Lage dieses überstaatlich konzipierten gesamtdeutschen Instituts innerhalb einer Nation, die noch keine bleibende staatliche Organisationsform gefunden hatte, genauso einschätzte wie der Museumsgründer. Auch Aufseß hatte eine programmatische Verbindung zwischen dem ganzen deutschen Volk ohne Rücksicht auf „Zolllinien und Grenzpfähle der Territorien"[228] und der Nürnberger Anstalt hergestellt, aber auch er respektierte dann, wenn es sich um die Förderung seines Unternehmens von staatlicher Seite handelte, die bestehende politi-

---

[223] Essenwein an Ludwig II. (Anm. 222). Die möglichen politischen Folgen dieses Plans im Zusammenhang mit dem Wunsch Essenweins, die Reichskleinodien für das Germanische Nationalmuseum zu erwerben, sind bereits erwähnt worden (s. o. S. 171).

[224] Gresser an den bayerischen Außenminister Chlodwig Fürst Hohenlohe-Schillingsfürst, München, 25. 6. 1868, Reinkonzept; Archiv M, MK 14190. Das schon mehrfach erwähnte Gutachten vom 14. 5. 1868 (s. Anm. 8 u. S. 167) gehörte zu den Vorbereitungen für diese ministerielle Stellungnahme.

[225] Runderlaß, München, 18. 7. 1868, vervielfältigtes Exemplar; Archiv M, MK 14190. Der Neutralisierungsvorschlag blieb unerwähnt.

[226] Gemeint war das Gutachten, mit dessen Ausarbeitung der Sekretär der Preußischen Akademie der Wissenschaften, der Germanist Moriz Haupt, vom preußischen Kultusminister Heinrich von Mühler beauftragt worden war. Vgl. dazu Hampe, Festschrift, S. 94–96.

[227] Aktennotiz, München, 2. 11. 1868; Archiv M, MK 14190.

[228] Aufseß an Friedrich VII. von Dänemark, Nürnberg, 30. 7. 1853, Reinkonzept; Altregistratur GNM, Kapsel 23.

sche Ordnung. Gerade wegen des ausgesprochen nationalen Charakters des Nürnberger Museums hatte er sich jeweils nur an solche Staaten gewendet, die auch im politischen Sinn als deutsche Staaten gelten konnten[229]. So verzichtete auch jetzt Essenwein auf jede Anregung, die Regierung des souveränen europäischen Staates Bayern möge sich mit der Bitte um Unterstützung des Museums etwa an die Regierungen in Bern, Paris oder St.-Petersburg wenden.

Man war aber, knapp zwei Jahre nach Königgrätz, anscheinend noch nicht bereit, auch in der Habsburgermonarchie einen solchen „nichtdeutschen" Staat zu sehen; anders ist die offensichtlich unstrittige Einbeziehung Österreichs in diese Aktion nicht zu erklären. Zur Erreichung eines unpolitischen, gesamtdeutschen Zwecks gingen Essenwein wie die bayerische Regierung auch jetzt noch vom Territorialstand des alten Bundes aus. Die Weigerung der Wiener Regierung aber, das Germanische Nationalmuseum auch in Zukunft zu unterstützen, „weil es sich hier um ein wesentlich deutsches Institut handle", verwies unvermittelt den Antragsteller auf den neuen staatlichen Zustand der deutschen Nation[230]. Daran änderte auch die Tatsache nichts, daß man sich von amtlicher österreichischer Seite bemühte, die Schroffheit dieser Entscheidung durch die Versicherung abzuschwächen, dies sei „lediglich eine durch die Situation gebotene politische Maßregel"; man dürfe daraus keineswegs den Schluß ziehen, „die k. u. k. Regierung (sei) jetzt weniger von der wissenschaftlichen Bedeutung der Anstalt befriedigt"[231]. Im Gegenteil, die hier vorgenommene Trennung von nationalen und wissenschaftlichen Aufgaben in der Tätigkeit des Museums stellte die programmatische Grundlage der Nürnberger Arbeit überhaupt in Frage. Der Museumsleitung blieb nur die Hoffnung, „die Bewohner der deutschen Länder Oesterreichs (dürften) sich geneigt finden . . ., hier einzutreten und die entstandene Lücke auszufüllen"[232].

Alle diese Versuche Essenweins, unter Ausnutzung der politischen Veränderungen des Jahres 1866 die Finanzen des Museums zu sanieren und auf diese Weise von staatlicher Seite eine Art Bestandsgarantie für das von ihm geleitete Institut zu erhalten, waren vergeblich geblieben. Erfolg hatte Essenwein aber mit seinen Bemühungen, an den nationalen Kunstsinn der deutschen Fürsten zu appellieren, einen von ihnen dazu zu bewegen, das Protektorat über die Anstalt zu übernehmen und auf diese Weise die Existenz und den Ausbau des Museums zu einer Sache des persönlichen Interesses eines monarchischen Mäzens zu machen. Dieser Rückgriff auf die traditionelle Funktion fürstlicher Kunstförderung erscheint auf den ersten Blick als ein Abweichen von den fundamentalen Prinzipien des Museumsprogramms, das die Nation doch nur als eine nicht in Partikularstaaten und -stände geteilte Einheit kannte; auch war das Institut eines Protektors in den Satzungen nicht vorgesehen. Die Frage nach den Absichten Essenweins im Verfolgen eines solchen Plans und die Entwicklung, die in der entscheidenden Phase von Essenwein mit großem taktischen Geschick auf das angestrebte Ziel hin zugesteuert wurde, müssen deshalb etwas eingehender untersucht werden.

Schon die Gründergeneration kannte die nationalpolitische Bedeutung eines Protektorats über das Germanische Nationalmuseum. Der Plan Aufseß' aus dem Jahre 1853, sein Institut unter den

[229] S. o. S. 158.
[230] Gresser an Essenwein, München, 30. 10. 1868, Reinkonzept; Archiv M, MK 14190. Gresser teilte hier den Inhalt der Note mit, in der der österreichische Gesandte in München am 7. 10. 1868 angezeigt hatte, „die k. k. oesterr Staats-Regierung (habe) die Einstellung des . . . SubventionsBeitrages (für das Germanische Nationalmuseum) in das Budget pro 1869 verweigert".
[231] Chronik des germanischen Museums. In: Anzeiger GNM 1869, Sp. 305–310 (305–306), unter Zitierung eines Schreibens des österreichisch-ungarischen Reichskanzlers Friedrich Ferdinand Graf Beust.
[232] Chronik des germanischen Museums. In: Anzeiger GNM 1869, Sp. 305–310 (306). Von 1870 bis 1876 zahlte die österreichische Regierung wieder einen Zuschuß auf der Grundlage absoluter Freiwilligkeit (Chronik des germanischen Museums. In: Anzeiger GNM 1870, Sp. 129–136 [129]; Schreiben des österreichischen Unterrichtsministers Carl von Stremayr an Essenwein, Wien, 5. 1. 1878, Ausfertigung; Altregistratur GNM, Kapsel 24).

förmlich ausgesprochenen Schutz des Deutschen Bundes zu stellen, zielte ab auf eine engere Verbindung zwischen einem wissenschaftlichen Unternehmen, das in allen Einzelheiten seines Programms gesamtdeutsch konzipiert war, und dem damals bestehenden gesamtdeutschen Staat – unter bewußter Umgehung der Einzelgewalten – und bezeichnete deshalb im Grunde die einzige Möglichkeit, ein solches Vorhaben durchzuführen, ohne in Widerspruch zu den Grundsätzen der Museumsarbeit zu geraten. Wegen des mit Recht befürchteten Einspruchs der einen oder anderen deutschen Regierung gegen die Übernahme eines solchen Protektorats durch den deutschen Gesamtstaat hatte Aufseß damals darauf verzichtet, diesen Antrag zu stellen[233], aber es war charakteristisch für die Einschätzung der Beziehungen zwischen der Nürnberger Anstalt und dem Deutschen Bund durch die Museumsleitung, daß noch nach dessen Auflösung behauptet werden konnte, „der Bundestag (sei) als Protector (des Germanischen Nationalmuseums) betrachtet (!) worden"[234], das Museum habe „unter dessen (i. e. des Bundestags) besonderer Protektion" gestanden[235]. Auch ein späterer Vorstoß Aufseß', für das Institut eine fürstliche Einzelperson als Protektor zu gewinnen, zeigte deutlich, daß sich der Museumsgründer der Problematik eines solchen Versuchs voll bewußt war. Zwar wurde im November 1859, vor allem als Ausdruck des Dankes für die ständige Förderung des Museums, einem Monarchen, nämlich Ludwig I. von Bayern, das Protektorat über das Museum angetragen; aber im politischen Sinn – und darauf allein kam es hier an – war Ludwig I. seit seiner Thronentsagung zu Beginn der Revolution des Jahres 1848 ein Privatmann, so daß die Annahme des Protektorats durch ihn den staatlich offenen Charakter des Museums nicht beeinträchtigt haben würde. Ludwig I. jedoch zog die politischen wie die „ständischen" Aspekte der Bitte in Erwägung und lehnte ihre Erfüllung mit der Begründung ab, er sei „der Meinung . . ., daß, wenn sich ein Fürst an die Spitze stellte, die Sache einen partikularistischen Charakter annehmen und derselben eher schaden als nützen würde"[236]. Auch Essenwein muß zu Beginn seines Direktorats die Protektoratsfrage in derselben Weise verstanden haben. Im Juni 1866 bat er Ludwig I. um eine namhafte Spende zum weiteren Ausbau der Kartause und verband diese Bitte mit dem Antrag, der alte König möge „das geistige (!) Patronat der Anstalt" übernehmen[237].

Auch in den Vorgängen, die im November 1867 zur Übernahme des Protektorats über das Germanische Nationalmuseum durch den bayerischen König Ludwig II. führten, können nationalpolitische Überlegungen und Erwartungen nicht übersehen werden. Es darf als sicher gelten, daß ursprünglich nicht daran gedacht gewesen war, dem Monarchen eines deutschen Einzelstaates das Museumsprotektorat anzubieten, sondern daß auch diese Entwicklung ihren Ausgang nahm

[233] S. o. S. 137 und 144.

[234] Bezirksgerichtsdirektor Karl Wilhelm Rehm, Mitglied des Verwaltungsausschusses, in der ersten Aussprache über die Protektoratsübernahme durch Ludwig II. (Protokolle des Lokalausschusses, 3. 12. 1867; Altregistratur GNM, Kapsel 733).

[235] Essenwein an Bundesliquidationskommission, Nürnberg, 16. 10. 1866, Reinkonzept; Altregistratur GNM, Kapsel 25.

[236] Ludwig I. an Aufseß, München, 25. 11. 1859, Ausfertigung; Altregistratur GNM, Kapsel 4.

[237] Essenwein an Ludwig I., Nürnberg, 25. 6. 1866, Reinkonzept; Altregistratur GNM, Kapsel 14. In der Ausfertigung fiel „geistige" fort. Die Bitte um eine neue Unterstützung des Museums durch Ludwig I. wurde zurückgewiesen, die Übernahme des Patronats blieb in dem königlichen Antwortschreiben unerwähnt (Friedrich du Jarrys Freiherr von La Roche, Hofmarschall Ludwigs I., an Essenwein, Aschaffenburg, 1. 7. 1866, Ausfertigung; Altregistratur GNM, Kapsel 14). Entweder hat Ludwig I., mitten im deutsch-deutschen Krieg, sich finanziell nicht engagieren wollen, oder er hat Essenweins Schreiben nicht vorgelegt erhalten. Ein Jahr später nämlich ließ er Essenwein wissen, er warte auf einen Antrag, „Mittel zum Ausbau der Karthause bereitzustellen" (Heinrich Konrad Föringer, Privatbibliothekar Ludwigs I. und Mitglied des Verwaltungsausschusses, an Essenwein, München, 26. 9. 1867, Ausfertigung; Altregistratur GNM, Kapsel 14). Die Antwort Essenweins, ihm sei die Erfüllung einer solchen Bitte im Jahr zuvor abgeschlagen worden, irritierte offensichtlich die Umgebung des Königs: „Daß Sie im verflossenen Jahre durch Hofmarschall v. La Roche eine so bündig abweisende Verabschiedung erhielten, war mir neu und sehr unangenehm überraschend. Ich weiß damit das thatsächlich rege Interesse welches der König an der Sache des Museums überhaupt und am Ausbau der Karthause insbesondere nimt, wahrhaftig nicht zusamen zu reimen!" (Föringer an Essenwein, München, 5. 10. 1867, Ausfertigung; Altregistratur GNM, Kapsel 14).

von derselben Sorge um die materielle Sicherung der Nürnberger Anstalt wie die anderen Aktionen auch, über die hier bereits berichtet wurde. Hatte es sich aber bei den Bemühungen um „Kassenreste" vaterländischer Vereine oder um eine letzte Zuwendung durch den liquidierenden Bundestag darum gehandelt, die Auflösung der bisherigen politischen Ordnung zum Besten des Museums zu nutzen, so ging es nun darum, die Führungen derjenigen deutschen Staaten für das Schicksal des Museums zu interessieren, die die politischen Umbrüche des Jahres 1866 überstanden hatten oder sogar gefestigt aus ihnen hervorgegangen waren. Auch hier zeigte sich deutlich die verständliche Bereitschaft der Museumsleitung, trotz der Einsicht in die Ungewißheit der politischen Zukunft Deutschlands im Interesse des Instituts von der neuen staatlichen Gestalt der deutschen Nation auszugehen.

Schon früh dachte Essenwein daran, die Leitung des eben erst im Entstehen begriffenen neuen deutschen Staates, des Norddeutschen Bundes, um eine namhafte und nachhaltige Förderung des Museums zu bitten. Bereits im September 1866 schrieb er: „Das Museum wurde von Bayern stets als eine unliebsame Concurrenz der eigenen Staatsanstalten betrachtet; es hat deßhalb vorzugsweise aus dem Norden Deutschlands seine Zuschüsse erhalten. An den Norden werde ich auch appeliren müssen sobald das nordische Parlament versam̃elt sein wird; auf den Norden muß ich auch jetzt schon meine Blicke richten"[238]. In dieser Einstellung scheint Essenwein noch dadurch bestärkt worden zu sein, daß Ludwig II., der wenige Wochen nach der Beendigung des Krieges die von feindlichen Truppen besetzt gewesenen Teile seiner Monarchie bereiste und damals auch Nürnberg und das Germanische Nationalmuseum besuchte[239], sich nicht zu einer Zusage über eine verstärkte Unterstützung des Museums durch Bayern bewegen ließ[240].

Zwar beschrieb Franz Graf Pocci Anfang 1867 die schwierige Stellung des Museums in der neuen politischen Ordnung Deutschlands sehr anschaulich: „Daß nunmehr das germ. M(useum) zwischen zwei Stühlen sitzt, ist leider unzweifelhaft; weiß ja Frau Germania selber nicht, wo sich hinplaciren und den ganzen Schwung ihrer getreuen idealen Anhänger dazu. Wir sind miserabel in der Patsche und ich habe keinen Begriff von der eigentl(ichen) Deutschgestaltung der Zukunft. Gott bewahre uns davor, daß es zu e(inem) ,K(öniglich) preußisch-deutschen Museum' kom̃e. Ich meinerseits bin nun lediglich ,weiß u. blau' angelaufen u will lieber ,bayrisch sterben'. Allein gerade, weil durch das Museum eine Idee vertreten wird, die auch praktischen Vorteil gewährt, müßen wir alles aufbiethen, um uns durch diese Idee zu retten"[241]. Aber Essenwein bereitete schon damals Schritte vor, um die Leitung des Norddeutschen Bundes dazu zu bringen, „daß man daselbst (i. e. Berlin) dieser Nationalanstalt größeres Interesse zuwende (und) daß insbesondere der Beitrag des Staates (i. e. Preußens) sowie Sr. Majestät erhöht und als ständiger gegeben werde"[242]. Die Bitte um eine Vergrößerung des preußischen Staatszuschusses mochte Essenwein allein schon deshalb für berechtigt gehalten haben, weil nach der Annexion Hannovers die bis dahin gezahlten hannoverschen Zuwendungen fortfielen[243].

[238] Essenwein an Adam, Nürnberg, 9. 9. 1866, Reinkonzept; Altregistratur GNM, Kapsel 14.
[239] Chronik des germanischen Museums. In: Anzeiger GNM 1866, Sp. 409–414 (409).
[240] „. . . obwol es mich fast erschreckt, was Sie über die Unfruchtbarkeit des neuesten hohen Besuches mitgetheilt haben. Die Entfernung des Herrn Neumayer (i. e. Max von Neumayr, Innenminister) aus dem kurz iñegehabten Cabinetsstul ist eben auch nicht tröstlich für unsere werthe Anstalt; hoffen wir, daß der Fürst von Hohenlohe . . . sein Interesse bethätigen werde u zwar auf klingendere Weise als die Bundesliquidationscom̃ission, deren alte Möbel und Flaggen just nicht Alles zu bedeuten haben" (Karl Alois Fickler, badischer Historiker und Mitglied des Verwaltungsausschusses, an Essenwein, Mannheim, 5. 1. 1867, Ausfertigung; Altregistratur GNM, Kapsel 14).
[241] Pocci an Essenwein, München, 4. 1. 1867, Ausfertigung; Altregistratur GNM, Kapsel 14.
[242] Undatierte Aufzeichnung Essenweins. Sie gibt den Inhalt des Gesprächs wieder, das Fürst Karl Anton von Hohenzollern-Sigmaringen am 28. 1. 1867 in Düsseldorf mit Essenwein führte. Die Einladung zu dieser Reise Essenweins nach Düsseldorf ist dem Schriftstück angeheftet (Altregistratur GNM, Kapsel 14).
[243] Erst nach der Gründung des Deutschen Reiches wurde dieser finanzielle Verlust ausgeglichen: „Der kgl. preußische

Die von Essenwein zu Beginn des Jahres 1867 in Berlin eingeleiteten Sondierungen, Preußen, die Präsidialmacht des Norddeutschen Bundes, zu einer weitergehenden Unterstützung des Museums zu bewegen und von ihm vor allem die Zusage zu erhalten, daß eine solche Förderung nicht bloß von Jahr zu Jahr, sondern auf Dauer gewährt werde, hatten aber keinen Erfolg. Durch Vermittlung des Großherzogs Friedrich Franz II. von Mecklenburg-Schwerin, der als preußischer Oberkommandant während der Okkupation das Museum kennengelernt hatte[244] und anscheinend mit dessen schwieriger finanzieller Lage vertraut gemacht worden war, des Fürsten Karl Anton von Hohenzollern-Sigmaringen[245] und offensichtlich auch badischer Hofkreise[246] hatte Essenwein versucht, König Wilhelm und Bismarck von der Notwendigkeit einer raschen Hilfe für das Museum zu überzeugen. Aber ebenso wie bei früheren Aktionen Aufseß' im Deutschen Bund waren auch jetzt im bundeslosen Zustand der deutschen Nation politische Rücksichten stärker. So notierte Essenwein über die Bemühungen des Fürsten von Hohenzollern nach dessen Bericht: „Nach längerer Besprechung mit Sr. kgl. Hoheit dem Großherzog von Mecklenburg der dem Museum sich besonders gewogen gezeigt habe, habe der Fürst das Terrain in Berlin sondirt. Man habe jedoch betreffenden Ortes erklärt: Im Augenblicke seien die Verhältnisse zu Baiern derart, dass Preussen alles vermeiden müsse, was darnach aussehe als ob es im Gebiete dieses Staates Fuß fassen wolle, so daß auch eine weiter gehende Unterstützung des Museums nicht rathsam erscheine. Man köne daher jetzt nur auf ein Gesuch des Museums den seither bewilligten Beitrag abermal auf einige Jahre verlängern. Doch köne sich bei der raschen Entwickelung der Verhältnisse, vielleicht bald die Situation so gestalten, daß Preussen mehr thun köne. Das Museum möge deßhalb die Zeit im Auge behalten. Weñ sodañ der Moment gekomen sei, daß Preussen dem norddeutschen Bund eine Vorlage machen köne, so sei jedenfalls auch der Großherzog von Mecklenburg ein warmer Fürsprecher und Beförderer am Bunde. Überhaupt habe dieser Fürst wiederholt Conferenzen mit dem König von Preußen über das germanische Museum gehabt"[247]. Auch im Norddeutschen Reichstag wurde trotz allen Äußerungen der Sympathie für die Nürnberger Anstalt ein Antrag zu ihrer Unterstützung nicht gestellt, sondern auf die künftige Entwicklung verwiesen[248].

Herr Minister für geistliche, Unterrichts- und Medicinal-Angelegenheiten hat die Gewogenheit gehabt, der Anstalt 600 Thlr., die uns seiner Zeit, wenn die Selbständigkeit des Königreichs Hannover erhalten geblieben wäre, von der Regierung dieses Landes als Jahresbeiträge für 1868 und 1869 zugeflossen wären, für die aber durch die neuen Verhältnisse die Möglichkeit einer Gewährung weggefallen war, aus den Fonds seines Ministeriums nachträglich noch anzuweisen, damit unserer Anstalt durch die in Hannover eingetretenen Verhältnisse kein Nachtheil erwachse. Mit dem Jahre 1870 wäre jener Beitrag ohnehin durch die Gesammtgewährung des norddeutschen Bundes in Wegfall gekommen" (Chronik des germanischen Museums. In: Anzeiger GNM 1871, Sp. 241–246 [241]). Diese Annullierung der hannoverschen Zusagen wurde auch im Norddeutschen Reichstag erwähnt, als dieser über eine Förderung des Museums durch den Norddeutschen Bund debattierte (9.6.1868; Stenographische Berichte über die Verhandlungen des Reichstages des Norddeutschen Bundes. I. LegislaturPeriode. Session 1868, Bd. 1. Berlin 1868, S. 331).

[244] Chronik des germanischen Museums. In: Anzeiger GNM 1866, Sp. 281–286 (281).
[245] „Der Gefertigte (i. e. Essenwein) hatte an Se. kgl. Hoheit den Fürsten von Hohenzollern-Sigmaringen das Ersuchen gestellt, nicht blos persönlich dem germanischen Museum gewogen zu sein, sondern auch in Berlin dahinwirken zu wollen, daß man daselbst dieser Nationalanstalt größeres Interesse zuwende ... Es war damit die Bitte verbunden gewesen, dem Gefertigten in Berlin die Wege ebnen zu wollen und ihm Gelegenheit zu schaffen Sr. Majestät dem König v Preußen und den Ministern seine Bitte vorzutragen" (Aufzeichnung Essenweins [Anm. 242]).
[246] „In Berlin habe ich nicht gerade viel Verbindung ... Sonst wäre ich gerne bereit, dem Grafen von Stillfried-Alcantara unser Leid zu klagen; doch weiß ich nicht, wie weit sein Einfluß aus den Kreisen des Hofceremonienamts in die Regierungskreise, namentlich an den Ministerpräsidenten hinanreicht. ... Bei uns will ich ... dem Großherzog selbst aufzuwarten, auch einen Sturm wagen ... Sollten Sie die Vermittelung des badischen Gesandten zur Einführung bei Herrn von Bismarck den oben angedeuteten Wegen vorziehen, so bitte ich um kurze Benachrichtigung" (Fickler an Essenwein, Mannheim, 5.1.1867, Ausfertigung; Altregistratur GNM, Kapsel 14).
[247] Aufzeichnung Essenweins (Anm. 242).
[248] „Erlauben Sie mir, Ihrer Beachtung und Unterstützung eine Angelegenheit aus dem Süden Deutschlands zu empfehlen: Es betrifft das Germanische Museum in Nürnberg. Ich glaube, es bedarf nur der Erwähnung dieser Deutschen Angelegenheit, und den Herrn Bundeskanzler darauf aufmerksam gemacht zu haben, um den angedeuteten Zweck zu erreichen. Ich werde mich deshalb der Stellung eines besonderen Antrages auf Geldunterstützung enthalten. Es ist eine Deutsche Sache; die wird der Reichstag und Bundeskanzler nicht fallen lassen" (Adalbert Freiherr Nordeck

Erst nachdem sich gezeigt hatte, daß im neuen Deutschland von staatlicher Seite eine nachhaltige Verbesserung der Lage des Museums nicht zu erwarten war, scheint sich Essenwein dazu entschlossen zu haben, die monarchische Realität der deutschen Staatenwelt in nähere Erwägung zu
ziehen und durch das Angebot an einen Einzelfürsten, das Protektorat über das Germanische
Nationalmuseum zu übernehmen, das Schicksal der Anstalt mit dem persönlichen Interesse eines
bestimmten Dynasten zu verknüpfen. Es lag nahe, daß Essenwein auch hier in erster Linie an den
preußischen König dachte. Die politischen Überlegungen, von denen Essenwein bei der Konzipie-
rung dieses Plans geleitet gewesen sein mochte, wurden im Oktober 1867 in einem Brief, den der
Privatbibliothekar König Ludwigs I. an Essenwein schrieb und in dem er offensichtlich dessen
Anregungen aufnahm, überzeugend genug dargestellt: „von den deutschen Fürsten, den König von
Preußen allein ausgenomen, darf sich wohl das Germanische Museum keine Schwärmerei für
Deutschland und die Musealbedürfnisse erwarten. Bei dem wackeligen Zustande ihrer Throne
u. Thrönchen und unter dem Anblicke der siegreichen Krallen des nordischen Adlers muß ihnen
ihre Ausweisung aus Deutschland ein Gegenstand permanenter Furcht sein. Begründete Hoffnungen kann sich das Museum also nur auf Preußen machen. Der drohende Zusamenfall der süddeutschen Staaten hält auch wahrscheinlich die sonst so freigebige Hand König Ludwigs I. zurück"[249].

Über die Vorgänge, die entgegen dem ursprünglichen Plan Essenweins binnen weniger Wochen
dann doch zur Übernahme des Protektorats durch den bayerischen König geführt haben, sind wir
bis heute nur lückenhaft unterrichtet[250]. Am 7. Oktober 1867 besuchte Wilhelm I. Nürnberg und
besichtigte auch die Sammlungen des Germanischen Nationalmuseums[251]. Es ist anzunehmen, daß
bei dieser Gelegenheit Essenwein dem preußischen König seine Vorstellungen über das Protektorat und die daran geknüpften Hoffnungen der Museumsleitung vorgetragen hat. Nur zehn Tage
später, am 18. Oktober, wurde Essenwein auf seinen Wunsch in Baden-Baden von Großherzog
Friedrich I. von Baden zu einer Audienz empfangen[252], die zwei Stunden dauerte[253] und in der
über ein preußisches Museumsprotektorat anscheinend schon sehr offen gesprochen wurde. Wenige Tage später unterrichtete Essenwein den Lokalausschuß über den Inhalt dieser Unterredung[254];
ablehnende Stimmen scheinen in der Ausschußdebatte nicht laut geworden zu sein[255]. Mitte No-

zur Rabenau [fraktionslos], Abgeordneter für Gießen, 28. 9. 1867; Stenographische Berichte [Anm. 243], Session
1867, Bd. 1. Berlin 1867, S. 145).
[249] Föringer an Essenwein, München, 9. 10. 1867, Ausfertigung; Altregistratur GNM, Kapsel 14.
[250] Ich habe die Absicht, in weiteren Archivstudien auch diese Einzelheiten zu klären.
[251] Hampe, Festschrift, S. 89.
[252] Essenwein „wünscht in Sachen seiner Nationalanstalt, die imer noch durch die Ungunst der Zeiten in einigem
Gedränge ist, ... eine Audienz bei unserm allergnädigsten Herrn zu erhalten" (Fickler an Vorstand des badischen
Geheimkabinetts, Mannheim, 8. 10. 1867, Ausfertigung; Archiv K, Großherzogliches Geheimes Cabinet, GLA
60/859). Am 18. 10. 1867 wurde Essenwein, der offensichtlich in Karlsruhe wartete, von Hofmarschall Wilhelm
Ludwig Pleikard von Gemmingen für den Abend dieses Tages zur Audienz gebeten (Gemmingen an Essenwein,
[Baden-]Baden, 18. 10. 1867, Ausfertigung; Altregistratur GNM, Kapsel 14). Es ist ungewiß, ob damals die Hilfe des
Großherzogs deshalb gesucht wurde, weil er der Landesherr Essenweins war – Essenwein war gebürtiger Karlsruher
– oder weil er als Schwiegersohn Wilhelms I. ein besonders enges Verhältnis zum preußischen König hatte.
[253] „... Großherzog, der mir fast 2 Stunden zugehört, als ich ihm die Situation unserer Anstalt auseinandersetzte"
(Essenwein an Vorstand des badischen Geheimkabinetts, Nürnberg, 5. 11. 1867, Ausfertigung; Archiv K, Großherzogliches Geheimes Cabinet, GLA 60/859).
[254] Die Niederschrift der Sitzung des Lokalausschusses vom 21. 10. 1867 vermerkt, daß nach Schluß der protokollierten
Debatte noch eine vertrauliche Mitteilung gemacht worden sei (Altregistratur GNM, Kapsel 733).
[255] „Ich habe Ihnen mitgetheilt daß ein anderer deutscher Fürst (i. e. Großherzog Friedrich) den Antrag gestellt hat das
Protektorat dem Könige von Preußen zu übertragen. ... Die Übertragung des Protektorats an Se Majestät den
König von Preußen wurde in Ihrer Mitte verhandelt und Sie sind zu keinem ablehnenden Beschluß gediehen; ..."
(undatierte Aufzeichnung Essenweins, offensichtlich das Konzept des Referats, in dem Essenwein am 3. 12. 1867
dem Lokalausschuß seine Auffassung über die Protektoratsübernahme durch Ludwig II. darlegte; Altregistratur
GNM, Kapsel 14).

vember reiste Essenwein zu einer zweiten Audienz, die vom Hof in Karlsruhe vermittelt worden war[256], zum preußischen König nach Berlin, während der Wilhelm I. offensichtlich in Essenwein noch einmal „große Hoffnungen erweckt hat für eine ganz ausgiebige Unterstützung aus Mitteln des norddeutschen Bundes"[257]. Damals scheint es auch zu Unterredungen mit anderen Instanzen der Staatsleitung Preußens, wahrscheinlich auch in dessen Funktion als Präsidialmacht des Bundes, gekommen zu sein[258]. Auch über das Ergebnis dieser Reise wurde der Lokalausschuß von Essenwein unmittelbar nach seiner Rückkehr informiert[259]. Dabei wurde aber nun auf Antrag Essenweins der Beschluß gefaßt, „die Frage (des preußischen Protektorats) vorläufig fallen zu lassen und S. kgl. Hoheit den Großherzog von Baden zu ersuchen vorläufig Nachsicht üben zu wollen weñ wir seinen Antrag (, dem König von Preußen das Protektorat anzubieten,) jetzt nicht in Behandlung nehmen könen"[260]. Was war geschehen?

Spätestens nach der Audienz bei Großherzog Friedrich Mitte Oktober hatte Essenwein die bayerische Regierung über das preußische Protektoratsprojekt informiert. Friedrich hatte damals „zu erwägen gegeben, wie weit es sich mit dem Interesse des Instituts & manchen anderen Rücksichten vereinigen lasse, bei Uebertragung des Protektorats, Umgang von Seiner Majestät dem Koenig von Bayern zu nehmen"[261]. Zu einem noch unbekannten Zeitpunkt fand in München eine Unterredung Essenweins mit dem Kabinettssekretär Ludwigs II., Felix Friedrich von Lipowsky, über die Frage statt, „welche Aufnahme ein Übertragen des Protektorates an den König von Preußen bei Sr. Majestät d. König von Baiern wohl finden würde". Essenwein erwähnte dabei die Zukunft des Museums, „die sich durch die glänzenden Versprechungen des Königs von Preußen sehr günstig (?) gestalten werde. Da (?) warf er (i. e. Lipowsky) mir plötzlich die Frage (vor) was eintreten würde weñ der König von Baiern ein Praevenire spielte und das Protektorat übernehmen würde ehe wir einen Entschluß gefaßt hätten. Ich bedeutete darauf daß dies die Sache kaum vereinfachen köne. Die Verhandlung einer Protektoratsübertragung erfordere gleiche Zeit ob der König von Baiern oder der von Preußen zum Protektor gemacht werden solle; 2 Anwärter müßten jedenfalls sofort die Anstalt und ihre Freunde in 2 Lager theilen und die Sympathien des unterliegenden Theiles würden uns jedenfalls verloren gehen. S. Majestät der König v. Preußen sei aber jedenfalls gewillt und in der Lage uns für erlittenen Schaden zu entschädigen; … Darauf entgegnete Herr v. Lipowski: Entschädigen köne uns der König von Baiern auch wie hoch sich unser Schaden eben belaufe weñ wir den König von Preußen gegen uns hätten. Ich erwiderte das lasse

[256] „Herr Hofmarschall von G(emmingen), der sich Ihnen empfiehlt sagte mir, daß er Ihnen eine nochmalige Audienz beim König v. P(reußen) vorbereitet habe u hoffe die ProtectorsSache sei in gutem Gang. Daß dieses auch nach Ihrer Ansicht so sei, hat Prof. Wattenbach mir ebenfalls gesagt" (Fickler an Essenwein, Karlsruhe, 10. 11. 1867, Ausfertigung; Altregistratur GNM, Kapsel 14). Nach dem Hoftagebuch hielt sich am 18. 10. 1867 nicht nur Großherzog Friedrich, sondern auch König Wilhelm in Baden-Baden auf (Auskunft des Generallandesarchivs Karlsruhe vom 28. 9. 1976). In den Akten der Archive in Nürnberg und Karlsruhe gibt es aber keinen Hinweis darauf, daß Essenwein damals auch vom preußischen Monarchen in Audienz empfangen worden sei. Die soeben zitierte Bemerkung Ficklers über „eine nochmalige Audienz" muß deshalb so verstanden werden, daß als erste Audienz das Gespräch anzusehen ist, das Essenwein am 7. 10. 1867 mit dem preußischen König während dessen Museumsbesuchs geführt hat.

[257] Aufzeichnung Essenweins (Anm. 255).

[258] „… das Wort des Ministers, Sie gehören nicht zum norddeutschen Bunde …, das ich Ihnen neulich mitgetheilt habe, …" (Aufzeichnung Essenweins [Anm. 255]).

[259] „Soeben von einer Reise nach Norddeutschland zurückgekehrt …" (Essenwein an Vorstand des badischen Geheimkabinetts, Nürnberg, 18. 11. 1867, Ausfertigung; Archiv K, Großherzogliches Geheimes Cabinet, GLA 60/859). Die Niederschrift der Sitzung des Lokalausschusses vom 18. 11. 1867 vermerkt nicht protokollierte vertrauliche Mitteilungen (Altregistratur GNM, Kapsel 733).

[260] Essenwein an Gresser, Nürnberg, 19. 11. 1867, Ausfertigung; Archiv M, MK 14189.

[261] So faßte später der badische Hofmarschall von Gemmingen die Bedenken Großherzog Friedrichs zusammen (Gemmingen an Essenwein, Karlsruhe, 8. 12. 1867, Ausfertigung; Altregistratur GNM, Kapsel 14). Schon einen Monat zuvor hatte Gemmingen es bedauert, „daß Bedenklichkeiten von unserm gnädigsten Herrn erhoben worden seien" (Fickler an Essenwein, Karlsruhe, 10. 11. 1867, Ausfertigung; Altregistratur GNM, Kapsel 14).

sich nicht berechnen, da genau nie nachzuweisen sein werde, was uns entgehe; allein es verlange, daß S. M. persönlich mindestens 20000 fl. Zuschuß gäben. Herr v. Lipowski entgegnete darauf ziemlich (?) kurz, Ihre 20000 fl pro Jahr (!) sind für den König eine Kleinigkeit. Er ist freigebig und opfert oft größere Sumen, wenn er will, so gibt er auch 20000 pro Jahr"[262].

Am 22. Oktober ersuchte Essenwein den bayerischen Kultusminister, Franz von Gresser, um eine außerordentliche Zuwendung von 20000 fl „als Beitrag zur Tilgung unserer Schulden"[263]. Auf diese Bitte aber konnte Gresser „im Hinblick auf die dermalige ungünstige Finanzlage Bayerns und die allen k. Staatsministerien sich aufdrängende Nothwendigkeit äußerster Beschränkung des unabweisbaren Staatsbedarfes" nicht eingehen; lediglich als Beitrag zur Schuldverzinsung wurde der jährliche Staatszuschuß von 2500 fl auf 3000 fl erhöht[264]. Antrag und Zurückweisung waren aber der Anlaß für einen ausführlichen Bericht Gressers an Ludwig II. vom 3. November, in dem der König gebeten wurde, das Protektorat über das Germanische Nationalmuseum zu übernehmen[265].

Gresser stützte diesen Antrag auf drei Argumente. Er wies zunächst darauf hin, daß das Nürnberger Institut zwar „vermöge seiner Satzungen und seines ganzen Organismus durch manche Eigenthümlichkeit sich auszeichnet und namentlich das Recht unbeschränkter Selbstverwaltung genießt", daß es aber „seiner öffentlich rechtlichen Natur nach unter die bayerischen Unterrichts-Stiftungen zu zählen ist" und als solche „den besonderen Schutz des Staates anzusprechen hat. Aber auch vermöge der Leistungen, welche die Errichtung und Fortführung des germanischen Museums bisher erfordert hat, muß das germanische Museum zu Nürnberg als ein zunächst Bayern angehörendes wissenschaftliches Institut betrachtet werden". Zweitens wies Gresser darauf hin, daß das Museum „in Folge der politischen Ereignisse und Erschütterungen des vergangenen Jahres 1866 in seinen ökonomischen Verhältnissen schwere Einbußen erlitten (hat) und . . . mit einer großen Schuldenlast (kämpft), deren Verzinsung und Amortisirung neben den jährlichen Verwaltungskosten beinahe die gesamte Einnahme des Museums beansprucht. Die jährlichen Einnahmen des Museums selbst sind zumeist prekärer Natur, weil sie zu einem sehr bedeutenden Theile auf freiwilligen Beiträgen von Privaten beruhen, welche hier und da nicht mit gleicher Regelmäßigkeit fließen und ohne die größten Nachtheile für den Bestand der Anstalt mit Zwang nicht beigetrieben werden können". Ein Antrag Essenweins auf einen außerordentlichen Zuschuß in Höhe von 20000 fl habe abgewiesen werden müssen.

Schließlich erwähnte Gresser, daß die „Noth des germanischen Museums . . . inzwischen auch nach auswärts nicht unbekannt geblieben" sei. „Seine Majestät der König von Preußen haben . . . keine Gelegenheit vorübergehen lassen, für das germanische Museum Theilnahme und Interesse an den Tag zu legen und es ist dem treugehorsamst Unterzeichneten durch den Vorstand des Museums A. Essenwein mit Verlässigkeit gemeldet worden, daß der genannte hohe Souverain nicht abgeneigt sey, dem Museum in seiner Bedrängniß noch ergiebigere Beihilfe angedeihen zu lassen und zu diesem Zwecke, sowie mit Rücksicht auf die Bedeutung der Anstalt für deutsche Kunst und Wissenschaft das Protektorat des germanischen Museums zu übernehmen". Zwar glaube Gresser „nicht befürchten zu dürfen, daß ein solcher Akt von Seite Preußens ohne vorgängige Verhandlung mit der bayerischen Regierung vollzogen werden könne". Aber schon allein der

[262] Aufzeichnung Essenweins (Anm. 255).
[263] Essenwein an Gresser, Nürnberg, 22.10.1867, Ausfertigung; Archiv M, MK 14189.
[264] Gresser an Essenwein, München, 28.10.1867, Reinkonzept; Archiv M, MK 14189.
[265] Gresser an Ludwig II., München, 3.11.1867, Ausfertigung; Archiv M, MK 14189. Die Tatsache, daß sowohl im Antrag Essenweins als auch in diesem Bericht die Summe von 20000 fl, die zum ersten Mal in dem Gespräch mit Lipowsky eher beiläufig erwähnt wurde, eine entscheidende Rolle spielte, legt die Vermutung nahe, es habe sich bei diesem Schriftwechsel zwischen Essenwein und Gresser in der letzten Oktoberwoche um eine verabredete Aktion gehandelt, die der „amtlichen" Fundierung des Protektoratsantrags vom 3.11. dienen sollte.

betont bayerische Charakter, den das Museum seit seiner Gründung trage und den er unter Hinweis auf die Bemerkung Maximilians II. über die „bayerische Nationalanstalt"[266] dem König ins Gedächtnis rufe, verbiete es, „die Ueberlassung des Protektorates ... an einen auswärtigen Fürsten" zuzulassen. Statt dessen sollte „mit Rücksicht auf die Bedeutung, welche derartige nationale Museen für Kunst und Wissenschaft in unserer Zeit genommen haben und im Hinblick auf die großartige Förderung, welche namentlich das Studium der Geschichte, Literatur und Kunst der deutschen Vorzeit in Bayern seit einer Reihe von Jahren gefunden hat", Ludwig II. selbst das Protektorat übernehmen[267]. Der König war einverstanden: „Ich bin gerne bereit, das Protectorat über das germanische Museum zu übernehmen. Indem Ich Mir vorbehalte aus Meinen Mitteln Zuschüsse an diese bayerische (!) Anstalt zu verabreichen, beauftrage Ich das Ministerium schon jetzt bei dem dermal versammelten Landtage dahin zu wirken, daß eine entsprechende höhere Dotation etatmäßig festgestellt und dem Museum behufs gedeihlichen Fortbestandes ausgiebige Zuschüße zur Schuldentilgung erwirkt werden".

Über diese Vorgänge in München scheint Essenwein unterrichtet worden zu sein und deshalb den Lokalausschuß zu der bereits erwähnten Sistierung des preußischen Plans überredet zu haben, ohne daß er allerdings seinen Museumskollegen dieses inzwischen weit gediehene bayerische Interesse angezeigt hätte[268]. Über die offizielle Mitteilung des Protektoratsantritts Ludwigs II., die am 1. Dezember erfolgte[269], berieten die Nürnberger Gremien jedenfalls in der Annahme, daß „voreinleitende Schritte von Seite der Anstalt nicht geschehen waren"[270].

Essenwein trug in seinem Bericht, der im Mittelpunkt dieser Kommissionsaussprache vom 3. Dezember stand, Überlegungen zu drei Problemen vor[271]: Überlegungen zur Tatsache, daß die Übernahme des Protektorats „aus eigener Initiative" des Königs erfolgt sei, Überlegungen zu den Konsequenzen, die diese Entscheidung Ludwigs II. für die Finanzen des Museums haben könnten, und Überlegungen zu den Auswirkungen einer solchen bayerischen Schutzherrschaft auf den gesamtdeutschen Charakter der Nürnberger Anstalt. Zum ersten Punkt erklärte Essenwein kurz und bündig: „Es läßt sich nicht läugnen daß auf jeden mit den Verhältnissen der Anstalt Vertrauten die

---

[266] S. o. S. 157.

[267] Gresser an Ludwig II. (Anm. 265). Die im folgenden zitierte Erledigung des Antrags durch Ludwig II. datiert vom 6. 11. 1867.

[268] Sowohl in dem amtlichen Bericht Essenweins über die vom Ausschuß beschlossene Vertagung einer Protektoratsentscheidung an den bayerischen Kultusminister vom 19. 11. 1867 als auch in dem „ausführlichen Exposé", in dem Essenwein zwei Wochen später „diese ebenso folgenreiche, als überraschende Thatsache (der Protektoratsübernahme durch Ludwig II.) ... beleuchtete" (Protokolle des Lokalausschusses, 3. 12. 1867; Altregistratur GNM, Kapsel 733), wurden lediglich formale Gründe für diese Verschiebung genannt: „... da erst principielle Fragen, die damit zusamenhängen gelöst werden müssen, was bei unserer Organisation sich nicht rasch abthun lassen werde. Wir würden längere Verhandlungen nach verschiedenen Seiten für nöthig halten ehe wir darauf eingehen könten ..." (Essenwein an Gresser [Anm. 260]); „... Sie haben ... geglaubt, daß man eine Entscheidung hinausdrängen (?) sollte indem Sie meinen Vorschlag annahmen S. Kgl. Hoheit den Großherzog von Baden zu ersuchen daß er gestatte die Sache später zu verhandeln" (Aufzeichnung Essenweins [Anm. 255]). Die Tatsache, daß Essenwein über diese Vertagung des preußischen Plans sogar Ludwig I. informieren ließ, läßt vermuten, daß Essenwein über die Bereitschaft des bayerischen Königs, das Protektorat zu übernehmen, unterrichtet war und daß er sich deshalb darum bemühte, den offensichtlich bereits vorbereiteten Kommissionsbeschluß, mit dem das Protektorat König Wilhelm angetragen werden sollte, auf jeden Fall zu verhindern. Das Museum und vor allem er als Direktor wären sonst in eine peinliche Lage zwischen den beiden fürstlichen Gönnern geraten; so aber war der Weg frei für die Bekanntmachung des bereits beschlossenen bayerischen Protektorats. Die Weiterleitung der Nachricht vom Vertagungsbeschluß nach Nizza, wo sich Ludwig I. damals aufhielt, wurde Essenwein vom Privatbibliothekar des alten Königs angezeigt (Föringer an Essenwein, München, 21. 11. 1867, Ausfertigung; Altregistratur GNM, Kapsel 14).

[269] „Ich übernehme das Protektorat des germanischen Museums in Nürnberg und ermächtige den Minister dieses offiziell bekannt zu machen" (Ludwig II. an Gresser, Hohenschwangau, 27. 11. 1867, Abschrift; Archiv M, MK 14189). Der Inhalt dieser „Allerhöchstunmittelbare(n) Entschließung" wurde dem Museum drei Tage später mitgeteilt (Gresser an Essenwein, München, 1. 12. 1867, Ausfertigung; Altregistratur GNM, Kapsel 733).

[270] Einladung Essenweins an die Mitglieder des Verwaltungsausschusses zu einer außerordentlichen Sitzung, Nürnberg, 4. 12. 1867, vervielfältigtes Exemplar; Altregistratur GNM, Kapsel 733.

[271] Für das Folgende: Aufzeichnung Essenweins (Anm. 255).

Art und Weise dieser Protektoratsübernahme einer Octroirung ähnlich sieht", so daß der Museumsleitung eigentlich nichts anderes übrig bleibe, als „einen Protest gegen den Eingriff in die Freiheit der Anstalt" einzulegen. Alle waren sich aber im klaren darüber, daß die Möglichkeit einer Zurückweisung dieses monarchischen Protektorats nur theoretisch gegeben war[272].

Entscheidender aber als diese vorsichtig formulierten Klagen über eine Verletzung der institutionellen Unabhängigkeit des Museums waren für die Einstellung der Museumsleitung zu dem Schritt Ludwigs II. die Überlegungen über die finanziellen Folgen. Hier machte Essenwein zunächst darauf aufmerksam, daß der „Erlaß des Ministeriums (mit der amtlichen Mitteilung der Protektoratsübernahme) . . . dem Vorstand auf(trägt) einen Bericht über die Finanzverhältnisse der Anstalt zu machen und läßt so sehen, daß der König und die Regierung sich das Protektorat auch etwas kosten lassen wollen". Eine solche andeutungsweise in Aussicht gestellte finanzielle Förderung werde man auch gewiß sehr nötig haben, denn der preußische König werde „kaum persönlich sehr erfreut sein, daß das Museum ihn einfach bei Seite setzt. Der Norden Deutschlands wird einfach eine Baierisirung der Nationalanstalt darin sehen und um so mehr abfallen als man jetzt in Berlin ein deutsches Museum für Kunst und Industrie neben der ausgezeichneten preußischen Sammlung gegründet hat[273], ein Museum das uns Concurrenz macht die wir nur durch den Vorsprung den wir bereits haben und durch besondere Sympathien die wir hätten erwerben müssen unschädlich hätten machen könen. Jetzt könen wir unbedingt die Theilnahme eines großen Theiles des Nordens verlorengeben, da man eine Baierisirung gerade im jetzigen Augenblicke sehr schief aufnehmen wird. . . . Wir könen die Hoffnungen die wir hatten nicht in Ziffern ausdrücken; allein ich glaube gering zu rechnen, weñ ich annehme, daß uns jährlich 10000 fl–15000 fl an unseren jetzigen Einnahmen entgehen werden". Das bereits zitierte Gespräch mit Lipowsky, in dem eine königliche Zuwendung an das Museum in Höhe von 20000 fl für möglich erklärt worden war und über dessen Inhalt Essenwein nun die Kommission informierte, bestärkte aber Essenwein in der Annahme, „daß Se Majestät daran denkt uns für etwaigen Schaden vollständig zu entschädigen. . . . Ja ich mache noch auf Eines aufmerksam. Es wird Niemandem von Ihnen befremdlich vorkoñen, wenn ich sage daß die Gelder aus Privathänden in entfernteren Theilen Deutschlands nur sehr schwer herein zu bringen, daß es unsägliche Noth und Mühe kostet, sie hereinzubringen, und mir wenigstens ist es zur Gewißheit geworden, daß die freiwilligen Beiträge von Privaten auf die Dauer keine Garantie bieten; daß wir es also freudig begrüßen müssen, weñ von irgend einer Seite her und zwar von Seite eines freigiebigen Fürsten für uns gesorgt wird".

Auch in Essenweins Überlegungen über die nationalpolitischen Konsequenzen des bayerischen Protektorats dominierten finanzielle Erwartungen und Befürchtungen. Die schon erwähnte Gefahr, in Norddeutschland werde man in dieser Entscheidung Ludwigs II. und deren Billigung durch die Museumsleitung eine demonstrative „Bayerisierung" der Nürnberger Anstalt sehen, werde es zwar erschweren, „ferner den Leuten begreiflich zu machen, daß wir ein gesañtdeut-

[272] Ähnlich äußerte sich Essenwein zehn Tage später auch auf der außerordentlichen Sitzung des Verwaltungsausschusses, der definitiv über Annahme oder Ablehnung entscheiden sollte: „Da uns dieser Schritt S. M. als vollendete Thatsache, nicht als eine zu diskutierende Frage vorgelegt worden ist, so sind theoretisch nur 2 Wege denkbar, entweder dagegen Protest einzulegen, oder dafür den freudigen Dank aussprechen. Theoretisch ist der erste möglich, praktisch aber nicht. Das Haus Wittelsbach hat auf dem Gebiete der Kunst und Wissenschaft einen hervorragenden Platz eingenoñen . . . daß wir es für ein hohes Glück halten müssen, daß S. M. beschlossen hat höchst seinen Namen an die fernere Ausbildung der Anstalt zu knüpfen und jede Anstalt würde sich wegen eines solchen Vorgangs glücklich schätzen. Ich glaube also, daß auch wir keinen Grund haben etwas anders zu thun als über diese geschehene Thatsache unsere Freude auszudrücken" (Konzept der Ansprache Essenweins an den Verwaltungsausschuß, 15. 12. 1867; Altregistratur GNM, Kapsel 733).
[273] Gemeint war offensichtlich das Deutsche Gewerbe-Museum, das im August 1867 den Status einer juristischen Person erhalten hatte. Vgl. Barbara Mundt: Die deutschen Kunstgewerbemuseen im 19. Jahrhundert (Studien zur Kunst des 19. Jahrhunderts, Bd. 22). München 1974, S. 40–43.

sches Institut sind". Aber: „Auf der anderen Seite haben wir zu sagen. Es ist uns, so lange der Charakter der Anstalt als Eigenthum des gesamten Deutschlands unangetastet bleibt, so lange sein iñerer Organismus nicht verletzt, seine Thätigkeit nicht beschränkt wird erst in 2ter Linie wichtig, wer das Geld dazu gibt"[274]. Wenn man jedoch glaube, den gesamtdeutschen Charakter des Museums gegen eine solche Territorialisierung nur dadurch schützen zu können, daß „wir das ungebetene Protektorat zurückweisen", so könne es geschehen, daß durch ein solches ablehnendes Votum die Zukunft des Museums überhaupt in Frage gestellt werde. Es „würde dadurch jedenfalls uns nicht nur jeder Schutz der Regierung in Baiern, jede Förderung derselben wegfallen; deñ die Frage ist uns nicht wie von anderer Seite zur Diskussion gestellt worden[275]; sie ist uns als fait accompli hingestellt, gegen das wir protestiren und ankämpfen müßten, und das müßte uns in eine geradezu feindliche Stellung bringen. Damit aber würde uns auch viel Zufluß aus dem Volke entzogen. . . . Aber auch S. Majestät der König v. Preußen der wohl gerne ein angebotenes Protektorat angenommen hätte dürfte kaum geneigt sein, dasselbe noch zu thun, weñ die Anstalt einen anderen ihm verbündeten und befreundeten Fürsten vor die Thür gewiesen. Wir würden also mit einer Zurückweisung hier (wie) dort gar nichts gewiñen". Auch diese Überlegungen über eine mögliche Neueinschätzung eines deutschen Nationalmuseums, das unter der Schutzherrschaft eines bayerischen Monarchen stehe, in der deutschen Öffentlichkeit legten den Beschluß nahe, „die Übernahme des Protektorats durch S. M. freudig (zu) begrüßen".

Die Folgen fürstlicher Verärgerung[276] und eines nationalpolitisch motivierten Desinteresses in Norddeutschland an einem Germanischen Nationalmuseum, das durch das Königsprotektorat der bayerischen Monarchie inkorporiert worden zu sein schien, sind hier von Essenwein wohl deshalb so drastisch dargestellt worden, um seinen Kollegen in der Museumsleitung diese an sich selbstverständliche „freudige Zustimmung" zur Entscheidung Ludwigs II. leicht zu machen. Immerhin war Essenwein schon aus den vergeblich gebliebenen Versuchen zu Beginn des Jahres, eine Erhöhung des preußischen Zuschusses zu erreichen[277], bekannt, daß nördlich des Mains die Nürnberger Anstalt ohnehin als ein wissenschaftliches Unternehmen galt, das in einem Verhältnis besonderer Art zur bayerischen Monarchie stehe, so daß dessen demonstrative Förderung durch Preußen allein oder durch den Norddeutschen Bund als ganzem die Beziehungen dieser Staaten zu dem süddeutschen Königreich unter Umständen belasten konnte. Aber es war doch bezeichnend für das Bemühen Essenweins, jeden Anschein eines Verstoßes gegen die Grundsätze des gesamtdeutschen Museumsprogramms zu vermeiden, daß er denkbaren schädlichen Wirkungen die erhofften günstigen Folgen für den Museumsetat eindrucksvoll gegenüberstellte, auf diese Weise das finanzielle Moment in solchen Überlegungen betonte und damit deutlich zu verstehen gab, daß in seinen Augen „die Bitte um Übernahme eines Protectorates" eben doch nichts anderes war „als ein Appell an den Geldbeutel"[278].

[274] Mit dieser Meinung stand Essenwein nicht allein. Der Archivar Karl Ludwig Grotefend, Mitglied des Verwaltungsausschusses, schrieb nach Bekanntwerden der Protektoratsübernahme durch Ludwig II. an Essenwein: „Mir ist es gleich, wer von den beiden Herren das Protectorat übernimmt, wenn er nur die Förderung unseres Institutes im Auge hat" (Grotefend an Essenwein, Hannover, 7. 12. 1867, Ausfertigung; Altregistratur GNM, Kapsel 14).
[275] Gemeint war offensichtlich der Antrag Großherzog Friedrichs, dem preußischen König das Protektorat anzubieten.
[276] Am Tag nach der Sitzung des Lokalausschusses unterrichtete Essenwein den badischen Vermittler von der neuen Lage (Essenwein an Friedrich I., Nürnberg, 4. 12. 1867, Ausfertigung; Archiv K, Großherzogliches Geheimes Cabinet, GLA 60/859). Friedrichs Hofmarschall zerstreute aber sogleich Essenweins Befürchtungen: „. . . es gereicht mir zum Vergnügen, Sie bezüglich Ihrer Person & der Beurtheilung der Sachlage von Seiten des Großherzogs vollständig beruhigen zu können. . . . Da die Angelegenheit sich . . . geändert (hat) und man voraussetzen muß, daß das Höchste Interesse des Koenigs (von Bayern) für das Institut gewonnen ist, so kann die Wendung der Dinge nur mit Befriedigung als vollzogene Thatsache angenommen & freudig begrüßt werden" (Gemmingen an Essenwein, Karlsruhe, 8. 12. 1867, Ausfertigung; Altregistratur GNM, Kapsel 14).
[277] S. o. S. 180–181.
[278] Essenwein an Gresser, Nürnberg, 19. 11. 1867, Ausfertigung; Archiv M, MK 14189. Dieses vorwiegend finanzielle

Dieselbe Absicht, die Übernahme des Protektorats durch den bayerischen König nicht als eine partikularistische Beschränkung der institutionellen Unabhängigkeit der Anstalt oder deren nationalen Aufgaben, sondern im Gegenteil als notwendige Voraussetzung für die Weiterführung der Museumsarbeit erscheinen zu lassen, zeigte auch die Deutung, die die Museumsleitung sowohl in der Dankadresse an den Monarchen als auch in der Mitteilung über diese „große Freude"[279] an die Freunde des Hauses dem Schritt Ludwigs II. gab. Wie in den internen Beratungen wurde auch in der offiziellen Stellungnahme die Erwartung einer durchgreifenden Besserung der materiellen Lage des Instituts als entscheidendes Kriterium für die Beurteilung dieses Vorgangs genannt. Zusätzlich wurde ihm aber eine nationale Funktion zugesprochen: das königliche Protektorat sei eine Bestätigung der Bedeutung des Museums, es garantiere dessen Fortbestand und sichere dadurch die Erfüllung seiner nationalen Aufgaben.

Schon in dem ersten Dankschreiben Essenweins an den Kultusminister bekannte Essenwein: „Ich sehe darin die sicherste Grundlage für die künftige Größe der Anstalt. . . . und damit ist mit einem Schlage das erreicht von dem ich nur zu hoffen gewagt hätte, daß ich durch unendlich müheselige Thätigkeit des ganzen Lebens für die Anstalt es erreichen köne; sie steht da gesichert in ihrer Fortentwicklung wie sie es in ihrem Bestande ist"[280]. Und im Museumsanzeiger hieß es: „Jetzt haben die Tausende und aber Tausende aus allen Gauen Deutschlands eine Bürgschaft, daß ihre Gaben nicht vergebens sind . . ."[281]. Daß die Museumsleitung hier sehr wohl ein Problem gesehen hat, zeigt die Tatsache, daß die so verstandene nationale Bedeutung der Protektoratsübernahme im endgültigen Text der Adresse klarer zum Audruck gebracht wurde, als dies im Entwurf vorgesehen gewesen war[282]. Auch der auf Essenweins Anregung zurückgehende Kommissionsbeschluß, der Dreierdeputation, die die Adresse überreichen sollte, müsse außer dem Direktor und einem „Ausschußmitglied aus Bayern" auch ein „Ausschußmitglied aus einem anderen deutschen Lande" angehören[283], gehörte zu den Bemühungen, dem Entschluß des bayerischen Königs eine gesamtdeutsche Auslegung zu geben. Und wenn die Bekanntgabe der königlichen Schutzherrschaft zum Anlaß für den schon erwähnten Aufruf genommen wurde, die ständisch ungegliederte Nation möge auch in Zukunft an der Museumsarbeit tätigen Anteil nehmen, so zeigte das besonders deutlich die Absicht, einer im staatlichen wie im sozialen Sinn partikularistischen Deutung der Protektoratsübernahme durch einen deutschen Einzelfürsten von Anfang an mit Entschieden-

---

Interesse der Museumsleitung an der Schutzherrschaft eines deutschen Fürsten über die Nürnberger Anstalt ist selbstverständlich auch der Regierung nicht unbekannt geblieben. So schrieb wenige Jahre später der Kultusminister in einem für den Ministerpräsidenten bestimmten Gutachten über das Verhältnis des Museums zum bayerischen Staat: „Die Summe der Beziehungen, welche das germanische Museum zu den Staatsregierungen überhaupt und zu der bayerischen Staatsregierung insbesondere hat, besteht darin, daß das germanische Museum von den Regierungen Subventionen zur Förderung seiner Zwecke, von der bayerischen Regierung insbesondere noch Unterstützung bei Ausmittlung und Erwerbung eines Lokals erbat und daß es Seiner Majestät dem Koenige von Bayern die Stelle eines Protektors antrug, welcher die bei dem germanischen Museum betheiligten Personen auch kaum einen andern Sinn beilegten, als den, daß die bayerische Regierung ein besonderes Vorrecht habe, dem Museum mit materieller Hilfe beizuspringen" (Johann Freiherr von Lutz an Adolph Freiherrn von Pfretzschner, München, 17. 12. 1873, Reinkonzept; Archiv M, MK 14191).
[279] Chronik des germanischen Museums. In: Anzeiger GNM 1868, Sp. 17–24 (17).
[280] Essenwein an Gresser, Nürnberg, 5. 12. 1867, Ausfertigung; Archiv M, MK 14189.
[281] Chronik des germanischen Museums. In: Anzeiger GNM 1867, Sp. 377–380 (377). Ebenso auch im Jahresbericht, wo die Protektoratsübernahme als Ausdruck „allerhöchste(n) Wohlwollen(s) für unsere nationale Sache" bezeichnet wurde, „um eine Bürgschaft ihrer Fortentwicklung zu bieten, und so die Opferwilligkeit des gesammten Volkes zu heben" (Jahresbericht GNM 14 [für 1867], 1868, [S. 2]).
[282] So war im Entwurf nur vom „hohe(n)", „durch den Organismus vorgezeichnete(n) Ziel" der Anstalt die Rede gewesen, während in der Adresse ausdrücklich das „nationale Ziel" erwähnt wurde (Entwurf der Adresse; Altregistratur GNM, Kapsel 733. Wortlaut der Adresse: Chronik des germanischen Museums. In: Anzeiger GNM 1868, Sp. 17–24 [17–18]).
[283] Konzept Essenweins (Anm. 272). Protokolle des Verwaltungsausschusses, 15. 12. 1867; Altregistratur GNM, Kapsel 733.

heit entgegenzutreten: „Der nationale Gedanke eines germanischen Museums hatte sich vorzugsweise in der Beteiligung Aller im weiten Vaterlande geltend gemacht, und auch ferner wird diese
Theilnahme der ganzen Nation ein schönes Zeichen der Zusammengehörigkeit aller Stämme
sein"[284].

Im Unterschied zu den anderen vergeblich gebliebenen Versuchen in diesen Jahren, eine materielle und damit zugleich auch eine institutionelle Sicherung des Museums zu erreichen, hatten also
Essenweins Bemühungen, einen Monarchen als Protektor für die Nürnberger Anstalt zu gewinnen, Erfolg gehabt. Die Hoffnungen freilich, die Essenwein an diese königliche Schirmherrschaft
geknüpft hatte, erfüllten sich nicht. Von einer jährlichen oder zumindest einmaligen Subvention in
Höhe von 20000 fl, die in den Wochen vor der „Allerhöchstunmittelbaren Entschließung" Ludwigs eine wichtige Rolle gespielt hat und deren Zahlung einen ersten, aber entscheidenden Schritt
zur Verminderung der großen Schuldenlast, durch die die Museumsarbeit behindert wurde, darstellen sollte, war nie mehr die Rede, und die überschwenglich geäußerte Zuversicht, die förmlich
zugesagte Protektion des Königs werde nicht nur die finanziellen Folgen eines möglichen Verlusts
an Sympathie für das Museum in Norddeutschland ausgleichen, sondern die „Gewährschaft für
die gedeihliche Entwicklung und Blüthe des großen Werkes" bieten[285], überschätzte die Möglichkeiten oder aber das Interesse des Mäzens bei weitem. Zwar ließ Ludwig II. nach der Überrei-
chung der Dankadresse 2000 fl „zur Zahlung einiger Rückstände" überweisen[286], und ein Jahr
später erhielt das Museum 10000 fl aus dem Gewinnüberschuß einer Münchner Versicherungsge-
sellschaft, dessen Verteilung der Krone zustand[287], aber die erwartete durchgreifende Besserung
der Lage des Museums war das nicht[288]. Nur zwei Monate nach der Protektoratsübernahme durch
Ludwig II. entwickelte Essenwein den bereits erwähnten Plan, alle deutschen Staaten sollten sich
vertraglich zur laufenden Unterstützung des Museums verpflichten[289], einen Plan also, dessen Verwirklichung in weit größerem Maß die Zukunft des Instituts sicherstellen konnte als der Appell an
den Kunstsinn eines Monarchen. Schon die Tatsache, daß die Ausarbeitung dieser Vorschläge in
enger zeitlicher Nachbarschaft zur Erfüllung des Protektoratswunschs stand, zeigt deutlich, daß
für Essenwein dieses Protektoratsprojekt nur ein Versuch unter mehreren war, Bestand und Tätigkeit des Museums auf eine neue, zuverlässige Grundlage zu stellen. Auch die in Andeutungen
nachweisbare Befürchtung, die Schirmherrschaft des bayerischen Landesherrn könne in der Öffentlichkeit als ein Abweichen von dem auf die ganze Nation hin ausgerichteten Museumsprogramm verstanden werden, läßt sich als Erklärung dafür heranziehen, daß Essenwein offensichtlich nicht bereit war, sich mit der Protektoratszusage, so aufrichtig er sie auch begrüßt hatte, zu
begnügen.

Die Protektoratsübernahme durch Ludwig II. hat übrigens die Aussichten des Museums, auch
in Zukunft aus Norddeutschland subventioniert zu werden, keineswegs verschlechtert. Ein Antrag, die Nürnberger Anstalt von seiten des Norddeutschen Bundes zu fördern, fand im Juni 1868
im Reichstag in Berlin einmütige Zustimmung, vornehmlich wegen der gesamtdeutschen Bedeutung des Unternehmens: „. . . ich halte es durchaus für im Interesse der nationalen Sache, wenn

[284] Chronik des germanischen Museums. In: Anzeiger GNM 1867, Sp. 377–380 (377). Für die schon der Gründergeneration nicht fremde Auffassung von der Nation als einer sozialen Totalität s. o. S. 145.
[285] Dankadresse (Chronik [Anm. 282], Sp. 17).
[286] Chronik (Anm. 282), Sp. 18.
[287] Hampe, Festschrift, S. 90.
[288] Auch Ludwigs Nachfolger übernahmen, jeweils auf Antrag der Museumsleitung, das Protektorat über die Nürnberger Anstalt: Prinzregent Luitpold (Chronik des germanischen Museums. In: Anzeiger GNM 1886, S. 281–291 [281])
und König Ludwig III. (noch als Prinzregent; Chronik des germanischen Museums. In: Anzeiger GNM 1913,
S. 25–26 [25]).
[289] S. o. S. 176–178.

wir Süddeutschland durch Subventionen nationaler Anstalten, die dort etablirt sind, zeigen, daß wir nicht ängstlich mit den Süddeutschen rechnen; . . .“²⁹⁰. „. . . es handelt sich darum, bei dem historischen Museum gewissermaßen eine allgemeine Deutsche Ehrenpflicht zu erfüllen, es handelt sich darum, zu bezeichnen, daß der Norddeutsche Bund nicht deshalb, weil er für ein Institut außerhalb seiner Grenzen beansprucht wird, einen Schritt zurückweicht. . . . Es ist hier im Hause oft davon die Rede gewesen, daß der Main blos eine Kohlenstation sei. Es ist dadurch darauf hingedeutet worden, daß wir Alle den Wunsch haben, unsere Süddeutschen Brüder in unserer Mitte zu haben, daß unser Streben darauf gerichtet sein muß, sie in unsere Mitte hineinzuziehen. Versuchen wir, wenn wir es auf materiellem Wege noch nicht zu Stande gebracht haben, versuchen wir geistige Anknüpfungspunkte zu erhalten, parcelliren wir Deutsche Erinnerungen nicht, sondern seien wir in dieser Beziehung Großdeutsch, wo es gilt, ein wissenschaftliches Interesse zu fördern“²⁹¹.

Der Präsident des Bundeskanzleramtes, Rudolf Delbrück, lehnte es zwar ab, auf das in diesem Antrag gestellte „Ersuchen“ einzugehen, „für das Germanische Museum zu Nürnberg eine Unterstützung zu gewähren“²⁹², und begründete sein Votum mit politischen Rücksichten wie mit Kompetenzschwierigkeiten, doch Essenwein dankte ihm ausdrücklich „für die wohlwollende und maßvolle Weise in welcher Ew. Excellenz die Ablehnung motivirt haben“²⁹³. Im Jahr darauf stellte der Bundesrat selbst den Antrag auf eine Subvention in Höhe von 6000 Talern, nachdem sich gezeigt hatte, daß die Museumsleitung bereit war, die in der Anstalt selbst wie in der wissenschaftlichen Öffentlichkeit, namentlich in Norddeutschland, immer lauter gewordene Kritik an einigen Einzelheiten in Aufseß' Programm zum Anlaß für eine durchgreifende Revision der Satzungen zu nehmen²⁹⁴: es ging vor allem um den Verzicht auf die Fortsetzung der Arbeiten an dem für undurchführbar gehaltenen Generalrepertorium, also um die Regelung einer museumstechnischen Frage, nicht aber um eine Änderung im nationalen Konzept. Auch in dieser Reichstagsdebatte fanden die gesamtdeutschen Tendenzen der Nürnberger Arbeit Zustimmung und Anerkennung: „. . . daß wir Süddeutschland unsere Sympathien bezeugen für seine nationalen Institute und daß wir den Süddeutschen beweisen, daß wir ein lebhaftes Interesse für ihre nationalen Bestrebungen haben. Die Grundlagen des Germanischen Museums sind unzweifelhaft von einem Hauch nationalen Lebens und Strebens durchströmt, welche ich zu stützen und schützen wünsche, wie ich überhaupt Alles zu fördern bestrebt bin, was zu einer größeren Einigung Deutschlands führen kann“²⁹⁵.

Zusammenfassend läßt sich feststellen, daß auch in dieser zweiten Phase der Museumsgeschichte die Beziehungen zwischen der Nürnberger Anstalt und der deutschen Nation, soweit sie das Museumsprogramm betrafen, problemlos waren. Die vom Gründer seiner Schöpfung gestellten nationalen Aufgaben und die beharrlichen Bemühungen um ihre Erfüllung fanden in der deutschen Nation ungeminderte Zustimmung und Förderung.

Schwierig war es aber, aus der nationalen Funktion des Museums Ansprüche auf die Gewährung von „Subsistenzmitteln“ herzuleiten und die so begründeten Forderungen auch durchzuset-

---

²⁹⁰ 9.6.1868, Adalbert Freiherr Nordeck zur Rabenau (fraktionslos), Abgeordneter für Gießen (Stenographische Berichte [Anm. 243], Session 1868, Bd. 1. Berlin 1868, S. 332).
²⁹¹ Karl Wilhelm Gebert (Bundesstaatliche Konstitutionelle Vereinigung), Abgeordneter für Borna (Stenographische Berichte [Anm. 290], S. 333).
²⁹² Stenographische Berichte (Anm. 290), S. 333.
²⁹³ Essenwein an Delbrück, Nürnberg, undatiertes Konzept (aus dem Inhalt ergibt sich, daß es Mitte Juni 1868 verfaßt wurde); Altregistratur GNM, Kapsel 14.
²⁹⁴ Hampe, Festschrift, S. 94–96.
²⁹⁵ 22.4.1869, Friedrich Bernhard Freiherr von Hagke (Freie konservative Vereinigung), Abgeordneter für Mühlhausen, Prov. Sachsen (Stenographische Berichte [Anm. 243], Session 1869, Bd. 1. Berlin 1869, S. 503).

zen. Daß dieses Problem zu einer Existenzfrage für das Germanische Nationalmuseum geworden war, war nicht so sehr eine Folge des politischen Zustands der Nation und von dessen tiefgreifenden Veränderungen in dieser Zeit, sondern wurde in erster Linie durch den Zwang bedingt, das Museum zu erhalten und auszubauen. Die Anstalt hatte sich seit den dilettierenden Anfängen zu einem in sich reich gegliederten und auch im ökonomischen Sinn wertvollen wissenschaftlichen Institut entwickelt, dessen Verwaltung und Betreuung aber eben deshalb auf immer größere und vor allem zuverlässig und regelmäßig zur Verfügung stehende Mittel angewiesen war[296]. Es mußte also eine organisatorisch gesicherte Form der Förderung gefunden werden, die eine ungestörte Fortführung der Museumsarbeit erlaubte, ohne die Beachtung des überstaatlich konzipierten Nationalprogramms zu erschweren. Weil man eine solche ausreichende Förderung nur von staatlicher Seite erwarten zu können glaubte, die Nation aber in verschiedene Staaten geteilt war und man, um die Durchführung des gesamtnationalen Programms nicht zu gefährden, auf jeden Fall eine engere, institutionalisierte Bindung an den einen oder anderen deutschen Einzelstaat vermeiden wollte, wurde, wie gerade die Versuche Essenweins aus den ersten Jahren seines Direktorats gezeigt haben, jede Bitte der Museumsleitung um eine solche bleibende Unterstützung der Anstalt nicht nur zu einem fiskalischen, sondern auch zu einem politischen Problem, für das in dieser Phase der Museumsgeschichte noch keine Lösung gefunden werden konnte.

III. Im Deutschen Kaiserreich, 1871–1918

Der deutsch-französische Krieg und die Gründung des kleindeutschen Nationalstaates konnten ein wissenschaftliches Unternehmen wie das Germanische Nationalmuseum, das in seiner Sammlungstätigkeit und in seinem Sammlungszweck nicht nur mit der Geschichte der deutschen Nation, sondern auch mit deren gegenwärtigem Zustand eng verbunden war, nicht unberührt lassen. Die Museumsleitung bedauerte selbstverständlich, daß durch den Krieg „vorläufig das Interesse von der Anstalt abgezogen und so deren Entwickelung auf eine hoffentlich nicht zu lange Zeit unterbrochen wurde"[297], wenn auch „diese Hemmung nicht bis zu Störungen sich geltend machte" und „die Entwicklung nicht ganz stille stehen mußte"[298]. Aber solche Sorgen wurden durch die nationale Begeisterung des Sommers 1870 überdeckt: „Wenn auch beim Beginn des Krieges, dessen Entscheidung in Frankreich nunmehr von Tag zu Tag erwartet wird, über den Gang desselben keine Vorhersage gemacht werden konnte, so war doch die Zuversicht auf einen glücklichen Erfolg zu Gunsten der deutschen Waffen so groß und so allgemein, als die Entrüstung über die leichtfertige und übermüthige Heraufbeschwörung desselben durch unsere Gegner. Die Einmüthigkeit der ganzen Nation mußte erhebend auf jeden Einzelnen zurückwirken, und für unsere Anstalt, die ähnlicher Einmüthigkeit ihr Entstehen, wie ihre Blüthe dankt, war es ein freudiges Gefühl, zu sehen, wie mächtig das Band ist, das die deutschen Stämme vereinigt"[299]. Dieser Enthusiasmus war allerdings nicht immer frei von nationalistischer Überheblichkeit: „Ein Krieg, desgleichen in der Geschichte Deutschlands nicht verzeichnet ist, hat alle Kraft der Nation in Anspruch genommen, und diese Kraftfülle hat Deutschland in der europäischen Völkerfamilie zu Einfluß und Ansehen in dem Grade erhoben, daß unser Volk jetzt thatsächlich das erste Europas ist"[300].

Essenwein wie Aufseß schrieben der Tätigkeit des Museums einen nicht unerheblichen Anteil an

---

[296] Vgl. dazu August Essenwein: Die Finanzen des germanischen Museums von seiner Begründung bis zum Schlusse des Jahres 1885. In: Anzeiger GNM 1886, S. 269–273.

[297] Chronik des germanischen Museums. In: Anzeiger GNM 1870, Sp. 285–290 (285).

[298] Jahresbericht GNM 17 (für 1870), 1871, (S. 1).

[299] Chronik des germanischen Museums. In: Anzeiger GNM 1870 (15.9.), Sp. 285–290 (285).

[300] Jahresbericht GNM 17 (für 1870), 1871, (S. 1).

der Ausbildung und Festigung des nationalen Gemeinsinns zu, der jetzt „dem Auslande gezeigt (hat), daß die große deutsche Nation sich einig fühlt und eine einheitliche ist, wenn einem ihrer Glieder von außen Gefahr droht", wie es in der Adresse des Germanischen Nationalmuseums an den bayerischen König aus dem August 1870 hieß[301]. „Ein erhebendes Gefühl mußte für alle am Museum Betheiligten in dem Gedanken liegen, daß auch diese Anstalt, indem sie seit Jahren die Regierungen wie das Volk aller deutschen Länder, sei es auch nur durch den fortwährenden Aufruf zu gemeinsamen Gaben, zu gemeinsamem Handeln, zu einem Eintreten für eine gemeinsame Angelegenheit aufforderte, indem sie zeigte, was durch vereintes Handeln geschehen könne, das Ihrige beigetragen habe, den Geist zu wecken, der jetzt so herrliche, wenn auch blutige Früchte trägt"[302]. Das Direktorium hatte die Freude, diese Auffassung von den Folgen der Museumsarbeit in der königlichen Antwort bestätigt zu finden: Ludwig II. ließ erklären, er sei „stolz darauf, daß eine Anstalt innerhalb Bayerns Marken blüht, welche als echt nationales Denkmal der Macht und Herrlichkeit vergangener Tage zur segensreichen Pflanzstätte deutschen Sinnes und deutscher Sitte geworden ist und hiemit auch der gemeinsamen Entfaltung deutscher Kraft die Wege ebnen half"[303]. Und Aufseß begründete wenige Monate später seine Agitation für die Umwandlung des Nürnberger Instituts in ein Reichsmuseum, die noch im einzelnen dargestellt werden wird, unter anderm auch mit dem Hinweis darauf, daß „gewiß auch das Germanische Museum ... zu jener Begeisterung, zum Bewußtsein der Zusammengehörigkeit der deutschen Stämme in Süd und Nord das Seinige bei(trug). Denn es ist nicht zu leugnen, daß das Germanische Museum durch seine viele Jahre hindurch fortgesetzte Verbreitung seiner Berichte, Programme und Aufrufe ... das deutsche Nationalgefühl gehoben und wach erhalten hat, was noch mehr von den vielen Tausenden der Besucher des Museums gesagt werden kann, von denen wohl viele den Eindruck mit nach Hause nahmen, daß hier ein sichtbarer Einigungspunkt der noch ungeeinigten Nation, gleichsam als vorbildliches Zeichen hoffnungsvoller Zukunft, bestehe ..."[304].

Die Freude über die Wiederrichtung des Deutschen Reiches war verständlicherweise groß, wenn man auch klar sah, daß das neue Reich nicht dasselbe war wie dasjenige, dessen Herrscherreihe „einst zur Zeit tiefster Erniedrigung durch fremden Einfluß abgeschlossen wurde": „Anders ist seine Organisation, anders seine Aufgabe, ein anderes sein Gebiet"[305]. Zustimmung fand die Erwerbung Elsaß-Lothringens: deutsche Stämme „werden ... dem Reiche wieder einverleibt, die Jahrhunderte lang davon getrennt waren. Sind sie uns auch theilweise entfremdet worden, sie werden doch wieder an der Mutter Busen sich gewöhnen; sie werden wieder, wie ehemals, deutsch fühlen und den Ruhm des deutschen Namens durch ihre Kunst und Literatur, durch Poesie und Wissenschaft, durch blühenden Handel und Industrie mehren helfen und um so stolzer darauf werden, wieder deutsch zu sein, je mehr unter ihrer Mitwirkung der Glanz und Ruhm Deutschlands strahlt".

Das offen ausgesprochene Bedauern über den endgültigen Ausschluß Österreichs, „das sich zu einer selbständigen europäischen Großmacht ausgebildet" habe, aus dem neuen deutschen Staat wurde gemildert durch die Hoffnung, die Deutschen in der Habsburgermonarchie würden auch in

[301] Adresse des Direktoriums und des Lokalausschusses an Ludwig II., Nürnberg, 1. 8. 1870; abgedruckt in der Chronik des germanischen Museums. In: Anzeiger GNM 1870, Sp. 285–290 (286).
[302] Chronik (Anm. 297).
[303] August von Eisenhart, Kabinettssekretär Ludwigs II., an Essenwein, Schloß Berg, 8. 8. 1870; abgedruckt in der Chronik des germanischen Museums. In: Anzeiger GNM 1870, Sp. 285–290 (287).
[304] Aufseß an Friedrich Niedermaier, Rechtskonsulent des Vorstands, Kreßbronn, 31. 3. 1871, Ausfertigung; Altregistratur GNM, Kapsel 736. Dieses Schreiben wurde von Niedermaier am 17. 4. 1871 an Essenwein, mit dem Aufseß offensichtlich nicht direkt korrespondieren wollte, weitergeleitet.
[305] Jahresbericht GNM 17 (für 1870), 1871, (S. 1); hier auch die im folgenden zitierten Äußerungen über Elsaß-Lothringen und über Österreich.

Zukunft in „steter geistiger Beziehung" zu „den Angehörigen des mächtigen deutschen Reiches" bleiben und so „die Vermittler deutscher Kunst und Wissenschaft, die Träger deutscher Kultur unter den Völkern ... sein, welche den Osten Europas bewohnen. Im Geiste den Bewohnern des Reiches verbunden, mit ihnen arbeitend auf den friedlichen Gebieten der Kunst und Wissenschaft, mit ihnen theilend die Schätze, welche die Poesie über das deutsche Volk ausgegossen, an sie gefesselt durch den Zauber derselben Muttersprache und der großen gemeinsamen Vergangenheit, müssen auch die deutschen Oesterreicher, so lange das mächtige Oesterreich aufrecht steht, ein Hort des Deutschthums bleiben, und vereint müssen Oesterreich und Deutschland die friedliche Aufgabe erfüllen, welche die Vorsehung den germanischen Stämmen zugewiesen".

Eine solche Auffassung vom Fortbestehen der deutschen Nation über die neuen europäischen Grenzen hinweg entsprach nicht nur dem Programm der Nürnberger Anstalt, sondern fand auch Zustimmung in Österreich selbst. Noch während des Krieges erwähnte die Museumsleitung als „besonders erfreulich ... eine Reihe von Zuschriften aus Oesterreich, aus denen hervorgeht, daß auch die an dem heutigen ruhmvollen Kriege nicht theilnehmenden deutschen Stämme sich gehoben fühlen durch das Bewußtsein, wenn auch nicht politisch, so doch stammverwandt noch der Nation anzugehören, die sich so mächtig hebt"[306]. So ist es verständlich, daß die Museumsleitung, gerade im Verkehr mit Österreich, mit den gleichen Worten wie in der Gründungsphase auch nach der Reichsgründung die gesamtdeutsche Funktion der Anstalt definieren konnte. Essenwein schrieb im Jahre 1872 an den Landesausschuß des Herzogtums Steiermark: „Das germanische National-Museum sucht seinen Ruhm darin, den Interessen der Wissenschaft nach Kräften zu dienen und so überall wo Deutsche sind, alles zu fördern, was sich auf Geschichte u Alterthum bezieht und damit ein geistiges Einheitsband um alle Stäme zu schlingen, ohne Rücksicht auf politische Grenzen. ... in seinen Samlungen sucht es die Cultur aller Stämme vereinigt zu einem großen Ganzen darzustellen, um die stets vorhandene geistige Einheit neben der Stamesgliederung, die sich in Verschiedenheit zeigt darzustellen"[307]. Und noch kurz vor der Jahrhundertwende unterzeichneten zahlreiche Angehörige des deutschen Besitz- und Bildungsbürgertums in Österreich einen von dem Wiener Architekturhistoriker Karl von Lützow entworfenen Aufruf „an die Einwohnerschaft Wiens zur Förderung des germanischen Museums": „Seit der Neugestaltung der politischen Verhältnisse in Österreich und Deutschland drängt sich uns Deutschen Österreichs naturgemäß das Bedürfnis auf, alle geistigen Fäden, die uns mit der Heimat unserer nationalen Kultur verbinden, fester zu knüpfen. Wissenschaft und Kunst, Gesittung und Geschichte bilden die große Einheit des Völkerlebens, die durch kein äußeres Geschick jemals zerrissen werden kann. Wo sie drüben im Reiche gepflegt werden, da werden sie auch für uns, für alle deutschen Stämme gepflegt, die außerhalb der Reichsgrenzen deutsch denken und empfinden. Eine solche hehre Pflegestätte deutscher Kultur und Kunst ist ... das Germanische Nationalmuseum in Nürnberg. ... Allerdings bestehen auch in Oesterreich Museen und Spezialsammlungen verwandter Art, welche die sorgsamste Pflege erheischen. ... Aber neben allen diesen geistigen Rüstkammern von besonderer und individueller Bedeutung soll die Nation auch ihre Zentralstätte des geschichtlichen Lebens hoch halten und fördern"[308].

[306] Chronik des germanischen Museums. In: Anzeiger GNM 1870, Sp. 373-376 (373).
[307] Essenwein an den steirischen Landesausschuß, Nürnberg, 9. 1. 1872, Reinkonzept; Altregistratur GNM, Kapsel 22. Essenwein bat in diesem Schreiben um einen Gipsabguß des Grabmals Ulrichs von Liechtenstein. Die Landesausschüsse in den cisleithanischen Kronländern waren nach 1867 „die Verwaltungsorgane der autonomen Landesverwaltung", im besonderen hatten sie die „Verwaltungsgeschäfte des Landesvermögens, des Landesfonds und der Landesanstalten zu besorgen" (Ernst C. Hellbling: Die Landesverwaltung in Cisleithanien. In: Die Habsburgermonarchie 1848–1918, Bd. 2. Verwaltung und Rechtswesen. Wien 1975, S. 190–269 [211]).
[308] Dieser Aufruf aus dem „Frühjahr 1897" ist zusammen mit den Unterschriften abgedruckt in der Chronik des germanischen Museums. In: Anzeiger GNM 1897, S. 37–56 (37–39, bes. 37–38).

Was schon in diesem knappen Bericht über die Beziehungen des Germanischen Nationalmuseums zu den Deutschen in Österreich sichtbar wurde, galt auch grundsätzlich: ebenso wie nach der staatsrechtlichen Zäsur von 1866 brauchte man auch nach der Reichsgründung das Museumsprogramm nicht zu revidieren, wenn man Bestand und Tätigkeit der Nürnberger Anstalt überzeugend rechtfertigen wollte, um auch in Zukunft hinreichende Förderung für die Museumsarbeit erwarten zu können. Das Museumskonzept blieb unverändert. Zwar war es, anders als in der Frühzeit, jetzt nicht mehr nötig, die politische und wissenschaftliche Öffentlichkeit ständig auf das Nürnberger Unternehmen und auf die nationale Bedeutung seiner Tätigkeit werbend aufmerksam zu machen, so daß die Definitionen der nationalen Aufgabe, zu deren Erfüllung dieses Institut ins Leben gerufen worden war, im Lauf der Zeit spärlicher wurden, aber immer, wenn Gegenstand und Zweck der Sammlungen und deren Charakter als Eigentum der Nation beschrieben wurden, geschah das auch nach 1870 mit den gleichen Worten wie vorher.

Stets wurde die ausschließliche Beschäftigung mit den Überresten der deutschen Geschichte und die Berücksichtigung aller historischen Disziplinen als die wesentlichen Merkmale der Museumsarbeit genannt. So erinnerte der Historiker Wilhelm Wattenbach, Mitglied des Verwaltungsausschusses, bei der Enthüllung einer Büste Essenweins zu Beginn des Jahres 1894 an den „richtigen ursprünglichen Gedanken von Aufseß", das Museum habe „das deutsche Leben der Vorzeit nach allen Richtungen zur Anschauung (zu) bringen"[309]. Essenweins Nachfolger, Gustav von Bezold, bekräftigte in seinem ersten Tätigkeitsbericht: „Das Museum sammelt das Anschauungsmaterial für die deutsche Kulturgeschichte, das Wort in seinem weitesten Umfang genommen ... Wichtig ist vor Allem, daß der historische Charakter des Museums gewahrt bleibe und daß eine Anordnung nach technischen Gesichtspunkten nur in beschränktem Maße Anwendung finde, denn damit würde das Museum in die Reihe der Gewerbe- und Kunstgewerbemuseen treten"[310]. Bei der Feier zum 100. Geburtstag Aufseß' verwies Bezold auf „die Universalität, mit welcher es (i. e. das Germanische Nationalmuseum) alle Gebiete des Lebens deutscher Vorzeit umfaßt," als das, „was das Museum vor anderen Sammlungen voraus hat"[311]. Und noch kurz vor Ausbruch des Ersten Weltkriegs wurden „alle Freunde unserer Anstalt" an die zentrale Aufgabe des Museums erinnert: die „Zusammenfassung und Vergleichung von Kultur und Kunst der deutschen Stämme in ihrer geschichtlichen Entwicklung"[312]. Anders als in den Anfängen des Museums wurden allerdings jetzt auch schon Objekte aus dem 18. Jahrhundert erworben[313]. Bezold regte an, „diese Grenze ... etwa bis zur Zeit des Wiener Kongreßes zu erweitern"[314], und in der Debatte über einen Bildertausch zwischen dem Germanischen Nationalmuseum und den Münchner Staatsgemäldesammlungen im Mai 1910 ging der Direktor der Hamburger Kunsthalle, Alfred Lichtwark, sogar noch näher an die Gegenwart heran, als er vorschlug, in der Nürnberger Anstalt „eine Galerie" zu begründen, „die in geschlossenen Typenreihen einen Überblick über die gesamte Entwicklung der deutschen Malerei nicht nur des 15. und 16. Jahrh. sondern auch der späteren Zeit einschließlich des 19. Jahrhunderts ermöglicht"[315].

[309] Die Ansprache ist abgedruckt in der Chronik des germanischen Museums. In: Anzeiger GNM 1894, S. 31–47 (32–36, bes. 33).
[310] Verwaltungsbericht Bezolds für 1894/95 (Protokolle des Verwaltungsausschusses, 5.6.1895, Anlage; Altregistratur GNM, Kapsel 747). Der Anfang des Berichts lautet bezeichnend genug: „Sie erwarten von mir ein Programm für die Weiterführung der Sammlungen des Museums. Nun ist das allgemeine Programm gegeben und ich möchte daran nicht rütteln, denn es ist gut und eine Veränderung könnte nur von verhängnisvollen Folgen sein".
[311] Säcularfeier für den Gründer des Germanischen Museums Hans Freiherrn von und zu Aufsess. In: Anzeiger GNM 1901, S. XXXIX–XL (XXXIX).
[312] Jahresbericht GNM 60 (für 1913), 1913, S. 2.
[313] Jahresbericht GNM 41 (für 1894), 1894, (S. 1).
[314] Verwaltungsbericht Bezolds (Anm. 310).
[315] Protokolle des Verwaltungsausschusses, 20.5.1910; Altregistratur GNM, Kapsel 755.

Auch an der Vorstellung von der Nation als Stifterin und Eigentümerin des Nürnberger Unternehmens hielt man unbeirrt fest. In dem offiziellen Jubiläumsartikel zum 20. Jahrestag der Museumsgründung wurde im Jahre 1872 mit Nachdruck daran erinnert, daß das Germanische Nationalmuseum keine staatliche Einrichtung sei, sondern eine „aus freier Initiative des Volkes selbst hervorgegangene und stets selbständig gebliebene Anstalt"; in dieser Eigenschaft der Nürnberger Sammlungen wurde sogar ein hinreichender Ausgleich dafür gesehen, daß es „in Deutschland und im Auslande noch reichere und größere verwandte Anstalten" gebe, „denen nachzueifern und die, so weit möglich, zu erreichen unsere Pflicht ist", die aber eben nicht in einer solch engen Verbindung mit der Nation stünden wie das Nürnberger Institut[316]. Einige Jahre später wurde der nationale Charakter des Museums geradezu aus der Tatsache hergeleitet, daß „so viele Tausende alljährlich ihre persönlichen Gaben bringen ... Deshalb ist unsere Anstalt auch eine echt nationale, und die Besucher aus den entferntesten deutschen Gauen fühlen sich gehoben, wenn sie unsere Hallen betreten, weil sie wissen, daß nicht blos der Wille der Regierungen, sondern auch so vieler Einzelindividuen aus der ganzen Nation sie geschaffen, daß sie ... als Manifestation des nationalen Willens, als ein gemeinsames Werk aller Einzelner, die ihr Unterstützung reichen, auch das Interesse jedes Einzelnen anregen muß, woher er immer komme"[317]. Und noch im Ersten Weltkrieg wurden die nach wie vor eingehenden Spenden und Stiftungen „als bedeutsames Zeichen ... für die unverminderte Liebe des deutschen Volkes zu seiner ureigensten Schöpfung" gewertet[318].

Zahlreich sind auch die Zeugnisse für die Auffassung von der hier tätig werdenden Nation als einer ungeteilten sozialen Größe. Wie schon in den Anfängen der Museumsgeschichte zeigte sich auch jetzt die Leitung erfreut darüber, „wie tief unsere Anstalt im Herzen des gesammten Volkes Wurzel geschlagen hat"[319]. Die der Tätigkeit des Museums „aus allen Kreisen ... gezollte Anerkennung"[320] wurde ebenso vermerkt wie die mit dem Hinweis auf die soziale Zugehörigkeit der Spender belegte Tatsache, „welch tiefes Interesse am germanischen Museum in allen Schichten der Bevölkerung ... verbreitet ist"; dies sei eine Bürgschaft dafür, „daß das Museum auch ferner vom ganzen deutschen Volk getragen, mit Nachdruck seine Aufgabe verfolgen kann"[321]. Weil das Germanische Nationalmuseum „von der Gunst weitester Kreise" getragen sei, sei es „volkstümlich wie kein zweites"[322], und eben diese „außerordentliche Popularität des Germanischen Museums" schrieb Bezold in seinem Bericht an den Verwaltungsausschuß im Juni 1911 „nicht allein" dem zu, „was seine Sammlungen sind und bieten, sondern auch" der Tatsache, „daß alle Kreise des deutschen Volkes zu seiner Fortbildung beitragen"[323]. Die Freude über die tätige Zustimmung der ganzen Nation zu diesem „idealen nationalen Werke" wurde auch durch die Einsicht nicht gemindert, daß die Tätigkeit des Museums „in erster Linie (doch) dem Gelehrten- und Künstlerstand Nutzen bringt, der freilich indirekt wieder auf alle Glieder der Nation zurückwirkt"[324].

Schließlich ähnelten auch die Definitionen des Sammlungszwecks sehr den früheren Beschreibungen vom Nutzen des Museums. Freilich war die Hoffnung, die Nation werde diese Anstalt „als nationales Siegesdenkmal ... betrachten", „als Denkmal desselben Geistes, der so einmüthig Deutschland verbunden hat"[325], zeitbedingter Ausdruck eines nationalistischen Triumphalismus

[316] Chronik des germanischen Museums. In: Anzeiger GNM 1872, Sp. 257–260 (257).
[317] Jahresbericht GNM 26 (für 1879), 1880, (S. 1).
[318] Chronik des germanischen Museums. In: Anzeiger GNM 1917, S. 25–27 (26).
[319] Jahresbericht GNM 26 (für 1879), 1880, (S. 1).
[320] Chronik des germanischen Museums. In: Anzeiger GNM 1882, Sp. 105–108 (105).
[321] Jahresbericht GNM 48 (für 1901), 1901, (S. 1).
[322] Jahresbericht GNM 41 (für 1894), 1894, (S. 1).
[323] Chronik des germanischen Museums. In: Anzeiger GNM 1911, S. 29–34 (29).
[324] Jahresbericht GNM 36 (für 1889), 1889, (S. 1).
[325] Jahresbericht GNM 17 (für 1870), 1871, (S. 1).

zu Beginn des Jahres 1871, aber die bald wieder dominierende Vorstellung vom Museum als „einer kostbaren Schatzkammer deutschen Schaffens und Strebens, deutschen Wollens und Könnens seit mehr als einem Jahrtausend"[326], oder als eines „Werkes . . ., das zur Ehre des deutschen Namens, zum Nutzen der deutschen Wissenschaft, zur Belehrung des Volkes unternommen worden ist"[327], unterschied sich in nichts von der Erwartung, die schon die Gründergeneration an die Tätigkeit des Museums geknüpft hatte. Nichts Neues enthielt auch der nachdrückliche Hinweis auf die Bedeutung des Unternehmens für die deutsche Wissenschaft und als Vorbild für ähnliche kulturhistorische Sammlungen: „. . . heute ist das germanische Museum eine hochangesehene Anstalt . . ., das kostbare Dokumente tausendjähriger Geistesarbeit unserer Nation in Hülle und Fülle dem Studium und der Forschung bietet und hervorragenden Einfluß auf die Anlage, Einrichtung und Anordnung anderer Museen ausübt"[328]. Auch die nicht gerade präzise Bestimmung des Museums „als Manifestation des nationalen Willens"[329], als einer Anstalt, die „nicht nur wissenschaftliche, sondern auch patriotische Bedeutung" habe[330], war den Freunden des Museums nicht fremd.

Neu war jedoch eine Weiterentwicklung der Vorstellung Aufseß' von der Aufgabe des Museums, kulturhistorisch bedeutsame Überreste der deutschen Vergangenheit zu erwerben und so vor dem Untergang zu bewahren[331]. Der nationale Gehalt dieser konservierenden Funktion wurde jetzt in zweifacher Hinsicht genauer bestimmt. Einmal wurde das Nationalmuseum als ein Unternehmen verstanden, dessen Bestände jedermann zugänglich seien, während privaten Kunstsammlungen dieser „öffentliche" Charakter bedauerlicherweise fehle. So wurde in der ersten großen Debatte im neuen Reichstag über das Germanische Nationalmuseum darüber geklagt, daß die Nürnberger Anstalt eine gerade zum Kauf angebotene Sammlung von Wiegendrucken noch nicht habe erwerben können, so daß „zu befürchten (steht), daß diese Sammlung unter den Hammer kommt, von Privaten einzeln angekauft wird, und so der Nation verloren geht"[332].

Darüber hinaus wurde aber auch die Meinung vertreten, daß das Nürnberger Museum wegen seines nationalen Charakters in besonderer Weise verpflichtet sei, sich um den Erwerb von historisch oder künstlerisch wertvollen Gegenständen zu bemühen, damit diese, wenn die Gefahr bestehe, daß sie sonst ins Ausland verkauft würden, der deutschen Nation erhalten blieben. Eine solche kommerzielle Auffassung vom nationalen Besitz war zwar von Anfang an Bestandteil des Museumsprogramms[333], fand aber erst in den siebziger Jahren größere Beachtung und scheint als eine eher politisch begründete Überlegung von außen dem Nürnberger Vorstand wieder ins Bewußtsein gerufen worden zu sein. In der soeben erwähnten Reichstagsdebatte über den drohenden

[326] Hans Bösch: Kgl. Bayer. Geheimrat Dr. August Ottmar v. Essenwein, erster Direktor des germanischen Nationalmuseums. In: Anzeiger GNM 1892, S. 69–78 (72).
[327] Jahresbericht GNM 30 (für 1883), 1883, (S. 2).
[328] Bösch (Anm. 326), S. 76.
[329] Jahresbericht GNM 26 (für 1879), 1880, (S. 1).
[330] Säcularfeier (Anm. 311), S. XXXIX.
[331] S. o. S. 149 und Anm. 99.
[332] 14. 5. 1872, Hermann Fürst von Hohenlohe-Langenburg (Deutsche Reichspartei), Abgeordneter für Crailsheim (Stenographische Berichte über die Verhandlungen des Deutschen Reichstages. I. Legislatur-Periode. III. Session 1872, Bd. 1. Berlin 1872, S. 346). Gemeint war die Sammlung des Leipziger Sammlers und Händlers Theodor Oswald Weigel, des Bruders des bekannteren und wohl deshalb von Reichensperger in der im folgenden zitierten Rede mit ihm verwechselten führenden, fünf Jahre zuvor verstorbenen Leipziger Kunsthändlers Rudolf Weigel; zur Sammlung vgl. auch S. 639 mit Anm. 26. Unmittelbar vorher hatte Hohenlohe als Aufgabe des Nürnberger Museums die „Anschaffung aller derjenigen deutschen Denkmäler" definiert, „die kulturhistorische und historische Beziehungen haben, um sie vor dem Untergange zu retten, wo sie dann der Nation aus dem Gesichte verloren gehen".
[333] „Es sollen nämlich allerdings auch Originalschätze der Literatur und Kunst deutscher Vorzeit . . . durch Ankauf und Stiftungen . . . zusammengebracht und damit zugleich eine Rettungsanstalt dessen, was ausserdem durch Händler ins Ausland wanderte, begründet werden; . . ." (Jahresbericht GNM 1 [für 1852–1854], 1854, Anhang).

Verlust der Inkunabelsammlung wurde mit Nachdruck erklärt, man habe dafür zu sorgen, daß „manches sehr schätzbare Kunstwerk nicht in's Ausland (wandert), namentlich nicht nach England. . . . Die Sammlung von Rudolf Weigel . . . erscheint mir so zu sagen unentbehrlich für ein germanisches Museum. Wenn aber diese Anstalt nicht in die Lage gesetzt wird, sie rasch zu erwerben, so bin ich überzeugt, daß sie bald über den Kanal wandert; das aber dürfte doch wohl Keinem, der für deutsche Geschichte und Kunst ein Herz hat, gleichgültig sein"[334]. Die Museumsleitung folgte dieser Anregung des Reichstags, der gleichzeitig die Reichssubvention von 8000 auf 16000 Taler erhöhte, und beteiligte sich an der Auktion, so daß „manches Wertvolle, mitunter auch um einen hohen Preis, dem Vaterlande erhalten (blieb)"[335]. So konnte „den Freunden der nationalen Anstalt die Beruhigung" geboten werden, „daß . . . die Vorgeschichte und die Anfänge der größten, folgenreichsten und wichtigsten deutschen Erfindung, der Buchdruckerkunst, bei uns wird vertreten sein" und daß „die Anstalt ihrer nationalen Pflicht sich bewußt war und gethan hat, was in ihren Kräften stand . . .". Von da an gehörte diese merkantile Besonderheit der nationalen Aufgabe des Museums zum Programm der Anstalt. Später wurde sowohl Essenwein als auch Aufseß lobend nachgesagt, sie hätten „zu richtiger Zeit eingegriffen und solch wichtige Sachen in solchem Umfange und zu solch billigen Preisen Deutschland gerettet"[336]. Und im neuen Jahrhundert wurde von der Museumsleitung die Bitte um finanzielle Förderung der Anstalt auch einmal mit der Notwendigkeit begründet, bei der Sammlungstätigkeit der Anstalt mit dem internationalen Kunsthandel konkurrieren zu müssen: „Bei den sich fortgesetzt steigernden Preisen des Antiquitätenmarktes . . . und der wachsenden Konkurrenz Amerikas können wir nur immer aufs neue an alle Freunde des Germanischen Museums und seiner vaterländischen Bestrebungen die dringende Mahnung und Bitte wiederholen, es möchte ein jeder von ihnen . . . für unsere Anstalt wirken und werben, damit derselben ihre Schwungkraft nicht nur gewahrt bleibe, sondern sich noch stetig mehre"[337].

Aber wenn auch die deutsche Nation unverändert im Mittelpunkt der Museumsarbeit stand, so war jetzt, wie sich schon bald nach der Reichsgründung zeigte, für die Museumsleitung diese Nation doch nicht mehr dasselbe wie vor 1870. Zwar blieben – etwas Selbstverständliches für ein wissenschaftliches Unternehmen, das sich ausschließlich mit der deutschen Geschichte beschäftigte – bei der Definierung der nationalen Museumsaufgabe die politischen Grenzen innerhalb des Nationsgebiets nach wie vor unbeachtet, aber die Tatsache, daß sich nun ein großer Teil dieser Nation zu einem eigenen nationalen Staat formiert hatte, erklärt, weshalb diese bis dahin im Museumsprogramm dominierende historische Vorstellung von einer allein unstaatlich zu verstehenden Nation gegenüber einer neuen Bedeutung des Begriffs Nation zunehmend in den Hintergrund trat. Vor allem dort, wo die Museumsaufgabe eine nationalpolitische Aktualisierung erfuhr oder wo es um den Nutzen der Museumstätigkeit ging, wurden immer häufiger deutsche Nation und neues Deutsches Reich einander gleichgesetzt. Diese begriffliche Reduzierung der deutschen Nation auf die Bevölkerung des kleindeutschen Nationalstaats war aber weniger eine opportunisti-

[334] 14. 5. 1872, August Reichensperger (Zentrum), Abgeordneter für Krefeld (Stenographische Berichte [Anm. 332], S. 348). Die im folgenden erwähnte Verdoppelung der Reichssubvention verbesserte die Lage des Museums beträchtlich, war doch erst zum 1. 1. 1872 dieser Zuschuß von 6000 auf 8000 Taler erhöht worden; s. u. S. 210.
[335] Chronik des germanischen Museums. In: Anzeiger GNM 1872, Sp. 193–200 (193); dort auch das folgende Zitat. Schon früher hatte die Museumsleitung darauf hingewiesen, daß die Anregung zum Kauf dieser Sammlung nicht von ihr ausgegangen sei (Chronik des germanischen Museums. In: Anzeiger GNM 1872, Sp. 161–166 [162]).
[336] Bösch (Anm. 326), S. 72 (über Essenwein). „Vieles hat er vor dem Untergang oder Verschleppung in die Fremde bewahrt, was jetzt zu den Schätzen der Sammlungen gehört" (Wattenbach über Aufseß; Chronik des germanischen Museums. In: Anzeiger GNM 1894, S. 31–47 [33]).
[337] Jahresbericht GNM 58 (für 1911), 1911, S. 1.

sche Anpassung der Museumsleitung an die Situation in Deutschland, wie sie durch die machtpolitischen Entscheidungen der Jahre 1866 und 1870 geschaffen worden war, als vielmehr ein Vorgang, der auch sonst im Verhalten der Nation zur Reichsgründung zu beobachten ist: die zustimmende Bescheidung auf einen deutschen Nationalstaat in der Gestalt, in der allein er sich konfliktfrei in das europäische Mächtesystem einfügen ließ. Zwar waren auch für Aufseß und seine Mitarbeiter nicht alle Nationsgenossen Deutsche im politischen Sinn gewesen, sondern nur die Deutschen in den Bundesländern[338], aber bei der wenig festen Gestalt des Deutschen Bundes als des damaligen gesamtdeutschen Staates war eine bewußte und konsequent beachtete Unterscheidung zwischen Deutschen diesseits und jenseits der Bundesgrenzen weder üblich noch notwendig. Nach der Schaffung eines deutschen Nationalstaates jedoch wurde Deutschland allgemein zum Synonym für das neue Reich, diente deutsch als Bezeichnung der Reichsnation, und so erhielt auch für die Leitung des Germanischen Nationalmuseums der Nationsbegriff einen deutlich spürbaren etatistischen Gehalt.

Diese innerdeutsche Entwicklung, die noch durch die Vorstellung charakteristischer Beispiele erläutert werden wird, wurde von außerhalb des neuen Staates noch gefördert. Es ist schon gezeigt worden, daß die Deutschen in Österreich auch nach 1870 das Nürnberger Museum und dessen Unterstützung durch sie noch genauso wie in den fünfziger und sechziger Jahren[339] für sich als nationale Hilfe nutzten. Das offizielle Österreich aber nahm rascher Abschied von Deutschland, das jetzt nicht mehr das Gebiet einer staatslosen Nation, sondern ein europäischer Staat unter europäischen Staaten war, und von dessen Nationalmuseum, wenn auch dies eine gewisse Zeit brauchte[340]. Wie bereits erwähnt[341], war im Jahre 1869 keine Subvention durch die Wiener Regierung gezahlt worden. Im Jahre 1870, und zwar noch vor der deutsch-französischen Krise, wurde die Förderung des Germanischen Nationalmuseums von seiten des österreichischen Staates wieder aufgenommen[342] und bis in die zweite Hälfte der siebziger Jahre hinein fortgeführt, wobei allerdings ausdrücklich betont wurde, daß es sich hier um eine freiwillige Zuwendung handle[343]. Im Jahre 1877 wurden diese Zahlungen endgültig eingestellt[344]. Zuschüsse aus dem Privatvermögen des Kaisers Franz Joseph wurden zunächst weiter gewährt. Darüber hinaus hatte im Jahre 1874 der Monarch ein „Fenster nebst Glasgemälde" für die „Verbindung des Kreuzgangs der Karthause mit jenem des Augustinerklosters" gestiftet[345]. Elf Jahre später stellte er, „in Anbetracht der Wichtigkeit, welche einerseits die Denkmäler des Hauses Habsburg-Lothringen für die politische und Kulturgeschichte Deutschlands haben, andererseits der Förderung, welche die Geschichte dieses hohen Hauses durch die allgemeinen Bestrebungen des Museums gewinnt", neben seinen laufenden Zahlungen für die „allgemeinen Zwecke des Museums" Mittel zur Verfügung, „um das Mu-

---

[338] S. o. S. 158–159.

[339] S. o. S. 151–152.

[340] In einem vergleichbaren Fall geschah auch auf deutscher Seite diese Trennung von Österreich als Ausland nicht sofort nach der Reichsgründung: erst seit 1890 wurden österreichische Staatsangehörige, die Mitglieder der Friedensklasse des preußischen Ordens „Pour le Mérite" waren, nicht mehr zum deutschen, sondern zum ausländischen Teil des Ordenskapitels gerechnet (Theodor Schieder: Der Orden Pour le Mérite für Wissenschaften und Künste. Ein historischer Rückblick. In: Orden Pour le Mérite für Wissenschaften und Künste. Die Mitglieder des Ordens, Bd. 1. 1842–1881. Berlin 1975, S. VII–XLVII [IX]).

[341] S. o. S. 177.

[342] Chronik des germanischen Museums. In: Anzeiger GNM 1870, Sp. 129–136 (129).

[343] „Ich muß . . . darauf hinweisen, daß diese Subventionierung des germanischen Museums nicht in der Art als eine fortlaufende aufgefaßt werden darf, daß auch für die nächsten Jahre eine Erfolgung derselben mit Sicherheit in Aussicht genommen werden kann" (Stremayr an Essenwein, Wien, 10. 9. 1876, Ausfertigung; Altregistratur GNM, Kapsel 24).

[344] Stremayr an Essenwein, Wien, 5. 1. 1878, Ausfertigung, und Essenwein an Stremayr, Nürnberg, 9. 1. 1878, Reinkonzept; Altregistratur GNM, Kapsel 24.

[345] Chronik des germanischen Museums. In: Anzeiger GNM 1874, Sp. 49–52 (49).

seum in die Lage zu setzen, die Denkmäler des Hauses Habsburg-Lothringen in möglichst ausgiebiger Weise im Museum zu vertreten"[346]. Aber mit dem Jahre 1900 endete auch diese Unterstützung der Nürnberger Anstalt durch den österreichischen Kaiser[347].

Ein erstes Indiz für diese Differenzierung zwischen einem älteren historischen und einem jüngeren politischen Nationsbegriff auf seiten des Museums kann darin gesehen werden, daß schon nach wenigen Jahren Essenwein den Reichstag in Berlin als eine gesamtdeutsche Körperschaft bezeichnete. Als er im Mai 1874 vor dem Lokalausschuß einen Bericht über seine Verhandlungen mit dem Reichskanzleramt erstattete, die mit dessen Verlangen nach einer stärkeren Kontrolle des Museumshaushalts durch staatliche Behörden in Zusammenhang standen[348], setzte er die Förderung, die das Nürnberger Institut durch den norddeutschen Reichstag erfahren hatte, in Parallele zu der Unterstützung durch ebendiesen neuen „gesamtdeutschen" Reichstag[349]. Die in einem solchen Vergleich zum Ausdruck kommende Vorstellung von der Reichsgründung als der Erweiterung des norddeutschen Teilstaates zum gesamtdeutschen Vollstaat zeigt deutlich diese damals beginnende inhaltliche Verengung des Nationsbegriffs.

Überzeugender noch ist das Vorhaben der Museumsleitung, aus nationaler Begeisterung und wegen einer gefühlsmäßig engeren Bindung des Unternehmens an den neuen Nationalstaat, aber im klaren Widerspruch zu der sonst geltenden Beschränkung der Museumsarbeit auf länger zurückliegende Epochen der deutschen Vergangenheit[350], Erinnerungsstücke aus dem Krieg von 1870/71 und bald auch andere Überreste der nationalen Zeitgeschichte im Museum zu sammeln. Am Anfang stand ein „Aufruf des Museums, ihm . . . die auf den Krieg sich beziehenden Proklamationen, Flugschriften, Gedichte, Carrikaturen u. s. w. zuzusenden"[351]. Diese Zusammenstellung der „Originalveröffentlichungen, Proklamationen, Erlasse, Siegesnachrichten u. s. w." wurde, entgegen dem deutschen Charakter des Instituts, schon nach kurzer Zeit durch Unterstützung der deutschen Okkupationsbehörden „mit . . . vielen ähnlichen Schriftstücken von französischer Seite" vereinigt[352]. Ein Jahr nach Kriegsschluß machte das Direktorium den Vorschlag, „in einem Album die eigenhändigen Unterschriften und Denksprüche aller deutschen Fürsten, Feldherren und Diplomaten zu vereinigen, welche an den großen Ereignissen des Jahres 1870 und 1871 direkt betheiligt waren"[353]. Im Jahre 1874 erhielt das Museum Manuskripte des Komponisten Karl Wilhelm, „darunter das Beck'sche Rheinlied, die Wacht am Rhein, Deutschlands Siegesfeier, . . ., und so erfreut sich nun unsere Anstalt eines Schatzes, der mehr und mehr der Nation theuer werden wird"[354]. Früher bereits war dem Germanischen Nationalmuseum durch den bayerischen Kriegsminister, Sigmund Freiherrn von Pranckh, „eine Reihe Beutestücke aus dem jüngsten Kriege zur Verfügung gestellt" worden; der Minister hatte die Direktion auch darauf aufmerksam gemacht, „daß wol auch von anderer Seite uns solche überlassen werden könnten, so daß wir die Zahl der

[346] Chronik des germanischen Museums. In: Anzeiger GNM 1885, S. 171–176 (171).
[347] Jahresbericht GNM 47 (für 1900), 1900, (S. 1). Franz Joseph erklärte sich allerdings bereit, „dem Museum künftig in besonderen Fällen helfend zur Seite zu stehen".
[348] S. u. S. 212–213.
[349] Protokolle des Lokalausschusses, 21. 5. 1874; Altregistratur GNM, Kapsel 738.
[350] S. o. S. 139 und 194.
[351] Chronik des germanischen Museums. In: Anzeiger GNM 1870, Sp. 373–376 (373).
[352] Jahresbericht GNM 17 (für 1870), 1871, (S. 2).
[353] Chronik des germanischen Museums. In: Anzeiger GNM 1872, Sp. 321–326 (322).
[354] Chronik des germanischen Museums. In: Anzeiger GNM 1874, Sp. 81–86 (81). Bezeichnend für die Einschätzung des Museums und seiner Sammlungen in der Öffentlichkeit ist die Vorgeschichte dieser Erwerbung: „Bei dem hohen Interesse, das sich an diese Originalpartituren jener Gesänge knüpft, die ganz Deutschland begeisterten, unter denen unsere Heere zum Siege zogen, mit denen die siegreich Heimkehrenden jubelnd empfangen wurden, glaubte der Besitzer derselben . . . Ihrer Majestät der Kaiserin die Bestimmung überlassen zu wollen, wo solche aufbewahrt werden möchten. Allerhöchstdieselbe hatte die Gnade, das germanische Museum zu bezeichnen . . .".

Erinnerungen an die große Zeit der Jahre 1870 und 71 um ein Namhaftes vermehren"[355]. Mögliche Bedenken gegen eine so weitgetriebene Aktualisierung des Sammlungsprogramms versuchte man durch den Hinweis zu zerstreuen, daß „die Geschichte niemals aufhört und bald auch die Kultur unserer Zeit der Geschichte angehören wird"[356].

Dafür, wie man in der Öffentlichkeit, aber auch im Hause selbst die zeithistorische Bedeutung der Museumsarbeit einschätzte, war kurz vor Ausbruch des Ersten Weltkriegs „eine etwas fragwürdige Zuwendung" bezeichnend. Im Juni 1914 berichtete Bezold dem Verwaltungsausschuß: „Der k. sächsische Oberlandesgerichtsrat Tischer in Dresden hat eine Sammlung von Büchern, Abbildungen, Medaillen usw. angeregt, welche sich auf die Gründung des deutschen Reiches beziehen und letztwillig den Wunsch geäussert, dass diese Sammlung im Germanischen Museum verwahrt und verwaltet werde. Bei der patriotischen Richtung des Germanischen Museums glaubten wir die Annahme der nicht sehr umfangreichen Sammlung nicht verweigern zu sollen . . . Bei genauer Durchsicht zeigte sich leider, dass die Sammlung ziemlich dilettantisch angelegt ist"[357].

Auch bei der Erwerbung der „Sammlung der Bismarckdokumente aus dem Nachlaß des Redakteurs Hofmann der Hamburger Nachrichten"[358] im Jahre 1916[359] blieb die Zeitgrenze, bis zu der die Sammlungen geführt werden sollten – frühes 19. Jahrhundert[360] –, unbeachtet. Der zweite Direktor, Theodor Hampe, begründete dieses Abweichen von der selbstgesetzten Regel mit nationalpolitischen Überlegungen, deren Bedeutung im Weltkrieg noch gewachsen sei: „Unter den Neuerwerbungen für das Archiv ragt . . . eine . . . Stiftung hervor, bei der es sich um den Nachlass des im Januar 1915 verstorbenen ehemaligen Chefredakteurs der ‚Hamburger Nachrichten' Ludwig Wilhelm Hermann Hofmann handelt, namentlich soweit er sich auf die Informationen und Weisungen bezieht, die Hofmann während der letzten 8 Lebensjahre des Fürsten Bismarck von dessen Sekretären als Unterlagen für seine Zeitungsartikel und andere Arbeiten erhielt. Bei dem gewaltigen Einschnitt, den der gegenwärtige Krieg für die Weltgeschichte und die Geschicke unseres Vaterlandes bedeutet, glaubte die Leitung des Museums nicht mehr grundsätzlich, an der ja von ihr für die Sammeltätigkeit bisher innegehaltenen zeitlichen Grenze festhalten zu dürfen und hat es daher mit besonderer Freude begrüsst, dass es . . . möglich wurde, die Hofmannsche Bismarckdokumentensammlung . . . zu erwerben und diese für den Ausgang des 19. Jahrhunderts wichtige Geschichtsquelle damit für immer den Gefahren und Zufälligkeiten des privaten Besitzes, politischen Parteiungen und des Handels zu entziehen"[361].

Wie sehr diese Erwerbung von Bismarckarchivalien und die Absicht, in der die Stiftung gemacht und von der Direktion angenommen wurde, dem Museumsprogramm widersprachen, zeigte deutlich der einmütige Beschluß der Museumsleitung, dieses Material weitgehend zu sekretieren. Die Übernahme dieses Nachlasses durch das Germanische Nationalmuseum geschah also nicht, um, wie es der Gründer gewollt hat, die deutsche Nation mit historisch und kulturgeschichtlich bedeutsamen Erinnerungsstücken bekannt zu machen und ihr auf diese Weise die eigene Geschichte

---

[355] Chronik des germanischen Museums. In: Anzeiger GNM 1871, Sp. 241–246 (241). Diese Beutestücke mußten nach dem Ersten Weltkrieg an Frankreich zurückgegeben werden (Protokolle des Lokalausschusses, 6. 12. 1920 und 20. 5. 1921; Altregistratur GNM, Kapsel 759).

[356] Chronik des germanischen Museums. In: Anzeiger GNM 1871, Sp. 281–286 (281).

[357] Verwaltungsbericht Bezolds für 1913/14 (Protokolle des Verwaltungsausschusses, 5. 6. 1914, Anlage; Altregistratur GNM, Kapsel 758).

[358] Verwaltungsbericht Bezolds für 1916/17 (Protokolle des Verwaltungsausschusses, 1. 6. 1917, Anlage; Altregistratur GNM, Kapsel 758). Über die Beziehungen Bismarcks zu den „Hamburger Nachrichten" und zu deren Redakteur Hermann Hofmann s. die Einleitung Willy Andreas' zum dritten Band der Bismarck-Gespräche (Bismarck: Die gesammelten Werke [Friedrichsruher Ausgabe], Bd. 9. Berlin 1926, S. XIV).

[359] Zuwachs der Sammlungen. In: Anzeiger GNM 1916, S. 26–55 (38).

[360] S. o. S. 194.

[361] Bericht Hampes (Protokolle des Verwaltungsausschusses, 1. 6. 1917, Anlage; Altregistratur GNM, Kapsel 758).

näherzubringen, sondern im Gegenteil: das Deponieren dieser Archivalien in Nürnberg hatte den Zweck, sie, wenn schon nicht vor der Öffentlichkeit ganz zu verbergen, so doch nur nach vorheriger Selektion der Benutzer wie des diesen zugänglich zu machenden Materials dem Publikum, also nach dem Museumskonzept dem wahren Eigentümer der Anstalt, vorzulegen. Das für die Aufsicht über die Arbeit des Museumsarchivs zuständige Mitglied des Verwaltungsausschusses, der frühere Archivdirektor Ernst Mummenhoff, vermerkte in seinem Votum über die Bedeutung dieser Archivalien und die Modalitäten für ihre Benutzung: „Die Erwerbung der Bismarckkorrespondenz kann nicht lebhaft genug begrüßt werden. Sie ist dadurch dem deutschen Volke[362] gerettet, was um so wichtiger ist, als die Gefahr bestand, daß sie ins Ausland – nach Amerika – wandern (?) könnte. Was das unter Umständen für einen Schaden hätte anrichten können, läßt sich gar nicht übersehen. . . . Die Art und der Umfang der Benutzung dieser historisch wichtigen Sammlung gab Anlaß zu einer näheren Besprechung. Man war der Meinung, daß man diese Korrespondenz nicht jedem Doktoranden, der sich die Sporen verdienen will, oder jedem Journalisten zur Benutzung anvertrauen kann. Es muß da mit äußerster Vorsicht zu Werke gegangen (werden) und man muß sich die Herren sehr genau ansehen, weil es sonst möglich sein könnte, daß für die Allgemeinheit noch nicht geeignete Mitteilungen in Zeitschriften, Tageszeitungen und sonst (?) veröffentlicht und ausgeschlachtet würden. Es wird . . . für den Fall der Benutzung für notwendig erachtet, die vom Benutzer gemachten Auszüge noch einer genauen Durchsicht zu unterziehen und ihm aufzuerlegen, von der Veröffentlichung nicht geeigneten Materials abzusehen"[363]. Mummenhoffs Vorschlag, „die Benutzung der Bismarckdokumentensammlung nur bedeutenden Historikern" zu gestatten, der auf eine Anregung Hampes zurückging, stimmte der Verwaltungsausschuß zu. In der Aussprache vertrat der ehemalige Reichsstaatssekretär des Innern Arthur Graf Posadowsky-Wehner die Meinung, „dass Compilatoren von diesen politischen Dokumenten fern gehalten werden müssen . . . Publikationen daraus möchten nicht gestattet werden, bevor die Meinung des Auswärtigen Amtes eingeholt sei"[364].

Was an diesen Entscheidungen für die Beschreibung des nationalen Programms der Nürnberger Anstalt und seiner zeitbedingten Veränderungen im Laufe der Jahre wichtig ist, ist nicht in erster Linie der Beschluß, diesen Teil der Sammlungen vor der Öffentlichkeit zu schützen und nicht, wie es gerade für dieses Museum selbstverständlich sein sollte, ihn ihr hier zugänglich zu machen, zumal die Separierung und Sekretierung von noch für aktuell gehaltenem Quellenmaterial jedem Archivar vertraut ist; wichtig ist auch nicht der Verzicht des Vorstands auf die Beachtung der Zeitgrenze. Wichtig ist vielmehr einmal, daß die Museumsleitung damals im Ernst der Meinung sein konnte, eine selektive Regulierung der Benutzung und eine Zensur über die Veröffentlichungen aus diesem Material könne in besonderer Weise dazu dienen, die nationale Museumsaufgabe zu erfüllen: die auch aus dieser Phase der Museumsgeschichte nachzuweisende Charakterisierung des Instituts als einer „kostbaren Schatzkammer"[365] der Nation war gewiß nicht so gemeint gewesen, daß die hier aufbewahrten Schätze Besuchern, die vom Vorstand in nationalpolitischer Hinsicht für unbefugt gehalten wurden, verborgen bleiben sollten. Zum andern ist bemerkenswert, daß damals die Museumsarbeit von einem so eng verstandenen nationalen Interesse, das selbstverständlich eine politische Parteinahme gegen Bismarckgegner und innere wie äußere Reichsfeinde

---

[362] Ursprünglich lautete der Text an dieser Stelle: „. . . dem deutschen Reiche . . .". Eine solche Ersetzung ist bezeichnend für die bereits erwähnte Verengung des Nationsbegriffs im Zusammenhang mit der Museumsarbeit wie für die bleibende Unsicherheit in der zutreffenden Bezeichnung des Nutznießers der Nürnberger Sammlungen.

[363] Votum Mummenhoffs, 2. 6. 1917 (Protokolle des Verwaltungsausschusses, 2. 6. 1917, Anlage; Altregistratur GNM, Kapsel 758).

[364] Protokolle des Verwaltungsausschusses, 2. 6. 1917; Altregistratur GNM, Kapsel 758.

[365] S. o. S. 196.

darstellte, bestimmt wurde. Anders als bei den Einrichtungsgegenständen aus der Paulskirche oder bei den Beutestücken aus dem deutsch-französischen Krieg von 1870/71 sollten hier Überreste der Zeitgeschichte gerade nicht erworben werden, um mit der Präsentierung „interessanter Erinnerungen an eine wichtige Zeit"[366] nationalen Stolz und nationale Begeisterung zu stärken[367]: die Gefahren einer allzu weitgeführten Aktualisierung des Sammlungsprogramms sind nicht zu übersehen. Auf der anderen Seite freilich zeigt diese Erwerbung und ihre Rechtfertigung durch die Museumsleitung überzeugend, daß das Museum von den politischen Zeitströmungen nicht abgeschirmt gehalten werden konnte.

Die in den neunziger Jahren erfolgte Übernahme eines großen Teils des Verwaltungsetats durch das Reich[368] hatte die Beachtung dieses hier zum Ausdruck gekommenen nationalen Interesses für die Museumsleitung auch schon früher zu einer Art nationaler Pflicht werden lassen. Kurz vor der Jahrhundertwende war in Preußen der Plan gefaßt worden, in Posen „zur Hebung der Kultur . . . der Provinz und damit zur Hebung des Deutschtums" eine Bibliothek zu gründen[369]. Neben anderen deutschen Bibliotheken und Museen sollte damals auch die Nürnberger Anstalt um Hilfe bei der Ausstattung dieses Unternehmens gebeten werden, dessen germanisierende Absicht nicht zu übersehen war[370]. Der Oberpräsident von Westpreußen, Gustav von Goßler, befürwortete im Januar 1899 eine solche Bitte des Geschäftsführers dieser „Kaiser-Wilhelm-Bibliothek": „. . . es entspricht . . . der Bedeutung und der Stellung des Germanischen Museums im deutschen Volksleben, wenn . . . die Bitte an die Direktion ergeht, auch ihrerseits Dubletten für den patriotischen Zweck zur Verfügung zu stellen"[371]. Bezold hielt sich offensichtlich für verpflichtet, die „thunlichste Berücksichtigung" dieser Bitte zuzusagen[372], aber die Entnahme solcher Dubletten aus den Beständen des Germanischen Nationalmuseums und deren Übersendung nach Posen ist dann doch unterblieben: im „Verzeichnis der Geschenkgeber" aus dem Jahre 1904 wurde die Nürnberger Anstalt nicht aufgeführt[373]. Die Erfüllung dieser Zusage dürfte aber weniger an der Überlegung gescheitert sein, daß die Germanisierung Nichtdeutscher bis jetzt nicht zu den Aufgaben des Museums gehört hatte[374], als vielmehr an der Einsicht, daß wegen des Stiftungscharakters der Sammlungen eine solche Verkleinerung der Museumsbestände satzungsmäßig untersagt war.

[366] Essenwein bei der Übernahme der Erinnerungsstücke aus der Paulskirche, s. o. S. 172.

[367] „Als die Nachricht von den deutschen Siegen hierher gelangt war und, wie alle Städte, so auch Nürnberg sein Festgewand anlegte, da schmückte sich auch das germanische Museum, und zwar glaubte es, daß die Entfaltung der seiner Zeit von dem Bundestage dem Museum übergebenen historischen Erinnerungen den entsprechendsten Schmuck einer historischen Anstalt bilden müßten. Es wurden deshalb vornehmlich die von der Dekoration der Paulskirche zu Frankfurt im Jahre 1848 herrührenden Stücke dazu benützt" (Chronik des germanischen Museums. In: Anzeiger GNM 1870, Sp. 285–290 [288]).

[368] S. u. S. 215–216.

[369] Eugen Kühnemann: Von der deutschen Kulturpolitik in Posen. Posen 1906, S. 13.

[370] Durch die Gründung der Bibliothek „sollte entgegen der Verkehrtheit einseitig nationaler Umtriebe der preußische Staatsgedanke sich auch im Osten Segen spendend betätigen, sollte im Einklang mit andern Maßregeln zur Stärkung des Deutschtums in den Landesteilen gemischter Bevölkerung der Einwirkung der deutschen Kultur breitere Bahn geschaffen und der befreienden Kraft des deutschen Geisteslebens ein neuer Mittelpunkt gegeben werden, um so der deutschen Bevölkerung das lange getragene und wiederholt geäußerte Gefühl der Abgelegenheit und Zurücksetzung hinter anderen Provinzen der Monarchie zu benehmen, der polnisch redenden aber einen bequemen Zugang zum reich fließenden Born der deutschen Literatur und der modernen Kultur zu eröffnen – kurz, die Gründung einer großen Bibliothek sollte in der Ostmark derselben Aufgabe dienen, die in der Westmark des Reiches die Straßburger Bibliothek ihrerseits gelöst hat: der endgültigen Aussöhnung mit dem geschichtlich gewordenen Zustand" (Die Begründung der Kaiser-Wilhelm-Bibliothek in Posen in den Jahren 1898 bis 1902. Dargestellt von der Verwaltung der Kaiser-Wilhelm-Bibliothek. Posen 1904, S. 5–6).

[371] Goßler an Bezold, Danzig, 12. 1. 1899, Ausfertigung; Altregistratur GNM, Kapsel 750. Das beiliegende Schreiben des Geschäftsführers der Bibliothek trägt das Datum: Posen, 10. 1. 1899.

[372] Vermerk Bezolds auf dem Schreiben des Geschäftsführers, 20. 1. 1899.

[373] Begründung (Anm. 370), S. 47–82.

[374] Über das Verhältnis des Germanischen Nationalmuseums zu den nichtdeutschen Nachbarn während der Gründungsphase s. o. S. 152–153.

Härter noch sah sich die Museumsleitung in die nationale Pflicht genommen, als während des Ersten Weltkriegs die Nürnberger Anstalt vom Reichsbankdirektorium aufgefordert wurde, „die Goldbestände ihres Münzkabinetts ... der Reichsbank zur Stärkung ihres Goldschatzes käuflich (zu) überlassen ... Die Reichsbank würde den Metallwert ... sofort ersetzen und die versiegelt in sicherem Gewahrsam gehaltenen Münzen und Medaillen innerhalb 12 Monaten nach Friedensschluss gegen Rückerstattung des Kaufpreises wieder ausliefern"[375]. Die Erörterung dieses Antrags im Verwaltungsausschuß führte zu einer längeren, ins Grundsätzliche zielenden Aussprache. Bezold eröffnete die Debatte mit der Bemerkung, er lehne es zwar ab, „historisch und künstlerisch wertvolle Stücke abzugeben", halte es aber „für geboten, dass eine Anstalt wie das Germanische National-Museum, das auf der Grundlage des Patriotismus ruht, in dieser nationalen Angelegenheit immerhin das Mögliche tut". Ähnlich vorsichtig äußerten sich unter den Ausschußmitgliedern die Museumsdirektoren und Denkmalpfleger Wilhelm von Bode und Georg Hager, aber auch der Vertreter der bayerischen Regierung, Ministerialrat Dr. Richard Hendschel. Graf Posadowsky-Wehner meinte, „schon in früheren Kriegen ist Deutschlands Besitz an Goldmedaillen durch Einschmelzen decimiert worden. Eine abermalige Einbusse wäre nicht unbedenklich. Allein die Möglichkeit besteht, dass Verhältnisse kommen, die den Staat zu noch weiter gehenden Eingriffen zwingen. Der Begriff des Eigentums kann sich noch mehr verwischen". Unter den vom Staat ernannten Mitgliedern des Verwaltungsrats[376], die sich z. T. mit Nachdruck für die Abgabe der gewünschten Münzen einsetzten, war vor allem der Oberpräsident der Rheinprovinz, Georg Freiherr von Rheinbaben, der Auffassung, „dass eine Zurückhaltung der Museen als schlechtes Beispiel wirken würde"; gerade das Germanische Nationalmuseum habe „dem Reiche gegenüber nicht nur Forderungen, sondern auch Pflichten ... Einziges Ziel ist jetzt die siegreiche Beendigung des Krieges. Dieses Ziel ist nicht zu erreichen ohne eine Stärkung des Goldschatzes der Reichsbank". Wie sehr durch die Übernahme der laufenden Kosten durch das Reich, Bayern und Nürnberg das Germanische Nationalmuseum für viele zu einem Staatsinstitut geworden war, zeigte das Votum des Oberbaurats Karl Weber, der als Vertreter der Stadt Nürnberg anstelle von Oberbürgermeister Otto Geßler an der Sitzung teilnahm. Er wies „auf die günstigen Erfahrungen hin, die er bei der Metallbeschlagnahme mit dem vorbildlichen Beispiel prompt abliefernder öffentlicher Institute gemacht hat. Der Staatsbesitz müsse, wo die Existenz des Staates in Frage stehe, in erster Linie einspringen".

Die Museumsleiter hingegen erinnerten daran, daß die Münzkabinette in Berlin und München dem Druck der Reichsbank hätten nachgeben müssen; für das Germanische Nationalmuseum „kommt bei der satzungsmässig festgelegten Unveräusserlichkeit aller Sammlungsbestände eine Statutenüberschreitung in Frage, die der Zustimmung des Verwaltungsausschusses bedarf", wie Bode betonte. Vor allem Hager äußerte schwerwiegende, grundsätzliche Bedenken: „Jeder, der den Besitzstand der Museen gemehrt habe, ... sei dabei von der stillschweigenden Voraussetzung ausgegangen, dass die in den sicheren Hafen des Museums eingegangenen Altertümer dort für alle Zeiten fest verankert wären. Das Recht, an das zu rühren, was durch das Zusammenwirken von Generationen zusammengekommen ist, stehe uns nicht zu. ... Die grosse Mission der Museen sei es, Hüter der Tradition zu bleiben. Der Fall der höheren Gewalt, der gegenüber alle Gründe versagen, wäre nur dann gegeben, wenn der Feind ins Land kommt. Man möge die Museen schonen und sich an den Privatbesitz wenden". Schließlich einigte man sich aber doch darüber, „eine

---

[375] Protokolle des Verwaltungsausschusses, 1. 6. 1917; Altregistratur GNM, Kapsel 758. Hier auch die folgenden Zitate.
[376] Über die Veränderungen in der Zusammensetzung des Verwaltungsausschusses nach der Übernahme der laufenden Museumskosten durch den Staat s. u. S. 216.

Auswahl schwergewichtiger Stücke aus neuerer Zeit, deren musealer Wert den Goldwert nicht übersteigt, . . . an die Nürnberger Zweigstelle der Reichsbank" abzugeben.

Die hier erläuterten Vorstellungen, die in den Leitungsorganen des Museums, aber auch in der Öffentlichkeit über die nationalen Aufgaben der Nürnberger Anstalt während dieser Phase der Museumsgeschichte vorherrschend wurden, waren die Folge der nach der Gründung des klein-deutschen Nationalstaats beginnenden Gleichsetzung von Nation und Reich. Wie vor allem die Argumente in der Diskussion über die Bismarckarchivalien und Verlauf und Ergebnis der zuletzt dargestellten Debatte deutlich gezeigt haben, konnte unter dem Eindruck der in dieser Entwick-lung zu beobachtenden tendenziellen „Verstaatlichung" des Nationsbegriffs aus den Nürnberger Sammlungen als einem ideellen Besitz der Nation ein realer Besitz des Staates werden. Gefördert wurde dieser Prozeß zweifellos durch die vertragliche Vereinbarung zwischen dem Deutschen Reich, dem Königreich Bayern und der Stadt Nürnberg aus dem Jahre 1893, den bisher aus-schließlich aus freiwilligen Beiträgen von staatlicher wie privater Seite bestrittenen Museumshaus-halt von den Verwaltungs- und Unterhaltskosten zu entlasten und für diese Kosten in Zukunft gemeinsam aufzukommen[377]. Ehe aber diese Regelung zustande kam, war die materielle Lage des Instituts ebenso ungesichert wie in den früheren Phasen der Museumsgeschichte.

So wie in der Zeit zwischen 1866 und 1870 versuchte die Museumsleitung auch nach der Reichs-gründung, die staatlichen Veränderungen in Deutschland, aber auch die vordergründig erfreuli-chen materiellen Resultate des Krieges den Interessen der Nürnberger Anstalt nutzbar zu machen. Schon vor dem Inkrafttreten der zwischen dem Norddeutschen Bund und den süddeutschen Staa-ten ausgehandelten Verträge über den neuen deutschen Staat zeigte die Direktion sich zuversicht-lich, „daß die politischen Verhältnisse, welche die Kraft der deutschen Stämme so schlagend be-wiesen, und die so viele Wünsche und Ideale verwirklicht haben, auch unserer Nationalanstalt in reichem Maße zu Gute kommen mögen"[378]; das hieß, man hoffte auf „reichlichere" Unterstüt-zung, „sobald die großen politischen Ereignisse, die jetzt ganz Deutschland bewegen, ihren Ab-schluß gefunden haben werden"[379], und äußerte den Wunsch, „daß das deutsche Reich der Anstalt eine bereitwillige Förderung werde angedeihen lassen"[380]. Im Januar 1871 bat Essenwein dann unter Hinweis auf die Tatsache, daß jetzt „dem Reiche und den Regierungen durch die Kriegsent-schädigungsgelder große Summen zur Verfügung stehen", in einer Eingabe an den Bundesrat um eine einmalige Subvention, die so bemessen sein sollte, daß das Museum in die Lage gesetzt werde, „seine Schulden zu zahlen, seine zum Theil immer noch in Ruinen liegenden, zum Theil nur ungenügend hergestellten Gebäude auszubauen, seine Sammlungen abzurunden . . . und endlich noch eine Summe als Stammkapital übrig zu behalten, dessen Zinsen für die weitere Entwicklung der Anstalt zu verwenden wären". Dies würde „dem Wohle unserer Anstalt wie der Würde der großen deutschen Nation" entsprechen[381].

Hatte Essenwein nur um eine angemessene Erhöhung des Staatszuschusses gebeten und damit eine materielle Verbesserung des Zustands der Anstalt angestrebt, ohne daß dadurch das bisherige Verhältnis zwischen Museum und Staat verändert worden wäre, so ging Aufseß einen entscheiden-den Schritt weiter: er versuchte, ebenfalls unmittelbar nach der Reichsgründung, dem Germani-schen Nationalmuseum durch den Vorschlag zu helfen, die institutionelle Grundlage des Nürn-berger Unternehmens solle radikal umgestaltet werden. Aufseß verlangte nicht mehr und nicht

[377] S. dazu u. S. 215–216.
[378] Chronik des germanischen Museums. In: Anzeiger GNM 1870, Sp. 397–400 (397).
[379] Chronik des germanischen Museums. In: Anzeiger GNM 1871, Sp. 17–20 (17).
[380] Chronik des germanischen Museums. In: Anzeiger GNM 1871, Sp. 49–54 (49).
[381] Chronik des germanischen Museums. In: Anzeiger GNM 1871, Sp. 209–214 (209). Die Eingabe Essenweins stammte vom 28. 1. 1871.

weniger, als den Charakter des Museums als einer staatsfreien privaten Stiftung aufzuheben und es in eine Anstalt des Reichs umzuwandeln. Dieser Plan widersprach so sehr den Prinzipien, die seit den Anfängen des Museums für dessen Organisation und Tätigkeit gegolten hatten, daß er allein schon deshalb genauer untersucht werden sollte. Besonders aber die Tatsache, daß ein solches Projekt gerade vom Museumsgründer entwickelt und Regierungen wie museumsinteressierter Öffentlichkeit gegenüber mit großem publizistischem Engagement vertreten wurde, macht es notwendig, die Gründe, mit denen Aufseß diesen Bruch mit der von ihm selbst geschaffenen Tradition rechtfertigte, und die Debatten über dieses Vorhaben auf seiten des Staates, aber auch in der Museumsleitung selbst, eingehender darzustellen.

Aufseß warb für seinen Plan vor allem mit dem Hinweis darauf, das Nürnberger Museum sei „deutsches Nationaleigenthum und die deutsche Nation, die bisher eigentlich nur in der Idee und Geschichte existirte, aber nun zum ersten Mal, verkörpert als Kaiserreich, im Reichstage zusammentritt, hat ein Recht, ja eine Pflicht, nach diesem ... Nationaleigenthum zu fragen und sich dessen anzunehmen, eben so gut als der für Reichseigenthum erklärten eroberten deutschen Provinzen Elsaß u. Lothringen. Sind diese mit deutschem Blute in siegreichen Schlachten errungen, mit Hilfe der Waffen aller deutschen Stämme, so ist das Germanische Museum nicht minder unter Beihilfe aller deutschen Stämme ... in einer Reihe von 18 Jahren errungen und treu bis zur Stunde bewahrt und von Vertrauensmännern aus allen deutschen Stämmen verwaltet worden. Da nun die Stunde gekommen ist, daß die Nation ihr Eigenthum selbst verwalten kann, so dürfte es wohl an der Zeit sein diesen patriotischen Treuhändern u. Vormündern ihre Last und Verantwortung abzunehmen und die in kaiserloser Zeit gegründete Nationalanstalt nun als kaiserliche Reichsanstalt zu übernehmen und mit größern als den bisherigen Mitteln ihrem erhabenen Ziele ... näher zu führen. ... wir glauben mit Recht annehmen zu können: ist das Germanische Museum Eigenthum der deutschen Nation, wie die Überschrift zu seinem Eingang es erklärt, so hört mit Constituirung der Nation zu einem Rechtsstaat, die bisherige vormundschaftliche Verwaltung auf und geht an Kaiser und Reich über"[382].

Dem offensichtlich laut gewordenen Einwand, Aufseß selbst habe doch seinerzeit die von ihm angeregte Gründung als Stiftung organisiert, begegnete er mit der Versicherung, es sei ihm damals in erster Linie darum gegangen, „jede Annäherung an eine Landesregierung" zu vermeiden, „um nicht den Schein auf sich zu laden als wolle es (i. e. das Germanische Nationalmuseum) seinen deutschnationalen Charakter verleugnen"; nur „aus Utilitätsrücksichten" also habe er das Institut „mit der bloßen Form einer Stiftung" umgeben, „um es desto sicherer dem deutschen Volke bis zu seiner Einigung zu bewahren". Treffend beschrieb Aufseß dabei das Problem, ein Nationalmuseum für eine staatslose Nation ins Leben zu rufen: „Die Hauptschwierigkeit bestand ... darin die in Wirklichkeit zwar vorhandene, aber nicht consolidirt greifbare Nation, einestheils in Anspruch für Unterstützung der Sache zu nehmen, anderntheils ihr, der überall und nirgends zu Findenden, als Eigenthümerin die Schätze und Geschenke des Museums zu überliefern und zu sichern"[383].

Für die Untersuchung der Beziehungen zwischen Museum und Nation ist nicht die Klärung der Frage wichtig, ob Aufseß hier seine Absichten und Erwartungen knapp zwanzig Jahre früher zutreffend wiedergab und mit seiner Behauptung recht hat: „Wenn der Gründer des germanischen

[382] Aufseß an Niedermaier (Anm. 304).
[383] „Votum des Gründers und Ehrenvorstand des germanischen Museums über die vom 1. Director desselben angeregte Frage: ob ein Anschließen an des ersteren ‚Agitation' für Umgestaltung des Museums in eine deutsche Reichsanstalt für zweckmäßig zu halten sei?", Nürnberg, 2. 5. 1871, vervielfältigtes Exemplar; Altregistratur GNM, Kapsel 1 a.

Nationalmuseums, im Jahre 1852 hätte voraus wissen können, daß im Jahre 1870 schon sein Jugendtraum eines deutschen Reiches in Erfüllung ging, so würde er wohl schwerlich auf sich genommen haben als Bettler durch das Land zu ziehen und mit unsäglicher Mühe etwas zu Stande zu bringen, was sich später von selbst gemacht hätte; . . ."[384]. Die Beschäftigung mit den Zeugnissen aus der Gründungszeit hat in der Tat gezeigt, daß die Distanz zwischen dem Museum und einem jeden deutschen Einzelstaat, auf deren Beachtung Aufseß stets Wert gelegt hat, von ihm nicht zuletzt wegen des Fehlens eines gesamtdeutschen Staates für nötig gehalten wurde. Auffällig ist aber in diesen späten Überlegungen Aufseß' die in ihnen klar ausgesprochene Identifizierung von Nation und Reich sowie, als Folge dieser nationalpolitisch bedeutsamen Entscheidung, der Ausschluß der Deutschen, die in Österreich und außerhalb der alten Bundesgrenzen lebten, aus der deutschen Nation, etwa durch die Behauptung, alle deutschen Stämme hätten für die Erwerbung von Elsaß-Lothringen gekämpft, so wie ebendieselben deutschen Stämme auch zum Aufbau des Museums beigetragen hätten. Bis jetzt hatte Aufseß auch diese Deutschen, auf die er nun zu verzichten schien, stets ohne Einschränkung als Deutsche angesehen. Schließlich hatte Aufseß auch mit seiner Entscheidung für den Museumsnamen, wie in der Einleitung gezeigt wurde, seine Gründung, offensichtlich bewußt, dieser ganzen, staatlich ungeteilten Nation zuordnen wollen.

Nun muß hier allerdings daran erinnert werden, daß Aufseß auch früher immer dann, wenn es sich um die Unterstützung seines Museums von seiten des Staates handelte, die deutsche Nation ausschließlich politisch verstanden und und sich mit seinen Anträgen nur an den Deutschen Bund und dessen Gliedstaaten gewandt hatte[385]. Auch Essenwein hat im August 1866, als er Bismarck dazu bewegen wollte, die Reichskleinodien zugunsten des Germanischen Nationalmuseums aus Wien nach Nürnberg bringen zu lassen, noch vor dem Beginn der Prager Friedensverhandlungen die bis dahin selbstverständliche Zugehörigkeit der Deutschen in Österreich zur deutschen Nation zum vermeintlichen Vorteil der Nürnberger Anstalt für einen Augenblick geleugnet. Und die Freude über die Wiedererrichtung eines deutschen Reiches mag jetzt, zu Beginn des Jahres 1871, gerade ein Mitglied des fränkischen Reichsadels wie Aufseß die Tatsache, daß nur ein Teil der Nation zu diesem neuen Nationalstaat zusammengeschlossen worden war, haben vergessen lassen. Trotzdem kam diese plötzliche und von Aufseß geschickt und beharrlich vorgetragene neue Definierung der deutschen Nation und von deren Verhältnis zum Museum so überraschend, daß sich die Vermutung aufdrängt, es genüge nicht, die hier von Aufseß vorgeschlagene einschneidende Veränderung der Organisationsform des Museums allein durch den Hinweis auf seine vorbehaltlose Zustimmung zur Gründung eines kleindeutschen Reiches zu erklären.

In der Tat war der Hinweis auf das Reich als Verkörperung der Nation, der das Museum zugeeignet worden war, nicht das einzige Argument, mit dem Aufseß seinen Plan rechtfertigte. Vor allem dann, wenn er sich mit seinen Eingaben an diejenigen Instanzen wandte, die in Wahrheit allein über die Durchführung seines Vorhabens entscheiden konnten – Verwaltungsausschuß des Museums und Regierungsstellen –, brachte er noch eine andere, national indifferente Überlegung ins Spiel: es ging ihm darum, durch die Umwandlung der Nürnberger Anstalt in ein Reichsinstitut den Leiter des Germanischen Nationalmuseums zu einem Staatsbeamten zu machen und ihn dadurch einer wirkungsvollen Kontrolle durch die Aufsichtsbehörde zu unterwerfen.

In der Denkschrift, die Aufseß im Mai 1871 dem Nürnberger Verwaltungsausschuß zur Begründung für seinen Plan vorlegte, wurde die Stellung des Museumsdirektors so beschrieben: „Die Satzungen desselben (i. e. des Museums) gestehen dem I. Director solche Rechte und Freiheiten

---

[384] Votum (Anm. 383).
[385] S. o. S. 158.

zu, ... daß ... Alles darauf ankommt, welche Persönlichkeit das Museum zum I. Direktor bekommt, der auf Lebenszeit gewählt, unentfernbar ist, möchte er sich übrigens noch so unbrauchbar, sogar schädlich für die Anstalt zeigen, ... Der I. Director kann sehr gut mit Ludwig XIV. ausrufen: l'état – musée – c'est moi! Denn niemand ist über ihm als der in ganz Deutschland zerstreute Verwaltungsausschuß. Obgleich dieser alle Jahre sich versammeln soll, so tritt er doch aus Ersparnißrücksichten ... nur alle 2 Jahre ... zusammen und ... hütet ... sich wohl dem Director unangenehm zu werden, selbst wenn in kurzer Zeit von 2–3 Tagen es möglich wäre mehr als einen günstigen äussern Eindruck von den sich mehrenden Sammlungen zu erhalten. Dieser allein würde schon genügen in andern Dingen Nachsicht zu üben und jede eigenmächtige Überschreitung des Etats für Bauten und Anschaffungen u. dergl. zu übersehen. Die Stellung eines I. Directors ist freier als diejenige des höchsten Staatsdieners ... Ihm steht die Anstellung und Entlassung vom höchsten bis zum niedrigsten Beamten und Diener des Museums zu, und daß damit Mißbrauch getrieben werden kann, lehrte die Erfahrung bereits zu Genüge. Ihm steht es zu, lediglich nach seinem Ermessen und Wunsch alle Anschaffungen für die Sammlungen zu machen, oder unterlassen, ihm steht es zu, ohne Urlaub zu verreisen wohin und auf wie lange er nur will, ja es kam bei einem Vorgänger des jetzigen Directors vor, daß er Monate lang nichts mehr von sich hören ließ und ganz ausblieb, ohne sein Amt zu übergeben. Demselben gelang es, ... die Satzungen umzustoßen, indem er das Museum zu einer Archivslehranstalt machen wollte, während sein Nachfolger, im Gegensatz dazu, das ganze Archiv aufzuheben und die Urkunde nur als Schreibmuster zu benützen wünschte. Keines der beiden Extreme ging zum Glück durch. Aber man sieht aus solchen Vorgängen deutlich genug, daß das Museum bei jeder Veränderung in der Person des Directors einer Krisis ausgesetzt ist[386]. Fast jede Neuwahl eines Directors war von Erschütterungen und Aufregungen schlummernder Parteistrebungen begleitet, ... Das Schlimmste aber dabei war vor Allem die Schwierigkeit eine für die ganze Leitung, sowohl der geschäftlich-finanziellen, als der wissenschaftlich-artistischen Angelegenheiten des Museums geeignete Persönlichkeit zu finden, da das Museum mit seinen geringen Mitteln und noch unsicherer Stellung keine freie Wahl gerade unter den besten und tüchtigsten Kräften hat, um sie durch große Anerbietungen aus ihren festen Stellungen zu locken. ... diese auf bloßem Zufall beruhenden Wahlen würden wegfallen, wenn das Museum eine Staatsanstalt des deutschen Reichs würde und eine gesicherte ... Existenz hätte und wenn ihm bei jedem Personenwechsel aus der Reihe befähigter und erprobter Männer der Wissenschaft und Kunst Directoren und Beamte zugetheilt würden, die sich lediglich um Erreichung des wissenschaftlichen Zweckes des Museums zu kümmern hätten. Selbst im Fall eines Mißgriffes in der Besetzung der Directorial- und Beamtenstellen würde dieser leicht durch Versetzung zu passenderer Arbeit eines solchen Beamten und durch Berufung eines geeigneteren ausgeglichen werden ... Nur möglich bei einer Anstalt eines größeren Staates, nie aber, wie jetzt, bei einer auf sich selbst angewiesenen Privatanstalt"[387]. Schon im März hatte Aufseß dem bayerischen Kultusminister Johann Freiherrn von Lutz geschrieben, es sei dringend erforderlich, „eine sehr nöthige bessere Curatel und Controlle von Reichs wegen anzuordnen", und zur Erklärung für seinen Vorschlag hinzugefügt: „Daß ich als erster Begründer des Museums und Stifter meiner Samlungen, die man mir noch schuldig ist, ein hervorragendes Interesse (i. e. an dieser institutionellen Veränderung) habe, bedarf wohl keines Beweises ..."[388].

---

[386] Aufseß bezog sich hier auf Vorgänge während des „Interregnums" zwischen seinem Rücktritt und der Berufung Essenweins; s. dazu Hampe, Festschrift, S. 72–75.
[387] Votum (Anm. 383).
[388] Aufseß an Lutz, Kreßbronn, 26. 3. 1871, Ausfertigung; Archiv M, MK 14191. Dieses Schreiben blieb unbeantwortet. Aufseß wiederholte deshalb am 24. 4. 1871 seine Vorschläge, ebenfalls aus Kreßbronn. Am 29. 4. 1871 muß Lutz in einem Privatbrief, dessen Konzept nicht archiviert wurde, eine unverbindliche Antwort gegeben haben, in der er

Wie wichtig für Aufseß die hier geforderte Beschränkung der Kompetenzen des Museumsdirektors war, zeigte sich allein schon in folgendem: er übersah völlig, daß er in der Beschreibung von der bisher durch nichts und niemanden kontrollierten Stellung des Direktors auf Vorfälle aus der Zeit vor dem Inkrafttreten der Satzung von 1869 anspielte und damit selbst die Definierung, die in der von ihm ausgearbeiteten Satzung von den Aufgaben des Museumsleiters enthalten war, als schädlich beurteilte. Die Vorwürfe Aufseß' waren zwar sehr allgemein gehalten und richteten sich deshalb auch nicht ausdrücklich gegen die Führung der Direktionsgeschäfte durch Essenwein, aber nur andeutungsweise, in einem Nebensatz und nicht sehr überzeugend, wurde der Verdacht zerstreut, in Wahrheit gehe es um Essenweins Stellung: „Soll ein Mann der Wissenschaft sich noch mit unsicheren Einnahmen, aber sicheren Ausgaben für die Anstalt plagen, soll er die Sorgen auf sich nehmen Geld zu schaffen, so darf man es wahrlich nur einem glücklichen Zufall zu schreiben, den rechten Mann dazu zu finden, welcher, wie der gegenwärtige I. Director auf beiden Sätteln gerecht ist und mit persönlichen Interesse und Ausdauer seine vielseitige schwere Aufgabe zu erfüllen sucht"[389]. Wenn man aber bedenkt, daß bei einem Erfolg Aufseß' Essenwein der erste Museumsleiter gewesen wäre, dessen Einfluß im Sinn der hier gemachten Vorschläge eingeschränkt worden wäre, so drängt sich doch die Vermutung auf, die erhoffte Schwächung der Position Essenweins sei zumindest ein starkes Motiv für Aufseß' Projekt gewesen.

Der Münchner Kultusminister jedenfalls, dessen erwarteten Widerstand gegen die Umwandlung des Museums in eine Reichsanstalt Aufseß durch den Hinweis zu überwinden trachtete, „daß Bayern . . . nur gewinnen kann, wenn das Museum vom deutschen Reich unterhalten wird, anstatt daß es bisher stets die größten Opfer von allen übrigen Staaten dafür zu bringen hatte"[390], sah in der Absicht Aufseß', die Museumsleitung einer unmittelbaren Staatskontrolle zu unterwerfen und auf diese Weise die Nürnberger Anstalt zu zwingen, den ihm noch immer geschuldeten Betrag endlich zu zahlen, den entscheidenden Anlaß für die Aktion Aufseß'. In einem längeren Vortrag an den bayerischen König schrieb Lutz: „Bei diesen sehr unsichern und schwankenden EinnahmensVerhältnissen des germ. Museums, der großen Schuldenlast . . . ist es leicht begreiflich, daß der Begründer derselben (i. e. Anstalt) . . . ebenso wie . . . Essenwein . . . kein Mittel unversucht läßt, um die finanziellen Verhältnisse dieses Institutes fester zu begründen u. günstiger zu gestalten. Von Seite des Frhrn. v. Aufseß ist dieses um so begreiflicher, als derselbe noch immer den größeren Theil des Kaufpreises für seine Samlungen nicht erhalten u. Mühe hat, die Zinsen zu bekomen. . . . erklärt sich dessen unausgesetztes Drängen, das germanische Museum unter die Oberhoheit des deutschen Bundes zu bringen u. zugleich zu bewirken, daß die Stiftung als eine deutsche BundesStiftung anerkannt, deren Schulden vom Reiche übernomen, jedenfalls aber durch strengere Ausübung des OberAufsichtsrechtes in Form einer wirklichen Curatel die Tilgung der ihm noch schuldigen Sume möglichst gefördert werde; während . . . Essenwein, als tüchtiger Architect, bisher mehr bestrebt schien, eingegangene größere Zuschüsse zum Ausbau der alten Kar-

anscheinend vor allem auf die grundsätzliche Schwierigkeit hingewiesen hat, das Museum als Nationaleigentum der Aufsicht einer Bundesbehörde zu unterstellen. Jedenfalls beschäftigte sich Aufseß in einem dritten Schreiben ausführlich mit einem solchen Einwand: „Wenn . . . ein Staatenbund so wenig ein Eigenthumsrecht auf die Nationalstiftung des germanischen Museums haben kann als irgend einer der vereinigten Staaten, so gieng ich doch von der Anschauung aus, daß dieser Staatenbund zugleich eine Einigung der deutschen Nation sei, die nicht nur im Parlament ihre Gesamtvertretung, abgesehen vom Bund, habe, sondern durch Kaiser und Reich einen so entschiedenen Ausdruck gefunden habe, daß hier der Bund nur die historische Rechtsform blieb, das Reich aber eigentlich als eine universitas nationis, mit dem Kaiser an der Spitze, das Wesen sei" (Aufseß an Lutz, Nürnberg, 14. 5. 1871, Ausfertigung; Archiv M, MK 14191).

[389] Votum (Anm. 383).

[390] Aufseß an Lutz, Kreßbronn, 26. 3. 1871, Ausfertigung; Archiv M, MK 14191. Über den Kauf von Aufseß' Sammlungen durch das Museum s. o. S. 164 und 173.

thause u. zur Vervollständigung der Saṁlungen, als zur Abbezahlung des KaufschillingsRestes zu verwenden"[391]. Mit der von Aufseß verlangten Verstärkung der staatlichen Kontrolle über die Führung der Museumsgeschäfte wäre Lutz zwar einverstanden gewesen, er sah aber bei der gegenwärtigen Rechtslage keine Möglichkeit zur Verwirklichung dieses Vorschlags.

Wie reagierte Essenwein auf diese Aktion seines großen Vorgängers? Ende April 1871 ließ Essenwein in der Presse mitteilen, der Verwaltungsausschuß des Museums befasse sich mit der Frage, „ob er bei der tiefgreifenden Umgestaltung der politischen Verhältnisse Deutschlands eine Aenderung der Stellung, welche das germanische Museum den politischen Gewalten gegenüber einnimmt, für zweckmäßig halte"[392]. Gleichzeitig versuchte Essenwein, vom Präsidenten des Reichskanzleramts[393] und vom Protektor des Museums, dem bayerischen König, zu erfahren, wie sie über die von Aufseß vorgeschlagene Umwandlung des Museums in eine Reichsanstalt dächten. Essenwein betonte dabei, dieses Projekt entspringe einer Privatinitiative Aufseß' und sei von dem für das Stellen eines solchen Antrags allein kompetenten Verwaltungsausschuß des Museums nicht beraten, geschweige denn gebilligt worden. Vor allem in der Eingabe, die Essenwein an Ludwig II. richtete, wurde durch die Betonung der Loyalität des Vorstands gegenüber dem bayerischen Monarchen und dem bayerischen Staat unüberhörbar zu verstehen gegeben, daß die im Amt befindliche Museumsleitung eine „Agitation" ablehne, „die in vielen Kreisen Deutschlands ihm (i. e. dem Freiherrn von Aufseß) den Schein patriotischer Gesinnung verleihen und gewiß auch in manchen Kreisen des deutschen Reichstages Anhänger finden wird"[394]. Essenwein erwähnte, die Beratungen im Museumsausschuß über diese Frage würden „wesentlich erleichtert" werden, „wenn es uns vergönnt wäre die Ansichten der königlich bayerischen Staatsregierung zu vernehmen, insbesondere ob etwa Euere Königliche Majestät Allerhöchst Selbst wünschen sollten, daß abermals – in Folge der Zeitereignisse – die Satzungen der Nationalanstalt in einer Weise geändert würden, daß die Reichsgewalt die oberste Curatelbehörde der Stiftung werden könne, die sich, indem sie eine Stadt Bayerns zum Sitze gewählt, unter Bayerns Schutz und dessen Gesetze gestellt hat. . . . daß eine weitergehende Agitation beabsichtigt ist, die sich weitern Kreisen mittheilen muß, die aber vielleicht durch eine direkte Erklärung der königlichen Regierung . . . niedergehalten werden könnte. Wenn für das Direktorium des germanischen Museums die Frage nach Wesenheit und Form klar ist, so sind doch durch die neuen Verhältnisse Deutschlands im Publikum die Ansichten über die rechtliche Bedeutung so vieler Detailfragen etwas verworren und es ist gewiß nicht zu verwundern, wenn viele eine nationale Anstalt sich künftighin nur unter direkter Reichsverwaltung denken können. Kämpfe über diese Frage vor dem Forum der Öffentlichkeit müssen die Meinungen spalten und somit der Anstalt schaden, für die Euere Königliche Majestät so huldvolle Fürsorge getragen haben und deren Bedeutung für Bayern ja so klar ist".

Im September 1871 kam es auf der Jahresversammlung des Verwaltungsausschusses zu einer „lebhaften Debatte" über die Anregungen Aufseß': „allgemein geht die Ansicht dahin, daß vor der Hand nicht für zweckmäßig zu erachten sei, die Umwandlung des german. Museums in eine deutsche Reichsanstalt anzustreben"[395]. In namentlicher Abstimmung lehnten außer Aufseß alle Mitglieder des Ausschusses diese von dem Museumsgründer vorgeschlagene institutionelle Ände-

[391] Lutz an Ludwig II., München, 13.6.1871, Reinkonzept; Archiv M, MK 14191.

[392] Nürnberger Anzeiger, 27.4.1871, Nr. 116 (Altregistratur GNM, Kapsel 736).

[393] Diese Eingabe vom 30.4.1871 wurde in der Antwort Delbrücks vom 1.7.1871 erwähnt, die im Wortlaut im Museumsanzeiger veröffentlicht wurde (Chronik des germanischen Museums. In: Anzeiger GNM 1871, Sp. 209–214 [210]).

[394] Essenwein an Ludwig II., Nürnberg, 29.4.1871, Ausfertigung; Archiv M, MK 14191. Hier auch das folgende Zitat.

[395] Protokolle des Verwaltungsausschusses, 28.9.1871; Altregistratur GNM, Kapsel 736.

rung ab. Die Entscheidung war dem Gremium gewiß um so leichter gefallen, als zuvor bereits das Reichskanzleramt deutlich zu verstehen gegeben hatte, daß man von seiten der Reichsverwaltung nicht daran interessiert sei, die Nürnberger Anstalt zu einem Reichsinstitut zu machen. Im Juli hatte Rudolf Delbrück, der Präsident des Reichskanzleramts, Essenwein mitgeteilt, „daß der Bundesrath beschlossen hat, in den Haushalts-Etat des deutschen Reichs vom 1. Januar 1872 ab den Betrag von 8000 Rthlr. zur Unterstützung des germanischen Museums zu Nürnberg aufzunehmen. Durch diesen Beschluß hat die von Ihnen in dem gefälligen Schreiben vom 30. April d. Js. angeregte Frage über die Umwandlung des Germanischen Museums in eine Reichs-Anstalt ihre Erledigung gefunden"[396].

In der offiziellen Verlautbarung des ablehnenden Ausschußvotums wurden neben dem Hinweis darauf, daß „bei der jetzigen Organisation des Reiches der Raum vollständig fehle, ein Reichsmuseum einzuordnen", vor allem nationale Überlegungen als für diesen Beschluß entscheidend genannt: „. . . schon die Rücksicht auf Oesterreich, dessen Regierung und deutsche Bevölkerung sich eben so warm als andere lange Zeit um das Museum verdient gemacht habe, und wo sich noch heute so warme Freunde des Museums befänden, müsse das Vermeiden eines Schrittes empfehlen, der dort als eine Art Ausschließung gedeutet werden könnte"[397]. Auch die besonderen Beziehungen, die das Museum mit dem bayerischen Staat, vor allem aber mit dem königlichen Protektor verbänden, ständen der von Aufseß angeregten Umwandlung entgegen. Schließlich blieben auch die Vorzüge, die ein staatsfreies Unternehmen im Vergleich zu einem Institut habe, das administrativer Aufsicht und Leitung unterliege, nicht unerwähnt: „Die jetzige freie, durch keine bureaukratische Bevormundung gehinderte Selbstverwaltung unter einem von Männern der Wissenschaft aus allen deutschen Gauen gebildeten Verwaltungsausschusse habe nicht wenig zum Emporblühen der Anstalt beigetragen, wie auch das persönliche Interesse, das so viele Tausende in ganz Deutschland an der Anstalt nehmen, nie einer Staatsanstalt zugewendet worden wäre, sondern nur der freien Anstalt entgegengebracht werden könne . . .".

Eine ähnlich bündige Antwort wie aus dem Reichskanzleramt hatte Essenwein aus München vor den entscheidenden Beratungen im Verwaltungsausschuß offensichtlich nicht erhalten, aber er wird sich nicht im unklaren darüber gewesen sein, daß die bayerische Staatsleitung nur sehr ungern ein wissenschaftliches Unternehmen, das von ihr bisher mit einigem Recht als ein Landesinstitut betrachtet worden war, der Aufsicht einer Berliner Behörde unterstellt gesehen hätte. Kultusminister Lutz jedenfalls wies in seinem Gutachten über dieses Problem im Juni den König vor allem darauf hin, einer Reichsanstalt gegenüber könnten „dem . . . Protectorate (Ludwigs II.) . . . mehr oder minder große Verlegenheiten" erwachsen, und gab sich zuversichtlich über ein Scheitern der Aktion des Museumsgründers: „. . . dürfte . . . die Absicht des Frhrrn. von u. zu Aufseß, diese Anstalt unter die Oberaufsicht des deutschen Bundes zu bringen, nach den Erfahrungen, welche der submissest Unterzeichnete bei seiner Anwesenheit in Berlin u. im deutschen Bundes-Rathe zu machen Gelegenheit hatte, keine oder nur geringe Aussicht auf Erfolg haben"[398]. Die Mitteilung von der einmütigen Ablehnung des Vorhabens Aufseß' durch den Verwaltungsausschuß nahm Ludwig II. verständlicherweise „mit hoher Befriedigung" zur Kenntnis, „da es Mein Wille ist, daß gedachtes Museum, welchem aus Bayern so namhafte Zuschüsse zuflossen, eine

[396] Chronik des germanischen Museums. In: Anzeiger GNM 1871, Sp. 209–214 (210). Delbrücks Schreiben trägt das Datum: Berlin, 1.7.1871.
[397] Chronik des germanischen Museums. In: Anzeiger GNM 1871, Sp. 313–318 (313–314). Hier auch die folgenden Zitate. Es ist festzuhalten, daß diese Gründe für die Ablehnung lediglich hier genannt wurden, während in der Sitzungsniederschrift (Anm. 395) nur die bereits erwähnte Überlegung über die Zweckmäßigkeit einer solchen Umwandlung protokolliert wurde.
[398] Lutz an Ludwig II., München, 13.6.1871, Reinkonzept; Archiv M, MK 14191.

bayerische Anstalt bleibe. Der gedeihlichen Fortentwicklung des Institutes werde Ich, wie bisher mit reger Theilnahme folgen"[399].

Es ist schwer, Aufseß' ungewöhnlichen Plan und die Gründe für dessen Zurückweisung durch Museumsleitung und Regierungen rundum schlüssig zu erklären. Die hier vom Museumsgründer bewußt vollzogene Gleichsetzung von kleindeutschem Reich und Nation könnte durchaus als ein frühes Zeugnis für die schon in anderem Zusammenhang festgestellte inhaltliche Verengung des Nationsbegriffs verstanden werden, so daß die Forderung, das Nürnberger Museum, das nach dem bisher geltenden Konzept Eigentum der ganzen, staatlich ungeteilten Nation sein sollte, sei dem kleindeutschen Nationalstaat als Besitz zu übergeben, nicht unbedingt als wenig überzeugend gerechtfertigter Widerruf des Gründungsprogramms beurteilt werden müßte. Widersprüchlich bleibt aber, daß das Fernhalten eines jeden Einflusses staatlicher Behörden auf die Führung der Museumsgeschäfte, das Aufseß früher immer als besonders charakteristisches Merkmal dieses Nationalinstituts, ja geradezu als Voraussetzung für dessen Existenz, genannt hatte[400], in Zukunft kein Grundsatz der Museumsarbeit mehr sein sollte, und daß die durch diese organisatorische Änderung zugleich angestrebte Schwächung der Stellung des Museumsdirektors mit großer Wahrscheinlichkeit gerade dem Reichskanzleramt zugute gekommen wäre, also derselben Behörde, die wenige Jahre zuvor, noch als Einrichtung des Norddeutschen Bundes, den endgültigen Verzicht auf die Fortführung von Aufseß Generalrepertorium erzwungen hatte[401]. Neben dem Wunsch, Essenweins Einfluß einzuschränken und ihn dazu zu bringen, die Schulden, die das Museum Aufseß gegenüber noch immer hatte, zu bezahlen, dürfte der Museumsgründer bei seiner Aktion vor allem aber doch von der Hoffnung geleitet worden sein, die Nürnberger Anstalt durch ihre Umwandlung in ein Reichsmuseum auf eine gesicherte materielle Basis zu stellen, auch wenn dies nur um den Preis eines Verzichts auf organisatorische Grundsätze möglich gewesen wäre, deren konsequente Beachtung Aufseß selbst bisher für unbedingt erforderlich gehalten hatte.

Diesem Motivenbündel auf seiten Aufseß' entsprach bei Museumsleitung und Regierungen eine ähnliche Vielzahl von Gründen für die Ablehnung von Aufseß' Projekt. Es ist leicht einzusehen, daß die Reichsverwaltung kein Interesse daran haben konnte, die alleinige Verantwortung für den Fortbestand eines hochverschuldeten wissenschaftlichen Unternehmens zu übernehmen[402], ganz abgesehen davon, daß, ähnlich wie bei dem Verhalten der norddeutschen Leitung gegenüber vergleichbaren Wünschen wenige Jahre zuvor[403], auch diesmal Rücksichten auf Bayern eine nicht unerhebliche Rolle gespielt haben dürften. Delbrück jedenfalls sah mit der Zusage einer erhöhten Reichssubvention die Angelegenheit offensichtlich vorerst als erledigt an. Daß umgekehrt Essenwein die bisherige Förderung des Museums durch König und Regierung von Bayern in der deutlich erkennbaren Absicht als vorbildlich lobte, die Münchner Stellen in ihrer vermuteten Abneigung gegen diesen Plan eines Nürnberger Reichsmuseums zu bestärken, war taktisch geschickt und erlaubt den sicheren Schluß, daß Essenwein diese Umwandlung abgelehnt hat, und zwar gewiß nicht nur aus Sorge um eine ihm in Aussicht gestellte Schmälerung seines Einflusses, sondern auch, um der bisher von allen Freunden des Instituts einmütig und mit guten Gründen für

---

[399] Lutz an Ludwig II., München, 17. 11. 1871, Reinkonzept; Archiv M, MK 14191. In diesem Vortrag teilte Lutz dem Monarchen den Inhalt des Ausschußbeschlusses mit und äußerte die Ansicht, „daß durch diesen Vorgang die von dem Vorstande jener Anstalt gestellte Bitte u. Anfrage vom 29. 4. 1871 (s. o. S. 209) . . . ihre Erledigung von selbst gefunden haben dürfte". Die Erledigung dieses Akts durch den König (Hohenschwangau, 26. 11. 1871) erfolgte auf der Ausfertigung des Vortrags (Archiv M, MK 14191).

[400] S. o. S. 150.

[401] S. o. S. 190 und Anm. 226.

[402] Im Jahre 1870 betrugen die Einnahmen 63931,31 M, die Ausgaben 65384,77 M; die Schulden zu Jahresbeginn 212119,34 M, zu Jahresende 206188,83 M (Essenwein, Finanzen [Anm. 296], Beilagen 1–3).

[403] S. o. S. 180–181.

schädlich gehaltenen Unterstellung des Museums unter die unmittelbare Aufsicht der Staatsbürokratie zu entgehen. In diesem Zusammenhang dürfte die Warnung vor einer institutionellen Ausschließung der Deutschen in Österreich und damit das betonte Festhalten an einem unstaatlich verstandenen Nationsbegriff eher ein zusätzliches Argument als ein ausschlaggebendes Motiv gewesen sein, wenn Essenwein auch mit der königlichen Bekräftigung des Charakters des Museums als einer bayerischen Anstalt, wäre ihm dieses Votum bekannt geworden, wohl nicht einverstanden gewesen wäre. Jedenfalls scheint Essenwein, und mit ihm die anderen Mitglieder des Verwaltungsausschusses, anders als Aufseß damals noch nicht bereit gewesen zu sein, die selbstverständlich auch von ihnen angestrebte dauernde finanzielle Sicherung des Unternehmens mit dem Aufgeben von Prinzipien zu erkaufen, die bisher zum Besten des Instituts in Kraft gestanden hatten.

Aufseß hatte in der Begründung seines Projekts völlig zurecht darauf hingewiesen, daß eine verstärkte und vor allem bleibende Förderung der Nürnberger Anstalt durch die öffentliche Hand einen größeren Einfluß von Behörden des Staates auf die Führung der Museumsgeschäfte zur Voraussetzung haben müsse. Das Problem, wie eine solche Staatskontrolle durchgeführt werden könne, ohne gleichzeitig die Autonomie der Museumsleitung einzuschränken, war mit der Zurückweisung von Aufseß' Plan natürlich nicht gelöst. Nur zwei Jahre später, im November 1873, teilte der Präsident des Reichskanzleramts „unter Darlegung der bei dem Germanischen Museum in Nürnberg bestehenden ungünstigen finanziellen Verhältnisse" der bayerischen Regierung mit, er habe die Absicht, „dem Bundesrathe den Vorschlag zu machen, die fernere Zahlung der jener Anstalt aus Reichsmitteln bisher gewährten Subvention davon abhängig zu machen, daß sich der Vorstand des Museums der Controle der Königlichen Bayerischen Regierung in Bezug auf die jährliche Aufstellung eines Etats und die Genehmigung etwaiger außeretatsmäßiger Ausgaben unterwirft"[404].

Kultusminister Lutz, der um seine Stellungnahme zu diesem Vorhaben gebeten wurde, stimmte ihm nur unter Bedenken zu, wobei die Überlegung, daß sonst die Reichsverwaltung unmittelbar das Museum kontrollieren könnte, offensichtlich eine entscheidende Rolle gespielt hat: „. . . bei der Abgeneigtheit der gelehrten Welt gegen staatliche Ueberwachungen und Beeinflußungen dürfte es sich für die bayerische Regierung kaum empfehlen, ihrer Seits die Einräumung einer Curatel über die VermögensVerwaltung des Nationalmuseums anzustreben. Selbst wenn sie von der Einräumung einer solchen Curatel die Fortentrichtung der bayerischen Subvention abhängig machen würde, dürfte ihr Streben voraussichtlich erfolglos sein; denn sicherlich geben die Direktoren des Nationalmuseums lieber die bayerische Subvention und den Aufenthalt in Nürnberg als ihre Selbständigkeit auf. Ohnehin haben dieselben die Verlegung des Museums nach einem anderen deutschen Staate für den Fall deutlich genug in Aussicht gestellt, wenn ihre Hoffnungen auf materielle Ersprießlichkeit des Protektorates der bayerischen Krone gänzlich getäuscht werden sollten. . . . Gleichwohl glaubt sich der ergebenst Unterzeichnete dahin aussprechen zu müssen, daß es nicht gerathen wäre, ein Eingehen auf die Propositionen der Reichsregierung abzulehnen, sondern ist das Dafürhalten, daß sich die bayerische Staatsregierung zur Uebernahme der ihr angesonnenen Vermögenscuratel bereit erklären sollte. Denn es läßt sich nicht verkennen, daß die Reichsregierung sachlich vollkommen im Rechte ist. Auch der Unterzeichnete theilt die Ueberzeugung, daß das Direktorium des Nationalmuseums in unverantwortlicher Weise unfruchtbaren Liebhabereien Raum gegeben hat, indem es die Versetzung des Augustinerklosters in die Grund-

---

404 Dieses Schreiben Delbrücks vom 26.11.1873 ist in den Akten nicht erhalten. Sein Inhalt wird hier nach seiner wörtlichen Zitierung in der Antwort des bayerischen Ministerpräsidenten wiedergegeben: Pfretzschner an Delbrück, München, 19.1.1874, Abschrift; Archiv M, MK 14191.

besitzungen des Nationalmuseums unternahm und daß, wenn sich die Direktoren fortan selbst überlassen bleiben, das Nationalmuseum nie zu geordneten Vermögensverhältnißen und dazu gelangen wird, daß die von den Regierungen bewilligten Subventionen wirklich und zweckmäßig für die wahren Ziele des Nationalmuseums verwendet werden". Sollte die Münchner Regierung es ablehnen, diese Kontrolle über das Nationalmuseum auszuüben, so „würde dieselbe vielmehr eventuell gewiß von der Reichsregierung selbst übernommen werden und dieß wäre eine schwer ins Gewicht fallende Unzuträglichkeit, nachdem einmal Seine Majestät der König Protector ist und das Museum in Bayern seinen Sitz hat. Ob das Museum sich einer solchen Curatel unterwerfen oder lieber auf seine StaatsSubventionen verzichten will, kann die bayerische Regierung füglich dem Direktorium überlassen"[405].

Aufgrund dieses Gutachtens Lutz' erklärte sich die bayerische Regierung zur Ausübung einer solchen Kontrolle bereit, „so wenig sie über die mehrfachen mit der Uebernahme einer Oberaufsicht über dasselbe (i. e. das Germanische Nationalmuseum) verbundenen unerquicklichen Folgen sich zu täuschen vermag"[406]. Nach dieser Entscheidung in München führte Essenwein in den folgenden Monaten Verhandlungen im Reichskanzleramt, die er in einem Bericht an den Lokalausschuß zurecht in den Zusammenhang der seit dem Jahre 1867 immer aufs neue unternommenen Versuche stellte, „größere Jahresbeiträge oder eine einmalige große Gabe zu erhalten, um die Verhältnisse des Museums einer großen Nationalanstalt würdig zu gestalten, ... welche als eine nationale, nach der Ansicht aller ihrer Freunde sich nicht mit einer tieferen Stufe begnügen kann, als sie ähnliche Anstalten anderer Nationen einnehmen"[407]. Im August 1874 schließlich faßte der Verwaltungsausschuß einen Beschluß, in dem er die Auflage des Reichskanzleramtes für die Weiterzahlung einer Reichssubvention akzeptierte und dadurch eine erste Veränderung in den Beziehungen des Museums zu den politischen Gewalten der Zeit vollzog: „Es sei das Direktorium mit der Erklärung zu beauftragen, daß der Verwaltungsausschuß bereit sei, so lange als das Reichskanzleramt diese Bedingung für die Leistung des Reichsbeitrages stelle, der kgl. bayerischen Regierung alljährlich zur Genehmigung den Nachweis zu liefern, daß und wie die etatsmäßigen Ausgaben des folgenden Jahres gedeckt seien und keine unetatsmäßigen Ausgaben ohne Genehmigung dieser Regierung vorzunehmen"[408]. In der Mitteilung dieses Beschlusses an den bayerischen Kultusminister erklärte der Verwaltungsausschuß, er gehe von der „vertrauensvollen Voraussetzung aus, daß im Übrigen von Seiten weder des Reichskanzleramtes noch der k. b. Regierung die Absicht bestehe, die den leitenden Organen des Museums statutenmäßig zustehende Autonomie in Erfüllung der ethischen Aufgaben des Museums zu schmälern, namentlich in die Einzelheiten der Verwaltung beengend einzugreifen"[409].

Aber auch diese Zugeständnisse, denen bereits für das Jahr 1873 die Verdoppelung der jährlichen Reichssubvention von 8000 auf 16000 Taler vorausgegangen war[410], brachten keine grundlegende Besserung der materiellen Lage des Museums. Ebenso bedeutete die Gewährung außerordentlicher Reichszuschüsse für die Erweiterung der Museumsgebäude[411] jeweils nur punktuelle Abhilfe. Deshalb unterbreitete Essenwein im Jahre 1884 dem Verwaltungsausschuß eine Denkschrift, in der er in grundsätzlicher Weise die finanziellen Schwierigkeiten darstellte, durch die von

[405] Lutz an Pfretzschner, München, 17. 12. 1873, Reinkonzept; Archiv M, MK 14191.
[406] Pfretzschner an Delbrück (Anm. 404).
[407] Protokolle des Lokalausschusses, 21. 5. 1874; Altregistratur GNM, Kapsel 738.
[408] Essenwein an Lutz, Nürnberg, 3. 9. 1874, Ausfertigung; Archiv M, MK 14191. Der Beschluß war am 6. 8. 1874 dem Reichskanzleramt mitgeteilt worden.
[409] Essenwein an Lutz (Anm. 408).
[410] Hampe, Festschrift, S. 99.
[411] 150000 M (ab 1877), 340000 M (ab 1882): Hampe, Festschrift, S. 102, 104–105.

Anfang an die Fortführung der Museumsarbeiten gefährdet worden war: „Man hat bei der Begründung des germanischen Museums solch hohen Wert auf die ‚Unabhängigkeit' desselben gelegt. Diese Unabhängigkeit hat so manchen im deutschen Volke erfreut und begeistert. Man wollte zeigen, was man in voller Unabhängigkeit mit vereinten Kräften leisten könne. Man hat einerseits in der Begeisterung nicht erwogen, daß es sich nicht bloß darum handle, die Anstalt zu schaffen, sondern auch, sie zu verwalten, daß diese Verwaltung eine dauernde sein müsse, man hat es sich vielleicht nicht klar gemacht, daß ja jede Begeisterung sich mit der Zeit legt. Nachdem die Sache mehr als 30 Jahre gut gegangen ist, und da im Augenblicke keine Gefahr droht, wird es heute manchen überraschen, zu hören, daß die Unabhängigkeit keine Garantie für die Zukunft bieten solle, ja, daß sie thatsächlich nicht einmal besteht, daß die Anstalt abhängig ist vom guten Willen eines jeden, der sie unterstützt; . . .“[412]. Unter Hinweis auf die soeben dargestellte Einführung einer Haushaltskontrolle durch die bayerische Regierung erklärte Essenwein: „Als im Jahre 1874 die Reichsregierung Bedenken wegen einer finanziellen Maßregel hatte, forderte sie auf das strikteste, falls wir den Reichsbetrag ferner erhalten wollten, die Einführung bestimmter, von ihr im Detail vorgezeichneter Einrichtungen, wiewol im Jahre 1869 die Minorität des Verwaltungsausschusses, welche die Ablehnung der Bedingung, auf die Gefahr hin, daß der Beitrag falle, verlangte, nicht gering war[413]. Auch heute würden wir uns jeder Bedingung, die uns gestellt wird, fügen müssen, weil die Weiterführung der Verwaltung ohne den Beitrag des Reiches einfach unmöglich ist, . . . Der Bankrott wäre unvermeidlich, und wenn alle Ausschußmitglieder einstimmig gegen die Annahme irgend einer Bedingung wären, so müßten sie dieselbe doch annehmen und könnten nur im Wege der Vorstellung und Bitte um Erlassung derselben einkommen. Die Selbständigkeit der Anstalt besteht also thatsächlich nicht, wenn auch der Verwaltungsausschuß nach den Statuten als höchste, definitiv entscheidende Instanz zu gelten hat“[414].

Der hier zutreffend geschilderte Zustand des Museums ließ nach Essenwein nur drei Wege offen, wenn man die finanzielle Lage der Anstalt bleibend verbessern wolle: entweder die Erwerbung eines Stiftungskapitals von einer solchen Höhe, daß aus dessen Zinsen die laufenden Verwaltungs- und Unterhaltskosten bestritten werden könnten, oder vertraglich gesicherte jährliche Zuschüsse, die ausdrücklich für die Deckung dieser Kosten bestimmt seien, oder schließlich die unmittelbare Übernahme dieser Kosten durch die öffentliche Hand[415]. Um eine Einschränkung der Autonomie des Museums, die ohnehin, wie Essenwein gezeigt hatte, nur noch als Anspruch bestand, werde man nicht herumkommen. Es ist festzuhalten, daß Essenwein hier noch einmal Vorstellungen entwickelte, um deren Verwirklichung er schon kurz nach seinem Amtsantritt, in den späten sechziger Jahren, bemüht gewesen war, als er die liquidierende Verwaltung des Deutschen Bundes um die Zuweisung eines solchen Kapitals aus Bundesvermögen bat[416] oder vorschlug, die damals bestehenden deutschen Staaten mögen sich zur dauernden Zahlung solcher jährlicher Zuschüsse verpflichten[417]. Das Stiftungsprojekt ist nicht weiter verfolgt worden, aber eine Kombination der beiden anderen Vorschläge stellte dann knapp zehn Jahre später den Bestand des Museums endlich auf eine sichere Grundlage.

[412] Essenwein, Sicherstellung (Anm. 167), Vorbemerkung.
[413] Essenwein bezog sich hier offensichtlich auf Widerstände gegen den vom Berliner Bundeskanzleramt verlangten definitiven Verzicht auf das Generalrepertorium, s. o. S. 190 und Anm. 226.
[414] Essenwein (Anm. 167), S. 5–6.
[415] Hampe, Festschrift, S. 114.
[416] S. o. S. 174–175.
[417] S. o. S. 176–178.

Im Januar 1891 wurde die Führung der Museumsgeschäfte durch Essenwein im Reichstag angegriffen, weil „das Germanische Museum seinen Bediensteten, speziell den Aufsehern", schlechte Löhne zahle. „Man sollte . . . glauben, daß es bei einem derartig großen Etat . . . auf ein paar Tausend Mark nicht ankommen könnte, und daß man wenigstens die Leute, die dort Dienst zu thun haben, anständig bezahlt. Wenn man aber den dortigen Aufsehern Gehälter bezahlt von 56, 58 und 60 Mark pro Monat, so kann man wohl kaum behaupten, daß das eine anständige Bezahlung sei, . . ."[418].

Diese Interpellation veranlaßte Essenwein zu einer scharfen Entgegnung im Organ des Museums, in der er einmal darauf hinwies, daß der Haushalt, also auch die Vergütung der Bediensteten, nach den Vereinbarungen aus dem Jahre 1874 von seiten der staatlichen Aufsichtsbehörde festgesetzt sei, so daß ihn als Leiter des Museums dieser Vorwurf zu Unrecht treffe[419]. Dann aber nahm Essenwein diesen Vorfall zum Anlaß, um noch einmal daran zu erinnern, daß alle Zuschüsse und Spenden, die der Anstalt ständig „von allen Seiten" zugingen, stets und immer „freiwillige" seien, „und keine Regierung, keine Korporation und kein Einzelner übernahm die bindende Verpflichtung, auch ferner nur einen Pfennig zu bezahlen". Zwar müsse das Museum selbstverständlich auch verwaltet werden, aber „nicht alle, die gerne zur Bildung und Vermehrung der Sammlungen, zur Errichtung der Bauten ihre Beiträge gaben, waren ebenso bereit, dazu zu zahlen, daß Beamte und Diener besoldet wurden, um die Sammlungen zu pflegen, und ausdrücklich zu diesem Zwecke ist uns . . . nie etwas gegeben worden . . . Wol aber hat sich in den Kreisen der freiwilligen Spender stets eine Strömung geltend gemacht, daß nicht das Geld, das für die Anstalt bestimmt sei, ‚veradministrirt' werde . . . Deutlich genug sprachen einzelne sich dahin aus, daß ihr Geld ausschließlich zur Mehrung der Sammlungen gegeben sei, um etwas dauerndes zu schaffen; denn es werde in Deutschland genugsam regiert und verwaltet, und dazu, daß in Nürnberg noch eine Anzahl höherer und niederer Beamten sitze und die Zahl der deutschen Angestellten vermehre, hätten sie kein Geld. Es wurde öfter darauf hingewiesen, wie sich bei Vereinen und öffentlichen Zwecken, für welche Geld gesammelt werde, stets patriotische Männer fänden, welche die Arbeiten als Ehrenämter führen. Nun, zu solchen Gedanken hat ja Jeder das Recht, der freiwillig zahlen soll, da man Niemanden zwingen kann, anders zu denken und sein Geld einer Verwendung zuzuführen, die ihm nicht beliebt. Und wie leicht hilft sich Einer über den Gedanken weg, daß er zu einem Zwecke zahlen soll, wenn er sich dazu denkt: das ist ‚Pflicht' der öffentlichen Gewalten, dafür zu sorgen; dafür soll und braucht man die Nation nicht aufzurufen. Wie schön klingt das, wenn man es als Ausrede ausspricht. Uns aber hilft es nicht. Nun ging es zwar noch, so lange die Anstalt klein war, also auch die Verwaltungskosten geringer; aber es ist recht schwer, wenn eine Anstalt einmal die Bedeutung und den Umfang wie das germanische Museum hat und Tausende und Abertausende davon Genuß haben und im Studium Nutzen daraus ziehen wollen, bei solchen Grundsätzen eine regelrechte tüchtige Verwaltung einzusetzen und zu halten"[420].

Nicht zuletzt unter dem Eindruck dieser Auseinandersetzung beschloß der Verwaltungsausschuß im Mai 1891, die bayerische Regierung zu ersuchen, „sie möge behilflich sein, die Zukunft des Museums und seiner Beamten zu sichern"[421]. Nach knapp zweijährigen Verhandlungen, die

[418] 20. 1. 1891, Karl Grillenberger (SPD), Abgeordneter für den 1. mittelfränkischen Wahlkreis (Stenographische Berichte über die Verhandlungen des Reichstags. VIII. Legislaturperiode. I. Session 1890/91, Bd. 2. Berlin 1891, S. 1070).
[419] August von Essenwein: Zur Beurteilung der äusseren Verhältnisse des germanischen Museums. Nürnberg, 20. 4. 1891. In: Anzeiger GNM 1891, S. 13–18 (15–16).
[420] Essenwein, Beurteilung (Anm. 419), S. 13–14.
[421] Jahresbericht GNM 38 (für 1891), 1892, S. 1.

der bayerische Kultusminister mit dem Reichsamt des Innern und mit dem Magistrat der Stadt Nürnberg führte, einigten sich diese Verhandlungspartner, „den Bedarf des Museums an Verwaltungskosten persönlicher und sächlicher Art künftighin unter sich allein aufzubringen, so daß für die Zukunft alle freiwilligen Spenden und alle sonstigen Einnahmen der Anstalt ausschließlich den Zwecken der Ergänzung ihrer Sammlungen und Institute und ihres endgiltigen Ausbaues zugewendet werden können"[422]. Das Reich übernahm sechs Neuntel, Bayern zwei Neuntel und Nürnberg ein Neuntel der laufenden Kosten. Der Einfluß, der dem Staat durch die Kontrolle über Aufstellung und Einhaltung des Haushalts bereits seit den frühen siebziger Jahren zustand, wurde erweitert: die beiden Direktoren sollten in Zukunft auf Vorschlag des Verwaltungsausschusses vom bayerischen König, die übrigen Beamten auf Vorschlag des Direktoriums vom bayerischen Kultusminister ernannt werden. Der Verwaltungsausschuß setzte sich auch weiterhin aus 25 Mitgliedern zusammen, aber sieben von ihnen waren nicht mehr gewählte, sondern ernannte Mitglieder: drei wurden durch den Reichskanzler, drei durch den bayerischen Kultusminister und einer durch den Nürnberger Magistrat bezeichnet[423]; die Satzungen des Museums wurden entsprechend geändert. Neben anderen Persönlichkeiten wurden gelegentlich kurzerhand die bei den einzelnen Behörden für die Angelegenheiten des Museums zuständigen Beamten – Abteilungsleiter, Referenten, Stadträte – in den Verwaltungsausschuß delegiert, die als Behördenvertreter auch früher schon an den Sitzungen des Verwaltungsausschusses ohne Stimmrecht teilgenommen hatten[424].

Mit diesen Regelungen, die im Jahre 1894 in Kraft traten, war für ein zentrales Problem der Museumsarbeit eine Lösung gefunden worden, die augenscheinlich alle Beteiligten zufriedenstellte. Der Staat in Gestalt von drei politischen Einheiten Deutschlands mit unterschiedlich ausgebildeter Etatshoheit hatte die Sicherheit, daß öffentliche Gelder vom Nürnberger Direktorium in Zukunft nicht mehr für „unfruchtbare Liebhabereien" ausgegeben werden konnten, wie der bayerische Kultusminister zwanzig Jahre früher geklagt hatte, und die Museumsleitung durfte trotz der enger gewordenen Bindung des Unternehmens an den Staat, die nun auch in institutionalisierter Form vorhanden war, davon überzeugt sein, auch in Zukunft genügend Freiheit zu haben, um an der Verwirklichung des unverändert gebliebenen Museumsprogramms weiter arbeiten zu können. Wie die offizielle, zustimmende Verlautbarung der Verhandlungsergebnisse durch den Vorstand zeigte, wurde von seiten des Museums vor allem begrüßt, daß die „Umwandlung des Museums in eine Reichs- oder Staatsanstalt" vermieden werden konnte, so daß ihr bisheriger „Charakter einer nationalen Anstalt" gewahrt bleibe[425]. Diese offene Gegenüberstellung von Staat und Nation ist in zweifacher Hinsicht wichtig. In ihr wurde wieder einmal sichtbar, wie sehr neben dem politischen Nationsbegriff, der soeben der materiellen Sicherung des Unternehmens zugrunde gelegt worden war, im Museumsprogramm sich der ältere, unstaatliche, historische Nationsbegriff lebendig erhalten hatte, das hieß, die Geschichte aller Deutschen, ohne Rücksicht darauf, ob sie innerhalb oder außerhalb der Reichsgrenzen lebten, war nach wie vor der alleinige Gegenstand der Museumstätigkeit. Zum andern bekräftigte die hier vollzogene begriffliche Unterscheidung zwischen Na-

---

[422] Chronik des germanischen Museums. In: Anzeiger GNM 1893, S. 31–40 (39). Ich beabsichtige, den Verlauf dieser Verhandlungen in einer eigenen Studie zu untersuchen.

[423] Hampe, Festschrift, S. 128. Vgl. das Verzeichnis der Mitglieder des Verwaltungsrats mit der Einleitung von Rainer Kahsnitz, in diesem Band S. 1035 ff.; S. 956–959 auch die neue Satzung.

[424] „Vor 1945 seien die Regierungsvertreter im Verwaltungsrat für die Genehmigung der im Verwaltungsrat beschlossenen Anträge zuständig gewesen" (Hans Christoph Freiherr von Tucher, stellvertretender Vorsitzender des Verwaltungsrats, im Oktober 1952 [Protokolle des Verwaltungsrats, 4. 10. 1952; Direktionsakten GNM]). Seit der Satzungsänderung von 1921 heißt das oberste Leitungsorgan des Germanischen Nationalmuseums Verwaltungsrat.

[425] Chronik (Anm. 422), S. 39. Ganz ähnlich im Jahresbericht: „. . . daß die neue Organisation, welche die Verhältnisse der Anstalt in vorteilhafter Weise konsolidieren wird, eine Änderung in dem bisherigen Charakter eines nationalen Museums nicht mit sich bringen wird . . ." (Jahresbericht GNM 40 [für 1893], 1894, S. 1).

tion und Reich, daß das Museum auch jetzt weder Einrichtung noch Besitz des Staates war, sondern auch weiter als Eigentum der Nation zu gelten habe. Dieses betonte Festhalten an Aufseß' Konzept hinderte später freilich selbst Mitglieder des Verwaltungsausschusses nicht daran, das Germanische Nationalmuseum doch als Reichsunternehmen anzusehen, dann etwa, wenn, wie in den bereits erwähnten Überlegungen über die Vergrößerung der Goldbestände der Reichsbank, dem Museum die Erfüllung besonderer Pflichten dem Reich gegenüber zugemutet wurde[426], oder, wenn sich die Vertreter von Reich, Land und Stadt über die Förderung neuer Vorhaben einigen sollten: als im Mai 1913 der Verwaltungsausschuß die Finanzierung der Pläne für einen Erweiterungsbau – den Bestelmeyer-Bau – besprach, beharrte der Nürnberger Erste Bürgermeister, Georg von Schuh, darauf, daß das Museum „bisher als eine Reichsanstalt gegolten habe", daß es, „wenn auch nicht formell, so doch ideell, eine Reichsanstalt" sei, und deshalb müsse „das Reich als . . . leistungsfähigere Körperschaft" den Hauptteil der Baukosten tragen[427].

Es ist nicht leicht, den nationalen Charakter der Nürnberger Anstalt in diesem dritten Abschnitt ihrer Geschichte, zwischen Reichsgründung und Ausgang des Ersten Weltkriegs, zusammenfassend und zutreffend zu beschreiben. Trotz einer unbestreitbar vorhandenen programmatischen Kontinuität ist, wie an bezeichnenden Einzelheiten gezeigt wurde, im Verhalten der Museumsleitung, vor allem in den Begründungen für ihre Beschlüsse, aber auch in der Einstellung der Öffentlichkeit zur Arbeit des Museums, die Entwicklung zu einer gewiß nicht immer bewußt vollzogenen Gleichsetzung von Nation und kleindeutschem Reich nicht zu übersehen.

Wie schwierig es dadurch schon für die Zeitgenossen war, Wesen und Aufgabe dieses Nationalmuseums korrekt zu bestimmen, zeigte sich bei den Feiern zum 50jährigen Bestehen der Nürnberger Anstalt im Juni 1902. Auf der einen Seite hielt es Prinzregent Luitpold, der als Protektor des Museums der Gastgeber der Fürstlichkeiten war[428], für selbstverständlich, auch Kaiser Franz Joseph zur Teilnahme an diesem Jubiläum einzuladen: „Diese der deutschen Kultur und Geschichte geweihte Anstalt ist nach ihrer hohen, umfassenden Aufgabe ein allen deutschen Staaten und Stämmen gemeinsames Institut. . . . Der hervorragende Antheil, welchen so das deutsche Reich wie das ganze deutsche Volk und an seiner Spitze die deutschen Fürsten an dem Dasein und dem mächtigen Aufschwunge dieser . . . Anstalt haben, legt Mir den Wunsch nahe, bei dem bevorstehenden Jubelfeste derselben mit Seiner Majestät dem Deutschen Kaiser die Souveraine von Oesterreich und den größeren deutschen Staaten in Nürnberg begrüßen zu dürfen . . ."[429]. Auf der anderen Seite aber mußten sich sowohl die Museumsleitung als auch die gratulierenden Gäste begrifflicher Verdeutlichungen und Umschreibungen bedienen, um die gemeinte nationale Totalität auszudrücken. So wurde zwischen „deutschen und deutschsprachigen Universitäten" unterschieden[430], es war aber auch vom „gesamten Gebiet des deutschen Volkstums"[431] und vom „gemeinsamen

[426] S. o. S. 203–204.
[427] Protokolle des Verwaltungsausschusses, 19. 5. 1913; Altregistratur GNM, Kapsel 756. Die Vertreter des Reiches, Graf Posadowsky und Ministerialdirektor Theodor Lewald, wollten hingegen das Reich, Bayern und Nürnberg zu je gleichen Teilen an den Baukosten beteiligt sehen. „Den größten Nutzen von dem Museum hat doch die Stadt Nürnberg. Denn die meisten Fremden, die nach Nürnberg kommen, kommen des Germanischen Museums wegen. Es kommt hinzu, daß Nürnberg ein Museum, das sich andere Städte unter Aufwand von grossen Mitteln erst schaffen müssen, in den Schoss gelegt ist . . ." (Lewald); „Den realen Nutzen von dem Museum habe vor allem die Stadt Nürnberg, wenn auch das Museum der Gesamtheit des deutschen Volkes zu gute komme" (Posadowsky).
[428] „Bezüglich der Einladung Seiner Majestät des deutschen Kaisers und eventuell anderer Fürstlichkeiten wollen Seine Königliche Hoheit unter allen Umständen freie Hand behalten" (Erlaß des bayerischen Kultusministeriums, München, 23. 4. 1901, Ausfertigung; Altregistratur GNM, Kapsel 750).
[429] Luitpold an Großherzog Friedrich I. von Baden, München, 16. 3. 1902, Ausfertigung; Archiv K, Großherzogliches Geheimes Cabinet, GLA 60/859.
[430] Einleitung zum Bericht über „Die Feier des fünfzigjährigen Bestehens des Germanischen Nationalmuseums" (Anzeiger GNM 1902, S. XIX). Dieser Bericht (S. XX–XLIV) enthält den Wortlaut der Gratulationen.
[431] Gustav von Goßler, Oberpräsident von Westpreußen (Die Feier [Anm. 430], S. XXXIII).

deutschen Vaterland"[432] die Rede, und ebenso wurde auch „die ganze deutsche Sprachgenossenschaft und Kulturgemeinschaft" zum Eigentümer des Museums erklärt[433]. Daß 30 Jahre nach der Reichsgründung dem Bekenntnis, der deutschen Nation anzugehören, ein primär staatlicher Sinn untergelegt werden konnte, mußte der Berner Germanist Ferdinand Vetter erfahren, der die deutsche Schweiz als eine „deutsche Provinz in geistiger Beziehung" bezeichnete und davon sprach, daß die „deutschen Schweizer . . . als Deutsche unter Deutschen" an der Nürnberger Feier teilnehmen wollten und „dem Geiste nach Deutsche sind und es zu bleiben hoffen"[434]. Vetters Rede, die in einer, wie er später behauptete, vergröberten Form in der schweizerischen Öffentlichkeit bekanntwurde, wurde von „der welschen wie deutschsprachigen Presse" entschieden zurückgewiesen, und Vetter sah sich nach seiner Rückkehr, nicht nur unter dem Druck dieser öffentlichen Meinung, sondern auch durch die Rügen, die ihm der Senat der Universität Bern und der Berner Stadtrat erteilten, veranlaßt, sein Entlassungsgesuch einzureichen, das er dann allerdings wieder zurückzog[435]. Der etatistische Charakter des schweizerischen Nationalbewußtseins schloß damals bereits diese Art von doppelter nationaler Loyalität aus.

Daß die grundsätzlich problematische finanzielle Sicherung der Museumstätigkeit nur noch im Rahmen des Reiches, wenn auch unter Beachtung von dessen föderalistischer Gliederung, angestrebt wurde, war ein neuer Beweis für die auch schon in früheren Museumsphasen festzustellende Bereitschaft der Leitung, den jeweils bestehenden politischen Zustand der Nation zu akzeptieren und in der Begründung wie Führung der Museumsarbeit nicht nationalpolitische Vorstellungen zu vertreten, die dem Nürnberger Institut schaden konnten, weil es durch sie in Widerspruch zur staatlichen Wirklichkeit gesetzt werden mußte. Dazu paßt auch, daß man in Nürnberg den historischen Prozeß, der zur Entstehung eines deutschen Nationalstaates führen sollte, mit der Reichsgründung für abgeschlossen hielt und die deutsche Frage, etwa im Sinn von groß- oder alldeutschen Konzepten, nicht als ein weiterhin offenes Problem sah.

Daß auf der anderen Seite nach 1870 niemand eine Revision des Museumsprogramms vorschlug oder erwartete, zeigt deutlich, daß die Gründung des Museums und dessen Bindung an Geschichte und Gegenwart der Nation, trotz unübersehbaren Zusammenhängen mit den Absichten der deutschen Nationalbewegung in den fünfziger und sechziger Jahren, nicht der Versuch war, das vergeblich gebliebene Unternehmen der Paulskirche mit anderen, politisch ungefährlichen Mitteln weiterzuführen. Hinzu kam, daß die Ausrichtung der Museumsarbeit auf die Vergangenheit der deutschen Nation die Leitung davor bewahrte, den historischen, unstaatlich gemeinten Nationsbegriff über dem neuen, engeren, etatistischen Nationsverständnis zu vergessen. Diese Gefahr bestand nur dort, wo die Sammlungsaufgabe programmwidrig aktualisiert wurde.

IV. In der Weimarer Republik und im Führerstaat, 1919–1945
Der Einschnitt, den das Ende des Ersten Weltkriegs für die Tätigkeit des Germanischen Nationalmuseums bedeutete, unterschied sich wesentlich von den Zäsuren der Jahre 1866/67 und 1870/71.

[432] Alwin Schultz, Kunsthistoriker an der Prager deutschen Universität (Die Feier [Anm. 430], S. XXVIII).
[433] Wilhelm Wilmans, Germanist an der Universität Bonn (Die Feier [Anm. 430], S. XXVI).
[434] Die Feier (Anm. 430), S. XXVIII–XXIX.
[435] Klaus Urner: Die Deutschen in der Schweiz. Von den Anfängen der Kolonienbildung bis zum Ausbruch des Ersten Weltkrieges. Frauenfeld 1976, S. 68. Die beiden als besonders anstößig empfundenen Sätze: „Die Deutschen in der Schweiz seien sich der Zugehörigkeit zur großen deutschen Nation in vollster Weise bewußt", und „Als Schweizer sind und bleiben wir Deutsche!" (S. 70) sind in dem im Museumsorgan veröffentlichten Text nicht enthalten. Es ist aber nicht auszuschließen, daß Vetter die Druckfassung seines Glückwunsches entschärft hat: die Rede wurde am 14. 6. gehalten, Redaktionsschluß für diese Ausgabe des Anzeigers war aber erst der 26. 8. 1902 (Anzeiger GNM 1902, S. LXX).

Die Auflösung des Deutschen Bundes, der Ausschluß Österreichs aus Deutschland und die Gründung des kleindeutschen Nationalstaates waren tiefgreifende Veränderungen in der politischen Erscheinungsform der deutschen Nation. Der Begriff „deutsch" erfuhr damals eine staatlich-territoriale Präzisierung, wurde dadurch aber gleichzeitig inhaltlich verengt. Das hatte, wie gezeigt wurde, auch Folgen für die Bemühungen um die Verwirklichung des Nürnberger Museumsprogramms. Durch die Revolution von 1918/19 und den Friedensvertrag von Versailles nun wurden zwar die monarchische Staatsform durch die republikanische ersetzt, das Reichsgebiet verkleinert und der Anschluß der deutschösterreichischen Gebiete, die jetzt nichts mehr mit den nichtdeutschen Teilen der inzwischen auseinandergefallenen Habsburgermonarchie verband, an Deutschland untersagt, der nationalstaatliche Charakter dieses Deutschen Reiches aber blieb unangetastet. Daß dennoch die Leitung des Museums wie dessen Freunde das Jahr 1918 als Zäsur, als „gewichtigen Wendepunkt"[436], verstanden, ist auf die Einsicht zurückzuführen, daß sich die Situation Deutschlands auf andere Weise entscheidend verändert habe.

Die Einbuße an politischer Macht, die deutlich empfundene kulturelle Krise und die materielle Verarmung wurden damals einmütig als die wesentlichen Merkmale dieses neuen Zustands der Nation genannt. Im Juli 1919 schrieb Bezold in seinem Bericht über das Verwaltungsjahr 1918/19: „Vieles, was wir Alten hochgehalten, dem wir unser Leben gewidmet hatten ist für immer zusammengebrochen. Auch der historische Geist geht nicht unversehrt durch politische Revolutionen hindurch, so werden auch die Ziele und die Aufgaben der historischen Museen neu gesteckt und gestellt werden müssen. Das germanische Museum leidet heute mehr als andere unter der Not der Zeit, und was ihm in den nächsten Jahren bevorsteht, wissen wir nicht. Krisen von der Tiefe der heutigen gehen nicht in wenigen Jahren vorüber und wirken auf unabsehbare Zeit nach"[437]. Man beklagte den „Absturz des deutschen Volkes . . ., so jäh und tief wie kaum je zuvor"[438]. Man war sich einig darüber, „daß das deutsche Volk sich auf lange Zeit in Vielem wird bescheiden müssen"[439], daß es sich „heute . . . um die Existenz deutscher Kultur handelt"[440] und daß in „dieser, für das deutsche Volk so schweren Zeit . . . Kräfte gewonnen werden (müssen) für den schweren Kampf um die Selbsterhaltung"[441]. Aber man zeigte sich auch zuversichtlich, daß diese ernste Lage der Nation und ihre Folgen für die Arbeit des Museums überwunden werden würden: „Die Liebe des deutschen Volkes, durch die das Germanische Museum groß geworden ist, wird es auch über die Not unserer Tage hinweg in neue bessere Zeiten führen"[442].

Hitlers Machtergreifung und der Ausbruch des Zweiten Weltkriegs wurden hingegen im Museum nicht in derselben Weise wie die Vorgänge von 1918/19 als bedeutungsvolle Zäsuren für das Schicksal der Nürnberger Anstalt empfunden. Gewiß wurde, wie noch gezeigt werden wird, nach 1933 die Notwendigkeit gesehen, „der veränderten Lage Rechnung zu tragen"[443]. Auch wurden jetzt manche Einzelheiten des Museumsprogramms und seiner Verwirklichung anders bewertet als

[436] „Wie das deutsche Volk, steht auch das Germanische Museum, dessen Aufgabe die Veranschaulichung seiner Entwicklung ist, an einem gewichtigen Wendepunkt seiner Geschichte". (Jahresbericht GNM 68 [für 1921], 1921, S. 1).
[437] Verwaltungsbericht Bezolds für 1918/19 (Protokolle des Verwaltungsausschusses, 31. 7. 1919, Anlage; Altregistratur GNM, Kapsel 758).
[438] Reichsinnenminister Erich Koch-Weser bei der Eröffnung des Bestelmeyer-Baus am 11. 12. 1920 (Weiterentwicklung des Museums. In: Anzeiger GNM 1920, S. 3–19 [5]).
[439] Jahresbericht GNM 65 (für 1918), 1918, S. 3.
[440] Jahresbericht GNM 68 (für 1921), 1921, S. 1.
[441] Bezolds Nachfolger, E. Heinrich Zimmermann, bei der Eröffnung des Bestelmeyer-Baus. (Weiterentwicklung [Anm. 438], S. 5).
[442] Jahresbericht GNM 66 (für 1919), 1919, S. 2.
[443] Ministerialrat Max Donnevert vom Reichsinnenministerium an Zimmermann, Berlin, 9. 8. 1933, Ausfertigung; Altregistratur GNM, Kapsel 761. Über die damals für nötig gehaltenen personellen Veränderungen im Verwaltungsrat s. u. S. 233–236.

früher[444], aber die Hinweise darauf, daß „die finanzielle Lage des Germanischen Museums keineswegs rosig" sei[445] und daß gerade wegen „der gegenwärtigen materiellen Not"[446] dem Museum nachhaltig geholfen werden müsse, lauteten nicht viel anders als in den zwanziger und frühen dreißiger Jahren[447]. Und die Aufgabe des Museums „in dieser schicksalsschweren Zeit" des Zweiten Weltkriegs, nämlich dem Besucher die Möglichkeit zur „Erholung an den edelsten Schöpfungen unserer Vorfahren" zu geben und ihn „für kurze Stunden aus dem ernsten Alltag" zu entführen[448], war auch zuvor ganz ähnlich beschrieben worden[449].

Wie in den früheren Abschnitten der Museumsgeschichte blieben auch in den knapp drei Jahrzehnten zwischen dem Ausgang des Ersten Weltkriegs und dem Ende des deutschen Nationalstaates die wesentlichen Prinzipien des Gründungsprogramms unverändert in Kraft und wurden von der am Bestehen des Nürnberger Instituts interessierten politischen und wissenschaftlichen Öffentlichkeit ohne Einwände als weitergeltend anerkannt. Ende Mai 1920 entwickelte E. Heinrich Zimmermann als Kandidat für die Nachfolge von Bezold seine Vorstellungen über die „zukünftige Gestaltung des Germanischen National-Museums". In dieser kleinen Denkschrift erwähnte Zimmermann zustimmend „die Mannigfaltigkeit" der Sammlungen, die dazu dienen sollte, „die gesamte Kultur des deutschen Volkes zu veranschaulichen", so daß „nicht zuletzt dieser Vielseitigkeit . . . das Museum das lebhafte Interesse aller Kreise des deutschen Volkes (verdankt)"[450]. Das gleiche meinte die bestätigende Wiederholung des von Aufseß geschaffenen Museumsprogramms, die wenige Tage zuvor der Verband deutscher Vereine für Volkskunde in den Mittelpunkt eines Memorandums gestellt hatte, mit dem er sich in die Personaldiskussion um die Wiederbesetzung der Direktorsstelle einzuschalten suchte: „Nach der Absicht seiner Gründer sollte das Germanische Museum ein Historisches Museum – historisch im weitesten Sinne genommen – sein und weiter ein Deutsches historisches Museum. . . . Deshalb war auch die Kunst nicht aus rein künstlerischen Gesichtspunkten zu sammeln, wie es in einem reinen Kunstmuseum der Fall sein muss, sondern aus der Einsicht heraus, dass die Kunst nur eine Seite der Entwicklung des deutschen Geisteslebens sei, das in seiner Totalität, hier in seinen Schöpfungen zur Anschauung gebracht werden soll und weiter war auch nur deutsche Kunst zu sammeln"[451]. Auch der bayerische Kultusminister Franz Matt berief sich in seiner Festansprache bei der Eröffnung des Bestelmeyer-Baus im Dezember 1920 ausdrücklich auf Aufseß, als er die Nürnberger Anstalt als „bleibendes Denk-

[444] S. u. S. 221–222 und 227–228.

[445] Jahresbericht GNM 81 (für 1934), 1934, S. 2.

[446] Gedruckter Aufruf zur Unterstützung des Germanischen Nationalmuseums. Der Aufruf, der von Zimmermann unterzeichnet ist, ist undatiert. Der Hinweis darauf, daß die Nürnberger Anstalt „seit 80 Jahren" Überreste der deutschen Verangenheit sammle, läßt streng genommen schon eine Datierung auf das Jahr 1932 zu, aber mehrere Formulierungen („Feindliche Gewalten, die das deutsche Volk bedrohen"; „Schutz- und Trutzwaffen . . . (künden) von . . . seinem (i. e. des deutschen Volkes) wehrhaften Willen"; „. . . jener bäuerlichen Geschlechter, die mit der heimischen Scholle noch am engsten verwachsen waren"; „. . . Beispiel für den heldenhaften Idealismus der deutschen Seele") machen die Abfassung des Textes erst in der Frühzeit der nationalsozialistischen Herrschaft wahrscheinlich. Am 13. 5. 1936 trat aufgrund dieses Aufrufs das bayerische Innenministerium als Mitglied mit einem Jahresbeitrag von 100 RM bei (Archiv M, MInn 73470).

[447] So wurde im Jahre 1923 erklärt, es sei „ein dringendes Erfordernis", „die Anstalt lebensfähig zu erhalten"; man hoffe, daß „Reich, Bayern und die Stadt Nürnberg uns nicht im Stiche lassen" (Jahresbericht GNM 70 [für 1923], 1923, S. 1). Im Jahre 1930 wurde gebeten, „unter dem Druck der herrschenden allgemeinen Not die Rettungsanstalt für das Kulturgut vergangener Jahrhunderte, das Germanische Museum, nicht gänzlich zu vergessen" (Jahresbericht GNM 77 [für 1930], 1930, S. 2).

[448] Jahresbericht GNM 87 (für 1940), 1941, S. 3. Jahresbericht GNM 88 (für 1941), 1942, S. 20.

[449] „Die geistigen Güter . . . müssen uns als Leitsterne dienen, die durch das materielle Elend der Gegenwart hin zur lichteren Ferne führen" (Jahresbericht GNM 67 [für 1920], 1920, S. 2).

[450] „Die zukünftige Gestaltung des Germanischen National-Museums von E. Heinrich Zimmermann" (Protokolle des Verwaltungsausschusses, 28. 5. 1920, Anlage; Altregistratur GNM, Kapsel 759).

[451] Verband deutscher Vereine für Volkskunde an Verwaltungsausschuß, Freiburg im Breisgau, 19. 5. 1920, Ausfertigung; Altregistratur GNM, Kapsel 759.

mal deutscher Ehre, Wissenschaft, Kunst und Kultur" beschrieb[452]. Zimmermanns Nachfolger schließlich, Heinrich Kohlhaußen, bekräftigte zu Beginn des Jahres 1938 im Vorwort zum ersten von ihm herausgegebenen Jahresbericht: „Der Sinn des Germanischen Nationalmuseums beruht unveränderlich in seiner Zielsetzung Wesen und Wandlung deutscher Kultur anschaulich zu machen"[453].

Im Unterschied aber zu manchen Entscheidungen zur Zeit des wilhelminischen Deutschland über Erwerbungen oder über die Annahme von Stiftungen, die dem Museum gemacht worden waren, verzichtete die Museumsleitung jetzt auf eine auch nur gelegentliche oder partielle Aktualisierung der Sammlungen. Es wurden keine Überreste der Zeitgeschichte erworben, wenn man von dem Plan Zimmermanns absehen will, „eine Uniformsammlung zu schaffen. . . . es solle im Germanischen Museum ein Gesamtbild der deutschen Kultur gegeben werden, und da dürften die Uniformen nicht fehlen." Der in der Aussprache über dieses Vorhaben gegebene Hinweis auf die „Ablösungsstelle in Berlin", die um die Überlassung von Uniformen gebeten werden solle, legt den Schluß nahe, daß in diese neue Abteilung auch Uniformen des Ersten Weltkriegs aufgenommen werden sollten[454].

Änderungen im wissenschaftlichen Urteil über frühere Kulturepochen, aber auch die politische Entwicklung in Deutschland führten bald dazu, daß die nationale Bedeutung mancher Abteilungen des Museums neu bewertet wurde. So wies Zimmermann zu Beginn der dreißiger Jahre auf die erst jetzt entdeckte Eigenständigkeit von Barock und Rokoko in Deutschland hin: „. . . bis vor nicht allzu langer Zeit erblickte die kunstgeschichtliche Forschung im Mittelalter die Blüte der deutschen Geistesart. Erschien schon die Renaissance manchem als eine Überfremdung unserer heimischen Kunstsprache, so galt vollends der Barock und das Rokoko den meisten als eine unerträgliche Verwelschung und Verfälschung der germanischen Empfindung . . . Man glaubte vielfach, daß erst der Klassizismus unser Volk in die Heimat aller Kunst und die Romantik insbesondere uns zu den Quellen der arteigenen künstlerischen Weltanschauung zurückgeführt habe. Gegenüber dieser stärker ethisch und ethnologisch betonten Auffassung rang sich nur allmählich eine rein ästhetisch bestimmte durch, die zunächst einmal die hohen bildnerischen Werte in der Plastik und Malerei, in der Architektur des 17. und 18. Jahrhunderts entdeckte, an denen man so lange blind vorüber gegangen war. Dann aber stellte man auf dem Wege der stilkritischen Sonderung fest, daß der deutsche Barock und das deutsche Rokoko eine Kunst sei, die sich von den italienischen und französischen gleichlaufenden Bestrebungen wesentlich unterscheide; . . .". Es verstehe sich von selbst, daß gerade die Nürnberger Nationalanstalt auch „dieser einst als undeutsch verschrieenen Zeit" ihre Aufmerksamkeit zuwenden mußte: „Die jahrelange Tätigkeit des Sammelns und Konservierens, die das Germanische Museum in dieser Richtung schon entfaltete, die glückliche Hand, welche die Zufälle der Entdeckung in eine bestimmte Willensrichtung zwang, die Pracht der Erscheinung in den künstlerischen Offenbarungen jener Zeit, alles das formt den gewaltigen Eindruck, den die im letzten Jahre eingerichteten fünf zusammenhängenden Räume auf den Besucher machen"[455].

Nach 1933 wurde dann vor allem eine „Durcharbeitung und Neuaufstellung" der vorgeschichtlichen Sammlungen für nötig gehalten, deren Zugehörigkeit zu einem Nationalmuseum, das sich mit der Geschichte der deutschen Nation beschäftigt, dessen Interesse also nicht hinter die Entste-

[452] Weiterentwicklung (Anm. 438), S. 7.
[453] Jahresbericht GNM 84 (für 1937), 1938, S. 2.
[454] Protokolle des Lokalausschusses, 6. 12. 1920; Altregistratur GNM, Kapsel 759.
[455] Jahresbericht GNM 79 (für 1932), 1932, S. 2.

hung dieser Nation am Ausgang des ersten Jahrtausends zurückzugehen brauchte, allerdings programmwidrig erscheint[456]. Aus dem Jahre 1935 wurde berichtet: „Das allgemeine Interesse für die vorgeschichtlichen Denkmäler unseres Vaterlands trat besonders stark während des diesjährigen Parteitages in Erscheinung . . .". Ebenso erklärte man einen Erweiterungsbau für die volkskundliche Abteilung für „dringend nötig": „Ohne eine ganz bedeutsame Raumvermehrung wird diese in Deutschland einzigartige Sammlung die ersehnte Wirkung einer gründlicheren Kenntnis und besseren Würdigung der deutschen Bauernkultur nicht ausüben können"[457]. Festgehalten werden muß aber, daß sich die Aufmerksamkeit des Museums nicht erst jetzt, etwa aus politischem Opportunismus, bisher unbeachtet gebliebenen Bereichen der deutschen Kulturgeschichte zugewendet hätte, sondern daß bereits Vorhandenes nur eindrucksvoller vorgestellt werden sollte. Ein gleiches gilt auch für die Ausstellung „700 Jahre Deutschtum im Weichselbogen", die aus aktuellem Anlaß, nach dem Ende des Polenfeldzugs, im Oktober 1939 eröffnet wurde: „Die Ausstellung wurde ganz aus Eigenem bestritten . . ."[458].

Ebenso wie die möglichst weit verstandene deutsche Geschichte nach wie vor das einzige Sammlungsobjekt war, blieb auch die Vorstellung von der Nation als der wahren Eigentümerin der Anstalt lebendig. Wie zahlreiche Zeugnisse zeigen, wurde in dem unverminderten Interesse der Nation für dieses Nürnberger Institut und in der Unterstützung der Sammlungstätigkeit durch sie, gerade in Notzeiten wie der jetzigen, eine entscheidende Voraussetzung für den Fortbestand des Museums gesehen. In der schon erwähnten Denkschrift aus dem Mai 1920 erklärte Zimmermann die „einzigartige Stellung" des Germanischen Nationalmuseums mit dem Hinweis darauf, „daß es sein Entstehen einer privaten Stiftung verdankt und diesen Charakter trotz der Beiträge, die das Reich, Bayern und die Stadt Nürnberg für die Verwaltung leisten, nicht verloren hat"[459]. Im Dezember 1920 zeigte sich der bayerische Kultusminister Franz Matt zuversichtlich über die Zukunft des Museums: „. . . die deutschen Stämme . . . werden es sich, wenn anders deutscher Geist und deutsches Streben in dem Chaos unserer Zeit, wie wir hoffen, nicht untergeht, angelegen sein lassen, unser Germanisches Museum als ‚Nationalanstalt für alle Deutsche' weiter zu pflegen und zu fördern . . ."[460]. Einige Jahre später wurde es als „Pflicht, ja Ehrenpflicht aller deutsch Denkenden und deutsch Empfindenden" erklärt, „mit beizutragen, daß der gewaltige Bau des Germanischen Museums an Bedeutung und Größe weiterhin wächst und gedeiht"[461]. Auch aus der Spätphase dieser Museumsepoche ist die Vorstellung überliefert, daß das Museum „durch den unbändigen Opfersinn vieler unserer Besten gespeist" werde; das Museum „(ist) ein unvergängliches Denkmal, das sich die Deutschen selbst . . . geschaffen haben"[462].

Auch in der Auffassung von der territorial wie sozial ungeschiedenen Nation als Stifterin und Eigentümerin der Anstalt gab es keinen Unterschied im Vergleich zu früheren Abschnitten der Museumsgeschichte. Davon, daß „alle deutschen Stämme (dem Museum) gleiches Interesse entge-

[456] Hier muß daran erinnert werden, daß in der Gründungsphase nichts über den Anfang der deutschen Geschichte als Grenze für die Sammlungstätigkeit des Museums vereinbart worden war; s. o. S. 140–141.

[457] Jahresbericht GNM 82 (für 1935), 1935, S. 2.

[458] Jahresbericht GNM 86 (für 1939), 1940, S. 7.

[459] Zimmermann, Gestaltung (Anm. 450). Fast mit denselben Worten beschrieb Zimmermann auch bei der Einweihung des Bestelmeyer-Baus dieses nationale Merkmal der Anstalt: „Das Germanische Nationalmuseum . . . ist als eine freie Stiftung des deutschen Volkes entstanden und hat diesen Charakter im wesentlichen bis heute bewahrt" (Weiterentwicklung [Anm. 438], S. 5).

[460] Weiterentwicklung (Anm. 438), S. 8.

[461] Jahresbericht GNM 73 (für 1926), 1926, S. 1.

[462] Jahresbericht GNM 88 (für 1941), 1942, S. 13. Diese Definition stammt aus einem Vortrag, den Kohlhaußen am 14.12.1941 in Würzburg gehalten hat und der in diesem Jahresbericht (S. 3–13) veröffentlicht wurde.

genbringen"[463], daß ihm „das lebhafte Interesse aller Kreise des deutschen Volkes" gelte[464], war ebenso die Rede wie davon, daß das Museum auf die „Anteilnahme und Unterstützung aller Schichten des deutschen Volkes"[465] und auf das „Wohlwollen" und die „Opferwilligkeit aller Kreise des deutschen Volkes"[466] angewiesen sei. Die hinter dieser Beschreibung des Museums stehende, seit den Anfängen der Anstalt lebendig gebliebene Vorstellung von der Staatsferne des Unternehmens, das als „freie Stiftung des deutschen Volkes … über den Parteien und Konfessionen" stehe[467], wurde in den ersten Kriegsjahren von Kohlhaußen noch einmal eindrucksvoll bekräftigt: „Es sind verhältnismäßig wenige, die die Kriegsumstände benutzen, um sich von uns zu trennen. Wenn wir an die ebenso stolze wie an Entbehrungen, Opfern und unsäglichen Anstrengungen reiche Geschichte unseres Museums denken, so ist es auch da immer so gewesen, daß in Zeiten der Not dieses Museum seinen Glanz und seine Größe mehr dem Idealismus vieler unbekannter Einzelner als großen Organisationen oder staatlicher Beihilfe verdankte und immer wieder von den vielen Ungenannten gehalten, gestützt und in seiner Existenz gerettet wurde. Und im Vertrauen auf diese Gesinnung und dieses Eintreten der Vielen, denen wir hiermit herzlich danken, schreiten wir zuversichtlich unseren Weg weiter"[468].

Und so wie diese von Anfang an gültig gewesenen Vorstellungen von der deutschen Geschichte als alleinigem Sammlungsobjekt und von der deutschen Nation als eigentlicher Eigentümerin des Museums auch nach dem Ende des Ersten Weltkriegs maßgebend blieben, stimmte man auch jetzt bei der Beschreibung der Aufgaben, die durch die Museumsarbeit erfüllt werden sollten, in wichtigen Einzelheiten mit früheren Auffassungen überein. Daneben dürfen aber die Versuche für eine Neudefinition der nationalen Bedeutung des Nürnberger Instituts nicht übersehen werden: die Veränderungen im Zustand der Nation haben vor allem hier ihre Berücksichtigung gefunden.

Die Hinweise auf den Nutzen, den die Wissenschaft aus den Nürnberger Sammlungen und deren Auswertung ziehen könne, unterschieden sich nicht von ähnlichen Äußerungen in früherer Zeit. So zeigte sich Bezold im Juli 1919 zuversichtlich darüber, daß das Germanische Nationalmuseum nicht „aufhören" werde, „eine Stätte der Forschung zu sein"[469]. Wenige Monate später wurde im Reichstag eine verstärkte Förderung der Nürnberger Anstalt durch das Reich vor allem mit der Überlegung begründet, „das einzige, was der Feind uns nicht rauben konnte, die große wissenschaftliche Bedeutung des deutschen Volkes", müsse unter allen Umständen „erhalten und gesteigert" werden[470]. Und der neue Direktor, Zimmermann, erinnerte kurz nach seinem Amtsantritt daran, daß „keine andere wissenschaftliche Anstalt … wie das Germanische Museum mit dem gesamten deutschen Geistesleben so innig verbunden" sei[471].

Die erst in der gerade zu Ende gegangenen Phase laut gewordene Meinung, es sei die nationale Pflicht des Germanischen Nationalmuseums, deutsches Kulturgut, das sonst ins Ausland verkauft werden würde, zu erwerben und dadurch der deutschen Nation zu erhalten[472], wurde jetzt, „unter

---

[463] Niederschrift einer „vertraulichen Beratung" im Zusammenhang mit der Wahl von Bezolds Nachfolger (Protokolle des Verwaltungsausschusses, 28. 5. 1920; Altregistratur GNM, Kapsel 759).

[464] Zimmermann, Gestaltung (Anm. 450).

[465] Hermann Luppe, Oberbürgermeister von Nürnberg, bei der Feier zur Einweihung des Bestelmeyer-Baus (Weiterentwicklung [Anm. 438], S. 9).

[466] Jahresbericht GNM 73 (für 1926), 1926, S. 1.

[467] Jahresbericht GNM 68 (für 1921), 1921, S. 1.

[468] Jahresbericht GNM 86 (für 1939), 1940, S. 10.

[469] Verwaltungsbericht Bezolds für 1918/19 (Protokolle des Verwaltungsausschusses, 31. 7. 1919, Anlage; Altregistratur GNM, Kapsel 758).

[470] 16. 10. 1919, Adolf Braun (SPD), Abgeordneter für Franken (Verhandlungen der verfassunggebenden Deutschen Nationalversammlung, Bd. 330. Stenographische Berichte. Berlin 1920, S. 3176).

[471] Jahresbericht GNM 67 (für 1920), 1920, S. 2.

[472] S. o. S. 196–197.

dem Druck der herrschenden allgemeinen Not"[473], zu einer für besonders wichtig gehaltenen Aufgabe der Nürnberger Anstalt. So wurde im Jahre 1922 die Feststellung, die Tätigkeit des Museums sei „heute notwendiger denn je", vor allem auch mit dem Hinweis begründet, es gelte, „wertvolle deutsche Kunstwerke vor der Gefahr der Abwanderung ins Ausland zu retten"[474], und an diese Vorstellung vom Museum als der „Rettungsanstalt für das Kulturgut vergangener Jahrhunderte"[475] wurde auch später immer wieder erinnert. Als im Jahre 1929 das Bildnis des Luzerner Chorherrn Johannes Xylotectes von Hans Holbein (1520) erworben werden konnte, wurde dieser Kauf von Zimmermann mit der „überragenden Bedeutung" gerechtfertigt, „die das Werk dieses Malers in der Entwicklung der deutschen Kunst besitzt"; dies habe es „dem Leiter eines ‚Germanischen' Museums zur unabweisbaren Pflicht (gemacht), ein solch unersetzliches Dokument wie ein Holbein'sches Bildnis für Deutschland unter allen Umständen zu erwerben"[476]. Auch nach Hitlers Machtergreifung wurde ähnlich argumentiert: „Die Auflösung der letzten Bestände privaten deutschen Kulturgutes fordert gebieterisch, daß die wertvollen Denkmäler unserer deutschen Vergangenheit nicht den Weg ins Ausland nehmen, sondern der Öffentlichkeit zugänglich gemacht werden. Kleinmütige Ausreden, daß dazu nicht die Zeit sei, sind heute ebenso verkehrt wie in der Inflationszeit. Hätte das Museum damals nicht unter Anspannung aller seiner Mittel versucht, deutsches Kulturgut im Lande zu erhalten, so hätten noch mehr deutsche Kunstwerke ihren Weg ins Ausland genommen. Bei den starken Verlusten, die der deutsche Kunstbesitz durch die Wirrnisse des 16. und 17. Jahrhunderts erlitten hat, ist ein solcher Aderlaß aber nie wieder gutzumachen"[477].

Ebenso waren nach dem Ende des Ersten Weltkriegs die Leitung des Museums wie seine Freunde davon überzeugt, daß das Nürnberger Institut „auch weiter" „seiner hohen Aufgabe ... gerecht werden" müsse, „den Sinn für die Denkmäler deutscher Kunst und Kultur" zu wecken und zu pflegen[478]. Gerade diese Vergegenwärtigung von all dem, „was im Leben unserer Vorfahren groß und schön war"[479], diese Möglichkeit, hier den „edelsten Zeugnisse(n) seiner (i. e. des deutschen Volkes) schöneren Vergangenheit"[480] zu begegnen, wurde nach der politischen Katastrophe für die am Bestehen des Museums interessierten Zeitgenossen zur wichtigsten Aufgabe des Museums: heute „ist eine Zuflucht zu den idealen Gütern der Nation doppelt notwendig"[481]; „mehr als je bedarf heute das deutsche Volk eines geistigen Mittelpunktes, der den Zusammenhang mit unserer Vorzeit aufrecht erhält, der durch die Pflege des geschichtlichen Sinnes an seinem Teil zur Aufrichtung und Gesundung unseres schwer erschütterten Volkstumes beiträgt"[482]. Daß die Nürnberger Sammlungen, in denen „alle Äußerungen der unversieglichen geistigen Kraft unseres Volkes ... in typischer Form einen Niederschlag gefunden (haben)"[483], sogar wirtschaftlichen

473 Jahresbericht GNM 77 (für 1930), 1930, S. 2.
474 Jahresbericht GNM 69 (für 1922), 1922, S. 1.
475 Jahresbericht GNM 77 (für 1930), 1930, S. 2.
476 Jahresbericht GNM 76 (für 1929), 1929, S. 2. Ähnlich hatte es schon in einer „Pressemitteilung" über die Sitzung des Verwaltungsrats vom 4.7.1929 geheißen: „Die Finanzierung dieses für Deutschland ungemein wichtigen Werkes – befindet sich doch in den süddeutschen Museen kein Bildnis des berühmtesten deutschen Porträtisten – ist für das Germanische Museum eine zwingende Notwendigkeit". Die Museumsleitung knüpfte daran die Bitte, „durch Stiftung von Beiträgen diese national-wichtige Erwerbung zu ermöglichen" (Protokolle des Verwaltungsrats, 4.7.1929, Anlage; Altregistratur GNM, Kapsel 760).
477 Jahresbericht GNM 81 (für 1934), 1934, S. 2. Es ist unsicher, ob mit der hier erwähnten „Auflösung der letzten Bestände privaten deutschen Kulturgutes" die beginnende soziale Deklassierung des jüdischen Bürgertums in Deutschland gemeint war.
478 Jahresbericht GNM 67 (für 1920), 1920, S. 2.
479 Jahresbericht GNM 67 (für 1920), 1920, S. 2.
480 Jahresbericht GNM 76 (für 1929), 1929, S. 3.
481 Weiterentwicklung (Anm. 438), S. 5.
482 Jahresbericht GNM 66 (für 1919), 1919, S. 2.
483 Jahresbericht GNM 73 (für 1926), 1926, S. 1.

Nutzen haben konnten, war die Meinung von Reichsinnenminister Erich Koch-Weser. Bei der Feier zur Einweihung des Bestelmeyer-Baus sagte er: „Es sei die Gefahr, daß unter den harten und strengen Anforderungen des Wiederaufbaus die deutsche Kultur neben der deutschen Wirtschaft vernachlässigt werde. Es sei aber von größter Gefahr, wenn versucht werde, uns lediglich eine Zivilisation nach amerikanischem Muster aufzubürden. Auch wirtschaftlich würden wir nicht vorankommen, wenn unser Volk nur erzogen werde, um mechanische Fronarbeit zu leisten. Denn gegenüber Völkern, die sich mehr Land, Geld, Rohstoffe, Blut und Nervenkraft erhalten hätten, könnten wir nur durch Qualitätsarbeit und Veredelungsarbeit vorwärtskommen. Die aber könne nur ein Volk leisten, das sich den Blick für die Schätze seines Kultur- und Geisteslebens bewahre. Wir könnten unserm Volk in einem verarmten Reich nicht die Genüsse verschaffen, die ihm die Fata Morgana des Kinos täglich als die erlesensten vorspiegele. Umsomehr aber müssen wir es mit den herrlichen Kulturgütern versorgen, die die deutsche Vergangenheit, die deutsche Gegenwart und – hoffentlich auch – die deutsche Zukunft ihm darbiete. Daß in diesem Sinne das Germanische Museum ein wertvoller Baustein zum Wiederaufbau Deutschlands sein werde, sei sein (i. e. des Ministers) und der Reichsregierung Wunsch"[484].

Auch nach der Machtergreifung durch die NSDAP wurde die Aufgabe des Museums vor allem darin gesehen, es habe „die Erkenntnis und Verbreitung deutscher Kunst und Kultur" zu fördern[485]: „. . . indem die wahren und unvergänglichen Güter der Nation zu echter Wirksamkeit kommen, kann das Museum seine eigentliche Sendung erfüllen, eine Sammlung aller guten Geister unseres Erbes zu werden und den Besucher aus der Zerstreuung des Alltags zur erhebenden ‚Sammlung' zu bringen"[486]. An dieser für diese Zeit erstaunlich unpolitischen Beschreibung des Museumszwecks hielt Kohlhaußen auch während des Krieges fest. So sprach er im Frühjahr 1940 davon, daß „die erhebende und anregende Kraft des Kunstwerkes in außergewöhnlichen Zeiten doppelt not tut"[487], und zwei Jahre später hieß es: „Unsere Besucher von Front und Heimat sehnen sich gleich stark nach den Geist und Seele erfrischenden Denkmälern, als dichtester und klarster Verkörperung dessen, was sie mit allen Fasern verteidigen"[488]. Aber schon der Kriegsausbruch hatte „das Museum zur Schließung und zu Bergungsmaßnahmen großen Umfanges" gezwungen[489], so daß seine Wirkungsmöglichkeit, für die der uneingeschränkte Zutritt zu den Sammlungen die notwendige Voraussetzung ist, immer geringer wurde. Im vierten Kriegsjahr schließlich wurde das Museum geschlossen: „Seiner vornehmsten und eigentlichen Aufgabe der Darbietung seiner Schätze, mußte das Museum seit Anfang März (1943), dem ersten Großangriff des Jahres, entsagen"[490].

[484] Weiterentwicklung (Anm. 438), S. 5–6.
[485] Jahresbericht GNM 82 (für 1935), 1935, S. 2.
[486] Jahresbericht GNM 84 (für 1937), 1938, S. 2.
[487] Jahresbericht GNM 86 (für 1939), 1940, S. 7.
[488] Jahresbericht GNM 88 (für 1941), 1942, S. 15. Andere Beschreibungen der Museumsaufgabe, denen ähnliche Vorstellungen zugrunde liegen, sind schon früher erwähnt worden; s. o. S. 220.
[489] Jahresbericht GNM 86 (für 1939), 1940, S. 7. Schon früh war über den Schutz der Sammlungen im Kriegsfall beraten worden. Im September 1935 berichtete Zimmermann dem Verwaltungsrat: „Nach Gutachten des Luftschutzamtes ist der Keller unter der Kartäuserkirche für Kunstwerke am geeignetsten". Museumsdirektor Hans Posse aus Dresden erwähnte aber bereits die „Absicht, die wichtigsten Stücke aus den Museen zu schaffen und nach auswärts auf das Land zu transportieren". Generaldirektor Otto Kümmel aus Berlin schlug „eine Klassifizierung der Kunstwerke in drei Wertstufen vor". Die Debatte wurde vom Vertreter des Reichsministeriums für Wissenschaft, Erziehung und Volksbildung, Ministerialrat von Oppen, mit der Empfehlung beendet, „in diesem Sinne" Vorbereitungen zu treffen (Protokolle des Verwaltungsrats, 7. 9. 1935; Altregistratur GNM, Kapsel 761. Zum Übergang des Museums in das Ressort dieses neu geschaffenen Ministeriums im Jahre 1934 s. u. S. 237). Nach dem Krieg nannte Kohlhaußen als besonders erfreuliche Einzelheit seiner Amtszeit, daß es ihm gelungen sei, „in den Bergungen 39–45" die „kostbaren Bestände . . . (zu) erhalten" (Kohlhaußen an Verwaltungsrat, o. O., 3. 10. 1949, Ausfertigung; Direktionsakten GNM).
[490] Jahresbericht GNM 90 (für 1943), 1944, S. 4.

Auch die von Anfang an vertretene Überzeugung, das Museum sei ein einigendes Band der Nation „in ideeller Beziehung"[491], blieb nach dem Ende des Ersten Weltkriegs lebendig. So zeigte sich der bayerische Kultusminister zuversichtlich, die Nürnberger Anstalt werde auch „weiter . . . als Symbol deutschen Geistes und deutscher Einheit in ferne Zeiten" gelten[492], und den gleichen Gedanken sprach der Staatssekretär im Reichsinnenministerium Erich Z. Zweigert aus, als er bei der Feier zum 75jährigen Bestehen im Jahre 1927 das Museum als „Symbol des einigen Deutschlands" bezeichnete[493]. Schon früher hatte Zimmermann daran erinnert, wie aktuell gerade diese Aufgabe des Museums sei, durch seine Arbeit dazu beizutragen, daß über die bestehenden Staatsgrenzen hinweg die unpolitische, kulturelle Einheit der Nation gewahrt bleibe: „Nach dem Kriege 1870/71 ist das Germanische Museum als lebendiger Ausdruck der wiedergewonnenen Einheit . . . betrachtet worden. Heute, . . . wo viele unserer Volksgenossen durch den Gewaltspruch von Versailles vom Reiche abgetrennt unter fremder Herrschaft leben müssen, wächst sein Wert weit darüber hinaus, wird es zu einem Symbol der Wesenseinheit aller Deutschsprechenden, Deutschempfindenden"[494]. Als im Jahre 1932 der Stadtrat von Eger die dem Germanischen Nationalmuseum gehörende „älteste deutsche Handschrift eines Fronleichnamsspiels", das Egerer Fronleichnamsspiel, mit der Begründung, es sei seinerzeit wahrscheinlich aus dem Egerer Stadtarchiv gestohlen worden, zurückforderte, hielt sich der Verwaltungsrat für verpflichtet, „die Bemühungen der Stadt Eger, ihren rein deutschen Charakter zu dokumentieren, nach Möglichkeit (zu) unterstützen". Eine Rückgabe der Handschrift, die keinen Besitzvermerk des Stadtarchivs trage, wurde zwar abgelehnt, aber der Stadt Eger wurde „auf ihre Kosten eine Faksimile-Reproduktion" gestattet. „Als Belegstück würde diese Faksimile-Reproduktion die gleichen Dienste leisten . . ."[495].

Der Erfüllung einer Aufgabe, deren Bedeutung erst während des Ersten Weltkriegs erkannt worden war, wurde namentlich nach 1933 große Aufmerksamkeit geschenkt: der Gewinnung neuer Besucherschichten. Im Juni 1916 war, angeregt durch eine publizistische Kontroverse, im Nürnberger Verwaltungsausschuß die Frage besprochen worden, ob durch Vorträge und die Veranstaltung von Führungen, aber auch durch die Einrichtung von museumseigenen Kunstinstituten Museen, also eben auch das Nürnberger Haus, zu „Volksbildungsstätten" weiterentwickelt werden sollten. Der Berliner Generaldirektor Wilhelm von Bode hatte damals davor gewarnt, mit der Durchführung eines solchen Vorhabens die wissenschaftlichen Beamten des Museums zu betrauen. Man möge dies „Leuten überlassen, die dem Denken und Fühlen des Volkes näher stehen als der reine Wissenschaftler. Außerdem hat Nürnberg ein ziemlich kleines Publikum, das für die Vorträge der besprochenen Art in Frage kommt. Die Führungen von Fremden sind undankbar und deshalb unnötig". Auch Bezold hatte sich ablehnend geäußert: „Er kenne den geistigen Horizont der Leute, die für die Vorträge in Betracht kommen, genau und die Schwierigkeiten, die sich der Durchführung des Vortragswesens in den Weg stellen. Er glaubt nicht, dass sich . . . Erfolge erzielen lassen . . .". Oberbürgermeister Geßler von Nürnberg aber hatte betont, „dass Nürnberg in geistiger Beziehung ziemlich stiefmütterlich behandelt ist. Das Bildungsproblem ist doch von hoher Bedeutung. Man darf dabei nicht nur an das Arbeiterpublikum denken. Es gibt Kategorien von Leuten, die Bildungsbedürfnis haben und die geeignet sind, auch wieder Bildungsträger zu

---

[491] So beschrieb Zimmermann die zeitgenössische Bewertung des Museums im 19. Jahrhundert (Jahresberichte GNM 68 [für 1921], 1921, S. 1).
[492] Weiterentwicklung (Anm. 438), S. 8.
[493] Jahresbericht GNM 74 (für 1927), 1927, S. 2.
[494] Jahresbericht GNM 68 (für 1921), 1921, S. 1.
[495] Protokolle des Verwaltungsrats, 12. 10. 1932; Altregistratur GNM, Kapsel 760.

werden. Er denkt dabei z. B. an die zahlreichen höheren Beamten in den Kreisen der Industrie. Der Mangel an historischer Bildung ist ganz erstaunlich. . . . Die Stadt Nürnberg hofft, dass auch das Germanische Museum in dem Sinne ein Institut werde, dass es den Fortbildungsbedürftigen Richtung und Leitung zum Ausbau ihrer historischen Kenntnisse geben könne"[496].

Nach der Novemberrevolution änderte Bezold seine Meinung: „Soll das Germanische Museum nicht zu einem anachronistischen Altertum werden, so muß es den Strömungen der Zeit folgen". Es werde sich deshalb „zunächst intensiv in den Dienst der Volksbildung stellen müssen. Das wird vorerst dadurch erschwert, daß wir die für solche Zwecke vorgesehenen Räume in unserem Neubau (i. e. dem Bestelmeyer-Bau) nicht ausführen konnten, doch wird und muß sich Ersatz finden"[497]. Auch Zimmermann empfahl in seiner Denkschrift aus dem Mai 1920 die Veranstaltung von Führungen, um „das Interesse und die Liebe zum Museum in weitere Kreise zu bringen, damit das Germanische Museum das wird, was es nach den Statuten sein soll, ‚eine Nationalanstalt für alle Deutschen'"[498]. Kurze Zeit später erklärte er es für nötig, durch die Arbeit des Museums „den Gedanken der gemeinsamen kulturellen Grundlage weiter zu kräftigen und die Volksgenossen aller Parteien und Stände enger miteinander zu verbinden"[499].

Als Leitprinzip für die Museumsarbeit, vor allem für die Einrichtung der Schausammlungen, wurden diese Bemühungen um den „einfachen Volksgenossen" aber erst nach der Machtergreifung festgelegt. Kohlhaußen bezeichnete es in dem ersten von ihm herausgegebenen Jahresbericht als „die Aufgabe unserer Gegenwart", „die rechte Form zu finden, um eine unendliche Gestaltungsfülle aus Jahrtausenden und aus allen Gebieten vom Schlichten zum Reichen in die leitenden Linien der Entwicklung einzuordnen. Klarheit des Aufbaus als Wertung, so daß auch der Außenstehende, der einfachste Volksgenosse, ja gerade er zwanglos zum Wesentlichen geführt wird"[500]. Ein Jahr später bekräftigte Kohlhaußen diese Absicht: „Eine übersichtliche, dem Kunstwerk nach Maßgabe seiner Qualität dienende, sozusagen dynamische Ausstellung verlangt zwangsläufig mehr Raum als eine absatzlos gereihte Fülle. Denn die Schausammlung, wohlverstanden, wendet sich an alle, auch an den Unvorbereiteten, den sie an die Hauptwerke heranführen, aber nicht an ihnen vorbeiführen soll. Denn das Beste darzubieten ist ja ihr Sinn, und weil sie allen, auch dem einfachsten Volksgenossen, dienen will, kann ihr nur das Beste gut genug sein. Das Beste aber ist immer der Feind des Guten, vor allem des weniger Guten. Werke geringeren Gehaltes, . . . wandern deshalb in die Magazine"[501].

Eng im Zusammenhang mit diesem Versuch einer neuen pädagogischen Fundierung des nationalen Museumsprogramms stand ein anderes Vorhaben Kohlhaußens: eine „Neuordnung" der Sammlungen nach Landschaften. „Der augenfällige Gewinn für den Betrachter ist die mühelose Erkenntnis von Wesen und Bedeutung der heimischen Kulturlandschaft und deren Vergleich mit anderen deutschen Stammeskulturen. . . . So schälen sich . . . mehr und mehr landschaftliche Gruppen heraus. Der sorgsam Durchschreitende, ob Ostmärker oder Rheinländer, Schwabe, Franke oder Holsteiner, findet nun schon in den verschiedenen Abteilungen von der Vorzeit über die ‚Meisterwerke' bis zu den bäuerlichen Gefilden den starken charaktervollen Beitrag seiner engeren Heimat, der ihn mit Stolz auf seine Herkunft erfüllt, aber auch die andersartigen, Achtung

[496] Protokolle des Verwaltungsausschusses, 19. 6. 1916; Altregistratur GNM, Kapsel 758.
[497] Verwaltungsbericht Bezolds für 1918/19 (Protokolle des Verwaltungsausschusses, 31. 7. 1919, Anlage; Altregistratur GNM, Kapsel 758).
[498] Zimmermann, Gestaltung (Anm. 450).
[499] Weiterentwicklung (Anm. 438), S. 5.
[500] Jahresbericht GNM 84 (für 1937), 1938, S. 2.
[501] Jahresbericht GNM 85 (für 1938), 1939, S. 9–10.

einflößenden Beiträge benachbarter oder gar weit entfernt wohnender deutscher Stämme nahebringt. Er sieht sich und seine Vorfahren eingebettet in den großen vielfältigen und einzigen Raum deutscher Gesamtkultur"[502].

Der Erfolg beider Unternehmungen blieb aber unerprobt: die Einschränkung des Ausstellungswesens seit Kriegsausbruch[503] und deren Ausweitung im Laufe der folgenden Jahre brachte die Museumstätigkeit, sofern sie als geplante und systematisch betriebene Präsentation von Kunstgut verstanden wurde, rasch zum Erliegen.

So wie die wichtigsten Grundsätze des Museumsprogramms nach dem Ende des Ersten Weltkriegs in Geltung blieben, wurde auch die Tatsache, daß zum fortbestehenden deutschen Nationalstaat nicht alle Deutschen gehörten, nach 1918 nicht anders beurteilt als vorher. In Äußerungen der Museumsleitung wie in denen von Freunden der Nürnberger Anstalt läßt sich das schon für die Zeit des wilhelminischen Reiches wahrscheinlich gemachte etatistische Nationsverständnis ebenso nachweisen wie die Vorstellung von einer politisch ungeteilten deutschen Nation als Objekt, Trägerin und Nutznießerin der Museumsarbeit. Auf der einen Seite wurde daran erinnert, daß die Anstalt nach der Reichsgründung von 1871 „als lebendiger Ausdruck der wiedergewonnenen Einheit aller (!) deutschen Volksstämme ... betrachtet worden" sei[504], und eine solche Auffassung würde erklären, weshalb ein Bedauern über das in den Pariser Vorortverträgen ausgesprochene Anschlußverbot nicht überliefert ist, sondern nur darüber, daß „viele unserer Volksgenossen durch den Gewaltspruch von Versailles vom Reiche abgetrennt unter fremder Herrschaft leben müssen"[505]. Auf der anderen Seite war vom „gemein-deutschen" Nationalmuseum die Rede[506], und daß an der 75-Jahr-Feier Gäste „aus allen Teilen des deutschen Sprachgebietes, bis aus Tirol und Siebenbürgen" teilnahmen, wurde selbstverständlich begrüßt[507]. Die einstimmige Wahl des österreichischen Bundeskanzlers Ignaz Seipel in den Verwaltungsrat[508] erfolgte ohne Rücksicht auf die Tatsache, daß die Wiener Regierung zum Haushalt des Museums keinen Zuschuß leistete[509], und entsprang gewiß dem Bemühen um die Aufrechterhaltung einer unpolitisch verstandenen nationalen Einheit. Deshalb auch erschien es nach dem Tod Seipels dem Vorsitzenden des Verwaltungsrates, dem Staatssekretär im Reichsinnenministerium Theodor Lewald, „dringend erwünscht, dass ... wiederum ein Oesterreicher in den Verwaltungsrat gewählt wird"[510]. Seipels Nachfolger wurde der österreichische Unterrichtsminister Anton Rintelen[511].

Es überrascht nicht, daß die Erweiterung des nationalsozialistischen Deutschland zum Großdeutschen Reich von der Leitung eines Museums begrüßt wurde, das „seit seiner Gründung ...

[502] Jahresbericht GNM 85 (für 1938), 1939, S. 3–6.
[503] S. o. S. 225.
[504] Jahresbericht GNM 68 (für 1921), 1921, S. 1.
[505] Jahresbericht GNM 68 (für 1921), 1921, S. 1.
[506] Franz Matt, bayerischer Kultusminister, bei der Feier zur Einweihung des Bestelmeyer-Baus (Weiterentwicklung [Anm. 438], S. 6).
[507] Jahresbericht GNM 74 (für 1927), 1927, S. 1.
[508] Theodor Lewald, Staatssekretär im Reichsinnenministerium und Vorsitzender des Verwaltungsrats, an Zimmermann, Berlin, 14. 7. 1928, Ausfertigung; Altregistratur GNM, Kapsel 760. Seipel hatte zuvor seine Bereitschaft erklärt, in den Verwaltungsrat einzutreten (Lewald an Zimmermann, Berlin, 3. 7. 1928, Ausfertigung; Altregistratur GNM, Kapsel 760).
[509] „Wir werden mit dem Gedanken, dass auch Oesterreich wieder einen Jahresbeitrag zum Museum stiftet, bis zur nächsten Verwaltungsratssitzung, an der Seipel persönlich teilnimmt, warten müssen, damit es nicht so aussieht, als sei seine Wahl erfolgt, um einen solchen Beitrag zu erhalten" (Lewald an Zimmermann, Berlin, 14. 7. 1928, Ausfertigung; Altregistratur GNM, Kapsel 760). Seipel hat an den Sitzungen nie teilgenommen (Lewald an Zimmermann, Glotterbad, 7. 10. 1932, Ausfertigung; Altregistratur GNM, Kapsel 760).
[510] Lewald an Zimmermann, Berlin, 17. 9. 1932, Ausfertigung; Altregistratur GNM, Kapsel 760.
[511] Lewald an Zimmermann, Glotterbad, 7. 10. 1932, Ausfertigung, und Protokolle des Verwaltungsrats, 12. 10. 1932; Altregistratur GNM, Kapsel 760.

den großdeutschen Gedanken gepflegt und in der Erfassung deutschen Volkstums nie vor den Staats- und Landesgrenzen Halt gemacht" und deshalb „von je die Liebe und Anhänglichkeit der Auslandsdeutschen erfahren" hatte, wie Kohlhaußen im Januar 1938 für die Nürnberger Anstalt feststellte, als er in dem Bericht über das zu Ende gegangene Jahr die Erwerbung siebenbürgischer Altertümer erwähnte[512]. Aber diese Zustimmung zu einer expansionistischen Politik, die noch bis zur Zerschlagung der Tschechoslowakei im März 1939 als Verwirklichung des alten deutschen Nationalprogramms gelten konnte, stand, anders als die Begeisterung über die kleindeutsche Einigung knapp siebzig Jahre zuvor[513], nicht im Mittelpunkt offizieller Bekundungen der Direktion, sondern geschah eher beiläufig und war ausschließlich auf den historischen Charakter der Museumsarbeit bezogen: „Daß ... der österreichisch-böhmische Raum dank der Ankäufe von Geheimrat Zimmermann durch den beschwingten Liebreiz wie die Güte seiner Werke hervortritt, hat gerade im abgelaufenen Jahre (i. e. 1938) alle Besucher besonders erfreut"[514]. „Es kann als ein glückhaftes Sinnbild gelten, daß das älteste der im Berichtsjahr (i. e. 1939) erworbenen Werke dem deutschen Osten entstammt, der heute nach zwei machtvollen Jahren vom Brenner bis Memel zu uns gehört"[515]. Und von der bereits erwähnten, Ende Oktober 1939 eröffneten Ausstellung „700 Jahre Deutschtum im Weichselbogen" wurde gesagt, mit ihr habe „das Museum den vielhundertjährigen Anspruch auf jene Lande anzudeuten versucht, die unsere Soldaten in unvergleichlichem Siegeszuge durchstürmten"; in ihr „wurde der Anteil deutscher Kultur am Ostraum dargetan, der Deutsche Orden, deutscher Handel und bürgerliche Kultur, deutsches Bauerntum, das waren (!) die Säulen unserer Wirkung im Osten"[516]. Andere Äußerungen über die Entstehung des Großdeutschen Reiches sind nicht überliefert. Ebenso ist nicht bekannt, wie die im weiteren Verlauf des Krieges vollzogene Ausdehnung des Reiches im Westen (Elsaß-Lothringen, Eupen-Malmedy, Luxemburg) und im Osten (Südsteiermark, Reichskommissariate Ostland und Ukraine) von der Museumsleitung beurteilt wurde. Auch die gleichzeitig in Angriff genommene Verdichtung des deutschen Nationsgebiets durch die Umsiedlung von Deutschen aus Ost- und Südosteuropa (Baltikum, Wolhynien, Bessarabien) und aus Südtirol nach Deutschland fanden augenscheinlich keine Erwähnung.

Die wenigen aus dieser Zeit auf uns gekommenen Quellen[517] erlauben es nicht, eine schlüssige Erklärung für diese auffallende Zurückhaltung gegenüber einer Entwicklung zu geben, die die

[512] Jahresbericht GNM 84 (für 1937), 1938, S. 45. Diese Charakterisierung des Museumsprogramms als großdeutsch ist aber, wie diese Studie zeigt, eine politisierend-vereinfachende Beschreibung der von Anfang an gültig gewesenen Prinzipien und deren Anwendung. Auch sonst war Kohlhaußen kein zuverlässiger Darsteller von Einzelheiten aus der Frühzeit des Museums. In seinem Würzburger Vortrag (s. o. Anm. 462) konstruierte er einen Gegensatz zwischen dem bayerischen König und Aufseß zur Zeit der Museumsgründung: „Trotzdem blieb weiterhin der Widerstand groß genug und es ist kennzeichnend, daß auf eine entsprechende Eingabe des Freiherrn von Aufseß der Bayernkönig Maximilian mit zornigen Buchstaben an den Rand schrieb: ‚Eine bayerische, keine deutsche Nationalanstalt hat dieses Museum zu sein und zu bleiben, 29. Juni 1853'. Und prompt haben die Bayern dann, da von Aufseß standhaft blieb, das Bayerische Nationalmuseum als Widerpart des Germanischen gegründet" (Jahresbericht GNM 88 [für 1941], 1942, S. 4). Unbelegte Vermutungen Hampes (Festschrift, S. 44) wurden bei Kohlhaußen zu Tatsachen. Über den politischen Zusammenhang, in dessen dieses Signat Maximilians II. gehört, s. o. S. 156–157. Über die Vorgeschichte des Münchner Nationalmuseums sind wir allerdings bis heute nur sehr lückenhaft unterrichtet; s. dazu Burian (Anm. 23), S. 15.
[513] S. o. S. 191–192.
[514] Jahresbericht GNM 85 (für 1938), 1939, S. 6. Der hier erwähnte „österreichisch-böhmische Raum" ist kein geopolitischer Begriff, sondern die Bezeichnung für einen bestimmten Ausstellungssaal im Museum. Über die „Neuordnung" der Sammlungen nach „deutschen Stammeskulturen" s. o. S. 227–228.
[515] Jahresbericht GNM 86 (für 1939), 1940, S. 10.
[516] Jahresbericht GNM 86 (für 1939), 1940, S. 7–8.
[517] Wegen der Vernichtung der Direktionsakten bei einem Luftangriff muß das Verhalten der Museumsleitung in der Zeit zwischen dem Jahr 1937 und dem Kriegsende allein aus den offiziellen Äußerungen in den Jahresberichten erschlossen werden, von denen der letzte (90, für 1943) im Juni 1944 erschienen ist.

nationalen Vorstellungen, die seit der Gründung dem Museumsprogramm zugrunde lagen, nicht unbeeinflußt lassen konnte. Immerhin war jetzt die von Anfang an nötig gewesene Unterscheidung zwischen einer staatslos verstandenen deutschen Nation und einem wie auch immer politisch organisierten Deutschland, in dem stets nur ein Teil dieser Nation lebte, nahezu überflüssig geworden. Das, was bisher die zutreffende Beschreibung des nationalen Charakters der Museumsarbeit so schwierig gemacht hatte und worauf auch in dieser Studie wiederholt hingewiesen worden war – die wechselnden, mitunter einander geradezu ausschließenden Inhalte des Begriffs „deutsch" –, gab es jetzt kaum mehr, und allein schon diese Tatsache hätte eine zustimmende Erwähnung von seiten des Direktoriums erwarten lassen, in der vor allem die Folgen dieser fundamentalen Veränderung im Zustand der Nation für die Verwirklichung des Museumsprogramms zu erläutern gewesen wären.

Eine erste Erklärung könnte in der Erkenntnis vermutet werden, daß dieser politische Zusammenschluß aller Deutschen nicht im Weg einer friedlichen, durch das Prinzip der nationalen Selbstbestimmung gerechtfertigten und deshalb von der Völkergemeinschaft geduldeten Revision der Pariser Vororteverträge, sondern durch die kriegerische Unterwerfung von Nachbarstaaten zustande gebracht wurde, deren Führungen die Einschränkung oder gar völlige Aufhebung der Souveränität dieser ihrer Staaten hinnehmen mußten; darüber hinaus war die nationale Existenz großer Teile nichtdeutscher Völker ernsthaft gefährdet. Es ist nicht undenkbar, daß dieser nationalistische Imperialismus von Kohlhaußen und seinen Mitarbeitern verurteilt wurde und bei ihnen mögliche Vorbehalte gegen die Grundsätze der nationalsozialistischen Weltanschauung wie gegen die Politik, mit der diese verwirklicht werden sollten, noch verstärkte. Weil aber selbstverständlich in offiziellen Äußerungen der Museumsleitung jede Art von politischer Kritik unmöglich war, wäre es verständlich gewesen, wenn man es vorgezogen hätte, zu dieser Entwicklung zu schweigen.

Eine zweite Erklärung ließe sich aus der Tatsache ableiten, daß Aufseß wie seine Nachfolger bewußt auf jede programmatische Verbindung des Instituts mit der jeweils bestehenden staatlichen Gestalt der deutschen Nation verzichtet hatten; auch war das politische Schicksal der Nationsgenossen an den Rändern des deutschen Siedlungsgebiets und in den von diesem getrennten Sprachinseln niemals Gegenstand besonderer Fürsorge von seiten des Museums gewesen[518]. Deshalb hätte auch jetzt das Nürnberger Direktorium mit guten Gründen der Meinung sein können, daß die gegenwärtige territoriale Expansion des Reiches für die Tätigkeit des Museums, die sich allein mit der kulturellen Vergangenheit der deutschen Nation zu beschäftigen hatte, relativ unwichtig sei. Gegen diese Annahme spricht aber, daß der augenblickliche politische Zustand der Nation auf keinen Fall bei dem Versuch, eine zutreffende Antwort auf die Frage nach dem nationalen Nutzen der Museumsarbeit zu geben, ignoriert werden konnte.

Einer dritten Erklärung schließlich müßte die Annahme zugrunde gelegt werden, daß für die Leitung des Museums und dessen Freunde die deutsche Frage jetzt, anders als zur Zeit der Gründung der Nürnberger Anstalt, kein offenes, lösungsbedürftiges Problem mehr war. Eine solche Aushöhlung des nationalen Museumskonzepts könnte auch damit in Verbindung gebracht werden, daß, wie schon gezeigt wurde[519], gerade in diesem Abschnitt der Museumsgeschichte die politischen Bemühungen des Nürnberger Unternehmens um die Nation durch das Verfolgen kulturpädagogischer Absichten spürbar zurückgedrängt wurden. Im übrigen war das Germanische

[518] S. o. S. 151–152.
[519] S. o. S. 226–227.

Nationalmuseum inzwischen ein angesehenes wissenschaftliches Institut mit reichen Sammlungen geworden, dessen Bestand auch dann hinreichend gerechtfertigt zu sein schien, wenn er nicht stets mit einem Hinweis auf den nationalen Charakter der Anstalt begründet wurde.

Ein unbelastetes Verhältnis des Nürnberger Museums zu den im deutschen Nationsgebiet vorhandenen staatlichen Gewalten galt seit jeher zurecht als wesentliche Voraussetzung für die Erhaltung der Anstalt und deren kontinuierlichen Ausbau. Das bedeutete die zumindest stillschweigende Billigung der in Deutschland jeweils bestehenden politischen Situation und den bewußten Verzicht auf jede Parteinahme zu strittigen Fragen der öffentlichen Ordnung[520]. Seit der Reichsgründung, vor allem aber seit den staatsvertraglichen Zusicherungen von 1893 über die Zahlung der laufenden Kosten durch das Reich, Bayern und Nürnberg, gab es solche Beziehungen des Museums zum Staat nur noch zu Behörden und Körperschaften im kleindeutschen Nationalstaat. Der Ausgang des Ersten Weltkriegs änderte daran nichts. Auch das Verhalten der Museumsleitung zu den Autoritäten der neuen Republik und, nach 1933, zu den Funktionären des Führerstaates wurde ausschließlich von dieser Sorge um den ungeschmälerten Bestand des Museums bestimmt. Auf der anderen Seite blieb der staatsfreie Charakter des Germanischen Nationalmuseums von der öffentlichen Gewalt auch weiterhin respektiert. Dabei war die „Würdigung der Bedeutung, die das Museum für die Allgemeinheit besitzt"[521], nach wie vor das entscheidende Kriterium für das Ausmaß der erbetenen und gewährten Förderung durch die öffentliche Hand.

Wegen der im Jahre 1893 vereinbarten Etatisierung der Aufwendungen, die das Reich, Bayern und Nürnberg für das Germanische Nationalmuseum zahlten, hatten, anders als die staatsrechtlichen Neuerungen der Jahre 1866/67 und 1870/71, die nach dem Ausgang des Ersten Weltkriegs eingetretenen politischen Veränderungen in Deutschland keine unmittelbaren Auswirkungen auf die materielle Lage des Instituts. Die Tatsache aber, daß der Museumshaushalt nur zum Teil von diesen Berliner, Münchner und Nürnberger Zuschüssen bestritten wurde, und die allgemeine Verarmung, die Inflation und die Wirtschaftskrise zwangen die Museumsleitung in den nächsten Jahren wiederholt, unter Hinweis auf die nationale Bedeutung des Unternehmens die Öffentlichkeit um Unterstützung zu bitten.

Im Jahresbericht für 1923 wurden die Lage des Museums und die Hoffnungen der Direktion so beschrieben: „Der starke Besuch des Museums . . . und die steigende Inanspruchnahme der Bibliothek – denn die Intelligenz vermag die für ihre Studien notwendigen Bücher nicht mehr zu bezahlen – sind deutliche Beweise dafür, daß das Germanische Museum im kulturellen Leben des deutschen Volkes eine so wichtige Stellung einnimmt, daß, die Anstalt lebensfähig zu erhalten, ein dringendes Erfordernis bildet. Zuversichtlich hoffen wir denn auch, daß die drei Garantien des Museums: Reich, Bayern und die Stadt Nürnberg uns nicht im Stiche lassen"[522]. Zu Beginn der dreißiger Jahre klagte die Museumsleitung darüber, daß „gerade an den kulturellen Aufgaben im heutigen Deutschland am meisten gespart wird, und wir wollen die Hoffnung nicht aufgeben, daß der Charakter der nationalen Stiftung des Germanischen Museums seine Anziehung nach Über-

---

[520] Diese politische Neutralität war, wie bereits gezeigt wurde, besonders charakteristisch für die Gründungsphase und für die Zeit zwischen dem Ende des Deutschen Bundes und der Reichsgründung; auch im wilhelminischen Deutschland gab es im Museum keine groß- oder alldeutsch motivierten Vorbehalte gegen die bestehende Situation.

[521] Lewald als Begründung für die Absicht des Reichsinnenministeriums, „bei der gegenwärtigen Finanzlage des Museums . . . der Frage einer Erhöhung des bisherigen Reichszuschusses näherzutreten" (Lewald an Bezold, Berlin, 21.5.1919, Ausfertigung; Altregistratur GNM, Kapsel 758).

[522] Jahresbericht GNM 70 (für 1923), 1923, S. 1. Im Jahr zuvor war die „Höchstzahl der Besucher seit Bestehen des Germanischen Museums" erreicht worden; das beweise, „wie das Interesse für deutsche Kunst und Kultur und die Anteilnahme weitester Kreise des Deutschen Volkes am Germanischen Museum ständig im Wachsen begriffen ist" (Jahresbericht GNM 69 [für 1922], 1922, [S. 1]).

windung der Krise in verstärktem Maße wieder ausüben wird"[523]. Damals hatten auch zahlreiche Städte, „so Essen, Frankfurt und Düsseldorf . . . neben vielen kleineren ihren Austritt (aus dem Kreis der Förderer)" erklärt. „Es muss versucht werden, dass diese Beiträge, die seit der Gründung des Museums die feste materielle Grundlage des Hauptmuseumsfonds bildeten und für die Städte selbst nur geringe Aufwendungen bedeuten, nicht verloren gehen". Bei der Debatte über diese Austritte im Verwaltungsrat erinnerte Zimmermann an die einzige Auswirkung der politischen Veränderungen des Jahres 1918 auf den Museumsetat: „. . . die Beiträge der regierenden Fürstenhäuser", die seinerzeit die Einrichtung des Museums überhaupt erst möglich gemacht hatten[524], „(sind) in Fortfall gekommen . . . Die Länder stehen meist auf dem Standpunkt, sie könnten für die persönlichen Ausgaben der Fürsten nicht aufkommen. Es soll versucht werden, die Länder zu überzeugen, dass es sich um Erfüllung einer kulturellen Ehrenpflicht handelt, die dem ganzen Volk zugute kommt"[525].

Auch im nationalsozialistischen Deutschland hielt es die Museumsleitung für nötig, die Öffentlichkeit um Unterstützung zu bitten und sich dabei auf die eingetretene politische Veränderung zu berufen: „Es ist dringend notwendig, daß sich alle am Bestehen der Stiftung des Germanischen Museums interessierten Reichs-, Staats- und Gemeindestellen ihrer Ehrenpflicht, der Erhaltung des Germanischen Museums, wieder mehr bewußt werden; denn hätte Freiherr Hans von Aufseß das Germanische Museum nicht gegründet, so wären ganze Gebiete der deutschen Kunst und Kultur dem Gesichtskreis des deutschen Volkes verloren gegangen. Die Aufgabe des Germanischen Nationalmuseums ist aber heute, bei der Rückbesinnung auf völkische Art und Kunst, notwendiger denn je!"[526]. Der Versuch, Hitler persönlich für das Germanische Nationalmuseum zu interessieren, blieb erfolglos. Während der Verwaltungsratssitzung im September 1935 klagte Zimmermann darüber, „dass das Deutsche Museum (in München) reichlich bedacht worden sei und dass nur das Germanische Museum bisher keine (zusätzlichen) Mittel erhalten habe". Der Nürnberger Oberbürgermeister Willy Liebel wurde daraufhin vom Vorsitzenden des Verwaltungsrats, Ministerialdirektor Rudolf Hans Buttmann vom Reichsinnenministerium, gebeten, „den Führer zu einem Besuch des Museums zu veranlassen, da auf sein (i. e. Hitlers) Geheiss das Deutsche Museum eine Million erhalten habe und, wenn das Interesse des Führers geweckt sei, das Reichsfinanzministerium gebefreudiger sein würde. Liebel berichtet, er habe bereits früher einen derartigen Vorstoss gemacht, der Führer habe aber erklärt, dass zunächst das Haus der Kunst (in München) unter Dach gebracht werden müsse. Für die Stadt Nürnberg sei das Reichsparteitagsgelände die Hauptsorge . . ."[527]. Drei Jahre später gelang es jedoch, den Reichsminister für Wissenschaft, Erziehung und Volksbildung, Bernhard Rust, von dessen Ressort seit 1934 die Nürnberger Anstalt betreut wurde, dazu zu bewegen, Mitglied des Verwaltungsrats zu werden und hier den Vorsitz zu übernehmen: „Zum ersten Mal in den Annalen des Germanischen Nationalmuseums tritt ein Reichsminister persönlich in den Verwaltungsrat ein. Das Germanische Nationalmuseum erhofft hierdurch zuversichtlich eine wesentliche Förderung seiner Bestrebungen"[528].

Im Jahresbericht für 1933 wurde zwar die Ausstellung zum 400. Todestag von Veit Stoß als „das weitaus wichtigste Ereignis in der Tätigkeit des Germanischen Museums" genannt, aber eine voll zustimmende Erwähnung von Hitlers Machtergreifung sogleich angefügt: „Unsere vaterländi-

---

[523] Jahresbericht GNM 78 (für 1931), 1931, S. 3.
[524] S. o. S. 160 und 173.
[525] Protokolle des Verwaltungsrats, 5. 5. 1930; Altregistratur GNM, Kapsel 760.
[526] Jahresbericht GNM 81 (für 1934), 1934, S. 2.
[527] Protokolle des Verwaltungsrats, 7. 9. 1935; Altregistratur GNM, Kapsel 761.
[528] Jahresbericht GNM 85 (für 1938), 1939, S. 2.

sche Anstalt ist ein Organismus, der wohl sein eigenes inneres Leben hat, der aber gleichzeitig mit tausend Wurzeln in seinem Nährboden, dem deutschen Volke, so sehr verwachsen ist, daß beide, dieses Volk und sein Museum, ihren Herzschlag in gleichem Rhythmus spüren. Daher drängt trotz der unüberschätzbaren Wichtigkeit der Veit-Stoß-Ausstellung ein ungleich größeres Ereignis in den Vordergrund unseres Interesses: Die Übernahme der Macht im Reich durch Adolf Hitler. Dieser Vorgang spielte sich zwar außerhalb der eigenen vier Wände ab, aber er war in seinem universalen Wert wie für die gesamte deutsche Geisteskultur so auch insbesondere für den Bestand unseres Museums von grundlegender Bedeutung. Oder glaubt vielleicht jemand, eine siegreiche Internationale hätte diesen höchsten und edelsten Ausdruck germanischer Gesinnung und nationalen Willens ruhig fortbestehen lassen? Die Frage stellen heißt sie beantworten. Der Blick über den Bereich der eigenen Mauer hinaus gibt uns auch die Zuversicht zurück, die angesichts unserer erschöpften wirtschaftlichen Kräfte uns fast verlassen möchte. Wir haben, dem Rufe nach Arbeitsbeschaffung folgend, Ende des Jahres einen Erweiterungsbau begonnen, ... obgleich unsere Finanzlage dadurch eine Belastung erfährt, die wir zu einem anderen Zeitpunkte wohl nicht auf uns zu nehmen gewagt hätten. Aber wir glauben und hoffen bestimmt, daß unserem Führer sein großes Werk, die Wiedergesundung der deutschen Nation eben so gelingt wie alles, das er sich bisher vornahm. Und wir sehen daher auch einem Wiederaufblühen des Germanischen Museums mit gleichem Vertrauen entgegen"[529].

Diese Beschreibung der Machtergreifung und deren Bedeutung für das Germanische Nationalmuseum zeigt nicht nur, daß es für die Museumsleitung nach wie vor selbstverständlich war, das Nürnberger Unternehmen der bestehenden politischen Ordnung anzupassen. Zimmermann scheint vielmehr in der Tat die „nationale Revolution" als radikale Erneuerung der deutschen Politik aufrichtig begrüßt zu haben. Nicht so sehr die hier ausgesprochene, durch nichts gerechtfertigte Verurteilung des Weimarer Staates und der in ihm lebendig gewesenen politischen Strömungen, sondern in erster Linie die von Zimmermann nur wenige Monate nach der Machtergreifung gegebene Anregung, möglicherweise mißliebig gewordene Mitglieder des Verwaltungsrats satzungswidrig von der weiteren Mitwirkung an der Leitung der Anstalt auszuschließen, kann nicht allein mit einem an sich verständlichen Opportunismus gegenüber der staatlichen Gewalt erklärt werden, sondern war offenbar ein Handeln aus Überzeugung.

Anfang August 1933 wollte Zimmermann von den für das Museum zuständigen Referenten im Reichsinnenministerium und im bayerischen Kultusministerium wissen, „ob das Gesetz zur Gleichschaltung der Aufsichtsräte von Körperschaften des öffentlichen Rechts vom 15. Juni 1933 – Reichsgesetzblatt 1933 Nr. 65 – auch auf das Germanische Museum Anwendung findet. Ich erlaube mir anzufragen, ob einer der vom Reichsministerium des Innern (Bayer. Kultusministerium) ernannten Vertreter ersetzt werden soll"[530]. Dabei ging es aber Zimmermann offensichtlich nicht nur um eine in den beiden Ministerien eventuell für nötig gehaltene Auswechslung der von ihnen ernannten Verwaltungsräte, sondern auch um den Ausschluß von gewählten Mitgliedern. Anders jedenfalls ist der Hinweis auf den Münsteraner katholischen Kirchenhistoriker und ehemaligen Zentrumsabgeordneten des Reichstags, Prälat Georg Schreiber, nicht zu verstehen; Schreiber

---

[529] Jahresbericht GNM 80 (für 1933), 1933, S. 2.
[530] Zimmermann an Reichsinnenminister, Nürnberg, 5.8.1933, Durchschrift, und Zimmermann an bayerischen Kultusminister, Nürnberg, 5.8.1933, Durchschrift; Altregistratur GNM, Kapsel 761. In diesem Gesetz war Reich, Ländern und Gemeinden die Möglichkeit eingeräumt worden, „Personen, die auf ihre Veranlassung zu Mitgliedern eines Aufsichtsrats oder ähnlichen Organs von Körperschaften, Anstalten und Stiftungen des öffentlichen Rechts sowie diesen gleichgestellten Einrichtungen und Unternehmungen ... bestellt worden sind, ab(zu)berufen und gegebenenfalls durch andere Personen (zu) ersetzen, ohne daß es einer Beschlußfassung des nach Gesetz oder Satzung hierfür zuständigen Organs bedarf".

sei, wie Zimmermann erläuterte, seinerzeit „auf Wunsch von Exzellenz Lewald als Mitglied des Haushaltsausschusses des Reichstages einberufen worden"[531]. Zimmermann drängte auf eine Entscheidung über seine Frage, weil noch im August die Einladungen für die nächste Sitzung des Verwaltungsrats verschickt werden mußten.

Bis zu dieser Anfrage hatte man anscheinend in keinem der beiden Ministerien an eine Anwendung des Gesetzes auf den Nürnberger Verwaltungsrat gedacht[532], nutzte jetzt aber in Berlin wie in München die von Zimmermann gewiesene Möglichkeit, die Zusammensetzung des obersten Nürnberger Leitungsorgans in politischer Absicht zu verändern. Ministerialrat Max Donnevert vom Reichsinnenministerium konnte zwar in seiner ersten Antwort noch nicht angeben, ob, und wenn ja, welche der von seinem Ministerium ernannten Verwaltungsräte abberufen würden, aber zu der ebenfalls von Zimmermann angeregten Ersetzung von gewählten Mitgliedern bemerkte Donnevert: „Erwünscht scheint mir, unter allen Umständen einige Stellen freizumachen, um bei den Neubesetzungen der veränderten Lage Rechnung zu tragen"[533].

Ende August wurde Zimmermann aus Berlin angewiesen, den bisherigen Präsidenten des deutschen und preußischen Städtetages, Oskar Mulert, nicht einzuladen[534]. „Was Herrn Prof. Dr. Schreiber anlangt, so wird ein Einwand gegen seine Einladung nicht erhoben. Dagegen scheint seine Wiederwahl nicht sehr erwünscht"[535]. Im bayerischen Kultusministerium verzichtete man zwar darauf, den einen oder anderen der ernannten Münchner Vertreter auszuschließen, aber es wurden Bedenken gegen die weitere Zugehörigkeit eines gewählten Mitglieds, des Direktors der Universitätsbibliothek Erlangen, Eugen Stollreither, zum Verwaltungsrat erhoben: „Da zur Zeit wegen des Professors Dr. Stollreither auf Grund des Gesetzes über die Wiederherstellung des Berufsbeamtentums Erhebungen gepflogen werden, wird es sich empfehlen, von seiner Einladung ... abzusehen"[536]. Auch den Generaldirektor der staatlichen Museen in Berlin, Wilhelm Waetzoldt, schien man ausschließen zu wollen[537].

An der Verwaltungsratssitzung Mitte September 1933 nahmen von denjenigen, deren weitere Mitgliedschaft offenkundig strittig war, Stollreither und Schreiber teil, Waetzoldt hatte sich entschuldigt. Der Vorsitzende des Verwaltungsrats, Staatssekretär Theodor Lewald vom Reichsinnenministerium, legte sein Mandat nieder, nicht nur, wie er betonte, weil seine Amtszeit abgelaufen

---

[531] Schreiber hatte unter anderem eine wichtige Rolle bei der Wahl Rintelens als Nachfolger von Seipel in den Verwaltungsrat (s.o. S. 228) gespielt (Zimmermann an Schreiber, Nürnberg, 21.9.1932, Durchschrift, und Schreiber an Lewald, Berlin, 5.10.1932, Ausfertigung; Altregistratur GNM, Kapsel 760).

[532] Das ergibt sich nicht nur aus einer Bemerkung in der ersten Antwort aus Berlin: „Inwieweit jetzt das Ministerium von der Möglichkeit einer Änderung Gebrauch machen will, kann ich zur Zeit noch nicht sagen" (Donnevert an Zimmermann, Berlin, 9.8.1933, Ausfertigung; Altregistratur GNM, Kapsel 761). Dafür spricht auch die Tatsache, daß die ersten der hier von Zimmermann erbetenen Personalentscheidungen in Berlin wie in München erst in der letzten Augustwoche getroffen wurden.

[533] Donnevert an Zimmermann, Berlin, 9.8.1933, Ausfertigung; Altregistratur GNM, Kapsel 761.

[534] „Ich bestätige unser heutiges Telefongespräch, wonach eine Einladung an Professor Mulert zur diesjährigen Sitzung des Verwaltungsrates ... unterbleibt" (Zimmermann an Donnevert, Nürnberg, 22.8.1933, Durchschrift; Altregistratur GNM, Kapsel 761).

[535] Donnevert an Zimmermann, Berlin, 26.8.1933, Ausfertigung; Altregistratur GNM, Kapsel 761.

[536] Fischer, Referent im bayerischen Kultusministerium, an Zimmermann, München, 25.8.1933, Ausfertigung; Altregistratur GNM, Kapsel 761. Nach den Vorschriften dieses Gesetzes konnten „zur Wiederherstellung eines nationalen Berufsbeamtentums und zur Vereinfachung der Verwaltung" Beamte entlassen werden, „auch wenn die nach dem geltenden Recht hierfür erforderlichen Voraussetzungen nicht vorliegen". Das galt namentlich für Beamte, „die seit dem 9. November 1918 in das Beamtenverhältnis eingetreten sind, ohne die für ihre Laufbahn vorgeschriebene oder übliche Vorbildung oder sonstige Eignung zu besitzen", für Beamte, „die nicht arischer Abstammung sind", und für Beamte, „die nach ihrer bisherigen politischen Betätigung nicht die Gewähr dafür bieten, daß sie jederzeit rückhaltlos für den nationalen Staat eintreten" (Gesetz zur Wiederherstellung des Berufsbeamtentums vom 7.4.1933, RGBl. 1933, I Nr. 34, §§ 1–4). Stollreither ist aber damals nicht entlassen worden (Kürschners Deutscher Gelehrten-Kalender 1935. Berlin (1935), Sp. 1369, und 1940/41. Berlin 1941, Sp. 871).

[537] „Ich denke, dass Waetzold und Schreiber voraussichtlich absagen werden" (Zimmermann an Lewald, Nürnberg, 31.8.1933, Durchschrift; Altregistratur GNM, Kapsel 761).

sei, sondern auch, „um für eine eventuelle Umgruppierung und Neugestaltung im Verwaltungsrat den vorgesetzten Ministerien freie Bahn zu schaffen. Er schlägt vor, die Neuwahl (eines Vorsitzenden) nicht sofort vorzunehmen, sondern die Stellungnahme der Regierungen (in Berlin und München) abzuwarten"[538]. Erst nach der Verwaltungsratssitzung wurde von Reichsinnenminister Wilhelm Frick als Nachfolger für Mulert der nach der Machtergreifung als Ministerialdirektor in das Ministerium berufene Rudolf Hans Buttmann zum Mitglied des Verwaltungsrats ernannt[539]. Im Zusammenhang mit dieser ministeriellen Personalentscheidung wurde Zimmermann gebeten, „den Mitgliedern des Verwaltungsrats die Wahl des Herrn Ministerialdirektors Dr. Buttmann zum Vorsitzenden des Verwaltungsrats im Wege eines Umlaufschreibens nahe(zu)legen … Die Wahl … würde seitens des Ministeriums lebhaft begrüsst werden"[540]. Die Mitglieder des Verwaltungsrats wählten daraufhin einstimmig Buttmann zum Vorsitzenden und, entsprechend einem weiteren Vorschlag, den neuen Oberbürgermeister von Nürnberg, Willy Liebel, zum Stellvertretenden Vorsitzenden. Nur der frühere Reichsstaatssekretär für Wirtschaft Hans Karl Freiherr von Stein enthielt sich der Stimme, „da er beide Herren nicht kenne"[541]. Zur Verwaltungsratssitzung im September 1934 wurden dann Schreiber und Rintelen, der „Vertreter" Österreichs[542], nicht mehr eingeladen. Zimmermann zeigte dies dem bayerischen Kultusminister an und bat „um kurze Mitteilung, ob noch weiter irgend eine Beschränkung in der Einladung vom Kultusministerium gewünscht wird"[543].

Diese Interventionen des Staates in Angelegenheiten der Museumsleitung hinein waren, für sich genommen, nicht schwerwiegend. Sie bedeuteten weder einen Angriff auf die bisher gültig gewesenen programmatischen Grundlagen des Nürnberger Instituts noch einen ersten Schritt in Richtung auf eine bleibende Veränderung der prinzipiell staatsfernen organisatorischen Gestalt des Unternehmens. Auch daß Behörden hier die Möglichkeit wahrnahmen, von ihnen abgeordnete Mitglieder eines Aufsichtsorgans abzuberufen, kann ihnen nicht zum Vorwurf gemacht werden. Zwar war für ernannte Mitglieder des Verwaltungsrats in der Satzung eine jeweils fünfjährige Mandatsdauer vorgeschrieben, aber auch Theodor Heuss, seit 1948 Vorsitzender des Verwaltungsrats, hat sich, gewiß in Unkenntnis dieser Vorgänge aus der Frühzeit der nationalsozialistischen Herrschaft, bei der Beratung über eine zeitgemäße Modifizierung einiger Satzungsbestimmungen[544] im September 1950 mit Erfolg für die Streichung dieser Fünfjahresklausel eingesetzt und sein Votum mit dem einleuchtenden Argument begründet, die „Ernennung von Mitgliedern des Verwaltungsrats könne nur so lange gelten, als diese das Vertrauen der sie ernennenden Stellen geniessen"[545]. Schon bedenklicher, weil nicht nur satzungswidrig, sondern auch durch das Gesetz über die Gleichschaltung der Aufsichtsräte nicht gedeckt, waren hingegen die Versuche der Bürokratie, auch gewählte

[538] Protokolle des Verwaltungsrats, 11.9.1933; Altregistratur GNM, Kapsel 761.
[539] Frick an Zimmermann, Berlin, 19.9.1933, Ausfertigung; Altregistratur GNM, Kapsel 761.
[540] Donnevert an Zimmermann, Berlin, 23.9.1933, Ausfertigung; Altregistratur GNM, Kapsel 761.
[541] Zimmermann an Donnevert, Nürnberg, 7.10.1933, Durchschrift; Altregistratur GNM, Kapsel 761.
[542] S. o. S. 228.
[543] Zimmermann an Fischer, Nürnberg, 21.8.1934, Durchschrift; Altregistratur GNM, Kapsel 761. Es ist anzunehmen, daß für die Nichteinladung an Rintelen dessen Verwicklung in den nationalsozialistischen Juliputsch, dem der österreichische Bundeskanzler Engelbert Dollfuß zum Opfer gefallen war, ausschlaggebend gewesen ist.
[544] S. dazu u. S. 259.
[545] Protokolle des Verwaltungsrats, 22.9.1950; Direktionsakten GNM. Schon Donnevert hatte in seiner ersten Antwort auf die Anregung Zimmermanns die vorzeitige Abberufung von Aufsichtsratmitgliedern durch die sie delegierende Behörde für einen Vorgang gehalten, der auch in politisch ruhigerer Zeit, also ohne die ausdrückliche Ermächtigung durch einen neuen, „revolutionären" Gesetzgeber zulässig sei: „Soweit die vom Reichsministerium des Innern berufenen Herren in Frage kommen, wäre dies (i. e. Änderungen in der Zusammensetzung des Verwaltungsrats) wohl auch ohne das Gesetz (vom 15.6.1933, s.o.) möglich gewesen" (Donnevert an Zimmermann, Berlin, 9.8.1933, Ausfertigung; Altregistratur GNM, Kapsel 761).

Mitglieder des Verwaltungsrats an der Ausübung ihrer Funktionen zu hindern, und die Bereitschaft Zimmermanns, entsprechende Wünsche zu berücksichtigen[546].

Für die Bestimmung des hier allein interessierenden Verhältnisses des Museums zur politischen Gewalt in Deutschland, besonders zum nationalsozialistischen Staat, ist vor allem die Tatsache wichtig, daß Zimmermann, der übrigens als Museumsdirektor selbst kein stimmberechtigtes Mitglied des Verwaltungsrats war, die Ministerien zu einer solchen Einflußnahme auf die personelle Zusammensetzung des Nürnberger obersten Leitungsorgans förmlich eingeladen hat. Daß man dann in München und in Berlin von dieser Möglichkeit, wenn auch nicht sehr weitgehend, Gebrauch machte, überrascht nicht. Die Frage, ob Zimmermann hier in einem an sich verständlichen Bemühen, dem Museum Schwierigkeiten mit den neuen Herren nach Möglichkeit zu ersparen, bloß politischen Übereifer gezeigt hat, oder ob er doch mithelfen wollte, in dem von ihm geleiteten Museum die nationale Erneuerung, wie er sie verstehen mochte, zu verwirklichen, kann nicht schlüssig beantwortet werden. Fest steht jedenfalls, daß Zimmermann rechtswidrige Eingriffe des Staates nicht nur nicht abgewehrt, sondern eigentlich erst ausgelöst hat. Damit unterscheidet sich Zimmermanns Verhalten grundsätzlich von der Bereitschaft des Verwaltungsrats nach dem Zweiten Weltkrieg, bei der Wiederbesetzung von zunächst frei gebliebenen Ratssitzen auf die Wünsche der einzelnen deutschen Kultusbürokratien Rücksicht zu nehmen, auch wenn dies in seiner Art für den Charakter der Beziehungen zwischen Museum und Staat in der frühen Nachkriegszeit bezeichnend genug war[547].

Dafür, daß trotz diesen Vorgängen für das Verhalten der Museumsleitung gegenüber der politischen Gewalt auch nach 1933 im Grunde allein das Interesse des Museums ausschlaggebend war, gibt es ein instruktives Zeugnis aus der Zeit von Zimmermanns Nachfolger. Im Sommer 1937 berichtete Kohlhaußen dem Verwaltungsrat über seine Verhandlungen mit Parteifunktionären über die Durchführung einer Parteitagsausstellung in den Räumen des Museums: „Auf besonderen Wunsch des Herrn Oberbürgermeisters (Liebel) habe ich mich in der Erwartung einer finanziellen Unterstützung (!) von Seiten der Stadt bereit erklärt, die kommende Reichsparteitags-Ausstellung ‚Nürnberg, die deutsche Stadt‘ in den neuhergerichteten Räumen aufzunehmen und auch bei deren Aufstellung weitgehende Hilfe zugesagt. Nach mehrstündigen Verhandlungen mit den Herren der Reichsleitung, bei denen ich keinen Zweifel darüber gelassen habe, daß ein Hin- und Herschieben der Objekte nur nach unserem Ermessen stattfinden kann und dass auch das Einschlagen jedes Nagels in unsere frisch gemalten Wände nur von uns bestimmt sein darf, ist es dann zu einer Einigung gekommen. Ich hoffe aber der Zustimmung des Verwaltungsrates zu meiner Haltung sicher zu sein, wenn im Laufe der Vorbereitungen Herr Hagemeyer von dem Amt für Schrifttumspflege in Berlin[548] mit weitergehenden Wünschen und Forderungen kommen sollte. Ich habe auch zum Ausdruck gebracht, dass diese neuen Räume nur Dank des halbfertigen Einrichtungszustandes in diesem Jahre zur Verfügung stehen, dass aber nicht, wie Herr Hagemeyer möchte, die folgenden Jahre die Reichsparteitags-Ausstellung in den gleichen Räumen stattfinden

---

[546] Das zeigte sich vor allem deutlich in der soeben zitierten Anfrage Zimmermanns an den bayerischen Kultusminister aus dem August 1934. Auf der anderen Seite darf aber nicht übersehen werden, daß Zimmermann im Jahr zuvor auf die Münchner Anregung, den Erlanger Bibliotheksdirektor Stollreither zur Verwaltungsratssitzung im September 1933 nicht einzuladen (s. o.), nicht einging: der Erlaß wurde von ihm durchgestrichen und ohne Vermerk zu den Akten geschrieben. Ob er den Hinweis auf das Gesetz zur Wiederherstellung des Berufsbeamtentums für einen Ausschluß Stollreithers nicht für ausreichend hielt oder ob ihm inzwischen ein – hier nicht erhaltener – anderslautender Erlaß zugegangen war, ist unbekannt.

[547] S. dazu u. S. 257–258.

[548] Hans Gerhard Hagemeyer war seit 1933 Leiter der Reichsstelle zur Förderung des deutschen Schrifttums, des späteren Hauptamts für Schrifttumspflege (Erich Stockhorst: Fünftausend Köpfe. Wer war was im Dritten Reich. Kettwig 1967, S. 172).

kann"[549]. Schließlich war auch die schon zitierte offizielle Bewertung der Übernahme des Vorsitzes im Verwaltungsrat durch den Reichsminister Rust im Jahre 1938[550] nicht von irgendwelchen nationalpolitischen Hoffnungen, sondern allein von der Erwartung bestimmt, daß dies den musealen „Bestrebungen" der Nürnberger Anstalt zugute kommen werde.

Diesem Verhalten der Museumsleitung entsprach auf der anderen Seite, daß der primär wissenschaftliche Charakter des Germanischen Nationalmuseums auch von der nationalsozialistischen Staatsführung nicht in Frage gestellt wurde: nach der Machtübernahme sollte der nationale „Nutzen" der Nürnberger Anstalt nicht der Propaganda, sondern der Volksbildung zugute kommen. Als Zentralbehörden für die einheitliche Führung der Kulturpolitik in Deutschland waren damals zwei Reichsministerien neu geschaffen worden; dabei wurde die Betreuung des Germanischen Nationalmuseums von seiten des Reiches nicht dem Ministerium für Volksaufklärung und Propaganda, sondern dem Ministerium für Wissenschaft, Erziehung und Volksbildung übertragen. Im Juli 1933 hatte Zimmermann zwar erfahren, „daß Einiges von der Kunstabteilung des Reichsministeriums des Innern an das Ministerium für Volksaufklärung und Propaganda abgegeben worden sei"[551]. Aus dem Reichsinnenministerium erfuhr er aber auf seine Anfrage, „daß die Zuständigkeit für das Germanische Museum selbstverständlich beim Reichsministerium des Innern verblieben ist. An das Propagandaministerium sind nur gewisse Kunstfragen und leider (!) als singulärer Fall die Deutsche Bücherei (in Leipzig) übergegangen"[552]. Ein Jahr später dann wurde Zimmermann darüber informiert, daß in Zukunft die „Volksbildungsabteilung" des neuen Rust-Ministeriums für die Nürnberger Anstalt zuständig sein werde; die beiden Referenten, Ministerialdirigent von Staa und Ministerialrat von Oppen, wurden Zimmermann als „gute Beamte(n) und gute Menschen" vorgestellt, „in deren Obhut Sie sich sicher wohl fühlen werden"[553].

Eine abschließend-zusammenfassende Antwort auf die Frage, was die Leitung des Museums und dessen Freunde während der knapp 30 Jahre zwischen dem Ende des Ersten und dem Ende des Zweiten Weltkriegs unter der deutschen Nation verstanden und wie sie die Bedeutung der eigenen nationalen Museumsarbeit für diese Nation beurteilten, läßt sich am ehesten aus der Beachtung zweier besonders charakteristischer Erscheinungen in diesem Abschnitt der Museumsgeschichte gewinnen. Die eine ist das offensichtlich nicht mehr als problematisch empfundene Nebeneinander von etatistischer Reichsnation und unstaatlicher Sprachnation, wobei aber der Gebrauch des inhaltlich engeren Nationsbegriffs zur Beschreibung der gegenwärtigen nationalen Situation zweifellos dominierte; hinzu kam, daß jetzt der politische Gehalt dieses Nationsbegriffs durch die Vorstellung von der Nation als einer sozialen Totalität zumindest ergänzt, wenn nicht gar ersetzt wurde. Die zweite ist das wiederholte Erinnern an den Zustand der Nation während der Gründungsphase und an die Schwierigkeiten der institutionellen Sicherung des Nürnberger Unternehmens in diesen ersten Jahren. Waffenstillstand, Friedensvertrag, Inflation und Wirtschaftskrise waren zwar keine nationalen Katastrophen, aber die Folgen dieser Ereignisse und

[549] Entwurf (?) eines Verwaltungsberichts ohne Datum und Unterschrift; Altregistratur GNM, Kapsel 761. Daß der Text von Kohlhaußen stammt, ergibt sich aus dem ersten Satz: „Am 1. Dezember 1936, kurz bevor ich durch Ihr Vertrauen auf diesen Posten berufen wurde . . .". Der Inhalt des Aktenstücks macht seine Datierung auf den Frühsommer 1937 wahrscheinlich. Dieser Bericht ist – offensichtlich irrtümlich, vielleicht wegen des ersten Satzes – den Verwaltungsratsakten aus dem Jahr 1936 beigeheftet worden und dadurch der Vernichtung aller Akten von 1937 ab entgangen (s. o. Anm. 517). Es ist unsicher, ob Kohlhaußen bei der nach dem Krieg von ihm gegebenen Charakterisierung seines Direktorats, er habe „ohne jede eigene Schonung . . ., auch bei Auseinandersetzungen mit politischen Stellen" gehandelt, auch diese Unterredungen gemeint hat (Kohlhaußen an Verwaltungsrat, o. O., 3. 10. 1949, Ausfertigung; Direktionsakten GNM).
[550] S. o. S. 232.
[551] Zimmermann an Donnevert, Nürnberg, 6. 7. 1933, Durchschrift; Altregistratur GNM, Kapsel 761.
[552] Donnevert an Zimmermann, Berlin, 8. 7. 1933, Ausfertigung; Altregistratur GNM, Kapsel 761.
[553] Donnevert an Zimmermann, Berlin, 14. 8. 1934, Ausfertigung; Altregistratur GNM, Kapsel 761.

Entwicklungen wurden doch als bedrohlich für die Nation und für den Fortbestand des Museums verstanden; das nationalsozialistische Deutschland wurde vornehmlich in der Hoffnung auf eine durchgreifende Besserung der nationalen Lage begrüßt, und der Zweite Weltkrieg war vor allem eine „schicksalsschwere Zeit" mit vielfältigen Belastungen für das deutsche Volk. All diesen Gefährdungen der Nation gegenüber wurde die Beschäftigung mit den in der Nürnberger Anstalt zur Schau gestellten Zeugnissen der deutschen Vergangenheit und die Möglichkeit zur Unterstützung und Förderung dieser nationalen Museumsarbeit als Hilfe in einer nationalen Notsituation angeboten. Ähnlich wie in der Frühzeit des Museums sollte auch jetzt wieder aus dem Umgang mit der Nationalgeschichte Trost und Zuversicht für eine bessere Zukunft geschöpft werden können.

V. Im geteilten Deutschland, seit 1945

Die totale Niederlage nach einem total geführten Krieg und die Ersetzung der deutschen Staatsgewalt durch ein von den Siegern bestelltes Besatzungsregime – diese Ereignisse des Jahres 1945 bedeuteten einen weit tieferen Einschnitt in der deutschen Nationalgeschichte als der Umbruch von 1918. Sie führten nicht nur zu einer neuen Veränderung der Staatsform und zu einer weiteren Verkleinerung des deutschen Staatsgebiets, sondern, was viel entscheidender war, zum Ende des deutschen Nationalstaats selbst: das war das Ergebnis der Unfähigkeit der Alliierten, gemeinsame Beschlüsse über Deutschland fassen und durchsetzen zu können, die als Folge des sich verschärfenden weltpolitischen Ost-West-Gegensatzes bald offen zutage getreten war. Diese Veränderungen im Zustand der Nation blieben selbstverständlich nicht ohne Auswirkungen auf die programmatische Grundlegung des Germanischen Nationalmuseums und auf die Führung der Museumsgeschäfte.

Im Mai 1946, in dem ersten nach Kriegsende erschienenen Jahresbericht, wies der neue Direktor, Ernst Günter Troche, mit Recht darauf hin, „daß in der Geschichte des Museums sich alle Höhen und Tiefen des deutschen Volksschicksals einschneidend abzeichnen. . . . Den Ernst der heutigen Lage, die eine äußere wie innere Krise beispiellosen Ausmaßes ist, verhehlen wir uns nicht. Das . . . Reich der Deutschen ist durch frevlerische Taten . . . verspielt worden"[554]. Für das Museum bedeutete das im einzelnen den Fortfall der seit 1894 vom Reich gezahlten Zuschüsse zu den laufenden Kosten[555], eine erhebliche Verkleinerung des Verwaltungsrats[556] und die Notwendigkeit, fast alle Museumsgebäude wiederaufbauen zu müssen[557]. Die Sammlungen selbst, die rechtzeitig ausgelagert worden waren, hatten hingegen „fast lückenlos" „errettet" werden können[558], wenn auch Verluste durch Fliegerangriffe, Brandstiftungen, Fremdarbeiter, eine „habsüchtige Bevölkerung" und Besatzungssoldaten zu beklagen waren[559]. Im Jahre 1947 wurde das Museum wiedereröffnet[560].

Die seit der Museumsgründung unverändert geltende Beschreibung des Sammlungsgegenstandes blieb auch in diesem jüngsten Abschnitt der Museumsgeschichte verbindlich. Im September 1946 stellte Troche fest, „unsere Sammlungen sind heute der größte und geschlossenste Bestand an

[554] Jahresbericht GNM 91 (für 1944/45), 1946, S. 4–5.
[555] Jahresbericht GNM 91 (für 1944/45), 1946, S. 7. Über die Lösung dieses Problems s. u. S. 252–256.
[556] „Aufgeschobene Zuwahlen in den früheren Jahren und die Folgen der Umwälzung haben das Gremium des Verwaltungsrates so verringert, daß eine größere Ergänzung nötig geworden ist" (Jahresbericht GNM 91 [für 1944/45], 1946, S. 37). S. dazu u. S. 256–258.
[557] Jahresbericht GNM 91 (für 1944/45), 1946, S. 7.
[558] Jahresbericht GNM 92 (für 1946), 1947, S. 12. „Vieles, für den Wissenden fast unerträglich Vieles, haben uns die Katastrophen des Krieges für immer genommen oder ins Weite geführt. Das Schicksal der Sammlungen des Germanischen National-Museums ist dagegen gnädig zu nennen" (Jahresbericht GNM 91 [für 1944/45], 1946, S. 6–7).
[559] Jahresbericht GNM 91 (für 1944/45), 1946, S. 9–10.
[560] Jahresbericht GNM 93 (für 1947), 1948, S. 58.

Schöpfungen deutscher Kunst und Kultur"[561]; früher schon hatte er versprochen, das „Germanische National-Museum ... wird nicht aufhören, die Kultur des gesamten deutschen Volkes auf allen Gebieten der bildenden Kunst, der Literatur, der Musik, jede Dokumentation seiner geistigen Geschichte und seiner ständischen und landschaftlichen Gliederung darzustellen und zu sammeln"[562]. Die noch vor der Gründung der Bundesrepublik Deutschland in die Wege geleitete „Beteiligung aller (west)deutschen Länder an unseren Verwaltungskosten" erschien im September 1948 dem Museumsdirektor als „praktisch durchaus vertretbar": „Das in unseren Sammlungen befindliche Material, das wir stets noch ergänzen, ist in solcher Reichhaltigkeit und auf ganz Deutschland bezüglichen Vollständigkeit heute nur noch bei uns vorhanden"[563]. Auch für Troches Nachfolger, Ludwig Grote, war diese Definierung der Sammlungstätigkeit maßgebend. Aus Anlaß der Hundertjahrfeier des Museums erklärte er im August 1952, den „Kosmos der Kultur, welchen das deutsche Volk wie ein Himmelsgewölbe in den Epochen seiner langen Geschichte über sich gespannt hat, will das Germanische Nationalmuseum erfassen und darstellen. Nicht die vornehmen, hohen bildenden Künste für sich, nicht das Kunstgewerbe, sondern alle Gebiete der menschlichen Gestaltung in Sprache, Dichtung, Sitte, Recht, Glaube, Musik, vom erhabensten bis zum geringsten Dokument, will es erhalten und als geistigen Ausdruck erkennen. Ein Programm, das zwar dem Umfange nach unerfüllbar ist, aber sich unter der Voraussetzung einer qualitativen Auslese als außerordentlich fruchtbar erwiesen hat"[564].

Diese dem Gründungsprogramm entsprechende, nach wie vor beachtete Bindung der Sammlungstätigkeit an die Geschichte der Nation, die wie früher auch jetzt unstaatlich verstanden wurde, machte eine Rücksichtnahme auf die jüngsten Veränderungen im Zustand der Nation und auf die politische Gegenwart nicht nötig. Auch bei der in der Mitte der sechziger Jahre beschlossenen „Erweiterung" des „Sammlungsprogramms über die bisherige Zeitgrenze um 1800 hinaus"[565] „bis in den Anfang des 20. Jahrhunderts"[566] wurde anscheinend an dieser unpolitischen Nationsvorstellung festgehalten. Jedenfalls sind keine Überlegungen zu der Frage bekannt geworden, ob die seit der Gründung des kleindeutschen Nationalstaates ja auch der Museumsleitung nicht fremd gebliebene inhaltliche Verengung des Nationsbegriffs dabei auf irgendeine Weise beachtet werden sollte.

Die zu Beginn der fünfziger Jahre beschlossene Einrichtung von Heimatgedenkstätten für die „Sammlung der Kulturdokumente jener deutschen Landsmannschaften und Stämme, die heute ihre Heimat in der Gewalt fremder Beherrschung wissen"[567], war „eine aus dem Unglück unseres Vaterlandes geborene Neuschöpfung"[568]. Sie bedeutete, ähnlich wie früher die Annahme der Bibliothek der Frankfurter Nationalversammlung oder, nach der Reichsgründung, die Erwerbung von zeithistorischen Dokumenten, eine nationalpolitische Aktualisierung der Sammlungstätigkeit.

[561] Jahresbericht GNM 92 (für 1946), 1947, S. 12. Diese Feststellung stammt aus einem Vortrag über „Das Germanische National-Museum und Nürnberg", den Troche am 20.9.1946 in Nürnberg gehalten hat und der in diesem Jahresbericht auszugsweise abgedruckt ist.

[562] Jahresbericht GNM 91 (für 1944/45), 1946, S. 5.

[563] Troche an Franz Graf Wolff Metternich, Landeskonservator der Rheinprovinz und Mitglied des Verwaltungsrats, Nürnberg, 23.9.1948, Abschrift; Direktionsakten GNM. Troche meinte hier die Bestrebungen, die im März 1949 zum Königsteiner Abkommen geführt haben; s.u. S. 255–256.

[564] Ludwig Grote: Stätte gesamtdeutscher Sendung. In: Nürnberger Zeitung, Nr. 123. Sonderausgabe anläßlich der Hundertjahrfeier des Germanischen National-Museums vom 9.8.1952, S. 17–18.

[565] Tätigkeitsbericht GNM 1964, S. 9.

[566] Protokolle des Verwaltungsrats, 6.7.1965; Direktionsakten GNM.

[567] Theodor Heuss: Das Germanische National-Museum. In: Noris. Zwei Reden. Nürnberg 1953, S. 22–23. Es handelt sich um die Rede, die Heuss als Verwaltungsratsvorsitzender beim Festakt zur Hundertjahrfeier im August 1952 gehalten hat.

[568] Verwaltungsbericht Grotes für 1952/53 (Protokolle des Verwaltungsrats, 24.10.1953, Anlage; Direktionsakten GNM).

Eine solche Charakterisierung wird nicht nur durch die Feststellung des Verwaltungsrats aus dem Oktober 1952 gerechtfertigt, daß das Museum bei der Übernahme von Kunstgegenständen für diese Gedenkstätten, „soweit es sich nicht um ausdrückliche Ankäufe oder Schenkungen handelt, nicht Eigentümer, sondern nur treuhänderischer Besitzer sein soll, und dass die erworbenen Gegenstände für eine mögliche Restituierung anlässlich der Rückkehr der Deutschen in ihre Heimatgebiete zur Verfügung stünden"[569]. Diese politische Absicht zeigte sich auch deutlich in der damaligen Anregung, „in Nürnberg einen Kristallisationspunkt für die Aufbewahrung und Erhaltung des ostdeutschen Kulturgutes zu schaffen", so daß „Nürnberg" den anderen Museen gegenüber „ein Monopol auf das ostdeutsche Kulturgut bekommt"[570]. Noch gut zehn Jahre später betonte der Staatssekretär im Bundesvertriebenenministerium Peter Paul Nahm, daß für die Einrichtung dieser Gedenkstätten „in erster Linie kulturpolitische Überlegungen ausschlaggebend" gewesen seien: „Überlegungen, denen ich auch heute noch entscheidende Bedeutung beimesse. Nach den ungeheuren Verlusten an regional geschlossenen Sammlungen in den deutschen Ostgebieten, die dem Besucher einen eindrucksvollen Einblick in die kulturelle Leistung einer bestimmten Landschaft boten, besteht m. E. das unabweisbare Bedürfnis nach einer durch die Kulturlandschaft determinierten Gesamtschau der kulturellen, vor allem der künstlerischen und kunstgewerblichen Produktion der deutschen Ostgebiete"[571].

Zwei kleine Einzelheiten aus den Bemühungen Grotes, den Echternacher Kodex für das Museum zu erwerben, zeigten übrigens deutlich, wie schwierig es war – gerade bei der deutschen Nation, die als Folge der politischen Entwicklung im Laufe der Geschichte ihre Gestalt entscheidend verändert hat –, den nationalen Charakter eines Sammlungsgegenstands als Kriterium dafür zu nehmen, ob er in der Nürnberger Nationalanstalt zurecht einen Platz habe. Um die von dem Sachsen Coburg und Gothaischen Herzogshaus für den Kodex geforderte Summe zahlen zu können, verkaufte das Museum „das . . . Bild des niederländischen Meisters Lucas van Leyden ‚Moses schlägt Wasser aus dem Felsen‘ . . . Die Abgabe konnte deshalb erwogen werden, weil es wegen seiner niederländischen Herkunft nicht zu unserem eigentlichen Sammlungsgebiet gehört"[572]. Diese Erklärung für eine museumspolitische Entscheidung, die sich nach der nationalen Zugehörigkeit eines Künstlers zu Beginn der Neuzeit richtete, traf aber auf Widerspruch, der ebenfalls national begründet wurde. Der Freiburger Ordinarius für Kunstgeschichte Kurt Bauch war zwar mit der Erwerbung des Echternacher Kodex durch das Germanische Nationalmuseum einverstanden, nicht aber mit „dem Verkauf des Lukas van Leyden . . . Denn dieses Bild ist, wenn man es nicht politisch, sondern historisch ansieht, ein Werk der deutschen Kunst ihrem damaligen (!) Bereiche nach. Dagegen ist der herrliche Rembrandt, den Sie besitzen, das Werk eines Ausländers (!), da zwischen den beiden Entstehungszeiten die endgültige Verselbständigung Hollands liegt. So ungeheuer auch der Verlust des Rembrandt gewesen wäre, er wäre sachlich gerechtfertigter gewesen . . ."[573].

[569] Protokolle des Verwaltungsrats, 4. 10. 1952; Direktionsakten GNM. Auch die beiden im folgenden zitierten Äußerungen stammen aus dieser Sitzung des Verwaltungsrats.

[570] Heuss kam im nächsten Jahr noch einmal auf diesen seinen Vorschlag zurück: er empfahl „aufzupassen, dass nicht von anderer Seite ähnliche Aufgaben angefasst werden" (Protokolle des Verwaltungsrats, 24. 10. 1953; Direktionsakten GNM).

[571] Nahm an den damaligen Generaldirektor des Museums, Erich Steingräber, Bonn, 28. 11. 1966, Ausfertigung; Sonderakten „Heimatgedenkstätten"; Direktionsakten GNM.

[572] Verwaltungsbericht Grotes für 1954/55 (Protokolle des Verwaltungsrats, 4. 6. 1955, Anlage; Direktionsakten GNM). Ähnlich auch im Jahresbericht, in dem nur nicht von der „niederländischen Herkunft" des Bildes die Rede war, sondern von ihm als einem „Werk der niederländischen Malerei" (Jahresbericht GNM 97 [für 1951–1954], 1955, S. 16).

[573] Bauch an Grote, Freiburg im Breisgau, 28. 12. 1954, Ausfertigung; Sonderakten „Echternacher Kodex, (Bd. 2) Schreiben der Professoren"; Altregistratur GNM, Abt. III, ohne Nr. Gemeint war Rembrandts Frühwerk „Nachsinnender Paulus", um 1630, Inv. Nr. Gm 392.

Die Problematik der deutsch-jüdischen Beziehungen nach dem Zweiten Weltkrieg spielte bei den Beratungen über den dann nicht verwirklichten Vorschlag eine Rolle, eine im Besitz des Museums befindliche „Haggadah-Handschrift des XV. Jahrhunderts, die aus einer jüdischen Gemeinde stammt" und für die Interesse gezeigt worden war, „zum Zwecke des Erwerbs des Echternacher Codex" zu verkaufen. Heuss bat, das „Abgeben (dieser Handschrift) ... politisch und taktisch zu prüfen", damit durch den hier angeregten Verzicht des deutschen Nationalmuseums auf ein kulturgeschichtliches Dokument des Judentums „nicht Schaden angerichtet würde"[574].

So wie an der Geschichte der deutschen Nation als alleinigem Sammlungsobjekt festgehalten wurde, blieb nach dem Zweiten Weltkrieg auch die Vorstellung lebendig, die ganze, politisch ungeschiedene Nation sei die wahre Eigentümerin des Museums. Die Aufhebung der national-staatlichen Einheit – ein Vorgang, dessen Ergebnis zunächst noch nicht als bleibend verstanden wurde –, machte es sogar leicht, diese enge Bindung der Anstalt an eine unstaatlich verstandene Nation als ein solches Besitzverhältnis zu definieren. Dabei wurde wie schon in den früheren Abschnitten der Museumsgeschichte auch jetzt der nationale Charakter dieses Besitzes damit begründet, daß nach wie vor Deutsche aus allen Teilen des Nationsgebiets und aus allen sozialen Schichten durch Besuch und „geistige wie materielle Förderung"[575] des Nürnberger Unternehmens stets aufs neue ihr Interesse an der Museumsarbeit bekundeten.

Als Troche im Juli 1946 dem Verwaltungsrat auf dessen zweiter Sitzung nach dem Krieg „Vorschläge für die Gestaltung des Museums" vortrug, erklärte er die „außerordentliche Volkstümlichkeit" der Anstalt mit der „tätigen Mithilfe aus allen deutschen Landschaften ..., die sich immer und auch heute in Zuwendungen jeder Art bekundet"[576]. Zuvor schon hatte er die Hoffnung geäußert, daß die Aufgabe des Museums „weiterhin an allen Orten Deutschlands ... verstanden und mit warmem Herzen bejaht" werde[577], und bei der Wiedereröffnung der Sammlungen stellte er fest, die „Anteilnahme unserer Mitglieder im ganzen Deutschland ... bleibt der unverrückbare Unterbau all unserer Tätigkeit und unserer Ziele"[578]. Zu Beginn der fünfziger Jahre schließlich versicherte der Stellvertretende Direktor, Peter Strieder, die „für die Leitung des Museums Verantwortlichen hätten ... nicht den Mut zum Werke des Wiederaufbaues finden können, wenn nicht die Mitglieder in ganz Deutschland der Idee des Freiherrn von Aufseß die Treue gehalten hätten. Sie gewähren den geistigen und finanziellen Rückhalt ..."[579].

Ähnlich wie diese territoriale wurde unverändert auch die soziale Totalität der Nation in enge Beziehung zum Museum gesetzt, das „der Gesamtheit dieses (deutschen) Volkes zu eigen" gehöre[580] und „seit jeher in (seinem) Wesen auf der Mildtätigkeit weitester Volkskreise beruht"

574 Protokolle des Verwaltungsrats, 2. 7. 1954; Direktionsakten GNM. Später, 1957, wurden die beiden in der Bibliothek verwahrten Haggadah-Handschriften Hs. 2107b (Rl 197) und Hs. 7121 (Rl 198) dennoch auf Betreiben des Verwaltungsratsmitglieds Ernst Beutler, Freies Deutsches Hochstift, Frankfurt am Main, an die Schocken Library, Jerusalem, abgegeben (dortige Signaturen Ms. 24086, Ms. 24087). Zu den Handschriften vgl. David Heinrich Müller und Julius von Schlosser: Die Haggadah von Sarajevo. Eine spanisch-jüdische Bilderhandschrift des Mittelalters. Wien 1898, S. 120–125 mit Taf. 11–15 und S. 125–170 mit Fig. 2,3 u. Taf. 16–26. Mendel Metzger: La Haggada enluminée, Bd. 1: Étude iconographique et stylistique des manuscrits enluminés et décorés de la Haggada du XIIIe au XVIe siècle (Études sur le judaisme médiéval, Bd. 2,1). Leiden 1973, Register.
575 Jahresbericht GNM 91 (für 1944/45), 1946, S. 7.
576 „Grundsätzliche Vorschläge für die Gestaltung des Museums" (Protokolle des Verwaltungsrats, 17. 7. 1946, Anlage; Direktionsakten GNM). Ähnlich hatte sich Troche auch schon im ersten Jahresbericht nach dem Krieg geäußert: das Museum könne die ihm „schon von den Gründern erteilte (und) durch seine Leiter so einzigartig erfüllte Mission ..., Darstellung und Dokumentation der Kultur des ganzen Volkes zu sein", nur wahrnehmen, wenn es „auf dem Grunde der Hilfsbereitschaft aller deutschen Landschaften" gedeihe (Jahresbericht GNM 91 [für 1944/45], 1946, S. 4).
577 Jahresbericht GNM 91 (für 1944/45), 1946, S. 6.
578 Jahresbericht GNM 93 (für 1947), 1948, S. 71.
579 Jahresbericht GNM 96 (für 1950/51), 1951, S. 3.
580 Jahresbericht GNM 91 (für 1944/45), 1946, S. 4.

habe[581], deshalb aber auch „jetzt wie immer" „in allen Kreisen und Schichten des deutschen Volkes" „Ansehen" genieße[582]. Im September 1946 erinnerte Troche daran, daß das „Museum . . . auf dem breiten Untergrunde seiner mitstrebenden, mitliebenden, hilfsbereiten Mitglieder, ihren Jahresbeiträgen und freiwilligen Unterstützungen (beruht), . . . die das deutsche Volk als Eigentümer der Stiftung aktiv repräsentieren"[583]. Die „Verankerung (des Museums) im ganzen deutschen Volke" sei die Voraussetzung für „die einzigartige Volkstümlichkeit unserer Einrichtungen und unserer Dienste"[584].

Es ist kein Zufall, daß man gerade in der frühen Nachkriegszeit nicht müde wurde, immer wieder daran zu erinnern, daß die Nürnberger Anstalt eine Stiftung und als solche das Eigentum der ganzen Nation sei. Die Leitung des Museums und seine Freunde waren sich im klaren darüber, daß es in der Not der Zeit viel schwerer sein werde, Wiederaufbau, institutionellen Fortbestand und künftigen Ausbau des Museums zu sichern, wenn es auch weiter ein staatsfreies wissenschaftliches Institut bleibe, als wenn es in ein staatliches Unternehmen umgewandelt werden würde. Wenn man aber trotz dieser Einsicht den überkommenen Stiftungscharakter der Anstalt mit Entschiedenheit verteidigte, so geschah das nicht nur deshalb, weil das Museum dem „Staat . . . in dieser schweren Zeit so wenig als möglich Last und Sorge sein" dürfe[585], sondern vor allem wegen der gesamtnationalen Bedeutung des Germanischen Nationalmuseums, die ernsthaft in Frage gestellt sei, wenn man den „freiheitlichen Stiftungsaufbau" gegen „einen sicheren Hafen lokaler Beschränkung" aufgebe[586]. Gerade der Stiftungscharakter sei es gewesen, der dem Museum „das Vertrauen in die Redlichkeit seiner Absichten und deren Förderung aus allen Kreisen stets erhalten hat"[587]. Diese hier von Troche aus dem nationalen Charakter des Museums abgeleitete Rechtfertigung für dessen Staatsfreiheit, die auch nach dem Zweiten Weltkrieg beibehalten werden solle, erinnert deutlich an die Argumente, mit denen Aufseß seinerzeit seine Entscheidung für das Germanische Nationalmuseum als ein überstaatliches Unternehmen begründet hatte, das eben nur dann ein der ganzen Nation verbundenes wissenschaftliches Institut sein könne, wenn es als Stiftung mit keinem der damals bestehenden deutschen Staaten eine engere Bindung eingehe[588]. Wie sehr der politische Zustand, in dem sich die deutsche Nation in der Mitte des 19. Jahrhunderts befand, demjenigen ähnelt, der durch den Ausgang des Zweiten Weltkriegs begründet wurde, zeigt überzeugend Troches Feststellung aus dem Juli 1946: „Ich selbst halte diesen Stiftungscharakter für die größte und auszeichnende Stärke des Museumsgedankens, und sehe in ihm angesichts der wahrscheinlichen zukünftigen Situation in Deutschland weitere Möglichkeiten als in jeder anderen Lösung"[589]. „Das aber bedeutet, daß das Museum als stiftungsmäßige Institution nur in der Zuversicht weiterbestehen kann, daß ihm die Liebe aller Deutschen über die tiefe Not unserer Tage hinweg erhalten bleibt"[590].

Selbstverständlich war es den Angehörigen der Nation unter Besatzungsregime und bei sich verfestigender staatlicher Teilung nicht leicht, diese Bindungen zu „ihrem" Nationalmuseum mit der nötigen Intensität zu pflegen. So klagte Troche im September 1946 über die „Schwierigkeit der finanziellen und postalischen Verbindung mit allen Gegenden" des Nationsgebiets: „Solche Ein-

[581] Jahresbericht GNM 91 (für 1944/45), 1946, S. 7.
[582] Jahresbericht GNM 91 (für 1944/45), 1946, S. 3.
[583] Troches Vortrag (Anm. 561), S. 8.
[584] Jahresbericht GNM 94 (für 1948), 1949, S. 3.
[585] Jahresbericht GNM 91 (für 1944/45), 1946, S. 7.
[586] Jahresbericht GNM 94 (für 1948), 1949, S. 3.
[587] Jahresbericht GNM 91 (für 1944/45), 1946, S. 4.
[588] S. dazu o. S. 150.
[589] Vorschläge (Anm. 576).
[590] Jahresbericht GNM 91 (für 1944/45), 1946, S. 4.

zelsorgen sind deshalb mehr als bloße Tageshemmnise, weil sie an die fundamentale Bedeutung rühren, welche das gesamtdeutsche System der Pflegschaften und Mitglieder für die Geltung und Bewegungsfreiheit unseres Museumsgedankens besitzt"[591]. Drei Jahre später dankte die Leitung ausdrücklich „allen unseren Mitgliedern für ihre Opfer . . ., gerade auch denjenigen, denen eine ungewollte Trennung den Weg zu uns erschwert"[592].

Die Definition der Aufgabe, deren Erfüllung der Nürnberger Anstalt zugedacht war, war in allen Abschnitten ihrer Geschichte besonders aufschlußreich für die Bestimmung ihres nationalen Charakters. Vor allem hier, bei der Beschreibung der Bedeutung, die die Museumsarbeit für die Nation haben sollte, mußte der augenblickliche Zustand dieser Nation berücksichtigt werden, denn nur Zeitgenossen konnten und können jeweils Nutznießer eines solchen nationalen Unternehmens sein. Gerade nach der nationalen Katastrophe von 1945 waren die Leitung des Museums und dessen Freunde gezwungen, sich eingehend mit der Frage auseinanderzusetzen, ob und wie Aufseß' nationaler Museumsgedanke auch weiter Bestand und Ausbau der Anstalt rechtfertigen konnte.

Am wenigsten problematisch war das Festhalten am wissenschaftlichen Charakter der Sammlungstätigkeit, mit dem die Bemühungen um „die Erhaltung des zentralen Museums deutscher Kunst und Kultur"[593] auch in der Krise von Staat und Nation überzeugend gerechtfertigt werden konnten. So definierte Troche im September 1946 mit einem unmißverständlichen Bekenntnis zu den Absichten des Gründers die Einzigartigkeit der Anstalt: „Was dieses Institut von allen anderen Museen unterscheidet, ist diese seine universelle Anlage in neuzeitlicher, systematisch-wissenschaftlicher Bewußtheit, nicht erwachsen also aus der Sammel- und Kuriositätenfreude eines Fürstenhofes, nicht aus dem Dämmerlicht einer kirchlichen Schatz- und Reliquienkammer, nicht aus aesthetisch proklamiertem Schönheitskult eines Staats- und Gemeinwesens – womit die Evolutionsbedingungen der bekanntesten Museen ungefähr aufgezählt wären – sondern aus dem Anspruch freier denkender Geister auf ein kulturhistorisches Forschungs- und Bildungszentrum von humaner und nationaler Geprägtheit, dem die materiellen Ansammlungen als immanente Erscheinungsseite eines geistigen und sittlichen Auftrags dienen sollen"[594]. Und ähnlich wie nach dem Ersten Weltkrieg[595] wurde auch jetzt, „wo Macht und Stolz (der Nation) ihre Flüchtigkeit erweisen"[596], „der musealen Pflicht zur Bewahrung, Pflege und Vermehrung der überkommenen Sammlungsbestände und ihrer wissenschaftlichen Bearbeitung"[597] eine große Bedeutung bei dem Versuch zugesprochen, der deutschen Nation wieder zu Ansehen in der Welt zu verhelfen: „Auf dem Felde des Geistes werden wir Deutschen uns aufs neue und zu allererst beweisen müssen, und an seinen Früchten wird die Mit- und Nachwelt uns jetzt und in fernsten Zeiten allein messen"[598].

Ebenso blieb auch nach dem Zweiten Weltkrieg die Vorstellung lebendig, gerade ein Nationalmuseum habe die Aufgabe, kunst- und kulturgeschichtliche Stücke, deren nationaler Wert bedeutend sei, zu erwerben, um auf diese Weise ihr Verschwinden oder ihren Verkauf ins Ausland zu verhindern. So begründete Grote seine Bemühungen, dem Museum die Mittel zum Erwerb des Echternacher Kodex zu verschaffen, mit der Feststellung: „Ein solches einzigartiges Denkmal deutscher Kunst und Frömmigkeit darf nicht ausser Landes gehen"[599].

[591] Troches Vortrag (Anm. 561), S. 9.
[592] Jahresbericht GNM 95 (für 1949), 1950, S. 128.
[593] Jahresbericht GNM 93 (für 1948), 1949, S. 3.
[594] Troches Vortrag (Anm. 561), S. 6.
[595] S. o. S. 224.
[596] Troches Vortrag (Anm. 561), S. 22.
[597] Jahresbericht GNM 95 (für 1949), 1950, S. 113.
[598] Jahresbericht GNM 91 (für 1944/45), 1946, S. 5.
[599] Grote an bayerischen Kultusminister, Nürnberg, 9. 12. 1954, Abschrift; Sonderakten „Echternacher Kodex"; Altre-

Überlegungen ähnlicher Art spielten auch bei der Einrichtung und Ausstattung der Heimatgedenkstätten mit. Bei der Hundertjahrfeier des Museums im August 1952 erklärte Theodor Heuss: „Sie (i. e. die Landsmannschaften) haben, als sie in das Leid des Vertrieben-Werdens gestoßen wurden, vielfach die Zeugnisse mit wegzubringen versucht . . ., die ihrer Heimatgeschichte teuer waren, Kirchliches und Weltliches, Archivstücke, Proben des überkommenen Hausfleißes – viel Zufälligkeit, wo die Sachen gerade liegen, groß die Gefahr, daß sie verlorengehen, verschleudert werden müssen in der Notlage des einzelnen oder der Gruppe. Denen wollen wir hier . . . Herberge und Heimat geben"[600]. Diese Absicht wurde nicht nur durch Leihgaben oder Geschenke der Landsmannschaften, sondern auch durch Zuschüsse des Bundesvertriebenenministers gefördert; mit ihrer Hilfe konnte „wertvolles ostdeutsches Kulturgut vor der Zerstreuung durch Ankauf bewahrt werden"[601].

Die Erfüllung dieser Aufgabe des Museums, Zeugnisse „der gesamten deutschen Kultur" zu sammeln[602] und unter Anwendung wissenschaftlicher Verfahren zu pflegen sowie national bedeutsame Kulturgüter für die Nation zu retten, war, weil sie der musealen Bereitstellung von Material diente, die notwendige Voraussetzung für die nationale Museumsarbeit. Stärker aber noch als bei der Definierung dieser Funktion, Sachgüter der Vergangenheit zu sammeln und zu bewahren[603], wurde die nationale Gegenwart bei der Beschreibung des Gewinns beachtet, den die Nation aus der Benutzung der ihr hier dargebotenen Sammlungen ziehen sollte.

Theodor Heuss hatte recht, als er im August 1952 im „,Sinn' dieses Museums . . . nie bloße Konservierung eines Gewesenen" sah, „sondern dessen Vergegenwärtigung als geistig-politische(n) Auftrag. Und solcher Auftrag steht unter dem wechselnden Gesetz der Stunde"[604]. Schon kurz nach dem Krieg hatte Troche eindrucksvoll diese aktuelle Bedeutung der Nürnberger Anstalt beschrieben: „So gewiß für das deutsche öffentliche Leben eine grundstürzende Aenderung nunmehr unabweislich ist, so wird sich diesmal wieder auch das Angesicht der Welt in rascher Folge wandeln, und die Deutschen werden von ihr auf lange Zeit ein leidender, aber desto empfindlicherer Teil sein. Das Germanische National-Museum ist in der Lage, aus der Lebendigkeit seines Sammlungs- und Bildungsgedankens diese notwendige, wachsam zu verfolgende Entwicklung zum Guten zu beeinflussen und an der Heilung des Schadens mitzuarbeiten, den das deutsche Ansehen in der Welt erlitten hat. . . . Es wäre eine falsche Erwartung, daß wir auf dem marktschreierischen Forum dem Tage Augenblickserfolge abtrotzen wollten; schon die Existenz des Germanischen National-Museums wird ihren Segen wirken, wenn sie dem Bewußtsein der wahrheitssuchenden Menschen lebendig und als Hort edelster Werte bewußt bleibt. . . . Sobald der äußere Rahmen im Nötigsten wieder hergestellt ist, wird das Germanische National-Museum in der Lage sein, durch den inneren und äußeren Reichtum seiner Sammlungen einen unmittelbaren, unschätzbaren Beitrag zur Neubildung und zur Sinneserneuerung der Einsichtigen zu leisten . . ."[605].

gistratur GNM, Abt. III, o. Nr. Ähnlich hieß es auch im Jahresbericht: „Es bestand die Gefahr, daß dieses für die deutsche Kunst- und Kulturgeschichte einzigartige Werk ins Ausland abwanderte" (Jahresbericht GNM 97 [für 1951–1954], 1955, S. 16).
[600] Heuss, National-Museum (Anm. 567), S. 23.
[601] Jahresbericht GNM 97 (für 1951–1954), 1955, S. 13.
[602] Jahresbericht GNM 91 (für 1944/45), 1946, S. 8.
[603] Troches Vortrag (Anm. 561), S. 5.
[604] Heuss, National-Museum (Anm. 567), S. 22.
[605] Jahresbericht GNM 91 (für 1944/45), 1946, S. 5–7. Die Erfüllung der hier von Troche erwähnten aktuellen Aufgabe des Museums, den Schaden zu „heilen", „den das deutsche Ansehen in der Welt erlitten hat", wurde auch später als besonders wichtig erkannt. So hob Grote in seinem Bericht über den Verlauf der Hundertjahrfeier hervor: „Sie (i. e. die Feier) habe bewirkt, dass der Name von Nürnberg wieder rein leuchtet. Emigrierte Kollegen, die an der Feier teilnahmen, äusserten sich, dass sie hier die Liebe zu ihrem Vaterlande und den Glauben an das deutsche Volk wiedergewonnen hätten" (Protokolle des Verwaltungsrats, 4. 10. 1952; Direktionsakten GNM).

Wiederholt bekannte sich Troche damals zu der Überzeugung, „Sammlungen von Sachgütern aller kulturellen Schöpfungen der Vorzeit ... (und deren) bildende Weitervermittlung an alle Lebenskreise"[606] könnten gerade jetzt für die Deutschen bei ihrem Versuch einer geistigen und politischen Erneuerung eine entscheidende Hilfe sein. Im Juli 1946 stellte er in der Sitzung des Verwaltungsrats die Frage: „Wie ... kann die Kunst wirken, wenn über sie nur geredet wird, und wie können die Deutschen zu einer wahren Selbsterkenntnis gelangen, wenn nicht an einer Stelle ihnen das Edelste ihrer Kultur in grossartiger Übersicht gezeigt wird?"[607]. Und zwei Monate später hoffte Troche, das „so lange zur Heimlichkeit verurteilte Deutschland weltoffenen Geistes wird sich nicht zuletzt in seinen Museen offenbaren. Die praeceptores Germaniae werden wieder seine Denker, Künstler und Dichter sein ...". Wenn man aber „das Element der Kultur ... in unserer Notlage ... ausschalten" wolle, so würden sich „nie wieder ... die abgerissenen, ohnehin so dünn gewordenen Fäden anknüpfen lassen, und für eine wahrhafte und dauerhafte Neubildung unseres Volkes und unserer Jugend wäre die entscheidende Zeit versäumt"[608].

Diese hier deutlich politisch verstandene Funktion des Museums, „das zentrale Gewissen zu sein für alle Bemühungen um die Erhaltung deutscher kultureller Überlieferung, nicht nur ihrer Materie, sondern vornehmlich auch ihrer Werte und ihres Geistes"[609], wurde zwar später, bei fortgeschrittener Rekonstruktion, wieder zurückhaltender als „vaterländisches Werk"[610], als „vaterländische Aufgabe"[611] interpretiert, und eine Definition der „kulturgeschichtlichen Aufgabe" des Museums, die seine „vornehmste" sei und bleibe[612], aus der Mitte der fünfziger Jahre erinnert unüberhörbar an die politische Distanzierung früherer Epochen: „... die einzigartige Bedeutung des Institutes" solle „für das deutsche Volk zum Spiegel des inneren Lebens seiner Vorfahren, ihrer Kultur in allen Verzweigungen" werden, „in welchem es sich erkennt und seine Geschichte lieben und verstehen lernt"[613]. Aber die in den ersten Nachkriegsjahren offen ausgesprochene Verpflichtung des Museums, der Nation durch eine zeitgemäße Darbietung seiner Sammlungen in ihrer kulturellen und politischen Not zu helfen, fand bald ihre Verwirklichung in dem Konzept eines umfassend verstandenen Bildungsprogramms: die Anstalt werde nach „einer vertieften Tätigkeit der Forschung wie ihrer Weiterreichung für die Bildung weitester menschlicher Schichten" streben. „Ihnen, und zumal einer den rechten Weg suchenden Jugend, unsere Schätze in ihrer Unerschöpflichkeit auszubreiten und in der darin enthaltenen Wahrheit zu offenbaren, wird der Beitrag sein, mit welchem das Germanische National-Museum dem deutschen Volke die ihm gewährte Förderung in guten Zeiten und die Hilfsbereitschaft in der Krise vergelten kann ..."[614]. Um die „vielseitigen volkserzieherischen Aufgaben, die von nun an eine immer tiefergreifende Pflege finden sollen"[615], besser als bisher erfüllen zu können, wurde im Jahre 1950 „eine besondere kunstpädagogische Abteilung eingerichtet": hier sollten „die musealen Schätze für die Bildung des ganzen Volkes und für die Erwerbung und Vertiefung seines Geschichtsbewußtseins" erschlossen, Kunsterlebnis und Kunstverständnis erweckt und vertieft und Kunstgeschmack und Kunsturteil gebildet werden[616]. Im Vergleich zu den Überlegungen aus der frühen Nachkriegszeit traten freilich auch hier politische Absichten wieder in den Hintergrund.

[606] Troches Vortrag (Anm. 561), S. 6.
[607] Vorschläge (Anm. 576).
[608] Troches Vortrag (Anm. 561), S. 19, 22.
[609] Troches Vortrag (Anm. 561), S. 6.
[610] Jahresbericht GNM 96 (für 1950/51), 1951, S. 111.
[611] Jahresbericht GNM 97 (für 1951–1954), 1955, S. 3.
[612] Grote, Stätte (Anm. 564), S. 17.
[613] Glückwunschadresse an Heuss zu dessen 70. Geburtstag (Jahresbericht GNM 97 [für 1951–1954], 1955, S. 4).
[614] Jahresbericht GNM 91 (für 1944/45), 1946, S. 5–6.
[615] Jahresbericht GNM 95 (für 1949), 1950, S. 120.
[616] Jahresbericht GNM 96 (für 1950/51), 1951, S. 98.

Länger blieben nationalpolitische Vorstellungen bei den schon mehrfach erwähnten Heimatgedenkstätten für die Museumsarbeit bestimmend. Sie wurden im Oktober 1951 als „eine neue Abteilung gegründet, welche Dokumente deutscher Kunst aus den Ostgebieten . . . vereinigen soll". Namentlich wurde dabei an Kulturgut aus Siebenbürgen, Danzig, Ost- und Westpreußen, Schlesien, Böhmen und Mähren gedacht[617]. Bei der Hundertjahrfeier im August 1952 erwähnte Heuss, daß dieses Vorhaben von Grote angeregt worden sei; „ich habe ihm mit Dankbarkeit zugestimmt, und als ich mit den Landsmannschaften Fühlung nahm, die herzlichste Geneigtheit zur Mitwirkung gefunden. Was hier bewahrt und gezeigt werden mag, wird nicht nur den Vertriebenen teuer bleiben, sondern soll allen anderen teuer werden. Das Germanische National-Museum tritt damit in einen neuen Geschichtsauftrag, Fluchtburg der deutschen Seele zu sein"[618].

Diese Beschreibung einer neuen nationalpolitischen Aufgabe des Museums durch Heuss wurde zwei Monate später durch den schon zitierten Verwaltungsratsbeschluß bekräftigt, diese Gedenkstätten nur als eine Art nationales Depot aufzufassen und die hier zusammengetragenen Stücke den vertriebenen Deutschen „für eine mögliche Restituierung anläßlich der Rückkehr . . . in ihre Heimatgebiete zur Verfügung" zu stellen[619]. Im Gegensatz dazu gingen andere, spätere Definitionen dieser neuen Museumsaufgabe dann aber doch von der Endgültigkeit dieser gewaltsamen Bevölkerungsverschiebung in Ostmittel- und Südosteuropa aus und ersetzten politische Absichten durch den Hinweis auf den Charakter der neuen Museumsabteilung als einer Stätte der nationalen Erinnerung. Im Jahre 1955 beschrieb Grote im Katalogvorwort zur Ausstellung „Kunst und Kultur in Böhmen, Mähren und Schlesien" die Heimatgedenkstätten als einen Ort, wo „die Erinnerung an die jahrhundertelange Kulturarbeit der Deutschen in den Landschaften, aus denen sie 1945 vertrieben worden sind, wach erhalten" werden solle. Mit Bezug auf die Ausstellung, in der, entsprechend dem Museumsprogramm, der tschechische Anteil an der Kultur der böhmischen Länder unberücksichtigt blieb, hoffte Grote, die Sudetendeutsche Landsmannschaft werde „von diesem Versuche . . . die Gewißheit mitnehmen . . ., daß ihre in Jahrhunderten geschaffene große Kulturarbeit nicht vergessen wird". Er wünsche, „daß die Sudetendeutsche Landsmannschaft . . . wie alle anderen Vertriebenen sich im Germanischen National-Museum zu Hause fühlen möge. Hier ist die Stätte, wo die Erinnerung an die verlorene Heimat und ihr schöner und bedeutender Anteil an der gesamtdeutschen Kunst und Kultur lebendig erhalten wird"[620]. Diese betonte Einbindung von deutschem Kulturgut aus den Vertreibungsgebieten, dessen Vergegenwärtigung die Nürnberger Heimatgedenkstätten dienen sollten, in die gesamtdeutsche Entwicklung ging auf eine Bemerkung zurück, die Heuss im Oktober 1952 gemacht hatte und auf die sich die Museumsleitung in den späten sechziger Jahren bei ihrer Auseinandersetzung mit dem Bundesvertriebenenminister über die Zukunft der Heimatgedenkstätten berief: „Er (i. e. Heuss) möchte das (hier zusammengetragene) Kulturgut nicht getrennt, im Geiste einer Irredenta behandelt sehen, sondern im Rahmen der gesamtdeutschen Dinge"[621]. Zehn Jahre später wiederholte Heuss diesen Gedanken: „Das Germanische Museum ist seinem Gründersinn entsprechend eine Selbstdarstellung der gesamtdeutschen Kulturgeschichte – so beherbergt es mit besonderer Liebe Zeugnisse der Landsmannschaften, die nach der Hitlerkatastrophe dem staatlichen Verband verlorengingen"[622].

[617] Jahresbericht GNM 97 (für 1951–1954), 1955, S. 13. Vgl. auch die Beiträge von Günther Schiedlausky und Bernward Deneke in diesem Band, S. 296, 943 u. Abb. 106.
[618] Heuss, National-Museum (Anm. 567), S. 23.
[619] Protokolle des Verwaltungsrats, 4. 10. 1952; Direktionsakten GNM. S. auch o. S. 239–240.
[620] Kunst und Kultur in Böhmen, Mähren und Schlesien. Ausstellung im Germanischen National-Museum zu Nürnberg . . . Nürnberg 1955, S. 7–8.
[621] Protokolle des Verwaltungsrats, 4. 10. 1952; Direktionsakten GNM.
[622] Theodor Heuss: Ludwig Grote. In: Anzeiger GNM 1963 (Festschrift für Ludwig Grote), S. 7.

Die Frage, wie die neue Museumsabteilung – entsprechend ihrem Zweck – ausgestattet werden sollte, fand unterschiedliche Antworten. Auf der einen Seite wurde darauf hingewiesen, die „Grundlage bildet der alte beträchtliche Bestand des Germanischen National-Museums"[623]. Das würde, zumindest für einen Teil des Vertreibungsgebiets, mit der Feststellung vom Oktober 1939 übereinstimmen, die Ausstellung über das „Deutschtum im Weichselbogen" habe „ganz aus Eigenem bestritten" werden können[624], und auch später wurde auf den „ansehnlichen Grundstock unserer Bestände" hingewiesen, den man „durch Erwerbung bedeutender Objekte auszubauen" versuche[625]. Andrerseits klagte Grote schon früh, der „Eigenbesitz an ostdeutschen Objekten sei leider nicht sehr bedeutend, es seien also Schritte zu seiner Ergänzung unternommen worden". Für „die Erwerbung von Kunstwerken (würden) recht beträchtliche Mittel benötigt". Der Bundestagsabgeordnete Arno Hennig (SPD), der, wie noch gezeigt werden wird, sich schon früher für eine materielle Förderung des Museums durch den Bund eingesetzt und dadurch den Unwillen des bayerischen Kultusministers erregt hatte[626], erbot sich, in Bonn Zuschüsse „für den Ausbau der Heimatgedenkstätten" zu erwirken[627]. Diese Bemühungen[628] hatten Erfolg; im Oktober 1953 berichtete Grote dem Verwaltungsrat: „Das Bundesministerium für Vertriebene wird künftig diese Abteilung besonders fördern"[629]. In der Tat wurden seit dem Jahr 1953 aus dem „Etat (dieses Ministeriums) – Kulturtitel –" dem „weiteren Ausbau der Heimatgedenkstätten ... regelmässig beachtliche Zuwendungen gewidmet"[630]. Daneben hielt man es aber für nötig, „immer wieder den Gedanken der Heimatgedenkstätten bekannt zu machen" und vor allem die Landsmannschaften selbst für die Förderung dieses Nürnberger Vorhabens zu interessieren[631].

In der zweiten Hälfte der sechziger Jahre kam es, wie schon erwähnt, wegen der Heimatgedenkstätten zu einer längeren Auseinandersetzung zwischen der Museumsleitung und dem Bundesvertriebenenminister, nachdem die Heimatgedenkstätten in der bisherigen Form der gesonderten Aufstellung in zwei Räumen aufgelöst worden waren[632]. Die Direktion vertrat dabei den Standpunkt, es sei nicht mehr opportun, „ostdeutsche Kunst ‚demonstrativ' in einem Raum zu konzentrieren"; vielmehr sollten, entsprechend dem Programm der Neueinrichtung des Museums, die Zeugnisse aus den deutschen Ostgebieten auf alle Sammlungen verteilt und die kulturellen Leistungen der ostdeutschen gleich denen der übrigen deutschen Landschaften im Gesamtzusammenhang der deutschen Kunst und Kultur integriert dargestellt werden[633]. Auf dieser Basis kam es 1967 und endgültig 1971 zu einer Verständigung mit dem Bundesvertriebenen- bzw. dem Bundesinnenminister, Vertriebenenabteilung.

So gering innerhalb der Schausammlungen die Bedeutung der Heimatgedenkstätten auch gewe-

[623] Jahresbericht GNM 97 (für 1951–1954), 1955, S. 13.
[624] Jahresbericht GNM 86 (für 1939), 1940, S. 7.
[625] Kunst (Anm. 620), S. 7.
[626] S. u. S. 261–262.
[627] Protokolle des Verwaltungsrats, 4. 10. 1952; Direktionsakten GNM.
[628] Im Mai 1953 berichtete Grote dem Arbeitsausschuß des Verwaltungsrats, auf Anregung Hennigs habe die Direktion in Bonn Anträge zur „Unterstützung und Förderung" der neuen Museumsabteilung gestellt (Protokolle des Arbeitsausschusses des Verwaltungsrats, 11. 5. 1953; Direktionsakten GNM).
[629] Verwaltungsbericht Grotes für 1952/53 (Protokolle des Verwaltungsrats, 24. 10. 1953, Anlage 1; Direktionsakten GNM).
[630] Nahm an Steingräber, Bonn, 9. 11. 1966, Ausfertigung; Sonderakten „Heimatgedenkstätten"; Direktionsakten GNM.
[631] Protokolle des Verwaltungsrats, 24. 10. 1953; Direktionsakten GNM. Ähnlich hatte sich Heuss auch schon im Jahr zuvor geäußert: er „empfiehlt, Verbindungen mit den Landsmannschaften aufzunehmen und auch Gegenstände zu erwerben, die für die Ernsthaftigkeit des Unternehmens wirken" (Protokolle des Verwaltungsrats, 4. 10. 1952; Direktionsakten GNM).
[632] Sonderakten „Heimatgedenkstätten"; Direktionsakten GNM.
[633] Protokolle des Arbeitsausschusses des Verwaltungsrats, 3. 2. 1967; Direktionsakten GNM.

sen war – sie bestanden nur aus drei, zuletzt aus zwei Räumen[634] –, so lassen sich doch aus den Diskussionen bei ihrer Gründung und nach ihrem Ende einige wichtigen Einsichten für die Bestimmung des Verhältnisses zwischen Museum und Nation nach dem Zweiten Weltkrieg gewinnen. Es wäre erstaunlich gewesen, wenn vom Nürnberger Museum, das seit seinen Anfängen seine Arbeit bewußt auf die ganze, politisch ungeschiedene Nation hin ausgerichtet hat, ein für das Schicksal dieser Gesamtnation so einschneidender Vorgang wie die Vertreibung der Deutschen aus Ostmittel- und Südosteuropa nicht in einer ihm gemäßen Weise berücksichtigt worden wäre. In der Tat war die Einrichtung dieser Heimatgedenkstätten nicht die Verwirklichung eines Wunsches oder einer Forderung, die von außerhalb, vom Staat oder von den Vertriebenenorganisationen, an das Museum herangetragen worden wären, obwohl zumindest eine solche Anregung durch die Landsmannschaften als formierte Teile der Gesamtnation, die doch als die wahre Eigentümerin des Unternehmens verstanden wird, keine programmwidrige Einmischung gewesen wäre. Der Plan, eine solche neue Abteilung zu gründen, ist vielmehr mit deutlichem Bezug auf den nationalen Museumsauftrag innerhalb der Anstalt selbst entwickelt worden, und so war die Museumsleitung auch durchaus im Recht, ihre früheren Entscheidungen später wieder aufzuheben.

Das Schicksal der Heimatgedenkstätten im Germanischen Nationalmuseum zeigt aufs neue, daß die Nürnberger Anstalt von der politischen Entwicklung innerhalb der Nation, der sie mit ihrer Arbeit nützen soll, nicht unberührt bleiben kann. Nicht die Erwerbung von ostdeutschem Kulturgut als solche, sondern die Entscheidung, dieses Kulturgut gesondert auszustellen, war ein Politikum. Die später formulierten Bedenken gegen diese ausstellungstechnische Isolierung der ostdeutschen Stücke von der Darstellung der gesamtdeutschen Kulturentwicklung durch das Museum waren gewiß auch schon zur Zeit der Einrichtung der Heimatgedenkstätten bekannt gewesen, sie waren aber unbeachtet geblieben, weil man es aus nationalpolitischen Rücksichten für wichtiger hielt, sich derjenigen Deutschen, die durch den gewaltsamen Verlust ihrer Heimat unter den Folgen des Krieges besonders schwer zu leiden hatten, in dieser betonten Weise anzunehmen. Bei den Fortschritten, die die politische und soziale Integrierung der Vertriebenen in ihren Aufnahmegebieten machte, und bei den deutlicher werdenden Tendenzen zur weltpolitischen Entschärfung des Ost-West-Konflikts sah aber später die Museumsleitung die Gefahr, daß diese Abteilung nicht so sehr als Stätte der nationalen Erinnerung als vielmehr als aktuelle politische Demonstration verstanden werden konnte. Deshalb widerrief sie ihre frühere Entscheidung. Damit hatte sich das seit der Museumsgründung geltende Prinzip wieder durchgesetzt, die Anstalt dürfe, im Interesse einer ungestörten Fortführung ihrer Kulturarbeit, zu tagespolitisch strittigen Fragen keine Stellung beziehen, und die damals einsetzenden Versuche, ein neues Verhältnis zu den Völkern in Ostmittel- und Südosteuropa zu begründen, und vor allem die Wege zur Verwirklichung dieses Vorhabens waren ein solches umstrittenes Problem. Der zeithistorische Ertrag des ganzen Vorgangs schließlich liegt in der Beobachtung, daß die Bereitschaft des Ministers, die Nürnberger Entscheidung – wenn auch mit spürbarer Resignation – zu akzeptieren, zweifellos von den neuen Vorstellungen über das deutsch-osteuropäische Verhältnis gefördert worden war, um deren Verwirklichung man in den frühen Jahren der sozialliberalen Koalition bemüht war. Solche Vorstellungen aber waren in einem staatsfreien Institut früher zur Geltung gekommen als in der Tagespolitik.

Die Nürnberger Heimatgedenkstätten dienten – politisch aktualisierend und deshalb später wieder aufgegeben – einem Ziel, um das man sich im Museum seit seiner Gründung stets in besonderer Weise bemüht hatte: den „hohen gesamtdeutschen Gedanken" in unpolitischer Absicht zu

[634] Wegweiser GNM 1956/57, o. S. (Raum 80–83). Wegweiser GNM 1962, S. 121–125 (Raum 84–86). Nach dem Wegweiser GNM 1963/64 waren die Räume damals bereits geschlossen. Im dritten der Räume war eine Zeitlang der Danziger Paramentenschatz ausgestellt.

versinnbildlichen[635], „ein wirksames, einigendes Band des kulturellen Deutschland zu sein"[636]. Gerade in dem neuen Zustand der Nation, der durch die Verkleinerung nicht nur des Staats-, sondern auch des Nationsgebiets und durch dessen immer spürbarer werdende machtpolitische Aufspaltung gekennzeichnet war, hielt es die Museumsleitung gleich nach Kriegsende wiederholt für nötig, diese spezifisch nationale Funktion der Museumsarbeit zu betonen. Schon im ersten Jahresbericht nach 1945 erklärte Troche in bewußter Erinnerung an die nationale Lage hundert Jahre früher: „Wieder wie in den Jahren seiner Gründung ist das Germanische National-Museum berufen, für alle Deutschen ein einigendes Band des Wahren und Guten über Stammes- und Machtgrenzen hinweg zu bilden"[637]. Im September 1946 beschrieb Troche diese nationale Aufgabe des Museums, die durch die politischen Umwälzungen der frühen Nachkriegszeit noch erhöht worden sei: „Nur hier, in Nürnbergs Germanischem National-Museum, werden für die Zukunft die Kunst und die geschichtliche Kultur Deutschlands als verbindende Einheit dargestellt werden können"[638].

Im folgenden Jahr bekannte sich der Verwaltungsrat „geschlossen" zu der Überzeugung, daß „das Germanische Nationalmuseum ... wieder berufen (ist), wie in seiner Gründungszeit, ein wirksamer Ausdruck der kulturellen Einheit des Deutschtums zu sein"[639]. Die Wiedereröffnung der Sammlungen im selben Jahr 1947 wurde „als Symbol und als Realität innerhalb ganz Deutschlands" bezeichnet[640], und trotz dem Mitgliederschwund in der „von uns getrennten Ostzone Deutschlands" bekräftigte man die Absicht, „wie immer dem ganzen Deutschland dienen (zu) wollen"[641]. Die Hundertjahrfeier von 1952 nannte Grote rückblickend eine „Manifestation des gesamtdeutschen Kulturwillens", eine „gesamtdeutsche kulturelle Kundgebung"[642], und auch später wurde wegen des unverändert bleibenden Zustands der Nation das Germanische Nationalmuseum „das einzige gesamtdeutsche Museum" genannt, „dessen ideelle Aufgaben durch die politische Situation wesentlich vergrößert worden seien"[643].

Seit je war für die Einschätzung des Nutzens, den die Nation aus der Museumsarbeit ziehen möge, die der jeweiligen Gegenwart gegebene Erläuterung des Gründungszwecks besonders aufschlußreich gewesen. Dabei war nicht entscheidend, ob die Auslegung der Absichten Aufseß' und der Umstände, die seinerzeit die Entstehung der Nürnberger Anstalt möglich gemacht hatten, immer zutrafen, entscheidend war vielmehr, welche Aspekte der Gründungsgeschichte die Leitung des Museums und dessen Freunde jeweils besonders betonten, um Bestand und Tätigkeit des Nürnberger Instituts den eigenen Zeitgenossen verständlich zu machen und so deren Unterstützung für die Fortführung der Museumsarbeit zu erhalten. Nach dem Zweiten Weltkrieg nun wurde neben dem Zusammenhang des Gründungsprozesses mit den Bemühungen der deutschen Nationalbewegung vor allem dessen Verbindung mit dem demokratischen Element in dieser Na-

---

[635] Jahresbericht GNM 94 (für 1948), 1949, S. 5.
[636] Verwaltungsbericht Troches für 1947/48 (Protokolle des Verwaltungsrats, 10.9.1948, Anlage; Direktionsakten GNM).
[637] Jahresbericht GNM 91 (für 1944/45), 1946, S. 5.
[638] Troches Vortrag (Anm. 561), S. 19. Ähnlich hatte sich Troche zwei Monate früher in seiner Denkschrift geäußert, in der er von der „geistigen Gesamtrepräsentation aller Deutschen in Kultur und Kunst durch das Germanische National-Museum" sprach und feststellte: „Wir müssen uns ... darüber klar werden, dass nunmehr das Germanische National-Museum die einzige Stätte ist, wo dieser Gedanke in so sichtbarer und umfassender Form verwirklicht bleibt und gehütet werden kann ..." (Vorschläge [Anm. 576]).
[639] Protokolle des Verwaltungsrats, 24.7.1947; Direktionsakten GNM, Handakten des Verwaltungsratsmitglieds Werner Freiherr von Grundherr; Archiv GNM, ABK.
[640] Jahresbericht GNM 93 (für 1947), 1948, S. 58.
[641] Jahresbericht GNM 94 (für 1948), 1949, S. 5.
[642] Protokolle des Verwaltungsrats, 4.10.1952; Direktionsakten GNM.
[643] Herbert von Einem im Juni 1964 im Verwaltungsrat (Protokolle des Verwaltungsrats, 2.6.1964; Direktionsakten GNM).

tionalbewegung hervorgehoben. So erklärte Troche im Mai 1946: „Das Germanische National-Museum . . . hat seine Tradition und seine auch jetzt nicht abänderungsbedürftige Verfassung von der demokratischen Bewegung des 19. Jahrhunderts ererbt. Als diese im Jahre 1848 politisch verendete, wurde ihr Ideengut auf dem Felde des Geistes geläutert und fortentwickelt, und das Germanische National-Museum hat in der ihm zugewiesenen Domäne seine Mission durch alle Zeitwandlungen nach besten Kräften gehütet und vermehrt"[644]. Knapper formuliert lautete diese Beschreibung des Gründungsvorgangs wenig später so: die Satzungen des Museums „sind hervorgegangen aus dem Gedankengut der ersten demokratischen Bewegung Deutschlands, zu dem mit den besten Geistern der Zeit von 1848 sich auch die Gründer dieses Museums bekannten"[645]. Wenn Troche gerade in der frühen Nachkriegszeit diese demokratischen Aspekte so stark betonte, so sollte damit nicht so sehr die Öffentlichkeit für die Förderung eines Museums gewonnen werden, dessen Organisationsform eine Art Vorläufer zu der politischen Ordnung sei, die man nach der Katastrophe des diktatorischen Nationalimperialismus in Deutschland begründen wollte, sondern dies diente vor allem der Verteidigung des staatsfreien Charakters des Unternehmens, den es, wie schon gezeigt wurde, auch unter den erschwerten Bedingungen der nationalen Notzeit behalten sollte.

Aber auch bei wieder gesichertem Bestand der Stiftung wurden in dieser Weise Gründung und Programm des Museums erläutert. So etwa hieß es in der Glückwunschadresse, die die Leitung im Januar 1954 an Theodor Heuss zu dessen 70. Geburtstag richtete: „Der hochherzige Patriotismus, welcher die Männer der Paulskirche beseelte, ist auch der Antrieb zu seiner (i. e. des Museums) Stiftung für den Freiherrn Hans von und zu Aufseß gewesen. Das ist jener humane Geist süddeutscher Demokratie, als dessen Inbegriff wir alle Ihre Persönlichkeit, Ihr Leben und Ihr Wirken empfinden"[646]. Hingegen ist Aufseß' Vorhaben jüngst wieder stärker nationalpolitisch gedeutet worden. Bei der Feier zum 125jährigen Bestehen der Nürnberger Anstalt nannte Walter Scheel die Museumsgründung eine politische Tat, weil sie zum Erfolg der deutschen Nationalbewegung beigetragen habe: „Der Grundgedanke dieses Museums war im 19. Jahrhundert ein politischer Gedanke. . . . warum vertrat man ,die geistige Einheit Deutschlands' (, deren Vergegenwärtigung ja das Museum dienen sollte), wenn nicht darum, die Grundlage für die politische Einheit zu schaffen?"[647].

Der staatlich wieder ungefestigte Zustand der Nation oder – bei den Überlegungen Scheels – der Wunsch nach einer politischen Einigung Europas machen solche betonten Hinweise auf die Lage in Deutschland zur Zeit der Museumsgründung verständlich. Trotzdem kann keine dieser aktualisierenden Erinnerungen an die politischen Umstände während der Entstehungsphase und an die Absichten Aufseß' und seiner Mitarbeiter vergessen lassen, daß der Nationsbegriff seit damals eine spürbare Veränderung erfahren hat. Auch nach dem Ende des deutschen Nationalstaates, dessen Entstehung ja für die etatistische Fixierung und Einengung dieses Nationsbegriffs entscheidend gewesen war, war der frühere, unproblematische Gebrauch einer unstaatlich gemeinten Nationsbezeichnung nicht wieder lebendig geworden. Das erklärt, weshalb es für die Leitung des Museums und für dessen Freunde jetzt nicht weniger schwierig als in früheren Abschnitten der Museumsgeschichte war, die Nation, der die Anstalt gehöre und zu deren Nutzen sie tätig sei, zutreffend zu beschreiben.

---

[644] Jahresbericht GNM 91 (für 1944/45), 1946, S. 4.
[645] Troches Vortrag (Anm. 561), S. 8.
[646] Glückwunschadresse (Anm. 613), S. 4.
[647] 125 Jahre Germanisches Nationalmuseum. Ansprache des Bundespräsidenten in Nürnberg. In: Presse- und Informationsamt der Bundesregierung. Bulletin, Nr. 60 vom 7. 6. 1977, S. 557–559 (558).

Zwar konnte die deutsche Nationalgeschichte, deren Überreste das einzige Sammlungsobjekt der Nürnberger Anstalt blieben, nach wie vor zurecht als historischer Prozeß in einem sehr umfassend gemeinten Nationsgebiet verstanden werden, und obwohl nach der Gründung der Bundesrepublik Deutschland der Begriff „gesamtdeutsch" zu einem Wort der politischen Alltagssprache geworden war, war seine Verwendung hier, in einem zweifelsfrei auf die Vergangenheit bezogenen Sinn, wie etwa in der Auseinandersetzung um die Zukunft der Heimatgedenkstätten, gewiß unstaatlich gemeint. Wenn man sich aber, vor allem bei der Definierung der nationalen Aufgabe der Anstalt, an die gegenwärtige Nation wandte, so hatte man eher die Bedeutung des Museums für den untergegangenen deutschen Nationalstaat und für dessen durch den machtpolitischen Ost-West-Gegensatz gespaltenes Staatsvolk im Auge als die Beziehungen des Instituts zur unstaatlichen deutschen Sprachnation, besonders wenn etwa von der „symbolische(n) Bedeutung des Germanischen National-Museums für die deutsche Einheit" die Rede war[648]. Ebenso darf als sicher gelten, daß mit dem Begriff „Deutschland", spätestens nachdem er, zum ersten Mal in der deutschen Geschichte, zum Staatsnamen geworden war, nur der ehemalige, dem politischen Anspruch nach weiterbestehende deutsche Nationalstaat gemeint war. Zusammenhänge mit der Schweiz und mit Österreich wurden nur selten berührt. So schlug Heuss im Juni 1960 die Wahl des Wiener Museumsdirektors Vinzenz Oberhammer „zum Ehrenmitglied" des Museums vor: „Er (i. e. Heuss) persönlich würde eine solche Hervorhebung der engen kulturellen Beziehungen zwischen Deutschland und Österreich sehr befürworten"[649]. Zwei Jahre später regte Grote an, „daß eine Stipendiatenstelle für ausländische Kollegen im Museum geschaffen wird, ... Es ist vor allem an österreichische und schweizer Kollegen gedacht"[650].

Nicht zuletzt diese bleibenden Unklarheiten über den Umfang der vom Museum zu betreuenden deutschen Nation, die durch die fortbestehende nationale Spaltung noch verstärkt wurden, dürften es gewesen sein, die Grotes Nachfolger, Erich Steingräber, dazu geführt haben, in einer Rede vor dem Verwaltungsrat im Anschluß an seine Wahl im Juni 1962 eine neue, übernationale Auslegung des Museumszwecks vorzutragen. Unter Bezug auf die „eigentliche Aufgabe (der Anstalt) als historische(r) Bildungsstätte" erklärte er: „Uns allen ist bewusst, dass wir am Übergang zu einem neuen Zeitalter stehen, das noch keinen Namen hat. Begriffe wie Volk und Vaterland umschliessen nach wie vor Werte, die uns lieb und teuer sein müssen, sie zählen aber nicht mehr zu den höchsten Gütern schlechthin. Freiheit und Recht als Menschheitsgütern von weltweiter Bedeutung gebührt der Vorrang. So kommt es, meine ich, darauf an, den Inhalt dieses Museums aus einer universalhistorischen Betrachtungsweise verständlich zu machen, die den nationalen Horizont immer wieder durchstösst und überhaupt erst den besonderen Ort und die spezifischen Leistungen, aber auch die Gefährdungen deutscher Kunst erkennen lässt. Aus Stolz und Bewunderung darf kein Mythos entstehen, der gegenüber den Leistungen der anderen Völker blind macht"[651]. Zuletzt dann hat Walter Scheel eine solche neue Aufgabe der Museumstätigkeit definiert: „Im 19. Jahrhundert machte man sich allzu wenig Gedanken darüber, was denn an dieser deutschen Kultur eigentlich deutsch sei. Deutsch war im Verständnis der Museumsgründer, was im Siedlungsraum deutschsprachiger Stämme von Deutschen geschaffen war. Aber ... Die Kultur ist von jeher ganz unbekümmert auch über die Sprachgrenzen gewandert. Ich bin der Überzeugung ..., daß wir unsere Kultur verfälschen, wenn wir sie aus dem europäischen Zusammenhang isolieren, wenn wir sie nur aus sich selbst verstehen wollen. Ich glaube, daß wir das Deutsche nur richtig

---

[648] Heuss im September 1950 im Verwaltungsrat (Protokolle des Verwaltungsrats, 22. 9. 1950; Direktionsakten GNM).
[649] Protokolle des Verwaltungsrats, 28. 6. 1960; Direktionsakten GNM.
[650] Protokolle des Verwaltungsrats, 27. 6. 1962; Direktionsakten GNM.
[651] Protokolle des Verwaltungsrats, 27. 6. 1962, Anlage 2; Direktionsakten GNM.

begreifen, wenn wir es als die besondere Gestalt eines Europäischen verstehen, das allen Völkern dieses Kontinents gemeinsam ist"[652].

Für die Bestimmung des Verhältnisses zwischen Museum und Nation war auch schon in früheren Abschnitten der Museumsgeschichte die Untersuchung der Beziehungen, die das Nürnberger Institut zu den in dieser Nation bestehenden politischen Gewalten unterhielt, wichtig gewesen. Um so mehr gilt das nun für die Zeit nach dem Zweiten Weltkrieg: die Zerstörung des Nationalstaates und die Versuche, der Nation eine neue politische Ordnung zu geben, waren nicht nur folgenreiche Einschnitte in der deutschen Nationalgeschichte, sondern betrafen auch unmittelbar das Germanische Nationalmuseum, das spätestens seit den Vereinbarungen von 1893 mit der bestehenden staatlichen Organisationsform in Deutschland institutionell verbunden war. Dabei war es eine frühe Folge der machtpolitischen Spaltung der Nation, daß es seit Kriegsende diese hier interessierenden Beziehungen nur noch zu solchen politischen Gewalten gab, in deren Einflußbereich Nürnberg als Sitz des Museums lag: Bayern, Westzonen, Bundesrepublik Deutschland: in dieser Einzelheit zeigt sich eindrucksvoll die enge Bindung des Museums an das Schicksal der Nation.

Wegen des überstaatlich konzipierten Museumszwecks berührte das Ende des Deutschen Reiches weniger die programmatischen Grundlagen als die materiellen und institutionellen Voraussetzungen für die Fortführung der Museumsarbeit. Vor allem der Fortfall der vom Reich gezahlten Subventionen und das Freibleiben der dem Reich satzungsgemäß zustehenden Sitze im Verwaltungsrat waren Probleme, die zum Besten des Museums nur in einer Form gelöst werden konnten, die die neue politische Ordnung in Westdeutschland zuließ. Die dabei, besonders in der frühen Nachkriegszeit, von den zunächst unter Besatzungsaufsicht handelnden rudimentären deutschen Staatsgewalten vertretenen Vorstellungen waren bezeichnend für das Verhältnis der in geänderter Form erhalten gebliebenen deutschen Einzelstaaten zu einem bloß noch der Idee nach fortbestehenden deutschen Gesamtstaat.

Die Museumsleitung wie die Regierungen der Länder, die in Deutschland nach dessen Einteilung in Besatzungszonen und vor allem nach der Auflösung Preußens gebildet worden waren, betrachteten den neuen Zustand der Nation, für die es keine gesamtstaatliche Institutionen mehr gab, verständlicherweise nicht als endgültig. Sie waren deshalb bei ihren Vereinbarungen über die künftige Unterstützung der Museumsarbeit durch die öffentliche Hand darum bemüht, alles zu tun, um der gegenwärtigen politischen Lage ihren Charakter als staatsrechtliches Provisorium zu bewahren. Auf Anweisung der amerikanischen Militärregierung wurden nach dem Krieg diejenigen Zuschüsse zum Museumshaushalt, die bis dahin vom Reich gewährt worden waren, vom bayerischen Kultusminister gezahlt. Aber obwohl dadurch Bayern, entsprechend den Regelungen von 1893, acht Neuntel der laufenden Kosten zu tragen hatte, verzichtete die Münchner Regierung ausdrücklich darauf, jetzt auch über die Besetzung der drei Sitze des Verwaltungsrats zu verfügen, deren Inhaber bis zum Kriegsende vom Reich ernannt worden waren: diese Sitze „sollen ... freigehalten werden, bis die Verhältnisse eine Ernennung geeigneter Persönlichkeiten aus allen Gebieten Deutschlands möglich erscheinen lassen"[653]. Diese Vorstellung, daß die Institutionen des Reiches in ihrer Zusammenarbeit mit dem Museum nicht so sehr als oberste Bürokratie als vielmehr als Repräsentation des gesamtdeutschen Staates tätig gewesen seien, blieb auch in den folgenden Jahren lebendig. So kam es zu den schon im Sommer 1946 einsetzenden und von der Museumsleitung nachdrücklich geförderten Bemühungen, an der Zahlung der bisher vom Reich ge-

---

[652] Nationalmuseum (Anm. 647), S. 558.
[653] Ministerialrat Dr. Jacob vom bayerischen Kultusministerium in der ersten Verwaltungsratssitzung nach dem Krieg (Protokolle des Verwaltungsrats, 22. 5. 1946, Auszug; Direktionsakten GNM).

währten Zuschüsse auch andere Länder zu beteiligen, nicht allein deshalb, um den bayerischen Etat zu entlasten, sondern immer auch in der Überzeugung, das auf die ganze Nation hin ausgerichtete Museumsprogramm verlange es, „den früheren Reichsanteil an den Verwaltungskosten wieder auf die breiteren Schultern einer deutschen Einheit zu legen"[654], dem Nürnberger Nationalmuseum „eine seinem gesamtdeutschen Ansehen entsprechende finanzielle Fundierung auf möglichst breiter Grundlage wiederzugeben" und „eine Verteilung der Verwaltungskosten . . . auf möglichst alle deutschen Gebiete" herbeizuführen[655]. Dabei war die Museumsleitung damit einverstanden, daß „für die Frage der Vertretung der Museumsbelange gegenüber den anderen deutschen Ländern das Bayerische Kultusministerium federführend sein soll"[656], das, „entsprechend seiner satzungsgemässen Stellung als Oberaufsichtsbehörde", immer wieder gebeten wurde, „für eine ausreichende Dotierung des Museums auf möglichst breiter Länderbasis zu sorgen"[657].

Als erstes bemühte sich die „Bayerische Staatsregierung . . ., in dieser Frage zunächst mit den anderen Ländern der amerikanischen Besatzungszone Fühlung zu nehmen"[658]. Schon an der zweiten Sitzung des Verwaltungsrats im Juli 1946 nahmen Vertreter der Kultusminister von Württemberg-Baden und Großhessen teil. Sie erklärten sich bereit, „die Gewährung von Zuschüssen ihrer Länder gegenüber den Finanzministerien der Länderregierungen zu vertreten, so dass eine Verteilung des Aufwandes entsprechend der gesamtdeutschen Bedeutung des Museums damit eingeleitet würde"[659]. Zwischen den Regierungen in München, Wiesbaden und Stuttgart wurden Verhandlungen aufgenommen, die auch andere „deutsche Forschungsinstitute von einer über den Rahmen eines einzelnen Staates hinausgehenden überragenden wissenschaftlichen Bedeutung" betrafen[660]. Sie führten zu der Vereinbarung, für diese Institute „gemeinsam die Mittel aufzubringen". Diese Vereinbarung wurde im Juni 1947 in Stuttgart unterzeichnet und trat Anfang 1948 in Kraft[661]; später wurde auch die als „amerikanische" Enklave in der britischen Besatzungszone gelegene Freie und Hansestadt Bremen zur Aufbringung dieser Mittel herangezogen[662]. Für das Germanische Nationalmuseum bedeutete das, daß die Zahlung des ehemaligen Reichszuschusses (sechs Neuntel der laufenden Kosten) – unter Vernachlässigung dieses erst nachträglich festgelegten bremischen Anteils – zu je einem Drittel (zwei Neuntel der Gesamtsumme) auf die drei süddeutschen Länder der amerikanischen Besatzungszone aufgeteilt wurde[663].

Für die Einschätzung der Nürnberger Nationalanstalt durch die – wenn auch zunächst nur beschränkt handlungsfähige – politische Gewalt im Deutschland der frühen Nachkriegszeit sind

---

[654] Jahresbericht GNM 92 (für 1946), 1947, S. 24.

[655] Protokolle des Verwaltungsrats, 24. 7. 1947; Direktionsakten GNM.

[656] Protokolle des Lokalausschusses des Verwaltungsrats, 4. 3. 1948; Direktionsakten GNM, Handakten Grundherr; Archiv GNM, ABK.

[657] Heuss als neugewählter Verwaltungsratsvorsitzender (Protokolle des Verwaltungsrats, 10. 9. 1948; Direktionsakten GNM).

[658] Protokolle des Verwaltungsrats, 22. 5. 1946, Auszug; Direktionsakten GNM.

[659] Protokolle des Verwaltungsrats, 17. 7. 1946; Direktionsakten GNM.

[660] Staatsabkommen (zwischen den Staaten Bayern, Hessen und Württemberg-Baden) über die . . . Finanzierung deutscher Forschungsinstitute vom 3. 6. 1947, Art. 2; hier auch das folgende Zitat. Dieses Abkommen wird hier in der Form zitiert, in der es nach seiner Ratifizierung durch den Wiesbadner Landtag mit dem hessischen Gesetz vom 29. 11. 1947 veröffentlicht wurde (Gesetz- und Verordnungsblatt für das Land Hessen, 1948, S. 1). Das „Germanische Museum in Nürnberg" wurde in Anlage II als Punkt 2 aufgeführt.

[661] Im März 1948 unterrichtete Regierungsdirektor Walter Keim vom bayerischen Kultusministerium den Nürnberger Lokalausschuß, „dass in diesen Tagen in München die endgültige Schlüsselung der kulturellen Aufgaben der drei Länder in der amerikanischen Zone beschlossen wird" (Protokolle des Lokalausschusses des Verwaltungsrats, 4. 3. 1948; Direktionsakten GNM, Handakten Grundherr; Archiv GNM, ABK).

[662] „. . . wobei . . ., wie ich erst in der Verwaltungsratssitzung (vom 10. 9. 1948) hörte, ein kleiner Prozentsatz auch auf das Land Bremen verteilt ist" (Troche an Wolff Metternich, Nürnberg, 23. 9. 1948, Abschrift; Direktionsakten GNM). Bremen war am 25. 8. 1948 dem Staatsabkommen beigetreten (Kurt Pfuhl: Das Königsteiner Staatsabkommen. In: Der öffentliche Haushalt Jg. 5 [1958/59], S. 200–215 [200]).

[663] Troche an Wolff Metternich, Nürnberg, 23. 9. 1948, Abschrift; Direktionsakten GNM.

aus der Entstehung dieses Abkommens mehrere Einzelheiten wichtig. Das eine ist eine Auseinandersetzung des bayerischen Vertreters mit den Ministerialdelegierten aus Hessen und Württemberg-Baden, zu der es im Juli 1947 im Verwaltungsrat über die Frage kam, weshalb die Verhandlungen, soweit sie die Förderung des Germanischen Nationalmuseums im besonderen betrafen, ins Stocken geraten seien. Der bayerische Vertreter bedauerte, daß die Kultusministerien in Stuttgart und in Wiesbaden die Fortführung dieser Verhandlungen abgelehnt hätten. Demgegenüber gaben die Vertreter dieser beiden Ministerien „übereinstimmend die Erklärung ab, die Verhandlungen seien ihrerseits nicht fortgesetzt worden, da man aus München gehört habe, Bayern lege keinen Wert auf eine Beteiligung anderer Länder, weil es die Finanzierung des Germanischen National-Museums selbst übernehmen werde. Die weitere Erörterung ergab (jedoch), dass diese widersprechenden Feststellungen beiderseits nur auf mündlichen Andeutungen beruhen"[664]. Die Lösung des Rätsels zeigte sich wenig später: Ende Juli 1947 erfuhr Troche in der bayerischen Staatskanzlei, „dass die Ansicht, Bayern wünsche keine Beteiligung der anderen Länder an den Verwaltungskosten unseres Museums, auf eine gelegentliche Äusserung von Herrn Staatsminister Dr. Hundhammer zurückgehe"[665].

Das zweite war die in derselben Münchner Unterredung gegebene offizielle Charakterisierung des Abkommens; es wurde, auch soweit die Nürnberger Nationalanstalt betroffen war, „ein erster Schritt . . . für die Wiederbeteiligung der inzwischen gebildeten Länder als Nachfolger des früheren Reiches" genannt. Deshalb wolle man, wie das schon der Nürnberger Verwaltungsrat kurz zuvor gewünscht hatte[666], auch in Verhandlungen mit den Ländern in der britischen Zone eintreten, die zu Beginn des Jahres 1947 mit dem amerikanischen Besatzungsgebiet zur Bizone zusammengeschlossen worden war. Der Stuttgarter Vertreter schließlich hatte sich schon früh bereit erklärt, sich „bei einer bevorstehenden Zusammenkunft mit Vertretern der Kulturabteilung für die französische Zone" für eine Förderung des Museums auch durch die Kultusministerien in dieser Zone einzusetzen[667].

Alois Hundhammers Absicht, von der hier beiläufig die Rede war und die letztlich ohne Folgen geblieben ist, war gewiß Ausdruck eines extremen Föderalismus: die Übernahme aller laufenden Kosten durch Bayern hätte zwar aus dem Museum noch kein bayerisches Staatsunternehmen gemacht, aber der programmatisch gefestigte gesamtdeutsche Charakter der Anstalt hätte zweifellos gelitten, wenn sie in Zukunft nur von einem einzigen deutschen Teilstaat unterstützt worden wäre. Dagegen entsprachen die anderen hier erwähnten Bemühungen, auch nichtbayerische Länder zur Förderung für das Nürnberger Institut heranzuziehen, viel eher den Vorstellungen der Museumsleitung. Allen diesen hier von staatlicher Seite entwickelten Plänen aber war eines gemeinsam: die Überzeugung, daß die gesamtdeutsche Staatsgewalt, die ihre staatsrechtliche Legitimierung ja ohnehin von den schon vor ihr bestehenden Einzelgewalten hatte herleiten müssen, mit dem Ende des Nationalstaates erloschen und an diese deutschen Einzelstaaten zurückgefallen sei: die Länder

[664] Protokolle des Verwaltungsrats, 24. 7. 1947; Direktionsakten GNM, Handakten Grundherr; Archiv GNM, ABK.

[665] Aktennotiz Troches, Nürnberg, 1. 8. 1947, Ausfertigung; Direktionsakten GNM. Hier auch das folgende Zitat. Troche hatte am 31. 7. 1947 in München in verschiedenen Behörden Verhandlungen geführt. Sein Gesprächspartner in der Staatskanzlei war Ministerialdirigent Friedrich Glum.

[666] Protokolle des Verwaltungsrats, 24. 7. 1947; Direktionsakten GNM, Handakten Grundherr; Archiv GNM, ABK. Hier hatte man vorgeschlagen, das bayerische Kultusministerium möge sich „mit den bizonalen Instanzen in Frankfurt" in Verbindung setzen, dabei aber nicht bedacht, daß die Bizonenverwaltung für kulturelle Fragen nicht zuständig war. In der Tat scheiterte ein im Frühjahr 1948 unternommener Versuch, die Finanzierung überregionaler Forschungsinstitute der Bizonenverwaltung zu übertragen, am berechtigten Einspruch der Kultusminister der Bizonenländer (Pfuhl [Anm. 662], S. 201).

[667] Protokolle des Verwaltungsrats, 17. 7. 1946; Direktionsakten GNM.

waren die „Nachfolger des früheren Reiches". Die Ähnlichkeit mit dem Zustand der Nation in der Gründungsphase des Museums ist auch hier nicht zu übersehen.

Nachdem mit dem Zusammentritt des Parlamentarischen Rats in Bonn (1. September 1948) die Bildung eines über diesen deutschen Ländern stehenden Gesamtstaates, zumindest im Bereich der Westzonen, wahrscheinlich geworden war, versuchte die Museumsleitung, dies ihren gesamtdeutschen Absichten bei der Finanzierung des Unternehmens nutzbar zu machen. Bei der Erörterung der „schwerwiegenden Finanzierungsprobleme, die in der Zukunft die Hauptsorge des Verwaltungsrates und der Direktion bilden werden", gab der stellvertretende Vorsitzende des Verwaltungsrats, Hans Christoph Freiherr von Tucher, im September 1948 im Verwaltungsrat zu bedenken, „dass sich die Last der jetzt beteiligten Länder wesentlich verringern lasse, wenn die Zahlung des früheren Reichszuschusses . . . wieder auf alle deutschen Länder, wenigstens zunächst in den Westzonen und Berlin, umgelegt werden könne". Heuss, neugewählter Vorsitzender des Verwaltungsrats und selber prominentes Mitglied der Bonner Konstituante, meinte, „dass in der neuen deutschen Bundeskonstruktion Kulturfragen wohl auf der Länderebene bleiben würden. Es könne sich aber später ergeben, dass manche Institute doch gesamtdeutsch zu behandeln seien. Zwar könne man das Germanische National-Museum nicht gleich herausheben, doch dürfte es bald eine Clearingstelle geben, die sich derartiger Fragen annehmen könne". Demgegenüber wollte der Münchner Ministerialvertreter „die Frage lieber weiterhin auf der Grundlage des bestehenden Staatsvertrages behandelt wissen, dessen Ausgangsbasis die daran beteiligten Länder seien. Es handele sich hier auch um eine politische Frage . . ."[668].

Der Verwaltungsrat arbeitete damals einen Plan aus, nach dem der bisherige Reichszuschuß je zur Hälfte auf die Länder in der britischen und in der amerikanischen Besatzungszone aufgeteilt werden sollte. Die Länder in der französischen Zone blieben unberücksichtigt, weil, wie damals nicht nur Troche meinte, „aus der französischen Zone . . . auf die Dauer wohl kaum eigene Länderbildungen hervorgehen (werden)"[669]. Troche erinnerte aber ausdrücklich daran, daß es sich bei diesem Vorschlag für eine möglichst gesamtdeutsche Förderung des Museums nur um Überlegungen der Museumsleitung handle: „. . . bei der endgültigen Regelung (wird sich) das bayerische Kultusministerium, unsere satzungsmässige Oberaufsichtsbehörde, . . . zweifellos die entscheidende Stimme vorbehalten . . ., da dort eine politische Beurteilung hinzutritt"[670].

In der Tat hatten bereits die Länderregierungen in den drei westlichen Besatzungszonen Verhandlungen über eine gemeinsame Förderung „überregionaler" wissenschaftlicher Institute aufgenommen. Als Ergebnis dieser zum Teil sehr schwierigen Verhandlungen[671] wurde im März 1949, noch vor der Gründung der Bundesrepublik Deutschland, in Königstein im Taunus ein „Staatsabkommen der Länder des amerikanischen, des britischen und des französischen Besatzungsgebietes über die Finanzierung wissenschaftlicher Forschungseinrichtungen" unterzeichnet[672], das im April 1949 in Kraft trat und in dem auch das Germanische Nationalmuseum berücksichtigt wurde.

[668] Protokolle des Verwaltungsrates, 10.9.1948; Direktionsakten GNM.

[669] Vor allem die Teilung von Württemberg und Baden in neue französisch oder amerikanisch besetzte Länder wurde zurecht für wenig beständig gehalten (vgl. dazu Eberhard Konstanzer: Die Entstehung des Landes Württemberg-Baden. Stuttgart 1969, S. 85, 94, 99–127). Rheinland-Pfalz hingegen war keine vorübergehende Bildung.

[670] Troche an Wolff Metternich, Nürnberg, 23.9.1948, Abschrift; Direktionsakten GNM.

[671] Pfuhl (Anm. 662), S. 202.

[672] Das Königsteiner Abkommen ist im ursprünglichen Wortlaut unveröffentlicht geblieben. In dem Text, der nach der Ratifikation des Abkommens durch die einzelnen Landtage in den Landesgesetzblättern kundgemacht wurde, werden die Vertragspartner bereits als „Länder der Bundesrepublik Deutschland" bezeichnet (z. B.: Gesetz- und Verordnungsblatt für das Land Hessen, 1950, S. 179). Ich zitiere hier nach der Fassung, die vom niedersächsischen

Diese staatsvertraglich geregelte Ersetzung der Förderung, die bis zum Kriegsende der Nürnberger Nationalanstalt von seiten des Reiches gewährt worden war, durch die Gesamtheit der Länder – und nicht durch den neugeschaffenen Bund – blieb bis heute diejenige Form, in der allein der gesamtdeutsche Charakter des Museums bei dessen regulärer materieller Unterstützung durch die öffentliche Hand berücksichtigt wird. Der Bund hat zwar wiederholt mit außerordentlichen Zuschüssen, vor allem zur Finanzierung des Wiederaufbaus, der Nürnberger Anstalt geholfen, aber an dem Anspruch der Länder, in ihrer Gesamtheit und unter Berufung auf ihre durch die Entwicklung in der frühen Nachkriegszeit gefestigte Kulturhoheit gegenüber dem Museum den gesamtdeutschen Staat zu repräsentieren, hat sich dadurch nichts geändert.

Es war nicht leicht, diese nach dem Zweiten Weltkrieg eingetretene Veränderung in den Beziehungen des Museums zur politischen Gewalt in Deutschland bei der Zusammensetzung des Verwaltungsrats angemessen zu berücksichtigen. Von Anfang an war man sich darüber einig, daß die Satzungsbestimmungen so wenig wie möglich geändert werden sollten und daß der Verwaltungsrat als oberstes Leitungsorgan der Anstalt nicht zu groß werden dürfe, damit er arbeitsfähig bleiben könne. Den bereits erwähnten Verzicht Bayerns auf die Besetzung der drei Reichsmandate honorierten die gewählten Mitglieder, die nach dem Kriegsende ebenfalls nicht mehr vollzählig waren, damit, daß sie sich ihrerseits damit begnügten, ihren Kreis durch Zuwahlen nicht auf die in den „Satzungen ... vorgesehenen 18 Mitglieder, sondern nur auf 10–12 Mitglieder" zu erweitern. „Dadurch würde das Anteilsverhältnis zwischen ... ernannten und ... gewählten Mitgliedern sich im Rahmen der satzungsmässig vorgesehenen Relation von 7 ernannten zu 18 gewählten Mitgliedern halten." Daß man den Charakter dieser Maßnahmen als Provisorium unterstreichen, sich zugleich aber um die Erhaltung der institutionellen Kontinuität in der Leitung eines gesamtnationalen Unternehmens bemühen wollte, zeigte folgende Überlegung: „Eine vorläufige Gesamtzahl von 14–16 Verwaltungsratsmitgliedern würde ... eine Mehrheit der satzungsmässig vorgeschriebenen Mitgliederzahl von 25 bilden. Damit wäre eine gewisse Gewähr dafür geboten, dass die Mehrheit eines später wieder auf 25 Mitglieder ergänzten Verwaltungsrates sich für die Gültigkeit von Beschlüssen aussprechen würde, die in der gegenwärtigen Übergangzeit von dem absichtlich noch nicht wieder auf die volle Zahl gebrachten Gremium gefasst worden sind. Die Ergänzungen des Verwaltungsrates könnten dann schrittweise erfolgen, sobald sich mit der Klärung der Verhältnisse in ganz Deutschland die Persönlichkeiten herausstellen, deren Gewinnung für das Museum dem traditionellen Niveau entsprechen würde"[673].

Für die Untersuchung der Beziehungen des Museums zur Nation sind von dieser „schrittweisen" Erweiterung des Verwaltungsrats in den nächsten Jahren, bis auf einige wenige Ausnahmen, nur diejenigen Entscheidungen und die ihnen vorhergegangenen Überlegungen wichtig, die die Besetzung der drei Sitze betrafen, über die bis zum Ende des Krieges allein das Reich hatte verfügen können. Noch im Frühjahr 1946 nahmen die Kultusminister der anderen beiden zur amerikanischen Zone gehörenden süddeutschen Länder die Einladung an, Vertreter mit beratendem Stimmrecht in den Nürnberger Verwaltungsrat zu entsenden[674]. Nach der Bildung der Bizone zu

Ministerpräsidenten Hinrich Kopf unterzeichnet worden ist (Hannover, 31. 5. 1949) und die mir vom hessischen Kultusminister, zu dessen Ressort die Geschäftsstelle des Abkommens gehörte (Durchführungsbestimmungen, § 4, 3 und § 6), zur Verfügung gestellt wurde. In der Anlage zu diesem Abkommen („Übersicht über die wissenschaftlichen Forschungseinrichtungen, die ... gemeinsam zu finanzieren sind") ist das Germanische Nationalmuseum unter „Bayern" aufgeführt; im Staatsabkommen vom Juni 1947 (Anm. 660) waren die zu fördernden Institute noch nicht nach Ländern gegliedert gewesen.

[673] Tucher in der ersten Sitzung des Verwaltungsrats nach dem Krieg (Protokolle des Verwaltungsrats, 22. 5. 1946, Auszug; Direktionsakten GNM).

[674] Protokolle des Verwaltungsrats, 17. 7. 1946; Direktionsakten GNM. Die gesamtdeutsche Absicht dieser Einladung

Beginn des folgenden Jahres wurde eine gleiche Einladung auch an die Kultusminister in den „Staaten" der britischen Zone gerichtet: „Durch diese Vertretung soll zunächst in Fühlungnahme mit den anderen Ländern der Vereinigten Westzonen eine Basis der Erörterungen über die Gestaltung des Germanischen National-Museums angestrebt werden, welche die frühere Reichsgrundlage des Institutes im Rahmen der heutigen Möglichkeiten ersetzen kann"[675]. An der Verwaltungsratssitzung im Juli 1947 nahm zwar kein „Ländervertreter der britischen Zone" teil, die Eingeladenen, unter ihnen der niedersächsische Kultusminister Adolf Grimme, hatten aber trotz ihrer Absage „ihr Interesse an dem Fortbestand und Wiederaufbau des Germanischen National-Museums" deutlich zu verstehen gegeben[676].

Im November 1947 erschien es Troche in einer kleinen Denkschrift an den bayerischen Kultusminister über die „Beteiligung der neuen Verwaltungskostenträger am Verwaltungsrat" noch „nicht ratsam, die noch nicht endgültige staatliche Reorganisation Deutschlands zum Anlass zu nehmen, das bisherige Stimmenverhältnis im Verwaltungsrat abzuändern". Das wäre aber unausweichlich, wenn die bisherigen Reichsmandate, entsprechend dem Staatsabkommen vom Juni 1947, den Ländern in der amerikanischen Besatzungszone zur Verfügung gestellt werden würden, denn dann müßten wegen des gesamtdeutschen Charakters des Museums zusätzliche neue Sitze für diejenigen deutschen Gebiete geschaffen werden, die sich noch nicht an den Kosten beteiligten; eine solche „Vermehrung der ernannten Mitglieder (würde) eine proportionale Erhöhung der gewählten Mitglieder nach sich ziehen und den Verwaltungsrat unerwünscht ausweiten". Troche schlug statt dessen vor, diese drei Reichssitze „mit je einem Vertreter der amerikanischen Zone – außer Bayern –, der britischen und der östlichen Besatzungszone zu besetzen". Die Kultusminister dieser Länder sollten entweder sich auf je einen gemeinsamen Vertreter einigen oder einen turnusmäßigen Wechsel vereinbaren. Weil nur drei Sitze zur Verfügung standen, war es Troche nicht möglich, bei diesem Vorschlag auch die Länder in der vierten, der französischen Besatzungszone zu berücksichtigen[677]. Er machte aber darauf aufmerksam, daß der dem Verwaltungsrat „seit langen Jahren" als gewähltes Mitglied angehörende Freiburger Ordinarius für christliche Archäologie, Joseph Sauer, „zweifellos das Vertrauen der dortigen Regierung genießt"; „nach dessen späterem Ausscheiden (würde) erneut ein Vertreter aus der französischen Zone gewählt werden . . .".

Wenn in der hier vorgeschlagenen Weise alle sieben von seiten des Staates zu ernennenden Mitglieder bestellt seien, könne der Verwaltungsrat damit beginnen, auch den Kreis der gewählten Mitglieder, der ja nach dem Krieg ebenfalls unvollständig belassen worden war, bis zur satzungsmäßigen Zahl zu ergänzen. Bei der Erörterung dieser Frage versuchte Troche, die inzwischen eingetretene Verländerung des deutschen Gesamtstaates durch das Angebot zu berücksichtigen, „den deutschen Länderregierungen . . . (kann) nahegelegt werden, den Verwaltungsrat wissen zu lassen, welche Persönlichkeiten von hervorragender Bedeutung, vornehmlich aus Kreisen der Wissenschaft und Kunst, sie gerne im Verwaltungsrat sehen würden". Diese Anerkennung der politi-

---

und deren Annahme, „wodurch die Anteilnahme der deutschen Länder einstweilen für das amerikanische Besatzungsgebiet zum Ausdruck kam", wurde der am Schicksal des Museums interessierten Öffentlichkeit nicht vorenthalten: „Die einstweilige, für die Arbeits- und Beschlußfähigkeit zureichende Lösung wurde mit dem Bedacht vorgenommen, daß einer später eintretenden Möglichkeit der Ergänzung aus den noch nicht vertretenen Bereichen der deutschen Gesamtheit der Weg frei zu halten sei" (Jahresbericht GNM 92 [für 1946], 1947, S. 60–61).

[675] Troche an württemberg-badischen Kultusminister, Nürnberg, 8. 7. 1947, Durchschrift; Direktionsakten GNM.

[676] Hans Ziegler, Oberbürgermeister von Nürnberg und interimistischer Vorsitzender des Verwaltungsrats, bei der Eröffnung der Sitzung (Protokolle des Verwaltungsrats, 24. 7. 1947; Direktionsakten GNM).

[677] Es ist gewiß mehr als ein Zufall, daß Troche gerade die französische Zone unbeachtet ließ: wie schon erwähnt, hat er auch noch später in den in der französischen Zone entstandenen Ländern nur vorübergehende Bildungen gesehen.

schen Wirklichkeit bekräftigte Troche noch durch die Versicherung: „Der Verwaltungsrat wird auch unter seinen gewählten Mitgliedern eine angemessene Verteilung in der landschaftlichen Herkunft berücksichtigen". Im übrigen könnten alle Kultusministerien, vor allem diejenigen, die hier „nicht zum Zuge kämen", Vertreter mit beratender Stimme in den Verwaltungsrat entsenden[678]. Eine so weitgehende Rücksichtnahme auf das Vorhandensein deutscher Einzelstaaten hatte es in den früheren Abschnitten der Museumsgeschichte nicht gegeben.

In leicht geänderter Form wurden diese Vorschläge für eine „symbolische" Besetzung der früheren Reichsmandate in der nächsten Verwaltungsratssitzung im September 1948 verwirklicht. Weil „der Zeitpunkt eingetreten (scheine), wo sich die Verhältnisse wenigstens soweit konsolidiert haben, dass die für den Verwaltungsrat des Germanischen National-Museums wünschenswerten Persönlichkeiten sich abzeichnen", entschloß man sich zur „Auffüllung" des Verwaltungsrats durch Zuwahlen. „Da die früher von der Reichsregierung zu ernennenden drei Mitglieder vorläufig nicht eingesetzt werden könnten, ... betrachte (man) ... Herrn Direktor Dr. Robert Schmidt[679] als Vertreter Berlins und des Ostens, Herrn Professor Franz Graf Wolff Metternich als Vertreter der britischen Besatzungszone und Herrn Direktor Dr. Kurt Martin in seiner Eigenschaft als Direktor des Landesamtes der badischen Museen als den Vertreter der französisch besetzten Gebiete." Diese Vereinbarung erfolgte einstimmig und hatte, wie protokolliert wurde, insofern satzungsändernden Charakter[680]. Später, nach der Gründung der Bundesrepublik Deutschland, wurden diese drei gewählten Repräsentanten Gesamtdeutschlands von der Kultusministerkonferenz als „ernannte Vertreter der Bundesländer" anerkannt[681].

Theodor Heuss begann nach seiner Wahl zum Bundespräsidenten die Reihe seiner Antrittsbesuche in den deutschen Bundesländern Anfang Oktober 1949 in Bayern, dem größten Land der Bundesrepublik, dessen Landtag allerdings als einziger das Grundgesetz verworfen hatte. Heuss kam dabei auch nach Nürnberg und leitete eine Verwaltungsratssitzung des Germanischen Nationalmuseums, an der die Herren seiner Begleitung, soweit die satzungsmäßigen Voraussetzungen erfüllt waren, mit beratender Stimme teilnahmen. Zu diesen beratenden Mitgliedern gehörte auch der bayerische Kultusminister Hundhammer. Hundhammer regte an, „in den Satzungen des Museums nunmehr an allen Stellen das Wort ‚Reich' durch ‚Bund' zu ersetzen"[682]. Es mag sein, daß dieser Vorschlag, der sofort einstimmig zum Beschluß erhoben wurde, als Freundlichkeit für den Staatsgast gedacht gewesen war, vielleicht wollte Hundhammer damit auch in Anwesenheit des Staatsoberhaupts, also in feierlicherer Form, die jüngsten staatsrechtlichen Veränderungen in Deutschland in die Museumssatzung aufnehmen lassen; die Verwirklichung seiner Anregung hätte aber, wenn sie im folgenden Jahr nicht widerrufen worden wäre, das Ende des Kulturföderalismus im Bereich des Germanischen Nationalmuseums bedeutet. Denn nunmehr war allein die Bundesregierung berechtigt, über die Besetzung der drei bisher dem Reich zur Verfügung stehenden

---

[678] Troche an bayerischen Kultusminister, Nürnberg, 4. 11. 1947, Durchschrift; Direktionsakten GNM. Ob tatsächlich Versuche unternommen wurden, entsprechend diesem Vorschlag die Länder der sowjetischen Besatzungszone hier zu beteiligen, ist unbekannt.

[679] Schmidt fühlte sich „insoweit" „als Vertreter für Berlin ...", als er Jahrzehnte hindurch das dortige Schloßmuseum geleitet habe und auch jetzt in Celle Bestände der Berliner Museen zu verwalten habe" (Protokolle des Verwaltungsrats, 10. 9. 1948; Direktionsakten GNM). Daß man in diese symbolische Repräsentation Gesamtdeutschlands nur einen früher in Berlin tätig gewesenen, jetzt aber in Westdeutschland lebenden Museumsdirektor als Vertreter für Berlin und die Ostzone berufen konnte, war eine Folge der Spaltung Deutschlands: der symbolische Charakter dieses Verfahrens wurde dadurch gleichsam verdoppelt.

[680] Protokolle des Verwaltungsrats, 10. 9. 1948; Direktionsakten GNM.

[681] Mitteilung Tuchers im Verwaltungsrat (Protokolle des Verwaltungsrats, 24. 10. 1953; Direktionsakten GNM).

[682] Protokolle des Verwaltungsrats, 7. 10. 1949; Direktionsakten GNM, Handakten Grundherr; Archiv GNM, ABK.

Verwaltungsratssitze zu entscheiden, während die Bundesländer, die im Königsteiner Abkommen die Zahlung der ehemaligen Reichssubventionen übernommen hatten, im Verwaltungsrat überhaupt nicht vertreten waren. Nur die drei „traditionellen" bayerischen Delegierten hatten weiter Sitz und Stimme, aber ihre Zugehörigkeit zum Verwaltungsrat war nicht eine Folge der politischen Veränderungen nach 1945, sondern gründete in den im Prinzip nach wie vor in Kraft stehenden Vereinbarungen von 1893. Die für die Angelegenheiten des Museums zuständigen Referenten im bayerischen Kultusministerium genehmigten anscheinend nur mit großen Bedenken, offensichtlich allein deshalb, weil der Vorschlag vom Minister selbst gemacht worden war, diese Satzungsänderung[683].

Heuss selbst war es, der auf der nächsten Verwaltungsratssitzung im September 1950 darauf aufmerksam machte, daß die nun in Kraft getretene Zuweisung der Kompetenzen an den Bund mit dem Grundgesetz – Kulturhoheit der Länder – und mit den Festlegungen des Königsteiner Abkommens – „da nicht der Bund zahle, sondern die Länder," – nicht übereinstimmten[684]. Deshalb wurde die Satzung ein weiteres Mal in der Weise geändert, daß nicht die Bundesregierung, sondern die Regierungen der Bundesländer über die drei alten Reichssitze verfügen durften; praktisch werde das, wie der Staatssekretär im bayerischen Kultusministerium Dieter Sattler erklärte, durch die Kultusministerkonferenz geschehen[685]. Eine Zusammenlegung dieser Ländervertretung mit den bayerischen Mandaten wurde jetzt und auch später nicht erwogen[686].

Dieser Verwaltungsratsbeschluß, durch den die Satzung des Germanischen Nationalmuseums nur der neuen politischen Wirklichkeit in der Bundesrepublik angeglichen worden war, löste eine vorübergehende Verärgerung in Bonn aus. Bundesinnenminister Gustav Heinemann hatte wissen lassen, er werde „die Sache nicht ohne weiteres hinnehmen, sondern sich deshalb nochmals an den Präsidenten Heuss wenden; ... Jedenfalls ist es nicht sehr glücklich, daß in einem Moment, wo wir vom Bund fast eine halbe Million D-Mark erbitten, wir dem Bund gleichzeitig alle stimmberechtigten Verwaltungsratsstühle wegziehen"[687].

Seit dieser Satzungsänderung von 1950 war der Bund für mehrere Jahre nur mit beratender Stimme im Verwaltungsrat vertreten. Daß, wie bereits erwähnt, die Kultusministerkonferenz die

---

[683] „Ich habe ... darauf aufmerksam gemacht, dass Herr Staatsminister Dr. Hundhammer ... selbst den Vorschlag gemacht habe, in den Satzungen des Museums das Wort ‚Reich' durch das Wort ‚Bund' zu ersetzen. Darauf sagte mir Herr Dr. Keim ..., dass diese vom Verwaltungsrat einstimmig beschlossene Satzungsänderung ja noch nicht durch eine entsprechende ministerielle Entschließung genehmigt worden sei und dass er den Minister schon in einer kleinen Aktennotiz auf die juristischen Folgen der Satzungsänderung aufmerksam gemacht habe. Herr Dr. Keim meinte auch, dass diese Folgen dem Minister im Augenblicke seines Vorschlages gar nicht bewusst gewesen seien" (Troche an Grundherr, Nürnberg, 17.3.1950, Durchschrift; Direktionsakten GNM). Troche unterrichtete hier Grundherr über den Verlauf einer Unterredung im bayerischen Kultusministerium, zu der er wegen des geplanten Besuchs einer Kulturkommission des Bundestags nach München gebeten worden war; s. dazu u. S. 261–262. Auf der nächsten Verwaltungsratssitzung berichtete Heuss über diese ministerielle Genehmigung (Protokolle des Verwaltungsrats, 22.9.1950; Direktionsakten GNM).

[684] In diesem Zusammenhang wies Heuss ausdrücklich darauf hin, daß im Sinne der Satzung die Zahlung von Subventionen die Voraussetzung für die Ausübung eines stimmberechtigten Staatsmandats im Verwaltungsrat sei: „Bei späteren laufenden Zahlungen durch den Bund könnten dann auch die Satzungen dem angepasst werden".

[685] Protokolle des Verwaltungsrats, 22.9.1950; Direktionsakten GNM.

[686] „... dass man ... Bayern ... hier ein besonderes Recht geben solle, weil es mehr zahle als die übrigen Länder" (Otto Ziebill, Oberbürgermeister von Nürnberg, im Verwaltungsrat; Protokolle des Verwaltungsrats, 22.9.1950; Direktionsakten GNM).

[687] Grundherr an Troche, Bonn, 13.10.1950, Ausfertigung; Direktionsakten GNM. Heinemann war wenige Tage vorher zurückgetreten. Grundherr berichtete hier aufgrund von Informationen, die er vom Staatssekretär im Bundesinnenministerium noch zur Amtszeit Heinemanns erhalten hatte: „... wie der neue Innenminister Lehr sich zu der Frage stellen wird, wird bald zu ersehen sein". – Im September 1950 hatte der Verwaltungsrat beschlossen, sich wegen einer Finanzbeihilfe für den Wiederaufbau des Museums an mehrere Bundesminister zu wenden und auch eine Initiative der Bundestagsparteien anzuregen (Protokolle des Verwaltungsrats, 22.9.1950; Direktionsakten GNM).

im Jahre 1948 zu symbolischen Reichsvertretern gewählten Verwaltungsratsmitglieder später als Ländervertreter betrachtete, die von ihr bestellt worden seien, kann zwar als Beweis für die Bereitschaft der Länder verstanden werden, diese im September 1948 in gesamtdeutscher Absicht getroffenen Entscheidungen der Museumsleitung möglichst behutsam dem neuen deutschen Staatsrecht anzupassen. Aber diese Regelung nützte dem Museum wenig, denn anders als die früheren Reichsvertreter besaßen diese drei Länderdelegierten keinerlei Kompetenzen in der für die Förderung des Museums allein zuständigen Ministerialbürokratie[688]. Deshalb war man in Nürnberg damit einverstanden, daß diese Ländersitze, nachdem sie in der Mitte der fünfziger Jahre vakant geworden waren, von der Kultusministerkonferenz so besetzt wurden, daß ihre Inhaber als wirkliche Vertreter der Bundesländer tätig sein konnten. Der Versuch freilich, die Kultusministerkonferenz dazu zu bringen, dabei nur zwei Sitze mit Länderdelegierten zu besetzen und für die Besetzung des dritten einen Personalvorschlag der Bundesregierung zu erbitten und zu akzeptieren, fand trotz anfänglicher Zusage schließlich doch keine Zustimmung in der Kultusministerkonferenz[689]. Erst als 1957 die Museumssatzung wegen der inzwischen nötig gewordenen Anpassung an das neue bayerische Stiftungsgesetz aus dem Jahre 1954 geändert werden mußte, gelang es, einen neuen, achten Sitz für ein vom Staat ernanntes Verwaltungsratsmitglied zu schaffen, dessen Besetzung nun der Bundesregierung zusteht[690].

Es ist schwer, eine in allem überzeugende Antwort auf die Frage zu geben, weshalb man hier, entgegen der Praxis vor 1945, in den Verwaltungsrat einen Regierungsvertreter aufgenommen hat, dessen Behörde damals und auch später noch[691] keine regelmäßigen Zuschüsse zum Haushalt des Museums leistete. Gewiß war dies auch als Anerkennung für die großzügige Hilfe des Bundes beim Wiederaufbau und bei der Erwerbung besonders kostbarer Einzelstücke gedacht gewesen. Aber bei den seit 1950 immer wieder unternommenen Versuchen, dem Bund im Verwaltungsrat

---

[688] Im Oktober 1952 erklärte Tucher im Verwaltungsrat: „Vor 1945 seien die Regierungsvertreter im Verwaltungsrat für die Genehmigung der im Verwaltungsrat beschlossenen Anträge zuständig gewesen. ... Die Zustimmung der drei Vertreter der Länder habe aber (heute) nicht die Wirkung einer staatlichen Zustimmung bzw. Zustimmung der Königsteiner Länderkonferenz" (Protokolle des Verwaltungsrats, 4. 10. 1952; Direktionsakten GNM). Ähnliches wiederholte er im folgenden Jahr: „... dass die drei früher von der Reichsregierung ernannten Mitglieder in der Lage waren, im Verwaltungsrat verbindliche Erklärungen abzugeben, da sie zugleich die dazu erforderlichen Ressort-Kompetenzen besaßen. ... Da sie (i. e. die drei z. Zt. amtierenden Ländervertreter) keine Ressort-Kompetenz in der Kultusminister-Konferenz besitzen, ergab sich, dass sie ihr Amt im Verwaltungsrat ohne Weisungen ausführen müssen und keine für die Kultusminister-Konferenz verbindliche Erklärung abgeben können" (Protokolle des Verwaltungsrats, 24. 10. 1953; Direktionsakten GNM).
[689] „... hat Baron Tucher mit Herrn Prof. Heuss und auf dessen Anregung anschliessend mit Herrn Kultusminister Dr. Schwalber (Bayern) folgenden Vorschlag besprochen: ... die Kultusminister-Konferenz (lädt) die Bundesregierung ein, für die Besetzung der Stelle des dritten Vertreters der Regierungen der Länder einen Vorschlag zu machen. Auf diese Weise kann ein Vertreter der Bundesregierung ohne Veränderung der bisherigen Rechtslage und ohne Beeinträchtigung der Zuständigkeiten der Kultusminister-Konferenz in den Verwaltungsrat ernannt werden. Herr Kultusminister Dr. Schwalber hat diesem Vorschlag zugestimmt ..." Auf die staatsrechtliche Problematik dieser Konstruktion machte sogleich der an der Sitzung mit beratender Stimme teilnehmende Ministerialrat Dr. Kipp vom Bundesinnenministerium aufmerksam: er „bezweifle, dass ein Angehöriger des Bundesinnenministeriums Vertreter der Länder sein könne" (Protokolle des Verwaltungsrats, 24. 10. 1953; Direktionsakten GNM). Im nächsten Jahr mußte Tucher dann berichten, daß die Kultusministerkonferenz auf diesen Vorschlag nicht eingegangen sei: „Damit sei kein stimmberechtigter Vertreter des Bundes im Verwaltungsrat" (Protokolle des Verwaltungsrats, 2. 7. 1954; Direktionsakten GNM).
[690] Protokolle des Verwaltungsrats, 6. 6. 1957, 6. 9. 1958 und 6. 6. 1959; Direktionsakten GNM.
[691] Noch im Juni 1964 erklärte der Bundesvertreter, Carl Gussone, „auf die Frage von Baron Tucher nach den Aussichten für einen regelmäßigen Betrag aus Bundesmitteln für die Neuerwerbungen des Museums, daß es bei der gegenwärtigen Haushaltslage auch für 1965 praktisch aussichtslos sei, diesen grundsätzlich richtigen Plan zu verwirklichen". Gussone verwies „auf die ... Zuschüsse des Bundes zum Wiederaufbau und erinnerte an die vom Bund auch schon zu wichtigeren Ankäufen, z. B. bei der Erwerbung des Echternacher Kodex und der Bibliothek Neufforge geleisteten Beiträge, so daß der Gedanke, diese gelegentlichen Zuschüsse zu Neuerwerbungen in regelmäßige zu verwandeln, nicht abwegig sei" (Protokolle des Verwaltungsrats, 2. 6. 1964; Direktionsakten GNM).

„wieder Sitz und Stimme" zu geben[692], scheint auch die Absicht mitgespielt zu haben, nicht nur die Vertreter der in Kulturfragen weitgehend autonomen Einzelgewalten, sondern – ohne Rücksicht auf die neuen Subventionierungsregeln – auch den vollberechtigten Vertreter eines deutschen Gesamtstaates im Leitungsorgan der Nationalanstalt anwesend zu wissen. Jedenfalls würde diese Erklärung den Überlegungen entsprechen, mit denen, wie gezeigt wurde, in der frühen Nachkriegszeit die verschiedenen provisorischen Lösungen für die Besetzung der drei Reichsmandate begründet wurden. Auch die Ländervertreter hatten offensichtlich keine prinzipiellen Bedenken gegen die Einrichtung eines zusätzlichen Verwaltungsratssitzes für den Bund, obwohl früher befürchtet worden war, eine solche Satzungsänderung könnte am Einspruch des bayerischen Kultusministers scheitern[693].

Daß aber die „Eifersucht zwischen den Ländern, und insbesondere Bayern, einerseits und dem Bund andererseits in kulturellen Fragen"[694] die Tätigkeit des Museums mitunter erschweren konnte, zeigt nicht nur der Rat Heuss' aus dem Februar 1954, man möge mit einem Antrag an den Bund um einen Zuschuß zur Erwerbung des Echternacher Kodex „sehr vorsichtig" sein[695]. Ein früher Versuch, den gerade ins Leben getretenen Bund als neuen deutschen Gesamtstaat an der Förderung des Germanischen Nationalmuseums unmittelbar zu beteiligen, führte im März 1950 sogar zu einer Intervention der bayerischen Kultusbürokratie beim Museumsdirektor[696]. Der Bundestagsabgeordnete und spätere hessische Kultusminister Arno Hennig (SPD) hatte Anfang 1950 das Museum besucht und sich dabei über die finanzielle Lage und die Probleme des Wiederaufbaus informieren lassen[697]. Der ihm überreichten Satzung in der gerade revidierten Fassung glaubte er entnehmen zu können, daß dem Bund in Zukunft doch größere Kompetenzen in Kulturangelegenheiten zugestanden werden würden, „denn in den . . . Satzungen sei bereits jetzt überall das Wort ‚Reich' durch ‚Bund' ersetzt"[698]. Hennig plante deshalb, zusammen mit dem von ihm geleiteten Kulturausschuß des Bundestages das Museum zu besuchen und „dabei die Frage einer etwaigen finanziellen Unterstützung des Germanischen National-Museums durch den Bund" zu besprechen[699]. Im bayerischen Kultusministerium, dem dieser Besuch vom Ausschuß vorher angezeigt worden war, war man mit einer solchen Aktivität der „tatendurstige(n) Kulturkommission des Bundestages"[700] nicht einverstanden. Man bat Troche Anfang März 1950 ins Ministerium und erinnerte ihn daran, „dass die finanzielle Basis für das Museum durch das Königsteiner Länderabkommen geregelt sei und dass man keine Zuständigkeit des Bundes in dieser Angelegenheit wünsche oder aufkommen lassen wolle". Troche versicherte, daß die Initiative zu diesem Besuch nicht vom Museum, sondern von Hennig ausgegangen sei. Weil aber der außerordentliche Zuschuß zum Wiederaufbau des Museums, für den sich Hundhammer bei der Kultusmi-

---

[692] Tucher in seinem Bericht über die gescheiterten Bemühungen, auf den dritten Reichssitz einen im Einvernehmen mit der Kultusministerkonferenz zu bestellenden Bundesvertreter zu berufen (Protokolle des Verwaltungsrats, 2. 7. 1954; Direktionsakten GNM).

[693] Tucher (Anm. 692).

[694] Troche an Grundherr, Nürnberg, 17. 3. 1950, Durchschrift; Direktionsakten GNM.

[695] „Ich bitte, sehr vorsichtig an diese Sache heranzugehen, nachdem München (die Erwerbung des Kodex) abgelehnt hat. Da wir noch sehr auf das Wohlwollen der (Länder-)Regierungen angewiesen sind, müssen wir vermeiden, dass die Münchner sagen: die scheinen Geld im Überfluss zu haben" (Heuss an Grote, Bonn, 16. 2. 1954, Ausfertigung; Sonderakten „Echternacher Kodex"; Altregistratur GNM, Abt. III, o. Nr.).

[696] Die Grundlage für die folgende Darstellung bilden: Kurzprotokoll der 5. Sitzung des Unterausschusses „Kunst" des 37. Ausschusses des Deutschen Bundestags, o. D., Abschrift; Aktennotiz Troches, Nürnberg, 13. 3. 1950, Ausfertigung; Troche an Grundherr, Nürnberg, 17. 3. 1950, Durchschrift; Direktionsakten GNM. Troches Besuch in München fand am 1. 3. 1950 statt.

[697] Aktennotiz Troches (Anm. 696).

[698] Kurzprotokoll (Anm. 696).

[699] Aktennotiz Troches (Anm. 696).

[700] Troche an Grundherr (Anm. 696).

nisterkonferenz hatte verwenden wollen[701], wohl nicht gewährt werde – eine Befürchtung, in der Troche von den Münchner Beamten bestärkt wurde –, „ergäbe sich natürlich für uns die Frage, ob man eine etwa vom Bund angebotene Hilfe abschlagen solle". Troches Gesprächspartner betrachteten die Zahlung eines außerordentlichen Zuschusses durch den Bund, auch wenn „dadurch keine Zuständigkeit des Bundes in kulturellen Angelegenheiten geschaffen werde, . . . mit Zögern"; eine definitive Antwort erhielt Troche nicht[702]. Daß man aber im bayerischen Kultusministerium bereit war, diese föderalistischen Bedenken – zum Besten des Museums – doch nicht ganz ernst zu nehmen, zeigen zwei Bemerkungen nach dem Ende der Unterredung. „Herr Dr. Elmenau (hat mir) nach der Besprechung privatim zugeflüstert, daß wir es doch so machen könnten, dass die Sache ,völlig ohne unser Zutun' an uns heran käme, . . . Herr Dr. Keim hat mir dann ebenfalls gesagt, dass man die Sache doch ganz heimlich über Heuss oder sonst von oben in Bonn manövrieren könne"[703].

Klarer noch als die Überlegungen, in denen sich die Leitung des Museums und seine Freunde mit dem Sammlungsprogramm, dem Stiftungscharakter oder den Aufgaben der Nationalanstalt beschäftigten, zeigt die zuletzt dargestellte Entwicklung, die das Verhältnis zwischen dem Germanischen Nationalmuseum und der politischen Gewalt innerhalb der Nation nach dem Zweiten Weltkrieg durchlaufen hat, welche Folgen die jüngsten Veränderungen im Zustand der Nation für das Nürnberger Institut und für die Fortführung seiner Arbeit gehabt haben. Zwar dient auch heute noch, so wie zur Zeit der Museumsgründung, das Zurschaustellen von deutschem Kulturgut der musealen Vergegenwärtigung einer möglichst umfassend, also unstaatlich verstandenen Nationalgeschichte. Aber die gegenwärtige, politisch organisierte Nation, von der, wenn man sich unter Hinweis auf den nationalen Charakter des Museums an öffentliche Institutionen wendet, allein eine Förderung dieser ihr gewidmeten Nationalanstalt erwartet werden kann, ist erheblich kleiner als hundert Jahre früher. Die mit der Reichsgründung eingeleitete etatistische Beschränkung der politischen Nation auf den kleindeutschen Nationalstaat setzte sich nach seinem Ende in der Weise fort, daß schließlich bloß noch seine westliche Hälfte in Gestalt der Bundesrepublik Deutschland dem Museum gegenüber den deutschen Gesamtstaat darstellt. Der Verzicht auf jede programmatische oder institutionelle Berücksichtigung der nationalen Spaltung und ihres anderen Ergebnisses, der Deutschen Demokratischen Republik – etwa durch das Freihalten eines der früheren Reichssitze im Verwaltungsrat –, scheint zwar nur ein neues Anzeichen für die seit den Anfängen immer wieder zutage getretene Absicht der Museumsleitung zu sein, die politische Wirklichkeit in dem Gemeinwesen, in dem das Museum seinen Sitz hat, nicht in Frage zu stellen und in Streitfragen der Nation – und die Bewertung der Spaltung und ihrer Folgen sind solche Streitfragen – nicht Partei zu ergreifen. Zugleich zeigt sich aber, wieviel schwieriger als in der Gründungsphase es in diesem jüngsten, in die Zukunft hinein offenen Abschnitt der Museumsgeschichte ist, die Vorstellung von einer mehrere Staaten bildenden deutschen Nation dem Bestand und der Arbeit einer auf diese ganze Nation hin ausgerichteten Nationalanstalt zugrunde zu legen.

[701] Protokolle des Verwaltungsrats, 7. 10. 1949; Direktionsakten GNM, Handakten Grundherr; Archiv GNM, ABK.
[702] Aktennotiz Troches (Anm. 696).
[703] Troche an Grundherr (Anm. 696).

GÜNTHER SCHIEDLAUSKY

Die Zeit des Wiederaufbaues nach dem Kriege
Das Museum unter der Leitung von Ernst Günter Troche und Ludwig Grote

Das Museum unter der Leitung von Ernst Günter Troche 1945–1951

„Es hat sich gezeigt, daß der Krieg eine Katastrophe in der Geschichte der Menschheit, daß er das Ende einer Kulturepoche bedeutet; das materielle wie das geistige Leben der Völker wird anders werden als es vor dem Kriege war". Diese Worte des einstigen Direktors Gustav von Bezold am Ende des ersten Weltkrieges zitierte Ernst Günter Troche 28 Jahre später, um die Situation nach der Katastrophe von 1945 zu umreißen. In seiner einleitenden, „Gegenwart und Aufgabe" umfassenden Betrachtung schrieb er, es sei dem Germanischen Museum beschieden, daß sich in seiner Geschichte „alle Höhen und Tiefen des deutschen Volksschicksals als einschneidend abzeichnen"[1]. Weit mehr noch als im Jahr 1918 war 1945 der innere und äußere Zustand des Museums dem des Deutschen Reiches in seinem totalen Zusammenbruch vergleichbar. Die oft genannte Stunde Null fand das Museum in seinem baulichen Bestand weitgehend zerstört[2], das wissenschaftliche, Verwaltungs- und Aufsichtspersonal mit wenigen Ausnahmen in Kriegsgefangenschaft, vermißt oder sonstwie an der Ausübung seines Dienstes verhindert.

Es galt aber nicht allein, den materiellen Wiederaufbau des Museums einzuleiten, sondern die Institution des Museums schlechthin, und das Germanische Museum insbesondere, gegen ernsthafte Zweifel an seiner Existenzberechtigung zu verteidigen.

Schon wenige Tage nach dem Fall Nürnbergs am 20. April 1945 mußte auf Veranlassung der amerikanischen Militärregierung das Museum unter militärische Bewachung gestellt werden, um 92, 131 Plünderungen und Übergriffe zu verhindern[3]. Am 15. August 1945 wurde Ernst Günter Troche durch den Nürnberger Oberbürgermeister Martin Treu zum vorläufigen Direktor des Germanischen Museums berufen und in diesem Amt am 22. Mai 1946 durch den Verwaltungsrat endgültig und 76 einstimmig bestätigt[4]. Er löste damit den bisherigen Direktor Heinrich Kohlhaußen ab. Durch seine Tätigkeiten am Berliner Kunstgewerbemuseum und als Mitarbeiter Kohlhaußens in den Städtischen Kunstsammlungen Breslau und am Germanischen Museum brachte Troche die fachlichen Voraussetzungen für sein neues Amt mit. Gleichzeitig mit seiner Berufung wurde Troche zum Leiter der Galerien und Kunstsammlungen der Stadt Nürnberg sowie zum Denkmalpfleger von Mittelfranken und am 9. April 1946 zum Treuhänder für das verlagerte Kunst- und Kulturgut im Stadt- und

Der Verfasser dieses Kapitels möchte vorausschicken – und der aufmerksame Leser wird es bei der Lektüre merken –, daß die Darstellung des Direktorats von Troche aufgrund archivalischer Recherchen angefertigt wurde, während die Amtszeit von Grote aus eigenem Miterleben seit 1955 geschildert wurde. Die Daten und Angaben im Abschnitt, der die Ära Troche behandelt, sind im wesentlichen den ausführlichen Jahresberichten entnommen, wo diese nicht zitiert sind, stammen sie zumeist aus Troches dienstlichem Tagebuch (im Archiv des Germanischen Nationalmuseums).

---

[1] Jahresbericht GNM 91 (für 1944–46), 1946, S. 4 u. 5.
[2] Vor dem Krieg zählte Nürnberg 423 000 Einwohner, bei Kriegsende wurden 178 000 Personen registriert. Nach Dresden war Nürnberg die am stärksten zerstörte Stadt Deutschlands; die makabre Statistik gibt 10,7 Millionen Kubikmeter Trümmerschutt an. Über die Kriegsschäden des Museums, den Zustand nach Ende der Kampfhandlungen und den Beginn der Instandsetzungsarbeiten s. Jahresbericht GNM 91 (für 1944–46), 1946, S. 11–25.
[3] Die Wache wurde am 31. August 1945 zurückgezogen (Jahresbericht GNM 91 (für 1944–46), 1946, S. 15) und durch eine deutsche Polizeiwache ersetzt.
[4] Jahresbericht GNM 91 (für 1944–46), 1946, S. 37 und Jahresbericht GNM 94 (für 1948/49), 1949, S. 97.

Landkreis Nürnberg bestellt. Außerdem war er Mitglied des am 28. August 1945 gegründeten Komitees zur Erhaltung der Nürnberger Denkmäler, Bibliotheken und Archive, das in Zusammenarbeit mit der Militärregierung die notwendigen Sicherungsmaßnahmen nach ihrer Dringlichkeit und ihrem Materialbedarf festlegte. Am 25. September 1946 wurde Troche als Treuhänder für den Sub-Collecting-Point, Nürnberg, Schmiedgasse, eingesetzt.

Vordringlichste Aufgabe war, die Funktionsfähigkeit des Museums mit einem zwangsweise minimalen Verwaltungsaufwand wiederherzustellen. Erst nach einer gewissen Zeit der Besinnung und Konsolidierung konnte der Wiederaufbau systematisch mit dem Fernziel betrieben werden, dem Museum wieder seine volle Arbeitsfähigkeit und einstige Bedeutung zu verschaffen. Berge von Schutt 86–90, mußten beseitigt werden, bevor die noch stehenden Bauteile auf die Möglichkeit ihrer Wiederherstel- 93 lung geprüft werden konnten. Zur Erhöhung der Sicherheit nach außen und zum Schutz des Wachpersonals wurden zwischen 1945 und 1947 drei Schäferhunde angeschafft, später, 1948, wurde eine Wächterkontrollanlage in Betrieb genommen. Die Gefahr von Plünderungen und anderen Schädigungen der auswärtigen Bergungsorte, meist Schlösser in Franken, durch entwurzelte Flüchtlinge oder Vertriebene und andere, ihrer oft fernen Heimat zustrebende Gruppen, machte die baldigste Rückführung der ausgelagerten Museumsbestände vordringlich. Es kam hinzu, daß die bisher als Bergungsplätze dienenden Schlösser auf dem Lande in zunehmendem Maße als Notquartiere für Flüchtlinge in Anspruch genommen wurden, wodurch die Gefährdung des eingelagerten Museumsguts noch erhöht wurde. Neben den eigenen Beständen oblag der Museumsleitung auch die Sorge für die 21 Bergungslager der Städtischen Kunstsammlungen, der Nürnberger Kirchen und Stiftungen sowie von privatem Kunstbesitz. Über das Schicksal und den Zustand der vielen Bergungsorte herrschte anfangs Unsicherheit und Besorgnis, weil nach Beendigung der Kämpfe nur spärliche Informationen nach Nürnberg gelangten. Erst dank der einsichtigen Hilfe der örtlichen Stellen der amerikanischen Militärregierung konnte die Betreuung und der allmähliche Rücktransport des Bergungsguts durchgeführt werden. Die Rückführung der ausgelagerten Museumsbestände begann am 20. August 1945 aus einem gefährdeten Bergungsort im Stadtbereich Nürnbergs (Neutorturm) und endete am 19. Dezember 1946 mit der Räumung eines Bergungskellers bei Greding[5]. Es war nicht zuletzt der umsichtig vorbereiteten Auslagerung des musealen Kunstguts durch Heinrich Kohlhau- 85 ßen[6] und der bald nach Kriegsende unter Troches Leitung erfolgten Rückführung zu danken, daß das Germanische Nationalmuseum nur einen Verlust von etwa 3% seines Museumsguts zu beklagen hatte[7].

Die Beschaffung der für den Wiederaufbau und für den verwaltungsmäßigen Betrieb des Museums nötigen Materialien war überaus schwierig, weil der allseits herrschende riesige Bedarf eine strenge Dringlichkeitseinstufung notwendig machte und gerechterweise die Erfordernisse des Wohnungsbaus und öffentlicher Einrichtungen wie Krankenhäuser, Verkehrswesen etc. den Vorrang beanspruchte.

Dem materiellen Mangel entsprach der personelle. Es fehlten die gelernten Handwerker, vor allem die mit der Bearbeitung des Nürnberger Sandsteins vertrauten Steinmetze. Für das Herstellen von

---

[5] Über den zeitlichen Ablauf der Rückführung aus den einzelnen Bergungsorten s. Jahresbericht GNM 91 (für 1944–46), 1946, S. 16ff.; Jahresbericht GNM 92 (für 1946/47), 1947, S. 25–28.
[6] Heinrich Kohlhaußen: Das Germanische Museum im letzten Kriege. In: Nürnberger Zeitung vom 9. August 1952 (Sonderausgabe anläßlich der Hundertjahrfeier des GNM).
[7] Über die Kriegsverluste der verschiedenen Abteilungen vgl. getrennte Angaben in: Jahresbericht GNM 91 (für 1944–46), 1946, S. 9ff. – Jahresbericht GNM 92 (für 1946/47), 1947, S. 28f. – Jahresbericht GNM 93 (für 1947/48), 1948, S. 56f., S. 66ff. – Jahresbericht 94 (für 1948/49), 1949, S. 86ff. – Jahresbericht GNM 95 (für 1949/50), 1950, S. 120–123 (hier die Mitteilung, daß von allen Sammlungsbereichen die Kunstdrechslerarbeiten den größten Verlust erlitten haben: von 126 Objekten verblieben nur 20, noch dazu wenig bedeutende Stücke). – Jahresbericht GNM 96 (für 1950/51), 1951, S. 80. – Jahresbericht GNM 97 (für 1951/54), 1955, S. 24.

131. Bundespräsident Prof. Dr. Theodor Heuss, Vorsitzender des Verwaltungsrates GNM, im Gespräch mit Dr. Ernst Günter Troche, dem Ersten Direktor, anläßlich der Verwaltungsratssitzung am 7. Oktober 1949

Handstrichziegeln, wie sie der Rohziegelbau erforderte, mußten erst die Voraussetzungen geschaffen werden[8]. Von den einstigen Angehörigen des Museums waren bei weitem noch nicht alle zurückgekehrt, andere konnten auf Grund der neuen politischen Bestimmungen noch nicht wieder eingestellt oder durften nur als Hilfsarbeiter beschäftigt werden, da die Entnazifizierungsbestimmungen in der amerikanischen Zone besonders streng gehandhabt wurden[9].

Wie auch vor dem Krieg wurden die Verwaltungsausgaben des Germanischen Nationalmuseums durch Zuschüsse der öffentlichen Hand aufgebracht. Dank der bereits am 4. Oktober 1945 gegebenen Zusage der Bayerischen Landesregierung, auch den $^6/_9$-Anteil des früheren Deutschen Reiches zusätzlich zu den von Bayern geleisteten $^2/_9$ zu übernehmen –, die Stadt Nürnberg trug das restliche Neuntel –, wurde das Weiterleben des Germanischen Nationalmuseums überhaupt erst ermöglicht. Eine

---

[8] Jahresbericht GNM 92 (für 1946/47), 1947, S. 38.
[9] Nach dem Jahresbericht GNM 92 (für 1946/47), 1947, S. 63, konnten 19 Mitarbeiter nur als Arbeiter beschäftigt werden.

1947 zwischen den Ländern Bayern, Württemberg-Baden und Hessen getroffene Vereinbarung regelte dann die Verteilung der Verwaltungskosten derart, daß Bayern ⁴/₉, die Länder Württemberg-Baden und Hessen je ²/₉ und die Stadt Nürnberg wie bisher ¹/₉ übernahmen[10]. Das am 30. März 1949 geschlossene „Staatsabkommen der Länder der Bundesrepublik über die Finanzierung wissenschaftlicher Forschungseinrichtungen", bekannter unter der Bezeichnung „Königsteiner Abkommen", nahm die bis in die jüngste Zeit gültige Verteilung der Verwaltungskosten zu ⁸/₉ durch die Bundesländer und zu ¹/₉ durch die Stadt Nürnberg vor.

Troche unterstrich seit Beginn seiner Tätigkeit die ungebrochene, durch die politischen Wandlungen zwischen 1933 und 1945 nicht beeinträchtigte Aufgabe des Germanischen Nationalmuseums und zögerte nicht, die auch während der Zeit des Nationalsozialismus bewahrte Integrität des Museums zu betonen: „Es hat seine Tradition und seine auch jetzt nicht abänderungsbedürftige Verfassung von der demokratischen Bewegung des 19. Jahrhunderts ererbt. Als diese im Jahre 1848 politisch verendete, wurde ihr Ideengut auf dem Felde des Geistes geläutert und fortentwickelt, und das Germanische Nationalmuseum hat in der ihm zugewiesenen Domäne seine Mission durch alle Zeitwandlungen nach besten Kräften gehütet und vermehrt . . . Wieder wie in den Jahren seiner Gründung ist das Germanische Nationalmuseum berufen, für alle Deutschen ein einigendes Band des Wahren und Guten über Stammes- und Machtgrenzen hinweg zu bilden . . ."[11].

Troches Planung für die Wiedereinrichtung der Schausammlungen schloß sich den überkommenen Grundsätzen einer kulturhistorischen Gesamtschau an, jedoch schien ihm eine stärkere Herausstellung der künstlerischen Qualität angesichts der veränderten Situation der Berliner Museen nach dem Krieg geboten: „Eine Umschau . . . läßt uns soviel erkennen, daß die Stellung und damit die Aufgabe des Germanischen National-Museums an Wert und Wichtigkeit noch umfassender, ja einzigartig geworden ist. Den Anspruch, Kunst und Kultur des ganzen Deutschland zu umgreifen und in höchsten Werten darzustellen, konnten neben ihm nur die Berliner Sammlungen erheben – bis zu ihrem tragischen Zerfall . . . Das Schicksal hat unser Museum, das im Herzen Deutschlands . . . liegt, nunmehr zum Wahrer dieser Aufgabe berufen, die an einer Stelle wenigstens verwirklicht bleiben muß"[12].

Neben den baulichen Maßnahmen galt die größte Sorge der Pflege und Restaurierung der Objekte, die durch jahrelange Auslagerung Schaden erlitten hatten und überdies noch ständig durch die unvermeidliche Staubentwicklung bei den Aufräumungsarbeiten gefährdet waren. Die Restaurierungstätigkeit, durch Mangel an den nötigsten Apparaturen und Materialien besonders erschwert, wurde im Herbst 1945 aufgenommen. Im Februar 1946 konnten zwei Räume am nördlichen Kreuzgang behelfsmäßig, aber unter erträglichen Bedingungen als Restaurierungsatelier bezogen werden; im April 1947 wurde die dringend notwendige Restaurierungsarbeit an den Waffen und anderen rostgefährdeten Objekten in einem eigenen Raum neben dem Hausmeisterhaus an der Grasersgasse aufgenommen, nachdem im September 1945 einem mit der Behandlung von Metallen vertrauten Fachmann die Pflege der Waffensammlungen übertragen worden war. Fehlende Heizungsmöglichkeiten und Mangel an Brennmaterial zwangen in den Wintermonaten der ersten Nachkriegsjahre zur weitgehenden Unterbrechung der Restaurierungstätigkeit. Ein noch viele Jahre anhaltender Mangel an ausgebildeten Restauratoren ließ zunächst nur dringlichste Maßnahmen zu. Eine nicht zu unterschätzende Hilfe bei der Überwachung und konservierenden Behandlung des Kunstguts leisteten die speziell ausgebildeten Handwerker (Möbelschreiner, Schmiede, Buchbinder usw.) des Germanischen

[10] Jahresbericht GNM 93 (für 1947/48), 1948, S. 85. – Vgl. S. 252–256.
[11] Jahresbericht GNM 91 (für 1944–46), 1946, S. 4f.
[12] Jahresbericht GNM 91 (für 1944–46), 1946, S. 6.

132. Teile des Krakauer Marienaltars von Veit Stoß im Nürnberger Bergungsbunker Obere Schmiedgasse. Aufnahme von 1944

Nationalmuseums. Für die großen, besonders gefährdeten Textilbestände konnte seit April 1946 eine Restauratorin gewonnen werden[13]. Seit dem 1. April 1948 war auch ein Museumsphotograph angestellt.

87–91, 93, 97, 112–115 Das tägliche Leben des Museums war in den ersten Jahren nach dem Kriege gekennzeichnet durch improvisierte Bemühungen, den weiteren Verfall zu verhindern, den Ruinenschutt zu beseitigen und die zu einer Nutzung noch geeigneten Räume instandzusetzen. „Der Kunsthistoriker wurde zwangsläufig zum Bausachverständigen", umriß Troche seine und seiner Kollegen Arbeit. Um das wieder zurückkehrende Kunstgut so bald wie möglich der Allgemeinheit zugänglich machen zu können, gründete Troche einen Wiederaufbaufonds mit dem Ziel der baulichen Instandsetzung des Museums. Die Wiederaufbauarbeiten wurden vom Architekten Harald Roth geleitet, dem Erich Meyer-Heisig, der Leiter der Volkskunde-Abteilung, zur Seite stand. Das Baugeschäft Otto Ulscht, das schon seit 1921 für das Germanische Nationalmuseum arbeitete, wurde im Oktober 1945 gewonnen. Zum Zeitpunkt des Kriegsendes waren nur wenige Gebäude im Museumsareal verwendbar, und auch diese

---

[13] Jahresbericht GNM 92 (für 1946/47), 1947, S. 29. – Über den Fortgang der Restaurierungsarbeiten s. Jahresbericht GNM 93 (für 1947/48), 1948, S. 67ff.

sehr bedingt, weil bei allen die Dächer stark beschädigt waren. Es waren dies das sogenannte Hausmeistergebäude an der Oberen Grasersgasse – hier waren die Direktion, Verwaltung und einzelne Werkstätten untergebracht –, die alte 1902 bezogene Bibliothek, bei der fünf Granatein- 270 schüsse beseitigt werden mußten, der Bestelmeyersche Galeriebau, von dem wenigstens noch Teile 87 nutzbar waren[14], sowie der am Westende des großen Kreuzganges gelegene Vortragssaal, der weitge- 135 hend verschont geblieben war.

Die um den schwerbeschädigten Rolandshof – am Ostflügel des Großen Kreuzganges – gelagerten 91, vgl. 237 Räume wurden mit der Zeit als Werkstätten und im ersten Geschoß als Depots hergerichtet. Bis zum Mai 1946 konnten 8534 qm Dachfläche wiederhergestellt werden[15]. Rückschläge konnten nicht ausbleiben; so entstand am 20. Februar 1946 durch den Einsturz einer Wand des sogenannten Gipssaals im Südwestbau eine Bresche, die eine Öffnung zur Kartäusergasse bildete. Am 23. Mai 1949 geschah ein großer Wassereinbruch im Hausmeisterhaus und richtete in dem dort untergebrachten Büro des Kupferstichkabinetts Schaden an graphischen Blättern an. Noch am 8. September 1949 stürzten zwei Gewölbefelder im heute nicht mehr stehenden Südbau (Essenwein- oder Augustiner- bau) ein. Obwohl nach Abschluß der Rückführung des Bergungsguts in den verwendbaren Räumen und Kellern eine beängstigende Fülle herrschte, bot doch diese Art der Lagerung bessere Möglichkei- ten der Überwachung und Betreuung. Jetzt mußte auch als vordringliche Aufgabe die mühevolle Arbeit der Revision durchgeführt werden, nach deren Abschluß erst ein endgültiger Überblick über das Ausmaß der Kriegsverluste gewonnen werden konnte. Die für die Durchführung der Revision unerläßlichen Inventare und Zugangsregister konnten zum Glück gerettet werden; lediglich das Inventar der Bauteile war verbrannt.

Da Troche für die Belange der Städtischen Kunstsammlungen zuständig war, oblag ihm auch die von der amerikanischen Besatzungsmacht befohlene Rückführung des Krakauer Marienaltars von 132 Veit Stoß und der Reichskleinodien. Troches Tagebuch ist der genaue Ablauf zu entnehmen: Am 7. 81 September 1945 traf die erwartete Anordnung zur Rückführung des Altars ein und löste umfangreiche Vorarbeiten für die Bestandsaufnahme und den Abtransport aus. Die Bereitstellung und Verpackung der vielen Einzelteile sollte im Germanischen Nationalmuseum erfolgen, das Gewähr für ausreichen- de Sicherheit bot und sachkundige Arbeitskräfte für die Verpackung zur Verfügung stellen konnte. Für Troche war der ihm erteilte Auftrag Anlaß, sich von der Militärregierung Sonderzuteilungen von Baumaterial zu verschaffen, um die für die Einlagerung und Verpackung des Altars vorgesehenen Räume (Kirche und Ehrenhalle) instandzusetzen. Auch das Holz für die Kisten (6000 qm Bretter und 52 Zentner Nägel!) und Packmaterial wurde von der Militärregierung zugeteilt. Die Verladung der vielen und großen Kisten erfolgte vom 24. bis 27. April 1947. War im Fall des Krakauer Altars die Rechtslage eindeutig, so war diese bei den Reichskleinodien keineswegs klar. Mehrere Rechtsgutach- ten, darunter ein von Troche veranlaßtes des Erlanger Rechtshistorikers Hans Liermann, und sonstige Bemühungen konnten keinen Aufschub erreichen. Troche erhielt am 28. Dezember 1945 auf Grund eines Beschlusses des Alliierten Kontrollrats den Befehl, die Rückführung der Reichskleinodien nach Wien vorzubereiten. Die Übergabe an die Militärregierung erfolgte am 3. Januar 1946, und anschlie- ßend wurde der gesamte Bestand ungeteilt in einem Flugzeug nach Wien geflogen. Die Verpackung wurde nicht im Museum, sondern im Städtischen Bergungslager Obere Schmiedgasse durchgeführt[16].

Alle Maßnahmen mit dem Ziel, das Museum so bald als möglich wieder funktionsfähig zu machen, d. h. wenigstens Teile seiner Bestände der Öffentlichkeit zu zeigen, mußten schwerpunktmäßig

[14] Einen Eindruck von den Schäden am Galeriebau vermitteln die Abb. 2 und 3 im Jahresbericht 91 (für 1944–46), 1946.
[15] Jahresbericht GNM 91 (für 1944–1946), 1946, S. 21.
[16] Die Angaben sind entnommen einem ungedruckten Vortrag von Wilhelm Schwemmer am 8. 1. 1974 vor dem Verein für Geschichte der Stadt Nürnberg; vgl. Mitteilungen des Vereins für Geschichte der Stadt Nürnberg Bd. 62 (1975), S. 364f.

koordiniert werden. Als vordringlich wurde erachtet, die Bibliothek mit ihren Katalogen wieder zugänglich zu machen, wozu die amerikanische Besatzungsbehörde ihre Genehmigung geben mußte, die am 27. Dezember 1945 erteilt wurde. Das alte Bibliotheksgebäude nahm, nachdem eine hier 270 vorübergehend untergebrachte Bankfiliale endlich am 2. Oktober 1945 ausgezogen war, seit dem 17. Dezember 1945 die Direktion und ein Jahr später die Verwaltung auf, auch die Arbeitsräume verschiedener wissenschaftlicher Mitarbeiter befanden sich hier. Inzwischen wurden die Bestände der 333 Bibliothek wieder aufgestellt, und seit dem 3. Februar 1947 wurde der Lesesaal, wenn auch noch in eingeschränktem Betrieb, der Öffentlichkeit zugänglich gemacht, nachdem schon seit Frühjahr 1946 Teile der Bibliothek wieder benutzbar waren[17]. Für die etwa 350000 Bände mußten neue Holzregale angefertigt werden, weil die alten Regale für die Bergungsarbeiten im Krieg zu Kisten verarbeitet worden waren.

Die Bibliothek war also die erste Abteilung, die der Allgemeinheit zugänglich gemacht wurde. Infolge der Kriegsverluste anderer Bibliotheken war sie ihrem Umfang nach an die zweite Stelle in Bayern gerückt, so daß sie eine wichtige Rolle im Leihverkehr der Bibliotheken spielte. Nicht zuletzt bildete sie eine unerläßliche Voraussetzung für jede wissenschaftliche Arbeit im Haus selbst.

Als Ende 1946 die Verwaltung aus dem Hausmeisterhaus ins Bibliotheksgebäude umzog, wurden die freigewordenen Räume als Werkstätten und für das Kupferstichkabinett eingerichtet. Dieses mußte sich zunächst mit einem Erdgeschoßraum begnügen, in dem sowohl das Büro als auch die Besucher Platz fanden. Eine Benutzung der Bestände von Kupferstichkabinett, Archiv und Münzsammlung war bereits, wenn auch in beschränktem Umfang und nach vorheriger Anmeldung, möglich[18]. Das Depot dieser Abteilung befand sich nämlich im Keller des Galeriebaus, und angeforderte Objekte mußten von dort geholt und über einen Hof zum Benutzer gebracht werden. Seit dem 3. Juli 1950 gab es einen eigenen Benutzerraum, getrennt von Büro und Karteiapparat.

Der ruinöse Zustand des Museums mit seiner beschränkten Zahl von intakten Räumen, die bevorzugt der Aufbewahrung und Sicherung des Kunstguts dienen mußten, ließ die Öffnung auch nur weniger Schausäle vorerst nicht zu. Andererseits wollte man sich dem sehr bald aufkommenden Bedürfnis weiter Bevölkerungsteile nach künstlerischer Information nicht verschließen; man war deshalb gezwungen, nach Möglichkeiten zu suchen, wenigstens Teile des umfangreichen Kunstbestands an anderen Orten auszustellen. So konnte man Ende des Jahres 1945 den Nürnbergern 133, 134 „Weihnachtliche Kostbarkeiten aus dem Germanischen Nationalmuseum" in zwei notdürftig hergerichteten Räumen der Fränkischen Galerie zeigen[19]. Diese Ausstellung wurde, als eine der ersten Kunstausstellungen in Deutschland nach dem Krieg überhaupt, von den Besuchern zur ersten Friedensweihnacht dankbar begrüßt. Alljährliche Weihnachtsausstellungen wurden dann bis 1967 zu einer ständigen, von der Bevölkerung erwarteten traditionellen Einrichtung. Wie später noch mehrfach, wurde 1948 versucht, diese Weihnachtsausstellungen unter tätiger Beteiligung der Bevölkerung zu gestalten, indem ein Wettbewerb um die Ausschmückung von Christbäumen veranstaltet wurde, und Schulkinder mittelalterliche Weihnachtslieder zur Eröffnung sangen.

Trotz des Mangels an eigenen Schauräumen wurde – wiederum in der Fränkischen Galerie – anläßlich des 400. Todestages von Peter Flötner († 23. Oktober 1546), diesem vielseitigen Renais-

[17] Jahresbericht GNM 91 (für 1944–46), 1946, S. 22f. – Jahresbericht GNM 92 (für 1946/47), 1947, S. 31f. und S. 40. – Jahresbericht GNM 93 (für 1947/48), 1948, S. 65.
[18] Jahresbericht GNM 93 (für 1947/48), 1948, S. 65f.
[19] 15. Dezember 1945 bis 6. Januar 1946 (Jahresbericht GNM 91 (für 1944–46), 1946, S. 27) mit 5852 Besuchern. Diese Zahl muß unter dem Gesichtspunkt der stark verminderten Einwohnerzahl Nürnbergs gesehen werden. Im folgenden Jahr (1947) wurde die weihnachtliche Spielzeugschau bereits in Räumen des Museums aufgebaut (Raum 4–7, vom 13. Dezember 1947 bis 28. Februar 1948).

133. Erste Nachkriegsausstellung „Weihnachtliche Kostbarkeiten aus dem Germanischen National-Museum" in der Fränkischen Galerie Nürnberg, Weihnachten 1945

sancekünstler, eine Gedächtnisausstellung gewidmet. Zur Eröffnung am 14. Dezember 1946 konnte sogar ein 477 Nummern umfassender Katalog erscheinen[20].

Eine weitere Gelegenheit, Werke des Germanischen Nationalmuseums andernorts zu zeigen, eröffnete eine Übereinkunft mit der Verwaltung der bayerischen Schlösser, Gärten und Seen, die eine Anzahl von Räumen der Bamberger Residenz zur Verfügung stellte, damit das Germanische Nationalmuseum seine besten Werke des 17. und 18. Jahrhunderts dort ausstellen konnte, wo sie sich der barocken Raumarchitektur aufs schönste einfügten. Die Ausstellung wurde am 17. Mai 1947 eröffnet und 1948 in der Raumfolge erweitert. Sie lockte viele Besucher an[21].

Der Gedanke, die im Germanischen Nationalmuseum verwahrten Zeugnisse deutscher Kunst und Kultur nicht allein in Nürnberg, sondern auch in anderen Städten zu zeigen, wurde in den folgenden Jahren verwirklicht. So wurden „Meisterwerke deutscher Kunst und deutschen Handwerks aus dem Germanischen Nationalmuseum" in der Kunsthalle Bremen und in der Kunsthalle Hamburg (26.

[20] Peter Flötner und die Renaissance in Deutschland. Ausstellung anläßlich des 400. Todestages Peter Flötners, veranstaltet von der Stadt Nürnberg und dem Germanischen National-Museum. 14. Dezember 1946 bis 28. Februar 1947. Einleitung von Ernst Günter Troche. Nürnberg. – Die Ausstellung wurde bis 16. März 1947 verlängert und von 8378 Personen besucht (Jahresbericht GNM 92 (für 1946/47), 1947, S. 31).

[21] Jahresbericht GNM 92 (für 1946/47), 1947, S. 34 f. – Jahresbericht GNM 93 (für 1947/48), 1948, S. 64 – Von Mai 1947 bis März 1948 besuchten 25960 Personen die Barockausstellung.

134. Erste Nachkriegsausstellung „Weihnachtliche Kostbarkeiten aus dem Germanischen National-Museum" in der Fränkischen Galerie, Nürnberg, Weihnachten 1945. In der Mitte die Figuren des Englischen Grußes von Veit Stoß aus der Nürnberger Lorenzkirche

März bis 23. April bzw. 6. Mai bis 11. Juni 1950)[22] und im Jahr darauf „Deutsche Kultur von der Spätgotik bis zum Rokoko" im Schloß Cappenberg, dem Sitz des Museums für Kunst und Kulturgeschichte der Stadt Dortmund (21. Juli bis 30. September 1951) dargeboten[23].

Nach den Jahren des Krieges, der zur Bergung des öffentlichen und privaten Kunstbesitzes zwang, lebte das Ausstellungswesen – nicht nur in Deutschland, sondern weltweit – in ungeahnter Aktivität auf. Es bestand ein wahrer Heißhunger nach Ausstellungen unterschiedlichster Thematik. Das Germanische Nationalmuseum konnte umso bereitwilliger Leihgaben aus seinem reichen Fundus an Material zusagen, als es selbst noch nicht in der Lage war, seine Schätze in angemessener Weise auszubreiten. So wurde das Institut sehr bald Leihgeber für zahlreiche Ausstellungsunternehmen, deren mit den Jahren wachsende Zahl den jeweiligen Jahresberichten zu entnehmen ist[24]. Es ist wesentlich diesen Ausstellungen zu verdanken, wenn sehr bald alte kollegiale und wissenschaftliche Verbindungen wieder aufgenommen oder neue geknüpft wurden.

135   Es war ein großes Glück für das kulturelle Leben Nürnbergs, daß der Vortragssaal des Germanischen Nationalmuseums fast unversehrt den Krieg überstanden hatte. Er blieb mehrere Jahre lang der

[22] Jahresbericht GNM 95 (für 1949/50), 1950, S. 98f.
[23] Der zu dieser Ausstellung erschienene Katalog wurde von Peter Metz bearbeitet.
[24] Jahresbericht GNM 93 (für 1947/48), 1948, S. 63 f. – Jahresbericht GNM 94 (für 1948/49), 1949, S. 77. – Jahresbericht GNM 95 (für 1949/50), 1950, S. 99 ff. – Jahresbericht GNM 96 (für 1950/51), 1951, S. 90 ff.

einzige kleinere Saal (mit 220 Sitzplätzen) neben dem sehr viel größeren Opernhaus, der für kulturelle Veranstaltungen zur Verfügung stand. Troches erklärte Absicht, auch die Musik als einen Teil des kulturellen Schaffens durch das Germanische Nationalmuseum repräsentieren zu lassen, konnte hier bald verwirklicht werden. Mit zwei kammermusikalischen Konzertzyklen, von denen der erste am 25. Oktober 1945 begann, trat das Museum erstmals nach Kriegsende mit einer Veranstaltung an die Öffentlichkeit[25]. Der Andrang zu diesem Konzert war so groß, daß es am folgenden Abend wiederholt wurde. Außerdem wurden zwischen dem 15. November 1945 und dem 30. April 1946 Sonderkonzerte veranstaltet. Diese Darbietungen wollten über den musikalischen Genuß hinaus durch einführende Worte und Erläuterungen im Programm zur musikhistorischen Information der Zuhörer beitragen.

Im Winterhalbjahr 1946/47 konnten die schon in der Vorkriegszeit zur Tradition gewordenen Vortragsreihen aufgenommen und am 20. September 1946 mit einem Vortrag Troches über „Das Germanische National-Museum und Nürnberg" eröffnet werden[26]. Gemeinschaftsveranstaltungen mit dem Stadttheater und Beteiligung an den Kursen der Volkshochschule seit Herbst 1946 integrierten das Germanische Nationalmuseum weiter in das sich wiederbelebende kulturelle und bildungspolitische Leben der Stadt. Rundfunkvorträge[27], Zeitschriftenaufsätze und die Hinweise in der Tagespresse auf die Veranstaltungen trugen in zunehmendem Maße dazu bei, das Germanische Nationalmuseum wieder bekannt zu machen.

Sodann galt es, die über ganz Deutschland verbreiteten Stützpunkte des Museums, die sogenannten Pflegschaften, wieder zu beleben und neue Initiativen zu wecken, eine von Troche sehr ernst genommene, im Hinblick auf die damalige politische Situation schwere und zugleich schmerzliche Aufgabe, denn weite Teile des früheren deutschen Reiches waren und blieben unerreichbar. Es mußten vor allem auch neue Mitglieder in der nachwachsenden jungen Generation geworben werden, um eine Überalterung des Mitgliederbestandes zu vermeiden. Eine starke Brücke zur Öffentlichkeit, insbesondere aber auch zu den Pflegern und Mitgliedern, bildeten die Jahresberichte, deren letzter im Kriegsjahr 1944 erschienen war. Troche bemühte sich unter äußerst schwierigen Umständen, die Reihe fortzusetzen; bereits ein Jahr nach Kriegsende erschien der 91. Jahresbericht (abgeschlossen Mai 1946), zu einer Zeit, in der jedes Druckerzeugnis von der Besatzungsmacht genehmigt werden mußte und als Papier und sonstige für den Druck erforderliche Materialien kaum zu beschaffen waren. Er war sogar mit zehn Abbildungen ausgestattet.

Das Hauptbemühen mußte sich verständlicherweise darauf konzentrieren, so bald wie möglich eigene Schauräume einzurichten. Hierzu bot sich der Galeriebau mit seinen vergleichsweise geringsten Beschädigungen und großen Raumfolgen an[28]; es war geplant, das Untergeschoß des Bestelmeyerschen Galeriebaus zunächst als Schauräume einzurichten und die Seitenkabinette des Obergeschosses als eine Kombination von Studiensammlung und Depot auszubauen, während die Mitteltrakte mit ihren noch fehlenden und schwer zu beschaffenden Oberlichtern vorerst noch nicht genutzt werden konnten und nur gegen weiteren Verfall geschützt werden sollten. Die Südwände des Galeriebaus waren durch Bomben weitgehend aufgerissen und mußten wieder aufgemauert werden.

87, 90

98

---

[25] Jahresbericht GNM 91 (für 1944–46), 1946, S. 25 f.

[26] Jahresbericht GNM 92 (für 1946/47), 1947, S. 32. – Auszug dieses Vortrags ebendort s. 3–22. – Jahresbericht GNM 93 (für 1947/48), 1948, S. 69 f. – Jahresbericht GNM 94 (für 1948/49), 1949, S. 89 f. – Jahresbericht GNM 95 (für 1949/50), 1950, S. 117 f. – Jahresbericht GNM 96 (für 1950/51), 1951, S. 96 f.

[27] Jahresbericht GNM 93 (für 1947/48), 1948, S. 70 f.

[28] Der Mitteltrakt mit seinen nördlichen Seitenkabinetten im Obergeschoß des Galeriebaus war soweit erhalten, daß er als Grundlage für die Wiederherstellung dienen konnte. Jahresbericht GNM 91 (für 1944–46), 1946, S. 23 ff. – Vgl. Jahresbericht GNM 91 (für 1944–46), 1946, Abb. 2, 3 und Jahresbericht GNM 92 (für 1946/47), 1947, Abb. 1, die den Grad der Zerstörung bzw. den Fortgang des Wiederaufbaus zeigen.

135. Der ehemalige Saal I, 1882–1884 nach Entwürfen August von Essenweins erbaut, mit der Decke von 1896/97 mit den Wappen des Reiches und der Bundesstaaten, als Vortragssaal 1947 bis 1962. Die beiden Kachelöfen des 17. Jahrhunderts dienten als Heizung. Der Vorhang verdeckt das aus der Kartäuserkirche übertragene Fresko Wilhelm von Kaulbachs „Öffnung der Gruft Karls des Großen im Dom zu Aachen durch Kaiser Otto III." von 1859 (Abb. 17). Aufnahme Februar 1946

Starke Kälte des Winters verzögerte den schwierigen Wiederaufbau des Galerietraktes, dessen Dach endlich im April 1947 gedeckt werden konnte. Das Richtfest für den Südtrakt des Erdgeschosses des Galeriebaus wurde bereits am 4. März 1947 begangen[29]. Zuvor mußten die Keller des Galeriebaus abgedichtet und vor weiteren Wassereinbrüchen geschützt werden, um dann als Depots für Kunstgut in größter Enge zu dienen.

88 Im 1897 bis 1902 errichteten Südwestbau – durch Bomben und Brand schwer beschädigt und mit zerschossenem und ausgebranntem Dachstuhl – wurden im Frühjahr 1947 die volkskundlichen Sammlungen magaziniert und die im gleichen Trakt eingebauten Bauernstuben wiederhergestellt. Die schon fortgeschrittenen Arbeiten zur Wiedereinrichtung der Bauernstuben wurden empfindlich durch aufgetretenen Hausschwamm verzögert, der erst beseitigt werden mußte[30]. Alle diese Räumlichkeiten waren damals noch nicht beheizbar. Noch zwei Jahre nach Kriegsende mußte, wie Troche

[29] Jahresbericht GNM 92 (für 1946/47), 1947, S. 37f.
[30] Jahresbericht GNM 93 (für 1947/48), 1948, S. 67: Der Hausschwamm wurde am 25. Juli 1947 festgestellt, alle Kräfte mußten zu seiner schnellsten Beseitigung eingesetzt werden.

im Jahresbericht für 1946/47 schreibt, „die grobe Schwerarbeit der Aufräumungen die Kräfte unserer Belegschaft bis zum letzten ausfüllen. Die Schuttabfuhr von den Baustellen, aus den Höfen und Gängen ging stetig voran, ist aber bei weitem noch nicht beendet"[31].

Endlich konnten am 13. Dezember 1947 erstmals nach dem Krieg Schauräume geöffnet werden. 94 Dieser erste Schritt zur Rückgewinnung der einst nahezu 200 Schauräume des Germanischen Nationalmuseums wurde mit einer Feierstunde begangen[32]. Es waren elf Räume: die Eingangshalle (Raum vgl. 148 2), das sog. Lapidarium (Raum 3) mit den östlich anschließenden parallelen Raumfluchten im 354–356, Erdgeschoß des Galeriebaus, die unter Einbeziehung des abschließenden Raumes 8 einen Rundgang 383 ermöglichten (Raum 4–8, 35–38)[32a].

Die Säle der Südseite zeigten ausgewählte Kunst von der Völkerwanderungszeit bis zur Dürerzeit. Selbstverständlich konnte es sich nur um eine provisorische Darbietung handeln. Ein Teil der Räume – auf der Nordseite – wurde Wechselausstellungen vorbehalten, um angesichts der Raumknappheit thematisch begrenzte Teilbezirke aus dem reichen Vorrat an Museumsgut darzustellen; Troche sah hier offenbar einen Weg, dem kulturhistorischen Auftrag des Museums nachzukommen: „Erfahrungen aus jüngster Zeit haben . . . gelehrt, daß es den Besuchern . . . dient, wenn ihnen durch immer neue Darbietungen kleinerer und gewählter Sammlungsbereiche das Wesen der Bedeutungszusammenhänge sinnfällig gemacht wird. Der unserem Museum hierzu vorgezeichnete Weg führt von kulturgeschichtlichen Themenstellungen zur Deutung der künstlerischen Werte und der beherrschenden geistigen Zusammenhänge, und er ist aus der Fülle des hiesigen Materials in so unerschöpflicher Folge möglich, daß der lebendige Wechsel derartiger Ausstellungen als eine ständige Einrichtung auch fortan gedacht ist"[33]; er fügte hinzu, es könne auch den Mitarbeitern das ständige „Gestalten, Umgestalten" geistig nur förderlich sein.

In der für Wechselausstellungen reservierten Raumfolge (Raum 4–7) wurde in Hinblick auf die Weihnachtszeit eine Spielzeugschau gezeigt, anschließend, seit dem 20. März bis 4. Juli 1948 „Fränki 409, 410 sche Bildteppiche aus alter und neuer Zeit". Den Schwerpunkt dieser Ausstellung bildete der einzigartige Besitz an gotischen Bildwirkereien. Arbeiten der Nürnberger Gobelinmanufaktur, damals noch in Schloß Ellingen ausgesiedelt, spannten den Bogen zur künstlerischen Bildwirkerei unserer Zeit. Zu dieser Ausstellung erschien ein Katalog, der erstmals nach dem Krieg einer im Germanischen Nationalmuseum gezeigten Sonderausstellung gewidmet war[34].

Trotz der elementaren Sorgen und Nöte der Bevölkerung und eines noch kaum spürbaren Fremdenverkehrs war der Besuch der Ausstellungen erfreulich groß[35] und rechtfertigte auch die Wiederaufnahme der traditionellen thematisch bezogenen Führungen seit Anfang Februar 1948, die im Gegensatz zur späteren Gepflogenheit ganzjährig an jedem Sonntag – mit Ausnahme der Ferienmonate Juli und August – von den wissenschaftlichen Bediensteten gehalten wurden[36].

Etwa gleichzeitig wurde mit dem „Kunstwerk des Monats" auf ein ausgewähltes Exponat aufmerksam gemacht, das an bevorzugtem Platz in der Eingangshalle gezeigt wurde. Diese auch an anderen

---

[31] Jahresbericht GNM 92 (für 1946/47), 1947, S. 30.
[32] Jahresbericht GNM 93 (für 1947/48), 1948, S. 58–63, S. 75 u. Abb. 36.
[32a] Über die Zählung der Räume orientiert der Grundriß des Museums Abb. 148.
[33] Jahresbericht GNM 93 (für 1947/48), 1948, S. 58.
[34] Fränkische Bildteppiche aus alter und neuer Zeit. Ausstellung März–Mai 1948. Einführung von E. G. Troche, Katalog Heinz Stafski, Ernst Königer. Auf dieser Ausstellung waren auch Leihgaben von anderen Besitzern vertreten.
[35] Jahresbericht GNM 93 (für 1947/48), 1948, S. 63. Hinzuzurechnen wären die Besucher der als Zweiggalerie anzusehenden Barock-Ausstellung im Bamberg, die von Mai 1947 bis März 1948 fast 26000 Besucher zählte (a. a. O. S. 64). – Jahresbericht GNM 94 (für 1948/49), 1949, S. 79f. – Jahresbericht GNM 95 (für 1949/50), 1950, S. 102f. Seit dem Winter 1949/50 wurden die Sammlungsräume erstmals seit Kriegsende wieder durchgehend geheizt.
[36] Jahresbericht GNM 94 (für 1948/49), 1949, S. 85.

136. Sogenannter Tuchersaal im Erdgeschoß des Galeriebaus mit Kunstwerken, die im Auftrag der Nürnberger Patrizierfamilie Tucher entstanden waren; eröffnet am 11. September 1948

Museen beliebte Einrichtung wurde zu einer jahrelangen Tradition. Die örtliche Presse wies allmonatlich mit Photo und Begleittext auf die Bedeutung des jeweiligen Kunstwerks hin[37].

Ein halbes Jahr nach der Eröffnung der ersten Schauräume konnten im Juni 1948 weitere drei Säle für Ausstellungszwecke hinzugewonnen werden. Es war dies der Ostteil des Galeriebaus (Raum 9–11), der an den früheren Gartensaal stieß. Hier wurde zunächst die Sonderausstellung „Die deutsche Freiheitsbewegung von 1848" (5. Juni bis 13. September 1948) untergebracht, die gemeinsam mit der Stadt Nürnberg veranstaltet wurde. In einem Festakt am 6. Juni 1948 im Opernhaus hielt Theodor Heuss die Ansprache und besichtigte am Nachmittag die Ausstellung[38], später wurden diese Räume in die Darstellung des Gesamtablaufs der deutschen Kunst einbezogen[39]. Die vier Räume (4–7) des Rundgangs, die vom Lapidarium zugänglich waren, wurden entgegen der ursprünglichen Ab-

[37] Jahresbericht GNM 93 (für 1947/48), 1948, S. 60. – Jahresbericht GNM 94 (für 1948/49), 1949, S. 77f. – Jahresbericht GNM 95 (für 1949/50), 1950, S. 101f. – Jahresbericht GNM 96 (für 1950/51), 1951, S. 92f.
[38] Jahresbericht GNM 94 (für 1948/49), 1949, S. 72, 75.
[39] Jahresbericht GNM 94 (für 1948/49), 1949, Abb. 40, S. 74.

sicht, sie Wechselausstellungen vorzubehalten, einer Darstellung der Nürnberger Kunst gewidmet, die im Mittelalter und in der Renaissance innerhalb der deutschen Kunstentwicklung eine so bedeutende Rolle spielte. Die Eröffnung war am 11. September 1948. In Raum 7 wurde ein „Tuchersaal" eingerichtet, der die Förderung von Kunst und Kultur im alten Nürnberg am Beispiel der Patrizierfamilie von Tucher widerspiegelte[40]. 136

Der Galerietrakt befand sich, obwohl sein Erdgeschoß bereits der Öffentlichkeit zugänglich war, noch keineswegs in einem endgültigen Zustand. Zwar waren die Außenarbeiten beendet, doch bedurften die vorerst nur provisorisch wiederhergestellten Innenräume noch mancher abschließender Maßnahmen, vor allem stellte das Obergeschoß mit seinem komplizierten Dachstuhl, der seine einstige Oberlichtverglasung wiedererhalten sollte, große Probleme[41]. Die Planung des weiteren Ausbaus sah vor, möglichst die zum Galerietrakt gehörigen Flügel und anschließenden Räume wiederherzustellen, um dadurch eine durchgehende Raumfolge für einen Besichtigungsrundgang zu gewinnen. Ein Anfang dazu wurde im Obergeschoß des Galeriebaus gemacht, als am 16. Oktober 1948 eine Folge von zehn wiederhergestellten Räumen eröffnet wurde. Es waren die Nordkabinette (Raum 58–67), von denen eines durch Herausnahme einer Zwischenwand zu einem größeren Raum erweitert wurde[42]; dieser Trakt war für Wechselausstellungen vorgesehen, weil die darunter im Erdgeschoß befindliche Raumfolge durch die auf Dauer angelegte Präsentation der Nürnberger Kunst nicht mehr zur Verfügung stand. Die neugewonnenen zehn Räume wurden mit der Sonderausstellung „Alte Fayencen und Porzellane" eröffnet, wofür sich der reiche Bestand an Fayence vornehmlich süddeutscher Herkunft anbot. Die Ausstellung lief vom 16. Oktober 1948 bis 26. Juni 1949[43]. Nur wenig später, am 1. Dezember 1948, konnte der ehemalige Gobelinsaal mit der Weihnachtsausstellung eröffnet werden (Raum 74), die als eine Spielzeugschau angelegt war und hier solange bleiben sollte, bis Räume für eine dauernde Aufstellung dieser beim Publikum besonders beliebten Abteilung verfügbar waren[44].

Inzwischen war die Währungsreform (20. Juni 1948) gekommen und damit eine Phase der Nachkriegszeit beendet, die durch Schwarzen Markt und wirtschaftliche Unsicherheit gekennzeichnet war. Die Abkehr von der „Zigarettenwährung" und vom Warentausch brachte Wirtschaft und Industrie in Gang und den echten Wert des Geldes wieder ins allgemeine Bewußtsein. Zwar mußte manche Planung im Museum wegen Geldmangels zurückgestellt werden, auch verzögerten sich in den ersten beiden Monaten die Gehaltszahlungen, doch konnten die noch zu lösenden Aufgaben nunmehr in einem nicht mehr weitgehend auf Improvisation eingestellten, sich zunehmend konsolidierenden Wirtschaftssystem planvoller in Angriff genommen werden.

Bis etwa zum Zeitpunkt der Währungsreform, genauer bis zum 31. März 1948, beliefen sich die Gesamtkosten des Wiederaufbaus auf Mk. 473719,–[45]. Zu berücksichtigen ist angesichts dieser niedrig erscheinenden Summe, daß sehr viele Arbeiten in den museumseigenen Werkstätten (Schmiede, Schlosserei, Schreinerei, Flaschnerei) und vor allem viel Maurerarbeit von den Handwerkern des Museums ausgeführt wurden. Die Kosten für den Wiederaufbau konnten unmöglich aus eigenen Mitteln aufgebracht werden. Mehrfach leistete das Land Bayern wertvolle Beihilfen durch namhafte Zuschüsse. Auch die Stadt Nürnberg stellte Gelder zur Verfügung. Zusätzlich mußte aber nach der

[40] Jahresbericht GNM 94 (für 1948/49), 1949, S. 72f. und Abb. 41.
[41] Vgl. Jahresbericht GNM 93 (für 1947/48), 1948, S. 76.
[42] Jahresbericht GNM 94 (für 1948/49), 1949, S. 73f.
[43] Jahresbericht GNM 94 (für 1948/49), 1949, S. 75f.
[44] Jahresbericht GNM 94 (für 1948/49), 1949, S. 74. – Troche befand sich zum Zeitpunkt der Eröffnung auf einer Reise in den USA (vom 5. November 1948 bis 1. Mai 1949); Jahresbericht 94 (für 1948/49), 1949, S. 97.
[45] Jahresbericht GNM 93 (für 1947/48), 1948, S. 80f.

137. Ausstellungsraum im Erdgeschoß des Galeriebaues mit Kunstwerken aus Nürnberger Kirchen, rechts das Gedächt-
nisbild für Propst Lorenz Tucher des Hans von Kulmbach von 1513 aus der Sebalduskirche; eröffnet am 22. Oktober 1949

Währungsreform der Fortgang der Arbeiten durch Aufnahme einer Hypothek von DM 100000,–
gesichert werden.

Die Währungsreform mit ihrer Rückkehr zu monetärer Ordnung bedeutete auch für das Germanische Nationalmuseum eine Wende zum Guten, obwohl die Besucherfrequenz wegen der allgemeinen
Geldknappheit zunächst schlagartig sank, dann in den Sommermonaten stark anstieg, um wiederum,
diesmal wegen der noch ungeheizten Schauräume, erneut zu sinken[46]. Die anfangs noch bewirtschaf-
teten Rohstoffe wurden überraschend schnell frei verfügbar, so daß der Wiederaufbau planmäßig mit
bestimmten Schwerpunkten vorangetrieben werden konnte. Auch die Personalstärke erlangte ihren
Vorkriegszustand, so daß im Jahr 1949 fast alle Planstellen besetzt waren.

Am 22. Oktober 1949 wurden die beiden letzten Säle im Erdgeschoß des Galeriebaus als Schauräume geöffnet (Raum 39, 40). Entgegen der ursprünglichen Absicht, in diesen Sälen mittelalterliche
Altäre, Wirkteppiche und Waffen in Auswahl zu zeigen, wurden Kunstwerke aus Nürnberger
Kirchen ausgestellt; hier waren künstlerisch höchst bedeutende Altäre und Skulpturen bis zu ihrer
Rückkehr an ihren angestammten Platz zu einer Möglichkeit der Betrachtung vereint, wie sie sich
137 wohl kaum wieder ergeben wird[47]. Diese „Ausstellung von Kunstwerken aus den Kirchen Nürnbergs" wurde wenig später noch durch Glasgemälde erweitert. Es kann als Symptom der zügigen

[46] Jahresbericht GNM 94 (für 1948/49), 1949, S. 79f. – Der Eintritt kostete damals DM 1,-- für die Einzelperson. Am 7.
Oktober 1949 wurden die Eintrittspreise ermäßigt und neu geregelt. Ein starker Anstieg der Besucherzahl war die
Folge, vgl. Jahresbericht GNM 95 (für 1949/50), 1950, S. 102f.
[47] Jahresbericht GNM 95 (für 1949/50), 1950, S. 90–92, Abb. 43.

Wiederaufbauarbeit gelten, daß kaum zwei Monate später, am 17. Dezember 1949, neue Räume im Obergeschoß des Galerietrakts zugänglich gemacht wurden. Es waren dies neun im westlichen Teil gelegene Kabinette und Säle, darunter auch schon einer der großen Oberlichtsäle des Mittelbaus (Raum 45, 46, 53–59)[48]. Hier kamen Werke der Renaissance-Zeit (Dürer, Altdorfer, Cranach,   vgl. 148 Baldung Grien, sowie Skulpturen und auch Beispiele des Kunsthandwerks) zur Aufstellung. Am 22. April 1950 wurde der ehemalige „Goldsaal" im Obergeschoß des Galeriebaus (Raum 83, von Raum   vgl. 64 59 betretbar) eröffnet, der Ausstellungen des Kupferstichkabinetts und der Bibliothek aufnehmen sollte. Die lange Reihe der bis heute hier gezeigten Ausstellungen begann mit „Die frühesten deutschen Kupferstiche" (22. April bis 31. Juli 1950)[49].

Die letzten Maßnahmen zur völligen Wiederherstellung des Galeriebaus wurden im Verlauf des Jahres 1950 in Angriff genommen. Es handelte sich um die Säle des Mitteltrakts im Obergeschoß, deren Oberlichtkonstruktion nur unter großen Schwierigkeiten erneuert werden konnte[50]. Am 7. Oktober 1950 wurde der endgültig fertiggestellte Galeriebau der Öffentlichkeit übergeben[51]. Damit war ein weiterer gewichtiger Schritt im Wiederaufbau des Museums getan, und gleichsam als ein Zeichen dieser Entwicklung wurde etwa zur gleichen Zeit der Name des Museums in vergoldeten Majuskeln über dem Haupteingang angebracht[52]. Neben den Aufbauarbeiten am Bestelmeyerbau war die Wiederherstellung des historischen Baubestands eine vordringliche Aufgabe. Sein Mittelpunkt, die gotische Kartäuserkirche, war schwer in Mitleidenschaft gezogen worden; die Südflanke des   89, 93 Chors war samt seinen Gewölben durch eine Sprengbombe in einer Breite von 15 m aufgerissen worden, wobei auch vier Maßwerkfenster ganz oder teilweise zerstört waren. Die an der Südseite des Chors befindliche sog. Geuderkapelle war ein Trümmerhaufen und konnte nur noch abgetragen werden[53]. Zwar waren die Wiederherstellungsarbeiten des Chors der Kirche bereits am 1. April 1947 aufgenommen worden, doch wurden sie immer wieder verzögert, weil das Sandsteinmaterial und die Fachleute zu seiner Bearbeitung fehlten[54]. Erst seit Anfang Mai 1949 wurde diese Arbeit zügig   97 vorangetrieben, so daß am 10. Oktober 1949 das Richtfest begangen werden konnte. Anschließend, noch vor Eintritt der kalten Jahreszeit, wurde das Dach eingedeckt. Eine museale Nutzung des Kirchenraums war noch nicht möglich, weil mehrere der hohen Fenster ohne Gliederung und Verglasung bleiben mußten, auch war das Chorgewölbe noch nicht eingezogen[55]. Der umgebende Klosterbereich – der kleine und große Kreuzgang mit den sogenannten Mönchshäusern sowie die zwei Refektorien mitsamt ihrem Obergeschoß – war zwar auch schwer getroffen, konnte aber mit Ausnahme des nur noch ruinenhaft vorhandenen Kleinen Kreuzgangs unter Berücksichtigung denk-   vgl. 199, 315 malspflegerischer Erfordernisse in seinem alten Zustand so gut wie möglich im Lauf des Jahres 1949 wiederhergestellt werden[56]. Die Mönchshäuser konnten bis zu diesem Zeitpunkt aber noch nicht als Schauräume eingerichtet werden, weil ihr Innenausbau noch auf sich warten ließ.

[48] Jahresbericht GNM 95 (für 1949/50), 1950, S. 92.
[49] Jahresbericht GNM 95 (für 1949/50), 1950, S. 94.
[50] Jahresbericht GNM 95 (für 1949/50), 1950, S. 123f.
[51] Jahresbericht GNM 96 (für 1950/51), 1951, S. 103 (hier irrtümlich 8. November 1950 angegeben).
[52] Die Schrift wurde am 6. Juli 1950 angebracht. Sie war entworfen von Professor Schmidt, München, ausgeführt von dem Nürnberger Kunstschmied Ferdinand Wiener und vergoldet vom Restaurator Karl Barfuß. Jahresbericht GNM 96 (für 1950/51), 1951, S. 103.
[53] Jahresbericht GNM 92 (für 1946/47), 1947, S. 30. – Jahresbericht GNM 95 (für 1949/50), 1950, Abb. 48, S. 124 (mit der Ruine der Geuderkapelle).
[54] Jahresbericht GNM 93 (für 1947/48), 1948, S. 76.
[55] Jahresbericht GNM 95 (für 1949/50), 1950, S. 125, Abb. 48, S. 124 (hier die Kirche von außen mit den noch deutlich sichtbaren ergänzten Bauteilen, einige Fenster noch ohne Maß- und Stabwerk). – Jahresbericht GNM 97 (für 1951–54), 1955, Abb. 1 (Blick in den Chor).
[56] Jahresbericht GNM 93 (für 1947/48), 1948, S. 76–80. – Jahresbericht GNM 93 (für 1948/49), 1949, S. 89–92, Abb. 43, 44.

138. Bundespräsident Prof. Dr. Theodor Heuss, der Erste Direktor Dr. Ernst Günter Troche, Generaldirektor Otto Meyer, MAN Augsburg und Prof. Dr. Carl Georg Heise, Direktor der Kunsthalle Hamburg, beim Rundgang durch die neu eröffneten Räume im Obergeschoß des Galeriebaus anläßlich der Verwaltungsratssitzung vom 22. Oktober 1950

Seit eigene Räume für Sonderausstellungen verfügbar waren, wurden laufend wechselnde Ausstellungen veranstaltet, deren Thematik und Dauer den jeweiligen Jahresberichten entnommen werden
96 können[57]. Wenn manche Ausstellungen der Kunst fremder Kulturkreise gewidmet waren, dann entsprach dies nicht nur einer verbreiteten Aufnahmebereitschaft in der Bevölkerung, sondern auch der Absicht der Museumsleitung, mehr als bisher die zwischennationalen Zusammenhänge und die Leistungen anderer Völker zur Geltung zu bringen. Einige der Ausstellungen wurden in Zusammenarbeit mit englischen und amerikanischen Kulturinstituten veranstaltet.

Wie schon bei den ähnlich tiefgreifenden politischen Umwälzungen 1918 und 1933 wurde nach der Einführung demokratischer Staatsformen erhöhte Aufmerksamkeit der Jugend- und Erwachsenenbildung auch in den Museen zugewendet. Diesem Zweck dienten nicht allein die Vorträge und Führungen, sondern vor allem die Einrichtung einer eigenen Kunstpädagogischen Abteilung mit dem Ziel „der Erweckung und Vertiefung des Kunsterlebnisses und -verständnisses, der Bildung des Kunstgeschmacks und des Kunsturteils"[58]. Es sollte versucht werden, mit dieser Institution des Museums Kreise der Bevölkerung heranzuziehen, denen das Museum und seine Aufgaben bisher fremd waren; zu diesem Ziel wollte man sich vor allem der Schulen, der Volkshochschule und anderer

[57] Jahresbericht GNM 91 (für 1944–46), 1946, S. 27. – Jahresbericht GNM 92 (für 1946/47), 1947, S. 31. – Jahresbericht GNM 93 (für 1947/48), 1948, S. 61f. – Jahresbericht GNM 94 (für 1948/49), 1949, S. 75f. – Jahresbericht GNM 95 (für 1949/50), 1950, S. 95–98. – Jahresbericht GNM 96 (für 1950/51), 1951, S. 84–90. – Vgl. auch das Verzeichnis der Sonderausstellungen in Anhang.
[58] Jahresbericht GNM 96 (für 1950/51), 1951, S. 98–103, Abb. 41, 42.

279

Erwachsenengruppen bedienen. Mit der Nürnberger Volkshochschule war schon seit Herbst 1946 eine Zusammenarbeit beschlossen worden, man tagte im Lesesaal des alten Bibliotheksgebäudes. Auch die Lehrerschaft als wichtiger Mittler von Bildung sollte zur Auswertung der Museumsbestände im Unterricht angeregt werden. Beim Aufbau dieser Bildungsstätte machte man sich die Erfahrungen ausländischer Museen, die auf diesem Gebiet mittlerweile sehr viel fortgeschrittener waren, zunutze. Für die Ausstattung spendete das amerikanische Education Center namhafte Beträge. Es wurden die beiden Räume im Erdgeschoß des Refektoriums eingerichtet und am 29. September 1950 der Öffentlichkeit übergeben (Raum 28, 29). Zu enggefaßten Themen wurden von Fachkräften des Museums Vorträge und Kurse gehalten, die mitunter von Ausstellungen, Lichtbildern oder Filmen begleitet waren. Aus diesen nicht leicht zu schaffenden Anfängen ist das heutige Kunstpädagogische Zentrum entstanden[59].

Wenn in nur wenigen Jahren alle Voraussetzungen für einen geregelten Museumsbetrieb geschaffen werden konnten, so ist dies dem unermüdlichen Einsatz der Männer und Frauen zu danken, die anfangs unter größten persönlichen Entbehrungen und Mangel am Notwendigen, oft genug in Notquartieren hausend, alle ihre Kraft dem Wiederaufbau des Museums gaben. Umso erstaunlicher ist es, daß, sobald die Bestände der Bibliothek wieder zugänglich und damit die Voraussetzungen für wissenschaftliche Betätigung gegeben waren, auch die Forschungsarbeit sehr bald begann, wovon die Kommentare zu den Neuerwerbungen im 91. und 92. Jahresbericht 1944/46 und 1946/47 Kenntnis geben, bis im 93. Jahresbericht von 1948 die Beiträge der wissenschaftlichen Mitarbeiter voll einsetzen. Neben der in den Jahresberichten so anschaulich geschilderten täglichen Mühsal des Wiederaufbaus fand jeder der wissenschaftlichen Mitarbeiter wieder zu den Forschungsaufgaben seines Spezialgebiets zurück. Der Stab der Wissenschaftler hatte sich sehr bald vervollständigt; unter ihnen waren mehrere, die aus den früheren deutschen Ostgebieten kamen. Zu ihnen zählte Georg Raschke, 373 der ehemalige Direktor des Landesamtes für Vorgeschichte Oberschlesiens, so daß erstmals in der Geschichte des Germanischen Nationalmuseums die vor- und frühgeschichtliche Abteilung von einem Spezialisten betreut werden konnte. Gleichfalls aus dem Ostgebiet kam Prof. Edmund Wil- 395 helm Braun, der aus seiner Wahlheimat Troppau, ČSSR, vertriebene Museumsdirektor. Der damals 76jährige machte als mittelloser Flüchtling am 1. August 1946 bei Troche Besuch und konnte kurz danach am Germanischen Nationalmuseum, wo er ein halbes Jahrhundert zuvor seine Laufbahn als Volontär begonnen hatte, als wissenschaftlicher Berater mitarbeiten. Als bedeutender Kenner des Kunsthandwerks boten ihm die Bestände des Germanischen Nationalmuseums ein ausgiebiges Betätigungsfeld. Ihm wird die wissenschaftliche Inventarisierung der umfangreichen Keramikbestände verdankt. Neben seiner tätigen Mithilfe bei dem inneren Wiederaufbau des Germanischen Nationalmuseums widmete er sich unter den zeitbedingten erschwerten Umständen der wissenschaftlichen Arbeit und veröffentlichte bis zu seinem Tod am 23. September 1957 noch zahlreiche Beiträge. „Dem Forscher und Kenner des deutschen Kunsthandwerks" wurde anläßlich seines 80. Geburtstages der 95. Jahresbericht 1950 als Festschrift seiner Mitarbeiter gewidmet und 1953 die Ehrenmitgliedschaft des Germanischen Nationalmuseums verliehen[60]. Als freiwilliger Mitarbeiter konnte Professor Ernst Zinner, Bamberg, gewonnen werden, der seit September 1948 seine speziellen Kenntnisse für die Inventarisation der bedeutenden Sammlung wissenschaftlicher Instrumente des Germanischen Nationalmuseums zur Verfügung stellte[61].

[59] Vgl. S. 509–510.
[60] Jahresbericht GNM 97 (für 1951–54), 1955, S. 43 und S. 46.
[61] Jahresbericht GNM 94 (für 1948/49), 1949, S. 88.

Am 22. Mai 1946 trat der Verwaltungsrat, das leitende Organ der Stiftung, erstmals seit 1942 wieder zusammen; eine zweite Sitzung folgte am 17. Juli. Die durch Tod und Zeitereignisse verringerte Zahl der Mitglieder mußte durch Zuwahlen wieder auf den satzungsgemäßen Stand gebracht werden[62]. Damals wurde der spätere Vorsitzende des Verwaltungsrats, Dr. Hans Christoph Freiherr von Tucher, schon seit 1936 Mitglied, zum stellvertretenden Vorsitzenden gewählt. Besondere Bedeutung kam der Verwaltungsratssitzung am 10. September 1948 zu, auf der, einem Vorschlag Troches folgend, der damalige Staatsminister a. D. Theodor Heuss zum Mitglied und zugleich zum Vorsitzenden des Verwaltungsrats gewählt wurde. Heuss, seit seiner Studienzeit dem Germanischen Nationalmuseum eng verbunden, sollte in den 15 Jahren seines Vorsitzes dem Museum unschätzbare Dienste leisten. Als einziges Ehrenamt behielt er den Vorsitz auch während seiner Amtszeit als erster Bundespräsident Deutschlands (12. September 1949 bis 8. September 1959) und darüber hinaus bis zu seinem Tode am 12. Dezember 1963. Es soll nicht verkannt werden, daß die Ehre, den Präsidenten der Bundesrepublik an der Spitze des Verwaltungsrats zu haben, manche Vorhaben förderte und erleichterte. Auf Antrag des Kunstausschusses des deutschen Bundestags wurde im Etat der Bundesregierung ein Bundeszuschuß für den Wiederaufbau des Germanischen Nationalmuseums in Höhe von DM 400 000,–, verteilt auf vier Jahre, eingesetzt. Teile dieser Summe wurden für die Wiederherstellungsarbeiten verwendet, die im Hinblick auf das hundertjährige Jubiläum des Museums im Jahr 1952 vordringlich waren[63].

vgl. 95
131

Ein Bericht über die ersten 20 Jahre des Museums nach dem totalen Zusammenbruch des Deutschen Reiches 1945 muß zwangsläufig fast nur von Wiederaufbauarbeiten handeln.

Mit einem kleinen Stab von Kollegen und Mitarbeitern, deren Zahl noch keineswegs den Erfordernissen entsprach, sah sich Ernst Günter Troche bei Beginn seiner Arbeit vor eine Aufgabe gestellt, die viel Weitblick, Ordnungssinn und Organisationsgeschick erforderte. In der Führung des Museums bemühte er sich um einen Ausgleich zwischen den berechtigten Forderungen der neuen Zeit und der Verpflichtung zur Tradition. Dies kommt auch in seiner Aufstellungskonzeption zum Ausdruck, die eine bruchlose Weiterführung von Kohlhaußens Vorstellungen zu denen von Troches Nachfolger Grote bildet[64]. Die guten Kontakte, die Troche zu den Vertretern der Besatzungsmacht, zu den Behörden in München und Nürnberg, sowie zu deutschen und ausländischen Fachgenossen herzustellen verstand, haben oft zur Behebung der schier unüberwindlich scheinenden Schwierigkeiten beigetragen. Vor allem gelang es seiner zielbewußt betriebenen Öffentlichkeitsarbeit, dem Museum wieder sehr bald seinen Platz im Kulturleben zu verschaffen.

Trotz situationsbedingter Austritte hielten die meisten der alten Mitglieder dem Germanischen Nationalmuseum auch in den schweren Nachkriegszeiten die Treue, und neue Freunde konnten gewonnen werden.

Die ansehnliche Zahl von qualitativ hochwertigen Kunstwerken und kulturhistorischen Sachgütern, die zwischen 1945 und Ende 1951 in die Obhut des Museums gelangten, kann den einzelnen Jahresberichten entnommen werden, in denen auch viele Neuerwerbungen abgebildet sind[65]. Es sind

[62] Jahresbericht GNM 91 (1944–46), 1946, S. 37. – Jahresbericht GNM 92 (für 1946/47), 1947, S. 59–61. Der Verwaltungsrat bestand aus 15 Mitgliedern. Die nächste Verwaltungsratssitzung fand am 24. Juli 1947 statt; vgl. Jahresbericht GNM 93 (für 1947/48), 1948, S. 81. – Zur Zusammensetzung des Verwaltungsrats nach dem zweiten Weltkrieg vgl. S. 256–261.
[63] Jahresbericht GNM 97 (für 1951–54), 1955, S. 6.
[64] Über Kohlhaußens Konzeption vgl. Heinz Stafski: Umgestaltung des Germanischen Nationalmuseums in Nürnberg. In: Die Weltkunst Jg. 12 (1938), Nr. 3 vom 16. Januar 1938.
[65] Jahresbericht GNM 91 (für 1944–46), 1946, S. 29–37. – Jahresbericht GNM 92 (für 1946/47), 1947, S. 42–58. – Jahresbericht GNM 93 (für 1947/48), 1948, S. 10–55. – Jahresbericht GNM 94 (für 1948/49), 1949, S. 51–71. – Jahresbericht GNM 95 (für 1949/50), 1950, S. 73–89. – Jahresbericht GNM 96 (für 1950/51), 1951, S. 64–78.

viele Stiftungen, Vermächtnisse und Leihgaben darunter, die das Vertrauen und die den Krieg überdauernde Verbundenheit ihrer Eigentümer zum Germanischen Museum bezeugen. Bereits im Mai 1946 hatte Troche einen Aufruf an die Öffentlichkeit gerichtet, künstlerisch und kulturhistorisch wertvolle Objekte dem Museum anzuvertrauen, wenn die Zeitumstände einen Verbleib in privatem Besitz nicht zuließen. Manches Objekt ist auch durch Tausch aus Eigenbesitz ins Museum gelangt, die wenigsten Werke durch Ankauf, weil alle verfügbaren Mittel dem Wiederaufbau zukommen mußten. Ein Überblick über Neuerwerbungen in diesen Jahren erweist eine weite landschaftliche und sachliche Streuung, die deutlich erkennen läßt, wie sehr sich Troche sowohl dem gesamtdeutschen als auch dem kulturhistorischen Auftrag des Museums verpflichtet fühlte.

Als Troche Anfang Oktober 1950 aus persönlichen Gründen einen längeren Urlaub für einen Amerikaaufenthalt antrat und von dort im Mai 1951 den Verwaltungsrat wissen ließ, daß er nicht mehr nach Nürnberg zurückzukehren gedenke, blieb das Germanische Nationalmuseum in einer Phase des Wiederaufbaus zurück, die man unter Berücksichtigung der damaligen Umstände als den Beginn der Normalisierung bezeichnen kann. Das Museum war im Innern wie im Äußern wieder funktionsfähig, es konnte seiner vornehmsten Aufgabe, der Öffentlichkeit zugänglich zu sein, in eingeschränktem Umfang genügen; der Personalbestand entsprach wieder der Stärke vor dem Krieg, und ein Stab von wissenschaftlichen Mitarbeitern[66] stand zur Verfügung, so daß alle Voraussetzungen für eine endgültige Normalisierung und für die Bewältigung der nicht geringen Aufgaben geschaffen waren, die sich dem Museum in naher und ferner Zukunft stellten.

Das Museum unter der Leitung von Ludwig Grote 1951–1962

Die durch das unvorhergesehene Ausscheiden seines Direktors entstandene Vakanz mußte im Hinblick auf das im folgenden Jahr zu begehende hundertjährige Bestehen des Museums schnellstens beendet werden. Zu den wenigen für die Leitung des Museums als befähigt gehaltenen Kunsthistorikern zählte Ludwig Grote, dem der Vorsitzende des Verwaltungsrats, Professor Theodor Heuss, am 10. August 1951 folgenden Brief schrieb:

„Sehr geehrter Herr Dr. Grote!

Die Frage des künftigen Leiters des Germanischen National-Museums in Nürnberg macht mir, der ich den Vorsitz im Verwaltungsrat auch nach meiner Wahl zum Bundespräsidenten beibehalten habe, allerhand Kummer, denn durch das plötzliche Ausscheiden von Dr. Troche ist nun eine ziemlich komplizierte Situation zu meinen sonstigen Aufgaben hinzugewachsen, deren Behandlung mir nur durch die freundwillige Bereitschaft und Mitwirkung des stellvertretenden Vorsitzenden, des Barons von Tucher, einigermaßen möglich erscheint. Unter den „Kandidaten" ist ja auch sehr bald Ihr Name genannt worden. Aber es hat sich dann, wie mir Baron von Tucher mitteilte, bei Ihnen zunächst die Anzahl der Gegenargumente gehäuft. Ich vermag diese natürlich im einzelnen nicht zu würdigen. Es wurde nur gesagt, daß Ihnen die relative Freizügigkeit zwischen wechselnden Aufgaben nach langen beamtlichen Bindungen Freude macht.

Natürlich sind solche Entscheidungen immer von persönlichen Motiven und Überlegungen abhängig, für die ein Zusprechen von dritter Seite nur den Charakter von Schnörkeln am Rand haben mag. Ich selber war bisher eigentlich naiv genug, das Germanische National-Museum in seiner eigentümlichen Mischung von dem, was man reine Kunst nennt, mit mehr kulturgeschichtlich interessanten

---

[66] Der Personalbestand der wissenschaftlichen Mitarbeiter ist dem Jahresbericht GNM 95 (für 1949/50), 1950, S. 134, zu entnehmen.

139. Bundespräsident Prof. Dr. Theodor Heuss im Gespräch mit dem Ersten Direktor Dr. Ludwig Grote bei Besichtigung des Baugeländes für den Theodor-Heuss-Bau anläßlich der Verwaltungsratssitzung am 6. Juni 1957

Dokumenten, für eines der schönsten deutschen Dinge in der Sphäre des Musealen zu halten. Der reine Museumsmann mag ja gewiß das und das anders sehen, wiewohl ich tief überzeugt bin, daß es auch in dieser Sphäre „Moden" gibt. Aber die historische Atmosphäre und die reiche Möglichkeit der Kombination ist für den, der Phantasie besitzt, wohl nirgends so gegeben wie in Nürnberg. Ob die Konstruktion des Verwaltungsrates und das Mitreden bei den Finanzdingen der verschiedenen staatlichen Instanzen eine Beschwernis oder eine Lockung darstellt, wird natürlich auch von der Individualität abhängig sein. Wenn ich jünger wäre und Kunstgeschichte nicht bloß eine Liebhaberei des Nebenher, so würde mir eine solche Aufgabe geradezu als eine Lockung erscheinen, zumal sie selbst bereits im besonderen Sinne historisch geworden ist. In der Gründung des Germanischen Museums vor 100 Jahren hat sich für meine Begriffe etwas wie die Aussöhnung zwischen Aufklärung und Romantik vollzogen.

Ich weiß natürlich nicht, ob Sie sich die Situation einmal näher angesehen haben. Ich weiß auch um die Beschwernisse, die darin liegen, daß Nürnberg zur Zeit keinen Oberbürgermeister besitzt. Aber ich würde Ihnen doch sehr dankbar sein, wenn Sie die Möglichkeit, einer der vornehmsten Bewerber zu sein, noch einmal überprüfen. Ich kann als Vorsitzender des Verwaltungsrates die Stellung des Direktors, wie Sie wissen, nicht „vergeben", aber ich möchte glauben, daß die Mitglieder des Verwaltungsrates Ihre Leistungen und Ihre Persönlichkeit im Positiven zu werten gerne bereit sind.

Mit freundlichen Grüßen Ihr THEODOR HEUSS".

„Dieser Anruf bewegte mich", schrieb einige Jahre später Grote[67], „er kam meiner Liebe zur deutschen Romantik, für ihr Denken und Gestalten entgegen und ließ mich die besondere Aufgabe des Museums erkennen". Der Entschluß, die Leitung des Germanischen Nationalmuseums zu übernehmen, fiel dem bereits im gereiften Alter stehenden Mann in der Tat nicht leicht. Grote war damals in München ansässig, wo er bald nach Kriegsende durch bedeutende Ausstellungen die so lange der deutschen Öffentlichkeit entfremdete Kunst des 20. Jahrhunderts erneut zur Geltung brachte[68]. Nicht allein seine stets bewahrte Bindung an die zeitgenössische Kunst ließ ihm Bedenken kommen, ein rein historisch ausgerichtetes Museum zu übernehmen, es mag auch die Erinnerung an sein 1924 bis 1933 ausgeübtes Amt als Galeriedirektor in Dessau und zugleich als Landeskonservator von Sachsen-Anhalt gewesen sein, eine Tätigkeit also, die über rein museales Wirken hinausging.

Am 27. Oktober 1951 wählte der Verwaltungsrat Ludwig Grote einstimmig zum Ersten Direktor; neun Tage später, am 5. November, trat er sein Amt an[69]. Trotz der tüchtigen Vorarbeit Troches war das Museum noch weit von einem normalen Zustand entfernt. Es galt auch fernerhin nicht allein die materiellen Schäden, sondern auch den geistigen Schutt einer verhängnisvollen Vergangenheit zu beseitigen. In völliger Verkennung der historischen Bezüge war selbst das Wort „Germanisch" in Verbindung mit „National" als Bestandteil des Namens des Museums eine über die Grenzen Deutschlands wirkende Belastung. Dies richtigzustellen und diese Bürde von ihm zu nehmen, erforderte ungemein viel Takt, aber auch den Mut und unbegrenzten Optimismus eines Mannes wie Grote.

Es war wohl die Geschichte des Germanischen Nationalmuseums und die Persönlichkeit seines Gründers, die Grote letztlich den entscheidenden Anstoß gaben, das ihm angebotene Amt zu

[67] Begegnungen mit Theodor Heuss. Hrsg. v. Hans Bott und Hermann Leins. Tübingen 1954, S. 355.
[68] 1949, September-Oktober: „Der Blaue Reiter. München und die Kunst des 20. Jahrhunderts. Der Weg von 1908–1914". Die Ausstellung wurde von Januar bis März 1950 in der Öffentlichen Kunstsammlung in Basel gezeigt. – 1950, Mai-Juni: „Die Maler am Bauhaus". – 1950: „Oskar Kokoschka. Aus seinem Schaffen 1907–1950". – 1951: „H. de Toulouse-Lautrec. Das graphische Werk. Sammlung Ludwig Carell". – 1951: „Max Beckmann zum Gedächtnis. 1884–1950". – Alle Ausstellungen wurden im Haus der Kunst in München gezeigt; zu allen Ausstellungen erschienen Kataloge mit einem Geleitwort von Grote.
[69] Jahresbericht GNM 97 (für 1951–54), 1955, S. 41 und 48.

übernehmen. Mit den künstlerischen und geistigen Strömungen des 19. Jahrhunderts eng vertraut, erkannte er die bleibende Aktualität des Programms von Aufseß und empfand es als eine faszinierende Aufgabe, das Germanische Nationalmuseum wieder zu Ansehen zu bringen und es am geistigen Aufbau einer völlig veränderten Umwelt teilnehmen zu lassen. „Die ursprünglich vaterländische Aufgabe des Germanischen Nationalmuseums, von der Einheit des deutschen Geistes und der deutschen Kultur Zeugnis abzulegen, hat nach 1945 eine schmerzliche Erneuerung erfahren"[70]. Die Grundsätze von Aufseß hielt Grote für richtig und verbindlich. „Er – Aufseß – war für meine Tätigkeit wegweisend. Ich habe mich um die Renaissance seiner Museumsidee bemüht und bin überzeugt, daß es allein dieses Erbe war, dem wir den großzügigen Wiederaufbau im letzten Grunde verdanken", sagte Grote in einer Gedächtnisrede anläßlich des hundertsten Todestags von Aufseß[71].

An der Aufseß'schen Forderung nach kulturhistorischer Ausrichtung des Museums hielt Grote unverrückbar fest: „Es ist vor allem die Einstellung auf die Geschichte der Kultur, für die Aufseß die schöne und treffende Bezeichnung ,das innere Leben der Nation' gefunden hat. Sie gibt dem Germanischen Nationalmuseum seine Besonderheit und eine Aufgabe, die sich kein anderes Institut in Deutschland gestellt hat. Den Kosmos der Kultur will das Germanische Nationalmuseum erfassen und darstellen. Nicht die vornehmen, hohen bildenden Künste für sich, nicht das Kunstgewerbe, sondern alle Gebiete der menschlichen Gestaltung in Sprache, Dichtung, Sitte, Recht, Glaube, Musik, vom erhabenen bis zum geringsten Dokument, will es erhalten und als geistigen Ausdruck erkennen. Ein Programm, das zwar dem Umfang nach unerfüllbar ist, aber sich unter der Voraussetzung einer qualitativen Auslese als außerordentlich fruchtbar erwiesen hat. Es gibt eine Art von Gemälden, Darstellungen, Gegenständen der mannigfaltigsten Art, bei denen man sofort weiß, daß sie ins Germanische Nationalmuseum gehören . . . Wir wollen uns auf die Leitgedanken unseres Gründers besinnen. Die kulturgeschichtliche Aufgabe wird die vornehmste sein und bleiben. Die Kultur der Epoche ist uns die geistige Macht des Ausdrucks, die alle ihre Erzeugnisse verbindet"[72]. Wie Grote es bereits bei der Pressekonferenz gelegentlich seiner Wahl zum Direktor ausdrückte, wollte er das Germanische Nationalmuseum „mit den Mitteln moderner Werbung wieder ins Gesamtbewußtsein des deutschen Volkes bringen". Der riesige Bestand müsse, in sinnvolle, einprägsame Ordnung gebracht, die Kulturgeschichte stark in Erscheinung treten lassen, sich aber von romantisch sentimentaler Verstaubung frei halten[73]. Wichtig ist auch die Betonung der qualitativen Auswahl, ein Grundsatz, der zu einer weitgehend aufgelockerten Darbietung der Objekte führte.

Sehr bald hatte Grote Gelegenheit, seine Vorstellungen eines der Tradition seines Gründers verpflichteten und zugleich lebendigen Museums in die Tat umzusetzen.

Das hundertjährige Bestehen des Museums sollte 1952 würdig begangen werden. Für die Planung und Durchführung stand nur der überaus begrenzte Zeitraum von etwas mehr als einem halben Jahr zur Verfügung. Ein breit gefächertes Programm der Veranstaltungen und andere publizistische Tätigkeiten veranschaulichen die vielen von Grote genutzten Möglichkeiten, um dem Germanischen Nationalmuseum wieder seinen Platz in der deutschen und ausländischen Öffentlichkeit zu verschaffen. Die Gestaltung und der Ablauf des Jubiläums, über das eine eigens erschienene Broschüre berichtet, seien hier kurz geschildert.

102, 103 Schwerpunkt war die Ausstellung „Aufgang der Neuzeit. Deutsche Kunst und Kultur von Dürers Tod bis zum Dreißigjährigen Kriege 1530–1650", die vom 15. Juli bis 19. Oktober lief und eine

---

[70] Undatiertes Manuskript eines Vortrags von Grote.
[71] Am 30. Juni 1972 vor dem Förderkreis und Freunden des Germanischen Nationalmuseums.
[72] Ludwig Grote: Symbol gesamtdeutscher Sehnsucht. Nürnberger Nachrichten vom 9. August 1952. Festausgabe anläßlich der Hundertjahrfeier 1952.
[73] Bayerischer Staatsanzeiger München, 3. November 1951.

285

Epoche darstellte, die bisher in Deutschland, auch in der wissenschaftlichen Bearbeitung, recht unbeachtet und verkannt war. Die Ausstellung im 1. Stock des damals einzigen museal voll nutzbaren Gebäudes, dem Bestelmeyerschen Galeriebau, wollte „eine Darstellung der gesamten Kultur dieses Zeitraums bringen, die über die eigentlichen Künste hinausgeht" und bewies mit über 60000 Besuchern, daß eine Ausstellung weitestes Interesse findet, wenn die Präsentation von Kunstwerken durch Dokumente von primär kulturhistorischer Aussagekraft bereichert und damit das Bild einer Epoche begreiflicher gemacht und vertieft wird. Zugleich aber bekundete Grote mit dieser Ausstellung, wie er seine Tätigkeit verstand; in seinem Vorwort zum Ausstellungskatalog heißt es: „Mit dieser Ausstellung . . . greift das Germanische National-Museum den kulturgeschichtlichen Leitgedanken seines Begründers auf, dessen Erneuerung wir uns als Richtschnur für den Wiederaufbau genommen haben"[74]. Die Vorbereitung der Ausstellung beanspruchte viel Arbeit, weil das einschlägige Material erst erschlossen werden mußte. Dies bot wiederum die erwünschte Gelegenheit, die lange unterbrochenen oder verkümmerten Beziehungen zu anderen Museen im In- und Ausland durch Leihgabentausch wiederaufzunehmen.

Am 9. August fand eine Festsitzung des Verwaltungsrats statt. Am Nachmittag führten Trachtengruppen vieler deutscher Stämme, auch aus Österreich und der Schweiz, im Hof des großen Kreuzgangs ihre Tänze vor und sangen ihre Lieder; vor allem wurden die Gruppen gefeiert, deren Heimat im verlorenen deutschen Osten lag. Die Veranstaltung, zu der Grotes Freund Eugen Roth den Prolog verfaßte, fand so starken Anklang, daß sie an zwei Tagen mehrfach wiederholt wurde. Am Abend hielt Carl Jakob Burckhardt, Basel, den Festvortrag: „Städte-Geist", in dem er sich mit der kulturellen Funktion der Stadt seit der Antike befaßte.

Am folgenden Tag versammelten sich die Teilnehmer im Opernhaus, wo die Festrede von Theodor Heuss den Höhepunkt der Jubiläumsveranstaltungen bildete. Seine Ansprache und Burckhardts Vortrag sind in einem Sonderdruck unter dem Titel „Noris" 1953 den Mitgliedern des Germanischen Nationalmuseums als Jahresgabe überreicht worden. Den Abschluß bildete am Abend eine Festaufführung der Oper „Mathis der Maler" von Paul Hindemith im Nürnberger Opernhaus.

Aus Anlaß des Jubiläums erschien ein Bildband „Deutsche Kunst und Kultur im Germanischen National-Museum", der seit 75 Jahren wieder eine repräsentative Auswahl von Werken bot und eine Vorstellung von der Vielfalt der Sammlungen vermittelte.

Das Jubiläum war auch ein willkommener Anlaß, die Existenz des Museums weiten Kreisen bewußt zu machen. Zu diesem Behuf bediente man sich vieler, damals noch keinesfalls so selbstverständlicher Möglichkeiten der Werbung. Ein Prospekt informierte über das Programm des Jubiläums, Rundfunkreportagen und Presseinterviews berichteten über die Vorbereitungen und den Verlauf der Feierlichkeiten; auch das damals noch in der Entwicklung befindliche Fernsehen brachte eine Sendung[75]. Die in Nürnberg erscheinenden Tageszeitungen brachten Sonderausgaben heraus und die gesamte deutsche Presse erwähnte das Jubiläum meist mit einem Rückblick auf die Geschichte des Germanischen Nationalmuseums. Zwei Plakate, die Kurt Kranz von der Landeskunstschule Hamburg entwarf, machten auf die Jahrhundertfeier und die Ausstellung aufmerksam. Die Genehmigung zur Ausgabe einer Sonderbriefmarke wurde nicht ohne Schwierigkeiten erreicht, und eine Fünfmark-Gedenkmünze wurde geprägt. Die Briefmarke, von A. Goldammer und L. Schnell gestaltet, zeigte die bekannte „Nürnberger Madonna" in Halbfigur; das nach einem Entwurf von Karl

104, 105, 452

101

---

[74] Katalog der Ausstellung „Aufgang der Neuzeit. Deutsche Kunst und Kultur von Dürers Tod bis zum Dreißigjährigen Kriege 1530–1650". Bielefeld 1952, S. 5.
[75] Die Sender Hamburg und Berlin des NWDR-Fernsehfunks brachten am 11. August 1952 einen Bericht: Das Germanische Museum in Nürnberg.

Roth, München, vom Bayerischen Hauptmünzamt geprägte Geldstück mit der berühmten Adlerfibel auf dem Revers gehört heute zu den gesuchtesten und höchstbezahlten Sondermünzen[76].

100, 198 Bis zu den Feierlichkeiten konnten dank einer von Theodor Heuss ins Leben gerufenen Jubiläumsspende[77] die Kartäuserkirche mit dem großen Kreuzgang und den nördlich angrenzenden Mönchshäusern, sowie die alten Apotheken, das Laboratorium und ein Raum mit den beliebten Puppenhäusern wiederhergestellt und eingerichtet werden. Auch der Plan der Heimatgedenkstätten, über die später noch berichtet werden wird, wurde damals in nuce der Öffentlichkeit vorgeführt. Bestand die Jubiläumsspende aus Geldmitteln, die überwiegend dem Wiederaufbau zugeführt wurden, so konnte das Germanische Nationalmuseum aus dem Kreis seiner Freunde und Mitglieder auch ansehnliche Stiftungen von Kunstwerken und kulturhistorisch wertvollen Objekten entgegennehmen.

Die Säkularfeier ist hier etwas ausführlicher beschrieben worden, um zu zeigen, welch vielfältiger Mittel sich Grote bediente, um dem Museum wieder zu einer Geltung zu verhelfen, die nicht nur bei den Fachgenossen sondern vor allem in weiten Volkskreisen gesucht wurde. So konnte Grote in einem Rückblick auf das Jubiläum feststellen: „Die Hundertjahrfeier hat die einzigartige gesamtdeutsche Aufgabe des Germanischen National-Museums gewürdigt und weiten Kreisen des Deutschen Volkes erneut zum Bewußtsein gebracht"[78].

Für mehrere wissenschaftliche Körperschaften war das Jubiläum des Germanischen Nationalmuseums der Anlaß, gleichzeitig ihre Jahrestagungen in Nürnberg abzuhalten: vom 6. bis 10. August fand der 31. deutsche Archivtag statt, zugleich feierte der Gesamtverein der deutschen Geschichts- und Altertumsvereine mit seiner 77. Hauptversammlung sein 100-jähriges Bestehen; vom 9. bis 13. August hielt der Verband deutscher Kunsthistoriker seinen 4. Kongreß ab.

Nach Abschluß der Jubiläumsfeiern wurden die von Troche begonnenen Wiederaufbauarbeiten mit dem Ziel fortgesetzt, eine weitere Zahl von Schauräumen bald wieder der Öffentlichkeit zugänglich zu machen; daneben war die Revision der Bestände, die in den wenigen Depoträumen zwar überaus gedrängt, aber noch überschaubar untergebracht waren, abzuschließen, kurzum es war damit fortzufahren, die Grundlagen für einen geordneten und normalen Museumsbetrieb zu schaffen. Diejenigen Gebäudetrakte, die wenigstens provisorisch museal genutzt werden konnten, wurden wiederhergestellt, daneben wurden auch Neubauten von gänzlich zerstörten Baulichkeiten ins Auge 434–436 vgl. 148 gefaßt. Die schon erwähnten, zu den Jubiläumsfeierlichkeiten noch fertiggestellten Apotheken (Raum 89–91) und das alte Laboratorium zeigen, daß Grote trotz dem damaligen Raummangel nicht auf kulturhistorische Akzente verzichten wollte; dies kam auch bei der Einrichtung der Mönchshäuser (Raum 14–20) zum Ausdruck, die sich in ihrer unregelmäßigen Folge von niedrigen Stuben für eine Darstellung des mittelalterlichen Wohnwesens und spätgotischen Hausrats anboten. Das Gefüge und die Proportionen dieser Räume vermittelten dem Besucher das Gefühl, sich in einem alten „Gehäuse" zu befinden; die einzelnen Objekte wurden jedoch museal präsentiert, ohne einen historisierenden Effekt anzustreben. Die übrigen Räume der Mönchshäuser zeigten Erzeugnisse der Töpferei und Hafnerkunst, speziell die dem deutschen Sprachgebiet so eigentümlichen Kachelöfen,

---

[76] Das Sonderpostwertzeichen 100 Jahre Germanisches Nationalmuseum (Wert 10 + 5 DPfg) erbrachte einen Gewinn von DM 62000,--, wovon DM 15000,-- dem Römisch-Germanischen Zentralmuseum in Mainz gegeben werden mußten, aufgrund einer Bedingung, von deren Erfüllung das Land Rheinland-Pfalz seine Zustimmung zur Ausgabe der Marke abhängig gemacht hatte. Es verblieben dem Germanischen Nationalmuseum insgesamt DM 47065,92. Die Gedenkmünze erschien in einer Auflage von 200000 Exemplaren.

[77] Ende 1951 wurde auf Anregung von Theodor Heuss zu einer Jubiläumsspende aufgerufen, die DM 870000,-- erbrachte. Um das Zustandekommen dieser Summe hatte sich Dr. h. c. Heinrich Thielen, Vorstandsmitglied der MAN, sehr verdient gemacht und wurde deshalb zum Ehrenmitglied ernannt. Jahresbericht GNM 97 (für 1951–54), 1955, S. 45.

[78] Begegnungen mit Theodor Heuss (Anm. 67), S. 356.

sowie Beispiele zur Geschichte des Zunftwesens mit Erinnerungen an Hans Sachs und die Meistersinger (Raum 14–16).

Dem Bemühen, einer historisch ausgerichteten Sammlung eine chronologisch orientierte Führungslinie zu geben, waren im Germanischen Nationalmuseum wegen seines komplizierten Grundrisses seit jeher Grenzen gesetzt. Das in Jahrzehnten gewachsene, komplizierte Gefüge von Bautrakten enthielt Säle, in denen Raumfluchten sich kreuzten, endeten, tote Winkel oder eine Art Scharnier bildeten. Diese nutzte Grote mit Vorliebe für kulturhistorische Darbietungen, die sich thematisch und zeitlich mit der Führungslinie verbanden; so entstanden etwa, eine von Troche mit dem Tucher- 136 raum (Raum 7) bereits teilweise realisierte Idee erweiternd, die der Kulturleistung des Nürnberger Patriziats gewidmeten Räume (Raum 7, 9, 10) und der dazwischenliegende Saal (Raum 8), der das Nürnberger Stadtregiment darzustellen versuchte. Der noch zu Zeiten von Zimmermann erbaute und unter Kohlhaußens Direktorat durch wichtige Neuerwerbungen bereicherte Gartensaal (Raum 12) 357 mußte freilich auch weiterhin mit seiner barocken Gartenplastik den chronologisch angelegten Rundgang unterbrechen.

Im Obergeschoß wurde in einem Eckraum (Raum 67) Kunsthandwerk des 16.–18. Jahrhunderts (Möbel, Gläser, Fayence, Goldschmiedearbeiten) ausgestellt, das sinnvoll das in der anschließenden sogenannten Passage Gezeigte ergänzte. Im Bestelmeyer-Trakt war ein Raum (Raum 58) der deutschen Bildnismalerei des 16. Jahrhunderts gewidmet, ihm schlossen sich Werke der Cranach-Schule mit kulturgeschichtlich aufschlußreichen Darstellungen an (Raum 59). Es folgte ein Raum, in dem Gemälde, Kunsthandwerk und Dokumente zur Geschichte der Reformation zu sehen waren (Raum 60). Im sogenannten Goldsaal (Raum 83), der zunächst Wechselausstellungen des Kupferstichkabinetts und der Bibliothek vorbehalten war, wurde nun für längere Zeit das Kulturleben des 16. Jahrhunderts im deutschen Holzschnitt darzustellen versucht. Die berühmten Nürnberger Puppen- 404 häuser mit Teilen der Spielzeugsammlung wurden vom ehemaligen Gobelinsaal (Raum 74) in einen anderen Raum verlegt (Raum 92). Eine Auswahl der umfangreichen medizingeschichtlichen Sammlung und eine Ausstellung zur Geschichte des Geldwesens wurde ebenfalls gezeigt (Raum 82). Die bislang nur in einer kleinen Auswahl mehr provisorisch im Kreuzgang dargebotene mittelalterliche Glasmalerei wurde seit 1960 in einem bisher als Restaurierungsatelier genutzten Raum am Westende des nördlichen Kreuzgangs (Raum 24 a) in größerer Zahl gezeigt; die Scheiben wurden von hinten angestrahlt und kamen wirkungsvoll zur Geltung.

Auch Waffen und Rüstungen wurden im Rahmen des damals herrschenden Raummangels, unter dem alle Abteilungen leiden mußten, gezeigt, obwohl es in den Jahren nach 1945 ein gewisses Wagnis bedeutete, Dinge auszustellen, die mit Krieg und Waffenwesen zu tun hatten. Die Exponate aus der reichen Sammlung sollten vielmehr als Beispiele handwerklicher Kunst, des Wandels der Stilformen in allen Lebensbereichen, als Zeugnisse ritterlicher Kultur und als Träger geschichtlicher Bezüge verstanden werden (Raum 19, 20, 34 und die Geschützrohre im Kreuzganghof). Die Volckamer-Ka- 386 pelle oberhalb der Sakristei (Raum 88) wurde als Erinnerungsstätte an die jahrhundertelang in Nürnberg verwahrten Reichskleinodien eingerichtet, deren einstige symbolische Bedeutung wieder dem Besucher nahegebracht werden sollte. Eine Äußerung Grotes hierzu ist bezeichnend für seine Konzeption: „Der kostbare Schrein, der die Kleinodien des alten deutschen Reiches vor Jahrhunderten aufbewahrte, ist nicht zuerst eine Nürnberger Goldschmiedearbeit des 15. Jahrhunderts, sondern der Behälter des kostbarsten Heiltums der deutschen Nation und ihrer Geschichte . . . Er ist nicht zuerst Kunstgewerbe, sondern ein von der Aura seiner außerordentlichen geschichtlichen Funktion verklärtes Zeugnis"[79]. Hier kommen die übereinstimmenden Auffassungen von Aufseß und Grote

[79] Nürnberger Nachrichten, Sonderausgabe anläßlich der Hundertjahrfeier, 1952. – In ähnlicher Formulierung: Begegnungen mit Theodor Heuss (Anm. 67), S. 356.

zum Ausdruck, daß ein Objekt in erster Linie Träger eines Geschichtsinhalts sei. Darüber hinaus sollte nach Grote jeder Gegenstand nicht nur als vereinzelte Antiquität behandelt werden, sondern immer in innigster Verbindung mit dem ganzen Geistes- und Kulturleben und als künstlerisch sichtbarer Ausdruck desselben. Hierin setzte sich die schon von Kohlhaußen gepflegte Tradition fort, das geschichtliche Bild einzelner kulturbestimmender sozialer Schichten zu veranschaulichen[80].

385 Aus ähnlicher Sicht wurde auch die bisher museal nicht genutzte Sakristei der Kirche (Raum 26) zu einer Schatzkammer ausgebaut, in der seit November 1953 sakrale Kunst und liturgisches Gerät des Mittelalters gezeigt wurden[81].

Höhepunkt und bestes Beispiel für Grotes Vorstellungen eines kulturgeschichtlich gestalteten Themas war die am 2. Juli 1956 anläßlich eines Besuchs von Theodor Heuss eröffnete sogenannte 140, 141, Passage (Raum 74, der einstige Gobelinsaal), der zu einem dreiseitig in ganzer Höhe durchgehend 428 verglasten, künstlich erleuchteten Raum umgebaut wurde, der den Besucher mit großen Schaufenstern umgab, hinter denen ausgewählte Beispiele aus fast allen Gebieten künstlerischen und handwerklichen Schaffens im Zeitalter des Barock und Rokoko ausgestellt wurden: Kostüme mit ihren Accessoires und Dessous, Schmuck, Möbel, Gemälde, Wandteppiche, Öfen, Tafelgerät aus Silber, Glas und Porzellan, Reisenecessaires sowie Objekte der bevorzugten Liebhabereien dieser Epochen: Musik, Spiel und Jagd. Das Ziel dieser Ensemblepräsentation war, die Kultur des Barock und Rokoko anschaulich zu machen, und kritische Kollegeneinwände, hier wären Stilleben arrangiert worden, fallen gegenüber der begeisterten Anerkennung der Besucher kaum ins Gewicht. Es war Grote hier gelungen, das Museum mit neuzeitlichen Mitteln zu aktualisieren. Von der überwiegend zustimmenden Aufnahme in der Öffentlichkeit sei folgende Besprechung zitiert: „Wie man, ohne in gewagte Experimente zu fallen, in einem so riesigen Museumskomplex wie dem Germanischen Nationalmuseum durch Auswahl des uns Heutigen wichtigsten Museumsguts, durch Beleuchtung und Farbe der Räume, durch Komposition einander ergänzender Gegenstände das intime Bild einer ganzen Epoche andeutet, kann man vorbildlich dort erfahren, wo man ... die Lebenskultur des Barock und Rokoko dargestellt hat. Da wandelt man inmitten von Möbeln, Kostümen, Goldgeschirren und Porzellan dahin, die hinter großen Glasscheiben zum Greifen nahe ihr eigenwilliges ineinandergeflochtenes Leben noch einmal zu leben scheinen. Die Phantasie des Betrachters ergänzt die Gesichter über einer Barockrobe, einem zierlichen Rokoko-Kostüm à la Rosenkavalier, und wo sich auf einem Tisch Jagdutensilien gefällig zusammenfinden, sieht man die gleichen Gegenstände wiederholt auf einem großen sachlich schön gemalten Bild der Rokokozeit. Vielleicht andächtiger, wohl aber kaum interessierter, ja neugieriger lassen sich Besucher denken, wie hier, wo man unspürbar an der Hand genommen, das Lebensgefühl einer ganzen Epoche erkennen lernt.

Man hat von dem Prinzip der ‚Ladenstraße‘ gesprochen. Die Idee mag von dort kommen, aber der geschickteste Schaufensterdekorateur könnte im Germanischen Nationalmuseum noch hinzulernen. So gibt ein Museum Anregungen verwandelt zurück und verleiht ihnen neuen größeren Wert; hier ist der Funktionalismus in die ihm gemäße Rolle des Dieners am Kunstwerk verwiesen"[82].

In folgerichtiger Durchführung des kulturhistorischen Auftrags waren schon Grotes Vorgänger Kohlhaußen und Troche bestrebt, die verschiedenen Kunstgattungen nicht voneinander getrennt, sondern in gemischter Aufstellung zu präsentieren, wenn auch, wie beispielsweise im Galeriebau die

[80] Z. B. „Der deutsche Ritter", „Ritterliche Kultur" oder „Die Reichsstadt Nürnberg als Kulturträger" waren die Bezeichnungen für Schauräume, die Kohlhaußen eingerichtet hatte.
[81] Jahresbericht GNM 97 (für 1951–54), 1955, S. 12 und Abb. 2.
[82] Erich Pfeiffer-Belli: Entrümpelte Raritätenkammern. In: Süddeutsche Zeitung vom 8. August 1956. – Die gegenüber dem Eingang befindliche Schmalseite des Raumes wurde 1958 beseitigt, um einen Durchgang zum Theodor-Heuss-Bau zu schaffen.

140. Die sog. Passage in der Aufstellung Dr. Ludwig Grotes mit Werken des Barock und Rokoko, Ausschnitt; eröffnet am 2. Juli 1956

Malerei, bestimmte Kunstzweige ein Übergewicht bildeten. Hier ging Grote noch einen Schritt weiter und ließ in den Seitenkabinetten des Galeriebaus Vitrinen mit kunsthandwerklichen Arbeiten und kulturgeschichtlichen Zeugnissen einbauen, um auch andere Aspekte wenigstens andeutungsweise anklingen zu lassen.

War eine Abgrenzung gegen das reine Kunstmuseum allein schon vom Sammelauftrag gegeben, so galt es andererseits auch, einen gebührenden Abstand gegenüber dem Typ des Kunstgewerbemuseums zu halten, der gleichzeitig – seit 1852 – mit dem Germanischen Nationalmuseum in Europa entstanden war[83]. Grotes Haltung zu diesem schon von Aufseß behandelten Problem ist gelegentlich eines Vortrags wie folgt formuliert: „Das Germanische Nationalmuseum ist keine Galerie, aber besitzt hervorragende Gemälde und Skulpturen deutscher Meister – es ist aber auch kein Kunstgewerbemuseum, beansprucht nicht in irgendeinem Material komplett zu sein, sondern sucht möglichst die kulturelle Einheit jeder Epoche kenntlich zu machen". Grote war seit seiner Dessauer Zeit mit Fragen der musealen Präsentation von Kunstwerken vertraut, aber erst im Germanischen Nationalmuseum mit seiner besonderen Aufgabenstellung und der sich daraus ergebenden Vielfalt seiner Bestände,

[83] 1852 wurde das South Kensington Museum (heute Victoria and Albert Museum) in London gegründet, ihm folgte 1864 das Österreichische Museum für Kunst und Industrie in Wien. Vgl. Barbara Mundt: Das deutsche Kunstgewerbemuseum im 19. Jahrhundert (Studien zur Kunst des neunzehnten Jahrhunderts, Bd. 22). München 1974.

141. Die sog. Passage in der Aufstellung Dr. Ludwig Grotes mit Werken des Barock und Rokoko, Teil mit Jagdaltertümern; eröffnet am 2. Juli 1956

wozu noch der komplizierte Grundriß hinzukam, wurde er mit der ganzen Problematik konfrontiert. Mancher seiner Mitarbeiter, unter ihnen der Schreiber dieser Zeilen, wird sich der täglichen Rundgänge erinnern, der ärztlichen Visite im Krankenhaus vergleichbar, bei denen Ausstellungen aufgebaut, Aufstellungsfragen erörtert, Mängel festgestellt und Verbesserungen probiert wurden. Grote ging es vor allem darum, jedem Objekt einen seiner Bedeutung angemessenen Platz im Ensemble eines Raumes zuzuweisen, derart, daß ein bedeutendes Werk schon durch seine Plazierung das Augenmerk auf sich ziehen müßte. Probleme musealer Darbietung sah er vor allem unter dem Gesichtspunkt der jeweils wechselnden Beziehungen der Exponate zum umgebenden Raum und zur Thematik der Ausstellung. Er war der Meinung, daß für den Erfolg einer Ausstellung auch eine geschickte und ansprechende Präsentation maßgeblich sei; deshalb vertrat er die Ansicht, daß ein großes Museum heute eines erfahrenen Innenarchitekten bedürfe. Er scheute sich nicht vor Experimenten. So wagte er es, einige Tafelbilder von Dürer auf eine dunkle Holzwand zu hängen, mit der Begründung, daß diese Bilder ursprünglich für holzvertäfelte Zimmer bestimmt waren. Einzelne Räume, vor allem im

---

[84] Die Farbgebung der Wände wurde in einer von Professor Hinnerk Scheper, Berlin († 5. Februar 1957), entwickelten Technik von Frau Lou Scheper-Berkenkamp, Berlin, ausgeführt.

Galeriebau, ließ er farbig ausmalen, um dadurch die Bilder in einen bestimmten Farbton einzubinden[84]. Manche dieser Lösungen waren unübersehbar von Ideen des Bauhauses geprägt.

Auch bei der Aufstellung des Echternacher Codex beschritt Grote neue und nicht unangefochten 142 gebliebene Wege. Üblicherweise sind mittelalterliche Handschriften sekretiert und nur Spezialisten zugänglich; Grote wollte aber, daß möglichst viele Blätter des Codex den Museumsbesuchern sichtbar gemacht würden. Er ließ drei der vier Evangelientexte aus ihrer Bindung lösen und stellte die einzelnen Blätter stehend und von beiden Seiten sichtbar in schmalen Vitrinen eines speziellen, mit künstlichem indirekten Licht erhellten Raumes aus (Raum 24)[85].

Der Reichtum an ausstellungswürdigem Material bewog Grote zu dem Gedanken, den großen, der barocken Kunst gewidmeten Saal (Raum 71) dicht an dicht mit Gemälden zu behängen. Wenn eine Zeitung in einer kritischen Besprechung damals schrieb[86], er habe mit dieser Hängemethode eher die Ahnengalerie eines Schlosses als einen musealen Ausstellungsraum gestaltet, so hat sie genau das umrissen, was Grote beabsichtigte, nämlich den Eindruck einer barocken Galerie zu schaffen.

Vom „Urväterhausrat und seinen Gefahren"[87] ließ sich Grote nicht überwältigen; er wußte, daß das Germanische Nationalmuseum als einziges überregionales deutsches Institut verpflichtet sei, auch scheinbar unbedeutende Kulturdokumente zu beachten, denn „hier wurden Dinge gesammelt, deren Bedeutung oft erst nach Jahrzehnten erkannt worden ist"[88]. Allein schon das begrenzte Fassungsvermögen der Depots, zumal nach dem Krieg, legte Beschränkungen auf, auch mußte vermieden werden, so etwas wie ein zivilisationsgeschichtliches Museum des technischen Fortschritts entstehen zu lassen.

Ein Problem besonderer Art, auch in konservatorischer Hinsicht wegen des den Objekten gefährlichen Temperaturwechsels, bildete die Beheizung des Museums, dessen über ein großes Areal verteilte Gebäudegruppen verschiedenen Alters von nicht weniger als vier Heizzentralen versorgt wurden. Diese komplizierte Anlage wurde dadurch beseitigt, daß das Museum seit 1954 dem städtischen Fernheizwerk angeschlossen wurde. Gleichzeitig wurde auch die Kirche in die Beheizung einbezogen, wodurch es ermöglicht wurde, die beliebten Konzerte historischer Musik zu veranstalten[89].

Nachdem vom 131958 cbm umfassenden Baubestand des Jahres 1939 bis 1955 etwas mehr als 69%, nämlich 91252 cbm instand gesetzt worden war[90], konnten seit 1956 Neubauten geplant werden. 301–302 Damals war es gelungen, im Zusammenwirken mit dem Wissenschaftsrat eine Zusage der Bundesregierung zur finanziellen Förderung zu erhalten. Jetzt konnte endlich daran gegangen werden, Vorstellungen zu verwirklichen, wie man historische Objekte in einer Architektur unserer Zeit präsentieren könne. Als erster Neubau von Grund auf konnte der am Kornmarkt gelegene Trakt 306–308 errichtet und am 6. September 1958 in einem Festakt der Öffentlichkeit übergeben werden. Zu Ehren des ersten deutschen Bundespräsidenten und zugleich Verwaltungsratsvorsitzenden erhielt er den Namen Theodor-Heuss-Bau[91]. Es sei, betonte der stellvertretende Vorsitzende Hans-Christoph

---

[85] Für das Herauslösen einzelner Lagen aus dem Buchband berief sich Grote auf das Beispiel der Bayerischen Staatsbibliothek, die den Echternacher Codex 1950 auf der Ausstellung Ars Sacra zeigte (Kat. Nr. 106). Damals wurden auch einzelne Blätter des Matthäus-Evangeliums gezeigt, die vorher aus der Bindung gelöst worden sein müssen. – 1962/63 wurden alle Lagen wieder zu einem separaten Band – getrennt vom alten Einband – gebunden.
[86] Frankfurter Allgemeine Zeitung vom 17. Juli 1956.
[87] Erhard Göpel in: Süddeutsche Zeitung vom 19./20. Juli 1952.
[88] Grote (Anm. 72).
[89] Jahresbericht GNM 97 (für 1951–54), 1955, S. 7.
[90] Jahresbericht GNM 97 (für 1951–54), 1955, S. 7. – Zu den Neubauten vgl. auch S. 489–518 und Abb. 301–322.
[91] Theodor-Heuss-Bau des Germanischen National-Museums Nürnberg 1958. Erweiterter Sonderdruck aus der Monatsschrift baukunst und werkform H. 2, 1959, unpaginiert. Die Baukosten in Höhe von DM 1050000,-- zuzüglich DM

142. Ausstellung einzelner Blätter des ottonischen Codex aureus aus Echternach in den Jahren 1956–1962

Freiherr von Tucher in seiner Begrüßungsansprache, vielleicht ein wenig symbolisch, daß Theodor Heuss seine Zustimmung erteilt habe, dem ersten Werk der modernen Architektur im Wiederaufbauprogramm des Germanischen Nationalmuseums seinen Namen zu geben. „Es wurde nicht historisiert, auch nicht der Umweg über Goethes Gartenhaus gewählt, sondern der Architekt Sep Ruf mit der Errichtung beauftragt. Er hat eine Lösung gefunden, die als Architektur hohen künstlerischen Eigenwert besitzt und zugleich die museale Funktion erfüllt", so Grote in einem Vortrag von 1960/61. Jetzt endlich bot sich Grote die Gelegenheit, seine musealen Vorstellungen bereits vom Grundriß her zu verwirklichen. Dies setzte eine enge Zusammenarbeit zwischen Bauherrn und Architekten voraus. Eingedenk der Tatsache, daß das Germanische Nationalmuseum sich noch im Aufbau befand und deshalb kaum ein Exponat bis dahin seinen festen Ort gefunden hatte, war größtmögliche Mobilität der Räume und innerhalb derselben eine Vorbedingung. Die Säle wurden von beiden Längsseiten mit Tageslicht gefüllt, weshalb eine Abstufung der Lichtzufuhr durch Jalousien ermöglicht wurde. Die Einteilung der Räume erfolgte durch fast die ganze Raumhöhe einnehmende Stellwände, deren Position jederzeit ohne große Mühe verändert werden konnte. Dieses

100000,-- für Innenausbau und Einrichtung wurden zu etwa zwei Dritteln aus Eigenmitteln und zu einem Drittel aus Bundeszuschüssen bestritten. – Ursprünglich sollte im Obergeschoß des Neubaus die Verwaltung untergebracht werden – hier stand auch bis zum Kriegsende das Gebäude der Direktion und Verwaltung –, doch wurde hierauf zu Gunsten der Schaffung von Schauräumen verzichtet.

System erleichterte den Aufbau der Wechselausstellungen, für welche das Erdgeschoß vorgesehen war, und ermöglichte im Obergeschoß eine Verzahnung der Raumkompartimente, in denen (von West nach Ost) wissenschaftliche Instrumente und Uhren, Musikinstrumente, Fayence, Porzellan, 431, 432, süddeutscher Barock und Kunstwerke der Goethezeit ausgestellt wurden; der Besucher wird also in 419, 396 dem Gefüge der miteinander verschränkten Räume fast unmerklich auch durch die Erzeugnisse verschiedener Kunstarten und Stile geleitet (Raum 76–80). „Wir waren uns bei der Einrichtung stets der Problematik gegenwärtig, wenn der moderne Raum in den Dienst der zum Teil sehr heterogenen Sammlungsbestände des Germanischen Nationalmuseums gestellt wird. Nur allzu oft überspielt die heutige Aufstellungstechnik das historische Kunstwerk. Es kam uns darauf an, aus dem Wesen der modernen Architektur eine Wirkungssteigerung für die Objekte zu gewinnen. Das Kunstwerk steht im Museum nicht mehr in seinem ursprünglichen Lebenszusammenhang. Der moderne Besucher vermag sich nicht in die ursprüngliche Funktion hineinzudenken, selbst wenn versucht wird, die alte Umwelt anzudeuten. Im Gegenteil versinkt das einzelne Objekt für den Laien, wenn es zu stark eingebunden wird ... Jede Massierung überwältigt den Besucher, seine Augen besitzen nicht die Fähigkeit, das einzelne herauszulösen und für sich zu betrachten. Das Objekt muß also isoliert, herausgehoben werden, ohne daß der Zusammenhang des Ganzen gebrochen wird"[92]. Die von Grote erreichten „fließenden Übergänge ohne chronologische Zäsuren"[93] vermieden zudem jede Ähnlichkeit mit einem sach- oder materialgegliederten Kunstgewerbemuseum. Das flutende Tageslicht kam 108, 396 den ausgestellten kunsthandwerklichen Arbeiten zugute, zumal an einer Wand mit frei aufgestellten Nürnberger Fayencen, die – zugegebenermaßen ein Wagnis – in ihrer ganzen, nicht durch Glasscheiben beeinträchtigten Schönheit wirken konnten.

Das für Wechselausstellungen vorgesehene Erdgeschoß des Theodor-Heuss-Baus zeigte zur Eröffnung die Danziger Paramente und den Silberschatz der Schwarzhäupter in Riga[94]. Im Souterrain fand die vor- und frühgeschichtliche Sammlung endlich eine ihrer Bedeutung entsprechende Aufstellung. 372

Mit dem 65 m langen Theodor-Heuss-Bau, der eine Mehrung der Ausstellungsfläche um 2000 qm brachte, wurde die Neubauphase im Wiederaufbau des Museums eingeleitet. Es folgte die Errichtung des Gebäudes Ecke Kornmarkt/Kartäusergasse, wo bislang die stadteigene Hauptfeuerwache als ein 310–312 Fremdkörper im von vier Straßen begrenzten Museumsareal stand. Langwierige Verhandlungen seit 1952 führten endlich zur Übernahme des Gebäudes, das abgebrochen und durch einen seit Spätherbst 1959 begonnenen Neubau nach Entwurf von Professor Sep Ruf ersetzt wurde; dieser Bau nahm die Direktion mit Mitarbeiterstab, die Bibliothek mit Magazinen und Werkstätten, das Kupferstichkabinett und das Archiv mit der Münzsammlung auf. Er wurde im Frühjahr 1964 bezogen. Damit erhielt die Südseite des Kornmarkts eine architektonische Gestaltung, deren moderne, aus Heuss-Bau und Bibliotheksgebäude gebildete Front durch den alten Bestelmeyerschen Haupteingang von 1920 306 unterbrochen wird. Ende 1962, zum Zeitpunkt von Grotes Abschied, war auch bereits ein südlich der Kirche errichteter eingeschossiger winkelförmiger Hallenbau, ursprünglich für die Volkskunde 309, 454 vorgesehen, dann zur Aufnahme spätmittelalterlicher Kunst adaptiert, nahezu fertiggestellt.

Alle diese Neubauten waren bereits Teil eines Generalbebauungsplans, dessen allgemeine Konzeption schon 1953 auf Anregung von Theodor Heuss zwischen Grote und Sep Ruf, der übrigens ein Schüler Bestelmeyers war, erarbeitet wurde. Auf der letzten Sitzung des Verwaltungsrats während

[92] Ludwig Grote: Die museale Aufgabe des Theodor-Heuss-Baues. In: Theodor-Heuss-Bau des Germanischen National-Museums Nürnberg (Anm. 91). Hier entwickelt Grote ausführlich seine Aufstellungsideen.

[93] Eduard Trier: Für ein lebendiges Museum. In: Theodor-Heuss-Bau des Germanischen National-Museums Nürnberg (Anm. 91).

[94] Aus dem Danziger Paramentenschatz und dem Schatz der Schwarzhäupter zu Riga. Ausstellung zur Eröffnung des Theodor-Heuss-Baues. 7. September 1958 bis 30. März 1959. Katalog Leonie von Wilckens, Günther Schiedlausky. Der Schwarzhäupterschatz war nur bis zum 30. November 1958 zu besichtigen.

Grotes Amtszeit am 27. Juni 1962 wurde dieser Plan unter allseitiger Zustimmung verabschiedet und seine Ausführung in den nächsten sechs bis acht Jahren vorgesehen. Zentraler Mittelpunkt blieb die gotische Kartäuserkirche mit ihren Kreuzgängen und den Mönchshäusern, um die sich in lockerer Verteilung Bauten in neuzeitlicher Architektur gruppieren sollten. Wie der Gesamtkomplex ein unvermitteltes Nebeneinander von alten und modernen Bauteilen bilden würde, so war auch in den Neubauten der spannungsvolle Gegensatz zwischen neuzeitlicher Baugesinnung und den in ihnen gezeigten historischen Objekten bewußt gewollt. Eine breite Nord-Südachse, von der die einzelnen Trakte zugänglich sind, soll eine zwanglose Führungslinie ergeben, die dem Besucher auch erlaubt, auf kürzerem Wege bestimmte Abteilungen ohne lange Umwege zu erreichen. Diese lockere Anordnung der Baulichkeiten ergab sich aus dem in Jahrzehnten gewachsenen Gesamtgrundriß, der in bewußtem Gegensatz zum klassischen Galeriegrundriß beibehalten wurde, welcher eine kaum variable Führungslinie vorschrieb und in seiner Gleichförmigkeit die Ermüdung des Besuchers geradezu förderte. Demgegenüber hielt das vielfältige abwechslungsreiche Baugefüge mit seinen reizvollen Innenhöfen und Winkeln, mit dem wechselnden Niveau der Raumfluchten, verbunden durch Stufen und Treppen, die Aufmerksamkeit des Besuchers wach.

301–305   Gegenüber der Gesamtplanung wurde später nur eine wichtigere Veränderung insofern vorgenommen, als der ursprünglich als Pavillon mit gesondertem Zugang von der Grasersgasse geplante Vortragssaal in den Trakt einbezogen wurde, der den Galeriebau mit dem Heuss-Bau verbindet (Raum 39/40); hierdurch wurde erreicht, daß der Haupteingang zum einzigen Einlaß für alle Abteilungen und Veranstaltungen des Museums wurde. Die Verwirklichung des Generalbebauungsplans hatte freilich auch zur unausbleiblichen Folge, daß Grote erleben mußte, wie nach und nach alle von ihm eingerichteten Schauräume verschwanden. Ihm erging es wie dem Regisseur, der sich der Vergänglichkeit seiner Inszenierungen bewußt sein muß.

109, 110   Neben den sich über Jahre erstreckenden Wiederaufbauarbeiten mit der zeitraubenden Einrichtung von neugewonnenen Schauräumen erwuchsen mit dem sich weltweit entfaltenden Ausstellungswesen den Museen neue Aufgaben, denen Grote sein besonderes Augenmerk zuwandte. Grote, schon immer ein engagierter Ausstellungsmacher, betrachtete es als eine vordringliche Aufgabe, durch Veranstaltung eigener und Beteiligung an fremden Ausstellungen dem Museum als Bildungsinstitut den ihm zukommenden Rang zu verschaffen und die von Troche nach dem Krieg wiederaufgenommene Tradition fortzusetzen. Zwar gebot der Mangel an Geld und Raum, der bei weitem nicht zur ständigen Darbietung der wichtigsten Bestände ausreichte, eine gewisse Zurückhaltung, doch konnte neben zahlreichen kleineren Ausstellungen fast alljährlich eine große Ausstellung gezeigt werden[95]. Für viele von ihnen warben Plakate, deren wirkungsvoller Gestaltung Grote viel Aufmerksamkeit schenkte. Die meisten Ausstellungen hatten, wie ihre Titel schon besagen, eine kulturhistorische Ausrichtung. Besonders volkstümlich waren die Ausstellungen zur Advents- und Weihnachtszeit, deren früheste Troche schon im ersten Nachkriegsjahr eingerichtet hatte. Der Ausgestaltung dieser Weihnachtsausstellungen widmete sich Grote mit ganz besonderer Anteilnahme, denn er sah in ihnen eine Möglichkeit, ein auch den Museen fremdes Publikum und vor allem die Jugend anzuziehen, wenn zur Adventszeit zahllose Besucher von auswärts zum berühmten Nürnberger Christkindlesmarkt kamen. Die Weihnachtsausstellung 1951 wurde in den Mönchshäusern eingerichtet, 1952 wurde im Kreuzgang die in späteren Jahren noch mehrfach wiederverwendete Budenstraße aufgebaut, die den stimmungsvollen Eindruck eines alten Christkindlesmarkts erwecken sollte. Die Krippenschau des Jahres 1959 wurde in den Refektorien, die Spielzeugausstellung 1960 im Theodor-Heuss-Bau gezeigt.

[95] Vgl. das Verzeichnis der Ausstellungen im Anhang dieses Bandes.

Das Ausstellungsprogramm wurde vervollständigt durch die aus den Beständen des Kupferstichka- binetts gebildeten Sonderausstellungen, von denen viele in anderen deutschen Städten gezeigt wurden.

Die großen Bestände machen es verständlich, daß wohl kein anderes deutsches Museum so häufig um Leihgaben angegangen wurde. Grotes Wesen entsprach es, solche Wünsche, sofern sie konservatorisch vertretbar waren, in der Erwartung zu erfüllen, daß jedes ausgeliehene Objekt auf einer auswärtigen Ausstellung für sein Museum würbe. Bisweilen wurde auch für ein besonders wichtiges Kunstwerk, das ausgeliehen werden sollte, eine Gegenleihgabe erbeten, wie es im Sommer 1951 – also noch vor Grotes Amtszeit – mit der burgundischen Uhr praktiziert wurde, die nach Amsterdam entliehen wurde, wofür als Gegengabe das Reichsmuseum den sogenannten Merkelschen Tafelaufsatz des Wenzel Jamnitzer zur Verfügung stellte[96]. Ein anderes Mal wurde als Gegenleistung von der Kunsthalle Karlsruhe, die für ihre Baldung-Ausstellung wichtige Gemälde und Graphik des Meisters erhalten hatte, eine Auswahl altdeutscher Zeichnungen erbeten, die bis zum 15. September 1959 gezeigt wurde.

Zu den internationalen Ausstellungen, die seit 1954 alljährlich vom Europarat der UNESCO unter einem bestimmten Titel und mit der Absicht, die kulturelle Einheit des Abendlandes zu dokumentieren, veranstaltet wurden, stellte das Museum nicht nur regelmäßig Leihgaben zur Verfügung, sondern übernahm auch im Auftrag der Kulturabteilung des Auswärtigen Amtes der Bundesrepublik für mehrere Ausstellungen federführend die Organisation und Durchführung, soweit es die deutschen Leihgaben betraf. Grote war Mitglied fast aller vorbereitenden Kommissionen und Sachverständigenausschüsse dieser Ausstellungen. Auch in anderen Fragen internationaler kultureller Beziehungen stand er der Kulturabteilung des Auswärtigen Amtes beratend zur Verfügung[97].

Grote hat mit der Übernahme der Museumsleitung, die wieder eine ständige Beschäftigung mit der alten Kunst forderte, seine Verbundenheit zur Kunst unseres Jahrhunderts nicht aufgegeben. So entsprach es dem Wunsch der Stadt Nürnberg ebenso wie der eigenen Absicht – „gewissermaßen als Gastregisseur", wie er es ausdrückte –, dem Kulturleben der Stadt durch Ausstellungen moderner Kunst Auftrieb zu geben. Als Mitglied des Verwaltungsausschusses der Städtischen Kunstsammlungen gelang es ihm, in den elf Jahren seines Wirkens mit insgesamt 44 Ausstellungen in der Fränkischen Galerie das facettenreiche Bild der europäischen Kunst des 20. Jahrhunderts, vornehmlich die Werke lebender Künstler vorstellend, nach Nürnberg zu projizieren[98]. „Die Begegnung mit wesentlichen

[96] Ausstellung „Le Siècle de Bourgogne", Dijon (2. Juni bis 15. Juli 1951), Amsterdam (26. Juli bis 30. September 1951), Brüssel (12. Oktober bis 5. Dezember 1951). Kat. Nr. 225. – Der Merkelsche Tafelaufsatz war seit Juni 1951 für ein halbes Jahr im Germanischen Nationalmuseum ausgestellt.

[97] Mehrmals übernahm Grote die Zusammenstellung und Leitung des deutschen Beitrags zur Biennale in Sao Paulo: 2. Biennale 1953: Paul Klee (Retrospektive) und zeitgenössische Künstler. Bilder aus der Klee-Stiftung und dem Nachlaß des Künstlers, die auf der Biennale gezeigt werden sollten, waren vom 11. bis 20. September 1953 im Germanischen Nationalmuseum ausgestellt. 4. Biennale 1957: Das malerische Werk der Bauhausschule (Retrospektive). 5. Biennale 1959: Der deutsche Expressionismus, Sammlung Haubrich, Köln (Retrospektive). Er war Mitglied der Jury für die deutsche Beteiligung an der Biennale in Venedig und im Kulturkreis des Bundesverbandes der deutschen Industrie. Auch anderswo setzte er sich für die Kunst des 20. Jahrhunderts ein, besonders für die Epoche des deutschen Expressionismus, dessen Anfänge er als junger Mann voll innerer Anteilnahme miterlebte. Ihm galt vor allem eine von Grote 1953 arrangierte Ausstellung in Luzern: Deutsche Kunst. Meisterwerke des 20. Jahrhunderts. Kunstmuseum Luzern, 4. Juli bis 2. Oktober 1953. Ausstellung und Katalog unter Mitwirkung von Leonie von Wilckens. Eine Auswahl der für diese Ausstellung bestimmten Kunstwerke wurde zuvor im Germanischen Nationalmuseum vom 3. bis 9. Juni 1953 gezeigt. Luzern war der Ort, wo 14 Jahre zuvor Werke des Expressionismus, die als entartete Kunst aus deutschen Museen verbannt worden waren, zur Versteigerung kamen. Der Ausstellung, die in der Schweiz großen Anklang gefunden hatte, folgte fünf Jahre später eine zweite: Junge Maler aus Deutschland und Frankreich. Kunstmuseum Luzern. 5. Juli bis 30. September 1958. Grote hatte die Zusammenstellung des deutschen Anteils übernommen. Katalog.

[98] Vgl. Verzeichnis S. 311–312.

Erscheinungen der Moderne stellte dann Grote mit seinen (meist als Wanderausstellungen organisierten) großen Kollektivausstellungen her . . . Ein großer Nachholbedarf wurde befriedigt, der Boden für eine weitere Entwicklung freigelegt, die konventionelle Verengung gesprengt"[99]. In nur wenigen Kunsthistorikern der älteren Generation verkörperte sich die bruchlose Kontinuität zwischen der alten und der neuen Kunst so stark wie in Grotes Person, ganz im Sinn eines Wortes von Karl Vossler: „Nur wer die Kunst seiner Zeit bejaht, ist fähig, die Kunst der Vergangenheit zu erkennen". Grote selbst hierzu: „Aus der Berührung mit der Gestaltung der Gegenwart habe ich während meines ganzen Lebens den Antrieb zur Verlebendigung der Vergangenheit gezogen"[100].

Bibliothek, Archiv und Kupferstichkabinett betrachtete Grote, auch hierin der Auffassung von Aufseß folgend, als Museumsabteilungen von zentraler Bedeutung[101]. Der seit langem geforderte Ausbau der Bibliothek mit dem Ziel einer stärkeren Benutzung durch Außenstehende war auch eines seiner Anliegen, obwohl in den ersten Jahren die räumlichen Gegebenheiten noch sehr beschränkt waren. 1956 beschloß der Verwaltungsrat die Reorganisation der Bibliothek, die 1959 in das Förderungsprogramm für wissenschaftliche Spezialbibliotheken der Deutschen Forschungsgemeinschaft aufgenommen wurde, wodurch finanzielle Zuschüsse gesichert waren[102]. Der Ankaufsetat wurde im jährlichen Museumshaushalt ebenfalls erhöht, der Fördererkreis gewährte seit 1956 einen alljährlichen Zuschuß zwischen 10000,– und 15000,– DM, und das bibliothekarisch ausgebildete Personal wurde vermehrt. Das Ziel, eine umfangreiche Präsenzbibliothek in einem ausreichend großen Benutzersaal aufzustellen, wurde durch den Neubau des im Spätherbst 1959 begonnenen, 1964 bezogenen Verwaltungs- und Bibliotheksbaus Ecke Kornmarkt-Kartäusergasse erreicht, für dessen Konzeption Grote noch verantwortlich war.

310–312

Seit 1958 wurde das Schrifttum über Albrecht Dürer in einem eigenen Spezial-Archiv gesammelt, dessen bisheriges Fehlen für Grote „zu den unbegreiflichen Unterlassungen" gehörte. Seit 1961 übernahm das Germanische Nationalmuseum unter Federführung der Bibliothek die Bearbeitung des Schrifttums zur deutschen Kunst, das seit 1935 vom Deutschen Verein für Kunstwissenschaft in bis dahin 21 Jahrgängen herausgegeben wird. Eine solche Bibliographie war bereits im Gründungsprogramm des Museums vorgesehen.

Für das Kupferstichkabinett, das seit Kriegsende mit Archiv und Münzsammlung unter gemeinsamer Leitung stand, mußte vordringlich Raum geschaffen werden, um die großen Bestände wieder zugänglich zu machen. Am 3. Juni 1952 wurden im Erdgeschoß der sogenannten Hausmeisterwohnung (Obere Grasersgasse 10) ein Studiensaal und Diensträume, zwar immer noch beschränkt, doch für damalige Verhältnisse ausreichend, eröffnet.

Sehr bald ergab sich auch die Notwendigkeit, das umfangreiche Archiv mit der ihm angegliederten Münzen- und Medaillensammlung zu verselbständigen. Das Archiv, im Idealplan von Aufseß eine der tragenden Säulen, erhielt erstmals 1958 einen wissenschaftlich ausgebildeten Archivar mit großer Staatsprüfung, der sich, aus der bayerischen Archivschule kommend, des umfangreichen Urkundenmaterials und der sonstigen archivalischen Bestände hauptamtlich annahm[103]. Für einen Historiker als

[99] Ludwig Baer: Kulturpolitik 1945–1969. In: Nürnberg. Geschichte einer europäischen Stadt. Hrsg. von Gerhard Pfeiffer. München 1971, S. 492.

[100] Begegnungen mit Theodor Heuss (Anm. 67), S. 355.

[101] § 2 der Satzung des Germanischen Nationalmuseums von 1921 lautet: „Diesem Zwecke – d. h. die Kenntnis der deutschen Vorzeit zu erhalten und zu mehren – dienen Sammlungen von Denkmalen der deutschen Kultur und Kunst, eine Bibliothek und ein Archiv, die der Öffentlichkeit in weitestem Maße zugänglich zu machen sind".

[102] Die Anerkennung erfolgte 1959 mit einem Zuschuß von DM 80000,–. Die Thyssen-Stiftung bewilligte 1962 einen Zuschuß von DM 20000,–, für die Jahre 1963 und 1964 je DM 10000,–.

[103] Dr. Ludwig Veit, seit 1. Januar 1958. Vgl. Ludwig Veit: Das Archiv des Germanischen National-Museums. Eine Übersicht über seine Bestände. In: Anzeiger GNM 1954–59, S. 248–255.

Mitarbeiter wurde eine weitere Stelle zunächst in Form eines Stipendiums geschaffen. Den von Ludwig Veit 1958 vorgelegten Plan eines Archivs für bildende Kunst griff Grote gern auf, zumal dieses Unternehmen in seiner Anlage völlig in das Gründungsprogramm von Aufseß paßte, seiner Durchführung aber heute ganz andere technische Möglichkeiten als damals zur Verfügung stehen. Günstige und bedeutende Neuerwerbungen trugen zum schnellen Ansehen dieses Spezialarchivs bei[104], das inzwischen die Funktion einer wichtigen sich ständig erweiternden Dokumentationsstelle erlangt hat.

Die zu beachtlichem Umfang weit über das deutsche Sprachgebiet hinausgewachsene Sammlung der Vor- und Frühgeschichte war bis 1958 mehr oder weniger provisorisch in den sogenannten Mönchshäusern nördlich vom Kreuzgang untergebracht und erhielt dann einen vorerst endgültigen Platz im geräumigen Souterrain des Theodor-Heuss-Baus. In seinem aufschlußreichen Beitrag „Die 372 museale Aufgabe des Theodor-Heuss-Baues" äußert sich Grote auch über die Prinzipien, die bei der Aufstellung der Vor- und Frühgeschichte bestimmend waren: „Da das Germanische Nationalmuseum nicht lokal gebunden ist, sondern Gesamtdeutschland berücksichtigen muß, ist weniger Wert auf die Ausbreitung von Funden gelegt, der Besucher soll vielmehr am Einzelobjekt einen Begriff bekommen von den gestalterischen Fähigkeiten jener frühen Epochen"[105].

In den neugeschaffenen Heimatgedenkstätten, die gleichsam als Modell für den Gesamtplan in zwei 106 Räumen schon während der Jahrhundertfeier gezeigt wurden, sollten Kulturdokumente aus den verlorenen Ostprovinzen und den einstigen deutschen Sprachinseln gesammelt werden. Die eigenen Bestände bildeten hierfür den Grundstock, doch ergab sich für das Germanische Nationalmuseum als einziger gesamtdeutscher Sammelstätte die Pflicht, Kunst- und Kulturgut aus dem deutschen Osten, das in steigendem Maße im Handel auftauchte oder von Heimatvertriebenen und deren Organisationen als Leihgabe angeboten wurde, den zeitbedingten Zufälligkeiten zu entziehen und für den öffentlichen Besitz zu sichern. In diesem Bestreben wurde es von den zuständigen Bundesministerien durch finanzielle Zuwendungen unterstützt. Von den Neuerwerbungen seien, auch um die Weite des Sammelgebietes zu veranschaulichen, die folgende Auswahl genannt: der Kopf einer Apostelstatue aus der Kapelle der Marienburg/Westpreußen, die Silberstatuette des Hl. Johannes aus der Kapelle des Breslauer Rathauses, Seidenstickereien aus dem Paramentenschatz von St. Marien in Danzig, der Jagdhut eines Grafen Dohna, das Gemälde einer Waldlandschaft mit Zisterziensermönchen von Michael Willmann aus dem Kloster Leubus/Schlesien, fünf masurische Brautteppiche, eine gestickte Prunktischdecke mit dem Wappen des Kardinals Franz Fürst Dietrichstein, Bischofs von Olmütz, schlesische Leinendamaste. Besondere Schwerpunkte bildeten die kunsthandwerklichen Erzeugnisse (Goldschmiedearbeiten, Gläser, Fayencen) ostdeutscher und baltischer Städte sowie die kulturellen Leistungen der Siebenbürger. Die Heimatgedenkstätten wurden geschlossen in drei Sälen (Raum 84–86) gezeigt, bis dieser Trakt im Zuge von Neubaumaßnahmen abgerissen werden mußte und die Exponate in das gesamtdeutsche Ausstellungsgut integriert wurden.

Die volkskundlichen Sammlungen des Germanischen Nationalmuseums möglichst bald wieder der 450, 451 Öffentlichkeit zugänglich zu machen, war umso dringlicher, als die Bestände des Volkskunde-Museums in Berlin, dem zweiten Ort, wo Zeugnisse der Volkskunst und des Brauchtums überregional gesammelt wurden, durch Kriegsschäden erheblich geschmälert worden waren. So umfaßte die volkskundliche Abteilung des Germanischen Nationalmuseums damals als einzige in Deutschland alle Stammesgebiete. Vor allem erfreuten sich die Bauernstuben seit jeher größter Beliebtheit. Sie

---

[104] Ludwig Veit: Das Archiv für bildende Kunst am Germanischen Nationalmuseum in Nürnberg. In: Anzeiger GNM 1966, S. 173–179. –Vgl. in diesem Band S. 541–544.
[105] Grote (Anm. 92). – Vgl. auch S. 685–686.

143. Das Weiherhaus Neunhof bei Nürnberg, 17. Jahrhundert. Das Weiherhaus wird vom Museum seit 1960 genutzt und dient der Ausstellung von Hausgerätschaften; die zeitweise hier dargebotenen Jagdaltertümer wurden mit Eröffnung des Erdgeschosses des Ostbaus 1975 in das Museum zurückgeführt

wurden, zwar noch unheizbar, im Juli 1954 zusammen mit einer Auswahl von Trachten, Schmuck und Gerät im Südwestbau (Raum 31, 33) geöffnet, dessen Instandsetzung dank der finanziellen Beihilfe der damaligen Bundesregierung und der Jubiläumsspende beschleunigt betrieben werden konnte[106].

Eine willkommene Möglichkeit, kulturhistorische Vorstellungen zu verwirklichen, bot sich, als eine Erbengemeinschaft vorschlug, das bei Kraftshof zwischen Nürnberg und Erlangen gelegene 143 Schloß Neunhof dem Germanischen Nationalmuseum zur musealen Nutzung zu überlassen. Dieses völlig erhaltene Weiherhaus des 17. Jahrhunderts in einem noch nicht zersiedelten Teil des Knoblauchslandes wurde aus eigenen und Museumsbeständen als ein Beispiel patrizischer Wohnkultur der Öffentlichkeit an Wochenenden der wärmeren Monate seit 1960 zugänglich gemacht. Als einstiges Jagdschloß der Familie Kress von Kressenstein konnten auch Jagdwaffen und allerlei einschlägiges Gerät aus dem reichen Fundus des Germanischen Nationalmuseums ausgestellt werden; das Gartenparterre erhielt wieder ein barockes, ornamental gestaltetes Muster[107].

[106] Jahresbericht GNM 97 (für 1951–54), 1955, S. 6. – Vgl. S. 937–940.
[107] Tätigkeitsbericht GNM 1959, S. 2 und Abb. 12.

299

In Hinsicht auf Erwerbungen mußte sich Grote vor allem in den ersten Jahren seiner Amtszeit weitgehende Zurückhaltung auferlegen, weil die zur Verfügung stehenden Mittel vordringlich für Baumaßnahmen verwendet werden mußten. Das Germanische Nationalmuseum hatte als Stiftung zunächst keinen anderen Ankaufsfonds zur Verfügung als die Beiträge seiner Mitglieder. Da für den Wiederaufbau nur beschränkte Mittel der öffentlichen Hand zur Verfügung standen, beschloß der Verwaltungsrat 1954 auf Anregung von Theodor Heuss die Gründung eines Fördererkreises zur Erlangung von Mitteln für den Wiederaufbau und die Vermehrung der Sammlungen. Sein erster Leiter, Dr. Ing. h. c. Heinrich Thielen († 28. Juni 1960), hat sich um den Aufbau und die weitere Entwicklung des Fördererkreises höchst verdient gemacht[108]. Wenn auch der Hauptanteil der zur Verfügung stehenden Gelder den Baumaßnahmen zugute kamen, so konnte Grote doch eine Reihe hochbedeutender Neuerwerbungen tätigen, die einzelnen Abteilungen ein besonderes Gewicht verliehen.

An erster Stelle ist der Ankauf des Echternacher Codex zu erwähnen, der wohl noch heute als die 107, 142 wichtigste Erwerbung eines deutschen Museums nach Kriegsende gelten kann. Der Kaufbetrag von 1,2 Millionen DM, damals, 1955, eine erheblich größere Summe als es uns heute erscheint, wurde zu annähernd der Hälfte vom Germanischen Nationalmuseum durch den Verkauf eines bedeutenden Gemäldes im internationalen Kunsthandel aufgebracht[109], die etwas größere zweite Hälfte stifteten die Bundesregierung, der Freistaat Bayern und die deutschen Länder. In einer Feierstunde wurde am 9. Mai 1955 dieses bedeutende Zeugnis ottonischer Kunst von der Herzogin-Witwe von Sachsen-Coburg-Gotha dem Museum übergeben. Neben dem bedeutenden Kunstwert waren es auch die historischen Bezüge des Deckels zum sächsischen Kaiserhaus als Stifter und der schicksalhafte Weg des Codex über Mainz, Erfurt, Gotha, Coburg bis nach Nürnberg, die diese einzigartige Cimelie so genau ins Sammlungskonzept des Germanischen Nationalmuseums passen läßt.

Es ist bezeichnend für Grotes lebendiges Geschichtsverständnis, daß er trotz schwerer Bedenken einwilligte, den Deckel und drei Doppelseiten des Codex im Jahr 1958 für kurze Zeit in seine Heimat Echternach zu entleihen, wo anläßlich der Geburt des hl. Willibrord vor 1300 Jahren die Kulturleistung der Benediktinerabtei Echternach in einer Ausstellung dargestellt wurde[110].

Zuvor schon gelang es, einen bedeutenden kultgeschichtlichen Fund zu erwerben: Im Frühjahr 373 1953 wurde bei Ezelsdorf, Nürnberg Land, unter Baumwurzeln ein Klumpen aus Goldblech entdeckt, dessen Kegelgestalt in mühevoller Restaurierungsarbeit wiederhergestellt wurde. In der späten Bronzezeit (12. Jahrhundert v. Chr.) entstanden, bildete er einstmals die 96 cm hohe Spitze einer Kultsäule. Seit Oktober 1953 fand der Ezelsdorfer Kegel, zusammen mit anderen bronzezeitlichen Funden, eine vorläufige Aufstellung in einem Raum der Mönchshäuser[111]; auf der Sonderausstellung „Hochkultur der Bronzezeit. Schatzfunde aus Mitteleuropa 1400 bis 800 v. Chr." vom 16.

---

[108] Der Beschluß erfolgte am 2. Juli 1954. Jahresbericht GNM 97 (für 1951–54), 1955, S. 47. – Dr. Thielen war Vorstandsmitglied der Maschinenfabrik Augsburg-Nürnberg AG (MAN), er trat 1959 in den Ruhestand und legte gleichzeitig den Vorsitz des Fördererkreises nieder. Sein Nachfolger wurde Dr. h. c. Carl Knott, Mitglied des Vorstands der Siemens-Schuckert Werke AG Erlangen, der dem Fördererkreis bis 18. Juni 1970 vorstand. Anläßlich seiner Gründung 1954 traten dem Fördererkreis 47 Mitglieder bei. Im Jahr von Grotes Ausscheiden 1962 waren es 344 Förderer. In dieser Zeit wurden Spenden in Höhe von DM 2 916 000,- aufgebracht.

[109] Das große Bild von Lucas van Leyden: „Moses schlägt Wasser aus dem Felsen" befindet sich heute im Museum of Fine Arts, Boston, Mass. (Schaeffer Galeries: Twenty-fifth Anniversary 1936–1961. New York 1961, Taf. 11 f.). – Vgl. auch S. 240, 560, 753–756.

[110] Drei Doppelblätter aus dem Codex (fol. 53/58, 54/57, 70/73) wurden während der ganzen Dauer der Ausstellung (24. Mai bis 24. August 1958) gezeigt, der Deckel nur vom 24.–30. Mai 1958. – Exposition Saint-Willibrord. XIIIᵉ centenaire de la naissance de Saint Willibrord 658–1958. Echternach 24. 5.–24. 8. 1958.

[111] Raum 23. – Georg Raschke: Ein Goldfund der Bronzezeit von Ezelsdorf-Buch bei Nürnberg (Goldblechbekrönung). In: Germania Bd. 32 (1954), S. 1–6. – Jahresbericht GNM 97 (für 1951–54), 1955, S. 15 und Abb. 3. – Seit Ende 1958 bis 1975 bildete der Ezelsdorfer Kegel das Glanzstück der Abteilung Vor- und Frühgeschichte im Souterrain des Theodor-Heuss-Baus.

Juni bis 31. Oktober 1955 konnte neben ihm als wichtiges Vergleichsstück und zweites von insgesamt drei bekannten Exemplaren der sogenannte Goldhut von Schifferstadt als Leihgabe des Historischen Museums der Pfalz in Speyer gezeigt werden.

Ganz am Ende seiner Amtszeit hatte Grote noch die Freude, die langwierigen Verhandlungen über die Erwerbung der Sammlung historischer Musikinstrumente Dr. Dr. h. c. Ulrich Rück zu einem erfolgreichen Abschluß zu führen, der noch seinen besonderen Wert durch die Zusage erhielt, daß die entstehenden Kosten von der Stiftung Volkswagenwerk, der Fritz-Thyssen-Stiftung und der Stadt Nürnberg übernommen werden würden.

Schon in seiner Dissertation und während seiner Dessauer Zeit hatte sich Grote mit der Kunst Dürers und seiner Epoche beschäftigt. Die Übernahme seines Nürnberger Amtes förderte seine Forschungen auf diesem Gebiet; es war deshalb für ihn eine besondere Freude, zwei Zeichnungen Dürers aus der Sammlung Blasius käuflich zu erwerben und kurz vor seinem Ausscheiden noch 20 Zeichnungen und 148 druckgraphische Blätter von Dürer und seinem Kreis als Depositum der Erbengemeinschaft Blasius, Braunschweig, für das Germanische Nationalmuseum zu übernehmen[112].

Eine wertvolle Bereicherung erfuhr die Bibliothek 1961 durch die Erwerbung der bibliophilen Buchsammlung des Barons Ferdinand von Neufforge. Diese Sammlung ist unter dem Gesichtspunkt des deutschen Buchs als Spiegel deutscher Kulturentwicklung angelegt worden und stimmt in dieser Konzeption völlig mit dem Programm des Museums überein[113].

Andere Neuerwerbungen von Bedeutung werden in den Kapiteln zur Geschichte der einzelnen Sammlungsabteilungen genannt werden, hier sei nur bemerkt, daß Grote oft kulturhistorisch wichtige Objekte mit verhältnismäßig geringen Mitteln erwerben konnte, weil die meisten Museen für derlei Sachgüter wenig Interesse haben.

Bei Grotes Amtsantritt galt immer noch, wie seit dem Ende des 19. Jahrhunderts, als obere zeitliche Grenze des Sammelns die Wende vom 18. zum 19. Jahrhundert. Was sich aus der Zeit danach in den Beständen vorfand, waren rein zufällige Zugänge. Grote, dem die Kunst des 19. Jahrhunderts so vertraut war, sah wohl die Notwendigkeit ein, das Sammelgebiet auf diese Epoche auszuweiten, doch scheute er sich, eine diesbezügliche Entschließung des Verwaltungsrats herbeizuführen, weil alle vorhandenen Mittel vordringlich für den Wiederaufbau eingesetzt werden mußten[114]. Doch erwarb er bereits im Stillen wichtige Zeugnisse aus dieser Zeit, z. B. einen Teil des Nachlasses des Kunsthändlers G. Metzger, Florenz, 1820 ff. mit fast 400 Briefen über Ankäufe von italienischen Kunstwerken durch deutsche Fürsten und Museen, oder Biedermeiergläser, oder den von Henry van de Velde entworfenen Schreibtisch mit Stuhl und Mappenschrank aus dem Besitz des Verlegers Löffler (1899), oder Arbeiten aus der Metallwerkstatt des Bauhauses (1920–1924). Erst 1966 unter Erich Steingräber beschloß der Verwaltungsrat offiziell, auch das 19. und das beginnende 20. Jahrhundert in das Sammelgebiet des Museums einzubeziehen.

Daß jede Öffentlichkeitsarbeit nicht ohne Werbung geleistet werden kann, war für Grote eine selbstverständliche Erfahrung. Schon zur ersten von ihm im Germanischen Nationalmuseum aufge-

[112] Jahresbericht GNM 97 (für 1951–54), 1955, S. 16 und Abb. 7. – Anzeiger GNM 1963, S. 233 ff. – Vgl. S. 648.
[113] Der 1940 erschienene Katalog der Bibliothek Neufforge – damals etwa doppelt so umfangreich – umriß in seinem Titel den speziellen Gesichtspunkt, unter dem Ferdinand Baron von Neufforge sammelte: Über den Versuch einer deutschen Bibliothek als Spiegel deutscher Kulturentwicklung. Berlin o. J. (1940). – Vgl. Tätigkeitsbericht 1961, S. 4 und Elisabeth Rücker: Die Bibliothek Neufforge. Ihr derzeitiger Umfang im Germanischen Nationalmuseum Nürnberg. In: Zeitschrift für Bibliothekswesen und Bibliographie 10 (1963), S. 222–225. – Vgl. S. 570–572.
[114] Schon bei seinem Amtsantritt 1952 äußerte sich Grote in einem Interview mit Peter Trumm in einer Münchner Zeitung: „Das Germanische Nationalmuseum sollte nach dem Gründungsplan bis 1800 reichen. Aber nun sind wir 100 Jahre weiter, und es fragt sich, ob man die Grenze nicht bis 1900 vorverlegen sollte".

144. Historische Modenschau „Kleinodien, Waffen und Kostüme" in der Kartäuserkirche am 15. Juni 1954; am Pult Dr. Ludwig Grote

bauten Ausstellung, der weihnachtlichen Schau „Ewige Märchenwelt", gab er bei Heinz Schillinger ein Plakat in Auftrag, das preisgekrönt wurde, und er bediente sich in der Folgezeit der Plakatwerbung für jede größere Veranstaltung.

Neben dem Sammeln, der Erforschung, der Pflege und der Zurschaustellung des Sammelguts im Germanischen Nationalmuseum sah Grote gleichgewichtig die schon im Gründungsprogramm gestellte Aufgabe, kunst- und kulturhistorisches Wissen in gemeinverständlicher Weise weiten Volkskreisen zu vermitteln. Die Tradition der amtlichen Führungen und Vorträge war bereits unter E. G. Troche wieder aufgenommen worden. Die allwinterlichen Vortragsfolgen wurden jeweils unter ein verbindendes Generalthema gestellt[115]. Manchmal reichte der heute nicht mehr existierende, 220 Sitzplätze bietende Vortragssaal nicht aus, so daß die Veranstaltung in den Kirchenraum verlegt werden mußte. Nach diesen Vorträgen fanden sich die Teilnehmer, die dem Museum enger verbunden waren, in den Refektorien zu einem Beisammensein ein, dessen heitere Atmosphäre manchem noch in Erinnerung sein wird. Dank eines von der amerikanischen Hohen Kommission gestifteten

115 1953/54 Kunst und Kultur der Stauferzeit. – 1954/55 Kunst und Kultur des späten Mittelalters. – 1955/56 Albrecht Dürer und seine Zeit. – 1956/57 Deutsche Renaissance. – 1957/58 Vom Glanz des Rokoko. – 1958/59 Das 19. Jahrhundert. – 1959/60 Die Kunst des 20. Jahrhunderts. – 1960/61 Antiklassiker. – 1961/62 Klassiker.

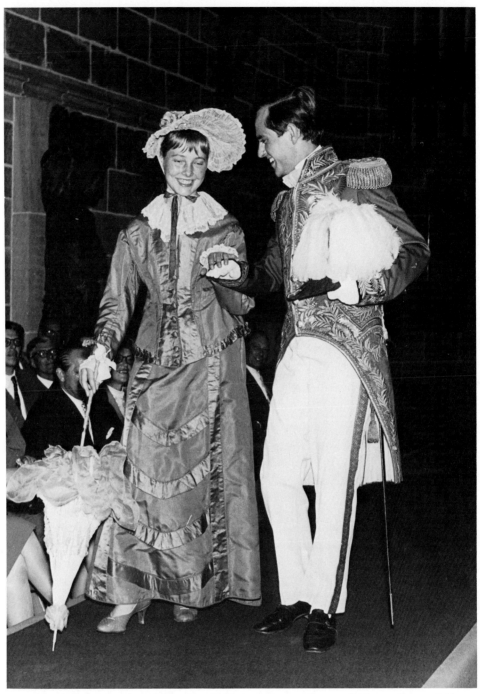

145. Historische Modenschau „Kleinodien, Waffen und Kostüme" am 15. Juni 1954. Dame mit blauem Seidenkleid, um 1870, Herr in der Uniform eines k. k. österreichisch-ungarischen Consuls vom Ende des 19. Jahrhunderts

146. Historische Modenschau „Kleinodien, Waffen und Kostüme" am 15. Juni 1954: Junger Mann mit Harnisch aus dem Anfang des 16. Jahrhunderts und Schwert und Strau-ßenfederbarett des Obersten Nürnberger Feldhauptmanns Christoph Kress von Kressen-stein, um 1530

Vorführgeräts konnten seit 1953 Kunst- und Kulturfilme für Schüler und an sonntäglichen Matineen einem interessierten Publikum gezeigt werden[116]. Mit diesen beliebten Filmveranstaltungen konnte die Bildungsaufgabe des Germanischen Nationalmuseums erweitert werden, wie auch der Ausbau der von Troche eingerichteten Bildungsstätte der wachsenden Verpflichtung zur didaktischen Informa-tion des Museumsbesuchers angepaßt wurde.

Wenn Grote bei seiner Amtseinführung von seinem Vorhaben sprach, das Museum „aus seinem Dornröschenschlaf zu erwecken"[117], so wollte er nicht seine Kollegen kritisieren, sondern mit dieser Äußerung der noch immer verbreiteten Meinung entgegentreten, die Museen seien „Mottenkisten"

[116] Jahresbericht GNM 97 (für 1951–54), 1955, S. 38. – Die erste Filmveranstaltung war am 26. April 1953.
[117] Nürnberger Zeitung vom 29. Oktober 1951: „Grote umriß vor den Freunden des Germanischen Nationalmuseums sein Programm dahin, daß das Germanische Nationalmuseum aus seinem Dornröschenschlaf erweckt und in den Blick-punkt der gesamten Nation gestellt werden müsse. Die frühere Strahlkraft des Namens „Nürnberg" könne man auch durch das Germanische Museum zur Erneuerung bringen. Er werde mit allen Mitteln der modernen Werbung sich für das Museum einsetzen, damit es Besitz aller werde".

147. Historische Modenschau „Kleinodien, Waffen, Kostüme" am 15. Juni 1954: Junges Mädchen mit Schlüsselfelder Schiff von 1503

oder „Mausoleen" der Kunst; eingedenk der großen volksbildenden und damit staatspolitischen Aufgaben, die den Museen zukamen, wollte er die Öffentlichkeit mit modernen Mitteln der Werbung auf das Museum aufmerksam machen und dessen Stellenwert im Kulturleben betonen. Als bezeichnendes Beispiel, wie er solche Vorstellungen in die Tat umsetzte, kann wohl die von ihm ersonnene 144–147 und inszenierte historische Kostümschau gelten, bei der originale Kostüme von der Ritterrüstung bis zum Cul de Paris nebst zeitgenössischen Accessoires sowie Prunkgerät, Musikinstrumente und Waffen auf einem Laufsteg mit Erläuterungen und musikalischer Begleitung vorgeführt wurden. Grote wollte mit dieser Veranstaltung, die in der Villa Hügel in Essen, auf dem Petersberg bei Bonn und zweimal im Germanischen Nationalmuseum stattfand, nicht allein für Spenden der deutschen Wirtschaft anläßlich der Jahrhundertfeier danken, sondern auch neue Freunde und Förderer gewinnen[118].

[118] Die historische Kostümschau war am 17. Mai 1954 in der Villa Hügel, Essen, vor dem Kulturkreis im Bundesverband der deutschen Industrie, eine Wiederholung fand im Germanischen Nationalmuseum am 15. Juni 1954 statt. „Mit dieser Vorführung wollte das Germanische Nationalmuseum seinen Dank den Förderern aus den Kreisen der deutschen

Der seit 1958 alljährlich anläßlich der Verwaltungsratssitzung stattfindende Empfang des Fördererkreises wurde zu einem gesellschaftlichen Ereignis, bei dem sich Vertreter aus Wirtschaft und Industrie, das Nürnberger Patriziat und Persönlichkeiten des öffentlichen Lebens in den historischen Räumen des Museums trafen; bei dieser Gelegenheit wurde Rechenschaft abgelegt, die Sachbearbeiter kommentierten wichtige Neuerwerbungen oder behandelten kulturgeschichtlich interessante Themen aus ihrem Arbeitsbereich, wie den Wandel der Schuhmode, mittelalterliche Tischgewohnheiten oder die Technik des Feueranmachens in alter Zeit, was allgemein viel Anklang fand und den Gästen eine Vorstellung von den Aufgaben und der Arbeit eines Museums vermittelte. So entstanden fruchtbare Kontakte, die sich in der Folgezeit auch dahingehend auswirkten, daß Wirtschaftsverbände, Firmen und andere Körperschaften gern ihre gesellschaftlichen Zusammenkünfte im Museum abhielten.

Grotes Bemühen, Vergangenes dem heutigen Besucher gegenwärtig zu machen, ging so weit, daß er im Garten, der den Mönchshäusern vorgelagert ist, ein sogenanntes Mariengärtlein (Hortus conclusus) nachgestalten ließ, eine Rasenbank mit Pflanzen, die auf deutschen Darstellungen des 15. und 16. Jahrhunderts zu sehen sind und auf die Mariensymbolik Bezug haben.

Als Nachklang zur Jahrhundertfeier des Jahres 1952 wurde auch ein – allerdings vereinzelt gebliebener – Versuch unternommen, Literatur und Dichtkunst in das allgemeine kulturelle Programm einzubeziehen. Auf einer sonntäglichen Morgenveranstaltung wurde als literarischer Epilog unter dem Titel „Labyrinth und reine Blüte" manieristische Dichtung unserer Zeit von Künstlern an Nürnberger Theatern vorgetragen.

Bereits zu Beginn seiner Tätigkeit hatte Grote seine Absicht betont, bei der Erschließung des Kulturbesitzes auch die Musik einzubeziehen. Die von Troche eingeführten musikalischen Veranstaltungen baute er zu den Musica-Antiqua-Konzerten (seit 1956) aus. Auf dem Gebiet der Musikpflege muß auch Grotes Bemühen um das alljährliche Zustandekommen und die Ausgestaltung der Internationalen Orgelwoche in Nürnberg erwähnt werden, die erstmals im Juni 1951, also noch vor Grotes Nürnberger Zeit, veranstaltet wurde. Für die Eröffnung und für musikalische Darbietungen wurden mehrmals die Kartäuserkirche des Museums zur Verfügung gestellt und thematisch begleitende Ausstellungen aufgebaut[119].

Der „Anzeiger des Germanischen Nationalmuseums", sein wissenschaftliches Publikationsorgan, wurde erstmals nach dem Krieg 1954 wieder herausgebracht, die Jahrgänge 1940–53 zusammenfassend, und behandelte im Anschluß an die Ausstellung zum hundertjährigen Bestehen des Museums das Nachleben Dürers mit dem Gesamttitel „Beiträge zur Kunst der Epoche von 1530–1650". Erstmals nach dem Krieg wurde Juni 1956 ein Wegweiser für die Besucher des Museums herausgegeben, dessen 8., jeweils umgearbeitete Auflage 1962 im 36. Tausend erschien[120]. Im Jahr 1956 erschien

Industrie und Wirtschaft abstatten, die aus Anlaß des 100-jährigen Bestehens des Germanischen Nationalmuseums ansehnliche Beiträge für den Wiederaufbau gestiftet hatten", vgl. Jahresbericht GNM 97 (für 1951–54), 1955, S. 33. – Die Schau wurde noch einmal gezeigt am 23. Juni 1956 im Kurhotel Petersberg bei Bonn auf Einladung des Bundesverbands der Deutschen Industrie aus Anlaß der Konferenz der Direktoren der Europäischen Industrieverbände, und ein letztes Mal am 16. Mai 1957 im Germanischen Nationalmuseum anläßlich der Tagung der deutschen Elektrizitätswerke.

[119] Alte Musik und ihre Instrumente. 16. Juni – 28. Oktober 1956. Zur 5. Internationalen Orgelwoche Nürnberg (16. bis 24. Juni 1956). – Dokumente der Musica Sacra in Nürnberg. 28. Juni bis 4. August 1957. Zur 6. Internationalen Orgelwoche. – Die Orgel und die Orgelmusik. 31. Mai bis 15. Juni 1958. Zur 7. Internationalen Orgelwoche (31. Mai bis 8. Juni 1958). – Liturgisches Gerät der Gegenwart. Zur 8. Internationalen Orgelwoche (20. bis 28. Juni 1959). – Musikinstrumente auf mittelalterlichen Kunstwerken. Ausstellung von Großphotos. Zur 9. Internationalen Orgelwoche (25. Juni bis 3. Juli 1960). – Grote gehörte dem Arbeitsausschuß der Internationalen Orgelwoche Nürnberg seit 1955 an.

[120] Verfasser Wulf Schadendorf. – 1. Aufl. 1956 1.–6. Tausend. 2. Aufl. September 1956 7.–16. Tausend. Bis 1967 erschien der Wegweiser in 12 jeweils umgearbeiteten Auflagen von insgesamt 56000 Exemplaren.

auch eine vom Prestel Verlag betreute Veröffentlichung des Goldenen Evangelienbuchs von Echternach, beschrieben von Peter Metz[121].

Auf das Lay-out und die künstlerische Gestaltung der Publikationen des Germanischen Nationalmuseums nahm Grote als begeisterter Büchermacher entscheidenden Einfluß. Besonders am Herzen
lag ihm die Herausgabe einer Schriftenreihe zur deutschen Kunst- und Kulturgeschichte, die er – in
geringer Abweichung vom Titel der bekannten Folge von Gustav Freytag – „Bilder aus der deutschen
Vergangenheit" (1859–1867) – „Bilder aus deutscher Vergangenheit" nannte und die in der Thematik
mancher Bände auch den kulturhistorischen Publikationen Georg Steinhausens verwandt sind[122]. Der
erste Band erschien 1956; bis zu Grotes Pensionierung waren 17 Titel herausgekommen; auch der
1974 publizierte 34. Band war noch seiner Anregung zu verdanken. Die Reihe wollte in wissenschaftlich stichhaltiger und zugleich lebendig-anschaulicher Darstellung Einzelthemen aus der deutschen
Kunst- und Kulturgeschichte einem großen Leserkreis zugänglich machen. Für die Bearbeitung der
einzelnen Themen bot sich die große Fundgrube kulturgeschichtlichen Sachgutes im Germanischen
Nationalmuseum an. Die Titel der ersten vier erschienenen Bände umreißen wohl am bezeichnend-
sten das Programm dieser Reihe: „Aus alten Apotheken", „Hier bin ich ein Herr. Dürer in Venedig",
„Essen und Trinken. Tafelsitten bis zum Ausgang des Mittelalters" und „Tageslauf im Puppenhaus.
Bürgerliches Leben vor dreihundert Jahren"[123].

Noch im letzten Jahr seiner Amtszeit nahm Grote eine neue Buchreihe in Angriff, die in wissenschaftlichen Einzeldarstellungen die verschiedenen Gebiete der bildenden Kunst in der Blütezeit der
Reichsstadt Nürnberg behandeln sollte. „Durch Wort und Bild, durch lebendige Darstellung und
vorzügliche Abbildungen wird die Reihe in würdiger Form den besonderen Charakter, die historische Bedeutung und die künstlerische Höhe der über fünfhundert Jahre blühenden Kultur Nürnbergs
repräsentieren". Von dieser Reihe „Kunst und Kultur der freien Reichsstadt Nürnberg" ist aber nur
ein erster Band erschienen[124].

Grotes seit Jahrzehnten praktiziertes Bemühen um museologische Fragen der Einrichtung und
Darbietung wurde 1956 im akademischen Lehrbetrieb durch die Ernennung zum Honorarprofessor
an der Universität Erlangen mit dem Lehrauftrag „Musealkunde" nutzbar gemacht. Im Zuge der
Neuordnung des bayerischen Besoldungsgesetzes führte er seit August 1958 die Dienstbezeichnung
Generaldirektor. Innerhalb weniger Jahre gelang es Grote, nicht nur dem Germanischen Nationalmuseum, sondern auch der Stadt Nürnberg, deren Name durch die jüngste politische Vergangenheit
mißtönig belastet war, wieder einen neuen Klang zu geben. Nürnbergs Stadtväter erkannten diese
Leistung an und ehrten Grote im Jahr 1957 mit der Verleihung des Kulturpreises der Stadt Nürnberg[125]. Der Erfolg der Bemühungen, das Museum stärker bekannt zu machen, ließ sich an der
steigenden Zahl der Mitglieder ablesen, die durch Krieg und Nachkriegsfolgen, nicht zuletzt durch
die Teilung Deutschlands, stark gesunken war. Während seiner Amtsführung wuchs der Mitglieder-
bestand um beinahe 38% von 4584 auf 6325. Hinzu kommen 344 Mitglieder des erst 1954 gegründeten Fördererkreises.

---

[121] Das goldene Evangelienbuch von Echternach im Germanischen National-Museum zu Nürnberg. Beschrieben von Peter
Metz. München 1956.
[122] Monographien zur deutschen Kulturgeschichte. Hrsg. v. Georg Steinhausen. 12 Bde. Leipzig 1899–1905.
[123] Die genannten Bände wurden zu den alljährlich vom Börsenverein des deutschen Buchhandels ausgewählten 50
schönsten Veröffentlichungen der gesamten deutschsprachigen Buchproduktion gezählt, außerdem noch die Edition
des Echternacher Codex, so daß allein zehn Prozent der schönsten Bücher des Jahres 1956 aus der Zusammenarbeit des
Germanischen Nationalmuseums mit dem Prestel Verlag hervorgingen. Die Gestaltung dieser Bücher besorgte Eugen
Sporer, München.
[124] Erich Meyer-Heisig: Der Nürnberger Glasschnitt des 17. Jahrhunderts. Kunst und Kultur der Freien Reichsstadt
Nürnberg. Nürnberg 1963.
[125] Vgl. die Würdigung der Nürnberger Zeitung vom 17. Juni 1957. – Die Verleihung war am 16. Juli 1957.

Als Grote nach fast elfjährigem Wirken in den Ruhestand trat, würdigte Erich Steingräber, der am 27. Juni 1962 vom Verwaltungsrat gewählte Nachfolger, die Leistung seines Vorgängers: „Ihr Name wird immer mit dem Wiederaufbau und der Praktizierung eines neuen, sehr persönlichen Ausstellungsstils verbunden bleiben, dem der Brückenschlag von der „Vorzeit" zur Gegenwart gelang. Dies ist wohl die schönste Frucht der vergangenen Jahre; daß es gelang, dem Museum wieder ein breites, tragendes Fundament zu schaffen und sein Anliegen volkstümlich zu machen. Das Germanische Nationalmuseum wuchs während der Amtszeit von Herrn Professor Dr. Grote in eine ganz neue, seiner Bedeutung gemäße Größenordnung". Steingräber, Vertreter einer jüngeren Generation, sah seine Aufgabe in einer über das deutsche Sprachgebiet hinausgehenden Darstellung der deutschen Kunst als integrierten Bestandteil der europäischen Kultur: „Erziehung und Volksbildung lenken den Blick auf den moralischen Aspekt meiner zukünftigen Aufgabe. Uns allen ist bewußt, daß wir am Übergang zu einem neuen Zeitalter stehen, das noch keinen Namen hat. Begriffe wie Volk und Vaterland umschließen nach wie vor Werte, die uns lieb und teuer sein müssen, sie zählen aber nicht mehr zu den höchsten Gütern schlechthin. Freiheit und Recht als Menschheitsgütern weltweiter Bedeutung gebührt der Vorrang. So kommt es, meine ich, darauf an, den Inhalt dieses Museums aus einer universalhistorischen Betrachtungsweise verständlich zu machen, die den nationalen Horizont immer wieder durchstößt und überhaupt erst den besonderen Ort und die spezifischen Leistungen, aber auch die Gefährdungen deutscher Kunst erkennen läßt. Aus Stolz und Bewunderung darf kein Mythos entstehen, der gegenüber den Leistungen der anderen Völker blind macht"[126].

Nach seiner Versetzung in den Ruhestand (1. November 1962) wurde Grote in den Verwaltungsrat des Museums gewählt, nach seinem Ausscheiden aus diesem Gremium 1972 zum Ehrenmitglied des Germanischen Nationalmuseums ernannt. Er gehörte zu den ersten, die mit der 1966 geschaffenen Theodor-Heuss-Medaille ausgezeichnet wurden. Diese von dem Münchner Bildhauer Karl Knappe geschaffene Medaille wurde an Persönlichkeiten verliehen, die sich um das Germanische Nationalmuseum besonders verdient gemacht haben. Als erste erhielten sie S. Kgl. Hoheit Herzog Albrecht von Bayern, Ludwig Grote und Dr. Carl Knott, der von 1959 bis 1970 den Vorsitz des Fördererkreises innehatte.

Die Leistung Grotes kann nicht gewürdigt werden, ohne der Männer des Verwaltungsrates zu gedenken, die ihm zur Seite standen: Bundespräsident Theodor Heuss als Vorsitzender des Verwaltungsrats und Hans Christoph Freiherr von Tucher als dessen Stellvertreter. Das vereinte Wirken dieser drei Persönlichkeiten war eine Sternstunde für das Germanische Museum; alle drei fühlten sich, jeder auf seine Art, dem Museum tief verbunden und fanden sich im gemeinsamen Bemühen um das Museum, ein jeder aber auch den anderen in seinem Wesen und in dem von ihm vertretenen Amt respektierend. Heuss war „im Elementaren angerührt von dem nicht wiederholbaren Reiz dieses Hauses", das er später „ein der geschichtlichen Besinnung gewidmetes Werk", „eine sinnenhafte Darstellung der Geschichte des deutschen Mensch-Seins" nannte; der Sinn dieses Museums sei nie bloße Konservierung eines Gewesenen, sondern dessen Vergegenwärtigung als geistig-politischer Auftrag. Und solcher Auftrag stehe unter dem wechselnden Gesetz der Stunde[127]. Seine eigenen Worte, die er am 6. September 1958 bei der Einweihung des seinen Namen tragenden Baus sprach, zeugen von seiner starken Verbundenheit mit dem Museum und seinem Verhältnis zum Verwaltungsrat: „Und ich darf wohl sagen, . . . daß diese Zeit für mich selber viele Beglückungen gebracht hat. Persönliche Freundschaften, persönliches Vertrauen, Helfenkönnen und Freude an dem, was aus dem Helfenkönnen . . . entstanden ist, daß das Freude gemacht hat, daß ich auf diese Tage, die wir in

---

[126] Anlage zum Protokoll der Verwaltungsratssitzung vom 27. Juni 1962.
[127] Theodor Heuss: Das Germanische National-Museum. In: Noris, Zwei Reden, Berlin 1953, S. 9–25.

Geschichte
der Museumsbauten

149. Celle beate marie in Nuremberga – Die Nürnberger Kartause auf dem Gemälde: Stammbaum aller Kartäuserklöster, Schwaben um 1510

HERMANN MAUÉ
Die Bauten der Kartause von ihrer Gründung 1380 bis zur Übernahme durch das Museum im Jahre 1857

Als 1857 die Entscheidung fiel, das Germanische Nationalmuseum im ehemaligen Nürnberger Kartäuserkloster unterzubringen, bedeutete das zugleich die Erhaltung einer Klosteranlage, die bereits dem Verfall preisgegeben schien. Durch die sogleich begonnene Renovierung erhielt sich eine Anlage, die zumindest in ihrer Struktur das Bild einer mittelalterlichen Kartause bot. Beschädigungen im letzten Kriege, vornehmlich des Chores der Kirche und der anschließenden Langhausgewölbe, ließen sich weitgehend beheben, während Teile der Kreuzgänge mit angrenzenden Gebäuden völlig zerstört waren. Gleichwohl läßt sich noch heute eine Vorstellung von dem ursprünglichen Aussehen der Kartause gewinnen, was umso höher zu schätzen ist, als von den 58 mittelalterlichen Kartausen im deutschsprachigen Raum der größte Teil verschwunden oder nur noch in spärlichen Resten erhalten ist.

315

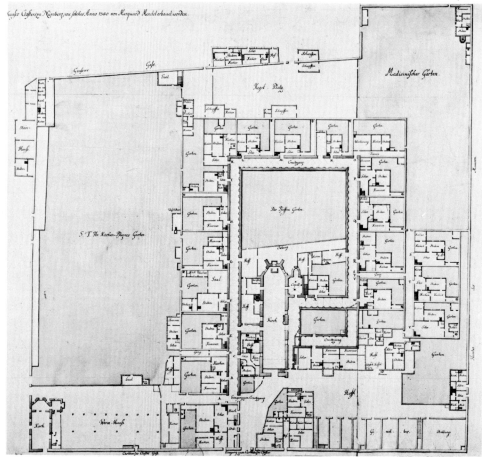

150. Grundriß der Kartause, Aufmaß von Silberrad, Nürnberg 1760
(Stadtarchiv Nürnberg). Norden ist links

Ausgangszelle des Ordens war ein vom hl. Bruno (um 1032–1101) im Jahre 1084 in der Nähe von Grenoble gegründetes Kloster, die Grande Chartreuse[1]. Brunos Idee war eine Verbindung von Eremiten- und Koinobitentum, von Einsiedler- und Gemeinschaftsleben. Die Kartäusermönche lebten jeder für sich abgeschlossen in einem kleinen Haus mit Garten, der Zelle oder Eremitage. Im Garten oder in einer im Hause eingerichteten Werkstatt kamen sie der in der benediktinischen

---

[1] Zum Kartäuserorden vgl. Emile Baumann: Die Kartäuser. Münster 1930. – Johannes Simmert: Die Geschichte der Kartause zu Mainz (Beiträge zur Geschichte der Stadt Mainz, Bd. 16). Mainz 1958. – Fritz Arens: Bau und Ausstattung der Mainzer Kartause (Beiträge zur Geschichte der Stadt Mainz, Bd. 17). Mainz 1959. Die beiden letzten Arbeiten enthalten zahlreiche allgemeine Hinweise zu Organisation und Wesen des Kartäuserordens. – Heinrich Rüthing: Der Kartäuser Heinrich Egher von Kalkar 1328–1408 (Veröffentlichungen des Max-Planck-Instituts für Geschichte, Bd. 18, Studien zur Germania Sacra, Bd. 8). Göttingen 1967; hier besonders die historische Einleitung zur Geschichte der Kartausen in der Ordensprovinz Alemannia inferior von 1320–1400. S. 9–50. – Heinrich Rüthing: Die Ausbreitung der Kartäuser bis 1500. In: Atlas zur Kirchengeschichte. Hrsg. von Hubert Jedin u. a. Freiburg 1970. S. 38 u. Karte 51. 1959 hatte der Orden noch 19 Klöster, davon in Deutschland als einziges das 1869 bei Düsseldorf gegründete Maria-Hain, das später nach Seibranz im Allgäu verlegt wurde.

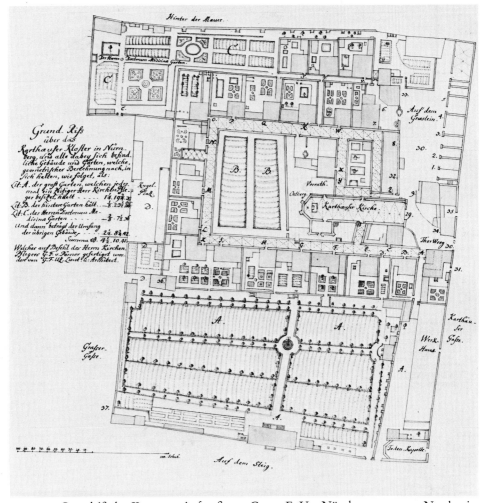

151. Grundriß der Kartause, Aufmaß von Georg F. Uz, Nürnberg, ca. 1770. Norden ist unten

Ordensregel festgelegten Verpflichtung zur Arbeit nach. Zu vorbestimmten Stunden trafen sie sich in den gemeinschaftlichem Leben dienenden Räumen: Kirche, Kapitelsaal und Refektorium; gemeinsame Mahlzeiten wurden im Refektorium lediglich an Sonn- und Festtagen eingenommen. Diese Art des Zusammenlebens bot nach Brunos Vorstellung die besten Voraussetzungen für ein auf Kontemplation und Askese ausgerichtetes Leben. Bruno selbst dachte zunächst nicht an die Konstituierung eines eigenen Ordens, erst sein vierter Nachfolger Guigo I. zeichnete 1127 die „Consuetudines" auf, in denen die Liturgie und die Leitung der Mönche sowie der Brüder festgelegt wurden[2]. 1133 approbierte Papst Innozenz II. die Consuetudines. Sie wurden ergänzt durch Beschlüsse und Verordnungen der seit 1155 jährlich tagenden Generalkapitel[3]. Die Regeln für die Kartäusermönche waren

[2] James Hogg: Die ältesten Consuetudines der Kartäuser (Analecta Cartusiana, Bd. 2). Salzburg 1970.
[3] J. Le Masson: Annales ordinis Cartusiensis, Teil 1. Correriae 1687, 2. Aufl. Meudon 1898.

streng: Zahlreiche Fasttage schränkten die Mahlzeiten ein, Fleisch war gänzlich verboten. Auch bei gemeinschaftlichem Zusammensein waren lediglich geistliche Gespräche gestattet. Etwa acht Stunden, davon drei nachts, waren Gebeten und geistlichen Übungen gewidmet. Die Ausstattung der einzelnen Zellen beschränkte sich auf das Notwendigste. Die Zahl der Angehörigen einer Kartause war auf einen Prior und höchstens zwölf Mönche, sechzehn Konversen und sieben Redditen festgelegt. Konversen und Redditen waren Laienbrüder; die Konversen lebten nach den gleichen Regeln wie die Mönche, legten jedoch nicht die Profeß ab. Die Redditen konnten Kleriker oder Laien sein, ihre Aufgabe bestand darin, den Prior und die Konversen bei ihren Geschäften außerhalb des Klosters zu unterstützen. An ihre Stelle traten wohl gegen die Mitte des 14. Jahrhunderts die Donaten[4], die ausschließlich Laien waren und nur aus zwingenden Gründen mit Erlaubnis des Generalkapitels in den Orden aufgenommen werden durften. Die Regeln für Redditen und Donaten waren gegenüber denen für Mönche und Konversen weit weniger streng; beispielsweise waren ihnen Fleischspeisen nicht verboten. Die Ausbreitung des Ordens vollzog sich nur langsam; zweihundert Jahre nach der Gründung, gegen 1300, gab es im deutschen Sprachraum lediglich drei Gründungen, und zwar in der Steiermark und in Kärnten. Einen, wenn auch im Vergleich zu anderen Vereinigungen bescheidenen Aufschwung, nahm der Orden im 14. und 15. Jahrhundert; seine kontemplative, asketische Ausrichtung kam den mystischen Strömungen dieser Zeit entgegen. Bedeutende Mystiker waren die Kartäusermönche Ludolf von Sachsen (um 1300–1378) und Dionysius (1402/03–1471)[5]; das Rosenkranzgebet ist auf den Trierer Kartäuser Adolf von Essen (1370/75–1439) zurückzuführen[6].

Die während dieser Blütezeit des Ordens 1380 gegründete Nürnberger Kartause[7] ist wiederholt Gegenstand wissenschaftlicher Untersuchungen gewesen. Historische Nachrichten finden sich in den Nürnberger Stadtgeschichten des Ioannis ab Indagine[8] und Georg Ernst Waldau[9]. 1790 erschien eine monographische, ebenfalls weitgehend historische Darstellung des Klosters von Johann Ferdinand Roth[10] und darauf aufbauend 1902 eine zweite von Heinrich Heerwagen[11]. Sehr viel später setzte die Beschäftigung mit der Klosterarchitektur ein. Nach kurzer Erwähnung durch August von Essenwein[12] stellte 1921 Otto Völckers die Nürnberger Kartause im Zusammenhang mit anderen deutschen

---

[4] Simmert (Anm. 1), S. 41.

[5] K. Swenden: Dionysius der Kartäuser. In: Lexikon für Theologie und Kirche, Bd. 3. Freiburg 1959, Sp. 406–407. – O. Karrer: Ludolf von Sachsen. In: Lexikon für Theologie und Kirche, Bd. 6. Freiburg 1961, Sp. 1180.

[6] Karl Joseph Klinkhammer: Die Entstehung des Rosenkranzes und seine ursprüngliche Geistigkeit. In: 500 Jahre Rosenkranz. Ausstellungskatalog des Erzbischöflichen Diözesan-Museum Köln 1975–1976, S. 30–50 (34–40).

[7] Die schriftlichen Quellen zum Nürnberger Kartäuserkloster sind zahlreich: Die wichtigste ist eine Klosterchronik im Staatsarchiv Nürnberg (Rep. Nr. 52a Nr. 180) aus der 1. Hälfte des 16. Jahrhunderts, deren Verfasser Sixt Oelhafen ist. Oelhafen war bis zur Aufhebung des Klosters 1525 dessen „Schaffer", d. h. Verwalter, und führte die Chronik bis 1541 weiter. Vgl. Deutsche Reichstagsakten unter König Wenzel, Bd. 1. Hrsg. von Julius Weizsäcker. München 1867, S. 307, Anm. 1. Auf dieser Chronik, die ihrerseits schon auf älteren Aufzeichnungen beruht, basieren die Nachrichten in zwei um 1700 entstandenen Stadtchroniken im Germanischen Nationalmuseum: Beschreibung dießer Des H. Reichs Statt Nürnberg Stätte Märck und Schlößer . . ., (HS 17609) und Beschreibung der absonderlichen Capellen und Kirchlein so sich innerhalb der Stadt befinden . . ., (HS 16622). Im Staatsarchiv Nürnberg sind außerdem erhalten: Gründungsgeschichte mit Verzeichnis der Prioren und Mönche und der Wohltäter des Klosters, begonnen bald nach 1400 mit Nachträgen bis zur Mitte des 16. Jahrhunderts (Rep. Nr. 52a Nr. 410) und Abschrift der Privilegien für die Gründung des Klosters, ebenfalls aus dem 1. Viertel des 15. Jahrhunderts (Rep. Nr. 52a Nr. 411). Durch mehrfache Abschriften und Kompilierungen sind zahlreiche Fehler und Widersprüche entstanden, die sich nur vereinzelt richtigstellen lassen.

[8] Ioannis ab Indagine: Wahre und Grund haltende Beschreibung der heutigen Tages weltberühmten Des Heiligen Römischen Reichs Freyen Stadt Nürnberg. Erfurt 1750, S. 507–510 und 690–691.

[9] Georg Ernst Waldau: Nürnbergisches Zion, oder Nachricht von allen Nürnbergischen Kirchen, Kapellen, Klöstern und lateinischen Schulen. Nürnberg 1787, S. 81–83.

[10] Johann Ferdinand Roth: Geschichte und Beschreibung der Nürnbergischen Kartause. Nürnberg 1790.

[11] Heinrich Heerwagen: Die Kartause in Nürnberg 1380–1525. In: Mitteilungen des Vereins für Geschichte der Stadt Nürnberg Bd. 15, 1902, S. 88–132.

[12] August von Essenwein: Handbuch der Architektur, Teil 2, Bd. 4, H. 2., 2. Aufl. bearbeitet von Otto Stiehl. Leipzig 1908, S. 38–39.

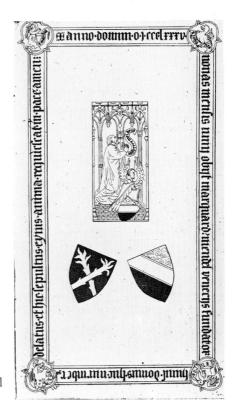

152. Verlorene Grabplatte des Marquard Mendel
(gest. 1385) aus der Nürnberger Kartäuserkirche

Kartausen dar[13]; erst Siegfried Mühlberg unternahm 1949 in seiner ungedruckten Dissertation eine ausführliche Bauanalyse[14].

Schon aus dem 18. Jahrhundert haben sich mehrere, sehr genaue Grundrißaufmessungen erhalten, von denen ein 1760 datierter und Silberrad signierter Plan die größte Genauigkeit aufweist. Damals waren noch alle Eremitagen ohne größere Veränderungen erhalten; daß es sich um einen Idealplan oder eine Rekonstruktion handelt, läßt sich ausschließen. Nur der Verbindungsgang zwischen Kirche und großem Kreuzgang ist nicht richtig eingetragen. Der Zeichner Silberrad ist sonst nicht faßbar[15]. Nur wenige Jahre später entstand ein weiterer Plan, der nach der Legende von Leutnant und Architekt Georg F. Uz auf Befehl des Kirchenpflegers Georg Friedrich von Pömer erstellt wurde[16].

[13] Otto Völckers: Die Klosteranlagen der Karthäuser in Deutschland. In: Zeitschrift für Bauwesen Bd. 71, 1921, S. 313–322.
[14] Siegfried Dietrich Mühlberg: Zur Klosteranlage des Kartäuserordens. Versuch einer Darstellung der mittelalterlichen Kartausen der deutschen Ordensprovinz Franconia. Phil. Diss. mschr. Köln 1949, S. 89–102. – Fried Mühlberg (d. i. derselbe): Zur Kenntnis der mittelalterlichen Klosteranlage des Kartäuserordens in Deutschland. In: Bulletin des relations artistiques France-Allemagne. Hrsg. vom Service des relations artistiques. Sonderheft. Mainz 1951 (unpaginiert). – Weitere Erwähnungen in Darstellungen über das Germanische Nationalmuseum. Diese gehen ebenso wie das Kapitel im Kurzinventar: G. P. Fehring und A. Ress: Die Stadt Nürnberg (Bayerische Kunstdenkmale, Bd. 10). München 1961, S. 150, über die Erkenntnisse Mühlbergs nicht hinaus. Weitere Literatur in: Fränkische Bibliographie (Veröffentlichungen der Gesellschaft für fränkische Geschichte, Reihe XI, III., Bd. II/2). Hrsg. von Gerhard Pfeiffer und Franz Xaver Pröll. Würzburg 1970, S. 37.
[15] Stadtarchiv Nürnberg, Inv. Nr. Plan 580, bezeichnet: Grund-Riß des Cartheuser Closters zu Nürnberg, wie solches Anno 1380 von Marquard Mendel erbauet worden. Silberrad fec. d. 20. Febr. 1760.
[16] Kupferstichkabinett des Germanischen Nationalmuseums (Kapsel 1039b, Sp. 10800). Georg F. Uz (1742–1796?) war Ingenieur, Oberleutnant und Bauinspektor in Nürnberg, vgl. Thieme-Becker: Allgemeines Lexikon der Bildenden

Auf ihm fehlt der Kapitelsaal mit dem Chor, die Wölbung der Kreuzgänge entspricht nicht der Wirklichkeit. Ebenfalls aus der gleichen Zeit stammt ein Ge. Ch. Pez von Lechtenhof Cadel bezeichneter und 1772 datierter Grundriß[17]. Während eine Darstellung der Nürnberger Kartause auf einem Tafelbild aus dem Anfang des 16. Jahrhunderts mit dem Stammbaum aller Kartäuserklöster ohne Bezug zur Realität ist[18], gibt der Braunsche Prospekt der Stadt Nürnberg von 1608 die Klosteranlage dem damaligen Zustand entsprechend wieder[19].

Die Nürnberger Kartause ist eine Gründung des Marquard Mendel (+ 1385), der aus angesehener ratsfähiger Nürnberger Familie stammte und selbst 1378 als Mitglied des Rates belegt ist. Durch Erbschaft und Handel hatte er ein ansehnliches Vermögen zusammengebracht. Die Klosterchronik nennt zwei Gründe, die Marquard zur Stiftung des Kartäuserklosters bewegt haben: Sie sollte dem Andenken seiner 1379 verstorbenen Frau Kunigunde dienen und war zugleich Dank dafür, daß er in Italien auf wunderbare Weise einen schweren Sturz mit seinem Pferd überstanden hatte[20]. Nach seiner Rückkehr aus Italien hielt er sich längere Zeit in der Würzburger Kartause Engelgarten auf, um die Lebensgewohnheiten der Kartäuser kennenzulernen. 1380 erhielt Mendel von der Stadt Nürnberg die Erlaubnis, in der Vorstadt auf dem Graben, zwischen dem Kloster St. Klara und der Kirche des Deutschen Ordens St. Jakob auf einem Gelände, das seit der Erweiterung der Stadt zwischen der alten und der neuen Stadtmauer lag[21], ein Kartäuserkloster mit dem Namen Marienzelle zu gründen. Die Auflagen seitens des Rates, an die die Gründungserlaubnis gebunden war, zeigen den Einfluß, den die Reichsstadt Nürnberg auf die Klöster gewonnen hatte. Die Bestimmungen regelten die Anzahl der Klosterinsassen: Unter der Leitung eines Priors sollten 12 Ordensbrüder und 6 Konversen stehen, zu deren Aufnahme der Rat seine Zustimmung erteilen mußte. Einem vom Rat bestellten „Schaffer" (Pfleger) oblag die Verwaltung des Klosters; er durfte nur mit Wissen des Rates handeln. Die Vertretung des Klosters in „weltlichen und hohen Sachen" durch den Prior hatte in Absprache mit der Stadt zu erfolgen. Innerhalb des Klosters durften nur dessen Angehörige, seine Dienstleute, der Stifter und die Schaffer begraben werden. Die Gerichtsbarkeit der Stadt erstreckte sich entgegen allgemeinen Gepflogenheiten auch auf die Untertanen des Klosters. Der Rat sicherte dem Kloster dafür seinen Schutz zu[22].

Am 16. Februar 1381 erfolgte die Grundsteinlegung zum Chor der Kirche. Zu diesem Zeitpunkt hielten sich anläßlich eines Reichstages zahlreiche geistliche und weltliche Würdenträger in der Stadt

---

Künste, Bd. 34, Leipzig 1940, S. 18 und Karl Sitzmann: Künstler und Kunsthandwerk in Ostfranken (Die Plassenburg, Schriften für Heimatforschung und Heimatpflege in Ostfranken Bd. 12) 1957, S. 550. Zu Georg Friedrich Pömer (1716–1774) vgl. Johann Gottfried Biedermann: Geschlechtsregister des Patricias der vormahligen Reichsstadt Nürnberg. Hrsg. von Christoph Friedrich Wilhelm von Volckamer. Nürnberg 1854, S. 145. Kirchenpfleger in Nürnberg war Pömer von 1764 bis zu seinem Tode 1774, vgl. Waldau (Anm. 9), S. 5. Aufgrund dieser Angabe läßt sich die Entstehung des Grundrisses in die Jahre zwischen 1764–1774 datieren.

[17] Kupferstichkabinett des Germanischen Nationalmuseums (Kapsel 1442). Dieser und der Silberrad-Plan waren in der berühmten Norica-Sammlung des Georg Paul Amberger, gestorben 1844. Ein weiterer (18)66 datierter Plan (Kapsel 1039b, Sp. 10726) ist Kopie einer älteren Vorlage, da Änderungen nach Einzug des Museums nicht berücksichtigt sind und ein großer Teil der verzeichneten Gebäude 1866 nicht mehr existierte. Zwei frühe Katasterpläne sind bezeichnet Friedrich Albert Aunert 1793 (Kapsel 1058, Sp. 2476) und M. Haßendörfer, verlegt bei Christoph Fembo, 1829 (Kapsel 1058, Sp. 2488). Hingewiesen sei außerdem auf zwei im Stadtarchiv aufbewahrte Pläne: Entwurf für einen nicht ausgeführten Getreidespeicher im Bereich des südlichen Kreuzganges aus der 1. Hälfte des 19. Jahrhunderts (Plan 1088, 1–3) und Entwurf August von Essenweins für den Aufbau einer Zelle von 1868 (Plan 1211).

[18] Das Bild befindet sich im Germanischen Nationalmuseum (Gm 580). An zentraler Stelle erscheint die Kartause Buxheim, so daß in ihr der Auftraggeber des Bildes zu suchen sein dürfte.

[19] Des Hieronymus Braun Prospekt der Stadt Nürnberg vom Jahre 1608. Hrsg. vom Verein für Geschichte der Stadt Nürnberg (Mitteilungen des Vereins für Geschichte der Stadt Nürnberg, H. 12, Beiheft). Nürnberg 1896, Bl. 9–10.

[20] Heerwagen (Anm. 11), S. 91.

[21] Hans Hubert Hofmann: Die Nürnberger Stadtmauer. Nürber 1967, besonders S. 23–28.

[22] Diese Bestimmungen sind in der „Litera cardinalis de fundatione Carthusien. Nuremberge" vom 7. August 1380 überliefert, die Kardinal Pileus verfaßt hat; abgedruckt bei Roth (Anm. 10), S. 174–177.

153. Kirche, Kapitelsaal (links), Sakristei und darüber liegende Deocaruskapelle (rechts) von Osten gesehen. Ganz links der 1868 erbaute ehemalige Gewebesaal, darüber der Saal des Mecklenburgischen Adels von 1876/77. Zustand etwa 1935/38

auf, die an der Grundsteinlegung teilnahmen: König Wenzeslaus, der päpstliche Legat Kardinal Pileus, die Erzbischöfe von Pisa, Mainz und Prag, die Bischöfe von Würzburg, Bamberg und Lübeck und die Herzöge von Sachsen und Teschen; außerdem waren Ratsherren, angesehene Bürger der Stadt und Verwandte des Stifters Marquard Mendel anwesend[23]. Die Gründung der Nürnberger Kartause fällt in die Zeit des seit 1377 bestehenden Schismas. Kardinal Pileus von Prata war Legat des römischen Papstes Urban VI. Ein von der Grande Chartreuse zur Übernahme des Klosters geschickter Mönch wurde abgewiesen, da die Leitung des Kartäuserordens der Obödienz von Avignon angehörte[24]. 1382 begab sich Mendel zusammen mit den Prioren der Kartausen Mainz, Erfurt, Würzburg, Grünau und Tückelhausen und dem Schaffer der Kartause Koblenz nach Rom und erhielt sowohl eine Bestätigung für seine Klostergründung von Papst Urban VI. als auch von dem neuen Prior Johannes und dessen

[23] Zum Reichstag in Nürnberg im Januar und Februar 1381 vgl. die Zusammenstellung von Quellen in: Deutsche Reichstagsakten (Anm. 7), S. 280–308.

[24] Allgemein zur Situation der Kartäuser während des Schismas Rüthing (Anm. 1), S. 38–45; vgl. auch Odilo Engels: Die Obedienzen des Abendländischen Schismas. In: Atlas zur Kirchengeschichte. Hrsg. von Hubert Jedin u. a. Freiburg 1970, S. 48–52 u. Karte 66. Zu Nürnberg Joseph Kraus: Die Stadt Nürnberg in ihren Beziehungen zur römischen Kurie während des Mittelalters. In: Mitteilungen des Vereins für Geschichte der Stadt Nürnberg Bd. 41, 1950, S. 1–154 (18–19) und Heerwagen (Anm. 11), S. 94–95.

321

Generalkapitel[25]. Die ersten Mönche kamen aus Kartäuserklöstern der näheren Umgebung Nürnbergs, die ebenso wie die Nürnberger Kartause der Ordensprovinz Alemannia inferior sive Franconia angehörten: der Rektor und spätere Prior Heinrich von Perching aus Erfurt, Hans Kemel aus Würzburg, Friedrich Bamberg aus Grünau und Thomas aus Tückelhausen[26]; dazu kam der Weltpriester Ulrich Ammon.

Der Kirchenbau wurde mit dem Chor begonnen und machte rasche Fortschritte, so daß im folgenden Jahr der Stifter mit den ersten Kartäusermönchen, die schon 1380 nach Nürnberg gekommen waren und bisher in einem angemieteten Haus gewohnt hatten, das Kloster beziehen konnte. Über die Bautätigkeiten berichtet die Klosterchronik des Sixt Oelhafen: „Als man den 1. Stein gelegt hatte zum Chor, wurde danach binnen 20 Tagen der Chor bis 1½ Mannshöhe gemauert und danach über eine Zeit (d. h. später!) wurde wieder mit dem Chor angefangen und wurde in 8 Monaten ganz bis unter das Dach hinauf gemauert und auch das Dach gemacht und die 3 Fronfenster dazu mit den Scheiben"[27], die Chronik des Sigmund Meisterlin von 1488 nennt als Weihedatum der Kirche das Jahr 1383[28]. Ob der Bau der Kirche zu diesem Zeitpunkt bereits vollendet war, läßt sich aus der überlieferten Weihe nicht entscheiden. Wahrscheinlich waren noch nicht alle Altäre konsekriert, da in einer Urkunde von 1387 Bischof Lamprecht von Bamberg weiterhin die Benutzung eines Tragaltares gestattete[29]. Hieraus ist jedoch nicht abzuleiten, daß die Kirche zu diesem Zeitpunkt noch unvollendet war. Vielmehr spricht bei der guten Überlieferung das Fehlen einer besonderen Schlußweihe und die Bestattung des Stifters Marquard Mendel 1385 im Chor der Kirche für einen weitgehenden Abschluß der Bautätigkeiten.

Schon bald nach Baubeginn der Kirche ließ Marquard eine Laienkapelle mit dem Patrozinium der 12 Apostel, auch Zwölfbotenkapelle genannt, in der nordwestlichen Ecke der Klosteranlage errichten, um so jegliche Unruhe vom Bereich der Mönche fernzuhalten; 1382 wurde sie vom Bamberger Weihbischof Heinrich von Thermopylae geweiht[30]. Für die erste Hälfte des 15. Jahrhunderts sind zahlreiche Stiftungen für kleinere bauliche Erweiterungen belegt: Andreas Volckamer, gestorben 1437, stiftete eine dem hl. Deocarus geweihte Kapelle, die an der nördlichen Chorflanke über der Sakristei liegt[31]; gleichzeitig ließ Johannes Spörlein, ein Professe des Klosters, „cochleam super Chorum et testitudinem Ecclesiae nostrae" erbauen. In den Chroniken findet sich dazu die mißverstandene Übersetzung: „das ist den Schneken (Wendeltreppe) und Gewölb in der Kirchen"[32]. Gemeint war jedoch, daß man über diesen Schneck auf das Kirchendach gelangt. 1459 errichtete Heinrich Koeler einen neuen Chor für den Kapitelsaal mit figurierten Gewölben[33]. Damit war

[25] Heerwagen (Anm. 11), S. 108. Die 1382, April 10 datierte Urkunde des Kartäuserpriors Johannes abgedruckt bei Aemilianus Ussermann: Episcopatus Bambergensis sub S. Sede Apostolica. St. Blasien 1802, codex probationum, S. 213, Nr. CCXLV.

[26] Die Kartause Erfurt war 1371, Würzburg 1348, Grünau bei Aschaffenburg 1328 und Tückelhausen bei Ochsenfurt 1351 gegründet worden.

[27] Klosterchronik des Sixt Oelhafen (Anm. 7), f. 47r.

[28] Sigmund Meisterlin's Chronik der Reichsstadt Nürnberg, 1488, in: Chroniken der fränkischen Städte. Nürnberg Bd. 1 (Die Chroniken der deutschen Städte). Leipzig 1862, S. 355. Es heißt dort: „Item anno dom. 1300 und 83 jar an dem dritten Tag vor sant Dyonisij da ward geweiht Kartheuser kloster hie zu Nuremberg, ir anfang was vor bey dreien jaren". Der Klosterchronik des Sixt Oelhafen ist eine Nürnberger Stadtchronik vom gleichen Verfasser angefügt, in der eine Weihe für 1383 (f. 196v) und 1387 (f. 197v) berichtet wird.

[29] Die Urkunde von 1387, August 13 bei: Ussermann (Anm. 25), codex probationum, S. 215–216, Nr. CCXLIX.

[30] Zur Zwölfboten Kapelle, auf die hier nicht näher eingegangen wird, Heerwagen (Anm. 11), S. 103–104 und Roth (Anm. 10), S. 44–50. Eine Abbildung der Kapelle in: Alt Nürnberg, Kulturgeschichtliche Bilder aus Nürnbergs Vergangenheit. Nürnberg 1894–1902, Kirchen und Kapellen Bl. 15.

[31] Vgl. eine nicht erhaltene, bei Roth (Anm. 10), Taf. 8 abgebildete Inschrift.

[32] Roth (Anm. 10), S. 76.

[33] Roth (Anm. 10), S. 88.

154. Kirche, Blick in den Chor. Zustand 1938

offensichtlich die Errichtung der Klosteranlage abgeschlossen, größere Bautätigkeiten werden nicht mehr erwähnt.

Bald nach 1500 begann in der Nürnberger Kartause die Auseinandersetzung mit den Schriften Luthers, dessen Lehren von dem Prediger Blasius Stöckel, der seit 1524 Prior war, verfochten wurden[34]. Innerhalb des Klosters bestand jedoch eine starke Gegenpartei, die die Große Kartause um Hilfe bat. Mehrere 1524 aus anderen Kartausen nach Nürnberg gesandte Visitatoren konnten die Absetzung des Priors, der den Rat der Stadt auf seiner Seite wußte, zunächst nicht erreichen. Erst ein zweiter Vorstoß führte zur Ablösung Stöckels durch Georg Koberer. Doch schon kurze Zeit später, am 14. Juni 1525, beschloß der Konvent, das Kloster mit seinen Gütern und Einkünften dem städtischen Almoskasten zu übergeben. Die Übergabebestimmungen wurden in einer Urkunde vom 9. November 1525 vom Nürnberger Stadtgericht festgelegt: Einige Mönche wurden als Pfarrer oder Prediger übernommen; wer dazu nicht imstande war, wurde auf Kosten des Almosamtes unterhalten. Jedem sollte als Besitz zufallen, was er in seiner Zelle hatte. Der Rat erklärte sich bereit, die Konventsmitglieder bei Anfechtung dieser Übergabe vor Gericht zu vertreten[35]. Der Orden versuchte wiederholt, das Kloster zurückzugewinnen. 1548 unternahm der Provinzial und Visitator Theodoricus von Strattheim einen ersten Versuch, indem er dem Rat der Stadt ein Schreiben überreichen ließ. Er konnte jedoch selbst durch sein Erscheinen vor dem Rat im folgenden Jahre nichts erreichen. Auch die Restitutionsversuche des Priors Matthias de Monte zu Grünau, Visitator der fränkischen Ordensprovinz, 1560 und 1562 blieben erfolglos.

Über bauliche Veränderungen, die in den ersten Jahren nach der Übergabe des Klosters durchgeführt wurden, berichtet Sixt Oelhafen: „Item 1525. Ist das Closter übergeben, darnach in negstvolgenden Jaren hernach (im) 27. (und) 28. (Jahr) ist der Stadel in hof verpawt in heuser, der garten zum teil verpawt inn heuser, und ein gantze gassen gemacht, neben der grasergassen auß dem garten, auch die Tuchramen herauf gepaut biß zur Capellen, Pawm und weinstöck alles hinwegte gerissen, darnach im 37. Jar die Zelln beim Thor in der eck verpawt, darein ein Pfortner Hans Cantzler gesetzt, darnach im 40. und 41. Jar die Zelln H und kercker Zell von Hainrich holtschuher auch eingenommen und geendert, auch die 3 Zelln, dz Pfortner Stüeblein und zwo (?) daran auch geendert, und leut darein gesetzt in die ain, die ander einer geschwornen frawen, der Kindtpetterin, eingeben, dz Pforten stüblein noch ledig blieben, auch ein Thor neben der Capelln hereingemacht, und undten auß der Grasergassen auch eingang gemacht"[36].

Die Klostergebäude dienten Witwen von Kirchen- und Schuldienern als Wohnungen. Die Kirche wurde während der Belagerung der Stadt 1552 im zweiten Markgrafenkrieg als Pulverlager benutzt. Aus Sicherheitsgründen ordnete die Stadt an, die Fenster nicht nur mit Brettern zu verschließen, sondern zu vermauern[37]. Im 17. und 18. Jahrhundert wurde die Kirche nach einer gründlichen Renovierung[38], die nach einer Inschrift auf der südlichen Hochschiffwand 1615 abgeschlossen war[39], 170

34 Zu den Auseinandersetzungen im Nürnberger Kartäuserkloster während der Reformation Heerwagen (Anm. 11), S. 116–123. Zur Reformation in Nürnberg Gerhard Pfeiffer: Nürnbergs große Zeit 1438–1555. In: Nürnberg. Geschichte einer europäischen Stadt. Hrsg. von Gerhard Pfeiffer. München 1971, S. 146–170 mit umfangreichem Literaturverzeichnis S. 520–521.

35 Staatsarchiv Nürnberg, Urkunde S VII, L. 4, Bd. 10, Nr. 5, abgedruckt bei Heerwagen (Anm. 11), S. 127–132. Zum Besitz des Klosters s. die Aufstellung bei Johann Winkler: Der Güterbesitz der Nürnberger Kirchenstiftungen unter der Verwaltung des Landalmosenamtes im 16. Jahrhundert. In: Mitteilungen des Vereins für Geschichte der Stadt Nürnberg Bd. 47, 1956, S. 160–296 (166 und 178–179).

36 Klosterchronik des Sixt Oelhafen (Anm. 7), f. 54v. Vgl. auch einen Revisionsbericht von 1576 „Inventarium über die Closter und Priester Haeuser" im Staatsarchiv Nürnberg Rep. 21 S. II. Nr. 143.

37 Staatsarchiv Nürnberg Rep. 60a, Ratsverlaß 1552, Mai 8, Nr. 1076, f. 32v und 1553, Januar 21, Nr. 1085, f. 32r. Diese und weitere archivalische Belege verdanke ich Dr. Johannes Willers, Germanisches Nationalmuseum.

38 Es heißt dazu in den Ratsverlässen 1614, Juli 14, Nr. 1898, f. 53v: es soll ein Prediger bestellt werden „weil bereits

155, 156. Kirche, Engelkonsolen von den Wandvorlagen an der Westwand

als Predigtraum vom protestantischen Kultus genutzt. Seit 1784 stand sie der katholischen Gemeinde St. Elisabeth zur Zeit des Neubaus ihrer Pfarrkirche zur Verfügung und wurde nach deren Weihe mit einem Teil der Gebäude 1810 der bayerischen Militärverwaltung als Heumagazin und Pferdestall überlassen[40], worauf ein rascher Verfall der Kirche und der Gebäude einsetzte. 1826 richtete Karl Alexander Heideloff ein Schreiben an den bayerischen König, um die drohende Abtragung des baufälligen Kreuzganges zu verhindern[41]. 1829 gelangten Kreuzgang und Klostergarten in den Besitz der Stadt Nürnberg, die die Verpflichtung übernehmen mußte, die Kreuzgänge in unverändertem Zustand zu erhalten. Ein Plan des Stadtbaurates Solger aus der Mitte des 19. Jahrhunderts zeigt neben

vgl. 209   Eintragungen des städtischen und staatlichen Besitzes im Grundriß zwei Schnitte im Bereich des südlichen Kreuzganges mit anliegenden Zellen, die den baulichen Zustand des Klosters erkennen lassen. Alle Zellen sind verfallen und ohne Dächer; lediglich der Kreuzgang ist noch mit einem Pultdach gedeckt[42]. Erst die Übernahme des Klosters durch das Germanische Nationalmuseum im Jahr 1857 setzte dem weitgehenden Verfall ein Ende.

150, 151   Die Klostergebäude bedeckten ein Areal, das sich über etwa 100 m in nordsüdlicher und 120 m in ostwestlicher Richtung erstreckte. Im Süden an die ein wenig nach Nordwesten aus der Mitte verschobene Kirche schloß sich mit Kapitelsaal, Küche und Refektorium der Kleine Kreuzgang an, dessen südlichen Flügel der Große Kreuzgang verlängerte, sich in weitem Rechteck um den Chor der Kirche legte und zugleich den Friedhof umfing. Der Bereich mit Wirtschaftshof, Küchenzugang und Gäste- und Vorratshaus lag außerhalb des abgeschlossenen Mönchstraktes im Westen.

Karthäuserkirche ausgeseubert ist" und 1615, August 30, Nr. 1913, f. 82v: auf Bericht, daß „die Kirchen in der Carthausen nunmehr allerdings zugericht", wird Johann Wildt als Prediger beauftragt.
[39] Die Inschrift bei Roth (Anm. 10), S. 102–103.
[40] Karlheinrich Dumrath: Nürnberger Kirchen ohne Transzendenz. Ein Streit bayerischer Finanz- und Militärbehörden 1808–1810. In: Mitteilungen des Vereins für Geschichte der Stadt Nürnberg Bd. 47, 1956, S. 462–467.
[41] Urs Boeck: Karl Alexander Heideloff. In: Mitteilungen des Vereins für Geschichte der Stadt Nürnberg Bd. 48, 1958, S. 314–390 (373).
[42] Stadtarchiv Nürnberg: Pläne I, 283.

157–162. Kirche, Prophetenkonsolen von den Wandvorlagen der Nord- und Südwand im westlichen Teil, in der Reihenfolge von Osten nach Westen

Die Klosterkirche ist ein einschiffiger, achtjochiger Saalbau von etwa 40 m Länge und 10 m Breite. Der nicht eingezogene Chor schließt in fünf Seiten eines Achtecks. Auf der Nordseite liegt die Sakristei mit der Deocaruskapelle im Obergeschoß, auf der Südseite der im letzten Krieg zerstörte Kapitelsaal. Der Bau ist aus Werksteinen des heimischen roten Sandsteines errichtet und war wohl ursprünglich im Innern verputzt. Ein Lettner trennte früher den Mönchschor vom Laienchor. Die Kirche decken hoch aufsteigende Kreuzrippengewölbe; während im Mönchschor die scharf profilierten, birnstabförmigen Rippen gratig in der Hochschiffwand verlaufen, ruhen sie im Laienchor auf Halbsäulenvorlagen mit einfach profilierten Kapitellen vor gekehlten Rücklagen, die in etwa halber Höhe auf Engel- und Prophetenkonsolen abgekragt sind. Insgesamt acht figürliche Konsolen sind vorhanden. Die zwei Engelkonsolen stützen die Vorlage in den Ecken der Westwand, die nach Osten anschließenden je drei Halbsäulen werden von Propheten getragen. Die Abkragungen im Laienchor waren wegen des nicht erhaltenen Chorgestühls der Konversen, das an den Langhauswänden stand, erforderlich. Die tellerförmigen Schlußsteine zieren plastisch ausgebildete figürliche Darstellungen: im Chorgewölbe die Muttergottes, dann der hl. Hieronymus, die drei Apostel Andreas, Jakobus minor und Simon (?) sowie im westlichen Joch eine Halbfigur, wohl ein Engel[43]. Im letzten Krieg

12, 18, 19, 153, 154

155, 156 157–162

163–168

[43] Drei weitere Schlußsteine wurden im letzten Krieg zerstört.

326

163–166. Kirche, Schlußsteine in der Reihenfolge von Osten nach Westen mit dem hl. Hieronymus und den Aposteln Andreas, Jakobus minor und Simon (?)

167, 168. Kirche, Schlußsteine mit Muttergottes aus dem Chorgewölbe und mit Engel aus dem westlichen Joch

wurden die drei östlichen Gewölbe, das Chorgewölbe und die zugehörige Südwand völlig zerstört, 89, 93 später jedoch in den ursprünglichen Formen wiedererrichtet. Die Wände des Mönchschores durchlichten dreibahnige, schmale hohe Fenster mit einfachen Maßwerkformen. Die im Chorpolygon 154 abgeschrägten Sohlbänke münden im Innern in ein profiliertes Sims, das sich auf der Chorwand fortsetzt. Die hochliegenden Fenster des Langhauses variieren aufgrund angrenzender Bauten stark in ihrer Größe. Einige werden von eingetieften Nischen gefaßt[44]. In der Westwand befindet sich 169, 178 oberhalb eines mehrfach veränderten Portals[45] ein großes dreibahniges Fenster mit drei rotierenden Fischblasen im Maßwerk. Außer dem Westportal besaß die Kirche eine kleine Pforte im Westen der 150, 205 Südwand, die einen Zugang über eine Treppe auf die Fremdenempore bot[46]. Die beiden heutigen, hochliegenden Zugänge zur Empore sind spätere Umbauten. In Höhe des Lettners gab es vom 173 Großen und Kleinen Kreuzgang aus zwei Zugänge; vom Chor gelangte man durch eine südliche Tür 18, 150 in den Kapitelsaal[47], durch eine nördliche in die Sakristei.

Der langgestreckte, in seinem Volumen ungegliederte Baukörper der Kirche erhob sich beträchtlich 12, 169, über die umgebenden Klosterbauten. Dieser Eindruck ist heute durch die in der zweiten Hälfte des 19. 199 Jahrhunderts erfolgte Aufstockung des Kreuzganges und die Höhe der benachbarten Neubauten vgl. 153 gestört. Das im Inneren unterschiedliche Wölbsystem der Kirche kommt auch in ihrem Außenbau zum Ausdruck. Während die Lasten der Gewölbe im Laienchor auf die Wandvorlagen im Inneren 154, 89 abgeleitet werden, erfordern diejenigen im Mönchschor Strebepfeiler, die an den Ecken des Chorpo- 153, 199 lygons kräftiger ausgebildet sind als am Langhaus. Die beiden westlichen der Südwand stehen nur in Bossen, wobei nicht mehr zu entscheiden ist, ob sie nicht ausgeführt oder später abgetragen worden

---

[44] Der untere Abschluß der Fenster ist nur an wenigen Stellen original, so daß sich häufig keine Angaben zur ursprünglichen Fenstergröße machen lassen. Sicherlich hat hierzu die 1552/53 erfolgte Vermauerung beigetragen (vgl. Anm. 37).

[45] Erst um 1859 erhielt das flachbogig geschlossene Portal einen spitzbogigen Abschluß, der von einem getreppten Profil, das nicht mehr erhalten ist, gerahmt wurde; vgl. dazu die Abb. im Jahresbericht GNM 4, 1858, S. 1 und Jahresbericht GNM 6, 1860, S. 1 (Abb. 19).

[46] Die Pforte ist erhalten, der Zugang zur Fremdenempore auf dem Silberrad-Plan (vgl. Anm. 15) deutlich erkennbar (Abb. 150).

[47] Diese Tür ist nach dem Kriege ebenso wie eine doppelbogige Wandnische östlich davon nicht wieder aufgebaut worden.

169. Westansicht der Kirche, rechts der von Bernhard Solger 1857 errichtete Nordflügel des sog. Archivgebäudes in der Kartäusergasse. Undatierte Federzeichnung, um 1857

sind[48]. Die zierlosen Strebepfeiler haben schräge Deckplatten, die des Chorpolygons sind einmal getreppt. Den Raum zwischen dem östlichen Strebepfeilerpaar nimmt eine plastische Ölberg-Darstellung ein, die nach einer Inschrift eine Stiftung des Peter Harsdorfer von 1489 ist[49]. Die Fenster sind mit schrägen Leibungen in die Wand eingeschnitten; ihre schrägen Sohlbänke münden in ein Kaffgesims, das ähnlich wie im Inneren die Chorwand umschließt. In der schmucklosen Westwand sitzt über einer niedrigen Pforte, getrennt durch ein Kaffgesims, ein schmales hohes Fenster mit schräger Leibung[50]. Ein einfach profiliertes Dachgesims bildet den oberen Mauerabschluß; die Kirche deckt ein steiles Ziegeldach. Ob sie einen bei anderen Kartäuserkirchen üblichen Dachreiter besessen hat, ist nicht mehr feststellbar[51].

[48] Sicherlich wären die Strebepfeiler im anschließenden Kleinen Kreuzgang störend in Erscheinung getreten.
[49] Vgl. Roth (Anm. 10), S. 105–106.
[50] Das ursprüngliche, heute mehrfach veränderte Portal gibt die Ansicht der Kirche von Westen im Koelerschen Stiftungsbuch wieder (Abb. 178); vgl. Anm. 103.
[51] Ansichten des 19. Jahrhunderts geben die Kirche ohne Dachreiter wieder. Auf älteren Ansichten, z. B. den Rothschen Prospekten der Stadt Nürnberg, ist ein kleiner Glockenturm über dem Mönchschor erkennbar, vgl. Alt Nürnberg (Anm. 30). Kirchen und Kapellen, Bl. 14, ebenso auf einem Plan Nürnbergs von 1632, vgl. Alt Nürnberg. Nürnberg in Fehde und Krieg, Bl. 10. Dagegen zeigt der Braunsche Prospekt von 1608 (Anm. 19) die Kirche ohne Dachreiter, hier hat der Treppenturm zur Deocarus Kapelle, in dem die Glocke gehangen haben könnte, ein spitzes Kegeldach.

329

170. Kirche, Renovierungsinschrift von 1615 auf der südlichen
Hochschiffwand

Von der mittelalterlichen Ausstattung der Kirche ist fast alles verloren[52]. Die meisten Stücke sind
offenbar 1615 beseitigt worden, als man das Gebäude, das nahezu 100 Jahre als Lagerplatz genutzt
war, zum Predigtraum umgestaltete. Eine erhaltene, gemalte Inschrift auf der Südwand oberhalb der 170
Tür zum Kleinen Kreuzgang verweist unter dieser Jahreszahl darauf, daß „. . . Templum hoc
renovatum et repurgatum . . .“ sei[53]. Bei dieser Gelegenheit dürfte der als störend empfundene,
massive Lettner entfernt worden sein, auf den Mühlberg als erster aufmerksam gemacht hat[54].
Aufgrund erhaltener Ansätze der Lettnergewölbe an der nördlichen und südlichen Hochschiffwand 171, 172
der Kirche und aus dem Vergleich mit noch erhaltenen, zum Teil veränderten Lettnern in den
Kartäuserkirchen Buxheim[55], Christgarten[56] und Astheim[57] lassen sich hinreichende Anhaltspunkte

[52] Mühlberg (Anm. 14), S. 100 rechnet irrtümlich zwei Velensäulen (aus Ansbach) Inv. Nr. Kg 11, 12 und einen
      Triumphkreuzbalken zur ursprünglichen Ausstattung.
[53] Vgl. Anm. 39.
[54] Mühlberg (Anm. 14), S. 97–100.
[55] Tilmann Breuer: Stadt und Landkreis Memmingen (Bayerische Kunstdenkmale, Bd. 4) München 1959, S. 81–90. –
      Friedrich Stöhlker: Die Kartause Buxheim 1402–1803. Bd. 1–7, bisher erschienen Bd. 1–2. Buxheim 1974–1975.

171, 172. Kirche, Ansatz der Lettnerwölbung auf der nördlichen und südlichen Wand; rechts sind oben und unten die Nischen für die Meßpollen des oberen und unteren Altares zu erkennen. Zustand 1976

173 für eine schematische Rekonstruktion gewinnen. Die Gewölbeansätze zeigen, daß der Lettner die für Kartäuserkirchen typische Zweischiffigkeit besaß, was durch eine Darstellung im Koelerschen Stif-
181 tungsbuch, die einen Blick vom Großen in den Kleinen Kreuzgang durch die Kirche hindurch wiedergibt[58], gestützt wird; die Wand zwischen den beiden Lettnerschiffen mit dem Durchlaß zur Laienkirche ist deutlich zu erkennen. 1610, zur Entstehungszeit des Stiftungsbuches, muß der Lettner demnach noch gestanden haben. Der östliche, gangartige Lettnerbereich mit verschließbaren Durchlässen zum Mönchs- und Laienchor stellte eine Verbindung zwischen dem Großen und dem Kleinen
177 Kreuzgang her, was Mühlberg zu der Benennung „Kreuzganglettner" bewog[59]. Dieser Gang ermöglichte den Mönchen ein unbeobachtetes Betreten des Mönchschores; er war Bestandteil der Klausur. Das westliche Schiff öffnete sich – wie die genannten Vergleichsbeispiele belegen – zur Laienkirche in dreifacher Arkadenstellung. Hier befanden sich ein oder mehrere Laienaltäre[60], die seitlich durch je
172 ein niedriges Fenster in der südlichen und nördlichen Kirchenwand Licht erhielten. Die Plattform auf
173, 197 dem Lettner, Empore genannt, war über eine enge Wendeltreppe an der äußeren Nordwand der

56 Die Kunstdenkmäler von Schwaben, Bd. 1: Bezirksamt Nördlingen (Die Kunstdenkmäler von Bayern). Bearbeitet von Karl Gröber und Adam Horn. München 1938, S. 93–103.
57 Die Kunstdenkmäler von Unterfranken und Aschaffenburg (Die Kunstdenkmäler des Königreichs Bayern, Bd. 3). H. 8: Bezirksamt Gerolzhofen. Bearbeitet von Hans Karlinger. München 1913, S. 23–27.
58 Zum Koelerschen Stiftungsbuch vgl. Anm. 103.
59 Mühlberg (Anm. 14), S. 72–75.
60 Unter dem Lettner können auch mehrere Altäre gestanden haben, vgl. Joseph Braun: Der christliche Altar. München 1924, S. 397–399. Nach Braun waren ein oder zwei Altäre die Regel, es lassen sich jedoch auch drei oder vier nachweisen.

173. Schematische Rekonstruktion des Lettners. Blick nach Südosten vom Laienchor zum Mönchschor. Vorne Grundriß der Wendeltreppe mit dem Zugang zur Lettnerempore

Kirche, über die zugleich ein Zugang zum Dach des Verbindungsganges möglich war, zu erreichen[61]. Hier stand mindestens ein 1438 gestifteter Altar[62], worauf zwei in die südliche Hochschiffwand eingetiefte kleine Nischen verweisen, die jeweils für den Dienst am oberen und unteren Altar 172 erforderlich waren. Ursprünglich fußten die östlichen Gewölbevorlagen des Kirchenschiffs direkt auf dem Lettner. Erst bei dessen Abbruch erhielten sie die heutigen, hornförmigen Abkragungen, die sie von den übrigen Konsolen unterscheiden.

Wann die Fremdenempore im Westen der Kirche, die auf dem Silberrad-Plan von 1760 noch 150 eingezeichnet ist, entfernt wurde, läßt sich nicht feststellen; die heutige entstammt musealen Umbauten. Auf dem genannten Plan ist auf der Kirchensüdseite in Höhe des Lettners die der Umgestaltung von 1615 zuzurechnende Kanzel eingetragen. Die Frage nach der Existenz einer Orgel, die zwar den Regeln der Kartäuser widerspricht, für die aber eine Stiftung überliefert ist[63], läßt sich nicht mehr beantworten. Als einziges plastisches Ausstattungsstück hat sich eine an der Südwand des Chores

[61] Mühlberg (Anm. 14), S. 99 sah in der nördlichen Hochschiffwand noch den zugemauerten, heute nicht mehr erkennbaren Zugang auf den Lettner.

[62] Eine nicht erhaltene diesbezügliche Inschrift über der Zelle F erwähnt Roth (Anm. 10), S. 106 und bildet sie auf Taf. 7 ab: „MCCCCXXXVIII stift pruder Imhart Volkmar confers den altar ob der kor tur und darauff altag ain ebieg meß darzu ist gestift die Zell F darin ain prister sein bonung haben schol". Mühlberg (Anm. 14), S. 99–100 lokalisiert diesen Altar zu Recht auf dem Lettner, dem chorus superior, d. h. oberhalb der aus dem Lettnergang in den Mönchschor führenden Tür.

[63] Roth (Anm. 10), S. 79. Auch in der Handschrift HS 17609 im Germanischen Nationalmuseum (Anm. 7) heißt es f. 98v „zu der Orgel", während in der Klosterchronik des Sixt Oelhafen (Anm. 7), f. 65r es lediglich heißt „zu der or".

174. Wendeltreppe, sog. Schneck im westlichen Winkel zwischen Kirche und Sakristei. Zustand 1976

angebrachte Gedenkplatte für den Klostergründer Marquard Mendel, der vor dem Hauptaltar der Kirche bestattet war[64], aus dem ausgehenden 15. Jahrhundert erhalten[65]. Mit der Renovierung 1615 gelangte aus dem früheren Nürnberger Augustinerkloster der „Tucheraltar" in die Kartäuserkirche und ersetzte dort den bis dahin bestehenden, jedoch unansehnlich gewordenen, möglicherweise ebenfalls von einem Tucher gestifteten Hauptaltar, der sich nicht erhalten hat. Mit der Unterstellung der Kartäuserkirche unter die bayerische Militärverwaltung im Jahre 1810 kam der „Tucheraltar"

[64] Nach dem letzten Krieg ist der Stifter Marquard Mendel unter den Gedenkstein, der in der östlichen Chorwand angebracht ist, umgebettet worden; freundliche Mitteilung von Hauptwerkmeister Hans Zenger, Germanisches Nationalmuseum.

[65] Abbildung der Gedenkplatte bei Roth (Anm. 10), Taf. 6. Außer dieser Platte sah Roth noch Mendels Grabstein (Taf. 3) (Abb. 152) und diejenigen des Friedrich Kreß und Peter Harsdorfer (S. 103).

175. Deocaruskapelle, Stifterinschrift des Andreas Volckamer von 1436

176. Deocaruskapelle, Ostwand, kniender Kartäuser neben einer Konsole mit Volckamer-Wappen

zunächst auf die Burg und dann in die Nürnberger Frauenkirche, die 1816 als zweite Pfarrkirche der katholischen Gemeinde überwiesen worden war, wo er noch heute im nördlichen Seitenschiff steht[66].

Von der gotischen Verglasung ist nichts erhalten. Die heutigen Wappenscheiben in den Chorfenstern sind großteils im 17. Jahrhundert, wohl ebenfalls mit der Renovierung von 1615 oder in den folgenden Jahren eingesetzt worden[67]. Im Chormittelfenster befand sich eine verlorene Scheibe mit dem dreifachen Stadtwappen, dem sogenannten Nürnberger Wappendreiverein, für die sich die

100, 154

---

[66] Wilhelm Schwemmer: Die Herkunft des Tucheraltares. In: Anzeiger GNM 1936–1939, S. 118–122. – Peter Strieder: Miszellen zur Nürnberger Malerei des 15. Jahrhunderts. In: Anzeiger GNM 1975, S. 42–51.

[67] Roth (Anm. 10), S. 104 bringt eine Aufstellung der zu seiner Zeit erhaltenen Wappenscheiben, und zwar von Marquard Mendel (Taf. 6), der Familien Volckamer und Stromer, von Georg Imhoff und Sibylla Katharina Pfinzing 1658; der

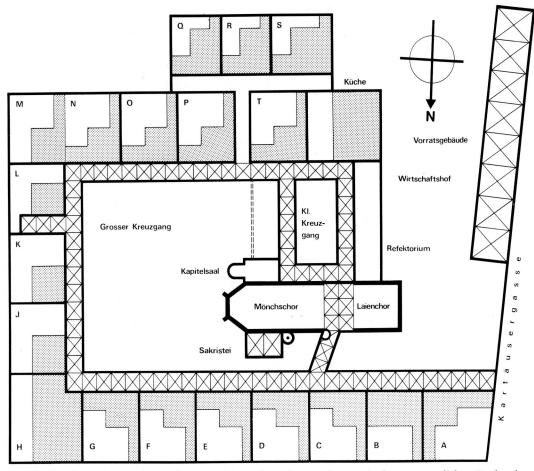

177. Schematische Rekonstruktion des Grundrisses der Klosteranlagen mit der ursprünglichen Buchstabenbezeichnung der Eremitagen

Rechnung vom Jahre 1615 erhalten hat: Vom Glaser laut seiner Rechnung kostete „erstlich 1223 Scheiben und Zwickel thun 14 fl. 4 ℔ 21 ✚, dann 153 haften 5 ℔ 3 ✚. Mehr von 24 Stücken für zu machen zu 3 k (?) 1 p 1 fl. 1 ℔ 20 ✚. Und dann dem Glaßmahler vonn den 3 geschmeltzten wappen 8 fl. 3 ℔ 2 ✚. Summa 24 fl. 3 ℔ 2 ✚", unterzeichnet Hieronymus Schuler, Paumeister im Almußen[68].

150, 153, 385 Im Norden der Kirche erhebt sich über nahezu quadratischem Grundriß die Sakristei. Sie ist mit zwei Kreuzrippengewölben gedeckt, deren in Mannshöhe gratig aus der Wand aufsteigende, birnstabförmige Rippen sich in skulpierten Schlußsteinen, die mit dem Haupte Christi und einer Rose

Stark, Rieter und Holzschuher mit der Jahreszahl 1616; der Tucher und Harsdorfer mit der Jahreszahl 1615 und der Kreß und Koeler. Wie der Tucheraltar sind wohl auch einige Glasfenster in die Frauenkirche gelangt. Sicher identifizieren läßt sich das Allianzwappen Imhoff-Pfinzing von 1658, das heute dort im Fenster n VIII, 3b ist; zur Restaurierung der Frauenkirche: Vermischte Nachrichten 22. In: Anzeiger GNM 1878, Sp. 61.

[68] Staatsarchiv Nürnberg, Nürnberger Stadtrechnungsbelege Rep. 54a[II], Nr. 577. Bei einigen Scheiben der Glasgemäldesammlung des Germanischen Nationalmuseums ist als Provenienz das Kartäuserkloster angegeben; Katalog der im germanischen Museum befindlichen Glasgemälde aus älterer Zeit. 2. Aufl. Nürnberg 1898, S. 4 und Nr. 122–126, 456, 484.

178. Kirche, Westwand. Aquarellierte Federzeichnung aus dem Koelerschen Stiftungsbuch
Nürnberg um 1610

179. Nordflügel des Großen Kreuzganges, Blick nach Westen. Aus dem Koelerschen Stiftungsbuch,
um 1610

besetzt sind, treffen. Die Ostwand ist durchlichtet von einem breiten, vierbahnigen Maßwerkfenster,
unterhalb dessen zwei spitzbogige schmale Nischen in die Wand eingetieft sind[69]. In der Südwestecke 174
führt eine Tür in einen zunächst achteckig aufsteigenden, dann oberhalb eines Simses in ein Rund
übergehenden Treppenturm – der oben genannte, von Johannes Spörlein gestiftete Schneck – und von
dort in die über der Sakristei liegende Deocaruskapelle und den Dachraum.

Die Deocaruskapelle nimmt den Grundriß der Sakristei auf und ist gleichfalls mit zwei Kreuzrip- 386
pengewölben gedeckt. Die birnstabförmigen Rippen sitzen auf Konsolen mit wappenhaltenden
Engeln an der Nordseite und mit Wappenschilden auf der Südseite[70] und treffen sich in tellerförmigen, mit Wappen besetzten Schlußsteinen. Nahezu die ganze Südwand öffnet sich in einer flachbogi-
gen Doppelarkade zum Mönchschor. Im Osten befindet sich ein dreibahniges Maßwerkfenster mit vgl. 89
liegendem Vierpaß und im Westen ein schmales zweibahniges Maßwerkfenster, darunter eine nach- 153, 174

[69] Rundbogige Nischen in der Nord-, West- und Südwand sind wohl spätere Zutaten. Es läßt sich nicht mehr entscheiden,
ob sie zur Aufnahme von Wandschränken dienten, als der Raum noch als Sakristei genutzt wurde, oder ob sie – was
wahrscheinlicher ist – für museale Zwecke erstellt wurden. Eine Aufnahme im Photoarchiv des Germanischen
Nationalmuseums zeigt in der Westwand ein vermauertes, zweibahniges Maßwerkfenster, das bei Bauarbeiten 1954
aufgedeckt wurde. (Freundlicher Hinweis von Dr. Rainer Kahsnitz, Germanisches Nationalmuseum). Wie die Steinla-
gen, vornehmlich die Bogensteine erkennen lassen, ist das Fenster offensichtlich schon früher verändert worden.
[70] Die beiden mittleren Konsolen sind zerstört.

180. Nordflügel des Großen Kreuzganges, Blick nach Osten. Aus dem Koelerschen Stiftungsbuch, um 1610

181. Blick vom Verbindungsgang durch die Kirche mit der Lettnerwand in den Kleinen Kreuzgang. Aus dem Koelerschen Stiftungsbuch, um 1610

träglich eingebrochene Tür[71]; eine weitere Tür südlich davon führt zum Treppenturm. Ein Stein in der Nordwand nennt Andreas Volckamer als Stifter dieser Kapelle und sein Todesjahr 1436[72]. In der Ostwand zeigt ein kleines Relief einen knieenden Kartäusermönch[73]. Die Wappen in der Kapelle sind die der Familien Volckamer und Haller; der erwähnte Andreas Volckamer war verheiratet mit Margarethe Haller[74]. Die Familie Volckamer war dem Nürnberger Kartäuserkloster eng verbunden: Andreas und Margarethe Volckamer und ihre Söhne Steffan, Berthold, Endres und Deocarus sollen 2000 fl. und zwei weitere Söhne Wilhelm und Leonhard, beide Mönche des Klosters, sollen ebenfalls 2000 fl. dem Kloster gestiftet haben[75]. Zu dieser Nachricht ist zu bemerken, daß es in diesem Familienzweig keinen Berthold gegeben hat[76]. Unverständlich ist der Hinweis auf einen Sohn Deocarus, da in dieser Familie kein Träger dieses Namens begegnet. Allerdings steht der genannte

---

[71] Diese Tür bietet seit der musealen Nutzung den Zugang zur Deocaruskapelle (Abb. 174).

[72] Roth (Anm. 10), S. 105 und Taf. 4.

[73] Es ist sicherlich nicht, wie Fehring und Ress (Anm. 14) behaupten, eine Darstellung des Stifters Andreas Volckamer, da dieser kein Kartäuser war.

[74] Die Vermählung von Andreas Volckamer mit Margarethe Haller fand 1391 statt, sie starb ebenfalls 1436. Vgl. Johann Gottfried Biedermann: Geschlechtsregister des Hochadelichen Patriciats zu Nürnberg. Bayreuth 1748, Taf. DXXX.

[75] Roth (Anm. 10), S. 95 und 76.

[76] Es dürfte jedoch Berthold Volckamer, Stammherr der Bertholdischen Nebenlinie (1397–1492), gemeint sein. In erster Ehe heiratete er 1423 Elisabeth Spörlin, gestorben 1428, vgl. Biedermann, Taf. DXXXII. Aus der Familie der Frau dürfte Bruder Johannes Spörlein aus Winsheim stammen, der den Schneck zur Kapelle gestiftet hat, vgl. Anm. 32.

182. Nordflügel des Großen Kreuzganges, Maßwerkfenster mit farbigen Scheiben: hl. Martin
und hl. Elisabeth und Stifterwappen der Elisabeth
Koeler und ihres Sohnes Martin Pregler. Aus dem
Koelerschen Stiftungsbuch, um 1610

Andreas Volckamer in enger Verbindung zu den Reliquien des hl. Deocarus (738–833 ?), des ersten
Abtes des Klosters Herrieden. 1316 hatte König Ludwig der Baier mehrere Reliquien des Heiligen
unter anderem nach Nürnberg geschenkt. Die restlichen in Herrieden verbliebenen konnte 1406
Andreas Volckamer für die Nürnberger Lorenz-Kirche erwerben[77]. Diese Reliquientranslation hat
offensichtlich Andreas Volckamer bewogen, die Kapelle im Kartäuserkloster dem hl. Deocarus zu
weihen. Das Patrozinium war später unklar oder wurde verwechselt. In einer schon genannten
Chronik heißt es: „ein ewige Meß in S. Ottocarii, ibidem Deocarii Capellen"[78]. Seit Johannes
Ferdinand Roth heißt die Kapelle dann nur noch Ottocarkapelle. Roth überliefert zwar eine heute
nicht mehr erhaltene Inschrift: „1437 stift Bruder Leonhard Volkamer, Conversus, eine ewige Messe
in St. Ottocari Capelle, die sein Vatter seliger Andreas Volkamer, gebauet hat"[79]. Aus der beigegebenen Umzeichnung dieser Inschrift geht jedoch eindeutig hervor, daß Leonhard Volckamer 1438 die
Messe „in sand dekare kapell" gestiftet hat[80]. Der nördliche Anbau ist gedeckt mit einem Pultdach,

[77] Ernst Mummenhoff: Reliquien in Nürnberg. In: Mitteilungen des Vereins für Geschichte der Stadt Nürnberg, Bd. 18,
1908, S. 250–256 (251–253). – Zum Deocarusaltar vgl. Abb. 73.
[78] Germanisches Nationalmuseum Nürnberg HS 16622 (Anm. 7) f. 429r.
[79] Roth (Anm. 10), S. 106.
[80] Roth (Anm. 10), Taf. 8. Die Verehrung des seligen Ottocar (Oatker, Otgar) beschränkt sich auf das Benediktinerkloster
Tegernsee, das Ottocar zusammen mit seinem Bruder Adalbert um 747 gegründet hatte, vgl. Alfons M. Zimmermann:
Adalberto e Ottocaro. In: Bibliotheca Sanctorum, Bd. 1, Rom 1961, Sp. 191–192. – Ludwig Falkenstein: Deocaro. In:
Bibliotheca Sanctorum, Bd. 4, Rom 1964, Sp. 569–570. Deocarus ist bezeichnenderweise auch mit Eucharius verwech-

183. Blick in den Nordflügel des Großen Kreuzganges nach Westen. Aquarellierte Federzeichnung von Heinrich Stelzner von 1856

153 das etwa in Höhe des Traufgesimses an die Kirche stößt. Sakristei und Deocaruskapelle sind nach gemeinsamem Plan im zweiten Viertel des 15. Jahrhunderts errichtet.

150   Die Kirche umfängt in weitem, nach Osten gestrecktem Rechteck der Große Kreuzgang, dessen Anlage durch umfangreiche Stiftungen und Vermächtnisse ermöglicht wurde. Der Klostergründer Marquard Mendel hatte in seinem Testament festgelegt, daß eine gemeine Mönchszelle „mit dem Bau und mit dem Gärtlein, Mauer und mit dem Dach zu dem Creuzgang und mit hölzernen Säulen untersetzt und mit Steinen" 150 Gulden, daß aber eine Zelle, wie sie Mendel für sich selbst hatte bauen lassen, 200 Gulden koste[81]. Ein Verzeichnis der Stifter und ihrer Stiftungen in der Kartäuserchronik des Sixt Oelhafen[82], obgleich nicht vollständig und häufig ohne Zeitangabe überliefert, läßt annähernd die Bauabfolge der Klosteranlage erschließen. Da die Chronik aus mehreren Vorlagen kompiliert wurde, gibt jedoch allein die Reihenfolge der Eintragungen noch keinen Hinweis auf den Bauverlauf. Außerdem bedeutet die Nennung eines Stifters als Erbauer einer Zelle nicht, daß sie von Grund auf neu gebaut ist. Die Lokalisierung der einzelnen Zellen wird durch den Brauch der Kartäuser, die Eremitagen der Reihe nach mit Buchstaben zu bezeichnen, erleichtert. In Nürnberg muß diese Zählung nachträglich mehrfach verändert worden sein, da selbst Grundrisse aus dem 18. Jahrhundert

selt worden, vgl. Gerhard Pfeiffer: Die Anfänge der Egidienkirche zu Nürnberg. In: Mitteilungen des Vereins für Geschichte der Stadt Nürnberg Bd. 37, 1940, S. 253–308 (271–272).
[81] Abgedruckt bei Roth (Anm. 10), S. 43–44.
[82] Vgl. Anm. 7.

in der Benennung der Zellen voneinander abweichen[83]; gleichwohl belegen Baurechnungen die Verwendung der Buchstaben noch im ausgehenden 18. Jahrhundert[84].

Marquard Mendel dürfte die Zellen für die ersten fünf Mönche und für sich selbst gestiftet haben. Als Stifter weiterer Zellen sind, teilweise mit dem Stiftungsjahr genannt[85]: Zelle A Ulrich Schnödt, erneuert von Paulus Grundherr, der 1461 als Schaffer erwähnt wird[86]; Zelle B Sebald Pirkheimer, Konverse[87]; Zelle C Heinrich Töder aus Nördlingen nach 1390[88]; Zelle D und E Johannes Koeler, Mönch des Klosters 1410 (?) –1440/41[89]; Zellen F und G Leonhard Volckamer, Bruder des Klosters, im Jahre 1437[90]; Zelle H erneuert von Sebastian Lochner, gestorben 1462, Mönch des Klosters[91]; Zelle M Margarete Falzner, nachweisbar zwischen 1423 und 1448[92]; Zelle N Friedrich Holzschuher, im Jahre 1396[93]; Zelle Q Heinrich Diethmair, Priester[94]; Zelle S Conrad Prister, Donat; Zelle T Johannes Löffelholz, Mönch, im Jahre 1453. Ohne Angaben der Zellenbuchstaben werden außerdem bei Roth aufgeführt: „Hans Rumel ließ 1476 zwei neue Zellen im Hof beim Tor erbauen"[95], Konrad Tracht die Küster-Zelle und der Erste von Amberg hat eine Zelle gebaut[96]. Vereinzelt sind in den Chroniken zusätzliche Hinweise zur Lage der Eremitagen überliefert, so zur Zelle A „in der Eken bey der Pforten", womit zugleich der Anfang der Buchstabenzählung bestimmt ist, zu den Zellen Q und S „außer dem Kreuzgang", die somit ihre Lage im Süden an einem kurzen Verbindungsgang außerhalb des Kreuzgangrechtecks zu erkennen geben, und zur Zelle T „hinter der Kuchen", womit die Lage der Zelle am südlichen Kreuzgangflügel und die der Küche an dessen westlichem Ende identifiziert ist[97]. Mit diesen Angaben lassen sich die Lage und die ursprüngliche Zählung der einzelnen Zellen am Großen Kreuzgang rekonstruieren. Am nördlichen Kreuzgangflügel lagen acht Zellen mit den Buchstaben A–H; bei der Zelle A befand sich ein Eingang zum Kreuzgang, in Höhe der Zelle C der Verbindungsgang zur Kirche. Vier Zellen mit den Buchstaben I–M hatten ihren Zugang vom 177

[83] Vgl. Anm. 15–17.

[84] Als Beispiel sei verwiesen auf einen Streit über Baukosten, die bei der Renovierung einer Zelle entstanden, vgl. Staatsarchiv Nürnberg, Rep. 21, S 2 Nr. 482.

[85] Die Angaben sind, soweit nicht anders vermerkt, den Kapiteln XIV und XV bei Roth (Anm. 10) entnommen.

[86] Ein Ulrich Schnödt wird in der Chronik HS 16622 (Anm. 7) f. 425r unter der Jahreszahl 1517 als Mitglied des Konvents erwähnt. An selber Stelle erscheint Paulus Grundherr 1461 als Mönch und Schaffer. Aus dieser Angabe läßt sich entnehmen, daß der 1517 genannte Ulrich Schnödt nicht mit dem Stifter der Zelle A identisch ist.

[87] An gleicher Stelle wird ein Sebald Pirkheimer 1505 als Mitglied des Konvents genannt. Auch hier dürfte der Stifter ein anderer Träger desselben Namens gewesen sein; oder aber es handelt sich lediglich um die Erneuerung einer bestehenden Zelle.

[88] Heinrich Töder wird bezeichnet als „Stifter des Klosters Christgarten" bei Nördlingen. 1390 stiftete er zusammen mit seinem Vater Friedrich die erste Eremitage im dortigen Kloster, vgl. Mühlberg (Anm. 14), S. 103.

[89] Zu Johannes Koeler vgl. Anm. 100. Roth (Anm. 10), S. 77 berichtet, daß die Zelle C von Johannes Koeler erneuert sei, eine Nachricht, die sonst nicht begegnet und auf einem Mißverständnis beruhen dürfte.

[90] Zu Leonhard Volckamer vgl. Anm. 75.

[91] Zu Sebastian Lochner vgl. Carl Wilhelm Wölcker von Wölckern: Verzeichnis und Wappen derjenigen edelichen und erbaren Familien ... Germanisches Nationalmuseum, HS 94402 (Nürnberger Geschlechterbuch) II, 6 „Sebastian Lochner, Kartäuserpriester nach seines Weibes Tod. In der Kartause begraben, † 1462".

[92] Margarete Falzner, geb. Waldstromer († 1448), war die Witwe des Herdegen Falzner († 1423), vgl. Werner Sprung: II. Das Wachstafelbuch des Burggrafentums zu Nürnberg. In: Mitteilungen des Vereins für Geschichte der Stadt Nürnberg Bd. 41, 1950, S. 396–398 (396).

[93] Zu Friedrich Holzschuher vgl. Biedermann (Anm. 74), Taf. CLXIX, A. Danach ist Friedrich 1400 gestorben. Biedermann weist wohl irrtümlich die Stiftung von 150 fl. an die Kartause zum Bau einer Kapelle statt Zelle aus.

[94] Aufgrund der unten begründeten Rekonstruktion der Zellenbezeichnungen muß die Zelle Q gemeint sein und nicht wie schon in der Klosterchronik des Sixt Oelhafen (Anm. 7) f. 65r, in den Handschriften des Germanischen Nationalmuseums und in der gesamten sonstigen Literatur überliefert ist, die Zelle P. Offenbar liegt ein Schreibfehler vor.

[95] Roth (Anm. 10), S. 100.

[96] Die Bezeichnung „Der Erste von Amberg" (Roth, [Anm. 10], S. 95) ist unverständlich. Der Eintrag mag sich auf den vorhergehenden beziehen: „Linhard Ruz, Andreas Ruz und Kunigunda geben 18 fl.", was bedeuten würde, daß der erste, nämlich Linhard Ruz aus Amberg, die Zelle gebaut hat.

[97] In der Chronik HS 16622 (Anm. 7), f. 434r heißt es fälschlich „hinter der Kirchen" statt wie in der Klosterchronik des Sixt Oelhafen „hinter der Kuchen" f. 65v.

184. Nordflügel des Großen Kreuzganges, hochliegende Fenster in der Südwand mit den später darunter eingebrochenen Durchgängen. Zustand 1976

östlichen Flügel aus. Vermutlich ist der schmale gewölbte Raum, der von der Zelle L abgetrennt ist, als Gefängnis anzusprechen[98]. Die vier Zellen N, O, P und T waren vom südlichen Kreuzgangflügel aus zu erreichen. Ein schmaler Verbindungsgang führte zwischen den Zellen P und T zu einem parallel zum südlichen Kreuzgangflügel hinter den Gärten der Zellen P und T verlaufenden Flur, an dem die drei Zellen Q, R, S lagen. In den drei außerhalb des Kreuzganges gelegenen Zellen wohnten offenbar Konversen: Conrad Prister war Donat, Heinrich Diethmair Priester-Reddit. Die Zelle A, die Pförtnerzelle, B, Stiftung des Konversen Sebald Pirkheimer, und die Zelle C, bei der der Verbindungsgang zur Kirche beginnt, mögen Unterkunft für die restlichen drei Konversen gewesen sein. Das ergäbe ein geschlossenes Kreuzganggeviert mit den Zellen der 13 Mönche und zwei am Rande liegende Bereiche der 6 Konversen. Im Westen an die Zelle T schloß sich die großräumige Küche mit eigenem Brunnen an. Ob von der Küche aus ein direkter Zugang zum Kreuzgang möglich war, läßt sich nicht feststellen. Mit Sicherheit bestand jedoch eine Verbindung zum nördlich anstoßenden Refektorium.

Aus der Grundrißrekonstruktion geht hervor, daß die Klosteranlage 19 Zellen umfaßte, die für den Prior mit zwölf Mönchen und sechs Konversen ausreichend waren. Die Gründungsbestimmungen

[98] Im Gefängnis des Nürnberger Kartäuser Klosters starb 1513 der Mönch Benedikt Hess, s. Roth (Anm. 10) S. 115. Zur Verwendung des Kerkers vgl. Simmert (Anm. 1), S. 63–64.

des Rates der Stadt Nürnberg waren also bis zur Aufhebung des Klosters im Jahre 1525 beobachtet worden[99]. Es zeigt sich auch, daß die Anlage des Klosters auf eine Konzeption aus der Gründungszeit zurückgeht.

Wie sehr das Wachstum des Klosters von Stiftungen Nürnberger Familien bestimmt wurde, soll an Zuwendungen von Mitgliedern der Familie Koeler für den Großen Kreuzgang dargestellt werden, deren Chronik sich in verschiedenen, nicht identischen Exemplaren erhalten hat[100]. Heinrich Koeler d. Ä. (1355–1432) vermachte testamentarisch dem Kartäuserkloster die Mittel zum Bau von achtzehn Gewölben im Kreuzgang mit den zugehörigen Fenstern[101]. Heinrichs Sohn Johannes, Mönch des Klosters (1410?–1440/41), stiftete wie schon erwähnt die Zellen D und E. Von seinem Bruder Niklas (1416/17–1497) heißt es, er habe mit anderen Koelern 3000 Gulden für die Kartause gestiftet[102]. Diese summarische Angabe läßt sich anhand eines um 1610 angelegten Stiftungsbuches des Benedikt Koeler (1585–1632) im Germanischen Nationalmuseum, in dem die von der Familie Koeler gestifteten Gebäudeteile abgebildet sind, genauer aufschlüsseln[103]. Tafel 1 zeigt die Westwand der Kartäuser-kirche mit einer den Bogen der Portalöffnung übergreifenden, gemalten Darstellung der Verkündigung, seitlich die Wappen Koeler-Eisenwanger (Sebald Koeler gest. 1437[104], Kunigunde Eisenwanger[105] gest. 1486?)[106]. Die Tafeln 4 und 5 geben den Blick auf den nördlichen Kreuzgangflügel nach Westen und Osten wieder, dessen Gewölbeschlußsteine mehrfach das Wappen der Koeler tragen. Der dreijochige Verbindungsgang zwischen dem nördlichen Kreuzgangflügel und der Kirche mit Blick in das östliche Lettnerschiff auf Tafel 6, auf dessen Schlußsteinen noch heute zweimal das Koeler-Wappen zu sehen ist, und die Maßwerkfenster in dem Verbindungsgang mit den Wappen Koeler, Entzenger und Crantz auf Tafel 10, stellen sich als Stiftung Heinrich Koeler d. Ä. dar. In dem nördlichen Kreuzgang und dem Verbindungsgang sind demnach die erwähnten von Heinrich Koeler gestifteten achtzehn Joche zu lokalisieren. Die Tafeln 7, 8, 9, 11, 19 und 20 zeigen je ein mit Butzenscheiben verglastes Maßwerkfenster im nördlichen Kreuzgangflügel lediglich mit jeweils einer kleinen runden Wappenscheibe der Koeler. Wahrscheinlich sind diese Fenster auf Kosten des Kartäusermönchs Johannes gefertigt worden, der schon als Erbauer der Zellen D und E begegnete. Die Fenster auf den Tafeln 13 und 14 mit Pregler- und Koeler-Wappen sind Stiftungen der Elisabeth Koeler und ihres Mannes Lienhard Pregler, bzw. ihres Sohnes Martin. Die mittlere Maßwerkbahn eines der Fenster zeigt die Darstellung der hl. Elisabeth und des hl. Martin[107]. Die Stifter des

178

179, 180,
196
181, 197

182

[99] Mühlberg (Anm. 14), S. 94–95 übernahm die Bezeichnungen der Zellen von Plänen des 18. Jahrhunderts und kam auf 23 Eremitagen; daraus schloß er, daß entgegen dem Ordensgebot und den mit dem Rat der Stadt getroffenen Vereinbarungen eine erhebliche Vermehrung des Konvents erfolgt sei, zumal er davon ausging, daß lediglich die Mönche in eigenen Zellen wohnten.

[100] Hannah S. M. Amburger: Die Familiengeschichte der Koeler. Ein Beitrag zur Autobiographie des 16. Jahrhunderts. In: Mitteilungen des Vereins für Geschichte der Stadt Nürnberg Bd. 30, 1931, S. 153–288. Ein Exemplar der Chronik im Germanischen Nationalmuseum; HS 2910.

[101] Amburger, S. 206–207, im Anhang eine Stammtafel der Familie Koeler, auf deren Angaben ich mich im folgenden stütze.

[102] Amburger, S. 208.

[103] Auf die Handschrift (HS 2910a) hat Ernst Günter Troche: Der Koeler-Altar in der St. Peterskapelle am Siechgraben in Nürnberg. In: Festschrift Eugen Stollreither. Erlangen 1950, S. 355–366 (363–365), aufmerksam gemacht, vgl. auch Anm. 58.

[104] Nach einem Eintrag im Nürnberger Geschlechterbuch Germanisches Nationalmuseum, HS 1837, Bd. 3, S. 119 ist Sebald Koeler erst 1478 gestorben.

[105] Nach Amburger (Anm. 100) statt Eisenwanger Eisenmenger.

[106] Die Darstellung ist bezeichnet „Die Kirche im Kartäuser Kloster, welcher Kirche Vormauer das Geschlecht der Cöler erbauet haben, in dieser Form wie allhie zu sehen ist". Die Malerei ist später übergangen; stilistische Merkmale verweisen auf eine Entstehungszeit bald nach 1500.

[107] Von Martin Pregler heißt es in der Liste der Wohltäter des Klosters „hat machen lassen ein Gewölb und zwei Fenster von Glas im Kreuzgang", von seiner Mutter Lienhard Preglerin „hat machen lassen ein Glasfenster vor der Zellen O" (Roth Anm. 10, S. 77); außerdem finden sich die Einträge „Preglerin die ältere hat lassen machen 2 Fenster im Kapitel . . . ihr Sohn das Fenster vor der Zellen O und sein Vater vor der Zellen G das Fenster" (Roth, S. 82). Offenbar liegt hier ein Schreibfehler O statt G vor. Der Gewölbeschlußstein vor der Zelle G zeigt noch heute das Preglerwappen.

185. Nordflügel des Großen Kreuzganges, hochliegendes, später zugemauertes Fenster in der Nordwand. Zustand 1976
186. Nordflügel des Großen Kreuzganges, vermauerter Zugang zur ehemaligen Eremitage C. Zustand 1976

Maßwerkfensters auf Tafel 15 mit Koeler- und Stromer-Wappen sind Niklas Koeler und Anna Stromer; in dem mittleren Fenster die Heiligen Nikolaus und Sebald. Auf Tafel 16 rahmen die Wappen der Koeler und Eisenwanger – Sebald Koeler und Kunigunde Eisenwanger –, die schon als Stifter für das Gemälde auf der äußeren Kirchenwestwand genannt wurden, die Darstellung der Heiligen Heinrich und Kunigunde. In der mittleren Maßwerkbahn auf Tafel 17 schließlich finden sich vereint die Wappen Koeler, Ortolf und Pregler, die Heinrich Koeler d. J. mit seinen Frauen Margaretha Ortolf und Barbara Pregler als Stifter nennen[108]. Die aufgeführten Stiftungen der Familie Koeler lassen sich durch das Todesjahr Heinrichs d. Ä. im Jahre 1432 und die zweite Ehe Heinrichs d. J. mit Barbara Pregler im Jahre 1458 eingrenzen. Sie veranschaulichen eine Verbundenheit der Familie Koeler mit dem Kartäuserkloster, wie sie ähnlich schon für die Familie Volckamer aufgezeigt werden konnte.

[108] Die Wappen rahmen zwei wohl nicht ursprünglich hierher gehörige Scheiben mit der Geißelung Christi und thronendem Christus. Roth, S. 88 erwähnt diese Stiftung „Heinrich Köler Burger . . . das Fenster beim Altar Henrici (?) und eines im Creutzgang vor der Cellen G. A. 1459". Da es sich um eine Aufzählung von mehreren Stiftungen handelt, muß sich die Jahreszahl nicht auf diejenige des Glasfensters beziehen. In der genannten Handschrift befinden sich außerdem zwei Fenster aus dem Kreuzgang-Nordflügel ohne Wappenscheiben – zweifelsfrei ebenfalls Stiftungen der Familie Koeler – eine Scheibe, deren Standort nicht zu identifizieren ist, vielleicht aus der Zwölfboten-Kapelle, ein Fenster aus der Lorenzkirche mit den Wappen Koeler, Münsterer, Groland und Nützel, ein Fenster aus St. Bartholomäus in Wöhrd mit den gleichen Wappen und schließlich ein Fenster aus der Kirche in Fürth mit den gleichen und zusätzlich dem Derrerwappen. Die drei letzten Fenster sind Stiftungen des Hieronimus Koeler (1507–1573), der fünfmal verheiratet war, vgl. die Stammtafel bei Amburger (Anm. 100). Zu einer weiteren Glasfensterstiftung des Hieronimus Koeler vgl. Amburger, S. 250.

Von den ehemals drei Kreuzgangflügeln ist lediglich der Nordflügel mit seinem Verbindungsgang 12, 183 zur Kirche in seinem mittelalterlichen Baubestand erhalten. Der schon im 19. Jahrhundert stark restaurierte Südflügel ist im letzten Krieg völlig zerstört worden, der ruinöse Ostflügel wurde nach 210, 211, 1860 in freien Formen ergänzt[109]. Der Bestand des Nordflügels bietet trotz der Umbauten des 19. 346 Jahrhunderts, wie Veränderungen von Türen und Fenstern und Aufstockung eines Obergeschosses, 347 zahlreiche Hinweise zur mittelalterlichen Anlage. Seine Nordseite bot die Zugänge zu den einzelnen Zellen, die Südseite bis zum Verbindungsgang öffnete sich zum inneren Klostergarten in dreibahnigen, mit Maßwerk aus Pässen, Fischblasen, Herzformen und freien sphärischen Formen ausgesetzten 36 spitzbogigen Fenstern. Die Fenstergewände zeigen kräftige Kehlen auf profilierten Sockeln. Die Joche westlich des Verbindungsganges erhielten Licht durch kleine, hochliegende, zweibahnige 184 Fenster, die von rechteckigen, in die Wand eingetieften Blenden gefaßt werden. Die vier westlich an den Verbindungsgang anschließenden Fenster wurden als Durchgänge zum Innenhof, in dem heute die Reste des Schönen Brunnen aufgestellt sind, bis zum Boden aufgebrochen. Von den westlich 184, 360 folgenden, heute vermauerten Fenstern hatten sich nach dem letzten Kriege noch Reste erhalten[110]. Die Fenster in der Südwand in diesem Abschnitt des nördlichen Kreuzgangflügels mußten hochliegen, da sonst ein Einblick von dem Laien zugänglichen Kirchenvorhof aus möglich gewesen wäre. In der Nordwand des zehnten, dreizehnten und fünfzehnten Joches von Westen sind heute noch ganz 185 ähnliche Fenster erhalten, die Licht von den Gärten der angebauten Eremitagen einließen und wegen anstoßender Gebäude nicht in der Achse der Schildbögen sitzen[111]. In diesem Bereich des Kreuzganges machten der auf der Südseite liegende Verbindungsgang und der Anbau der Sakristei eine Belichtung von der Nordseite her erforderlich. Im zwölften Joch hat sich der einzige ursprüngliche, 186 heute vermauerte Zugang zu einer Eremitage, hier zur Zelle C, erhalten. Der kaum mannshohe, enge Durchlaß schließt oben in flachem Bogen mit rechteckiger Überhöhung des Scheitels, einem sogenannten Kragsturzbogen. Die Eingänge zu den Zellen D, F, G und H sind noch erkennbar, sie sind jedoch in späterer Zeit vergrößert worden. In der Nordwand des dreiundzwanzigsten Joches wurde 1972 die mit einer Klappe verschließbare, quadratische Essendurchreiche, die fenestella, entdeckt. Ihre zellenseitige Öffnung ist seitlich versetzt, so daß jeder Sichtkontakt zwischen dem Mönch und dem Klosterbruder, der das Essen brachte, vermieden wurde. In der Südwand, gegenüber der Eremitage E in Höhe der östlichen Chorwand befindet sich ein spitzbogiger Zugang zum Kreuz- 183, 12 ganghof[112].

Der Kreuzgang ist mit Kreuzrippengewölben gedeckt, deren profilierte Rippen auf zum Teil mit 347 Figuren oder Wappen besetzten Konsolen ruhen und in tellerartigen Schlußsteinen mit skulpierten oder gemalten Wappen zusammenkommen. Die drei erhaltenen Wappen sind die der Familien Koeler, Harsdorfer und Pregler. Im westlichen Teil folgen figürliche Darstellungen: Nikolaus, 187–196 Hieronymus, Schmerzensmann, Muttergottes, Christophorus, Laurentius, Johannes der Täufer, ein

---

[109] Am südlichen Ende des Ostflügels ist noch der Anschluß des Südflügels erkennbar. In der Nordostecke befand sich eine in den Jahren 1877–80 angebaute Brunnen-Kapelle, deren Anschluß ebenfalls im Mauerwerk erhalten ist. Sie war eine Stiftung der preußischen Prinzen und wurde um 1967 abgebrochen (Freundlicher Hinweis von Dr. Günther Bräutigam, Germanisches Nationalmuseum). Vgl. Abb. 226.

[110] Die Fenster wurden in jüngerer Zeit bei der Errichtung des Raumes, der der Aufnahme der Glasgemäldesammlung dient und zwischen Kreuzgang und Kirche liegt, zugemauert.

[111] Auf einem Stich des Georg Adam (1784–1823), der den Blick von einem nördlichen Zellengarten auf Klosteranlage und Kirche wiedergibt, ist ein solches Fenster zu erkennen, vgl. Germanisches Nationalmuseum, Kupferstichkabinett Kapsel 1442, Sp. 2540, abgebildet in Alt Nürnberg (Anm. 30), Bl. 14.

[112] Die Jahreszahl 1670 und die Buchstaben N K(?) in der Leibung des Portals sind nicht mit einem Baudatum in Verbindung zu bringen. Im 19. Jahrhundert wurde, vielleicht als Windfang, ein turmartiger Vorbau dem Portal vorgesetzt. Noch auf einer Ansicht des Klosters von Heinrich Stelzner, datiert 1857, fehlt dieser Vorbau, vgl. Germanisches Nationalmuseum, Kupferstichkabinett Kapsel 1442; Abb. 12.

187–192. Nordflügel des Großen Kreuzganges, Schlußsteine von Westen nach Osten: Mönch mit Geißel, Abt oder Bischof mit Geißel, hl. Johannes der Täufer, hl. Laurentius, hl. Christophorus, Muttergottes

Bischof oder Abt mit Geißel sowie im westlichen Joch ein Mönch ebenfalls mit Geißel. Die verputzten Wände waren sicherlich mit Wandmalereien geschmückt, von denen sich jedoch nichts erhalten hat. Eine großfigurige Kreuzigung auf der Wand des östlichen Kreuzgangflügels zeigt Tafel 5 im Koelerschen Stiftungsbuch[113]. Vor die Außenwände des Kreuzganges zum Innenhof hin sind zur Verstärkung nachträglich in unregelmäßigen Abständen strebepfeilerartige Vorlagen gesetzt worden.

Der im Grundriß aus dem rechten Winkel verschobene, dreijochige Verbindungsgang zwischen dem nördlichen Kreuzgangflügel und der Kirche hatte auf seiner Ostseite zwei dreibahnige, mit Maßwerk ausgesetzte Fenster; auch diese Fenster sind heute als Durchgänge bis zum Boden aufgebrochen. Seine Westseite ist geschlossen. In der Südostecke liegt die Wendeltreppe mit Zugang auf den Lettner. Wölbung und Maßwerkformen entsprechen denen des Großen Kreuzganges; zwei Schlußsteine zeigen noch heute das Koelerwappen[114].

180

12, 153

177, 181,

197

113 Vgl. Anm. 103.
114 Eine Erklärung für die Verschiebung des Verbindungsganges ist schwer zu finden. Da ohnehin die Jochfolge des Kreuzganges ungleichmäßig ist, wäre sie so zu ändern gewesen, daß die Lettnertür und das entsprechende Joch einander gegenüberstanden. Dieser in deutschen Kartäuserklöstern nicht unübliche Verbindungsgang ist sicherlich schon in der Anfangsplanung berücksichtigt gewesen. Vielleicht sollte auf diese Weise ein ungehinderter Blick von einem in den anderen Kreuzgang durch die Kirche hindurch verhindert werden. Auf dem Silberrad-Plan ist dieser Verbindungsgang falsch eingetragen (Abb. 150).

193–196. Nordflügel des Großen Kreuzganges, Schlußsteine von Westen nach Osten: Schmerzensmann, hl. Hieronymus, hl. Nikolaus; in einem weiter östlichen Joch: Wappen der Koeler

An den Großen Kreuzgang sind die einzelnen Zellen angebaut, deren First in rechtem Winkel zum Gang steht. Die Reste der erhaltenen Eremitagen bestehen aus Ziegeln, während aus der Feststellung Marquard Mendels hinsichtlich der Kosten für die Erbauung einer Zelle hervorgeht, daß auch in Fachwerk gebaut wurde[115]. Der Silberrad-Plan hat zum Teil die ursprüngliche Anordnung der Räume in den Eremitagen festgehalten. Von einem Vorraum aus, der Zugang zum Garten und über eine Treppe auf den Dachboden bot, gelangte man in das Wohn- und Arbeitszimmer und von hier aus in das Schlafzimmer. Ein gedeckter Gang, der zugleich gegen den Garten des Nachbarn abschirmte, führte zum Abort in der dem Wohnhaus gegenüberliegenden Ecke des Gartens. Auch in den Zellen befanden sich Wandmalereien, von denen eine bei Restaurierungsarbeiten um 1872 freigelegt, aber nicht erhalten werden konnte[116]. Besondere Bedeutung kam der Versorgung der einzelnen Zellen mit Wasser zu, das durch Röhren vom östlich des Klosters in die Stadt einfließenden Fischbach in die einzelnen Eremitagen geleitet wurde[117]. Darüber hinaus konnte Wasser aus einem Brunnen im Kreuzganggarten und bei der Küche geschöpft werden.

198

150

---

[115] Es heißt dort „mit hölzernen Säulen untersetzt", vgl. Roth (Anm. 10) S. 43.
[116] Vgl. Anzeiger GNM 1873, Sp. 103; das Bild „stellt einen Bischof im Mantel mit allen Insignien seiner Würde und segnend erhobener Rechte dar. Eine Überschrift, die ohne Zweifel seinen Namen und vielleicht auch seine Beziehung zu dieser Stelle angab, ist leider nicht mehr zu entziffern". Vielleicht war Hugo von Grenoble, der dem hl. Bruno das Land für die Grande Chartreuse zur Verfügung gestellt hatte, oder Hugo von Lincoln, der dem Kartäuserorden angehörte, dargestellt. Beide Heilige wurden von den Kartäusern verehrt und häufig abgebildet.
[117] Vgl. Roth (Anm. 10), S. 63–64 und 223–226.

197. Verbindungsgang vom Kreuzgang zur Kirche, Blick nach Süden in die Kirche; hinten links
der Treppenturm mit Zugang zur Lettnerempore. Zustand 1976

198. Reste von Eremitagen am nördlichen Kreuzgangflügel in der wiederhergestellten Form nach dem zweiten Weltkrieg. Zustand 1976

Der Versuch, auf der Grundlage der Stiftungsjahre für bestimmte Zellen die Bauabfolge des Großen Kreuzganges zu rekonstruieren, kann aufgrund der aufgewiesenen Fehler und Unstimmigkeiten in den Verzeichnissen der Wohltäter des Klosters nicht zu völlig gesicherten Ergebnissen führen. Mit dem Bau des Großen Kreuzganges ist bald nach der Klostergründung begonnen worden. Ausgedehnte Bautätigkeiten fallen in das 2. Viertel des 15. Jahrhunderts. Seine Fertigstellung hat sich bis etwa 1460 hingezogen. Nicht sicher entscheiden läßt sich, wo mit den Bauarbeiten der Klosteranlage angefangen wurde, vieles spricht für einen Beginn beim nördlichen Kreuzgangflügel. Daran anschließend erfolgte die Errichtung des östlichen und zuletzt des südlichen Flügels, für den mit der Zelle T die spätest datierte Stiftung 1453 überliefert ist[118]. Auf die Bauzeit des Großen Kreuzganges in der 1. Hälfte des 15. Jahrhunderts verweisen auch die Maßwerkformen mit ihren schönlinig gerundeten, verschiedenartigen Pässen, rotierenden Fischblasen, Herzformen und völlig freien sphärischen Vielecken[119].

12, 36, 105

[118] Gegen die hier vorgeschlagene Bauabfolge spricht allein die Stiftung Friedrich Holzschuhers für die Zelle N im Jahre 1396. Vielleicht liegt auch hier ein Übermittlungsfehler vor, zumal die Nachbarzelle M erst zwischen 1423 und 1448 gestiftet ist.
[119] Zu den Maßwerken Lottlisa Behling: Gestalt und Geschichte des Maßwerks (Die Gestalt, H. 16). Halle (Saale) 1944, S. 43–52.

199. Der Kleine Kreuzgang vor seiner Zerstörung im Jahre 1944 mit Blick auf die Südwand der Kirche. Zustand 1935

200. Kleiner Kreuzgang, Maßwerkfenster aus dem Westflügel.
Zustand 1976

Auf der Südseite der Kirche schließt der Kleine Kreuzgang an, für den keine Baunachrichten 199, 315
überliefert sind. Unter den nicht näher bezeichneten Stiftungen für „Gewölbe und Fenster im
Kreuzgang" mögen freilich auch solche für den Kleinen Kreuzgang sein. Der Kleine Kreuzgang,
dessen östlicher Flügel im letzten Krieg zerstört wurde, umschließt einen inneren, rechteckigen Hof;
seine eingeschossigen Flügel deckten Satteldächer, nur über dem nördlichen Flügel lehnte sich ein
Pultdach an die Kirchenmauer an[120]. Auf den inneren Hof öffnet er sich in großen, dreibahnigen
Spitzbogenfenstern, die mit Maßwerk aus Drei- und Vierpässen, Fischblasen und Herzformen
ausgesetzt sind. Die Fenstergewände des südlichen und des westlichen Flügels haben auf reich 200, 315
profilierten Sockeln kräftig gerundete Kehlen; das Maßwerk ist schwungvoll und wohlausgewogen.
Die Fenster des nördlichen Flügels sind mit glatten, geschrägten Gewänden in die Mauer einge- 111, 199,
schnitten. Hier ist das Maßwerk kantig und spröde[121]. In der Mitte der Wand bietet ein schmaler 201
Durchgang mit Stichbogen und einem kleinen, ebenfalls mit Maßwerk ausgesetzten zweibahnigen

---

[120] Die kriegszerstörten Dächer sind beim Wiederaufbau nicht erneuert worden, da der Kleine Kreuzgang in einen Neubau
einbezogen wurde.
[121] Das Maßwerk im östlichen Fenster ist, obwohl das ursprüngliche den Krieg überstanden hatte, in den Formen des
Vorbildes, jedoch weicher und runder ersetzt. Im Fotoarchiv des Germanischen Nationalmuseums ist die Aufnahme
einer Veranstaltung im Kleinen Kreuzgang, die dessen Nachkriegszustand gut wiedergibt.

201. Kleiner Kreuzgang, Maßwerkfenster aus dem Nordflügel.
Zustand 1976

Fenster einen Zugang zum Innenhof. Die Gänge sind mit Kreuzrippengewölben geschlossen; lediglich das Joch in der nordwestlichen Ecke mit einem Fenster zur Kirche ist größer als die übrigen und

202 hat zwei dreistrahlige Gewölbe. Die scharf profilierten, birnstabförmigen Gewölberippen sitzen auf zum Teil figurierten oder mit Wappen versehenen Konsolen und münden in großen, tellerartigen Schlußsteinen, die vereinzelt gemalte oder skulpierte Stifterwappen tragen. Die Wände des Kreuzganges waren mit heute verlorenen Darstellungen aus der Passion bemalt, die bei Renovierungsarbeiten um 1857 freigelegt wurden[122]. Die Formen des südlichen und westlichen Kreuzgangflügels sind eng verwandt mit denen des Großen Kreuzganges und lassen eine Entstehung etwa gleichzeitig mit dem Großen Kreuzgang im 2. Viertel des 15. Jahrhunderts erkennen. Die sehr viel spröderen Maßwerke des nördlichen Flügels sind die Arbeit einer anderen Werkstatt; aus der abweichenden Formensprache ist kein zeitlicher Abstand zu den übrigen Kreuzgangmaßwerken abzulesen.

Der nördliche Flügel des Kleinen Kreuzganges bietet den Zugang zur Kirche. Auf der Westseite
24, 177, schließt sich auf der ganzen Länge des Flügels das heute noch im Grundriß erhaltene, jedoch völlig
388 umgebaute Refektorium an. Am südlichen Flügel, der zugleich Bestandteil des Großen Kreuzganges war, lag die Küche und am östlichen Flügel der Kapitelsaal. Der Kapitelsaal, der im letzten Krieg

[122] Vgl. Anzeiger GNM 1857, Sp. 253–256 und Wegweiser 1861, S. 18 und Fig. 10.

völlig zerstört wurde, hatte einen nahezu quadratischen Grundriß mit östlichem, dreiseitig schließen- 12, 153,
dem Chor und war vom Kreuzgang und von der Kirche aus zugänglich. Den Hauptraum deckte ein 203, 374
Netzgewölbe, den Chor zwei Sterngewölbe[123]. Für den Bau des Kapitelsaales, für seine Wölbung und
Verglasung sind zahlreiche undatierte Zuwendungen überliefert[124]. Datiert sind lediglich die Stiftung
eines neuen Chores im Kapitel 1459 durch Heinrich Koeler, der zusammen mit seiner Familie schon
als Stifter für den Großen Kreuzgang erwähnt wurde[125], und ein Legat Ulrich Starks für das
Mittelfenster im Kapitel für 1477[126]. Wann mit dem Bau des Kapitelsaales begonnen wurde, läßt sich
nicht feststellen; sicher sind jedoch Bauarbeiten im 3. Viertel des 15. Jahrhunderts. Seit etwa 1920 wird
der Kapitelsaal aus nicht mehr erkennbaren Gründen Geuderkapelle genannt[127]. Ebenfalls vom
Kleinen Kreuzgang aus dürften das Antiquarium zur Aufbewahrung des Archivs und die umfangreiche Bibliothek zugänglich gewesen sein[128], deren Lage sich heute nicht mehr mit Sicherheit feststellen
läßt. Vermutlich befanden sie sich zwischen dem Kapitelsaal und dem südlichen Flügel des Großen 12, 13,
Kreuzganges[129]. 177

Historische Angaben zum Wirtschaftshof im Westen des Klosters, dessen Anlage sich dem Silber- 150
rad-Plan entnehmen läßt, sind nicht überliefert. Seine Nordseite begrenzte der Nordflügel des
Großen Kreuzganges, die Ostseite die Kirche mit dem anschließenden Refektorium und der Küche
mit einem eigenen Zugang vom Hof aus. Die Bauten zwischen Kirche und Kreuzgang entstammten 24
späterer Zeit. Auf der Westseite schlossen den Hof gewölbte Vorratsräume, wegen der Stadtlage des
Klosters von bescheidenen Ausmaßen, an die sich nördlich wohl das Gästehaus anschloß[130]. Von den
Gebäuden des Wirtschaftshofes ist nichts erhalten.

Das Nürnberger Kartäuserkloster kennzeichnet eine sinnvolle Anordnung vier verschiedener,
voneinander abgeschlossener Bereiche: Kirche, Kleiner Kreuzgang mit den Konventsgebäuden,

[123] Eine frühe Ansicht des schon als musealer Ausstellungsraum genutzten Kapitelsaales zeigt auch eine lavierte Bleistiftzeichnung von L. Braun nach 1866 (Abb. 24).
[124] Stiftungen für den Bau des Kapitelsaales und dessen Ausstattung stammen von Erhard Schwarzer, Prior zu Tückelhausen; Hans Kreß, Magister; Johann Ortolff; Hanns Müllner und Konrad Tracht. Georg Tezel gab einen Kelch zum
Hieronimusaltar im Kapitel, vgl. Roth (Anm. 10), S. 82–94.
[125] Die Stiftung Heinrich Koelers ist überliefert in der Liste der Wohltäter, vgl. Roth (Anm. 10), S. 88.
[126] Roth (Anm. 10), S. 87.
[127] Im Wegweiser GNM 1917/18, S. 79 wird der Kapitelsaal als Kapelle bezeichnet. Hingewiesen wird auf eine Jahreszahl
1461 „oben an ihrer Westwand". Im Wegweiser GNM 1919/20, S. 24 heißt es, die Kapelle ist „im Jahre 1461 anscheinend
als Stiftung eines Otto Geuder erbaut". Ein Träger des Namens Otto kommt in der Nürnberger Patrizierfamilie Geuder
nicht vor, so daß sich diese Nachricht nicht überprüfen läßt. – Außerdem soll es noch eine von Sebald Schreyer gestiftete
Kapelle im Kartäuserkloster gegeben haben, von der aber keine weiteren Angaben überliefert sind, vgl. Theodor
Hampe: Sebald Schreyer vornehmlich als Kirchenmeister von St. Sebald. In: Mitteilungen des Vereins für Geschichte
der Stadt Nürnberg, Bd. 28, 1928, S. 155–207 (172).
[128] Eine Liste von etwa 750 Büchern, die bei der Übergabe des Klosters an die Stadt 1525 ins Predigerkloster geschafft und in
die später gegründete Stadtbibliothek übernommen wurden (vgl. Roth Anm. 10, S. 127), findet sich bei Roth, S.
257–288. Wie in anderen Kartäuserklöstern gab es auch in Marienzelle eine eigene Buchbinderei, von deren Erzeugnissen sich einige Exemplare erhalten haben, vgl. dazu Ernst Kyriss: Nürnberger Klostereinbände der Jahre 1433 bis 1525.
Phil. Diss. Erlangen 1940, S. 64–73. – Ernst Kyriss: Einbände aus Nürnberger Klöstern. In: Mitteilungen aus der
Stadtbibliothek Nürnberg Jg. 3, H. 4, 1955, S. 3–5.
[129] Mühlberg (Anm. 14), S. 101 vermutet die Klosterbibliothek in einem Raum über dem Kapitelsaal. Ansichten aus dem 19.
Jahrhundert geben jedoch den Kapitelbau eingeschossig wieder, vgl. beispielsweise Abb. 12. Vielleicht befanden sich,
was sinnvoll erscheint, Bibliothek und Archiv zwischen dem Kapitelsaal und dem südlichen Kreuzgangflügel. Auf dem
Silberrad-Plan (vgl. Anm. 15) sind an dieser Stelle Gebäude eingezeichnet, deren Form an eine weitere Eremitage
denken läßt. Mühlberg sieht sie als zweistöckige Doppeleremitage an (S. 101). Sollte es sich wirklich um eine Eremitage
handeln, so war sie sicherlich nicht im ursprünglichen Plan vorgesehen, da ihre Lage im sonst freien Klosterhof und ihr
Zugang vom Kleinen Kreuzgang aus, an dem ausschließlich Gemeinschaftsgebäude lagen, der wohldurchdachten
Gesamtanlage widersprechen.
[130] Ob das Gästehaus ursprünglich die auf dem Silberrad-Plan eingezeichnete Ausdehnung gehabt hat, was einen recht
verwinkelten Zugang zum Kloster zur Folge hat, läßt sich nicht mehr entscheiden. Mühlberg (Anm. 14), S. 101 sieht in
diesem Gebäude die Wohnung des Priors. Vielleicht bezieht sich die Stiftung des Hanns Rummel, der „hat lassen pawen
2 Neue Zellen im Hoff beym Thor" (Roth, Anm. 10, S. 87) auf dieses Haus.

202. Kleiner Kreuzgang, Dreistrahl-Gewölbe im Nordflügel. Zustand 1976

Großer Kreuzgang mit den einzelnen Zellen sowie ein wenig abseits gelegen der Wirtschaftshof mit Gäste- und Vorratshäusern. Diese Konzeption kommt der Lebensform der Kartäuser in möglichst ungestörter Abgeschiedenheit entgegen. Auf der Suche nach Vorbildern für die Nürnberger Kloster-anlage liegt es nahe, wie Heerwagen und vor ihm schon Waldau in der 1348 gegründeten Kartause Engelgarten in Würzburg den prägenden Bau zu sehen[131], da von Marquard Mendel berichtet wird, er habe dort einige Zeit gelebt, um den Kartäuserorden kennen zu lernen. Das 1803 säkularisierte Kloster wurde 1853 abgebrochen, so daß nur der Grundriß bekannt ist. Auffallendes Merkmal der Würzburger Kartause ist das Fehlen des Kleinen Kreuzganges, der schon in der Grande Chartreuse vorgebildet ist und von den meisten Kartausen übernommen wurde. In dieser Eigenart folgen Würzburg allein seine Filiationen Tückelhausen, Astheim und Ilmbach, worauf schon Völckers aufmerksam gemacht hat[132]. Dieses Beispiel belegt bauliche Abhängigkeiten zwischen Mutter- und

[131] Heerwagen (Anm. 11), S. 94.
[132] Völckers (Anm. 13), S. 315. Hier außerdem ein Stammbaum der deutschen Kartausen und S. 316–317 eine Gegenüber-stellung der Grundrisse von Würzburg, Astheim und Tückelhausen.

203. Kapitelsaal vor seiner Zerstörung im Jahre 1944, Blick nach Osten. Im Chor die Nürnberger Tona-postel, um 1400, rechts eine Gruppe der knienden Maria und stehenden Apostel aus einem Marientod, eben-falls Ton, Nürnberg um 1400. Aufnahme von ca. 1935

Tochterkloster, und zu Recht betonen Völckers[133] und Mühlberg[134] enge Beziehungen zwischen der Nürnberger Kartause und seinem Mutter-Kloster Salvatorberg in Erfurt und darüberhinaus zu dessen 204 Mutter-Kloster Neuzell in Grünau. Diese Beziehungen lassen sich auch personell in Heinrich von Perching, dem Rektor und ersten Prior von Marienzelle, fassen. Heinrich war zunächst Mönch in Grünau und dann Rektor und später Prior in Erfurt, wo er mit dem Bau von Salvatorberg beauftragt war. Von der mittelalterlichen Klosteranlage Salvatorberg ist nur die Kirche mit anschließenden Gebäuden erhalten, während das Refektorium und die Küche sowie das ehemalige Priorat noch im Grundriß erkennbar sind. Zu Beginn des 18. Jahrhunderts erlebte das Kloster eine wirtschaftliche Blüte und wurde durchgreifend umgebaut. Nach der Säkularisierung 1803 kam es in Privatbesitz, 1845 zerstörte ein Feuer große Teile der Gebäude[135]. Der ursprüngliche Baubestand ist noch heute so

133 Völckers (Anm. 13), S. 322.
134 Mühlberg (Anm. 14), S. 63.
135 Die Kunstdenkmale der Provinz Sachsen. Die Stadt Erfurt, Bd. 2, Teil 2. Bearbeitet von Ernst Haetge und Hermann Goern. Burg 1932, S. 323–344.

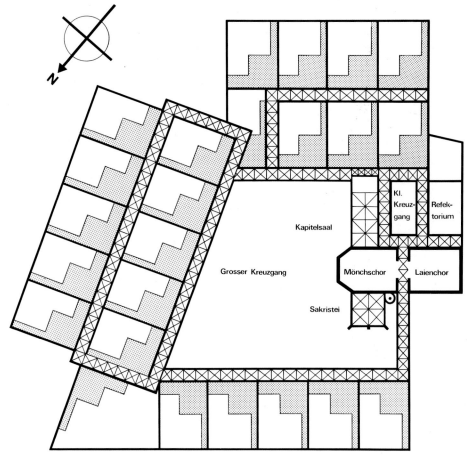

Im Plan sind folgende Räume bezeichnet:

Kapitelsaal — Kl. Kreuzgang — Refektorium — Grosser Kreuzgang — Mönchschor — Laienchor — Sakristei

204. Grundriß der Kartause Salvatorberg in Erfurt, nach der Rekonstruktion von Fried Mühlberg

bedeutend, daß Mühlberg unter Hinzuziehung alter Ansichten eine gesicherte Rekonstruktion des mittelalterlichen Grundrisses erstellen konnte.

Bei der Gegenüberstellung der Klöster in Erfurt und Nürnberg ist zu berücksichtigen, daß Gemeinsamkeiten sich nicht ausschließlich auf diese beiden beschränken und daß Erfurt seit 1375 eine Doppelkartause war, also 24 Mönche aufgenommen hatte. Beide Klöster liegen in einer Vorstadt außerhalb des befestigten Mauerringes. Wie alle von Kartäusern im deutschen Sprachraum errichteten Ordenskirchen sind die Erfurter und Nürnberger einschiffige Saalbauten ohne Querhaus[136]. Sie haben einen in fünf Seiten eines Achteckes schließenden Chor, an dessen Nordseite die Sakristei mit einem Treppenturm an der Westwand und an dessen Südseite der Kapitelsaal angebaut sind. Etwa in der Hälfte trennt auch in Erfurt ein Kreuzganglettner, der Großen und Kleinen Kreuzgang miteinander verbindet, den Mönchschor vom gleich großen Konversenchor. Der Kapitelsaal befindet sich auf der Ostseite des Kleinen Kreuzganges; an seinem Westflügel liegt das Refektorium mit der südlich

---

[136] Der Verzicht auf Querhäuser war offenbar für den Orden von großer Wichtigkeit. So mauerten beispielsweise die Kartäuser bei ihrem Einzug in das ehemalige Prämonstratenserkloster Tückelhausen die Querschiffjoche ab, vgl. den Grundriß in: Die Kunstdenkmäler von Unterfranken und Aschaffenburg (Die Kunstdenkmäler des Königreichs Bayern, Bd. 3). H. 1: Bezirksamt Ochsenfurt. Bearbeitet von Hans Karlinger. München 1911, S. 257, Fig. 182.

angebauten Küche. Ebenfalls schon in Erfurt vorgebildet ist die Erschließung einzelner Zellen von einem separaten rückwärtigen Gang aus, der parallel zu einem Kreuzgangflügel hinter den Gärten der vorderen Eremitagen verläuft.

Von einer weiteren Filiation Erfurts, der 1378 gegründeten und der hl. Elisabeth geweihten Kartause in Eisenach, ist nichts erhalten. Bald nach der Reformation wurde die Kirche abgebrochen, die übrigen Gebäude verfielen. Aus den wenigen Hinweisen läßt sich die ursprüngliche Anlage nicht mehr rekonstruieren, so daß sich keine Verbindung zu Erfurt oder Nürnberg aufzeigen läßt[137]. Auch die einzige Filiation der Kartause in Nürnberg, Prüll bei Regensburg, ist nicht geeignet, bauliche Beziehungen zwischen Mutter- und Tochterkloster aufzuzeigen, da 1484 die Kartäuser in die Gebäude eines früheren Benediktinerklosters einzogen und sich auf Umbauten beschränkten[138].

Während sich Gebäudegrundrisse sowie Zuordnung von Gebäudekomplexen durch Zeichnungen sowie schriftliche und mündliche Berichte weitergeben ließen, war die Überlieferung von Schmuckformen sehr viel schwieriger. Die zu anderen Orden vergleichsweise geringe Bautätigkeit der Kartäuser führte nicht, wie etwa bei den Zisterziensern, zu wandernden Bautrupps, deren Leiter und häufig wohl auch Handwerker Ordensangehörige waren. Daher ist der Bauschmuck der Kartäuserklöster in der Regel Bauten der näheren Umgebung verpflichtet. Die Errichtung der Nürnberger Kartause fiel in eine Zeit, während der in dieser Stadt mehrere bedeutende Kirchen umgebaut wurden oder neu entstanden. Nur wenig mehr als 20 Jahre vor Gründung des Klosters, spätestens 1358, wurde die Frauenkirche vollendet, eine Stiftung Kaiser Karls IV., die Beziehungen zur Bauhütte der Parler aufweist. Nur ein Jahr vor der Gründung, 1379, war der Hallenchor von St. Sebald nach 18-jähriger Bauzeit fertiggestellt. Noch gegen Ende des 14. Jahrhunderts erhielt das Langhaus von St. Lorenz seinen Westabschluß mit dem größten Teil der Türme. Wohl 1385 wurden St. Martha, eine Stiftung des Konrad Waldstromer im Jahre 1363 als Kirche für ein Pilgerhospiz, und 1395 St. Johannes geweiht. Schließlich fallen in die Zeit der Erbauung des Kartäuserklosters Arbeiten am Langhaus von St. Jakob. Diese knappe Aufstellung verdeutlicht die rege Bautätigkeit in Nürnberg gegen Ende des 14. und zu Beginn des 15. Jahrhunderts. Unzweifelhaft standen in der Stadt gut geschulte Baumeister und Handwerker zur Verfügung. Die Maßwerke der Nürnberger Kartäuserkirche und der Kreuzgänge aus reinen Paßformen, Fischblasen und Herzformen sind in der deutschen Baukunst im ausgehenden 14. bis weit in das 15. Jahrhundert hinein verbreitet. Kompositionell greifen sie Formen auf, die in der Bauhütte des Prager Veitsdomes (Chorweihe 1385) unter Peter Parlers Leitung entwickelt wurden und von hier aus in die deutsche spätgotische Architektur Eingang fanden[139]. Marquard Mendel und der erste Prior des Klosters Heinrich von Perching haben sich offenbar in der Planung der Klosteranlage an die Erfurter Kartause Salvatorberg angelehnt, die bauliche Ausführung aber in die Hände heimischer Baumeister und Handwerker gelegt.

Die Vorlagen zu den Abbildungen 173, 177 und 204 zeichnete Herr Oktavian Catrici nach Angaben des Verfassers.

[137] Bau- und Kunst-Denkmäler Thüringens. Großherzogtum Sachsen-Weimar-Eisenach, Bd. 3, Teil 1. Bearbeitet von P. Lehfeld und G. Voss. Jena 1915, S. 301–303.

[138] Die Kunstdenkmäler der Oberpfalz, Bd. 22: Stadt Regensburg, Bd. 2. (Die Kunstdenkmäler von Bayern). Bearbeitet von Felix Mader. München 1933, S. 152–166.

[139] Vgl. Behling (Anm. 119), S. 43–52.

JÖRN BAHNS

Die Museumsbauten von der Übernahme der Kartause
im Jahre 1857 bis gegen 1910

Fünf Jahre nach seiner Gründung bezog das Germanische Nationalmuseum ab 1857 die Gebäude, die auch heute noch seinen historischen Kern bilden: Kreuzgänge und Kirche des ehemaligen, 1380
13, 205   gestifteten Nürnberger Kartäuserklosters[1]. Die Wiederherstellung des teilweise ruinösen Komplexes war die erste Bauaufgabe für das Museum, die über die 1862 endende Amtszeit des Freiherrn von Aufseß hinaus auch noch dessen zweiten Nachfolger, den von 1866 bis 1892 amtierenden I. Direktor August Essenwein, beschäftigte. Unter dessen Leitung erfuhr das Museum einen bedeutenden Aufschwung, ermöglicht durch die vom 1. Januar 1870 an gültige neue Satzung[2], die die Arbeit an den von Aufseß begründeten Quellenrepertorien zugunsten des Ausbaus der Sammlungen zurücktreten ließ.

Dieser Wandel zum Anschaulichen hin, zum Vorrang der Ausstellung kunst- und kulturgeschichtlich bedeutsamer Objekte, verstärkte die finanzielle Anteilnahme breiterer Bevölkerungskreise des In- und Auslandes und führte schließlich dazu, daß seit 1877 auch hohe Summen aus dem Haushalt des neugegründeten Deutschen Reiches für Baumaßnahmen zur Verfügung gestellt wurden. Die planerischen Grundlagen für die Erweiterung hatte Essenwein bereits seit 1870 im Zusammenhang
25, vgl. 206   mit einer im gleichen Jahr erschienenen Denkschrift[3] gelegt. 1872 veröffentlichte er auf einem Spendenaufruf sein über die Kartause hinausgreifendes Ausbauprojekt[4], das schon bald erweitert und
26, 207   in neuer Fassung 1877 vorgelegt wurde[5]. Mit Abwandlungen in Details wurde der Idealplan bis in die neunziger Jahre hinein realisiert und bildete so die Grundlage für mehrere Trakte, die sich an den
208   Großen Kreuzgang der Kartause anschlossen: im Süden gegen die Frauentormauer der Augustiner- und der sogenannte Südbau, im Osten gegen die Grasersgasse der Victoria- und Friedrich-Wilhelm-
88–91,   bau mit dem Reichshof, auch Ostbau genannt. Im Zweiten Weltkrieg wurden diese Gebäude so
112–115,   schwer zerstört, daß ihre Ruinen den Neubauten nach 1945 weichen mußten, sie lassen sich aber
120   anhand der erhaltenen Entwürfe Essenweins rekonstruieren.
270   Ebenfalls abgetragen, allerdings erst 1973 im Zuge einer Straßenerweiterung, wurde der sogenannte Bibliotheksbau, das ehemalige Königsstiftungshaus auf der Südostecke des Museumsareals an der Ecke Frauentormauer/Grasersgasse – ein Gebäude aus der Mitte des 19. Jahrhunderts, das Essenweins Nachfolger Gustav von Bezold ankaufte und für Museumszwecke umbaute. Er erweiterte das

---

[1] Auf Beiträge dieses Bandes, die die Bauten vor 1857 und nach 1910 behandeln, wird nicht jeweils besonders hingewiesen.

[2] Satzungen 1869, vgl. im Anhang dieses Bandes S. 954–956.

[3] Essenwein, Bericht 1870, vgl. im Anhang dieses Bandes, S. 993–1026.

[4] Undatierter Aufruf mit der Bitte um Spenden für die Übertragung des Augustinerklosters mit einem Holzstich „Die Karthause zu Nürnberg (Sitz des germanischen Museums) nach ihrem Ausbaue", Nürnberg 1872. Kupferstichkabinett GNM, Kapsel 1442a, o. Nr.

[5] Holzstich von Lorenz Ritter nach Essenwein, Kupferstichkabinett GNM Kapsel 1442a, ZR 6571/1968, abgebildet: Deutsche Bauzeitung Jg. 11 (1877), Beilage zu Heft Nr. 98. – Jahresbericht GNM 25 (für 1878), 1879, S. 9. – August Essenwein: Das germanische Nationalmuseum, dessen Sammlungen, sowie der Bedarf zur programmgemäßen Abrundung derselben. Nürnberg 1884, Taf. III. – Hampe, Festschrift, S. 82. – Die Originalzeichnung weder im Kupferstichkabinett noch in der Plansammlung des GNM. In der Plansammlung aber immerhin ein Grundriß: Ausbau der Karthause nach der Projektredaktion von 1876 u. 1877, Stand des Jahres 1882. Der Stand von 1882 ist durch nachträgliche Einzeichnungen oder Überklebungen angegeben. Ein weiterer, auf dem Projekt von 1877 basierender Grundriß nach dem Stand von 1880 mit Nachträgen von 1881 im Kupferstichkabinett GNM, Kapsel 1442a, o. Nr.

Museum darüber hinaus an der Ecke Frauentormauer/Kartäusergasse mit dem sogenannten Südwestbau, der heute noch steht, allerdings mit beträchtlichen Reduktionen im Dachbereich. Mit diesen 272, 317 beiden Gebäuden, die 1902 anläßlich des 50jährigen Jubiläums eröffnet wurden, schienen die Raumbedürfnisse des Museums für eine Weile befriedigt zu sein, zumal in den nächsten Jahren noch einige kleinere Projekte zum Abschluß kamen.

Da die Sammlungen sich jedoch weiter vergrößerten, die Unterbringung der Gemälde immer weniger befriedigte und neue museologische Konzeptionen aufkamen[6], wurde eine abermalige Erweiterung ins Auge gefaßt. Nachdem Bezolds 1907 hierfür begonnene Planungen keinen Anklang gefunden hatten, entstand schließlich in den Jahren 1916–20 der im nächsten Beitrag behandelte 68 Galeriebau von German Bestelmeyer nördlich der Kartause gegen den Kornmarkt. 288–300

Erwerbung und Restaurierung der Kartause 1857–1866

Nach mehr als zwanzigjährigen Vorarbeiten erreichte Hans Freiherr von und zu Aufseß, daß die in Dresden vom 16. bis 19. August 1852 versammelten deutschen Geschichts- und Altertumsforscher die Gründung des Germanischen Nationalmuseums billigten und sich auch für Nürnberg als Sitz der Anstalt aussprachen[7]. Auf Nürnberg fiel die Wahl nicht nur, weil Aufseß 1850 mit seiner Sammlung, die den Grundstock des Museums bilden sollte, wieder hierher gezogen war, sondern vor allem, weil Nürnberg nach allgemeiner Anschauung seit der Romantik als die deutsche Stadt schlechthin galt[8]. Die Kunst- und Altertumssammlungen kamen vorerst in dem von der Stadt angemieteten, ab 1. Mai 1854 unentgeltlich überlassenen Tiergärtnertorturm unter, wo sie am 15. Juni 1853 eröffnet wurden, während sich Archiv, Bibliothek, Repertorium und Büroräume im Toplerschen Haus am Paniersplatz befanden[9].

Nach diesem endlich geglückten, aber noch provisorischen Beginn kam es darauf an, ein wirklich geeignetes Gebäude zu finden[10]. Hierzu eröffneten sich schon 1853 drei Möglichkeiten, indem sich nach „dem Anerbieten des Herzogs von Sachsen-Coburg-Gotha noch zwei edle deutsche Fürsten in erfreulichster Weise" zur Aufnahme des Museums „erboten und zwar zuerst der Grossherzog von Sachsen-Weimar, welcher die herrliche Wartburg hiezu bestimmen will, dann der König von Bayern, welcher zu Nürnberg selbst ein grossartiges Staatsgebäude, wie zu vermuthen, das ehemalige Karthäuserkloster mit seinen grossen prachtvollen Kreutzgängen, Kirche und Kapelle im reinsten deutschen Styl, nebst grossen Anbauten und Garten zu überlassen gewillt ist", wie im „Anzeiger" verlautet[11]. Aus persönlicher Überzeugung und im Sinne der Dresdener Beschlüsse wünschte Aufseß einen Verbleib in Nürnberg. So begannen langwierige Verhandlungen, über die Enno Hektor in der Festschrift zum zehnjährigen Bestehen ausführlich berichtet[12].

[6] Peter Strieder: Wandlungen und Probleme einer kulturhistorischen Sammlung. In: Museumskunde Bd. 33 (1964), S. 69–76 (71–73).

[7] Heinrich Wilhelm Schulz: Bericht über die unter dem Vorsitz S. K. Hoheit des Prinzen Johann, Herzogs zu Sachsen, vom 16. bis 19. August 1852 zu Dresden abgehaltene Versammlung deutscher Geschichts- und Alterthumsforscher. In: Mittheilungen des Königl. Sächs. Vereins für Erforschung und Erhaltung der vaterländischen Alterthümer H. 6 (1852), S. 109–155 (113, 115, 120, 121, 129, 151–155).

[8] Ludwig Grote: Die romantische Entdeckung Nürnbergs (Bibliothek des Germanischen Nationalmuseums Nürnberg zur deutschen Kunst- und Kulturgeschichte, Bd. 28). München 1967. – Zu den Dokumenten der Gründungsgeschichte vgl. Aufseß-Katalog 1972, D 1–23, E 1–8. – Vgl. auch Anm. 71.

[9] Wegweiser GNM 1853. – Vgl. auch Anzeiger GNM 1854, Sp. 193–195, und Aufseß-Katalog 1972, E 1–4, F 14.

[10] Ein Neubau kam wegen der ungesicherten finanziellen Lage des Instituts nicht infrage, war aber aufgrund der Anschauungen der Zeit auch gar nicht erforderlich, da im spätromantischen Geiste für eine altdeutsche Sammlung ein mittelalterliches Gebäude als geradezu idealer Rahmen galt. Zur Adaptierung mittelalterlicher Kirchen und Klöster als „Museumskirche" vgl. den gleichnamigen Aufsatz von Gudrun Calov, in: Festschrift Dr. h. c. Eduard Trautscholdt zum siebzigsten Geburtstag am 13. Januar 1963. Hamburg 1965, S. 21–38.

[11] Anzeiger GNM 1853, Sp. 41. – Vgl. auch Aufseß-Katalog 1972, E 5–8.

[12] Hektor, Festschrift, S. 20–30. – Aufseß-Katalog 1972, E 5–8.

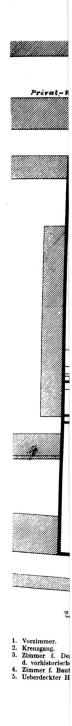

207. Zweite

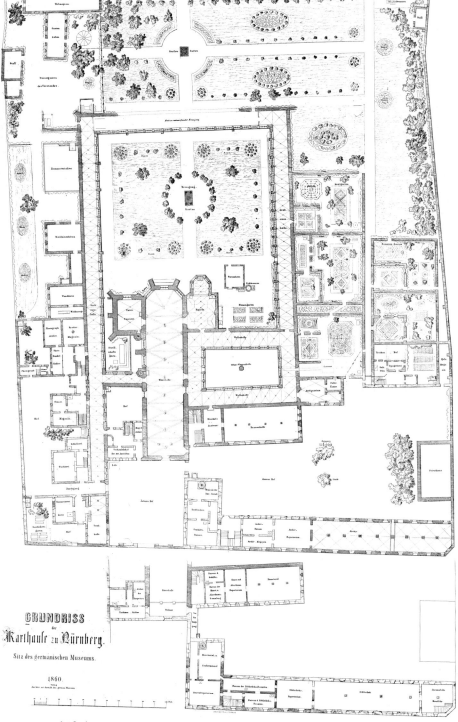

205. Grundriß der Kartause, 1860. Norden ist links

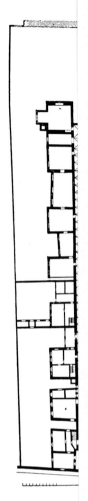

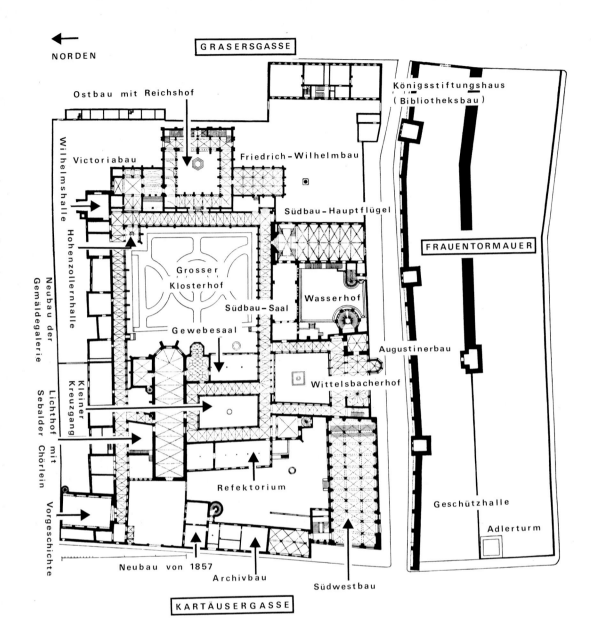

NORDEN

GRASERSGASSE

Ostbau mit Reichshof

Königsstiftungshaus
(Bibliotheksbau)

Victoriabau

Friedrich - Wilhelmbau

Wilhelmshalle

Hohenzollernhalle

Südbau - Hauptflügel

FRAUENTORMAUER

Neubau der Gemäldegalerie

Grosser
Klosterhof

Wasserhof

Südbau - Saal

Gewebesaal

Lichthof mit Sebalder Chörlein

Kleiner
Kreuzgang

Augustinerbau

Wittelsbacherhof

Vorgeschichte

Refektorium

Geschützhalle

Adlerturm

Neubau von 1857

Archivbau

Südwestbau

KARTÄUSERGASSE

206. Die Karta
Nürnberger Au
links

Am 27. Janu
wurde, in die
gehörte, wurd
ten Königs Lu
ber 1857 beza
aufgrund eine
schloß sich die

¹³ Altregistratur
Karthause 18
27. Januar 185;
¹⁴ Altregistratur
Mittelfranken
Einzahlung vc

360

208. Grundriß der Gesamtanlage, 1902. Norden ist links

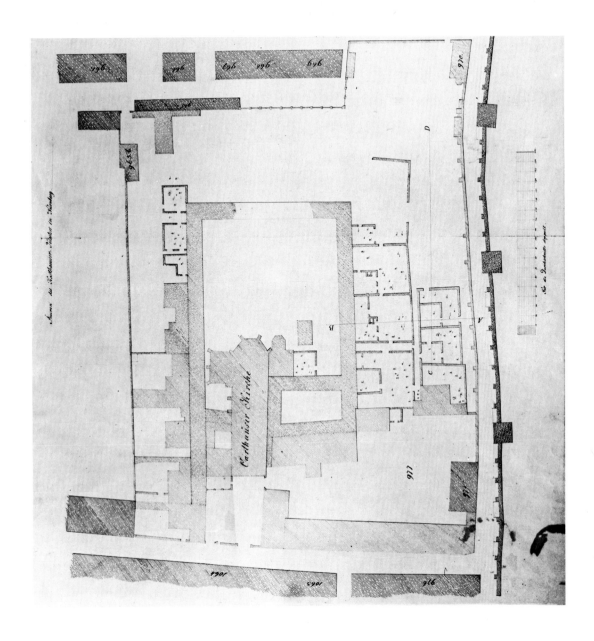

209. Aufmessung der Kartause von Ludwig Foltz, 1853, mit Ausweis der dem Königreich Bayern und der Stadt Nürnberg gehörigen Anteile. Die städtischen Anteile (zur Hauptsache Großer und Kleiner Kreuzgang) in der Abb. dunkler. Zeitgenössische Kopie von H. Thenn, Ausschnitt. Norden ist links

gehörigen Partien der Kartause, nämlich den Großen Kreuzgang samt von ihm umschlossenen
Garten, dem Museum schenkungsweise überließ[15].

Der Übergabe waren schon 1853 zwei Aufmessungen der Kartause nebst Gutachten vorausgegangen, am 7. Oktober durch den Kgl. Oberbaurat August von Voit aus München[16], am 26. Oktober
durch den Architekten und Professor am Münchner Polytechnikum, Ludwig II Foltz, der die 209
Kartause als „ein höchst interessantes Denkmal altdeutscher Baukunst" bezeichnete und sein Gutachten gleich mit einem Ausbauplan verband[17]. Da ein Teil der Kartause der Stadt Nürnberg gehörte,
war Stadtbaumeister Bernhard Solger an den Aufmessungen beteiligt, als deren Ergebnis außer den
Grundrissen noch zwei Querschnitte vom südlichen Kreuzgang- und Mönchshäuserbereich auf
diesen Plänen erhalten sind, die den teilweise ruinösen Zustand der Anlage erkennen lassen[18]. Auch
die Museumsleitung befaßte sich bereits mit der möglichen Nutzung der Kartause, so wurde ein auf
dem Foltz'schen Plan beruhendes Projekt, das an Stelle der baufälligen Mönchshäuser einen die drei
Flügel des Großen Kreuzgangs umschließenden Anbau vorsah, 1855 im „Anzeiger" veröffentlicht[19].
Ihm folgte 1856 ein weiterer Plan, der wieder von der Erhaltung der Mönchshäuser ausging, darüber
hinaus aber auch bauliche Erweiterungen in der Form angab, daß der Refektoriumsbau, am Kleinen
Kreuzgang, als Sammlungsgebäude bis zur Südgrenze des Grundstücks verlängert und dort durch
einen Querflügel an den bestehenden, für Archiv- und Bibliothekszwecke vorgesehenen Flügel an der
Kartäusergasse angebunden werden sollte[20]. Hinsichtlich Anlage und Erhaltungszustand der
Mönchshäuser differieren diese Pläne geringfügig; nochmals mit Abweichungen zeigt sich auch der
1858 dem Jahresbericht beigelegte Plan, der detailliert die Nutzung der bereits bezogenen oder noch 13
zur Übernahme anstehenden Gebäude nachweist[21].

Schließlich brachte der „Verlag der literarisch-artistischen Anstalt des germanischen Museums"
1860 einen großen Grundriß der Kartause heraus, der als Basis für die frühe Baugeschichte des 205, 208
Museums dienen soll[22]. Nachdem aufgrund der erwähnten königlichen Entscheidung vom 27. Januar
1857 das Kgl. Staatsministerium des Innern für Kirchen- und Schul-Angelegenheiten am 2. Februar
den Verkauf und die daraus sich ergebende Räumung durch das Militär der Regierung von Mittelfranken mitgeteilt hatte[23], begann am 20. April 1857 die schrittweise Übergabe des staatlichen Anteils an
das Museum. Zuerst wurde das zweistöckige „Kasernengebäude", das nachmalige Archiv, an der
Kartäusergasse geräumt, außerdem der ebenfalls zweistöckige Refektoriumstrakt an der Westseite des 24
Kleinen Kreuzgangs sowie die sogenannte „Zelle E" mit Gärtchen, gegenüber der Sakristei am
Nordkreuzgang und an der Grenze zum magistratlichen Teil gelegen. Am 30. April folgten der in den
Protokollen fälschlich als Sakristei bezeichnete Kapitelsaal südlich der Kirche und der als „Zelle I und 12, 209
II" bezeichnete Anbau am Nordende des Kasernenflügels an der Straße, am 7. Mai die „Zelle A" vgl. 177

[15] Altregistratur GNM (Anm. 13), Bl. 79, Brief des Magistrats vom 17. Juli 1857. – Kapsel 772: Notarieller Schenkungsvertrag vom 19. April 1858. – Vgl. auch Anzeiger GNM 1857, Sp. 221. – In dem Plan (Abb. 209) war der städtische Anteil rot, der staatliche grau angegeben, vgl. Anm. 18.

[16] Hampe, Festschrift, S. 44.

[17] Altregistratur GNM, Kapsel 315, Den Sitz des Museums in Nürnberg betr. 1853/4, Bl. 54 Grundriß; Bl. 55–58 Bericht betr. die Gestaltung von Localitäten in Nürnberg für das germanische Museum, 26. Oktober 1853, L. Foltz; Bl. 59–63 Erläuterungen zum Grundriß der Kartause zu Nürnberg als künftige Localität für das germanische Nationalmuseum. – Hampe, Festschrift, S. 46.

[18] Stadtarchiv Nürnberg, Plansammlung, I 283. – Eine weitere zeitgenössische Kopie dieses Plans von H. Thenn in der Plansammlung des GNM.

[19] Anzeiger GNM 1855, Beilage zu Heft 4. – Jahresbericht GNM 2 (für September 1854 bis Ende August 1855), 1855, S. 29.

[20] Jahresbericht GNM 3 (für September 1855 – 1. October 1856), 1856, S. 45. – Aufseß-Katalog 1972, E 10.

[21] Jahresbericht GNM 4 (für 1. October 1856 bis Ende 1857), 1858, S. 41.

[22] Grundriss der Karthause zu Nürnberg, Sitz des germanischen Museums. Nürnberg 1860. – Auch als Beilage in: Wegweiser GNM, 1861.

[23] Altregistratur GNM (Anm. 13), Bl. 36.

nördlich des Kirchenvorplatzes, ebenfalls an der Kartäusergasse, und die „Zellen C" und „D" am nördlichen Kreuzgang zwischen Zelle A und der schon früher übergebenen Zelle E[24]. Hinzu kam der städtische Teil, also der Große Kreuzgang mit dem teilzerstörten Ostflügel, mit den Zellen respektive deren teilweise allein erhaltenen Umfassungsmauern am Ostende des Nordflügels sowie am Südflügel, und der Kleine Kreuzgang an der Südseite der Kirche. Das Museum hatte sich auf den Eigentumsübergang gut vorbereitet; von Baurat Solger lag bereits ein Kostenvoranschlag für die notwendigsten Baumaßnahmen vor[25]. Alle Räume wurden gereinigt, Zwischenwände mußten herausgerissen oder neu eingezogen werden, Dächer wurden ausgebessert, Fenster ersetzt, so erhielt die Westfront des Refektoriumstrakts statt der sehr unregelmäßigen Fensteranordnung eine regelmäßige Folge; der Querriegel am Nordende des Archivbaues wurde zweistöckig neu aufgeführt, wobei das Richtfest bereits am 6. Juni stattfand[26]. Daß es hierbei nicht nur um die Schaffung zweckmäßiger Räume ging, wie bei dem Neubau anstelle des baufälligen Raumagglomerats am Nordende des Kasernen-/Archivbaus, sondern auch um eine vermeintliche Verschönerung, zeigen zwei Ansichten des westlichen Hofes: eine aquarellierte Federzeichnung Heinrich Stelzners von 1857 gibt rechts beim Refektoriumsbau den ursprünglichen Zustand an, eine lavierte Bleistiftzeichnung von Ludwig Braun die neue Fensteranordnung mit einer gleichmäßigen Reihung der Öffnungen im Obergeschoß, die mit den ohnehin weniger zahlreichen Erdgeschoßfenstern in eine Achsenbeziehung gesetzt sind und damit einer eigentlich erst nachmittelalterlichen Bauhaltung entsprechen[27].

Für den Ausbau erlaubte die Regierung von Mittelfranken am 3. Juni 1857, eine Kollekte zu veranstalten[28]. Vorausgegangen war eine in den Zeitungen veröffentlichte Bitte um Überlassung alter Bauteile, wie Fenster, Türklopfer, Geländer, Gitter, runde Scheiben (Butzenscheiben) usw., die für den stilvollen Ausbau benötigt wurden[29]. Parallel zu den ersten, vordringlichsten Umbau- und Wiederherstellungsmaßnahmen liefen die Vorbereitungen für den Umzug des Museums, der am 3. August begann. Archiv, Bibliothek, Repertorium und Büros kamen in dem freistehenden Flügel an der Kartäusergasse unter, ein Teil der Sammlungen im Kleinen Kreuzgang und im Refektoriumsbau, in dessen Erdgeschoß der alte Fußboden und die Balkendecke freigelegt wurden; in den bereits übernommenen Zellen wurden Werkstätten und Ateliers eingerichtet. Am 16. September 1857 konn-

[24] Altregistratur GNM (Anm. 13), Bl. 63–72: Verhandlungen über die nach und nach erfolgende und erfolgte Ueberweisung des Gebäude-Komplexes dahier von Seite des königlichen Militärärars an das Königliche Rentamt Nürnberg. 20. April 1857 (Bl. 63–67), 30. April 1857 (Bl. 68–69), 7. Mai (Bl. 70–72). Das Rentamt hat nur die Funktion eines Vermittlers und gibt die Bauteile sofort an das Museum weiter. – Am 2. Dezember 1857 wird auch der Hof zwischen dem Refektorium und dem ehemaligen Kasernengebäude (Archiv) an der Kartäusergasse übergeben (Bl. 105). – Die Bezeichnung der Bauabschnitte in den Protokollen entspricht nicht in allen Fällen der früheren, es folgt daher eine Konkordanz mit den Benennungen im Beitrag über die Kartause vor 1857 von Hermann Maué; in Klammern jeweils die Benennung bei Maué (Abb. 177): Kaserne/Archiv (Vorratsgebäude), Refektorium (dito), Zelle E (E), Zelle I und II (nicht vorhanden), Zelle A (A), Zelle C und D (B, C, D).

[25] Altregistratur GNM (Anm. 13), unpaginiert beigelegt Kostenvoranschlag Solgers vom 16. April 1857. – Am 11.3.1857 hatte sich der Lokalausschuß des Museums bereits zu einer Bausitzung zusammengefunden, am 30. März nochmals, vgl. Altregistratur GNM, Kapsel 316, Bauten Karthause 1857–61, Ausbau derselben, Wiederherstellung, Bl. 1, 4, 5. Auch wurde ein Kredit von 6000 fl aufgenommen, vgl. Anzeiger GNM 1857, Sp. 89.

[26] Altregistratur GNM, Kapsel 316, Bauten Karthause 1857–61, Ausbau derselben, Wiederherstellung, Bl. 88. – Der Bauantrag war erst am 22. April 1857 offiziell gestellt worden (Bl. 7).

[27] Kupferstichkabinett GNM, Kapsel 1442: 1) Hz 5199, aquarellierte Federzeichnung von Heinrich Stelzner, 1857. – Aufseß-Katalog 1972, E 17. – 2) SP (Hz 1034), lavierte Bleistiftzeichnung von Ludwig (Louis) Braun, bislang zu früh um 1860 datiert. – Aufseß-Katalog 1972, F 15. – Der westliche Hof wurde hier zusammen mit anderen Teilansichten des Museums abgebildet, das Blatt diente als Vorlage für eine Lithographie; es ist frühestens um 1868 anzusetzen, da der Treppenturm an der Südseite der ehemaligen, nun aufgestockten Klosterküche bereits steht und auf der Innenansicht der Kirche der Abguß des Braunschweiger Löwen erscheint, der 1867 aufgestellt wurde.

[28] Altregistratur GNM, Kapsel 315, Die Kartause, insbesondere Beiträge zum Ausbau derselben, Bl. 16.

[29] Altregistratur GNM (Anm. 26): Korrespondent von und für Deutschland, Nürnberg, Nr. 207, Morgenblatt, 23. April 1857, S. 4 (Bl. 10v); Nürnberger Friedens- und Kriegskurier, 23. April 1857, S. 4 (Bl. 16v).

ten die Sammlungen, soweit sie aus Platzmangel nicht noch im Tiergärtnertorturm verbleiben mußten, dem Publikum wieder zugänglich gemacht werden[30].

1858 wurden schließlich die letzten, noch ausstehenden Bauteile vom Staat übergeben, am 27. März das auch als „Remise" bezeichnete „Baumaterialmagazin" an der Südwestecke des Kleinen Kreuzgangs und am 5. November die sogenannte „Schmiede", also der westliche Teil der zweiten Zellenreihe im Süden. Kurz vor der Schmiede war am 22. Oktober 1858 die Sakristei nebst darüber befindlicher Kapelle, an der Nordseite der Kirche, die „Zelle B" zwischen Kirche und Nordkreuzgang sowie endlich die von den Militärbehörden zuletzt als Heumagazin benutzte Klosterkirche selbst an das Museum gekommen[31]. Auch sie bedurfte umfangreicher Wiederherstellungsarbeiten, nämlich Auswechslung von Steinen, Erneuerung von Gesimsen, Wiederherstellung und Ergänzung der Fenstermaßwerke und Verglasung, worüber am 10. November ein Bauvertrag abgeschlossen wurde, der als Endfrist für diese Arbeiten den 1. April 1859 festsetzte; ein gedruckter Aufruf um Spenden für diese Baumaßnahmen datiert vom 16. November 1858[32]. Nach Abschluß der Wiederherstellungsarbeiten begann die Ausstattung der Kirche, die als Kunsthalle die größeren Altäre, Gemälde und Skulpturen aufnehmen sollte. Auf Kosten der Berliner Pflegschaft, eines der ersten auswärtigen Unterstützungsvereine des Museums, wurde an der Nordwand der Kirche neben der Tür eine steinerne Rednerkanzel mit dem Wappen des Museums und einer Inschrift angebracht[33]. Eine Berechtigung für diesen Einbau sah man in der neben der Tür an der Außenseite vorhandenen Wendeltreppe, die zur zerstörten Lettneranlage gehörte. Außerdem wurde im Westende der Kirche eine vorn auf zwei Stützen ruhende hölzerne Galerie eingebaut. Ihre Brüstung nahm in neun Feldern von Maßwerkornamenten umspielte Schilde auf, die in Anlehnung an die Galerie der Vorhalle der etwa gleichzeitig mit der Klosterkirche entstandenen Nürnberger Frauenkirche die Wappen des Deutschen Reiches, der sieben Kurfürstentümer Trier, Köln, Mainz, Böhmen, Pfalz, Brandenburg, Sachsen sowie das SPQR des Römischen Prinzipats tragen[34].

Das Hauptstück der Kirchenausstattung aber bildete Wilhelm von Kaulbachs Fresko „Öffnung der Gruft Karls des Großen im Dom zu Aachen durch Kaiser Otto III." an der westlichen Südwand, wie einer lavierten Bleistiftzeichnung von Ludwig Braun mit mehreren Ansichten zu entnehmen ist[35]. Schon 1856 hatte Kaulbach zugesagt, die Kartause „durch ein der Sache entsprechendes größeres Wandgemälde zieren zu wollen"[36]. Am 9. Juli 1859 begann er mit der Arbeit, unterstützt von seinem Schwiegersohn August von Kreling, dem Direktor der Nürnberger Kunstschule und Mitglied des

13, 205, 209

18, 34

17

24, 345

[30] Anzeiger GNM 1857, Sp. 261, 295.
[31] Altregistratur GNM (Anm. 13, 24), 27. März 1858 (Bl. 107–108), 5. November (Bl. 116–117), 22. Oktober (Bl. 114–115). – Auch hier ist, wie bei Anm. 24, eine Konkordanz mit den früheren Bezeichnungen vonnöten, in Klammern jeweils die Angabe bei Maué (Abb. 177): Remise/Baumaterial (Küche), Schmiede (Zelle S), Zelle B (nicht vorhanden).
[32] Altregistratur GNM (Anm. 26): Vertrag mit Maurermeister Müller vom 10. 11. 1858 (Bl. 161); Spendenaufruf v. 16. 11. 1858 (Bl. 173). – Aufseß-Katalog 1972, E 19.
[33] Anzeiger GNM 1859, Sp. 217. – Illustrirte Zeitung Bd. 33 (1859), S. 247 (Abb. des Kircheninneren).
[34] Der Entwurf für die Galerie im Stadtarchiv Nürnberg, Plansammlung I, 285 (1). – Altregistratur GNM, Kapsel 316, Bauten, 1860/61 Ausbau des großen Kreuzganges usw., nicht paginiert: Kostenvoranschlag des Bildhauers L. Rotermundt vom 10. Mai 1859; Kostenvoranschlag über Schreinerarbeiten vom 4. Mai 1860. – Altregistratur GNM (Anm. 26), unpaginiert beigelegt: Vertrag mit Zimmermeister Schelhorn vom 20. 4. 1859. – Die Kosten für diese Galerie übernahm wiederum die Berliner Pflegschaft, vgl. Anzeiger GNM 1860, Sp. 169.
[35] Kupferstichkabinett GNM, Kapsel 1442: SP (Hz 1034). – Vgl. Wulf Schadendorf: Zur Sammlungsgeschichte des Germanischen Nationalmuseums und der Städtischen Galerie Nürnberg. In: Anzeiger GNM 1966, S. 142–172 (S. 145, Abb. 3). – Zum Gesamtblatt vgl. Anm. 27.
[36] Anzeiger GNM 1856, Sp. 177. – Das Fresko wurde später in den Vortragssaal übertragen, den ehemaligen Saal I, errichtet 1883/84 am Nordwestende des Nordkreuzganges für die vorgeschichtlichen Denkmäler. Beim Wiederaufbau des Museums nach 1945 konnte es nicht erhalten werden. – Aufseß-Katalog 1972, F 7. – Vgl. auch Schadendorf (Anm. 35), S. 142.

Verwaltungsausschusses des Museums. Des weiteren waren beteiligt der mit Kaulbach befreundete Julius Köckert sowie Jacob Eberhardt, ein Maler im Dienste des Museums[37]. Die Ausführung ging rasch vonstatten, bereits am 18. August 1859 fand die Enthüllung statt[38], bei der Aufseß von der neuen steinernen Kanzel aus die Festrede hielt. Zuerst erläuterte er die Darstellung mit den Worten: „Der erste und größte Kaiser des deutschen Reiches, Karl der Große, noch als Leiche sitzend auf dem Kaiserstuhle in seiner Herrlichkeit, doch starr und unmächtig, das Reichsschwert in der Rechten, das Evangelienbuch als Schutzherr der Kirche auf den Knieen haltend, in tiefer Gruft des Domes zu Aachen, wird nach fast 200jähriger Grabesruhe, im Jahre 1000, besucht von dem jugendlichen, hochaufstrebenden Kaiser Otto III., der, erstaunt und erschrocken über die kaiserliche Majestät seines großen Vorgängers, auf der Treppe der Kaisergruft stehen bleibt. Ein alter Kriegsknecht, der die Fackel zur Beleuchtung des Grabes voranträgt, an den sich der vorwitzige Hofnarr und Spielmann des jungen Kaisers angeschlossen, sinkt in Ehrfurcht und Schreck vor der mächtigen Kaiserleiche in die Kniee, während ein voraneilender Meßbube und ein deutscher kaiserlicher Edelknabe zurückschaudern, und ein anderer, zur Linken des Kaisers, ein Lombarde, noch trunken von der Tafelfreude, von der die Gesellschaft kommt, seinen Spott hat, und von den beiden Geistlichen zur Rechten des Kaisers gewarnt wird. Zwei Ritter im Gefolge des Kaisers erscheinen im Hintergrund, noch matt von oben herein beleuchtet durch die Tageshelle, während das kräftige Fackellicht dem ganzen Bilde von unten her einen magischen Glanz verleiht"; dieser von Ergriffenheit getragenen Beschreibung folgt eine Interpretation, die dem für die Historienmalerei der Jahrhundertmitte und speziell für die damalige Karls-Verehrung typischen Gemälde eine besondere Bedeutungsschicht abgewinnt, die nach Aufseß' zeitgebunden sicher richtigen Meinung darin liegt, „daß dem german. Museum kein treffenderes und schöneres Sinnbild seines Strebens gegeben werden konnte, als dieses. Denn auch wir sind berufen, hinabzusteigen in die lang verborgenen Tiefen der Vorzeit, um aufzusuchen des alten Reiches Herrlichkeit, sie, die längst abgestorbene, wieder hell zu beleuchten mit dem Fackelscheine der Wissenschaft, auf daß sich jedermann daran erfreue und stärke, ja, wie Kaiser Otto wollte, zu neuen Thaten der Ehre und des Ruhmes der deutschen Nation sich ermanne"[39].

Mit diesem programmatischen Gemälde war die Ausstattung der Kirche vollendet, denn ein 1861 von dem preußischen König und nachmaligen deutschen Kaiser Wilhelm I. gestiftetes Fenster mit der Darstellung der Grundsteinlegung der Kartause wurde einige Jahre später an anderer Stelle eingesetzt[40]. Im Zusammenhang mit der nationalen und retrospektiven Tendenz des Karls-Freskos ist aber noch eine nicht ausgeführte Dekorationsidee von Bedeutung. Für die Wandflächen am Haupteingang könne man sich, hieß es im „Anzeiger", keine passendere und „schönere Zierde" vorstellen, „als wenn der Patriotismus deutscher Künstler, durch W. v. Kaulbachs Bild in der Kunsthalle angefeuert, dieselben mit Darstellungen der Großthaten des deutschen Volkes schmücken wollte"[41]. Dieses

[37] Altregistratur GNM (Anm. 26), Bl. 196. – Hampe, Festschrift, S. 52. – Die Befestigung der Farben mit Wasserglas besorgte Max Pettenkofer, vgl. Anzeiger GNM 1859, Sp. 299. – 1861 malte Jacob Eberhardt, der auch die in der Kirche vorhandenen Wappenmalereien restauriert hatte, noch eine Einfassung des Freskos im romanischen Stil, vgl. Jahresbericht GNM 8 (für 1861), 1862, S. 2.

[38] Altregistratur GNM (Anm. 26), Bl. 202: Konzept der Einladung vom 16. 8. 1859. – Vgl. auch Jahresbericht GNM 6 (für 1859), 1860, S. 8, und Anzeiger GNM 1859, Sp. 297–299.

[39] Zitiert nach Anzeiger GNM 1859, Sp. 298. – Das Manuskript der ganzen Rede in Altregistratur (Anm. 26), Bl. 243–250. – Zur Karls-Verehrung in der Mitte des 19. Jahrhunderts vgl. Herbert von Einem: Die Tragödie der Karlsfresken Alfred Rethels. In: Karl der Große. Lebenswerk und Nachleben. Bd. 4: Das Nachleben. Hrsg. von Wolfgang Braunfels und Percy Ernst Schramm. Düsseldorf 1967, S. 306–325 (321), Abb. 3–6.

[40] Anzeiger GNM 1861, Sp. 161. – Vgl. den Abschnitt über die Wilhelmshalle.

[41] Jahresbericht GNM 8 (für 1861), 1862, S. 1. – Hampe, Festschrift, S. 53, gibt die Kirche (Kunsthalle) selbst als den für diesen Zyklus vorgesehenen Ort an, was sich aber nicht erweisen läßt, sieht man von der nicht eindeutigen Notiz im Anzeiger GNM 1857, Sp. 262, ab.

ikonographische Programm, das sich von den sonst bei Museen üblichen durch den nationalen Aspekt unterschied[42], kam aber nicht zur Ausführung, weil alle finanziellen Mittel für den Ausbau der Kartause benötigt wurden, standen doch auch nach Vollendung der Kirche noch viele Bauvorhaben an.

Zwar erfüllte der Archivbau an der Kartäusergasse noch immer alle Anforderungen, die Archiv, 205, 208 Bibliothek, Repertorium und Büros stellten, vor allem durch seinen nördlichen Neubau von 1857, auch war die sogenannte Zelle B zwischen Nordwestecke der Kirche und Nordkreuzgang für das Verkaufslokal der artistischen Anstalt hergerichtet, aber neben Wichtigerem bedurfte selbst der Vorhof vor der Kirche noch einiger Arbeiten. Die Mauer, die ihn gegen die Straße abgrenzte, erhielt eine große Bogenöffnung, die endlich 1862 mit einem zweiflügeligen eisernen Tor geschlossen werden 19 konnte, das die ausführende Firma Anspach, Foerderreuther & Co in Niederlamitz als „eine kleine Stiftung" übersandte[43]. Bereits Ende 1859 wurde der Torbogen mit einer großen Tafel bekrönt, die in vergoldeten Antiqua-Buchstaben die Inschrift „Germanisches / Museum / Eigenthum / der deutschen / Nation" trug[44] und damit programmatisch den besonderen, stiftungsbedingten Charakter der Anstalt ausdrückte. Der neue Eingang wurde deshalb auch im nächsten Jahresbericht abgebildet[45]. 19 Gleichzeitig wurde das Westportal der Kirche durch einen Spitzbogen regotisiert[46].

Zu den frühen, sogleich unter Solgers Leitung vorgenommenen Maßnahmen gehörte auch die bereits erwähnte Wiederherstellung des Refektoriumsbaues am Kleinen Kreuzgang[47]. Das Erdge- 205 schoß nahm neben einem schmalen Raum mit einer Treppe, die erst 1868 beseitigt wurde[48], und einem Zwischensaal, der anfangs der Erweiterung der Waffensammlung in dem ebenfalls rasch wiederherge- 14, 423

---

[42] Da neben August von Kreling auch Michael Echter Interesse an der Ausführung dieses Zyklus gezeigt hatte, ist zu vermuten, daß die Wiederherstellung und Neudekoration der Wartburg bei diesem Projekt Pate gestanden hat, zumal die Burg zeitweilig als Sitz des Museums im Gespräch war. Zur Wartburg vgl. Werner Noth: Die Wartburg. Leipzig 1967, S. 123–128. – Wolfgang E. Stopfel: Die Wartburg als Kunstwerk, Kunstwerke der Wartburg. In: Wartburg – Wittenberg. Beiträge zum Jahr der Jubiläen 1967 (Die Mitte. Folge 3). Hamburg 1967, S. 39–62 (53–56). – Georg Karpe: Die Wartburg über Eisenach. Festgabe zur 900-Jahr-Feier der Wartburg 1967. Quellenmaterial zu ihrer Geschichte bis zur Mitte des 19. Jahrhunderts aus den Beständen der Universitätsbibliothek Jena. Jena 1967, Kat. Nr. 57–59. – Rudolf Ziessler: Die Wartburg und die Geschichte ihrer Restaurierung. In: Neue Museumskunde Jg. 10 (1967), S. 251–266 (258–259).
Zur Museumsikonographie vgl. Volker Plagemann: Das deutsche Kunstmuseum 1790–1870 (Studien zur Kunst des neunzehnten Jahrhunderts, Bd. 3). München 1967, der bes. S. 87–88, S. 98–100, S. 193–194 nachweist, daß die Bildprogramme mehr oder weniger im Banne der Kunstgeschichte stehen.
Ein geistiger Zusammenhang läßt sich aber mit dem ersten Bau des Bayerischen Nationalmuseums in München herstellen, 1859–67 von Eduard Riedel. Hier waren die anfangs nicht für Ausstellungszwecke vorgesehenen Säle im ersten Stock mit Darstellungen aus der bayerischen Geschichte geschmückt, was damit zusammenhängt, daß dieses Institut ursprünglich ein Wittelsbacher Museum werden sollte. Zu dieser sogenannten Historischen Galerie vgl.: Das bayerische Nationalmuseum. München 1868, S. 325–378. An diesem Zyklus waren auch Julius Köckert (S. 327, 337, 371) und Michael Welter (S. 361–362) beteiligt.

[43] Brief der Fa. Anspach, Förderreuther & Comp. vom 27. Januar 1862, vgl. Altregistratur GNM, Kapsel 316, Bauten Karthause 1862–1874, Bl. 5, und Anzeiger GNM 1862, Sp. 242. – Im Jahresbericht GNM 4 (für 1. October 1856 bis Ende 1857), 1858, S. 1, wird der Vorhof zwar ohne Mauer abgebildet, ebenso auf einer undatierten Federzeichnung (Kupferstichkabinett GNM, Kapsel 1442, o. Nr.) (Abb. 169), doch weisen die Grundrisse diese Mauer nach, wenngleich mit unterschiedlichen Angaben über die Situation der großen Durchfahrt.

[44] Gesuch um baupolizeiliche Genehmigung vom 6. Oktober 1859, vgl. Altregistratur (Anm. 26), Bl. 218. – Abb. in: Jahresbericht GNM 6 (für 1859), 1860, S. 1 (Abb. 19) Aufseß-Katalog 1972, Rückendeckel, u. Kat. Nr. D 10 (mit der ungenauen Angabe: vor 1862). – Am 4. und 19. April 1859 wurde mit dem Maurermeister Müller wegen der Mauer mit Tür und Tor am Vorhof akkordiert, unpaginierte Beilage in Altregistratur (Anm. 26).

[45] Jahresbericht GNM 6 (für 1859), 1860, S. 1.

[46] Vgl. die beiden Ansichten in Jahresbericht GNM 4 (für 1. October 1856 bis Ende 1857), 1858, S. 1, und 6 (für 1859), 1860, S. 1.

[47] Eine Domenico Quaglio zugeschriebene Innenansicht des Kleinen Kreuzgangs im Kupferstichkabinett GNM, Kapsel 1442, Hz 5911 (=St. N. 16966).

[48] Jahresbericht GNM 15 (für 1868), 1869, S. 2. Durch den Wegfall der Treppe wurde das kleine Refektorium bis zur Kirche hin vergrößert, das neue Treppenhaus entstand im Winkel zwischen dem Anbau an der Südwestecke des Großen Kreuzgangs und dem später, ab 1872 aufgeführten Westkreuzgangflügel des Augustinerbaues (Abb. 24).

Die Fenster des südlichen Kreuzganges der Karthause,
welche durch Beiträge einzelner Wohlthäter 1860 neu in Stein hergestellt worden.

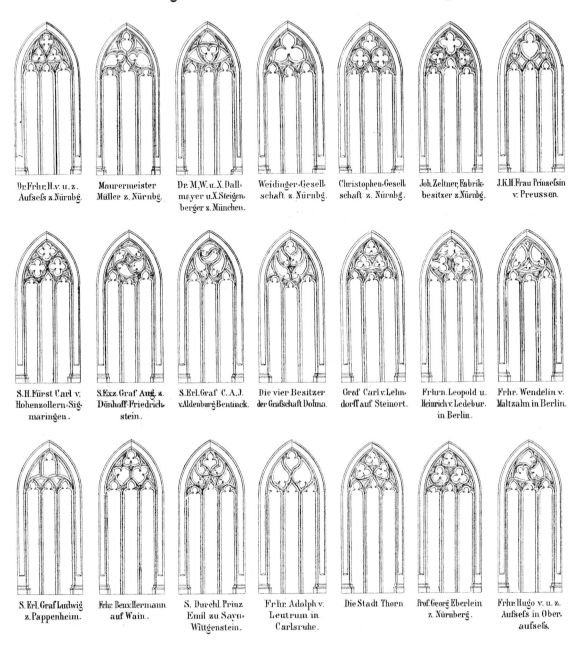

Dr. Frhr. H. v. u. z. Aufsefs z. Nürnbg.

Maurermeister Müller z. Nürnbg.

Dr. M. W. u. X. Dallmayer u. X. Steigenberger z. München.

Weidinger-Gesellschaft z. Nürnbg.

Christophen-Gesellschaft z. Nürnbg.

Joh. Zeltner, Fabrikbesitzer z. Nürnbg.

J. K. H. Frau Prinzefsin v. Preussen.

S. H. Fürst Carl v. Hohenzollern-Sigmaringen.

S. Exz. Graf Aug. z. Dönhoff-Friedrichstein.

S. Erl. Graf C. A. J. v. Aldenburg Bentinck.

Die vier Besitzer der Grafschaft Dolma.

Graf Carl v. Lehndorff auf Steinort.

Frhrn. Leopold u. Heinrich v. Ledebur in Berlin.

Frhr. Wendelin v. Maltzahn in Berlin.

S. Erl. Graf Ludwig z. Pappenheim.

Frhr. Benx. Hermann auf Wain.

S. Durchl. Prinz Emil zu Sayn-Wittgenstein.

Frhr. Adolph v. Leutrum in Carlsruhe.

Die Stadt Thorn.

Prof. Georg Eberlein z. Nürnberg.

Frhr. Hugo v. u. z. Aufsefs in Oberaufsefs.

210. Maßwerkentwürfe für die Fenster im Südflügel des Großen Kreuzgangs, Beilage zum Anzeiger GNM 1860

stellten Kreuzgang diente, im größeren südlichen Teil die sogenannte Frauenhalle auf, deren Ausse- 388
hen durch eine lavierte Federzeichnung von Paul Ritter überliefert ist[49]. Dieser Saal mit freigelegter
historischer Holzdecke und Bodenkachelung diente, als spätmittelalterlicher Wohnraum interpretiert, dazu „das Leben und Wirken der Frauen in der deutschen Vergangenheit in gleichzeitigen
Abbildungen, Denkmälern, Erzeugnissen weiblichen Fleisses u.s.f. zur Anschauung zu bringen"[50].
Diese ambienteartige Darbietung wurde aufgrund seiner andersartigen Zielsetzung von Essenwein
gegen 1870 aufgelöst, da es sich um ein verfälschendes „romantisches Aufstellungsbild" handele, das
höchstens als „Folie für historische oder Genrebilder" dienen könne, nicht aber einer wissenschaftlichen Sammlung angemessen sei[51]. Im Obergeschoß dieses Traktes befanden sich die Siegelsammlung
und der Kunstsaal mit der Kupferstichsammlung. 334

Trotz ihres bei der Übernahme teilweise schlechten Zustandes konnten die bisher besprochenen
Teile des Klosters mit kleineren Baumaßnahmen gleich nach Bezug der Kartause zum Gebrauch
hergerichtet werden. Bedeutende Schwierigkeiten brachte dagegen der Große Kreuzgang mit sich. 13, 205
Relativ einfach war noch die rasche Einbeziehung der ehemaligen Mönchshäuser am Westteil des
Nordflügels, die auch schon vorher benutzt waren und jetzt nach teilweise kleinen Umbauten
verschiedene Werkstätten aufnahmen. Zuerst wurde der lange Nordflügel hergerichtet, bei dem, wie
auch alte Ansichten, etwa die Heinrich Stelzners von 1857, ausweisen, das Fenstermaßwerk in seiner 12, 183
Südfront am Garten noch gut erhalten war[52]. Bereits 1857 konnte er provisorisch verglast und zur
Aufnahme größerer Sammlungsstücke hergerichtet werden. 1859 waren die wenigen an den Maßwerken notwendigen Arbeiten soweit abgeschlossen, daß dieser Flügel offiziell als vollendet galt und in
dem dem Jahresbericht beigelegten Grundriß als „Grabsteinhalle" ausgewiesen wurde[53]. Gegen den 15, 347
halbzerstörten Ostflügel blieb er durch eine interimistische Mauer abgetrennt, ebenso wie der
Südflügel, dessen Wiederherstellung 1860–62 erfolgte. 1860 wird im Februarheft des „Anzeigers"
berichtet, man habe mit einem Steinmetzmeister akkordiert und könne jetzt die Kosten für die neue
Maßwerkgliederung jedes der erforderlichen 21 Fenster mit 58 Gulden oder 32 Talern angeben. „Wer
nun ein solches Fenster herstellen und obige Summe einsenden will, kann unter den Zeichnungen ein
beliebiges Maßwerk auswählen, welches sofort, mit Wappen und Namen des Stifters zum ewigen
Gedächtniß, ausgeführt werden wird. Bereits sind aus Nürnberg einige Anmeldungen eingegangen,
und hiezu die Steine angeschafft ... Für Glaserarbeiten wird das Museum dann weitere Sorge
tragen"[54]. Schon im Juniheft des gleichen Jahres konnte der erfolgreiche Abschluß dieser Aktion
gemeldet werden, ein ausführlicher Bericht, der auch die teilweise Übernahme der Verglasungskosten
durch die Stifter erwähnt, folgt im Juli und wird durch eine Tafel mit der Abbildung aller Maßwerke 210

[49] Kupferstichkabinett GNM, Kapsel 1442, SP 10808. – Aufseß-Katalog 1972, F 16. – Die Zeichnung Ritters von 1857 diente
als Vorlage für einen Holzstich in: Illustrirte Zeitung Bd. 30 (1858), S. 153, ebenfalls in Kapsel 1442, o. Nr., auch
reproduziert in: Hampe, Festschrift, S. 58.
[50] Hampe, Festschrift, S. 56. – Vgl. Jahresbericht GNM 5 (für 1858), 1859, S. 8. – Besondere Unterstützung erfuhr der
Ausbau dieses Saales durch den Frauenverein der Berliner Pflegschaft, vgl. Jahresbericht GNM 7 (für 1860), 1861, S. 1. –
Bereits 1860 wurde auch der Vorsaal zur Ausstellung von Hausgerät benutzt, wie der 1860 in Druck gegebene Führer
ausweist, vgl. Wegweiser GNM 1861 (2. Aufl.), S. 25. – Anzeiger GNM 1857, Sp. 157.
[51] Essenwein (Anm. 3), S. 18.
[52] Kupferstichkabinett GNM, Kapsel 1442: Hz 5200, aquarellierte Federzeichnung von Heinrich Stelzner, 1857 (Aufseß-
Katalog 1972, E 13), auch als Vorlage für einen Holzstich benutzt (o. Nr., abgebildet in: Illustrirte Zeitung Bd. 28 (1857),
S. 260); gleichfalls o. Nr.: Innenansicht, Aquarell von 1856 und danach angefertigter Holzstich aus: Illustrirte Zeitung
Bd. 28 (1857), S. 261; außerdem: Norica 559, Bleistiftzeichnung von E. (Eberhard?) Emminger, die aber nicht so
zuverlässig wie das Blatt von Stelzner erscheint und vor allem nicht dessen Qualität erreicht. – Auch in einem dem
Jahresbericht GNM 4 (für 1. October 1856 bis Ende 1857), 1858, beigegebenen Plan wird der Nordflügel des Großen
Kreuzgangs als „guterhalten" bezeichnet.
[53] Anzeiger GNM 1857, Sp. 293; 1858, Sp. 153; 1860, Sp. 57. – Jahresbericht GNM 4 (für 1. October 1856 bis Ende 1857),
1858, S. 8; 6 (für 1859), 1860, S. 53.
[54] Anzeiger GNM 1860, Sp. 57.

vgl. 36 illustriert[55]. Die Formen des Maßwerks lehnen sich an die des nördlichen Kreuzgangs an, sie zeigen Fischblasen, Drei- und Vierpässe. Schwierigkeiten gab es mit der Verglasung, die teilweise nicht sogleich in der erwünschten Form erfolgen konnte, denn noch 1865 wird in einem Monatsbericht der Würzburger Kaufmann C. Möller dankbar erwähnt, weil er „von den alten sog. Butzenscheiben, wie solche zur Verglasung dieses Kreuzganges verwendet werden, hier am Orte aber schon ziemlich vergriffen sind, eine größere Partie uns zugehen ließ"; 1866 wird eine weitere Stiftung angeführt[56].

13, 205 Vorbereitet wurde in diesen Jahren die Wiederherstellung des Ostflügels des Großen Kreuzgangs, von dem nur noch Teile der östlichen und westlichen Mauer standen, wie einem Aquarell von 1847 zu entnehmen ist[57]. Für kurze Zeit bestand sogar die Absicht, den Haupteingang an die Ostseite dieses Flügels zu legen[58]. Während aber die veranschlagten Kosten von 8000 fl. für die Außenwand nebst Gewölben und Dach nicht so bald zusammenkamen, war die Anfertigung der Fenstermaßwerke, teilweise sogar deren Ausschmückung mit Glasgemälden, 1863 gesichert[59]. Wie beim Südkreuzgang konnten auch hier die potentiellen Stifter zwischen verschiedenen Entwürfen eine Auswahl treffen[60]. Den Anfang hatte 1861 die „Kommission zur Entwerfung eines allgemeinen deutschen Handelsgesetzbuches" gemacht, nachdem sie 1857, 1858, 1860 und in dem genannten Jahr in Nürnberg zusammengekommen war. Dieses Gremium stiftete nicht nur ein Maßwerk, sondern auch ein Glasgemälde, für das ein genaues Programm festgelegt wurde. Es sah vor: oben im Maßwerk erscheint der zweiköpfige schwarze Reichsadler auf gelbem Grund, die drei Lanzetten nehmen die Wappen der einundzwanzig beteiligten Staaten sowie die Namen der Kommissionsmitglieder auf[61]. Adlige und bürgerliche Stifter schlossen sich an, von denen hier, um einmal die breitgestreute Resonanz solcher Spendenaufrufe namentlich zu belegen, der Großherzog von Oldenburg, der Herzog zu Anhalt, Graf Giech, der Vizekanzler der Universität Rostock Dr. Karl Friedrich von Both, der deutsche Schriftstellerverein in Leipzig und der Wiener Turnverein genannt seien[62]. Sie mußten aber noch einige Jahre auf die Ausführung ihrer Stiftungen warten[63].

[55] Anzeiger GNM 1860, Sp. 211, 249 u. Beilage zu Heft 7. – Jahresbericht GNM 7 (für 1860), 1861, S. 1, 4. – Ein Dankschreiben an alle Stifter, dem die Anzeiger-Beilage zugefügt wird, datiert vom 7. August 1860, vgl. Altregistratur (Anm. 26), Bl. 253, daselbst Bl. 226 ff. die vorausgegangene Korrespondenz mit den Stiftern. – Die auf der Tafel als Stifterin genannte Prinzessin von Preußen ist die spätere Kaiserin Augusta, die Gemahlin des derzeitigen Prinzregenten, nachmaligen Königs und Kaisers Wilhelm I., der seinerseits ein ursprünglich für die Kirche gedachtes Glasfenster gestiftet hatte, vgl. hierzu Anm. 40.

[56] Anzeiger GNM 1865, Sp. 321, u. 1866, Sp. 97–98. – Schon in früheren Jahren waren größere Sendungen von Butzenscheiben dankbar angenommene Geschenke, vgl. z. B. Jahresbericht GNM 6 (für 1859), 1860, S. 3. – Zur späteren Neuverglasung vgl. Stifterwappen (Anm. 63), Raum 26.

[57] Kupferstichkabinett GNM, Kapsel 1442, o. Nr.; die auf dem Blatt angegebene Datierung läßt sich auch als „1841" lesen, was aber in diesem Zusammenhang nicht von Bedeutung ist. – Einen Eindruck von der Zerstörung vermittelt auch eine lavierte Bleistiftzeichnung, Mitte 19. Jahrhundert, mit einem Blick aus dem Ostkreuzgang nach Westen in den Garten auf die Kirche und den Nordkreuzgang (ebenfalls o. Nr. in Kapsel 1442), sowie eine Bleistiftzeichnung von Johann Maar (Kapsel 1442, SP 6273) und ein Aquarell von 1867 (Kapsel 1442a, SP 10599; Aufseß-Katalog 1972, E 16).

[58] Jahresbericht GNM 9 (für 1862), 1863, S. 4.

[59] Jahresbericht GNM 10 (für 1863), 1864, S. 2. – Ein Verzeichnis der Stifter schon im Jahresbericht GNM 9 (für 1862), 1863, S. 61; der hier mitangeführte Graf Schönborn zieht seine Stiftung wieder zurück, vgl. Altregistratur GNM (Anm. 43), Bl. 56; aus ebenda Bl. 58–59 geht dann die im 10. Jahresbericht erwähnte Stiftung des Großherzogs Peter von Oldenburg hervor, der auch in dem neuen Stifterverzeichnis erscheint, vgl. Jahresbericht GNM 12 (für 1865), 1866, S. 64.

[60] Vgl. z. B. die Korrespondenz mit dem Herzog von Anhalt-Dessau, Altregistratur (Anm. 43), Bl. 15–17, 21.

[61] Altregistratur (Anm. 26), Bl. 272, 281–286. – Anzeiger GNM 1862, Extrabeilage zu Nr. 1. – Altregistratur (Anm. 43), Bl. 65, 66. – Vgl. auch Anm. 59. – Das Fenster wurde nach der 1869 erfolgten Vollendung des Kreuzgangostflügels eingesetzt.

[62] Außer den Genannten handelte es sich um: Rittergutsbesitzer Manecke auf Duggenkoppel in Mecklenburg-Schwerin; H. A. Cornill d' Orville, Weinhändler in Frankfurt a. M.; Notar Ludwig Ansmann in Homburg/Pfalz; Dr. J. Th. Erbstein, k. sächs. Hauptstaatsarchivar zu Dresden; C. F. Förster, preußischer Hofagent und Redakteur der Neuesten Dresdner Nachrichten, Dresden; C. von Bernuth, Regierungsrätin, Berlin. – Vgl. Anm. 58. – Für eines der gräflich Giech'schen Fenster befindet sich der Entwurf im Kupferstichkabinett GNM, Kapsel 1442, SP 11189: aquarellierte Federzeichnung mit teilweiser Angabe der Inschrift in der Bogenlaibung und Datierung der Stiftung 1862; das Fenster sollte demnach Butzenscheiben in den Lanzetten erhalten und im Maßwerk durch einige farbige Wappenscheiben bereichert werden.

Daneben wurden in der ersten Hälfte der sechziger Jahre, zunächst noch ohne konkrete Bauabsichten, wesentliche Voraussetzungen für die zukünftige Entwicklung des Museums geschaffen. Am 20. Dezember 1861 baten Aufseß und der Verwaltungsausschuß den Nürnberger Magistrat um Überlassung des zur Kartause gehörigen, derzeit gepachteten Gartens außerhalb des Großen Kreuzgangs[64]. Nach einem vorläufigen Bescheid der Stadtkämmerei vom 14. November 1862 entsprach der Magistrat am 27. November 1863 dieser Bitte unter der Bedingung, daß an der Ost- und Südseite zwei schmale Landstreifen der Stadt verblieben und das Museum die Grenzmauer auf eigene Kosten entsprechend zurücknehme sowie für einen eventuellen Galeriebau eine spezielle Genehmigung einhole[65]. Damit hatte die Museumsleitung den Grundbesitz vorausschauend arrondiert.

Die eigentliche Bautätigkeit jedoch kam ab 1862 fast zum Erliegen, die aufgewendeten Mittel blieben unter 1000 Mark jährlich und dürften somit weitgehend nur dem Bauunterhalt gedient haben[66]. Das hing einmal damit zusammen, daß nach Aufseß' Rücktritt im Jahre 1862 mit dem langjährigen Gelehrtenausschußmitglied Professor Andreas Ludwig Jakob Michelsen nur vorübergehend, von Januar 1863 bis August 1864, ein neuer I. Vorstand amtierte und dieser Posten dann bis zum März 1866 vakant blieb, mithin wenig Aktivität entwickelt werden konnte. Hinzu kam die finanzielle Lage des Museums, nämlich die Überschuldung wegen des Erwerbs der Aufseßschen Sammlung und der Kosten der bisherigen Baumaßnahmen, weshalb schon Ende 1861 eine Anleihe von 65 000 Gulden zur Umschuldung aufgenommen werden mußte[67]. An dieser finanziellen Problematik änderten auch die Jahresbeiträge von regierenden Häusern, von deutschen Staatsregierungen und anderen Gebietskörperschaften wie Kreisen und Städten sowie von Privatpersonen nichts, zumal alle diese Zahlungen, auch wenn sie in der Regel für einen längeren Zeitraum zugesagt wurden, freiwillig blieben. So war das Museum, um seinen Verpflichtungen nachzukommen, zusätzlich auf die noch weniger kalkulierbaren Einzelspenden angewiesen, die zweckgebunden für Bauten und Erwerbungen oder aber ohne besondere Bestimmung eingingen. Sie kamen ebenfalls aus öffentlichen Kassen, zu einem erheblichen Teil aber auch von Privatpersonen[68], deren Spenden neben dem finanziellen Aspekt sehr erwünscht waren, weil sie als Ausdruck der Volkstümlichkeit des Museums angesehen werden konnten. Darauf zielte schon eine Bemerkung Aufseß' nach dem Einzug in die Kartause, als er befriedigt feststellte: „Hier ist ein Gesammteigenthum der deutschen Nation, wie kein anderes irgendwo; hier sind Zeugnisse der germanischen Kultur, Wissenschaft und Kunst, und zwar Allen zugänglich, Allen zum Nutzen und Frommen. Daß sie durch den freien Willen der Nation, aller ihrer Glieder und Stämme zusammenflossen, nicht auf ein Meisterwort, nicht durch das Kapital eines Einzigen, das gibt ihnen erst einen höheren Werth und die Bürgschaft ewiger Dauer und großen Wachsthums"[69].

Trotz zahlreicher Schwierigkeiten hatte Aufseß, als er 1862 die Leitung der Anstalt niederlegte, mit

---

[63] Eine Gesamtaufstellung bringt das maschinenschriftliche Inventar: Stifterwappen und gestiftete Fenster in den Sammlungen (um 1930), Raum 17.

[64] Altregistratur GNM, Kapsel 315, Bauten Karthause, Garten derselben . . . 1857–62, Bl. 85–88, darin wird Bl. 86 erwähnt, daß in diesem Gartenteil nach Plänen von Stadtbaurat Solger eventuell eine Gemäldegalerie errichtet werden soll.

[65] Altregistratur (Anm. 64), unpaginiertes Blatt: Mitteilung der Stadtkämmerei vom 14.11.1862 über das Ende der Pachtzahlungen. – Altregistratur GNM, Kapsel 316, Bauten Karthause, schenkungsweise Überlassung des Klostergartens 1863–66, unpaginiertes Blatt: Magistratsbrief vom 27.11.1863. – Die notarielle Schenkungsurkunde wurde am 25. Januar 1865 aufgestellt, Altregistratur GNM, Kapsel 772. – Jahresbericht GNM 9 (für 1862), 1863, S. 3.

[66] 1886 veröffentlicht Essenwein eine tabellarische „Übersicht über die Ausgaben des germanischen Museums" für die Jahre 1852–1885, die das Auf und Ab der Kosten für Bauten, Sammlungen usw. darstellt, vgl. Anzeiger GNM 1884–1886, Beilage zu Nr. 33/34.

[67] Zu den Details der Anleihe vgl. Jahresbericht GNM 8 (für 1861), 1862, S. 1, und Anzeiger GNM 1861, Sp. 383–384, 455–456. – Altregistratur GNM, Kapsel 316, Bauten Karthause: Hypothekenangelegenheiten 1858–61, sowie Kapsel 378.

[68] Die Spender wurden teilweise in den Monatsberichten im „Anzeiger" erwähnt und vollständig in Form verschiedener, den „Jahresberichten" beigegebener Listen angeführt.

[69] Jahresbericht GNM 6 (für 1859), 1860, S. 2. – Ähnliches klingt in jedem Jahresbericht an und diente der Aufrechterhaltung der Opferbereitschaft.

211. Ostflügel des Großen Kreuzgangs, Blick nach Norden. Zustand 1939

der vorläufig abgeschlossenen Wiederherstellung der Kartause erreicht, daß vorerst genügend Räume vorhanden waren, um die Arbeit an den Repertorien durchzuführen und die Sammlungen dem Publikum zugänglich zu machen. Nach der mit seinem Rücktritt einsetzenden Ruhe- und Konsolidierungsphase konnte dann ab 1866 der neue Vorstand August Essenwein auf einer finanziell zwar immer noch schwachen, aber durch öffentliche Anteilnahme halbwegs abgesicherten Basis seine initiativereiche Tätigkeit entfalten.

Die Ära Essenwein, 1866 – 1892/94

□ Vollendung der Kartause und Übertragung des Augustinerklosters, 1866 – 1880

Nach der im Januar 1866 auf ihn gefallenen Wahl trat August Essenwein sein Amt als I. Vorstand am 1. März an[70]. Knapp vierzehn Jahre vorher, 1852, hatte er sich aus „Begeisterung für mittelalterliche Kunst" an dem gerade gegründeten Museum beworben[71], konnte aber mangels entsprechender Aufgaben nicht angestellt werden. Inzwischen ein angesehener Architekt, Bauhistoriker und Kunstgewerbefachmann, bekam er nun Gelegenheit, diese seine Begeisterung mit einem sehr viel weiter gespannnten Aufgabenkreis in den Dienst desselben Instituts zu stellen.

Wenn ihn, durch die finanzielle Lage bedingt, schon bald grundsätzliche Erwägungen über die Zukunft des Museums beschäftigen sollten, so nahm ihn doch sogleich auch das aktuellste Problem in Anspruch, die bauliche Vollendung der Kartause. Hier stand an erster Stelle der Wiederaufbau des Ostflügels des Großen Kreuzgangs. Dank eines Geldgeschenks König Ludwigs I. von Bayern konnte im Februar 1868 mit den Bauarbeiten begonnen werden[72]. Im mittleren Bereich wurden die Außenwände wieder hochgezogen, in der westlichen Wand – zum Klostergarten hin – wurden die bereits 1862/63 gestifteten Fenstermaßwerke ausgeführt, teils als völlige Neuanfertigungen, teils – am Nord- und Südende der Front – durch Restaurierung. Außerdem erhielt dieser Bauteil unter einem ziegelgedeckten Satteldach Kreuzrippengewölbe in Analogie zum Nord- und Südflügel, so daß der Kreuzgang als ein geschlossenes Ganzes wiedererstand. Der Ostflügel zeichnete sich aber insofern als Neubau aus, als seine Gewölbeschlußsteine zur Erinnerung an den Stifter alternierend ein gekröntes L für Ludwig I. sowie den bayerischen Rautenschild zeigten. Schon bald konnten auch die bereits erwähnten, teilweise farbigen Glasfenster eingesetzt werden, da der Kreuzgang bereits Ende des Jahres 1868 baulich fertiggestellt war[73]. Ein Teil wurde 1869, der ganze Kreuzgang 1870 eröffnet, obwohl noch nicht alle für diesen Bereich vorgesehenen Abgüsse von Grabdenkmälern fürstlicher Häuser eingetroffen waren[74].

Der sich – trotz neuerer Zutaten, wie den Schlußsteinen im Ostflügel des Kreuzgangs – am

22

205

211, 346

[70] Hampe, Festschrift, S. 77, 85–88. – Anzeiger GNM 1866, Sp. 25, 65, 97.
[71] Altregistratur GNM, Kapsel 3, Lfd. Nr. 15, Bl. 1. – Bewerbungsschreiben August Essenweins vom 24. November 1852: „. . . Meine Begeisterung für mittelalterliche Kunst ließ in mir den Wunsch entstehen, bei dieser Anstalt Beschäftigung zu finden, um so mehr, als sie gerade in Nürnberg ins Leben treten soll, einer Stadt, die wie kaum eine andere deutsche, ihr mittelalterliches Aussehen sowie ihre Kunstwerke bewahrt hat, und wo ich außerdem Gelegenheit hätte, ihren vollständigen und ausgedehnten Einfluß auf neuere Architektur, sowie auch auf die Gewerbe, . . ., kennen zu lernen . . .". Der noch weiter ausgeführten Begründung folgt dann die Bitte an Frhrn. v. Aufseß „. . . falls eine angemessene Stelle für einen jungen Architekten sich ergeben sollte, durch Ihren Einfluß mir dieselbe gefälligst zuwenden zu wollen . . .".
[72] Anzeiger GNM 1867, Sp. 345. – Es war das letzte Geschenk dieses langjährigen Förderers, der bald darauf, am 29. Februar 1868, in Nizza starb.
[73] Jahresbericht GNM 15 (für 1868), 1869, S. 2. – Altregistratur GNM (Anm. 43), unpaginiert. 1.) Der Baugenehmigungsantrag war erst nachträglich, gemeinsam mit dem für die Wilhelmshalle und einen Zellenausbau, am 17. Oktober 1868 gestellt und mit Schreiben des Magistrats der Stadt Nürnberg vom 29. Dezember des Jahres gebilligt worden. 2.) Zwei vom Grafen Giech gestiftete Fenster, ausgeführt von Hermann Kellner, Münster-Glasmaler in Ulm, wurde 1869 eingesetzt, vgl. den Brief Kellners vom 6. Mai 1869. 3.) Nach einem am 4. Dezember 1869 datierten Brief war das Fenster der Handelsgesetzgebungskommission auch Ende 1869 noch nicht fertig.
[74] Jahresbericht GNM 16 (für 1869), 1870, S. 2; 17 (für 1870), 1871, S. 2.

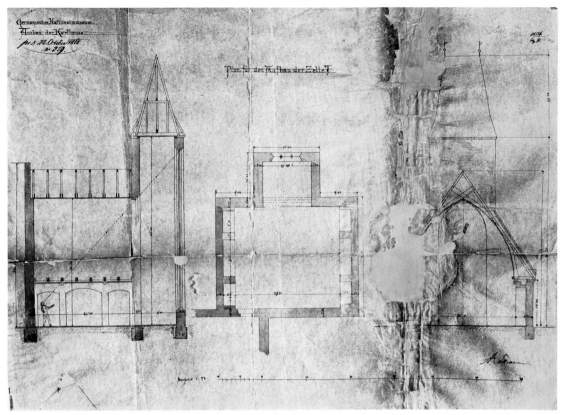

212. Wilhelmshalle. Ausführungsentwurf von August Essenwein, 1868 (Stadtarchiv Nürnberg)

Vorhandenen orientierende Wiederaufbau des Klosters vereinheitlichte in seiner zeitbedingten Tendenz zur Stileinheit und -reinheit die Gesamterscheinung stärker, als das im Mittelalter der Fall gewesen wäre, in dem durch die langen Bauzeiten sich von selbst Änderungen im Stil ergaben. Dieses Problem erkannte die Denkmalpflege des mittleren 19. Jahrhunderts noch nicht und hielt deshalb bei den Wiederherstellungen an einer Erscheinungsform fest, die das betreffende Gebäude in einem beliebigen Jahr seiner Hauptentstehungszeit hatte[75]. Mit der lange gewünschten Fertigstellung des Kreuzgangostflügels, der den Namen Ludwigskreuzgang erhielt, konnte die Restaurierung der Kartause als abgeschlossen gelten, denn die ehemaligen Mönchshäuser bestanden – soweit sie nicht schon genutzt wurden – nur noch aus den Überresten ihrer Umfassungsmauern, kamen also für eine echte Wiederherstellung nicht in Betracht. Sie wären auch für Ausstellungszwecke zu verwinkelt gewesen, so daß ein Neubau mit historischen Reminiszenzen, d. h. unter Verwendung gotischer Formen aus Gründen der stilistischen Anpassung, in Erwägung zu ziehen war.

13, 205

198

[75] Darin enthalten ist auch die Neigung des dogmatischen Historismus, erst recht spätere Zutaten, z. B. barocke Ausstattungsstücke, aus mittelalterlichen Kirchen zu entfernen. Dagegen polemisierte schon Georg Dehio: Denkmalschutz und Denkmalpflege im neunzehnten Jahrhundert. Straßburg 1905, S. 20.

So entstand gleichzeitig mit dem Ostkreuzgang an der Nordostecke des Kreuzgangnordflügels ein 208, 212, vgl. 120 Saal, der nach einem weiteren königlichen Gönner, Wilhelm I. von Preußen, den Namen Wilhelmshalle erhielt. Der nachträglich gestellte Bauantrag datiert vom 17. Oktober 1868, die mit ihm verbundenen Pläne sind die frühesten noch erhaltenen Detailentwürfe Essenweins für den Ausbau des Museums[76] und darüber hinaus die ältesten noch heute existierenden Neubaupläne überhaupt[77]. Es handelte sich um einen kapellenartigen Anbau, als dessen Westwand die Mauer eines ehemaligen Mönchshauses diente, während die östliche, neue Wand jenseits der Fluchtlinie des Ostkreuzgangs verlief; der Eingang befand sich in der teilweise mit der Nordwand des Kreuzgangs identischen Südwand des neuen Baus links von der Raumachse an der Kreuzgangecke. Der mit gut sieben Metern Seitenlänge annähernd quadratische Saal wies an den Seitenwänden je zwei Zungenmauern auf, als Lager für die offene hölzerne Dachstuhlkonstruktion. Sie gab dem Raum soviel Höhe, daß er sich mit einer hohen Spitzbogenarkade gegen eine nach Norden gerichtete, querrechteckige, apsidiale Erweiterung öffnen konnte, die am Außenbau turmartig in Erscheinung trat und mit einem steilen Walmdach gedeckt war[78]. Essenwein wählte diese Raumform, um für einen an der Eingangswand stehenden Betrachter durch die hohe Arkade den Blick auf ein großes, in die Nordwand des apsidialen Anbaus eingelassenes gotisierendes Maßwerkfenster ungehindert freizugeben. Die Halle wurde ohne konkrete Verwendungsabsichten für die Erweiterung der Sammlungsräume errichtet, um endlich den Stifter jenes Fensters, den für die Halle namengebenden König von Preußen, zufriedenzustellen. Dieser hatte die Glasmalerei nämlich bereits 1861 für die Kirche gestiftet und als Thema die Grundsteinlegung der Kartause 1381 gewählt[79]. Nach einem Entwurf Krelings hatte dessen Schüler Friedrich Wanderer, der später noch zahlreiche Fenster für das Museum selbst entwerfen sollte, den Karton ausgeführt, der dann der Königlichen Glasmalerei in Berlin als Vorlage diente[80]. Das gewählte Darstellungsthema war insofern beziehungsreich, als der Grundsteinlegung der Kartause am 16. Februar 1381 neben König Wenzel und mehreren Reichsfürsten, Bischöfen sowie einem päpstlichen Legaten auch ein Vorfahre des Königs beiwohnte, der Burggraf von Nürnberg, Friedrich V. Graf von Zollern. Er wurde in dieser figurenreichen Komposition dadurch herausgehoben, daß er vorn stehend erscheint, „wie er den Hammer zur Ausführung der üblichen drei Schläge in Empfang nimmt"[81]. Ursprünglich sollte das Glasgemälde in das mittlere Chorfenster der zur Ausstellung mittelalterlicher Gemälde und Skulpturen dienenden Kirche eingesetzt werden, man nahm später Abstand davon, weil „bei der jetzigen Verwendung dieses Lokales die moderne Haltung des Fensters zu sehr mit dem in diesem Raume befindlichen Kunstwerken in formellem Widerspruch wäre"[82]. Hier wurde also trotz des mittelalterlichen Themas noch darauf verzichtet, Ausstattung und ausgestellte Objekte in dekora-

[76] Zum Bauantrag vgl. Anm. 73. – Die Baupläne im Stadtarchiv Nürnberg, Plansammlung Nr. 1211. Rückseitig Genehmigungsvermerk des Magistrats vom 2. November 1868, während die in Anm. 73 zitierte Mitteilung erst vom 29. Dezember datiert. Zugehörig zum Entwurf noch der gedruckte Museumsgrundriß von 1860 mit farbiger Eintragung des Projektes, zu dem auch die Wiederaufrichtung einer weiteren Zelle am Nordkreuzgang gehörte.

[77] Pläne für die Restaurierung der Kartause ließen sich nicht ermitteln, möglicherweise wurden keine Bauanträge gestellt, weil die Wiederherstellung zumindest anfangs unter aktiver Anteilnahme des Stadtbaumeisters Bernhard Solger erfolgte.

[78] Vgl. den Übersichtsplan von 1872, Abb. 25; der Turm der Wilhelmshalle wird hier an der Nordostecke des Kreuzgangs sichtbar.

[79] Jahresbericht GNM 8 (für 1861), 1862, S. 1.

[80] Jahresbericht GNM 9 (für 1862), 1863, S. 4. – Anzeiger GNM 1861, Sp. 161; 1862, Sp. 241. – Altregistratur (Anm. 43), Bl. 39 (undatiert, Eingang 28.8.1862: Wanderer mahnt 70 Gulden für die Ausführung des Kartons an); Bl. 47 (Brief vom 6. 10. 1862 an die Königliche Glasmalerei in Berlin, daß der farbige Karton jetzt abgeschickt sei).

[81] Anzeiger GNM 1862, Sp. 241. – Das Fenster wurde auf der Pariser Weltausstellung 1867 mit dem ersten Preis für Glasmalerei ausgezeichnet, vgl. Jahresbericht GNM 15 (für 1868), 1869, S. 2. – Zu den historischen Fakten der Darstellung vgl. Heinrich Heerwagen: Die Kartause in Nürnberg 1380–1525. In: Festgabe des Vereins für Geschichte der Stadt Nürnberg zur Feier des fünfzigjährigen Bestehens des Germanischen Nationalmuseums in Nürnberg. Nürnberg 1902, S. 88–132 (99–101).

[82] Jahresbericht GNM 15 (für 1868), 1869, S. 2. – Altregistratur GNM, Kapsel 734, Jahresconferenz 1868, Bl. 60r.

213. Westliches, 1868 verändertes Ende des Nordkreuzgangs am Vorhof der Kirche mit dem Museumseingang. Rechts oben der Giebel des 1882–1884 errichteten Saales I für die prähistorische Sammlung. Zustand 1896

tive Beziehung zu setzen, eine Einstellung, die sich bei den folgenden historisierenden Neubauten teilweise grundlegend wandelte. Die Wilhelmshalle, der erste völlige Neubau, wurde 1869 eröffnet. Ihre dekorative Ausmalung erhielt sie allerdings erst 1876 im Zusammenhang mit einer Teilausmalung des Kreuzgangs und einiger Mönchshäuser, über deren Details aber wenig bekannt ist[83].

205–207   Gleichzeitig mit der Wilhelmshalle wurde ein ihr westlich benachbartes ehemaliges, zuletzt als Baumateriallager dienendes Mönchshaus als Ausstellungsraum für Schlosserarbeiten hergerichtet[84].

[83] Jahresbericht GNM 16 (für 1869), 1870, S. 2; 23 (für 1876), 1877, S. 1. – Zu den Glasfenstern dieses Kreuzgangflügels vgl. z. B. Wegweiser GNM 1887, S. 29, 31 und Stifterwappen (Anm. 63), Raum 2, 3, 4, 9. – Die Fenster wurden 1937 als „wahrhaft scheußlich bunte Glasgemälde" entfernt und befinden sich zum Teil in der Glasgemälde-Sammlung des Museums; vgl. Jahresbericht GNM 84 (für 1937), 1938, S. 7/8.
[84] Vgl. Anm. 73 und Jahresbericht GNM 16 (Anm. 83).

377

Weiter nach Westen zu gewann man bis zur Höhe des Kirchenchores in diesen Jahren zusätzliche Schauräume dadurch, daß zwei dort vorhandene Mönchshäuser eingeschossig mit nach Norden gerichteter Spitzgiebelfront wieder hergestellt wurden. Zudem wurden die zwischen ihnen liegenden Teile der ehemaligen Gärten überbaut, so daß sich eine geschlossene Folge von vier Räumen ergab, deren Ausstellungsgut erstmals 1872 im „Wegweiser" mitbeschrieben wurde[85]. 206, 207, 198

Einige Veränderungen ergaben sich 1868 auch am westlichen Ende des Nordkreuzganges, das ein 205, 213 Obergeschoß erhielt, in dessen Vorhoffront ein großer Wappenstein aus dem früheren Deutschordenshaus eingefügt wurde. Außerdem nahm nach einem Umbau das Erdgeschoß des von altersher zweistöckigen Gebäudes zwischen Kirche und Nordkreuzgang nun anstelle des Verkaufslokals der artistischen Anstalt und des Eingangsraumes die vor- und frühgeschichtlichen Objekte auf. Das wurde möglich, weil der Zugang zu den Sammlungen jetzt dort erfolgte, wo ohnehin die Führungen begannen, nämlich am Westende des Kreuzgangnordflügels. Hier entstand im Erdgeschoß der gleichfalls um ein Stockwerk erhöhten ehemaligen Hausmeisterei sinnvollerweise direkt an der Straße der neue Eingangsraum[86]. Man erreichte ihn durch eine kleine Tür in der Mauer des Vorhofes, dessen Gesamterscheinung mit der alles überragenden Front der Kirche auch bei schlechtem Wetter zu genießen war, da dem Eingangsraum eine offene dreiarkadige Halle vorgelegt wurde[87]. Auch im Bereich des Kleinen Kreuzgangs geschahen in Essenweins Frühzeit einige Veränderungen. So erhielt die Gewebesammlung 1868 einen eigenen Ausstellungsraum zwischen dem Kapitelsaal südlich der 207, 208, 399 Kirche und dem Südflügel des Großen Kreuzgangs, dem Kleinen Kreuzgang östlich vorgelagert[88]. Hierbei handelte es sich vorerst um einen nur eingeschossigen Saal mit neospätgotischen Fenstern ähnlich denen der Mönchshäuser. Im gleichen Jahr wurde im zweistöckigen Refektoriumstrakt dadurch Raum gewonnen, daß anstelle der bisherigen Innentreppe ein neuer quadratischer Treppen- 205, 208 turm mit Wendeltreppe an der Südwand der früheren Klosterküche entstand, also bei jenem noch intakten Bauteil am Westende des Südkreuzgangs. Dieser Bau selbst erhielt ein Obergeschoß, von dem aus ein kleiner Übergang zum ersten Stock des Refektoriumsbaues führte, so daß der Rundgang durch die Sammlungen erleichtert wurde[89]. Die neuen Baulichkeiten nahm L. Braun in sein Blatt mit 24 mehreren Ansichten des Museums auf[90]. Als Kuriosum sei noch erwähnt, daß 1872 im westlichen Hof im Winkel zwischen dem Refektorium und dem ehemaligen Küchenbau, der nun die Rechtsaltertümer enthielt, ein Bärenzwinger angelegt wurde, um ein lebendes Geschenk des Herzogs von Sachsen-Coburg-Gotha aufzunehmen[91].

[85] Wegweiser GNM 1872, S. 10–12, dagegen noch nicht in Wegweiser GNM 1868. – Vgl. auch die allgemein gehaltenen Angaben über neue Räume im Jahresbericht GNM 15 (für 1868), 1869, S. 2; 16 (für 1869), 1870, S. 2; 17 (für 1870), 1871, S. 2; 18 (für 1871), 1872, S. 1, und Anzeiger GNM 1868, Sp. 330.

[86] Als datum post quem kann ein Kostenvoranschlag für Zimmermannsarbeiten vom 6. Oktober 1867 dienen, der acht Bauvorhaben umfaßt: 1) nördlicher Kreuzgang, 2) die Erhöhung des neuen Eingangsraumes, 3) den Saal am Kleinen Kreuzgang, 4) Ziehbrunnen im großen Klosterhof, 5) Erhöhung des Antiquariums (Klosterküche), 6) Ostkreuzgang, 7) Luftkanalbekleidung, 8) Verlegung der Hauptreppe (= Anbau an Position 5). – Ein weiterer Kostenvoranschlag für den Saal (Position 3) vom 20. Januar 1868, für den 1. Stock des neuen Eingangs und das Westende des Nordkreuzgangs vom 7. Februar 1868, vgl. Altregistratur GNM, Kapsel 318, Victoriabau, unpaginiert.

[87] Jahresbericht GNM 18 (für 1871), 1872, S. 1. – Abb. bei Hans Stegmann: Das Germanische Nationalmuseum zu Nürnberg in seinen Räumen und Gebäulichkeiten. Nürnberg (1896), Taf. II (Abb. 213).

[88] Daß er einer von jenen „drei größeren Sälen" ist, die der Jahresbericht GNM 15 (für 1868), 1869, S. 2 erwähnt, kann dadurch als erwiesen gelten, daß in eine in der Plansammlung des GNM befindliche ältere Bauaufnahme dieses derzeitigen Gartenteils von Essenwein eingetragen wurde „Saal 1868 ausgeführt". – Vgl. auch Anm. 86. – Die Außenansicht bei Stegmann (Anm. 87), Taf. XXXIII.

[89] Jahresbericht GNM 15 (Anm. 88). – Die neuen Räume im Bereich des Kleinen Kreuzgangs zeigt der Wegweiser GNM 1868, Taf. II. – Vgl. auch Anm. 86.

[90] Vgl. Anm. 27.

[91] Herzog Ernst besaß auf der Veste Coburg selbst einen Bärenzwinger und hielt diese Einrichtung bei historischen Anlagen für außerordentlich passend. „Um nun dem Museum, das an alterthümlichem Aussehen seiner Gebäude durch

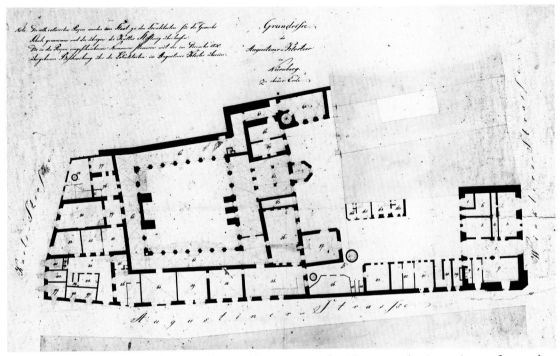

214. Aufmessung des Nürnberger Augustinerklosters an der Augustinerstraße von dem Architekten Querfeld, 1833

Waren einige der Maßnahmen, wie z. B. die Restaurierung des Ostkreuzganges, auch von einer gewissen architektonischen Bedeutung, so fehlte den bisher ausgeführten Bauvorhaben im ganzen doch der große Zug. Immerhin aber ergaben diese kleinen, teilweise wie Stückwerk anmutenden Erweiterungen und punktuellen Verbesserungen eine bauliche Abrundung des historischen Kartausenkomplexes, so daß eigentlich erst mit ihnen die Gründungsphase des Museums zu Ende ging. Deren Auslaufen verzahnte Essenwein jedoch mit dem Beginn des zweiten Abschnitts in der Museumsgeschichte, der Zeit der großen Erweiterungen, indem er in den gleichen Jahren um 1870 sein erstes bedeutendes Ausbauprojekt vorbereitete, sich aber vor allem mit der Veränderung der Struktur des Museums beschäftigte. Er wollte vom Aufseßschen Konzept der Quellenrepertorien, das schon rein arbeitstechnisch nicht durchzuhalten war, abrücken und die den Repertorien bislang eher illustrativ zugesellten Sammlungen als Grundstock für ein großes kulturhistorisches Museum benutzen. Es sollte Denkmäler der Kunst und des Kunsthandwerks, aber auch rein historisch interessante Objekte enthalten sowie als hierzu notwendige Arbeitseinrichtungen die bereits vorhandenen Spezialbereiche Bibliothek und graphisches Kabinett. Mit diesen Überlegungen stellte er das Germanische Nationalmuseum in den geistigen Zusammenhang mit den zahlreichen, im 19. Jahrhundert gegründeten kunst- und kulturgeschichtlichen Museen[92]. Nach langwierigen, vor allem mit dem

so viele Uebertragungen alter Gebäudereste mehr und mehr gewinnt, auch diese Ausstattung zu geben, hat Se. Hoheit dem Museum einen jungen Insassen des Koburger Bärenzwingers zum Geschenke gemacht", Anzeiger GNM 1872, Sp. 194. – Trotz der Absichten des Herzogs waren aber wohl weniger kulturhistorische Überlegungen als vielmehr Rücksichten auf den hohen Spender maßgeblich bei der Annahme des Geschenks. – Der Bär lebte bis 1904 in dieser Grube, vgl. Wegweiser GNM 1906, S. 137.

[92] Vgl. hierzu den Sammelband „Geschichte des kunst- und kulturgeschichtlichen Museums im 19. Jahrhundert", der die Beiträge eines vom 9. bis 11. April 1975 im Germanischen Nationalmuseum Nürnberg stattgefundenen Symposions enthält und als Veröffentlichung der Fritz Thyssen Stiftung für ihre Reihe „Studien zur Kunst des 19. Jahrhunderts"

Freiherrn von Aufseß geführten Auseinandersetzungen[93] erreichte er, daß am 1. Januar 1870 eine neue Satzung in Kraft trat, die das Schwergewicht auf die Ausweitung der Sammlungen legte[94]. Die neue zukunftsweisende Zielsetzung hatte natürlich Auswirkungen auf die Bautätigkeit des Museums, allerdings eher in quantitativer Hinsicht, denn programmatische Äußerungen über dieses Gebiet enthielt die Satzung ebenso wenig wie der eingangs erwähnte, Entwicklungspläne für die Sammlungen enthaltende Rechenschaftsbericht von 1870[95]. Nach dem für ihn erfolgreichen Abschluß der Verhandlungen konnte sich Essenwein dann intensiv dem ersten großen Erweiterungsprojekt, dem Augustinerbau, widmen.

★

Bereits kurz nach seinem Dienstantritt hatte sich Essenwein 1866 mit dem Nürnberger Stadtbaurat Bernhard Solger über eine eventuelle Verlegung des ehemaligen Augustinerklosters beraten[96], dessen zum Teil baufällige Gebäude – die Kirche war schon 1816 abgebrochen worden – dem Neubau eines Justizpalastes weichen sollten. Noch aber stand der Kreuzgang mit dem längsrechteckigen Dormitoriumstrakt und weiteren zugehörigen mehrgeschossigen Gebäuden als malerische Gruppe an der Augustinerstraße, wie Aufmessungen aus der ersten Jahrhunderthälfte erweisen, nämlich drei 214 Grundrisse, bezeichnet „Querfeld 1833", und die etwas jüngeren, 1841 entstandenen Aufnahmen des damals in Nürnberg als Baukondukteur tätigen Gottfried von Neureuther[97]. Als der Abbruch unmittelbar bevorstand, beschloß der Magistrat aufgrund eines Ersuchens des Museums am 7. Juli 1871 „die Ueberlassung der historisch merkwürdigen Theile . . . an das germanische Museum" sowie die Übernahme der „Kosten für den Abbruch dieser Gegenstände und deren Ablieferung" durch die Stadt[98]. Diesem Bescheid folgte am 21. Juni 1872, also nach Baubeginn, ein detaillierter Beschluß mit Aufzählung der tatsächlich überlassenen Teile[99].

Nach der Übernahme der Abbruchkosten durch die Stadt bildete sich ein Komitee zur Beibringung der Gelder für den Wiederaufbau, das unter dem Datum 14. September 1871 einen ersten, sogleich erfolgreichen Spendenaufruf formulierte[100]. Um auch außerhalb Nürnbergs Spender zu gewinnen, 25

1977 erschienen ist. – Zum Symposion vgl. die Besprechungen von Georg Himmelheber, in: Kunstchronik Jg. 28 (1975), S. 321–328, und Hermann Maué, in: Bayerische Blätter für Volkskunde Jg. 2 (1975), S. 107–111.

[93] Altregistratur GNM, Kapsel 734, Protokoll der Jahreskonferenz 1869, Bl. 33–54 (40vff.). – Vgl. auch Jahresbericht GNM 16 (für 1869), 1870, S. 1; 17 (für 1870), 1871, S. 1, und Anzeiger GNM 1869, Sp. 17, 31–32, 173–174, 305. – Hampe, Festschrift, S. 91–96.

[94] Zur Satzung vgl. Anm. 2. – Die Veränderung läßt sich auch daran ablesen, daß in den Monatsberichten über die Neuerwerbungen ab 1870 diejenigen der kunst- und kulturgeschichtlichen Sammlungen an die erste Stelle rücken, die für das Archiv bestimmten an die dritte, während die Zugänge der Bibliothek an zweiter Stelle bleiben, erstmals Anzeiger GNM 1870, Sp. 18–22 (für Januar 1870).

[95] Vgl. Anm. 3. – Diesem ersten Bericht läßt Essenwein zwei weitere folgen: Die Aufgaben und die Mittel des germanischen Museums. Eine Denkschrift. Nürnberg 1872 (zusammen mit dem II. Direktor Georg Karl Frommann), und: Das germanische Nationalmuseum, dessen Sammlungen, sowie der Bedarf zur programmgemäßen Abrundung derselben. Nürnberg 1884.

[96] Altregistratur GNM, Kapsel 737, Lokalausschuß 1874, Bl. 68–72 (69r): Briefentwurf Essenweins an das Reichskanzleramt vom 21. Februar 1874. – Zum Kloster selbst vgl. Julie Rosenthal-Metzger: Das Augustinerkloster in Nürnberg. In: Mitteilungen des Vereins für Geschichte der Stadt Nürnberg Bd. 30 (1931), S. 1–105. – Günter P. Fehring u. Anton Ress: Die Stadt Nürnberg (Bayerische Kunstdenkmale. Kurzinventar. 10). München 1961, S. 150–152 (in Artikel Germanisches Nationalmuseum, S. 149–152).

[97] Kupferstichkabinett GNM, Kapsel 1066: SP 9113–9115 Grundrisse von Querfeld; SP 10437 Lichtpause nach einem ostwestlichen Längsschnitt von Neureuther. Das Blatt von Neureuther auch im Stadtarchiv Nürnberg, Plansammlung, Nr. 713 (1). – Von Neureuther weitere Pläne und Pausen nach denselben in der Bildstelle des Hochbauamtes der Stadt Nürnberg und im Staatsarchiv Nürnberg.

[98] Altregistratur (Anm. 43), unpaginiert, Brief des Magistrats der Stadt Nürnberg 10. Juli 1871 mit Abschrift des Plenarbeschlusses vom 7. Juli. – Vgl. auch Altregistratur GNM, Kapsel 736, Lokalausschuß 1871, Bl. 52–53, 54, 61v; Verwaltungsausschuß 1872, Bl. 41 ff., 46r.

[99] Wie Anm. 98, unpaginiert, Brief des Magistrats vom 21. Juni 1872 über die am 17. Mai bzw. 11. Juni gefaßten, übereinstimmenden Beschlüsse von Magistrat und Gemeindekollegium.

[100] Wie Anm. 98, unpaginiert, Einladungsbrief Essenweins vom 8. Sept. 1871 und handschriftliche Fassung des Spenden-

215. Augustinerbau mit Kresskapelle an der Frauentormauer, im Hintergrund der spätere Südbau. Zustand vor 1897

folgte 1872 ein gedruckter Spendenaufruf, der darum interessant ist, weil ihn als Blickfang eine Ansicht des Museums aus der Vogelperspektive schmückte[101]. Dieses Gesamtbild zeigte nicht nur die wiedererstandene Kartause mit den kleineren Neubauten bis 1872, sondern außer dem Augustinerbau an der Südseite des Kreuzgangs noch zwei weitere zukünftige Trakte: östlich des Augustinerbaues ebenfalls am Südkreuzgang ein L-förmiges Gebäude, den planerischen Vorläufer des späteren Süd-

aufrufs vom 14. September mit den Namen aller Komiteemitglieder. – Vgl. auch Jahresbericht GNM 18 (für 1871), 1872, S. 1 u. 4–5; 19 (für 1872), 1873, S. 5; 20 (für 1873), 1874, S. 1; 21 (für 1874), 1875, S. 5; 22 (für 1875), 1876, S. 4–5.
[101] Kupferstichkabinett GNM, Kapsel 1442, o. Nr. Dieser mit der Ansicht des Museums kombinierte Aufruf enthält neben der Bitte um Spenden auch eine Beschreibung des wiederzuerrichtenden Augustinerbaues.

216. Augustinerbau, sog. Wittelsbacher Hof mit nördlicher Hoffront des im Süden des Hofes gelegenen Dormitoriumsbaues und westlichem Kreuzgangflügel. Zustand Ende 19. Jahrhundert

217. Augustinerbau, sogenannter Wittelsbacher Hof mit westlichem Kreuzgangflügel (links) und der dem Südflügel des Großen Kreuzgangs der Kartause vorgelegten nördlichen Hoffront (rechts) mit Wittelsbacher Uhr. Zustand 1896

baues, sowie einen zweiten langgestreckten Trakt, parallel zum Kreuzgangostflügel. Es handelt sich hier um das eingangs erwähnte erste Ausbauprojekt, das Essenwein 1876/77 nochmals bedeutend umarbeitete. Neben den Geldspenden erzielte Essenwein einen weiteren Erfolg, denn „um die nöthigen Mittel vollends zu beschaffen, haben über 100 deutsche Künstler dem Museum Gemälde, Skizzen, Zeichnungen, Skulpturen u. A. theils zugesagt, theils schon übergeben, die verwerthet werden sollen und voraussichtlich eine namhafte Summe einbringen werden"[102], gehörten doch zu den ersten Spendern so angesehene Künstler wie Oswald Achenbach, Joseph von Egle, Eduard Grützner, August von Heyden, Friedrich und Hermann Kaulbach, Franz von Lenbach, Adolf Lier, Adolph von Menzel, Carl Theodor von Piloty, Ludwig Richter, Benjamin Vautier und Friedrich Voltz[103]. Nachdem genügend Kunstwerke zusammengekommen waren, wurden mit ihnen zur Beschaffung von Geldern zwei Lotterien veranstaltet. Die erste Verlosung, deren Ziehungstermin 29 1. und 8. Februar 1875 wegen schleppenden Losabsatzes auf den 7. September verschoben wurde, brachte 20000 Gulden[104]. Mit den danach noch verbliebenen Stiftungen wurde 1877 eine zweite, 50000 Mark abwerfende Lotterie mit Ziehungstermin 1. Dezember veranstaltet[105], für die Friedrich Wanderer Lose mit einer Ansicht des nunmehr vollendeten Augustinerbaues entwarf[106].

Mit der, wie sich zeigte, nicht unberechtigten Hoffnung, daß den schon 1871 eingegangenen Spenden weitere folgen würden, begann Essenwein als leitender Architekt in jenem Jahr mit den Vorbereitungen zur Translozierung des Augustinerklosters auf das Gelände der Kartause, und zwar 206–208 südlich des Großen Kreuzgangs gegen die Stadtmauer, eine von heute aus gesehen denkmalpflegerisch nicht unbedenkliche Maßnahme. Sie verhalf dem Gebäude zwar zur Erhaltung[107], allerdings in einem reduzierten Bestand, da Essenwein sich entschloß, von dem Konglomerat nur die drei Kreuzgangflügel, jedoch ohne die darüber befindlichen Geschosse, und den, den vierten Flügel enthaltenden, dreigeschossigen Dormitoriumstrakt zu übernehmen, letzteren in etwas verkürzter Form[108]. Hinzu 215, 273 kamen für Ergänzungen einzelne Teile von den übrigen zugehörigen Gebäuden. Die Bauten paßten stilistisch gut zu den Kartausen-Kreuzgängen, da sie, wie diese weitgehend auch, dem 15. Jahrhundert angehörten. Die schwerwiegendste Veränderung nahm Essenwein – teilweise notgedrungen – im Hinblick auf die Proportionen der Kreuzgangaußenfronten vor. Eine das Museumsareal im Süden, innerhalb der Stadtmauer, tangierende Straße, Frauentormauer genannt, verlief nämlich höher als das Klostergelände; aus Sicherheitsgründen und gegen eventuelle Bodenfeuchtigkeit sowie wegen der Kresskapelle an der Außenfront sollte der Erdgeschoßfußboden aber noch über dem Straßenniveau 215 liegen[109]. Deshalb wurden zehn Fuß hohe, teils als Lagerräume, teils zur Aufstellung größerer

[102] Jahresbericht GNM 19 (für 1872), 1873, S. 1.
[103] Altregistratur GNM, Kapsel 1a, lfd. Nr. 2: undatierte, gedruckte Liste: Erstes Verzeichniß der Künstler, welche die Förderung des Uebertragungsbaues des Augustinerklosters in Nürnberg zugesagt haben. – Vgl. auch Anzeiger GNM 1873, Sp. 201. – Briefe der Künstler in Altregistratur GNM, Kapsel 317.
[104] Kupferstichkabinett GNM, Kapsel 1443, HB 4221: gedrucktes „Gewinn-Verzeichniss". – Die auf die Verlosung bezügliche Korrespondenz mit dem Generalagenten, dem Bankhaus Horwitz & Marcus in Nürnberg, sowie den deutschen Regierungen in Altregistratur GNM, Kapsel 317. – Vgl. auch Anzeiger GNM 1874, Sp. 313, 378; 1875, Sp. 81, 281.
[105] Altregistratur GNM, Kapsel 1a, lfd. Nr. 2: nicht numeriert: „Prospect einer Prämien-Lotterie . . ." mit Verzeichnis der Gewinne; Kapsel 35 (Varia); Kapsel 317; Kapsel 318. – Anzeiger GNM 1877, Sp. 57, 145. – Jahresbericht GNM 24 (für 1877), 1878, S. 1.
[106] Altregistratur GNM, Kapsel 1a, lfd. Nr. 2.
[107] Wegen der Bombenschäden aus dem Zweiten Weltkrieg wurden die Überreste des Augustinerbaues 1963 abgetragen, vgl. Abb. 88–90, 112–115. – Vgl. auch Abb. 302 und 316.
[108] Zu den unterschiedlichen Abmessungen vgl. den Plan von Querfeld (Anm. 97, Abb. 214) und Essenweins Ausbauplan für das Museum von 1876/77 (Abb. 207/228). Der Dormitoriumsbau wurde an seinem jetzigen Westende zugunsten des neuen Treppenhauses verkürzt.
[109] Den besten Eindruck von der Situation gibt ein 1913 erstellter Plan mit mehreren Querschnitten durch die Museumsgebäude, Plansammlung GNM.

218. Südarm des Augustinerkreuzgangs im Dormitoriumsbau. Links der Zugang zu Kapitelsaal und Leonhardskapelle. Zustand 1896

216 Geschütze dienende Substruktionen errichtet, über denen sich der an die Straße verlegte Dormitoriumstrakt und der nun östliche sowie westliche Kreuzgangarm erhoben[110]. Dabei wurde der östliche

vgl. 89 Flügel in ganzer Länge mit jetzt hochsitzenden Fenstern bis zum Kartausen-Kreuzgang durchgezogen, sein erstes nördliches Joch erlangte dadurch im Innern bei gleichem Fußbodenniveau mit der Kartause eine beträchtliche Höhe, während im zweiten Joch eine Treppe den Übergang zum höhergelegenen Teil vermittelte. Im westlichen Augustinerkreuzgangarm wurde sogar die fortlaufende

113, 216,
217 Reihung der ursprünglichen Maßwerköffnungen durchbrochen, indem die zwei nördlichsten Joche sich an den Kartausenkreuzgang anschlossen, das dritte und vierte Joch eine Treppe aufnehmen mußten und erst mit dem von Norden aus fünften Joch die Substruktionen einsetzen, so daß nur die nunmehrige Nord- und ein Teil der Westfront des Augustinerkreuzgangs noch einigermaßen der ursprünglichen Situation entsprachen.

[110] Der Augustinerkreuzgang erfuhr eine, an sich unwesentliche, nur durch die veränderte topographische Situation bedingte Drehung, indem der ursprünglich östliche Dormitoriumstrakt beim Wiederaufbau nach Süden verlegt wurde.

Am 12. Mai 1872 wurde der Grundstein für den Unterbau gelegt[111], im September erhoben sich über ihm bereits zwei Kreuzgangflügel, die bis Ende des Jahres unter Dach gebracht waren[112]. Ende 1873 war der Rohbau einschließlich der Bedachung des Dormitoriumstraktes beendet[113], eine zügige Baudurchführung, die der sorgfältigen, im Juli 1872 begonnenen und am Jahresende abgeschlossenen Abtragung des Komplexes zu danken war. Neben der Museumsarbeit und der Bauleitung erschloß Essenwein unermüdlich neue Spendenquellen, die den aus allgemeinen Bauspenden und aus dem in Aussicht stehenden Ertrag der Künstlergeschenke gespeisten Baufond vergrößern sollten. So gewann er, neben anderen, die schon im Mittelalter durch Stiftungen dem Augustinerkloster besonders verbunden gewesenen Nürnberger Patrizierfamilien, u. a. die von Grundherr, Imhoff, Praun, Stromer, Welser, für die Übernahme der Kosten, die die Wiederherstellung oder Neuanfertigung der Kreuzganggewölbe und -maßwerke, danach auch deren Verglasung, verursachte[114]. Letztere erfolgte, von die Stifter ehrenden Wappenscheiben abgesehen, mit hellen Scheiben, um hier, gegen die Witterung geschützt, historische Glasfenster ausstellen zu können[115]. Besonders großzügig erwiesen 218
sich unter den alten Nürnberger Geschlechtern die freiherrlichen Familien von Kress und von Tucher. Letztere übernahmen die Kosten für ein bislang nicht vorhandenes Treppenhaus an der westlichen 206–208 Giebelfront des Dormitoriumstraktes[116], dem Essenwein im Erdgeschoß ein neospätgotisches Fen- vgl. 25, 26, ster mit geradem Sturz gab, in den beiden Obergeschossen aber je eine dreiarkadige Fenstergruppe, 215 um die Fassade aufzulockern. Die Familie von Kress dagegen finanzierte die möglichst originalge- 30, 31, treue Wiederherstellung der reichen spätgotischen, bis zum Wiederaufbau durch eine nachmittelalter- 215, 219, lich eingefügte Treppe verunstalteten Doppelkapelle an der Straßenfront, da sie auf eine Stiftung ihres 220, 273 Ahnen Hilpolt Kress aus dem Jahre 1412 zurückging[117].

1874 war der Augustinerbau soweit wiedererstanden, daß mit seiner inneren Ausstattung und Dekoration begonnen werden konnte, was wiederum vielfältige Anforderungen an Essenwein stellte. Als Raumzuwachs für das Museum hatte sich ergeben: der Ost- und Westflügel des Kreuzgangs sowie 206 dessen Südflügel im Erdgeschoß des Dormitoriumsbaues, alle mit reichen spätgotischen Maßwerkfenstern und zierlichen Birnstab-Kreuzrippengewölben[118]. Am Südarm lagen zur Straße hin drei Räume[119], in der Mitte, durch vier Spitzbogenarkaden mit dem Kreuzgang kommunizierend, der

[111] Anzeiger GNM 1872, Sp. 162–163. – Die Grundsteinlegungsfeier wurde mit einem Konzert in der Kirche eröffnet, die hierfür verkauften Eintrittskarten zugunsten des Baufonds brachten 141 Gulden; Altregistratur (Anm. 43), unpaginiert. – Im gleichen Akt auch ein Schreiben des Geheimen Kabinettsrats des deutschen Kaisers und preußischen Königs vom 7. Mai 1872, mit dem ein goldenes Zwanzigmarkstück übersandt wurde als Zeichen der Anteilnahme des Kaisers, der der Einladung zur Teilnahme an der Feier nicht folgen konnte.

[112] Altregistratur GNM, Kapsel 736, Verwaltungsausschuß 1872, Bl. 46r (Bericht Essenweins vom September 1872) – Jahresbericht GNM 19 (für 1872), 1873, S. 1.

[113] Jahresbericht GNM 20 (für 1873), 1874, S. 1.

[114] Altregistratur GNM, Kapsel 319, Bauten Kartause, einmalige Beiträge 1875–77. –Anzeiger GNM 1874, Sp. 281, 313, 345, 377; 1875, Sp. 17, 49; 1878, Sp. 17. – Jahresbericht GNM 21 (für 1874), 1875, S. 1, 5; 22 (für 1875), 1876, S. 1, 4–5. – Wegweiser GNM 1906, S. 107.

[115] Abb. bei Stegmann (Anm. 87), Taf. XXXIV (Abb. 218).

[116] Anzeiger GNM 1874, Sp. 345. – Stegmann (Anm. 87), Taf. XXVII.

[117] Anzeiger GNM 1874, Sp. 377. – Rosenthal-Metzger (Anm. 96), S. 29–34 (30). – Hinsichtlich der nachmittelalterlichen Nutzung und Veränderung vgl. die Grundrisse von Querfeld und die kurz vor Übertragung 1871 gezeichnete, danach 1872 auch radierte Außenansicht von Ferdinand Lösch, Kupferstichkabinett GNM, Kapsel 1066, SP Norica 651 (Stadt Nürnberg) u. SP o. Nr. – Vor Beginn des Neubaus für die Volkskundliche und die Musikhistorische Abteilung, des heutigen Südbaues, wurde die Kapelle mitsamt dem teilbeschädigten Augustinerbau 1963 abgebrochen. Einige Detailstücke der Kresskapelle jetzt in der Abteilung Bauteile, Inv. Nr. A 3212, vgl. hierzu den entsprechenden Sonderakt.

[118] Sofern die 1833 von Querfeld gezeichnete Aufmessung (Anm. 97, Abb. 214) und Essenweins Grundrisse, vor allem der von 1876/77 (Abb. 207/228) zuverlässig sind, und zumindest bei Essenweins Grundriß kann das im Vergleich mit einer Aufnahme des Kreuzgangs, vgl. Abb. 218, als sicher gelten, wurde der Südkreuzgangflügel insofern verändert, als er anstelle der ursprünglich leicht trichterförmigen Gestalt beim Wiederaufbau parallel laufende Wände erhielt.

[119] Stegmann (Anm. 87), Taf. XXXVII.

218–220 ehemalige Kapitelsaal, ein dreischiffiger, zweijochiger Raum, ebenfalls mit Kreuzrippengewölben.
30, 31 Dessen Mittelschiff öffnete sich nach Süden in die St. Leonhardskapelle[120], eine 5/8-Apsis, deren teilweise vermauert gewesene Fenster sich wieder in ihrer ursprünglichen Höhe zeigten und im Bogenfeld eine Maßwerkgliederung, überwiegend aus Drei- und Vierpässen bestehend, aufwiesen. Dagegen besaßen die übrigen spitzbogigen Erdgeschoßfenster hier und in den beiden seitlichen Räumen zwar auch profilierte Laibungen, jedoch nur eine neuzeitliche Mittelstütze. Den Raum
206 östlich des Kapitelsaales schloß ein sechsteiliges Kreuzgewölbe, dessen Rippen ziemlich tief ansetzend, ohne Konsolen aus der Wand wuchsen[121], während den westlichen, vorher flach geschlossenen Saal jetzt ein Sterngewölbe schmückte mit schlanken, von kleinen abgetreppten Konsolen ausgehenden Rippen, die über eine Mittelstütze zusammenliefen[122]. Durch den Wegfall nachmittelalterlich eingezogener Zwischenwände bildeten die über das neue Treppenhaus an der Westseite zugänglichen
229 Obergeschosse je einen großen Saal mit horizontal geschlossenen Fenstern an der Nord- und
424, 426 Südseite. Das einstige Dormitorium im ersten Stock wurde durch zwei hölzerne Stützen gegliedert, die den schweren Deckenunterzug trugen. Seine Südwand öffnete sich in das nach dem Heiligen Augustinus benannte Obergeschoß der Doppelkapelle. Dem zweiten Obergeschoßsaal gab Essenwein, von außen unsichtbar, vorerst unter Bewahrung der ursprünglichen Holzdecke mehr Höhe, da die mittelalterliche, mit dem Dachstuhl verbundene Hängekonstruktion ohnehin aus Sicherheitsgründen nicht unverändert übernommen werden konnte. Der Außenbau bestand aus Bruchsteinmauerwerk, mit dem die Hausteingliederungen der Fenster und die aus Sandstein errichtete Kresskapelle
216 kontrastierten. Ebenfalls in diesem Material führte Essenwein die neuen Substruktionen auf und blieb damit in der regionalen Tradition. Norddeutsch dagegen muten die beiden Backstein-Treppengiebel mit ihren verputzten Blendarkaden an[123]. Den Bau überragte ein hohes Satteldach, das allerdings nicht
25 den malerischen Reichtum an Erkern erhielt, den die erste Gesamtansicht des Museums in Anknüpfung an lokale Baugewohnheiten angab[124].

Mittlerweile zogen aber neue Schwierigkeiten herauf. In seinem Promemoria vom 22. Juli 1873 über „die Übertragung des Augustinerklosters" hatte Essenwein diesen Vorgang als eine „Sache der Pietät" bezeichnet, die sich aus „den satzungsmäßigen Aufgaben des germanischen Museums" ergebe, „für die Erhaltung der von der Vorzeit uns aufbewahrten Kunstdenkmale zu sorgen", unvorsichtigerweise aber hinsichtlich der drei Erdgeschoßräume, vor allem des Kapitelsaals, „eines Raumes von ganz besonderer Schönheit der Verhältnisse und Anlage" erklärt, dieser nehme „durch seine Formen das Interesse so sehr in Anspruch . . ., daß es unmöglich ist, ihn passend zu benut-

---

[120] Foto vom nördlichen Teil des Raumes in Fotothek GNM.

[121] Nach Querfelds Plan von 1833 (Anm. 97) hatte dieser Raum ursprünglich zwei quer zum Kreuzgang verlaufende Kreuzrippengewölbe. Die Umwandlung der Gewölbe hing möglicherweise mit der Begradigung des anliegenden Kreuzgangflügels zusammen, vgl. Anm. 118 und Abb. 425.

[122] Dieser Raum war der am stärksten veränderte. Er erhielt durch die Verkürzung des Dormitoriumstraktes beim Wiederaufbau statt der ursprünglich länglichen eine beinahe quadratische Form und diese wiederum wurde zusätzlich nur dadurch möglich, daß die am Kreuzgang verlaufende Wand begradigt wurde, vgl. hierzu Anm. 118.

[123] Eine der ersten Publikationen von August Essenwein: Norddeutschlands Backsteinbau im Mittelalter. Karlsruhe o. J. (um 1855), erklärt möglicherweise diesen fremden Zug. Wie die Giebelwände ursprünglich abgeschlossen waren, ließ sich nicht ermitteln. Daß Essenwein hier frei verfuhr, legt auch der Vergleich der Gesamtansicht von 1872 (Abb. 25) mit dem tatsächlich ausgeführten Bau (Stegmann (Anm. 87), Taf. XXVII) nahe, da die ansonsten minutiöse Darstellung von 1872 die Giebelabtreppung noch ohne jene Durchbrechungen zeigt, die aus Rücksicht auf stärkere Winde erforderlich sind, um diesen eine möglichst kleine Angriffsfläche zu bieten. 1920 wurden die Giebel erneuert.

[124] Stattdessen gab es, da der Dachraum nicht weiter genutzt, also auch nicht besonders beleuchtet sein mußte, überhaupt nur fünf Erker, an der Südseite zwei große und zwei kleine, an der Nordseite einen großen. Drei von ihnen, „spitzthürmige Bauwerke, wie sie den Dächern der Häuser des alten Nürnberg solch eigentümlichen Reiz verleihen", wurden sogar erst 1884 aufgesetzt, vgl. Anzeiger GNM 1884–1886, S. 88, 126.

219. Augustinerbau, Kapitelsaal mit Leonhardskapelle im Erdgeschoß, 1875 eröffnet. Zustand ca. 1935

220. Augustinerbau, Kapitelsaal, Blick von der Leonhardskapelle nach Norden in den Kreuzgang. Zustand 1938

221. Augustinerbau mit Augustinuskapelle im 1. Obergeschoß, Entwurf für die Dekoration der Südwand im Waffensaal. Federzeichnung von August Essenwein, 1874

zen"[125]. Dies veranlaßte das Reichskanzleramt, in einem Brief vom 15. Februar 1874 von finanzieller Mißwirtschaft zu sprechen, wobei die Verwendbarkeit der Kreuzgänge und der beiden Obergeschoß-säle für Ausstellungszwecke ignoriert wurde[126]. Mit einem ausführlichen Antwortschreiben vom 1. März, zu dem eine achtundzwanzigseitige Beilage „die Entwicklung der finanziellen Verhältnisse des germanischen Museums" gehörte, gelang es Essenwein, die Bedenken zu zerstreuen[127]. Zu Recht, wie sich 1880 herausstellte, als die abschließende Rechnungslegung ergab, „daß der ganze Bau, dessen Einrichtungsgegenstände an Schränken und ein Theil der Kunstsammlungen, die darin enthalten sind, nicht einen Pfennig von Seite des Museums in Anspruch genommen hat", da die Gesamtkosten in Höhe von knapp 171 000 Mark zu ungefähr gleichen Teilen durch spezielle Stiftungen beziehungswei-se die beiden Lotterien zusammengekommen waren[128]. Aber auch noch in einer anderen Hinsicht erscheint die Übertragung – trotz der denkmalpflegerischen Problematik – gerechtfertigt, handelte es sich doch darum, das Museum nach den Vorstellungen jener Zeit stilvoll zu erweitern. Dazu gehörte, daß es sich wegen seiner kulturhistorischen Zielsetzung nicht den reinen Kunstmuseen anglich, die im Sinne der Architektur-Ikonographie des 19. Jahrhunderts in der Regel durch die Anlehnung an den Renaissancestil charakterisiert wurden[129], sondern seine malerische Erscheinungsform bewahrte, mit der es zu der Gruppe der damals sehr geschätzten, durch die Adaptierung aufgelassener Kirchen und Klöster gewonnenen „Museumskirchen" gehörte, deren Sammlungsgrundstock häufig mittelalter-liche Objekte bildeten[130]. Diesen Anschauungen folgte partiell auch Essenwein beim weiteren Ausbau

[125] Altregistratur GNM, Kapsel 737, Lokalausschuß 1874, Bl. 25–28 (26v, 25r, 28r): Die Übertragung des Augustiner-klosters. Promemoria vom 22. Juli 1873.
[126] Altregistratur (Anm. 125), Bl. 21–22.
[127] Altregistratur (Anm. 125), Bl. 12–17, 68–72, 73–76, 77, 78–91.
[128] Anzeiger GNM 1880, Sp. 153 u. 189. – Ein sich abzeichnendes Defizit, bei dem es sich allerdings nur um den wahrhaft „geringen Betrag von 16 m. 70 pf." handelte, verhinderte Th. Frhr. v. Tucher durch eine Spende in entsprechender Höhe.
[129] Für die großen Kunstmuseen läßt sich das bei Plagemann (Anm. 42) ohne weiteres feststellen. Diese Ikonographie der Architektur hängt mit dem spezifischen Funktionalismus des vorigen Jahrhunderts zusammen, der kein technischer, sondern ein geistiger war. Er ging von der Funktion eines Gebäudes aus, „nach der man den Stil zu wählen hat", vgl.: Historismus und bildende Kunst. Red. Ludwig Grote (Studien zur Kunst des 19. Jahrhunderts, Bd. 1). München 1965, S. 87–90 (89). – Ausnahmen, wie das Kölner Wallraf-Richartz-Museum, haben so spezielle Voraussetzungen, daß sie nicht als Einschränkung verstanden werden können. Zu Köln vgl. Friedrich Carl Heimann: Baugeschichte des Mu-seums. In: Wallraf-Richartz-Museum der Stadt Cöln, 1861/1911. Cöln 1911, S. 29–59, und Albert Verbeek: Das erste Wallraf-Richartz-Museum. In: Wallraf-Richartz-Jahrbuch 23 (1961), S. 7–36.
[130] Calov (Anm. 10). – Bei speziell errichteten Neubauten orientierten sich allerdings auch kunst- und kulturgeschichtliche Museen meist an dem Bildungsbautenstil „Renaissance"; erst in den neunziger Jahren entstand ein besonderer Neubautypus, der die Museumskirche zum Vorbild nahm. Vgl. hierzu meinen Beitrag: Kunst- und kulturgeschichtliche Museen als Bauaufgabe des späten 19. Jahrhunderts: das Germanische Nationalmuseum und andere Neubauten seit etwa 1870. In: Geschichte des Kunst- und Kulturgeschichtlichen Museums (Anm. 92).

222. Augustinerbau, „König Magnus", Detailentwurf für die Verglasung der Augustinuskapelle am
Waffensaal im 1. Obergeschoß. Farbige Pinselzeich-
nung, um 1876

des Museums, obwohl er einmal den Gedanken an eine andere Lösung geäußert hatte, mit der er sich jedoch nicht durchsetzen konnte[131].

Nachdem der Rohbau des Augustinerklosters Ende 1873 vollendet und die den Fortgang behin-
dernde Kritik des Reichskanzleramtes ausgeräumt war, wandte sich Essenwein der Ausstattung des Gebäudes zu. Auch dabei kam ihm zu Hilfe, daß der Augustinerbau „zu einer Angelegenheit von

---

[131] Als Essenwein sich für die Übetrtragung des Augustinerklosters rechtfertigen mußte und, wie erwähnt, die „Pietät" für
das Überkommene als Grund angab, erklärte er in der Lokalausschußsitzung am 23. Februar 1874, er sei immerhin ein
„Architekt, der zwischen einem Kloster und einem Museum doch einen Unterschied finde" (Altregistratur (Anm. 125),
Bl. 75r). In dem vom 21. Februar datierten Entwurf des Antwortbriefes an das Reichskanzleramt entwickelte er denn
auch seine ursprüngliche Absicht, „statt der an und für sich künstlerisch wirkenden Räume, blos einfache hohe Sääle in
den Ausbauplan der Karthause aufzunehmen", mußte aber eingestehen, daß der Ausschuß einen Ausbau im Stil der
Kartause gewünscht hätte und schließlich die Übertragung des Augustinerklosters auch einen Raumzuwachs gebracht
hätte, mithin mehr als nur ein – kostspieliger – Akt der Pietät gewesen sei, den auch er immer befürwortet habe
(Anm. 125, Bl. 68–72 (72r)).

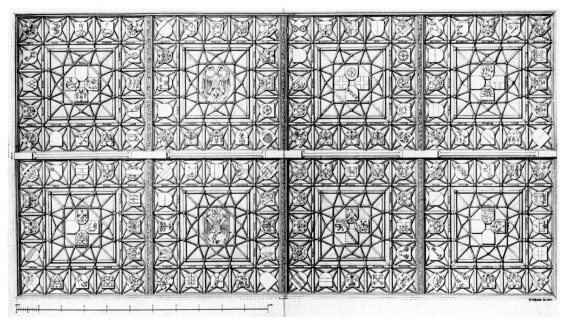

223. Augustinerbau, Entwurf für die Decke im Saal der Reichsstädte im 2. Obergeschoß. Federzeichnung von August Essenwein, 1874

allgemeinem Interesse geworden" war[132], weshalb Beiträge von Stiftern selbst angeboten oder aber von Essenwein durch ideenreiche Kampagnen rasch gesammelt werden konnten. Mit einem Schreiben des Fürsten zu Fürstenberg vom 28. April 1874 ließ der Verein der deutschen Standesherren die Direktion wissen, daß er bereit sei, einen der neuen Säle auf seine Kosten „mit Namen, Wappen und Devisen sämmtlicher deutschen Standesherren herstellen zu lassen", also die Ausstattung zu übernehmen, deren von Essenwein daraufhin entworfenes Konzept durch Schreiben vom 30. Oktober 1874 unter Gewährung eines Betrages von 5000 Gulden vom Verein gebilligt wurde[133]. Der große, für die Ausstellung der Rüstungen und Waffen vorgesehene Saal im ersten Obergeschoß erschien als der für 424, 426 diese Stiftung geeignetste, da die ausgestellten Objekte in einem gewissen Bezug zu dem adligen Personenkreis standen. Essenwein entschied sich für eine pseudoarchitektonische Ausmalung in Anlehnung an mittelalterliche Vorbilder, für die sich die Entwürfe erhalten haben[134], und zwar in 221 einer Vielfalt, wie sie bei später angeführten Ausstattungsvorhaben nicht gegeben ist. Eine Sockelzone, an den Wänden niedrig, unter den Fenstern aber bis zur Brüstung hochgezogen, erscheint in farbiger Marmorierung. Die Flächen der Wände und der Pfeiler zwischen den Fenstern erhalten eine

[132] Jahresbericht GNM 20 (für 1873), 1874, S. 1.
[133] Altregistratur (Anm. 43), unpaginiert, Verein der deutschen Standesherren am 28. April und 30. Oktober 1874. – Vgl. auch Jahresbericht GNM 21 (für 1874), 1875, S. 1; die hier angegebene Summe von 3000 Gulden wurde schon durch den Brief vom 30. Oktober auf 5000 Gulden erhöht. – Anzeiger GNM 1874, Sp. 153, 217.
[134] Plansammlung GNM, 4 Entwürfe, alle bezeichnet: AE (ligiert) inv. 1874. Drei Federzeichnungen mit jeweils einer Wandansicht: Nord-, Süd- und Ostwand; ein aquarellierter Detailentwurf: Stirnseite eines Zwischenfensterpfeilers. – Vgl. auch die Innenansicht Abb. 426.
[135] Da Essenwein sich intensiv mit der Gewebesammlung des germanischen Museums beschäftigt hat, lag es nahe, in ihr ein

224. Augustinerbau, Saal der Reichsstädte im 2. Obergeschoß, „Heinrich I. erbaute Städte/zur Sicherung des Landes", Entwurf für ein Fenster mit Darstellungen aus der Geschichte der deutschen Städte. Lavierte Federzeichnung von Friedrich Wanderer (1840–1910) nach einer Idee Essenweins, um 1875/76

gelbliche, teilweise rotbraun gerahmte Quaderung bis zur Höhe der Fensterstürze; dabei wird die untere Hälfte jedoch durch einen gemalten, mit Ornamentfriesen eingefaßten blauen Stoffbehang verdeckt, der in Medaillons alternierend rote steigende Löwen auf Goldgrund und goldene Adler vor rotem Fond zeigt, also heraldische Figuren[135]. Den Abschluß der Wand bildet eine unten von einem ornamentalen Sims, dem Abschluß der Quaderzone, und oben von einem Schriftband eingefaßte gemalte Arkadenreihe im Übergangsstil. Ihre einzelnen Bogenstellungen rahmen je eines der Standesherrenwappen, die in alphabetischer Folge rechts und links von der Augustinuskapelle in der Südwand ausgehen[136]. Die Pseudomarmorierung erscheint auch in der Sockelzone dieser Kapelle, deren Fenster, im Gegensatz zur einfachen Rautenverglasung der Saalfenster, figürlichen Schmuck erhalten. Mit Rücksicht auf die adligen Stifter und die jedenfalls teilweise allein ihrer Sphäre zugehöri-

Vorbild für die Vorhangmalerei zu suchen, was ohne Ergebnis blieb. Ein sehr ähnlicher Stoff, allerdings nur mit Adlern in Vierpässen, wurde in dem Jahr, in dem Essenwein die Dekoration entwarf, von Friedrich Fischbach: Ornamente der Gewebe. Hanau 1874, Taf. 128c, publiziert; es handelt sich um das Gewandmuster einer Statue aus dem 14. Jahrhundert in Köln. – Eine gewisse Ähnlichkeit besitzt auch ein gestickter Teppich auf der Wartburg, wohl 15. Jahrhundert, vgl. Renate Jaques: Deutsche Textilkunst. Krefeld 1953, Abb. 100, sowie ein Seidenstoff mit Silberdruck im Germanischen Nationalmuseum, Nürnberg, ebenda Abb. 1. – Für Hinweise fühle ich mich Leonie von Wilckens, Nürnberg, dankbar verbunden.

[136] Ein Teil der originalen Wappenentwürfe im Kupferstichkabinett GNM, Mappe aus dem Nachlaß Essenweins: „Entwürfe für Glasgemälde im germanischen Museum". – Das Gesamtverzeichnis in Stifterwappen (Anm. 63), Raum 59; im Vergleich mit dieser Liste ist die Anordnung der Wappen auf Essenweins Entwürfen als Ideenskizze zu verstehen, die allerdings bereits eine alphabetische Ordnung angibt. Zu den Wappen vgl. auch: Die Stammwappen der deutschen Standesherren nach dem Wappenfries im germanischen Museum zu Nürnberg nebst einer Beschreibung ihrer vollständigen Wappen. Hrsg. vom Verein der deutschen Standesherren. Tübingen 1882; dieser Band enthält jedoch nur die Stammwappen, berücksichtigt also nicht die Tatsache, daß die standesherrlichen Familien teilweise mit mehreren Linien im Fries vertreten sind.

gen Exponate erschienen hier die personifizierten ritterlichen Tugenden in Gestalt der drei tapfersten Helden des Altertums (Alexander, Hector, Cäsar) und des alten Bundes (Josua, David, Judas Makkabäus); weiterhin die drei christlichsten Helden (Karl der Große, Artus, Gottfried von Bouillon) und die drei freigiebigsten Fürsten (Hermann von Thüringen, Leopold von Österreich, Magnus 222 von Schweden). Alle sind sie, wie die Dichter des Mittelalters sie sich nach Essenweins Meinung vorstellten, „im strengsten Stile, demgemäß auch im Kostüme des 13.–14. Jahrh. gebildet. In ihrer Mitte steht der Patron der Ritterschaft, der heil. Georg, und der Patron Deutschlands, der heil. Michael"[137]. Im Jahre 1876 konnte dieser Saal eröffnet werden, ebenso der darüber befindliche im 2. Obergeschoß, der gleichfalls dekorative Malerei erhielt und nach den Stiftern der jetzt neuangefertigten, wappengeschmückten Decke den Namen „Saal der Reichsstädte" trug[138].

Bereits 1874 hatte Essenwein den Entwurf angefertigt, der ein spätgotisches Netzgewölbe in eine 223 flache Holzdecke umformte. Durch die notwendigen Unterzüge ergaben sich zwei Reihen von je vier großen Teilflächen, die wiederum ein zentrales, von einer Reihe von kleineren Quadraten umgebenes Feld zeigten – alle durch Pseudorippen gegliedert. Die zentralen Felder der vier mittleren Teilflächen nahmen den einköpfigen Adler des Römischen Königs, den zweiköpfigen des Deutschen Kaisers, sowie je vier Wappen der Kurfürstentümer und des römischen Prinzipats auf. Alle übrigen Felder waren mit Reichsstädtewappen geschmückt[139]. Mit dieser Idee, in der deutschen Nationalanstalt die Erinnerung an die alte Reichsherrlichkeit wiederzubeleben, hatte Essenwein großen Erfolg, denn auf die am 9. Januar 1875 ausgegangene Subskriptionseinladung kamen die Zusagen so prompt, daß bereits im März die Ausführung des Projektes feststand. Zusagen gingen auch aus dem Ausland ein, so beteiligten sich die Schweizer Städte St. Gallen, Zürich, Schaffhausen, Bern, Solothurn, Basel, Winterthur sowie in den Niederlanden Kampen, während Nymwegen zwar mit der Anbringung des Wappens einverstanden war, aber kein Geld zur Verfügung stellen mochte[140]. Aus Wien kam ebenfalls eine Zusage, alles zusammen ein Beweis dafür, daß Essenwein sich in dieser so eminent historisch orientierten Epoche mit seinem Plan ein verbreitetes Geschichtsbewußtsein zunutze machen konnte, das den aktuellen politischen Nationalismus zumindest in dieser Hinsicht überspielte. Private Stifter gewann Essenwein für die Fenster, welche allerdings keine farbige, in mittelalterlicher Manier durch Bleiruten gegliederte Verglasung, sondern in Grisailletechnik auf Glas gemalte Darstellungen der „wichtigsten Momente aus der Geschichte und dem Kulturleben der Städte" erhielten[141]. Auch hierfür sind einige Entwürfe erhalten, von denen mehrere von Friedrich Wanderer 224 signiert wurden, so daß er als Entwerfer, in Zusammenarbeit mit Essenwein, angesehen werden kann[142]. Das Ausstattungsprogramm war also in sich geschlossen, hatte aber keinen unmittelbaren

---

[137] Wegweiser GNM 1893, S. 93. – Auch für diese Ritterfenster befinden sich Entwürfe im Kupferstichkabinett GNM (vgl. Anm. 136). Sie sind teilweise farbig, teilweise nur mit schwarzen Umrissen und Binnenkonturen angelegt. – Die Ausführung der Fenster war möglich dank eines 1876 zusätzlich vom Verein der deutschen Standesherren gewährten Betrages von 5000 Mark, vgl. Anzeiger GNM 1876, Sp. 181. – Die Scheiben wurden 1940 entfernt, vgl. Jahresbericht GNM 87 (für 1940), 1941, S. 5, und befinden sich jetzt in der Glasgemäldesammlung des GNM.

[138] Jahresbericht GNM 23 (für 1876), 1877, S. 1.

[139] Der Entwurf zur Decke in der Plansammlung des GNM. Er ist als Federzeichnung angelegt und zeigt deshalb nicht den reichen Farben- und Goldschmuck, den der Jahresbericht für 1876 (Anm. 138) andeutet. – Vgl. Stifterwappen (Anm. 63), Raum 60 Plafond.

[140] Die Korrespondenz mit den Städten und eigenhändige Tabellen Essenweins zur Art der benötigten Wappen mit Ortsnamenlisten bei Überschriften wie: Einfache Adler, 22 Stück; gekrönte Adler, 5 Stück, u. s. w., in Altregistratur GNM, Kapsel 27 lfd. Nr. 9, und Kapsel 319, Bauten Karthause, einmalige Beiträge Augustinerbau 1875–77. – Vgl. auch Anzeiger GNM 1875, Sp. 49.

[141] Anzeiger GNM 1875, Sp. 121; 1876, Sp. 209. – Vgl. Stifterwappen (Anm. 63), Raum 60.

[142] Kupferstichkabinett GNM: Bilderrepertorium, Kapsel 1860, und Mappe mit Glasfensterentwürfen, vgl. Anm. 136. – Vgl. auch Altregistratur GNM, Kapsel 27, lfd. Nr. 9 (von Essenwein erstelltes Verzeichnis der Stifter). Die Darstellungsthemen beginnen in der Römerzeit und reichen bis ins 19. Jahrhundert.

225. Entwurf für die Kunstuhr am Wittelsbacher Hof. Federzeichnung von August Essenwein, 1879

226. Hohenzollernhalle von 1878/79 mit dem Verbindungssaal zwischen der Oberlichtgalerie über dem Nordflügel des Großen Kreuzganges zum Oberlichtsaal des Victoriabaues; Außengalerie von 1894. Rechts Ostflügel des Großen Kreuzganges. Zustand August 1943 (nach den ersten Bombenschäden)

Bezug zu den Exponaten – der Kostümsammlung –, was darin seinen Grund findet, daß die Erlangung von Spenden bei der angespannten Finanzlage den Vorrang hatte, so daß nicht überall die Realisierung eines – unter Umständen auch nur ad hoc entwickelten – Gesamtkonzepts und damit eine Symbiose wie im Standesherrensaal möglich war.

Bereits 1875 wurde mit der geschlossenen Aufstellung der als Leihgabe in das Museum gelangten plastischen und kunsthandwerklichen Sammlungen der Stadt Nürnberg das Erdgeschoß des Augustinerbaues eröffnet[143]. Die gewölbten Räume am Südflügel des Augustinerkreuzgangs waren ebenfalls ausgemalt worden, wobei die Wände eine auf Putz gemalte Quaderung, Arkaturen oder Vorhangmotive zeigten, während in den Gewölbefeldern Pflanzenornamente erschienen[144]. Durch Stiftungen

425 vgl. 219, 220

[143] Anzeiger GNM 1875, Sp. 249; einer der beiden Säle neben dem ehemaligen Kapitelsaal war allerdings noch nicht vollendet.
[144] Vgl. auch Stegmann (Anm. 87), Taf. XXXVII.

227. Lichthof an der Nordseite der Kirche, Westwand nach 1876. Zustand etwa 1935

erhielten die Fenster bis 1877 eine farbige Verglasung mit teppichartigen Ornamenten unten und baldachinbekrönten Wappen oben, die dem Gedächtnis der Spender dienten – die Kosten hatten einige fränkische Adelsfamilien übernommen[145]. Ebenfalls 1875 eröffnet wurden die hauptsächlich durch Beiträge der Nürnberger Patrizier wiederhergestellten Augustinerkreuzgänge, die bereits oben behandelt wurden.

206–208, 217, vgl. 399   Noch zu besprechen bleibt der zum Nordflügel gewordene Teil des Augustinerkreuzgangs. Von ihm wurde bei der Übertragung des Klosters nur die Arkadenfront gerettet und mit geringem Abstand der Südwand des Südflügels des Kartausenkreuzgangs vorgeblendet. An die Stelle der Wand trat dabei eine auf fünf Granitsäulen ruhende Arkatur, die den Blick auf sechs Maßwerköffnungen dieses nördlichen Flügels des Augustinerkreuzgangs freigab, so daß hier die beiden Klosterbereiche am innigsten verschmolzen wurden. Als Ausdruck der überregionalen, den ganzen deutschsprachigen Kulturkreis umfassenden Bedeutung des Museums erhielten fünf dieser Maßwerkfenster farbige

397

Glasmalereien mit den Wappen der 15 wichtigsten österreichisch-ungarischen Kronländer, die Mitglieder des österreichischen Kaiserhauses, voran der Kaiser selbst, stifteten[146]. Die sechste Öffnung 217 diente als Durchgang in den Hof des Augustinerkreuzgangs. Daneben blieb die Wand bis zum westlichen Flügel des Augustinerkreuzgangs geschlossen, weil hier für eine der Heizungsanlagen ein Kamin hochgezogen wurde, für dessen Verkleidung Essenwein 1879 eine hohe Kunstuhr in neugotischen Formen entwarf, deren Mittelpunkt die Figur des auch für die Nürnberger Handelsgeschichte 225 bedeutsamen Kaisers Ludwig des Bayern bildete[147]. Sie wurde 1880 mit einigen kleineren Veränderungen gegenüber dem ursprünglichen Plan ausgeführt, die auf Wünsche der Stifter, Mitglieder des Hauses Wittelsbach, zurückgingen. Fortan hieß der Hof des Augustinerkreuzgangs Wittelsbacher Hof[148]. Als Motiv für diese Stiftung, die zusätzlich zu den persönlichen Jahresbeiträgen gewährt wurde, könnte man vermuten, daß auch das Haus Wittelsbach namengebend an einem Bauteil in Erscheinung treten wollte, nachdem außer dem sogenannten österreichischen Kreuzgang mit den eben erwähnten Fensterstiftungen des Allerhöchsten Kaiserhauses inzwischen auch die Hohenzol- 207, 208, lern einen, eher dekorativen als praktischen Zwecken dienenden, kleinen Bau gestiftet hatten. Diese 226 Hohenzollernhalle wurde im Großen Klosterhof im Winkel zwischen dem Nord- und Ostflügel des Kartausenkreuzgangs 1878/79 in Anlehnung an das Maulbronner Brunnenhaus errichtet und zeigte in den je zwei Fenstern der beiden Außenwände die Wappen der preußischen Provinzen[149]. Neben wiederverwendeten Bauteilen wurden also, wie mit diesem Brunnenhaus, auch alte Architekurvorbilder zur Vervollständigung der Anlage übernommen. Auch dies trug zu dem für die Zeitgenossen romantischen Eindruck des Museums bei[150].

Neben dem Augustinerbau, der um 1876/77 im großen Ganzen vollendet war, beschäftigten Essenwein konservatorische Probleme im historischen Kartausenbereich. Durch das im Laufe der Jahrhunderte höher gewordene Niveau der umgebenden Straßen lag die Kartause so tief, daß die

[145] Altregistratur GNM, Kapsel 319, Bauten Karthause, Einmalige Beiträge Augustinerbau 1875–77 (Korrespondenz). – Vgl. auch Wegweiser GNM 1906, S. 112, 115, 116 und Jahresbericht GNM 22 (für 1875), 1876, S. 1, 4–5; 23 (für 1876), 1877, S. 1; 24 (für 1877), 1878, S. 1; 25 (für 1878), 1879, S. 1, sowie Stifterwappen (Anm. 63), Raum 52–54.

[146] Altregistratur (Anm. 43), unpaginiert, Korrespondenz mit dem Kaiserhaus in Wien und der ausführenden Tiroler Glasmalereianstalt in Innsbruck. – Anzeiger GNM 1874, Sp. 49, 217, 377; 1875, Sp. 217 (Juli-Nr. mit dem Bericht über das Einsetzen der Fenster). – Jahresbericht GNM 21 (für 1874), 1875, S. 1, 5. – Einige Wappenentwürfe im Kupferstichkabinett GNM, vgl. Anm. 136. – Einen Eindruck gibt die Abbildung bei Stegmann (Anm. 87), Taf. XIV (Abb. 399) mit einem Blick aus dem Saal an der Ostseite des Kleinen Kreuzgangs. Die Fenster wurden, wahrscheinlich im Zusammenhang mit dem Ausbau der historischen Scheiben in der Amtszeit von Heinrich Kohlhaussen, verkauft, vgl. Stifterwappen (Anm. 63), Raum 26 Südwand.

[147] Kupferstichkabinett GNM, Nachlaß Essenwein, ZR 5585/1974. Federzeichnung 118 : 52,3 cm. Abweichend von diesem Entwurf wurden bei der Ausführung die Wappen Nürnbergs und des Germanischen Museums an der Konsole weggelassen und nur die Wappen Bayerns und der Pfalz ausgeführt. – Als Anspielung auf das stiftende Königshaus wurde unter einem mit drei Wimpergen geschmückten Baldachin Kaiser Ludwig der Bayer dargestellt, der – sieht man von der nur dreijährigen Regierungszeit Kaiser Karls VII. ab – allein zu historischer Bedeutung gelangte Kaiser, den das Haus Wittelsbach gestellt hatte. Ludwig der Bayer hatte wegen der Erteilung wichtiger Handelsprivilegien an Nürnberg zu Beginn des 14. Jahrhunderts eine große Bedeutung für die Stadt, der ein Jahr zuvor, 1878, auch der Nürnberger Handelsvorstand mit einem Gemälde gedachte, vgl. hierzu vom Verfasser: Anselm Feuerbachs Nürnberger Historienbilder. In: Anselm Feuerbach. 1829 – 1880. Ausstellung in der Staatlichen Kunsthalle Karlsruhe. Karlsruhe 1976, S. 106–110.

[148] Anzeiger GNM 1879, Sp. 17, 49; 1880, Sp. 293. – Jahresbericht GNM 26 (für 1879), 1880, S. 2; 27 (für 1880), 1881, S. 2. – Eine Beschreibung bringt der Wegweiser GNM 1906, S. 137. – Zum Brunnen im Hof vgl. Anzeiger GNM 1873, Sp. 329, und Hampe, Festschrift, S. 110.

[149] Der Kostenvoranschlag ist datiert 18. April 1878, vgl. Altregistratur GNM, Kapsel 318, Victoriabau. – Anzeiger GNM 1876, Sp. 369; 1877, Sp. 17. – Jahresbericht GNM 23 (für 1876), 1877, S. 1; 26 (für 1879), 1880, S. 2. – Vgl. Stifterwappen (Anm. 63), Kapellenausbau.

[150] In der Hohenzollernhalle wurde eine getreue Nachbildung des Goslarer Marktbrunnens aufgestellt „und das melodische Plätschern des Wassers erhöht noch die fast feierliche Stimmung, in die wir durch das von mehreren Seiten einfallende bunte Licht und den ernsten gothischen Stil der Baulichkeiten versetzt werden"; Theodor Hampe: Zum 50jährigen Bestehen des Germanischen Nationalmuseums in Nürnberg. In: Illustrirte Zeitung Bd. 118 (1902), S. 896–908 (900).

Bodenfeuchtigkeit begann, die Gebäude anzugreifen. Ab 1872/73 wurde daher für einige Jahre ihre Trockenlegung durch den Einbau von Heizungen und durch Abgraben des Bodens betrieben. Hinsichtlich der besonders gefährdeten beiden kleinen Höfe zwischen der Kirche und dem Nordkreuzgang konnte darüber hinaus Abhilfe geschaffen werden, indem der ganze Bereich ein großes Glasdach erhielt und damit zum Innenraum wurde[151]. Ein weiterer Raum, vorläufig zur Aufnahme der Gemäldesammlung der Stadt Nürnberg bestimmt, entstand 1876/77 durch Aufstockung über dem eingeschossigen Saal für die Textilien zwischen dem Südkreuzgang und dem Kapitelsaal südlich der Kirche. Dieser Raum wurde später zum Mecklenburger Saal umgestaltet, der an anderer Stelle zu behandeln ist.

In den ersten zehn Jahren von Essenweins Direktorat hatte das Museum bedeutend an Ausdehnung und Raumzuwachs gewonnen; die Ausschmückung dieser Teile und einige mit ihr zusammenhängende Vorhaben, wie etwa die Wittelsbacher Uhr, zogen sich noch bis 1880 hin. Mit der Vollendung des Augustinerbaues in der Mitte der siebziger Jahre war dennoch die erste Erweiterungsphase des Museums insofern abgeschlossen, als anschließend statt der „pietätvollen" Rettung vom Abbruch bedrohter Gebäude echte Neubauten entstanden, die sich aber stilistisch dem vorhandenen Bestand anpaßten. Zudem erhielt die Bautätigkeit eine neue finanzielle Basis. Zwar gingen auch weiterhin zahlreiche Spenden für kleine Vorhaben und die dekorative Ausgestaltung ein; der größte Teil der Mittel aber stammte fortan aus dem Reichshaushalt, nicht zuletzt deshalb, weil Essenwein mit der Bewältigung der finanziellen Probleme des Augustinerbaues gezeigt hatte, daß das 1874 geäußerte Mißtrauen des Reichskanzleramtes gegenstandslos war.

★

□ Ost- und Südbau – die großen Neubauten ab 1877 auf Kosten des Deutschen Reiches

Mit Befriedigung konnte Essenwein im Jahresbericht für 1876 darauf hinweisen, daß das Museum gegenüber ursprünglich neun jetzt über einundvierzig Ausstellungsräume verfüge. Dieser nahezu ausschließlich während seiner Amtszeit erzielte Zuwachs, für den 400000 Mark verbaut wurden, reiche aber nicht aus, vielmehr sei noch eine Summe in doppelter Höhe nötig, um allen vorhersehbaren Raumbedürfnissen zu genügen[152]. In diesem und im folgenden Jahr, 1877, entwickelte er daher vorsorglich einen, denjenigen von 1872 beträchtlich erweiternden Ausbauplan. Das neue Gesamtprojekt ist nicht im Original erhalten, aber durch Veröffentlichungen überliefert. Essenwein machte es durch eine Aufnahme aus der Vogelperspektive[153] und durch einen Grundriß bekannt, der bis in unser Jahrhundert hinein mehrfach reproduziert wurde, obwohl er ab 1882 durch weitere Planungen bereits überholt war[154]. Vorgesehen waren zwei größere Neubauten: erstens der schon 1872 neben dem

[151] Zum Gesamtkomplex der Trockenlegungsarbeiten: Altregistratur GNM, Kapsel 318, Victoriabau (Vertrag mit der Heizungsfirma Reinhardt vom 25. Mai 1873, Kostenvoranschlag für ein Glasdach vom 21. April 1873). – Anzeiger GNM 1872, Sp. 321; 1873, Sp. 81; 1875, Sp. 281. – Jahresberichte GNM 19–23 (für 1872–1876), 1873–1877.
[152] Jahresbericht GNM 23 (für 1876), 1877, S. 2.
[153] Vgl. hierzu Anm. 5.
[154] Als seinerzeit verbindlich erschien er zuerst im Jubiläumsaufsatz von Reinhard Bergau: Das germanische Museum in Nürnberg. In: Deutsche Bauzeitung Jg. 11 (1877), S. 485–487, 495–497 (495). – Selbst Essenwein, 1884 (Anm. 95), Taf. I u. II, benutzte ihn, allerdings unter Hinzufügung der Vorgeschichtshalle am Westende des Nordkreuzgangs. – Darauf basiert auch der Plan bei Franz Friedrich Leitschuh: Das germanische Nationalmuseum in Nürnberg (Bayerische Bibliothek. Bd. 9). Bamberg 1890, S. 99, 100. – Auf die Deutsche Bauzeitung greift noch 1906 zurück das: Handbuch der Architektur. IV. Teil, 6. Halbband, H. 4., 2. Aufl. Stuttgart 1906, S. 366, Fig. 500, wobei allerdings S. 364, Anm. 489, auf die inzwischen eingetretenen Änderungen hingewiesen wird, die verglichen werden könnten bei Hans Bösch: Zur Jubelfeier des Germanischen Museums in Nürnberg. In: Die Denkmalpflege Jg. 4 (1902), S. 57–60 (S. 58, Abb. 2).

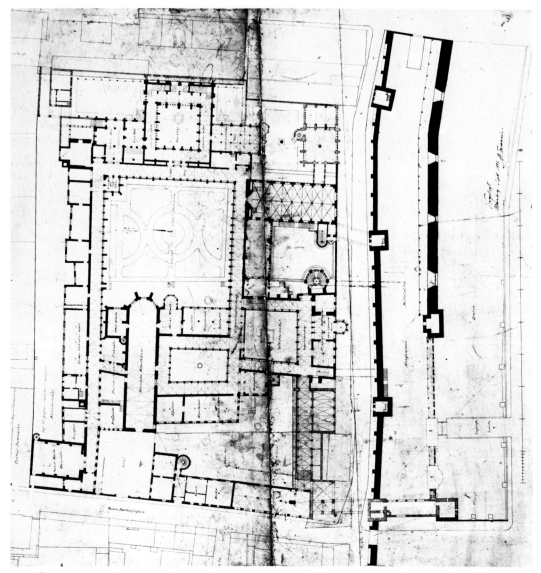

228. Überarbeitetes Ausbauprojekt mit Nachträgen aus den Jahren 1889/90, Erdgeschoß. Zeichnung von Sauer nach Angaben Essenweins, 1882. Norden ist links

Augustinerbau projektierte Südbau am Südarm des Großen Kreuzgangs mit einem eingeschossigen Saal parallel zu diesem und einem mehrgeschossigen Trakt zwischen Kreuzgang und Straße; hier wurde die ursprüngliche, L-förmige Disposition also im Prinzip beibehalten, allerdings zusätzlich erweitert durch einen später nicht ausgeführten Anbau an der Straße mit dem Notnamen „Südostbau"; zweitens der gegenüber 1872 beträchtlich erweiterte Ostbau (Victoria- und Friedrich-Wilhelm-Bau mit Reichshof), der nun nicht mehr als langgestreckter Trakt parallel zum Ostkreuzgang verlief, sondern zu einer, einen Hof umschließenden Vierflügelanlage mit Annexen nach Norden und Süden

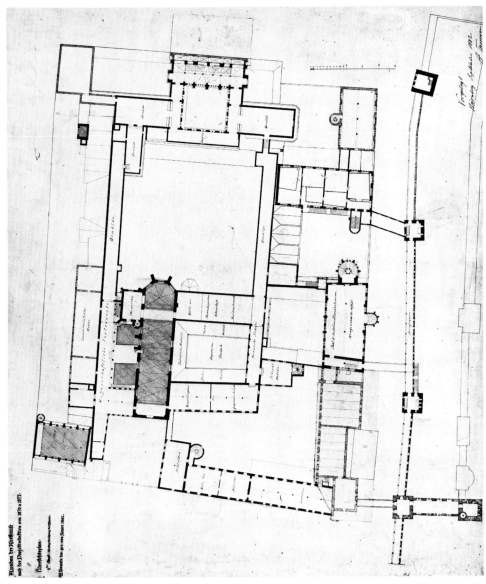

229. Überarbeitetes Ausbauprojekt mit Nachträgen aus den Jahren 1889/90, Obergeschoß. Zeichnung von Sauer nach Angaben Essenweins, 1882. Norden ist links

sowie mit einer in der Luftaufnahme deutlich sichtbaren turmartigen Halle als zukünftigem Haupt-
228, 229 eingang im Osten erweitert wurde. Die erste authentische Fassung gibt Essenweins 1882 umgezeich-
neter Grundriß[155], der die inzwischen eingetretenen Projektredaktionen berücksichtigt, allerdings
zusätzlich durch Überklebungen und Einzeichnungen Änderungen von 1889/90 aufnimmt.

[155] Plansammlung GNM: Ausbau der Karthause nach der Projektredaktion von 1876 u. 1877. Übersichtsplan Erdgeschoß.
Stand des Jahres 1882. Künftige Benutzung der Räume. Entw. v. A. Essenwein. Gez. v. Sauer 1882. – Dito, 1. Stock. –
Vgl. auch Anm. 5.

Während der Planung und Ausführung entstandene Abweichungen sollen bei den einzelnen Bauabschnitten besprochen werden. Hinzuweisen ist aber schon hier auf die 1882 angegebenen Modifikationen gegenüber der Gesamtansicht aus dem Jahr 1877: die Eingangshalle am Ostbau wird 207, 228 zu einem bloßen Treppenhaus reduziert, der Südostbau hat seine Form verändert, am Westende des Nordkreuzgangs erscheint die Halle für die Vorgeschichte, die durch rötlichen Mauerton als konkretes Bauvorhaben herausgehoben ist, während, genau wie der Südostbau, durch Schraffierung zwischen Augustinerbau und Kartäusergasse ein Vorläufer des Bezoldschen Südwestbaus angegeben wird, der das Anschlußstück zur Einbeziehung des dem Museum vorgelagerten Stadtmauerbereichs bilden sollte[156].

★

Nachdem Essenwein sein neues Projekt, das er entsprechend den Vorstellungen des Verwaltungsausschusses[157] stilistisch mit mittelalterlichen, meist gotisierenden Elementen der Kartause anpaßte, persönlich im Reichskanzleramt erläutert hatte, konnte er dem Ausschuß am 3. April 1877 berichten, daß nicht nur die Pläne gutgeheißen, sondern auch die finanziellen Mittel hierfür genehmigt seien[158]. Auch die Freunde des Museums erfuhren sogleich durch den „Anzeiger", daß die Reichsregierung zur Finanzierung der Sammlungsräume im Ostbau dem Reichstag eine Vorlage zugehen lassen werde, „wonach dem Museum neben der jährlichen Unterstützung 120000 m. als Beitrag gegeben werden sollen, die nach Maßgabe des Bedarfs auf mehrere Jahre verteilt werden. Für das Etatjahr 1877/78 sind 24000 m. bestimmt, welcher Betrag nöthig ist, um die Fundamente und den Sockel des größten Theiles des Ostflügels herzustellen"[159].

Mit diesen Arbeiten für den ersten großen neuentworfenen Erweiterungsbau konnte noch im Sommer des Jahres begonnen werden, da die am 7. Juli 1877 eingereichten Pläne bereits am 17. Juli baupolizeilich genehmigt wurden[160]. So war es auch möglich, am 16. August – im Zusammenhang mit den weithin beachteten Feiern anläßlich des fünfundzwanzigjährigen Jubiläums des Museums –

[156] Außerdem erscheint in diesem Grundriß an der Nordostecke bereits das zukünftige Gebäude für den Hausmeister, das erst in den neunziger Jahren bezogen wurde, als das bisher von diesem bewohnte Mönchshaus am Nordkreuzgang in einen Erweiterungsplan (Modellsaal) einbezogen wurde, der im Plan als langgestreckter Raum nördlich der Kirche angegeben wird.

[157] Vgl. Anm. 131.

[158] Altregistratur GNM, Kapsel 1a, lfd. Nr. 2b.

[159] Anzeiger GNM 1877, Sp. 85; selbst diese Mitteilung wußte Essenwein noch für einen Spendenaufruf zu nutzen, indem er fortfuhr: „Durch diese Unterstützung, welche das deutsche Reich nach sorgfältiger Prüfung unserm Bau zuwendet, mag für Jedermann einerseits die wirkliche Nothwendigkeit dargelegt sein, anderseits aber auch die Freude an Stiftungen neu belebt werden, weil jetzt dafür Gewähr gegeben ist, dass in würdiger Weise gebaut wird, dass die Stiftungen einem grossartigen Ganzen sich anschliessen und dass die einzelnen gestifteten Theile nunmehr auch zu baldiger Ausführung gelangen werden, weil für den Kern des Bauwerkes gesorgt ist. Möge deshalb, wie bei den bisherigen Bauten, jedes Fenster, jede Thüre, jede Säule, jedes Gewölbe, kurz jeder Theil, der sich zu besonderer Stiftung eignet, seinen Stifter finden! Mögen die an denselben angebrachten Wappen ihnen den schönsten und stilgemässesten Schmuck verleihen und so das monumentale Stammbuch, als welches jetzt schon unsere Karthause betrachtet werden kann, der Mit- und Nachwelt zeigen, was gemeinsames Arbeiten vermag!" – Vgl. auch Jahresbericht GNM 24 (für 1877), 1878, S. 1.

[160] Altregistratur GNM, Kapsel 324: Plansatz für den Genehmigungsantrag. Der eingereichte Plan weicht in Details von der Ausführung ab. So wird der Eingang in den Victoriabau aus der Achse des Reichshof-Westflügels in das erste Joch des Nordflügels verlegt. Damit verändert sich auch die Anlage des südlichen Teils im Victoriabau selbst, der ursprünglich einen geschlossenen Raum im Westen und im Osten einen Saal mit vier von einer Mittelstütze getragenen Kreuzgratgewölben erhalten sollte. – Der erste, nur in Fotos (Kupferstichkabinett GNM, Kapsel 1442a) überlieferte Entwurf dagegen weist mehr Abweichungen auf, so hatte das Mittelkompartiment des Victoriabaues noch gruppierte Fensterarkaden mit einem Tondo darüber, anstelle des Oberlichtes wies der Saal im ersten Stock in der östlichen Seitenwand große Rundfenster auf. Andere Fenster- und Architekturdetails wies auch der erste Entwurf für den südlichen, den Friedrich-Wilhelmsbau auf, die dort besprochen werden.

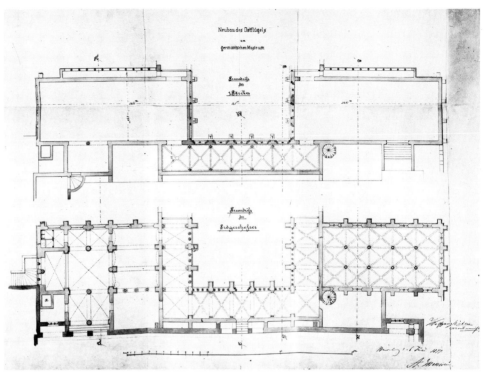

230. Ostbau, Teilentwurf, Erd- und Obergeschoßplan des Baugenehmigungsantrages, 1877

offiziell den Grundstein zu legen[161]. Da der projektierte Eingangsbau keine Sammlungsräume enthalten sollte, also als minder dringlich noch zurückgestellt werden konnte, konzentrierte man sich vorerst auf den mittleren und nördlichen Teil des Vorhabens. Von dem Kernbau, der zweigeschossigen, kreuzgangartigen Vierflügelanlage, entstand als erstes, parallel zum Ostflügel des Kartausenkreuzgangs und mit diesem durch eine Treppenanlage verbunden, der westliche Arm mit einer fünfachsigen Hoffront sowie mit zunächst jeweils drei der vorgesehenen fünf Achsen der südliche und der nördliche Flügel. An diesen schloß sich dann der nördliche, nach der deutschen Kronprinzessin Victoriabau benannte Saalkomplex an. Er erstreckte sich nach Norden bis zur Südostecke der Wilhelmshalle und reichte im Westen bis an den Kartausenkreuzgang, während seine Ostwand mit dem dritten Strebepfeiler der Reichshoffront fluchtete. Im Inneren erhielt er drei von West nach Ost verlaufende Kompartimente, die ihrerseits durch eine, in Verlängerung der Westfront des Reichshofes verlaufende Stützenreihe in Nordsüdrichtung nochmals geteilt wurden. Diese, den Grundriß verkomplizierende, aber eine abwechslungsreiche Raumgliederung ermöglichende zusätzliche Segmentierung diente der statischen Absicherung der Westwand des Obergeschosses, das als schmalerer, nach Norden gerichteter Längsrechteckraum einen Oberlichtsaal für Gemälde bildete. Da das Erdgeschoß der Ausstellung von Abgüssen romanischer Skulpturen und Kleinkunst dienen sollte, erhielten die Räume ein dieser Epoche entsprechendes stilistisches Gepräge. Das erste Kompartiment wurde in

228, 230
348
230
229, 340
40, 232

[161] Anzeiger GNM 1877, Sp. 265. – Hampe, Festschrift, S. 103. – Zum Jubiläum vgl.: Bergau (Anm. 154). – Otto von Schorn: Das Jubiläum des Germanischen Museums. In: Zeitschrift für bildende Kunst Jg. 13 (1878; eigentlich 1877/78), S. 19–23.

231. Ostbau, Erdgeschoß des Victoriabaues, Blick nach Osten aus dem Ostflügel des Großen Kreuzgangs in das mittlere Kompartiment des Victoriabaues. Zustand Ende 19. Jahrhundert

seiner rechten Hälfte mit drei von schweren Jochbögen getragenen flachen Kuppelsegmenten geschlossen, es öffnete sich mit drei Rundbögen auf kräftigen Säulen mit skulpierten Würfelkapitellen in den zum Kartausenkreuzgang gelegenen Teil, der eine verglaste Decke erhielt. Durch eine pfeilergestützte Doppelarkade kommunizierte dieser Abschnitt zugleich mit dem zweiten Kompartiment, das ostwestlich orientiert war und im Zentrum ein größeres Kreuzgratgewölbe mit dem Hauptstück der 40, 232 malerischen Dekoration erhielt. Flankiert wurde es von zwei unterschiedlich breiten Schiffen mit jeweils zwei Jochen, deren Gewölbe an der Ostseite von breiten Gurtrippen getragen wurden, während es im Westen durch dekorative Malerei hervorgehobene Grate waren. Dieser westliche Teil nun öffnete sich mit einer Doppelarkade gegen den Ludwigskreuzgang der Kartause, wobei mit

232. Ostbau, Erdgeschoß des Victoriabaues, Gewölbemalerei im mittleren Kompartiment und Blick nach Süden in den Raumteil am Reichshofkreuzgang

231
vgl. 233 Rücksicht auf dessen Stil die Mittelstütze ein „frühgotisches" Blattkapitel erhielt. Dieser Durchblick läßt zugleich erkennen, daß die Ostwand des Victoriabaues hochsitzende große Rundfenster aufwies. Das dritte Kompartiment schließlich, schmaler als die beiden anderen, diente nur in seinem Mittelteil Ausstellungszwecken.

Im Sinne der stilistischen Übereinstimmung von Kunstgut und umgebender Architektur wurde auch die dekorative Ausstattung durch Malerei gehandhabt. Außer der Scheinquaderung der Wände und der ornamentalen Bemalung der Gurtbögen und Nebengewölbe entwickelte Essenwein ein größeres ikonographisches Programm, das anhand der wenigen vorhandenen Fotos nur annähernd erfaßt werden kann, weshalb für die Erläuterung auf eine zeitgenössische Beschreibung zurückge-

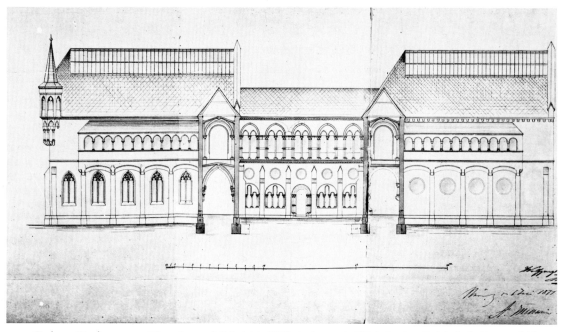

233. Ostbau, Ostfront von Victoria- und Friedrich-Wilhelmbau mit Blick in den Reichshof. Entwurfsblatt vom Baugenehmigungsantrag, 1877

griffen werden muß. Für den Stil der Darstellung konnte Essenwein dabei auf seine große, durch Studien und Restaurierungen gewonnene Kenntnis mittelalterlicher Kunst zurückgreifen. Um der in der romanischen Epoche noch vorhandenen „poetischen Herrlichkeit des alten Reiches" Ausdruck zu geben, wurden „einzelne der jene Zeit bewegenden Gedanken" aufgenommen[162]. Das große Kreuzgratgewölbe im mittleren Kompartiment enthielt „allegorische Figuren am Gewölbe, in der Mitte die Germania mit der Inschrift: Est apud Germanos orbis imperium, umgeben von den vier Kardinaltugenden: fortitudo, prudentia, temperantia und justitia, in den Ecken vier Flüsse mit je dem wichtigsten Nebenflusse, in denen sich die Dome jener Zeit spiegeln, so der Rhenus mit dem Moenus, Visurgis mit Fuldaha, Albis mit Havelha und Danubius mit dem Oenus". Zwei der Dome, die allerdings keine tatsächlichen Bauporträts, sondern identische Abbilder eines Idealdomes abgeben, sind zusammen mit den Flußgruppen Rhein/Main, links, und Weser/Fulda, rechts, auf der Abbildung zu erkennen, außerdem im Bogenfeld über der Doppelarkade eine „Franken" symbolisierende Männergestalt. Hier handelte es sich um eine von insgesamt „drei allegorische[n] Figuren der Herzogtümer, denen die drei hervorragendsten Kaisergeschlechter jener Zeit entsprossen sind, . . ., die Saxonia, Franconia und Suevia, mit der Inschrift: Ottones Saxonia magnos imperatores / Et Henricos tres pulcra Franconia dedit. / Sed magnos Fridricos aurea Suevia donat". Wurde hier der weltliche, so wurde in den drei Ostjochen des ersten Kompartiments der sakrale Gedanke des Heiligen Römischen Reiches deutscher Nation an den Gewölben zum Ausdruck gebracht. Sie zeigten „Christus, zu Häupten die Sonne, zu Füßen den Mond inmitten des gestirnten Himmels, dessen einzelne hervorragende Sternbilder personifiziert dargestellt sind. (Als Vorbild diente einer der

40, 232

[162] Wegweiser GNM 1887, S. 33–34. – Hier auch die im folgenden zitierte Beschreibung.

Kaisermäntel im Dome zu Bamberg). Christus hat die Inschrift: Per me reges regnant"[163]. An der Ostwand dagegen zwischen den Fenstern erschien die Personifikation des mit diesem Reich verbundenen Herrschertums, „der Kaiser zwischen den Gestalten des Meeres und der Erde" thronend. „Die Figur des Meeres hat die Inschrift: Decus Europae Caesar beare, die Erde: Salve Imperator; unter dem Kaiser, in der überschwänglichen Redeweise jener Tage: Mare te salutat, Auguste, et terra, splendorem reflectis solis et lunae et coeli stellati". An den Seitenwänden, zum Reichshofkreuzgang und zum zweiten Kompartiment hin, war dann noch Platz für „die Figuren der Großen des Reiches", „der Herzoge von Bayern, Sachsen, Burgundien und Schwaben, der Erzbischöfe von Mainz, Köln und Trier, der Markgrafen von Österreich und Baden, des Landgrafen von Thüringen und des Burggrafen von Nürnberg". Über den Bögen zum Nebenraum fanden sich schließlich noch zwei emporfliegende Vögel mit den Beischriften „Sicut alauda omnipotentis majestatem, ita poetae Caesaris cantant gloriam". – Zusätzlich zum malerischen Schmuck erhielt der Bau durch Stiftungen auch Glasfenster, über deren Thematik jedoch keine Angaben vorliegen[164].

Wie die gotische Kartause mit den in ihr ausgestellten mittelalterlichen Kunstwerken in den bereits angesprochenen geistigen Zusammenhang der Museumskirche gehört, wozu noch die lange Zeit auf falschen Voraussetzungen beruhende Gleichsetzung von gotischem und deutschem Stil kam[165], so hat Essenwein auch hier, wie gesagt, intendiert, die ausgestellten Abgüsse „mit der Umgebung in Harmonie zu bringen und ihnen den entsprechenden richtigen Rahmen zu geben"[166]. Mit seinem Programm aber wollte Essenwein hier noch mehr ausdrücken. Es dürfte sich um ein frühes Beispiel der im zweiten deutschen Reich aufkommenden Neigung handeln, Romanik und Kaisertum in unmittelbare Beziehung zu setzen, eine Tendenz, die in dem neuromanischen Schloß für Kaiser Wilhelm II. in Posen gipfelt[167].

Dem Inneren entsprach die äußere Gestalt des Victoriabaues. Er bildete allerdings nur nach Norden und Osten Fassaden aus und diese konnten mit dem Reichtum des Inneren nicht wetteifern. Die Ostwand wurde durch Strebepfeiler gegliedert, zwischen denen die insgesamt vier Rundfenster der beiden Hauptkompartimente die Wand öffneten. Aus den Pfeilern kragten Konsolen vor, die über Schwibbögen eine romanisierende Zwerggalerie trugen, welche vom Obergeschoß des Reichshofkreuzganges aus zugänglich war[168]. Die nördliche, sehr einfach gehaltene Giebelfront wies im Erdgeschoß, entsprechend der inneren Einteilung, rechts von der Mittelachse zwei gekuppelte Rundbogenfenster, überragt von einem Tondo, auf, während, nun symmetrisch, die Obergeschoßwand durch vier Blendarkaden gegliedert wurde, und das Giebeldreieck ein großes Rundfenster und

[163] Es dürfte sich hier um den Sternenmantel, Süddeutsch (Regensburg?), Anfang 11. Jahrhundert, handeln, vgl.: Marie Schuette u. Sigrid Müller-Christensen: Das Stickereiwerk. Tübingen 1963, S. 16, 26, Abb. 14–16, und zuletzt Sigmund Freiherr von Pölnitz: Die Bamberger Kaisermäntel. Weißenhorn 1973, S. 32–39. – Für die Christusdarstellung wurde möglicherweise der Große Kunigundenmantel in Bamberg benutzt (Pölnitz, S. 25; Schuette/Christensen S. 16, 26, Abb. 18).

[164] Anzeiger GNM 1877, Sp. 249; 1880, Sp. 293. – Jahresbericht GNM 28 (für 1881), 1882, S. 1. – Die vorausgegangenen Zitate wie Anm. 162.

[165] Das spielte auch eine Rolle bei der Beurteilung der Kartause durch Ludwig Foltz, vgl. Anm. 17. – Noch in der Mitte des 19. Jahrhunderts wurde versucht, unter Berücksichtigung der deutschen Veröffentlichungen seit Goethe und zugleich durch Widerlegung englischer und französischer Autoren, nachzuweisen, daß die Gotik in Deutschland entstand, vgl. Rudolph Wiegmann: Ueber den Ursprung des Spitzbogenstils. Düsseldorf 1842, bes. S. 44–57. – Vgl. auch S. 709 mit Anm. 99.

[166] Wie Anm. 162.

[167] Michael Bringmann: Studien zur neuromanischen Architektur in Deutschland. Phil. Diss. Heidelberg 1968. Heidelberg 1968, S. 51–57 (51, 56). – Vgl. auch: Der Kaiser und die Kunst. Hrsg. von Paul Seidel. Berlin 1907, S. 38–39, 78–80, und K. E. O. Fritsch: Stil-Betrachtungen. In: Deutsche Bauzeitung Jg. 24 (1890), S. 417–424, 425–431, 434–440 (436). – Zu Posen zuletzt Michael Bringmann: Was heißt und zu welchem Ende studiert man den Schloßbau des Historismus? In: Historismus und Schloßbau. Hrsg. von Renate Wagner-Rieger und Walter Krause (Studien zur Kunst des 19. Jahrhunderts. Bd. 28). München 1975, S. 27–48 (35–36), Abb. 23–24.

[168] Hier scheint der zur baupolizeilichen Genehmigung eingereichte Plan (Anm. 160) im Vergleich mit den 1882 umgearbei-

234. Ostbau, Erdgeschoßhalle des Friedrich-Wilhelmbaues. Zustand um 1900

darüber eine dreiarkadige Bogenstellung aufwies. Die Einzelformen entsprachen also der zum Vorbild gewählten Epoche, die Gesamterscheinung blieb aber von zurückhaltendem, beinahe sachlichem Gepräge, vermutlich weil dieser Bauteil kaum von der Straße aus einsehbar war.

Nach der Grundsteinlegung im Jubiläumsjahr konnte am 21. November 1878, verbunden mit der Namengebung, das Richtfest für den Victoriabau begangen werden[169]. 1879 wurde neben der Vollendung des Inneren bereits mit der Einrichtung begonnen[170], so daß 1880 im Mai der Oberlichtsaal mit 340

teten Grundrissen des Gesamterweiterungsprojektes (Anm. 155) zuverlässig zu sein, während die Fotos nach Zeichnungen einer früheren Planstufe (Anm. 160) z. T. abweichende Fensterformen und eine einfachere Anlage der Galerie erkennen lassen.
[169] Anzeiger GNM 1878, Sp. 361.
[170] Anzeiger GNM 1879, Sp. 114, 177, 297. – Der Kostenvoranschlag für ein „romanisches Portal in Stuckmasse", den

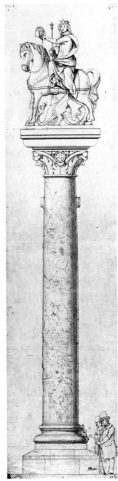

235. Ostbau, Südseite des Friedrich-Wilhelmbaus mit der sogenannten Heunensäule aus Miltenberg. Zustand 1896

236. Heunensäule am Ostbau, nichtausgeführter Entwurf für die Ausschmückung mit einer Germania. Federzeichnung von August Essenwein, 1879

226, 341   den Gemälden dem Publikum übergeben werden konnte[171]. Zu diesem Saal gehörte als Fortsetzung der Gemäldesammlung eine lange Oberlichtgalerie über dem nördlichen Kartausenkreuzgang, die Ende 1878 baulich vollendet war und mit dem Victoriabau durch einen weiteren Raum verbunden
226, 229,   wurde, der über der Hohenzollernhalle in der Nordwestecke des Kartausengartens und dem Lud-
341   wigskreuzgang entstand[172]. Am 30. August 1880 folgte die Eröffnung der Erdgeschoßräume in Verbindung mit dem Richtfest für den südlichen Annex, den Friedrich-Wilhelm-Bau, an dem der
228, 230   namengebende Kronprinz des Deutschen Reiches teilnahm[173]. Dieser Bauteil wurde 1882 dem

      Eingang vom Reichshofkreuzgang zum Victoriabau, datiert vom 21. Juni 1879, vgl. Altregistratur GNM, Kapsel 318, Victoriabau; daselbst weitere Kostenanschläge für Detailarbeiten.
[171] Anzeiger GNM 1880, Sp. 154.
[172] Jahresbericht GNM 25 (für 1878), 1879, S. 1. – Vgl. auch den mit Erläuterungen Essenweins versehenen schematischen Plan des Museums nach dem Stand von 1880 im Kupferstichkabinett GNM, Kapsel 1442a, o. Nr.
[173] Anzeiger GNM 1880, Sp. 293. – Hampe (Anm. 150), S. 900. – Altregistratur GNM, Kapsel 319, Ausbau der Karthause 1878–83: Verzeichnis der zum Richtfest eingeladenen Gäste und Druckfassung der Rede Essenweins.

Publikum zugänglich gemacht[174]. Im Gegensatz zum Victoriabau war der Friedrich-Wilhelm-Bau einfacher strukturiert. Er schloß sich an den Südarm des Reichshofkreuzganges an und hatte als nach Süden gerichtetes Längsrechteck die gleichen Abmessungen wie beim Victoriabau das Obergeschoß, besaß also nur die Breite von drei Kreuzgangjochen und fluchtete entsprechend mit der Ostwand des westlichen Armes und dem von Westen aus dritten Strebepfeiler des Südarmes, so daß seine Ostfront zusammen mit derjenigen des Victoriabaues den Kernbau von Osten aus gesehen symmetrisch flankierte. Mit der Kartause wurde er dadurch verbunden, daß über einem neu aufgeführten ebenerdigen Zwischensaal von der Westwand des gleichfalls für Gemälde vorgesehenen Oberlichtsaales im ersten Stock aus eine lange Oberlichtgalerie ausging, die 1881/82 über dem südlichen Kartausenkreuzgang errichtet wurde[175]. Damit konnte die seit 1875 durch städtische und königliche Leihgaben bedeutend vergrößerte Gemäldegalerie räumlich halbwegs untergebracht werden.

230, 233
229, 339

War die Baumasse des Friedrich-Wilhelm-Baues beim Blick von der Grasersgasse aus mit dem Nordflügel identisch, so unterschied sich dieser Annex stilistisch erheblich, was auch der Grundriß zu erkennen gibt. Da dieser Saalbau im Erdgeschoß nämlich Abgüsse gotischer Skulpturen aufnehmen, das im Victoriabau zur Anwendung gekommene Ambientedenken aber auch für ihn bestimmend sein sollte, wählte Essenwein gotische Formen. Der Erdgeschoßraum wurde als dreischiffiger, fünfjochiger Saal angelegt, dessen scharfprofilierte Kreuzrippengewölbe von überschlanken Granitsäulen und Wandkonsolen ausgingen. Die ursprünglich vorgesehenen, tiefreichenden Maßwerkfenster mit je zwei Lanzetten und einem Dreipaß darüber wurden zu hochsitzenden Öffnungen umgewandelt, die in Form von vier Lanzetten nur das Bogenfeld einnahmen und sich dessen Umriß durch Größenabstufung anpaßten[176]. Auf diese Weise wurde Stellfläche gewonnen. Die Wände erhielten wiederum eine Scheinquaderung, die in der unteren Zone von einer schablonierten Vorhangmalerei verhängt erschien. Die hellen Gewölbefelder wurden mit stilisierten Blattranken geschmückt, die die Rippen einfaßten und um die mit den FW-Initialen des Baupaten geschmückten Schlußsteine herum ausrankten. Die Glasmalereien, von Förderern gestiftet[177], blieben bis auf diejenigen des ein Wappen zeigenden Südfensters ornamental in der Art der mittelalterlichen Bettelordenskirchenfenster. Der Raum wurde nicht wegen möglicherweise fehlender Mittel nur ornamental und weniger reich als der Victoriabau ausgestattet, sondern eben weil die seinem Stilvorbild im Mittelalter entsprechende politische Geschichte nicht mehr „der poetischen Herrlichkeit des alten Reiches" angehörte, „die mit dem großen Interregnum des 13. Jahrh. aufhörte"[178]. Noch einfacher erschien, dem anderen Zweck entsprechend, der gleichgroße Oberlichtsaal für Gemälde, der wie sein nördliches Pendant ein Paneel erhielt und als Abgrenzung zum Wölbungsansatz ein profiliertes Gesims. Doch nahm auch er zur Ausstellung von Kleinkunst Vitrinen auf, deren gotisierende Form den Ausstellungsschränken in anderen Räumen entsprach[179].

233
230
234
339

[174] Anzeiger GNM 1882, Sp. 17,77. – Jahresbericht GNM 28 (für 1881), 1882, S. 1; 29 (für 1882), 1883, S. 1.

[175] Auf dem schematischen Grundriß von 1880 (Anm. 172) erscheint diese Oberlichtgalerie als projektiert. Im Zusammenhang mit den weiteren Ausbauplanungen von 1881/83 fertigte Essenwein zwei weitere schematische Grundrisse an, jeweils mit Erd- und Obergeschoß, die einmal den Ist-Stand, u. a. Reichshof ohne Ostflügel und Treppenhaus – also vor 1883 –, zum anderen den projektierten Ausbaustand angeben, dieser aber auch vor dem Sommer 1883, da noch die große Treppenhauslösung beim Ostbau eingetragen wurde. Nach diesem Plan ist die Oberlichtgalerie über dem Südkreuzgang bereits in Benutzung, vgl. Altregistratur GNM, Kapsel 29, lfd. Nr. 24. – „1881" wurde auch in einem Vorprojekt für den Südbau als Datum angegeben, vgl. Anm. 200. – Jahresbericht GNM 28 (für 1881), 1882, S. 1.

[176] Dabei blieb von den drei Fenstern der Südfront nur das im Mittelschiff übrig. Ursprünglich sollte das veränderte Fenster drei Lanzetten erhalten, wie eine Bleistiftkorrektur auf dem entsprechenden Blatt des Bauantrag-Entwurfes ausweist, auf dessen Rückseite sich eine zwar auch noch skizzenhafte, aber doch gegenüber der Plankorrektur etwas detailliertere Bleistiftzeichnung für das Fenster befindet, vermutlich von Essenweins Hand.

[177] Jahresbericht GNM 28 (für 1881), 1882, S. 1. – Anzeiger GNM 1882, Sp. 17.

[178] Wegweiser GNM 1887, S. 34.

[179] Die auf dem Foto sichtbaren Lambris wurden hier wie in den anderen Oberlichtsälen im Jahr 1891 angebracht, vgl. Jahresbericht GNM 38 (für 1891), 1891, S. 2.

237. Ostbau, Reichshof, Nord- und Ostflügel mit Abguß des Bremer Roland. Zustand Ende 19. Jahrhundert

Der Außenbau wurde gegenüber dem Ausführungsentwurf vor allem an der Südfront vereinfacht. An die Stelle einer filigranartigen, von Ecktürmchen flankierten gotisierenden Zwerggalerie in der Art 244 der preußischen Deutschordensarchitektur, etwa des Hochmeisterpalastes der Marienburg, die den Ansatz des ursprünglich abgewalmten Daches verdeckte[180], trat in Analogie zum vorausgegangenen Augustinerbau eine Treppengiebelfassade mit verputzten Blendarkaden. Aus der gedeckten Galerie vgl. 46 in Höhe des ersten Stocks an vier Jochen der Ostseite wurde ein schmaler, um den ganzen Bau laufender Balkon, den ein Pultdach schützte. Die Abbildung läßt zugleich erkennen, daß Essenwein 233, 235 hier, auch wo er „gotisch" baute, sich zwar an diesen Stil hielt, aber nicht dessen späte Ausformung aus der Bauzeit der Kartause aufnahm, sondern dessen Frühzeit im 13. Jahrhundert und, wie sich am Ostbau noch zeigen wird, die Sonderform des Übergangsstiles. Auffällig ist außerdem, daß er im Material von dem in Nürnberg üblichen abwich und – sicher aus Kostengründen – den Backstein wählte, während dem Haustein die Aufgabe zufiel, einzelne Architekturglieder zu akzentuieren. Die eben erwähnte Galerie hatte neben einer gewissen Auflockerungsfunktion für die Fronten noch die zusätzliche Aufgabe, den Besuchern einen Blick auf die Gärten des Museums zu ermöglichen, besonders aber auf die neben dem Friedrich-Wilhelm-Bau aufgestellte römische sogenannte Heunensäule aus Miltenberg[181]. Sie kam 1880 in das Museum und sollte mit der Sandsteinfigur einer berittenen 235, 236 Germania geschmückt werden, für die sich Essenweins nicht ausgeführter Entwurf erhalten hat[182].

Aufgrund neuerlicher Verhandlungen mit Berlin, die auch die Planredaktionen von 1882 beeinflußten, konnte jetzt die Vollendung des vierflügeligen Kernbaues ins Auge gefaßt werden, dessen Hoffronten zwischen dem romanisierenden Victoria- und dem gotisierenden Friedrich-Wilhelm-Bau durch Anwendung des Übergangsstiles vermitteln sollten, was aber, weil die nördliche Reichshof- 237 front in ihren Motiven zu stark auf den Victoriabau bezogen blieb, nicht ohne Bruch in der Gesamterscheinung abging. Möglicherweise hat Essenwein diese Diskrepanz bewußt in Kauf genommen, um damit eine Weiterentwicklung in stilistischer Hinsicht anzudeuten, in der Art, wie auch bei großen Bauvorhaben des Mittelalters die Formenwelten zusammenstießen, wie etwa in Nürnberg selbst an St. Sebald mit dem spätromanischen Langhaus und dem gotischen Chor. Daß ihm diese Überlegung während des Bauens gekommen sein könnte, legt ein Vergleich zwischen dem Baugenehmigungsgesuch und der Ausführung nahe. Der eingereichte Plan sah eine an allen vier Hoffronten gleichmäßige Höhe der beiden Geschosse vor, die durch ein umlaufendes Gesims getrennt wurden. Die Fenster waren teils rund-, teils spitzbogig, ein Unterschied, den die allen gemeinsame Binnengliederung durch Kleeblattbogenarkaden bis zu einem gewissen Grad optisch aufhob. Am ausgeführten 237 Bau aber wurde die Aufmerksamkeit stärker auf die Nordfront gelenkt, weil sie sich durch ihre nun zutagetretende Dreizonigkeit absetzte. Diese ergab sich, weil hier unterhalb der Obergeschoßfenster die Wand durch Rechteckfelder mit einer zwerggalerieartigen Vergitterung ausgehöhlt wurde[183]. Dadurch fiel auch die veränderte Form der Erdgeschoßfenster des Nordflügels stärker auf. Sie paßten

---

[180] Vgl. Abb. 244, die ein Detailblatt des Südbauprojektes von 1876 bringt (vgl. Anm. 200), das für den damals gleichfalls erst projektierten Ostbau den Vermerk enthielt: „NB.1882. Ist 1877–1881 vereinfacht, aber in derselben Größe ausgeführt worden". Dieses bezieht sich auf die Südfront des Friedrich-Wilhelm-Baues.

[181] Anzeiger GNM 1878, Sp. 330; 1880, Sp. 381. – Demnach wurde die Säule am 21. Dezember 1880 aufgerichtet. – Eine ähnliche Säule war kurz zuvor auch im Garten des Bayerischen Nationalmuseums in München aufgestellt worden.

[182] Kupferstichkabinett GNM, Essenwein-Nachlaß, ZR 5585/1954. Federzeichnung auf Papier, 145,5 : 35,3 cm, bezeichnet AE (ligiert) 1879. – Kunstchronik Jg. 16 (1881; eigentlich 1880/81), Sp. 253.

[183] Diese Aushöhlung könnte natürlich einfach eine statische Funktion, nämlich die Verminderung des Gewichtes der Wand, haben, wäre dann aber unter Umständen auch bei den anderen Wänden nötig gewesen, die keine stärkere Fundamentierung aufweisen. Für die vermutete Identifizierung des Architekten mit mittelalterlichen Bauvorgängen ohne Rücksicht auf die bei einem Entwerfer mögliche Ausführung aus einem Guß spricht auch eine Bleistiftzeichnung Essenweins, die einen Blick auf zwei Seiten dieses Hofes sowie den geplanten turmartigen Eingangsbau bietet und dieses neue Motiv auch schon aufweist (Kupferstichkabinett GNM, Kapsel 1442a, Hz 901), Abb. 238.

sich zwar den ebenerdigen Öffnungen der drei anderen Flügel durch ihre Rundbögen an, sie wurden aber von Säulen getragen und damit auch hier die Wand stärker aufgelöst. Ihre Binnengliederung suchte keine Beziehung mehr zu den anderen Flügeln. Jedes der nördlichen Erdgeschoßfenster erhielt nämlich statt der zierlichen Kleeblattarkaden drei kleine, schwere Rundbögen, die von stämmigen Säulchen mit Würfelkapitellen und zusätzlich von Kämpfern getragen wurden. Damit wurde am Außenbau verdeutlicht, daß das Innere des Nordflügels des Reichshofkreuzganges im Gegensatz zu dessen drei anderen Armen als Verbindungsstück zum Victoriabau an die Romanik anknüpfen sollte, wobei an die Stelle der ursprünglich vorgesehenen Kreuzgratgewölbe eine von kräftigen Gurten getragene Halbtonne trat. Daraus ergibt sich, daß die unterschiedliche Gestaltung der Hoffronten neben anderen Beweggründen zusätzlich das Ergebnis einer von innen nach außen sich entwickelnden Bauidee gewesen ist, weshalb vorher bei der Darstellung des Victoriabaues auch dieser Weg für die Beschreibung gewählt wurde.

349

Herausgehoben, allerdings nicht stilistisch, sondern nur in der Gliederung, war auch die Ostwand des Reichshofes, die statt fünf gleichförmiger nur vier Achsen aufwies, deren beide mittlere breiter als die an den Ecken waren. Die veränderte Symmetrie hing mit der Zweckbestimmung des östlichen Abschlusses dieses Bauteiles zusammen. Ursprünglich sollte der Vierflügelanlage hier das im Ausbauprojekt von 1876/77 vorgesehene Eingangsgebäude mit einer monumentalen Turmhalle angegliedert werden. Mit ihr sollte ein – im Gegensatz zu dem bisherigen bescheidenen Museumseingang an der Kartäusergasse – für die Zeit charakteristischer Repräsentationssaal entstehen. Er hätte an die meist im Renaissance- oder Barockstil errichteten profanen Kuppelbauten dieser Zeit angeknüpft, wobei die hohe Eingangshalle im Inneren beibehalten worden wäre, während die Außenkuppel hier in ein dem mittelalterlichen Stil angemesseneres steiles Walmdach transponiert werden sollte[184]. Die für diesen, nach dem Kaiserpaar Wilhelm- und Augusta-Bau benannten, Bauabschnitt von Essenwein 1882 detaillierten Pläne[185], von denen die Fassaden und ein die Proportionen der Halle verdeutlichender Schnitt abgebildet werden, fielen jedoch dem Bau dringender benötigter Ausstellungsräume zum Opfer. Der Museumseingang blieb am alten Platz; statt des Repräsentationstraktes entstand an der Ostseite ein größeres Treppenhaus, das als bedeutender Verkehrsweg für das Publikum, aber auch bei eventueller Brandgefahr erforderlich war, da das Museum ansonsten fast nur über enge Wendeltreppen verfügte, worauf Essenwein in den neuerlichen Finanzverhandlungen von 1881/83 hingewiesen hatte[186]. Das Treppenhaus nahm die ganze Breite des Reichshofbaues ein; nach Ausweis der vorhandenen Pläne wurde seine Ostfront mit einfachsten Mitteln gestaltet, indem nur zwei Eck- und zwei eine Art Mittelrisalit andeutende Lisenen zusammen mit einem einfachen Gesims die Fassade glieder-

237

26, 207

238–240

228, 241

[184] Eine Entwicklungsreihe für den profanen Kuppelbau im 19. Jahrhundert, die in Deutschland mit Friedrich Gentz' Berliner Münze sowie Leo von Klenzes und Karl von Fischers Vorentwürfen für die Glyptothek in München und Schinkels Altem Museum in Berlin einsetzt, kann hier nicht gegeben werden. Hinzuweisen wäre immerhin auf Beispiele, die den Kuppelraum als monumentale Eingangshalle verwenden: die großartigste Lösung bildet Poelaerts 1882 vollendeter Justizpalast in Brüssel, bei dem die Innenkuppel über der Eingangshalle eine Höhe von 80 Metern erreicht, die Außenkuppel annähernd 100 Meter. Dieser Bau hat sicher auf den entsprechenden Kuppelraum von Ludwig Hoffmanns Reichsgericht in Leipzig, 1888–95, eingewirkt. Große Kuppelräume gibt es auch in mit Essenweins Entwürfen gleichzeitigen Museumsbauten, doch liegen sie sich meist im ersten Obergeschoß, mit dem Erdgeschoß höchstens durch eine Öffnung in der Decke verbunden, wie bei Gottfried Sempers und Karl von Hasenauers Kunsthistorischem Museum in Wien oder Oskar Sommers Städel in Frankfurt. Hier handelt es sich also nicht um echte Eingangsräume, sondern eher um eine Wirkungssteigerung des Außenbaues, wie auch bei dem späteren Berliner Reichstagsgebäude von Paul Wallot, bei dem eine glasgedeckte Kuppel über dem Quadrat den Sitzungssaal überragt, eine Form, die auch an Friedrich Thierschs Münchener Justizpalast wiederkehrt, wo sie wiederum eine – zentrale – Eingangshalle überfängt.

[185] Plansammlung GNM „Ausbau der Karthause, Wilhelm- und Augusta-Bau".

[186] Erläuterungen Essenweins auf einem im Zusammenhang mit den Eingaben an die Reichsregierung entstandenen Grundriß vom Mai 1880, ergänzt 1881, der allerdings noch den Wilhelm- und Augusta-Bau in der ursprünglichen Größe zeigt, Kupferstichkabinett GNM, Kapsel 1442a, o. Nr.

238. Ostbau, Reichshoffront des ab 1877 projektierten, nicht ausgeführten Haupteingangs-(Wilhelm- und Augusta-)Baues. Bleistiftzeichnung von August Essenwein, um 1884

239. Ostbau, Straßenfront des projektierten, nicht ausgeführten Haupteingangs-(Wilhelm- und Augusta)-Baues. Reinzeichnung nach Entwurf August Essenweins, um 1877

ten, deren Flächenbildung durch rundbogige Blendarkaden aufgelockert wurde; denn Fenster verboten sich, weil die Ostwand zur Verankerung der Treppe diente[187]. Das Innere paßte sich der von den übrigen Reichshofflügeln vorgegebenen Formensprache an, im Erdgeschoß wurde zwischen der doppelläufigen Treppe im Osten und der westlichen Hoffront ein gewölbter Gang in der Art des Reichshofsüdflügels angelegt. Im ersten Stock weitete sich der Treppenhausbau durch die optisch größere Breite hallenartig und nahm Skulpturenabgüsse auf, erhielt deshalb in Analogie zum Erdgeschoß auch Kreuzrippengewölbe, während die flachgedeckten drei übrigen Flügel zusammen mit den beiden Oberlichtsälen der Ausstellung von Gemälden dienten.

242

Das Treppenhaus, schon durch die Namengebung nach dem Kaiserpaar herausgehoben, erhielt in der nördlichen und südlichen Schmalseite je ein größeres Glasfenster, denen in den Augen der Zeitgenossen wegen ihres Darstellungsinhaltes einige Bedeutung zukam, weil sie dem um die Reichsgründung verdienten Kanzler und dem für die deutsche Geschichte bedeutsamen Aufstieg des Hauses Hohenzollern gewidmet waren. Beide Fenster fertigte der Nürnberger Sebastian Eisgruber nach Entwürfen des bereits mehrfach genannten Friedrich Wanderer an. Das Fenster in der nördlichen

---

[187] Plansammlung GNM. – Möglicherweise hatte Essenwein bei der einfachen Gestaltung aber auch die Hoffnung, dem Treppenhaus noch einen repräsentativen Eingangsbau anschließen zu können.

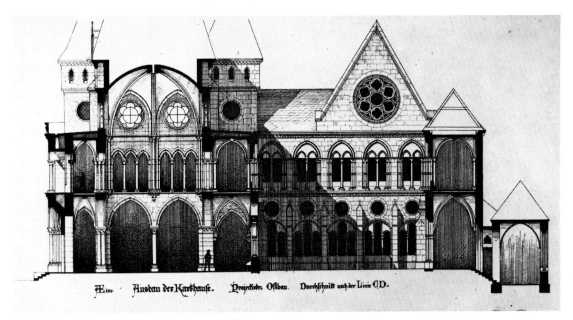

Aino · Ausbau der Karthause · Projectirter Ostbau · Durchschnitt nach der Linie CD.

240. Ostbau, Schnitt durch die ab 1877 projektierte, nicht ausgeführte Eingangshalle (Wilhelm- und Augustabau). Reinzeichnung nach Entwurf August Essenweins, 1882

Schmalwand, das Bismarckfenster[188], wurde nach 1881 begonnenen Verhandlungen vom Reichskanzler und seinen Agnaten gestiftet[189] und zeigte, ohne Rücksicht auf den Architekturstil, in einer Renaissancerahmung eine deutsche Eiche, vor deren Krone das fürstliche Wappen erscheint, während neben dem Stamm rechts ein geharnischter, lanzentragender Ritter mit geschlossenem Visier und links ein gepanzerter Kürassier steht, damit zugleich die Waffengattung des Kanzlers andeutend, dessen Gesichtszüge diese Gestalt unverkennbar trägt. Als Gegenstück zum Bismarckfenster stiftete die Berliner Pflegschaft für die südliche Schmalseite ein Fenster, das, laut eines Rechenschaftsberichtes dieses Vereins, „allegorisch die verschiedenen Phasen zeigt, die unsere Vaterstadt unter der glorreichen Herrschaft der Hohenzollern-Fürsten von der kurfürstlichen zur kaiserlichen Residenz und Hauptstadt durchgemacht hat" und 1884 eingesetzt wurde[190]. Es zeigte Ansichten von Berlin, verbunden jeweils mit dem Medaillonbildnis des ersten Kurfürsten, Königs und Kaisers, sowie mit

37, 242

243

[188] Daß es mehr als nur ein dekoratives Ausstattungsstück war, läßt sich, ganz abgesehen davon, welche Verehrung Fürst Bismarck als Gründer und Kanzler des Reiches ohnehin besaß, daran ablesen, daß es in einer damals populären Zeitschrift zu den wenigen Abbildungen gehörte, die einem Artikel zum 50jährigen Jubiläum des Museums beigegeben wurden, vgl. Johannes Proelss: Das Germanische Museum in Nürnberg. In: Bibliothek der Unterhaltung und des Wissens. Bd. 10 (1902), S. 103–125 (114). Der Artikel ist ansonsten bei der Beschriftung der Abbildungen mehrfach fehlerhaft.
[189] Altregistratur GNM, Kapsel 319, Bauten 1878–83: Brief von Graf Bismarck-Bohlen vom 17. 2. 1881 mit der Ankündigung der Fensterstiftung, Briefe von Philipp von Bismarck auf Kniephof vom 9. Mai 1881, 10. Juli u. 10. November 1882. – Anzeiger GNM 1881, Sp. 81; 1884–1886, S. 63. – Jahresbericht GNM 31 (für 1884), 1884, S. 1. – Hampe, Festschrift, S. 107. – Wegweiser GNM 1906, S. 196. – Das Fenster befindet sich jetzt in der Glasgemäldesammlung des GNM, Inv. Nr. Glf 1.
[190] Bericht über die fünfundzwanzigjährige Wirksamkeit der Berliner Pflegschaft des Germanischen National-Museums 1878–1903. In: Anzeiger GNM 1903, S. LXXXVI–LXXXXI (LXXXVII), – Vgl. auch Wegweiser GNM 1906, S. 196.

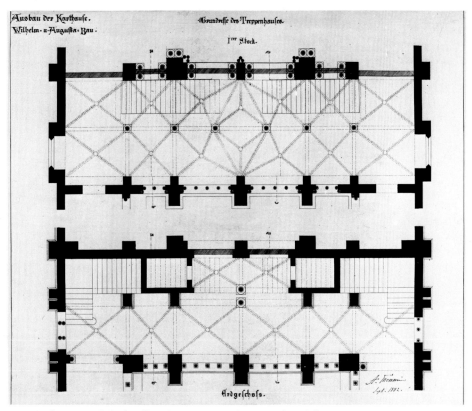

241. Ostbau, Reichshofostflügel mit Treppenhaus. Federzeichnung von August Essenwein,
1882

einer Darstellung der Berolina und Angaben über Berliner Künstler und Berliner Industrieproduk-
237 te[191]. Schließlich diente der Ausschmückung des Ostbaues noch ein Zementabguß des Bremer
vgl. 91 Roland, der im Reichshof 1881 aufgestellt wurde und zwar vor der Westwand des Ostflügels. Ihre
abweichende Struktur erwies sich jetzt als sehr günstig, da die Figur wegen der nur vierachsigen
Einteilung der Wand nicht vor einer Fensterzone zu stehen kam, sondern – wenn auch freistehend –
optisch auf den mittleren Strebepfeiler bezogen erschien[192]. Der Ostbau war 1884 vollendet, nachdem
aufgrund neuerlicher Finanzzusagen des Reiches mit dem Treppenhaus in seiner reduzierten Form
1883 begonnen werden konnte[193].

[191] Kupferstichkabinett GNM, ehemaliges Bilderrepertorium, Kapsel o. Nr.: Handzeichnungen, Entwürfe zu Glasfenstern
von Fr. Wanderer, Hz 3745–3745b/ZR 3353, 12 Einzelblätter des Originalkartons. – Jahresbericht GNM 28 (für 1881),
1882, S. 1. – Anzeiger GNM 1881, Sp. 109.
[192] Jahresbericht GNM 27 (für 1880), 1881, S. 1. – Anzeiger GNM 1880, Sp. 189,310,381. – Hampe, Festschrift, S. 104. – Vgl.
auch Guilleaume Apolinaire: Das germanische Museum von Nürnberg. Übersetzt und kommentiert von Günther
Schiedlausky. In: Anzeiger GNM 1970, S. 143–146 (143).
[193] Anzeiger GNM 1883, Sp. 137,297; 1884–1886, S. 63. – Jahresbericht GNM 30 (für 1883), 1883, S. 2; 31 (für 1884), 1884, S. 1.
– Altregistratur GNM, Kapsel 321, Verhandlungen über die Bauten 1882–1884, Brief des bayer. Staatsministeriums des
Inneren vom 24. August 1883 aufgrund einer Mitteilung des Reichsamtes des Innern vom 24. März 1883, Bl. 23–26 (23v,
Kostenaufstellung, Position a), vgl. Anm. 197. – Die Überreste des im Krieg beschädigten Ostbaues wurden 1967
zugunsten des neuen Ostbaues an der Grasersgasse abgetragen.

242. Ostbau, Obergeschoß des Treppenhauses nach Norden mit Bismarckfenster. Zustand 1896

243. Karton von Friedrich Wanderer (1840–1910) zu dem von der Berliner Pflegschaft gestifteten Fenster – Geschichte Berlins unter den Hohenzollern –, bestimmt für das Obergeschoß des Treppenhauses im Ostbau. Detail, um 1881/82

Um den nach dem Erweiterungsprojekt von 1876/77 noch ausstehenden Südbau ausführen zu können, wurden von 1881 bis 1883 wiederum Verhandlungen mit dem Reichsamt des Inneren und anderen Stellen geführt. Zweifellos aus propagandistischen Gründen erklärte Essenwein deshalb im Jahresbericht für 1881, „es handelt sich nicht etwa blos um Vergrößerung der Anstalt, wie vielleicht da und dort bei Schwesteranstalten; es handelt sich vielmehr noch immer um den Bau zur ersten Unterbringung"[194]. Noch deutlicher wurde er in einer – der brieflichen Rechenschaftslegung vom 8. Juli 1881 über die seit 1877 verwendeten Baugelder[195] folgenden – Denkschrift vom 20. August des gleichen Jahres an das Reichsamt des Inneren, die hinsichtlich des Raumproblems in dem Satz gipfelte, „der jetzige Zustand ist ein unhaltbarer"[196]. Einem weiteren Bericht Essenweins vom 4. November 1882 folgte die positive Entschließung des Reichsamtes des Inneren vom 24. März 1883, die dem Museum durch einen Brief des Bayerischen Staatsministeriums des Inneren als Aufsichtsbehörde vom 24. August 1883 bestätigt wurde. Danach wurden dem Institut, beginnend mit dem Etatsjahr 1883/84 aus dem Reichshaushalt für die nächsten Jahre nochmals 340000 Mark für Bauzwecke zur Verfügung gestellt, darunter 235000 Mark für den nun folgenden Südbau[197].

[194] Jahresbericht GNM 28 (für 1881), 1882, S. 1.
[195] Altregistratur GNM, Kapsel 321, Bauten: Bauetat des Germ. Mus., Verhandlungen mit dem Reichsamt des Innern 1881–89, Bl. 25–33.
[196] Altregistratur (Anm. 195), Bl. 38–67 (54r), vgl. hierzu die Briefe des Reichsamtes vom 27. Dezember 1881 (Bl. 76–82) und 5. Juni 1882 (Bl. 83–84).
[197] Altregistratur GNM, Kapsel 321, Verhandlungen über die Bauten 1882–1884, Bl. 23–26. Der Brief Essenweins vom 24. 11. 1882 erwähnt Bl. 23r. Auf Bl. 23v folgt die Spezifizierung der Bausummen: „a) Treppenhaus des Wilhelm- und Augustabaues 43000 M., b) Saal für die prähistorischen Steinaltertümer 28000 M., c) Stützmauer beim Stadtgraben 6000

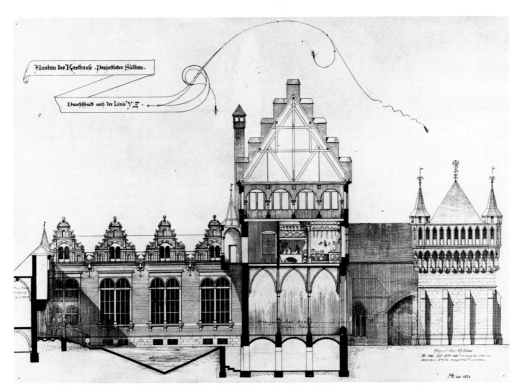

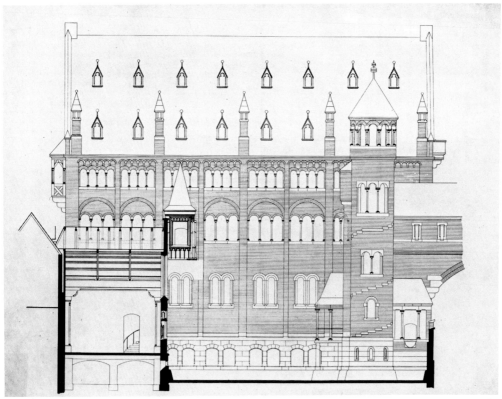

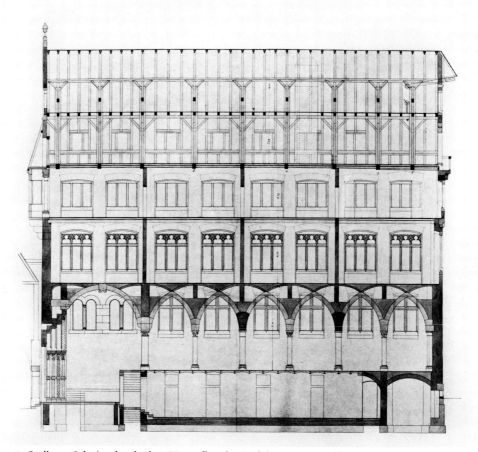

246. Südbau, Schnitt durch den Hauptflügel, Ausführungsentwurf. Federzeichnung nach Entwurf Essenweins, 1884

Linke Seite:
244. Südbau, Südfront des Saalbaues, Schnitt durch den Hauptflügel und (rechts) ursprüngliche Fassung des Friedrich-Wilhelmbaues des Ostbaues, erster Entwurf. Federzeichnung nach Entwurf Essenweins, 1876

245. Südbau, Westfront des Hauptbaues vom nichtausgeführten neuromanischen Projekt. Federzeichnung nach Entwurf Essenweins, 1884

Dieser 1884 begonnene Komplex[198] durchlief mehrere Planungsstufen. Die erste, noch nicht detaillierte, gehörte zu dem Erweiterungsplan von 1872 und sah bereits die L-förmige Anlage vor, bei deren Gestaltung man an einen Schloßhof des 16. Jahrhunderts denken möchte[199]. Neben dem bereits aufgestockten Südkreuzgang hätte sich ein zweigeschossiger, mit Arkaden nach Süden geöffneter Gang ergeben, der über einen Eckbau, unten geschlossen, oben als Loggia geplant, mit dem Hauptbau zwischen Südkreuzgang und Straße verbunden gewesen wäre. Der Hauptbau war über einem Souterrain zweigeschossig gedacht mit einer teilweise ausgebauten dritten Etage am Südende, die zusammen mit ihrem hohen Walmdach an die Loireschlösser erinnert. Der Grundriß von 1876/77 sah dann bereits den ebenerdigen Saalbau am Südkreuzgang sowie den über einem Untergeschoß drei-etagigen Hauptbau zur Straße hin mit der gewölbten Erdgeschoßhalle und einer Außentreppe an der Westseite vor, außerdem den separat zu behandelnden Südostbau. Auffällig bleibt aber noch, daß vorerst für den Hauptbau keine Anbindung an den Südkreuzgang der Kartause vorgesehen war, was den Rundgang für die Museumsbesucher erleichtert hätte.

Ein noch im gleichen Jahr begonnener, zuletzt 1882 bearbeiteter Detailentwurf wurde aber schon bis zum Südkreuzgang verlängert[200]. Dieses Projekt, von dem ein Blatt gezeigt wird, auf dem auch der ursprüngliche Südgiebel des Friedrich-Wilhelm-Baues zu erkennen ist[201], brachte, wie schon der Grundriß von 1877, im Erdgeschoß bereits die gotisierende Halle, deren dreischiffige Anlage aber durch eine nachträglich eingetragene Bleistiftskizze bereits die später ausgeführte Zweischiffigkeit andeutet und dazu das zukünftige höhere Fußbodenniveau, das eine bessere Seitenbelichtung mit großen Fenstern für das Untergeschoß ermöglichte. Das bemerkenswerteste an dieser Projektstufe aber bildet der Saal am Südkreuzgang, der – zur Aufnahme des Kunsthandwerks der Renaissance bestimmt – sowohl an seiner Fassade wie auch im Inneren das richtige Milieu für die Exponate dadurch schaffen sollte, daß seine Architektur sich an diese Kunstepoche anlehnte. Motive vom Heidelberger Schloß und dem Danziger Zeughaus[202], auch ganz allgemein niederländisch beeinflußte Elemente der norddeutschen Renaissance, hätten ihn zu einem Beispiel für das seit den siebziger Jahren hochgeschätzte „deutsche Cinquecento"[203] gemacht. Beim ausgeführten Projekt mußte aber hier das objektbezogene Ambientedenken hinter dem Bestreben zurücktreten, die Neubauten stili-

25

26, 207

244

207

M., d) Treppe zum Augustinerbau 20000 M., e) Südbau, Verbindungsbau mit dem Augustinerbau 8500 M., f) Südbau, Renaissanceflügel 55000 M., g) Südbau, Hauptflügel 152000 M., alte Decken, Täfelungen 20000 M., h) äußere Arbeiten 7500 M." – Weiter heißt es „und besteht die Absicht, die Bauten sub lit. a bis d incl. im Laufe des Jahres 1883 gänzlich fertigzustellen, jene sub lit. e bis h incl. im Laufe des Jahres 1883 zu beginnen und in den darauf folgenden 3 Jahren zu vollenden". Es folgt dann die Bemerkung „die Kostenvoranschläge für die Bauobjekte oben sub lit. a, d, e, f, g und h sind vom K. Landbauamt Nürnberg technisch geprüft, für die Objekte sub lit. b und c liegen nur oberflächliche Ueberschlä-ge des Direktoriums vor", deren Detaillierung gefordert wird (Bl. 23v, 24r). – Anzeiger GNM 1883, Sp. 49,89,297. – Die zunächst auf zehn Jahre berechnete ratenweise Auszahlung der Summe für den Südbau wurde beschleunigt, vgl.: Das Germanische Museum in Nürnberg. In: Centralblatt der Bauverwaltung Jg. 4 (1884), S. 496–497.

[198] Jahresbericht GNM 30 (für 1883), 1883, S. 2; 29 (für 1882), 1883, S. 1.

[199] Vorbildlich könnte der Hof des Dresdener Schlosses oder auch derjenige der Alten Hofhaltung in Bamberg gewesen sein.

[200] Plansammlung GNM, „Ausbau der Karthause. Projectierter Südbau", Grundrisse, Ansichten, Schnitte, die meisten bezeichnet AE (ligiert) inv. 1876; 1882 datiert ist nur der Schnitt durch den ebenerdigen Saalbau am Kreuzgang, in dem die Oberlichtgalerie über dem Kartausensüdkreuzgang den Vermerk „Galerie, erbaut 1881" erhielt. – Die 1882 erfolgte Redaktion des Gesamtprojektes von 1876/77 (Abb. 228, 229; Anm. 5) brachte durch Überklebung den ausgeführten Planungsstand.

[201] Vgl. Anm. 180.

[202] Die Beziehung zu Danzig lag dabei wegen des benachbarten Danziger Beischlags besonders nahe, vgl. etwa die Abbildung bei Nikolaus Pevsner: Europäische Architektur von den Anfängen bis zur Gegenwart. München 1957, Abb. 447.

[203] Festschrift zur Feier des fünfundzwanzigjährigen Bestehens des Münchener Kunstgewerbevereins. München 1876, S. 46 u. S. 19. – Besonders kennzeichnend für den Geschmackswandel wurde, wenngleich weitgehend auf das Kunsthand-werk bezogen, die Publikation: Der Formenschatz der Renaissance. Hrsg. von Georg Hirth. München 1877–1878. – Vgl. auch Fritsch (Anm. 167), S. 434–435.

247. Südbau, Sitzungssaal im 2. Obergeschoß. Zustand 1896

stisch der historischen Kartause und dem Augustinerbau anzupassen, also „gotisch" erscheinen zu lassen, oder zumindest mittelalterlich, wie bei der Neuromanik des Victoriabaues.

Auch dessen Stil sollte kurz vor dem Baubeginn noch eine Rolle spielen. Als nämlich dem Museum 1884 vom Kaiser das spätromanische Portal der Primizkapelle des mit dem Hause Hohenzollern durch Jahrhunderte verbundenen ehemaligen Klosters Heilsbronn bei Ansbach überwiesen wurde[204],

[204] Kunst-Chronik Jg. 18 (1883; eigentlich 1882/83), Sp. 533. – Centralblatt der Bauverwaltung Jg. 3 (1883), S. 190, 198; Jg. 4 (1884), S. 311. – Anzeiger GNM 1884–1886, S. 126. – Jahresbericht GNM 31 (für 1884), 1884, S. 1; 32 (für 1885), 1885, S. 1. – Stegmann (Anm. 87), S. 7/8. – Hampe 1902 (Anm. 150), S. 900. – In die Verhandlungen hatte sich intensiv Graf von Werthern, preußischer Gesandter beim bayerischen Hof in München, eingeschaltet. Die entsprechende Korrespondenz mit dem Museum in Altregistratur (Anm. 197), daselbst Blatt 66 die abschließende Mitteilung Essenweins vom 24. August 1884 an den Geheimen Kabinettsrat von Wilmowsky in Berlin, „daß nunmehr das Portal ... abgetragen, nach hier überführt, hier bereits wieder aufgestellt ist". – Das Interesse der Hohenzollern am Heilsbronner Portal reicht aber weiter zurück. So legt der preußische Schloßbaumeister Friedrich Rabe im August 1829 einen Entwurf vor, der den Einbau des Portals in das Schloß auf der Pfaueninsel bei Berlin vorsieht (Verwaltung der Staatlichen Schlösser und Gärten, Berlin, Plansammlung: Pfaueninsel 5 b) vgl. auch Friedrich Backschat: Das Heilsbronner Portal bei der Friedenskirche. Die Geschichte einer Nachbildung. In: Mitteilungen des Vereins für die Geschichte Potsdams N. F. Bd. 7 (1935), S. 143–146 (143–144). Freundlicher Hinweis von Winfried Baer, Berlin, durch liebenswürdige Vermittlung von Klaus Pechstein, Nürnberg.

248. Südbau, Ostfront des Hauptflügels, Ausführungsentwurf. Federzeichnung nach Entwurf Essenweins, 1884

entwarf Essenwein passend zu diesem und damit zugleich in der jetzt aufkommenden Interpretation der Romanik als eines kaiserlichen Stils[205] den Südbau als neuromanische Anlage, was ja zusätzlich, 245 wie beim Victoriabau, wegen der Finanzierung durch Reichsmittel angemessen erschien.

Ausgeführt wurde dann jedoch ein in allen Teilen neugotisches Projekt. Der Hauptbau wurde 1884   228, 229, begonnen[206]; im Dezember 1885 war der Rohbau vollendet; im August 1886 war das Untergeschoß   248, 249 bezogen, ebenso das zweite Obergeschoß, im gleichen Jahr auch noch das Erdgeschoß[207], während das erste Obergeschoß erst 1888 eröffnet werden konnte[208]. Als nach Süden gerichtetes Längsrechteck   246 nahm der Hauptbau im Souterrain, wie schon länger geplant, Büros auf, die wegen des tiefen Bodenniveaus der Kartause ausreichendes Licht von beiden Seiten erhielten. Das Hauptstück der

[205] Vgl. Anm. 167. – Plansammlung GNM. – Die Grundriß- und Aufrißdisposition wurde beibehalten, jedoch in den Proportionen, soweit erforderlich, dem neuen Stil angepaßt.
[206] Der Rechtskonsulent des Museums, Frhr. v. Kreß, teilte am 14. März 1884 mit, daß er gegen den am 25. Februar mit dem Maurermeister Bieber geschlossenen Bauvertrag keine juristischen Bedenken habe, Altregistratur GNM, Kapsel 320.
[207] Anzeiger GNM 1884–1886, S. 232 (Januar 1886); S. 258 (Juli/August 1886). – Jahresbericht GNM 32 (für 1885), 1885, S. 1; 33 (für 1886), 1886, S. 1.
[208] Jahresbericht GNM 34 (für 1887), 1887, S. 1; 35 (für 1888), 1888, S. 1. – Anzeiger GNM 1887–1889, S. 130–132.

249. Ansicht des Museums von Süden, Augustinerbau und Südbau. Zustand etwa 1886 vor der Wiederherstellung der Stadtmauer 1891

41 Innenausstattung bildete die zweischiffige, kreuzrippengewölbte Erdgeschoßhalle. Sie diente der Ausstellung von Hausgerät, vor allem Möbeln des 16. und 17. Jahrhunderts und bot durch die hochsitzenden Rechteckfenster, die eine einfache Rautenverglasung erhielten, genügend Stellfläche an den Außenwänden. Die Architekturformen dieses Raumes führten ein Eigenleben ohne Beziehung zu den Exponaten[209]. Essenwein war hier weniger Museumsmann als Architekt, der eine bauliche Einheit in diesem Fall für wichtiger hielt; denn obwohl die Birnstabprofile der Rippen und die Blattornamente der Mittelsäulenkapitelle eindeutig an der Gotik orientiert waren, stellte die ge- schmeidige Rundbogigkeit der Jochbögen und Rippen selbst eine Beziehung zu dem spätromani-

39, 246 schen Heilsbronner Portal her. Es diente als Durchgang vom Vorraum dieses Saales zum Kartausenkreuzgang, wegen seiner Höhe und Tiefe, aber auch wegen seines Stiles, hätte es in den Kreuzgang selbst schlecht gepaßt. Im Vorraum des Südbaues hingegen, der zwar tiefer als das Erdgeschoß lag und mit diesem durch eine doppelläufige Treppe verbunden war, kam es wegen der Weite und damit auch der besseren Betrachtungsmöglichkeit vom zweischiffigen Saal aus wirksamer zur Geltung. So ergab sich auch hier wieder ein Kompromiß zwischen den Erfordernissen des Museums und der Rettung eines bedrohten Baudenkmals.

[209] Möglicherweise wollte Essenwein, der sich darüber nicht äußerte, Anklänge an die erwähnte, in seinen Augen genrehafte frühere Aufstellung im Refektorium, der „Frauenhalle", vermeiden.

Das erste Obergeschoß des Hauptflügels wurde in mehrere parallele Raumschichten geteilt und 246 nahm komplette oder teilweise erhaltene historische Zimmer mit ihren Täfelungen und Decken auf, die im Grundriß nicht in Erscheinung traten[210]. Dabei hatte Essenwein im Auge, diese Räume „im Gegensatz zu Malerateliers mit altertümlicher Ausstattung" „genauso, wie sie wirklich waren" zu vgl. 400 zeigen, „und nicht so, wie der allermodernste sentimentale Weltschmerzler ... sich dieselben vorstellt", also eine wissenschaftlich abgesicherte Aufstellung zu bieten[211]. Das zweite Obergeschoß nahm im Südteil die Dienstwohnung des Direktors auf, an die sich, mit Fenstern in der Nordfront, der Sitzungssaal für den Verwaltungsausschuß anschloß, der eine reiche gotisierende Ausstattung erhielt. 247 Seine Südwand zeigte über einem schlichten, mit einem Zinnenkranz abgeschlossenen Paneel eine gemalte Vorhangdekoration. Die Decke bestand aus einer Tonne, einem Motiv, das auch im eingeschossigen Saalflügel des Südbaues anklingt, und seitlichen Kassetten, wie sie auch in der gleichzeitigen Wohnhausausstattung in einer Mischung aus Renaissance und Gotik eine Rolle spielen[212]. Das Mobiliar bestand aus gotisierenden Tischen und Scherensesseln, die zusammen mit der übrigen Ausstattung den Eindruck einer Mischung aus Strenge und Zierlichkeit erweckten, wie sie gerade für die zitierten altdeutschen Speisezimmer dieser Zeit charakteristisch ist. Eine mit schlanken Säulen 246 vergitterte Altane bildete zugleich die nördliche Fensterfront, wie ein Schnitt durch das Gebäude vgl. 68, 287 ausweist[213].

Stärker als das Innere zeigte der Außenbau neugotische Züge, paßte sich aber nur im allgemeinen Gepräge, nicht in den Details dem Stil der Kartause an, vor allem durch die abweichenden Fensterformen, die wie in der Übergangszeit zur Renaissance um 1500 gerade Stürze erhielten[214]. Diese 248 Rechteckform gab mit der etagenweise gleichen Binnengliederung der Öffnungen und ihrer zugleich straffen vertikalen Achsenbeziehung den Fassaden eine moderne rasterartige Gliederung. Sie unterstrich, zumindest an der Ost- und Südfront, die schlichte kubische Grundform des Hauptbaues, der sich erst im Dachbereich spielerisch auflöste und zwar durch spitzbehelmte Gauben und dreieckige 249 Luken sowie durch die mit einer zierlichen Maßwerkbrüstung versehene dreiarkadige Loggia im Südgiebel, die dem Wohnbereich – der Dienstwohnung des Direktors – zugeordnet war. Die Fassaden selbst, nur im Bürogeschoß aus Sandstein, eine Assoziation an rustizierte Sockel, waren wie auch der Ostbau in Ziegelmauerwerk ausgeführt, dessen maschinengeformte Blendsteine die straffe Gesamterscheinung noch betonten. Den gleichmäßigen Fensterbändern wußte Essenwein die Monotonie zu nehmen, indem er sie von Etage zu Etage abwandelte. Erdgeschoß und zweites Obergeschoß erhielten hoch- beziehungsweise querrechteckige Öffnungen mit scharfgratigen Laibungen und Pfosten. Das erste Obergeschoß dagegen, das im Gegensatz zum Erdgeschoß mit der zweischiffigen Halle keine ausgeprägte Innenarchitektur besaß, wies innerhalb der eckigen Grundform zum Aus-

[210] In dem von Bezold errichteten Südwestbau zeichnen sich dagegen die Bauernstuben innerhalb eines Rechtecksaals als eigenständige Gebilde ab, vgl. den gedruckten Grundriß in Altregistratur GNM, Kapsel 314, und Wegweiser GNM, z. B. 1905.

[211] Anzeiger (Anm. 208), S. 131. – Hierzu lag eine grundsätzliche Äußerung Essenweins schon aus dem Jahre 1884 vor; August Essenwein: Die Sammlungen des germanischen Nationalmuseums. H. Häusliches und geselliges Leben. In: Anzeiger GNM 1884–1886, S. 113–118 (115–118). – Vgl. auch seine Anm. 95 zitierten Denkschriften.

[212] Eine verwandte, wenngleich leicht kleeblattförmige Tonne, befand sich auch in einem Sitzungszimmer des Münchener Rathauses von Georg Hauberrisser, vgl. Georg Hirth: Das deutsche Zimmer der Gotik und Renaissance, des Barock-, Rococo- und Zopfstils. 3. Aufl. München, Leipzig 1886, Abb. 63; Hirth bildete auch gotische Balkendecken ab. Ein damals zeitgenössisches Beispiel für die Mischung von Gotik und Renaissance bringt z. B. das Werk Traute Wohnräume. Berlin 1892–1895, Taf. 23, zuletzt abgebildet bei Jörn Bahns: Johannes Otzen. München 1971, Abb. 14; daselbst S. 101 der Hinweis auf eine dreipaßförmige Holztonne in einem 1874/75 entstandenen Wettbewerbsentwurf für das Rathaus in Essen.

[213] Plansammlung GNM, Südbau-Hauptbau, Querschnitt G–H.

[214] Der erste neugotische Entwurf von 1876 sah für die gewölbte Halle noch hohe spitzbogige Maßwerkfenster vor, ähnlich wie ursprünglich auch beim Friedrich-Wilhelmbau.

250. Südbau, Westfront des Hauptflügels am Wasserhof. Zustand 1896

251. Südbau, Saalflügel, südliche Front am Wasserhof, Ausführungsentwurf. Federzeichnung nach Entwurf Essenweins, 1883/84

gleich einfache Maßwerkornamente als oberen Abschluß auf. Diese das Schema auflockernden Variationen erhielten noch einen besonderen Akzent dadurch, daß die beiden östlichen Fensterachsen 248 des Erdgeschosses mit Rücksicht auf das Heilsbronner Portal als gekuppelte, romanisierende Rundbogenfenster ausgebildet wurden. Mit der Strenge der Ostfront kontrastiert die im Sinne der Zeit malerische Westfassade. Sie bekam einen vertikalen Akzent durch das ursprünglich eckig gedachte, 250 dann abgerundet angelegte Treppenhaus am Südende, das als Zugang zur Direktorenwohnung und zum Sitzungssaal sowie als Nottreppe für die Sammlungsräume dienen sollte. Die Verbindung zwischen den beiden Schaugeschossen erfolgte statt dessen über eine den Nürnberger Wetterverhältnissen höchstens im Sommer gerechtwerdende Außentreppe, die durch ihren Verlauf, die hängenden Maßwerkornamente und die zum Schutz dienenden versetzten Pultdächer die architektonische Wirkung der Fassade zerstörte, aber im Zusammenhang mit einer Gesamtgestaltung dieses Hofbereichs gesehen werden muß, auf die später einzugehen ist.

An den Hauptflügel schloß der ebenerdige sogenannte Saalbau an, der – ebenfalls aus Reichsmitteln 228, 251 finanziert – 1884 bereits eingerichtet werden konnte[215]. Obwohl er, wie auch die zweischiffige Halle im Hauptbau, hauptsächlich Kunsthandwerk der Renaissance aufnehmen sollte, wurde er entgegen dem ursprünglichen Plan mit Rücksicht auf Kartause und Augustinerbau ebenfalls im gotischen Stil 244 errichtet. Seine einzige Fassade, parallel zur Südwand des Kartausensüdkreuzgangs, wirkte außen 251, 253 zweigeschossig wegen einer hochrechteckigen Fensterreihe unten und drei großen Spitzbogenfenstern mit Lanzettenbinnengliederung darüber. Dahinter verbarg sich aber ein hoher eingeschossiger Saal, dessen in Anlehnung an westfälische und niedersächsische Kirchenseitenfassaden dreigiebelige

[215] Altregistratur GNM, Kapsel 321: Kostenvoranschlag vom April 1884. – Anzeiger GNM 1884–1886, S. 87, 102. – Vgl. auch die Finanzplanung (Anm. 197), Position f.

252. Südbau, Saalflügel, Saal der artilleristischen Modelle im Obergeschoß. Zustand 1896

Front insofern die innere Struktur zum Ausdruck brachte, als sie andeutete, daß der Raum nicht mit einer flachen Decke, sondern mit drei querlaufenden Holztonnen geschlossen war[216]. Durch zwei kleine Türen stand der Saal in Verbindung mit dem Vorraum des Heilsbronner Portals und im Westen mit einem annähernd quadratischen mit einer alten Nürnberger Holzdecke geschmückten Raum[217], der seinerseits in den Ostflügel des Augustinerbaues führte. Über ihm entstand zusätzlich ein Obergeschoß, das mit der Oberlichtgalerie über dem Kartausensüdkreuzgang kommunizierte und einen der am reichsten dekorierten Neubauräume bildete[218]. Die Wände erhielten wiederum eine

401, 418

228, 229

252

[216] Stegmann (Anm. 87), Taf. XV. – Das bedeutendste Vorbild für diese Wölbungsform bildet der Palazzo della Ragione in Padua, vgl. Franz Hart: Kunst und Technik der Wölbung. München 1965, S. 88. – Vgl. auch Anm. 212.
[217] Wegweiser GNM 1906, S. 106.
[218] Stegmann (Anm. 87), Taf. XXXIX u. S. 5, 9. – Anzeiger GNM 1884–1886, S. 87. – In den ersten Plänen öffnete sich das Obergeschoß noch in den Hauptsaal.

253. Wasserhof, Nordwestecke, Südbausaalflügel (rechts), Danziger Beischlag aus dem späten 17. Jahrhundert und Verbindungstreppe zum Augustinerbau mit dem sogenannten Reckenturm (links). Zustand bis 1944

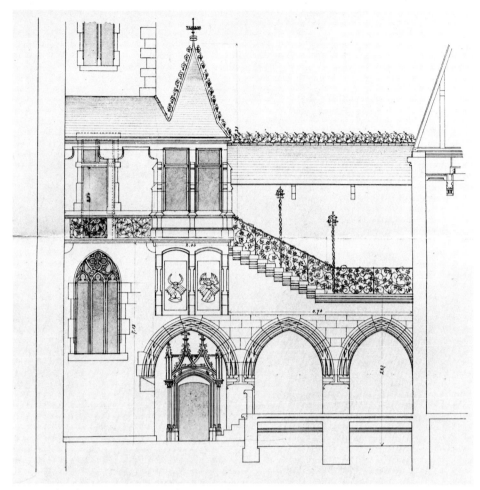

254. Verbindungstreppe vom Obergeschoß des Südbausaalflügels zum 1. Obergeschoß des Augustinerbaus, mit Reckenturm, am Wasserhof an der Ostwand des Augustinerostkreuzgangflügels, Ausführungsentwurf. Federzeichnung nach Entwurf Essenweins, 1884

252 Scheinquaderung, der ein Holzpaneel mit gemalten Vorhängen darüber vorgeblendet war. Diese einen mittelalterlichen Wohnraum assoziierende Wandzone wurde über einem abschließenden Zinnenkranz durch gemalte Arkaden geöffnet, die den Ausblick auf Laubranken, in denen sich Vögel tummeln, freigaben, so daß der Innenraum sich in der Höhe wie eine Laube öffnete[219]. Mit dieser verspielten Zone korrespondierte trotz ihrer Schwere die Decke, die sich in der Mitte zwischen – mit reichvergoldetem Maßwerk versehenen – Kassetten in eine Holzkuppel mit einem hängenden geschnitzten Schlußstein öffnete. Diese zentralisierende Konstruktion wurde bei der Darbietung des Ausstellungsgutes, der Sammlung artilleristischer Modelle des 17. Jahrhunderts, aber in keiner Weise aufgenommen. Es wurde vielmehr in gotisierenden Vitrinen gezeigt, die an der Wand aufgereiht

[219] Vgl. Eva Börsch-Supan: Garten-, Landschafts- und Paradiesmotive im Innenraum. Berlin (1967), S. 224–225, Abb. 142, 145.

431

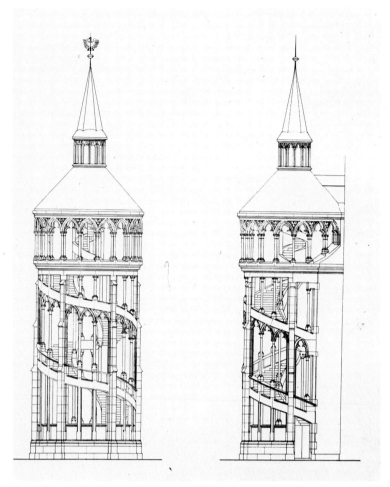

255. Wasserhof, Treppenhaus an der Westseite am Augustinerbau, Ausführungsentwurf. Federzeichnung nach Entwurf Essenweins, 1883

blieben. Mit der Deckenkonstruktion korrespondierte aber das Fenster, das bei rechteckigem Zu- 251, 253
schnitt drei gotisierende Gruppenfenster mit Lanzetten und Bogenfeld aufnahm.

Dieser auch nach außen in Erscheinung tretende Reichtum entsprach einer speziellen Intention
Essenweins für den Hof am Südbau. Auf die aufgelöste Westfassade des Südbauhauptflügels ließ er 250
nämlich die zurückhaltende Querwand des eingeschossigen Saalbaues folgen, dessen Verbindungsstück zum Augustinerbau eine wiederum aufgelockerte Fassade vorbereitete. Im nordwestlichen Winkel konnte endlich der schon 1874 in das Museum gelangte Danziger Beischlag aus dem 253, 254
späten 17. Jahrhundert mit seiner üppig ornamentierten Brüstung als kleine Terrasse eingebaut
werden[220]. Seit 1884 führte an seiner Westseite, angelehnt an den Augustinerkreuzgang, über zwei

[220] Anzeiger GNM 1874, Sp. 377, Stiftung des Danziger Kommerzienrats Gibsone, der wegen dortiger Straßenbaumaßnah-
men gezwungen war, den Beischlag „von seinem Hause zu entfernen". Laut Wegweiser GNM 1887, S. 83, stand das Haus
in Danzig „in der Hundegasse". – Die Brüstungsfelder fanden 1975 eine neue Verwendung am Geländer der Rampe, die
vom Ostkreuzgang in den neuen Ostbau führt. – Inv. Nr. A 3427. – Vgl. auch Anzeiger GNM 1874, Sp. 61.

256. Wasserhof, Westseite am Augustinerbau. Zustand 1896

„spätgotischen" Arkaden eine offene Treppe vom gotisierenden Kuppelsaal mit den Kriegsmodellen zu einem zweifenstrigen, von einem Turmhelm überragten Erker, dem 1886 vollendeten sogenannten Reckenturm, dessen Bau und Ausstattung mit Wappenfenstern auf eine Stiftung der Grafen von Recke-Vollmerstein zurückging[221]. Durch ihn hindurch gelangte man über einen wiederum offenen Vorplatz in das erste Obergeschoß des Augustinerbaues, den Standesherrensaal, so daß also zumindest im Sommer eine bessere Verbindung zwischen den Obergeschossen der verschiedenen Baukomplexe möglich war. Die Auflockerung der vorher schlichten Ostwand des Augustinerbaues steigerte Essenwein nun aber noch durch einen Treppenturm vor dessen Ostgiebel, der ebenfalls zu den auf Reichskosten errichteten Bauteilen gehörte[222]. Er war den dringend erforderlichen zusätzlichen

255, 256

[221] Jahresbericht GNM 29 (für 1882), 1883, S. 1; 31 (für 1884), 1884, S. 1; 33 (für 1886), 1886, S. 1. – Anzeiger GNM 1882, Sp. 177; 1884–1886, S. 258. – Vgl. auch Anm. 224. – Altregistratur GNM, Kapsel 319, Bauten 1878–83: Brief des Grafen Recke-Vollmerstein vom 12. 6. 1882; Kapsel 36, Nr. 4 (Stiftung von Wappenfenstern), Brief des Grafen vom 2. März 1896; Kapsel 321: Kostenvoranschläge für den Verbindungsbau zwischen Süd- und Augustinerbau vom Februar 1884. – Plansammlung GNM „Verbindungsbau".
[222] Vgl. die Finanzplanung (Anm. 197), Position d.

257. Karton von Friedrich Wanderer (1840–1910) zu dem Fenster „Übergang der Hegemonie von Österreich an Preußen 1866", im Südbau, Saalbau, Detail, um 1888

Verbindungswegen zuzurechnen und wurde deshalb auch in die 1882 datierte Redaktion des Gesamtausbauprojektes aufgenommen[223], und zwar bereits in seiner endgültig ausgeführten Form. Ursprünglich hatte er als reiner Zweckbau die Gestalt eines massiven Rundturmes erhalten[224]. In seiner 1883–84 ausgeführten Gestalt[225] erschien er aber als südlich anmutende, in ihrer Außenhaut völlig aufgelöste Wendeltreppe, eine gotische Umsetzung der Schloßtreppe von Blois, die in vereinfachter Form auch in Nürnberger Bürgerhäusern zu finden ist[226]. Die für die praktische Verwendung in der

228

255, 256

---

[223] In dem der Finanzplanung zugrunde liegenden schematischen Plan (Anm. 234) war anstelle der Treppe ein Übergang zum Hauptflügel des Südbaues vorgesehen.

[224] Plansammlung GNM „Ausbau der Karthause. Ostseite des Augustinerbaues u. Verbindungsbau, AE 1882". – Der Reckenturm erscheint hier als Erker vor der Wand des Ostflügels des Augustinerkreuzgangs, die Treppe vom Kriegsmodellsaal war noch nicht geplant.

[225] Plansammlung GNM „Treppenthurm am Augustinerbau". – Altregistratur GNM, Kapsel 321: Vertrag mit dem Maurermeister Bieber vom 3. November 1883. – Jahresbericht GNM 30 (für 1883), 1883, S. 2; 31 (für 1884), 1884, S. 1. – Anzeiger GNM 1884–1886, S. 87, 102. – Im Wegweiser GNM, z. B. 1906, S. 95, heißt es „nach dem Vorbilde nordfranzösischer Schloßarchitektur", was sicher noch auf Kenntnis von Essenweins Intentionen basiert, doch gibt es auch deutsche Vorbilder, vgl. Anm. 226.

[226] Vgl. Wegweiser GNM 1906 (Anm. 225). – Französische Wendeltreppen, offen oder geschlossen, der Spätgotik und Renaissance haben vor allem auf dem mitteldeutschen Schloßbau der Renaissance (Torgau, Berlin, Dresden) eingewirkt, Einflüsse aus beiden Gebieten auf Essenwein sind durchaus denkbar, vgl. zu dieser Treppenform Georg Friedrich Koch: Studien zum Schloßbau des 16. Jahrhunderts in Mitteldeutschland. In: Beiträge zur Kunstgeschichte. Eine Festgabe für Heinz Rudolf Rosemann zum 9. Oktober 1960. München o. J., S. 155–186. – Über dieses Problem zusammenfassend zuletzt Friedrich Mielke: Die Geschichte der deutschen Treppen. Berlin, München 1966; daselbst zahlreiche Beispiele für mögliche Vorbilder Essenweins, am nächsten verwandt Naumburg Abb. 3, Prag Abb. 6, Nürnberg Abb. 24, Straßburg Abb. 49, Meißen Abb. 78–79.

258. Saal des Mecklenburgischen Adels von 1876/81 im 1. Obergeschoß des Saalbaues an der Ostseite des Kleinen Kreuzganges. Zustand bis 1935

kalten Jahreszeit unzweckmäßigen Transparenz der neuen Augustinertreppe, dazu die nun doch noch an die für diesen Bereich vorgesehene Schloßhoflösung des Ausbauprojektes von 1872 erinnern-

253 de Partie um den Reckenturm und weiter die – eine strenge Grundform auflösende – Gestaltung der
250, 251 westlichen Front des Südbaus haben im Kontrast mit der Einfachheit der Südbausaalfront insgesamt etwas Konglomerathaftes bekommen. Dies sollte wahrscheinlich den Eindruck historisch gewachsener Architektur erwecken und rief in seiner gehäuften, aber zweifellos malerischen Gesamterscheinung das Entzücken der Zeitgenossen hervor; dazu trug nicht unwesentlich bei, daß Essenwein statt
250, 253 der ursprünglich geplanten Gartenanlage einen den ganzen Hofraum ausfüllenden kleinen See anlegte, in dem sich die Architektur spiegelte[227].

[227] So heißt es zum Beispiel bei Leitschuh (Anm. 154), S. 98, aus dämmerigen Hallen und Gängen gelange man in die Gärten „und ein kleiner See, goldsonnig übergossen, fesselt den erstaunten Besucher. Ein überraschender Anblick bietet sich uns dar, und nicht selten werden Rufe der lebhaften Bewunderung und des Entzückens laut; der kleine Teich wird von dem herrlichen Neubau des Museums rings umschlossen. Und dieser Neubau ist eine Perle der modernen Gotik, ein Bau, bei welchem die Macht der architektonischen Schönheit fühlbar wirkt . . . Die schönen Verhältnisse der Höhe und Tiefe, die zahlreichen Erker und Türmchen, die prächtige, offene Wendeltreppe beim Danziger Beischlage, tief unten der stille See, – das alles wirkt mit magischer Gewalt".

Mit dieser effektvollen Außenanlage kamen die großen auf Reichskosten erbauten Museumserweiterungen baulich zum Abschluß. Nur die Ausstattung des Saalflügels am Wasserhof zog sich noch bis 1889 hin, als endlich die in Grisaillemalerei ausgeführten Glasfenster eingesetzt werden konnten, die trotz eines Einspruchs des Verwaltungsausschusses aus privaten Spenden finanziert wurden[228]. Sie wurden als selbständige Dekorationsstücke verstanden und zeigten „Darstellungen bedeutsamer Momente aus der nationalen Geschichte, vor allem der Gründung des deutschen Zollvereins 1833, des Übergangs der Hegemonie in deutschen Landen von Österreich an Preussen 1866 und der Begründung des Deutschen Reiches am 18. Januar 1871"[229]. Sie wurden wiederum nach einem Entwurf Wanderers, dessen Kartons teilweise erhalten blieben, von Eisgruber in Nürnberg hergestellt[230]. Wie schon in den Fenstern des Reichsstädtesaales, erinnerte die deutsche Nationalanstalt auch hier an die gemeinsame vaterländische Geschichte; diese sollte auch bei der Dekoration einiger kleinerer Baumaßnahmen Essenweins noch eine Rolle spielen, die im folgenden Abschnitt zu behandeln sind.

257

□ Projekte, Einzelbauten und der Beginn der Adaptierung des Stadtmauerbereiches

Im Zusammenhang mit dem Südbau hatte Essenwein noch einen „Südostbau" entworfen, der sich nach dem Plan von 1876/77 nach Osten an die drei südlichen Joche des Südbauhauptflügels anschließen und in seinem Erdgeschoß, wie jener im ursprünglichen Projekt auch, eine dreischiffige, kreuzrippengewölbte Halle aufnehmen sollte[231]. Die Gesamtansicht von 1877 wies ihn mit zwei Obergeschossen aus. An dieser Außenerscheinung hielt Essenwein in seinem Rechenschaftsbericht und Ausblick von 1884 noch fest, gab dem Erdgeschoß aber einen anderen Grundriß, indem er innerhalb der Rechteckform des Baues aus der dreischiffigen, fünfjochigen Erdgeschoßhalle einen zweigeteilten Raum machte, der in zwei westlichen Jochen die alte Form behielt. Dagegen wurden die außen weiterhin durch Strebepfeiler markierten drei ehemaligen Ostjoche durch ein Sterngewölbe zusammengefaßt; das Obergeschoß sollte ein einfacher Saal mit gerader Decke werden[232]. In der Gesamtprojektredaktion von 1882 wurde dann der Südostbau um 180° gedreht, der Raumteil unter dem Sterngewölbe kam also nach Westen; dabei wurde der ganze Bau zugleich nach Osten verschoben und mit dem Südbau durch einen Gang verbunden[233]. In den für die Verhandlungen von 1881/83 über weitere Baugelder angelegten schematischen Plänen mit Ist-Stand und Ausbauplänen[234] wurde indessen die ursprüngliche Form von 1877 angegeben, außerdem ein Verwendungszweck benannt. Danach sollten Erd- und Obergeschoß als Saal XXIX und LXXXII das Handelsmuseum aufnehmen. Deshalb wurde der Südostbau auch nicht in den Finanzplan des Reiches[235] aufgenommen, da das Handelsmu-

207

26

228, 229

[228] Altregistratur GNM, Kapsel 321, Verhandlungen über die Bauten mit dem R.A.d.Innern 1885–1889: Bauausschuß des Verwaltungsausschusses am 3. Juni 1887, Bl. 43–44 (43r). – Anzeiger GNM 1884–1886, S. 87–88, 155, 171, 179; 1887–1889, S. 204. – Jahresbericht GNM 36 (für 1889), 1889, S. 2.

[229] Hampe, Festschrift, S. 105.

[230] Kupferstichkabinett GNM, Bilderrepertorium Kapsel o. Nr.; Handzeichnungen: Entwürfe zu Glasfenstern von Fr. Wanderer, o. Nr., mehrere Teile der Originalkartons.

[231] Auf dem zum ersten Entwurf von 1876 für den Südbau (Anm. 200) gehörigen Blatt mit der Ostfront des Hauptbaues ist denn auch bei den drei südlichen Jochen angegeben: „Zwischen a und b [dem ersten und vierten Strebepfeiler] ist später ein Flügel anzubauen, wobei das Fenster X [das zweite von links, so auch im Grundriß] in eine Thüre verwandelt wird".

[232] Essenwein 1884 (Anm. 95), Taf. I–III. Diesen Grundriß zeigte auch schon der Plan im Wegweiser GNM 1881.

[233] Nochmals reduziert, nur noch aus dem Verbindungsgang und dem Sterngewölbeteil bestehend, erscheint der Grundriß 1890 bei Leitschuh (Anm. 154), S. 98 u. 100. – In der Plansammlung GNM außerdem eine weitere Planvariante (Bleistiftzeichnung, undatiert, mit einem Vorläufer des Südwestbaues, dem Augustinerbau, dem Südbau und dem Südostbau; vermutlich um oder vor 1882, da die Augustiner-Osttreppe noch als geschlossener Rundturm angegeben ist). Diese Variante (Südfassade und ostwestlicher Schnitt) sah einen einjochigen, zweistöckigen Verbindungsgang zum Südbau vor, dann einen dreistöckigen Hauptbau mit zwei breiten Fensterachsen und als östlichen Abschluß auf der Ecke des Museumsareals, dieses akzentuierend, einen fünfetagigen Turm mit hohem Helm.

[234] Altregistratur GNM, Kapsel 29, lfd. Nr. 24.

[235] Vgl. Anm. 197.

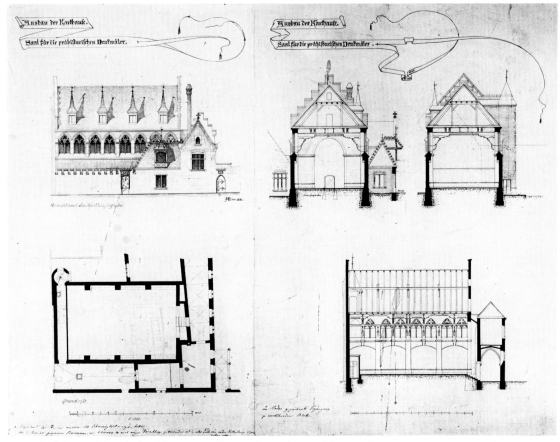

259. Saal für prähistorische Altertümer, Entwurf von August Essenwein, 1882

seum als eigenständige, aber mit dem germanischen Museum verbundene Stiftung selbst für seine Unterbringung aufkam. Diese 1877 initiierte Einrichtung, deren offizielle Gründung 1881 erfolgte, sollte einen Spezialbereich innerhalb der kulturhistorischen Sammlungen abdecken[236]. Da die mit dem Südostbau geplante große Lösung aber nicht sogleich realisiert werden konnte, wurde das von Solger 1857 neugebaute Nordende des Archivbaues an der Kartäusergasse auf Kosten der Handelsstiftung um ein Stockwerk erhöht und dieser dann 1881 das erste Obergeschoß des Traktes eingeräumt. Es stand durch eine überdachte Galerie mit dem Obergeschoß des Refektoriumstraktes und durch dieses mit der Kirchenempore in Verbindung[237]. Bei dieser Gelegenheit bekam die graphische Sammlung endlich ihr eigenes Kabinett in dem neugewonnenen zweiten Obergeschoß, zu dem ein an

229
vgl. 19, 24

vgl. 68

---

[236] „An den verehrlichen Handelsstand Deutschlands und Österreichs", gedruckter Gründungsaufruf, datiert „Herbst 1877", vgl. Altregistratur GNM, Kapsel 1a, lfd. Nr. 2; ebenda auch „Statuten des deutschen Handelsmuseums", datiert 4. Juli 1879; ebenda auch die selbständig erschienenen Jahresberichte des Handelsmuseums. – Altregistratur GNM, Kapsel 314, Verzeichnisse der einmaligen Geschenke und der gezeichneten Anteilscheine. – Anzeiger GNM 1878, Sp. 89; 1881, Sp. 17. – Jahresbericht GNM 27 (für 1880), 1881, S. 2.

[237] Altregistratur GNM, Kapsel 321, Bauetat des germanischen Museums. Verhandlungen mit dem Reichsamt des Innern 1881–89, Bl. 17–24 (18r) (Verwaltungsbericht, erstellt im April 1881). – Anzeiger GNM 1881, Sp. 177, 305, 353. – Jahresbericht GNM 28 (für 1881), 1882, S. 1. – Stegmann (Anm. 87), Taf. XXIX. – Auf der Kirchenempore wurde die Ausstellung von Handelsobjekten fortgesetzt.

437

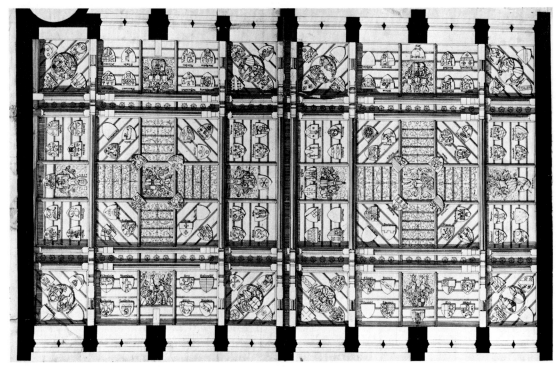

260. Saal für prähistorische Altertümer, sogenannte Decke der landesfürstlichen Städte. Federzeichnung von August Essenwein, 1882

der Südostecke des Gebäudes ebenfalls 1881 neu aufgeführter runder Treppenturm führte, der an das ursprüngliche Projekt für die Augustinerosttreppe erinnert[238].

Etwa gleichzeitig wurde auch die Ausstattung des Saals für die Musikinstrumente fertiggestellt. Es handelte sich um das 1876/77 entstandene Obergeschoß des bereits 1868 vollendeten Gewebesaals an der Ostseite des Kleinen Kreuzgangs[239]. Da er seinerzeit zur vorläufigen Unterbringung der Gemäldesammlung dienen sollte, erhielt er geschlossene Wände und wurde mit einer hölzernen Spitztonne geschlossen, deren Ost- und Westseite mit hochsitzenden Dachgauben durchfenstert war, welche ausreichend blendungsfreies Licht gaben. Die offene Stützkonstruktion der Tonne hatte neben dem technischen auch einen dekorativen Zweck, sie konnte als gotisierende Form gedeutet werden, die hängende Schlußsteine anklingen ließ[240]. Dem gleichen Vorbildstil waren auch hier die Ausstellungsvitrinen angepaßt. Auf Grund einer von 1876 bis 1881 laufenden Spendenaktion der mecklenburgischen Ritterschaft erhielt der nach der nur vorübergehenden Nutzung für Gemälde jetzt für die Musikinstrumente bestimmte Raum die Bezeichnung Mecklenburger Saal. Sein Schmuck bestand in einer gemalten Quaderung der Wände und den an der Tonne angebrachten Wappen der mecklenburgischen Geschlechter[241].

258, 416, 417

[238] Wie Anm. 237, vgl. auch Anm. 224. – Abb. bei Stegmann (Anm. 87), Taf. XXVIII.
[239] Jahresbericht GNM 23 (für 1876), 1877, S. 1; 24 (für 1877), 1878, S. 1.
[240] In der Plansammlung GNM ist als einzige Konstruktionszeichnung ein Querschnitt überkommen.
[241] Jahresbericht GNM 23 (für 1876), 1877, S. 1; 27 (für 1880), 1881, S. 2; 28 (für 1881), 1882, S. 1. – Anzeiger GNM 1876, Sp. 337; 1880, Sp. 49; 1881, Sp. 177. – Wegweiser GNM 1906, S. 208. – Die Spendenaktion kam 1881 zum Abschluß durch

261. Saal für prähistorische Altertümer, Nordteil der Decke

259, 366   Mit dem Saal für prähistorische Altertümer entstand ein ähnlich strukturierter Raum am westlichen Ende des Nordflügels der Kartause und zwar gerade hier, beim Haupteingang, weil damit der chronologische Rundgang durch die Sammlungen zeitgerecht beginnen konnte[242]. Nachdem dieser Sammlungsbereich durch die 1881 erfolgte Annahme des Nachlasses des Berliner Landgerichtsrats Rosenberg[243] sehr stark angewachsen war, wurde ein entsprechender Neubau dringend erforderlich und deshalb in den Finanzplan des Reiches aufgenommen[244]. Daher erschien er auch in der 1882
228   vorgenommenen Redaktion des Gesamtprojektes von 1876/77 bereits als konkretes Bauvorhaben. Wie die anderen Neubauten schloß auch er sich durch gotisierende Formen in allgemeiner Weise an

ein Geldgeschenk des Großherzogs Friedrich Franz von Mecklenburg-Schwerin, dessen mit dem mecklenburgischen Staatswappen im farbigen Fenster des Südgiebels gedacht wurde; die Wappen der Adelsfamilien verzeichnet Stifterwappen (Anm. 63), Raum 92.
[242] Diese Konzeption konnte aber nur beibehalten werden, weil die Verlegung des Haupteingangs in den Ostbau scheiterte.
[243] Anzeiger GNM 1881, Sp. 305. – Vgl. den Beitrag von Wilfried Menghin, bes. S. 672–676.
[244] Vgl. Anm. 197, Position b.

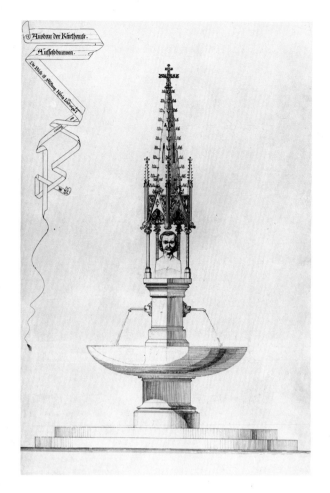

262. Aufseß-Brunnen, nichtausgeführtes Projekt für den Eingangshof vor der Kirche. Federzeichnung von August Essenwein, 1872

den Stil der Kartause an[245]. Er wurde 1883–84 erbaut[246]. Der nach Norden gerichtete, hohe Rechtecksaal war vom Kreuzgang aus durch eine Zwillingsarkade zugänglich. Seine Seitenwände wiesen eine hochsitzende Reihe spitzbogiger Gruppenfenster mit je zwei Lanzetten und einem Drei- bzw. Vierpaß im Bogenfeld auf, sie näherten sich also den Kreuzgangfenstern an. Am Nordende öffnete sich die Westwand in eine kleine Tür mit Eselsrückenbogen, während sich gegenüber an der Ostwand ein Treppenturm erhob. Der Nordgiebel, auf der Grenze zum Nachbargrundstück, blieb schlicht, der vom Vorhof aus sichtbare Südgiebel zeigte eine Treppenform[247]. Das hohe Satteldach erhielt wieder 213 die für Nürnberg charakteristischen Erker und Gauben. Wie die anderen Neubauten, wurde auch der Vorgeschichtssaal in Ziegelmauerwerk aufgeführt. Die verputzten Innenwände wurden überraschenderweise jedoch nicht dekorativ ausgemalt, sondern nur getüncht. Immerhin aber erhielt der Saal eine geschnitzte Decke, die einer der für ihn charakteristischen Initiativen Essenweins zu danken war. 260, 261 Schon im Februar 1880 hatte er einen Aufruf „An die deutschen Städte" herausgebracht, in dem er die

[245] Die undatierten Detailpläne in der Plansammlung GNM. Hier auch die undatierte Seitenansicht eines Projektes, das eine Aufstockung dieses Baues vorsah.
[246] Anzeiger GNM 1883, Sp. 297. – Jahresbericht GNM 30 (für 1883), 1883, S. 2; 31 (für 1884), 1884, S. 1.
[247] Im Gegensatz zu den dortigen Kreuzgangbauten wurde er mit Ziegeln errichtet.

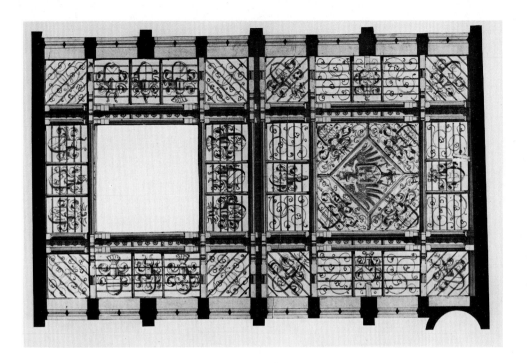

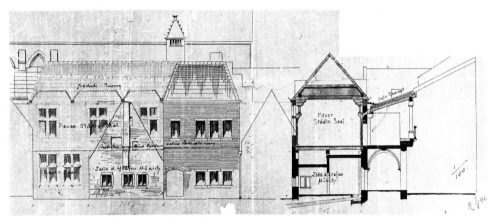

263. Saal für prähistorische Altertümer, Entwurf für die neue Decke (Wappen des Reiches und seiner Bundesstaaten). Rahmen vom gedruckten Plan der landesfürstlichen Decke mit Bleistift-skizzen der neuen Wappen, nach 1893

264. Neuer Städtesaal am Nordkreuzgang, Ansicht mit dem Giebel der sogenannten Zelle des Grafen Münnich. Entwurfszeichnung, 1892

Gemeinden ansprach, die keine Reichsstädte gewesen waren, sich also an der Dekoration des vgl. 223 entsprechenden Saales im Augustinerbau nicht hatten beteiligen können. Nachdem er die jährlichen Beiträge deutscher Städte an das Museum als Beweis dafür gewürdigt hatte, daß „jede große Unternehmung auf geistigem Gebiete, jeder echte Kulturfortschritt an ihnen seinen festen Rückhalt findet", fuhr er fort, „aber nicht blos jene Städte, welche reichsunmittelbar waren, haben die Kulturentwickelung getragen und gefördert. Auch jene haben ruhmreichen Antheil genommen, die einst weltlicher und geistlicher Landesfürsten getreue Städte waren", um daran die Subskriptionseinladung anzuschließen[248]. Der Gedanke eines Saales der landesfürstlichen Städte konte mit dem Vorgeschichtsbau nun realisiert werden, da der Aufruf sehr erfolgreich war[249]. 1882 entstand Essenweins Entwurf dieser Decke, der zum Versand an die beteiligten Städte auch im Druck vervielfältigt wurde[250]. Sie war als   260 gotisierende Kassettendecke mit breiter Mittelbahn und schmaleren Seitenfeldern gedacht. Ausgehend von der Stiftungsidee waren alle Wappenschilde von gleicher Größe; Ordnungskriterium waren die Länder, zu denen die Städte gehörten, so daß deren jeweilige Wappen mit aufgenommen wurden. Aus dem dunkelgebeizten Holz leuchteten die farbigen Schilde hervor, ausreichend belichtet durch die hochsitzenden Fenster. Die Innenansicht des Saales zeigt, daß dieser Raum im Laufe der Jahre   366 zusätzlich die Funktion einer Ehrenhalle erhielt, die die Büsten von drei um das Museum verdienter Männer aufnahm. Vor der linken Wand stand die Büste des Freiherrn von Aufseß, ausgeführt von Arnold Lossow nach einem 1859 von Johann von Halbig angefertigten Modell, die 1867 als Geschenk Ludwigs I. von Bayern in das Museum kam[251]. Nach Aufseß' Tod am 6. März 1872 hatte Essenwein die nicht realisierte Idee, die Büste zum Zentrum einer Brunnenanlage im Vorhof zu machen[252].   262 Aufseß gegenüber fand Essenweins eigene Büste, eine Arbeit von Heinrich Schwabe, 1894 ihren Platz[253]. Vor der Stirnwand wurde die Büste Kaiser Wilhelms I. aufgestellt, wobei diese Ehrung weniger dessen persönlichen Verdiensten um das Museum als seiner Funktion als Oberhaupt des Reiches galt, das dem Museum so bedeutende finanzielle Förderung zuwandte. Diese von Johannes Schilling geschaffene Skulptur kam 1885 als private Stiftung in das Museum[254]. Hier handelte es sich um eine Sonderform der Ehrung im Museum. In der Regel wurde verdienter Stifter auf andere Weise gedacht, nämlich durch Benennung eines Bauteiles, etwa Hohenzollernhalle, Standesherrensaal, oder durch Anbringung von Wappen wie in den Kreuzgängen[255].

Wenige Jahre nach Vollendung des Vorgeschichtssaals wurde seine Ausstattung verändert. Die Baukommission des Verwaltungsausschusses hatte schon 1887 bemängelt, daß dieser aus Reichsmitteln erbaute Saal eine privat gestiftete Dekoration erhalten hatte[256], und war damit, im Gegensatz zu ihrer gleichlautenden Kritik an den Fenstern des Südbausaalflügels, erfolgreich. Nachdem die Decke im Winter 1896/97 ausgebaut war, wurde eine schon länger geplante Neudekoration, wiederum mit Wappen, vorgenommen. Unter Beibehaltung der ursprünglichen Kassettenbalken wurde die neue Ausschmückung dem Deutschen Reich und seinen Staaten gewidmet. Das nördliche Hauptfeld zeigte   135, 263 dabei den Reichsadler, umgeben von den Wappenschilden der vier Königreiche Bayern, Sachsen, Preußen und Württemberg, die übrigen Felder nahmen die Wappen der anderen Länder und der

[248] Altregistratur GNM, Kapsel 1a, lfd. Nr. 2: gedruckter Aufruf „An die deutschen Städte".

[249] Jahresbericht GNM 27 (für 1880), 1881, S. 2; 28 (für 1881), 1882, S. 1; 29 (für 1882), 1883, S. 1. – Anzeiger GNM 1880, Sp. 121; 1884–1886, S. 63, 87.

[250] Plansammlung GNM: Ausbau der Karthause, Wappendecke im Städtesaal. Essenwein inv. et del. a. d. mdccclXXXII. Der gedruckte Entwurf von E. Nisters Kunstanstalt Nürnberg. – Ein Gesamtverzeichnis enthält Stifterwappen (Anm. 63), Raum 78.

[251] Anzeiger GNM 1867, Sp. 145. – Inv. Nr. Pl 1305.

[252] Plansammlung GNM, Entwurf von 1872. – Dabei stellte Essenwein sich vor: „das aus dem Brunnen sich ergießende Wasser möge sinnbildlich den Segen ausdrücken, welcher der Wissenschaft wie dem Volke aus des Freih. v. Aufseß Schöpfung jetzt schon zufließt und hoffentlich in immer größerem Maße zu Theil werden wird", Anzeiger GNM 1872, Sp. 161–162.

[253] Anzeiger GNM 1893, S. 39; 1894, S. 31–32. – Jahresbericht GNM 40 (für 1893), 1893, S. 1; 41 (für 1894), 1894, S. 1. – Altregistratur GNM, Kapsel 29, lfd. Nr. 23. – Inv. Nr. Pl 1304.

[254] Anzeiger GNM 1883, Sp. 169; 1884–1886, S. 163. – Inv. Nr. Pl 1306.

[255] Nach der Kreuzgangsausmalung von 1876 wurden z. B. 1891 wiederum als Dankesschuld gemalte Stifterwappen im nördlichen Kreuzgang angebracht; Jahresbericht GNM 38 (für 1891), 1891, S. 3.

[256] Altregistratur (Anm. 228), Bl. 43r.

Stadtstaaten auf, alle „in trefflicher Schnitzarbeit und reicher Bemalung"[257]. Für die Decke der landesfürstlichen Städte wurde 1892/93, zur Zeit der tatkräftigen Geschäftsführung des Museums durch seinen II. Direktor Hans Bösch, ein neuer Saal geschaffen, und zwar am nördlichen Kreuzgang gegenüber den beiden Lichthöfen an der Kirche[258]. Der Gartenteil zwischen der sogenannten Zelle des Grafen Münnich und der noch für die Hausmeisterei genutzten nächsten östlichen Zelle wurde durch eine Mauer geschlossen und zu einem ebenerdigen Saal umgewandelt. Über diesem und der Münnichschen Zelle entstand dann, im Westen an das chemische Laboratorium anstoßend, ein größerer längsrechteckiger Obergeschoßsaal, dessen in drei Kassettenfelder eingeteilte Decke allerdings erst einige Jahre später die Wappenschilde aufnahm[259], so daß man auch nach der Veränderung einen würdigen Platz für diese Stiftung gefunden hatte. Neben größeren Neubauten ergaben sich also immer wieder Möglichkeiten, kleine Lücken nutzbringend zu füllen oder auch Ergänzungen vorzunehmen, etwa in Form einer Außengalerie um das Obergeschoß der Hohenzollernhalle 1891[260].

★

Neben seiner umfangreichen Bautätigkeit innerhalb und außerhalb des Museums, neben seiner bedeutenden Erwerbungstätigkeit und zusätzlich zu den im Gefolge der Raum- und Sammlungserweiterung notwendigen Neuaufstellungen beschäftigte sich Essenwein, vor allem in den letzten Jahren, intensiv mit dem Projekt einer Einbeziehung des dem Museum südlich vorgelagerten Stadtmauerbereichs. Nürnbergs Stadtbefestigung war wegen der Verkehrsbedürfnisse dieser expandierenden Industriestadt gefährdet. 1870 hatte sich bereits ein Verein gebildet, der für die Erbauung von Stadtgrabenübergängen und den teilweisen Abbruch der Stadtmauer eintrat[261]. Gegen diesen Verein und die von der Stadt getätigten Abbrucharbeiten im Bereich des Laufer Tores hatte Essenwein mehrfach und so entschieden polemisiert, daß ihm die Regierung von Mittelfranken in Ansbach am 28. September 1870 die weitere Agitation in dieser Hinsicht untersagte[262]. Er verlor das Problem aber nicht aus dem Auge, denn ohne konkrete Voraussetzungen bezog er den Stadtmauerbereich in sein großes Erweiterungsprojekt von 1876/77 mit ein. Danach sollten drei Brücken über die Straße zur Mauer führen, eine von dem nichtausgeführten Südostbau aus, eine weitere im Westen vom umzubauenden Südende des Archivbaues an der Grasersgasse und schließlich eine mittlere vom Treppenhaus des projektierten Südbaues, bei dessen Errichtung in der Tat das Mauerwerk mit Widerlagern gleich so hergerichtet wurde, daß eine spätere Ausführung des Überganges möglich war[263]. Wie die Gesamtansicht weiter zu erkennen gibt, sollte die äußere Zwingermauer mit einem Tor und einer Zugbrücke über den Graben versehen sowie an ihrem Westende mit einem hohen Uhrturm verbun-

[257] Hampe, Festschrift, S. 107. – Plansammlung GNM, Skizze für den Ersatz der wegzunehmenden Wappen im prähistor. Saal. Aus dem gedruckten Plan der landesfürstlichen Decke (Anm. 250) waren die Felder ausgeschnitten und durch neue, untergeklebte ersetzt, die das Reichs- und die Länderwappen in Bleistiftskizzen angaben. Das südliche Hauptfeld blieb in diesem Entwurf leer, es enthielt ebenfalls den Reichsadler, vgl. Stifterwappen (Anm. 63), Raum 1. Die von Stegmann (Anm. 87), Taf. III (Abb. 366), gezeigte Innenansicht bietet letztmalig den alten Zustand, denn im Wegweiser GNM 1897, S. 14, wird erstmals die neue Reichsdecke genannt.

[258] Altregistratur GNM, Kapsel 318, Victoriabau: baupolizeiliche Genehmigung vom 27. August 1892; Kostenanschlag für die Decke vom 1. Oktober 1892, mit Vermerk: Bestellzettel 24. XI. 92 ausgefertigt. – Plansammlung GNM, unbezeichnete Entwürfe, nicht mehr von Essenweins Hand, datiert 7. 8. 92. – Jahresbericht GNM 39 (für 1892), 1892, S. 2; 40 (für 1893), 1893, S. 2.

[259] Der Saal war vom Obergeschoß des Nordkreuzgangs aus zugänglich und hatte drei nach Norden gerichtete Fenster. In die aufgehende Wand einbezogen wurde der Giebel der Münnichschen Zelle. – Im Saal wurden technische Modelle ausgestellt. – Die Wappen wurden nicht sofort nach ihrer Entfernung aus dem Vorgeschichtssaal im Winter 1896/97 hier angebracht, sondern, nachdem der Wegweiser GNM 1897, S. 167, ihre Übertragung ankündigte, erst im Wegweiser GNM 1899, S. 170, als vorhanden erwähnt.

[260] Jahresbericht GNM 38 (für 1891), 1891, S. 3.

[261] Nürnberger Anzeiger 13. Jg. Nr. 53 v. 22. Februar 1870, S. 4 (Altregistratur GNM, Kapsel 29, lfd. Nr. 26).

[262] Altregistratur (Anm. 261), unpaginiert.

[263] Foto in Fotothek GNM. – Auch zu erkennen bei Stegmann (Anm. 87), Taf. I.

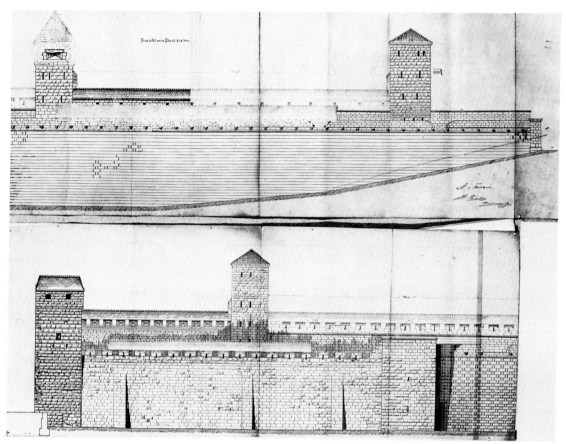

265. Stadtmauer südlich des Museums, Wiederherstellungsprojekt, Plansatz. Federzeichnung nach Entwurf Essenweins, 1891

den werden, der im Gegensatz zu den quadratischen alten Mauertürmen bislang noch nicht vorhanden war[264]. Ein 1902 anläßlich der Vollendung des Südwestbaues entstandenes Foto weist aus, daß sich, abgesehen von dem Durchbruch des Kartäusertores, an der überkommenen Situation noch vgl. 272 wenig geändert hatte, obwohl Essenwein nach den einer Absichtserklärung gleichkommenden Angaben in dem zitierten Luftbild bereits detaillierte Pläne vorgelegt hatte[265].

1882 war er seinem Ziel näher gekommen. Die Stadt Nürnberg hatte der Anstalt das Benutzungsrecht für die Stadtmauer und den Zwinger zwischen Sterntor und Kartäusertor eingeräumt[266] zu dem Zweck, „daß . . . ein anschauliches Bild mittelalterlicher Befestigung geschaffen und mit dem Mu-

[264] Im Bereich des Ausgangs der Kartäusergasse war diese Luftaufnahme insofern phantastisch, als die Stadtmauer sich hier nach Westen (in der Abbildung links) noch fortsetzte und, wie die Aufmessung des Klosters von 1853 (Abb. 209) angibt, auch noch nicht einmal von dem heute vorhandenen Tor durchbrochen war. Auf der Luftaufnahme basieren auch die Tafeln in der Denkschrift Essenwein 1884 (Anm. 95), Taf. I–III. – Vgl. auch Deutsche Bauzeitung Jg. 11 (1877), S. 497.

[265] Die Datierung des Fotos läßt höchstens einen Spielraum bis zum Frühsommer 1904 zu, da zu dem Zeitpunkt die Brücke zwischen dem Südbau und dem gegenüberliegenden Mauerturm begonnen wurde, auf dem Foto aber nicht zu sehen ist. – Fotothek GNM. – Eine ähnliche Situation, freilich mit der später errichteten Geschützhalle, zeigt Abb. 272.

[266] Altregistratur GNM, Kapsel 772, Sonderakt Zwingergarten: Abschrift des Notarvertrages vom 7. Dezember 1882; Akt Kaufverträge: Beschreibung und technischer Bericht über den Zustand der Mauern und Türme auf Grund der Bauuntersuchungen vom 19. September 1883 bis 27. Januar 1884. – Jahresbericht GNM 30 (für 1883), 1883, S. 2. – Anzeiger GNM 1883, Sp. 49, 297; 1884–1886, S. 5–6.

266. Stadtmauer, Entwurf für Adler- und Löwenturm am Westende des Zwingergeländes vor dem Museum.
Federzeichnung, bez. August von Essenwein 1891

228 seum in Verbindung gebracht werde"[267]. In dem 1882 umgearbeiteten Gesamterweiterungsprojekt
wurde dann nach der Wunschprojektion von 1876/77 der Stadtmauerbereich als Teil des Museums
angegeben, die beiden Türme und der sie verbindende schmale Bau am Westende des Zwingers aber
durch Schraffierung als noch nicht vorhanden gekennzeichnet. Da in diesen Grundriß 1890 auch die
1889 vom Verwaltungsausschuß gewünschten Änderungen aufgenommen wurden[268], läßt sich zugleich die stufenweise Veränderung der Planung erkennen. Der Übergang vom projektierten Südostbau zu einem Mauerturm entfiel, stattdessen wurde, gestrichelt, ein Übergang vom Augustinerbau
aus eingetragen, den die Baukommission des Verwaltungsausschusses schon am 3. Juni 1887 gefordert

[267] Anzeiger GNM 1894, S. XXI (im Zusammenhang mit einer Stiftung der Berliner Pflegschaft).
[268] Laut eigenhändiger Beischrift Essenweins.

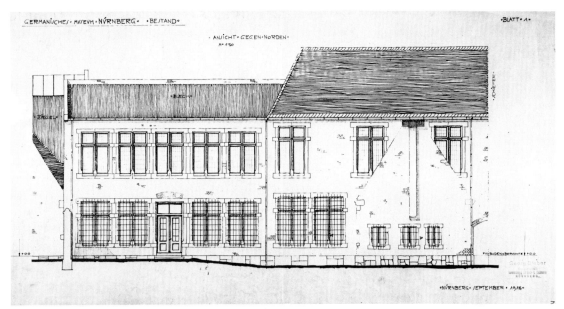

267. Zweistöckiger Neubau am Nordflügel des Großen Kreuzgangs, u. a. für den Zunftsaal, 1897, rechts der Bau für den neuen Städtesaal von 1892. Planpause nach Fassadenneuaufnahme 1915

hatte[269]. Außerdem erschien hier – als Projekt gleichfalls nur schraffiert auf einem frühere Angaben überklebenden Blatt – ein aus mehreren Teilkomplexen zusammengesetzter Vorläufer des Bezoldschen Südwestbaues zwischen dem Augustinerbau und dem zu diesem Zweck verkürzten Archivbau an der Kartäusergasse[270].

1891 konnte endlich zumindest mit einer 1892 abgeschlossenen Teilausführung des Projektes begonnen werden[271]. Von dem eingereichten, am 16. Juni 1891 baupolizeilich genehmigten Plan wurde die Erhöhung des Turmes gegenüber dem Südbau schließlich bis 1903 zurückgestellt, die Wiederherstellung der Mauer aber planmäßig durchgezogen, um „die verschiedenen Systeme, welche   46, 265 der nun schon vielfach durchbrochene Mauergürtel Nürnbergs zeigt, aufzustellen"[272]. Zusätzlich zu dem Baugenehmigungsantrag sind noch drei im Maßstab größere Detailpläne überkommen, die durch Beischriften nähere Angaben über die 1891/92 ausgeführten Arbeiten an der Mauer geben[273]. Die Gesamtansicht von Süden zeigte die vorgesehenen Veränderungen der drei quadratischen Türme; der Mauergang im östlichen und westlichen Drittel war gut erhalten, der mittlere Teil – vom Turm gegenüber dem Südbau an vor dem Augustinerbau – wurde ergänzt, die eine Hälfte durch einen Neubau, die andere Hälfte durch den am Walchtor abgetragenen Mauergang, wieder ein Beispiel für

[269] Altregistratur (Anm. 228), Bl. 44r.
[270] Von diesem Vorläufer des Südwestbaues in der Plansammlung GNM lediglich ein detaillierter Querschnitt. – Das im Luftbild von 1877 projektierte turmartige Südende des Archivbaues war damit überholt.
[271] Altregistratur GNM, Kapsel 321, Wiederherstellung eines Mauerganges 1890–93: Bauantrag genehmigt 16. Juni 1891; dazu Kostenvoranschlag des Maurermeisters Bieber. – Jahresbericht GNM 38 (für 1891), 1891, S. 2; 39 (für 1892), 1892, S. 2.
[272] Jahresbericht 38 (Anm. 271).
[273] Plansammlung GNM, 3 Ansichten, datiert 1891, aufgrund der 1889 erfolgten Nobilitierung signiert: A. von Essenwein. Es dürfte sich um die letzten noch von Essenwein angefertigten, bzw. unter seiner Oberleitung gezeichneten und von ihm signierten Pläne handeln, da in diese Zeit bereits seine Beurlaubung fällt, die er erbeten hatte, um seine durch Überarbeitung hervorgerufenen Erschöpfungszustände zu überwinden.

446

268. Königsstiftungshaus, Ansicht von Südosten an der Grasersgasse. Illustration des Spendenaufrufs, Winter 1897/98

die Rettung alter Architektur durch Translozierung. Die Zwingermauer erhielt östlich einen geraden Abschluß – das projektierte Schutzdach für die hier vorgesehene Aufstellung von Verteidigungskanonen entfiel wieder; ebenso wurde der für die westliche Hälfte geplante neue Zinnenkranz noch zurückgestellt. Dabei sollte das differierende Aussehen der erwähnten Absicht dienen, verschiedene Befestigungsformen zu zeigen. Die Zugbrücke mit dem Tor auf der Zwingermauer entfiel ganz, projektiert blieb um seiner malerischen Wirkung willen der historisch nicht verbürgte, auch fortifika-

228, 266 torisch unsinnige westliche Abschluß des Zwingers an der Kartäusergasse. Hier sollte, durch einen Übergang mit dem projektierten Südwestbau verbunden, an der Nordwestecke des Zwingers der quadratische, wegen der entsprechend gedachten Wetterfahne auf dem Pyramidenhelm so genannte Löwenturm entstehen. Er wäre durch einen schmalen, aber drei Geschosse hohen Verbindungsflügel an den sogenannten Adlerturm angebunden worden, dessen Fundamente im Winkel zwischen der Zwingermauer und der Stützmauer für die über den Stadtgraben führende Verlängerung der Kartäusergasse schon 1883 angelegt wurden[274]. Für den Adlerturm waren oberhalb des Zwingerniveaus noch

[274] Laut einer Eintragung in dem entsprechenden Blatt des Projektes (Anm. 273). Zum Adlerturm gibt es ein weiteres undatiertes Entwurfsblatt, das aber vor 1891 entstanden ist, da es auf dem beigegebenen Situationsplan noch das Zugbrückenprojekt aufweist.

269. Königsstiftungshaus, erster Umbauentwurf für die Front an der Grasersgasse von Gustav von Bezold. Aquarellierte Federzeichnung, 1899

vier Stockwerke vorgesehen, darüber eine vorkragende, mit Arkaden versehene Galerie, über dieser ein Uhrengeschoß und als oberer Abschluß ein vom Quadrat ins Achteck übergeführter steiler Helm, der nochmals von einer Galerie durchbrochen und schließlich von dem namengebenden Adler überragt werden sollte, einem Reichsadler, da man sich Reichsmittel auch für dieses Projekt erhoffte. Es wäre eine Beispielsammlung mittelalterlicher Turmarchitektur geworden, ohne unmittelbare Beziehung zur Nürnberger Befestigungsarchitektur und erst recht ohne eine solche zum Museum, eher ein später Ausdruck der Burgenromantik des 19. Jahrhunderts[275]. Was außer der Wiederherstellung des Mauerkranzes von Essenweins Stadtmauerprojekt realisiert wurde, entstand erst in der Amtszeit seines Nachfolgers Gustav von Bezold, der einen Teil der Pläne seines Vorgängers übernahm, außerdem aber weitere Arbeiten in diesem Bereich durchführte.

Die Bauten aus der Zeit Gustav von Bezolds vor dem Galerieneubau:
1894 bis gegen 1910

Dem Amtsantritt Gustav von Bezolds war ein zweijähriges Interregnum vorausgegangen, da die zum Zeitpunkt von Essenweins plötzlichem Tod im Oktober 1892 aufgenommenen Verhandlungen über die Neuregelung der finanziellen Verhältnisse des Museums vor der Wiederbesetzung des Postens

[275] Inspiriert von Strawberry Hill, setzt sie mit dem Gotischen Haus in Wörlitz, der Franzensburg in Laxenburg und der Löwenburg in Kassel-Wilhelmshöhe ein, die als romantische Parkschlößchen neuerbaut wurden. Mit der aufkommenden Denkmalpflege folgen die Wiederherstellungen mittelalterlicher Burgen, die teilweise beinahe Neubauten gleichkommen – z. B. Wartburg, Lichtenstein, Kreuzenstein, Hohkönigsburg, Burgen am Rhein wie etwa Stolzenfels, und schließlich die Neubauten wie die Marienburg bei Hannover und Neuschwanstein. – Vgl. Walter Hotz: Kleine Kunstgeschichte der deutschen Schlösser. Darmstadt 1970, S. 190–213, und vor allem Heinz Biehn: Residenzen der

270. Königsstiftungshaus, Süd- und Straßenfront. Zustand etwa 1950

zum Abschluß gebracht werden sollten[276]. Nachdem die Übernahme der Verwaltungskosten durch das Deutsche Reich, das Königreich Bayern und die Stadt Nürnberg beschlossen und eine dadurch bedingte Neufassung der Satzung des Museums am 15. Juni 1894 genehmigt worden war[277], konnte Bezold nach seiner schon im Mai erfolgten Wahl zum I. Direktor am 2. Oktober 1894 in sein Amt eingeführt werden[278].

Romantik. München 1970. – Mit der Entwicklung des Ausflugs- und Reiseverkehrs schließlich geht die Errichtung von Aussichtstürmen im mittelalterlichen Stil einher, in Nürnberg selbst z. B. auf dem Schmausenbuck.
[276] Jahresbericht GNM 39 (für 1892), 1892, S. 1; 40 (für 1893), 1893, S. 1; 41 (für 1894), 1894, S. 1. – Anzeiger GNM 1893, S. 38–40, 51; 1894, S. 36. – Über den gesamten Gang der Verhandlungen zusammenfassend Hampe, Festschrift, S. 127–131.
[277] Anzeiger GNM 1894, S. 53–58.
[278] Jahresbericht GNM 41 (für 1894), 1894, S. 1.

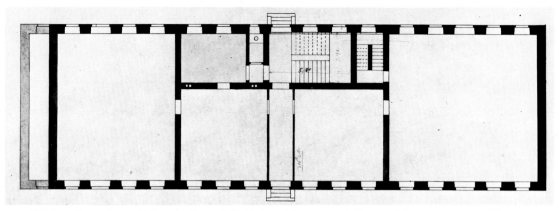

271. Königsstiftungshaus, Erdgeschoßgrundriß. Federzeichnung nach Entwurf Gustav von Bezolds, 1900

Es war verständlich, daß Bezold sich erst einmal mit seinen neuen Aufgaben vertraut machen wollte und nicht sofort – zumal die Ausführung der auf Reichskosten errichteten Neubauten abgeschlossen war – eigene Bauvorhaben in die Wege leitete. Doch führte er ziemlich bald ein kleines Projekt durch, das in etwas anderer Form schon von Essenwein in den Ausbauplan von 1882 nachträglich eingefügt worden war und auch von Bösch weiterverfolgt wurde: die Verlegung der Hausmeisterräume und der Ausbau von Zellen am nördlichen Kreuzgang. Nachdem es im Sommer 1896 gelungen war, das Anwesen Obere Grasersgasse 12 zu kaufen und dem Hausmeister einzuräumen[279], wurde im Anschluß an den 1893 fertiggestellten Neubau des Modellsaals mit der landesfürstlichen Decke, also gegenüber der Sakristei und dem östlichen Lichthof, an der Nordseite des Kreuzganges ein weiterer zweistöckiger Anbau – von fünf Achsen – aufgeführt. Er enthielt im Erdgeschoß einen größeren Saal, den die Bibliothek zu Ausstellungszwecken bekommen sollte, der dann aber vorläufig dem Archiv zugewiesen wurde, im Obergeschoß dagegen zwei Räume, und wurde 1898 in Benutzung genommen[280]. Der kleinere, westliche Raum oben, nahm die Spielzeugsammlung auf, der größere – mit drei Fensterachsen – die Zunftaltertümer, weshalb für die Ausstattung dieses Saales ein – wie alle vorausgegangenen ähnlichen Unternehmungen erfolgreicher – Spendenaufruf an die deutschen Innungen herausgegeben wurde[281]. Damit war die letzte Aus- und Umbaumöglichkeit im historischen Kartausenbereich ausgeschöpft.

228, 229

267

438

Einige Jahre später sah sich Bezold aber zur Ausgestaltung des westlichen Lichthofes zwischen Kirche und Nordkreuzgang genötigt, als es wieder einmal um die Rettung eines Nürnberger Baudenkmals ging. Bei der Untersuchung des sogenannten Chörleins am Sebalder Pfarrhaus, eines neun Meter hohen Sandsteinerkers aus dem späten 14. Jahrhundert mit figürlichen Reliefs, stellte Josef Schmitz, der Leiter der Sebalder Bauhütte, 1897 so schwere Schäden fest, daß nicht mehr an das Auswechseln einzelner Teile, sondern nur noch an eine vollständige Kopie gedacht werden konnte[282].

vgl. 208

---

[279] Altregistratur GNM, Kapsel 772, Kaufverträge: Notarieller Kaufvertrag vom 18. Juli 1896. – Jahresbericht GNM 43 (für 1896), 1896, S. 2.

[280] Jahresbericht GNM 44 (für 1897), 1897, S. 3; 45 (für 1898), 1898, S. 2. – Anzeiger GNM 1898, S. 3. – Statt der Originalpläne in der Plansammlung GNM nur eine Bestandsaufnahme aus dem Jahre 1915.

[281] Jahresbericht GNM 46 (für 1899), 1899, S. 1. – Anzeiger GNM 1898, S. 3, 14–15, 23; 1899, S. 3. – Die zugehörige Korrespondenz in Altregistratur GNM, Kapsel 99, Zunftsaal.

[282] Kopien der Aufmessungen von Josef Schmitz vom September 1898 in der Plansammlung GNM. Vgl. auch Julius Groeschel: Das Chörlein am Pfarrhofe von St. Sebald in Nürnberg. In: Die Denkmalpflege Jg. 1 (1899), S. 93. – Bösch (Anm. 154), S. 60. – Fehring/Ress (Anm. 96), S. 174–175.

So kam diese „Perle der Gotik" als Geschenk der Stadt Nürnberg an das Museum und wurde 1902 an der Nordwand der Kirche im Lichthof wiedererrichtet, wo sie heute noch steht[283].

Beide Maßnahmen waren für Bezold Nebensächlichkeiten, denn schon ein gutes Jahr nach seiner Amtsübernahme, noch vor dem Umbau der alten Hausmeisterei, stellte er Ende 1895 fest, er habe sich bisher nur mit dem Bauunterhalt beschäftigen können, „dagegen müssen wir im kommenden Jahre an die Erweiterung unserer Gebäude herantreten. Sowohl die Räume für die Sammlungen, wie die für die Bibliothek sind nicht mehr ausreichend. Die Pläne für den Ausbau sind in Vorbereitung"[284]. Im Jahresbericht für 1897 konnte er dann über zwei große Projekte berichten, den Erwerb des umzubau-
vgl. 208 enden Königsstiftungshauses und den auf der Südwestecke des Museums vorgesehenen Neubau[285].

Am 11. Oktober 1897 wurde das sogenannte Königsstiftungshaus, Untere Grasersgasse 18, für 120000 Mark erworben[286]. Es handelte sich um ein 1856 auf Veranlassung König Maximilians II.
268 errichtetes vierstöckiges Wohngebäude für minderbemittelte ältere Leute, das unter einem Dach zwei Häuser mit je fünf und eines mit sieben Fensterachsen zusammenfaßte. Da diese Erweiterung nötig war, die verfügbaren Baugelder aber nur für den gleichzeitig projektierten Südwestbau ausreichten, wußte der mit der Leitung des Finanzwesens betraute II. Direktor Hans Bösch, der in dieser Hinsicht Essenwein nicht nachstand, durch einen im Winter 1897/98 herausgegebenen Spendenaufruf sehr schnell Geldgeber zu gewinnen[287]. Nachdem das Königsstiftungshaus geräumt und am 1. November 1899 übergeben worden war[288], konnte im Jahr 1900 mit der Neugestaltung begonnen werden.
269 Bezolds erste, 1899 entworfene Umbauplanung wurde im Juni 1900 vom Verwaltungsausschuß „als zu weit gehend erachtet und eine Vereinfachung derselben beschlossen"[289]. Dieses Projekt hatte an den beiden Längsseiten je drei Zwerchgiebel mit treppenförmigem Abschluß vorgesehen, wobei die Abtreppungen mit halbkreisförmigen Muscheln im Renaissancestil bekrönt werden sollten, dazu an der Straßenseite unter den beiden äußeren Giebeln dreistöckige Erker im gleichen Stil. Das Zentrum der Front, unter einem höheren Giebel, sollte straßenseitig zusätzlich betont werden, indem die drei mittleren Fensterachsen vergrößert und mit Segmentbögen versehen worden wären; in den beiden obersten Geschossen hätten sie zusätzlich gotisierende Maßwerkbrüstungen erhalten, wie auch der Eingang selbst Elemente beider Stile erhalten sollte. Die Aufnahme der Renaissanceelemente hängt wohl mit der Verwendung dieses Gebäudes für die Bibliothek, einem Bildungsbau, zusammen. Da der Verwaltungsausschuß nicht die inneren Umbauten, sondern nur den Aufwand für die Fassade gerügt hatte, konnte Bezold noch im Juni 1900 die neuen Pläne entwerfen, am 16. Juli dem Magistrat zur baupolizeilichen Genehmigung vorlegen[290] und danach mit der Ausführung beginnen. Die
46, 270 schlichten grauen Sandsteinfassaden, die Stichbogenfenster im Erdgeschoß und eckige Öffnungen in

---

[283] Bericht (Anm. 190), S. LXXXIX. – Jahresbericht GNM 49 (für 1902), 1902, S. 2. – Inv. Nr. Pl 2998–3002; vgl. Heinz Stafski: Die Bildwerke in Stein, Holz, Ton und Elfenbein bis um 1450 (Kataloge des Germanischen Nationalmuseums Nürnberg. Die mittelalterlichen Bildwerke, Bd. 1). Nürnberg 1965, S. 78–81 Nr. 57–61.

[284] Jahresbericht GNM 42 (für 1895), 1895, S. 2. – Anzeiger GNM 1896, S. 39–40.

[285] Jahresbericht GNM 43 (für 1896), 1896, S. 2; 44 (für 1897), 1897, S. 1.

[286] Altregistratur GNM, Kapsel 772, Kaufverträge: notarieller Kaufvertrag vom 11. Oktober 1897. – Im Zuge einer Straßenverbreiterung wurde das Gebäude 1973 abgerissen.

[287] Altregistratur GNM, Kapsel 323: Spendenaufruf und Spendenlisten. Der Gedanke Böschs, 120 Stifter für je 1000 Mark (Kaufpreis 120000) zu gewinnen, ließ sich nicht ganz durchhalten, die Summe kam aber zusammen und dazu noch 60000 Mark für den Umbau. – Vgl. auch Anzeiger GNM 1897, S. 69–70, 85; 1898, S. 3, 14, 23, 47, 55; 1899, S. 3, 11, 37; 1902, S. XLIX, LXXI. – Altregistratur GNM, Kapsel 471. Das ehemalige Königsstiftungshaus. – Im Treppenhaus wurden die Namen der Stifter auf Marmortafeln verewigt, diese jetzt in der Sammlung der Bauteile, Inv. Nr. A 3500.

[288] Altregistratur GNM, Kapsel 323, Mitteilung des Vorstandes des Comités der Königshausstiftung vom 26. Oktober 1899. – Jahresbericht GNM 46 (für 1899), S. 1. – Anzeiger GNM 1899, S. 51.

[289] Anzeiger GNM 1900, S. XXIII; 1899, S. 36.

[290] Plansammlung GNM. – Altregistratur GNM, Kapsel 323, Brief Bezolds vom 16. Juli 1900 mit Erläuterungen zum eingereichten Umbauprojekt.

272. Südwestbau mit Stadtmauer, anschließend Augustiner- und Südbau; vorne die Geschützhalle von 1910. Zustand um 1935

den drei Obergeschossen aufwiesen – alle von einem gotisierenden Profil in der Auffassung der Jahrhundertmitte gerahmt –, blieben erhalten. Allerdings wurde das Gebäude an der Südseite wegen einer vorbeiführenden Straße um die Breite einer Fensterachse verkürzt. Die aus dem Abbruchmaterial neu aufgeführte Stirnwand wurde, abweichend von der füheren Abwalmung des Daches, von 270 einem steilen Giebel überragt, dessen Schrägen Voluten als Schmuck erhielten[291]. Damit erzielte Bezold den stilistischen Anschluß an einen zweistöckigen, der Südwand angefügten Erker des 17. Jahrhunderts, der dem Museum beim Abbruch eines dem neuen Postgebäude an der Theresienstraße

[291] Die Voluten fielen am Giebel größer aus als der Plan angab. – Altregistratur GNM, Kapsel 324, Mappe „Kanzlei- und Briefpapier": Abrechnung der Steinmetzarbeiten am 24. Juli 1902.

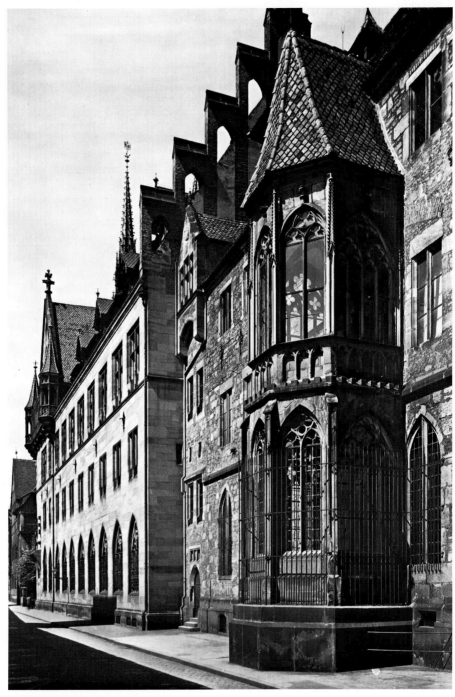

273. Südwestbau mit Augustinerbau an der Frauentormauer. Zustand bis 1943

weichenden Hauses übergeben wurde[292]. Mit ihm korrespondiert ein zwiebelhelmbekröntes Glokkentürmchen über der Giebelspitze. Das Dach wurde – außer durch Gauben – wie im abgelehnten Ausbauprojekt an beiden Seiten von drei Giebeln durchbrochen, jetzt allerdings in einer schlichten Fachwerkbauweise. Diese wenigen Zierformen dienten der Absicht, das ehemals schmucklose Genossenschaftshaus „mit den übrigen künstlerisch-heiter wirkenden Gebäudegruppen des Museums in Einklang zu setzen"[293].

Da das Gebäude als Wohnhaus gedient hatte, mußten im Inneren zahlreiche Zwischenwände heraus- und auch die Brandmauern durchbrochen werden, um die für das Museum nötigen Raumgrößen zu erzielen, sollten hier doch Bibliothek, Archiv und Kupferstichkabinett unterkommen. Im 271 Nord- und Südteil umschlossen die Außenwände nun auf jeder Etage einen großen Raum, der Mittelbau erhielt straßenseitig ebenfalls je einen größeren Saal, während hier an der Hofseite ein Treppenhaus sowie einige kleine Nebenräume entstanden. Die Ausgestaltung des Inneren erfolgte ohne großen Aufwand[294], allein der Lesesaal erhielt eine Stuckdecke der Zeit um 1740 aus dem 333 ehemaligen Nürnberger Hof des Klosters Ebrach, Adlerstraße 29, der ebenfalls dem Neubau der Hauptpost weichen mußte[295]. Der Umbau war 1901 beendet und das Gebäude 1902 bezogen; die im ehemaligen Archivbau an der Kartäusergasse freigewordenen Räume konnten den Sammlungen zugeschlagen werden[296].

Da das Jubiläumsjahr 1902 eine zeitliche Grenze setzte, entstand gleichzeitig mit dem Umbau des Königsstiftungshauses an der Ecke Frauentormauer/Kartäusergasse westlich des Augustinerbaues der sogenannte Südwestbau. Im Gegensatz zu den stilistischen Experimenten am neuen Bibliotheks- 208 bau an der Grasersgasse folgte Bezold hier der von Essenwein vorgegebenen Richtung und entwarf 272, 273 den Südwestbau als großen neugotischen Trakt[297]. Er überstand als einziger der Erweiterungsbauten des 19. Jahrhunderts den Zweiten Weltkrieg, wurde nach 1945 aber wegen Bombenschäden im 88, 317 Dachbereich vereinfacht. Bereits Essenwein hatte in seinem Erweiterungsprojekt von 1882 im Zusammenhang mit der Einbeziehung des Stadtmauerbereichs einen Erweiterungsbau an dieser Stelle skizziert[298], die innerhalb des Museumsareals allein noch bebaubar war und nun für die Errichtung 228

[292] Jahresbericht GNM 47 (für 1900), 1900, S. 2. – Bösch (Anm. 154), S. 60. – Inv. Nr. A 3424. – Beim Abbruch des Königsstiftungshauses im Jahre 1973 wurde der Erker an die Metzgerei Könlein/Bratwurströslein, am Nürnberger Obstmarkt verkauft.

[293] Hampe, Festschrift, S. 133.

[294] Anzeiger GNM 1899, S. 51. – Altregistratur GNM: Kapsel 324: Granitarbeiten Südwestbau: undatiert, Vergabe der Tischlerarbeiten; Mappe „Kanzlei- und Briefpapier": Rechnungen über die Deckenkonstruktion, Abrechnung der Schreinerarbeiten, 1901.

[295] Inv. Nr. A 3419. – Die Decke wurde beim Abbruch des Königsstiftungshauses geborgen. Über die ursprünglichen Abmessungen der Decke ist nichts bekannt, es läßt sich nur vermuten, daß die glatten Flächen nicht Original sind, sondern nur das Mittelstück und die großen Eckmotive. – Eugen Franz: Der Ebracher Hof zu Nürnberg (Bamberger Hefte für fränkische Kunst und Geschichte, 7). Bamberg 1928, S. 33–35, 41. – Der Ebracher Hof und das bisherige Königliche Bezirksamtsgebäude in Nürnberg. In: Die Denkmalpflege Jg. 2 (1900), S. 100, Abb. S. 101. – Bösch (Anm. 154), S. 60. – Hampe, Festschrift, S. 133. – G. Fehring u. A. Ress (Anm. 96), S. 152. – Altregistratur GNM: Kapsel 99, Erhaltung von Bau- und Kunstdenkmalen 1894–1905, Korrespondenz mit dem Landbauamt 1900/1901; Kapsel 324, Vertrag über das Abbrechen und Transferieren von Baufragmenten im ehem. Kgl. Bezirksamt, Kgl. Rentamtsgebäude und im ehem. Metzger'schen Anwesen in das Germ. Museum. – Die Decke befindet sich jetzt im Nassauer Haus in Nürnberg. – Aus dem Ebracher Hof wurde eine hölzerne Treppe des 18. Jahrhunderts (Inv. Nr. A 3418) übernommen, die später im Verbindungsbau zwischen der Gemäldegalerie und dem Nordkreuzgang wiederverwendet wurde, sowie aus dem mittelalterlichen Teil die Kapelle von 1482/83, die in einen Raum der Bestelmeyerschen Gemäldegalerie eingebaut wurde. – Eine weitere Stuckdecke wurde im Treppenhaus des Südwestbaues verwendet.

[296] Jahresbericht GNM 48 (für 1901), 1901, S. 2; 49 (für 1902), 1902, S. 2.

[297] Das kann nicht verwundern, war Bezold doch, zusammen mit Georg Dehio, Bearbeiter des Tafelwerkes Die kirchliche Baukunst des Abendlandes. 2 Bde und Atlas in 8 Lieferungen. Stuttgart 1884–1901, also mit der mittelalterlichen Baukunst gut vertraut.

[298] Eine Bleistiftskizze, die die gesamte Südfront des Museums wiedergibt (vgl. Anm. 233), gab den Bau dabei anders als der zitierte Erweiterungsplan, dem als einziges ein Schnitt in der Plansammlung GNM entspricht.

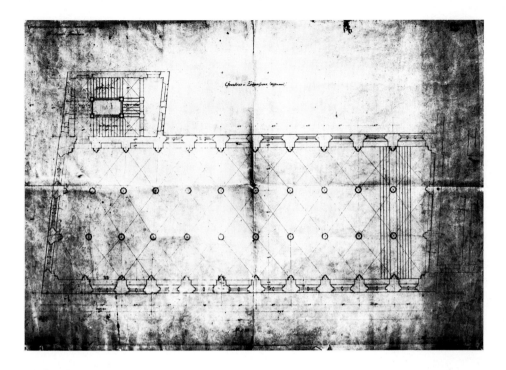

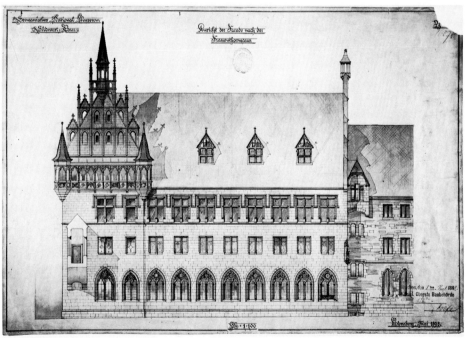

274. Südwestbau, Erdgeschoßgrundriß. Planpause nach Entwurf Gustav von Bezolds, 1898

275. Südwestbau, erster Riß für die Südfassade. Aquarellierte Federzeichnung nach Entwurf Gustav von Bezolds, 1898

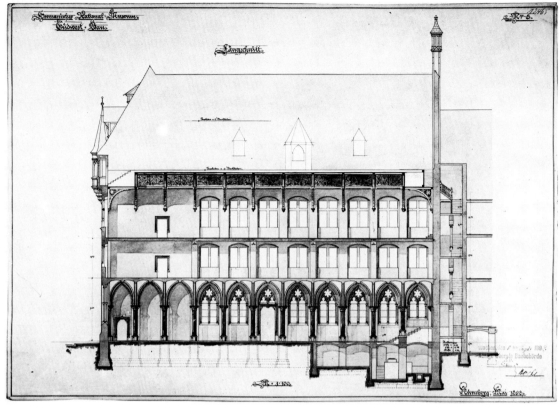

276. Südwestbau, westöstlicher Längenschnitt, mit dem erhöhten Treppenhaus des Augustinerbaues. Aquarellierte Federzeichnung nach Entwurf Gustav von Bezolds, 1898

neuer Ausstellungsräume dringend benötigt wurde. Durch den Erwerb der Sulkowskischen Sammlung 1889 war die Abteilung der historischen Waffen und Rüstungen dermaßen gewachsen, daß der bisherige Hauptausstellungsraum im Augustinerbau nicht mehr ausreichte. Vor allem aber wandte das Museum seine Aufmerksamkeit einem bisher weitgehend unberücksichtigten Gebiet zu, das zu einem kulturhistorisch ausgerichteten Institut aber vorzüglich paßte, nämlich den Objekten der sich gerade als Wissenschaft etablierenden Volkskunde[299]. Hierzu konnte eine große private Sammlung erworben werden.

Zunächst wurden 1896 zwei an der Frauentormauer genannten Straße gelegene, bebaute Anwesen erworben, die neben dem Augustinerbau in das Museumsareal vorstießen[300]. Die beiden kleinen Häuser wurden abgebrochen, ebenso 1898 das Südende des Archivbaues an der Kartäusergasse[301]. Bezolds Pläne vom Juli 1897 und Mai 1898[302] wurden vom Verwaltungsausschuß anläßlich seiner

[299] Jahresbericht GNM 44 (für 1897), 1897, S. 1. – Vgl. hierzu S. 897f. und das anläßlich des Symposions (Anm. 92) gehaltene Referat von Wolfgang Brückner: Die Museen im Zusammenhang mit der Entwicklung der Volkskunde.
[300] Altregistratur GNM, Kapsel 772, Kaufverträge: notarieller Kaufvertrag vom 27. April 1896. – Jahresbericht GNM 43 (für 1896), 1896, S. 2.
[301] Jahresbericht GNM 45 (für 1898), 1898, S. 1. – Aus diesem Grund wurde das Erdgeschoß in dem unter Bezold anstelle der ehemaligen Hausmeisterei am Nordkreuzgang ausgeführten zweistöckigen Bau vorerst für diesen Teil des Archivs genutzt, vgl. Anm. 280.
[302] Plansammlung GNM.

277. Südwestbau, nördliche Fassade am Hof. Zustand um 1944

Sitzung am 1. und 2. Juni 1898 gebilligt, anschließend, am 5. September 1898, auch von der Kontrollfunktionen ausübenden Kgl. Obersten Baubehörde in München[303]. Obwohl die baupolizeiliche Genehmigung der Stadt Nürnberg erst am 26. November erfolgte, erreichte der Bau wegen des vorgezogenen Baubeginns Ende 1898 bereits die halbe Erdgeschoßhöhe[304]. 1899 war der Rohbau unter Dach gebracht, 1900 das Erdgeschoß und das erste Obergeschoß innen vollendet, während die Decke des zweiten Obergeschosses erst 1901 eingebaut wurde; 1902 konnte die innere Ausstattung

[303] Anzeiger GNM 1898, S. 36. – Genehmigungsstempel der obersten Baubehörde auf den Plänen in der Plansammlung GNM.
[304] Altregistratur GNM, Kapsel 324, Plan zu dem südwestlichen Saalbau (die Pläne nachträglich herausgerissen, der baupolizeiliche Genehmigungsvermerk aber erhalten). – Jahresbericht GNM 45 (für 1898), 1898, S. 2.

termingerecht abgeschlossen werden[305], während sich die Aufstellung der Sammlungen noch länger hinzog.

Der langgestreckte, wegen der vorgeschriebenen Fluchtlinien etwas schiefwinklige Südwestbau hatte eine Länge von rund vierzig und eine Breite von etwa sechzehn Metern, wies über dem Keller drei Geschosse auf und erhielt, anders als Essenweins Neubauten, entsprechend der lokalen Tradition eine Sandsteinfassade, zumindest an den beiden Straßenseiten. Überragt wurde er von einem steilen Satteldach mit eisernem Dachstuhl, das allerdings nicht ganz nach Westen durchging, sondern sich hier an ein etwas höheres, in Nordsüdrichtung verlaufendes Dach anlehnte. Das gab dem Gebäude den Anschein einer Zweiflügeligkeit, die im Grundriß aber nicht angelegt war, sieht man davon ab, daß das westliche Ende der Südfront in der Breite von drei Erdgeschoßachsen geringfügig in der Art eines Risalits vorgezogen war. Da der Scheinrisalit einen aufwendigen Giebel erhielt, hatte Bezold auf diese Weise eine zu große Einförmigkeit der Südfassade geschickt vermieden. An das westliche Ende der nördlichen, der Hoffront, wurde ein großes Treppenhaus angefügt, das zugleich als Durchgang zum verkürzten ehemaligen Archivbau diente. Es stellte die Verbindung zwischen den drei Ausstellungsgeschossen her, die als große durchgehende Säle angelegt waren. Zugleich wurde das westliche Treppenhaus des Augustinerbaues insofern verändert, als dessen Dach jetzt bis an den Ostgiebel des Südwestbaues herangeführt wurde und das nunmehr erhöhte Treppenhaus die Kommunikation zwischen diesen beiden Trakten erlaubte.

Um die lange Südfront abwechslungsreicher zu gestalten, wählte Bezold geschoßweise wechselnde Fensterformen. Im Erdgeschoß, das eine gewölbte Halle aufnehmen sollte, waren es spitzbogige Gruppenfenster mit zwei Maßwerklanzetten und einer Rosette im Bogenfeld[306], das erste Obergeschoß erhielt zweigeteilte Fenster mit geradem Sturz, gerahmt von knappen Stabwerkprofilen. Bei den höheren Rechteckfenstern des zweiten Obergeschosses wurden die Profile verdoppelt, die zusätzlich vorgesehene dekorative Bereicherung durch ein die Fenster zusammenfassendes, vortretendes Schmuckband entfiel dagegen. Die Form der Fenster an den acht Achsen der Front kehrte mit kleinen Varianten auch an dem Pseudorisalit der Südfront wieder, jedoch nur in dessen östlicher Hälfte, da neben der Ecke eine Brücke zur Stadtmauer vom ersten Stock aus geplant war[307]. Die gegenüberliegende Nordfront an der Hofseite entsprach, da die Geschosse einheitliche Säle bildeten, dieser Gliederung, abweichend war nur, daß diese Fassade in Mischbauweise ausgeführt wurde, das heißt die Flächen bestanden aus Ziegelmauerwerk und nur die Architekturglieder – also Fensterrahmen und -binnenformen – aus Haustein. Das lange Hauptdach sollte ursprünglich eine aus Fischblasen- und Rosettenmaßwerk gebildete Traufkante erhalten, über der sich drei fialenflankierte, kreuzblumenbekrönte Erker erhoben hätten. Die zweite Planungsstufe, Mai 1898, sah drei einfachere, die Dachhaut durchbrechende Gauben vor. Ausgeführt wurde eine im August 1901 bei der Baupolizei beantragte Lösung[308], die eine geschoßweise Benutzung des Dachraumes für Depotzwecke erlaubte. Danach erhielt das erste Dachgeschoß ein in Holzfachwerk ausgeführtes durchgehendes Gaubenband, unterbrochen von querrechteckigen Fenstern und vier großen Erkern, darüber durchbrachen zwei Reihen kleinerer Erker die Dachhaut, auch hier also eine Anknüpfung an lokale Baugewohnheiten[309]. Von dieser einfachen Gestaltung hob sich die Dachzone über dem Pseudowestflügel durch eine

208, 274

272, 275

274, 280

275, 276, vgl. 273

273, 275

277, 280, vgl. 68

275

69, 272 278

[305] Jahresbericht GNM 46 (für 1899), 1899, S. 2; 47 (für 1900), 1900, S. 1; 48 (für 1901), 1901, S. 1,2; 49 (für 1902), 1902, S. 2.
[306] Mehrere Detailzeichnungen in der Plansammlung GNM.
[307] So noch auf den Entwürfen vom Mai 1898, Plansammlung GNM, der Bogenansatz und die Widerlagersteine sind auch auf alten Fotos noch zu erkennen, Fotothek GNM.
[308] Planpausen hiervon mit Genehmigungsvermerk, 24. IX. 01, ebenso wie die Risse für die vorausgegangenen Planungsstufen in der Plansammlung GNM.

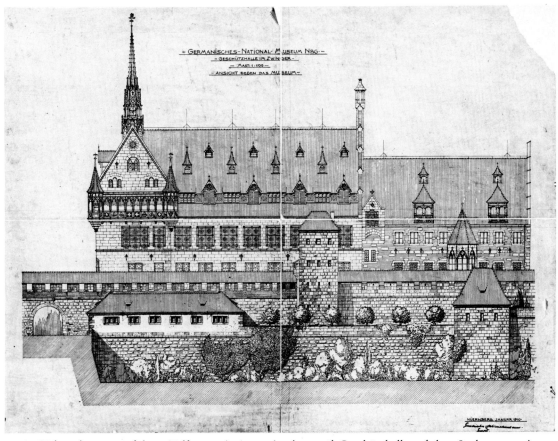

278. Südwestbau, ausgeführte Südfront mit Augustinerbau und Geschützhalle auf dem Stadtmauerzwinger. Federzeichnung nach Entwurf Gustav von Bezolds, 1910

aufwendige Formgebung ab, die das Museum an seiner Südwestecke über die Stadtmauer hinweg mit einem bedeutenden architektonischen Akzent wirken lassen sollte. In Anlehnung an die aus dem 15. Jahrhundert stammenden Obergeschosse des Nassauer Hauses in Nürnberg[310] entstand hier über der Fassade an der Süd- und Westseite eine vorkragende Galerie mit einer wappengeschmückten Brüstung und rechteckig eingefaßten Maßwerkarkaden, an den Ecken durch polygonale Türmchen mit achtseitigen Helmen zusätzlich bereichert[311]. Der über der Galerie des Pseudorisalits an der Südseite aufsteigende Giebel sollte ursprünglich eine mit Fialen und Giebelchen versehene Abtreppung erhalten, überragt von einem offenen achtseitigen Türmchen[312]. Statt dieser optisch zu schweren Lösung wurde aufgrund einer Nachtragsgenehmigung vom September 1901 ein einfaches, wenig

275

[309] An der Hofseite wurde zusätzlich über der fünften Achse von Osten ein Aufzugerker ausgebaut, Konstruktionszeichnungen für diesen ebenfalls in der Plansammlung GNM.
[310] Ernst Mummenhoff: Die Besitzungen der Grafen von Nassau in und bei Nürnberg und das sogen. Nassauerhaus. In: Festgabe des Vereins für Geschichte der Stadt Nürnberg zur Feier des fünzigjährigen Bestehens des germanischen Nationalmuseums in Nürnberg. Nürnberg 1902, S. 1–87. – Fehring u. Ress (Anm. 96), S. 177–179.
[311] Altregistratur GNM, Kapsel 326, Bauten 1900/1901, Preislisten und Vergabebedingungen der Bildhauerarbeiten.
[312] Zeichnungen vom Mai 1898 für den Baugenehmigungsantrag, Plansammlung GNM.

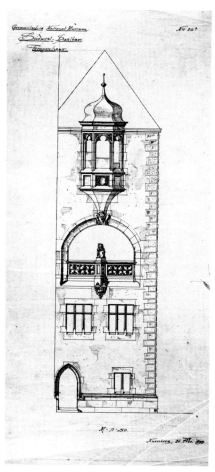

279. Südwestbau, Ostseite des Treppenhauses am Hof. Federzeichnung nach Entwurf Gustav von Bezolds, 1899

durchfenstertes Giebeldreieck ausgeführt und als Bekrönung des Bauwerks an der Durchkreuzungs-
stelle der beiden Satteldächer ein reich durchgebildeter hoher Dachreiter in gotischen Formen
aufgesetzt[313]. Der nördliche und der östliche Giebel wurden als Treppengiebel mit verputzten   272
Blendarkaden aus Backstein ausgeführt. Ihre einfachere Form verdankten sie der Tatsache, daß sie   68, 280
nicht so augenfällig in Erscheinung traten, da sie keine bevorzugte Ecklage hatten und außerdem keine
freiliegenden Fassaden überragten, erhob sich doch der Ostgiebel über dem niedrigeren Dach des
Augustinerbaues, der Nordgiebel – höchstens aus der engen Kartäusergasse sichtbar – über dem
Treppenhaus des Südwestbaues. Dieses wurde am Westende der Nordseite bis zur Höhe der Unter-
kante der offenen Galerie hochgezogen und mit einem Walmdach geschlossen. Seine Fenster und die
Tür in der Westseite paßten sich stilistisch dem übrigen Bau an, dessen Westfront die Fensterformen
der Südseite ohnehin übernommen hatte. Die Ostseite am Hof, nicht so abweisend wie die weniger   279
durchfensterte Straßenfront, wurde wiederum im Gefolge der von Essenwein begründeten Tradition
weitgehend geöffnet durch eine Art Loggia mit Stichbogen und Maßwerkbrüstung im zweiten und

[313] Planpausen der für den Antrag nötigen Risse vom August 1901 sowie Detailentwürfe für den Dachreiter in der
Plansammlung GNM.

280. Südwestbau, Schnitt durch das Treppenhaus mit Würzburger Treppe, Ansicht der Nordfront des Hauptbaues am Hof. Aquarellierte Federzeichnung nach Entwurf Gustav von Bezolds, 1898

einen nicht verglasten, eine Wendeltreppe aufnehmenden Erker im dritten Obergeschoß[314]. Interessant ist, daß dieses außen gotisierende Treppenhaus eine barocke Treppenanlage umschloß. Sie vertrat den Mirabell-Typus, verlief also vierseitig um einen offenen Kern und stammte aus einem Würzburger Domherrenhaus[315]. Eingebaut als ein von der Vernichtung bedrohtes Bauteil, kennzeichnet es zugleich einen Geschmackswandel, die um 1890 sich ausbreitende Wertschätzung des späten 17. und des 18. Jahrhunderts, die sich sowohl in der Forschung als auch in einer neben den anderen Stilen jetzt gleichberechtigten neubarocken Architektur manifestiert[316]. Passend zur Treppe wurde der Decke

274, 280

[314] Der vom 21. Februar 1899 datierte Riß in der Plansammlung GNM.

[315] Inv. Nr. A 3177. Aus dem sogenannten Neuzeller Hof in Würzburg, Bronnbacher Str. 8. Erworben 1898, vgl. Walter Josephi: Die Werke plastischer Kunst (Kataloge des Germanischen Nationalmuseums). Nürnberg 1910, S. 43 Kat. Nr. 80. – Zur Benennung dieses Treppentyps vgl. Harald Keller: Das Treppenhaus im deutschen Schloß- und Klosterbau des Barock. Phil. Diss. München 1929. München 1936, S. 63–72.

[316] Den Anschauungswandel signalisieren gegen 1890 zwei bedeutende Publikationen: Cornelius Gurlitt: Geschichte des Barockstiles, des Rococo und des Klassizismus. 3 Teile (Geschichte der neueren Baukunst, Bd. 5). Stuttgart 1887–1889, und Heinrich Wölfflin: Renaissance und Barock. Eine Untersuchung über Wesen und Entstehung des Barockstils in Italien. München 1888. – Signifikante Beispiele in der Baukunst sind – abgesehen von dem Sonderproblem der Schlösser Herrenchiemsee und Linderhof Ludwigs II. – Paul Wallots Berliner Reichstag, Julius Raschdorffs Berliner Dom und Friedrich Thierschs Münchener Justizpalast.

461

281. Südwestbau, Waffensaal im Erdgeschoß. Zustand um 1930

über dem obersten Podest die zweite aus dem Ebracher Hof stammende Stuckdecke eingefügt[317]. Die Anpassung ging dabei soweit, daß die Türblätter der Außentüren eine außen gotisierende, innen barockisierende Dekoration erhielten; entsprechend wurde die Durchgangstür zum Erdgeschoßsaal gestaltet[318].

Im Gegensatz zu dieser Treppenanlage, die zugleich praktisch nutzbare Architektur, Baudenkmal und dadurch Sammlungsobjekt war, paßten sich die drei Säle stilistisch der Außenarchitektur an. In besonders wirkungsvoller Weise erfolgte dies im Erdgeschoß, das als dreischiffige Halle angelegt 47, 281 wurde. Zungenmauern mit vorgelegten Bündelpfeilern an den Außenwänden sowie zwei Reihen mächtiger Rundsäulen mit dickblättrigen Blattkapitellen trugen Kreuzrippengewölbe, deren helle mit stilisierten Pflanzen bemalte Kappen mit den wie die übrige Architektur roten Sandsteinrippen und -gurten kontrastierten. In diesem Saal, in dem am 15. Juni 1902 der Festakt zum 50jährigen Jubiläum

---

[317] Vgl. Anm. 295. – Zum Ausbau des Treppenhauses allgemein vgl. Altregistratur GNM, Kapsel 324: Besondere Bedingungen und Preisliste für die Ausführung der Verputz-, Rabitz- und Stuccatur-Arbeiten im Treppenhaus des Südwestbaues vom 26. 1. 1902; German. Museum, Südwest-Saalbau, Granitarbeiten.
[318] Die entsprechenden Risse in der Plansammlung GNM.

282. Südwestbau, Fensterentwürfe für den Waffensaal im Erdgeschoß. Aquarellierte Planpausen nach Entwurf Gustav von Bezolds, um 1901

des Museums stattfand[319], wurde nun die Sammlung der Waffen und Rüstungen ausgestellt. Der Raum folgte damit in seiner Gestaltung einer anderen Tendenz der neunziger Jahre, die unter dem Gesichtspunkt kulturhistorischer Gesamtbilder bei Neubauten, etwa in Zürich und München, für Waffensäle solche neugotischen Hallen als besonders passend ansah[320]. Um den Raum möglichst hell zu beleuchten, wurde von figürlichem Fensterschmuck abgesehen und statt dessen helle Scheiben mit
282 einigen farbigen Ornamentbändern in der Art mittelalterlicher Bettelordenskirchen eingesetzt[321]. Das erste Obergeschoß erhielt eine Holzdecke und nahm wiederaufgebaute Bauernstuben in gleicher Anordnung wie heute im selben Geschoß auf. Ein Teil von ihnen wurde schon bei der Jubiläumsfeier 1902 gezeigt, das ganze Geschoß erst im Herbst desselben Jahres dem Publikum zugänglich gemacht[322]. Einfach ornamentierte Scheiben, für die gleichfalls Entwürfe erhalten sind, wurden hier

---

[319] Die Feier des fünfzigjährigen Bestehens des Germanischen Nationalmuseums. In: Anzeiger GNM 1902, S. XIX–XLVII (XX). – Hampe, Festschrift, S. 131.
[320] Die Planung und den Baubeginn des Münchener Nationalmuseums hatte Bezold noch selbst am Ort miterlebt. Zu München zuletzt Georg Himmelheber: Gabriel Seidls Bau des Bayerischen Nationalmuseums. In: Münchner Jahrbuch der bildenden Kunst 3 F., Bd. 23 (1972), S. 187–212. – Auch das Zürcher Museum war bei Bezolds Planungen publizistisch bekannt, vgl. Zürich und das Schweizerische Landes-Museum. Den hohen eidgenössischen Räthen gewidmet im Dezember 1890. Zürich 1890. – Vgl. im übrigen meinen Beitrag (Anm. 130). – Mit dieser Form sollten die Rittersäle mittelalterlicher Anlagen evoziert werden.
[321] Ein Teil der farbigen Entwürfe in der Plansammlung GNM.
[322] Die Feier (Anm. 319), S. XXXV. – Anzeiger GNM 1905, S. XVII. – Vgl. auch S. 921–925.

283. Stadtmauerbereich, Übergang vom Südbau zum gegenüberliegenden Turm, nach 1904

eingesetzt, während das zweite Obergeschoß, der Saal der bäuerlichen Trachten, eine Rautenvergla-   443, 444
sung mit Bleiruten erhielt. Der Raum wurde, wie das erste Obergeschoß, entgegen den ersten Plänen
nicht mit einer auf Holzstützen ruhenden, sondern mit einer freitragenden Holzdecke geschlossen.
Im Trachtensaal war es allerdings keine Flachdecke, sondern eine am eisernen Dachstuhl verankerte,   276
in einer breiten Mittelbahn erhöht verlaufende Konstruktion mit flachen Kassettenelementen[323].
Nachdem die Trachtenausstellung 1905 eröffnet worden war, konnte auch dieses Bau- und Einrich-
tungsvorhaben als abgeschlossen gelten[324]. Damit war die Bautätigkeit auf dem eigentlichen Mu-

[323] Schnitt in Plansammlung GNM, datiert Juli 1899.
[324] Jahresbericht GNM 51 (für 1904), 1904, S. 1; 52 (für 1905), 1905, S. 1. – Vgl. Altregistratur GNM, Kapsel 779, Abrechnung
    über die Kosten des Südwest-Baues, 25. Januar 1904.

284. Stadtmauerbereich, Umbauentwurf für den Turm und den Übergang vom Südbau. Aquarellierte Planpause des Genehmigungsantrages nach Entwurf Gustav von Bezolds unter Verwendung der Pläne von August Essenwein, 1903

seumsareal zu einem gewissen Abschluß gekommen. Mit dem neugotischen Südwestbau von 1897–1902 endete, mit einer gewissen Vereinfachung gesagt, in der Bautätigkeit des Germanischen Nationalmuseums das 19. Jahrhundert nicht nur zeitlich, sondern auch in stilistischer Hinsicht. Was Bezold noch schuf, waren letzte Ausläufer dieser Tendenzen. Der Bestelmeyersche Galeriebau brachte zwar auch noch historische Reminiszenzen, ließ sich aber weder dem dogmatischen noch dem darauffolgenden malerischen, stilpluralistischen Historismus zuordnen[325].

Nach der Vollendung des Südwestbaues ging Bezold noch die von Essenwein begonnene Adaptierung des Stadtmauerbereichs an, des Teiles des Museumsareals, der zwar keine Großbauten zuließ,

[325] Ausgehend vom lokalen Baubestand, aber doch von allgemeiner Gültigkeit, wurde diese Abfolge analysiert von Renate Wagner-Rieger: Wiens Architektur im 19. Jahrhundert. Wien 1970, bes. S. 149–159 u. 227–236.

aber doch noch einige Entfaltungsmöglichkeiten bot. 1898 wurde die Abschlußmauer am Sterntor-zwinger errichtet[326]. 1904 konnte endlich, dank einer neuerlichen Spende der Berliner Pflegschaft, der Übergang vom Essenweinschen Südbau zum gegenüberliegenden Mauerturm ausgeführt werden. 283 Damit sollte eine Erweiterung der Ausstellungsräume entstehen, „wie sie nirgends in der Welt ähnlich zu finden sein werden", um dort dann „alte Verteidigungsmaschinen" wie im Mittelalter aufzustel-len[327]. Das Staatsministerium des Innern in München billigte aufgrund eines Antrages vom 7. Septem-ber 1903 das Projekt am 3. November[328]. Daraufhin wurde der Bauantrag am 24. Dezember beim Nürnberger Magistrat eingereicht, der ihn am 11. März 1904 baupolizeilich genehmigte und seiner-seits am 7. Dezember des gleichen Jahres von der erfolgten Herstellung in Kenntnis gesetzt wurde[329]. Die acht Zeichnungen des Antrages basierten auf Essenweins Plänen. Von den am Südbautreppen-haus bereits vorhandenen Widerlagern aus wurde zum Turm ein Brückenbogen geschlagen, der einen 215, 284 vom zweiten Obergeschoß aus zugänglichen gedeckten, mit drei zweiflügeligen Fenstern an den Seiten versehenen Gang trug. Dieser führte in das zweite Obergeschoß des Turmes und machte damit auch den bereits von Essenwein wiederhergestellten Wehrgang auf der Stadtmauer begehbar. Am Turm selbst wurden kleinere Veränderungen vorgenommen, vor allem aber erhielt er in Angleichung an die benachbarten Türme ein zusätzliches, gering vorkragendes Obergeschoß und darüber ein Pyramidendach. Mit der Brücke und dem Turm war der zum Museum gehörige Stadtmauerbereich direkt von den Sammlungsräumen aus zugänglich.

Der nach Essenwein auch noch von Bezold vorgesehene zweite Brückenschlag vom Südwestbau aus wurde hingegen nicht mehr ausgeführt, einmal weil das Museum mit dem neuen Südwestbau selbst markant über die Stadtmauer hinweg auf den Ring ausstrahlte, zum anderen aber, weil 46, 272 Essenweins malerisches Löwen- und Adlerturmprojekt mit dem Zugbrückentor am Westende des Zwingers nicht nur die Wirkung des Südwestbaues beeinträchtigt hätte, sondern wohl auch, weil es in historischer Hinsicht zu wenig authentisch gewesen wäre, ganz abgesehen von den Kosten für diesen, kaum für Ausstellungszwecke nutzbaren potentiellen Raumzuwachs. Stattdessen wurde nur noch der schon von Essenwein vorgesehene Zinnenkranz der westlichen Zwingermauer ausgeführt und eine zu dieser Mauer gehörige Turmruine aufgestockt und bedacht. Im Zwingergarten selbst zwischen Stadt- vgl. 208 und Zwingermauer entstand ganz im Westen eine dreiflügelige Geschützhalle, die ebenerdig und in 272, 278 ihrer Gestaltung – verputzte Wände, kleine Fenster mit Sandsteineinfassung, innere Hofwände aus Fachwerk, niedriges Satteldach – unauffällig blieb, dabei aber in ihrer gedrungenen, kräftigen Form durchaus wehrhaft wirkte[330]. Bezolds im Mai 1909 hierfür entworfenen Pläne wurden aus finanziellen Gründen vom Staatsministerium in München vorerst abgelehnt, als sich dann wiederum die Berliner Pflegschaft engagierte, am 26. April 1910 aber doch noch gebilligt. Nach der daraufhin am 11. Mai beantragten und am 30. August erteilten baupolizeilichen Genehmigung konnte das Vorhaben so schnell ausgeführt werden, daß bereits am 20. Dezember 1910 die abschließende Rechnungslegung erfolgte[331].

[326] Altregistratur GNM, Kapsel 779, Plan für die östliche Abschlußmauer des Stadtgrabens z. Stern- u. Karthäuserthor. German. National-Museum, Sept. 1898. Prüfvermerk des Stadtbauamtes 14. IX. 98.

[327] Bericht (Anm. 190), S. LXXXX. – Anzeiger GNM 1894, S. XXI.

[328] Altregistratur GNM, Kapsel 326, Bauten 1907–10, Brief des Staatsministeriums vom 3. November 1903.

[329] Antrag und Plansatz erhalten. Stadtarchiv Nürnberg, Bauakten Kartäusergasse Nr. 7, und Altregistratur GNM, Kapsel 321, Bauten 1903–04 Turmaufbau und Brücke zum Zwinger. Die städtische Mitteilung über die am 11. März 1904 beschlossene Genehmigung datiert vom 23. März. – Jahresbericht GNM 51 (für 1904), 1904, S. 4.

[330] Die Umfassungsmauern überstanden den Zweiten Weltkrieg, ebenso der etwas entfernte Turm an der Zwingermauer. Die Anlage wurde 1946 an eine Brauereigaststätte abgetreten, vgl. Altregistratur GNM, Kapsel 772, Zwingergarten.

[331] Altregistratur GNM, Kapsel 326, Bauten 1907–10, mit der einschlägigen Korrespondenz zur Geschützhalle. – Jahresbe-richt GNM 57 (für 1910), 1910, S. 7.

Nach seinen beiden großen Baumaßnahmen – Errichtung des Südwestbaues sowie Ankauf und Umbau des Königsstiftungshauses – hatte Bezold mit der von Essenwein begonnenen Wiederherstellung und musealen Nutzung des Stadtmauerbereichs nicht nur die Bedingungen des diesen Bereich betreffenden Überlassungsvertrages von 1882 erfüllt[332], sondern neben der Wiederherstellung eines Baudenkmals auch dessen Nutzung für die kulturhistorische Aufgabenstellung des Museums erreicht. Das Überbauungsrecht für das Zwingergelände konnte zwar für militärhistorische Ausstellungszwecke ausgeübt werden, die Nutzung der großen Fläche für andere Bauten verbot sich jedoch. So verfiel Bezold auf den Ausweg, ein weiteres Projekt – die Errichtung eines dringend benötigten zusätzlichen Verwaltungsgebäudes – auf dem ohnehin bereits weitgehend überbauten Kartausenge-

vgl. 208 lände zu planen. Doch lehnte der Verwaltungsausschuß 1907 diesen zwischen Südbau und Königsstiftungshaus vorgesehenen Bau ab, da die Gebäude sich dann gegenseitig das Licht genommen hätten, erkannte aber „die Notwendigkeit eines großzügigen Weiterausbaues des ganzen Museumskomplexes allgemein" an[333]. Die prinzipielle Befürwortung eines Erweiterungsbedürfnisses gab Bezold freie Hand für neue Pläne, die um so dringender waren, als inzwischen zahlreiche Klagen der Besucher „über die Unübersichtlichkeit der Anordnung der Sammlungen, über mangelhafte Beleuchtung, über gedrängte ja unschöne Aufstellung" vorlagen[334]. Infolge dieser Situation wurden Verhandlungen über den Ankauf eines größeren im Norden an das Kartausengelände anstoßenden Anwesens aufgenommen, die 1909 erfolgreich abgeschlossen werden konnten[335]. Dort sollte später ein großer Neubau,

288–300 vorzugsweise für eine Gemäldegalerie, entstehen, denn im Gefolge der dadurch möglichen Erweiterung sei, so Bezold, „die räumliche Trennung der Kunstsammlungen von den kulturgeschichtlichen Sammlungen der oberste Grundsatz. Unter den vielen Mißständen, mit welchen wir infolge der Überfüllung leiden, ist der größte der, daß die Gemälde in ganz ungeeigneten Räumen untergebracht

285–287 sind"[336]. Bezolds eigene, mehrfach geänderten Pläne[337] für eine Gemäldegalerie mit zusätzlichen Ausstellungsmöglichkeiten für Skulpturen und die Spitzenstücke des Kunsthandwerks fanden aber nicht die Zustimmung des Verwaltungsrates, so daß schließlich 1913 German Bestelmeyer mit dem Entwurf eines Neubaues beauftragt wurde[338]. Damit blieb es Bezold verwehrt, sein größtes eigenes Projekt zu realisieren.

★

Mit der von Bezold abgeschlossenen Einbeziehung des Stadtmauerbereichs endete die unmittelbar in den Anschauungen des 19. Jahrhunderts verlaufene Ausbauphase des Museums[339], die mit der Restaurierung der Kartause begonnen hatte. Dieses aus dem Mittelalter überkommene Gebäude bestimmte die – in die ohnehin historisierenden Zeittendenzen eingebettete – stilistische Entwicklung

---

[332] Anm. 266, § II: „Dieses Benützungsrecht soll auf den Zweck des germanischen Nationalmuseums beschränkt sein, innerhalb dieser Beschränkung aber das germanische Museum zu jeder Nutzung und insbesondere auch zur Ueberbauung einzelner Teile berechtigen.., § IV: Mit der Uebergabe geht die Verpflichtung... zur baulichen Instandhaltung der Gebäude und der innern Futtermauer des überlassenen Stadtgrabentheiles auf die Dauer des Bestehens des Benützungsrechtes auf das germanische Museum über".

[333] Anzeiger GNM 1907, S. XX. – Die Pläne sind in der Plansammlung GNM nicht vorhanden.

[334] Jahresbericht GNM 54 (für 1907), 1907, S. 1. – Bei dieser Argumentation hat sicher die Zweckpropaganda eine Rolle gespielt.

[335] Jahresbericht (Anm. 334); 56 (für 1909), 1909, S. 1.

[336] Jahresbericht GNM 55 (für 1908), 1908, S. 1.

[337] Plansammlung GNM.

[338] Jahresbericht GNM 60 (für 1913), 1913, S. 2.

[339] Daß auch German Bestelmeyers Galeriebau noch historisierende Züge aufweist, ist ein architekturikonographisches Sonderproblem, das hier nicht berücksichtigt werden muß.

der Bautätigkeit, die unter Essenwein durch dessen Neubauten einen beträchtlichen Aufschwung erfahren hatte. Im Gegensatz zu den Kunstmuseen, für die sich schon zu Beginn des Jahrhunderts ein eigener Bautypus herausgebildet hatte[340], fehlte jedoch den kunst- und kulturgeschichtlichen Museen noch in den siebziger und achtziger Jahren eine ihnen eigene architektonische Gestaltung und ebenso ein verbindliches Ausstellungskonzept[341]. Die Sammlungen dieser Museumsgattung kamen häufig in historischen Gebäuden unter, wobei als besonders günstige Gelegenheit, wie auch in Nürnberg, die Adaptierung eines Kirchen- oder Klosterkomplexes – die Museumskirche[342] – galt, während Neubauten sich vorerst in der Regel an den Kunstmuseen orientierten[343].

Auch Essenwein, der in einer der Sache an sich günstigen Doppelfunktion als Museumsleiter und Architekt zugleich wirken konnte, gelang es nur in Ansätzen, eine neue, baulich zukunftsweisende Museumsform zu schaffen. Eine Vertiefung auf diesem Gebiet verhinderte aber nicht nur seine Arbeitsüberlastung und – bedingt – der Verwaltungsausschuß des Museums, der ihn auf den stilistischen Anschluß an die Kartause festlegte[344], sondern offensichtlich gingen auch seine eigenen Architekturinteressen in eine andere Richtung. Denn in der baugeschichtlichen und bautechnischen Summa des 19. Jahrhunderts, dem „Handbuch der Architektur", stammt nicht etwa der Beitrag über Musseen von ihm[345], sondern die eher philosophische Einleitung sowie die beiden Bände über die Kriegsbaukunst und den Wohnbau des Mittelalters[346]. Als weitere Hinderungsgründe kamen durch die Struktur des Germanischen Nationalmuseums bedingte Faktoren hinzu. So war es Essenwein, sogar als seit den späten siebziger Jahren Reichsmittel für Bauten bewilligt wurden, immer nur möglich, abschnittsweise vorgehend den dringendsten Mangel an Ausstellungssälen zu beheben, obwohl er ein Gesamtausbauprojekt entwickelt hatte. Dieses war aber in erster Linie der einfache Ausdruck eines immensen Raumbedürfnisses, nicht eines museologischen Konzepts, was sich auch in Essenweins Denkschriften[347] niederschlägt, die alle drei allein die Sammlungen behandeln und diese wiederum nur in quantitativer Hinsicht.

Dennoch wurde seine Museumsarchitektur mehr als ein nur lokales Ereignis und gelangte in den neunziger Jahren in eine Vorbildfunktion. Die weiterwirkende Idee der Museumskirche ließ das Nürnberger Museum jetzt als eine gute Lösung für kunst- und kulturgeschichtliche Institute erscheinen und zwar wegen des in ihm realisierten Ambientedenkens, das sich in verschiedener Form manifestierte. Es konnte die Übereinstimmung von Architektur, Dekoration und Ausstellungsgut

[340] Plagemann (Anm. 42).
[341] Grundlegend wirkte in dieser Hinsicht erst der umfangreiche Aufsatz von Otto Lauffer: Das Historische Museum. Sein Wesen und Wirken und sein Unterschied von den Kunst- und Kunstgewerbemuseen. In: Museumskunde Jg. 3 (1907), S. 1–14, 78–99, 179–185, 222–245. – Das Fehlen von Spezialliteratur über kulturgeschichtliche Museen im 19. Jahrhundert wird auch deutlich in der Darstellung von Heinrich Wagner: Museen. In: Handbuch der Architektur. IV. Teil, 6. Halbband, Heft 4; 2. Aufl. Stuttgart 1906, S. 219–488.
[342] Calov (Anm. 10).
[343] Vgl. hierzu vom Verfasser (Anm. 130).
[344] Anm. 131. – Dabei lag aber, jenseits der speziellen Stilfrage, eine zeitbedingte Übereinstimmung über die Verwendung historischer Stilformen vor.
[345] Vgl. Anm. 341.
[346] Von Essenweins Beiträgen für das „Handbuch" wurde nur die „Einleitung" unverändert für die 2. Auflage übernommen. Handbuch der Architektur. I. Theil, Bd. 1, 1. Hälfte. Einleitung. Darmstadt 1880 [mir nur zugänglich in der 2. Auflage Darmstadt 1895, S. 3–51]; II. Theil, Bd. 4. Die romanische und die gotische Baukunst. H. 1. Die Kriegsbaukunst. Darmstadt 1889 [2. Aufl. Neubearb. von Bodo Ebhardt, 1908 in Vorbereitung, nicht mehr erschienen]; H. 2. Der Wohnbau. Darmstadt 1892 [2. Aufl. Neubearb. von Otto Stiehl. Leipzig 1908]. Außerdem verfaßte Essenwein für das Handbuch noch II. Theil, Bd. 3, 1. Hälfte. Die Ausgänge der classischen Baukunst. Die Fortsetzung der classischen Baukunst im oströmischen Reiche. Darmstadt 1886, dessen 2. Aufl. jedoch von einem anderen Bearbeiter völlig neu geschrieben wurde.
[347] Vgl. Anm. 3 und 95. – Nur im Zusammenhang mit dem Einbau historischer Innenräume hat er sich programmatisch geäußert, vgl. Anm. 211.

sein wie im Erdgeschoß des Ostbaues, oder eine im Gegensatz zu den Gewerbemuseen die Erzeugnisse des Kunsthandwerks vermischende Präsentation wie im Südbau, oder schließlich die romantisch-stimmungsvolle Ausstattung gotischer und gotisierender Räume mit farbigen Fenstern. Dies alles regte Museumsleute und Architekten gegen 1900 stark an; so entwarf etwa Friedrich Ohmann für das zu dem neuen Typus gehörige Magdeburger Museum nach eigenem Bekunden für die stadtgeschichtlichen Altertümer einen kirchenartigen Saal, „dessen Grundidee zurückzuführen ist auf die Adaptierung kirchlicher Gebäude für Museumszwecke, wie ein solcher im Originalzustande sich im Nürnberger germanischen Museum vorfindet"[348]. Noch wichtiger aber wurde die bauliche Gesamterscheinung der Nürnberger Anlage mit ihrer aus der finanziellen Situation entstandenen gruppierten Zusammenfügung zeitlich aufeinanderfolgender Einzelbauten. Für diese Form bürgerte sich zu Beginn der neunziger Jahre der Begriff Agglomerationssystem ein, der erstmals 1891 zur Charakterisierung der inneren Struktur des Schweizerischen Landesmuseums in Zürich verwendet wurde[349]. Es bildete zusammen mit dem Bayerischen Nationalmuseum in München den bedeutendsten Vertreter dieses neuen Bautyps, bei dem sich, selbst wenn das Äußere noch weitgehend blockhaft wirken sollte, wechselnde Raumformen und Exponate aufeinander bezogen. Gerade an dem Münchener Museum, dem Kulminationspunkt dieser Entwicklung[350], zeigten sich aber auch rasch die Grenzen dieses Typus, denn die Inszenierung des Ausstellungsgutes war zu statisch, ließ – hierin weitergehend als Nürnberg – ohne Zerstörung der kunstvoll zusammengestellten Ensembles keine Veränderungen aufgrund von Neuerwerbungen zu. Diese Konzeption für das kunst- und kulturgeschichtliche Museum wurde deshalb sehr bald kritisiert, am schärfsten 1906 von Justus Brinckmann[351].

Die unter anderem von Essenweins Anlage ausgegangenen Impulse wirkten aber vor ihrem raschen Niedergang auch noch auf das Nürnberger Museum selbst zurück, indem Gustav von Bezold – in seinen Vorstellungen selbst noch ganz vom historischen Geist des 19. Jahrhunderts geprägt – die Museumserweiterung in Anlehnung an seinen Vorgänger fortsetzte und dabei im Südwestbau einen Waffensaal nach dem Vorbild von Zürich und München als gotisierende Halle, als Rittersaal, anlegte. Schon wenige Jahre später aber sah er sich zu einer veränderten Konzeption gezwungen, da die an den von Nürnberg mitgeprägten Agglomerationsmuseen mit ensembleartiger Aufstellung entzündete Diskussion über die Aufgaben kulturgeschichtlicher Sammlungen auch auf das Germanische Nationalmuseum einwirkten[352]. So entwickelte sich auch das Nürnberger Institut zu einem mehr an der künstlerischen Qualität als an der historischen Bedeutung der Objekte orientierten und verstärkt Originale bevorzugenden kunst- und kulturgeschichtlichen Museum. Augenfälliger Ausdruck dieser Tendenzen war die Trennung von der zeitbedingt entstandenen und dann ebenso zeitbedingt abgelehnten Gipsabgußsammlung. Einen ersten Schritt hierzu bildete der 1907 noch von Bezold eingeleitete Galerieneubau, der ab 1916 verwirklicht wurde.

[348] Friedrich Ohmann und August Kirstein: Museum für Kunst und Gewerbe in Magdeburg. In: Der Architekt Jg. 7 (1901), S. 37–39 (38), Taf. 65. – Neben Nürnberg war auch das Pariser Cluny-Museum ein gern zitiertes Beispiel.
[349] Erstmals in einer kurzen Notiz: Das Landes-Museum in Zürich. In: Deutsche Bauzeitung Jg. 25 (1891), S. 547. – Vgl. auch vom Verfasser (Anm. 130).
[350] Zu München zuletzt Himmelheber (Anm. 320).
[351] Justus Brinckmann: Das Bayerische National-Museum und die Museumstechnik. In: Museumskunde Jg. 2 (1906), S. 121–128.
[352] Vgl. im Hinblick auf das Germanische Nationalmuseum Strieder (Anm. 6), S. 72–73 und zur allgemeinen Situation Himmelheber (Anm. 320), S. 209.

JÖRN BAHNS
Der Neubau der Gemäldegalerie in den Jahren 1907 bis 1934

Nach der 1905 abgeschlossenen Einrichtung des bereits 1902 vollendeten und teilweise eröffneten Südwestbaues befaßte sich der Verwaltungsausschuß des Museums 1907 auf Anregung Gustav von Bezolds mit dessen Entwurf für ein neues Verwaltungsgebäude. Einigkeit bestand darüber, daß das zum Museum gehörige unbebaute Zwingergelände an der Stadtmauer aus praktischen und denkmalpflegerischen Gründen nicht geeignet sei. Die von Bezold vorgeschlagene Fläche zwischen dem Essenweinschen Südbau und dem ehemaligen Königsstiftungshaus, jetzt Archiv, Kupferstichkabinett und Bibliothek, wurde hingegen als zu klein angesehen, um wirklich genügend Platz zu schaffen; zudem hätten sich die Bauten gegenseitig das Licht genommen. Zusätzlicher Raumbedarf, nicht nur für Büros, sondern vor allem auch für die Sammlungen, wurde vom Verwaltungsausschuß grundsätzlich anerkannt. Daher beauftragte man Bezold, einen neuen Vorschlag für Baumaßnahmen zu unterbreiten, wenngleich die finanzielle Lage eine baldige Realisierung nicht zulassen werde. Ausschlaggebender Gesichtspunkt bei dem Wunsch nach Erweiterung des Museums war das Fehlen ausreichender Depoträume und die dadurch mitverursachte gedrängte Aufstellung in den Schausammlungen, die bereits Klagen der Besucher hervorrief. Ebenso wichtig aber waren neue museologische Gesichtspunkte, die zu der Einsicht führten, daß eine Trennung der kulturgeschichtlichen Bestände von den reinen Kunstsammlungen (Gemälde, Originalskulpturen, Spitzenstücke des Kunsthandwerks) unumgänglich sei.

Wollte man den Standort des Instituts nicht verlegen, was Bezold als Alternative in die Überlegungen einbrachte, war eine Vergrößerung nur nach Norden hin gegen den Kornmarkt möglich. Dort stieß das Museum an die auf der Ecke Kartäusergasse/Kornmarkt gelegene städtische Feuerwache und die sich östlich daran anschließende Beckhsche Fabrik. Die Erwerbung dieses Geländes schlug Bezold 1908 in einer Denkschrift vor, als sich die günstige Gelegenheit ergab, mit den Besitzern der Fabrik ein vorläufiges Kaufabkommen abschließen zu können. Es wurde am 13. Februar 1909 verbindlich und legte den Eigentumsübergang auf den 1. Oktober 1910 fest. Der Kaufpreis betrug einschließlich der Nebenkosten 1 233 137,80 Mark, von denen durch eine Spendenaktion und eine Lotterie Ende 1910 bereits rund 880 000 Mark abgegolten werden konnten. Ende 1911 betrug die Restschuld aufgrund weiterer Spenden nur noch 172 000 Mark.

vgl. 68, 287–289

Angesichts dieses Grunderwerbs befaßte sich der Verwaltungsausschuß 1910 erneut mit Überlegungen für einen Erweiterungsbau. Er befürwortete zwar ein Festhalten am bisherigen Ausstellungssystem, forderte aber größere Übersichtlichkeit in den einzelnen Abteilungen sowie eine Unterbringung der eigentlichen Kunstsammlungen in einem neuen feuersicheren Gebäude. Von diesen Leitlinien ausgehend, entwarf Bezold bis 1913 insgesamt fünf Projekte, deren Grundriß- und Fassadengestaltung in museumstechnischer und architekturgeschichtlicher Hinsicht hier nur in Umrissen behandelt werden kann. Den Entwürfen gemeinsam war die Erhaltung des Beckhschen Wohn- und Bürohauses am Kornmarkt. Daraus ergab sich nach Abriß der eigentlichen Fabrikgebäude für den projektierten Neubau ein zwischen dem Wohnhaus und dem Nordflügel des Kartausenkreuzgangs

---

Anmerkung der Herausgeber: Die Zusammenstellung der wichtigsten Daten zum Bestelmeyer'schen Galeriebau wurde freundlicherweise kurzfristig von Jörn Bahns übernommen, da eine ursprünglich vorgesehene Untersuchung nicht zum Druck vorlag.

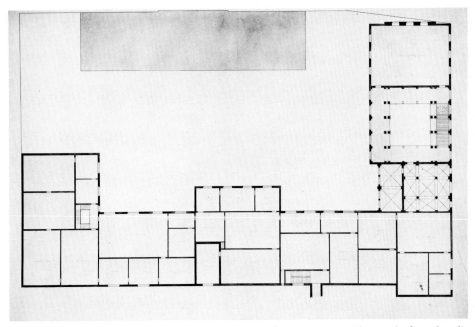

285. „Erster Entwurf" Gustav von Bezolds zum Galeriebau, 1911, Obergeschoß; rechts die geplante Eingangshalle, am oberen Rand das Gebäude der Beckhschen Fabrik. Norden (Kornmarkt) ist oben

westöstlich verlaufender Haupttrakt mit zwei nach Norden gerichteten Flügeln. Der westliche blieb wegen der angrenzenden Feuerwache relativ kurz, während der östliche parallel zur Grasersgasse bis an den Kornmarkt heranreichte. Die Anbindung an die schon bestehenden Museumsgebäude sollte anfangs durch einen, später durch zwei Übergänge zum Kreuzgang erfolgen. Die Einteilung des zweigeschossigen Neubaus sah vor, daß im Erdgeschoß außer dem Kupferstichkabinett Depots und Studiensammlungen unterkommen sollten, im Obergeschoß die Schausammlungen. Für diese waren Räume teils mit Ober- und teils mit Seitenlicht vorgesehen.

1911 unterbreitete Bezold dem Verwaltungsausschuß die beiden ersten seiner fünf Projekte. Der sogenannte „Erste Entwurf" sah in der schmalen Nordfront des Ostflügels das Hauptportal vor, verbunden mit einem vierjochigen, dreischiffigen Eingangsraum. Auf diesen folgte die zweigeschossige Ehrenhalle mit dreiseitigem Umgang im ersten Stock, in das die Haupttreppe an der östlichen, der Straßenseite, emporführte und so den Zugang zu den Sammlungsräumen ermöglichte. Diese waren bei wechselnden Abmessungen zweischichtig, nur im Mittelrisalit des Haupttraktes dreizonig angelegt und erhielten an der Südseite überwiegend Oberlicht, an der Hoffront dagegen Seitenlicht. Die Außenarchitektur wies Anklänge an die Louis-XVI-Zeit auf, bedeutete also einen Bruch mit den bisherigen Baugepflogenheiten des Museums. Nur der Ausstellungsraum für romanische Kunst, im Obergeschoß südlich der Ehrenhalle, erhielt im Innern und in seinen Fenstern ein dieser Epoche angepaßtes Aussehen, wie ein überkommener Schnitt veranschaulicht, der zugleich das barokisierende Gepräge des Inneren von Eingangs- und Ehrenhalle verdeutlicht.

Der „Zweite Entwurf" von 1911 sah eine geschlossene Anlage um zwei Höfe vor, deren nördliche Hälfte als zweiter Bauabschnitt nur angedeutet wurde, während der südliche Teil dem „Ersten Entwurf" ähnelte. Er wies allerdings an der Grasersgasse einen kürzeren Ostflügel auf, der durch eine

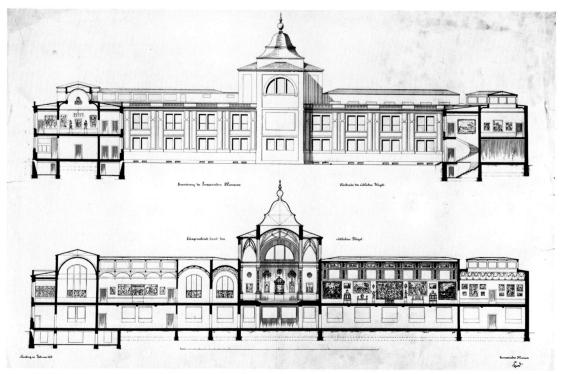

286. Projekt Gustav von Bezolds zum Galeriebau, Februar 1913, Nordfront und Längsschnitt durch den Hauptflügel

nachträgliche Eintragung in den Plan eine Verlängerung für den Eingangsbau erhielt. – Gleichzeitig mit diesen Entwürfen entstand Bezolds Plan für ein zentrales Heizungsgebäude an der Grasersgasse, dem er einen ausgesprochenen Wohnhauscharakter gab.

Ausgehend von seinem „Zweiten Entwurf" fertigte Bezold im Mai 1912 neue Pläne an, in denen die Raumfolge durch gleichmäßige Tiefenabmessungen gestrafft und damit übersichtlicher wurde. Im Haupttrakt entstanden auf diese Weise im ersten Stock an der Südseite große Oberlichtsäle im Sinne einer Enfilade, wie sie bei Galerien im 19. Jahrhundert üblich geworden war; die gleiche Folge ergab sich für die Seitenlichtkabinette am Hof. Die Außenansicht vereinfachte Bezold nochmals gegenüber den Entwürfen von 1911. Gespiegelte Lisenen zwischen den Fensterachsen bildeten den einzigen Schmuck der langen Fassaden. Hier klang eine neoklassizistische Tendenz an, wie sie gleichzeitig am Erweiterungsbau der Hamburger Kunsthalle von A. Erbe, an Peter Behrens' St. Petersburger Botschaft und ebenso im Münchner Prinzregentenstil in Erscheinung trat. Nur der Eingangsbau mit gekuppelten Säulen bzw. Pilastern mit korinthischen Kapitälen assoziierte als Würdeform noch den Neubarock, die letzte große Stilwiederaufnahme des vorigen Jahrhunderts.

Nachdem auch dieser Entwurf nicht die Billigung des Verwaltungsausschusses fand, legte Bezold im Februar 1913, verbunden mit gedruckten Erläuterungen, ein weiteres Projekt vor. Es berücksichtigte die Auflagen des Verwaltungsausschusses, deren wichtigste der Wunsch nach Zusammenfassung mehrerer Räume zu einem Saal von größerer Höhe im Obergeschoß bildete. Das führte zu einer architektonischen Akzentuierung der Mitte des Haupttraktes. Gleichzeitig wurde, was für die folgende Entwicklung wichtig war, im Westen ein zweiter Übergang zur Kartause angelegt, während 286

472

287. Entwurf Gustav von Bezolds und Friedrich von Thierschs zum Erweiterungsbau, Mai 1913. Blick vom Kornmarkt aus; rechts die städtische Feuerwache, links das Gebäude der Beckhschen Fabrik. Photographie nach dem Modell (Verbleib des Modells unbekannt)

der schon früher vorgesehene östliche Übergang es nun geboten erscheinen ließ, die Wilhelmshalle am östlichen Ende des Nordkreuzgangs und die westlich daran anschließenden Mönchshäuser vereinheitlichend umzubauen. Reduzierungen ergaben sich durch die Zusammenlegung von Eingangs- und Treppenhalle. Die Oberste Baubehörde in München lehnte dieses Projekt als nicht in das Nürnberger Stadtbild passend ab, woraufhin Bezold sich mit Friedrich von Thiersch, dem Erbauer des Münchner Justizpalastes, verband und schon im Mai 1913 zusammen mit ihm einen neuen Entwurf publizierte. Er knüpfte an das Projekt von 1911 mit den zwei Innenhöfen an, sah im Mittelflügel unten einen Vortragssaal, oben einen großen Oberlichtsaal vor und nahm hinsichtlich der Oberlichtsäle im Haupttrakt, vor allem bezüglich des überragenden Mittelsaales, Elemente des Februarentwurfs von 1913 abgewandelt auf. Wegen der Geschlossenheit der Anlage wurde der Haupteingang in die Mitte, an die Stelle des abzureißenden Beckhschen Wohnhauses, gelegt und das Museum von einer zentralen Eingangshalle aus erschlossen. Dabei ergab die Ausbildung des westlichen Quertraktes wichtige Anregungen für die folgende Entwicklung der Planungen. Wegen der Münchner Kritik zeigte die Fassade an der Grasergasse gotisierende Züge, die anderen Fronten wiesen einfache Renaissance- und Barockformen auf; insgesamt überwog eine schlichte Flächenhaftigkeit.

Der Verwaltungsausschuß, der am 19. und 20. Mai 1913 zusammengetreten war, nahm eine von seinem Mitglied Alfred Lichtwark, dem Direktor der Hamburger Kunsthalle, verfaßte Resolution an, die besagte, daß ein Erweiterungsbau nicht mehr länger hinausgeschoben werden dürfe, befand die beiden zuletzt erwähnten Entwürfe jedoch ebenso wie die früheren als ungeeignet. Damit war die zu Essenweins Zeiten und auch noch in den ersten Amtsjahren Bezolds bestehende Personalunion von

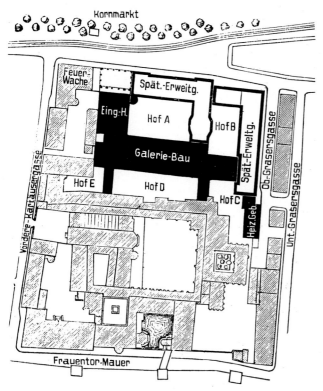

288. Germanisches Nationalmuseum mit dem Erweiterungsprojekt German Bestelmeyers 1915. Norden ist oben

Museumsleiter und -architekt beendet, entschloß sich doch der Verwaltungsrat, die weitere Bearbeitung des Projektes dem gebürtigen Nürnberger und derzeit in Dresden wirkenden German Bestelmeyer (1874–1942) zu übertragen.

★

Bestelmeyer, dessen Plan im Juni 1914 vom Verwaltungsausschuß des Museums gebilligt wurde, 288, 289 entwarf unter teilweiser Berücksichtigung der Bezoldschen Vorprojekte eine geschlossene Anlage um zwei Innenhöfe. Vorgesehen war, den anstelle des Wohnhauses am Kornmarkt zu errichtenden Nordflügel für das Kupferstichkabinett und Büros zu nutzen, den Ostflügel an der Grasersgasse dem Archiv und der Bibliothek einzuräumen sowie den Verbindungsflügel zwischen den beiden Höfen unten als Vortragssaal, oben als Ausstellungssaal einzurichten. Ausgeführt werden sollten vorerst der Westflügel mit der Eingangshalle und der Hauptausstellungstrakt parallel zur Kartause, jedoch ohne dessen T-förmiges Westende an der Kartäusergasse. Die veranschlagten Bau- und Einrichtungskosten in Höhe von 2500000 Mark wollten die drei Unterhaltsträger – das Deutsche Reich, das Königreich Bayern, die Stadt Nürnberg – und das Museum zu gleichen Teilen übernehmen. Nicht zuletzt wegen des ausgebrochenen Krieges mußte die Ausführung auf unbestimmte Zeit verschoben werden, bis sich die finanzielle Lage für die Anstalt 1915 dadurch schlagartig besserte, daß der Münchner Rentier

474

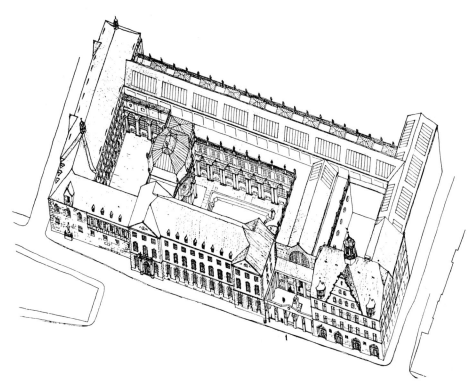

289. Gesamtprojekt German Bestelmeyers für den Erweiterungsbau, Vogelschau von Nordwesten (Kornmarkt)

Anton Bürkel († 14. März 1915) dem Museum sein Vermögen vermachte, dessen Geldanteil allein schon über 1,2 Millionen Mark betrug.

★

Nach Vorarbeiten seit dem Herbst 1915 wurde am 8. Februar 1916 mit der Ausführung des Teilprojektes begonnen; am 20. Juni des gleichen Jahres erfolgte die offizielle Grundsteinlegung. Unter der örtlichen Bauleitung des Nürnberger Architekten Theodor Treutlin war bis Ende 1916 der Galerieflügel bis zum Dachgesims, der Eingangsflügel bis zur Höhe des Erdgeschosses hochgezogen. 1917 verlangsamte sich die Bauentwicklung wegen des Materialmangels und der kriegsbedingt geringen Zahl von Handwerkern, doch konnte mit der inneren Einrichtung begonnen werden. So erhielten die Depoträume im Untergeschoß Fußböden, wurden die Erdgeschoßräume eingewölbt und außerdem ein Oberlichtsaal zur Prüfung der Lichtverhältnisse vollendet. Gleichzeitig wurde 1917 das 1919 fertiggestellte zentrale Heizungsgebäude an der Grasersgasse begonnen. Trotz einer 1918 wegen der gestiegenen Baukosten aufgenommenen Anleihe von 500000 Mark mußte die Vollendung des Inneren auf 1919 verschoben werden. Am 11. Dezember 1920 konnte schließlich der neue Direktor Heinrich Zimmermann die Eingangshalle und das Galeriegeschoß im ersten Stock eröffnen, Pfingsten 1921 auch die Erdgeschoßräume.

Gegenüber den Vorprojekten unterschied sich der Neubau vor allem durch zwei Faktoren, durch die Einteilung des Galeriebaues selbst und die Lage des Haupteingangs. Er befand sich nun nicht mehr, wie ursprünglich gedacht, auf der Nordostecke des Anwesens, sondern zwischen der Feuerwache und dem noch stehenden Beckhschen Wohnhaus und gab dem Museum eine neuartige Erschlie-

61

354–356
342, 353
380, 392,
393

68, 285
288, 289

ßungsachse. Man gelangte jetzt nämlich nach Passieren der beiden Eingangshallen durch einen Übergang, der erstmals in Bezolds Projekt vom Februar 1913 vorkam, in gerader Linie zum Kreuzgang und der Kartäuserkirche, wodurch der historische Teil und die im 19. Jahrhundert hinzugekommenen Bauten des Museums in unmittelbare Beziehung zum Haupteingang gesetzt wurden. Dieser fluchtete nicht mit den beiden flankierenden Gebäuden, sondern war zurückgesetzt, gleichsam gegen 77, 290, das Getriebe des Kornmarktes durch einen Vorplatz abgesondert. Die architektonische Einfassung 292 dieses Hofes durch seitliche Pilaster und Freipfeiler an der Straße wurde zugunsten eines bestehenden Zaunes zurückgestellt, bis durch einen innerhalb des Gesamtprojektes vorgesehenen Neubau das Beckhsche Wohnhaus ersetzt würde. Es verhinderte zunächst auch die Ausbildung einer symmetrischen Fassade, die erst durch den Abbruch des Hauses nach dem Zweiten Weltkrieg hergestellt 87, 322 werden konnte.

Errichtet wurde von der Eingangsfront vorerst platzbedingt nur die breite Mittel- und die westliche 62, 293 Seitenachse. Vor die Fassade wurde eine offene eingeschossige Vorhalle gelegt. Ihren Architrav trugen zwei dorische Säulen, die zugleich den Eingang markierten, sowie Pfeiler, von denen der westliche nebst einem rechts außen abschließenden Pilaster ausgeführt wurden. Der Pfeiler, wie auch sein geplantes östliches Gegenstück, erhielt Reliefschmuck in Form dreier heraldischer Löwen und eröffnete damit den ikonographisch interessanten Dekorzyklus der Schaufront. Rechts und links der Tür erschienen, ebenfalls als Reliefs, das Reichsschwert sowie das Szepter, auf dem Türsturz die alte Reichskrone. Die Reliefs und der Reichsadler, der noch heute die Giebelspitze krönt, wurden nach einem Entwurf Bestelmeyers von dem Münchner Bildhauer Hermann Hahn geschaffen. Ließ die Vorhalle in ihren Formen noch die griechische Architektur anklingen, so erinnerte die aufgehende, von jeher unverputzt gedachte Wand eher an spätantik-frühchristliche Bauten. Damit sollte – jedoch nicht mehr im Sinne der Gotikauffassung des frühen und mittleren 19. Jahrhunderts – offensichtlich eine gewisse Einstimmung auf das als christlich-germanisches Museum interpretierte Institut evoziert werden, was sich in der durch zwei Geschosse reichenden Eingangshalle fortsetzte. Sie folgte in ihrer 75, 94, Anlage – Mittelraum, seitliche Haupttreppe, Emporen zumindest an den Schmalseiten – zwar der 294, 448 Ehrenhalle in Bezolds „Erstem Entwurf" von 1911, wandelte dessen barockisierende Architektur 285, 290 aber insofern ab, als durch schwere Pfeiler und von starken Jochbögen getragene Tonnengewölbe in Fortsetzung der Außenfassade frühmittelalterliche Reminiszenzen hervortraten. Die Beziehung der Halle zur Ikonographie des Eingangs wurde zusätzlich dadurch betont, daß mit den Reichskleinodien außen einige Architekturdetails innen korrespondierten, indem die Gestaltung des Treppengeländers und der Emporenbrüstungen sowie der sie tragenden, an ravennatische Kunst erinnernden Säulen Formen des Aachener Münsters Karls des Großen aufnahmen. Der Raum, der durch die Anbringung von Büsten um das Museum verdienter Männer den Charakter einer Ehrenhalle erhielt, wurde beleuchtet durch das Fenster der Eingangswand und hochsitzende Rundfenster über der Treppe, war also nicht übermäßig hell, was die ernste Würde seiner Architektur noch unterstrich.

Sie setzte sich, ehe man in die hellen, nur noch wenige historisierende Elemente aufweisenden Ausstellungsräume des Galeriebaues eintrat, zumindest im Erdgeschoß in gewisser Weise noch in dem südlich an die Ehrenhalle anschließenden sogenannten Lapidarium fort. Bei diesem handelte es 354–356 sich um einen dreischiffigen und dreijochigen, etwas gedrückt wirkenden Raum, dessen kräftige Rechteckpfeiler aus unverputzten Backsteinen gemauerte Kreuzgratgewölbe trugen. Mit dieser Formenwahl sollte eine Beziehung zum Ausstellungsgut, den gotischen Steinskulpturen aus Nürnberg, hergestellt werden. Sie fanden hier jedoch keinen ihrer ganz würdigen Platz, war das Lapidarium doch in erster Linie ein Durchgangsraum, der durch den erwähnten Übergang zur Kirche das alte Museumsareal erschloß und zugleich als Vorraum für die Erdgeschoßsäle des Galerietraktes diente.

Den Hauptteil seines Erdgeschosses nahmen zwei parallel laufende Fluchten von je vier gleichgro-

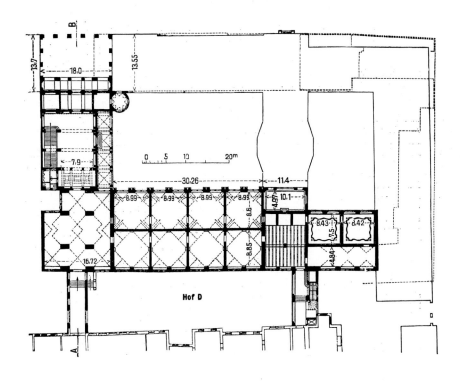

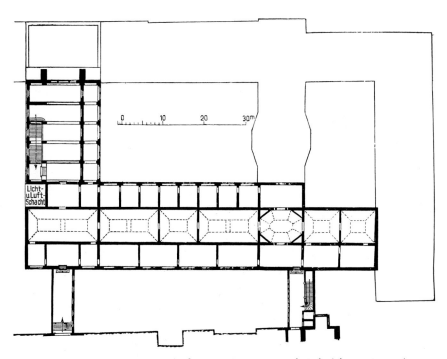

290, 291. Erd- und Obergeschoß von Eingangs- und Galeriebau; Haupteingang vom Kornmarkt aus bei B, am unteren Rand Mönchshäuser der Kartause. Norden ist oben. Grundrisse nach Entwurf German Bestelmeyers

292. Vorhof am Kornmarkt, nach Entwurf German Bestelmeyers

ßen Räumen auf. Sie erhielten durch Fenster in der Nord- beziehungsweise Südwand Seitenlicht und 290, 78, wurden durch Spiegelgewölbe mit Stichkappen geschlossen. Dabei handelte es sich aber nur um 136, 137, Scheingewölbe in Rabitz, die die kräftigen Unterzüge zum Abstützen der anders verlaufenden Wände 380, 382, des Obergeschosses verdecken mußten. Die Räume wurden verputzt und mit wechselnden Farben 393 getüncht, die in Beziehung zu den ausgestellten Objekten – den Spitzenstücken des Kunsthandwerks aus verschiedenen Epochen – verstanden werden sollten. An diese klare Raumfolge schloß sich eine Diele mit einer Balkendecke an. Ihre abweichenden Abmessungen erklären sich aus dem Umstand, daß sie zusammen mit dem schmaleren Raum an ihrer Nordseite in Verbindung mit dem noch projektierten Zwischentrakt gesehen wurde und deshalb eine Durchgangsraumfunktion erhielt. Von der Diele ging nämlich der östliche Übergang zur Kartause aus, in den eine Treppe des 18. Jahrhunderts aus dem ehemaligen Ebracher Hof in Nürnberg eingebaut wurde. Hinter dieser Diele setzten sich nach Osten die Ausstellungsräume in einem schmaleren Trakt fort, der einen Gang an seiner Süd- und zwei Säle an seiner Nordseite erhielt. Dabei wurde in den einen Raum, abweichend von dem im Grundriß angegebenen Gewölbe, die sogenannte Danziger Decke eingebaut, eine Kassettendecke des 17. Jahrhunderts mit allegorischen Gemälden von Isaak van dem Blocke, die sich heute in einem der Nordkabinette der Galerie befindet. Analog zum Einbau des Heilsbronner Portals in Essenweins 39 Südbau fanden also auch hier noch mit der Ebracher Treppe und der Danziger Decke größere Bauteile eine Sekundärverwendung im Ausstellungsgefüge des Museums.

Von entscheidender Bedeutung für die Neuaufstellung der Gemälde und Skulpturen außerhalb der bisherigen kulturhistorischen Sammlungen, aber auch außerhalb der unzureichenden Oberlichtsäle des Altbaues, war das Obergeschoß der neuen Anlage. Bestelmeyer griff das im vorigen Jahrhundert 291

293. Eingangsfassade des Museums. Nach Entwurf German Bestelmeyers. Um 1930

294. Ehrenhalle. Nach Entwurf German Bestelmeyers. Zustand 1935; vor der Treppe Portalfiguren vom Nürnberger Rathaus

295. Südfront des Galeriebaues mit östlichem Verbindungsgang zur Kartause. Nach Entwurf German Bestelmeyers. Um 1929

entwickelte und rasch klassisch gewordene Schema der großen Galeriebauten auf – die Einteilung in drei parallele Raumschichten, deren mittlere aus großen Oberlichtsälen bestand, flankiert von kleineren Kabinetten mit Seitenlicht. Sie fehlen wegen der Grundstücksverhältnisse an der Nordseite der beiden östlichen Kompartimente sowie an der Nordseite des Oberlichtsaals über dem Lapidarium, weil sich dort der Treppenvorplatz befand. Die Mittelsäle zeichneten sich durch gute Proportionen und günstiges Licht aus. Um die Kunstwerke selbst zur Wirkung zu bringen, wurden sie nur sehr zurückhaltend ausgestattet. Einfarbige Wände, über niedrigen Holzpaneelen als Sockelzone, wurden durch profilierte Gesimse abgeschlossen, über denen sich Klostergewölbe in Rabitzkonstruktion erhoben, durchbrochen von den Oberlichtöffnungen im Scheitel. Sie lagen so hoch, daß das durch breite Glasbänder im Dach einfallende Licht nicht blendete, sondern eine angenehme und ausreichende Helligkeit ergab. Vergleichsweise gut waren wegen der hochsitzenden Fenster auch die Lichtverhältnisse in den Seitenkabinetten, deren Ausstattung von gleicher Einfachheit wie die der Säle war. Etwas aufwendiger gehalten waren in allen Räumen nur die Profile der marmornen Durchgangsrahmungen. Süd- und Mittelsäle erhielten feuersichere Fußböden aus Solnhofener Platten, die in den Oberlichtsälen mit Einlagen aus Thüringer Schiefer gegliedert wurden. Die Nordkabinette bekamen, wohl aus Klimatisierungsgründen, ein Eichenparkett. Analog zum Erdgeschoß nahm auch die Galerie noch ein historisches Bauteil auf und zwar im östlichsten der Südkabinette. Es handelte sich um die schon seit 1901 im Museum befindliche sogenannte Ebracher Kapelle aus dem Nürnberger Stadthaus des namengebenden Klosters. Der Einbau dieser 1482/83 entstandenen spätgotischen Kapelle brachte

73, 342, 353, 358

vgl. 127

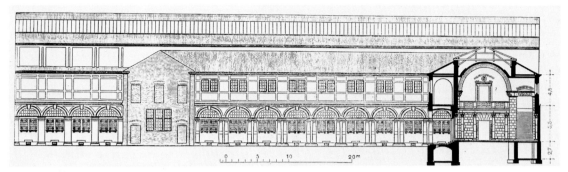

296. Nordfront des Galeriebaues mit Schnitt durch die Eingangs-/Ehrenhalle. Nach Entwurf German Bestelmeyers

einige Schwierigkeiten mit sich, weil zwar alle Einzelteile bezeichnet waren, jedoch keine Gesamtaufmessung vorlag. Schließlich stellte sich heraus, daß der Raum zu schmal war, weshalb die Außenwand herausgebrochen und über einer Vorkragung neu aufgezogen wurde.

Kamen die Innenräume, besonders im Galeriegeschoß, weitgehend ohne historische Bezüge aus, so wählte Bestelmeyer für den Außenbau eine andere Lösung. Hier blieb er noch den Ideen der 297 Architekturikonographie des 19. Jahrhunderts verhaftet, in zurückhaltender Weise und in jeweiliger Anpassung an die Gegebenheiten. Ließ sich die Eingangsfront als ein allgemein auf das Museum bezogener Bedeutungsträger verstehen, so war es bei der Südfassade der Galerie eher die Rücksicht 69, 295 auf das Vorhandene. Diese Front erhielt in Anlehnung an das Backsteinmauerwerk der Wände und Giebel der Mönchshäuser des Nordkreuzgangs eine Backsteinverblendung und wurde abgeschlossen 198 durch einen Zinnenkranz, überragt von abgetreppten Zwerchgiebeln. Die der Fassade zugrundeliegende Haltung prägte natürlich auch das Aussehen der Verbindungsbauten zur Kartause. Am auffälligsten war dabei die Gestaltung des östlichen Übergangs, dessen Westwand die Rundbogenfenster des Galerieerdgeschosses in große Spitzbogenöffnungen umwandelte, ein etwas gesucht wirkender Bezug, da die Fenster der Mönchshäuser gerade Stürze von spätgotischer Haltung besaßen. Diese 295 selbst auferlegte Pflicht zur Anpassung entfiel für die Fassade am nördlichen Hof. Sie war wegen des 296–298 unter anderem für Büroräume genutzten Beckhschen Hauses vom Kornmarkt aus nicht einsehbar, wäre bei Vollendung des Gesamtprojektes gleichfalls eine Binnenfront geblieben, erhielt aber, da der Hof zugänglich war, eine angemessene architektonische Gestaltung. Nachdem er schon bei der Innenanlage des Obergeschosses den Galeriebauten des 19. Jahrhunderts gefolgt war, griff Bestelmeyer hier die ihnen derzeit zugeordneten Stilformen der Renaissance auf; diese Wandgliederung ist 139 heute noch erhalten. Den acht Achsen des westlichen Teils der Nordfront blendete er im Erdgeschoß eine Arkadenfront vor, deren gekuppelte Halbsäulen gegenüber dem in den ersten Entwurfsskizzen straffen toskanischen Habitus in der Ausführung eine stärker schwellende, ionische Form annahmen. Das Obergeschoß erhielt eine von den Achsen bestimmte Facheinteilung durch Lisenen und Querbänder, alles in Putz ausgeführt, während Bestelmeyer ursprünglich vorgesehen hatte, die Felder in Anlehnung an italienische Vorbilder zusätzlich durch Stuckornamente zu schmücken. In gleicher Weise wie diese Wand gestaltete er auch die östliche Seitenwand der Ehrenhalle. Die Arkadenfront im 297, 298 Erdgeschoß stand hier jedoch frei und begrenzte eine Loggia, das heutige Café, die allein durch eine Tür mit der Halle kommunizierte. Die über der Loggia befindlichen Kabinette, jetzt Ausstellungs- 64 raum des Kupferstichkabinetts, waren nur von der Gemäldegalerie aus zugänglich. Wegen dieser

482

297. Nördlicher Hof, Blick auf die Eingangshalle, mit nicht ausgeführter Wanddekoration. Bleistiftzeichnung German Bestelmeyers

räumlichen Verbindung war die Identität beider Fassaden gerechtfertigt, da kein unmittelbarer Bezug zwischen dem Loggienbereich und der hinter ihm liegenden Eingangshalle mit ihrer andersartigen Architektur bestand. Am Ostende der Galerienordfront wurde das Arkadenmotiv gleichfalls aufgenommen, allerdings mit Pfeilern anstelle der Halbsäulen. Zwischen diesem Wandbereich und dem im Westen stärker plastischen Teil der Fassade lag ein mit Rücksicht auf den projektierten Verbindungsbau einfacher gehaltener Abschnitt.

296, 299, 300

Bestelmeyer stand bei der Teilausführung des Neubaus im zweiten Jahrzehnt unseres Jahrhunderts aus mancherlei Rücksichten, aber, wie ein Blick auf seine gleichzeitigen Werke zeigt, auch aus eigener Überzeugung, noch im Banne der Architekturikonographie des 19. Jahrhunderts. An dieser Auffassung hielt er, obwohl er sich langsam auch den neueren Strömungen öffnete, bei zwei noch folgenden

483

298. Nördlicher Hof mit Nordfront des Galeriebaues und Ostfront des Eingangsflügels. Nach Entwurf German Bestelmeyers

Erweiterungsmaßnahmen fest. Den ersten dieser beiden Bauabschnitte bildete die Errichtung des 299, vgl. 87 Verbindungsflügels zwischen dem, neben Büros mittlerweile auch die Graphische Sammlung beher- 288, 289 bergenden, Beckhschen Haus und der Galerie. Er wurde 1925/26 zwar an der vorgesehenen Stelle ausgeführt, aber in veränderter Gestalt und Zweckbestimmung. An die Stelle des geplanten Hörsaals, der 1923 in Essenweins Vorgeschichtshalle an der Kartäusergasse eingerichtet worden war, und des 135, 366 darüber gedachten Oberlichtsaals für Barockgemälde trat ein anderer Bau. Er nahm jetzt im Kellergeschoß die Studiensammlung für Kacheln auf und war im Erdgeschoß für barocke Skulpturen vorgesehen. Sein Obergeschoß – das war der eigentliche Bauanlaß – diente als Ausstellungssaal für die 1925 als 299 Leihgaben angenommenen mittelalterlichen Bildteppiche der beiden Nürnberger Kirchen St. Lorenz und St. Sebald. Dieser Hauptsaal, der am 28. Mai 1926 eröffnet wurde, stieß, wie heute noch, an die mittlere Raumflucht der Galerie und erhielt gleichfalls Oberlicht. Seine westliche Hoffassade schloß 84, 87 sich dem vorgegebenen Rahmen an, die Ostfassade dürfte sich der anstoßenden Nordfront der Galerie angepaßt haben.

Da wegen des Teppichsaals ein neuer Platz für die dringend notwendige Ausstellung der Barockgemälde gefunden werden mußte, wurde schließlich 1933/34 die Galerie um die Länge eines großen 300

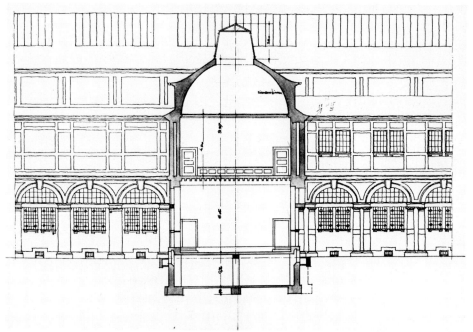

299. Erweiterungsbau 1925/26, Querschnitt durch den Verbindungsflügel. Nach Entwurf German Bestelmeyers

300. Östliche Galerieverlängerung 1933/34, Nordfront 1934, rechts Galeriebau von 1914/20 und Verbindungsflügel von 1925/26. Nach Entwurf German Bestelmeyers

Oberlichtsaals mit zwei südlich angefügten Kabinetten vergrößert. Stilistisch paßte sich auch dieser Teil dem vorhandenen Bau an. Zwischen den Blendarkaden im Erdgeschoß der Nordseite waren allerdings die Wände bis zum Boden durch große Glasfenster geöffnet, weil hier der sogenannte Gartensaal eingerichtet wurde, eine Ausstellung barocker Gartenplastik, die sich heute im neuen Ostbau befindet, während im Gartensaal jetzt die Restaurierungsateliers untergekommen sind. Das Innere der am 4. September 1934 eröffneten Gemäldesäle war gegenüber den getünchten Räumen des ersten Bauabschnittes insofern aufwendiger gehalten, als die Wände mit Rücksicht auf das barocke Ausstellungsgut eine Seidenbespannung erhielten, ein letzter Ausläufer des Historismus, der ja auch noch die Architektur des Neubaus geprägt hatte. Nur fünf Jahre nach Vollendung des Galeriebaues brach der Zweite Weltkrieg aus, der weite Teile des Museums zerstörte und auch die Galerie nicht verschonte, die jedoch unter weitgehender Respektierung der Absichten ihres Erbauers wiederhergestellt wurde.

357

343

Anhang

Vorbemerkung: Wegen der Kürze der mir zur Bearbeitung eingeräumten Zeit war es nicht möglich, das publizierte und das ungedruckte Material erschöpfend auszuwerten. So war es ausgeschlossen, in München die umfangreichen, jeweils mehrere tausend Blatt umfassenden Nachlässe von Friedrich von Thiersch auf Material für dessen Vorprojekt und von Bestelmeyer für seine Galeriepläne durchzusehen, zumal beide Konvolute nach freundlicher Auskunft von Herrn Dipl. Ing. W. Nerdinger, Architektursammlung der Technischen Universität München, noch kaum geordnet sind. Auch konnten Unterlagen im Stadtbauamt und Stadtarchiv Nürn-

berg nicht berücksichtigt werden. Die Archivalien des GNM konnten nur fallweise herangezogen werden. Sie sind in der folgenden Übersicht zusammen mit der wichtigsten Literatur aufgeführt.

Für die aus dem Ebracher Hof in Nürnberg übernommenen Bauteile Inv. Nr. A 3418 und A 3426 sei verwiesen auf S. 454, Anm. 295 dieses Bandes. Zu den von Isaak van dem Blocke stammenden Gemälden der sogenannten Danziger Decke aus dem 17. Jahrhundert – Inv. Nr. Gm 1193 – vgl. Willi Drost: Danziger Malerei vom Mittelalter bis zum Ende des Barock. Berlin, Leipzig 1938, S. 122.

1. Plansammlung GNM

a. Gustav von Bezold, „Erster Entwurf", 1911: 3 Blätter, lavierte Federzeichnung: Erdgeschoßgrundriß, Obergeschoßgrundriß, Schnitte.

b. Gustav von Bezold, „Zweiter Entwurf", 1911: 2 Blätter, lavierte Federzeichnung: Erdgeschoßgrundriß, Obergeschoßgrundriß.

c. Gustav von Bezold, Entwurf Mai 1912: 5 Blätter, lavierte Federzeichnung: Obergeschoßgrundriß, Fassadenrisse, Situationsplan; dazu 1 Blatt: Variante des Eingangsbaues.

d. Gustav von Bezold, Entwurf Februar 1913: 5 Blätter, lavierte Federzeichnung: Kellergeschoßgrundriß, Erdgeschoßgrundriß, Obergeschoßgrundriß, Fassadenrisse und Schnitte.

e. Gustav von Bezold und Friedrich von Thiersch, Entwurf Mai 1913: 4 Blätter, Bleistift und lavierte Federzeichnung: Erdgeschoßgrundriß, Grundriß 1. und 2. Obergeschoß, Fassadenrisse und Schnitte; außerdem ein Foto des Modells.

f. Gustav von Bezold, Haus für die Heizung, 1911: 1 Blatt, lavierte Federzeichnung: Ansicht und zwei Grundrisse.

g. Situationsplan, 1916: Anlage der Museumsheizung mit Standort des neuen zentralen Heizungsgebäudes.

2. Archiv GNM (Altregistratur)

Kapsel 320: Galeriebau 1915–20: Situationsplan, statische Berechnung.

Kapsel 325: Erwerbung Beckhsche Fabrik und Stiftungen für den Kaufpreis.

Kapsel 327: Galeriebau 1915–20: Korrespondenz mit Thiersch, Bestelmeyer und Baufirmen, Kostenberechnung, Verträge, Preisofferten, Skizze Heizungsgebäude.

Kapsel 329: Galeriebau 1915–20: Korrespondenz 1919/20 und Unterlagen über Grundsteinlegung 1916. – Erweiterungsbau 1925/26: Offerten, Plansatz und Planpausen.

Kapsel 330: Erweiterungsbau 1933/34: Plansatz und Detailpläne.

Kapsel 333: Grundrisse Beckhsches Wohnhaus, Vorprojekte 1913 mit Erläuterungen, Erweiterungsplan 1915.

Kapsel 462–470: Galeriebau: Korrespondenz und Rechnungen 1916–21.

Kapsel 770: Bericht Projekt 1913, Zeitungsausschnitte Eröffnung 1920, Drucksachen und Umdrucke zur Vorplanung, Protokoll des Verwaltungsrates 1920.

Kapsel 781: Galeriebau: Kostenaufstellung 1917, Verträge Erweiterungsbau 1925.

Kapsel 747–765: Unterlagen Verwaltungsausschuß.

3. Fototek GNM

Kapseln XXII 1–XXII 4: Fotos vom Bau, vom Zustand außen und innen vor und nach 1945.

4. Gedrucktes Quellenmaterial

Gustav von Bezold: Die Notwendigkeit und Möglichkeit der Erweiterung des Germanischen Museums. Nürnberg 1908. – (2 S. Text, 1 Plan; auch enthalten in Altregistratur GNM, Kapsel 754, Verwaltungsausschuß 1908).

Gustav von Bezold: Erläuterungen zu dem Entwurf der Erweiterung des Germanischen Museums. Nürnberg 1913. – (6 S. Text, 5 Taf.).

Gustav von Bezold und Friedrich von Thiersch: Bericht zu dem Erweiterungsprojekt für das Germanische National-Museum in Nürnberg vom Mai 1913. Nürnberg 1913. – (2 S. Text, 3 Taf.).

Gustav von Bezold: Die Pläne für die Erweiterung des Germanischen Museums von Geheimrat Dr. Bestelmeyer in Berlin. Ein Geleitwort zu ihrer Ausstellung. Nürnberg 1915. – (2 S. Text, 2 Taf.; auch in Altregistratur GNM, Kapsel 316).

5. Literatur

Jahresbericht GNM 54 (für 1907), 1907. bis 81 (für 1934), 1934. Anzeiger GNM 1907, S. XX. – 1908, S. XXIII. – 1909, S. 39–40. – 1910, S. 23, 63. – 1911, S. 4, 30. – 1912, S. 3, 25–26, 53. – 1913, S. 3, 53, 73. – 1914, S. 43. – 1915, S. 3, 4, 25. – 1916, S. 21–24. – 1917, S. 25. – 1918, Nr. 1/2 S. 1, Nr. 3/4 S. 1. – 1919, Nr. 3/4 S. 1. – 1920, S. 1–9.

-n: Die Erweiterung des Germanischen Nationalmuseums in Nürnberg. In: Zentralblatt der Bauverwaltung Jg. 37 (1917), S. 446–449.

Fritz Stahl: German Bestelmeyer. In: Wasmuths Monatshefte für Baukunst Jg. 3 (1918/19), S. 1–5 u. Abb. S. 6–56 (25–29).

Einweihung von Erweiterungsbauten des Germanischen National-Museums in Nürnberg. In: Deutsche Bauzeitung Jg. 54 (1920), S. 499.

Theodor Treutlin: Der Erweiterungsbau des Germanischen Nationalmuseums in Nürnberg. In: Deutsche Bauhütte Jg. 25 (1921), S. 178–179.

Georg Lill: Die Neuaufstellung des Germanischen Museums. In: Kunstchronik und Kunstmarkt Jg. 56 (1921/22), S. 719–722.

Zentralblatt der Bauverwaltung Jg. 41 (1921), S. 51 (Das Germanische Museum in Nürnberg) und S. 612 (Vollendung des Germanischen Museums in Nürnberg).

Gustav von Bezold: Erweiterungsbau des Germanischen Museums in Nürnberg. In: Deutsche Bauzeitung Jg. 60 (1926), S. 313–320.

Schulz, Festschrift, S. 10–13, 15–16, 20, 23–24, 26, 32–35, 38, 40–42, 48, 51–52, 60, 62, 67, 72, 76, 79, 83, 86, 88, 90–92 u. Abb. S. 36–37, 39, 43, 45, 49, 53, 68, 73, 87.

Werner Hegemann: German Bestelmeyer (Neue Werk-kunst). Berlin, Leipzig, Wien 1929, S. VII–VIII, Taf. 8–11.

Ludwig Rothenfelder: Gustav von Bezold (1848–1934). In: Anzeiger GNM 1934/1935, S. 5–18 (10–12).

Neue Deutsche Biographie. Bd. 2. Berlin 1955, S. 184 s. v. Bestelmeyer (Otto Schubert).

Heinz Thiersch: German Bestelmeyer. Sein Leben und Wirken für die Baukunst. München 1961, S. 20, 58, 62 und Abb. S. 76–79.

Peter Strieder: Wandlungen und Probleme einer kulturhistorischen Sammlung. In: Museumskunde Bd. 33 (1964), S. 69–76 (71–73).

Heinz Thiersch: Bauten, Ideenprojekte und Wettbewerbsentwürfe German Bestelmeyers. In: Jahrbuch für Fränkische Landesforschung Bd. 29 (1969), S. 261–270 (263–264, 267, 270).

LOTHAR HENNIG
Die Neubauten nach dem zweiten Weltkrieg

Der Abschluß der Aufräumungs- und Wiederherstellungsarbeiten zum hundertjährigen Bestehen des Museums im Jahre 1952 veranlaßte den amtierenden Verwaltungsratsvorsitzenden, Bundespräsident Prof. Dr. Theodor Heuss, den Entwurf eines Generalbebauungsplanes für die zukünftig notwendig werdenden Neubaumaßnahmen zu fordern. Neben dem seit 1945 für das Museum tätigen Architekten Dipl. Ing. Harald Roth wurde von Generaldirektor Prof. Dr. Ludwig Grote der an der Akademie der bildenden Künste in Nürnberg als Lehrer tätige Prof. Sep Ruf hinzugewonnen, wobei die gemeinsam von der Bauhaus-Idee geprägte Grundeinstellung als Leitgedanke für alle Neubaumaßnahmen gelten sollte.

l. 116, 117

302
303-305
Der am 22. 10. 1953 vorgelegte Generalbebauungsplan diente mit seinen in den Jahren 1962 und 1968 vorgenommenen Änderungen als Rahmenvorlage für alle bis zu Beginn der siebziger Jahre

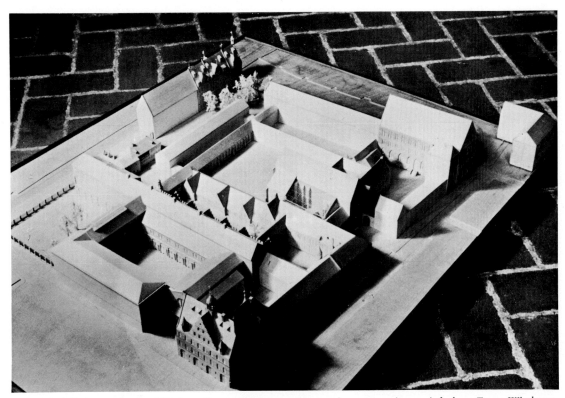

301. Modell des geplanten Wiederaufbaues, Mai 1952. Vorgesehen waren in vereinfachter Form Wiedererrichtung des ehemaligen Verwaltungsbaues der Beckhschen Fabrik, des Südwestbaues mit einem niedrigen Verlängerungsbau an der Stelle des alten Südbaues, ein niedriger schmaler parallel zum östlichen Kreuzgangflügel verlaufender Bau und eine Verlängerung des Bibliotheksbaues im Südosten des Museumskomplexes

realisierten Bauabschnitte. Seine Leitidee war: Randbebauung des Museumsgeländes mit Innenhöfen. Der Plan von 1953 sah im einzelnen vor: Der nördliche Randbereich am Kornmarkt sollte mit einem sich in Ost-Westrichtung erstreckenden, an die Bestelmeyersche Eingangshalle anschließenden Ausstellungsbau, dem 1955–58 errichteten „Theodor-Heuss-Bau", geschlossen werden. Entlang der 306 Kartäusergasse wurden zwischen Südwestbau, Vortragssaal und Alter Feuerwache Gebäude für Werkstätten, Büros und Magazine vorgesehen. Südlich, der Frauentormauer parallel laufend, sollte vom Südwestbau bis nahe an das alte Bibliotheksgebäude ein Ausstellungsbau mit Werkstätten, der später 1963–68 entstandene „Südbau", herangeführt werden. Der östliche Bereich an der Grasersgasse sah an den Großen Kreuzgang anschließende Ausstellungsbauten in 3 Zeilen vor. Im Verlauf der Bauplanungen und ihrer Ausführung erfuhr der Generalbebauungsplan 1962 eine Neubearbeitung. Die bereits entstehenden Bauten für Verwaltung, Bibliothek und Ausstellung entlang der Kartäusergasse wurden aufgenommen. Neu konzipiert wurden Ausstellungsbauten nördlich der Kartäuserkirche und des Kreuzganges, anschließend an Südwestbau und Refektoriumsgebäude. An der Stelle des 302, 303 älteren Vorschlages dreizeiliger Bebauung an der Grasersgasse trat die Konzeption von 2 Ausstel- 304 lungsgebäuden in pavillonartiger Form. An dieser Stelle sah dann der letzte Bebauungsplan von 1968 ein dreigeschossiges Bauwerk, den 1971 fertiggestellten „Ostbau", vor. Darüberhinaus wurde diese 320, 321 Planung im nordöstlichen Bereich vervollständigt mit einem Werkstätten- und Wohngebäude, mit einem Direktoriumsgebäude zwischen Verwaltungs- und den nördlich an den Kreuzgang angrenzenden Ausstellungsbau.

Zur Grundidee äußerte sich Generaldirektor Prof. Dr. Erich Steingräber anläßlich einer Pressekonferenz am 18.1.1968: „Die Keimzelle des heutigen Museumskomplexes ist das mittelalterliche Kartäuserkloster. Der Grundriß weist diese Anlage mit der Kirche als Mittelpunkt noch deutlich aus, die auch dem Wiederaufbau den bestimmenden Akzent gegeben hat. Die Neubauten gruppieren sich locker um Innenhöfe, die Reste der alten Architektur einbeziehend. In Anbetracht des verschachtelten Gesamtgrundrisses ist eine durchgehende Führungslinie nicht leicht zu erreichen. Ausgebildet wurde eine Hauptachse, die vom Eingang am Kornmarkt über den Verbindungsbau, die Kirche und den überdachten Klosterhof bis zum Südbau führt. Nach der Neueinrichtung sind nur die Ausstellungsräume im Erdgeschoß dem Mittelalter gewidmet, im Obergeschoß werden Kunst und Kultur der Neuzeit bis zum 19. Jahrhundert gezeigt. Sonderabteilungen wie Musikinstrumente und Volkskunde sind in eigenen Bereichen zusammengefaßt. Im Ostbau an der Grasersgasse erhält die Kunst des 19. und beginnenden 20. Jahrhunderts ein eigenes Galeriegeschoß." Das als außerordentlich glücklich zu beurteilende Einverständnis zwischen dem Bauherrn Generaldirektor Dr. Erich Steingräber und dem Planer Prof. Sep Ruf beflügelte die planerischen Vorgänge zur Lösung differenzierter Bauaufgaben. Mittelalterliche Gebäude und Bauten des 19. Jahrhunderts sollten mit Mitteln und Architekturvorstellungen unserer Zeit verbunden, Baumassen gegliedert, Raum für variable Sammlungsaufstellungen geschaffen werden. Das von beiden Persönlichkeiten von 1962–1969 Erarbeitete ist als bedeutendes Ergebnis gegenwärtigen Museumsbaus zu werten.

Das Prinzip war: Von Stahl- und Betonstützen in unterschiedlicher Höhe getragene Flachdächer erzeugen mit betonten Gesimsen langgestreckte Verbindungslinien zu alten, individualistisch gegliederten Architekturformen. Dächer, die zu schweben scheinen, überdecken Großräume, welche, Bühnen vergleichbar, verschiedenartige und immer wieder neue Inszenierungen gestatten. Zwischen Fußboden und Decke eingefügte Glasfassaden führen Tageslicht weit in den Raum, vermitteln den Eindruck des Offenen, setzen das Innen nach Außen fort und erlauben Kontakt zum gegenüberlie- vgl. 313 genden Bauwerk. Den Möglichkeiten moderner Technik entsprechend sind unsichtbar in Decken, Wänden und Fußböden Leitungssysteme für die Klimatisierung und Beleuchtung montiert, so daß die mit wenigen Materialien gestalteten Flächen – Decken sind hauptsächlich mit astfreien Fichten-

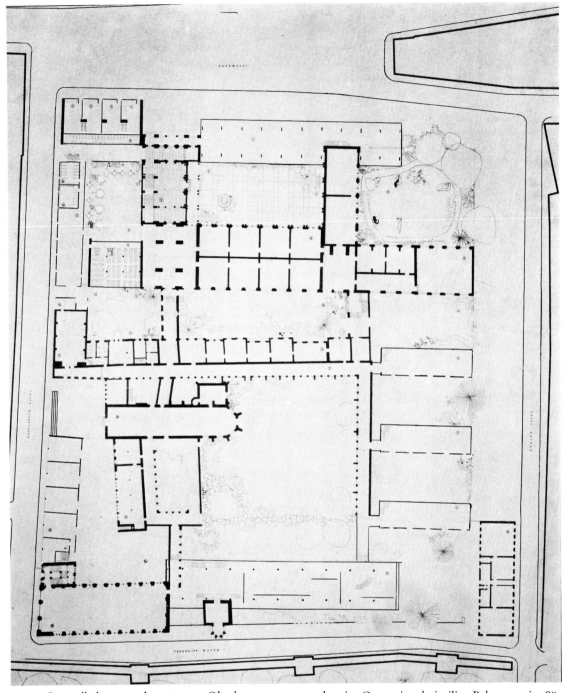

302. Generalbebauungsplan vom 22. Oktober 1953; vorgesehen im Osten eine dreizeilige Bebauung, im Süden die Erhaltung der Kresskapelle (vgl. Abb. 316). Norden ist oben

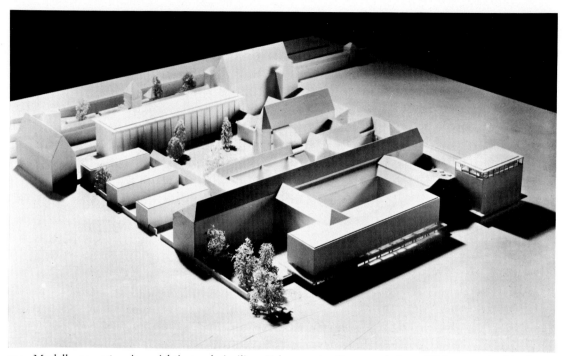

303. Modell von 1962 mit projektierter dreizeiliger Bebauung im Osten und einem Bücherturm im Nordwesten an Stelle der alten städtischen Feuerwache

holzlatten bekleidet, Böden mit Natursteinplatten belegt, Wände mit weiß geschlemmten Ziegelsteinen vorgemauert oder mit stoffbespannten Holzpaneelen bekleidet – die strenge Ordnung der Konstruktion verdeutlichen. Die gewählten Materialien, deren Anordnung auch im Großraum ein gewünschtes Maß behaglichen Empfindens hervorrufen, heben das hierin aufgestellte historische Dokument in spannungsreicher Konfrontierung hervor. Die in der Form moderner Sachlichkeit gestaltete Hülle gilt als Voraussetzung zur Verwirklichung des neuen offenen Museums.

Vor der Darstellung einzelner Bauteile soll eine Übersicht über die Gesamtheit des verwirklichten 304, 305 Bauprogramms den Umfang der Aufgabe deutlich machen. In chronologischer Folge entstanden: 1955–58 der Theodor-Heuss-Bau am Kornmarkt, 1960–63 die Mittelalterhalle zwischen dem erhaltenen Südwestbau und dem Refektorium, 1960–64 der Bibliotheks- und Verwaltungsbau an der Ecke Kornmarkt/Kartäusergasse, 1963–67 der Verbindungsbau zwischen Galeriegebäude und Kreuzgang (sogenannter Westkopf), 1963–67 die Überdachung des Innenhofes des Kleinen Kreuzgangs, 1963–67 der Südbau an der Frauentormauer, 1965–67 der Umbau des Refektoriums, 1965–68 das Werkstätten- und Wohngebäude an der Ecke Kornmarkt/Grasersgasse, 1968–70 der Ausbau des Galeriebau-Erdgeschosses für das Kunstpädagogische Zentrum, 1968–70 der Hörsaal und die Cafeteria, 1968–69 der Umbau der oberen Geschosse des 1901/02 errichteten Südwestbaus, 1968–71 der Umbau des Galeriegebäudes, 1968–71 der Ostbau an der Grasersgasse, 1972–76 der Ausbau des Obergeschosses im Nordflügel des Großen Kreuzgangs und seit 1974 Um- und Ausbau des Theodor-Heuss-Baues.

492

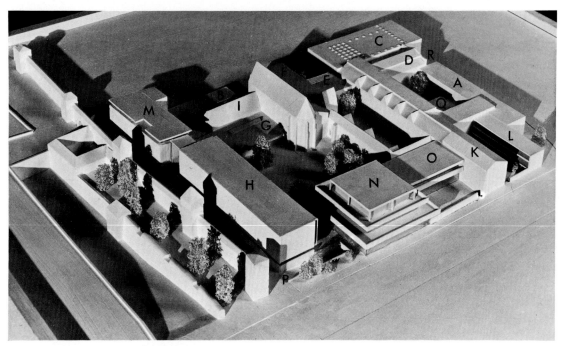

304. Modell von 1965 mit projektiertem quadratischem Bau im Osten. A Theodor-Heuss-Bau, eröffnet 1958;
B Mittelalterhalle, fertiggestellt 1963; C Bibliotheks- und Verwaltungsbau, eingerichtet 1964; D Eingangshalle German Bestelmeyers am Kornmarkt von 1916/20; E Lapidarium; F Überbauung des westlichen Flügels
des nördlichen Kreuzgangabschnittes, sog. Westkopf, errichtet 1963–67; G Überdachung des Kleinen Kreuzganges, ausgeführt 1963–67; H Südbau für Musikinstrumenten- und Volkskundesammlungen von 1963–67;
I Refektorium, umgebaut 1965–67; K östliches Ende des Galeriebaus German Bestelmeyers, umgebaut
1965–68 für Zwecke des Fotoateliers und der Restaurierungswerkstätten; L Werkstattflügel, errichtet
1965–68; M Südwestbau Gustav von Bezolds von 1898–1902 (hier mit flachem Dach nach vorgesehener
Abtragung des Dachstuhles); N dreistöckiger Ostbau (in veränderter Form 1968–71 ausgeführt); O geplanter
Ausstellungsflügel; P Einfahrt zur Tiefgarage; Q geplanter Glaspavillon für Gartenplastik an der Stelle des
1968–70 errichteten Vortragssaales

☐ Der Theodor-Heuss-Bau

87   Die infolge der Zerstörung des Verwaltungsgebäudes der Beckhschen Fabrik offene Situation an der
südlichen Längsseite des Kornmarktes, der nördlichen Begrenzung des Museumsgeländes – die
Eingangshalle und der 38 m weiter östlich parallel errichtete Ausstellungsbau waren nur durch das 30
m weiter südlich von Ost nach West verlaufende Galeriegebäude verbunden –, sollte mit einem 64 m
306–308   langen und 13 m breiten zweigeschossigen Ausstellungsbau, mit möglichst variablen Einrichtungsfor-
men, den notwendigen städtebaulichen Abschluß erfahren. Der Maßstab der Gebäudemasse war
62, 293,   durch den Bestelmeyerschen Eingangshallenbau und dessen signifikantes Portal gegeben. Die wieder-
322   erstehende übrige Bebauung des Kornmarktes erweckte den Wunsch, das Neue vom Alten betont
abzusetzen, wobei die Masse des Altbaus einbezogen und beide Teile miteinander verklammert
werden sollten. Eduard Trier schrieb in einem Sonderdruck der Monatsschrift „baukunst und
werkform", Heft 2/59: „Um hineinzugehen, muß man durch das alte Hauptportal hindurch, und
auch im Innern merkt man erst bei genauerem Hinsehen, daß man von dem neuen in den älteren Teil
des Museums hinübergewandert ist . . .". Die qualitätvolle Ausführung der angrenzenden Altbauten
verlangte nach vergleichbar solider Verarbeitung und der Wahl dauerhaften Materials.

493

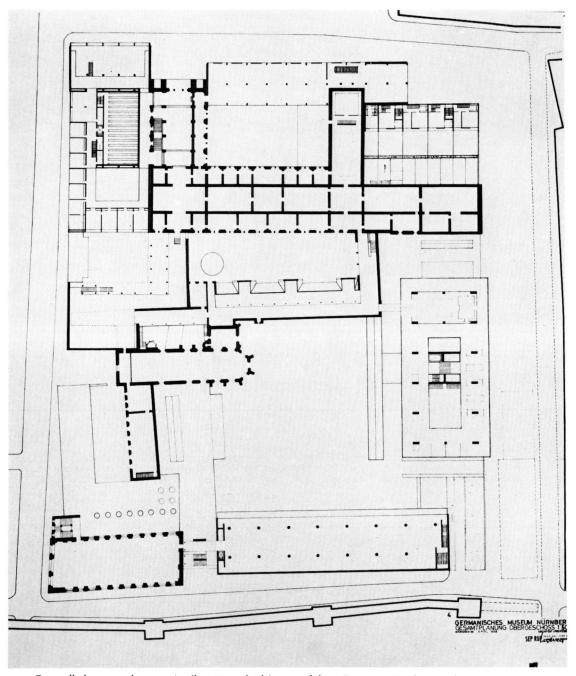

305. Generalbebauungsplan von April 1968, endgültig ausgeführte Fassung. Norden ist oben

306. Theodor-Heuss-Bau, errichtet 1955–58, Fassade am Kornmarkt mit Haupteingang

306–308 Im Achsmaß von 6 m tragen 3 Stützenreihen und Längsunterzüge aus Stahlbeton eingespannte Rippendecken-Felder. Im Untergeschoß sind die Außenstützen nach innen versetzt, um die Baumasse vom Boden-Niveau abzuheben. Zwei massive Mauerscheiben in Querrichtung und eine in Längsrichtung dienen der Windversteifung. Süd- und Ostfassade sind zwischen den Stützen mit eingespannten Fensteranlagen aus gezogenen Stahlprofilen und Isolierverglasung geschlossen. Die so erreichte Transparenz zum Innenhof und dem auf seiner Gegenseite liegenden Galeriegebäude sollte der Integration der älteren Ausstellungsgebäude dienen. Der durch die Öffnung nach Süden bedingten klimatisch und konservatorisch unerwünschten Sonneneinstrahlung wurde dadurch begegnet,
108, 396, daß außen frei vor der Fassade ein zwischen Aluminiumrohrprofilen geführter Sonnenstore (Jalousie)
419, 431, angebracht wurde; je nach Stellung der herabgelassenen Lamellen kann eine Streuung und Steuerung
432 des Lichtes erreicht werden. Das Oberlicht alter Galeriesäle für Gemälde wie das für Plastiken notwendige Seitenlicht ist dadurch annähernd herstellbar und erfüllt so die gewünschte Variabilität unterschiedlicher Ausstellungsprogramme. Die Nordfassade ist achsial mit Mauerscheiben weitge-
306 hend geschlossen. Auf beiden Seiten neben den Stützen 1,25 m breite, vertikal verlaufende Fensterstreifen führen dem Innenraum von dieser Seite das erwünschte diffuse Nordlicht zu. Der Außenansicht des langgestreckten Baus wurden hierdurch kontrapunktisch die notwendigen Vertikalen hinzugefügt, die der Schauseite am Kornmarkt die architektonische Ausgewogenheit und das harmonische Maß verleihen, welches durch Natursteinverkleidung erhöht wird. Die Fußböden sind mit Naturstein-Jura belegt, die Pfeiler mit Jura-Travertin bzw. mit Muschelkalk-Blaubank bekleidet. Die außen sichtbaren Wandscheiben bestehen aus Sandsteinquadern, die im Norden zugemauerten Felder sind außen mit Muschelkalk-Blaubank und innen mit Sperrholzplatten und einem Deckfurnier aus Rüster
308 bekleidet. Gerade Treppenläufe aus Stahlbeton-Plattenbalken mit überstehenden Blockstufen aus Muschelkalk-Blaubank verbinden die Geschosse. Schwarzmatt gestrichene Stahlrohrgeländer sind mit Plexiglas ausgefacht. Deckenuntersichten sind mit glattgescheibtem Kalkgipsputz versehen, weiß
108, 419 gestrichen und im Duktus des Pfeiler-Rastermaßes in Felder eingeteilt, wobei die Dehnungsfugen mit Aluminium-Hohlschienen überbrückt und zum Einstellen von raumtrennenden Leichtwänden versehen sind. Die Regulierung der Raumtemperatur in den Wintermonaten erfolgte bisher durch eine Warmwasserheizung unter dem Fußbodenbelag. Zur Be- und Entlüftung der Räume dienen Lüftungsflügel innerhalb der Fensteranlagen. Auf elektrische Beleuchtung wurde verzichtet, da das Museum in der Regel nur am Tage geöffnet sei. Nach dreijähriger Bauzeit wurde der Bau 1958 mit eingerichteten Sammlungen eröffnet.

307. Theodor-Heuss-Bau, errichtet 1955–58, Südfassade zum Hof mit später beseitigter Treppe

Im Untergeschoß waren in Längsrichtung transparente Großvitrinen mit Vor- und Frühgeschicht- 372
lichen Altertümern aufgestellt. Das Hauptgeschoß (Erdgeschoß) konnte im vorderen Bereich für
Ausstellungen wechselnder Thematik genutzt werden. Der anschließende Teil wurde mit Nürnberger
Kunst eingerichtet – graphischen Werken und Gemälden Albrecht Dürers und seiner Schule, Gold 108
und Silber des Nürnberger Patriziats. Im Obergeschoß fanden wissenschaftliche Instrumente, Mu- 431, 432
sikinstrumente, Fayencen und Porzellan, Kunsthandwerk um 1800 und Gegenstände des süddeut- 419, 396
schen Barocks Platz, woran die im angrenzenden Altbau aufgestellte Sammlung des süddeutschen
Rokoko (Kostümpassage) anschloß. Frei aufstellbare Stellwände, Podeste und Vitrinen erlaubten
offene Räume, die nicht an einen Korridor gereiht oder auf Achse gestellt sein mußten.

Das Engagement des amtierenden Verwaltungsratsvorsitzenden Theodor Heuss war für den
Verwaltungsrat und die Leitung des Museums willkommener Anlaß, diesem Gebäude seinen Namen
zu verleihen. Der Geehrte äußerte sich hierzu in seiner launigen Weise: „. . . ich durfte es deshalb
hinnehmen, weil ich . . . in dieser Sache das Gefühl habe, daß ich dem Museum, daß ich der Stadt
Nürnberg mit diesem und jenem, bescheiden ausgesprochen ganz einfach nützlich sein konnte . . .
Und es ist sehr gut, daß hier keine gotische Ersatzkathedrale versucht wurde und daß man auch nicht
die Geschichten von Bestelmeyer variieren wollte, sondern wenn schon Vernichtung in diese Zeit
ging, dann – bei allem Wahren dessen, was Schönheit und Können der Vergangenheit uns gegeben hat
– hin zur Gegenwart und hin zur Zukunft.“

Nach wechselnden Einrichtungen der Ausstellungsgeschosse mußten diese 1974 geräumt werden,
da die Fußbodenheizung durch Materialfehler der Stahlrohre unbrauchbar geworden war. Nach
heutigem Stand museologischer Technik werden unter die Decken Blechkanäle gehängt, die erwärmte
oder gekühlte, befeuchtete oder frische Außenluft in den Raum bringen und hiermit das für die

308. Theodor-Heuss-Bau, errichtet 1955–58. Treppe zwischen Erd- und Obergeschoß

309. Hof zwischen Mittelalterhalle von 1960/63 und altem Refektorium mit Blick auf die Südwestecke der Kartäuserkirche, Brunnen von Georg Brenninger 1965/66

ausgestellten Altertümer geforderte gleichmäßige Klima bewirken sollen. Projektierte Decken aus schwerentflammbarem und schallschluckendem Material sollen das Klimakanalsystem verdecken, ein neues Beleuchtungssystem und Alarm- wie Sicherungsanlagen aufnehmen. Das neukonzipierte Nutzungsprogramm sieht im Obergeschoß die Aufstellung der Vor- und Frühgeschichtlichen Sammlung, im Erdgeschoß den Einbau eines Ausstellungssystems für Sonderausstellungen und im Untergeschoß die Einrichtung von Arbeitsräumen für den wachsenden Raumbedarf des Kunstpädagogischen Zentrums und der Restaurierungswerkstätten vor.

□ Die Mittelalterhalle

Die außerordentlich schwierige finanzielle Situation – Mittel für Neubauten standen nur beschränkt und unregelmäßig zur Verfügung – erlaubte erst 1960 eine bescheidene Fortführung des Neubau-Programms.

Zwischen dem historisierenden Südwestbau Gustav von Bezolds und der mittelalterlichen Kartäu- 309 serkirche entstand eine winkelförmige erdgeschossige Ausstellungshalle, die zum Refektorium einen Innenhof bildet. Auf die Unterkellerung des Gebäudes wurde aus Kostengründen verzichtet, was heute bei dem Bedarf an Depoträumen bedauert wird. Städtebaulich bedeutet die niedrig gehaltene Baumasse ein Verbindungsglied zwischen zwei bedeutsam aufragenden Gebäuden. Auf einem im

498

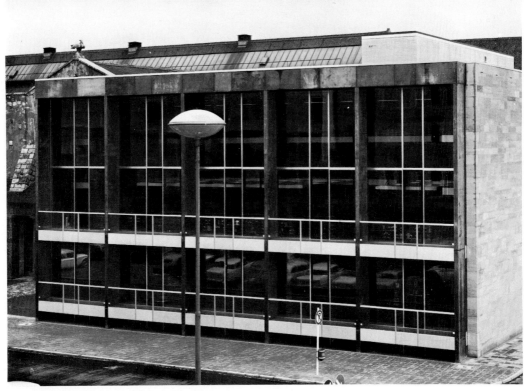

310. Bibliotheksbau von 1960/64, Front am Kornmarkt, im Erdgeschoß Studiensaal des Kupferstichka-binetts, darüber Lesesaal der Bibliothek

Rastermaß von 6,50 m gestellten Stahlrohr-Stützensystem lagert ein aus Stahlträgern bestehendes Flachdach, das mit Ausschnitten für Lichtkuppeln zusätzlichen Tageslichteinfall ermöglicht. Die westlich entlang der Kartäusergasse verlaufende Begrenzungsmauer mit an der Decke anschließen-dem schmalen Lichtband und die östlichen wie nördlichen vom Fußboden bis zur Decke reichenden Fensteranlagen, konnten aufgrund der statischen Konzeption frei gestellt werden. Die variable Aufstellung von Trennwänden war auch in dieser Halle möglich. Die zum Innenhof gewandten Fassaden wurden mit einer einfach verglasten Aluminiumkonstruktion abgeschlossen, die den tiefen Ausstellungsraum in ausreichendem Maß mit Tageslicht versorgen sollte.

309   Man verzichtete zunächst auf eine zentral gesteuerte Befeuchtungs- und Belüftungsanlage und auf künstliche Beleuchtung, da das ursprüngliche Entwurfsprogramm nach dem Konzept Ludwig Grotes

454 und Erich Meyer-Heisigs Ausstellungsräume für volkskundliches Gerät und Bauernstuben vorsah. Mit der Änderung des Ausstellungskonzeptes, das eine chronologische Anordnung der Sammlungen im entworfenen Rundgangsystem forderte, sollte an dieser Stelle die Sammlung mittelalterlicher Malerei und Plastik aufgestellt werden. Diese Kunstgegenstände erforderten aus konservatorischen Gründen verbesserte technische Ausrüstungen des Ausstellungsraumes. Nachträglich wurde eine Be- und Entlüftungsanlage mit künstlicher Befeuchtung notwendig, deren Kanalsystem und Auslaßöff-nungen an den im Süden und Osten abschließenden massiven Wänden eingebaut wurden. Die

499

Bekleidung dieser Einbauten erfolgte durch stoffbespannte Preßspanplatten, die gleichzeitig als Hängefläche für Gemälde dienen. Die weite Einwurftiefe der künstlich befeuchteten Luft von den Rückwänden bis zum vorderen verglasten Raumabschluß galt als unproblematisch. Eine Ziegelvormauerung der massiven Wände, atmungsfähiger Kalkanstrich, teilweise Deckenverschalungen aus Holz, Vorhänge und stoffbespannte Stellwände übernehmen die Aufgabe der Feuchtigkeitsspeicherung. Die notwendig gewordene künstliche Beleuchtung wurde durch den Einbau von Leuchtstoffröhren über einer abgehängten Aluminiumrasterdecke, die die Blendwirkung der Lichtquellen sowie der Lichtkuppeln verhindert, ermöglicht. Nachdem die Sammlung im Juli 1969 für das Publikum geöffnet wurde, traten im Winter 1969/70 Schäden an wertvollen Gemälden auf, die Untersuchungen der klimatischen Verhältnisse des Ausstellungsraumes notwendig machten und als Ergebnis das Vorhandensein von zwei unterschiedlichen Klimazonen aufzeigten. Die einfach verglaste Fassade erwies sich als Störfaktor innerhalb des geforderten kontinuierlichen Klimas (18° Celsius, 55% relative Luftfeuchtigkeit). Der Stand der technischen Einrichtungen der Glashüttenindustrie ermöglichte die Anfertigung von Isolierglasscheiben, die dem hier geforderten Maß von 4,60 m Höhe und ca. 2,00 m Breite entsprachen. Die Umbaumaßnahmen erfolgten im letzten Drittel des Jahres 1970. Die Fassade erhielt eine Isolierverglasung. Die großen Schiebetüren wurden durch feststehende Rahmen ersetzt. Der Zugang zum Innenhof blieb durch eine sorgfältig abgedichtete Drehtür weiterhin möglich. Am Dachgesims montierte Jalousiekästen, die den Einbau einer Jalousie-Anlage ermöglichen, sollen eventuell späteren Forderungen nach Abschirmung der morgens kurz stattfindenden Sonneneinstrahlung von Osten begegnen. Verglasung mit Sonnenschutzgläsern (z. B. Auresin, Parsol) wurde dagegen verworfen, da die hiermit verbundene Verfärbung des Tageslichtes für die Präsentation von Gemälden und farbig gefaßten Skulpturen unerwünscht ist.

Gleichzeitig mit den Einrichtungsarbeiten der Mittelalterhalle wurde in den Jahren 1965–1966 das westlich an den kleinen Kreuzgang anschließende Gebäude, das Refektorium der mittelalterlichen Klosteranlage, modernisiert. Das Erdgeschoß nahm die mittelalterlichen Gemälde in kleinem Format auf und wurde gemeinsam mit der Mittelalterhalle eröffnet. Das Obergeschoß beherbergt die Sammlung historischen Spielzeugs und die einzigartigen Puppenhäuser des 17. Jahrhunderts; die Spielzeugabteilung konnte in 3 Räumen im Dezember 1968 dem Publikum zugänglich gemacht werden. 404, 406

□ Der Bibliotheks- und Verwaltungsbau

Während der Bauzeit der Mittelalterhalle verliefen Planungen zur Errichtung eines Gebäudes, das die 310–312 umfangreichen Bestände der Bibliothek, des Kupferstichkabinetts und Archivs aufnehmen und den wachsenden Raumbedarf der Verwaltung befriedigen sollte. Das Gelände der an der nordwestlichen Ecke Kornmarkt/Kartäusergasse befindlichen alten Feuerwache der Stadt Nürnberg konnte durch Grundstückstausch – in einem Umlegungsverfahren wurde der Stadt Nürnberg hierfür das Gelände des alten Bibliotheksgebäudes übertragen – hinzugewonnen werden, so daß für das zu verwirklichende Programm die seitlich durch Kartäusergasse und Eingangshalle begrenzte Grundfläche bis zur südlichen Fluchtlinie des Galeriebaus zur Verfügung stand. Eine bis zur Höhe des Galerie- und Eingangshallengebäudes geführte rechteckige Baumasse bringt in hervorragender Weise städtebaulich den Abschluß zum Kornmarkt. Als Kern des Gebäudes wurde ein siebengeschossiger, in sich abgeschlossener klimatisierter Turm für die Magazinierung umfangreich vorhandenen und weiter wachsenden Bibliotheksbestandes errichtet. Zur Aufnahme hoher Gewichte hätten besonders stark ausgebildete Betondecken eingezogen werden müssen, was aber durch übereinandergestellte Stahlregale vermieden wurde. Um diese Anlage gruppieren sich im Norden der Studiensaal des Kupferstichkabinetts und der darüberliegende Lesesaal der Bibliothek, im Westen und Süden in 3 Geschossen Büroräume für wissenschaftliches Personal und Verwaltung. Lese- und Studiensaal öffnen sich zum 314

311. Lesesaal der Bibliothek

Kornmarkt durch eine gänzlich verglaste Fassade, die neben der Funktion als gestalterisches Element ausreichende Tageslichtstrahlung in die Tiefe des Raums ermöglicht. Deckenbekleidungen aus Fichtenholzlatten, Edelholz-furnierte Wandverschalungen, Teppichbeläge und nach Entwurf gefertigte Tische, Regale und Schränke vermitteln dem Benutzer das gewünschte Maß an Wärme und Geborgenheit.

Zwei Kellergeschosse nehmen Werkstätten, Archiv und Lagerräume auf. Die westlich und südlich aufgereihten Arbeitsräume umgeben mit der aus Muschelkalk-Goldbank bekleideten Wand des Bücherturmes ein Atrium. Seine Höhenentwicklung, die mit Lichtkuppeln versehene Decke und die als Zugänge zu den Arbeitsräumen in den Freiraum überkragenden, umlaufenden 2 Galerien schufen einen Raum, der als gestalterisches Moment Beachtung verdient. Das Atrium konnte bis zum Bau eines eigenen Hörsaalgebäudes 1971 für Vorträge und Musikvorführungen genutzt werden und nimmt gegenwärtig kleinere Ausstellungen auf. Der Bau konnte im April 1964 bezogen werden. Der Studiensaal wurde am 1. Juni 1964 und der Lesesaal der Bibliothek am 1. September 1964 dem Publikum geöffnet.

312. Blick in das Atrium des 1960/64 errichteten Verwaltungsbaues, vorn der Architekt Professor Sep Ruf, rechts außen Generaldirektor Dr. Erich Steingräber

313. Sog. Westkopf von 1963/67. Kirchliche Kunst des frühen und hohen Mittelalters. Aufnahme nach der Eröffnung am 22. Juni 1967

☐ Der Verbindungsbau zwischen
dem Galeriegebäude und dem Großen Kreuzgang, der sogenannte Westkopf

313, 314, Der Generalbebauungsplan von 1962 sah bereits an Stelle des achsial vom sogenannten Lapidarium
387 des Galeriegebäudes zum Kreuzgang verlaufenden schmalen Verbindungsbaues einen zweigeschossigen Ausstellungsbau vor. Ab 1963 erfolgten konkrete Planungen zur Errichtung eines Ausstellungsbaus für spätantike und frühmittelalterliche Kunstaltertümer, Kunsthandwerk der Renaissance und wissenschaftliche Instrumente, der in den folgenden Jahren errichtet wurde. Ein die Höhe des Verwaltungsbaues aufnehmendes flaches Dach wird an der Ost-, Süd- und Westseite von stark ausgebildeten Mauerscheiben und weiter von 2 Stützenreihen aus Stahlrohren getragen. Eine Stahlbetonzwischendecke liegt auf dem Umfassungsmauerwerk des Kreuzganges auf und ist bis an die innere Stützenreihe herangeführt, so daß sie wie eine Galerie Abstand zur Nord- und Westfensterwand hält. Im westlichen Bereich führt entlang der Nordfenster eine einläufige Treppenanlage vom Erdgeschoß zum Obergeschoß. Das Fußbodenniveau des Galeriegebäudes wurde für den Neubau um 1,20 m abgesenkt, um in der Halle im Erdgeschoß durch bis zum Fußboden herabgezogene Fenster ebener-

314. Innenhof zwischen Verwaltungsbau (links) und dem sog. Westkopf, im Hof Bronze, „Ptolemäus" von Hans Arp von 1953, erworben 1966. Aufnahme 1967

dig eine optische Erweiterung zur Außenfläche zu ermöglichen. Treppenanlagen überwinden den Höhenunterschied. Das Dachgesims ist mit abgekantetem, natureloxiertem Aluminiumblech bekleidet. Zwischen von Gesims bis Fußboden geführten, schwarz-matt gestrichenen T-Stahlprofilen hängen in durchlaufender Höhe Einscheibengläser; eine Ausführung in Isolierverglasung war für das außergewöhnliche Maß nicht möglich. Dadurch wurde die notwendige Beleuchtung durch Tageslicht bis in die hintere Raumtiefe möglich. An der Westseite verhindert eine auf- und abfahrbare Raffstore-Anlage die Sonneneinstrahlung.

Im Fußboden eingebaute Konvektorenschächte sollten mit einem Warmluftschleier die bei niedrigen Außentemperaturen entstehende Kondenswasserbildung verhindern. Vorsichtshalber wurden außerdem im Fußboden Auffangrinnen eingebaut. Probleme entstanden erst nach dem anfänglich nicht vorgesehenen Einbau einer Befeuchtungsanlage, die dem Innenraum für ausgestellte Holzskulpturen eine gleichmäßige Feuchtigkeit, ca. 55%, garantieren sollte. Die unterschiedlichen Materialien ausgestellter Altertümer (Holz, Textil, Zinn, Bronze, Glas, Pergament usw.) erfordern differenzierte Klimabedingungen, so daß thematisch zusammenhängende Aufstellungen von Altertümern unterschiedlichen Werkstoffes bedauerlicher Weise problematisch werden und kaum noch möglich sind. Ziegelvormauerungen der begrenzenden Betonwände, Deckenbekleidungen aus furnierten Holzpaneelen und kanadischen Fichtenholzlatten erfüllen neben ihrer gestalterischen Funktion auch die Aufgabe, Feuchtigkeit zu speichern. Natursteinbeläge aus Lohndorfer Basalt bedecken eine

315. Der überbaute Innenhof des Kleinen Kreuzganges, ausgeführt 1963–67. Skulpturen des Veit Stoß und seines Umkreises

Fußbodenheizung und Kabelkanäle, die den elektrischen Anschluß frei aufgestellter Vitrinen ermöglichen. Die künstliche Beleuchtung des Raumes erfolgt indirekt durch die in Deckenvouten montierten Leuchtstoffröhren. Die größere Lichtmenge jedoch wird von den Beleuchtungskästen der freistehenden und festmontierten Vitrinen erzeugt. Die infolge des beschriebenen statischen Systems entstandenen freien großen Flächen konnten variabel für die Aufstellung von Vitrinen (freistehend und an Wänden), Stellwänden, Podesten usw. genutzt werden. 1967 wurde das Erdgeschoß mit frühmittelalterlicher Kunst und 1968 das Obergeschoß mit Kunsthandwerk der Renaissance und wissenschaftlichen Instrumenten eröffnet. Die Außenflächen des Umfassungsmauerwerkes erhielten im Bereich der Kirche an der Kartäusergasse eine Bekleidung aus Sandsteinquadern und an der östlichen Seite eine Ziegelvormauerung, die sich hier den Ziegelmauern des Galeriegebäudes und der Mönchshäuser anpaßt.

Die zwischen Verwaltungs- und Ausstellungsbau an der Kartäusergasse entstandene Lücke wurde mit der Errichtung eines niedrigen Bürogebäudes geschlossen. Im Erdgeschoß befinden sich die Diensträume des Generaldirektors, das Untergeschoß ist als Besprechungsraum ausgebildet. Die Gestaltung folgte den Prinzipien, die schon für den Verwaltungs- und Westkopfbau galten. Somit entstand mit der Begrenzung durch den L-förmigen Ausstellungsbau, Verwaltungs- und Direktoriumsbau wiederum ein neuer, den Grundüberlegungen vorhergegangener Gesamtplanungen entsprechender Innenhof.

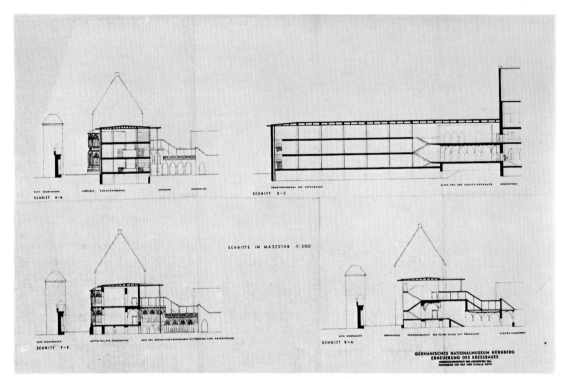

316. Pläne von Sep Ruf und Harald Roth für den neu zu errichtenden Südbau unter Erhaltung der Kresskapelle von 1412 und weiterer Reste des spätgotischen Augustinerbaues. 1953. Vgl. auch Generalbebauungsplan
Abb. 302

☐ Die Überdachung des Kleinen Kreuzganges

Der während der Kriegsjahre stark beschädigte Kleine Kreuzgang wurde zunächst nach denkmalpfle- 111, 315,
gerischen Gesichtspunkten wiederhergestellt, wobei 3 Wände des Innenhofes erhalten werden konn- 317
ten. Die Möglichkeiten, diesen historischen Bauteil zu überdachen und mit einer Glaswand nach
Osten abzuschließen, sah man als reizvoll an, gewann man doch einen Ausstellungsraum für mittelalterliche Plastik und einen direkten Verbindungsweg zu dem in gleicher Zeit im Bau befindlichen,
entlang der Frauentormauer verlaufenden Südbau. Als Dachform wurde eine auf Stahlrohrstützen
und dem begrenzenden Umfassungsmauerwerk von Refektorium und Kirche waagrecht aufliegende
Stahlträgerkonstruktion gewählt. Um dem Raum das notwendige Tageslicht zuzuführen, wurde der
hintere Bereich des Daches mit einer Glashaube versehen und die östliche Seite in der gesamten lichten
Höhe von ca. 7,00 m in Stahlprofilen mit einer Einfach-Verglasung geschlossen. Sonnenstrahlung
wurde durch den Einbau einer Innenjalousie verhindert. Eine Außenjalousie, die bauphysikalisch
richtiger gewesen wäre, konnte aus finanziellen Erwägungen nicht realisiert werden. Die Ausführung
einer Ganzglasfassade wurde darüberhinaus mit denkmalpflegerischen Überlegungen begründet; das
freistehende Mauerwerk des Kleinen Kreuzgangs sollte nicht mit hinzugestellten Baumassen konfrontiert werden. Die Aufstellung von mittelalterlicher Holzplastik, vor allem von Werken des Veit Stoß,
machte eine künstliche Befeuchtung notwendig, wobei die Aufstellung mittelalterlicher Gemälde im

317. Blick auf den im Bau befindlichen Südbau (links) und den noch nicht überdachten Innenhof des Kleinen Kreuzganges (rechts); hinten der vereinfacht wiederhergestellte Südwestbau Gustav von Bezolds von 1898–1902. Aufnahme 1965

südlicher an den sogenannten Südbau anschließenden Bauteil zu diesem Zeitpunkt noch ungeklärt war. Man wollte vorerst die mittelalterliche Malerei auf die westlich anschließende Halle und das Refektorium beschränkt wissen. Das Befeuchtungskanalsystem wurde innerhalb der Decken geführt, die Auslaßöffnungen über dem Kreuzgangmauerwerk angeordnet, womit man eine große Auswurfweite erzielte und feuchte Luft nicht konzentriert an die einfachverglaste Fassade herangeführt wurde. In dem vom Kreuzgangmauerwerk begrenzten, um 34 cm tiefer liegenden Bereich wurden die Skulpturen freistehend oder vor schmalen Holzgestellen aufgestellt. Der an den Südbau angrenzende Bereich erhielt zwei quer zur Fensterfront montierte Stellwände für mittelalterliche Gemälde. Nach vierjähriger Bauzeit konnte dieser Bauteil am 4. Juli 1968 geöffnet werden.

□ Der Südbau

120, 317 Parallel zur Frauentormauer wurde 1963–1968 als südlicher Abschluß des Großen Kreuzganges und der gesamten Museumsanlage ein viergeschossiger, 76 m langer und 18 m tiefer Bau errichtet, in dem
422 im Erdgeschoß die Sammlung historischer Musikinstrumente, in den oberen Geschossen die volks-
455 kundlichen Sammlungen – Trachten, Hausgerät, Gegenstände religiöser Frömmigkeit – ausgestellt werden sollten. Der Bau wird nach Osten und Süden durch massive mit Sandstein bekleidete Wände und nach Westen durch ein an den Südwestbau anschließendes Treppenhaus abgeschlossen. Frühere

Planungen sahen an Stelle dieser Treppe noch die Einbeziehung der zum ehemaligen Augustinerbau 316 gehörenden gotischen Kresskapelle vor, die im Krieg beschädigt wurde, aber teilweise erhalten war. 114–115 Die Unterkellerung des Bauwerkes erfolgte zur Hälfte zweigeschossig, wobei das sich über die gesamte Länge des Gebäudes erstreckende erste Kellergeschoß die Depots für Musikinstrumente und volkskundliche Gegenstände und das sich über die halbe Länge erstreckende zweite Kellergeschoß die zentrale Heizungsanlage aufnahm.

Um in den 18 m tiefen Ausstellungsgeschossen das notwendige Maß an Tageslicht zu erreichen, wurde die Nordfront mit Hilfe einer Stahlkonstruktion gänzlich verglast. Der Ausstellungsraum im Erdgeschoß erhielt eine Isolierverglasung, da bereits im Entwurfsprogramm eine künstliche Befeuchtung für die auszustellenden historischen Musikinstrumente gefordert wurde. Die oberen Geschosse, die untereinander nicht abgeschlossen und als ein großer Ausstellungsraum zu betrachten sind, sollten möglichst einfach ausgebaut werden. Man wollte auf eine künstliche Befeuchtung verzichten. Somit wurde die hängende Verglasung in der einzig möglichen Weise als Ein-Scheibenglas ausgeführt. Nach Fertigstellung der Bauhülle entschloß sich der Bauherr jedoch, eine Befeuchtungsanlage einzubauen, die unter schwierigen Bedingungen mit Hilfe von Installationsinseln ermöglicht wurde. Be- und Entlüftung der Ausstellungsräume erfolgt durch in der massiven Südwand eingebaute Ventilatoren. Fußbodenheizung und Konvektorenschächte im Bereich der Fensteranlagen besorgen die Beheizung. Flachdach und Stahlbetondecke über dem Erdgeschoß kragen nach Norden aus und werden mit vertikal im Duktus des Stützenabstandes von 9 m montierten Aluminiumrohrprofilen zusammengefaßt. Die Decken der folgenden Geschosse springen treppenartig zurück und vermitteln in den 3 Obergeschossen das Erlebnis eines Großraums. Die Aufstellung der Sammlungen wurde in mehreren Modellen untersucht und bereitete bei der Einrichtung wegen der wenigen vorhandenen Wandflächen Schwierigkeiten, die aber durch freie, den Großraum erhaltende Anordnung von stoffbespann- 455 ten Holzpaneelwänden gelöst wurden. Freistehende, rundum verglaste Vitrinen ermöglichen weitestgehende Transparenz und gestatten dem Beschauer der Ausstellungsgegenstände eine allseitige Betrachtung.

Ebenso wurden bei unzähligen Versuchen die technischen und gestalterischen Probleme der künstlichen Beleuchtung behandelt. Bauherr und Planer fertigten in Zusammenarbeit mit Fachingenieuren der Beleuchtungsindustrie mehrere denkbare Modelle an Ort und Stelle. Der schwierige Einbau von Leuchtstoffröhren und Strahlern, bündig und verdeckt in den abgehängten Holzdecken, wurde gelöst, indem verspiegelte Leuchtkörper unsichtbar in Deckenschlitzen montiert wurden. Das Licht kann schräg auf die Wandfläche oder auf den ausgestellten Gegenstand gerichtet werden. Somit konnte der gewünschte durchgehend flächige Charakter der Decken erhalten bleiben. In anderen Fällen wurde senkrecht gerichtetes Licht mit deckenbündigen Aluminiumrastern abgeblendet. Die erarbeiteten neuen Prinzipien fanden dann in allen folgenden Bau- und Einrichtungsmaßnahmen weitere Anwendung. Der für derartige Untersuchungen technischer und gestalterischer Art erforderliche hohe Zeitaufwand und intensivere Kontakt zwischen dem Museum und dem in München wohnhaften Architekten machte es wünschenswert, einen ständig am Ort tätigen Architekten zu haben, der im Auftrag der Direktion mit dem Planer zusammenarbeiten und den wissenschaftlichen Referenten des Museums bei der Präsentation der Sammlungen zugeordnet werden sollte. Der Autor dieses Aufsatzes nahm diese Tätigkeit als ehemaliger Meisterschüler von Professor Sep Ruf am 1. März 1968 auf und bearbeitet bis heute neben den Bauangelegenheiten u. a. gestalterische Aufgaben bei Sonderausstellungen. Unter seiner Mitarbeit konnte der Südbau mit den Volkskundlichen Sammlungen bis zum 4. März 1969 und die Sammlung Historischer Musikinstrumente bis zum 8. Juli 1969 fertiggestellt werden.

☐ Das Werkstätten- und Wohngebäude am Nordost-Ende des Museumsgeländes

Die betrieblichen Funktionen des Museums ließen es wünschenswert erscheinen, ausreichend Räume für Werkstätten und Wohnungen für Personal zu schaffen. In östlicher Verlängerung der Südflucht des Heuss-Baues wurde 1965–1968 ein dreigeschossiges, bis zur Grasersgasse reichendes, 36 m langes und 16 m tiefes Gebäude errichtet, das im Erdgeschoß die Werkstätten für Schreiner, Spengler, Schlosser und den Waffenrestaurator und im darunter liegenden Kellergeschoß die zugehörigen Maschinenräume beherbergen sollte. Zwei darüberliegende, von der Südfront der Werkstätten deutlich abgesetzte Geschosse wurden als Wohnraum für Hausmeister und Gäste des Museums vorgesehen. Das konstruktive System der Schottenbauweise erwies sich als angebracht, da hiermit die zellenartige Trennung unterschiedlicher Funktionen und Bedürfnisse erreicht wurde. Nördliche und östliche Fassade wurden weitestgehend geschlossen gehalten und mit Naturstein (Muschelkalk-Goldbank) bekleidet. Die nach Süden offenen „Zellen" wurden mit Stahlfensterkonstruktionen ausgefacht. Markisen schützen vor Sonneneinstrahlung. Der mit der südlichen Begrenzung durch den Galeriebau entstandene Innenhof wurde an der Ostseite zur Grasersgasse mit einem Stahlgittertor geschlossen und dient zur Anlieferung von Materialien. Ein Materialaufzug erleichtert die Transportverbindung von den Kellergeschossen zum Hof. Neben den Neubaumaßnahmen wurden im Erdgeschoß des gegenüberliegenden Galeriebaus ehemalige Ausstellungsräume, unter anderem der ehemalige Saal der barocken Gartenplastik, zu Restaurierungswerkstätten und Fotolabor umgebaut. Der zu erwartende Gebrauch von Chemikalien erforderte den Einbau eines Abzugskanalsystems, das durch die gesamte Gebäudehöhe über Dach geführt werden mußte. Aufwendige Installationsarbeiten für naturgemäß umfangreiche technische Anforderungen komplizierten die Ausbaumaßnahmen. Die vorhandenen Fensteröffnungen erhielten neue isolierverglaste Stahlrahmenfenster. Die Raumhöhe des ehemaligen Gartensaals erlaubte den Einbau eines galerieartigen Zwischengeschosses. Somit konnten die Werkstätten des Museums weitestgehend schwerpunktmäßig zusammengefaßt werden.

☐ Die Umbauten für das Kunstpädagogische Zentrum

Dem zu Beginn der sechziger Jahre in einer Krise befindlichen kunstpädagogischen Unterricht in den Schulen bot sich das Museum als Unterrichtsfeld an. Dr. Erich Steingräber und dem Kulturreferenten der Stadt Nürnberg, Dr. Hermann Glaser, sind Pläne zur Einrichtung von pädagogischer Arbeit im Museum zu verdanken, die über eine vier Jahre dauernde Entwicklungsphase zur Gründung eines kunstpädagogischen Zentrums führten. Für die Grundlagenerarbeitung wurden 1964 als Vertreter des Museums und der Stadt Nürnberg Dr. Wulf Schadendorf und Studienrat Gerhard Springer beauftragt. Man konnte sich an vorhandenen Modellen der Kölner und Berliner Museen orientieren, skandinavische Einrichtungen studieren, mußte aber ortsspezifische Schullehrpläne berücksichtigen. Neben der programmatischen und vertraglichen Gestaltung wurde die schwierige Frage der räumlichen Einrichtung untersucht.

Zunächst hielt man ein eigenes Gebäude innerhalb des Museumskomplexes für wünschenswert. Der Generalbebauungsplan des Jahres 1962 sah an der Grasersgasse 2 pavillonartige Gebäude vor, von denen eines als Bildungszentrum mit Verwaltungsräumen und Lehrsälen gedacht war. Die Finanzierung eines solchen Neubaus erwies sich als undurchführbar, da hierfür öffentliche Mittel außerhalb des Schulbereichs nicht zur Verfügung standen. Deshalb konnte man lediglich an die Einrichtung in vorhandenen Gebäuden denken und untersuchte die Situation im Obergeschoß des Heuss-Baues und im Erdgeschoß des Galeriebaus. Dieser erwies sich als günstig, da mit der Eingangshalle und dem Lapidarium entsprechende Vorräume zur Versammlung der Schulklassen vorhanden waren. In die nördlich gelegenen vier Ausstellungsräume mußten Büros und Unterrichtsräume eingebaut werden. Die 1968 beginnenden Ausbauarbeiten richteten sich nach den veränderten Nutzungs- und Funktionsforderungen. Die lichte Raumhöhe, die durch Rabitz-Gewölbe noch übersteigert war, wurde durch den Einbau einer Rasterdecke aus schallschluckendem Material reduziert und in die notwendige Proportion gebracht. Über der Rasterdecke bot sich die Anbringung der künstlichen Beleuchtung (Leuchtstoffröhren) und eines Kanalsystems für die Be- und Entlüftung an, die auch zusätzlich zum Einblasen vorgewärmter Frischluft genutzt werden kann. Der vorhandene Steinfußboden wurde teils durch Teppich- und PVC-Belag überdeckt. Die alten Fensterkonstruktionen wurden durch neue isolierverglaste Stahlkonstruktionen ersetzt. Vorhänge und Verdunkelungsanlagen entsprechen der Funktion dieser Räume. Regale, Tische, Vitrinen, Schränke wie Trennwände wurden in weißen, kunststoffbeschichteten Holzpaneelen ausgeführt. Im Dezember 1969 waren die Räume fertiggestellt. Der Betrieb des kunstpädagogischen Zentrums konnte unter der Leitung eines Wissenschaftlers des Museums und eines Kunstpädagogen der Stadt aufgenommen werden.

Nach siebenjähriger Tätigkeit mit ständig erweiterten Lehrprogrammen und steigenden Schülerzahlen stellte sich 1976 erneut die Raumfrage. Eine Erweiterung wird im Untergeschoß des Heuss-Baues erfolgen. Der westliche Teil wird vorerst in provisorischer Weise für Unterrichtszwecke genutzt. In den frei werdenden Räumen im Galeriebau werden Arbeitsplätze für Pädagogen eingerichtet. Heute kann das Wirken des kunstpädagogischen Zentrums als wesentlicher Bestandteil des Museums betrachtet werden. Als lange von Bund und Land gefördertes Modell pädagogischer Arbeit im Museum gilt es als Beispiel für ähnliche Einrichtungen anderer Städte.

☐ Hörsaal und Cafeteria

Zu der sich am Ende der sechziger Jahre verdichtenden Bautätigkeit – das Dürer-Jahr 1971 forderte die Erfüllung des Gesamtbauprogramms – gehörten auch Planung und Ausbau eines Hörsaals im 318 alten, von German Bestelmeyer erbauten, zwischen Galeriegebäude und Heuss-Bau gelegenen Verbindungstrakt. Der alte Vortragssaal an der Kartäusergasse war vor der Errichtung des Westkopf- 135 Baus abgebrochen worden. Vorträge und musica antiqua-Konzerte konnten nur provisorisch im 312 Atrium des 1964 fertiggestellten Verwaltungsgebäudes durchgeführt werden. Das Entwurfsprogramm sah die Nutzung für Vorträge mit Lichtbildvorführungen, Konzerte mit historischen Musikinstrumenten und Filmvorführungen vor, was besondere Anforderungen an die Akustik des Saales stellte. Musikvorführungen erfordern eine Nachhallzeit, während für die Stimme eines vortragenden Redners die Akustik nach dem Sprachgebrauch der Fachleute trockener sein sollte. So wurden neben resonanzkräftigen Holzbekleidungen fahrbare Stoffvorhänge mit schallschluckender Wirkung eingebaut. Gestühl wie Fußboden erhielten aus gleichen Gründen textile Bespannungen. Holzverschalte Deckenspiegel nahmen das Kanalsystem für die Be- und Entlüftung auf. In Vouten eingebaute Leuchtstoffröhren übernahmen die indirekte Beleuchtung des Saales. Die Bühne erhielt gerichtetes Licht durch den deckenbündigen Einbau von Spot-lights. Die Beheizung erfolgte durch Konvektoren, die hinter den palisanderfurnierten Wandbekleidungen montiert wurden. Den nördlichen Abschluß des Saales bildet eine 6 m breite und 3 m hohe Leinwand, die durch fahrbare Holzwände abgedeckt werden kann. Die notwendigen Lautsprecheranlagen sind teils hinter der Leinwand, teils an der Seitenwand des Saales installiert. Am südlichen Ende des Saales wurde ein Vorführraum geschaffen, der alle technischen Einrichtungen, wie Dia-Projektoren, Filmvorführgeräte, Verstärker und Schaltanlagen aufnimmt. Der Saal faßt 286 Sitzplätze. Der Westseite wurde in ganzer Breite und in 8 m Tiefe ein Foyer vorgelegt, in deren Untergeschoß die sanitären Räume und Garderoben Platz fanden. Der ganzverglasten, aus schwarz-matt gestrichenen Stahlprofilen konstruierten Fassade wurde im gleichen Duktus eine Stahlkonstruktion vorgestellt, so daß im Dachbereich waagerecht

318. Innenhof zwischen dem Bestelmeyerschen Galeriebau und dem Theodor-Heuss-Bau mit Blick auf das Foyer des Vortragssaales von 1968/70

ausfahrbare Markisenanlagen die Sonneneinstrahlung verhindern können. Die zwischen den von Bestelmeyer vorgegebenen Doppelsäulen-Stellungen freien Wandflächen wurden weit aufgebrochen, um Hörsaal und Foyer weitgehend zu verbinden und einen Großraum zu schaffen. Große, elektrisch betriebene, fahrbare, palisanderfurnierte Holztore können die Räume trennen und der Akustik im Saal genüge leisten.

Wesentlicher Bestandteil der Überlegungen zur Aktivierung des Museumsbetriebes war der Wunsch, innerhalb des Museums eine Cafeteria einzurichten, die dem Museumsbesucher wie auch dem Straßenpassanten zugänglich sein sollte. Es lag nahe, die zum Heuss-Bau gerichteten Arkaden der Eingangshalle mit einer Glaswand abzuschließen und den neu gewonnenen Innenraum als Cafeteria einzurichten. Hier ergab sich weiter die Möglichkeit, den Raum mit einer Terrasse zu erweitern, die den Hof in den Sommermonaten zu einem besonderen Anziehungspunkt macht. Die Konstruktion der abschließenden Glaswand wie die des Vorbaus erfolgte in der gleichen Weise wie beim gegenüberliegenden Foyer-Vorbau des Hörsaals. Unter großen Anstrengungen konnte unter dem Treppenaufgang zum Heuss-Bau eine kleine Küche eingerichtet und ein Abgang in das Kellergeschoß zu den dortigen Lagerräumen eingebaut werden. Eine nach Entwurf hergestellte Theke bietet Platz für alle betriebstechnischen Einrichtungen eines Cafes. Stehlampen sorgen für die Beleuchtung des Raumes. Tische und Stühle ausgewählten Designs vermitteln einen dem übrigen Museumsbereich angepaßten Gesamteindruck. Die zum Ende des Jahres 1970 fertiggestellte Anlage kann in ihrer unmittelbaren Nachbarschaft zu Eingangshalle und kunstpädagogischem Zentrum als ein für das Museum wichtiger Kommunikationsbereich gelten.

☐ Der Südwestbau

Dem dreigeschossigen, an der Südwestecke der Gesamtanlage des Museums in den Jahren 1898/02 272–282 durch Gustav von Bezold errichteten historisierenden Bau mit der im Erdgeschoß befindlichen gotischen Halle, den im ersten Obergeschoß aufgestellten Bauernstuben und der im zweiten Oberge- 47, 281 schoß eingebauten Trachtenpassage galten ab 1968 Überlegungen zum Umbau des zweiten Oberge- schosses – die Aufstellung der Trachten und anderer volkskundlicher Altertümer war für den neu 450 entstehenden Südbau vorgesehen – und zum Ausbau der Bauernstuben. Das zweite Obergeschoß sollte Räume für Werkstätten der Textilrestaurierung, der Restaurierung historischer Musikinstru- mente, des Modellschreiners, Schneiders und Malers aufnehmen, die im fertiggestellten Werkstätten- gebäude nicht aufgenommen werden konnten. Ein hohes Tonnengewölbe machte den Einbau einer 443, 444, Zwischendecke notwendig, die darüberhinaus schallschluckende Wirkung hatte. Leichte, die einzel- 450 nen Werkstätten trennende Wände – statische Berechnungen ergaben eine geringe Tragkraft der Decke – konnten keine ausreichende akustische Abschirmung bewirken. Alte Fensterkonstruktionen wurden durch neue isolierverglaste Stahlkonstruktionen ersetzt, wobei die Süd- und Westfassade Sonnenschutzglas (Auresin) erhielt. Neu eingebaute Radiatoren sorgten für die ausreichende Behei- zung der Werkstätten. Die Einrichtung der Werkstätten erfolgte im üblichen Umfang mit Maschinen, Geräten, Schränken, Tischen und Regalen. Installierte Abzugsvorrichtungen erlauben bei restaurato- rischen Arbeiten die Anwendung aggressiver Mittel. Die im ersten Obergeschoß befindlichen Bau- ernstuben bedurften zunächst der Entkernung – ein Teil war durch die Kriegseinflüsse in starkem Maße verrottet – und umfangreicher Restaurierung. Der Einbau einer abgehängten Holzlattendecke sollte die unter der Rohdecke verlaufende Rohrinstallation unsichtbar machen und die Gestaltungs- prinzipien des angrenzenden Südbaus aufnehmen. Ein Holzpflaster-Bodenbelag schuf die gewünschte Beziehung zu den Bauernstuben. Auch hier wurden die alten Fenster entfernt und durch neue isolierverglaste Stahlkonstruktionen ersetzt. Vorhänge verhindern die Sonneneinstrahlung. Radiatoren übernehmen die Beheizung des Ausstellungsraumes. Die Belüftung kann durch das Öffnen der Fensterflügel erfolgen. Auf den Einbau einer kostenaufwendigen Befeuchtungsanlage wurde verzichtet. Die zusätzliche Befeuchtung erfolgt gegenwärtig durch frei aufgestellte Truhen. Das Bauernstubengeschoß konnte am 25. Juni 1970 eröffnet und die Werkstätten im April desselben Jahres bezogen werden.

☐ Der Umbau der Gemäldegalerie

Das Prinzip innen liegender Säle mit Oberlicht und seitwärts angeordneten Kabinetten des von 288–300 German Bestelmeyer während des Ersten Weltkriegs errichteten zweigeschossigen Galeriebaus mußte im Zuge notwendiger Umbaumaßnahmen – Einbau einer Belüftungs- und Befeuchtungsanla- ge, Auswechselung des alten Satteldachs – den konservatorischen Forderungen entsprechend aus statischen wie denkmalspflegerischen Gründen beibehalten werden. Der in den vorausgegangenen Neubauten erreichte technische und gestalterische Standard sollte auf die Umrüstung des Altbaus angewendet werden. Da die für 1971 geplante Dürer-Ausstellung in diesem Bau eingerichtet werden 124 sollte, mußten die Umbaumaßnahmen beschleunigt durchgeführt werden. Der Einbau eines Kanalsy- stems für die Belüftung und Befeuchtung der Ausstellungsräume erforderte eine Bekleidung der Wände, die mit einer Stoffbespannung versehen als Hängefläche für Gemälde dienen. Die alte Dachkonstruktion wurde bis zum angrenzenden Quertrakt abgetragen und durch ein tieferliegendes verglastes Satteldach, das auch städteplanerischen Intentionen entsprach, ersetzt. Die Abhängung einer neuen Staubdecke mit kombinierter Thermolux-Isolierverglasung verbesserte die diffuse Tages- lichteinführung. Die in den Seitenkabinetten vorhandenen Fensterkonstruktionen waren unzurei-

319. Umbau der Gemäldegalerie 1968/71. Anlage des Grabendaches im Gemäldesaal über dem Vortragssaal 1968

vgl. 73, 343, 358 chend und wurden durch neue isolierverglaste Stahlkonstruktionen ersetzt, die unter den Fenstern den Einbau von Wandvitrinen ermöglichten. Die weiter nach Osten liegenden „Barock-Kuppel-Räume" wurden in der bestehenden Form belassen. Das in diesem Bereich vorhandene hohe Satteldach erhielt eine neue Verglasung aus Draht- und Thermoluxglas. Die Fenster der sogenannten Ebracher Kapelle wurden durch neue Konstruktionen mit einer Isolier-Parsolverglasung ersetzt. Der über dem Hörsaal zwischen Heuss-Bau und Galeriebau befindliche Saal, der zur Ausstellung von Gemälden des 319 18. Jahrhunderts dienen sollte, erhielt 1968 eine neuartige Dachkonstruktion. Intensive Beratungen zwischen Steingräber und Ruf führten zur Verwirklichung eines an dieser Stelle errichteten Musters, das dann später im Neubau an der Grasersgasse ebenfalls angewendet werden sollte. Die Zielvorstellung, Tageslicht direkt auf die Ausstellungsfläche – hier die Wand – zu richten, konnte mit der Konstruktion eines in das Flachdach eingeschnittenen Grabens mit schrägstehender Verglasung aus Draht- und Thermoluxglas erfüllt werden. Eine unter diese Konstruktion abgehängte Decke verhindert die störende Lichtblendung; höher eingebaute bewegliche Lamellen erlauben die Lenkung des Tageslichtes auf die gewünschten Stellen an den Ausstellungsflächen. Diese neuartige Beleuchtung von Galeriesälen fand als Beitrag zur Weiterentwicklung museumsspezifischer Bauprobleme Anerkennung und wurde von der Fachwelt als Studienobjekt interessiert aufgenommen. Die 1970 renovierten Bauteile im Obergeschoß wurden 1971 für die Dürer-Ausstellung und nachfolgend für die Sonderausstellung „Malerei und Graphik der Dürerzeit" genutzt. Im Juli 1972 konnten sie mit der ständigen Ausstellung „Malerei, Kunsthandwerk und Plastik von der Renaissance bis zum Barock" eröffnet werden.

320. Ostbau an der Grasersgasse 1968/71, Blick auf die Nordostecke

□ Der Ostbau

Das 1968 erarbeitete Entwurfsprogramm für einen die letzte städtebauliche Lücke im Museumsgelän- 320, 321
de an der Grasersgasse ausfüllenden Neubau umfaßt im einzelnen: Ausstellungsräume für Historische Waffen und Gartenplastik des 18. Jahrhunderts im Erdgeschoß, Kunsthandwerk des 18. Jahr- 429, 361
hunderts im ersten Obergeschoß, Malerei, Plastik und Kunsthandwerk des 19. und 20. Jahrhunderts
im zweiten Obergeschoß und Depots für Gemälde, Plastik, Möbel, Kunsthandwerk und Glasgemälde, Aufenthaltsräume für Aufsichtspersonal und eine Tiefgarage. Es entstand ein 54 m langer und 28
m breiter, drei-geschossiger Bau für die aufzustellenden Sammlungen mit zwei Kellergeschossen für
Depots. Zwei Reihen von Stahlbetonstützen mit 9 m Abstand tragen die Geschoßdecken, die in den
Ausstellungsgeschossen nach außen kragen und somit die Stützen in den Innenraum einbeziehen. In
einem in der Mitte des Gebäudes eingebauten Kern befinden sich Treppenanlagen, Personen- und
Materialaufzug und Installationsschächte. Die Stahlbetondecke über dem Erdgeschoß erhielt südlich
wie nördlich des Kerns Ausschnitte, die eine Kommunikation der beiden Geschosse ermöglichen;
zwischen Gartenplastik und Kunsthandwerk des 18. Jahrhunderts sollte eine optische Verbindung 361
geschaffen werden. Beide Geschosse sind rundum – mit Vertikal-Aluminiumrohrprofilen dem zu-
grundeliegenden Rastermaß des Baus von 2,35 m folgend – verglast und mit einigen Schiebeflügeln
zur Belüftung versehen. Im Erdgeschoß verläuft an der Ostseite – an der Grasersgasse – eine mit
Naturstein aus Muschelkalk bekleidete Massivwand, die unter dem Deckenanschluß ein schmales
Fensterband besitzt. Ost-, Süd- und Westseite sind mit einer Außenjalousieanlage versehen. Zusätzlich wurden an der Innenseite der Fensteranlagen Vorhänge aus einem mit Aluminium bedampften
synthetischen Material angebracht, um die ultraviolette und infrarote Strahlung des Tageslichtes
abzublenden. Auf den Einbau einer künstlichen Belüftungs- und Befeuchtungsanlage wurde verzichtet. Die Fußböden wurden mit Naturstein belegt, wobei im Erdgeschoß Liebensteiner Granit und im
Obergeschoß weißer Astir-Marmor verwendet wurde. Die Deckenuntersichten wurden mit schwer
entflammbaren weiß gestrichenen Wilhelmi-Platten bekleidet. Der Stützenreihe folgend wurde ein
umlaufender Deckenstreifen 30 cm tiefer gehängt. Die so entstandenen Vouten wurden für die

321. Der fertiggestellte Museumskomplex (oben links) im Rahmen des Nürnberger Stadtgeländes, deutlich erkennbar die Grabendächer auf dem Galerie- und Ostbau. Luftaufnahme von 1972

Installation von Leuchtstoffröhrenbändern genutzt, die eine indirekte künstliche Beleuchtung erzeugen. Der Baukern erhielt eine Natursteinbekleidung mit Muschelkalk-Platten. Das zweite Obergeschoß wurde außen mit muschelkalkbekleideten Massivwänden begrenzt. Die Tageslichtführung erfolgt dort über in das Flachdach eingelassene, verglaste Grabendächer, die nach dem am Barocksaal des Galeriebaus erprobten Muster konstruiert sind. Im Gegensatz zu den offenen Hallen der unteren Geschosse entstanden durch Einziehen von Trennwänden aus Holzrahmenkonstruktion vier große Galerie-Säle und an der östlichen und westlichen Seite kabinettartige Ausstellungsräume. Die Wände wurden mit stoffbespannten Holzpaneelen bekleidet, der Fußboden mit einem Spannteppich aus Perlon-Rips belegt. In die Fußbodenkonstruktion eingelegte Bodenkanäle für Kabelzuführungen ermöglichen den Anschluß frei zu stellender Vitrinen. Über einer abgehängten weiß gespritzten Stahlrasterdecke sind Leuchtstoffröhren installiert, die die künstliche Beleuchtung besorgen. Im ersten Kellergeschoß sind Depoträume und Tiefgarage, im zweiten ausschließlich Depots. An der Südseite des Baus führt von der Frauentormauer eine Rampe zur Tiefgarage. Ein im Erdgeschoß an der westlichen Längsseite eingefügter eingeschossiger Bau verbindet den Großen Kreuzgang mit dem Erdgeschoß des Ausstellungsbaus, das erste Obergeschoß ist zur oberen Ebene des Kreuzgangs mit einer verglasten Brücke verbunden, so daß der Bau von beiden Ebenen erreichbar ist.

Nachdem der Bau zum Ende des Jahres 1970 fertiggestellt war, konnte er 1971 mit dem „Dürer 126 Studio" und der Sonderausstellung der Albrecht-Dürer-Gesellschaft „Albrecht-Dürer zu Ehren" eröffnet werden. 1972 begannen die Einrichtungsarbeiten für die Aufstellung historischer Waffen, Jagdaltertümer und barocker Gartenplastik im Erdgeschoß. Zwischen die Pfeiler eingespannte neukonstruierte Großvitrinen, Podeste und kleinere Vitrinen in freier Anordnung ermöglichten zusammenfassende Aufstellungen. Für die Aufstellung der Gartenplastik bot der freie Raum günstige Vorbedingung. Das Erdgeschoß konnte am 18. Juli 1975 eröffnet werden. Inzwischen wurden im Obergeschoß quer zur Fassade stehende 5,60 m lange Vitrinen, eine verglaste Kostümpassage mit seitlich anhängenden Wandvitrinen, eine Raumbegrenzung für den Einbau eines barocken Zimmers vgl. 402 montiert und mit kunsthandwerklichen Altertümern des 18. Jahrhunderts eingerichtet. Am 17. Juli 1976 konnte auch dieses Geschoß dem Publikum zugänglich gemacht werden. Am 1. Juni 1977 folgte die Eröffnung des zweiten Obergeschosses mit der Ausstellung deutscher Gemälde des 19. Jahrhunderts aus der Sammlung Georg Schäfer, Schweinfurt.

☐ Letzte Baumaßnahmen

Gleichzeitig fanden die seit 1974 geplanten Ausbaumaßnahmen für die Aufstellung von Zunft- und Handwerksaltertümern im Obergeschoß des Nordflügels des Großen Kreuzgangs statt. Schon 1968 war von Steingräber mit der Anordnung an dieser Stelle ein möglicher Rundgang auch im Obergeschoß konzipiert worden. Die Räumung des hier installierten Gemäldedepots ermöglichte seit 1975 das Einziehen von Trennwänden zum über den Mönchshäusern liegenden Dachraum, das Verlegen eines Naturstein-Bodenbelags (Jura), die Installation von Konvektoren zur Beheizung, den Verputz der Wände und die Montage einer abgehängten Decke, die zur Beleuchtung der 60 m langen südlichen Wand in einer längs verlaufenden Rinne verspiegelte Leuchtstoffröhren enthält. Gegenwärtig werden die an Wänden vorgesehenen und quer im Raum stehenden Vitrinen und die Wandbegrenzungen für den Einbau der Öhringer Apotheke montiert. Die Eröffnung erfolgte ebenfalls am 1. Juni 1977. Die Wiederaufbauarbeiten des Germanischen Nationalmuseums können damit als beendet betrachtet werden.

★

Die Ausstellungsfläche des Museums beträgt jetzt 26 890 m². Der bebaute Komplex umfaßt 242 400 m³ umbauten Raumes. Die Gesamtkosten des Wiederaufbaus nach dem letzten Weltkrieg, die zu etwa 70% von der Bundesrepublik Deutschland, im übrigen vom Freistaat Bayern, der Stadt Nürnberg und privaten Spendern getragen wurden, sind auf ca. 57 Millionen DM zu beziffern.

☐ Kunst am Bau

Die seit der Mitte der fünfziger Jahre praktizierte ministerielle Anordnung, 2% öffentlicher Baumittel für „Kunst am Bau" anzuwenden, galt auch für das Germanische Nationalmuseum. Im Hochsommer 1965 lud Steingräber in Übereinstimmung mit Ruf sieben deutsche Bildhauer zu einem Symposium 116 ein, um mit ihnen die künstlerische Akzentuierung der Museumsneubauten zu diskutieren. Bei der in strengen Linien geführten Architektur, deren Fronten zu großen Teilen aus Stahl und Glas gebildet sind, konnte der Begriff „Kunst am Bau" nicht im wörtlichen Sinn betrachtet werden. Es sollten Skulpturen in den Innenhöfen und vor dem Haupteingang im Spannungsverhältnis zu der jeweiligen Architektur aufgestellt werden. Eingeladen wurden: Georg Brenninger, Karl Hartung, Bernhard Heiliger, Josef Henselmann, Fritz König und Hans Wimmer. Sämtliche Künstler nahmen den

322. Haupteingang mit den 1966 aufgestellten Skulpturen „Phönix" von Bernhard Heiliger (1965/66) und „Il Guerriero" von Marino Marini (1959/60)

Auftrag an, mit einem Werk an der künstlerischen Ausstattung des Museumsareals mitzuwirken. Die Bedingung, derartige Aufträge an lebende Künstler zu vergeben, entsprach den Vorstellungen des Museums, auch ein Haus, das seine Hauptaufgabe in der Sammlung der Kunst und Kultur der Vergangenheit sehe, müsse sich seiner Verpflichtung bewußt sein, eine Brücke zum Menschen des 20. Jahrhunderts zu schlagen.

Bereits im Sommer 1966 konnten Arbeiten von Brenninger, Stadler, Hartung und Heiliger aufgestellt werden. Georg Brenningers Brunnen (Kupfer, geschweißt, 1965/66) fand im Hof zwischen altem Refektorium und neuer Mittelalterhalle seinen Platz. Die kristalline Formation des Brunnens stellt dem lebendigen Wasser die energische Form des stereometrisch geformten Metalls gegenüber. Toni Stadlers (geb. 1888) „Nereiden" (Bronze, 1966) wurden im Hof des Heuss-Baus inmitten eines Brunnens mit dem ihnen zugeordneten Wasser verbunden. Für die Bedeutung dieses großartigen Alterswerkes des Münchner Altmeisters der figürlichen Plastik spricht die Tatsache, daß der Nereidenbrunnen einen Hauptakzent des Plastikhofes der Deutschen Abteilung der Weltausstellung in Montreal (1967) gebildet hatte. Karl Hartungs (1908–1967) „Columna" (römischer Travertin, 1966), infolge des plötzlichen Todes des Künstlers im Herbst des Jahres 1967 eines seiner letzten großen, öffentlich aufgestellten Werke, ein Monument aus organisch lebendiger Innenform und technoid harter Außenspannung, wurde im kleinen Klosterhof aufgestellt. Es kann keinem Zweifel unterliegen, daß die Hartung'sche „Columna" ein Menhir, ein erregendes und zugleich strahlendes Zeichen unserer Jahrzehnte, zu den Meisterwerken der letzten Lebensjahre dieses bedeutenden Bildhauers zählt. Bernhard Heiligers (geb. 1915) „Phoenix" (Bronze, Guß Nr. 1, 1965/66) fand seinen Platz vor 119, 125, dem Haupteingang des Museums. Hier zeugt seine dynamisch-kompakte Figur von Abstraktion und 322 Lebewesen. Die Figur Heiligers steht in unmittelbarer Nachbarschaft zu Marino Marinis (geb. 1901) „Il Guerriero" (Bronze, Guß Nr. 1, 1959/60, erworben 1966). Im Atrium des Verwaltungsbaues steht Hans Arps (1887–1966) „Ptolemäus" (Bronze, 1953, erworben 1966) und im Hof des Westkopfbaues 314 Fritz Königs (geb. 1924) „Großes Kreuz" (Bronze, erworben 1968). Vor dem 1968 fertiggestellten 121 Werkstättengebäude wurde 1969 Joseph Henselmanns (geb. 1898) „Ganymed" (Bronzeguß auf Granit-Monolith) aufgestellt. Das Germanische Nationalmuseum wurde so in Nürnberg zu einer umfangreichen Sammlung zeitgenössischer Großskulpturen.

Zur „Kunst am Bau" gehört auch das schöne Glasfenster über dem Haupteingang von Georg Meistermann (geb. 1911), das sich auf eigenartige Weise der älteren Architektur von Bestelmeyer einfügt (geschaffen und eingebaut 1967) und das ehemals kalte Nordlicht in der Eingangshalle mildert, sowie der Teppich von Woty Werner (1903–1971), der 1969 erworben wurde und seitdem das an die Eingangshalle anschließende sog. Lapidarium schmückt.

Die Architekten

HARALD ROTH, Dipl. Ing., Architekt, geb. 20. 12. 1910 in München. 1930–1944 Berufspraxis in verschiedenen Architekturbüros, zuletzt bei Professor Paul Bonatz in München. 1945–1956 Wiederaufbauplanung des Germanischen Nationalmuseums in Nürnberg: Galeriebau, Kartäuserkirche, Kreuzgänge, Mönchshäuser, Refektorium, Südwestbau – in Zusammenarbeit mit Hans Hanffstengel, dem späteren Oberbaudirektor der Stadt Nürnberg. 1956–1967 Neubauplanung und Innenausbau des Germanischen Nationalmuseums in Nürnberg – in Arbeitsgemeinschaft mit dem federführend tätigen Professor Sep Ruf. Daneben Architektentätigkeit für Jugend- und Studentenbauten, Schulen, Wohn- und Geschäftshäuser. 1947–1953 Professor an der Akademie der Bildenden Künste in München. 1956–1976 Leiter der Kerschensteinergewerbeschule mit der Meisterschule für das Schreinerhandwerk in München. 1961–1965 Leiter des Deutschen Werkbundes in Bayern.

SEP RUF, Professor, Dipl. Ing., Architekt, geb. 9. 3. 1908 in München, Studium an der Technischen Hochschule in München. 1931 Diplom bei German Bestelmeyer. 1947–1953 Professor für Architektur und Städtebau an der Akademie der Bildenden Künste in Nürnberg. 1953–1972 Professor für Ar-

chitektur und Städtebau an der Akademie der Bildenden Künste in München, 1958–60 als deren Präsident. 1953–1976 Neubauplanungen des Germanischen Nationalmuseums in Nürnberg, bis 1967 in Arbeitsgemeinschaft mit Harald Roth. 1953 Kulturpreis der Stadt Nürnberg. 1954–56 Mitglied des Bundesvorstandes des Bundes Deutscher Architekten und Vorsitzender des Deutschen Werkbundes in Bayern. 1955 Gründungsmitglied der Akademie der Künste, Berlin. 1962–1967 Mitglied des Planungsrates für die Gestaltung des Regierungsviertels in Bonn. 1972 Ehrenmitglied der Akademie der Bildenden Künste, München. – Vgl. Abb. 116–117. Andere Bauten: 1950 Bayerische Staatsbank Nürnberg; 1952 Akademie der Bildenden Künste Nürnberg; 1956 Amerikanisches Generalkonsulat München; 1957 Max-Planck-Institut; 1958 Deutscher Pavillon der Weltausstellung in Brüssel; 1959 Erweiterungsbau der Bay. Staatsbibliothek in München; 1960 Kirche St. Johann von Capistran, München; 1963 Kanzler-Bungalow, Bonn; 1965 Patronatsgebäude, Fulda; 1966 Seminarkirche, Fulda; Berliner Handelsgesellschaft Frankfurt; 1970 Rechenzentrum für Bay. Vereinsbank, München; 1972 Hotel Hilton München; 1974 Verwaltungsbau und Rechenzentrum für IBM, München; 1975 Verwaltungsbau der Bay. Vereinsbank, München.

Geschichte der Sammlungsabteilungen

LUDWIG VEIT

Das Historische Archiv und das Archiv für Bildende Kunst

Nach der klassischen Definition ist ein Archiv eine Einrichtung zur systematischen Erfassung, Ordnung, Verwahrung, Verwaltung und Verwertung von Schriftgut, das organisch aus dem Geschäftsgang einer juristischen oder physischen Person erwachsen ist und für den laufenden Gebrauch nicht mehr benötigt wird. Neben dem Archiv gibt es die Archivaliensammlung, der der Konnex zu einer organisch gewachsenen Registratur fehlt[1]. Ihre Archivalien entstammen einer regional, sachlich oder zeitlich begrenzten Sammeltätigkeit. Sie setzt sich zusammen aus Einzelstücken, die meist aus einem irgendwie gearteten Registraturzusammenhang gelöst worden sind. So gesehen repräsentiert das Archiv des Germanischen Nationalmuseums eine Archivaliensammlung. Neben den Sammelbeständen verwahrt es auch geschlossene Archivbestände, unter ihnen zahlreiche Adelsarchive sowie schriftliche Nachlässe vor allem aus dem Bereich der bildenden Kunst. Heute gliedert diese Museumsabteilung sich in zwei Unterabteilungen, das Historische Archiv und das Archiv für Bildende Kunst[2].

Das Historische Archiv

Hans Freiherr von Aufseß hatte das Archiv[3] „als breiteste Grundlage des ganzen Museumsgebäudes" bestimmt[4]. Es rangierte an erster Stelle, gefolgt von der Bibliothek und der Kunst- und Altertumssammlung. Seine Hauptaufgaben bestanden in einer umfassenden Dokumentation der schriftlichen Quellen für alle Sparten historischer Forschung, darüber hinaus der Rettung und Sicherung dieser Quellen vor Verlust.

☐ Der Plan eines deutschen Zentralarchivs aus Kopien und Faksimiles

Im Verein mit der Archivabteilung des Generalrepertoriums sollte das Archiv den „Mittelpunkt aller deutschen Archive" bilden[5], dieses erste deutsche Zentralarchiv sich aber von den übrigen Archiven gerade darin unterscheiden, „daß es nicht vorzugsweise berufen ist, vorhandene Originalurkunden

---

[1] Adolf Brenneke: Archivkunde. Ein Beitrag zur Theorie und Geschichte des europäischen Archivwesens. Bearbeitet . . . und ergänzt von Wolfgang Leesch. Leipzig 1953, S. 20–38.

[2] Zusammenfassend über die beiden Abteilungen des Archivs: Nürnberg. Die Archive. Hrsg. Stadt Nürnberg. Nürnberg 1973, S. (6). – Archive. Archive im deutschsprachigen Raum (Minerva-Handbücher). Berlin-New York 1974, S. 733–734.

[3] Kurze Einführungen, zum Teil mit Inventar bzw. Beständeübersichten: Das Archiv. In: Organismus GNM, 1. Abt., S. 97–163; auch als Sonderdruck unter dem Titel „Archiv des Germanischen Nationalmuseums zu Nürnberg". Nürnberg 1855. – Essenwein: Bericht 1870, S. 26–27 (vgl. S. 1024). – August von Essenwein: Die Sammlungen (des Germanischen Nationalmuseums). L. Das Archiv. In: Anzeiger GNM 1884–1886, S. 133–134. – Die Archive, Bd. 1 (Minerva-Handbücher. 2. Abt.). Berlin-Leipzig 1932, S. 267. – Archiv. In: Deutsche Kunst und Kultur im Germanischen National-Museum. Nürnberg 1952, S. 236. – 2. Aufl. Nürnberg 1960, S. 253–254. – Ludwig Veit: Das Archiv des Germanischen National-Museums. Eine Übersicht über seine Bestände. In: Anzeiger GNM 1954–1959, S. 248–255.

[4] Organismus GNM, 1. Abt., S. 97–98; auch für das Folgende.

[5] Die von Hans Freiherrn von Aufseß ausgearbeiteten und auf der Versammlung der Geschichtsvereine im August 1852 in Dresden angenommenen Satzungen (vgl. S. 951–953) wiesen dem Museum als hervorragendste Aufgabe zu, „zunächst ein System der deutschen Geschichts- und Alterthumskunde aufzustellen und nach diesem das im Plane liegende, im § 4 der Satzungen näher bezeichnete Generalrepertorium der deutschen historischen Quellen und Hülfsmittel einzurichten" (Organismus GNM 1. Abt., S. V). – Das Generalrepertorium sollte „der Lebensnerv des Germanischen Museums sein, derjenige, worin es das Recht seiner Existenz findet". Es sollte „das ganze Quellenmaterial für die deutsche Geschichte, Literatur und Kunst vorläufig von der ältesten Zeit bis zum Jahr 1650" nachweisen. Das Generalrepertorium gliederte sich in fünf Abteilungen; vgl. den Wortlaut des § 4 S. 951. Bezüglich der Archivalien geht Aufseß davon aus, daß sich in allen „wohlgeordneten öffentlichen und unveräußerlichen Privatarchiven" Urkunden- und Aktenre-

und Aktenschätze zu bewahren, sondern vielmehr solche in anderen Archiven bewahrten Schätze sich durch Abschriften anzueignen". Aufgabe des Archivs war die Sicherung der historischen Quelle für die Forschung bei eventuellem Verlust des Originals, wobei Aufseß der „Unsicherheit und Wandelbarkeit des Besitzes" insbesondere im kommunalen und privaten Bereich entgegenwirken wollte: „Es liegt im Interesse der Conservation der Urkunden als auch der Geschichtswissenschaft, daß von dem Wichtigsten der Archive Facsimiles oder Abschriften vorhanden seien und daß diese auf geeignete Weise zum Gebrauch geordnet und dargeboten werden". Als zweites Ziel wird die Schonung „des durch die Zeit gebrechlich gewordenen Originals" herausgestellt. Damit eilte Aufseß der archivischen Praxis weit voraus. Erst nach den erschreckenden Einbußen im zweiten Weltkrieg gingen Staats- und Stadtarchive dazu über, durch Verfilmung den Inhalt wenigstens der wichtigsten Archivalien für die Forschung zu sichern und durch Bereitstellung von Kopien besonders kostbare oder empfindliche Originale vor Schädigung bei der Vorlage an den Benützer zu bewahren.

Aufseß hatte von Anfang an eine Auswahl in zeitlicher und sachlicher Hinsicht ins Auge gefaßt. Als zeitliche Grenze setzte er das Jahr 1650 fest. Was die sachliche Abgrenzung betrifft, so sollte nur berücksichtigt werden, „was als notwendiges Glied der großen Kette historischer Zeit sich darstellt". Dabei ging er allerdings davon aus, daß auch ein „im ersten Anschein wertloses Dokument in gewissen Fällen in Zusammenhang mit anderen einen oft unschätzbaren Wert erhalten" kann. Bei Sammlungen zum Zwecke historischer Forschung solle man kein Blatt der Geschichte verachten, da man die Fragestellungen der Forschung in der Zukunft nicht kennen könne. Während Aufseß von den wichtig erscheinenden Quellen Abschriften bzw. Faksimiles herstellen lassen wollte, waren für die weniger wichtigen Quellen nur Auszüge und Regesten vorgesehen. Zunächst galt es, aus der ungeheuren Zahl von Archivalien in allen deutschen Archiven eine Auswahl zu treffen, ein utopisches Unternehmen, das bei den geringen technischen Hilfsmitteln der Zeit zum Scheitern verurteilt war. Eine dem Umfang nach beträchtliche Regesten-Sammlung als Grundlage für die Auswahl wurde allerdings schnell zusammengetragen. 1856 wird die Zahl der bereits erfaßten Urkunden mit 120000 angegeben[6], dabei aber verschwiegen, daß diese erstaunlich große Zahl durch Zerschneiden der Regestenwerke von Böhmer, Lang und Scriba[7] sowie anderer Autoren und das Aufkleben der Ausschnitte auf Karteikarten im Rahmen des Ausbaus des Generalrepertoriums zustande gekommen war.

Rundschreiben an die deutschen Archive, das erste datiert vom September 1854[8], brachten ein unterschiedliches Echo. Die Bitte von Aufseß, „von allen . . . Urkunden, Handschriften und Akten, soweit solche nicht der Zeitperiode nach dem Jahre 1650 angehören oder bereits gedruckt erschienen sind, geneigtest Mitteilung machen" zu wollen, wurde von zahlreichen Institutionen mit begeisterter Zustimmung aufgenommen, wie etwa seitens des Vorstandes des Hauptstaatsarchivs Dresden[9], stieß

---

pertorien befinden, die man übernehmen könne. Beamtete Archivare und ehrenamtliche Mitarbeiter sollten auf der Grundlage dieser Repertorien Regesten herstellen, die zu einem „Generalrepertorium aller Urkunden des deutschen Vaterlandes" zusammengefaßt werden.

[6] Jahresbericht GNM 3 (für 1855/1856), 1856, S. 4.

[7] Johann Friedrich Böhmer: Regesta imperii, 2 Bde. Stuttgart 1844 und 1849. – Regesta sive rerum Boicarum autographa . . . cura Carl Heinrich Ritter von Lang und Max von Freyberg, 13 Bde. München 1822–1854. – Heinrich Eduard Scriba: Regesten der bis jetzt gedruckten Urkunden zur Landes- und Ortsgeschichte des Großherzogtums Hessen. 4. Abt., Darmstadt 1847–1854.

[8] Archiv GNM, Altregistratur I, I Nr. 2a (Druckschriften). Sämtliche Urkunden sollten zunächst in Regestenform bearbeitet werden, „abgesehen von etwa später noch zu nehmenden Abschriften der allerwichtigsten Urkunden".

[9] Unter dem 18. Februar 1857 schreibt der Vorstand des Hauptstaatsarchivs Dresden, Karl von Weber, er habe mit Freuden vernommen, „wie man die Wichtigkeit Ihres Unternehmens immer mehr und mehr erkennt und Ihnen von allen Seiten bereitwillig entgegenkommt". Er wolle dem Museum Abschriften von Urkunden zunächst bis 1233 unentgeltlich zugehen lassen und bietet außerdem Siegeldubletten an (ebenda K 251, Akt Urkundensammlung 1853–59).

aber auch auf massive oder kühle Ablehnung. So sahen sich z. B. das Bayerische Reichsarchiv in München und das Preußische Provinzialarchiv Breslau außerstande, die erbetenen Regesten zu liefern[10]. Auch die historischen Vereine wurden gebeten, dem Museum Dubletten und Kopien ihrer Archivalien zu überlassen[11]. Es hat den Anschein, daß man die ursprünglich als vorrangig propagierte Aufgabe des Archivs, den Aufbau einer Sammlung von Abschriften und Faksimiles von Urkunden, Bänden und Akten, schon bald wieder aufgegeben hat. Nur wenige einschlägige Vorgänge konnten in den Museumsakten nachgewiesen werden, so als einziger Zugang größeren Umfangs gegen 500 Urkundenabschriften des Stiftes St. Lamprecht in Obersteiermark, die der Notar Dr. Leopold Hundegger in Mariazell übersandte[12].

Das Wenige, was man zusammengetragen hatte, fand später seinen Platz in den Sammelbeständen „Urkundenbücher" und „Papierurkunden-Abschriften", wo neben zahlreichen gleichzeitigen Kopien von Urkunden auch solche aus der Zeit nach der Museumsgründung nachzuweisen sind. Beide Bestände haben einen vergleichsweise geringen Umfang. Der Bestand an Urkundenbüchern umfaßt ca. 160 Nummern[13], jener der Urkunden-Kopien ca. 1300 Stück. Idee, Planung und erste Maßnahmen für deren Realisierung schienen konsequent durchdacht, wenn man etwa die exakten Anweisungen für die Herstellung der Abschriften in Betracht zieht[14], doch sowohl das Museumspersonal wie auch die Staats- und Stadtarchive waren schlichtweg von Anfang an überfordert. Das erste deutsche Zentralarchiv blieb Episode.

Nur die Siegelabgußsammlung wurde konsequent ausgebaut. So konnte der Jahresbericht 1865 feststellen, daß nunmehr „die Stadtsiegel des Vaterlandes" fast vollständig vorhanden sind. Meist handelt es sich dabei um Gipsabgüsse[15]. Zwei bedeutende Komplexe wurden in der Folge erworben. Anläßlich des 50-jährigen Museums-Jubiläums 1902 übergab Kaiser Wilhelm II. persönlich als Geschenk die aus über 900 Silber-Galvanos bestehende Kaiser-Siegelsammlung Otto Posses[16]. 1910 wurden durch Walter Stengel Abdrücke von zahlreichen in deutschen Museen und Archiven befindlichen Petschaften von Handwerkssiegeln in die Siegelsammlung eingereiht[17].

☐ Die Rettung originaler Quellen vor dem Verlust.
Entstehung und Entwicklung der Archivaliensammlung

Obwohl ursprünglich im Programm an zweiter Stelle, wandte sich Aufseß seit der Mitte der fünfziger Jahre mit aller Energie einer effektiveren Form der Sicherung historischer Quellen zu, dem Aufbau

[10] Brief des Allgemeinen Reichsarchivs v. 17. Oktober 1854 (ebenda I, I Nr. 14). – Brief Wilhelm Wattenbachs vom Preussischen Provinzialarchiv Breslau, vom 2. Mai 1855: „... daß uns die darin enthaltene Zumutung völlig unausführbar zu seyn und aus einer gänzlichen Unbekanntschaft mit Archiven hervorzugehen scheint" (ebenda).

[11] Ebenda (Anm. 9).

[12] Zugangsregister des Archivs 1863/2884: Urkundenbücher Nr. 63. Dazu kommen weitere Lieferungen von Abschriften und zahlreiche Regesten (Urkundenbücher Nr. 63a).

[13] So u. a. Urkunden deutscher Kaiser, Fürsten und Bischöfe, meist die Stadt Frankfurt betreffend (Nr. 6); Kloster Heilsbronn (Nr. 12a), Nortenberg (Nr. 14), Bischof Heinrich von Regensburg 1294, 1295 (Nr. 15). Dazu kommen viele ältere Kopiare und Abschriften, z. T. auch aus Materialsammlungen von Historikern stammend, für die das Museum häufig ein dankbarer Abnehmer gewesen ist. Es handelt sich dabei um echte Teil- und Restnachlässe. Hier wurden auch ein größerer Teil der für das Generalrepertorium eingelieferten Regesten, ob in Zettel- oder auch Bandform, auch Abschriften von Archivrepertorien eingereiht.

[14] „Nur möchten wir (uns) noch die Bemerkung erlauben, daß wir der Ansicht sind, daß bei Abschriften von Handschriften und Urkunden gar nicht genau genug verfahren werden kann, indem bei einer treuen Copie von der Zeilenabtheilung an alles bis auf die geringste Kleinigkeit mit größter Gewissenhaftigkeit beobachtet werden muß". (Archiv GNM, Altregistratur I, I Nr. 14).

[15] Siehe dazu auch den Aufsatz „Die Siegelsammlung im germanischen Museum". In: Anzeiger GNM 1856, Sp. 204–206.

[16] Siegelsammlung Nr. 16291–17177.

[17] Ebenda Nr. 15838–16290. – Vgl. auch Walter Stengel: Handwerkersiegel im Germanischen Museum. In: Mitteilungen GNM 1910, S. 10–35.

einer Archivaliensammlung bzw. eines Archivs aus originalen Quellen[18]. Es muß betont werden, daß er dabei nicht in Konkurrenz zu den staatlichen Archiven treten wollte. Die Berechtigung und Notwendigkeit seiner Aktivitäten werden deutlich, wenn wir uns im folgenden die Situation der staatlichen Archivpflege und die Praktiken der Kontrahenten vergegenwärtigen. Da war zunächst die Mißachtung der historischen Quellen durch Behörden und private Besitzer von Archiven. Der Staat kümmerte sich nur um staatliches Archivgut, wobei selbst dort lange Zeit nur die Urkunde und das Literale (Band) die gebührende Wertschätzung erfahren haben[19]. Auch die Forschung, vor allem die der ersten Hälfte des 19. Jahrhunderts, bevorzugte die Urkunde als historische Quelle gegenüber dem schlichten Aktenstück und der Rechnung. Die zahlreichen Privatarchive, vor allem Adelsarchive, dann die Archive von Kirchen und Stiftungen, Stadt- und Gemeindearchive erfuhren keinerlei fachliche Betreuung. Hier standen die Aufkäufer von Pergament und Aktenmakulatur bereit, die Archiveigentümer zu „entlasten", wobei der zum Teil nicht unbeträchtliche finanzielle Gewinn als Anstoß und Ansporn zur Vernichtung vieler historischer Quellen wirkte. Pergament- und Papierhändler sahen nur eine besonders ergiebige Rohstoffquelle. Die Pergamenturkunden wurden von den Goldschlägern in Nürnberg, Fürth und Schwabach für das Schlagen von Blattgold verwendet, die Akten für die Herstellung qualitätvoller Haderpapiere. Private Sammler fanden ein reich bestelltes und mühelos abzuerntendes Feld vor, vor allem Siegelsammler, die häufig die Pergamente selbst wieder veräußerten, nachdem sie vorher die Siegel „abgenommen" hatten. Vieles wurde durch sie freilich zunächst gerettet, gelangte aber dann häufig über interesselose Erben an Pergamenthändler, Papiermühlen und Antiquare.

Die Rettung nichtstaatlichen Archivgutes war zunächst fast ausschließlich das Verdienst der historischen Vereine, dann auch von Bibliotheken und Museen, die Sammlungen herrenloser und damit von der Vernichtung bedrohter Archivalien anlegten. Zum Teil wurde auch staatliches Archivgut erfaßt und mit Bibliotheks- und Museumsgut vereinigt. Dies gilt für Deutschland ebenso wie für Österreich, die Schweiz, Böhmen, Frankreich und England. Zu nennen sind für Österreich das 1811 ins Leben gerufene Joanneum in Graz und das Archiv des Kärntnischen Geschichtsvereins zu Klagenfurt, für Böhmen das 1839 gegründete Archiv in Brünn. Es sei daran erinnert, daß auch bei der Gründung des Germanischen Nationalmuseums die historischen Vereine Pate gestanden hatten. In Frankreich und England wurden die Bibliothèque National in Paris bzw. das Britische Museum in London geradezu zu Konkurrenten der staatlichen Archive[20].

Die Verschleuderung und Vernichtung wertvoller Archivalien hatte Aufseß schon im Vorwort des Anzeigers für Kunde des deutschen Mittelalters 1832[21] mit dem ihm eigenen Pathos beklagt und Abhilfe geschworen: „So lange man noch mitten unter uns fortfährt, durch öffentliche Aufstriche alte Registraturen, ohne vorherige genaue Durchsicht und Auswahl zum Einstampfen in Papiermühlen zu verkaufen, (kürzlich habe ich selbst mit Mühe aus Juden-Händen einige Zentner alter Rechnungen und Akten aus dem 15ten bis 17ten Jahrhundert vom gewissen Untergange errettet); so lange noch Pergamenthändler auf die kläglichste Weise alte Manuskripte und Urkunden vernichten, (unlängst

---

[18] Die Sammlungen des Museums, zu denen auch das Archiv gehört, haben einen doppelten Zweck: „Sie sollen in Originalen oder Copien zum Studium der deutschen Vorzeit und gewissermaßen als Illustration des Generalrepertoriums dienen, zugleich aber auch eine Rettungsanstalt für Gegenstände bilden, welche außerdem dem Verderben oder Vergessen anheim fallen würden" (Jahresbericht GNM 4 (für 1856–1857), 1858, S. 7).

[19] Das Allgemeine Reichsarchiv in München stellte ein gewaltiges Urkundenarchiv dar, in dem sämtliche Urkunden aus ganz Bayern zusammengetragen werden sollten (Archivstatut vom 21. April 1812. In: Bayerisches Regierungsblatt 1812). Dieser Plan wurde für Altbayern und Schwaben realisiert, für Franken nur bezüglich der Urkunden vor 1400. Akten und Rechnungen hat man draußen in der Provinz in sog. Archivkonservatorien zusammengeführt. Siehe auch Brenneke-Leesch (Anm. 1), S. 155–156, 322–329.

[20] Brenneke-Leesch (Anm. 1), S. 33, 211, 228, 286–287, 418.

[21] Anzeiger für Kunde des deutschen Mittelalters 1832, Sp. 2.

habe ich einen Codex mit Mahlereien aus dem 13. Jahrhundert, und ein Urkundenbuch aus dem 14. Jahrhundert dem Gewichte nach gekauft); so lange noch in den allermeisten Privatarchiven und Registraturen der Städte, Stiftungen und adelichen Geschlechter Würmer und Moder ihre Verheerungen fortsetzen dürfen, und eine unglaubliche Unordnung kaum an eine Benützung denken läßt (wie ich aus eigener Erfahrung weiß), so lange noch durch die Zerstörung der Witterung, weit mehr aber durch den Vandalismus der Alterthumsfeinde und Ignoranten die herrlichsten Denkmäler alter Bildnerei und Baukunst zu Grunde gerichtet werden, ohne daß eine schützende Hand zu finden wäre, so lange werde ich meine Klage fortsetzen und im Verein mit allen wahren Freunden deutscher Sitte, Geschichte und Kunst für Rettung derselben thätig seyn".

Aufseß hatte in der Folge fremde Pergamenturkunden, Bände und Aktenstücke in großer Zahl zusammengetragen und seinen privaten Sammlungen einverleibt. Sie bildeten den Grundstock des Museums-Archivs[22], das zunächst nur „ein durch Glück und Zufall zusammengewürfeltes Aggregat von Archivalien war, wovon der größere Teil bloß lokalen Wert hat"[23].

Erst seit der Mitte der fünfziger Jahre ging man daran, die Archivaliensammlung systematisch auszubauen. Vorstand des Archivs war damals der Germanist Dr. Georg Karl Frommann, der auch die Bibliothek leitete.

Es bedeutete einen glücklichen Umstand, daß in unmittelbarer Nachbarschaft des Museums, in Fürth von Zeit zu Zeit große Pergamentauktionen abgehalten wurden. Bei dem vergleichsweise riesigen Angebot konnte Aufseß jedoch trotz beträchtlichen finanziellen Einsatzes nur einen Bruchteil retten. Instruktiv ist ein Vorfall von 1855. Das Museum nahm damals Anlaß, dem Kaufmann Vetter zu danken, weil er in einem großen Haufen zum Goldschlagen bestimmter Pergamente eines Fürther Händlers wertvolle Archivalien sichergestellt hatte: „Sollte dieses hochanerkennungswerte Beispiel mehrfach Nachahmung finden, so dürfte das Germanische Museum seiner zweiten besonderen Bestimmung, als Rettungsinstitut für historische Denkmäler zu dienen, immer näher kommen und auf diese Weise manche unwiderruflichem Untergange bestimmte Antiquität der Forschung erhalten bleiben"[24]. Es handelte sich unter anderem um eine Reihe von Pergamenturkunden, Pergamentbänden (Amts- und Stand- sowie Kopialbücher) und um einzelne Pergamentblätter, die wenige Jahre vorher durch einen Angestellten des Archivkonservatoriums Nürnberg gestohlen worden waren. Die Preise, die per Gewicht bezahlt werden mußten, waren vergleichsweise niedrig. Die Goldschläger verlangten 25% über dem regulären Pergamentpreis, und zwar 9 Gulden und 24 Kreuzer für das Pfund. Aufseß konnte damals neun Pfund 19 Lot „Pergament" erwerben, wovon 5 Pfund 26 ¹/₂ Lot an das Archivkonservatorium Nürnberg weitergeleitet wurden. Der Direktor des Reichsarchivs in München, an den das Archivkonservatorium berichtet hatte, wollte sofort mit Polizeigewalt vorgehen und eine Haussuchung durchführen, wovor Aufseß dringend warnte, denn damit würden diese Quellen völlig versiegen[25].

Erfolgreich wirkten damals im Nürnberger Raum Dr. Friedrich Anton Reuß, quieszierter Universitätsprofessor in Erlangen, und der emeritierte Pfarrer von Kalchreuth und Privatgelehrte Dr. Carl Gottlob Rehlen. Am 25. 10. 1856 wurde Reuß gebeten, bei den Goldschlägern nach Pergamenturkunden zu recherchieren und sie gegen „ebenso gutes oder besseres Pergament" umzutauschen. Nach dem Tode Rehlens mahnte der Goldschläger Schinnerer in Fürth Bezahlung oder Umtausch von zwei

[22] Verzeichnisse davon im Nachlaß Aufseß unter dem Titel „Verzeichnis der Original-Urkunden des deutschen Museums des Freiherrn von Aufseß" (1185–1450); es enthält insgesamt 233 Urkunden aus dem gesamten deutschen Sprachgebiet; – „Verzeichnis der Originalakten des deutschen Museums des Freiherrn von Aufseß" (bis 1450), 175 Nummern, darunter bereits die kostbaren Regensburger Bände aus dem 14. Jahrhundert.
[23] Organismus GNM, 1. Abt., S. 98.
[24] Archiv GNM, Altregistratur K 251, Akt Urkundensammlung 1853–1859.
[25] Ebenda.

Pfund acht Lot „guten Kalb-Pergaments in Urkunden" an, die Rehlen und Reuß in seinem Pergamentvorrat ausgesucht hatten[26].

Kommunale Registraturen waren die besonders reich fließenden Quellen der Pergamenthändler. 1857 kamen gegen 70 Urkunden aus einem Gemeinde-Archiv in der Nähe von Kirchheim-Teck an das Museum[27]. 1869 kam ein Hilferuf der Historischen Gesellschaft Freiburg im Breisgau. Das ganze Archiv des Freiburger Heiliggeistspitals sei in die Hand von Pergamenthändlern der Nürnberger oder Fürther Goldschläger gewandert, die mit dem Pergamentpreis insofern spekulierten, als sie das etwa 2000 Urkunden umfassende Archiv zunächst in der Schweiz zurückhielten, „bis der Nürnberger Markt sich weniger überschwemmt zeigen würde"[28].

An dem lukrativen Pergamenthandel beteiligten sich auch Kaufleute anderer Sparten. So wurden 1858 und 1860 über den Optiker Strauß in Schwabach drei wertvolle Urkundenbestände erworben, Teile des Stadtarchivs Ulm, 59 Urkunden des Stifts Wetzlar, meist aus dem 13. und 14. Jahrhundert, dann 86 Urkunden des Benediktinerinnenstifts Sießen, das im Gefolge der Säkularisation an die Fürsten Thurn und Taxis übergegangen war[29]. Konradin von Moor in Chur übersandte 1862 acht Pfund Urkunden aus dem Wallis zum Preis von 25 Gulden[30]. 1859 bot der Uhrmacher Ludwig Herr in Bamberg (?) 75 Urkunden an, das Stück um einen Gulden. Die Siegel seien zwar abgeschnitten, doch in einer Schachtel noch vorhanden, man könne sie also wieder anbringen[31]. Der Holzbildhauer und Antiquar Alois Überbacher in Bozen verkaufte 1875 für 200 Gulden über 100 Urkunden aus dem Vintschgau, die meist das Bistum Chur betrafen, darunter zwei kostbare Kaiserurkunden von 976 und 1037[32].

Hochwillkommen war damals eine Spende von 2100 Gulden des Landgerichtsassessors Ludwig von Cuny aus Bonn mit der Zweckbestimmung, „wertvolle Pergamentmanuskripte und Urkunden dem Untergang durch den Hammer der Goldschläger zu entreissen"[33].

Zahlreiche Urkunden kamen aus Sammlerhänden. So schenkte im Februar 1854 das Mitglied des Gelehrtenausschusses Dr. Hermann Wasserschleben, Professor der Rechte an der Universität Gießen, eine große Zahl von Urkunden der Deutschordens-Kommende Luklum bzw. der Deutschordens-Ballei Sachsen. Dr. Fr. W. Ebeling in Cöthen bot zwei Kaiserurkunden von 975 und 993 um 10 Louis d'Or an. Mit der Begründung, man könne die Urkunden nicht in die Hände von Antiquaren gelangen lassen, „die ohnehin schon viele Schätze Deutschlands entführt haben", erwarb das Museum die beiden Urkunden, allerdings nur um 30 Gulden, zumal das Fehlen der Siegel den Wert bedenklich mindere[34]. Aus den Händen einer Nichte von Dr. Roschütz in Düsseldorf kamen 1855 um 100 Gulden 350 Pergamenturkunden der Klöster Nazareth, Wittenborg und Frankenberg[35]. 1860 wurde

[26] Ebenda, Brief vom 9. Mai 1857.
[27] Ebenda, Brief vom 31. Mai 1857.
[28] Die Historische Gesellschaft unternahm alle Anstrengungen, die Urkunden wieder zurückzukaufen; Kosten 500 Gulden; allenfalls sollte das Generallandesarchiv Karlsruhe sich darum bemühen (ebenda, K 253, Akt Urkundensammlung 1865–87).
[29] Das Fürstlich Thurn- und Taxis'sche Archiv fragte am 4. Dezember 1860 nach dem Vorbesitzer, mit dem Hinweis, daß der Bestand früher wahrscheinlich einem Taxis'schen Lokalarchiv in Schwaben angehört habe. Antwort des Museums vom 15. Dezember 1860 (ebenda K 252, Akt Urkundensammlung 1860–65); siehe auch Anzeiger GNM 1860, Heft 6 (Juni).
[30] Archiv GNM, Altregistratur K 252, Akt Urkundensammlung 1860–65.
[31] Ebenda.
[32] Ebenda K 253, Akt Urkundensammlung 1865–1887.
[33] Jahresbericht GNM 15 (für 1868), 1869.
[34] Dr. Ebeling bekam damals von Aufseß eine ausführliche diplomatische Belehrung über Urkundenkritik und Urkundenfälschungen, nachdem er für die Echtheit garantiert hatte. Die beiden Urkunden stammen vom Kloster Nienburg an der Saale: ein Privileg vom 28. Juni 975 wegen der Verlegung des Klosters von Tagmarsfeld nach Nienburg und ein Münzprivileg vom 29. Juli 993. (Archiv GNM, Altregistratur K 251, Akt Urkundensammlung 1853–1859).
[35] Aufmerksam machte darauf Pfarrer Roschütz in Heinrichswald bei Reichenstein, der Bruder von Dr. Ph. B. v. Roschütz in Düsseldorf (ebenda).

durch den Notar Fr. Ernst Amthor zu Waldenburg in Sachsen eine große Zahl Regensburger Urkunden angeboten, die er zur Erweiterung seiner Siegelsammlung erworben hatte: „Mir tat es leid, die Siegel von den Urkunden zu trennen, wie es wohl mein Vorbesitzer getan haben mag, und so mögen sie in den Sammlungen des germanischen Museums vor weiterer Beschädigung gesichert aufbewahrt werden"[36]. Zu den wertvollsten Beständen des Museums zählen die Urkunden des Klosters Brondolo bei Venedig. Sie waren bereits 1848 auf einer Pergamentauktion durch den Kaufmann und Sammler Georg Lotter von Bamberg erworben worden. 1885 schenkte sie Lotter an das Museum, als kostbarstes Stück eine Bulle Papst Benedikts IX. von 1044[37].

Bedenklich war es, daß man nur die historisch bedeutungsvollen Urkunden, so wie man das damals verstand, und nur die vor 1650 entstandenen berücksichtigte. So wählte man 1865 aus einem grösseren Angebot des Sammlers Gustav Adolph Petter in Wien 25 Pergamenturkunden aus, das Stück zu 15 Kreuzer; für die übrigen empfahl man Petter den Verkauf an einen Goldschläger[38].

Es ist das Verdienst von Aufseß, das Archivdepot des Museums von Anfang an auch den von Archivpflege und Forschung weniger beachteten und geachteten Akten geöffnet zu haben; denn damals wanderten ganze Kommunal-Registraturen und Herrschaftsarchive in die Papiermühle[39]. 1858 konnten wenigstens Teile der Aktenmakulatur des Stadtmagistrats zu Kulmbach gerettet werden. Das Museum hatte die interessierenden Akten in einer von Kulmbach übersandten Liste mit Rotstift angemerkt, worauf diese „aus dem großen Haufen herausgesucht", doch nicht mehr alle gefunden wurden – bezeichnend, wie unbekümmert man mit den, wie sich später herausstellte, wertvollen Quellen umgegangen ist. Bei der Auktion am 29. Mai wurde die gesamte Makulatur zunächst durch den Kaufmann Emanuel Oppenheimer in Burgkunstadt ersteigert, der mit dem Angebote von 7 Gulden 80 Kreuzer pro Zentner Meistbietender geblieben war. Die für das Museum bestimmten Akten (12 Pakete im Gewicht von 380 Pfund) wurden von Oppenheimer nach Nürnberg weiterverkauft. Ein Teil der Makulatur ging an das Familienarchiv des Grafen Karl von Giech zu Thurnau, offenbar Akten, die die Geschichte der Familie betrafen[40].

Das Museum versuchte bei anderen Gemeinden einer Aktenausscheidung in dieser Form zuvorzukommen, indem es dort für die unmittelbare Übergabe der Registraturen warb. So schrieb Aufseß am 9. 11. 1858 an die Stadt Hersbruck: „Auch dort werden nämlich unter den reponierten alten Akten, Urkunden und sonstigen Schriftstücken manche sich befinden, die, während sie an ihrem gegenwärtigen Platze keinen Nutzen mehr bieten, einen wissenschaftlichen Wert haben und den Zwecken unserer Anstalt dienlich sein könnten, wohin nämlich diejenigen Stücke gehören, welche ein älteres

[36] Ebenda K 252, Akt Urkundensammlung 1860–65. 1863 wurden weitere 120 Urkunden aus dem ehemaligen Archiv des Domkapitels zu Regensburg gekauft, die „ohne Dazwischentreten des germanischen Museums beim Goldschlagen ihren Untergang gefunden" hätten (Jahresbericht GNM 10, für 1863, 1864).

[37] Zugangsregister Archiv Nr. 4851 (Archiv GNM, Altregistratur K 253, Akt Urkundensammlung 1865–87. Im folgenden Jahre wurde eine weitere Urkunde von Brondolo (von 1273) erworben. 1884 bot der Obersteuerinspektor Freiherr von Hardenberg in Konstanz mit einem Konvolut von 45 Urkunden u. a. eine zweite Urkunde Papst Benedikts IX. von 1044 an (ZR 4835a). 1903 folgte eine Urkunde Papst Alexanders II. von 1161 (Archiv GNM, Altregistratur K 254, Akt Neuerwerbungen 1901–05).

[38] Journal des Archivs 1864–68; Brief vom 29. Oktober 1865 (Archiv GNM, Altregistratur K 255, Sonderakt Petter 1862–64).

[39] „Zwar ist bei der Sorgfalt, welche gegenwärtig überall den öffentlichen Archiven zugewendet wird und bei den hohen Preisen, welche seltene Pergamenturkunden in Privathänden haben, wenig Aussicht vorhanden, das Archiv des germanischen Museums von dieser Seite her bedeutend anwachsen zu sehen. Dagegen dürften in Gemeindeladen, bei Körperschaften und Zünften, die ihre geschichtliche Bedeutung verloren haben oder auf dem Punkte sind, sie zu verlieren, und endlich bei einer großen Zahl von Familien noch viele wichtige und interessante Papiere und Urkunden zu finden sein, die im gegebenen Falle um billigen Preis zu erwerben wären". Die Pfleger wurden dringend aufgefordert, auf solche Gelegenheiten zu achten (Bericht des Archivars Alexander Flegler vom 15. März 1866. Archiv GNM, Altregistratur K 251, Akt Einzelheiten die Archivverwaltung betr. 1853–69).

[40] Mit Nebenkosten, Verpackung, Transport usw. wurden 30 Gulden 5 1/2 Kreuzer bezahlt. (Ebenda, Akt Urkundensammlung 1853–59).

Datum als 1650 zeigen". Vorgeschlagen wurde in diesem Fall die Übergabe unter Eigentumsvorbehalt[41]. Am 16. Januar 1860 wurde die Stadt Beilngries aufgefordert, ihre Urkunden käuflich dem Museum zu überlassen[42].

Bei den Aktenausscheidungen der Gemeinden und Städte hatte man nur Vorgänge zurückbehalten, die von rechtlichem Belang waren, allenfalls noch Autographen berühmter Persönlichkeiten. Dies wird deutlich bei der Aktenausscheidung von Windsheim 1862. Aus der Korrespondenz[43] ist zu entnehmen, daß der Magistrat von Windsheim einige Wochen zuvor 26 Zentner alter Handwerksrechnungen und anderer „fliegender Papiere" über den Handelsmann Böhm in Nürnberg an eine Papiermühle verkauft hatte. In Windsheim kursierten Gerüchte, es seien davon mehrere wertvolle Handschriften u. a. von Luther und Melanchthon an das Germanische Nationalmuseum übergegangen, überdies „eine Menge wertvoller Pergamenturkunden und sonstiger Archivalien" von unberufenen Händen und ohne Vorwissen und Genehmigung des Magistrats leichtsinnigerweise unter die wertlosen Akten gemengt worden. Das Museum hatte von dem Nürnberger Papierfabrikanten tatsächlich 3¹/₂ Zentner Akten aus der Windsheimer Makulatur gekauft, darunter viele eigenhändige Schreiben berühmter Männer des 15. und 16. Jahrhunderts – ein Brief des Götz von Berlichingen wird besonders hervorgehoben –, dazu bischöfliche, reichsstädtische und markgräfliche Korrespondenzen sowie etliche kaiserliche Mandate, ferner von den vom Pappendeckelfabrikanten Hermann in Nürnberg angebotenen ca. 400 Pergamenturkunden etwa deren 40. Etwa 160 Stück hatte der Magistrat Nürnberg, bzw. das Stadtarchiv, erworben. Der Museumsarchivar tröstete damals die Stadt Windsheim mit dem Hinweis, die Archivalien bezögen sich keineswegs auf die Besitzverhältnisse oder Rechte der Stadt, von dortigen Korporationen, Stiftungen usw., hätten nur wissenschaftlichen Wert, seien vorherrschend historischen Inhalts und beträfen nur die allgemeine Geschichte, nicht die innere Geschichte der Stadt. Aus dem Schriftwechsel mit dem Bezirksamt Uffenheim erfahren wir, daß beim Verkauf keine Protokolle und Verzeichnisse angelegt wurden, die gesamten Archivalien übrigens einen Wert von 1500–2000 Gulden gehabt hatten.

1872 übersandte die Stadt Wismar ein Konvolut alter Dokumente, die im dortigen Archiv vorgefunden worden seien, doch für dieses keinen Wert hätten[44]. Der Antiquar Barbeck in Nürnberg verkaufte 1875 an das Museum fünf Zentner Regensburger Akten, insgesamt 500–600 Faszikel, um 13 Gulden pro Zentner[45]. Es handelte sich hierbei zumeist um Verlassenschaftsakten, Vormundschaften und Testamente aus dem 16. bis 18. Jahrhundert. Dies scheint der letzte Akt der Liquidierung des ehemaligen reichsstädtischen Archivs von Regensburg gewesen zu sein, nachdem offenbar schon vor der Museumsgründung Teile des Archivs, vor allem wertvolle Stadtbücher des 14. und 15. Jahrhunderts ausgeschieden oder auch entfremdet worden waren. Der privaten Sammeltätigkeit Aufseß' vor der Museumsgründung ist es zu verdanken, daß ein Teil dieser Stadtbücher für die Forschung gerettet worden ist. Dazu gehört das bekannte „Wundenbuch" von 1339–48, ein Rechnungsbuch und ein Salbuch von St. Emmeram 1345 bzw. 1348, ein Leibgedingsbuch der Stadt Regensburg 1350–64, das Torwärtelbuch 1387 und ein Stadtbuch über Zoll- und Lokalaufschläge von 1387–1390.

Von Anfang an hatte sich Aufseß der Betreuung der Privatarchive, vor allem der Adelsarchive, zugewandt. Mit der Aufhebung der Grundherrschaft und des Lehenswesens waren viele Urkunden und Aktenvorgänge als Rechtstitel bedeutungslos geworden; dies galt vor allem für die über Jahrhunderte sorgfältig gehüteten kaiserlichen und fürstlichen Privilegien, Besitzbestätigungen, Lehenbriefe,

[41] Ebenda.
[42] Ebenda K 252, Akt Urkundensammlung 1860–65.
[43] Ebenda K 253, Sonderakt Windsheim 1862; auch für das Folgende.
[44] Ebenda, Akt Urkundensammlung 1865–87.
[45] Ebenda.

persönliche Rechte in Adelsbesitz. Familiensinn und Geschichtsbewußtsein, auch Ressentiments gegen die neuen Landesherren hatten jedoch bei den Adelsgeschlechtern dazu geführt, daß hier Pergamenthändler und Papiermühlen in weit geringerem Maße ins Geschäft kommen konnten, als bei den Stadt- und Gemeindearchiven. Aufseß selbst war für seine Standesgenossen leuchtendes Vorbild. Sein eigenes Familienarchiv hatte er vorbildlich betreut und Teile davon, soweit sie von allgemeinem Interesse waren, dem Museum als Leihgabe anvertraut[46]. Zwischen 1852 und 1855 übergaben die Freiherrlich von Künßbergischen Relikten in mehreren Partien Urkunden und Bände, die sich hauptsächlich auf den Künßbergischen Besitz Ermreuth bezogen[47]. 1856 verkaufte Freiherr von Behaim einen Teil seines Aktenarchivs an das Museum, zumeist wertvolle Handelskorrespondenz des 15./16. Jahrhunderts. Nur Archivalien „von ausschließlichem oder besonderem Familieninteresse" hatte er zurückbehalten. In einem Brief an Behaim bat Aufseß dahin zu wirken, daß seine Standesgenossen dem Museum als „Sammelplatz des historischen Materials für Nürnbergs Geschichte und Kunst" ihre Archive übergeben und damit seinem rühmlichen Beispiel folgen[48]. Als Erfolg des Museums konnte auch verbucht werden, daß Karl Graf von Giech zu Thurnau 1857/58 sein Archiv durch den Museumsarchivar Dr. Hugo Burkhardt ordnen ließ[49].

Das Werben des Museums fand freilich nicht überall ein positives Echo. Auch Archivalien aus Adelsbesitz kamen damals unter den Hammer. Den drängenden Vorstellungen von Aufseß war es offenbar zu verdanken, daß 1856 wenigstens eine Einladung an das Museum erging, an dem am 27. Oktober im von Kressischen Haus am Egidienberg stattfindenden Verkauf „mehrerer alter Schriften und Bücher, Urkunden auf Pergament" sich zu beteiligen, die offenbar aus dem Archiv der Freiherrn Kreß von Kressenstein stammten[50]. 1856 wurde in Meran eine Versteigerung von Akten aus dem Schloß Meran durch die Fürstlich Thurn- und Taxis'sche Domänenadministration in Regensburg durchgeführt. Immerhin kam man den Bestrebungen des Museums so weit entgegen, daß man ihm genehmigte, geeignete Akten zum Makulaturpreis zu entnehmen[51].

Das bedeutendste im Museum verwahrte Adelsarchiv kam ebenfalls aus Südtirol, das Familien- und Herrschaftsarchiv der Grafen von Wolckenstein-Rodenegg mit etwa 750 Pergamenturkunden und 100 Regalmetern Bänden und Akten aus dem 13.–18. Jahrhundert. Unter den Urkunden sind etwa 40 Notariatsinstrumente aus dem 14. Jahrhundert hervorzuheben. Neben zahlreichen Kopialbüchern, Urbaren und Zinsregistern enthält das Archiv umfangreiche politische Korrespondenzen u. a. mit den Fuggern, Grafen von Görz, mit Spanien, sogar Quellen für den Minnesänger Oswald von Wolckenstein. Integriert sind Teile des von Welsperg'schen Familienarchivs. Das Archiv gelangte in die Hände

---

[46] 308 Pergamenturkunden, 949 Papierurkunden und 75 Aktenfaszikel; diese gingen nach dem Ausscheiden von Aufseß aus der Museumsleitung 1864 wieder in das Familienarchiv zurück.

[47] „Sie vermehren die Sammlung, die wir auch für die Zeit nach 1650 anzulegen begonnen haben" (Brief vom 3. Januar 1864. Ebenda K 251, Akt Urkundensammlung 1853–59).

[48] Ebenda. Der Kaufpreis in Höhe von 50 Gulden war nach der Papierqualität abgestuft; von „ganz gutem" Papier wurde 1 Zentner um 11 Gulden erworben, von „halb gutem" 1½ Zentner um 12 Gulden, von „schlechtem" Papier 1 Zentner um 7 Gulden; dazu kamen 6 Pfund Pergamenturkunden um 20 Gulden 50 Kreuzer. Das Museum hatte sich damals verpflichtet, „zu jeder Zeit von allem, was irgendwie für das Behaimische Freiherrengeschlecht von Interesse sein könnte, Einsicht nehmen zu lassen und eine zweckdienliche Benützung freizustellen . . . Da das germanische Museum stets diese Maxime bei allen Familien beobachten wird, welche in gleicher Weise entbehrliche Archivalien käuflich abzutreten geneigt sind und es ohne Zweifel solche zu weit höheren Preisen annehmen kann, als ein Händler, welcher das historische Moment nicht beachtend blos seinen materiellen Profit machen will, so dürfte es wohl im eigenen Interesse der hohen adeligen Familien Nürnbergs liegen, wenn sie irgend einen Teil der durch veränderte Verhältnisse für sie wertlos gewordenen Papiere und Urkunden abzugeben willens wären, solche dem Germanischen Museum zu überlassen, wenigstens vor dem weiteren Verkauf anzubieten." Im „Organismus" des Germanischen Museums von 1856 (S. 97) verweist Aufseß darauf, daß man sich auch dem Wunsche eines Privateigentümers nicht verschließen wolle, der seine Originale dem Museums-Archiv als einem hierfür geeigneten Aufbewahrungsort anvertraut.

[49] Archiv GNM, Altregistratur K 251, Akt Urkundensammlung 1853–59.

[50] Ebenda.

[51] Ebenda.

des uns schon bekannten Bildhauers Alois Überbacher in Bozen, der es 1875 an das Museum verkaufte[52]. Durch dieses Archiv wird das Übergewicht der Adelsarchive aus dem fränkisch-nürnbergischen Raum etwas gemildert[53].

Staatliches Archivgut, d. h. solches von Behörden und Ämtern ehemaliger Territorien und Reichsstädte – bei den letzteren Landeshoheitssachen betreffend –, kam nur in vergleichsweise geringem Umfang in das Museum, doch auch in diesem Bereich konnten wertvolle Archivalien vor dem endgültigen Verlust gerettet werden. Zu nennen sind etwa Rechnungen von Außenämtern des Hochstifts Bamberg[54], Teile der Registratur verschiedener Behörden des Hochstifts Eichstätt, des Brandenburg-Bayreuthischen Amtes Kulmbach[55], des würzburgischen Kelleramtes Königshofen, eine Reihe von Kopialbüchern der Grafschaft Mannsfeld[56], meist Bergwerksachen des 16. Jahrhunderts betreffend, sowie des Erzstifts Mainz aus dem Eichsfeld (15. Jh.), dazu Archivalien der ehemaligen Reichsstädte Eßlingen, Nürnberg, Regensburg, Schweinfurt und Windsheim in größerer Zahl.

1862 bot ein Kaufmann Schmidt Akten aus der Gegend von Sulzbach, Weiden und Amberg zum Preis von 12 fl. pro Zentner an, vorausgesetzt, daß von den in seinen Händen befindlichen 100 Zentnern wenigstens 5 bis 6 gekauft würden[57]. Der Archivar des Museums, Roth von Schreckenstein, stellte damals fest, daß die Akten, die offenbar von ehemaligen territorialen Gerichtsbehörden stammten, „Einsicht in interessante Kriminal- und Zivilprozesse gewährten", auch Rechnungen befänden sich darunter, die älteste aus der ersten Hälfte des 16. Jahrhunderts. Würden diese Akten nicht erworben, so ginge ein wertvolles kulturhistorisches Material zugrunde. „Alte Rechnungen und dergleichen sind von großer Bedeutung für die noch immer so ungenaue Kenntnisnahme der älteren Preisverhältnisse, sowohl der Rohprodukte als der Waren". 8 ¼ Zentner wurden schließlich als tauglich für die Überführung an das Museum befunden. Dr. Friedrich Zehler, Mitglied des Lokalausschusses des Museums, monierte damals den hohen Preis; ein Nürnberger Papierfabrikant habe 600 Zentner Makulaturakten zu 3 Gulden 30 Kreuzer den Zentner gekauft.

Selbst Registraturen von Zentralbehörden des Reiches rückten in das Interesse von Aufseß. 1861 hatte sich der königliche Archivrat a. D. von Medem in Gollnow an das Museum mit der Bitte gewandt, sich dafür zu verwenden, daß er als Archivar für die Registratur des ehemaligen Reichskammergerichts in Wetzlar bestellt und von ihm die Ordnung der Akten in die Wege geleitet werde[58]. Der folgende Schriftwechsel wirft ein bezeichnendes Licht auf die staatliche Archivpflege, soweit sie in den Händen der Justizbehörden lag. 1813 war die Registratur des Reichskammergerichts von Preußen beschlagnahmt und 1855 durch eine bereits 1821 eingesetzte Bundestagskommission die Aufteilung unter die deutschen Länder durchgeführt worden. In Wetzlar verblieben nur die Akten, die sich auf das damalige preußische Staatsgebiet erstreckten und der sog. „untrennbare Bestand", nämlich

---

[52] Ebenda K 253, Akt Urkundensammlung 1865–87.
[53] Siehe Ludwig Veit: Adelsarchive im Germanischen Nationalmuseum zu Nürnberg. In: Mitteilungen für die Archivpflege in Bayern 17 (1971), S. 32–43. Folgende Adelsarchive wurden dem Germanischen Nationalmuseum übergeben: 1856 von Behaim. – 1858 von Reitzenstein, Herrschaftsarchiv Hadermannsgrün (bei Hof, Oberfranken). – 1861 von Schaumberg, Schloßarchiv Kleinziegenfeld (bei Lichtenfels, Oberfranken). – 1870 von Scheurl. – 1872 von Holzschuher und von Kreßisches Gutsarchiv Neunhof (bei Nürnberg). – 1873 Gutsarchiv Schney (bei Lichtenfels, Oberfranken) der Grafen Brockdorff. – 1875 Gräflich Wolckenstein'sches Familien- und Herrschaftsarchiv Rodenegg (Südtirol). – 1882 und 1968 von Löffelholz. – 1893 Teilarchiv der Grafen Khevenhüller (spanische Gesandtschaftssachen). – 1894 von Bodman (am Bodensee). – 1905 von Wölckern. – 1906 und 1918 von Oelhafen. – 1921 von Praun. – 1937 und 1968 von Kreß, Familien- und Gutsarchiv Kraftshof (bei Nürnberg). – 1940 von Volckamer. – 1945 von Imhoff.
[54] Über die Bedeutung der Rechnungen als historische Quelle siehe Wilhelm G. Neukam in der Einleitung zu Hans Krausert: Staatsarchiv Bamberg. Rechnungen des Hochstifts Bamberg (Bayerische Archivinventare 6). München 1956. Die in Bamberg fehlenden, im Germanischen Nationalmuseum verwahrten Rechnungen sind hier nicht erfaßt.
[55] Vermischt mit städtischen Akten (Verlassenschafts- und Vormundschaftssachen, Stadtkämmereirechnungen u. a.).
[56] Siehe Korrespondenz mit Registrator Voßberg in Berlin vom November 1859 (Archiv GNM, Altregistratur K 251, Akt Urkundensammlung 1853–59).
[57] Ebenda K 252, Akt Urkundensammlung 1860–65.
[58] Ebenda, Akt Korrespondenz mit Wetzlar 1861.

Protokolle, Urkundenbücher und die eigentlichen Verwaltungsakten des Gerichts, sowie die Akten über Prozesse aus den nicht mehr zum Bundesgebiet gehörigen Reichsteilen[59]. Die Aufsicht war dem Wetzlarer Staatsanwalt anvertraut, wie der bekannte Rechtshistoriker Dr. Paul Wigand, ehemals Stadtgerichtsdirektor in Wetzlar, in seinem Schreiben an das Museum vom 10. Oktober 1861 mitteilt und dabei die folgende bezeichnende Kritik übt: „Unsere Juristen . . . haben zumeist keine rechtshistorischen, antiquarischen und germanistischen Studien gemacht, verstehen die Urkunden der Vorzeit so wenig wie ihre Idiome und Schriftstücke. Das Archiv liegt somit todt da und wird von niemand benutzt. Unsere Justiz sieht dasselbe als eine alte reponierte Aktenregistratur an, die eigentlich in die Papiermühle müßte geschickt werden. Man hat eine wahre Wuth, ältere Akten zu vernichten und es haben auch einige Obergerichte, von denen wir mitgeteilte alte Akten zurückforderten, geantwortet, daß sie bereits mit anderer Makulatur in die Papiermühle gewandert seien"[60]. Durch eine Eingabe an die Bundesversammlung vom 27. 11. 1861 versuchte das Museum die Fortführung der Ordnungsarbeiten zu erreichen. Doch erfolgte diese offenbar erst 1883, als das Wetzlarer Archiv in die Obhut der preußischen Archivverwaltung genommen wurde[61].

Das Germanische Museum war die einzige zentrale Stelle des Deutschen Bundes, die sich die Pflege von Kunst, Kultur und Geschichte angelegen sein ließ. Allenthalben propagierte man voller Selbstbewußtsein die hohen Ziele der „Deutschen Nationalanstalt". Diese schien deshalb auch der Bundesversammlung der rechte Ort für die Verwahrung der Bibliothek der Paulskirche, die 1855 dem Museum übergeben wurde[62]. Auch Teile der Registratur des Frankfurter Parlaments gelangten nach Nürnberg, eine Sammlung von Originaladressen und Petitionen, die nach der Auflösung der Nationalversammlung der ehemalige Reichstagsabgeordnete, Rechtsanwalt G. Tafel, an sich genommen hatte[63]. Akten der zur Zeit der Paulskirche vorübergehend wirkenden Provisorischen Regierung der Pfalz kamen über den Verlag J. F. Lehmann, München, 1907 an das Museum[64].

Ende der achtziger Jahre erreichte die Sammeltätigkeit des Archivs einen gewissen Abschluß. Ca. 8000 Pergamenturkunden, 2500 Papierurkunden, 160 Urkundenbücher, 2000 Bände und Akten waren bis dahin in den Sammelbeständen gleichen Namens zusammengetragen worden[65]. Die inzwischen erworbenen Adelsarchive enthielten noch einmal etwa dieselbe Menge an Urkunden und Akten.

Auch die unter Essenwein 1869 neu formulierten Satzungen hatten dem Archiv wieder die Aufgabe zugewiesen, „zerstreutes und bedrohtes Urkundenmaterial zu sammeln und zu retten"[66]. Diese

[59] Brenneke-Leesch (Anm. 1), S. 123–124.
[60] Wie Anm. 58. Wigand erwähnt u. a., daß mit ihm auch Archivdirektor von Raumer in Berlin gegen die Aufteilung der Wetzlarer Akten gewesen sei.
[61] Brenneke-Leesch (Anm. 1), S. 124.
[62] Siehe Elisabeth Rücker in diesem Band S. 550–553.
[63] Übergeben von der Witwe Natalie Tafel; gemäß Brief Stuttgart 14. März 1875 (Archiv GNM, Altregistratur K 253, Akt Urkundensammlung 1865–87).
[64] Zunächst ausgeliehen an Prof. Du Moulin; endgültig erst 1928 in das Museum überführt.
[65] Sammlungen (Anm. 3), S. 123–124.
[66] Satzungen vom 22. Mai 1869 vgl. S. 954–956. Essenwein drängte zunächst sogar auf die Auflösung des Archivs. Er hatte am 15. Februar 1869 an Wissenschaftler und Archivare ein Rundschreiben geschickt mit der Bitte um ein Urteil über die Berechtigung des Haupt'schen Gutachtens vom 19. August 1868 für die preussische Regierung, wo es heißt: „Dagegen wird bei dem Archive sehr verständiger Weise mit Aufgabung der früheren phantastischen Pläne die landschaftliche Beschränkung zunächst im Auge behalten. In dieser Beschränkung ist mir das Archiv von unleugbarem Werte erschienen. Dabei hat es das Verdienst, eine Menge von Urkunden und alten Aktenstücken vom Untergange zu retten. So hat es vor kurzem den größten Theil des zum Einstampfen bestimmten Archives der ehemaligen Reichsstadt Windsheim erworben und damit Urkunden gerettet, die zum Theil wichtig sind. Noch immer bietet Nürnberg und die angrenzende Gegend mehr als andere Gegenden Deutschlands Gelegenheit zur Erwerbung von Urkunden und Handschriften, die zum Theil aus entfernten Gegenden stammen: es ist von Wichtigkeit, daß in Nürnberg eine Anstalt bestehe, durch welche solche Denkmäler der deutschen Wissenschaft gerettet werden. Da sie auch hiermit aus landschaftlicher Beschränkung tritt, scheint sie mir auch in dieser Beziehung Unterstützung zu verdienen." (Archiv

Aufgabe war eigentlich erfüllt, da die staatlichen Archive, die sich bis dahin hauptsächlich nur um die aus territorialen und damit staatlichen Registraturen stammenden Archivalien gekümmert hatten, nunmehr auch „landschaftliche" Archivpflege betrieben, d. h. kommunales, kirchliches und privates Archivgut in ihre Betreuung einbezogen[67]. Das zerstreute und der Zerstörung ausgesetzte Urkundenmaterial mehre sich nicht mehr im Hinblick auf die sorgsame Verwaltung auch kleiner Archive, konnte der Jahresbericht des Museums 1890 feststellen[68]. Der Verfasser einer Sammlungsgeschichte des Museums registrierte mit Befriedigung, daß nun den Archiven größere Sorgfalt als früher zugewendet werde. Auch die Geschenke vereinzelter, da und dort in Privatbesitz befindlicher Archivalien habe nicht mehr den Umfang früherer Jahre, weil die Mehrzahl der Freunde des Museums diese Stücke dem Museum schon übergeben habe. Es könne sich nur noch darum handeln, zufällig Entgegentretendes zu retten[69].

□ Die Sammlung „museumswürdiger" Archivalien. Die Autographensammlung.

Nur noch vereinzelt wurden in den folgenden Jahren umfänglichere Urkundenkonvolute angekauft[70], so daß der Sammelbestand der Urkunden bis 1893 auf 9462, bis zum zweiten Weltkrieg nur noch auf etwa 12000 Stück anwuchs, doch beschränkte man sich im wesentlichen bereits seit den achtziger Jahren auf die Erwerbung wegen ihres Äußeren oder wegen ihres Inhalts besonders hervorragender Stücke. Dabei wurde in mehreren Fällen das Museum durch Harry Breßlau beraten[71]. Seit dem Beginn des 20. Jahrhunderts legte man vor allem auf „schöne Beispiele künstlerischer Ausstattung von Urkunden durch Schrift, Zeichnung und Malerei" wert[72] und erwarb deshalb vor allem Adels- und Wappenbriefe sowie Arbeits- und Lehrbriefe.

Eine Abteilung des Archivs wollte man auch zukünftig systematisch ausbauen, die Autographensammlung[73]. Sie gehörte offenbar nicht zum ursprünglichen Plan von Aufseß. Gleichwohl gehen die Anfänge bis in die fünfziger Jahre zurück. Ansätze sind zu erkennen in einem Aktenstück, das 1855 publiziert worden ist: „Briefe denkwürdiger Personen, darunter Johann Agricola, Gustav Adolph von Schweden, Philipp Melanchthon, Willibald Pirckheimer usw. 1453–1650"[74]. Die Anregung für

GNM, Altregistratur I, I, Nr. 2a Drucksachen). Aufseß reagierte sofort in der gewohnten Schärfe in seiner Schrift: Eine Beantwortung der Fragen über das Archiv des Germanischen Museums. Konstanz (1869): „So kann nimmermehr ein Germanisches Nationalmuseum in Wahrheit und mit Ehren bestehen, wenn es sein Archiv aufgibt und die Urkunden als bloße Schreibmuster in die Antiquitätensammlung verweist".

[67] Brenneke-Leesch (Anm. 1), S. 413–436.
[68] Jahresbericht GNM 37 (für 1890), 1890: in ähnlicher Formulierung im Jahresbericht GNM 36 (für 1889), 1889; Jahresbericht GNM 38 (für 1891), 1891; Jahresbericht GNM 40 (für 1893), 1893.
[69] Essenwein, Sammlungen (Anm. 3), S. 123–124.
[70] 1894: 40 Tiroler Urkunden; 1896: 75 Urkunden, hauptsächlich das Schloß Waldeck betreffend, sowie etwa 50 Urkunden des Stifts Wetzlar; 1911: 25 Urkunden deutscher Kaiser und Bischöfe. Ein Angebot von Osnabrücker Urkunden durch das Antiquariat Ferdinand Schöning in Osnabrück lehnt das Museum am 9. 10. 1905 zunächst ab („Unseres Erachtens gehören die Stücke nach Osnabrück"); trotzdem wurden die Urkunden schließlich angekauft. 1902 erwirbt das Museum 16 Urkunden des Stifts St. Peter und Alexander in Aschaffenburg, darunter 4 Konfirmationsurkunden. Das Königliche Stiftungsamt in Aschaffenburg reklamierte die Urkunden, „welche rechtlich noch dem genannten Stift gehören", erklärte sich aber bereit, den Ankaufspreis zu ersetzen. Das Museum sah sich jedoch dazu außerstande, „Gegenstände, die den Sammlungen eingereiht sind, zu veräussern". Aschaffenburg gab sich schließlich mit Abschriften zufrieden (Archiv GNM, Altregistratur K 254, Akt Erwerbungen des Archivs 1901–05).
[71] 1891: Urkunde Heinrichs II. für Kloster Niederaltaich von 1011; 1893: Privileg Heinrichs IV. für Pisa von 1081 in einem gleichzeitigen Vidimus, sowie vier Papsturkunden 12.–15. Jh.; 1903: eine Papstbulle für Brondolo von 1160; 1906: die gefälschte Gründungsurkunde Bischof Meinwerks von Paderborn für Kloster Abdinghof von 1031 und Verbundbrief der Stadt Köln von 1396; 1912 kam der zugehörige sogenannte Transfixbrief von 1513 dazu.
[72] Jahresbericht GNM 60 (für 1913), 1913, S. 6–7.
[73] Essenwein sagt dazu in seinem Aufsatz von 1884 über die Sammlungen (Anm. 3), S. 133–134: „Nur für eine Abteilung wird systematisches Sammeln angezeigt sein, nämlich für die Autographensammlung. Sie ist nur unbedeutend, wird jedoch mit ca. 10000 m(ark) sich zu großer Bedeutung bringen lassen, weil ja die Sachen der jüngeren Zeit größtenteils ohne Aufwand zu bekommen sein werden und die Summe also für die ältere Zeit verwendet werden kann."
[74] Siehe Anzeiger GNM 1853, Sp. 39–40, 99–100 und den Aufsatz „Über Briefsammlungen". In: Anzeiger GNM 1854, Sp. 3–4.

den Ausbau als eigene Abteilung kam offenbar aus München. In einem Rundschreiben vom 23. November 1858 hatte der Direktor der Hof- und Staatsbibliothek München, Dr. Karl Felix Halm, die Gründung einer unter der besonderen Protektion König Maximilians II. stehenden Autographensammlung bekannt gemacht, einer Sammlung, die noch keine öffentliche Bibliothek in Bayern besitze. Auch hier war man bestrebt zu komplettieren: Die Bayern betreffende Abteilung sollte zur möglichsten Vollständigkeit gebracht werden[75].

Aufseß startete bald danach eine gleichartige Werbeaktion für eine Sammlung von „Briefen und anderer Handschriften berühmter Deutscher" im Germanischen Museum. Bereits im Jahresbericht 1862 konnte er einen erfreulichen Erfolg melden[76]. 1862 kam mit dem Nachlaß des 1835 verstorbenen Archäologen Carl August Böttiger in Dresden, der selbst mit vielen berühmten Zeitgenossen korrespondiert hatte, auch dessen Autographensammlung an das Museum[77]. Unter den etwa 2000 Autographen des 18. und 19. Jahrhunderts befindet sich der Restnachlaß des Dichters Christoph Martin Wieland. Im selben Jahr wurde ein Autographenaustausch mit der Hof- und Staatsbibliothek München erfolgreich durchgeführt[78]. Das Sammlungsvorhaben zielte auf die Handschrift der berühmten Persönlichkeit, nicht den Inhalt eines Schriftstückes. So konnte es 1901 auch zu einem Verkauf „ausländischer" Autographen durch das Museum an die Staatsbibliothek Berlin kommen[79]. Das Museum als deutsche Nationalanstalt sah hier ein adäquates Sammelgebiet. Bezeichnend ist, daß es nach der erfolgreichen Beendigung des Krieges 1870/71 und der Vollendung der Reichseinheit bei allen deutschen Fürsten und den Bürgermeistern der Hansestädte eigenhändig niedergeschriebene Kernsprüche zur Reichseinheit mit Unterschriften sammelte und diese in einem Gedenkbuch veröffentlichte[80]. In der Folge wurden viele Einzelautographen erworben[81], dazu aber auch ganze Sammlungen, so 1897 die des Berliner Fabrikanten Theodor Wagener mit ca. 10000 Briefen berühmter Ärzte, Naturforscher und Reisender[82]; 1898 die Sammlung des Oberlandesgerichtsrats August Schirmer in München, die zum Teil aus der Registratur der Augsburger Allgemeinen Zeitung stammte[83].

Neben diesen zumeist aus dem Zusammenhang privater Nachlässe, von Firmenarchiven, ja sogar von Amtsregistraturen herausgerissenen Einzelschriftstücken[84], die für die Forschung zwangsläufig nur von bedingtem Wert sind, erwarb man auch zahlreiche private Nachlässe[85]. Sie wurden aber nicht, wie sonst vielfältig geschehen, aufgelöst, um damit die Autographensammlung zu bereichern.

[75] Archiv GNM, Altregistratur K 251, Akt Urkundensammlungen 1853–59.
[76] Jahresbericht GNM 9 (für 1862), 1863, S. 6.
[77] Übergeben über den 1862 verstorbenen Sohn, Hofrat und Professor für Geschichte, Karl Wilhelm Böttiger in Erlangen.
[78] Brief an Direktor Halm vom 13. Oktober 1862 (Archiv GNM, Altregistratur K 252, Akt Urkundensammlung 1860–65); 1864: Autographentausch mit dem Sammler Gustav Adolph Petter in Wien (siehe Archiv GNM, Altregistratur, Journal des Archivs 1864–68 und K 255, Sonderakt Petter 1862–64).
[79] Insgesamt wurden damals gegen 3000 Briefe abgegeben und zwar ohne Rücksicht auf einen eventuellen deutschen Empfänger.
[80] Die Original-Autographen in Bibliothek unter Signatur Hs 76/1626; veröffentlicht im „Gedenkbuch des Krieges 1870–71 und der Aufrichtung des deutschen Reiches . . .". Nürnberg 1874.
[81] Ein Brief Luthers an die Goldschmiede in Nürnberg wurde 1868 von Antiquar Troß in dessen Katalog V (1868) Nr. 3496 um 500 Gulden angeboten. Der Kunsthändler Baer in Paris, der ihn offenbar erworben hatte, wollte das Original um denselben Preis an das Museum verkaufen (Brief Paris 10. April 1877). Der Ankauf wurde abgelehnt und eine Erwerbung „vielleicht später" in Aussicht genommen. So ist nur eine Abschrift vorhanden. 1883 wurde ein anderer originaler Brief Luthers erworben (an die Stadt Torgau) zusammen mit Briefen anderer Reformatoren und Humanisten (z. B. Erasmus von Rotterdam). 1890 deponierte die Protestantische Kirchenverwaltung Neustadt/Aisch 62 Briefe von Luther, Melanchthon und anderen Humanisten und Reformatoren. Sie wurden 1932 wieder zurückgegeben (Archiv GNM, Altregistratur K 726, Nr. 99).
[82] Jahresbericht GNM 44 (für 1897), 1897.
[83] Siehe Archiv GNM, Altregistratur K 38, Nr. 87 (Vermächtnisse).
[84] Die Darmstädter'sche Autographensammlung der ehemaligen Berliner Staatsbibliothek ist ein besonders krasses Beispiel. Hierbei wurden die Originale aus den Akten des preussischen Kultusministeriums herausgelöst und durch beglaubigte Abschriften ersetzt; siehe Brennecke-Leesch (Anm. 1), S. 33.

☐ Der innere Aufbau des Archivs.
Die Erschließung und Verwahrung der Bestände.

An der Spitze des Archivs, das von Anfang an als selbständige Abteilung des Museums ein eigenes Journal, Siegel und eine eigene Registratur führte, stand der Archivar. Über seine Aufgaben sagt der Organismus von 1856: „Dem Archivar ist das zu den Sammlungen des Museums gehörige Archiv zur Bewahrung und Bearbeitung, sowie die Herstellung eines Generalrepertoriums über die Archivalien fremder Archive nach statutengemäßem Plane des Museums anvertraut und übertragen"[86].

Der Archivar hatte dem Museumsvorstand monatlich einen Arbeitsbericht „über die Vermehrung des Archivs und der Repertorien, über Besuche und Benützung durch Fremde, über die Arbeiten des Personals, Korrespondenzen, Anfragen und sonstiges Bemerkenswerthe" vorzulegen. Ihm war der Archivsekretär als Gehilfe beigegeben. Er hatte zahlreiche Aufgaben: Führung des Journals, Betreuung der Registratur, Führung der Korrespondenz, Fertigung der Roteln zu den Archivakten, Briefsammlungen und Urkundenbüchern, sowie der Orts-, Personen- und Sachregister, Führung des Geschenkregisters sowie der Urkunden- und Aktenverzeichnisse, Führung von Besuchern durch das Archiv und Betreuung der Benützer[87].

Nach der Liquidierung des Organismus erschien am 6. Oktober 1870 eine „Dienstordnung für die Verwaltung des Archivs des Germanischen Nationalmuseums", die im wesentlichen die bisherigen Vorschriften wiederholte, wobei aber alle Anweisungen bezüglich des Generalrepertoriums in Wegfall kamen[88]. Die Erschließung der Bestände, die hervorragende Aufgabe eines Archivs, war im Organismus von 1856 in allen Einzelheiten, in der Dienstordnung von 1870 nur noch summarisch geregelt. Die Neuzugänge seien zunächst in das Zugangsregister des Archivs einzutragen – das früheste wurde als Geschenkregister geführt[89] – und sodann einem der Archivbestände zuzuweisen, in die sich das Archiv gliederte.

Der Aufbau des Archivs resultierte aus seiner besonderen Eigenart als einer Sammlung, die nicht organisch gewachsen war. Sie setzte sich in der Hauptsache aus zufällig und willkürlich zusammengetragenen Archivalien zusammen, meist aus irgendeinem Registraturzusammenhang herausgerissenen Einzelstücken, deren Provenienz zum großen Teil nicht ohne weiteres feststellbar war. Das Problem einer sachgerechten Ordnung, die die Erschließung und Auswertung erleichtern sollte, löste man deshalb durch Anlegung von Sammelbeständen und Selekten nach formalen wie nach sachlichen und regionalen Gesichtspunkten[90].

---

[85] Folgende Persönlichkeiten sind im Museum mit ihren Nachlässen vertreten: 1862 der Archäologe Carl August Böttiger († 1835); 1875 der Architekt und Denkmalpfleger Karl Alexander von Heideloff († 1868); 1876 der Philosoph Ludwig Feuerbach († 1822); 1890 der Polyhistor Johann Hieronymus Imhoff (1624–1705); 1897 der Genealoge und Heraldiker Friedrich Heyer von Rosenfeld († 1896); 1909 der Kulturhistoriker Alwin Schultz († 1909); 1916 der Journalist Hermann Hoffmann, Redakteur der Hamburger Nachrichten († 1915), mit wertvollen Unterlagen über seine Beziehungen zu Bismarck; 1920 der Germanist und 2. Direktor des Museums Georg Karl Frommann († 1887); 1923 der Dombaumeister Joseph Schmitz († 1936).

[86] Organismus GNM, 1. Abt., S. 32.

[87] Ebenda, S. 32–38. Nach der Provisorischen Instruktion für den Custos des Archivs vom 15. Juni 1857 hatte dieser die Verzeichnisse der Originalurkunden fortzuführen, an den Arbeiten des Generalrepertoriums des Archivs teilzunehmen und hierüber Personen- und Sachregister anzufertigen. Auch die Fremdenführung war vorzüglich Sache des Archivcustos, sowie die Aufsicht über die Benützung von Urkunden.

[88] Archiv GNM, Altregistratur I, I Nr. 2 a (Druckschriften); siehe S. 966–967.

[89] „Über die dem Museum zugehenden Geschenke an Archivalien ist ein fortlaufendes Register nach vorliegendem Formulare zu führen. Ein Auszug hiervon ist monatlich der Redaction des Anzeigers zum Abdruck zu übergeben." (Organismus GNM, 1. Abt., S. 33). Die „Dienstordnung für die Verwaltung des Archivs" (vom 6. Oktober 1870, § 4) verfügt: „Jedes in das Archiv einlangende Stück ist möglichst bald in das Zugangsregister einzutragen". Zusatz des Archivars Dr. Knöpfler 1901: „Jedes Stück hat auch die Nummer des Zugangsregisters zu tragen". (Archiv GNM, Altregistratur K 251, Akt Einzelheiten die Archivverwaltung betr. 1853–69).

[90] Zum Problem der Sammelbestände und Selekte siehe Brenneke-Leesch (Anm. 1), S. 35–38.

Das Inventar von 1856[91] führt die Archivalien in einer Gruppierung vor, die heute noch weitgehend bei den Staats- und Stadtarchiven, wenn auch in etwas modifizierter Form, angewendet wird: A. Urkunden – B. Urkunden-Abschriften-Bücher und Sammlungen – C. Bücher, Akten, Rechnungen. Die Dienstordnung von 1870[92] gliedert das Archiv in 1. Urkunden – 2. Urkunden-Bücher – 3. Akten – 4. Urbare und Salbücher – 5. Autographen. Die Gliederung der Archivordnung von 1855 wurde also weitergeführt, doch die Trennung der Bände von den Akten verfügt, die allerdings damals und auch später nicht realisiert wurde. Der wichtigste Sammelbestand, die „Urkunden", im Laufe der Zeit auf etwa 15000 Stück angewachsen (darunter etwa 3000 Papier-Urkunden)[93], umfaßt etwa 8000 Pergament-Urkunden, also über 50% aus der Zeit vor 1500, und zwar 9 Kaiser-Urkunden aus dem 10. Jahrhundert; 13 Originale aus dem 11. Jahrhundert, davon 3 Kaiser- und 2 Papst-Urkunden; 50 Originale aus dem 12. Jahrhundert mit 4 Kaiser- und 7 Papst-Urkunden und 245 aus dem 13. Jahrhundert, mit 19 Kaiser- und 30 Papst-Urkunden. Das 14., 15. und 16. Jahrhundert sind ziemlich gleichmäßig besetzt, hingegen die zweite Hälfte des 17. und das 18. Jahrhundert aus den oben mehrfach erwähnten Gründen nur schwach repräsentiert.

Bezüglich des regionalen Bereichs der Urkunden-Sammlung tritt naturgemäß Franken hervor. Es folgen die Oberpfalz mit Regensburg, dann Schwaben, Österreich ob der Enns, das Rheinland und der Raum Braunschweig-Hannover, schließlich die Schweiz und Südtirol. Die übrigen deutschen Landschaften sind nur mit vergleichsweise wenigen Stücken vertreten; dies gilt vor allem für die preußischen Provinzen Brandenburg, Schlesien, Pommern und Ostpreußen.

Was die Erschließung betrifft, so wurden zunächst Kurzregesten gefertigt, die auch formale Angaben, wie über Ausstellungsort, Datierung und Besieglung boten[94]. Der Archivar Roth von Schreckenstein, der 1859 die Leitung des Archivs übernommen hatte, ging etwa ab 1861 zu ausführlichen Archivregesten über[95]. Dabei wurden auch die von Anfang an geführten Orts-, Personen- und Sachregister neu in der Form konzipiert, daß man für jeden Personen- und Ortsnamen und jeden Sachbetreff einen eigenen Zettel anlegte, nachdem bis dahin häufig mehrere Betreffe auf einem Zettel vereinigt worden und so Schwierigkeiten bei der alphabetischen Einordnung und der Benützung entstanden waren. Das gleiche System wurde auch beim Generalrepertorium angewandt[96]. Die sorgfältig gearbeiteten Regesten leisten heute noch gute Dienste, ebenso der „Generalzettelkatalog", bei dem nur das Sachregister über einen gewissen Grundstock nicht hinausgekommen ist. In gleicher Weise behandelt wurden die Sammelbestände der Adels- und Wappenbriefe sowie der Arbeits- und Lehrbriefe, die später aus dem Urkunden-Sammelbestand nach Sachprinzip selektiert und zu eigenen

[91] Siehe Anm. 3.

[92] Archiv GNM, Altregistratur I, I Nr. 1 a (Druckschriften).

[93] Pergamenturkunden und Papierurkunden waren im Inventar von 1856 noch vereint geführt; später (nach 1870) erfolgte eine Trennung.

[94] Mit den formalen Angaben war man in dem gedruckten Inventar von 1856 aus Platzgründen sehr zurückhaltend. Ausstellungsort, die Fest- bzw. Heiligendatierung vor allem und Hinweise auf das Siegel fehlen. Man könne ja jederzeit Einsicht nehmen in die Originale, auch würden die vorhandenen Regesten im Archiv selbst entsprechende Angaben bringen (Organismus GNM, 1. Abt., S. 98). – Wiedergegeben ist ein Kurzregest unter Voranstellung eines Sachschlagwortes, das den Urkundentyp bzw. das Rechtsgeschäft charakterisiert, wobei der Verfasser der Regesten sich durchaus der heute noch üblichen Sachschlagwörter bediente (Kaufbrief, Schirmbrief, Schuldbrief, Gerichtsbrief, Lehenbrief usw.), die er wohl zum großen Teil den Rückvermerken der Urkunde entnommen hat. So erscheint etwa auch ein „Rachtungsbrief".

[95] 1866 waren 2055 Archivregesten der modernen Form gefertigt (siehe Gutachten Flegler vom 15. März 1866. In: Archiv GNM, Altregistratur K 251, Akt Einzelheiten die Archivverwaltung betr. 1853–69). Die Urkunden nach 1650 wurden zunächst „ad depositum" genommen, zwar verzeichnet, doch nicht näher bearbeitet (Organismus GNM, 1. Abt., S. 98).

[96] Im Protokoll einer „Verhandlung die Neubearbeitung der Repertorien betr." v. 19. Juni 1861 liegen dafür folgende Anweisungen vor: Alphabetische Ordnung bei der Einreihung der Zettel; Sachnamen, die zwar ihrer inneren Verwandtschaft nicht aber der Buchstabenfolge wegen zusammengehören, werden nicht vereinigt, sondern dem Alphabete nach eingereiht. Das wie K gesprochene C wird unter K, das wie Z gesprochene unter Z eingereiht; Ch wird wie einfaches K behandelt, bei C ein Verweis gemacht (Archiv GNM, Altregistratur K 252, Akt Generalrepertorium 1856–1861).

Sammelbeständen zusammengefaßt wurden. Dazu kamen regional geordnete Kurzregesten, ein erster Versuch zur Ermittlung der Provenienzen bzw. Registraturzusammenhänge.

Gesondert erfaßt wurden die Siegel. Sie bildeten von Haus aus eine Abteilung der „Altertumssammlung" und rangierten im Aufseß'schen „System" unter dem Oberbegriff „Soziale Verhältnisse". Die Sammlung selbst erreichte bald einen beträchtlichen Umfang. 1856 wurde sie als die „zahlreichste und vollständigste" unter den einzelnen Abteilungen der Kunst- und Altertumssammlungen bezeichnet[97]. Sie gliederte sich in zwei Gruppen: in lose Siegel, die aus den verschiedensten Gründen von den zugehörigen Urkunden separiert waren, bevor sie ins Museum kamen, meist Überbleibsel der unter dem Hammer der Goldschläger vernichteten Pergamenturkunden, und in die an den Urkunden hängenden Siegel. Es sei an dieser Stelle der da und dort kolportierten Behauptung entgegengetreten, im Museums-Archiv seien die Siegel von den Urkunden „abgenommen" worden, um die Siegelsammlung der Kunst- und Altertumssammlung zu bereichern. Der Archivar hatte nur Anweisung, jeweils alle nötigen Unterlagen für die mit Urkunden verbundenen Siegel an den Vorstand der Altertumssammlung zur Inventarisierung zu melden. Ebenso mußte über die auf Archivalien vorkommenden Zeichnungen und Miniaturen dorthin Meldung gemacht werden[98].

Der Sammelbestand der Urkundenbücher, der nie über erste Anfänge hinauskam, enthält nach dem Inventar von 1856 50 Einheiten. Im folgenden Jahrhundert wuchs er um weitere 100 Nummern an, deren Erwerbung ausschließlich dem Zufall zu verdanken war. Die Inventarisierung beschränkte sich auf knappe Betreffe, bei einigen wenigen Kopialbüchern sind allerdings sämtliche enthaltenen Urkunden in ausführlicher Form regestiert. Über die Entstehung dieses Bestandes und seinen Inhalt haben wir oben ausführlich referiert[99].

Der Sammelbestand der Bände, Akten und Rechnungen umfaßt etwa 2000 Einheiten. Als älteste und kostbarste Stücke sind ein Urbar des Domstifts Chur aus der 2. Hälfte des 13. Jahrhunderts und ein Gültbuch von Neuhaus in Tirol zu nennen, das letztere eines der seltenen Urbare der ersten Hälfte des 14. Jahrhunderts aus dem Bereich weltlicher Grundherrschaft. Hervorzuheben sind folgende Stücke[100]: Salbuch des Klosters Cornelimünster (14./16. Jahrhundert); Sal- und Lehenbuch der Herren von Perg bei Freising (14. Jahrhundert); Gerichtsbuch der Stadt Gelnhausen (14./15. Jahrhundert); Urbar und Lehenbuch des Grafen Haug von Montfort (15./16. Jahrhundert); Urbar der Pfarrkirche zu Unserer lieben Frau in Ravensburg (1435); Altfrauenhofener Wandelbücher (1498–1582); Ratsbuch der Stadt Anweiler (1573–1599). Der Bestand ist chronologisch nach dem Anfangsjahr des Aktes bzw. des Bandes ohne Rücksicht auf Provenienzen geordnet. Zur Erschließung wurden nur bei einzelnen Stücken ausführliche Inhaltsangaben erstellt, im übrigen begnügte man sich mit den üblichen Aktenbetreffen unter entsprechender Ergänzung des allgemeinen Orts-, Personen- und Sachregisters. In jüngster Zeit wurden dieser Sammelbestand wie auch der der Urkundenbücher aufgelöst und die ermittelten Provenienzen in das gleichzeitig neu konzipierte Ordnungssystem des Archivs (Deutsches Reich, Geistliche und Weltliche Fürsten, Reichsstädte, Geistliche und Weltliche Korporationen, Familien- und Herrschaftsarchive, Nachlässe) eingegliedert.

Erwähnt sei noch der nach 1901 angelegte Selekt der Zunft- und Handwerkssachen[101]. Er umfaßt

---

[97] Anzeiger GNM 1856, Sp. 204ff. Das Inventar (Organismus GNM, 2. Abt., S. 268–354) zählt 3438 Stück auf. Originale und Abgüsse sind dabei gemischt.
[98] Organismus GNM, 1. Abt., S. 33.
[99] Siehe oben S. 523–532.
[100] Eine knappe Übersicht auch bei Veit, Archiv (Anm. 3), S. 6.
[101] Zum ersten Mal gefordert in einem Bericht des Archivars Josef Franz Knöpfler, des späteren Generaldirektors der Staatlichen Archive Bayerns, vom April 1901 (Archiv GNM, Altregistratur K 252, Akt Varia, die Archivverwaltung betreffend).

etwa 600 Akten, meist Restarchive von Zünften, Innungen und Handwerken des gesamten deutschen Sprachgebietes, wieder mit dem Schwerpunkt Franken und Nürnberg, dazu etwa 100 Pergamenturkunden, zumeist Handwerksordnungen.

Die Sammlung der gedruckten Mandate mit etwa 4000 Nummern, ursprünglich Bestandteil der Bibliothek, enthält eine Reihe von kostbaren Inkunabeln, die anläßlich der Übernahme des Archivs der Reichsstadt Windsheim separiert und der Bibliothek übergeben worden waren[102]. Die Sammlung ist chronologisch geordnet.

Schließlich ist noch die Autographensammlung mit ca. 11 500 eigenhändigen Schreiben bedeutender Persönlichkeiten zu erwähnen, geordnet nach Berufen, innerhalb der Berufe alphabetisch, erschlossen durch eine alphabetische Kartei der Absender bzw. Empfänger, die neben formalen Angaben da und dort auch den Briefinhalt in Stichworten wiedergibt.

Es muß hervorgehoben werden, daß keiner der ins Museum gelangten geschlossenen Archivkörper aufgelöst worden ist[103], obwohl man selbst in den staatlichen Archiven im 19. Jahrhundert auf dem Wege der Sachauslese Selekte bildete[104]. Nur Pergamenturkunden, soweit sie Provenienzen geringeren Umfangs darstellten, wurden in den Sammelbestand der Urkunden eingereiht. Den größten Raum nehmen neben dem oben erwähnten Wolckenstein-Archiv die Nürnberger Patriziatsarchive ein, die neben umfänglichen Familiensachen zahlreiche Archivalien zur Kultur- und Kunstgeschichte, zur politischen und Wirtschaftsgeschichte enthalten, vor allem Handelskorrespondenzen und Handelsbücher des 15. und 16. Jahrhunderts. Diese Archive, so das Behaim-, Kreß- und Imhoffarchiv, zählen zu den bedeutendsten Wirtschaftsarchiven des deutschsprachigen Raumes. Die Handelsbeziehungen der einschlägigen Handelshäuser waren über ganz Europa ausgedehnt, Angehörige der Familien engagierten sich in den wichtigsten Bergbaugebieten Europas und beteiligten sich im 16. Jahrhundert als potente Geldgeber an der Finanzierung der Staatshaushalte Spaniens und Frankreichs.

Dazu kommen die Reste einiger Territorialarchive (Eichstätt, Würzburg, Kulmbach-Bayreuth, Regensburg, Schweinfurt, Windsheim) und Archive weltlicher und geistlicher Korporationen, die zum Teil von großer kulturgeschichtlicher Bedeutung sind, wie dies vor allem für das Archiv des Pegnesischen Blumenordens gilt, in dem der gesamte literarische Nachlaß des Barockdichters Siegmund von Birken so gut wie vollständig überliefert ist, ein außergewöhnlicher Glücksfall. Birken war mit Harsdörffer einer der Gründer des Pegnesischen Blumenordens, einer der bedeutendsten barokken Dichtergesellschaften.

Die innere Ordnung der einzelnen Archiv-Fonds erfolgte im wesentlichen nach den auch in den staatlichen Archiven noch heute geltenden Prinzipien. So wurde z. B. bei geringem Umfang eine chronologische Ordnung angewendet, wobei man etwa bei den Familienarchiven die Generationsfolge zugrundelegte.

Selbst die technische Zurichtung der Archivalien war im Organismus von 1856 aufs genaueste festgelegt worden[105]: „Sie sind mit Umschlag und Aufschrift, Stempel und Nummer zu versehen, in das Verzeichnis einzutragen und in den dazu bestimmten Schränken und Repositorien nach chronologischer Ordnung aufzubewahren. Die Urkunden in Patentform und mit anhängenden Siegeln sind gebrochen in Paketform, die übrigen sowie auch die Urkundenabschriften, in ganzen Bogen in

[102] Bibliothek GNM, Signatur Hs. 6722b, 6725a, 6731.

[103] Der Bericht der Ausschußkommission zur Besichtigung des Archivs und der Registratur des Museums vom 3. Oktober 1865 hebt hervor, daß nunmehr „die Akten zweckmäßig nach ihrer Herkunft – die Behaimischen, Windsheimischen, Eichstättischen – für sich aufgestellt, sorgfältig fasziculiert und schon so weit in besonderen Regesten verzeichnet und zum Teil extrahiert seien, daß ihr Inhalt auf leichte Weise zugänglich ist". Zahlreiche Papierurkunden, die darin vorkommen, seien „besonderer Berücksichtigung" unterzogen worden (Archiv GNM, Altregistratur K 732, Verwaltungsratsakten 1865).

[104] Siehe Brenneke-Leesch (Anm. 1), S. 35.

[105] Organismus GNM, 1. Abt., S. 33.

Umschlag zu legen, erstere in Schubladen, letztere in Mappen mit Überschriften aufzubewahren. Facsimiles von Urkunden sind, wo möglich, ganz ausgebreitet in Mappen zu legen. Die Akten sind mit einem Rotulus, die Bücher mit Titelblatt und Inhaltsverzeichnis zu versehen, ausgenommen die Archivalien, die der Periode nach 1650 angehören. Wo es nöthig und dienlich erscheint, sind die Akten und Bücher heften oder binden zu lassen, die übrigen mit Schnüren zu verwahren". Man befaßte sich auch mit Restaurierungsfragen, so etwa mit dem Problem der Aufhellung verblaßter Schriften[106]. Die Aufbewahrung der Archivalien erfolgte in Schränken aus Holz, mit Abmessungen, die eine mühelose Bergung des gesamten Archivs im zweiten Weltkrieg ermöglichten[107]. Mit der Beziehung des Neubaues 1964 wurden für die Verwahrung von Urkundenkästen und Aktenschubern (beide aus Pappe) Stahlblechregale angeschafft, insgesamt 1500 Regalmeter.

Büro-, Benützer- und Depoträume wurden 1852 im sogenannten Toplerhaus am Paniersplatz eingerichtet, nach dem Umzug in die Kartause 1857 im Erdgeschoß eines ehemaligen Wirtschaftsgebäudes an der Südwestecke des Klosterareals (die Eröffnung erfolgte am 17. August 1857), 1898 interimistisch in einem damals erbauten Saal am nördlichen Kreuzgang, im Hinblick auf den geplanten Umzug in das Erdgeschoß des Königsstiftungshauses, der zusammen mit der Bibliothek 1901 erfolgte. 1930 wurde das Archiv von dort in den Verwaltungsbau am Kornmarkt verlegt, wo es bis zur Auslagerung im zweiten Weltkrieg verblieb. Vom Verlust einzelner weniger Archivalien abgesehen, konnte das gesamte Archiv über den Krieg gerettet werden. Nach seiner Rückführung in das zu 80% zerstörte Museum fristete es zusammen mit dem Kupferstichkabinett im Hausmeisterhäuschen an der Oberen Grasersgasse fast zwei Jahrzehnte lang ein in jeder Weise beengtes Dasein. 1964 konnten die neuen Büro-, Benützer- und Depoträume im Verwaltungsbau am Kornmarkt bezogen werden.

☐ Das Archivale als historische Quelle und als Objekt der Schausammlung

Die im Archiv zusammengetragenen Archivalien waren auch für das Museum zunächst ausschließlich historische Quelle, die es auszuwerten galt. Ihre Benützung in den Archivräumen war schon im Organismus von 1856 in Einzelheiten geregelt. Sicherheit und Unversehrtheit hatten hierbei Vorrang. Es wurden Anweisungen gegeben u.a. zu höchster Sorgfalt bei der Vorlage der Originale, für die Führung eines Benützerbuches, für Ersatz bei Beschädigung von Archivalien, für Archivalien-Ausleihe nach auswärts[108]. Eine neue Benützerordnung wurde am 6. Oktober 1870 erlassen[109]. Oberster Grundsatz war auch hier, daß „keinerlei Unordnung bei der Benützung entstehen darf", dabei hatten die Beamten des Archivs dem Benützer alle Aufmerksamkeit zu widmen. Als Helfer beim Lesen der Urkunden durften sie nur in Einzelfällen in Anspruch genommen werden[110]. Geregelt waren die

---

[106] Diese wieder „dauerhaft herzustellen", war das Problem, das der Hutfabrikant Wagner in Hannover angeblich gelöst hatte. Ein Angehöriger des Archivs, der den Erfinder in Hannover besuchte, stellte fest, daß das angewandte Verfahren viel sicherer und weniger schädlich für die Urkunden sei als die bisher verwendeten Reagentien. Wagner bringe die Urkunde zwischen zwei Stücke transparenten Pflanzenpapiers, das er aus Frankreich beziehe, präpariere und mit einem Ton versehe, der die Schrift wesentlich deutlicher hervortreten läßt. (Archiv GNM, Altregistratur K 252, Akt Urkundensammlung 1860–65).

[107] Abmessungen 1,20 × 1 m; Tiefe 0,46 m. 1904 beschaffte sich das Museum von der Leitung der neu erbauten Kreisarchive (heute Staatsarchive) Bamberg bzw. Speyer Zeichnungen der dort verwendeten neuen Urkundenkästen. Offenbar dienten diese als Vorlage bei der Herstellung der Urkundenkästen für die älteren Urkunden (Abmessungen 0,85 × 0,31 × 0,33 m).

[108] Organismus § 146–148 (Organismus GNM, 1. Abt., S. 35–36).

[109] Zugleich mit der Liquidierung des Organismus von 1856 (Archiv GNM, Altregistratur I, I Nr. 24 b).

[110] Prof. Dr. Andreas Ludwig Jakob Michelsen in Jena, seit 1863 Vorstand des Germanischen Nationalmuseums, empfiehlt unterm 28. Februar 1860 einen jungen Gelehrten, der im Museum das Urkundenlesen erlernen will. In seinem Schreiben vom 11. 5. 1860 weist das Museum darauf hin, daß der Besucher offensichtlich einen diplomatischen Lehrkurs vorausgesetzt habe in einer Vollständigkeit, die kein wissenschaftliches Institut in Deutschland gewähren könne. „Allerdings hoffen wir nach Maßgabe der zur Verfügung stehenden Mittel, mit der Zeit zwar nicht eine Art École des chartes (französische Archivschule, seit 1821), jedoch entsprechende für Diplomatiker bestimmte Lehrkurse eröffnen zu

Ausleihe von Archivalien nach auswärts[111], die Vorlage beschädigter Archivalien, der Ausschluß von der Benützung bei Verstößen gegen die Benützerordnung, die Auswertung von Archivalien, die als Depositum verwahrt wurden, die Sperrung von solchen Quellen, deren Publikation durch das Museum vorgesehen war. Deutlich ist dabei die Handschrift von Aufseß zu erkennen, der ja mehrere Jahre am Archivkonservatorium Nürnberg gearbeitet hatte und die dort geltenden Grundsätze im Archiv anwandte.

Für die Bearbeitung von wissenschaftlichen Anfragen sollten in erster Linie die Mitglieder des Gelehrtenausschusses herangezogen werden, unter denen sich namhafte Historiker und Archivare befanden[112]. In der Praxis blieb es jedoch den Museums-Archivaren überlassen, die vergleichsweise zahlreichen Anfragen zu beantworten[113].

Über die Auswertung der schriftlichen Quellen für die historische Forschung hinaus hatte das Archiv noch eine weitere Bedeutung, die aus den Aufgaben des Instituts als Museum resultierte. Sie wurde anläßlich der Revision der Satzungen und des Organismus von 1869 durch August von Essenwein stärker in den Vordergrund gerückt. Auch Archivalien illustrieren kulturelles Leben im weitesten Sinn. Sind sie zunächst Ergänzung des gegenständlichen Sammlungsgutes, so weisen sie darüber hinaus auch eigenständige Seiten kulturellen Lebens auf, so etwa für die Geschichte des Beschreibstoffes und der Schrift, für die Entwicklung des Siegels, eines Produktes hervorragender Handwerkskunst[114].

Anfänglich waren nur wenige archivische Schaustücke in den Büroräumen des Archivs selbst ausgestellt. Da sich die Beamten durch die Besucher gestört fühlten, wurden im Anschluß an eine Archivvisitation anläßlich der Sitzung des Verwaltungsausschusses 1860 die Ausstellungsstücke in 334 den Schauräumen der Bibliothek gezeigt[115]. Spätestens seit 1871 war eine größere Zahl von Urkunden in Glaskästen der Kunstsammlung ausgestellt, und zwar über Jahrzehnte hinweg[116]. Spuren dieser unbekümmerten Behandlung der staub- und lichtempfindlichen Archivalien zeigen sich noch heute an jedem einzelnen Stück.

Dem an sich berechtigten Einwand, daß durch das Bestehen der Archivaliensammlung im Germanischen Museum die historische Forschung erschwert werde, trug das Archiv eigentlich von Anfang an Rechnung. Bereits drei Jahre nach seiner Gründung wurden die Archivbestände in dem mehrfach

können." (Ebenda K 252, Akt Urkundensammlungen 1860–65). Michelsen hatte in der außerordentlichen Sitzung des Gesamtverwaltungsausschusses am 10. August 1863, in der Entwürfe für den neuen „Organismus" und neue Satzungen beraten wurden, den Gedanken propagiert, das Museum soll zukünftig als „Lehranstalt für Archivare, Konservatoren und Bibliothekare" dienen. Vom Ministerium wurde damals den neuen Satzungen die Genehmigung verweigert (ebenda K 732, Verwaltungsratsakten 1863).

[111] Die Ausleihe hielt sich verständlicherweise in Grenzen; siehe die Ausleihbücher des Archivs von 1862–1865; 1883–1943; 1948/49; 1952–1963 (ebenda, K 251).

[112] Siehe Organismus § 39–46, besonders § 41 (Organismus GNM, 1. Abt., S. 15–17), dann die Druckschrift „Organe des germanischen Museums" von etwa 1855 (Archiv GNM, Altregistratur I, I Nr. 2a, S. 2–3). – Im übrigen vgl. das Verzeichnis der Mitglieder des Gelehrtenausschusses im Anhang dieses Bandes.

[113] Der Leiter des Archivs Alexander Flegler weist in seinem Bericht vom 15. März 1866 darauf hin, daß der Erfolg „der Vermehrung und Erweiterung des Archivs durch Geschenke" wesentlich von der Form abhängig sei, in der die an das Archiv gerichteten Fragen beantwortet würden, sowie von den Verbindungen mit anderen Archiven und wissenschaftlich tätigen Forschern (ebenda K 251, Einzelheiten die Archivverwaltung betr. 1853–69).

[114] Veröffentlichungen aus dem Archiv setzen früh ein; hier eine Auswahl: Den Krieg Kaiser Maximilians I. gegen die Schweizer von 1499 betreffend. In: Anzeiger GNM 1853, Sp. 9–10 (ediert ist hier ein Brief Willibald Pirckheimers an den Nürnberger Rat aus dem Feldlager bei Lindau). – Das Zeughaus zu Regensburg. In: ebenda, Sp. 76–79. – Ein Brief Melanchthons an den Landgrafen Philipp von Hessen. In: ebenda, Sp. 99–101. – Das Majestätssiegel Kaiser Maximilians I. In: Anzeiger 1857, Sp. 289–292, 329–332. – Josef Knöpfler: Papsturkunden des 12., 13. und 14. Jahrhunderts aus dem Germanischen Nationalmuseum. Mit einer historischen Skizze des venetianischen Klosters Brondolo. In: Historisches Jahrbuch Bd. 24 (1903), S. 307–318, 763–785.

[115] Archiv GNM, Altregistratur K 732, Verwaltungsratsakten 1860.

[116] Siehe das „Verzeichnis der in den Glaskästen der Kunstsammlung ausgelegten Urkunden, Briefe usw.", angelegt am 10. Oktober 1871, geführt bis 1898; sowie das zeitlich anschließende „Verzeichnis der ausgestellten Urkunden" (Archiv GNM, Altregistratur K 252).

erwähnten gedruckten Archivinventar, wohl dem ältesten seiner Art überhaupt, der Forschung bekanntgemacht, sodann Jahr für Jahr im Anzeiger des Museums die Neuzugänge in Einzelheiten veröffentlicht. Das Archiv verzichtete mehrfach auf die Erwerbung von Archivalien zugunsten regional zuständiger Archive[117], schließlich wurde die gesamte Erwerbungspolitik in der Weise modifiziert, daß neben den Autographen in der Hauptsache nur noch Archivalien erworben wurden, die wegen ihres Äußeren oder wegen ihres Inhalts für die kunst- und kulturgeschichtlichen Aufgaben des Museums von Bedeutung sind[118].

Die einzelnen Archivbestände waren von Anfang an durch interne Inventare und Register vergleichsweise gut erschlossen. In zahlreichen Fällen stellte man den interessierten Archiven Verzeichnisse der regional einschlägigen Archivalien zur Verfügung[119] – in neuester Zeit auch in Form von Mikroaufnahmen und Fotokopien ganzer Archivbestände. Mehrfach wurden Deposita wieder an die Eigentümer zurückgegeben bzw. den zuständigen Staats- und Kommunalarchiven zugeleitet[120]. Einzelne Bestände wurden als Leihgabe Stadt- und Staatsarchiven anvertraut[121]. Mehrfach hat sich das Museum auch des Eigentums begeben und Archivalien an zuständige Archive veräußert[122], mehrfach wurde auch eine umfassendere Flurbereinigung angeregt und in beschränktem Umfang realisiert.

Es muß aber zugegeben werden, daß trotz aller dieser Vorkehrungen wichtige historische Quellen der Forschung unbekannt geblieben sind. Um den gerade im Hinblick darauf nicht ungerechtfertigten Forderungen der staatlichen Archivverwaltungen, die seit langem auf eine Auflösung der Archive in den Museen drängen[123], die Spitze zu nehmen, wurde durch Beschluß des Verwaltungsrates vom 9. Juli 1969 eine archivalische Flurbereinigung eingeleitet, die das Archiv von einzelnen versprengten Stücken und Restbeständen ehemaliger staatlicher, kommunaler und privater Registraturen entlastet, indem diese den zuständigen staatlichen und kommunalen Archiven zugeführt werden.

Hierbei bleiben prinzipiell von der Abgabe ausgeschlossen alle Pergamenturkunden vor 1350, alle jüngeren Urkunden mit repräsentativem Äußeren oder mit schönen Siegeln, Schreibmeisterurkunden, Wappenbriefe, Stücke mit kulturgeschichtlichem Inhalt, ferner alle Papierurkunden, Bände und

---

[117] Die Stiftungssatzungen freilich verhinderten mehrfach die Rück- oder Überführung von Archivalien an zuständige Archive; so im Fall der Entfremdung einer Kaiserurkunde Otto II. von 973, Juli 23 (gemäß Brief des Geheimen Archivrats Dr. Waldemar Harleß vom 7. Februar 1884 durch den damals verstorbenen Dr. Karl Pertz) im Staatsarchiv Düsseldorf; dann anläßlich der Erwerbung von Aschaffenburger Urkunden sowie des Windsheimer Archivs (siehe oben S. 528 und 532 mit Anm. 70). Professor Dr. Schnorr von Carolsfeld von der Königlichen Bibliothek Dresden reklamierte die nach Nürnberg übergebenen Teile des Böttiger-Nachlasses für Dresden, da dort die Hauptmasse liege. Essenwein lehnte mit Brief vom 7. 11. 1885 ab, da die Stiftungssatzungen dagegen sprächen (Archiv GNM, Altregistratur K 253, Urkundensammlung 1865–87).

[118] Siehe oben S. 532–538.

[119] So überschickte das Museum an den Präsidenten der Bündnerischen Gesellschaft in Chur ein Verzeichnis der Urkunden, die sich auf den Kanton Wallis beziehen (Archiv GNM, Altregistratur K 252, Akt Urkundensammlung 1860–65). 1890 bedankt sich das Staatsarchiv Venedig für die Übersendung der Regesten der Abtei Brondolo (ebenda 1888–1893). Siehe auch die Liste der Urkunden zur Schweizer Geschichte (ebenda K 252, Akt Einzelheiten die Archivverwaltung betr. 1853–1869); sowie das „Verzeichnis der Friedberger Archivalien im germanischen Nationalmuseum zu Nürnberg“. In: Friedberger Geschichtsblätter 2 (1910), S. 41, zusammengestellt durch Ferdinand Dreher, auf Grund einer Auskunft des Museums.

[120] So die Adelsarchive Schney, Scheurl, Holzschuher, Tucher, Praun; die Kirchenarchive Neustadt/Aisch, Bruck, Wendelstein.

[121] Z.B. die Akten der Paulskirche dem Bundesarchiv Koblenz, Außenstelle Frankfurt; zahlreiche Archivalien Nürnberger Provenienz dem Stadtarchiv Nürnberg.

[122] Am 21. Oktober 1914 dankt das Kreisarchiv Bamberg für die Überstellung von Münchberger Archivalien: „Das K. Kreisarchiv begrüßt es lebhaft, daß die Direktion des Germanischen Nationalmuseums sich zu dem Grundsatz bekennt: Die Museumsgegenstände den Museen, die Archivalien den Archiven, die Bücher den Bibliotheken; würde es freudig empfinden, wenn durch allgemeine Anwendung dieses Grundsatzes eine reinliche Scheidung der Bestände der drei genannten Institute sich immer mehr verwirklichen würde“. 1916 würden erneut Archivalien nach Bamberg weitergeleitet (Archiv GNM, Altregistratur K 255, Akt Erwerbungen 1916).

[123] Das Bayerische Nationalmuseum in München z.B. hat dem in vollem Umfang nach dem zweiten Weltkrieg Rechnung getragen und seine Archivalien an die Bayerische Archivverwaltung abgeführt.

540

Akten vor 1400, von jüngeren Stücken wieder solche, die äußerlich oder inhaltlich repräsentativ sind. Grundsätzlich von der Abgabe ausgenommen sind außerdem geschlossene Archivkörper, vor allem die großen Adels- und Patriziatsarchive[124]. Nach Beendigung der Flurbereinigung ist die Neu-Inventarisierung der im Museum verbleibenden Bestände geplant, zunächst ein Inventar der Pergamenturkunden, für das bis 1350 die Vorarbeiten abgeschlossen sind.

Das Archiv für Bildende Kunst

Historisches Archiv und Generalrepertorium haben in ihren Anfängen Methoden und Techniken vorweggenommen, wie sie erst durch das in jüngerer Zeit begründete Dokumentationswesen im Bereich von Industrie, Technik und Naturwissenschaften, neuerdings auch bei den Geisteswissenschaften, angewendet werden. Nach der klassischen Definition ist Dokumentation das Sammeln, Ordnen und Verzeichnen des Wissens- und Erfahrungsgutes eines Fachgebietes, mit dem Ziel einer präzisen, umfassenden und schnellen Information für die Forschung[125]. Beide Unternehmen des Museums sind Torso geblieben. Die Betreuung archivalischer Quellen wurde, wie wir dargelegt haben, in der zweiten Hälfte des 19. Jahrhunderts durch die inzwischen intensiv durchorganisierten staatlichen und kommunalen Archive wahrgenommen. Das Generalrepertorium, ein großartiges, doch im Hinblick auf die technischen Möglichkeiten von damals utopisches Unternehmen, mußte nach einem verheißungsvollen Anlauf aufgegeben werden. In beschränktem Umfang und zugeschnitten auf die inzwischen stark modifizierten Zielsetzungen des Museums werden Archiv und Generalrepertorium durch das 1964 gegründete Archiv für Bildende Kunst aktualisiert[126].

☐ Vorgeschichte und Motivation

Die ersten Vorschläge wurden vom Verfasser kurz nach seiner Berufung als Leiter des Museumsarchivs im Jahre 1958 der Direktion unterbreitet. Sie zielten auf die Erweiterung der im Rahmen des Archivs bereits bestehenden Nachlaß- und Autographensammlung, wobei besondere Aufmerksamkeit den Nachlässen und Autographen bildender Künstler zugewendet werden sollte. Trotz beschränkter Mittel griff Ludwig Grote, Generaldirektor des Germanischen Nationalmuseums bis 1962, den Plan auf. Es gelang damals, gewissermaßen als Auftakt, einen für die Forschung ungewöhnlich wertvollen Nachlaß aus dem Ausland zu erwerben, den des deutschstämmigen Kupferstechers und Kunsthändlers Giovanni Metzger in Florenz (1772–1844), der eine Vielzahl von Korrespondenzen mit deutschen Künstlern und Kunstsammlern, deutschen Fürsten, vor allem mit König Ludwig I. von Bayern, sowie mit Museen enthält[127]. Unter dem Nachfolger Grotes, Erich Steingräber, wurde das Unternehmen erweitert. In einer Zentralkartei werden seither die in anderen Kulturinstituten und

[124] Die Flurbereinigung wurde bisher durchgeführt mit der Schweiz, Baden-Württemberg, Niedersachsen, Nordrhein-Westfalen, Hessen, Österreich (Oberösterreich) und verschiedenen bayerischen Stadtarchiven (Hof, Kulmbach, Schweinfurt, Pegnitz, Regensburg u. a.).

[125] Dazu Artikel „Dokumentation". In: Brockhaus Enzyklopädie, 17. Aufl., 4. Bd. Wiesbaden 1968, S. 811–814. – Paul Raabe: Dokumentation und Geisteswissenschaften. Probleme und Anregungen. In: Zeitschrift für Bibliothekswesen und Bibliographie 13 (1966), S. 16–31.

[126] Der Aufsatz des Verfassers: Das Archiv für bildende Kunst am Germanischen Nationalmuseum in Nürnberg. In: Anzeiger GNM 1966, S. 173–179, wird an dieser Stelle in veränderter Form wiedergegeben, die vor allem die Erfahrungen der mehr als zehnjährigen Tätigkeit des Archivs berücksichtigt. Siehe auch den kurzen Aufsatz über die Zielsetzung des Archivs für Bildende Kunst von Wolfgang Hadamitzky. In: Zeitschrift für Bibliothekswesen und Bibliographie 14 (1962), S. 130–132.

[127] So auch Korrespondenzen mit den Herzögen von Mecklenburg-Schwerin, Sachsen-Meiningen, dann den königlichen Museen in Berlin, dem Städelschen Kunstinstitut in Frankfurt und der Nationalgalerie in London, zumeist wegen Ankaufs von Kunstwerken in Italien.

in Privatbesitz verwahrten schriftlichen Quellen aus dem Bereich der bildenden Kunst nachgewiesen. Die Sammlung originaler Quellen wird damit ausgeweitet zu einem zentralen Informationszentrum für auf die kunsthistorische Forschung bezügliche schriftliche Quellen. Ähnliche Unternehmen bestehen schon seit Jahrzehnten für die deutsche Literaturgeschichte im Goethe- und Schillerarchiv in Weimar[128] und im Schiller-Nationalmuseum in Marbach[129], für die Musikgeschichte im Deutschen Musikgeschichtlichen Archiv in Berlin (Mendelssohn-Archiv) bzw. in Kassel[130], für die allgemeine Geschichte im Bundesarchiv in Koblenz. Sie alle zielen auf die Sicherung und den Nachweis schriftlicher Quellen. Dadurch wird das in Kreisen der Bibliotheken seit langem diskutierte umfassendere, auch die gedruckte Literatur berücksichtigende Dokumentationszentrum für die Geisteswissenschaften auf einzelnen Teilgebieten und auf die schriftlichen Quellen beschränkt verwirklicht[131]. Die Dezentralisation auf Fachinstitute ist eine auch von einsichtigen Bibliothekaren erkannte Notwendigkeit; denn nur so kann die Aufgabe sowohl vom Sachlichen als auch vom Umfang her bewältigt werden.

Die beunruhigende Situation der schriftlichen Quellen für die bildende Kunst im privaten Bereich rechtfertigen im besonderen Archiv und Zentralkartei für bildende Kunst. Schriftliche Künstlernachlässe sind wegen der besonderen Eigenart dieses Berufsstandes in erhöhtem Maße der Gefahr des Verlustes ausgesetzt. Soweit die Bibliotheken im Rahmen der Sammlung von Nachlässen und Autographen nicht einschlägiges Quellenmaterial übernehmen und betreuen, besteht außerhalb des Archivs für Bildende Kunst keine Stelle, die sich systematisch der aus dem privaten Bereich stammenden schriftlichen Quellen der bildenden Kunst annimmt[132]. Das Germanische Nationalmuseum bietet für das Unternehmen günstige Voraussetzungen. Erfahrungen – wenn auch negativer Art vor allem hinsichtlich des Generalrepertoriums – liegen vor. Sie lehren vor allem, daß das Heil in der Beschränkung liegt. Als einziges zentrales Museum für bildende Kunst in Deutschland sammelt das Germanische Nationalmuseum Werke der bildenden Kunst und des Kunsthandwerks aus allen deutschen Landschaften, und zwar ohne zeitliche Begrenzung. Fachleute, die auf die verschiedenen Teilgebiete der bildenden Kunst spezialisiert sind, stehen hier dem Archiv für Bildende Kunst und seinem archivisch geschulten Personal mit ihrem Wissen zur Seite. Dazu verfügt das Museum über eine umfangreiche Spezialbibliothek in der Größe einer Landesbibliothek.

□ Das Sammlungsprogramm

Die Abgrenzung in persönlicher, sachlicher, zeitlicher und regionaler Hinsicht resultiert aus den Bedürfnissen der kunsthistorischen Forschung.

Erfaßt werden schriftliche Nachrichten jeder Art, im besonderen Nachlässe und Autographen von

---

[128] Karl-Heinz Hahn: Goethe- und Schiller-Archiv. Bestandsverzeichnis. Weimar 1961, besonders S. 7ff.

[129] Otto Günther: Mein Lebenswerk. Stuttgart 1948.

[130] Harald Heckmann: Musikgeschichtliche Quellen auf Mikrofilmen. In: Nachrichten für Dokumentation 10 (1959), S. 152–154. Kassel beschränkt sich auf die zentrale Erfassung von Werken der Musikgeschichte; Korrespondenzen und Nachlässe von Musikern werden in Berlin gesammelt.

[131] Dazu Raabe (Anm. 125), S. 19ff.

[132] Nur etwa 160 Künstlernachlässe des 19. Jahrhunderts, ferner etwa 90 Nachlässe von Kunsthistorikern, Kunstsammlern und Kunsthändlern konnten nachgewiesen werden in: Verzeichnis der schriftlichen Nachlässe in deutschen Archiven und Bibliotheken. Bd. 1. Die Nachlässe in den deutschen Archiven (mit Ergänzung aus anderen Beständen). Bearbeitet . . . von Wolfgang A. Mommsen. Boppard 1971. Bd. 2. Die Nachlässe in den Bibliotheken der Bundesrepublik Deutschland. Bearbeitet . . . von Ludwig Denecke. Boppard 1969. Dabei sind im Künstlerlexikon von Thieme-Becker für diesen Zeitraum allein gegen 10000 bildende Künstler im deutschen Sprachgebiet nachgewiesen. Eine durch das Archiv für Bildende Kunst erarbeitete, jedoch noch nicht vollständige Liste von Kunstwissenschaftlern umfaßt bereits fast zweitausend Namen. Für die DDR besteht bisher noch keine vollständige Übersicht, Nachweis von nur 35 einschlägigen Nachlässen in: Die Nachlässe in den wissenschaftlichen Allgemein-Bibliotheken. 1. Gelehrten- und Schriftstellernachlässe in den Bibliotheken der Deutschen Demokratischen Republik. Berlin 1959.

Malern, Bildhauern, Architekten, Kunsthandwerkern, Kunstgelehrten, Kunstsammlern, Kunsthändlern, Kunstmäzenen, ferner von Organisationen und Institutionen der bildenden Kunst, vor allem von Kunstvereinen. Dabei entsteht die Frage, ob nur bedeutende Persönlichkeiten zu berücksichtigen sind oder auch der Durchschnitt erfaßt werden soll. Bei lebenden Künstlern und Kunsthistorikern ist eine qualitative Einstufung nur relativ, da häufig erst eine spätere Zeit über ihre Bedeutung entscheidet. Bei den Verstorbenen bietet ihr Rang in der Kunstgeschichte gewisse Anhaltspunkte. Jedoch ist zu bedenken, daß die Nachlässe vergleichsweise unbedeutender Künstler, auch die von Nichtkünstlern, wesentliches Quellenmaterial, vor allem in ihrer Korrespondenz, enthalten können. In jedem einzelnen Fall muß überdies einer Vielzahl von schriftlichen Nachlässen nachgegangen werden, die dem Bekannten- und Freundeskreis einer uns interessierenden Persönlichkeit zugehören.

Sachlich einbezogen wird schriftliches Quellenmaterial jeder Art, das in irgendeiner Form die Geschichte der bildenden Kunst, der Kunsttheorie und Kunstwissenschaft dokumentiert, also Briefe von und an den erwähnten Personenkreis, Dokumente über persönliche und wirtschaftliche Verhältnisse, den beruflichen Werdegang, das Werk und seine Resonanz in der Öffentlichkeit. Selbst eine kleine, schnell hingeworfene Notiz kann unter Umständen von Interesse sein. Dabei ist zu betonen, daß nur Quellen aus dem privaten Bereich einbezogen werden, nicht aber solche, die im Rahmen staatlicher und kommunaler Verwaltungstätigkeit entstanden sind und heute in den zuständigen Staats- und Stadtarchiven verwahrt werden. Die Berücksichtigung solcher Quellen würde die Erfassung zu einem zeitlich und finanziell nicht zu bewältigenden und unüberschaubaren Unternehmen anwachsen lassen. Die reguläre Archivarbeit kann dem Forscher nicht erspart werden, zumal die aus dem öffentlichen Bereich stammenden Quellen in den staatlichen und kommunalen Archiven zumeist leicht zugänglich sind.

Eine zeitliche Abgrenzung ist für das Unternehmen nicht vorgesehen. Da jedoch unsere Bemühungen möglichst bald zu einer wissenschaftlich nutzbaren Sammlung führen sollten, wurde der Schwerpunkt zunächst auf eine Hauptlücke der kunstgeschichtlichen Veröffentlichungstätigkeit gerichtet, das 19. Jahrhundert; vor allem auch deshalb, weil das einschlägige schriftliche Quellenmaterial dieser Zeit, soweit es erhalten ist, sich noch weitgehend im Besitz von Erben und Nachkommen befindet und deshalb besonders gefährdet ist. In der Zwischenzeit wurde das Programm bis auf unsere Zeit erweitert. Damit laufen unsere Bestrebungen parallel zum Trend der kunstgeschichtlichen Forschung, die sich gerade im letzten Jahrzehnt mit allen Gebieten der Kunst des 19. und 20. Jahrhunderts auseinandersetzt. Schriftliche Quellen der Zeit vor dem 19. Jahrhundert aus dem privaten Bereich sind verständlicherweise in ungewöhnlich geringer Zahl auf uns gekommen, doch konnten auch hier wertvolle Einzelautographen erworben bzw. nachgewiesen werden.

Regional einbezogen werden alle Persönlichkeiten Deutschlands. Auch Korrespondenzen ausländischer Künstler mit deutschen Berufsgenossen und solche Quellen des Auslands, die über die Entwicklung der deutschen Kunst Wesentliches aussagen, werden berücksichtigt; insbesondere ist hierbei auch an den Aufenthalt deutscher Künstler in Italien und Frankreich, vor allem im 19. Jahrhundert, zu denken.

Die Durchführung des Programms umfaßt die Sammlung von originalen schriftlichen Dokumenten, den Nachweis einschlägiger Quellen in anderen Kulturinstituten, den Ausbau des Fotoarchivs, die Herausgabe von Inventaren sowie die Edition von besonders wichtigem Quellenmaterial.

Zur Sammlung von originalen Quellen werden, so hoffen wir, entsprechende Ankaufsmittel bald eine befriedigende Kontrolle des Autographenmarktes gestatten. Dabei richtet sich unser Interesse selbstverständlich nur auf solche Schriftstücke, die inhaltlich Wesentliches aussagen. Der Autographenwert als solcher ist von zweitrangiger Natur.

Das vordringlichste Problem besteht in der Sicherung und Erhaltung der heute noch in Privatbesitz verwahrten Nachlässe; hier versucht sich unser Archiv einzuschalten, bevor die Nachlässe aufgelöst werden und in die Auktionshäuser abwandern. Die Bewahrung oder Wiederherstellung des ursprünglichen Sachzusammenhangs ist die wichtigste Zielsetzung. Das begründete Interesse der wissenschaftlichen Forschung wie auch das der Nachkommen eines Künstlers an der Erhaltung von Dokumenten zu dessen Leben und Werk hat in zahlreichen Fällen zur Übereignung von Nachlässen an das Museum geführt. So verwahren wir nach verhältnismäßig kurzer Tätigkeit bereits über 200 zum Teil bedeutende Nachlässe. Ich nenne nur Dagobert Frey, Edwin Redslob, Wilhelm Worringer, Franz Marc, August Macke, Erich Heckel, Ernst May, Lovis Corinth, Otto Dix, Charles Crodel. Schriftstücke, die sich wegen ihres persönlichen Inhalts nicht zur allgemeinen Einsichtnahme eignen, werden sekretiert, auch andere Auflagen in dieser Richtung berücksichtigt.

□ Inventarisierung und Erschließung

Die erworbenen originalen schriftlichen Dokumente werden nach archivischen Grundsätzen geordnet und verzeichnet[133]. Nachlässe werden geschlossen aufbewahrt. Für die Einordnung von Einzeldokumenten ist die ursprüngliche Provenienz maßgebend. Dokumente aus Nachlässen, die als solche bei uns nicht erscheinen, werden als unechte Nachlaßteile angereiht. Die Originalbestände werden ergänzt durch Fotokopien von Materialien in fremdem Besitz.

In einer Zentralkartei wird nicht nur der eigene Besitz an originalen Nachlässen und Autographen nachgewiesen, sondern auch der anderer öffentlicher Institute, vor allem der Bibliotheken, Archive und Museen der Bundesrepublik Deutschland, sowie der Privatbesitz. Diese Kartei wird damit in vielen Fällen Ersatz für jenen Sachzusammenhang, der durch die Schicksale eines Nachlasses häufig verlorengegangen ist.

Auf Studienreisen wurden die Nachlaßbestände und Autographensammlungen der öffentlichen Institute auf ihre Auswertbarkeit für die Zentralkartei überprüft. Reiches Material in Form von Tagebüchern, Manuskripten und Briefbänden ist dabei in den Handschriftensammlungen der Bibliotheken festgestellt worden. Leichter zugänglich erwiesen sich die Nachlaßbestände und die Autographensammlungen, wenn auch deren Verzeichnung von sehr verschiedenartiger Vollständigkeit ist. In den Archiven wurden personen- und familiengeschichtliche Selekte als besonders ertragreich registriert, in den Museen die Handbüchereien und Graphischen Kabinette. Gleichzeitig nahm das Archiv mit privaten Autographensammlern, „Kunstarchiven" und Gedenkstätten für bedeutende Persönlichkeiten Kontakt auf.

Die Registrierung der Quellen in Berlin und der Bundesrepublik wurde vor zwei Jahren abgeschlossen. Durch Auswertung der Versteigerungskataloge und Lagerlisten von Antiquariaten werden auch die bisher über den Handel in alle Winde zerstreuten schriftlichen Quellen erfaßt. Dabei ergeben sich nicht nur wesentliche Hinweise auf das Schicksal eines Nachlasses, sondern es wird darüber hinaus auch ein gewisser Ersatz für die originale Quelle selbst geschaffen; denn die Versteigerungskataloge und Lagerlisten bringen gerade bei inhaltlich bedeutenden Stücken neben den formalen Daten auch Inhaltsangaben, ja sogar längere Auszüge.

Die Zentralkartei gliedert sich in Personenkartei, Ortskartei und Sachkartei. Die Personenkartei ist alphabetisch nach Namen der Künstler, Kunstgelehrten, Sammler und Händler aufgebaut; auch die Namen von Kunstzeitschriften erscheinen hier. Die Quellen über eine einzelne Persönlichkeit gliedern sich in den eigentlichen (echten) Nachlaß (Schriftstücke, die hinterlassen wurden, wie

[133] Horst Pohl: Ordnungsprinzipien im Archiv für bildende Kunst. In: Der Archivar. Mitteilungsblatt für deutsches Archivwesen Bd. 22 (1969), Sp. 385–396.

Personenstandsdokumente, Tagebücher, Sachakten, empfangene Briefe) und den angereicherten Nachlaß (originale Briefe an andere) sowie in sekundäre Quellen (z. B. Erwähnung eines Künstlers in Schriftstücken von Dritten). Die Ortskartei erfaßt Material, das in keine Beziehung zu einer bestimmten Persönlichkeit gebracht werden kann. Sie enthält auch die Namen von Korporationen und Institutionen. Die Sachkartei weist Quellen nach, die sich weder auf eine Persönlichkeit noch einen bestimmten Ort beziehen; außerdem sind hier Sachschlagwörter aus der Namens- und Ortskartei aufgenommen.

Das Fotoarchiv ergänzt die Zentralkartei und bildet einen nahezu vollwertigen Ersatz der originalen Quelle. Es gliedert sich in eine Sammlung von Kleinfilmnegativen sowie davon hergestellten Abzügen und beschränkt sich auf die Sicherheitsverfilmung von Quellen, die in Privatbesitz verbleiben. Die Anlegung der von Anfang an geplanten Sammlung von Zeitungsausschnitten konnte inzwischen in Angriff genommen werden, nicht jedoch das projektierte Tonband-Archiv.

Jährlich im Anzeiger des Germanischen Nationalmuseums erscheinende summarische Übersichten über erworbene Nachlässe sollen den Forscher instandsetzen, sich jederzeit einen Überblick über das für ein Forschungsvorhaben vorhandene Material zu verschaffen. Auf weitere Sicht ist die Herausgabe eines Inventars geplant. Die Vorarbeiten dazu sind im Gange. Dieses Inventar wird auf dem Weg der elektronischen Datenverarbeitung erstellt. Da sich unser Unternehmen von anderen wissenschaftlichen Projekten wesentlich unterscheidet, mußten neue Systeme der Datenaufnahme und Programmierung gefunden und getestet werden. Mit Hilfe des Gesamtinventars, das für die Zentrale in Nürnberg durch Schnelldrucker ausgedruckt wird, werden Auskünfte begrenzten Umfangs vom Archiv für Bildende Kunst selbst erteilt. Im übrigen wird das gesamte Informationsmaterial in der Datenbank eines Rechenzentrums gespeichert, von wo Informationen jedweder Art und jedweden Umfangs, vor allem bei umfassenderen Forschungsunternehmen, abgerufen werden können. Unabhängig davon liegen schon jetzt im Archiv für Bildende Kunst Gesamtverzeichnisse vieler für die Forschung wichtiger Nachlässe vor, die teilweise an den verschiedensten Kulturinstituten verwahrt werden.

Monographische Sonderausstellungen des Archivs für Bildende Kunst unter dem Sammeltitel „Materialien zu Leben und Werk" einzelner Künstler, Kunstgelehrter und Sammler sollen den Wert der schriftlichen Quelle und damit der im Archiv für Bildende Kunst verwahrten Nachlässe und Autographen für die Deutung von Persönlichkeit und Werk aufzeigen[134]. Sie werden eingerichtet anläßlich der Übergabe bedeutender Nachlässe.

---

[134] Vgl.: Charles Crodel 1894–1973 (Materialien 1 – Dokumente zu Leben und Werk). (Ausstellungskatalog) Germanisches Nationalmuseum, Archiv für Bildende Kunst. 4. 6. – 18. 7. 1976. – Otto Dix 1891–1969 (Materialien 2 – Dokumente zu Leben und Werk). (Ausstellungskatalog) Germanisches Nationalmuseum, Archiv für Bildende Kunst. 12. 2.–31. 3. 1977.

ELISABETH RÜCKER
Die Bibliothek

Für die Bibliothek gibt es trotz ihres schon im vorigen Jahrhundert beachtlichen Umfanges – 1870: ca. 60000 Bände; 1902: über 140000 Bände und 1000 Handschriften[1] – noch keine grundlegende Beschreibung ihrer Geschichte und Bestände, wie sie beispielsweise Gottfried Christoph Ranner für die Nürnberger Stadtbibliothek bereits 1821 veröffentlicht hatte[2]. Das Fehlen einer älteren monographischen Darstellung ist wohl auch der Grund, weshalb die Bibliothek des Germanischen Nationalmuseums in der 1. Auflage des „Handbuches der Bibliothekswissenschaft" ihre Bedeutung nur in ihrer Eigenschaft als Aufbewahrungsort der Reichsbibliothek erhält[3]. Die 2. Auflage dieses Standardwerkes der Bibliothekswissenschaft, die rund zwei Dezennien später herauskam, ist im Band über die Bibliotheksverwaltung um ein umfangreiches Kapitel über die Spezialbibliotheken erweitert worden. Sein Autor stellt darin fest: „Zwei der größten wissenschaftlichen Spezialbibliotheken des deutschen Sprachgebietes sind kultureller Art. Geschichtliches aller Gebiete, besonders deutsche Lokalgeschichte, Kunst- und Kulturgeschichte, Volkskunde und Genealogie sammelt die Bibliothek des Germanischen Nationalmuseums in Nürnberg, die außer Wiegen- und Frühdrucken, Kupferstichen und Autographen 235000 Bände aufweist. Ähnliches Ausmaß hat die wissenschaftliche Ibero-Amerikanische Bibliothek in Berlin-Lankwitz, die 1955 240000 Bände zählte . . ."[4]. Wenn im Folgenden der Versuch zu einem knappen historischen Überblick unternommen wird, so ist dies nicht für alle Zeiten und für sämtliche Gesichtspunkte in gleicher Intensität möglich, da die hierfür nötigen Quellen nicht mehr vorhanden sind.

Die Aufseß-Bibliothek

Die Bibliothek ist in gleicher Weise museale Sammlung und Arbeitsinstrument für die wissenschaftliche Tätigkeit aller Abteilungen des Museums, und sie repräsentiert heute als öffentlich zugängliche Spezialbibliothek die Fächer Kunst- und Kulturgeschichte der deutschsprachigen Landschaften, wozu auch die Orts- und Landesgeschichte dieser Regionen Mitteleuropas gehört. Ihre Doppelfunktion als Sammlung und Handbibliothek konzipierte bereits Hans von und zu Aufseß; denn seine eigene Bibliothek bildete den Grundstock und prägte das spätere Wachstum bis in unsere Tage. Welche Bedeutung den literarischen Zeugnissen in den Gründungsjahren des Museums zukam, wird aus der Programmschrift „Organismus und Sammlungen" von 1856 deutlich. Hier heißt es unter § 2 der 284 Paragraphen umfassenden „Allgemeinen Bestimmungen", daß das Museum aus den Abteilungen Archiv, Bibliothek und Kunst- und Altertumssammlungen besteht. Diese Reihenfolge, die für die Frühzeit wohl als eine Bedeutungsskala zu bewerten ist, wiederholt sich bei der Beschreibung der

[1] Essenwein: Bericht 1870, S. 25; in diesem Band S. 1022. – Jahrbuch der deutschen Bibliotheken, Bd. 1 (1902), S. 54. Hiernach war 1902 die Museumsbibliothek erheblich größer als die Stadtbibliothek, die zu diesem Zeitpunkt nur 80000 Bände und 2500 Handschriften besaß.

[2] Gottfried Christoph Ranner: Kurzgefaßte Beschreibung der Nürnbergischen Stadtbibliothek mit einigen Beylagen . . . Nürnberg 1821. – Auch neueren Veröffentlichungen über die Stadtbibliothek hat diejenige des Museums bisher nichts Vergleichbares gegenüberzustellen; Karlheinz Goldmann: Geschichte der Stadtbibliothek Nürnberg. Nürnberg 1957. – Peter Zahn: 600 Jahre Stadtbibliothek (Ausstellungskatalog der Stadtbibliothek Nürnberg, 73). Nürnberg 1970.

[3] Georg Leyh: Bibliotheken mit beschränkter Sammelaufgabe. In: Handbuch der Bibliothekswissenschaft. Hrsg. von Fritz Milkau und Georg Leyh. Bd. 3: Geschichte der Bibliotheken. Leipzig 1940, S. 824–827 (827).

[4] Norbert Fischer: Die Spezialbibliotheken (außer Musik). In: Handbuch der Bibliothekswissenschaft. 2., verm. u. verb. Aufl. Bd. 2: Bibliotheksverwaltung. Wiesbaden 1961. S. 613.

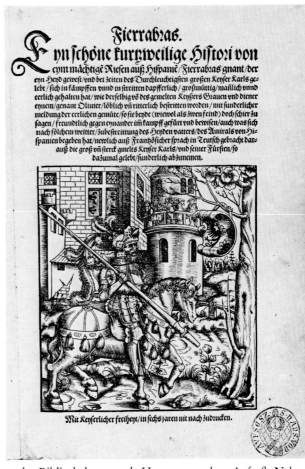

323. Variante des Bibliotheksstempels Hans von und zu Aufseß. Neben
dem überwiegend gebräuchlichen Wappen, einem Schild mit der fünfblättrigen Rose auf dem Querbalken (vgl. Abb. 1), wurde vereinzelt ein
Rundstempel mit Namensumschrift verwendet, wie hier bei der Erstausgabe des anonymen Heldenepos Fierrabras, Simmern 1533

Aufgaben für die verschiedenen Beamten und abermals bei der inventarmäßigen Beschreibung der
Bestände, über die das Museum 1855/56 verfügte.

Obwohl die Bibliothek des Museumsgründers nicht mehr gesondert aufgestellt, sondern in die
systematische Ordnung integriert ist, können wir sie rekonstruieren; denn alle Bücher dieser Provenienz tragen den Aufseß-Stempel, von dem es zwei verschiedene Formen gibt. Der eine ist ein
Rundstempel mit Namensumschrift, der andere ist das Aufseß-Wappen, dessen Schild einen Balken
aufweist, der mit einer fünfblättrigen Rose belegt ist. Diesen Stempel gab es in zwei unterschiedlichen
Größen[5]. Weiterhin gibt es zwei Exemplare des gedruckten Bibliotheks-Kataloges von 1855, die
durch handschriftliche Vermerke als Kataloge der Bibliothek Aufseß zu bewerten sind. Einem Bande
fügte Georg Karl Frommann als damaliger Bibliotheksvorstand unter dem 10. September 1860
handschriftlich acht Seiten hinzu, die er betitelte: „Erläuterungen zu dem Inventar der freiherrlich

323
vgl. 1

331

[5] Frits Lugt: Les Marques de collections de dessins & estampes . . . Amsterdam 1921. Nr. 2749 und 2750. Dieses Werk
kennt nur den Wappenstempel.

von Aufseßischen Bibliothek". Die Anlage eines solchen Inventares war nötig geworden, weil zwischen 1852 und 1855, dem Erscheinungsjahr des gedruckten Kataloges, bereits eine Vergrößerung der Bibliothek um ca. zweitausend Bände erfolgt war, und offensichtlich schon 1860 Verhandlungen über einen Ankauf der gesamten Aufseß-Sammlungen geführt wurden, der jedoch erst 1863/64 perfekt wurde. Einleitend schreibt Frommann: „Die freiherrlich von Aufseßische Bibliothek, welche bei Errichtung des germanischen Museums im Jahre 1853 der Bibliothek desselben zu Grunde gelegt wurde, ist in alphabetischer Ordnung aufgestellt und umfaßt die Nummern 1–7005, wie solche in den ursprünglichen, aus drei Foliobänden bestehenden handschriftlichen Katalogen verzeichnet sind. Daher sind in dem vorliegenden Exemplar des im Jahre 1855 gedruckten Kataloges der Bibliothek des germanischen Museums, welches nunmehr die Stelle eines Inventars über das von Aufseßische Eigenthum an dieser Bibliothek vertreten soll, fürs erste all diejenigen Werke gestrichen, welche mit einer höheren Ziffer als 7005 bezeichnet sind, weil sie zum Eigenthum des germanischen Museums gehören . . ."[6]. Frommann erläutert anschließend Details, die sich aus der von ihm zwischen Juni und September 1859 vollzogenen Bibliotheksrevision ergeben haben, und zählt elf Werke auf, die bei der Übernahme der Aufseß-Bibliothek im Mai 1854 fehlten; darunter befindet sich auch der Name Jost Ammans, leider ohne Angabe des Buchtitels. – Aus diesen handschriftlichen Angaben Frommanns erfahren wir auch, daß unmittelbar vor dem Umzug im August 1856 aus dem Toplerhause am Paniersplatz in die Kartause bereits eine Revision stattgefunden hatte, fünf Bücher wurden damals als vorhanden genannt, die bei der Revision 1859 fehlten. Daß diese bereits die zweite Revision war, ist eindeutig aus dem anderen gedruckten Bibliothekskatalog mit handschriftlichen Eintragungen ersichtlich[7], der auf dem Vorsatz den Bleistift-Vermerk trägt: „Zweite Revision mit Rothstift bezeichnet, wurde d. 27. Juni 1859 begonnen." In diesem Bande, der offensichtlich das Handexemplar der Revision war, sind die meisten Titel am Rande mit einem „A" gekennzeichnet, einige mit einem „M", und bei ganz wenigen findet sich eine „O", manchmal zusätzlich mit flüchtigen Buchstaben „blnd", was als „blind" zu lesen ist. Nach Kenntnis des oben beschriebenen Bandes und dem Vergleich der am Schluß jedes zitierten Buchtitels in Klammer beigefügten Nummern, lösen sich die Buchstaben leicht auf: A = Aufseß, M = Museum, O = fehlt, von den fehlenden Bänden sind auch nahezu alle Karteikarten aus dem alphabetischen Katalog, der heute noch der Hauptkatalog der Bibliothek ist, entfernt worden.

Auch der von Frommann beschriebene handschriftliche Katalog der Aufseß-Bibliothek hat sich erhalten. Da er nicht als solcher bezeichnet ist, war bislang seine Existenz unbekannt. Bei der Neubindung in den 50er Jahren unseres Jahrhunderts wurden möglicherweise vorhandene alte Umschläge oder Einbände nicht aufbewahrt. In zweispaltiger Anordnung enthält er mit laufender Nummer versehen lediglich den Namen des Autors, bzw. einen Sachtitel für eine anonyme Schrift. Erst der 1855 gedruckte Katalog ermöglicht uns durch seine genauen Titelwiedergaben eine wirkliche Vorstellung von dem, was Aufseß gesammelt hatte. Bei der Lektüre dieses Verzeichnisses fällt der hohe Anteil historischer Veröffentlichungen auf, und hierbei wiederum die Vielzahl derjenigen Werke, die einzelne Landschaften, Orte oder Bauwerke behandeln, wobei sich die Betrachtungsweise über alle Facetten historischer Forschung erstreckt; der rechtshistorische Aspekt ist ebenso vertreten wie die baugeschichtliche Untersuchung. Geographisch reicht diese Literatur, die auch Ständewesen und Heraldik mit einbezieht, vom Baltikum bis Kärnten, von Schleswig-Holstein über das Rheinland bis zum Elsaß und der Schweiz. Zahlreich vertreten sind bereits die historischen Zeitschriften. – Auf dem Gebiete der Literaturgeschichte lag das Interesse von Aufseß hauptsächlich auf dem Mittelalter,

---

[6] Bibl.-Signatur: 8° K. 2172. Die höchste Inventarnummer dieses gedruckten Kataloges ist 9008; also ist die Bibliothek in den ersten zwei bis drei Jahren um 2000 Titel gewachsen.
[7] Bibl.-Signatur: 8° Ik NUR 57/21.

324. Stempel der Bibliothek der Nationalversammlung in der Paulskirche, 1848. Die Bibliothek wurde 1855 vom Museum übernommen. Die in der Umschrift verwendete Bezeichnung „Bibliothek d. deutschen Reichsversammlung" findet sich in wesentlichen Teilen auch in der Korrespondenz des Begründers der Bibliothek Heinrich Wilhelm Hahn (1795–1873) mit dem Museum

bereits die Barockdichtung ist nicht so gewichtig vertreten, wie sie sich heute in seltenen Ausgaben des 17. Jahrhunderts darstellt, und die Werke der deutschen Klassik und Romantik fehlen überhaupt. Von Goethe besaß er lediglich die von Kaulbach illustrierte Ausgabe des „Reinecke Fuchs" (1846), also ein Thema einer durch zahlreiche mittelalterliche Handschriften und Frühdrucke tradierten Fabel, und die 6 Bände „Über Kunst und Alterthum", die seinem Interesse an Fragen der Ästhetik und Kunstgeschichte entsprachen. Von Joseph von Eichendorff besaß Aufseß nur dessen Schrift „Die Wiederherstellung des Schlosses der deutschen Ordensritter zu Marienburg" (Berlin 1844), Hölderlin und E. T. A. Hoffmann sind überhaupt nicht vertreten, auch Wackenroder fehlt. – Sehr ausgeprägt hingegen war sein bibliophiler Sammeleifer: Besaß er doch nicht weniger als 463 Handschriften und 123 Inkunabeln! Im Gegensatz zur Inkunabelspende der Königl. Hof- und Staatsbibliothek in München von 1902, die sich ausschließlich auf Nürnberger Drucke erstreckt, vermitteln die Aufseß-Inkunabeln einen Überblick über die vielen Offizinen deutscher Drucker in Deutschland und Italien und deren typographische Mannigfaltigkeit, die gerade zu Beginn des Druckes mit der beweglichen Letter so groß gewesen ist. Unter den Aufseß-Inkunabeln befinden sich auch zwei Unica[8]. Weitere bedeutsame Wiegendrucke sind u. a.: Schedelsche Weltchronik, Schatzbehalter, sowie die sogenannte 4. deutsche Bibel (Augsburg: G. Zainer 1475/76), die niederdeutsche Bibel, die Heinrich Quentell um 1478 in Köln gedruckt hatte, sowie acht Bibeln oder Bibel-Teile des 16. Jahrhunderts. Überhaupt ist sein Besitz an Drucken dieses Jahrhunderts sehr groß gewesen; darunter befinden sich auch Dürers theoretische Schriften und Vitruvs Architektur-Werk in einer Florentiner Ausgabe von 1522. Auffal-

[8] Aelius Donatus: Ars minor. Nürnberg: Creussner um 1490 (2° Inc. 1725). Wolfgang, Herzog in Bayern: Brief an Albrecht IV., den Weisen, Herzog von Bayern, vom 20. XII. 1487. Ulm: Dinckmut (2° Inc. 306).

lend hoch ist die Anzahl der Luther-Drucke, von denen der Katalog nicht weniger als 423 Schriften verzeichnet. Aus späterer Zeit besaß Aufseß Merians Topographie und Delsenbachs Abbildungswerk über die Reichskleinodien von 1763. Er kümmerte sich auch um die Buchproduktion seiner eigenen Zeit in Hinblick auf seine Sammelinteressen; das beweist seine Anschaffung von Merlos Lexikon der Kölner Künstler, das 1852 erschien, sowie die komplette Reihe der „Bibliothek des literarischen Vereins Stuttgart" (seit 1843).

Mit diesen wenigen Beispielen soll die Intention des Museumsgründers, die „Geschichte sichtbar werden zu lassen", umrissen sein. Daß für Aufseß die schriftlichen Zeugnisse der Vergangenheit eine zentrale Rolle spielten und er für sie ein geschultes Auge hatte, bezeugt uns das Urteil von Ferdinand Gregorovius, der auf seinen Reisen am 28. Juli 1860 das Germanische Nationalmuseum besuchte. In einem Brief charakterisiert er die Bibliothek, die damals im überwiegenden Teil noch aus der Aufseß-Bibliothek bestand, wie folgt: „Ich besuchte das seit sieben Jahren gegründete Germanische Museum. Viele Sculpturen sind sehenswert, die Bildersammlung weniger bedeutend, ausgezeichnet die Sammlung von Drucken, Inkunabeln, Handschriften. Die Bibliothek ist im Entstehen . . ."[9].

Die Reichs- oder Parlamentsbibliothek

Eine der bedeutendsten Schenkungen aus der Frühzeit der Museumsgeschichte, die zugleich die historische Dimension der Aufseß'schen Gründung unterstreicht, kam durch Beschluß der Frankfurter Bundesversammlung vom 4. Januar 1855 zustande, als dem Germanischen Museum die Reichsbibliothek, die in der Frankfurter Paulskirche ihr erstes Domizil gehabt hatte, übereignet wurde[10]. Diese Keimzelle einer deutschen Nationalbibliothek war der Initiative des Hannoveraner Buchhändlers und Verlegers Heinrich Wilhelm Hahn d. Jg. (1795–1873) zu verdanken, der verlegerisch die „Monumenta Germaniae historica" betreute, also mit der Geschichtswissenschaft seiner Zeit in enger Verbindung stand und regen Anteil am politischen Geschehen seiner Gegenwart nahm.

Die Versammlung der Paulskirche hatte auf Grund eines Antrages Hahns am 31. August 1848 die Gründung der Reichsbibliothek beschlossen, die von Anfang an mehr als nur eine Handbibliothek der Abgeordneten sein sollte. Die Basis dieser bibliothekarischen Neugründung bildete die Bereitschaft der Verleger – allen voran Hahns selbst –, aus ihrer Produktion zu stiften, was der Reichsbibliothekar Dr. Johann Heinrich Plath (1802–1874) auf Grund von eingesandten Neuerscheinungslisten wünschte. Bis zum Mai 1849 hatten 42 Verlage ihr Einverständnis zur Mitarbeit bekundet; darunter so namhafte Unternehmen wie Cotta in Stuttgart, Perthes in Gotha, Hinrichs, Teubner, Breitkopf & Härtel, alle in Leipzig, DuMont-Schauberg in Köln oder Vieweg in Braunschweig. Eine Sammelstelle des gesamten deutschen Schrifttums war diese Bibliothek in ihrem Anfangsstadium freilich noch nicht, sie hätte sich jedoch bei längerer Lebensdauer dazu entwickeln können, da sie ihrer Struktur nach dazu angelegt war. Zur praktischen Erleichterung hatten bereits alle Länder Portofreiheit für sämtliche Bücherpakete bewilligt, die an die Reichsbibliothek adressiert waren. Noch 1850 und 1851 verfocht Plath den Gedanken einer Nationalbibliothek, den 1851 die Deutsche Bundesversammlung

[9] Ferdinand Gregorovius: Römische Tagebücher. Hrsg. von Friedrich Althaus. Stuttgart 1892, S. 126. Für den Hinweis danke ich Frau Christa Schaper.
[10] Albert Paust: Die Idee einer deutschen Reichsbibliothek. Zur Vorgeschichte und Gründung der Deutschen Bücherei. Leipzig: Gesellschaft der Freunde der Deutschen Bücherei 1933 (Erw. Sonderdruck aus Minerva-Zeitschrift Bd. 8 (1932), H. 11/12.). – Albert Paust: Die Reichsbibliothek von 1848 und die Deutsche Bücherei. Leipzig 1938. – Albert Paust: Die Übereignung der Reichsbibliothek von 1848 an die Deutsche Bücherei. In: Börsenblatt für den Deutschen Buchhandel Bd. 105 (1938), Nr. 131 v. 9.6., S. 463–464. – Albert Paust: Heinrich Wilhelm Hahn. Gründer der ersten deutschen Reichsbibliothek von 1848 und Wegbereiter der Deutschen Bücherei. Leipzig 1941. – Albert Paust: Heinrich Wilhelm Hahn, 1795–1873. Inhaber der Hahn'schen Buchhandlung in Hannover und Wegbereiter der Deutschen Bücherei in Leipzig. In: Niedersächsische Lebensbilder Bd. 2. Hildesheim 1954, S. 108–119. – Albert Paust: Die Reichsbibliothek von 1848 ein Denkmal der deutschen Einheit. In: Bibliothek, Bibliothekar, Bibliothekswissenschaft. Festschrift Joris Vortius zum 60. Geburtstag dargebracht. Leipzig 1954, S. 384–396. – Vgl. in diesem Bande S. 141–143.

jedoch verwarf. Aufseß, der mit der Gründung des Germanischen Nationalmuseums die Bedeutung von Literatur und wissenschaftlicher Forschung für die nationale Idee in ihrem vollen Ausmaße erkannt hatte, bemühte sich deshalb selbst intensiv darum, die mehr oder weniger verwaiste Reichs- oder Parlamentsbibliothek seinem Nationalmuseum einzugliedern, die vom Reichsbibliothekar selbst als „Denkmal der deutschen Einheit" bezeichnet worden war. Ihr Wert wurde nach der Übernahme ebenso exakt berechnet, wie bei allen Geschenken und sogar Deposita, die die Museums- bibliothek erhielt; er betrug fl 9674 Kr 39[11]. Anfang des Jahres 1856 fand der Transport von Frankfurt nach Nürnberg statt. Zunächst wurde die ca. 4500 Bände umfassende Bibliothek im Toplerhaus deponiert, ehe sie mit den anderen Sammlungen des Museums in das Kartäuserkloster umzog, wo man sie als „Deutsche Parlamentsbibliothek" im Lesesaal allgemein sichtbar aufstellte. 1901 nach Fertigstellung des Königstiftungshauses wurde sie mit der gesamten Bibliothek in diesem Neubau untergebracht und magaziniert.

332
l. 268–271

Plath hatte die Bibliothek in 30 Sachgruppen gegliedert: „I. Gesetzsammlungen, Verfassungen und Verträge 102 Werke, II. Landständische Verhandlungen 72 Werke, III. Staats-, Hand- und Adreß- Bücher 15 W., IV. Jurisprudenz 153 W., V. Staatswissenschaft 119 W., VI. Statistik 49 W., VII. Geographie, Reisen 140 W., IX. Handel 19 W., X. Marine 21 W., XI. Kriegswesen 37 W., XII. Land-und Hauswirthschaft 120 W., XIII. Forst- und Jagdwesen 54 W., XIV. Naturwissenschaft 172 W., XV. Medicin 185 W., XVI. Technologie und Gewerbe 156 W., XVII. Künste und Baukunst 77 W., XVIII. Musik 47 W., XIX. Mathematik 43 W., XX. Philosophie 46 W., XXI. Pädagogik, Schul- und Unterrichtswesen 58 W., XXII. Wörterbücher, Grammatiken 88 W., XXIII. Griech. und lat. Klassiker 160 W., XXIV. Übersetzungen und Erläuterungen, Mythologie, Antiquitäten, Philologie 72 W., XXV. Deutsche Literatur 191 W., XXVI. Fremde neuere Literatur in Original u. Übers. 75 W., XXVII. Christl. Theologie 140 W., XXVIII. Judenthum 25 W., XXIX. Bibliographie 40 W., XXX. Miscellen 126 W., zusammen 2794 Titel"[12]. Daraus wird ihr universaler Charakter ersichtlich, zumal die Anzahl der Titel der antiken Autoren rund das Fünffache der Titel über das Kriegswesen ausmachte. Professor Rötzsch, Generaldirektor der Deutschen Bücherei Leipzig, schreibt in einem Brief vom 22. 10. 1976 an die Verfasserin: „... Der Musikverlag Breitkopf & Härtel stiftete 1848 seine ‚Allgemeine musikalische Zeitung' und lieferte ein komplettes Exemplar. Diese führende Musikzeit- schrift erschien von 1798–1848, so daß in der Reichsbibliothek eine vollständige Ausgabe mit Registerbänden vorhanden ist, die dort zunächst kaum jemand vermutet." Mit diesen wenigen Beispielen sollen lediglich einige Schlaglichter auf diesen für die deutsche Bibliotheksgeschichte so interessanten Komplex geworfen werden. Der Leipziger Bibliothekar Albert Paust charakterisiert ihre Bestände in seiner zusammenfassenden Würdigung von 1954 wie folgt: „Die Bestände der Reichsbibliothek tragen infolge der von Plath nur rund drei Jahre durchgeführten Sammeltätigkeit mehr oder weniger Zufallscharakter, weisen aber doch auf verschiedenen Gebieten eine gewisse Geschlossenheit auf. ... Die einzigartige Bedeutung der Bibliothek liegt jedoch darin, daß in ihr der Gedanke einer Sammlung des nationalen Schrifttums erstmals Gestalt gewonnen hat ..."[13].

Als 1927 bekannt wurde, daß die Museumsbibliothek an Platzmangel leide, setzten von seiten der Deutschen Bücherei in Leipzig durch deren Generaldirektor Heinrich Uhlendahl sehr zielstrebige Bemühungen ein, diese Keimzelle einer deutschen Nationalbibliothek als historisches Dokument für die Leipziger Institution zu erhalten. Wie dies vor sich ging, beschreibt der Leipziger Bibliothekar Albert Paust anschaulich, ja fast humoristisch in der Betriebszeitung der Deutschen Bücherei Leipzig

---

[11] Archiv GNM, Altregistratur, Kapsel 250 K, darin „Taxations-Verzeichnis der Bibliothek I".
[12] Beilage zum Anzeiger GNM 1855, Nr. 3.
[13] Paust: Reichsbibliothek, ein Denkmal (Anm. 10), S. 13.

a

d

b

c

e

325. Die Stempel der Bibliothek seit 1852. a 1852–um 1888, b um 1889–um 1904, c um 1905–um 1939, in einer Variante weiterverwendet seit 1956, d 1940–1956, e Spezialstempel nach Entwurf von Otto Hupp (1859–1949), verwendet nach 1910–um 1912 vermutlich bei den in der Handbibliothek aufgestellten Bänden. 1,5-fache Größe

von 1962: „. . . Wir vereinbarten, das im August 1927 bevorstehende fünfundsiebzigjährige Bestehen des Germanischen Nationalmuseums . . . zu benutzen, um sie [die Bibliothek] in Augenschein zu nehmen und die näheren Umstände ihrer Entstehung zu erforschen. Nach einem entsprechenden Briefwechsel zwischen Uhlendahl und dem damaligen Direktor des Museums, Heinrich Zimmermann, fuhr ich bereits im Juli nach Nürnberg . . . Von Direktor Zimmermann wurde ich sehr freundlich empfangen und mit Kollegen Heinrich Heerwagen, dem Leiter der Bibliothek des Museums, bekannt gemacht. Er sollte meine weitere Betreuung übernehmen. So saß ich denn längere Zeit bei ihm in der Bibliothek und studierte die mir vorgelegten Akten, vor allem die Briefe des Hahn'schen Verlages in Hannover [mit den Direktorialakten im 2. Weltkrieg verbrannt] . . . Daneben sah ich an Hand der seinerzeit mit übergebenen Originalkataloge die Bestände der Reichsbibliothek systematisch durch und konnte zu meiner Freude feststellen, daß sie fast vollständig noch erhalten waren. Als ich Uhlendahl Mitte August dann die Reichsbibliothek zeigen konnte, war er sehr beeindruckt und äußerte sofort: „Die müssen wir haben!" Hauptsächlich zu diesem Zweck war er der Einladung zu den Jubiläumsfeierlichkeiten des Museums gefolgt. Wir nahmen also an dem Begrüßungsabend im Hause des Industrie-und Kulturvereins am Frauentorgraben, an dem eindrucksvollen

Festakt in der zum Museum gehörenden alten Kartäuserkirche und an dem von der Stadtverwaltung im historischen Rathaussaal veranstalteten Bankett teil . . . Hauptsächlich drehten sich unsere Gespräche dabei natürlich um die Reichsbibliothek, über deren eventuelle Überlassung an die Deutsche Bücherei Uhlendahl wiederholt mit Zimmermann in vorsichtiger Form verhandelte. Er stieß jedoch auf ziemliche Zurückhaltung. Zimmermann äußerte in scherzhafter Weise, daß er als Gegengabe mindestens einen kunstvollen sächsischen Kirchenaltar erhalten müsse. Jedenfalls kam es zu keiner Einigung. . . es dauerte noch rund ein Jahrzehnt, ehe Uhlendahl seinen Plan verwirklichen konnte . . . Die Entscheidung darüber sollte in einer besonderen Verwaltungsratssitzung des Museums erfolgen . . . und die Übereignung der Reichsbibliothek an die Deutsche Bücherei wurde beschlossen. Im Auftrage des neuen Direktors des Museums, Heinrich Kohlhaußen, wurde sie vom Kollegen Heerwagen als Jubiläumsgabe zum fünfundzwanzigjährigen Bestehen der Deutschen Bücherei 1938 übergeben"[14].

Außer den Büchern gehörten zur Parlamentsbibliothek noch ein handschriftlicher systematischer Katalog in fünf querformatigen Bänden (10 × 22 cm) in Leder gebunden und drei Parlamentssessel. Der Raum innerhalb der Deutschen Bücherei Leipzig, der diesen historisch dokumentarischen Bestand aufnahm, wurde mit Bildern der Frankfurter Paulskirche und den Porträts von Heinrich Wilhelm Hahn und Dr. Johann Heinrich Plath, dem ersten Reichsbibliothekar, geschmückt[15].

Wachstum und Bestand 1852–1976
☐ Verlagsspenden und Schriftentausch

Die Bibliothek des Museumsgründers mit ihren 7005 Bänden legte den Grundstock der Büchersammlung und umriß zugleich das geistige Konzept für ihren weiteren Ausbau. Die andere Ausgangsbasis bildete die Parlamentsbibliothek, die – wenn auch heute nicht mehr in Nürnberg vorhanden – dem Museum die Verbindung zum deutschen Verlagswesen und dessen Einschätzung der Museumsbibliothek als zentraler nationaler Institution brachte.

Diese von nationaler Begeisterung getragene Spendenfreudigkeit der Verleger übertrug sich von der Parlamentsbibliothek auf die des Museums. Die Museumsleitung hatte bei der Bereitschaft, die in Frankfurt mehr oder weniger verwaiste Bibliothek bei sich aufzunehmen, diesen Aspekt sehr bewußt im Auge gehabt, denn noch vor dem Standortwechsel der Parlamentsbibliothek werden Ende 1854 folgende Zeilen im „Anzeiger" veröffentlicht: „. . . Durch den Übergang der Bibliothek der ehemaligen deutschen Nationalversammlung an das germanische Museum dürften sich noch manche (wir wagen zu hoffen, alle) Buchhandlungen zum Anschluß bewogen fühlen, insbesondere diejenigen, welche jene Bibliothek mit ihrem Verlage begründet haben, indem nun die damalige Idee einer deutschen Nationalbibliothek ihre Verwirklichung erhält und für diese jedenfalls das aller Politik fern stehende germanische Museum mehr Garantie bietet, als jene, von äußeren Einflüssen bewegte, politische Korporation . . ."[16]. Die Erwartungen waren berechtigt[17]. Die Spenden kamen großzügig aus dem gesamten deutschen Sprachgebiet, sogar aus Tilsit und dem Baltikum, und bildeten den Hauptfaktor für das schnelle Wachstum der Museumsbibliothek.

---

[14] Albert Paust: Mit Heinrich Uhlendahl auf den Spuren der Reichsbibliothek von 1848. In: Die Korrekturfahne, Betriebszeitung der Deutschen Bücherei. Sondernummer aus Anlaß des 50jährigen Bestehens der Deutschen Bücherei am 3. Oktober 1962, S. 27–28.

[15] Heinrich Uhlendahl: Mitteilungen aus der Deutschen Bücherei. In: Zentralblatt für Bibliothekswesen Bd. 55 (1938), S. 563.

[16] Anzeiger GNM 1854, Sp. 312.

[17] Jährlich wurden im Anzeiger GNM lange Listen von Verlagen, Buchhandlungen und Vereinen veröffentlicht, die Buchspenden übersandt hatten. Das Archiv verwahrt außerdem einige Bände, in denen Stiftungen aus den fünfziger und sechziger Jahren des 19. Jahrhunderts registriert sind.

1870 konnte Essenwein in seinem Bericht an den Verwaltungsausschuß freimütig einräumen, „daß kein anderer Stand an Opferwilligkeit für unsere Anstalt dem Buchhändler gleichkommt". Die Verlagsabgabe von damals entsprach aber noch nicht dem heute üblichen Pflichtexemplarrecht; denn nicht alle Veröffentlichungen deutscher Verleger kamen nach Nürnberg, sondern lediglich was für das historische und kulturhistorische Aufgabengebiet notwendig war. Zur Veranschaulichung der Spendenfreudigkeit seien aus der Fülle der Namen, die in jedem Heft des „Anzeigers" veröffentlicht wurden, einige Namen, die größtenteils heute noch bekannt sind, oder sogar noch existierende Verlage bezeichnen, aus dem ersten Jahrzehnt der Existenz des Museums und seiner Bibliothek aufgezählt: G. Braun'sche Hofbuchhandlung Karlsruhe, Allgemeine deutsche Verlags-Anstalt Berlin, B. G. Teubner Leipzig, C. H. Beck'sche Buchhandlung Nördlingen, Metzler'sche Buchhandlung Stuttgart, Schünemanns Buchhandlung Bremen, Literarische Anstalt (J. Rütten) Frankfurt a. M., Kaiserl. Akademie zu Metz, J. Hölschers Verlag in Koblenz, Vandenhoek & Ruprecht Göttingen, Herm. Böhlau Weimar, Dieterich'sche Buchhandlung Göttingen, Herder'sche Verlagsbuchhandlung Freiburg, Schweighauser'sche Verlagsbuchhandlung Basel, J. G. Cotta'sche Buchhandlung Stuttgart, M. DuMont-Schauberg'sche Buchhandlung Köln, Gebrüder Karl & Nikolaus Benzinger Einsiedeln, Hahn'sche Hofbuchhandlung Hannover, Karl André Prag, Fr. Ehrlich's Buch- u. Kunsthandlung Prag, Breitkopf & Härtel Leipzig (Buch- und Musikalienhandlung), Buchhandlung des Waisenhauses Halle, F. A. Brockhaus Leipzig und Heinr. Strack Bremen. – Wie die Listen der Stifter beweisen, hielt die Gebefreudigkeit lange an, so daß die Bibliothek im letzten Jahrhundert in der Hauptsache sich aus Spenden aufbaute. Zu dieser bedeutenden kulturellen Leistung haben aber nicht nur die deutschen Verlage, sondern auch zahllose private Spender beigetragen. Die Bibliothek ist somit ein stattliches Beispiel für die Privatinitiative des 19. Jahrhunderts auf kulturellem Gebiet. Im 20. Jahrhundert gingen die Spenden erheblich zurück, zumal 1913 auf Initiative des Börsenvereins des Deutschen Buchhandels die Deutsche Bücherei in Leipzig gegründet wurde, die als Archiv-Bibliothek die Produktion der deutschen Verlage zum Zwecke der bibliographischen Berichterstattung seitdem sammelt, doch blieben einige wenige Verlage dem Germanischen Museum verbunden. Die letzten Verlagsspenden erhielt die Bibliothek noch Anfang der sechziger Jahre. DuMont in Köln, Klinckhardt & Biermann in Braunschweig, Bruckmann und der Süddeutsche Verlag in München, Kohlhammer in Stuttgart, Westermann in Braunschweig, Kröner in Stuttgart, Burda in Offenburg, Reclam in Stuttgart und die Verlagsabteilung des Nürnberger Druckhauses reagierten auf Bittbriefe meist wohlgesonnen und zählten zu den letzten Getreuen, die entweder ein Exemplar aus ihren Neuerscheinungen oder ein Zeitschriftenabonnement stifteten.

Neben den Verlagen spielten die historischen Vereine mit ihren periodischen Veröffentlichungen beim Aufbau der Bibliothek eine bedeutende Rolle. Hierbei handelte es sich jedoch weniger um Stiftungen als um die Zusendung von Tausch-, Beleg- oder Besprechungsexemplaren für den „Anzeiger des Germanischen Nationalmuseums" und die „Mitteilungen", wo Literaturbesprechungen oder zumindest bibliographische Hinweise enthalten waren. Da die Geschichtsvereine in der Gründungsphase des Museums eine große Rolle gespielt hatten, war ihr Interesse am Museum groß und demzufolge der Bestand an historischen Zeitschriften ungewöhnlich hoch[18]. Die Geschichtsvereine innerhalb des deutschen Sprachraumes – der sich von Tirol, über Böhmen, bis zum Baltikum und im Westen bis zum Elsaß und der Ostschweiz erstreckte – verschafften dem Schriftentausch von Anfang an einen weiten Radius und eine hohe Partnerzahl. Seit 1905 werden in mehreren Bänden des

---

[18] Walter Matthey: Verzeichnis der historischen, volks- und heimatkundlichen Zeitschriftenbestände in der Bibliothek des Germanischen Nationalmuseums. Nürnberg 1952. (936 Titel). – Marianne Prause: Verzeichnis der Zeitschriftenbestände in den kunstwissenschaftlichen Spezialbibliotheken der Bundesrepublik Deutschland und West-Berlins (VZK). Berlin 1973.

„Anzeigers" Adressenlisten veröffentlicht[19]; danach stand die Bibliothek z.B. 1905 mit 420 Institutionen und Zeitschriftenredaktionen des In- und Auslandes im Schriftentausch. Schon damals wurde der „Anzeiger" in achtzehn Länder versandt, man erkannte also von seiten des Museums sehr früh die kulturpolitische Bedeutung, die dem gegenseitigen Austausch der wissenschaftlichen Publikationen zukommt. Da in diesen Adressenlisten der Anteil der Redaktionen sehr hoch ist, darf man daraus schließen, daß diese Partnerlisten eine Vermengung von Teilnehmern des Schriftentausches und Empfängern von Rezensionsexemplaren darstellen. In den Jahren nach dem 2. Weltkrieg erhöhte sich die Anzahl der Tauschpartner durch die Einbeziehung vieler Museen des In- und Auslandes erheblich, die Versendung von Rezensionsexemplaren wurde jedoch nicht mehr mit dieser Adressenkartei gekoppelt. Neben dem Anzeiger sind nun auch Ausstellungs- und Sammlungskataloge in den Schriftentausch einbezogen worden, eine Literaturgattung, die nur in Ausnahmefällen über das Verlagswesen produziert und vertrieben wird, weshalb der unmittelbare Kontakt mit den Museen als Privatverleger umso wichtiger geworden ist. Diese Entwicklung in Verbindung mit der Hinwendung des Museums von der mehr historisch orientierten Institution zur kunst- und kulturhistorischen Sammlung brachte es mit sich, daß gegenwärtig ein Schriftentausch mit rund siebenhundert Partnern in 27 Staaten unterhalten wird. Der geographische Rahmen reicht dabei von Moskau und Leningrad bis San Francisco.

So bedeutsam der Anteil der Verlagsspenden und des Schriftentausches auch sein mag, geprägt wurde die Bibliothek durch die systematische Titelauswahl des Bibliothekars für die laufende Akzession, die sich bis zum ersten Weltkrieg weitgehend am Konzept der Aufseß-Bibliothek orientierte. Dieser Gesamtbestand aus erbetenen Stiftungen und Ankäufen formte sie zur Spezialbibliothek deutscher Kulturgeschichte. Im Verlaufe ihrer eigenen historischen Entwicklung erhielt sie zahlreiche Stiftungen und Leihgaben ganzer kulturgeschichtlicher Bibliotheken und Bücherkonvolute, die sich um diesen Kernbestand gruppierten und ihn nicht nur quantitativ bereicherten, sondern ihm auch inhaltlich noch vielseitigere Aspekte verliehen.

☐ Aufbau und Gliederung der Bibliothek

Die heutige Aufstellung der Bibliothek präsentiert sich – abgesehen von Sonderabteilungen – nach zwei verschiedenen Systemen: Der Teil mit alten Signaturen enthält die Bücher bis zu den Erscheinungsjahren 1950/55; die neuen Signaturen sind für die Publikationen, die nach dieser Zeitgrenze erschienen sind, und zusätzlich für alle Bücher der Fächer Kunstgeschichte, Volkskunde, Vor- und Frühgeschichte. Die zuletzt genannten Bestände verteilen sich gegenwärtig noch auf beide Systeme, da es noch einige Zeit braucht, bis alle älteren Bücher der heutigen Hauptfächer umsigniert sein werden. Eine Beschreibung der vorhandenen Bestände und die Art und Weise wie sie zusammengekommen sind, soll im Folgenden nach einzelnen Disziplinen vorgenommen werden, die meistens den großen Signaturen entsprechen.

Geschichte

Der Komplex Geschichte bildet im alten System die umfangreichste Abteilung. Der Bestand an historischen Zeitschriften, auch alten, abgeschlossenen, der alle deutschsprachigen Regionen vereint, hat einen Vollständigkeitsgrad, der innerhalb der Grenzen des heutigen Bundesgebietes wohl als einmalig zu bezeichnen ist. Der Bestand an Quellen-Editionen, ebenfalls für diese geographische Abgrenzung, ist sehr gut; die Bemühungen, auch für die Neuerscheinungen möglichst vollständig zu sein, werden leider durch finanzielle Zwänge reduziert. Der größte Teil des historischen Bestandes

[19] Anzeiger GNM 1905, S. LXIII – LXIX.

der alten G-Signatur ist topographische Geschichtsliteratur, die in alphabetischer Ordnung der einzelnen Orts- oder Ländernamen aufgestellt ist und innerhalb dieser wiederum in chronologischer Reihenfolge. Diesem historischen Kernbestand sind weitere spezialhistorische Arbeiten innerhalb anderer Signaturen hinzuzurechnen. Dies muß bei einer Schilderung der historischen Bestände berücksichtigt werden, um eine Vorstellung von der Breite der vorhandenen Geschichtsliteratur zu bekommen. So befindet sich die rechtshistorische Literatur in der Abteilung, die durch die R-Signatur gekennzeichnet ist, die Verfassungsgeschichte, die allerdings heute nicht mehr gesammelt wird, und die Handelsgeschichte bei den entsprechenden Oberbegriffen Staatswissenschaft bzw. Handel.

Historische Hilfswissenschaften

Die historischen Hilfswissenschaften sind im alten System ebenfalls in verschiedenen Gruppen zu suchen. Die Genealogie ist teils in der namentlich geordneten großen biographischen Abteilung mit enthalten, besonders aber innerhalb der Bibliothek Heyer-Rosenfeld, und mit einer Unterabteilung in der verschiedene Fächer vereinenden W-Signatur, die als eine Art Auffangbecken für Wissenschafts- geschichte, Akademien, Zeitschriften übergreifenden Charakters und das Buch- und Bibliothekswe- sen angelegt ist. Auch die Hilfswissenschaften der Sphragistik und der Paläographie sind hier zu finden. Berücksichtigt man obendrein, daß die kunstwissenschaftliche Literatur unter dem Aspekt der historischen Forschung zusammengetragen wurde, so ergibt sich für das 19. Jahrhundert ein sehr breites Spektrum der Disziplin Geschichtswissenschaft. Für alle Fächer der historischen Hilfswissen- schaften werden die wichtigsten Neuerscheinungen kontinuierlich angeschafft.

Biographien

Für die historische Forschung sind auch Biographien als Quelle nützlich, weshalb ihnen Aufseß in seinem Geschichtsschema das gleiche Gewicht beimaß wie den Ortsgeschichten. Aus diesem Grunde ist die Abteilung der Bg-Signatur, die nach dem Alphabet der abgehandelten Personen oder Familien aufgestellt ist, von Anfang an breit angelegt; der umfangreiche Altbestand wächst auch heute kontinu- ierlich weiter. Er enthält die Viten von Personen, die für die Geschichte und Kulturgeschichte im weitesten Sinne des Wortes von Belang waren; auch Monographien über bildende Künstler – inzwischen für die Kunstgeschichtsabteilung der neuen Systematik herausgezogen – wurden ange- schafft, ebenso wie die über Dichter, Komponisten, Philosophen, Erfinder, Firmengründer. Eine Abteilung biographischer Nachschlagewerke auf regionaler Basis und nach Berufsgruppen rundet diesen Bestand ab.

Kunstgeschichte

Sowohl das topographische wie auch das biographische Sammelprinzip sind in der Kunstabteilung – Signatur K – wirksam. Zusammenfassende Kunstgeschichtsdarstellungen, Abhandlungen über Ar- chitektur, Malerei, Plastik, Fundorte der Vor- und Frühgeschichte, sowie Museums- und Ausstel- lungskataloge sind innerhalb von Ortsalphabeten zu finden; Kataloge von Privatsammlungen und solche von Auktions- und Kunsthandelshäusern sind nach ihren Personennamen eingereiht. Inmitten der systematischen Gliederung finden sich auch die wertvollen kunsttheoretischen Abhandlungen des 16.–18. Jahrhunderts, die fast alle Holzschnitte oder Kupferstiche enthalten. Es sei hierbei nur erinnert an die Perspektiv-Lehren von Lucas Brunn, Wenzel Jamnitzer d. Ä., Johannes Lencker, Lorenz Stoer, Andrea Pozzo; oder an die Vorlagenbücher eines Heinrich Vogtherr, Joh. Daniel Preissler, oder an Sandrarts Academie. Auch die Architekturbücher eines Josef Furttenbach d. Ä. und

Salomon Kleiner gehören ebenso zur kunstgeschichtlichen Quellenliteratur, wie die Emblembücher von Andrea Alciato, Cesare Ripa, Filippo Picinelli und Joachim Camerarius. Daß Albrecht Dürers sämtliche theoretischen Werke in Erstausgaben und einigen der späteren Auflagen vorhanden sind, ist nach den kurzen Andeutungen über den kunstgeschichtlichen Bestand eine Selbstverständlichkeit. Alle Literatur von und über Albrecht Dürer wurde nach dem 2. Weltkrieg in einer eigenen stark differenziert gegliederten Gruppe zusammengefaßt.

Literaturgeschichte

Ebenfalls zu den großen Abteilungen innerhalb des alten Systems gehört die Literatur, die Werkausgaben, Sekundärliteratur und auch ältere Zeitschriften enthält. Innerhalb dieser Gruppe der alten L-Signatur ist das Prinzip der Beschränkung auf den deutschen Sprachraum durchbrochen; Klassiker-Ausgaben sind in Originalsprache und in deutscher Übersetzung vorhanden. Auch unter den Werken der gesamten abendländischen Literatur befinden sich viele Übersetzungen in die deutsche Sprache. Vorwiegend handelt es sich hierbei um Ausgaben des 17.–19. Jahrhunderts. Im 20. Jahrhundert erlahmte das Interesse am Literarischen. Besondere Erwähnung verdienen die vielen Erstausgaben der gesammelten Werke der deutschen Klassiker und Romantiker. Erstausgaben der einzelnen Dichtungen sind hingegen äußerst selten. Sehr gut vertreten ist die deutsche Barockdichtung, deren Ausgaben heute allgemein rar sind, so daß gerade durch diesen Buchbestand heute relativ viele Kontakte mit Germanisten des Auslandes zustande kommen. Reichhaltig ist auch die Unterabteilung der Volksbücher mit frühen Ausgaben, die Sagenliteratur und die des frühen Schul- und Kinderbuches; sogar die erste Kinderzeitung „Der Kinderfreund, ein Wochenblatt", das ab 1777 in Leipzig erschien, ist vertreten. Ältere Zeitungen, bzw. deren Wochenbeilagen leiten zu der sehr beachtlichen Almanach-Sammlung über. Heute wird diese Sammlung im Gegensatz zur Literatur über die Mundartforschung, die im alten System unter der Sp-Signatur zu finden ist, kaum noch fortgeführt.

Religionswissenschaft

Auch die alte theologische Abteilung – Rl-Signatur – besitzt bedeutende Bestände und wird heute nur noch selten durch antiquarische Erwerbungen ergänzt. Hier ist vor allem die ca. dreihundert Ausgaben zählende Bibel-Abteilung zu erwähnen, die mit den Inkunabeln beginnt. Sämtliche vierzehn deutschen Bibeldrucke, die vor Martin Luthers entscheidend sprachbildender Übersetzung von 1522 erschienen, sind vorhanden. Die Gesang- und gedruckten Gebetbücher geben einen Einblick in die Mannigfaltigkeit dieser religiösen Literatur der Barockzeit.

Naturwissenschaft

Was man in der Bibliothek des Germanischen Nationalmuseums nicht vermuten würde, ist eine sehr vielseitige Abteilung der alten Naturwissenschaften – Signatur Nw. Der Grund hierfür liegt in der Einbeziehung der Geschichte der Naturwissenschaften in das „Schema der deutschen Geschichts- und Alterthumskunde", das die Museumsleitung schon zur Gründungszeit entworfen hatte. Hier finden sich die frühen illustrierten Prachtwerke der Botanik und Zoologie, Vesals Anatomie und die chemisch-alchemistische Literatur des 16.–18. Jahrhunderts und eine kleine Sammlung zu okkulten Themen. Das Kalenderwesen ist von Regiomontan über Grimmelshausen bis in die jüngere Neuzeit gut repräsentiert. Sogar Bücher zur Meteorologie und recht zahlreich zur Balneologie im 18. und 19. Jahrhundert sind unter dem Oberbegriff der Naturwissenschaften vereint. Nach 1902 erhielt diese Abteilung einen umfangreicheren Zuwachs durch die Einrichtung des medico-historischen Cabinettes, zu dem auch zahlreiche medizinhistorische Bücher gehörten.

Volkswirtschaft

Sehr typisch für das an den Gegenständen der Vergangenheit orientierte Interesse ist die Volkswirtschaftsabteilung mit der Signatur V, da sie eine Fundgrube älterer Literatur zu den verschiedensten Handwerken enthält. Diese Forschungsrichtung wird auch heute mit dem Ziele der Vollständigkeit mit Literatur versorgt.

Gesellschaftswissenschaft

Ebenso typisch für die kulturgeschichtliche Forschung am Museum ist die sogenannte Gesellschaftswissenschaft – Gs-Signatur –, wobei der Sinn dieses Wortes nicht von seiner gegenwärtigen Definition verstanden werden darf. Mit dem Gesellschaftlichen meinte man im vorigen Jahrhundert, als dieser Katalog angelegt wurde, alle Bereiche des täglichen Lebens innerhalb der verschiedenen Stände, also z. B. auch Kleidung, Wohnung, Nahrung. Auch die Veröffentlichungen zu gesellschaftlichen Zusammenschlüssen gehören in diese Gruppe, wie wir sie in Familienfesten, Bruderschaften, Vereinen oder Parteien vorfinden.

Handel

Auch die Abteilung Handel – H-Signatur – ist durch ihre Gliederung in Reiseliteratur, Münzwesen, Post, Bahn und Schiffahrt kulturgeschichtlich definiert. Sie ist der Rest eines besonderen Handelsmuseums, das lange Zeit eine Abteilung innerhalb des Germanischen Nationalmuseums war.

Kriegswesen

Das gleiche gilt für das Kriegswesen – Kr-Signatur –, da hier Abhandlungen über alte Waffen, Heere, den Festungsbau, sowie Uniformen, Fahnen und Ehrenzeichen zusammengetragen sind und auch durch die einschlägigen Neuerwerbungen auf dem letzten Forschungsstand gehalten werden. Außerdem sind unter dieser Signatur Teile von Militärbibliotheken zusammengekommen, die durch das Kriegsende 1918 ohne Besitzer waren, z. B. diejenige des Bayerischen 14. Infanterie-Regiments „Hartmann", die im „Wegweiser" von 1919/20 eigens als größerer Bücherbestand hervorgehoben wird, und kleinere Konvolute von der Offiziersbücherei der K. Bay. Fliegerersatzabteilung 2 in Fürth/Bayern, oder des Vorbereitungskurses 5 des Bay. Fußart. Regiments 3, Lager Grafenwöhr.

□ Die gesondert aufgestellten Rara-Abteilungen

Handschriften

Ebenso wie die gesamte Bibliothek noch keine größere Würdigung erfahren hat, fehlt eine solche auch für die Handschriften, obwohl dieser Komplex nach den letzten Bänden des „Jahrbuches der deutschen Bibliotheken" mit der beachtlichen Anzahl von 3380 Nummern angegeben wird. Erst die Deutsche Forschungsgemeinschaft ermöglichte im Rahmen ihres umfassenden, nach dem 2. Weltkrieg initiierten Unternehmens der Katalogisierung der Handschriftenbestände der Bibliotheken der Bundesrepublik Deutschland die erste wissenschaftliche Beschreibung und deren Drucklegung für einen Teilbestand[20], die 1974 vorlag. Darin gibt Lotte Kurras in der Einleitung einen kurzen Überblick über die Provenienzen der mittelalterlichen deutschen Texte, die wie auch der übrige Bestand durch Schenkungen und Einzelankäufe in das Museum kamen. Eine Übernahme historisch gewachse-

---

[20] Lotte Kurras: Die deutschen mittelalterlichen Handschriften. 1. Teil: Die literarischen und religiösen Handschriften. Anhang: Die Hardenbergschen Fragmente (Kataloge des Germanischen Nationalmuseums Nürnberg. Die Handschriften des Germanischen Nationalmuseums, Bd. 1). Wiesbaden 1974.

326. Hs. 5973. Charakteristisches Blatt mit Pausen nach Szenen und Einzelfiguren nach der Handschrift des Speculum humanae salvationis, Universitätsbibliothek Würzburg M. ch. f. 2, um 1418. Moses zerbricht die Krone Pharaos (zu Kap. XI, 3), der Traum des Nebukadnezar (zu Kap. XI, 4), Gerüsteter aus der Szene: eine Frau besänftigt Joab (zu Kap. XXXVII, 4), Abigail besänftigt Davids Zorn (zu Kap. XXXVII, 2), der verworfene Stein wird zum Eckstein (zu Kap. XXXII, 4), Federzeichnungen auf Transparentpapier. Aus dem Besitz des Hans von und zu Aufseß, vor 1854

ner Bestände hat für diesen Bereich nie stattgefunden, auch wenn es Einzelstücke mit alten Besitzeintragungen gibt und in der Aufseß-Bibliothek 463 Handschriften enthalten waren. Symptomatisch für alle Handschriften stellt Lotte Kurras fest, daß von den 195 von ihr beschriebenen Stücken rund zwei Drittel Fragmente sind, und hinsichtlich der Bearbeitung bemerkt sie lakonisch: „. . . Vorarbeiten für diesen Band gab es praktisch keine . . .". Die älteste Handschrift, ein Itala-Fragment, stammt aus dem 8. Jahrhundert[21], die jüngsten reichen bis ins 20. Jahrhundert. Die deutsche Literatur des Mittelalters ist u. a. mit zwei Nibelungen-Fragmenten[22], Hugo von Trimberg, Wolfram von Eschenbach und dem Trojanerkrieg des Konrad von Würzburg vertreten. Eine der berühmtesten Familienchroniken ist die des Ulman Stromer aus dem 14. Jahrhundert, dem ersten Papiermacher. Alchemistische Texte sind mit den zwei bedeutenden Bilderhandschriften des „Buches der Hl. Dreifaltigkeit" und dem „Splendor Solis" ausgezeichnet repräsentiert. Das bedeutendste Stück ist die Evangelienhandschrift, die unter der Bezeichnung Codex Aureus Epternacensis, oder in der älteren Literatur als Gothaer Codex bekannt ist. Er wurde während der 30er Jahre des 11. Jahrhunderts mit Goldtinte geschrieben und mit ganzseitigen Miniaturmalereien geschmückt[23]. Seine Erwerbung war im Jahre 1953 ein Ereignis von kulturpolitischer Bedeutung[24]. – Besondere Beachtung verdient die Sammlung an Stammbüchern des 16.–19. Jahrhunderts, in der verständlicherweise die Universität Altdorf und Eintragungen von Nürnberger Bürgern stark vertreten sind[25]. Auch die Sammlung von Schembart-Handschriften des 16. und 17. Jahrhunderts ist ein Zeugnis der Nürnberger Vergangenheit. Ein Autograph Neudörffers, der auch Nürnberger war, ist jedoch darüber hinaus für die gesamte Entwicklung der Schrift von Bedeutung. Es ist das Hauptstück der großen Sammlung an Schreibmeisterbüchern[26], von denen auch die gedruckten Exemplare zu den großen Raritäten zählen. Wissenschaftsgeschichtlich bemerkenswert ist die Sammlung von Kopien, die in den ersten Jahren des Museums von mittelalterlichen Miniaturhandschriften in München und Würzburg angefertigt wurden. Diese auf Pauspapier ausgeführten Federzeichnungen sind in Hefte aus starkem Papier eingeklebt. Sie geben uns Einblick in die mühevollen Vorarbeiten für das Repertorium, das das große Ziel der Gründungszeit war. Die Anfertigung von Kopien erstreckte sich auf alle Abteilungen des Museums, nicht nur auf die Bibliothek[27]. Diese war dafür bestrebt, Verzeichnisse der Handschriften anderer Bibliotheken zu erhalten[28], um auf diese Weise alle mittelalterlichen Literaturdenkmale zu vereinen. An besonderen

107, 142

326

[21] Hs. 27 932. – 1872 dem Museum übergeben, diese Einzelblätter befanden sich als Makulatur in Zinsbüchern des 16. und 17. Jahrhunderts. – Andere Blätter dieser Handschrift verwahrt die Pierpont Morgan Library in New York. Vgl. Wilhelm Köhler: The Fragments of an eight-century Gospel Book in the Morgan Library (M 564). In: Studies in art and literature for Belle da Costa Green. Princeton 1954, S. 238–265. – Elias Avery Lowe: Codices Latini Antiquiores. Bd. 9. Oxford 1959, Nr. 1347. – Ausstellungskatalog „Karl der Große". Aachen 1965, Nr. 382. – Zu dieser und anderen frühen illuminierten Handschriften vgl. S. 736.

[22] Vier Stücke aus den Handschriften StrA und StrC.

[23] Hs. 156 142. Der nicht originär zugehörige Bucheinband, ein Goldblech mit Treibarbeit über Holzdeckel mit gefaßten Steinen u. Emailplatten, sowie einem Elfenbeinrelief stammt aus dem 10. Jahrhundert. – Peter Metz: Das Goldene Evangelienbuch von Echternach im Germanischen National-Museum zu Nürnberg. München 1956. 2. Auflage München 1964. – Egon Verheyen: Das Goldene Evangelienbuch von Echternach (Bibliothek des Germanischen Nationalmuseums Nürnberg zur deutschen Kunst- und Kulturgeschichte, 22.). München 1963. – Carl Nordenfalk: Codex Caesarius Uppsaliensis. An Echternach gospel-book of the 11th century. Stockholm 1971. – Vgl. auch S. 300 und 753–756.

[24] Fritz Redenbacher: Die Erwerbung. In: Handbuch der Bibliothekswissenschaft. 2. Aufl. Bd. 2: Bibliotheksverwaltung. Wiesbaden 1958, S. 172: „. . . Wenige Jahre später haben am Kundigen gebangt, was aus dem Codex Epternacensis des Herzoglichen Hauses in Coburg werden würde, bis er unter erheblichen, aber berechtigten Opfern und mit Hilfe des Bundes und der Länder vom Germanischen Nationalmuseum in Nürnberg angekauft werden konnte."

[25] Vgl. S. 566–567.

[26] Zusammen mit dem Bestand an Schreibmeisterbüchern, den die Kunstbibliothek Berlin besitzt, bildete die Sammlung des GNM die Basis für die Bibliographie von Werner Doede: Bibliographie deutscher Schreibmeisterbücher von Neudörffer bis 1800. Hamburg 1958.

[27] Anzeiger GNM 1853, Sp. 61–62. Vgl. E. (August von Eye): Ueber Copien von Miniatüren und Federzeichnungen in alten Handschriften. In: Anzeiger GNM 1854, Sp. 9–11.

[28] Anzeiger GNM 1853, Sp. 140.

327. Exlibris der vom Germanischen Nationalmuseum als Depositum übernommenen bzw. geschlossen erworbenen Bibliotheken von Ludwig Heinrich Euler (erworben 1886, linke Abb.) und der Paul Wolfgang Merkel'schen Familienstiftung (übernommen 1874, rechte Abb.)

Einzelstücken seien die Autographen von zwei Opern angeführt: Richard Wagners „Meistersinger von Nürnberg" und Albert Lortzings „Hans Sachs". Auch das Urmanuskript von Heinrich Hoffmanns „Struwwelpeter" hat 1902 seinen Weg in das Germanische Nationalmuseum gefunden.

Inkunabeln

Die Inkunabel-Sammlung ist die einzige vollständig nach neuzeitlichen Gesichtspunkten katalogisierte Abteilung der Zimelien. Barbara Hellwig hat, basierend auf den Beschreibungen von Walter Matthey, ebenfalls dank der Deutschen Forschungsgemeinschaft 1970 die wissenschaftliche Erfassung vorgelegt. Einschließlich der Einblattdrucke in Kupferstichkabinett und Archiv erfaßt ihr Katalog 977 Wiegendrucke, von denen immerhin 31 Unica sind[29]. Der gesamte Inkunabelbestand, zu dem Aufseß bereits 123 Stück beigesteuert hatte[30], erhielt 1902 durch die Kgl. Bayerische Staatsbibliothek[31] und nochmals 1961 durch den Erwerb der Bibliothek Neufforge[32] bedeutende Konvolute. Im Gegensatz zu anderen Inkunabelsammlungen zeichnet sich der Bestand im Germanischen Nationalmuseum durch den hohen Anteil an illustrierten Drucken aus, auch frühere Besitzeintragungen sind ziemlich häufig.

[29] Barbara Hellwig: Inkunabelkatalog des Germanischen Nationalmuseums Nürnberg. (Inkunabelkataloge Bayerischer Bibliotheken). Wiesbaden 1970.
[30] Vgl. S. 549.
[31] Vgl. S. 566.
[32] Vgl. S. 570–572.

Postinkunabeln

Auch diejenigen Drucke der Frühzeit, die zwischen 1501 und 1550 erschienen sind, wurden ihrer Seltenheit wegen aus der systematischen Aufstellung herausgezogen, um sie aus Sicherheitsgründen zu separieren. Den Hauptteil dieser gut 3000 Titel umfassenden Abteilung bilden Flugschriften der Reformationszeit, auch Werke der Humanisten und des Hans Sachs sind ungewöhnlich zahlreich. Die Postinkunabeln bilden neben ihrem literarischen Seltenheitswert auch buchkünstlerisch eine Besonderheit, da sie die ersten Bücher sind, die mit einem Titelblatt ausgestaltet wurden, was bei den späteren Inkunabeln noch die Ausnahme bildet. Diese frühen Titelblätter zeichnen sich entweder durch eine sehr ausgewogene typographische Gestaltung aus, oder sie sind dekorativ mit Holzschnitten gerahmt. So bilden die Postinkunabeln gleichzeitig eine Kunstblättersammlung.

Bucheinbände

Es ist erstaunlich, daß Essenwein einen Katalog der Einbandsammlung[33] bereits im Jahre 1889 veröffentlichen ließ, obwohl die Einbandforschung erst um die Jahrhundertwende einsetzte und in den 20er Jahren ihren Höhepunkt erreichte. So muß er denn auch im Vorwort zugeben, „daß unser Material für sich allein doch nicht reich genug ist, und daß, wo so viele Bände aus aller Welt her von Antiquaren zusammengekauft und von Privaten geschenkt sind, die Ursprungsorte der Einbände sich zu schwer feststellen lassen, um nachweisen zu können, welchen Stempelvorrat eine Anzahl einzelner Buchbinder im 15. Jahrhundert besaßen"[34]. Der Katalog beschränkt sich bei weitem nicht auf die heute nicht sehr große Einbandsammlung, die aus abgelösten Lederbänden des 15.–18. Jahrhunderts besteht und aus einzelnen Beschlägen und Schließen, sondern erfaßt auch Einbände aus dem Inkunabel- und Handschriftenbestand, sowie einzelne Stücke aus den Bibliotheken Merkel und Scheurl. Spitzenstücke dieser Sammlung sind der Buchbeutel[35], der ein auf Pergament geschriebenes Brevier umhüllt, und Lederschnittbände des späten 15. Jahrhunderts, auch einige Kettenbände sind vorhanden. Die Neuaufstellung der 70er Jahre unseres Jahrhunderts in den Mönchshäusern und den Nordkabinetten des Galeriebaues zeigt wieder viele Beispiele der Einbandkunst innerhalb der ständigen Ausstellung des Museums. Damit knüpft man an die Frühzeit des Museums an, in der das Buch und sein Einband schon einmal Schauobjekte waren.

335

Der mittelalterliche Prachteinband ist in diesem Katalog nur mit einem spätgotischen Silbereinband vertreten[36]. Der kostbarste Einband, der des Echternacher Codex aus dem Ende des 10. Jahrhunderts, 107 kam erst 1953 ins Museum. Auch die zahlreichen barocken Silberfiligran-Einbände, wie sie vor allem für Gebetbücher verwendet wurden, sind noch nicht in einem Katalog erfaßt, ebenso fehlt ein Überblick über die bemalten Pergamenteinbände des 18. und 19. Jahrhunderts und den qualitätvollen Ledereinband der letzten zweihundert Jahre. Die Objekte sind in der gesamten Bibliothek und teils in der Volkskunde-Sammlung verstreut.

□ Übernahme geschlossener Bibliotheksbestände

Das schnelle Wachstum der Bibliothek resultierte nicht nur aus der von Idealismus getragenen Spendenfreudigkeit der Verlage und Buchhandlungen, dem ausgedehnten Schriftentausch und geziel-

[33] Katalog der im germanischen Museum vorhandenen interessanten Bucheinbände oder Teile derselben. Nürnberg 1889. Vorwort von A. von Essenwein. – Vgl. auch Essenwein: Bericht 1870, S. 14–15; in diesem Band S. 1010–1011.
[34] Bucheinbände (Anm. 33), S. 4.
[35] Hs. 17 231. Heute in den Mönchshäusern ausgestellt.
[36] Bucheinbände (Anm. 33), Nr. 2. – Stephan Waetzoldt: Ein Silbereinband von Jörg Seld. In: Aus der Arbeit des Bibliothekars. Aufsätze und Abhandlungen Fritz Redenbacher zum 60. Geburtstag dargebracht. Erlangen 1960, S. 53–57.

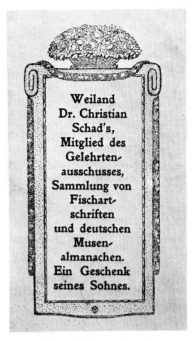

328. Exlibris der vom Germanischen Nationalmuseum geschlossen erworbenen bzw. als Depositum übernommenen Bibliotheken Friedrich Heyer von Rosenfeld (erworben 1897, Entwurf Georg Kellner, Nürnberg 1874–1924), Dr. Christian Schad (1821–1871), Mitglied des Gelehrtenausschusses des Germanischen Nationalmuseums (erworben 1905), Guido von Volckamersche Sammlung (erworben 1941), Pegnesischer Blumenorden (übernommen 1948)

ten Ankäufen, sondern vielfach gelang es, geschlossene Bestände zu einem fest umrissenen historischen oder kulturhistorischen Sammelgebiet zu erwerben. Dies geschah sowohl als Stiftung, als auch durch Ankauf oder Übernahme als Dauerleihgabe. Diejenigen Bibliotheken oder kleineren Büchersammlungen, die Eigentum des Museums wurden, bekamen teils eine eigene Signatur, d. h. sie blieben als geschlossener Bestand erhalten, teils wurden sie ihrem Inhalt entsprechend in den Gesamtbestand eingeordnet. Nach den Bibliotheken von Aufseß und derjenigen des Frankfurter Parlaments aus den fünfziger Jahren sollen in chronologischer Folge zunächst diejenigen Sammlungen kurz charakterisiert werden, die Eigentum der Bibliothek wurden, und anschließend die Deposita.

Bibliothek Wilhelmi

Nach dem Tode des Altertumsforschers Karl Wilhelmi aus Sinsheim 1857 wurde seine Bibliothek, die vgl. 332 er dem Museum testamentarisch vermacht hatte, zunächst separat aufgestellt, wie aus dem Grundriß abzulesen ist. Der Anzeiger desselben Jahres schreibt dazu: „Mit tiefem Bedauern müssen wir melden, daß ein sehr würdiges und thätiges Mitglied unseres Gelehrtenausschusses, Herr Dekan Wilhelmi, durch seine Forschungen auf dem Gebiet der deutschen Altertumswissenschaft und als Begründer und Vorstand des Alterthums- und Geschichtsvereins zu Sinsheim rühmlichst bekannt, uns durch den Tod entrissen wurde, nachdem er sich ein bleibendes Gedächtniß durch testamentarische Schenkung seiner schätzbaren Alterthumsbibliothek an das germanische Museum gestiftet hatte, welche in besonderer Aufstellung seinen Namen tragen wird"[37]. Da sie jedoch später entsprechend der systematischen Gliederung verteilt wurde, geriet dieses Vermächtnis in Vergessenheit. Als 1933 das Museum nach dem Verbleib der Bibliothek Wilhelmi befragt wurde, war dieser Bücherkomplex bereits aus dem Bewußtsein entschwunden, so daß eine Anfrage negativ beantwortet wurde, zumal sich keine Akten aus dem Jahre 1857 erhalten hatten. So kam es in der Literatur zu einem Mißverständnis. Titellisten gibt es nicht. Lediglich im Innendeckel einiger Bücher stößt man hin und wieder auf einen Bleistiftvermerk, der Aufschluß über diese Provenienz gibt.

Bibliothek Praetorius

Diese geschlossen aufgestellte kleinere Bibliothek mit Werken des 16.–18. Jahrhunderts zur mitteleuropäischen Geschichte gehörte Dr. Eduard Praetorius (1807–1855), dem Bruder des aus Coburg gebürtigen Malers Ludwig Max Praetorius (1814–1887). Einige wenige Bände zur Weltliteratur und Theologie, einschließlich einiger Judaica runden den Bestand ab, der nach einem vorhanden gewesenen Katalog auf 1040 Werke mit ca. 1200 bis 1240 Bänden geschätzt wurde. Die Stiftung der Bibliothek an das Museum geschah erst nach dem Tode der Witwe, einer geborenen Gräfin von Pappenheim, im Sommer 1880 in Tegernsee, von wo dann auch die Bücher nach Nürnberg geholt wurden[38].

Bibliothek Stolberg-Wernigerode

In den Gesamtbestand integriert wurde das Vermächtnis des Grafen Botho zu Stolberg-Wernigerode, der am 4. August 1881 verstorben war und seine Spezialbibliothek zur Burgenforschung für das Germanische Nationalmuseum bestimmt hatte. Im Anzeiger von 1882 heißt es lapidar: „Wernige-

---

[37] Anzeiger GNM 1857, Sp. 123. – Die Mitteilung, daß die Bibliothek Wilhelmis unbekannt sei, bei Ernst Wahle: Karl Wilhelmi (1785–1857), als Begründer der Altertumsforschung in Südwestdeutschland. In: Neue Heidelberger Jahrbücher N F 1933, S. 2, Anm. 1.

[38] Archiv GNM, Altregistratur, Karton 38, Nr. 76. – Darin Brief v. 26. Juli 1880, von dem Erlanger Maler Max Praetorius, dem Bruder des verstorbenen Bibliotheksbesitzers, an das Museum betreffs des Umfanges der Stiftung. Darin wird u. a. vermerkt, daß möglicherweise nicht mehr alle im Katalog registrierten Bücher vorhanden seien.

rode: Botho Graf zu Stolberg-Wernigerode († testamentarisch): 508 Bände zur Geschichte und Topographie deutscher und außerdeutscher Burgen, Ruinen etc.; zur Geschichte der Trachten, des Ritterwesens und der Turniere." Diese Bestände besitzen heute einen hohen Quellenwert, den man wohl im 19. Jahrhundert nicht in dem Maße erkannte. Der Graf hatte für die Bildersammlung des Germanischen Nationalmuseums aus einigen großen Mappenwerken die Ansichten herausgetrennt, was wir heute als eine Entstellung und Wertminderung eines alten Buches beurteilen[39].

Bibliothek Euler

327 1886 kam die Bibliothek des Frankfurter Rechtsgelehrten Ludwig Heinrich Euler (1813–1885)[40] ins Haus. Euler hatte sich Zeit seines Lebens intensiv mit der Geschichte und Rechtsgeschichte seiner Heimatstadt befaßt und zahlreiche Arbeiten hierzu veröffentlicht. Hieraus war seine sehr umfangreiche Privatbibliothek von 8858 bibliographischen Einheiten entstanden. Nach seinem Tode verkauften seine Erben diese Spezialsammlung seinem in Darmstadt lebenden Neffen Dr. Oskar Kling für 40000 Mark, obwohl eine Schätzung über 51564 Mark und 60 Pfennig vorlag. Dies geht aus dem uns erhalten gebliebenen Kaufvertrag hervor, der unter dem 10. August 1886 zwischen Dr. Kling und dem Museum geschlossen wurde. Dr. Kling übergab damals, von wenigen Einschränkungen abgesehen – die Doubletten und Belletristik betreffend –, diese aus der Erbmasse erworbene wertvolle Bibliothek um den geringen Preis von 10000 Mark dem Museum[41], was einer bedeutenden Stiftung gleich zu setzen war. Dr. Kling hatte sich jedoch ausbedungen, daß sein Name nicht in der Öffentlichkeit erscheinen dürfe. Daher heißt es im Anzeiger 1884/86: „. . . Wohl das großartigste Geschenk, das wir seit langer Zeit anführen durften . . . Der in Frankfurt a. M. verstorbene Justizrat Dr. Euler, Mitglied der Centralkommission der Monumenta Germaniae, hat eine umfangreiche Bibliothek, allgemein historischen und besonders rechtsgeschichtlichen Inhalts hinterlassen, die auf ca. 40000 Bände geschätzt wird. Ein eifriger Freund und opferwilliger Verehrer unserer nationalen Anstalt hat von den Erben die Bibliothek im Ganzen um den Betrag von 40000 Mark erworben und dem Museum zum Geschenk gemacht . . . In 63 großen Kisten im Gesamtgewichte von fast 200 Zentnern ist die Büchersammlung bei uns bereits eingetroffen. Die Einreihung, Aufstellung und Katalogisierung wird natürlich lange Zeit in Anspruch nehmen . . . Doch ist jetzt schon anzunehmen, daß sie [die Museumsbibliothek] alsdann einen gesamten Umfang von 110000 – 120000 Bänden haben wird . . . Leider dürfen wir den Namen unseres Freundes hier nicht nennen, da er unbekannt zu bleiben wünscht."[42] – Das Museum hatte allen Grund, für diese Stiftung dankbar zu sein, denn zur Bibliothek gehörten auch zahlreiche wertvolle Drucke, darunter allein 23 Inkunabeln[43]. Sie betreffen fast sämtlich das mittelalterliche Rechtswesen. Allein der Sachsenspiegel ist in vier verschiedenen Drucken vorhanden; Klagspiegel, Landfrieden und Stadt- und Landrechte sind die anderen Drucke, die sämtlich Eulers Besitzeintrag mit dem Datum seines Erwerbes im Innendeckel aufweisen. Er war also nicht nur Gelehrter, sondern auch ein Bibliophile.

[39] Archiv GNM, Altregistratur, Karton 39, Nr. 102. – Anzeiger GNM 1882, Sp. 20. – Bibliotheksinventar 45 288 – 45 579 und 45 874 – 46 000.
[40] NDB Bd. 4 (1959), S. 689–690 (Manfred Krebs). – H. von Nathusius – Neinstedt: Ludwig Heinrich Euler. In: Archiv für Frankfurts Geschichte und Kunst. 3. Folge. Bd. 1 (1888), S. 1–19 mit Bibliographie der Schriften Eulers.
[41] Archiv GNM, Altregistratur, Kapsel 196. Fasc. Euler. Die Kaufsumme war in 2 Raten 1887 zu zahlen.
[42] Anzeiger GNM 1884/86, S. 285.
[43] Hellwig (Anm. 29), Provenienz-Verzeichnis S. 302.

Bibliothek Heyer von Rosenfeld

328

1897 erhielt das Museum eine weitere Stiftung einer bedeutenden Spezialbibliothek: „Der k. und k. österreichische Hauptmann Friedrich Heyer von Rosenfeld, geboren am 13. April 1828 zu Gießen in Hessen, gestorben am 31. Dezember 1896 zu Wien, eine anerkannte Autorität auf dem Gebiete der Heraldik und Genealogie, hat das germanische Museum zu seinem Universalerben eingesetzt. Das Museum erhält außer der wertvollen heraldisch-genealogischen Bibliothek des Verstorbenen, der auch öfter im Museum gearbeitet hat, noch beträchtliche Kapitalien, die nach Abzug einiger Legate und der verschiedenen Unkosten, wohl noch etwas über 70000 Mark betragen dürften. Die Zinsen dieses Kapitals sollen zur Anschaffung von Werken, die für Heraldik und Genealogie von Wichtigkeit und Interesse sind, verwendet werden. Die Stiftung soll den Namen „Friedrich Heyer von Rosenfeld'sche Stiftung" führen, die heraldisch-genealogische Bibliothek . . . soll besonders aufgestellt werden"[44]. Die Übernahme dieser großzügigen Stiftung erfolgte zügig, so daß bald nach dieser Ankündigung noch im Anzeiger des gleichen Jahres 1897 eine Aufzählung der Buchtitel veröffentlicht werden konnte (S. 23–31). Auch die Zukäufe aus den Zinsen der Kapitalspende wurden gemäß der Stiftungsauflage regelmäßig getätigt, wie den Ankaufslisten späterer Jahrgänge des Anzeigers und dem Inventar der Bibliothek zu entnehmen ist. Die Heyer von Rosenfeld'sche Sammlung ist unter der Signatur HR ausnahmsweise nach dem Alphabet der Autoren aufgestellt, da ihre thematische Begrenzung keine weitere systematische Unterteilung erforderlich machte. Diese heute 2000 Nummern = ca. 2200 Bände umfassende Abteilung bildet zusammen mit den genealogisch-heraldischen Beständen der übrigen Museumsbibliothek ein hervorragendes Arbeitsinstrument dieser für den Historiker und den Kunsthistoriker gleich wichtigen Disziplin.

Inkunabeln der K. Bayerischen Hof- und Staatsbibliothek München

Das Jubiläumsjahr 1902 brachte auch für die Bibliothek bedeutende Bereicherungen. Die K. Hof- und Staatsbibliothek München übergab aus ihren umfangreichen, durch die Säkularisation entstandenen Doublettenbeständen, 160 in Nürnberg gedruckte Inkunabeln, die als geschlossener Komplex noch heute innerhalb der Aufstellung der Inkunabeln erkenntlich sind[45]. Daher macht der Anteil der Nürnberger Wiegendrucke gut ein Viertel des gesamten Inkunabelbestandes aus. Bedingt durch ihre Herkunft befinden sich gerade in dieser Münchner Stiftung zahlreiche Bände mit alten Besitzeintragungen[46].

Stammbuchsammlung Warnecke

Als 1911 die einzigartige Sammlung von 300 Stammbüchern des 16.–19. Jahrhunderts des Friedrich Warnecke (1837–1894) bei C. G. Boerner in Leipzig versteigert werden sollte[47], beschritt das Museum einen neuen Weg, wenigstens einige Stücke dieser außergewöhnlichen Kollektion zu erwerben. Die Direktion erließ im April 1911 einen gezielten Spendenaufruf und war damit trotz der knappen Frist sehr erfolgreich, wie erhaltene Zuschriften heute noch zeigen[48]. Man richtete sein Interesse auf

[44] Anzeiger GNM 1897, S. 3–4. – Archiv GNM, Altregistratur, Karton 37, Nr. 41 enthält die Abschrift des Testaments einschließlich der umfangreichen Korrespondenz, die sich aus allen Auflagen für das Museum in seiner Eigenschaft als Universalerbe ergaben; erst Mitte des Jahres 1900 scheinen alle Formalitäten abgeschlossen gewesen zu sein.

[45] Die gesamte Stiftung ist unter einer Inventarnummer eingetragen. Außerdem trägt jeder Band im Innendeckel ein gedrucktes Widmungsblatt. – Stiftungsbrief vom 17.12.1902: Archiv GNM, Altregistratur.

[46] Hellwig (Anm. 29), S. XII und Register.

[47] Auktionskatalog verfaßt u. mit Vorwort versehen von Prof. Adolf Hildebrandt: Stammbücher-Sammlung Friedrich Warnecke. Berlin. Dienstag, den 2. Mai 1911. 162 S. – Exemplar mit Marginalien, betreffend Schätzungen, Zuschläge, Käufer, die von Theodor Hampe herrühren, der an der Versteigerung in Leipzig teilgenommen hatte.

[48] Archiv GNM, Altregistratur, Kapsel 214, Akte Ankauf Warnecke. Die höchste Spende kam von der Tucher'schen Familienstiftung (2000 Mark).

diejenigen Stücke, die sich auf Nürnberg beziehen, das waren 40, von denen 23 erworben werden konnten. Ob diese für das Nationalmuseum nicht ganz verständliche Begrenzung auf Norica tatsächlich der damaligen Sammelintention entsprach, oder ob dies nur eine Abgrenzung betraf, da man sich ja beschränken mußte, ist nicht mehr auszumachen. Jedenfalls wurde der Bittbrief nur an alle Nürnberger Patrizier und deren Familienstiftungen gerichtet, und diese brachten einen Betrag von über 4000 Mark auf. Mitte Mai versandte Theodor Hampe ein Dankschreiben und teilte mit, daß es gelungen wäre, auch die Hauptstücke zu erwerben, nämlich die Stammbücher des Hieronymus Kress, in denen ein Autograph Wallensteins aus seiner Altdorfer Studienzeit enthalten ist, und des Nürnberger Predigers Georg Werner, für den der Komponist Hans Leo Hassler einige Zeilen komponiert hat, außerdem Stammbücher von Mitgliedern der Familien Tucher, Harsdorffer und Grundherr. Mit diesem Ankauf gingen abermals Gegenstände aus dem Besitz Warneckes in das Germanische Museum über, aus dessen Nachlaß zuvor bereits seine Sammlung mittelalterlicher Siegelstempel erworben worden war. Die Sammlung der Stammbücher, die durch diesen Erwerb einen so bedeutenden Zuwachs erhalten hatte, wurde auch späterhin kontinuierlich ausgebaut, wenn sich Gelegenheit dazu bot[49], so daß Ludwig Rothenfelder 1954 die stattliche Liste von 315 Exemplaren veröffentlichen konnte[50], von denen allerdings 14 lediglich Fragmente sind. Seitdem sind abermals einige hinzu erworben worden[51], und im Depositum des Pegnesischen Blumenordens finden sich so berühmte Stücke wie die beiden Stammbücher Sigmund von Birkens[52].

Sammlung Tischer

1912 verstarb in Dresden der Oberlandesgerichtsrat Dr. Paul Tischer, der eine „Reichsgründungssammlung" besaß, die Münzen, Briefe und eine Bibliothek enthielt, die er für das Museum bestimmte, die jedoch Eigentum der Tischer'schen Familienstiftung bleiben sollte. Ihre Bestände sind auf die entsprechenden Sammlungen verteilt und die Bücher, die 1914 in Nürnberg eintrafen, unter der eigenen Signatur „Ti" mit Zusatz einer laufenden Nummer der Bibliothek einverleibt worden, nachdem Theodor Hampe in Dresden die gesamte Sammlung, vor allem auch ihre Münzen, in Augenschein genommen hatte. Da das Museum in unmittelbarem Zusammenhang mit den politischen Einigungsbestrebungen des Jahres 1848 entstanden ist, bildet diese Sammlung, die sich auf die Reichsgründung von 1871 und die Person Bismarcks bezieht, eine konsequente Ergänzung[53]. Aus jährlichen Zuwendungen der Familienstiftung, die zwischen 100 und 200 Mark lagen, wurden Zukäufe getätigt, worüber dann der Stiftung wieder zu berichten war, so daß bis in die dreißiger Jahre Kontakt zwischen der Familie Tischer in Dresden und dem Museum bestanden hat. Ursprünglich war vorgesehen, Teile der Sammlung in einem Schrank in der ständigen Ausstellung zu präsentieren.

Sammlung Schad

328 Ein bedeutendes Vermächtnis erhielt die Bibliothek 1905 von dem in Königsberg in Franken ansässigen Privatier Georg Schad. Er hatte von seinem Vater Dr. Christian Schad eine Sammlung von 81

---

[49] Anzeiger GNM 1926/27, S. 20: „. . . Die Bibliothek erwarb aus der bei Boerner in Leipzig zur Versteigerung gelangenden Sammlung des Geheimrats Friedrich Warnecke eine größere Anzahl alter Stammbücher. Die folgenden Jahre, namentlich die Jahre 1912, 1923 u. 1924, boten Gelegenheit, den Ausbau gerade dieser Abteilung methodisch weiter zu betreiben mit dem Erfolg, daß die Stammbücher-Sammlung des Germanischen Nationalmuseums heute zu den bedeutendsten ihrer Gattung zählt."

[50] Ludwig Rothenfelder: Die Stammbücher des Germanischen National-Museums in Nürnberg. In: Der Familienforscher in Bayern, Franken, Schwaben Bd. 1 (1954), S. 138–153.

[51] Anzeiger GNM 1965, Neuerwerbungsberichte, S. 204–205. – Anzeiger GNM 1966, S. 213. – Anzeiger GNM 1967, S. 212. – Anzeiger GNM 1970, S. 187.

[52] P. Bl. O. Hs. 152818, 152818ᵃ (Stammbücher Sigmund von Birken).

[53] Anzeiger GNM 1927, S. 29. – Archiv GNM Karton 39. Fasc. 104.

Ausgaben der Schriften Joh. Fischarts (sehr viele Ausgaben des 16. Jahrhunderts) und eine solche von ca. 250 Musenalmanachen geerbt. Diese wertvolle Stiftung ist nicht unter eigener Signatur aufgestellt, sondern systematisch eingeordnet, jedoch durch die exakte thematische Begrenzung leicht zu erkennen[54].

Bibliothek von Hutten

Rund 250 Bände wurden 1905 von der Freiherrlich von Hutten'schen Fräuleinstiftungs-Administration in Nürnberg übergeben[55]. Diese Bücher sind eine kleine Spezialbibliothek zum Reichsritterschaftswesen, sie enthält also vorwiegend juristische Drucke des 18. Jahrhunderts, auch genealogische Nachschlagewerke gehören zu diesem Themenkreis.

Von Volckamer'sche Sammlung

Im März 1941 kam eine Vereinbarung über die Übernahme der Guido von Volckamer'schen Sammlung zustande[56]. Bereits 1911 nach dem Tode seiner Frau hatte Guido von Volckamer Teile seiner Norica-Sammlung an die Familie von Haller für die Summe von 65 000 Mark verkauft[57]. Der Anteil, der auf die Bibliothek entfiel, war 1941 aber immer noch beträchtlich und wurde nicht zahlenmäßig, sondern nach Regalen und Bücherschränken taxiert: „. . . Die hauptsächlichen Nachschlagewerke auf zwei Büchergestellen im Arbeitszimmer, in einem großen, zweitürigen dunkelbraunen, modernen, mit fünf Fächern versehenen Bücherschrank im Erkerzimmer des 1. Stockes . . ." Inhaltlich wird sie beschrieben: „Eine Sammlung von auf die Nürnberger Geschichte bezüglichen Werken, Werke der Topographie und Nürnberger Kunst, numismatische, genealogische und familiengeschichtliche Werke unter besonderer Berücksichtigung der Familien von Volckamer, der Familien von Schlüsselfelder und von Tetzel". Diese Bibliothek wurde thematisch aufgeteilt, also nach einzelnen Titeln in die Bibliothek des Germanischen Nationalmuseums integriert. Ihre Einarbeitung begann langsam 1941, der Hauptteil wurde während der Jahre 1942–1943 ins Inventar eingetragen, letzte Reste aber noch bis Kriegsende, ja sogar noch 1948.

Bibliothek Rück

Als dem Museum 1962 die großartige Erwerbung der Sammlung historischer Musikinstrumente Dr. Dr. h. c. Ulrich Rück gelang, wurde die Handbibliothek des Sammlers der Musikabteilung der Bibliothek eingegliedert. Seitdem wird durch konsequente Zukäufe von Neuerscheinungen und Reprints von Literatur, hauptsächlich des 16.–18. Jahrhunderts, der Bestand an Werken zur Musikinstrumentenkunde beständig erweitert, so daß auch für dieses hoch spezialisierte Fach die Arbeitsmöglichkeiten am Germanischen Nationalmuseum den internationalen Anforderungen gerecht werden.

Neben Erwerbungen und Schenkungen spielte die vertraglich abgesicherte Dauerleihgabe nicht nur für die kunst- und kulturgeschichtlichen Sammlungen des Museums eine substantielle Rolle, sondern ebenfalls für die Bibliothek. Auch hier hatte Aufseß selbst richtungweisend gewirkt, da er mit der Gründung des Museums neben den Kunstgegenständen seine Bibliothek einbrachte. Bevor der

[54] Archiv GNM, Altregistratur, Karton 38, Nr. 85, enthält eine Liste der übergebenen Fischart-Bibliothek, aber keine Aufstellung der Almanache. – Anzeiger GNM 1905, S. XXXXIV – XXXXVII mit Aufzählung aller übernommenen Bände.

[55] Archiv GNM, Altregistratur, Karton 37, Nr. 45. – Bücher geschlossen aufgestellt.

[56] Horst Pohl: Guido v. Volckamer und seine Sammlungen. In: Mitteilungen des Vereins für Geschichte der Stadt Nürnberg 52 (1963/64), S. 554–559.

[57] Archiv GNM, Altregistratur, Karton 39, Nr. 106.

Ankauf seines geliehenen Besitzes zustande kam, war auch seine Bibliothek erst als Depositum in der neuen Institution vorhanden. Damit hatte er gerade für das fränkische Patriziat, dessen Bücherbesitz oft bis zur Dürer-Zeit zurückreicht, eine Möglichkeit aufgezeigt, wie ihr wertvoller Besitz wissenschaftlich genutzt und zugleich sicher und fachmännisch betreut untergebracht werden konnte. So ist es nicht verwunderlich, wenn die Bibliotheksdeposita vorwiegend mit den großen Namen aus Nürnbergs Glanzzeit verbunden sind: Merkel, Scheurl, Welser, Löffelholz, Praun, Kress.

Bibliothek Merkel

327 Am 30. Dezember 1874 wurde ein Vertrag zwischen der Paul Wolfgang Merkel'schen Familienstiftung und dem Germanischen Nationalmuseum geschlossen, der unter Festlegung vieler Details die teilweise Überlassung der umfangreichen und sehr vielgestaltigen Privatsammlung, zu der auch eine Bibliothek gehörte, an das Museum regelte[58], die separat mit eigener Signatur als geschlossener Komplex aufgestellt ist. Sie umfaßt ca. 1150 Manuscript-Codices und ca. 5800 gedruckte Bücher, die in der Mehrzahl eine wertvolle Norica-Sammlung darstellen. Aus einer schriftlichen Mitteilung der Familienstiftung geht hervor[59], daß ein großer Teil aus der Bibliotheca Norica Welseriana stammt. Es handelt sich also um eine traditionsreiche Provenienz, so daß es nicht verwundert, wenn sich in dieser Bibliothek ein Missale des 15. Jahrhunderts aus dem Nürnberger Katharinenkloster befindet, oder das Baumeisterbuch des Endres Tucher, eine Papierhandschrift aus den Jahren 1464–1475, Albrecht Dürers Autograph zu seinem Buch „Underweisung der Messung", die Augsburger Liederhandschrift des Valentin Holl von 1524–1526, außerdem eine Sammlung von acht Schembart-Handschriften des 16.–18. Jahrhunderts und einige interessante Stammbücher. Obwohl später noch einige wertvolle Deposita die Museumsbibliothek vergrößerten und ihren Wert mehrten, hat keines den Umfang dieser Büchersammlung erreicht.

Bibliothek der Kunstakademie Nürnberg

Sehr umfangreich ist die Bibliothek der Nürnberger Kunstakademie, die sich z. T. aus Beständen der Hertel'schen Stiftung zusammensetzt und die seit 1875/76 als Leihgabe der Stadt Nürnberg verwahrt wird. Als Akademiebibliothek fiel ihr einstmals die Aufgabe einer Vorbildersammlung zu, daher erklärt sich der hohe Anteil an illustrierten Werken und das Vorhandensein einiger Klebebände mit Kupferstichen und Zeichnungen der Barockzeit. Zeichen-Lehrbücher und vor allem Ansichtswerke des 19. Jahrhunderts aus England und Frankreich bilden den Schwerpunkt dieser Bibliothek, die daneben aber auch so fundamentale Kunstwerke wie Dürers Kleine Passion in zwei Exemplaren enthält[60].

Bibliothek des Pegnesischen Blumenordens

328 Die Bibliothek des Pegnesischen Blumenordens, jener 1644 gegründeten und noch heute bestehenden literarischen Vereinigung[61], wurde erst nach dem Krieg 1948 von der Stadtbibliothek übernommen, obwohl zwischen dem Orden und dem Germanischen Nationalmuseum bereits 1907 ein Leihgabenvertrag geschlossen worden war, der jedoch lediglich verschiedene Kunstgegenstände, aber keine Bücher betraf[62]. Dieses Bücher-Depositum ist unter der Signatur P. Bl. O. mit fortlaufender Nummer

[58] Leihgabenakte P. W. Merkel'sche Familienstiftung.
[59] Brief von P. W. Merkel, München, vom 24. 5. 1976.
[60] Eine Liste der Bücher befindet sich in dem handschriftlichen „Katalog der städtischen Kunstsammlungen. Zweiter Band enthaltend die Kunstgegenstände der Stadt Nürnberg ... 20. April 1875 ... 13. April 1877 ... dem Germanischen Nationalmuseum zu Nürnberg ... anvertraut worden sind". S. 641–660 und Bd. 3, S. 421.
[61] Karl F. Otto: Sprachgesellschaften des 17. Jahrhunderts (Sammlung Metzler, 109). Stuttgart 1972, S. 43–52.
[62] Leihgabenakte „Pegnesischer Blumenorden". – Goldmann (Anm. 2), S. 93. – Emil Reicke: Katalog der Bücherei des

aufgestellt (1–2544), allerdings sind nicht unerhebliche Lücken durch Kriegsverluste zu beklagen. Ein gedrucktes Bibliotheksverzeichnis von 1894 erschien zum 250jährigen Bestehen des Ordens, gibt aber lediglich eine alphabetische Titelliste mit Signaturen, wobei die höchste Nummer 1046 ist. Demnach wurden in dem halben Jahrhundert bis zum 2. Weltkrieg rund eintausend Bücher dazu erworben. Diese Leihgabe enthält hauptsächlich Werke der deutschen Literatur, wobei der Anteil der Ausgaben des 17. Jahrhunderts besonders groß ist und ihren heutigen Wert bestimmt. In der germanistischen Forschung ist diese Bibliothek heute international berühmt.

Bibliothek Löffelholz

Im August 1968 kam nach längeren Verhandlungen ein Leihgabenvertrag mit der Freiherrlichen Familie von Löffelholz Hans Paul'sche Linie zustande, der auch 320 Werke des 15.–19. Jahrhunderts einschließlich einiger weniger Handschriften und Stammbücher enthält[63]. Das Schwergewicht liegt auf Drucken aus dem 17. und 18. Jahrhundert, und ein Teil dieses Depositums sind Norica, außerdem enthält es einiges zur Genealogie, Ansichten sowie Vorlagenwerke. Die Sammlung ist separat unter der Signatur „Lö" aufgestellt.

Bibliothek Praun

Auch aus der traditionsreichen Familie von Praun verwahrt das Museum wertvolle Leihgaben, die Übergabe der Bibliothek ist noch im Gange, sie hat zwei Schwerpunkte: Dürer-Literatur und wertvolle alte Drucke, hauptsächlich die Stadt Nürnberg betreffend.

Kress-Missale

Als Beispiel dafür, daß auch einmal ein einzelnes Buch als Depositum eine kostbare Bereicherung der Bibliothek bedeuten kann, sei das Missale des Dr. jur. Anton Kress, Propst von St. Lorenz, angeführt, das dieser 1513 „. . . dieser Kirche zur Zierde des Gottesdienstes und des Hl. Laurentius gestiftet hat." Es befindet sich seit dem Jahre 1911 im Hause[64] und zählt seitdem zu den wenigen Objekten der Bibliothek, die zu den ständigen Ausstellungsstücken gehören. Der Künstler seines Miniaturenschmuckes ist durch die ausführliche Signatur gesichert: „Jacobus Elsner, civis Nurenbergensis, hunc librum illuminavit anno domini 1513"[65].

Bibliothek Neufforge

Im Abstand von rund einem Jahrhundert hat der Museumsgründer einen geistigen Nachfahren in Ferdinand Baron von Neufforge (1869–1942) gefunden, dem Bibliophilen mit den Interessen und Intentionen, wie sie auch Aufseß bewegten. „Über den Versuch einer deutschen Bibliothek als Spiegel deutscher Kulturentwicklung"[66], so lautet der Titel seines gedruckten Bücherkataloges, der zugleich sein Sammlungsziel umreißt. Aus der Fülle des Gedruckten aus der Geschichte des deutschen Kultur- und Geisteslebens hatte er sich auf diejenigen Zeugnisse konzentriert, die überragende Bedeutung hatten oder die Entwicklung vorantrieben. Schon in den neun Großgruppen, nach denen das Material

---

Pegnischen Blumenordens (gegründet 1644). Verzeichnis der seit 1750 erschienenen Bücher und gedruckten Schriften. Nürnberg 1920.

[63] Leihgabenakte Frhr. von Löffelholz.

[64] Leihgabenakte der Frhr. von Kressischen Vorschickung in Kraftshof. Vertrag vom 2. Mai 1911.

[65] Thieme-Becker, Allgemeines Lexikon der bildenden Künstler, Bd. 10. Leipzig 1914, S. 488/89. – Alfred Stange: Malerei der Gotik. Bd. 9. München, Berlin 1958, S. 84.

[66] Erschienen in Berlin um 1940. 612 S. – Besprochen von Wieland Schmidt. In: Deutsche Literaturzeitung Bd. 63 (1942), H. 21/22, Sp. 481–483.

329. Die Scheurl'sche Bibliothek. Aufstellung der 1871 als Depositum erworbenen, bis 1926 im Museum verwahrten Bibliothek des Humanisten und Juristen Christoph Scheurl (1481–1542) im 3. Obergeschoß des Archivbaus. Der Raum wird in den Wegweisern durch die Sammlungen nicht erwähnt, dürfte also dem Publikum nicht allgemein zugänglich gewesen sein. Zustand um 1896

gegliedert ist, dokumentiert sich die Sammlerindividualität: 1. Deutsche Dichter und Schriftsteller, 2. Deutsche Inkunabeln, 3. Volksbücher (nach Jahrhunderten gegliedert), 4. Die Buchillustration als Spiegel deutscher Kulturentwicklung (ebenfalls zeitlich und z.T. auch topographisch unterteilt), 5. Religiöses Leben, 6. Der Humanismus in Deutschland, 7. Deutsche Volkskunde in gedruckten Zeugnissen, 8. Deutsche Geschichte im Spiegel gedruckten Schrifttums und 9. Anfänge der Wissenschaft in Deutschland. – Dieses System ist den Absichten des Hans von Aufseß nicht unähnlich, und die Bibliothek Neufforge spiegelt heute in quantitativ kleinerem Maßstab die gesamte Museumsbibliothek wider. Der Sammeleifer des jüngeren Barons konzentrierte sich jedoch nicht nur auf den Besitz eines Werkes, sondern er war darüber hinaus von echtem bibliophilen Ehrgeiz gepackt; so sind Erstausgaben, Widmungsexemplare, interessante Provenienzen, überhaupt qualitätvolle Buchausstattung und ein guter Erhaltungszustand ein weiteres Merkmal dieser außergewöhnlichen Sammlung. Da Neufforge hauptsächlich in den zwanziger und dreißiger Jahren kaufte, als kostbare Büchersammlungen sich auflösten oder Teile abstießen, gelang es ihm in relativ kurzer Zeit, eine

Sammlung zu erwerben, wie sie während der langen Geschichte der Bibliophilie nur wenige Privatpersonen ihr Eigen nennen konnten. Im Zusammenhang mit Fragen der Erbschaft wurde die Bibliothek 1961 dem Museum angeboten. Das Innenministerium der Bundesrepublik Deutschland stellte die finanziellen Mittel für den Ankauf zur Verfügung und blieb damit de jure Eigentümer dieser Bibliothek. So konnte die auf dem europäischen Büchermarkt aufgebaute Sammlung aus Südamerika wieder nach Mitteleuropa heimkehren, wo sie auch den ihrer geistigen Dimension entsprechenden Platz gefunden hat. Wenn schon vor Erwerb durch das Museum die Bibliothek nicht mehr alles enthielt, was der gedruckte Katalog verzeichnet, beeinträchtigt dies ihre Bedeutung kaum, da viele der nicht mehr in der Neufforge-Sammlung vorhandenen Drucke schon zum Altbestand der Museumsbibliothek gehören[67]. Rückschauend kann man wohl sagen, daß die Bibliotheken von Aufseß, Euler und Merkel zusammen mit derjenigen aus dem Besitz von Neufforge zu den bedeutendsten komplexen Erwerbungen im Laufe der Geschichte der Museumsbibliothek gehören.

Scheurl'sche Bibliothek

Mit dem Museum ist auch die berühmte Dr. Christoph Scheurl'sche Bibliothek verbunden gewesen. Sie kam 1871 ins Haus, wurde jedoch 1926 von der Familie wieder zurückgeholt[68]. Ihr Schwerpunkt liegt in dem außerordentlichen Bestand an Drucken des 16. Jahrhunderts, die inhaltlich die vielseitige humanistische Bildung des Nürnberger Rechtskonsulenten Dr. Christoph II. Scheurl (1481–1542) widerspiegeln[69]. Die Bücher und Handschriften des 17. und 18. Jahrhunderts werden in dem Vertrag von 1871 als die jüngere Scheurl'sche Bibliothek bezeichnet. Während der 2. Hälfte des 19. Jahrhunderts wurde diese kostbare Gelehrtenbibliothek im Museum katalogisiert, heute verwahrt die Bibliothek lediglich eine Kopie dieses von ihr erstellten Verzeichnisses.

Gebhardt'sche Bibliothek

Die Stadtbibliothek Fürth übergab 1912 dem Museum unter Eigentumsvorbehalt der Stadtverwaltung rund 1000 Bände, worunter sich auch einige Handschriften befanden, der alten Gebhardt'schen Bibliothek, die testamentarisch von dem Fürther Kaufmann und Sammler Conrad Gebhardt (1791–1864) der Fürther Stadtbibliothek vermacht worden war. Sie enthielt hauptsächlich historische Werke mit dem Schwerpunkt Fürth und Nürnberg, aber auch Grammatiken und Wörterbücher, sowie Literatur zur Kunstgeschichte, Handelswissenschaft und zum Freimaurertum. Als sich die räumlichen Verhältnisse der Fürther Stadtbibliothek wieder positiv entwickelten, wurde dieser Teil der Fürther Stadtbibliothek 1936 vom Museum wieder nach Fürth zurückgegeben[70].

Bestandserschließung und Stellung im überregionalen Bibliotheksverbund

Von Anfang an hatte die Bibliothek einen alphabetischen und einen Sachkatalog. Beide Arbeitsinstru-

---

[67] Elisabeth Rücker: Die Bibliothek Neufforge. Ihr derzeitiger Umfang im Germanischen Nationalmuseum. In: Zeitschrift für Bibliothekswesen und Bibliographie Bd. 10 (1963), S. 222–225. – Hundert Reformationsdrucke vom Judenbücherstreit bis zum Bauernkrieg aus der Bibliothek Ferdinand Baron von Neufforge. Ausstellungskatalog des Antiquariats Gerd Rosen. Berlin 1961. Ausstellung anläßlich des Evangelischen Kirchentages in Berlin. – Elisabeth Rücker: Zimelien aus der Bibliothek Neufforge. Ausstellung des Germanischen Nationalmuseums anläßlich der 70. Jahrestagung der Gesellschaft der Bibliophilen 1969 in Nürnberg. Nürnberg 1969. 12 S. (Maschinenschrift).
[68] Archiv GNM, Altregistratur, Karton 727, Nr. 125.
[69] Maria Grossmann: Bibliographie der Werke Christoph Scheurls. In: Archiv für Geschichte des Buchwesens Bd. 10 (1969), Sp. 371–396.
[70] Adolf Schwammberger: Konrad Gebhardt und die Fürther Stadtbibliothek. In: Fürther Heimatblätter Bd. 3 (1939), S. 244–49. – Adolf Schwammberger: Fürth von A – Z. Ein Geschichtsbuch. Fürth o. J. (1967), S. 138. – Adolf Schwammberger: Die Fürther Stadtbibliothek (anläßlich ihres hundertjährigen Bestehens 1968). In: Geschichten und Beobachtungen. (Fürther Beiträge zur Geschichts- und Heimatkunde 4). Neustadt/Aisch 1970, S. 46–49.

Verzeichniß
des in diesem Bande enthaltenen Abbildungen.

330. Realindex in einer Schembarthandschrift des 16./17. Jahrhunderts aus der Bibliothek Aufseß'. Im Zusammenhang mit den Arbeiten an den Repertorien (Generalrepertorium, Bilderrepertorium) wurden zwischen 1852–um 1865 von den illustrierten Bänden der Bibliothek Register angelegt und die Bildquellen im Sinne einer Realienkunde verzeichnet

mente bestehen noch heute, werden durch die Zugänge erweitert, also auf dem aktuellen Stand gehalten und kontinuierlich verbessert.

Alphabetischer Katalog

Der alphabetische Katalog verzeichnet jedes vorhandene Werk, auch die Zimelien, in der Reihenfolge der Autoren, in die die anonymen Titel eingearbeitet sind. Dieser Zettelkatalog, ursprünglich in Postkartengröße handschriftlich erstellt, wurde Ende der fünfziger Jahre photomechanisch verviel-fältigt und dabei auf das internationale Bibliotheksformat verkleinert. Eine Kopie dieses Kataloges ging an den Bayerischen Zentralkatalog in München, so daß die Bestände der Bibliothek des Germani-schen Nationalmuseums relativ zeitig für den überregionalen Buchnachweis und damit für den Leihverkehr greifbar waren. Eine weitere Kopie wurde für den Nürnberger Zentralkatalog angefer-tigt. Alle Neuzugänge seit diesem Zeitpunkt werden als maschinenschriftliche Titelaufnahme nach der „Preußischen Instruktion" in den Katalog eingearbeitet, so daß die Bibliothek des Germanischen Nationalmuseums ihren gesamten Bestand in einem einzigen Katalog erfaßt hat, was bei alten Bibliotheken leider nur sehr selten anzutreffen ist. Die maschinenschriftliche Herstellung der Titel-aufnahmen ermöglicht es, andere Institute gezielt mit Teilen der Neuerwerbungen bekannt zu machen, was die Akzession auch außerhalb des Museums wirksam werden läßt[71].

Systematische Kataloge

Eng mit dem alten systematischen Katalog ist das Problem der Aufstellung der Bibliothek verbunden. Die Aufseß-Bibliothek stand bei ihrer Übernahme alphabetisch nach Autoren geordnet, woraus sich eine laufende Nummer ergab. Man fand also am Regal, was man suchte. Bücher, die im Anschluß an den Erwerb der Aufseß-Bibliothek in die Museumsbibliothek kamen, wurden mit fortlaufender Nummer einfach dazu gestellt. Damit wurde es bereits schwieriger, etwas zu finden. Dies mag wohl auch mit ein Grund gewesen sein, daß man 1855 einen Bibliothekskatalog druckte. Darin wurden zunächst die Handschriften als eigene Gruppe vorangestellt, dann folgten in einem neuen Alphabet sämtliche Druckschriften. 1870 war die Aufstellung bereits differenzierter geworden. Essenwein macht in dem schon zitierten „Bericht" detaillierte Angaben: „... die als Hauptbibliothek die gesammte deutschgeschichtliche Literatur enthält und ohne Unterabtheilungen in Fächer, einfach nach Formaten geordnet ist. Als zweite Unterabtheilung schließt sich daran die Sammlung der Vereins- und akademischen Schriften historischen Inhalts, als dritte die der Musikalien, als vierte die der Handschriften, als fünfte die der alten Drucke ..."[72]. Bedenkt man die jährlichen Zuwachsverzeich-nisse im Anzeiger und die Übernahme der Euler'schen Bibliothek 1886, die den Bestand bereits auf über hunderttausend Bände vermehrte, wird es klar, daß die schlichte numerische Aufstellung – heute wieder von den großen Universalbibliotheken als die raumsparendste angewandt – einer Neuordnung bedurfte.

Diesen grundlegenden Wandel vollzog Theodor Volbehr, der der erste Kunsthistoriker in der Bibliotheksleitung war, um 1890[73]. Er unterteilte den gesamten Bestand in 16 Sachgruppen und schuf innerhalb dieser wiederum eine systematische Verästelung, die zahlreiche topographische und biogra-phische Alphabete enthält. Die Feineinteilung nahm er dann chronologisch vor, so daß jedes Buch seinen ganz bestimmten Platz erhielt. Diese Neuordnung fand nicht nur über den Katalog statt,

---

[71] Die Titelkarten der Neuerwerbungen zur Kunstgeschichte werden dem Kunsthistorischen Institut der Universität Erlangen zugesandt; diejenigen zur Topographie der ehemals deutschen Ostgebiete an das Gottfried Herder-Institut in Marburg.
[72] Essenwein: Bericht 1870, S. 25; in diesem Band S. 1022.
[73] Anzeiger GNM 1892, S. 39.

sondern die Systemstelle wurde zugleich Individualsignatur, d. h. Aufstellung der Bibliothek und ihr systematischer Katalog sind identisch.

Welche bedeutende Arbeitsleistung Volbehr vollbracht hatte, erhellt auch daraus, daß bereits zwanzig Jahre vor dieser Neugliederung der gesamten Bibliothek die Aufstellung nach einem eigens zu entwerfenden System gefordert worden war, da man die schlichte Aufstellung nach der Zugangsnummer schon für den Bücherbestand bei 60 000 Bänden nicht mehr für tragbar hielt. Man hatte aber 1870 von einer grundlegenden Umorganisation Abstand genommen, weil dadurch die Arbeit am Repertorium, die mit dem Bücherzugang parallel laufen sollte, unmöglich gemacht worden wäre. 1890 war auf das Repertorium bereits keine Rücksicht mehr zu nehmen, so daß der Weg für eine grundlegende Neuordnung der Bibliothek nach dem Stande der damaligen Geisteswissenschaften frei war.

Nach dem System von Volbehr wurde von 1890 bis 1957/58 gearbeitet. Dann brach der damalige Bibliotheksleiter Stephan Waetzoldt für alle Neuerscheinungen den sogenannten alten systematischen Katalog ab und entwarf in Anlehnung an das Volbehr'sche System einen neuen systematischen Katalog, der nicht mehr standortgebunden ist, sondern in der feinsten Verästelung wieder mit dem numerus currens arbeitet, so daß bei der Signaturengebung unübersichtliche Exponenten vermieden werden. Wissenschaftsgeschichtlich berücksichtigt dieser neue systematische Katalog die Herausbildung und Fortentwicklung einzelner Disziplinen, wie der Volkskunde und der Vor- und Frühgeschichte, die im alten System noch nicht als selbständige Fächer vertreten sein konnten, da sie noch nicht etabliert waren. Kunstgeschichte und Musikwissenschaft wurden entsprechend den Bedürfnissen des heutigen Forschungsstandes viel differenzierter als vorher aufgefächert.

Schlagwortregister

Schon für den alten systematischen Katalog gab es in Zettelform ein Schlagwortregister, um alle Fragestellungen an einen Sachkatalog, der im Laufe der Jahrzehnte bedingt durch wechselnde Bearbeiter Überschneidungen in sich birgt, aufzufangen. Im Verlaufe der jüngsten Zeit wurde von Axel Janeck das für den neuen systematischen Katalog angelegte Schlagwortregister gründlich überarbeitet, aus der laufenden Akzession beständig ergänzt und weitgehend die entsprechenden Stellen des alten systematischen Kataloges mit eingearbeitet. Auf diese Weise bildet das heutige Schlagwortregister ein Bindeglied zwischen den beiden großen Blöcken des alten und des neuen systematischen Kataloges.

Handschriftenkatalog

Schon im vorigen Jahrhundert wurde ein etwas ausführlicherer Katalog, als es die kurze Titelaufnahme im alphabetischen Katalog zuläßt, für die Handschriften angelegt, in den auch Literaturangaben nachgetragen wurden. Dieser Katalog ist noch heute ein willkommenes Hilfsmittel, wenn er auch durchaus nicht den Erfordernissen der modernen codicologischen Praxis entspricht. Da die Anzahl der anonymen Handschriften und der Fragmente sehr groß ist, bereitet die Autoren- oder Ordnungswortfindung ziemliche Schwierigkeiten. Ein numerisch geordneter „Renner" sämtlicher Handschriftensignaturen verweist auf das Wort, unter dem die Handschrift im Katalog zu finden ist. Die Neukatalogisierung durch die Förderung der Deutschen Forschungsgemeinschaft wird zunächst für die mittelalterlichen Bestände eine Aufarbeitung bringen, besorgt von Lotte Kurras.

Dürer-Archiv

Auf Anweisung von Ludwig Grote wurde schon zu Beginn der fünfziger Jahre mit einem Spezialkatalog aller Dürer-Literatur begonnen, der nicht nur die vorhandenen Bücher von und über Dürer verzeichnet, sondern auch alle Zeitschriftenaufsätze entweder in Sonderdrucken enthält, oder durch In-Verweisungen aus dem vorhandenen Zeitschriftenbestand nachweist. Die sehr fein aufgefächerte Gliederung dieses Sonderkataloges und sein Inhalt bildeten den Ausgangspunkt für die durch die Museumsbibliothek angeregte Dürer-Bibliographie, die zum Jubiläum von Albrecht Dürers 500. Geburtstag 1971 dank der Förderung durch die Deutsche Forschungsgemeinschaft in gemeinsamer Herausgeberschaft mit der Bayerischen Akademie der Wissenschaften erscheinen konnte[74].

Schrifttum zur deutschen Kunst

1961 übernahm das Museum vom Deutschen Verein für Kunstwissenschaft e.V. Berlin als dem Herausgeber des „Schrifttums zur deutschen Kunst" die Verpflichtung, für diese Spezialbibliographie die Manuskripte zu liefern. Die Bibliothek als Spezialsammlung zur deutschen Kunst bildete durch ihren Bucherwerb eine günstige Voraussetzung hierfür[75]. Im Zusammenhang mit dieser Bibliographie werden von den Titelkarten der Zeitschriftenaufsätze Durchschläge angefertigt, die in einem Katalog kumuliert werden. Daher gibt es für die Jahre 1961–1968 einen Katalog der Aufsatzliteratur, der einen nach Autoren geordneten Teil und einen systematisch gegliederten aufweist.

Wappenrepertorium

Zur genauen Bestimmung der Kunstwerke hatte sich schon in der Frühzeit des Museums die Notwendigkeit nach einem heraldischen Nachschlagewerk spürbar gemacht, das es ermöglichte, Wappen zu identifizieren, um damit den Einstieg in die geographisch oder biographisch abgegrenzte Wappenliteratur zu bekommen. Zwei Beamte, einer als Zeichner, der andere als Schreiber, waren sechs Jahre damit beschäftigt gewesen, aus 55 heraldischen Werken alle Wappen abzuzeichnen und nach ihren Bildern zu ordnen. Essenwein bezeichnet dieses Wappenlexikon in seinem Bericht von 1870 „In praktischer Beziehung . . . eine der wichtigsten Arbeiten des Museums". Aus finanziellen Gründen ist diese Arbeit dann ins Stocken geraten. In einem zweiten Anlauf legte der von 1858–1905 als Verwalter am Museum tätige A. Steinbrüchel daher während seiner Amtszeit ein Wappenrepertorium an, in dem er ein Exemplar von Siebmachers Wappenlexikon auflöste und die einzelnen Wappen mit Beschreibungen auf Zettel aufklebte, so daß sie nach Figuren umgeordnet werden konnten. Offenbar war dieses Repertorium in dieser Form nicht so nützlich, so daß es in Vergessenheit geriet und erst von Ludwig Rothenfelder wieder entdeckt wurde[76]. Rothenfelders Neufassung aus den 40er Jahren und systematische Ordnung in 11 Hauptgruppen mit im ganzen 200 Unterteilungen enthält rund 25 000 Wappen. Dieses Wappenrepertorium, das im Katalogsaal frei zugänglich aufgestellt ist, vereint beide Vorläuferkarteien, die gezeichnete und die Stiche aus dem Siebmacher.

Wachstumsraten und Etat

Bis 1899 hieß in den Bibliotheksinventaren die Rubrik für die Zählung „Nummer des Geschenkes". Schon aus dieser äußerlichen Tatsache wird ersichtlich, daß in dem ersten halben Jahrhundert ihres Bestehens die Bibliothek vorwiegend aus Stiftungen zusammengesetzt war. Gelegentliche Käufe wurden in den Inventaren mit einem dicken Rotstift hervorgehoben. Auch noch in den 20er Jahren überwiegen bei weitem die Stiftungen und Tauschgaben. Erst vor Beginn des 2. Weltkrieges hielten

[74] Matthias Mende: Dürer-Bibliographie. (Sonderband zur: Bibliographie der Kunst in Bayern). Wiesbaden 1971.
[75] Die bibliographischen Berichtszeiten 1960–1967 wurden erarbeitet und sind zwischen 1963 und 1977 erschienen.
[76] Ludwig Rothenfelder: Das Wappenrepertorium des Germanischen Nationalmuseums Nürnberg. In: Deutsche Wappensammlungen und Wappenrepertorien. Hrsg. von der Gesellschaft für Familienforschung in Franken e.V. Nürnberg. (Praktikum für Familienforscher, 34.). Neustadt a.d. Aisch 1960, S.25–30.

331. Dr. phil., Dr. theol. h. c. Georg Karl Frommann, Vorstand der Bibliothek 1853–1887, Zweiter Vorstand (Direktor) des Museums 1865–1887. Photographie aus dem Album des Museumssekretärs Enno Wilhelm Hektor, um 1860

sich beide Erwerbungsarten etwa die Waage. Wenn sich auch im Laufe der letzten beiden Jahrzehnte der Anteil der Käufe beständig erhöhte, so ist doch der gegenwärtige Stand von rund einem Drittel der Zugänge als Geschenke und Tauschgaben in der Tat im deutschen Bibliothekswesen für Bibliotheken dieser Größenordnung ungewöhnlich. Diese Zahlen dürfen jedoch nicht darüber hinwegtäuschen, daß teure Bücher heute nur selten geschenkt werden, und daß die im Schriftentausch versandten Museumsveröffentlichungen seit 1966 aus dem Erwerbungsetat der Bibliothek bezahlt werden müssen, so daß also der Tausch als eine Art des „Naturalienhandels" anzusehen ist.

Wie wirkte sich diese Erwerbungspolitik auf die Zusammensetzung der Bibliothek aus? – Der Geschichte und dem deutschen Mittelalter, auch seinen Sprachdenkmalen galt das Hauptinteresse der Gründungszeit. Das prägte auch die Stiftungen, die freiwilligen wie die erbetenen, über fünf bis sechs Dezennien hin. Erst mit der Erweiterung des Sammlungsprogrammes unter E. Heinrich Zimmermann, der in den zwanziger Jahren die Barockzeit in das Aufgabengebiet des Museums mit einbezog, und dies zu einer Zeit, als Inflation und allgemeine wirtschaftliche Schwierigkeiten Stiftungen ohnehin rarer machten, kam es zu einer tiefgreifenden Zäsur. Unter dem wirtschaftlichen Zwang mußten zahlreiche Zeitschriften- und Serienabonnements abbestellt werden. Das Interesse für die Verwendung der wenigen Mittel verlagerte sich mehr zur kunsthistorischen Forschung hin. Dieser Trend verstärkte sich nach dem 2. Weltkrieg, als das Akzessionsprogramm der Bibliothek in Übereinstimmung mit den Aufgaben des Museums neu formuliert wurde[77]. Kunst- und Kulturgeschichte sind nun zum zentralen Sammelthema geworden, wobei für die Kunstgeschichte, einschließlich der Sachvolkskunde der deutschsprachigen Regionen Mitteleuropas, Vollständigkeit angestrebt wird.

[77] Elisabeth Rücker: Die Bibliothek des Germanischen Nationalmuseums. In: Deutsche Kunstbibliotheken. München 1975, S. 75–77.

332. Grundriß des Bibliotheksraums mit Aufteilung der Bestände. In dem langgestreckten Saal sind die Bibliothek der Nationalversammlung von 1848 (Deutsche Parlamentsbibliothek), die 1857 erworbene Bibliothek des Altertumsforschers Karl Wilhelmi aus Sinsheim (1785–1857) und die Schriften der Vereine und Akademien separat aufgestellt. Aus dem Wegweiser GNM von 1860

Die finanziellen Mittel hierzu werden seit 1972 von der Deutschen Forschungsgemeinschaft im Rahmen ihres Schwerpunktprogrammes gegeben, damit die Bibliothek zusammen mit sechs weiteren deutschen Kunstbibliotheken die Grundlagen für spätere Dokumentationsaufgaben schaffen kann[78]. Die Bibliothek, die als vorwiegend historische Institution begonnen hatte, zählt also nach reichlich einem Jahrhundert zu den größten Kunstbibliotheken Deutschlands.

Aus den Geldern, die die Unterhaltsträger des Museums für die Bibliothek zur Verfügung stellen, werden diejenigen Bücher erworben, die zum ursprünglichen Sammelgebiet gehören, so daß der ausgezeichnete Bestand an orts- und landesgeschichtlicher Literatur beständig durch die Neuerscheinungen auf dem aktuellen Stand gehalten wird. Das gleiche gilt für die genealogisch-heraldischen Publikationen und kulturgeschichtlichen Titel. Weiterhin werden die musikinstrumentenkundlichen Veröffentlichungen erworben, sowie diejenigen zur Vor- und Frühgeschichte Mitteleuropas, die Lexika deutscher Mundarten und Arbeiten, in denen sich kunst- und literaturgeschichtliche Aspekte wechselseitig bedingen. Die Literaturgeschichte selbst hingegen ist auf die Nachschlagewerke reduziert, auch bei der Geschichtsliteratur müssen im Bereich der Verfassungsgeschichte Abstriche vorgenommen werden, während man hingegen versucht, möglichst viele der Quelleneditionen anzuschaffen. Auch alle Zeitschriftenabonnements[79] und der Hauptteil der Kaufsumme für die Tauschgaben müssen aus den Museumsgeldern bezahlt werden.

Auch die Ausstattung der Bibliothek mit einem eigenen Etat ist symptomatisch für die eigengesetzliche Entwicklung des Germanischen Nationalmuseums; denn erstmals ist im Jahre 1916 überhaupt von einem Bibliotheksetat die Rede[80], wenn auch ohne Angabe einer Zahl. Dies blieb noch für einige Jahre so, d. h. notwendige Ankäufe wurden je nach Maßgabe der vorhandenen Mittel aus der allgemeinen Museumskasse bezahlt. Wenn auch seit dem 2. Weltkrieg die Bibliothek mit einem Jahresetat rechnen konnte, so ist dessen Höhe nie gesichert gewesen, da ein Teil dieser Ankaufsmittel immer aus den Geldstiftungen genommen werden mußte, die beim Museum eintrafen, so daß man sich auch anderweitig nach Sondermitteln umsah. Diese kamen von der Deutschen Forschungsgemeinschaft[81], der Fritz Thyssen-Stiftung[82] und dem Bundesinnenministerium[83]. Erst ab 1977 wurde

[78] Elisabeth Rücker: Das Schwerpunktprogramm der Deutschen Forschungsgemeinschaft zur Förderung von Spezialbibliotheken (erläutert am Beispiel Kunstgeschichte). In: Bibliotheksarbeit heute. Beiträge zur Theorie und Praxis. Festschrift für Werner Krieg zum 65. Geburtstag am 13. Juni 1973. Frankfurt a. M. 1973, S. 192–198.
[79] Von den ca. 1400 z. Z. laufenden Zeitschriften und Jahrbüchern werden 400 bezahlt, die übrigen kommen im Tausch oder gar als Geschenke in die Bibliothek.
[80] Jahrbuch der Deutschen Bibliotheken Bd. 13 (1916), S. 78: „Vermehrungs-Etat wechselnd"!
[81] 1959 für die Ergänzung der Lesesaalbibliothek.
[82] 1962–1964 für Ankäufe zur Kunstgeschichte des 19. Jahrhunderts.
[83] 1972–1976 für kriegsbedingte Lückenergänzungen.

333. Lesesaal der Bibliothek. Der Lesesaal der seit 1902 im Königsstiftungshaus untergebrachten Bibliothek wurde bei seiner Ausstattung mit einer Stuckdecke aus dem ehemaligen Nürnberger Hof des Klosters Ebrach, um 1740, versehen. Als Benutzer Heinrich Kohlhaußen, Erster Direktor des Museums 1937–1945. Photographie vor dem Umzug der Bibliothek in den Neubau an der Kartäusergasse im Februar 1964

ein etwas größerer, wenn auch immer noch nicht angemessener Bibliotheksetat im Gesamthaushalt des Museums verankert.

Nach 125 Jahren erhält die Bibliothek des Germanischen Nationalmuseums einen Status, der für viel kleinere kommunale oder staatliche Bibliotheken selbstverständlich ist. In diesem Zeitraum hat die Museumsbibliothek die Größe derjenigen einer mittleren Landesbibliothek erreicht. Sie umfaßt gegenwärtig fast 400000 Bände. Die Festlegung auf diese Zahl beruht allerdings auf sehr ungleichen Umfangsangaben aus früheren Jahren. Sie ist jedoch, verglichen mit denjenigen von 1913 bis 1950, eher zu niedrig angesetzt[84]. Auch Bestandszahlen aus früherer Zeit sollte man nicht zu genau nehmen, sondern als Annäherungswerte betrachten: 1870 = 60000, 1886 = 110000/120000, 1902 = 140000.

Bibliotheksverwaltung

Im vorigen Jahrhundert wurden die einzelnen Abteilungen und das ihnen zugehörige Personal noch nicht streng voneinander geschieden. Bibliothek und Archiv lagen meist in einer Hand; und für die ausführenden Tätigkeiten mag wohl das Personal jährlich gewechselt haben, wie aus der „Dienstord-

[84] Jahrbuch der Deutschen Bibliotheken Bd. 11 (1913), S. 67: 250000 Bände und 3600 Handschriften. – Jahrbuch der Deutschen Bibliotheken 34 (1950): 300000 Bände und 43000 Dissertationen u. ca. 5500 Rara.

nung für die Verwaltung der Bibliothek des germanischen Nationalmuseums" von 1870 hervorgeht. Diese Dienstordnung, die in revidierter Form 1894 neu herauskam, weist der Bibliothek nicht nur die Inventarisierung und die Verzettelung der Neuzugänge zu, sondern fallweise auch eine Zeitschriftenauswertung für das Repertorium, an dem aber auch die Fachwissenschaftler der anderen Museumsabteilungen tätig waren. Kaufwünsche hatte der Bibliothekar der Direktion vorzuschlagen, die dann selbst den Kauf vornahm. Auch oblag es der Bibliothek, für alle Schriften, die das Museum edierte, Korrekturen zu lesen, sowie monatliche Geschenklisten für die Veröffentlichung im Anzeiger zusammenzustellen[85].

Erst in der Person Ludwig Rothenfelders, der 1913 als Volontär eintrat, kam der erste ausgebildete wissenschaftliche Bibliothekar ins Haus. Seit 1956 liegt die Leitung kontinuierlich in der Hand eines wissenschaftlichen Bibliothekars. Für die gehobene Laufbahn des Bibliotheksdienstes gab es erst nach Ende des zweiten Weltkrieges die erste Stelle. Bis 1976 sind inzwischen fünf Diplombibliothekare tätig, und für den mittleren Dienst sind bis zu diesem Zeitpunkt zwei Kräfte durch die Fachausbildung gegangen.

Die Benutzung der Bibliothek durch die Öffentlichkeit ist – durch Benutzungsordnungen geregelt – immer möglich gewesen. Einen vom Bücherbestand getrennten Lesesaal gab es erst seit Bezug des Königsstiftungshauses, also seit 1902. Die Ausleihe unterlag immer Beschränkungen. Als sich seit Kriegsende die Bibliothek immer mehr zu einer Spezialbibliothek der Kunst- und Kulturgeschichte entwickelte, ging damit auch die Entwicklung zur Präsenzbibliothek einher. Ein Photokopierdienst macht die Bestände auch weiteren Kreisen nutzbar.

Die Bibliotheksgebäude von 1852–1976

Die Bibliothek befindet sich jetzt in ihrem vierten Domizil. Zuerst war sie im Topler-Haus untergebracht, jedoch offensichtlich in ungeeigneten Räumen, denn schon 1854 ist sie innerhalb dieses Hauses umgeräumt worden: „. . . So kommt die bisher in 4 zum Theil finstere und nicht zusammenhängende Gemächer untergebrachte Bibliothek in 2 helle zusammenhängende Säle, an welche die entsprechenden Zimmer für die Bibliotheksbeamten und das Generalrepertorium der Literatur stoßen . . ."[86]. Mit der Übersiedlung des Museums in das Kartäuserkloster 1857 erhielt die Bibliothek drei Räume im Gebäude der Kartäusergasse nahe der Stadtmauer, wo sie mit Direktion und Archiv eng verbunden war. Wie der Grundriß im Wegweiser von 1860 zeigt[87], gelangte der Besucher zuerst in den Katalograum, der auch das allgemeine Repertorium enthielt, und dann in den zweischiffigen Bibliothekssaal, in dem alle Bücher aufgestellt waren, geteilt nach den 5 Hauptgruppen, wie sie Essenwein in seinem Bericht beschrieben hat. Dazu gehörte auch die Parlamentsbibliothek. Anschließend daran gab es noch einen kleineren Raum, in dem die Handschriften, Frühdrucke und die Musikalien untergebracht waren. Wie der Grundriß zeigt, gab es in diesem Gebäude keine Ausdehnungsmöglichkeit.

1902, also ein Jahr nach seinem Umbau, zog die Bibliothek in das Königsstiftungshaus in der Unteren Grasersgasse. Dort gab es abgeteilt von den Bücherregalen einen Lesesaal mit einer eigenen Handbibliothek. Während des 2. Weltkrieges wurden die Bücher nach Schloß Unterleinleiter (Fränkische Schweiz) ausgelagert, wo sie nahezu völlig ungeschmälert den Krieg überstanden. Da nach den Zerstörungen des Krieges das Bibliotheksgebäude auch die Büroräume für die Wissenschaftler und die Verwaltung des Museums aufnehmen mußte, wurde es sehr bald zu klein. Die Skelettierung des

5

332

270, 333

[85] Vgl. S. 967–969.
[86] Anzeiger GNM 1854, Sp. 119.
[87] Wegweiser GNM 1860, Sp. 52.

Dachgeschosses in den fünfziger Jahren bot für eine Übergangszeit noch Stellfläche für die Bibliothek Merkel.

Im Zusammenhang mit der Standortfrage des nach dem Zweiten Weltkrieg zu errichtenden Gebäudes für die Nürnberger Stadtbibliothek wurde auch eine räumliche Zusammenlegung mit dem Germanischen Nationalmuseum erwogen; Goldmann faßt diese Planungen 1957 in seiner „Geschichte der Stadtbibliothek Nürnberg" wie folgt zusammen: „. . . Der schon 1936 ventilierte Plan, in der Kartäusergasse ein Kulturzentrum in Verbindung mit dem Germanischen National-Museum zu gründen, konnte aus technischen und finanziellen Gründen nicht verwirklicht werden. Es war beabsichtigt, links der Kartäusergasse unter Einbeziehung des Gebäudes der Feuerwehr ein neues Bibliotheksgebäude für das Germanische National-Museum zu errichten, das durch einen überdachten Straßenübergang mit dem auf der rechten Seite unter Einbeziehung der Ruine der Mädchenschule zu errichtenden neuen Gebäude für die Stadtbibliothek, das Stadtarchiv und die Hochschulbibliothek verbunden werden sollte. Der Lesesaal für alle vier Institute sollte gemeinsam sein".

In der 2. Hälfte der fünfziger Jahre setzten die Planungen für einen neuen Bibliotheksbau in der Kartäusergasse ein, aber nicht auf dem Areal, wo sie sich rund hundert Jahre früher befunden hatte, sondern an der Ecke des Kornmarktes, auf dem Gelände der Städtischen Feuerwehr. Dieses Haus sollte auch die Verwaltung, das wissenschaftliche Personal und vor allem Kupferstichkabinett und Archiv unter seinem Dache vereinen, da diese drei „papierenen" Abteilungen nicht nur konservatorisch ähnliche Unterbringungsbedingungen verlangten, sondern von ihren Beständen her eng miteinander verflochten sind, so daß sich in der täglichen Arbeit viele Überschneidungen untereinander ergeben. 1959 vollzog sich zwischen der Stadt Nürnberg und dem Museum ein Geländetausch, so daß danach mit der Bebauung des 1728 qm großen Grundstückes begonnen werden konnte. Diese neue Plazierung brachte eine stärkere Integrierung der Bibliothek in das gesamte Museum mit sich, da der Haupteingang zu den Ausstellungssälen nun auch alleiniger Zugang für die Bibliotheksbenutzer wurde. Den Bau und seine Inneneinrichtung planten die Münchner Architekten Prof. Sep Ruf und Prof. Harald Roth[88].

Das Fassungsvermögen des 1964 bezogenen Hauses besteht aus einem fensterlosen siebengeschossigen Bücherturm, der im Kern des neuen Gebäudes liegt, und sogenannten Außenmagazinen im 2. Kellergeschoß. Da Bücherturm einerseits und Büro- und Kellerräume andererseits an der West- und Südseite dieses Neubaues von unterschiedlicher Geschoßhöhe sind, ragt das Büchermagazin nicht über das Flachdach des Gebäudes hinaus. Es ist als freitragendes Stahlregalsystem errichtet worden, in dem die Fußböden lediglich eingehängt sind. Jedes der 7 Geschosse hat 300 m Regalwände; die Regale enthalten je nach den dort aufgestellten Bücherformaten entweder fünf oder maximal acht Bücherböden, so daß in jedem Geschoß ca. 1,6 bis 1,9 laufende Kilometer Bücherstellfläche zur Verfügung stehen[89]. Der großzügige Lesesaal bietet mit seinen zwei Galerien fünfzig Besuchern Arbeitsplätze. Daran anschließend liegt der Katalogsaal. Der bibliographische Handapparat im Katalograum bildet zusammen mit den Büchern des Lesesaales eine Freihandbibliothek von gut 10000 Bänden ausgesuchter Nachschlagewerke zur Kunst- und Kulturgeschichte Mitteleuropas, zu den historischen Hilfswissenschaften und zur allgemeinen Information.

Die Bibliothek und die Schausammlungen des Museums

Die schriftlichen Dokumente, die die deutsche Vergangenheit in ihren verschiedensten Aspekten

---

[88] Vgl. den Beitrag von Lothar Hennig in diesem Bande S. 500–501.

[89] Planzeichnungen und Ansichten s. Elisabeth Rücker: Bibliothek des Germanischen Nationalmuseums, Nürnberg. In: Bibliotheksneubauten in der Bundesrepublik Deutschland. Hrsg. v. Gerhard Liebers. Frankfurt a. M. 1968, S. 283–290. – Germanisches Nationalmuseum. In: Baumeister Bd. 61 (1964), S. 1257–1264.

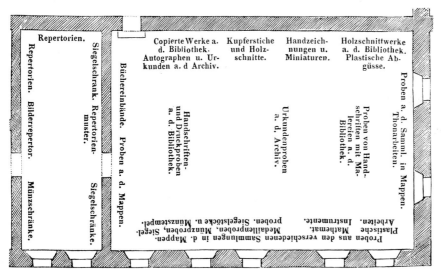

334. Grundriß des Kunstsaals im Obergeschoß des Refektoriums mit Bezeichnung der dort gezeigten Sachgebiete. In dem Raum waren unter anderem Beispiele aus verschiedenen Bereichen des Buchwesens ausgestellt. Aus dem Wegweiser GNM von 1860

bezeugen, waren offensichtlich im vorigen Jahrhundert selbst vielmehr Objekte des allgemeinen Interesses, als sie dies heute sein mögen. Denn alle „Wegweiser" bis 1935 verzeichnen innerhalb der Ausstellungsräume eine Abteilung Schrift und Druck, der sich auch Objekte der verschiedenen graphischen Künste, der Buchillustration und der Einbandkunst anschlossen. Mehrfach finden sich in den von Essenwein selbst verfaßten „Wegweisern" sogar ganze Titellisten, die die geschriebene Schrift vom 8. bis zum 16. Jahrhundert belegen, und eine ebensolche für den Typendruck von Gutenberg bis zu einem Werk von Ernst Moritz Arndt. Ursprünglich war diese Abteilung im Obergeschoß des Refektoriums ausgestellt gewesen. Die Bucheinbände hatten auf der Empore der Kirche ihren Platz gefunden gehabt, von wo sie jedoch Ende der neunziger Jahre weggeräumt wurden.

Zwischen 1920 und 1924 zog diese gesamte Abteilung vom Refektorium in vier kleine Räume im Verwaltungsbau am Kornmarkt um. Damit wurde der Komplex Schrift und Druck nicht nur erheblich verkleinert, sondern auch an die Peripherie versetzt. Diese neuen Räume lagen nach Norden, waren daher besonders geeignet, Ausstellungsobjekte aus Papier und anderen lichtempfindlichen Materialien aufzunehmen. Dem Bereich Schrift und Druck schloß sich noch ein Raum für Wechselausstellungen an, wo graphische Blätter und Buchillustrationen vorübergehend gezeigt werden konnten. Aus dem „Wegweiser" von 1935 geht hervor, daß die Abteilung Schrift und Druck dort nochmals reduziert worden war, da sie nur noch zwei dieser kleinen Räume beanspruchte. Außerdem gab es zwei Druckpressen zu sehen, die bei der Abteilung für Zeugdruck standen.

Nach dem zweiten Weltkrieg wurde der gesamte Bereich der Schreib- und Druckkultur nicht mehr in das Konzept der ständigen Aufstellung aufgenommen. Zu diesem Entschluß mögen nicht nur der Raummangel in den Jahren des Wiederaufbaus geführt haben, sondern konservatorische Bedenken, da Papier – und um dieses Material handelt es sich vorwiegend, wenn es um Schrift und Druck geht – sehr lichtempfindlich ist. Lediglich die Bucheinbände haben bei den Abteilungen Mittelalter und Barock, also im sogenannten Westkopf, in den Mönchshäusern und den Nordkabinetten des Galeriebaus bei der jüngsten Gestaltung Platz innerhalb der ständigen Aufstellung gefunden.

335

335. Sammlungsraum mit Bucheinbänden. Im Obergeschoß eines dem Kreuzgang des Augustinerklosters westlich vorgelagerten Gebäudeteils, der sog. Klosterküche, waren seit den späten achtziger Jahren Beispiele für den Bucheinband des späten Mittelalters bis zum 18. Jahrhundert ausgestellt; vorher befand sich die Sammlung auf der Empore der Kirche. Stereoskop-Photographie um 1895/97

336. Vitrine mit Druckschriften des Hans Sachs. Der Aufstellung der Einzelausgaben der Schriften des Hans Sachs (1494–1576) in einem dem Buchdruck gewidmeten Sammlungsraum im Geschoß über dem Refektorium war zunächst ein vergoldeter, silberner Eichenkranz beigegeben, den die Schuhmacher Deutschlands und Österreichs aus Anlaß der Enthüllung von Konrad Kraußers (1815–1873) Sachsdenkmal zu Nürnberg 1874 hatten fertigen lassen und im selben Jahre bei den Schriften im Museum niederlegen ließen. Erst zu Ende des Jahrhunderts wurde zusätzlich die Büste des Dichters in dem Schrank aufgestellt. Stereoskop-Photographie um 1895/97

Für die Präsentation der übrigen Bibliotheksbestände werden seit rund 30 Jahren andere Wege gegangen. So wird für Wechselausstellungen der Buchbestand mit herangezogen, oder die Bibliothek veranstaltet selbst Ausstellungen zu buchkundlichen Themen. Schon 1940 gab es eine Schriftausstellung, 1954 war die Frühzeit der Germanistik ein bibliotheksspezifisches Thema, 1957 der deutsche Bibeldruck und die Beziehung Dürers zum Buch. 1962 wurden die Werke der Schreibmeisterbücher zu einer Ausstellung zusammengetragen. Bibel und Gesangbuch war das Thema einer Ausstellung, mit der des Reformationsjubiläums gedacht wurde, und ebenfalls 1967 gab es eine Ausstellung mit den Werken der Maria Sibylla Merian. Zwei Jahre später wurde für die Gesellschaft der Bibliophilen ein Querschnitt aus der Bibliothek Neufforge präsentiert. Für alle erwähnten Ausstellungen gab es Kataloge. Daneben inszenierte die Bibliothek aber auch Buchausstellungen, die nicht durch Kataloge fixiert wurden; die größte dieser Art war 1961/62 den alten Kinderbüchern gewidmet gewesen[90].

Der andere Weg, die Schätze der Bibliothek bekannt zu machen, ist die Veröffentlichung von Bestandskatalogen. Dienen die Zeitschriftenverzeichnisse von 1951 und 1973[91] der praktischen Bibliotheksbenutzung, bieten die neuen gedruckten Kataloge der Inkunabeln und der Handschriften die wissenschaftliche Einordnung der beschriebenen Objekte. Die Gegenwart knüpft damit an die traditionsreiche Vergangenheit an, da schon 1889 und 1903 Kataloge der Bucheinbände und der Miniaturen veröffentlicht worden waren.

[90] Vgl. Verzeichnis der Ausstellungen im Anhang dieses Bandes.
[91] Prause (Anm. 18).

Die Gemäldesammlung

1882 erschien der erste gedruckte Katalog der Gemäldesammlung des Germanischen Nationalmuseums[1]. Das Verzeichnis nennt 766 Gemälde, von denen 393 die eigentliche Galerie mit Bildern vom 14. bis zum 19. Jahrhundert ausmachten. Der Rest bestand aus Gemälden, die nicht „künstlerisch oder kunstgeschichtlich, sondern die inhaltlich" von Bedeutung waren, geschieden in 76 kirchliche und 24 kulturgeschichtliche Darstellungen sowie 273 Porträts. Diese Bilder dienten in verschiedenen anderen Abteilungen als Illustrationsmaterial zum besseren Verständnis für das dort Gezeigte. Die Unterteilung wurde in den folgenden Auflagen des Katalogs beibehalten. Die gründliche Neubearbeitung von 1937[2] verzeichnete die inzwischen größtenteils deponierten oder anderen Orts ausgestellten Bilder des zweiten Teils nicht mehr.

Von dem 1882 aufgeführten Bestand war nur ein kleiner Teil Eigentum des Museums, da die Gemäldesammlung „lange die unbedeutendste Abtheilung der Anstalt" war. Die Einleitung des Katalogs von 1882 fährt fort: „Es würde auch nicht möglich gewesen sein, ihr irgendwelche hervorragende Bedeutung blos durch Ankäufe und Geschenke zu sichern, da nicht nur das Material für die ältere Zeit fast erschöpft ist, sondern auch hervorragende Werke so theuer sind, daß die Mittel durch das Museum nicht hätten aufgebracht werden können." Der Ausbau der Abteilung zu einer der bedeutendsten Sammlungen von deutschen Gemälden des Mittelalters und der Renaissance wurde ermöglicht durch die auf Initiative August von Essenweins erfolgte Vereinigung des kleinen eigenen Bestandes des Museums mit dem in Nürnberg aufbewahrten Besitz der bayerischen königlichen Sammlungen und des königlichen Hausguts einerseits und den Gemälden aus dem Besitz der Stadt und der protestantischen Kirchenverwaltung andererseits in neuen, für diesen Zweck innerhalb des Germanischen Nationalmuseums errichteten Räumen.

Galerien in Nürnberg vor Gründung des Germanischen Nationalmuseums 1852

Die Schicksale der in Nürnberg nach Eingliederung der ehemaligen Reichsstadt in den bayerischen Staat eingerichteten Gemäldesammlungen, die 1882 im Germanischen Nationalmuseum zusammenflossen, wurden von Wilhelm Schwemmer 1949 ausführlich dargestellt[3]. Es braucht deshalb hier nur auf die Fakten eingegangen zu werden, die zum Verständnis für Entstehung und Entfaltung einer, der Dokumentation künstlerischer Entwicklungen dienenden Gemäldegalerie im Germanischen Museum beitragen können.

Am 20. Juni 1811 wurde in Räumen der Nürnberger Burg eine Gemäldegalerie eröffnet. Das Hauptkontingent der ausgestellten Bilder stammte aus den wittelsbachischen Galerien in Zweibrük-

---

Benützte Archive: Archiv der Bayerischen Staatsgemäldesammlungen, München; Archiv des Germanischen Nationalmuseums, Nürnberg: Altregistratur GNM; Landeskirchliches Archiv, Nürnberg; Staatsarchiv, Nürnberg; Stadtarchiv, Nürnberg.

[1] Katalog der im germanischen Museum befindlichen Gemälde. Nürnberg 1882.
[2] Kataloge des Germanischen Nationalmuseums zu Nürnberg. Die Gemälde des 13. bis 16. Jahrhunderts. Bearbeitet von Eberhard Lutze und Eberhard Wiegand. Beschreibender Text. (Nürnberg) 1936, Titelaufl. Leipzig 1937. Bilderband. Leipzig 1937.
[3] Wilhelm Schwemmer: Aus der Geschichte der Kunstsammlungen der Stadt Nürnberg. In: Mitteilungen des Vereins für Geschichte der Stadt Nürnberg Bd. 40 (1949), S. 97–206.

ken, Mannheim und Düsseldorf. Dazu kamen Gemälde aus der in Augsburg eingerichteten Filialgalerie, den Schlössern Bayreuth und Deberndorf, sowie aus der bischöflichen Residenz in Bamberg. Die wichtigsten Beiträge lieferten allerdings die Nürnberger Kirchen und Kapellen, soweit sie nicht als Pfarrkirchen in Gebrauch waren. Als Nachfolgerin des Nürnberger Rats erhob die bayerische Regierung Anspruch auf deren Ausstattung und verfügte über den eigenwilligen Bauinspektor Franz Keim über die dort noch vorhandenen Altäre und Einzeltafeln. Trotz einer Minderung durch die Versteigerung von 847 Bildern, von denen 74 aus Nürnberg stammten, im Jahre 1811 zur Aufbringung der Kosten für Einrichtung und Erhaltung der Galerie, war durch den Nürnberger Besitz die Burggalerie bei ihrer Eröffnung die ansehnlichste Zusammenstellung altdeutscher Bilder, die existierte[4]. Für das Zustandekommen der Galerie waren allerdings andere Gesichtspunkte entscheidend.

Ein Besuch des bayerischen Kronprinzen Ludwig am 27. Dezember 1809 hatte die Besichtigung der auf der Burg befindlichen Gemälde aus ehemals reichsstädtischem Besitz durch den Kgl. Galerieinspektor Georg von Dillis zur Folge, der in einem Bericht an König Max I. Joseph vom 14. Januar 1810 acht Bilder als für die königlichen Sammlungen in München geeignet befand. Dillis konnte zugleich melden, daß die zuständigen Behörden zur Abgabe bereit seien, „wenn ihnen einige für die dortige Malerschule dem Studium der Künstler entsprechende Gemälde verabfolgt würden"[5]. Die von Dillis ausgesuchten altdeutschen Bilder schienen für diesen Zweck offenbar weniger geeignet, wie es die Regierung des Königreichs Württemberg noch 1826 ablehnte, das Vorkaufsrecht für die Sammlung der Brüder Boisserée zu nützen, da die Gemälde in einer zu errichtenden Kunstschule „als einzige Muster für Geschmacksbildung wahrer Kunst gefährlich wären und daher jedenfalls in einem Lehrinstitute nur in Verbindung mit den vorzüglicheren Werken der späteren italienischen Schule aufgestellt werden könnten"[6]. Die Gründung der Nürnberger Burggalerie mit großen Beständen an außerdeutscher Malerei aus königlichem Besitz ist also in erster Linie auf die städtische Kunstschule, die Nachfolgerin der durch Joachim von Sandrart gegründeten Akademie, zu beziehen. Daß die Galerie der Weiterbildung von Künstlern und Handwerkern dienen sollte, wird auch in einer Kontroverse ausgesprochen, bei der es um die Frage der geeigneten Tage der Öffnung zur Besichtigung ging[7]. In einer Entschließung an den Regierungspräsidenten Graf von Drechsel in Ansbach wurde 1819 noch einmal ausdrücklich festgelegt, daß „die in der alten Burg aufgestellte Gemälde-Sammlung als eine der Stadt Nürnberg gewidmete Anstalt zur Beförderung der Künste und Gewerbe zu betrachten" sei[8].

Andere Töne sind erst zu hören, als nach einer überstürzten Räumung der Burg im Jahre 1833, bei der erhebliche Schäden an den Bildern entstanden waren, die Bestände geteilt und an verschiedenen Orten wieder aufgestellt wurden. Am 5. August 1833 erhielt Georg von Dillis die Anweisung, „die Aufstellung der altdeutschen Gemälde im dortigen Schloß, der übrigen bei den Augustinern zu besorgen"[9]. Erstmalig wurden jetzt auf der Burg Bilder und Raumarchitektur aufeinander bezogen. Die Einrichtung wurde von Dillis in der Zeit vom 14.–23. August mit solchem Geschick vorgenommen, daß König Ludwig nach einem Besuch am 27. August schon am 30. September die Einrichtung „eines förmlichen Museums mittelalterlicher Kunst" in den „Kapellen, Sälen, Gemächern und Gängen" der Burg anordnete. Die Central-Galeriedirektion erhielt den Auftrag, Verzeichnisse mittelalterlicher Kunst anzulegen, von Glasgemälden und „sonstiger altdeutschen Anticaglien", worunter kleinere Altertümer wie Münzen, Schmuck verstanden wurden[10], die sich in den königli-

---

[4] Abschrift des Verzeichnisses der Gemälde, Bibliothek des GNM Hs 34, 339 (1819), Stadtbibliothek Nürnberg Nor H 44 (1817). Verzeichnis der versteigerten Gemälde, Staatsarchiv Rep. 232. Abgedruckt bei Schwemmer, S. 196/97.
[5] Archiv Staatsgemäldesammlungen V, N, 1.
[6] Katalog der Staatsgalerie zu Stuttgart, Stuttgart, 1931, S. XXII/XXIII.
[7] Staatsarchiv Nürnberg Rep. 232.
[8] Archiv Staatsgemäldesammlungen V, G, 1.
[9] Archiv Staatsgemäldesammlungen V, G, 1.
[10] Pierer's Universal-Lexikon 1, Altenburg 1867, S. 556.

337. Blick in die Moritzkapelle. Kupferstich von Friedrich Wagner aus „Der
königliche Bildersaal in der St. Moritzkapelle zu Nürnberg, in Umrissen herausgegeben von Friedrich Wagner", Heft 1. Nürnberg o. J. (1832), Taf. 5

chen Galerien befanden, für die Pinakothek aber ungeeignet erschienen[11]. Ein Museum war also
geplant, das die gesamte künstlerische Kultur des Mittelalters umfassen sollte und damit auch eine
neue Zielsetzung besaß. Am 5. Dezember 1833 konnte Fürst Wallerstein dem König die Vollendung
melden „den treuen Nürnbergern als neuer Beweis allerhöchster Huld"[12].

Im gleichen Jahr hatte auch Hans von Aufsess den ersten Anlauf zur Gründung eines Museums für
Denkmäler älterer deutscher Geschichte, Literatur und Kunst genommen und seine eigene, durch

[11] Archiv Staatsgemäldesammlungen V, A, 2.
[12] Archiv Staatsgemäldesammlungen V, A, 2. Bekanntgabe des Planes zur Einrichtung des „Museums altdeutscher Kunst"
auch im Anzeiger für Kunde des deutschen Mittelalters 2 (1833), Sp. 171/72.

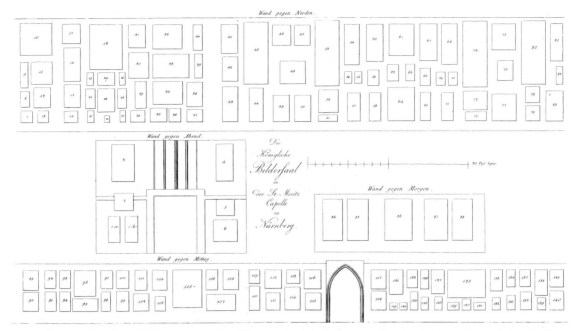

338. Schema der Gemäldehängung an den Wänden der Moritzkapelle. Kupferstich aus „Der königliche Bildersaal aus der Alt-, Ober- und Niederdeutschen Schule in der St. Moritzkapelle zu Nürnberg". Nürnberg 1829

Leihgaben erweiterte Sammlung im Scheurlhaus in Nürnberg ausgestellt. König Ludwig besuchte am 27. August 1833 die Ausstellung und stiftete 500 Gulden für eine Überführung in die Walpurgiskapelle und die anstoßenden Räume der Burg, zu der es nicht kam[13]. Seine Order zur Bildung des Museums mittelalterlicher Kunst ist kaum ohne Anregung durch das Unternehmen des Freiherrn von Aufsess zu denken. Wäre dieses Vorhaben nicht zunächst am Widerstand der Fachgelehrten gescheitert, wäre auf der Burg eine Verbindung von staatlicher und privater Sammlung zur deutschen Kunst entstanden, wie sie ein halbes Jahrhundert später in der Kartause ermöglicht wurde.

Nach längeren Verhandlungen hatte sich die Stadt Nürnberg bereit erklärt, die Kosten für die Erweiterung des Landauer-Zwölfbrüderhauses um ein Stockwerk zu übernehmen, damit in diesen Räumen die Mehrzahl der brauchbaren, seit 1833 im Augustinerkloster gestapelten Bilder zur Besichtigung aufgestellt werden konnten. Auch aus der Burg wurden Bilder abgezogen, so daß Dillis am 18. Mai 1840 dem Innenministerium melden konnte: „Ein Kabinett ist ausschließend der deutschen Schule gewidmet worden und umfaßt eine Anzahl vortrefflicher, gut erhaltener Kunstwerke von Dürer, L. Cranach, Holbein, Schaffner, Aldegraefer und reiht sich auf diese Weise in würdiger Gestalt an den Bildersaal in der Moritzkapelle, in welchem die Prachtwerke der dürerischen Schule in ihrer edlen deutschen Einfachheit prangen." Als Ludwig I. von der Überführung von 18 Bildern aus der Burg erfuhr, ordnete er die sofortige Wiederherstellung des alten Zustandes an, weil dadurch „die k. Burg ihrer schönsten Zierde beraubt, und die alterthümliche Harmonie zwischen Burggebäude und

[13] Hampe, Festschrift, S. 17.

seiner inneren Ausschmückung gelöst werden würde." Der König setzte sich aber nicht durch, da Dillis nachweisen konnte, daß ein Teil der überführten Bilder Eigentum der Stadt war und er sich über dies auf eine ministerielle Genehmigung berufen konnte[14]. Mit der Eröffnung am 22. Mai 1840 besaß Nürnberg in unmittelbarer Verbindung mit der Kunstschule wieder eine deutsche und außerdeutsche Gemälde zusammenfassende Galerie, die 309 ausgestellte Gemälde enthielt. Beim Bau und bei der Einrichtung waren konservatorische und ausstellungstechnische Maßnahmen getroffen worden, die eine spätere Zeit wieder vernachlässigt hat. Alle Wände wurden nach dem Bericht des Nürnberger Galerieinspektors Albert Reindel, der zugleich Direktor der Kunstschule war, mit starken Brettern vertäfelt und mit Tuch überspannt. Darüber kam mit Leimfarben angestrichenes Papier. Die Decken wurden zu den verschiedenen Farben der Wände passend getönt, dem Fußboden aus Holz ein gelb-brauner Ton gegeben. Sämtliche Fenster waren mit doppelten Vorhängen versehen, wovon die äußeren dunkelgrün gefärbt waren und sich von unten heraufziehen ließen. Sie hatten die Bestimmung, das Licht beliebig auf die Gemälde leiten zu können und das Glänzen der Bilder zu verhindern. Blitzableiter und eiserne Türen galten dem Feuerschutz[15].

Bedeutete die Einrichtung der Galerie im Landauerschen Zwölfbrüderhaus nur die erneute Ausstellung von bereits in Nürnberg befindlichem aber größtenteils deponiertem Material, so hatte das Jahr 1829 einen wahren Schatz altdeutscher Gemälde in die Stadt gebracht. 1827 hatte König Ludwig I. die Sammlung von kölnischen und niederländischen Bildern der Brüder Melchior und Sulpiz Boisserée erworben, ein Jahr später die Sammlung des Fürsten Ludwig zu Oettingen-Wallerstein mit altdeutschen, hauptsächlich aus Schwaben stammenden Tafeln gekauft. In einem Schreiben vom 1. August 1828 teilte der Präsident des Rezatkreises von Mieg der Stadt Nürnberg mit, daß König Ludwig beabsichtige, „gleichsam an der Wiege der deutschen Kunst und im Mittelpunkt Deutschlands eine Auswahl klassischer Gemälde der ober- und niederdeutschen Schulen . . . mit besonderer Rücksicht auf Vollständigkeit in Anschauung der Meister und Geschlossenheit in Hinsicht auf die eigentlich klassische Periode aufzustellen", . . . die Kunstmerkwürdigkeiten Nürnbergs durch eine Sammlung zu vermehren, „welche in solcher Art noch nirgens anzutreffen und außer dem Königreiche auch kaum zu begründen" sei. Der König habe persönlich die Unterbringungsmöglichkeiten geprüft und die Moritzkapelle als am tauglichsten befunden. An die Stadt erging die Aufforderung, die Kosten für den notwendigen Ausbau nach Plänen des Architekten Carl Alexander von Heideloff zu übernehmen[16]. Nachdem der Umbau vollendet und der „Bildersaal" durch Dillis so eingerichtet worden war, „daß das Ganze als ein großes historisches Tableau, abgeteilt in die Alt- Ober- und Niederdeutsche Schule, sich darstellt", besaß Nürnberg Sammlungen altdeutscher Malerei, wie sie umfangreicher keine andere Stadt aufzuweisen hatte[17]. Es gab allerdings einflußreiche Kreise in Nürnberg, denen die Bedeutung der königlichen Sammlung in der Moritzkapelle verschlossen blieb und die deshalb den Mitteln nachtrauerten, die für den Umbau ausgegeben worden waren. Am 24. September 1829 schrieb Regierungspräsident von Mieg in einem privaten Schreiben an Dillis: Zänker treiben in Nürnberg ihr Spiel. „Scharrer (Johannes Scharrer 2. Bürgermeister) ist sein edler Eifer, die Absichten unseres Königs zu fördern, und besonders der Bau der Moritzkapelle zum bitteren Vorwurf gemacht und ihm – dem braven vermögenslosen Familienvater – das Bürgermeisteramt

337, 338

[14] Archiv Staatsgemäldesammlungen V, L, 1.
[15] Archiv Staatsgemäldesammlungen V, L, 1. – Verzeichnis der königlichen und städtischen Gemälde welche in der Königlichen Gemäldegalerie in Nürnberg im Landauerbrüderhause aufgestellt sind. Nürnberg 1840. – Ein nach Besitzverhältnissen geordnetes Verzeichnis Archiv Staatsgemäldesammlungen V, L, 1.
[16] Eine Abschrift des Schreibens bei den Akten der Jahreskonferenz des GNM 1910: Archiv, GNM Fasz. 755, S. 231.
[17] Der Königliche Bildersaal aus der Alt-Ober- und Niederdeutschen Schule in der St. Moritzkapelle zu Nürnberg. Nürnberg 1829. – Zu Verpackung und Transport der Bilder und Einrichtung des Saals durch Dillis: Archiv Staatsgemäldesammlungen V, M, 2.

entzogen worden"[18]. Nürnberg war offenbar auch noch nicht die Stadt, die solche Sammlungen durch regen Besucherstrom lebendig erhielt. 1842 konnte der Konservator Albert Reindel erstmals in München keine Aufstellung namhafter Besucher vorlegen, „weil der Besuch überhaupt abnimmt und die Liebhaberei für die altdeutsche Kunst sich mindert"[19].

Am 10. März 1864, zwölf Jahre nach der Gründung des Germanischen Museums, wurde die Galerie im Landauer Brüderhaus geschlossen, um mehr Platz für die Kunstschule zu schaffen, in deren Gängen, Büros und Hörsälen ein Teil der Bilder untergebracht wurde, bis sie 1875/76 das Germanische Museum zur Aufbewahrung und Ausstellung erhielt. Die Gemälde aus städtischem Besitz wurden in das Rathaus verbracht, wo am 11. August 1867 erneut eine Galerie eröffnet wurde. Die als Eigentum des protestantischen Kirchenvermögens anerkannten Werke wurden zur Verfügung gestellt und zunächst im Pfarrhaus von St. Lorenz aufbewahrt.

Hans von Aufsess und die Gemäldesammlung des Museums

Gegenüber dem auf der Burg, in der Moritzkapelle und im Zwölfbrüderhaus ausgestellten Gemäldeschatz nahm sich der Bestand an Bildern im Germanischen Nationalmuseum sehr bescheiden aus. Den Grundstock der Sammlungen bildeten Objekte, die der Gründer des Museums, Hans von Aufsess, zunächst als Leihgabe zur Verfügung gestellt hatte, 1862 aber vom Museum erworben wurden. Da die anläßlich der Ankaufs- und Zahlungsverhandlung aufgestellten Verzeichnisse nicht mehr vorhanden zu sein scheinen, kann eine Vorstellung der Gemäldesammlung nur aus dem von August von Eye 1853 bearbeiteten ersten Führer durch die Sammlungen des Germanischen Nationalmuseums im Haus am Paniersplatz und im Turm am Tiergärtnertor sowie aus der 1856 veröffentlichten Denkschrift gewonnen werden[20]. Danach waren die Bilder nach Bedeutung und Herkunft absolut uneinheitlich, entsprechend den Zufälligkeiten des Angebots im Handel und den relativ beschränkten Ankaufsmitteln. Zwar dominierten die Gemälde deutscher Herkunft, doch waren auch für niederländisch, „altflorentinisch" und byzantinisch erklärte Bilder aufgenommen. Das Fehlen von gesicherten Provenienzangaben, die nur für zwei Predellen aus Katzwang gegeben werden, macht die Herkunft aus dem Handel deutlich. Käufe direkt aus den fränkischen Kirchen waren Aufsess in einer Zeit, in der die Ankäufe König Ludwigs I. die Aufmerksamkeit bereits auch auf den finanziellen Wert altdeutscher Tafeln gelenkt hatte, nicht mehr möglich gewesen. Einige bedeutende Erwerbungen waren trotzdem gelungen: Michael Wolgemuts Anna Selbdritt der Familie Groß (Gm 161), Hans Pleydenwurffs Porträt des Georg Graf von Löwenstein (Gm 128), von Eye als ein „ausgezeichnetes Werk der niederländischen Schule" hervorgehoben und ein Reliquienaltärchen von 1350 (KG 1), eine kostbare Inkunabel der Nürnberger Tafelmalerei. Auch in den Jahren, die der Museumsgründung folgten, erwarb Aufsess weitere Gemälde auf eigene Kosten und stellte sie dem Museum als Depositum zur Verfügung: als wichtigstes 1860 Albrecht Dürers auf Leinwand gemaltes Bildnis Kaiser Maximilians I. (Gm 169) aus der Versteigerungsmasse der Sammlung des 1838 verstorbenen Johann Sigmund Christoph Joachim Reichsfreiherrn Haller von Hallerstein, die letzte Reste der Imhoff'schen Sammlung enthielt, und aus der gleichen Quelle ein Bildnisdiptychon des Hans Straub und seiner Frau Barbara, der Tochter des Willibald Pirckheimer (Gm 180)[21]. Aufsess tauschte später das Dürer-Por-

[18] Archiv Staatsgemäldesammlungen V, M, 2.
[19] Archiv Staatsgemäldesammlungen V, M, 2.
[20] Wegweiser GNM 1853. – Die Gemäldesammlung im GNM. In: Anzeiger GNM 1853, Sp. 36–38. – Organismus GNM, 2. Abt., S. 128/29, 362.
[21] Über einige Erwerbungen für die Gemäldesammlung des germanischen Museums. In: Anzeiger GNM Bd. 8 (1861) Sp. 11–13. – Hans Stegmann: Albrecht Dürers Maximiliansbildnisse. In: Mitteilungen GNM 1901, S. 138–140.

trät, das sich in einem sehr schlechten Zustand befand und nachfolgend mehrfach restauriert wurde, gegen einen als byzantinisch bezeichneten, mit seinen Sammlungen vom Museum erworbenen Marientod ein. Einige Geschenke, als erstes von Georg Freiherr von Holzschuher das Bildnis des Martin Rosenthaler (Gm 136) von einem Maler aus dem Wolgemut-Kreis, später zehn Bilder aus der Sammlung des Advokaten Lippert in Herzogenaurach, vermehrten den Bestand an Bildern, ohne ihm festere Umrisse zu geben.

Es entsprach nicht den Absichten des Museumsgründers, dieses zu einer Sammlung auszubauen, die ausschließlich Originale enthielt. Nach seiner Überzeugung sollten die Bemühungen vor allem auf die Dokumentation aller Quellen zur deutschen Geschichte gerichtet sein, wobei die Kopie das nicht erreichbare Original, das Regest die Urkunde zu vertreten habe. Bei dieser Einstellung beharrte Aufsess starrsinnig, was in späteren Jahren zu immer größerer Entfremdung zwischen ihm und dem Museum führte. Bereits 1856 hatte der Erlanger Germanist Rudolf von Raumer vergeblich geraten, größere Summen auf die Sammlungen und geringere auf die Anstellung von Beamten für das Generalrepertorium zu verwenden. Dagegen berief sich Aufsess darauf, „daß nach den Statuten des Museums nicht die Sammlungen, sondern die Arbeiten, vor allem das Generalrepertorium die Hauptsache sei"[22]. In der Jahresversammlung 1857 erreichte Aufsess noch einmal einen Beschluß, der seine Auffassung von der Zielsetzung seiner Gründung in jeder Hinsicht bestätigte: „Dem Zwecke des Museums dürften in der Regel Copien völlig genügend seyn und da dasselbe Universalität anstrebt, so ist solche in der That nur auf dem Wege der Copierung zu erreichen. Originale sind nur in sofern nöthig, als sie zur Charakterisierung der Eigentümlichkeiten eines Meisters, der Technik u. s. w. geeignet sind, und in diesem Falle dürfte ein Muster dann hinreichend sein . . . Andere Rücksichten treten ein, wo schätzbare Originale in Gefahr sind, verloren zu gehen, durch Verderb, Ausführung ins Ausland . . .“[23]. Es bestand also weniger die Absicht, die Sammlung der Gemälde durch Originale, als vielmehr durch Umrisszeichnungen in originaler Größe zu vermehren. Am 21. September 1853 hatte Aufsess den Maler und Kunstschriftsteller Ralf Leopold von Rettberg beauftragt, „die Gemälde der kgl. Galerien zu München, Schleißheim, Augsburg, Nürnberg zu copieren, resp. in Naturgröße unbeschadet (!) der Gemälde durchzuzeichnen oder durch geschickte Künstler dieses Geschäft besorgen zu lassen“. Rettbergs Brief vom 30. September 1853, der von Schwierigkeiten berichtet, die Genehmigung zum Durchzeichnen zu erhalten, wäre zu erwarten gewesen[24].

Die Vereinigung der Nürnberger Galerien im Germanischen Nationalmuseum

Als 1868, ausgelöst durch ein Gutachten des Berliner Professors Dr. Moriz Haupt für die preußische Regierung, in dem das Generalrepertorium scharf abgelehnt wurde, der Kampf um die Ziele des Museums und damit um die Richtung, in die eine Erweiterung der Sammlungen erfolgen sollte, wiederum heftig entbrannt war und entschieden werden mußte, um der erbetenen Finanzhilfe des Norddeutschen Bundes teilhaft zu werden, umriß der damalige 1. Direktor August von Essenwein im März 1869 Bestand und Ziele neu[25]. Die Anstalt habe in erster Linie den Zweck, ein historisches, vorzugsweise kulturhistorisches Museum zu bilden. Dabei sei die Monumentalmalerei durch Kartons

[22] Archiv GNM, Jahreskonferenz 1856, Fasz. 729, fol. 25–27.
[23] Archiv GNM, Jahreskonferenz 1857, Fasz. 729, fol. 118.
[24] Archiv GNM, Gemälde 1853–1857, Fasz. 74, fol. 1. – Von den Durchzeichnungen Rettbergs haben sich zwei nach den Flügelinnenseiten eines Altars erhalten, der aus der Kreuzkirche in Hannover in das Landesmuseum gelangte. Katalog der Gemälde alter Meister, Hannover 1954; Zugangsregister des GNM 1858/2529.
[25] Archiv GNM, Jahreskonferenz 1869, Beilage 8, S. 8–10. Fasz. 735.

nach Wand- und Glasmalerei vertreten, eine Sammlung kleiner Glasgemälde und von Bruchstücken zur Verdeutlichung sei zu empfehlen. Für die Tafelmalerei suchte Essenwein in dieser Zeit noch einen Mittelweg, der Kopien nicht ausschloß, während er einige Jahre später ganz von deren Beschaffung abging, um die Mittel für den Ankauf von Originalen, die abzuwandern drohten, einzusetzen[26]. Die Aufgabe bestehe darin, meinte er 1869, die verschiedenen Schulen in ihrer Entwicklung und, wenn möglich, die hervorragendsten Meister zu charakterisieren. Inwieweit Original oder Kopie anzustreben sei, werde sich wohl erst im Laufe der Zeit durch die Praxis entscheiden lassen, da es ungewiss bleibe, ob auf der einen Seite Originale zu haben seien, auf der anderen Seite Künstler, welche verlässige Kopien anfertigen würden[27]. Essenwein trat fortfahrend auch für die bereits geübte Teilung des Bestandes an Gemälden ein. In die Reihe der Bilder, welche den Entwicklungsgang der Malerei zu zeigen hätten, sollten nur solche aufgenommen werden, welche wirklichen Kunstwert besäßen, während diejenigen, welche durch die Darstellung das Interesse in Anspruch nehmen würden, anderweitig einzureihen wären, unter die Kostüme, das Kriegswesen oder die häuslichen und kirchlichen Altertümer.

So hartnäckig Aufsess an seiner Auffassung von der Bestimmung des Germanischen Museums festhielt, so hatte er doch auch die Möglichkeit gesehen, mit Hilfe der Gemälde, die als privater Besitz seines großen Gönners Ludwig I. in der Moritzkapelle ungenügend ausgestellt waren, den Grundstock zu einer Gemäldesammlung im Komplex des Germanischen Museums zu legen. Er verband seine am 1. Januar 1861 an Ludwig gerichteten Glückwünsche zum Jahreswechsel mit dem Vorschlag, unter „Vorbehalt aller und jeglicher Eigenthums- und Dispositionsrechte . . . diese königl. Bildersammlung in einem mit dem germanischen Museum zusammenhängenden, doch in sich abgeschlossenen und allein für die königlichen Bilder bestimmten Galerielokale", aufzustellen. Dem Saal für die Werke aus der Moritzkapelle sollte sich die Bildersammlung des Museums anschließen. Ein Grundriss für die geplante Gemäldegalerie", die sehr passend und zugleich wohlfeil, gut, trocken und hell mit Oberlicht hergestellt werden könnte", wurde dem Schreiben beigelegt. Die Kosten sollten sich auf mindestens 5000 Gulden belaufen, „will man etwas sehr Schönes und Gutes haben, höchstens auf das Doppelte". Für die Unterhaltung der Gebäude und das notwendige Aufsichtspersonal werde das Museum aufkommen. Gleichzeitig schlug Aufsess Ludwig I. vor, die von den Kunstvereinen angekauften Bilder lebender Künstler ebenfalls im Germanischen Museum auszustellen, „so daß mit der Zeit eine wahrhaft deutsche Nationalgallerie, ähnlich wie die britische in London, nur auf Deutschland beschränkt, entstehen würde". Trotz des Hinweises, daß der Großherzog von Sachsen-Weimar die Nationalgalerie nach Weimar ziehen wolle, lehnte Ludwig I. schon am 8. Januar 1861 mit der Begründung ab, daß er die geplanten Räume zur Unterbringung der Sammlung in der Moritzkapelle „durchaus für den Zweck nicht angemessen finde"[28].

So konnte der Gedanke der Einrichtung einer großen, die verstreut in Nürnberg untergebrachten Bestände zusammenfassenden Gemäldegalerie zunächst nicht weiter verfolgt und erst nach dem Tode Ludwigs I. und dem Ausscheiden des Gründers aus der Leitung des Museums verwirklicht werden.

1874 stellte Aufsess' Nachfolger August von Essenwein dem Magistrat von Nürnberg vor, daß die Stadt „keine der heutigen, noch der ehemaligen Bedeutung der Stadt entsprechende öffentliche Gemäldesammlung" besitze. Da auch das Germanische Museum unter den vielen Aufgaben, die ihm gestellt seien, die Verpflichtung habe, „der Geschichte der Kunst eingehende Aufmerksamkeit zu

---

[26] Archiv GNM, Jahreskonferenz 1872, Fasz. 736, S. 43. – Zu den Kopien nach Glas- und Wandmalereien vgl. auch S. 1004, Anm. 10 und Abb. 350.
[27] Vgl. Anm. 25.
[28] Archiv GNM, Jahresbeiträge 1853–1872, Fasz. 335. – Antwortschreiben Ludwigs I. vom 8. 1. 1861: Archiv GNM Fasz. 4, Nr. 24 a.

339. Ostbau, Obergeschoß des Friedrich-Wilhelm-Baues, Gemälde der niederländischen und italienischen Schulen, Kleinplastik und Medaillen. Zustand 1896

schenken und eine solche Galerie ins Leben zu rufen", müsse die Gründung gemeinsam mit Unterstützung durch die Staatsregierung vorgenommen werden[29].

Die Einrichtung einer Gemäldegalerie bedeutete für Essenwein einen weiteren Schritt in seinem Bemühen, sich behutsam vom Konzept des Freiherrn von Aufsess zu lösen, Aufgabe und Entfaltung der Sammlungen nach seinen eigenen Vorstellungen auszurichten. Dabei wußte er sich im Einvernehmen mit dem größten Teil der Mitglieder des Verwaltungsausschusses. Vor einer Kommission, in die auch die Stadt fünf Mitglieder entsandt hatte, gab er sein Programm für die zu errichtende öffentliche Gemäldegalerie bekannt: die Sammlung solle aus Ölgemälden, Aquarellen, Glasgemälden, Kartons, Handzeichnungen und Werken der vervielfältigenden Kunst bestehen, sie solle sich auf deutsche und niederländische Schulen beschränken; es werde anzustreben sein, daß die städtischen Sammlungen, die des Germanischen Museums, der Moritzkapelle, der Kgl. Burg, die noch in der Kunstschule verbliebenen Gemälde und jene, die aus der ehem. Landauergalerie in die hiesigen Kirchen gekommen seien, vereinigt werden, vermehrt um Geschenke und Erwerbungen aus in der Stadt bereits vorhande-

[29] Archiv GNM, Gemälde 1874–1891, 1. August 1874, Fasz. 77.

340. Ostbau, Obergeschoß des Viktoriabaus, Gemälde um 1500 und Medaillen, links die Kaiserbilder von Dürer, an der Stirnseite der Hochaltar der Nürnberger Augustinerkirche von 1487. Zustand 1896

nem Besitz. Der Staat müsse auch ersucht werden, wirklich gute Bilder aus den Depots in München und Schleißheim abzugeben. Da es kein geeignetes Lokal zur wirkungsvollen Aufstellung gebe, sei an die Errichtung eines neuen Gebäudes zu gehen. Dem Germanischen Museum als einem der hauptsächlich Beteiligten falle die Aufgabe zu, im Anschluß an die Kartause „einen nach allen Regeln der Kunst und mit Benützung aller Erfahrungen construierten Galeriebau zu errichten". Gleichzeitig müßten auch Räume für Zeichnungen und Kupferstiche geschaffen werden. Zur Anregung eines breiten Interesses für die Neuschöpfung sollten die an der Galerie mitwirkenden Institutionen das Recht erhalten, Verwaltungskommissare zu ernennen. Auch andere interessierte Einrichtungen und Vereine wie die Kunstgewerbeschule, der Künstler- und Albrecht-Dürer-Verein seien an der Leitung zu beteiligen, während Konservator und Aufseher vom Germanischen Nationalmuseum zu stellen wären. Für das allgemeine Publikum war die Öffnung an zwei halben Tagen in der Woche vorgesehen. Der Eintritt sollte kostenlos sein[30]. Um die angesprochenen Eigentümer zur Einbringung ihres Gemäldebesitzes in ein gemeinsames Unternehmen zu bewegen, scheint Essenwein in diesem An-

[30] Archiv GNM, Gemälde 1874–1891, 1. September 1874, Fasz. 77.

fangsstadium der Planung an die Gründung einer Galerie gedacht zu haben, die zwar im Areal des Germanischen Nationalmuseums zu errichten und durch dieses zu betreuen war, sonst aber nicht mit diesem identisch sein sollte und ihre Interessen selbständig zu verfolgen hatte. Aus dem Wortlaut der Vorschläge Essenweins geht eindeutig hervor, daß die Einbeziehung der niederländischen Malerei nichts mit pangermanischen Ansprüchen zu tun hatte, sondern aus Vorstellungen von einer umfassenden Gemäldegalerie hervorging, für die auf romanische Schulen ausgesprochenermaßen nur wegen der erkannten, unüberwindlichen Schwierigkeiten der Beschaffung verzichtet wurde.

Bereits 1875 zeitigten die Verhandlungen Essenweins mit Bürgermeister Christoph von Seidel und dem für die Kunstsammlungen zuständigen Magistratsrat Distel erste Früchte. Nach dem am 28. Oktober 1874 erfolgten Tod des städtischen Konservators, des Kupferstechers Heinrich Ludwig Petersen, wurde am 8. Februar 1875 beschlossen, die Ausstellung im kleinen Rathaussaal aufzulösen und die Sammlungen mit Ausnahme der Gemälde, der Nürnberger Madonna, dem Apollo Peter Flötners, dem Modell für das Gänsemännchen und der Stadtfahne dem Germanischen Museum zur Aufbewahrung und Präsentation zu übergeben. Nach Überwindung von Einsprüchen des Gewerbemuseums, das auf die kunstgewerblichen Stücke reflektierte, und eines Teils der Erben des Kaufmanns Johann Jakob Hertel, dessen Sammlung der Stadt testamentarisch vermacht worden war, wurde am 28. Mai 1875 ein Vertrag abgeschlossen[31]. Die Stadt mietete Räume im Museum, in denen die städtische Sammlung geschlossen untergebracht und zwei volle Tage in der Woche unentgeltlich zur Besichtigung freigegeben werden sollte. 1876 folgte ein Zusatzvertrag für weitere drei Säle und einen Kreuzgangflügel im Augustinerbau als Depot für den Besitz der aufgelösten Zünfte und das Kupferstichkabinett der Stadt. In einem letzten Zusatzvertrag vom 15. April 1877 wurde auch die Überführung der Gemäldegalerie und deren geschlossene Unterbringung im neuen Gemäldesaal geregelt, wobei alle Räume als von der Stadt gemietet galten. Wesentliche Voraussetzung für den Beschluß, auch die Gemäldegalerie im Museum unterzubringen, war die Bereitschaft der Reichsregierung, geplante Neubauten durch einen Zuschuß von 120000 Mark zu ermöglichen, und die Darlegung des höchsten Interesses sowohl der kaiserlichen Familie wie des Königs von Bayern durch Essenwein. Von Seiten der Stadt wurde betont, daß die Sammlung ein untrennbares Ganzes bleiben müßte. Im Mai 1880 erfolgte innerhalb des Museums die Überführung der städtischen Gemälde in den fertiggestellten Oberlichtsaal des neuen Viktoriabaus[32]. Für Essenwein kam es nun darauf an, die vgl. 340 Integrierung des städtischen Besitzes in die Sammlungen des Museums bei Wahrung der Eigentumsverhältnisse zu erreichen, um eine historische Ordnung des Materials in den Ausstellungsräumen möglich zu machen. Geschickt begann er damit, die Genehmigung zu erwirken, in den Räumen der Stadt auch Besitz des Museums aufstellen zu dürfen, um die Bedeutung Nürnbergs für die deutsche Kunst entsprechend würdigen zu können.

Am 8. Juni 1881 nahm er dann den Gedanken einer integrierten Gemäldegalerie in einem ausführlichen Schreiben an den Magistrat wieder auf. Seine Hauptargumente waren die Bedingungen der Staatsregierung für die Übergabe der Bilder der Moritzkapelle an das Museum, nach denen die „Kgl. Centralgemäldedirektion für sachgemäße systematische, sowohl das Kunstbedürfnis als jenes der Wissenschaft berücksichtigende Aufstellung der Gemäldegalerie" zu sorgen habe. Eine Ordnung nach Schulen sei vorgesehen. Entstehen könne eine Galerie, die „keine andere Stadt Deutschlands in ihrer Art zu bieten vermöge, würdig einer solch hervorragenden Kunststätte alter Zeit, würdig neben den großen Gallerien Wiens, Berlins, Münchens und Dresdens auf deutschem Boden genannt zu

---

[31] Stadtarchiv V^d, 5, 18 a.
[32] Stadtarchiv V^d, 4, 45. Dort auch das Material zu den folgenden Schritten Essenweins.

341. Ostbau, Oberlichtsaal über der Hohenzollernhalle in der Nordost-Ecke des Großen Kreuzganges (vgl. Abb. 226) mit altdeutschen Gemälden und Kleinplastik, links Werke von Hans Baldung Grien und Lucas Cranach, an der Stirnwand der Rahmen zu Dürers Allerheiligenbild von 1511. Zustand 1896

werden." Außerdem, betonte Essenwein, sei „das Direktorium des germanischen Museums ausdrücklich ermächtigt worden, bei seiner Mitwirkung nicht ausschließlich die sonst allgemein für seine Sammlungen geltenden Grundsätze zu vertreten ... sondern über den Rahmen seiner engsten Aufgabe hinauszugehen".

Das Herzstück der altdeutschen Abteilung der Burggalerie bildeten die Bilder, die Baurat Franz Keim auf zweifelhafter Rechtsgrundlage Nürnberger Kirchen entnommen hatte. Erst 1836 wurde eine Scheidung zwischen staatlichem, städtischem und kirchlichem Besitz wenigstens auf dem Papier vorgenommen[33]. Vier der kirchlichen Tafeln waren 1828 in die Moritzkapelle gelangt, weitere fünf wurden 1840 in die Landauergalerie übernommen. Zweiundvierzig Bilder blieben auf der Burg. Bei Aufhebung der Landauergalerie 1864 wurden die dortigen Bilder aus dem Besitz des vereinigten

[33] Landeskirchliches Archiv G, Fach 27, 7.

protestantischen Kirchenvermögens im Pfarrhof von St. Lorenz untergestellt, denen 1866 aus Anlaß der preußischen Besetzung der Stadt die kirchlichen Gemälde aus der Burg nachfolgten[34]. In die Überlegungen der Verwaltung des vereinigten protestantischen Kirchenvermögens unter dem Vorsitz von Pfarrer Heller über die weitere Verwendung der Gemälde griff Essenwein in einem langen, vom 2. Direktor Frommann und dem Lokalausschuß ebenfalls unterzeichneten Brief ein. Er warnte dringend vor dem in Erwägung gezogenen Verkauf, wies auf die Verdienste des Germanischen Museums zur Rettung von Nürnberger Kulturgut hin und erbat sich den gesamten Komplex als Leihgabe für das Museum[35]. Dem Antrag war nur insofern Erfolg beschieden, als der Verkauf unterblieb und das Museum einen Rest von fünfundzwanzig Bildern als Leihgabe erhielt, während die übrigen an Nürnberger Kirchen abgegeben wurden. Auf die Bereitschaft der Verwaltung, die fünfundzwanzig Bilder zum Preise von 500 Gulden käuflich zu überlassen, konnte das Museum, in ständiger Finanznot begriffen, nicht eingehen[36]. Ein neuer Versuch wurde 1881 und 1882 angesichts der bevorstehenden Eröffnung der vereinigten Gemäldegalerie im Germanischen Museum unternommen, doch wurde die Bitte, auch die 1867 an die Kirchen verteilten Bilder in die Galerie einzubringen, abgelehnt[37].

In München war mit Franz von Reber, der am 15. Oktober 1875 sein Amt antrat, erstmals kein Künstler, sondern ein Professor der Kunstgeschichte an die Spitze der königlichen Gemäldegalerie getreten. Essenwein fand in ihm einen verständnisvollen Verhandlungspartner. Schon am 7. Juni 1876 wurden auf seinen Antrag an das zuständige Ministerium des Innern dem Germanischen Museum 90 Bilder aus Staatsbesitz überlassen, die als Rest der Landauergalerie in Büros und Hörsälen der Kunstschule hingen. Die Übergabe erfolgte durch Reber und den Nürnberger Conservator der königlichen Sammlungen F. C. Mayer, der gleichzeitig Direktor der Kunstschule war[38]. Weiterer Zuwachs erfolgte im Februar 1877, als durch Reber 18 Teilstücke der von Peter Candid gemalten Decke des Kaisersaals der Münchner Residenz und weitere 112 Gemälde, fast ausschließlich Fürstenporträts, als Kostümbilder aus dem Depot in Schleißheim zur Verfügung gestellt wurden[39]. Es wurde damit einem Gesuch entsprochen, das Essenwein am 22. August 1868 im ersten Stadium seiner Pläne zu einer Erweiterung der Gemäldegalerie an König Ludwig II. gerichtet hatte[40]. Entscheidend für das Gesicht der neuen Galerie und die Krönung von Essenweins klug und hartnäckig geführten Verhandlungen war die Übergabe der in der Moritzkapelle ausgestellten Teile der Sammlungen Wallerstein und Boisserée unter dem Titel einer Filialgalerie. Am 17. Januar 1880 hatte Reber auf den Antrag des Germanischen Nationalmuseums hin ein Gutachten erstellt, das die Vorteile der Zusammenführung der Königlichen Staats- und Hausgut-Gemälde mit den bereits im Germanischen Nationalmuseum befindlichen ausführlich darlegte: „Würden sie in passender wissenschaftlicher Anordnung vereinigt, so könnten sie die Geschichte der altdeutschen Malerei wie kaum eine andere (Galerie) repräsentieren. Getrennt lückenhaftes Stückwerk, würden sie zusammengestellt ein bedeutsames Ganzes ergeben"[41]. Am 10. Juli 1880 wurde die Überführung durch das federführende Staatsministerium des Innern genehmigt. Voraussetzung für die Ausführung des Beschlusses war die Erstellung und Einrichtung entsprechender Räume im Museum.

[34] Landeskirchliches Archiv J, Fach 45, 26.
[35] Landeskirchliches Archiv J, Fach 45, 26.
[36] Landeskirchliches Archiv J, Fach 45, 26.
[37] Schreiben Essenweins an die Verwaltung des protestantischen Kirchenvermögens vom 19. Juli 1881 und 26. Februar 1882: Landeskirchliches Archiv G, Fach 28, 17. Abschlägige Antwort vom 14. März 1882: GNM Leihgabenakten.
[38] Verzeichnis der Gemälde des Landauerbrüderhauses, welche von der kgl. Directorial-Comission am 6. Juni 1876 an das germanische Museum unter Vorbehalt des Eigenthumrechtes des bayerischen Staates abgegeben worden sind: Registratur Staatsgemäldesammlungen 46/3.
[39] Archiv GNM, Gemälde, 1874–1891, Fasz. 77.

18, 374 Nach dem Einzug in die Kartause waren die Gemälde in der Kirche mit der Sakristei und der Kapelle auf der Südseite untergebracht. Dürers Porträt des Kaisers Maximilian I. hing im sog.

334 Kunstsaal über dem Refektorium, der etwas wie eine Musterausstellung mit Proben aus verschiedenen Abteilungen des Museums enthielt. Bereits der Wegweiser von 1861 erwähnt den Plan eines Anbaus an die bestehenden Mauern der Kreuzgänge, um eine eigene Galerie mit Oberlicht zu gewinnen. Den Anstoß zu einer Verbesserung der Aufstellung gab 1871 die Überlassung von Albrecht Dürers Bildnis des Hieronymus Holzschuher als Leihgabe der Nachkommen des Dargestellten. Es wurde Mittelpunkt eines Kabinetts, das über dem Westende des nördlichen Kreuzgangflügels errichtet wurde und über die Empore der Kirche zugänglich war. Zusammen mit dem Dürerporträt wurden die wenigen anderen Bilder der Nürnberger Schule gezeigt, die das Museum besaß. Vorher waren sie auf der Empore zu sehen, wo nun Bilder von kulturgeschichtlichem Interesse und Bucheinbände untergebracht wurden.

vgl. 226, 341 Als erster Schritt zur Einrichtung der erweiterten Gemäldegalerie wurde dem nördlichen Kreuzgang ein Stockwerk mit Oberlicht aufgesetzt. In dem langen Gang folgten sich die Bilder der hier untergebrachten städtischen Gemäldesammlung in zwei Reihen übereinander. Entscheidendes konnte geschehen, als es in den Jahren 1877 bis 1880 möglich wurde, dem östlichen Kreuzgang eine

229, 230 zweistöckige Gebäudegruppe vorzusetzen[41a]. In den Oberlichtsaal des nördlich gelegenen Viktoria-

340 Baus wurden 1880 die städtischen Gemälde transferiert. Als am 17. März 1882 die Gemälde aus der Moritzkapelle überführt wurden, standen der integrierten Gemäldesammlung im Museum auch das

339 Obergeschoß des südlich des zentralen Hofs gelegenen, nach dem deutschen Kronprinzen Friedrich-Wilhelm benannten Baus zur Verfügung.

Dem Vertrag gemäß hatte Reber bei der Aufstellung ein entscheidendes Wort mitzureden. So machte er schon in einem Brief vom 20. Februar seine Vorschläge: die Bilder sollten möglichst nicht an Schnüren hängen, da die obere Reihe, auf diesen Schnüren hängend, „schwabbelig" sei. Die oberdeutschen Altäre sollten auf grüner, die holländischen Bilder auf roter Bespannung hängen. Für den Hauptsaal schlug er vor: Dürers Holzschuher im Fond, Burgkmairs große Madonna und den Sebastiansaltar an die eine, die Dürer zugeschriebene Holzschuhersche Beweinung und die noch zusätzlich aus München ausgeliehene Beweinung Christi von Bartholomäus Zeitblom an der anderen Längswand. Neben dem Holzschuher sollten dann die beiden kleineren Madonnenbilder von Hans Holbein d. Ä. hängen. Außerdem empfahl Reber den Druck eines Katalogs der Gemäldesammlung[42]. Ganz zufriedenstellend scheint die Hängung nicht ausgefallen zu sein. Das Holzschuherporträt, als das wichtigste Stück der Sammlung, kam offenbar neben den großen Altarbildern nicht genügend zur Geltung. Reber schrieb deshalb am 30. Oktober an Essenwein: „Vielleicht finden Sie es nicht unmöglich, eine Staffelei gothisch zu monumentalisieren, so daß der Holzschuher eine Art von Tabernakel erhielt"[43]. Durch die Zusammenarbeit von Essenwein und Reber, die sich zu einem Verhältnis persönlicher Freundschaft entwickelte, konnte die notwendige Restaurierung zahlreicher Bilder, auch solcher aus kirchlichem Besitz, in München unter Aufsicht von Reber und des Schleißheimer Konservators Adolf Bayersdorfer von Alois Hauser durchgeführt werden. Später wurden auch an dessen Sohn, Alois Hauser d. J., Bilder zur Restaurierung nach Berlin gesandt.

---

[40] Registratur Staatsgemäldesammlungen 46/3.
[41] Archiv Staatsgemäldesammlungen V, M, 2.
[41a] Zu den Bauten für die Gemäldegalerie vgl. den Beitrag von Jörn Bahns, S. 357–469, bes. S. 399, 408–410 und Abb. 229–230.
[42] Schreiben Franz von Rebers vom 20. Februar 1882: Archiv GNM, Gemälde, 1874–1891, Fasz. 77.
[43] Archiv GNM, Gemälde, 1874–1891, 30. Oktober 1882, Fasz. 77.

Die Vermehrung des museumseigenen
Gemäldebestandes von 1862 bis 1920

Nachdem Essenwein sein Ziel, in Nürnberg eine Gemäldegalerie einzurichten, die der Bedeutung der Stadt entsprach, erreicht hatte, kam es nun darauf an, systematisch weiterzusammeln, die immer noch wenig bedeutende eigene Sammlung des Museums durch Erwerbungen zu vergrößern, um dadurch das Ganze weiter zu fördern. Bei den ersten Überlegungen zur Bildung einer Gemäldegalerie durch Zusammenführung der in Nürnberg verstreut vorhandenen Bestände war an eine gewisse Selbständigkeit der Sammlung gedacht worden. Die neue Einrichtung sollte nicht nur Teil des Germanischen Nationalmuseums und seines Programms sein, sondern eine Bildungsinstitution, wie sie in anderen Städten auch zu finden war. Obwohl die Umstände zu einer direkten administrativen wie räumlichen Anbindung an das Germanische Nationalmuseum geführt hatten, blieb doch die ursprüngliche Planung bestehen, die unter Verzicht auf die romanischen Schulen, aber bei Einbeziehung der holländischen, die Grenzen des deutschen Sprachraums überschritt. Nach diesem Programm wurde in den folgenden Jahrzehnten gekauft, wobei holländische Bilder, trotz der immer wieder geäußerten Bedenken eines Teiles des Verwaltungsrats, sogar bevorzugt ins Haus kamen, da Reber und später auch Wilhelm von Bode als Mitglieder diese Erwerbungspolitik förderten[44]. Ein Antrag Rebers zur Sitzung 1896, der Verwaltungsausschuß möge sich für Aufhebung der Beschränkung auf deutsche Bilder bei den Anschaffungen des Museums aussprechen, wurde von diesem selbst zurückgezogen und kam nicht zur Abstimmung. Nach ausführlicher Debatte, an der sich in Abwesenheit von Bode, der erkrankt war, außer dem Ersten Direktor des Museums Gustav von Bezold und Franz von Reber auch Alwin Schulz, Alfred Lichtwark, Ernst Dümmler, Jakob Heinrich von Hefner-Alteneck und Ernst Wagner beteiligten, wurde mit zehn zu sechs Stimmen ein Kompromiß gebilligt, nach dem „in erster Linie Gemälde des 16., des 17. und 18. Jahrhunderts zu erwerben (seien); nicht ausgeschlossen (sollten) gute Holländer und deutsche Werke bis zur Mitte des 19. Jahrhunderts sein"[45]. Aufsess selbst hatte vor seinem Rücktritt von der Leitung des Museums den Sammlungen noch einige gute Bilder des 15. Jahrhunderts, darunter drei Tafeln mit stehenden Heiligen von Friedrich Pacher (Gm 308–310), zwei weitere von einem Bamberger Nachfolger Michael Pleydenwurffs (Gm 132–133) und wahrscheinlich eine Anbetung der Könige von Melchior Feselein (Gm 326) als Leihgaben überlassen. Sie gingen später mit der gesamten Aufsess'schen Sammlung in den Besitz des Museums über.

Überblickt man die Ankaufspolitik Essenweins von Beginn seiner Tätigkeit 1865 bis zur Eröffnung der Gemäldegalerie 1882, so beschränken sich die Gemäldekäufe auf wenige Bilder des 15. Jahrhunderts, unter denen sich allerdings Stefan Lochners Kreuzigung (Gm 13) aus dem Besitz des Künstlers und Literaten Ernst Förster befand, der auch im Verwaltungsrat des Museums eine Rolle spielte. Der Kaufpreis wurde von König Ludwig II. erlegt, der sich aber weiteren ähnlichen Ansinnen des Museums entzog[46]. Als größerer Komplex kam im Tausch gegen den von Friedrich Wanderer ausgeführten und von Wilhelm von Kaulbach verbesserten Karton zu dessen Wandbild im Germanischen Museum Otto III. in der Gruft Karls des Großen eine Reihe von deutschen und niederländischen Bildern aus der Sammlung des deutschen Generalkonsuls in Messina, Dr. F. Bamberg, ins Museum. Unter den Altdeutschen war Derick Baegerts Christus vor Pilatus (Gm 37) von Bedeutung. Die Eröffnung der Galerie hatte die Nürnberger Gemäldesammlung in das Bewußtsein der Öffentlichkeit gerufen. 1883 wurde mit der Katholischen Kirchenverwaltung ein Leihgabenvertrag für neun

---

[44] Archiv GNM, Jahreskonferenz 1891, Fasz. 745, fol. 63^v.
[45] Archiv GNM, Jahreskonferenz 1896, Fasz. 748, S. 233.
[46] Schreiben des Hofsekretariats vom 2. Juni 1868: Archiv GNM, Jahresbeiträge 1853–1872, Fasz. 335.

Nürnberger Tafeln geschlossen, die von 1816–1879 zur Ausstattung der Frauenkirche gedient hatten. Bei der neugotischen Einrichtung durch Essenwein ausgeschieden, waren sie in der Elisabethkirche deponiert worden. Unter den Bildern befanden sich außer den Flügeln eines aus der Dominikanerkirche stammenden Altars des Wolgemutkreises (Gm 137–140) und einer Gregorsmesse, die dem Altar aus der Augustinerkirche nahesteht (Gm 154), die verstümmelten Innenseiten der Predella des Tucheraltars (Gm 120/21) und die Flügelaußenseiten des Hans Pleydenwurff zugeschriebenen Dreikönigsaltars in St. Lorenz (Gm 129/130). 1886 kamen als Geschenk des Leipziger Sammlers Eugen Felix sieben Bilder in das Museum, ein Dank für die Beratung durch den Konservator August von Eye, der 1880 auch einen Katalog der Sammlung verfaßt hatte[47]. Unter den Gemälden befanden sich Martin Schaffners Philippus und Jakobus (Gm 268/69), die hervorragende kleinere Ausführung von L. Cranachs Venus und Amor als Honigdieb (Gm 213) und vom Antwerpener Meister der Barbaralegende die Krönung Kaiser Friedrichs III. (Gm 100). Mit der Erwerbung der Waffensammlung Sulkowski gelangte 1887, als Porträt des Stephan Reuß, Rektor der Universität in Konstanz bezeichnet, das 1503 datierte Frühwerk Lukas Cranachs ins Haus (Gm 207). Noch war die Zuschreibung nicht ausgesprochen und lediglich die Identität mit der Hand der großen Schleißheimer Kreuzigung, die Grünewald zugeschrieben war, erkannt[48].

Die gezielten Bilderkäufe dieser Jahre galten in erster Linie der Erweiterung der Abteilung der Niederländer des 17. Jahrhunderts. Der größte Erfolg war die von Wilhelm von Bode durchgeführte Ersteigerung von Rembrandts Paulus aus der Sammlung Bodek-Ellgau in Heidenfeld (Gm 392). Die Erwerbung von zwölf Bildern holländischer und flämischer Meister aus der Sammlung des Heinrich Theodor Hoech in München folgte 1892 und im gleichen Jahr noch der Ankauf eines Porträts von Govaert Flink (Gm 398). Damit waren die Bemühungen, eine wirklich bedeutende niederländische Galerie aufzubauen, nicht zuletzt unter dem einsichtigen Druck der Mehrheit des Verwaltungsausschusses abgeschlossen, wenn auch vereinzelt noch in den folgenden Jahren außerdeutsche Bilder gekauft wurden, darunter 1900 das bedeutende Leinwandbild des Lukas van Leyden, Moses schlägt Wasser aus dem Felsen (Gm 80). Obwohl seit Beendigung des ersten Weltkriegs ein großer Teil der niederländischen Bilder des 15.–17. Jahrhunderts im Tausch abgegeben wurde, sehr spät noch der Lukas van Leyden[49], blieben der Galerie doch zwei nicht aus dem Umfang, aber aus der Qualität gewichtige niederländische Kabinette mit dem Frühwerk Rembrandts als Mittelpunkt. Erstmals wurden 1891 auch zwei Bilder des 19. Jahrhunderts angekauft: J. A. Kochs Bileam (Gm 490) und St. Georg (Gm 491). Beide Bilder verbrannten 1931 mit der Romantiker-Ausstellung im Münchner Glaspalast.

Gefeit vor Rückschlägen und versäumten Gelegenheiten war auch die Gemäldegalerie des Germanischen Museums nicht. Schon zwei Jahre nach der Eröffnung der Galerie, 1884, kaufte Bode aus dem Museum heraus Dürers Porträt des Hieronymus Holzschuher für die Berliner Gemäldegalerie. Der Verkauf geschah, wie der Familienälteste am 19. November 1884 an August von Essenwein schrieb, „mit wahrer Hast". Dem Germanischen Museum, das bereits 1872 ein Angebot gemacht hatte, wurde keine Gelegenheit gegeben, in die Verhandlungen einzutreten[50].

Mit dem Amtsantritt Gustav von Bezolds, 1894, konzentrierten sich die Neuerwerbungen wieder ganz auf die deutschen Maler des 15. und frühen 16. Jahrhunderts. 1909 gelang der Ankauf der

vgl. 342 Verkündigung des Konrad Witz zu einem erstaunlich niedrigen Preis, obwohl der Name des Künstlers als vermuteten Schöpfers des Werks bereits gefallen war (Gm 878). Zusammen mit der ehemaligen

---

[47] August von Eye und P. E. Börner: Die Kunstsammlung von Eugen Felix in Leipzig. Leipzig 1880.
[48] Archiv GNM, Jahresversammlung 1890, Fasz. 744, S. 161.
[49] Zur Erwerbung des Codex Aureus Epternacensis. Das Bild befindet sich jetzt in Boston (Mass.), Museum of Fine Arts.
[50] Leihgabenakten des GNM: Holzschuher.

Rückseite, der Begegnung an der Goldenen Pforte, in den Kunstsammlungen Basel, war das Bild bereits im Besitz der Eltern des Verkäufers, des Sachverständigen für alte Gemälde Carl Maurer, gewesen[51]. Eine weitere glückliche Erwerbung war ein Jahr später Hans Baldungs Maria mit dem Kind und dem Heiligen Geist (Gm 903). Mit der im Eigentum der Stadt Nürnberg stehenden Ruhe auf der Flucht nach Ägypten (Gm 344) bildete sie den Grundstock für die hervorragende Sammlung von Bildern des Meisters im Germanischen Museum. Neben den Altdeutschen findet sich eine ganze Reihe von Bildern des 19. Jahrhunderts unter den Neuerwerbungen: Friedrich Amerlings Ehepaar Eskeles (Gm 912, 913), Philipp Friedrich von Hetschs Tod des G. Papirius Carbo (Gm 911), eine Dorfschmiede von Hans Bürkel (Gm 979) und eine Landschaft von Karl Blechen (Gm 998). Solche Käufe entsprachen der vorgeschlagenen Erweiterung des Sammelzeitraums der Gemäldegalerie, trugen aber zur Zersplitterung der nach wie vor zu Ankäufen großen Stils unzureichenden Mittel bei.

Eine kritische Situation entstand 1910. Als Nachfolger Franz von Rebers war Hugo von Tschudi 1909 zum Direktor der Staatlichen Galerien in Bayern ernannt worden. In dem Bemühen, Versäumnisse nachzuholen, Ordnung in den Bilderbestand zu bekommen und die Pinakothek neu einzurichten, versuchte er, die Gemäldesammlung des Germanischen Museums grundsätzlich zu verändern und in einem großen Austausch der staatlichen Leihgaben auf fränkische Werte zu beschränken. Er betonte, daß die damit erreichte Verstärkung der Pinakothek „im nationalen Interesse liege und doch wohl eine Ehrensache der bayerischen Städte sein müsse". Tschudis Versuch scheiterte in heißen Debatten einer zweitägigen Sitzung am 20./21. Mai am einmütigen Widerstand des Verwaltungsrates. Der 2. Bürgermeister der Stadt Nürnberg, von Jäger, legte dabei die Abmachungen von 1882 vor, welche die Stadt bewogen hätten, ihren gesamten Bilderbesitz der Gemäldesammlung des Museums zu integrieren. Der Kommissar des Staatssekretärs des Reichsministeriums des Innern, Dr. Gallenkamp, machte geltend, daß eine Verminderung der Gemäldegalerie zu sehr unangenehmen Debatten im Reichstag führen und die Unterstützung des geplanten Neubaus für die Gemäldegalerie in Frage stellen könne. Eine Audienz bei Prinzregent Luitpold als dem Sohn Ludwigs I., des großen Förderers Nürnbergs und des Germanischen Museums, wurde erwogen. Tschudi gab nach. Eine Kommission, der vom Verwaltungsrat des Museums Wilhelm von Bode, Alfred Lichtwark, Franz von Reber und Woldemar von Seidlitz angehörten, brachte einen Kompromiß zustande, der in einem sachlich gerechtfertigten Austausch von Bildern die Interessen beider Institute wahrte. Der Tausch vereinigte u. a. Dürers Porträt des Oswolt Krel wieder mit den Wappenhaltern seines ehemaligen Verschlußdeckels und brachte Dürers Bildnis von Michael Wolgemut als vollgültiges Zeugnis der Porträtkunst des Meisters nach Nürnberg[52].

Der Ausbruch des ersten Weltkriegs erschwerte auch die Aktivitäten des Museums, doch wurde 1916 der Grundstein gelegt zu dem von German Bestelmeyer entworfenen Galeriebau nördlich des nördlichen Kreuzgangarms der Kartause, der durch den 1910 bereits erfolgten Ankauf des Beckh- 'schen Hauses mit zugehöriger Fabrik auf der Südseite des Kornmarkts ermöglicht wurde. Der neue, am 11. Dezember 1920 eröffnete Galeriebau war im Untergeschoß zwei-, im Obergeschoß dreischiffig angelegt, wobei die großen Mittelsäle Oberlicht aus hohen Klostergewölben empfingen. 285–298 61

Gustav von Bezold hatte Einrichtung und Eröffnung nicht abgewartet, sondern war, zahlloser Mißhelligkeiten und persönlicher Angriffe müde, am 1. 8. 1920 zurückgetreten, hatte aber in einer Denkschrift seine Pläne der Neuordnung des Museums vorgelegt und erläutert[53]. Dabei wurde die

---

[51] Schreiben Carl Maurer, München vom 22. Dezember 1909: Archiv GNM, Fasz. 103; vom 27. Januar 1910: Fasz. 104. Der Preis betrug zusammen mit einem Bild von Ph. F. Hetsch (Gm 911) 2500 Mark.
[52] Archiv GNM, Jahreskonferenz 1910, Sitzungsprotokoll mit allen Unterlagen, Fasz. 755.
[53] Gustav von Bezold: Die Neuordnung der Sammlungen des Germanischen Museums. (Nürnberg 1920). – Zur Errichtung des Neubaus für die Gemäldegalerie vgl. den Beitrag von Jörn Bahns, S. 470–488.

342. Galeriebau, Obergeschoß, Oberlichtsaal mit Malerei und Plastik des 15. Jahrhunderts, links die Verkündigung Mariae des Konrad Witz (um 1400–1445), an der Stirnseite Kreuzigungstafel des Meisters der Tegernseer Passionstafel, um 1445. Zustand 1921–1937; Photographie um 1930

Selbständigkeit der Gemäldegalerie als Sammlung hoher Kunst gegenüber den „Altertümern" der kulturhistorischen Abteilungen vertreten und ihre von diesen getrennte Unterbringung zusammen mit Werken der Plastik in dem für diesen Zweck errichteten und mit entsprechenden technischen Anlagen versehenen Neubau in Aussicht genommen.

Die Gemäldegalerie von 1920 bis zur Gegenwart

Gustav von Bezolds Pläne wurden von seinem Nachfolger Heinrich Zimmermann als Konzept übernommen. Mit der Berufung des Assistenten am Kunstgewerbemuseum in Berlin übernahm erstmals ein Kunsthistoriker die Leitung des Hauses. Vertraut mit den Schwächen der Gemäldesammlung, trachtete er danach, den Umzug der Galerie in das neue Gebäude zu nutzen, um durch gezielte Leihgabenwünsche an die staatlichen bayerischen Sammlungen Lücken zu schließen und mit der bis dorthin wenig beachteten Spätzeit des 16. Jahrhunderts neue Akzente zu setzen. Unter Hinweis auf den „gemeindeutschen" Charakter des Museums, der vom Verwaltungsrat scharf zum Ausdruck gebracht worden sei, und Betonung des Umstandes, daß bereits von den jetzt ausgestellten Bildern nicht nur der größte, sondern auch der wichtigste Teil aus bayerischem Staatsbesitz stamme, legte der Nachfolger Hugo von Tschudis, Friedrich Dörnhöffer, in einem Schreiben vom 6. November 1920 nahe, auch die übrigen deutschen Länder zur Ergänzung der Sammlungen heranzuziehen. Er „denke dabei in erster Linie daran, daß Berlin, solange der Neubau des Deutschen Museums nicht vollendet ist, gewiß über einen ansehnlichen Gemäldebestand verfügt, der dem Germanischen Museum wenigstens zeitweise überlassen werden könnte"[54]. Eine derartige Beteiligung der Länder, die

[54] Registratur Staatsgemäldesammlungen, Leihakt GNM.

den gesamtdeutschen Auftrag des Museums in einer für die Nation kritischen Zeit nach dem ersten Weltkrieg unterstrichen hätte, kam nicht zustande; dagegen entsprachen die Bayerischen Staatsgemäldesammlungen den Wünschen Zimmermanns mit einer Reihe von altdeutschen und manieristischen Bildern, nachdem bereits 1919 Gemälde aus der Kaiserburg, die bis dorthin zum Schmuck der Wohngemächer für die königliche Familie gedient hatten, dem Museum überlassen worden waren.

Wandlungen im Erscheinungsbild historischer Museen mit einer Ausrichtung auf künstlerische Qualität hatten, nicht unangefochten, bereits im letzten Jahrzehnt vor dem ersten Weltkrieg eingesetzt und auch Pläne und Erwerbungspolitik Gustav von Bezolds bestimmt. Dennoch forderte Wilhelm von Bode den Bau eines eigenen Museums für ältere deutsche Kunst, da das Germanische Museum in Nürnberg mehr eine kunstgewerbliche und kulturhistorische Sammlung sei[55].

Heinrich Zimmermann richtete das Museum endgültig auf die Darstellung der Entwicklungsgeschichte der deutschen Kunst aus. Die Gemäldesammlung wurde auch durch Abgaben aus eigenen Beständen und solchen aus anderen Abteilungen allein unter dem Gesichtspunkt künstlerischer Qualität ausgebaut. Die dabei erreichten Erfolge wären nicht möglich gewesen, wenn es Zimmermann nicht gelungen wäre, auch die Stadt Nürnberg zu Veränderungen in ihrem Kunstbesitz nach gleichen Prinzipien und zu finanziellem Engagement zu veranlassen. Für die Malerei der deutschen Renaissance glückte vor allem ein Ausbau des Bestandes an Gemälden Hans Baldungs. Der Überblick über den Manierismus wurde durch Ankauf von Werken Bartholomäus Sprangers, Hans von Aachens und Joachim Wtewaels erweitert. Durch die Erwerbung von Bildern des Jan Liss und Johann Heinrich Schönfeld kamen erstmals deutsche Bilder des 17. Jahrhunderts von Bedeutung ins Haus. Entscheidend für das Gesicht der Gemäldesammlung wurde der Ankauf einer großen Zahl von Bildern des 18. Jahrhunderts. Obwohl 1892 der Verwaltungsrat den „Plan des Direktors, auch die Epoche des Barocks und Rokokos in das Gebiet des Museums zu ziehen", gebilligt hatte, waren nur wenige und unbedeutende Gemälde dieser Epoche in das Museum gelangt[56]. Wie bei Baldung und den Manieristen war Zimmermann dem allgemeinen Interesse etwas zuvorgekommen und hatte noch vor der 1923 erfolgten Einrichtung des Wiener Barockmuseums im Unteren Belvedere, systematisch mit dem Ankauf vor allem von Ölskizzen deutscher und österreichischer Maler des 18. Jahrhunderts begonnen. Im Laufe von zehn Jahren gelang der Aufbau einer Sammlung, die neben dem Wiener Besitz bestehen kann und in Deutschland noch immer nicht überboten wird. Neben Franz Anton Maulpertsch, der mit zwölf Werken im Mittelpunkt steht und 1924 die erste wissenschaftliche Würdigung durch Otto Benesch erfuhr[57], sind die wichtigen der deutschen und österreichischen Barockmaler mit guten Bildern vertreten[58]. Unter dem Nachfolger Zimmermanns, Heinrich Kohlhaußen, wandelte die Gemäldesammlung ihr Gesicht nicht wesentlich, wenn sich unter den Neuerwerbungen auch Werke wie Januarius Zicks Familie Remy (Gm 1380) und zwei kleine Bilder von der Hand des Königsberger Malers des 17. Jahrhunderts Michael Willmann befanden (Gm 1401, 1402).

Wie Heinrich Kohlhaußen für die Bergung des Museumsgutes während des zweiten Weltkriegs zu sorgen hatte, war die wichtigste Aufgabe seiner Nachfolger Ernst Günter Troche und Ludwig Grote die Wiederherstellung und Einrichtung der schwer angeschlagenen Gebäude. Nur schrittweise konn-

[55] Peter Strieder: Wandlungen und Probleme einer kulturhistorischen Sammlung: In: Museumskunde Bd. 32 (1963), S. 69–76.
[56] Archiv GNM, Jahreskonferenz 1892, Bericht der Kommission für die kunst- und kulturhistorischen Sammlungen. Berichterstatter Wilhelm von Bode, Fasz. 745, fol. 104ᵛ.
[57] Otto Benesch: Maulbertsch. Zu den Quellen seines malerischen Stils. In: Städel-Jahrbuch 3/4 (1924), S. 107–176.
[58] Einen guten Überblick über die Sammeltätigkeit der Jahre 1921–1929 geben die beiden Bände Neuerwerbungen des Germanischen Museums 1921–1924, Nürnberg 1925 und Neuerwerbungen des Germanischen Museums 1925–1928, Nürnberg 1930, herausgegeben jeweils von der Direktion. – Zum Erwerb barocker Skulpturen vgl. S. 625–626.

343. Galeriebau, Obergeschoß, Oberlichtsaal mit Malerei des 18. Jahrhunderts. Zustand 1934–1937

ten die Gemälde wieder ausgestellt werden, wobei sich bei beschränktem Raum eine Verbindung mit Plastik und Kunstgewerbe von selbst empfahl[59]. Die barocke Abteilung fand seit Mai 1947 Aufstellung in der Neuen Residenz in Bamberg. Im September 1948 konnte die Ausstellung erweitert werden und schloß sich dem Überblick über die deutsche Malerei des Mittelalters und der Renaissance, den die Filialgalerie der Bayerischen Staatsgemäldesammlungen und der Eigenbesitz der Stadt Bamberg boten, an. Im Oktober 1950 war der Galeriebau vollständig hergestellt und beherbergte wieder die gesamte Gemäldegalerie. Nachdem das Obergeschoß für die Jubiläumsausstellung 1952 „Aufgang der Neuzeit" benötigt worden war, fand eine Umordnung mit besonderer Betonung der Nürnberger Kunst bis 1550 statt, die in allen ihren Äußerungen im Untergeschoß des Galeriebaus vereinigt wurde, während die Gemälde der übrigen deutschen Kunstlandschaften und der späteren Zeit im Obergeschoß zu sehen waren.

102, 103

    Ein neues Konzept brachte die großzügige Erweiterung des Museums seit 1962, zum Teil noch unter Ludwig Grote geplant und unter seinem Nachfolger Erich Steingräber ausgeführt. Die Gemäldegalerie wurde in mittelalterliche und neuzeitliche Epochen geteilt und entsprechend aufgestellt, wobei die Nürnberger Leistungen wieder integriert wurden. Für die frühere Zeit standen südlich der

---

[59] Für das Folgende vgl. die Jahresberichte GNM 91 (1944–1946) –97 (1951–1954), 1959–1961, die Tätigkeitsberichte 1962–1975 und die Erwerbungsberichte im Anzeiger GNM 1963–1975. – Zu den Neubauten vgl. auch S. 498–500.

Kartäuserkirche das ehemalige Refektorium des Klosters und eine neu errichtete Halle zur Verfü- vgl. 309
gung. Das Seitenlicht beider Räume erschwerte die Aufstellung, doch bot die neue Unterbringung die
Möglichkeit, das Fragmentarische der mittelalterlichen Tafeln als Teile größerer Altarzusammenhän-
ge deutlich werden zu lassen. Die mitausgestellte Plastik konnte, frei im Raum stehend, in dem ihr
zukommenden Seitenlicht gezeigt werden. Die Werke des 16. bis 18. Jahrhunderts wurden, vereint
mit der zugehörigen Plastik, im Obergeschoß des Galeriebaus untergebracht.

Das wachsende Interesse, das die Kunst des 19. Jahrhunderts nach dem zweiten Weltkrieg fand,
veranlaßte Erich Steingräber, den Sammelzeitraum des Museums bis in die Zeit des Expressionismus
als der letzten Epoche einer Kunstrichtung auf nationaler Basis auszudehnen. Angesprochen war
wiederum in besonderem Maße die Gemäldegalerie, die vor allem durch einige Erwerbungen Bezolds
zwar die Zeit des Klassizismus noch entsprechend belegen konnte, von Werken des fortschreitenden
19. Jahrhunderts aber nur einige, mehr zufällig in das Museum gelangte Stücke besaß. Dazu kam, daß
die besten der Gemälde, die nach dem Sammelauftrag von 1896 aus der ersten Hälfte des 19.
Jahrhunderts angekauft wurden, beim Brand des Münchner Glaspalastes verlorengegangen waren.
Wie Essenwein schon 1882 in der Einleitung zum Katalog dargestellt hatte, war der Aufbau einer
Galerie allein durch Ankäufe und Geschenke nicht möglich, da „die Mittel durch das Museum nicht
hätten aufgebracht werden können." Wiederum gab es nur die eine Möglichkeit, aus bereits bestehenden Sammlungen Bilder als Leihgaben zu gewinnen. Die Stadt Nürnberg griff helfend ein. Sie hatte
1920 mit dem Germanischen Museum eine Abgrenzung des Sammelzeitraums abgesprochen und die
Darstellung der Zeit nach dem Klassizismus als Aufgabe übernommen[60]. Für die dauernde Ausstellung des in den folgenden Jahren gesammelten Bestandes stand nach dem zweiten Weltkrieg kein
städtisches Lokal mehr zur Verfügung. Dem Germanischen Museum als Leihgabe überlassen, bildete
er den Grundstock der durch dieses Entgegenkommen ermöglichten Galerie des 19. und frühen 20.
Jahrhunderts. Eine Abrundung der Bestände wurde erreicht durch erbetene Leihgaben aus München,
Köln und Berlin, vor allem aber aus einer reichen Sammlung in süddeutschem Privatbesitz. Im Juli
1965 eröffnet und zunächst im Erdgeschoß des 1955–1958 errichteten Theodor-Heuss-Baus am
Kornmarkt untergebracht, gab die Galerie ein gutes Bild der Malerei des 19. Jahrhunderts in ihren
wichtigsten Strömungen und Vertretern.

Da die finanziellen Mittel weitgehend durch den Wiederaufbau in Anspruch genommen wurden,
war es mehr denn je notwendig, mit Neuerwerbungen gezielt Lücken zu schließen. Es gelang, eine
Reihe von Werken solcher Meister zu beschaffen, die bisher noch nicht in den Sammlungen vertreten
und zum Teil auch erst in jüngerer Zeit schärfer in das Blickfeld der Forschung getreten waren. Dazu
gehören Porträts von Christoph Amberger (Gm 1714), Barthel Beham (Gm 1611), Conrad Faber von
Kreuznach (Gm 1597), Jakob Seisenegger (Gm 1600), außerdem eine Allegorie auf Sündenfall und
Erlösung von Georg Lemberger (Gm 1601). Die Nürnberger Malerei des 15. Jahrhunderts konnte
durch eine Tafel mit Maria und dem Schmerzensmann vom Meister des Bamberger Altars erweitert
werden (Gm 1531), von der eine Kopie aus der Mitte des Jahrhunderts bereits bekannt war. Ein Werk
des Meisters des Bartholomäus-Altars, die Verlobung der hl. Agnes (Gm 1634), vermehrte bedeutsam
die Bilder der Kölner Schule. Ein Porträtdiptychon des Meisters Michel aus Danzig (Gm 1613) und
eine bemalte Tischplatte mit der Darstellung einer sagenhaften Schlacht Karls des Großen bei
Regensburg aus der Werkstatt Albrecht Altdorfers (Gm 1682), die zeitgenössische Darstellung eines
Hostienfrevels in Regensburg von 1476 auf zwei Altarflügeln (Gm 1806, 1807) wahren auch den
kulturhistorischen Aspekt der Sammlungen. Besonderes Augenmerk wurde auf die Verbesserung der

---

[60] Wulf Schadendorf: Zur Sammlungsgeschichte des Germanischen Nationalmuseums. Das erweiterte Sammlungsprogramm des Germanischen Nationalmuseums. In: Anzeiger GNM 1966, S. 142–172.

Vertretung des lange unterschätzten deutschen 17. Jahrhunderts gelegt, aus dem ein Stilleben von Georg Flegel (Gm 1564), zwei Bilder Hans Rottenhammers aus dessen venezianischer Zeit (Gm 1591, 1594), eine großformatige Landschaft Michael Willmanns (Gm 1614), zwei Passionsszenen von Johann Heinrich Schönfeld (Gm 1561, 1562) und eine Frühlingsallegorie von Johann Heiß (Gm 1673) erworben wurden. Für die Galerie des 19. und 20. Jahrhunderts konnten mit einer Gebirgslandschaft von Johann Christian Clausen Dahl (Gm 1639), einem Selbstbildnis von Ernst Ludwig Kirchner „der Trinker" (Gm 1667), einem Kopf in Schwarz und Grün von Alexej Georgewitsch Jawlensky (Gm 1671), einer Ansicht von St. Patroklus in Soest von Christian Rohlfs (Gm 1679) Akzente gesetzt werden.

Die wissenschaftliche Erfassung der Gemäldesammlung setzte nach der vorausgehenden Aufzählung in der Denkschrift und der Behandlung einzelner Stücke im Anzeiger für Kunde der deutschen Vorzeit 1861[61] 1882 mit der ersten Auflage des von Franz von Reber und Adolf Bayersdorfer bearbeiteten Katalogs ein[62], der 1893 in der dritten Auflage erstmals mit Abbildungen erschien. Durch drei Mappen mit Photographien nach den bedeutendsten Gemälden der Sammlung, die von der Augsburger Firma Friedrich Höfle 1895 herausgegeben und von Theodor Hampe mit einem Vorwort versehen worden waren, wurde der Gemäldebestand für das private Interesse wie für die Forschung weiterhin erschlossen[63]. Die 1909 vorgelegte Auflage des Katalogs wurde von Heinz Braune, damals Kustos an der Alten Pinakothek, bearbeitet und dem Stand der regen Forschung zur altdeutschen Malerei angeglichen[64]. 1934 erschien, bearbeitet von Eberhard Lutze, erstmals ein Sonderkatalog der inzwischen zu einem beträchtlichen Umfang angewachsenen Sammlung der Gemälde des Barock und Rokoko[65]. Eine Neubearbeitung des älteren Bestandes aus hervorragender Kenntnis des Materials durch Eberhard Lutze und Eberhard Wiegand gelangte 1936/37 nur in einer beschränkten Zahl von Exemplaren zur Ausgabe, während der Rest der Auflage im zweiten Weltkrieg in Leipzig verbrannte[66].

Einen wesentlichen Beitrag zur Erforschung der Nürnberger Malerei bot das Germanische Museum durch einige Ausstellungen, die den Zeitraum von 1350–1550 umgriffen: am bedeutsamsten
73 wegen der fast lückenlosen Zusammenstellung des Materials wohl die 1931 der Nürnberger Malerei von 1350–1450 gewidmete[67], vorausgehend 1928 die Einbeziehung der Stilstufen Hans Pleydenwurffs
vgl. 70–72 und Michael Wolgemuts in die Ausstellung anläßlich des 400. Todestages Albrecht Dürers[68], abschlie-
vgl. 109 ßend 1961 ein Überblick über die Produktion der Dürerschule[69]. War schon diese Darstellung der Kunst im unmittelbaren Umkreis Dürers nicht mehr ausschließlich auf die Gemälde ausgerichtet gewesen, sondern im großen Umfang auch die graphische Produktion im Einzelblatt wie im Buchschmuck herangezogen worden, so war es bei den Vorbereitungen für eine Ausstellung anläßlich des 500. Geburtstags Albrecht Dürers klar, daß es nicht möglich, ja nicht einmal wünschenswert sei, sich
122–126 auf die Darstellung Dürers als Maler zu beschränken. In Zusammenarbeit aller Abteilungen des

---

[61] Vgl. Anmerkungen 20 und 21.
[62] Vgl. Anmerkung 1.
[63] Theodor Hampe: Die Gemälde-Sammlung des Germanischen Museums in Nürnberg. In Original-Photographien hrsg. von Friedrich Höfle. Nürnberg [1895].
[64] Katalog der Gemälde-Sammlung des Germanischen Nationalmuseums in Nürnberg. 4. Auflage. Nürnberg 1909.
[65] Katalog der Gemälde des 17. und 18. Jahrhunderts im Germanischen Nationalmuseum zu Nürnberg. Text- und Bildband. Nürnberg 1934.
[66] Vgl. Anmerkung 2.
[67] Katalog der Ausstellung Nürnberger Malerei 1350–1450 im Germanischen Museum Nürnberg, Nürnberg 1931. – Nürnberger Malerei 1350–1450. A. Eberhard Lutze: Die Buchmalerei. B. Ernst Heinrich Zimmermann: Die Tafelmalerei. In: Anzeiger GNM 1930/31, S. 5–225.
[68] Albrecht Dürer-Ausstellung im Germanischen Museum. Nürnberg 1928. 1.–3. Auflage.
[69] Meister um Albrecht Dürer. Ausstellung im Germanischen Nationalmuseum. Nürnberg 1961 (= Anzeiger GNM 1960–1961).

Museums wurde deshalb eine Ausstellung geschaffen, die an Hand von Originalwerken aus allen Schaffensgebieten Dürers Stellung in den geistigen und künstlerischen Strömungen seiner Zeit deutlicher werden ließ, als dies mit einer Darbietung von Einzelaspekten der Persönlichkeit möglich gewesen wäre. Die Ausstellung fand im Obergeschoß des Galeriebaus statt, das im Rahmen der Erneuerung und Erweiterung des Museums auch unter Berücksichtigung der konservatorischen Belange umgebaut worden war[70]. Eine weitere Ausstellung von Malerei und Graphik der Dürerzeit aus Beständen des Museums schloß sich bis Ende des Jahres 1971 an[71]. Im Juli 1972 wurde die Gemäldesammlung von der Renaissance bis zum Barock in gemischter Aufstellung mit der gleichzeitigen Plastik als Teil der gesamten Neuordnung des Museums wieder im Obergeschoß des Galeriebaus präsentiert. Neuland betrat die Ausstellung Barock in Nürnberg[72]. Zur Förderung der Forschung zur deutschen Malerei hat die Gemäldegalerie durch Leihgaben an wissenschaftlich fundierte Ausstellungen auch außerhalb des Hauses stets beigetragen.

110

Seit 1882 sind Gemäldekomplexe verschiedener Herkunft und unterschiedlichen Eigentums im Germanischen Museum vereinigt. Der Bestand dieser Gemäldesammlung ist nicht immer ungefährdet gewesen, doch hat die Einsicht der Verantwortlichen Veränderungen zum Schaden des Ganzen verhindert. Die Überzeugungskraft des im Laufe von mehr als hundert Jahren in Stufen Geschaffenen dürfte auch in Zukunft der beste Garant für einen ungeschmälerten Weiterbestand sein.

[70] Zur Ausstellung erschienen ein umfangreicher wissenschaftlicher Katalog (1471 Albrecht Dürer 1971. München 1971) und ein Kurzführer in deutscher, englischer und französischer Sprache. Wissenschaftliche Besprechungen erschienen u. a. in folgenden Zeitschriften: The Burlington Magazine 113 (1971), S. 484, 487–488 (Michael Levey, Christopher White). – Pantheon 29 (1971) 336–339 (Gisela Goldberg). – Das Münster 24 (1971), S. 254–255 (Dieter Kuhrmann). – Kunstchronik 24 (1971), S. 281–292 (Karl Arndt). – Commentari 22 (1971), S. 289–304 (Roberto Salvini). – The Art Quarterly 35 (1972), S. 305–310 (Donald Louis Ehresmann). – Master Drawings 10 (1972), S. 382–385 (John Rowlands). Außerdem wurde die Ausstellung in allen bedeutenden Tageszeitungen der Bundesrepublik Deutschland und in zahlreichen ausländischen Presseorganen ausführlich gewürdigt. Vgl. auch den Bericht über das Dürerjahr im Anzeiger GNM 1971/72, S. 8–10.
[71] Malerei und Graphik der Dürerzeit. (Führer durch die Ausstellung). Nürnberg 1971.
[72] Barock in Nürnberg 1600–1750. Ausstellung im Germanischen Nationalmuseum. Nürnberg 1962 (Anzeiger GNM 1962).

HEINZ STAFSKI
Die Skulpturensammlung

Das Fundament der Skulpturenabteilung bilden jene Werke, die Hans von und zu Aufseß 1850 aus eigenem Antrieb im privat gemieteten Tiergärtnertor-Turm in Nürnberg ausgestellt hatte, noch bevor die 1852 nach Dresden einberufenen Geschichts- und Altertumsforscher seiner Sammlung den nationalen Charakter zuerkannten, den Aufseß als verbindlichen Auftrag zu weiterem Ausbau empfand. Die Großskulpturen waren auf mehrere Säle der einzelnen Turmgeschosse verteilt, wenn diese auch vom Schwerpunkt der Exponate her eine spezielle Namengebung erhielten: „Waffenhalle" oder „Bilderhalle". Ein Teil des Bestandes ist auf den Raumansichten nach Xylographien erkennbar, die dem ersten, 1853 erschienenen „Wegweiser"[1] beigegeben sind. In der Waffenhalle sehen wir z. B.

6 die beiden lebensgroßen, dürerzeitlichen Reliefgruppen des „Meisters von Ottobeuren", die ihr akzentuierendes Gewicht noch in der heutigen Schausammlung geltend machen (Josephi Nr. 380/81, Taf. 44), ferner den bogenförmigen Rahmen mit Majestas Christi und den Aposteln (Josephi Nr. 434).

7 Identifizierbar in der „Bilderhalle" ist eines der beiden Flügelreliefs, die von einem schwäbischen Schnitzaltar um 1500 stammen (Josephi Nr. 354/55 mit Abb.). Die Textbeschreibungen des Wegweisers, so ungenügend sie auch im einzelnen sind, lassen weitere Skulpturen erkennen, die sich bis heute erhalten haben. Indessen ist es zweckmäßiger, sich für die Rekonstruktion des anfänglichen Zustandes auf den „Organismus" von 1856[2] zu verlassen, der eine katalogartige Erfassung der Objekte mit Datierungsversuchen und Maßangaben liefert, also eine erste und zitierbare Bestandsaufnahme bildet. Hier wird „Eine Reihe von 10 Heiligen. – Relief, bemalt und vergoldet, H. 6 Fuß . . .; 16. Jht." genannt. Diese große Tafel ist wohl identisch mit einem ähnlich im Wegweiser beschriebenen „Hautrelief aus dem 15. Jahrhundert"[3] und hat sich als Mittelteil eines Tiroler Flügelaltars erhalten, der heute in der „Mittelalterhalle" untergebracht , auch in neueren Bearbeitungen der Tiroler Schnitzkunst Beachtung gefunden hat (Josephi Nr. 411, Taf. 48). Die Kleinskulpturen waren dem Bibliotheks- und Archivbau am Paniersberg zugeteilt und dort in Vitrinen ausgestellt. Zum hier versammelten Urbestand gehörten 16 Elfenbeine, von denen 9 im Skulpturenkatalog von 1965 aufgeführt, bzw. als vorhanden gemeldet werden.[4] Frühestes Stück dieser Materialgattung ist eine byzantinische Kreuzigung, die im Organismus schon richtig „um 1000" datiert ist (Stafski Nr. 203). Sonst handelt es sich großenteils um rheinische und französische Reisealtärchen, bzw. Fragmente von solchen. Aus Bein gefertigte Schachfiguren (Stafski Nr. 212, 213), ein Messergriff aus Hirschhorn (Stafski Nr. 214), Goldschmiedemodelle aus Blei (Edeldame und Ritter)[5], und die Brunnenfigur aus

---

Die im Text aufgeführten Skulpturen werden nach den Katalogen der Skulpturensammlung nachgewiesen:
Josephi = Walter Josephi: Die Werke plastischer Kunst. (Kataloge des Germanischen Nationalmuseums). Nürnberg 1910.
Stafski = Heinz Stafski: Die mittelalterlichen Bildwerke, Bd. 1: Die Bildwerke in Stein, Holz, Ton und Elfenbein bis um 1450. (Kataloge des Germanischen Nationalmuseums). Nürnberg 1965.

[1] August von Eye: Das Germanische Museum. Wegweiser durch dasselbe für Besuchende. H. 2, Kunst und Alterthum. Leipzig 1853, Abb. nach S. 4, 8 und 10.
[2] Organismus GNM, 2. Abt., S. 77–88.
[3] Organismus GNM, 2. Abt., S. 85. – Wegweiser GNM 1853, H. 2, S. 8.
[4] Wegweiser GNM 1853, H. 1, S. 37/38. – Organismus GNM, 2. Abt., S. 86–88. – Stafski Nr. 203, 215, 218, 219, 222, 225, 227, 228, 231. – Zur Elfenbeinsammlung vgl. auch S. 712–713.
[5] Organismus GNM, 2. Abt., S. 83 mit Abb.; Inv. Nr. Pl. 428/29.

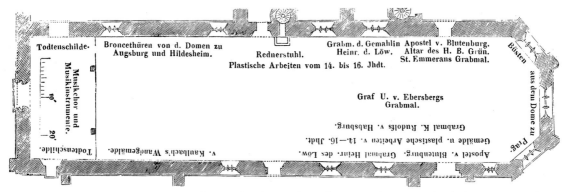

344. Grundriß der Kirche mit Bezeichnung der dort aufgestellten Gipsabgüsse nach Skulpturen. Aus dem Wegweiser GNM von 1860

Bronze, Bauer mit Deckelkrug und Brotlaib (Josephi Nr. 161 mit Abb.), zeugen von der Ausdehnung des Sammelinteresses auf das Gebiet des Profanen, dessen Aufschließung dieser Epoche des beginnenden Historismus am Herzen lag. Mit Leopold von Ranke (1795–1886) wollte man wissen, „wie es eigentlich gewesen" sei. Weitere Kleinbildwerke aus Speckstein und Alabaster erweisen das ausgreifende, alle Materialgattungen und Sammelgebiete umfassende Dokumentationsziel. Dem Museumsgründer war der historische Belegcharakter für die „Allgemeine(n) Cultur- und sociale(n) Zustände"[6] wichtiger als die ästhetische Qualität.

Hatte das Interesse an den historischen Reliquien seiner Familie und seiner engeren Heimat ursprünglich die Sammelleidenschaft des fränkischen Freiherrn angeregt, so wird in der Ausweitung und Ordnung der im Tiergärtnertor dargebotenen Bestände schon das übergreifende Konzept eines Nationalmuseums erkennbar. Hans von Aufseß, der 1832 mit seiner Sammlung nach Nürnberg übergesiedelt war, um sie vorübergehend im Scheurlschen Haus in der Burgstraße auszustellen, hatte schon der ersten von ihm einberufenen Versammlung von Kunst- und Altertumsfreunden Statuten vorgelegt, in denen von Originalen und Kopien die Rede war. Da seiner Intention die Unterordnung der künstlersichen Ausdrucksform unter den kulturhistorischen Mitteilungswert entsprach, nimmt es nicht Wunder, daß er in der Darbietungspraxis seiner seit 1850 im Tiergärtnertor und im Toplerhaus wiedererrichteten Sammlung keine Trennung von Originalen und Nachbildungen – hauptsächlich in Gips – vornahm. Gipsabgüsse wurden seit der öffentlichen Anerkennung des Museums 1852 käuflich erworben und auch in eigener Werkstatt gefertigt, die ständig mehrere junge Künstler beschäftigte, die aus dem vertrauten Umgang mit der Kunst der Vergangenheit nicht zuletzt für eigenschöpferische Ziele Gewinn ziehen sollten. Im „Organismus" von 1856[7] sind unter den Werken aus Metall u. a. „Die Reliefs der Broncethüren des heil. Bernward am Dom zu Hildesheim", „Die Reliefs der alten Broncethüren im Dom zu Augsburg" sowie „Die Apostel vom Sebaldusgrabe zu Nürnberg v. P. Vischer" als Gipsabgüsse erwähnt. Wie bei anderen Kunstgattungen, so sind in die Inventarisierung auch Kupferstiche und Skizzen nach den originalen Denkmälern gleichrangig aufgenommen, hier z. B. Georg Christoph Wilders (1797–1855) zeichnerische Aufnahmen des Sebaldusgrabes. vgl. 411

[6] Organismus GNM, 2. Abt., S. 66.
[7] Organismus GNM, 2. Abt., S. 82.

345. Kirche mit dem Fresko Wilhelm von Kaulbachs von 1859 „Otto III. in der Gruft Karls des Großen", in der Mitte Abguß des Braunschweiger Löwen, dahinter der Hildesheimer Bernwardssäule und der Bestiariumssäule aus der Krypta des Domes zu Freising, ganz links der Hildesheimer Bronzetüren. Lavierte Bleistiftzeichnung von Ludwig Braun (geb. 1836), nach 1868, Ausschnitt aus Abb. 24

Wie kam es zum Einsatz der Gipsabgüsse für museale Zwecke in diesem Umfang? Gipsabgüsse, die temporären Zwecken dienten oder als Bildhauermodelle Verwendung fanden, waren schon in der Antike gebräuchlich.[8] Das Mittelalter vernachlässigte diesen bequemen und billigen Weg des Abformens. Die italienische Renaissance beschritt ihn wieder, indem sie die Werke der Antike reproduzierte. Seitdem beauftragten kunstsinnige europäische Fürsten in ihrem Dienst stehende Künstler mit dem Aufbau von Abgußsammlungen; gegen Ende des 17. Jahrhunderts legten auch die Kunstakademien solche an. In Deutschland erhielt Dresden als Geschenk des Anton Raphael Mengs (1728–79) zuerst eine große Sammlung mit Gipsreproduktionen nach Skulpturen der Antike; Goethe verdankte ihr entscheidende Anregungen. Zuweilen wurden in solche Sammlungen auch Abgüsse nach Skulpturen der italienischen Renaissance aufgenommen. Zu Anfang des 19. Jahrhunderts bewog der rheinische Kunstsammler Sulpiz Boisserée (1783–1824) den Bildhauer Christian Daniel Rauch (1777–1857), in die von König Friedrich I. gegründete Antikensammlung auch Abgüsse nach mittelalterlichen Skulpturen aufzunehmen. Die denkmalpflegerische Hinwendung der Zeit zu den Bauten des Mittelalters bot Gelegenheit, Abformungen vorzunehmen. Stimulierend für den Eifer, den Aufseß in der Beschaffung von Kopien für das Germanische Nationalmuseum entwickelte, waren französische Bemühungen um die Inventarisierung der historischen Monumente. Aufseß berichtete schon im „Anzeiger" vom Januar 1832[9]: „Ja die Regierung von Frankreich geht so weit, in ihre Kunstschulen und Museen Abgüsse von Bildhauerarbeiten des Mittelalters aufzunehmen, um, nach ihrem eigenen Ausdruck zu sprechen, den lebendigen, volksthümlichen Geist wieder zu erwecken, der durch die Kälte und Einförmigkeit der Antiken längst verbannt wurde." Bezeichnend in diesem Zusammenhang ist die polemische Äußerung gegen die Antike.

Eine neue Phase des Aufbaus begann mit der Übersiedlung der Sammlung in das Kartäuserkloster 1857. Was die Erweiterungsmöglichkeiten für die Skulpturenabteilung anbelangte, so kam der Raumgewinn vornehmlich den Gipsabgüssen zugute. Die Gipsformerei machte den Umzug mit, sie produzierte nicht nur für den eigenen Bedarf, sondern betrieb einen lebhaften Tausch mit anderen Instituten. Der auf solche Weise geförderte Zuwachs sollte, zusammen mit den käuflich erworbenen und den gestifteten Abgüssen monumentalen Formats, noch zu einem Problem werden. ⟨16⟩

Wie die Skulpturen, Originale und Kopien, gegen Ende der Amtszeit des Museumsgründers, also im Jahre 1862, im Kartäuserkloster untergebracht waren, darüber gibt der Wegweiser von 1861 Auskunft.[10] Vom Vorhof an der Kartäusergasse betrat man den nördlichen Kreuzgang, der als „Grabsteinhalle" eingerichtet war und gegen Ende der Aufseßaera dreizehn Grabdenkmäler, vor- ⟨15⟩ nehmlich von Fürsten und Bischöfen enthielt; darunter befand sich nur ein Originalmonument, das der 1294 gestorbenen Anna Groß (Stafski Nr. 20). Alle übrigen waren Nachbildungen in Gips. Von diesem Kreuzgang aus betrat man die als „Kunsthalle" eingerichtete Kartäuserkirche, in der die ⟨344, 345⟩ großen Formate aller Kunstgattungen untergebracht waren: Gemälde, Wirkteppiche, Skulpturen; von den beiden ersterwähnten natürlich nur Originale, während die Skulpturen wieder mit Abgüssen untermischt waren, die durch das Übergewicht ihrer Volumina das Gesamtbild beherrschten. Es befanden sich, wie schon im Tiergärtnertor-Turm, darunter Nachbildungen der Bronzetüren der Dome von Augsburg und Hildesheim. Der Kirche war darüber hinaus eine besondere Rolle zugedacht. Das 1857 von Kaulbach erstellte Wandgemälde mit der Öffnung der Gruft Karls des Großen ⟨17⟩ durch den jungen Kaiser Otto III. sollte ursprünglich nur den Auftakt für einen Zyklus historischer Gemälde bilden und aus der Kirche eine Ruhmeshalle der deutschen Geschichte machen. Dieser

---

[8] Walter Schürmeyer: Abguß. In: Reallexikon zur deutschen Kunstgeschichte. Hrsg. von Otto Schmitt. Bd. 1. Stuttgart 1937, S. 70–78.

[9] Hans von und zu Aufseß: Vorwort des Herausgebers. In: Anzeiger für Kunde des deutschen Mittelalters. Jg. 1 (1832), Sp. 3.

[10] Wegweiser GNM 1861, S. 5–14.

Absicht dienten wohl auch die für die Kirche bestimmten Abgüsse nach den Grabdenkmälern Kaiser Rudolfs von Habsburg, des Welfenherzogs Heinrich des Löwen mit Gemahlin, und Kaiser Karls IV.,

18, 34   des Förderers Nürnbergs, der mit seinen Gemahlinnen in der Kirche durch Nachbildungen der entsprechenden Prager Triforiumsbüsten vertreten war. Als unter August von Essenwein noch der

345   gewaltige Löwe des Welfenherzogs Heinrich auf hohem Sockel mit Blick auf das Kaulbachgemälde aufgestellt wurde, war ein Raumakzent gesetzt, der den Zweck der Einstimmung vollendete. An Originalskulpturen finden wir in der Kirche, wie von Aufseß sie einrichtete, einiges aus dem Turm des Tiergärtnertors Bekannte wieder, vor allem die beiden Reliefgruppen des Meisters von Ottobeuren.

Der Zuwachs an Originalskulpturen ergibt sich bei einem Vergleich des Wegweisers von 1861 mit der Denkschrift von 1856. Während dieser Zeitspanne waren mehrere Großskulpturen und Altäre

374, 375   hinzugekommen, die zum Teil auch in der Kapelle neben der Kirche Platz fanden. Ein spätgotischer Schrein mit der Verlobung der Hl. Katharina (Josephi Nr. 251, Taf. 24) darf heute, ebenso wie das um 1350 zu datierende Vesperbild aus dem Kölner Dom (Stafski Nr. 196), noch als bedeutende Erwer-

334   bung der Aufseßzeit gelten. Die Kleinskulpturen waren unter Aufseß im „Kunstsaal", der nicht mit der „Kunsthalle" identisch war, vereinigt, einer Räumlichkeit, die wie am Paniersberg dem Archiv und der Bibliothek zugeordnet war und Gegenstände aus Bein, Horn, Alabaster, Blei, Ton umfaßte.[11] Den Bauer mit Deckelkrug und Brotlaib (Josephi Nr. 161 mit Abb.) allerdings finden wir, ebenso wie

388   die Schachfiguren (Stafski Nr. 212/213) in der Frauenhalle, dem alten Klosterrefektorium, wieder, die als Aufbewahrungsort alles dessen gedacht war, was dem häuslichen Leben angehört. In den „Krisen-jahren" von 1862 bis 1866 waren an Gipsabgüssen nach den Originalen im Hildesheimer Dom noch

24, 34,   hinzugekommen die Bernwardssäule und das Taufbecken, beides Stiftungen König Georgs V. von

345   Hannover, und als solche für würdige Standorte ausersehen: die Säule für einen zentralen Platz in der Kirche und das Taufbecken als Zentrum der Kapelle neben der Kirche.

Beim Rücktritt des Museumsgründers 1862 überwog unter den Großskulpturen die Anzahl der Gipse die der Originale bei weitem. Diese Relation setzte sich bis in die Zeit Essenweins fort, in der

15, 346,   zunächst der südliche und später auch der rekonstruierte östliche Kreuzgangflügel zugänglich

347   gemacht wurden, um vorzugsweise Grabdenkmäler aufzunehmen. Den erheblichen Zuwachs an diesen Objekten verdankte man einem Appell an den Standesstolz der Territorialfürsten, die als Nachkommen der unter den Originalen Bestatteten aufgefordert wurden, durch Stiftung von Abgüssen für den Ruhm ihres Geschlechts zu sorgen[12]. Originale und Kopien waren ungetrennt zusammen aufgestellt. Die Einsicht, daß dies nicht unproblematisch sei, reifte bereits unter August von Essenwein (1866–92), dem „zweiten Gründer" des Museums, heran. Die Absonderung der Gipse von den Originalen – die Grabdenkmäler waren in den Kreuzgängen schon unter sich – konnte endlich

230, 233,   stattfinden, nachdem mit Hilfe des Kaiserhauses 1877–80 im Anschluß an den östlichen Kreuzgang

348, 349   zwei große, nach dem preußischen Kronprinzenpaar benannte Hallenbauten errichtet wurden, welche für die Aufnahme der Gipsabgüsse nach ihrem Abzug aus den historischen Gebäuden

40, 231,   bestimmt waren. Der „Viktoriabau" nahm die Nachbildungen der romanischen und der „Friedrich-

232, 234   Wilhelmbau" die der gotischen Denkmäler auf. In einem „Programm für die plastischen Sammlun-gen" von 1876 forderte Essenwein: „Räume müssen in der Stilform errichtet werden, welche den einzelnen Gruppen der Skulpturen entsprechen"[13]. Folglich war der Viktoriabau mit Kreuzgratge-wölben und Rundbogenfenstern, der Friedrich-Wilhelmbau mit Rippengewölben und Spitzbogen-fenstern versehen. Seit 1880 finden wir in den neuen Gipshallen des Germanischen Nationalmuseums diejenigen Monumente wieder, die ihre erborgte Größe vorher in der Kartäuserkirche präsentierten:

[11] Wegweiser GNM 1861, S. 25–29.
[12] Hampe, Festschrift GNM, S. 116.
[13] Archiv GNM Altregistratur II, Fasz. 5, Nr. 2,1.

346. Grabmalhalle im östlichen Flügel des Großen Kreuzganges mit Abgüssen der Grabdenkmäler Wolf-hards von Roth im Augsburger Dom († 1302), des Mainzer Erzbischofes Peter von Aspelt († 1320) und seines Nachfolgers Mathias von Bucheck († 1328), beide aus dem Mainzer Dom, des Grafen Gottfried von Fürsten-berg († 1341) aus der Kirche in Haslach im Schwarzwald, König Günthers von Schwarzburg († 1349) aus dem Dom zu Frankfurt am Main etc. Zustand in den neunziger Jahren des 19. Jahrhunderts

die Nachgüsse der Türen von Augsburg und Hildesheim, der Bernwardssäule, des Braunschweiger Löwen. Die Abgüsse nach Grabdenkmälern folgten den hergerichteten oder neuerrichteten Kreuz-gängen. Essenwein hatte ihnen 1870 folgende Bestimmung gegeben: „. . . sie zeigen uns die Feldher-ren, die Künstler und Gelehrten . . ., und den Mittelpunkt der ganzen Serie bilden die deutschen Könige und Kaiser, die idealen Träger der Weltherrschaft". „Diese Sammlung muß eine Walhalla werden".[14] Den Gedanken der inneren Zuordnung von Raum und Kunstwerk brachte Essenwein zur Geltung, indem er die Museumskirche dem in Vitrinen zur Schau gestellten sakralen Gerät und den Großbildwerken in Holz, Stein und Ton vorbehielt. Dieser Zustand ist auf alten Fotografien 35, 378 festgehalten.

    Ein bedeutender Zuwachs ergab sich 1875 durch die Übergabe der historischen Sammlungen der Stadt Nürnberg. Aus diesem Komplex fielen als Dauerleihgaben an die Skulpturenabteilung so 341 bedeutende Objekte wie der von Dürer entworfene Rahmen zum Allerheiligenbild (Josephi Nr. 301, Taf. 36, 37), die große Rosenkranztafel aus der Werkstatt des Veit Stoß (Josephi Nr. 273, Taf. 30), 353 ferner der ehem. Hochaltar der Katharinenkirche (Josephi Nr. 246, Taf. 23), sowie die damals schon

[14] Essenwein, Bericht 1870, S. 6; vgl. in diesem Band S. 1000.

347. Grabmalhalle im nördlichen Flügel des Großen Kreuzgangs mit den Abgüssen der Grabdenkmäler der Mechthild von Braunschweig, der Gemahlin Heinrichs des Löwen, († 1189) aus dem Braunschweiger Dom, des Mainzer Erzbischofs Siegfried III. von Eppstein († 1249) aus dem Mainzer Dom, dem erst 1893 erworbenen Abguß des Grabmals des Grafen Wiprecht von Groitsch († 1124) aus der Kirche zu Pegau in Sachsen etc. Zustand in den neunziger Jahren des 19. Jahrhunderts

vgl. 85 berühmt-volkstümliche „Nürnberger Madonna" (Josephi Nr. 478, Taf. 54)[15]. Von diesem Zeitpunkt ab überwies die Stadt kontinuierlich Bildwerke, über die sie verfügte. 1892 gelangte die schöne Hausmadonna aus der Wunderburggasse von der Hand des Veit Stoß als Erwerbung der „Stiftung zur Erhaltung Nürnberger Kunstwerke" (Josephi Nr. 278 mit Abb.) ins Museum. Da für die städtischen Leihgaben zunächst eine Aufstellung als „ungetrenntes Ganzes" ausbedungen war, brachte man sie nicht in der Kirche oder den angrenzenden Räumen unter, sondern im Untergeschoß des 1872–75 in 214–220 das Museumsgelände übertragenen „Augustinerbaus", einem Komplex des ehemaligen Klosters, das im Sebalder Stadtteil dem Neubau des Solgerschen Justizpalastes hatte weichen müssen[16]. In der Kartäuserkirche waren naturgemäß die schon unter Aufseß dort gezeigten Großskulpturen verblie- 350 ben, zum Beispiel die Reliefgruppen des Meisters von Ottobeuren (Josephi Nr. 380/81). Kurz vor 353 dem Amtsantritt Essenweins war als Leihgabe der Hersbrucker Pfarrkirche deren ehemaliger spätgo-

[15] Matthias Mende: Die Nürnberger Madonna. Zur Geschichte ihres Nachruhms im 19. Jahrhundert. In: Mitteilungen des Vereins für Geschichte der Stadt Nürnberg, Bd. 56 (1969), S. 445–481.
[16] Vgl. dazu den Beitrag von Bahns, bes. S. 380–398.

tischer Hochaltar-Schrein, der dort 1738 durch eine barocke Anlage ersetzt worden war, ins Museum gekommen (Josephi Nr. 271, Taf. 28) und im Chor der Kartäuserkirche aufgestellt worden. Erst kurz vor dem Ablauf der hundertjährigen Leihzeit forderte Hersbruck im Jahre 1965 diesen Schrein zurück, um unter Preisgabe der barocken Lösung die spätgotische Choreinrichtung zu rekonstruieren.

In der langen, 25 Jahre währenden Amtszeit Essenweins, in die mit der Industrialisierung der wirtschaftliche Aufstieg des „Reiches" fiel, flossen auch die Mittel für Ankäufe etwas ergiebiger, besonders nachdem das Geld für den Ankauf der Aufseßsammlung beschafft war. Einige der wichtig- 350, 351
sten käuflich erworbenen Skulpturen waren (nach dem Erwerbungsjahr fortlaufend aufgeführt): 1872 die Elisabethstatue Tilman Riemenschneiders (Josephi Nr. 335, Taf. 41); 1877 die um 1420 entstandene lebensgroße Muttergottes vom Haus „Zwischen den Fleischbänken" in Nürnberg (Stafski Nr. 123); 1880 Metallskulpturen kleinen Formats aus der Sammlung des Freiherrn von Eelking zu Bremen (Josephi Nr. 141, 153); 1881 das um 1220 entstandene kupfervergoldete Antependium aus Quern 378, 382
(Josephi Nr. 132, Taf. 12); 1883 die um 1400 entstandenen Sitzapostel aus Ton, den berühmtesten 203
Vertretern ihrer Gattung angehörend (Stafski Nr. 106–111); 1882/86 mehrere gotische Skulpturen aus Köln, wo um diese Zeit ein großer Ausverkauf stattgefunden haben muß (Josephi Nr. 218, Taf. 16; Nr. 198 mit Abb.; Nr. 211 mit Abb.); 1885 die imposante Marienkrönung des Hochaltars der Bozener Pfarrkirche, ein Hauptwerk des Hans von Judenburg, des namhaftesten Vertreters des „weichen Stils" in Österreich (Stafski Nr. 175/77); zur selben Zeit wurden die beiden markigen Statuen der Heiligen Leonhard und Stefan von Hans Klocker, Werke des neben Michael Pacher bedeutendsten 351
Tiroler Schnitzers (Josephi Nr. 409/10, Taf. 47) angekauft; 1889 aus der Sulkowskischen Sammlung die Statuetten der 6 Todsünden des Peter Dell, eines Schülers des Hans Leinberger (Josephi Nr. 490/95, Taf. 57); im selben Jahr der karolingische Elfenbein-Buchdeckel aus St. Gallen (Stafski Nr. 205); 1891 eine Tiroler Sitzmadonna des frühen 13. Jahrhunderts (Stafski Nr. 7). Dazu kommen noch Ergänzungen der Sammlung von Kleinskulpturen in Elfenbein und Alabaster. Alles in allem wahrlich eine stolze Ausbeute.

August von Essenwein war Architekt und neben seinem Museumsamt rastlos als Entwerfer profaner und sakraler Neubauten, sowie als Erneuerer historischer Baudenkmäler tätig. In den Jahren 1868–82 verband er die Aufgaben des Museumsdirektors mit dem Auftrag zur Umgestaltung der Kirche St. Maria im Kapitol zu Köln, für die er 1873 einen neuen Hochaltar entwarf. Im gleichen Jahr erhielt dieselbe Kirche auf seine Veranlassung ein Triumphkreuz, das demjenigen in der Wechselburger Stiftskirche nachgebildet war. Die Motivierung für solche historisierenden Ergänzungen ist in einer 1864 von ihm veröffentlichten Schrift über „Die innere Ausschmückung der Kirche Groß St. Martin zu Köln" zu finden: „So wird der Verfasser allen den Künstlern, . . . welche die Bildwerke schnitzen, . . . die Aufgabe stellen, sich so streng, als überhaupt ihr Können reicht, an die Vorbilder der ersten Hälfte des 13. Jahrhunderts zu halten"[17]. Das ist aufschlußreich im Hinblick auf die praktischen Konsequenzen eines für unsere Begriffe problematischen „Verständnisses" historischer Stilgebilde. Die Ausstattung der Kölner Kapitolskirche mit einem romanisch nachempfundenen Triumphkreuz gereichte aber dem Germanischen Nationalmuseum insofern zum Vorteil, als Essenwein das alte Triumphkreuz, ein hochinteressantes Werk der Zeit um 1160, für sein Museum 313, 387
erwerben konnte[18].

Man darf unterstellen, daß trotz bzw. mit der nach 1880 im Museum eingeleiteten Trennung von Original und Kopie die weiter betriebene Anschaffung von Gipsabgüssen nun einer neuen Einsicht in

[17] August Essenwein: Die innere Ausschmückung der Kirche Groß-St. Martin in Köln. Köln 1866, S. 50.
[18] Heinz Stafski und Egon Verheyen: Das Triumphkreuz aus St. Maria im Kapitol. In: Anzeiger GNM 1963, S. 13–22.

348. Westlicher Flügel des 1877–1880 erbauten Reichshofes; Blick nach Norden. Rechts und links der Eingangstreppe Abgüsse der Ecclesia und Synagoge vom Südportal des Straßburger Münsters. Zustand in den neunziger Jahren des 19. Jahrhunderts

349. Nördlicher Flügel des 1877–1880 erbauten Reichshofes; Blick nach Westen. Abgüsse der Hildesheimer Chorschranken, an der Stirnwand Nachbildung der ottonischen goldenen Altartafel aus dem Aachener Münster, darüber Abguß eines Tympanons aus St. Godehard in Hildesheim. Zustand in den neunziger Jahren des 19. Jahrhunderts

den Auftrag des Museums gehorchte. Wie bei ähnlichen Unternehmungen in den Nachbarländern, zum Beispiel im Musée des Monuments Français im Trocadero in Paris, dem letzten großen Vorhaben Viollet le Ducs, war an eine wirkungsvolle Präsentation großer Leistungen deutscher Bildhauerkunst gedacht. Eine das Original imitierende Behandlung der jeweiligen Oberfläche (Stein- oder Holzsorte, ja farbige Fassung) konnte als Anschauungshilfe Mittler eines Bildungserlebnisses sein, also über den Aufseß'schen Illustrationszweck hinausführen. Unter Essenwein in Auftrag gegebene Abgüsse bezogen sich u. a. auf die um 1050 entstandene Holztür von St. Maria im Kapitol, wohl angeregt durch seine Betreuung dieser Kirche als Architekt. Es folgte die in Magdeburg 1152–56 gegossene Bronzetür zu Nowgorod. Das Wechselburger Triumphkreuz durfte in Nürnberg natürlich nicht fehlen. Außer der eigenen Formerei waren auswärtige Werkstätten als Lieferanten tätig. Der Rentabilität wegen wurden oft mehrere Güsse in Auftrag gegeben, die überzähligen für Tauschzwecke verwendet. Häufig trafen Geschenke regierender Fürstenhäuser oder der großen Kommunen ein, die mit sichtbaren Symbolen ihrer historischen Größe im Museum vertreten sein wollten. Freunde des Museums stifteten 1880 den Bremer Roland als Wahrzeichen ihrer Heimatstadt. Es handelte sich um einen Zementguß in Originalgröße, der trotz Eisenarmierung den Bomben des zweiten Weltkrieges nicht unbeschädigt standgehalten hatte und 1968 abgetragen wurde. Er hatte dem Hof zwischen Viktoria- und Friedrich-Wilhelmbau den Namen gegeben.

615

350. Kirche, Südwand des Chores mit spätgotischen Skulpturen; vorn ein Altarschrein mit Gregormesse aus Rosstal bei Nürnberg, hinten die beiden Reliefgruppen des Meisters von Ottobeuren aus Aufseß-Besitz, darüber Gemälde und originalgroße Kopien nach Glasgemälden, vorn rechts Vitrine mit Aquamanilien. Zustand in den neunziger Jahren des 19. Jahrhunderts

Für Essenwein war die Gipssammlung ein unverzichtbarer Bestandteil des Sammlungskonzepts. In dem „Bericht" von 1870[19], der einen Rückblick auf Erreichtes und einen Ausblick auf Geplantes bietet, bemängelt er, daß der vorhandene Bestand an Denkmälern keinen zulänglichen Überblick über den Entwicklungsgang der figürlichen Plastik ermögliche. „Die Zahl der Nummern beläuft sich ungefähr auf 260, darunter etwa 105 Originale; allein meist sind letztere nur Repräsentanten . . . vorzugsweise der fränkischen Schule. Die großen klassischen Arbeiten aus Freiberg, Wechselburg, Bamberg, Straßburg, Freiburg, Köln sind noch vollständig unvertreten, und es muß zu den ersten Aufgaben gehören, den Entwicklungsgang der deutschen Skulptur mit Berücksichtigung aller Schulen durch gute Gypsabgüsse der bedeutendsten Werke dem Publikum vor Augen zu führen". Dieses löbliche Bestreben mußte schon zwei Jahre nach diesem Bericht in einem Verwaltungsausschuß-Protokoll von 1872[20] revidiert werden. Hier wurde auf die beträchtlichen Kosten für solche Abformungen hingewiesen und der Antrag gestellt, „nicht weiter zu gehen, als jetzt schon Einleitungen getroffen

40, 234, 346–349

[19] Essenwein: Bericht 1870, S. 6; vgl. in diesem Band S. 1000. – Zur Bedeutung der Gipssammlung vgl. auch S. 727–728.
[20] Archiv GNM, Altregistratur II, Fasz. 736 (1872), S. 43.

351. Kirche, Nordwand des Chores mit spätgotischen Skulpturen, in der Mitte zwischen den hll. Leonhard und Stephan von Hans Klocker Statue der hl. Elisabeth von Tilman Riemenschneider, darüber Reliefs und Totenschilde, vorn links Vitrine mit Aquamanilien. Zustand in den neunziger Jahren des 19. Jahrhunderts

sind". Als eine der Ursachen solcher Besinnung, als „dringender Grund . . ., diese Thätigkeiten jetzt zu unterbrechen" wurde die „traurige Erfahrung" geltend gemacht, „daß so viele alte Originalkunst-werke ins Ausland gehen, und daß die bleibenden von Tag zu Tag theurer werden". Die vorhandenen Mittel seien zur Verhinderung dieses Ausverkaufs einzusetzen, weil „Agenten und Beamte des Kensington-Museums zu London, des Kunstgewerbemuseums zu Moskau und eines amerikanischen Museums hier in Nürnberg selbst waren und eine Anzahl Dinge aufgekauft haben, die für unsere Anstalt von großer Wichtigkeit gewesen wären und deren Ankauf für's Museum das Direktorium schon längst in Aussicht genommen hatte". Zu gleicher Zeit wurden anderwärts aber auch grundsätz-liche Einwände gegen eine Vermehrung der Kopien auf Kosten der Originale laut. Im selben Jahr, in welchem das Nürnberger Museum die Anfertigung von Gipsen einschränkte, meldete der eben erst in die Dienste der kgl. Museen zu Berlin übernommene junge Wilhelm Bode Bedenken gegen die Praxis der Abformerei an.[21] Auf einer Dienstreise nach Florenz 1872/73 hatte er an Marmorstatuen des

[21] Wilhelm von Bode: Mein Leben, Bd. 1. Berlin 1930, S. 69–72.

Bargello entstellende Verfärbungen (Ölflecken) als Folge der Herstellung von Gipsformen entdeckt. Diese Beobachtung verband er in seinen Lebenserinnerungen mit einer Polemik gegen die „unglückliche" Vermehrung der Berliner Gipssammlung, der viele Ankaufmöglichkeiten von Originalen geopfert werden mußten. Schließlich geriet Bode 1877 in Gegensatz zu der von Hermann Grimm vertretenen älteren Generation mit dem Vorschlag, die Etats des „recht kargen Fonds", aus dem sowohl Gipse wie Originale gekauft wurden, zu trennen. Der jüngere wagte den älteren Kollegen herauszufordern mit dem Argument, das Fragment eines Originals sei wichtiger und aufschlußreicher als der Abguß des herrlichsten Denkmals. So äußerte er sich zu einem Zeitpunkt, zu dem gerade die beiden Reiter von Donatello und Verrocchio der Berliner Gipssammlung einverleibt wurden.

Gustav von Bezold (1894–1920) war wie sein Vorgänger von Hause aus Architekt und verwertete seine Berufserfahrung zur baulichen Museumserweiterung: 1899–1902 erbaute er den Südwestbau für die Waffensammlung, Bauerntrachten und Bauernstuben. Daneben verlegte er sich zunehmend auf theoretische Anwendung seiner Kenntnisse, indem er mit Georg Dehio die Herausgabe großangelegter Dokumentationen zur Geschichte der gotischen Architektur unternahm. Er ist somit der erste Leiter des Museums, der in strengerem Sinne als Kunsthistoriker bezeichnet werden kann. Als Frucht dieser Einstellung dürfen auch die Aufsätze gelten, die er in den „Mitteilungen aus dem Germanischen Nationalmuseum" veröffentlichte und die sich mit Vorliebe der Skulptur widmeten[22]. Diese findet auch in seinen „Beiträgen zur Geschichte des Bildnisses" starke Berücksichtigung[23]. Seinem wissenschaftlichen Engagement entsprach die Bemühung um die Reform des Aufstellungskonzeptes. Die Trennung von Kopie und Original, die unter Essenwein weitgehend, aber noch nicht bis zur letzten Konsequenz durchgeführt war, wurde kategorisch gefordert: Nur „Echtes" könne Vermittlerfunktion ausüben und als Quelle dienen[24].

272–282

Schon bevor der Neubau am Kornmarkt errichtet war (1916–20), der eine Umstrukturierung der Sammlungsbestände verursachen mußte, bemühte sich Bezold um ein neues Sammlungskonzept und leitete eine sinnvollere Ordnung der Bestände in die Wege. So beendete er die Isolierung der 1875 vom Museum aus den städtischen Kunstsammlungen übernommenen Skulpturen, die bis dahin im Augustinerbau untergebracht waren: Er verbrachte sie in die Lichthöfe nördlich der Kirche, was insofern vernünftiger war, als die Kirche ja die meisten nichtstädtischen Großskulpturen und Altäre enthielt. Der Vereinigung des gegenständlich und historisch Zusammengehörigen diente auch die Unterbringung der Kreuzwegstationen des Adam Kraft, die ebenfalls städtische Leihgaben waren (Josephi Nr. 53–58, Taf. 2–4), im „kleinen Kreuzgang" südlich der Kirche; sie gelangten zwischen 1889 und 1909 nach Maßgabe der für die ursprünglichen Standorte auf dem Weg zum Johannisfriedhof erstellten Steinkopien ins Museum. Gleichzeitig mit den Kreuzwegstationen kamen auch die figürlichen und architektonischen Teile des Schönen Brunnens, der als Ganzes an Ort und Stelle erneuert wurde, ins Museum (Stafski Nr. 62–94). Fragmente waren schon ab 1870 hierhin gelangt, 1903 folgte das Gros und fand ein schützendes Dach bei den stadtnürnbergischen Skulpturen in einem der oben erwähnten Lichthöfe. Ihr sicheres Heim mußten sie mit dem Chörlein des Sebalder Pfarrhofs teilen (Stafski Nr. 57–61), das 1902 ins Museum übertragen und ebenfalls am alten Platz als Kopie erstellt wurde. Diese Koinzidenz war kein Zufall: Die Verwitterungsschäden aller mittelalterlichen Außenskulpturen

285–298

352, 356, 360

[22] Gustav von Bezold: Deutsche Grabdenkmale. In: Mitteilungen GNM 1895, S. 75–81 und 109–113. – Der Meister der Nürnberger Madonna. In: Mitteilungen GNM 1896, S. 29–32. – Zwei Grabdenkmäler aus der Frühzeit des 14. Jahrhunderts in St. Elisabeth in Marburg. In: Mitteilungen GNM 1911, S. 11–18. – Nochmals die Marburger Grabmäler. In: Mitteilungen GNM 1912, S. 165.

[23] Gustav von Bezold. In: Mitteilungen GNM 1907, S. 31–44, 77–89; 1910, S. 89–116; 1913, S. 19–35; 1916, S. 3–39; 1917, S. 3–48; 1920/21, S. 37–101. – Im übrigen vgl. Verz. der wissenschaftlichen Beamten.

[24] Gustav von Bezold: Die Anordnung der Sammlungen des Germanischen Museums. Nürnberg 1920, S. 5.

352. Fragmente des Schönen Brunnens vom Nürnberger Hauptmarkt, 1385–1392, in der Aufstellung im westlichen Lichthof nördlich der Kirche, 1903 bis 1921

hatten ein kritisches Stadium erreicht. Strengere Grundsätze der Denkmalpflege hatten sich durchgesetzt und die Museen waren bereit, die Funktion eines Asyls zu übernehmen.

Gustav von Bezold konnte zwanzig Jahre ungestört wirken, bis 1914 der Krieg ausbrach. Bis dahin war in der wirtschaftlich gesunden Zeitspanne die allgemeine Bereitschaft unerschüttert, das Museum zu fördern, d. h. die Mittel für eine sichtbare Erfüllung seiner Arbeit bereitzustellen. Eine Reihe Neuzugänge sind Bezold zu verdanken: Eine der großartigsten Erwerbungen, die je vom Germanischen Nationalmuseum getätigt wurde, rettete unmittelbar vor dem Ausscheiden Bezolds die überlebensgroße Tumbafigur des 1247 verstorbenen Grafen Sayn aus dem Kunsthandel in die Obhut des 78 Museums (Stafski Nr. 16). Die Denkmälergruppe der Spätgotik wurde durch einen in der Steiermark um 1380 entstandenen Hl. Georg (Stafski Nr. 171) bereichert, dem in knappem zeitlichem Abstand 342 eine ikonographisch seltene Kalksteingruppe aus Eichstätt folgte: eine Muttergottes mit dem Opferengel über dem „Unglauben" (Stafski Nr. 149). Zur Skulptur der Dürerzeit kamen in derselben Ära mit einer Muttergottes von Riemenschneider (Josephi Nr. 336 mit Abb.) eine in Stein von der Hand des Adam Kraft gemeißelte Verkündigung[25], eine Holzstatue des „Blutenburger Meisters"[26] und schließlich die beiden Johannesstatuen des großen oberrheinischen Virtuosen, der mit dem Monogramm H. L. zeichnet[27]. Daß die Renaissance-Kleinplastik nicht übersehen wurde, davon zeugen viele Neuzugänge Nürnberger Bronzen aus der Werkstatt der Vischer und ihrer Nachfolger. Als typisches Kunstkammerstück wäre der Herkules aus dem einst berühmten Kabinett des Nürnberger Patriziers Paulus Praun (1548–1610) zu erwähnen (Josephi Nr. 586 mit Abb.). Die zeitbedingte stärkere Berücksichtigung des Barock beweisen Erwerb und Einbau eines mehrstöckigen Würzburger Treppenhauses aus der Zeit Balthasar Neumanns mit allegorischen Statuen (Josephi Nr. 80–84). Eine Hl. Katharina des David Zürn[28], ein Würzburger Kruzifix (Josephi Nr. 532 mit Abb.) und eine Mainzer Himmelfahrtsmaria[29] vervollständigten das Bild dieser pathetischen Stilepoche. An Bronzen übergab die Stadt den „Hansel"[30]: den ersten, 1380 in Nürnberg geschaffenen großfigürlichen Metallguß, und den Hl. Mauritius[31], den Peter Vischer einst seinem Freund Peter Imhof geschenkt hatte. Dieser Kreis erlauchter Künstler wird abgerundet durch Veit Stoß, dessen Werke im Museum dank guten Einvernehmens mit der Stadt Nürnberg um ein Hauptwerk vermehrt wurde: das klassische Kruzifix aus der Kirche Hl. Geist, das ohne die Einwirkung Dürers nicht zu denken ist (Josephi vgl. 111 Nr. 316, Taf. 39).

Die Errichtung des großen Neubaus am Kornmarkt hatte Bezold vor der Fertigstellung und Einrichtung, die er selbst nicht mehr vornehmen konnte, zu grundsätzlichen Überlegungen veranlaßt; sie sind in der zitierten Denkschrift[32], mit der er auf seinen Nachfolger einwirken wollte, niedergelegt. Sein Darbietungskonzept war umstritten, hatte zu Einsprüchen geführt. Die Denkschrift entwickelte folgenden Plan: Skulptur und Malerei sollten aus dem historischen Kloster und den älteren Erweiterungsbauten abgezogen und in das Obergeschoß des modernen Neubaus übertragen werden. In strenger Befolgung der von ihm vertretenen Teilung von „hoher Kunst" und „angewandter Kunst" sollte dieses ausgedehnte Obergeschoß der höher bewerteten Kunstgattung, Malerei und Skulptur, mit der (an sich richtigen) Begründung vorbehalten bleiben, daß religiöse

[25] Wilhelm Schwemmer: Adam Kraft. Nürnberg 1958, Abb. 46/47.
[26] Zuwachs der Sammlungen (Fritz Traugott Schulz). In: Anzeiger GNM 1914, S. 9–11, Abb. 4.
[27] Zuwachs der Sammlungen (Gustav von Bezold: Zwei Holzfiguren Johannes Baptista und Johannes Evangelista). In: Anzeiger GNM 1913, S. 26, Abb. 9 und 10.
[28] Claus Zoege von Manteuffel: Die Bildhauerfamilie Zürn, 1606–1666. Weißenhorn 1969, Farbtafel VI.
[29] Zuwachs der Sammlungen (Wenke). In: Anzeiger GNM 1918, S. 3, Taf. 2.
[30] Zuwachs der Sammlungen (Fritz Traugott Schulz). In: Anzeiger GNM 1914, S. 28, Abb. 17.
[31] E(rnst) F(riedrich) Bange: Die deutschen Bronzestatuetten des 16. Jahrhunderts. Berlin 1949, Kat. Nr. 2.
[32] Vgl. Anm. 24.

353. Galeriebau, Obergeschoß, Raum mit Nürnberger Malerei und Plastik des späten 15. Jahrhunderts in der Aufstellung zwischen 1921 und 1938; links der Altar der Nürnberger Katharinenkirche, an der Stirnwand Schrein des Hochaltares aus Hersbruck

Skulptur und Malerei zusammen gehören. Die Kartäuserkirche wollte Bezold im wesentlichen mit kirchlichem Gerät füllen, wobei er in Einzelfällen, etwa bei der vielfigurigen Goldschmiedearbeit des Antepediums aus Quern, unschlüssig war, ob es als Altargerät in die Kirche gehöre oder als absolute bildnerische Schöpfung in den Neubau.

Die durch den verlorenen Krieg 1918 allseits verstärkten Reformbestrebungen hatten auch die Museen erfaßt, in die man als Volksbildungsstätten große Hoffungen für eine moralische Erneuerung setzte. Der seiner Vollendung zustrebende neue Trakt des Germanischen Nationalmuseums – die Eröffnung von Ehrenhalle und Obergeschoß fand am 11. Dezember 1920 statt – war für die Reformer Anlaß, das Konzept Bezolds mit Vorschlägen und Warnungen zu begleiten. Daß Bezold „hohe" und „angewandte Kunst" voneinander trennen, d. h. die Neuordnung nach vermeintlich qualitativen Kriterien vornehmen wollte, war schon einer programmatischen Schrift zu entnehmen, die er 1913 veröffentlicht hatte[33]. Gegen die von ihm vorgenommene unterschiedliche Bewertung der Gattungen polemisierte Wilhelm Reinhold Valentiner 1919 in einer Schrift, die einen Abschnitt über „Das Museum für nationale Kunst" enthält[34]: „Das Historische wird hier ungewollt stärker neben dem absolut Künstlerischen zur Geltung kommen als in den Museen für internationale Kunst, da für die Nation auch manche individuell-nationalen Kunsterzeugnisse von Bedeutung sind, denen der inter-

[33] Gustav von Bezold: Erläuterungen zu dem Entwurf der Erweiterung des Germanischen Museums. Nürnberg 1913, S. 1: „Es zeigte sich . . ., daß das viele Mittelgute, das die Sammlungen enthalten, dieselben belasten würde . . .".
[34] Wilhelm Reinhold Valentiner: Umgestaltung der Museen im Sinne der neuen Zeit (Schriften zur Zeit und Geschichte 8). Berlin 1919, S. 11.

354. Sog. Lapidarium, Westwand mit hl. Stephanus, Verkündigung und hl. Laurentius vom Hauptportal der Nürnberger Lorenzkirche (um 1355), Aufstellung 1921 bis zum Zweiten Weltkrieg

nationale Besucher den höchsten Kunstwert absprechen wird." Walter Stengel, der 1919 unter Protest sein Amt am Germanischen Nationalmuseum verließ, forderte „kulturgeschichtliche, nicht technische Spezialsammlungen"[35], also querschnittartige Integrierung aller Gattungen zu einem stileinheitlichen Ensemble. Daß der Nürnberger Neubau mit seiner Geräumigkeit und den idealen Lichtverhältnissen nur der Malerei und Skulptur zugutekommen sollte, wollte er nicht einsehen und setzte dem entgegen, „daß das Museum des ganzen Neubaus bedarf". Er verkündete damit auch für das Kunsthandwerk den Anspruch auf bessere Bedingungen der Präsentation. Im selben Jahr 1919 bekannte sich Theodor Volbehr mit einem direkten Angriff auf das Konzept Bezolds als Streitgenosse Stengels und Valentiners[36]. Allerdings erhoben sich auch Gegenstimmen in der Absicht, den Refor-

[35] Walter Stengel: Vorarbeiten zur Reorganisation des Germanischen Museums. In: Museumskunde Bd. 15 (1919), S. 41–57, bes. S. 52 und 57.
[36] Theodor Volbehr: Die Zukunft der deutschen Museen. Stuttgart 1919, S. 73–77.

355. Sog. Lapidarium, Westwand mit Madonna und hl. Sebald von der Brautpforte (um 1435/40) und Rieter-schem Schmerzensmann (1437) von der nördlichen Sakristei der Nürnberger Sebalduskirche. Aufstellung 1921 bis zum Zweiten Weltkrieg

mern als „Revolutionären" die „verdiente Abfertigung" zu erteilen, so Friedrich Knapp mit seinen „Randbemerkungen zur Valentinerschen Museumsschrift"[37].

Von der wissenschaftlichen Orientierung unter von Bezold zeugt der 1910 erschienene Skulpturen-katalog von Walter Josephi[38], der 666 Objekte umfaßt und strengen Beurteilungskriterien standhält. Ein Vergleich mit dem Katalog[39] von 1890 macht den Fortschritt in Einordnungs- und Datierungsfra-gen, überhaupt im systematischen Griff nach dem Objekt ersichtlich. Josephi, 1902 in das Museum eingetreten, konnte sich für den neuen Skulpturenkatalog durch Arbeiten zur gotischen Steinskulptur Augsburgs und zur Bildhauerkunst in umfassenderem Sinne empfehlen. Als Leiter der Nürnberger

[37] Friedrich Knapp: Randbemerkungen zur Valentinerschen Museumsschrift. In: Museumskunde Bd. 15 (1919), S. 70–84.
[38] Walter Josephi: Die Werke plastischer Kunst (Kataloge des Germanischen Nationalmuseums). Nürnberg 1910.
[39] Katalog der im germanischen Museum befindlichen Originalskulpturen, mit einem Vorwort von Hans Bösch, bearb. von August von Eye, August von Essenwein, J. Paul Rée und Friedrich Leitschuh. Nürnberg 1890. – Wenige Jahre später war ein reines Tafelwerk erschienen: Rudolf Albrecht: Meisterwerke Deutscher Bildschnitzerkunst im Germani-schen National-Museum zu Nürnberg, mit einem Vorwort von K. Schäfer, Lief. 1–6, 63 Taf., Nürnberg 1896.

356. Sog. Lapidarium mit Blick in die Erdgeschoßräume des Galeriebaues. An der Innenseite der Pfeiler Fragmente des Schönen Brunnens. Rekonstruktion der Vorkriegsaufstellung, Zustand 1948–1967

Skulpturenabteilung kann man ihn trotz dieser Bevorzugung einer speziellen Materie nicht bezeichnen. Praktisch gab es zu jener Zeit am Museum zwar Wissenschaftler mit persönlichen Neigungen oder Sonderkenntnissen, aber eine strenge Trennung der Ressorts wurde bis zum Ende des 2. Weltkriegs unter den Kustoden der Kunstsammlungen vermieden.

Heinrich Zimmermann (1920–1936) mußte als Nachfolger Bezolds im Direktorenamt die Aufgabe bewältigen, das von seinem Vorgänger unausgeführt hinterlassene Konzept in die Tat umzusetzen. Bei seinem Amtsantritt war er zunächst mit der anstehenden Einrichtung des gerade vollendeten Neubaus und dem daraus resultierenden Umzug eines Großteils der Bestände konfrontiert. Was den 342, 353 ästhetischen Sonderstatus der Gemälde und Großskulpturen anbelangte, ging er mit seinem Vorgänger zum Teil konform, folgte dessen Vorschlägen aber nicht in jeder Beziehung. Die Kreuzwegstationen des Adam Kraft z. B. entfernte er wohl aus dem „kleinen Kreuzgang", brachte sie aber nicht in die der Gemäldegalerie angegliederte Ebracher Kapelle, wohin Bezold sie verbringen wollte, sondern versetzte sie in die Kartäuserkirche, wo sie sich noch heute befinden. Auch ein großer Teil von Einzelskulpturen blieb hier und wurde durch den „Grafen Sayn" vermehrt. Der Vorschlag Bezolds, 65 die gewölbte Halle des Untergeschosses in der Achse des neuen Eingangsraums als „Lapidarium" für Bauteile zu verwenden, wurde akzeptiert: Zimmermann versammelte hier die 1921 vom „vereinigten 354–356 protestantischen Kirchenvermögen" Nürnberg übergebenen Steinskulpturen mit den städtischen Figuren des „Schönen Brunnens".[40] Die Halle im Untergeschoß des von seinem Vorgänger

624

357. Galeriebau, Erdgeschoß, sog. Gartensaal mit Parkfiguren von Ferdinand Dietz (1708–1777), überwiegend aus Schloß Seehof bei Bamberg. Zustand 1934 bis zum Zweiten Weltkrieg; die Aufstellung wurde, geringfügig variiert, nach dem Zweiten Weltkrieg rekonstruiert und bestand bis 1966/67

1897–1902 errichteten Südwestbaus, die bis dahin die Waffen beherbergte, mußte unter Zimmermann die Abgüsse bis auf die Grabdenkmäler aus Gips, die in den Kreuzgängen verblieben, aufnehmen.

Das größte Verdienst Zimmermanns um die Skulpturen besteht in dem systematischen Ausbau einer Barockgalerie. Der Museumsgründer hatte das Jahr 1650 als obere Zeitgrenze der museal zu betreuenden Denkmäler festgelegt. Schon unter Essenwein war diese Mauer niedergelegt, wenn auch Erwerbungen von Werken des 18. Jahrhunderts lange mehr Zufall als Folge planmäßigen Ankaufs blieben. Der deutsche Anteil an der großen europäischen Stilbewegung nach 1650 war als eigenschöpferische Leistung nach der letzten Jahrhundertwende erkannt und der weiteren Öffentlichkeit durch die auf Anregung Alfred Lichtwarks von Georg Biermann veranstaltete Jahrhundert-Ausstellung in Darmstadt 1914[41] erst zu Bewußtsein gebracht worden. Georg Biermann glaubte sein Vorhaben noch rechtfertigen zu müssen, da „niemand so recht an das künstlerische Gelingen einer solchen Ausstellung glauben wollte, deren Thema die übelbeleumundete Periode des deutschen Barock und Rokoko sein sollte". Zimmermann nahm die Gelegenheit wahr, das auf dem Kunstmarkt seltener werdende Angebot zu einer umfassenden Dokumentation zu nutzen. Große Künstlernamen, die seiner Initiati-

[40] Fritz Traugott Schulz: Das neue Lapidarium des Germanischen Museums. In: Anzeiger GNM 1921, S. 8–23.
[41] Georg Biermann: Deutsches Barock und Rokoko. Hrsg. im Anschluß an die Jahrhundert-Ausstellung deutscher Kunst 1650–1800. Darmstadt 1914. Leipzig 1914, Bd. 1, S. III. – Zum Aufbau der Sammlung barocker Gemälde vgl. S. 602.

ve die museale Präsenz verdanken, sind u. a. Ehrgott Bernhard Bendel, Giovanni Giuliani, Raphael Donner, Ignaz Günther, Ferdinand Dietz, Johann Georg Dirr, Joseph Anton Feuchtmayer, Johann Peter Benkert. Mehrere der angeführten Meister und viele namentlich unbekannte sind dank Zimmermanns Bemühungen auch durch Bozzetti vertreten. Für die zahlreichen Steinskulpturen des Ferdinand Dietz wurde 1934 eigens ein „Gartensaal" mit großen Fenstern, die den Ausblick in bepflanzte 357 Vorgärten ermöglichten, eingerichtet[42]. Diese Konzeption war so gelungen, daß sie, praktisch ohne Veränderung, nach dem letzten Krieg wiederholt wurde und nach Aufgabe des Saales in den 60er Jahren als Vorbild für eine 1975 im neuerrichteten Ostbau erneuerte Anlage diente. 361

In die Ära Zimmermanns fielen zwei für die deutsche Kunst denkwürdige Ereignisse: die 400jährige Wiederkehr der Todesjahre Albrecht Dürers (1928) und des Veit Stoß (1933). Beide Begebenheiten waren Anlaß für umfassende Ausstellungen im Museum. Die Ausstellung zu Ehren des Bildhauers brachte wichtige Einsichten und Entdeckungen. Der „Englische Gruß", der „Bamberger Altar" und der „Schwabacher Altar" kamen ins Museum: ein grandioses Nebeneinander, das nie eine Wiederho- 358 lung erleben wird[43].

Wenn Zimmermann auch der Barockabteilung zu einer imposanten Abrundung verhalf[44], so heißt das nicht, daß er das Mittelalter aus den Augen verloren hätte. Die Reihe seiner Neuerwerbungen wird zeitlich angeführt von einem 1230 zu datierenden Portallöwen der Wiener Schottenkirche (Stafski Nr. 12). Diesem folgt der um 1280 entstandene, goldgefaßte Johannes Baptista von der Schülzburg 385 (Stafski Nr. 4). Ein großer Gewinn für die Skulpturensammlung war die Straubinger Sitzmadonna, 382 wenn sich Zimmermanns Hoffnung, damit ein Werk des Erminoldmeisters gefunden zu haben, auch nicht bestätigte (Stafski Nr. 9). Sehr glückhaft war die Erwerbung zweier Steinbildwerke aus der Ortenburgkapelle des Passauer Doms: einer Muttergottes um 1300 (Stafski Nr. 153) und einer Visitatio um 1400 (Stafski Nr. 155). Schließlich wurde die Riemenschneider-Sammlung um eine seitdem bewunderte Hl. Elisabeth vermehrt[45], die schon ansehnliche Reihe der Bildwerke Adam Krafts durch eine wuchtige Hl. Anna Selbdritt[46]. Alle diese Skulpturen haben in der Fachliteratur Beachtung gefunden. Manche Stücke gelangten unter abenteuerlichen Umständen ins Museum: Der beamtete Vertreter öffentlicher Interessen war allen Intrigen des Kunsthandels gewachsen. In die Amtszeit Zimmermanns fällt auch eine erhebliche Vermehrung kirchlicher Leihgaben[47]. Ein Schub von 93 Großskulpturen und Bauteilen aus Sandstein gelangte 1921 in die Obhut des Instituts, darunter Portalfiguren der St. Lorenzkirche und solche der St. Sebalduskirche. Das letztgenannte 354, 355 Gotteshaus trennte sich aus denkmalpflegerischen Gründen 1928 von dem gewaltigen Schlüsselfelderschen Christophorus (Stafski Nr. 132). Die meisten der genannten Stücke wurden am ursprünglichen Ort durch Steinkopien ersetzt. Ein solcher „Tausch" hatte schon um die Jahrhundertwende die Figuren des „Schönen Brunnens" sowie die Kreuzwegstationen des Adam Kraft ihren Weg unter das schützende Dach des Museums finden lassen. Damit hatte die Funktion der Kopie eine sinnvolle Umkehrung erfahren: Am ursprünglichen Aufstellungsort begnügte man sich aus konservatorischen Gründen mit einem „Ersatz".

Zimmermann übergab 1937 sein Amt an Heinrich Kohlhaußen. Dieser hatte sich als Wissenschaft- 76 ler profiliert mit einer Dissertation über den Marburger Elisabethschrein und einem grundlegenden

[42] Jahresbericht GNM 81 (31. Dez. 1934), S. 2.
[43] Eberhard Lutze: Katalog der Veit-Stoß-Ausstellung im Germanischen Museum. Nürnberg Juni bis August 1933.
[44] Über die Ankäufe Zimmermanns geben den besten Überblick die beiden Bände: Neuerwerbungen des Germanischen Museums 1921–1924. Nürnberg 1925. und Neuerwerbungen des Germanischen Museums 1925–1929. Nürnberg 1929; jeweils herausgegeben von der Direktion.
[45] Neuerwerbungen 1921–1924, Taf. 55.
[46] Neuerwerbungen 1921–1924, Taf. 50.
[47] Vgl. Schulz (Anm. 40).

358. Veit-Stoß-Ausstellung Ende Mai–Anfang September 1933, an der Stirnwand Hochaltar aus der St. Martins-Kirche in Schwabach bei Nürnberg; links Madonna und Heimsuchungsgruppe vom Welser-Altar aus der Nürnberger Frauenkirche

Werk über die „Minnekästchen". Der Museumspraktiker hatte sich hervorgetan durch eine vielbeachtete Modernisierung des Schlesischen Museums für Kunstgewerbe und Altertümer in Breslau (1933–36). Sein Interesse für Kunsthandwerk und Volkskunst ließen keine unterschiedliche Bewertung der Gattungen zu. Er entwickelte ein Darbietungsprogramm, das wieder auf eine stärkere Integrierung der Sammlungsbestände hinauslief. Es verwundert nicht, daß unter den von Zimmermann herangebildeten Kollegen die entschlossen angegangene Umgestaltung des Museums, die sich fast auf alle Abteilungen erstreckte, mit Zurückhaltung verfolgt wurde, z. B. die Entfernung einzelner Gemälde aus der „Galerie", soweit sie sich zur illustrativen Veranschaulichung kulturgeschichtlicher 78 Zusammenhänge andernorts verwenden ließen. Eine kritisierte Neuerung war z. B. die Herausnahme des „Grafen Sayn" aus der Kirche und die Aufstellung in einem Raum, in dem er mit kunsthandwerklichen Gegenständen den Lebensbereich des Rittertums darzustellen hatte. Seitdem ist der „Graf 100, 313 Sayn" noch mehrmals im Museum umhergewandert, vorübergehend auch in die Kirche zurückgekehrt, seit 1967 im Westkopf wieder als Repräsentant ritterlicher Geisteshaltung mit Gegenständen kombiniert, die seinen Standesgenossen einst zur festlichen Erhöhung des Daseins oder zur Nutzung im profanen Alltag in die Hand gegeben waren. Auch zahlreiche andere Räume wurden umgestaltet.

Die Neuerwerbungen der Ära Kohlhaußen sind bezeichnend für dessen kulturhistorische Orientierung: Mit Vorliebe wurden kleinplastische Arbeiten gesammelt: Bozzetti, z. B. die Athena von Ferdinand Dietz[48] und Geräteplastik. Immerhin hat er dem „Gartensaal" 6 Steinskulpturen des

[48] Jahresbericht GNM 89 (1942), Abb. 7. Bis dahin als Leihgabe im Museum.

627

Ferdinand Dietz aus Schloß Thurn/Ofr. hinzugefügt: eine „diplomatische" Erwerbung gegen Erstellung von Kopien[49]. Kohlhaußen blieben ja nur drei Friedensjahre für seine Ziele. Die Skulpturenabteilung erlitt bedauerliche Einbußen in den letzten Kriegstagen, als die Cadolzburg, auf die Großskulpturen ausgelagert waren, ausbrannte. Im Feuer gingen u. a. verloren eine lebensgroße, hochbedeutsame Heimsuchung der Zeit um 1360 (Stafski S. 258, Nr. e/f), einer von zwei Königsriesen (H. 2 m!, Stafski S. 257, Nr. c) aus einer Anbetung um 1450 und zwei niederrheinische Assistenzfiguren der Zeit um 1500 (Josephi Nr. 457/58 mit Abb.).

Die Gipse wurden verständlicherweise nicht in die Verlagerungsaktionen einbezogen und viele deshalb ein Opfer der nach Hunderten zählenden Brand- und Sprengbomben, die auf das Museumsgelände niederprasselten. Fast sämtliche Grabdenkmäler in den Kreuzgängen gingen so verloren. Im Südwestbau überstanden unter zahlreichen anderen Gipsen die riesigen Nachgüsse der Bronzetüren von Hildesheim, Augsburg und Nowgorod mit Verletzungen und Brüchen den Kampf um Nürnberg, der Braunschweiger Löwe des Welfenherzogs Heinrich blieb heil. Die Sammlung als Ganzes hatte jedoch ihre alte Bedeutung verloren, zumal die erhaltenen beschädigten Stücke in den folgenden Jahrzehnten meist ausgeschieden wurden.

In der Zeit unmittelbar nach dem Kriege, die 1945–51 als Leiter der Anstalt im Einvernehmen mit der amerikanischen Militärregierung Ernst Günter Troche zu bewältigen hatte, konnte schon 1946 eine erste Jubiläumsausstellung gewagt werden, und zwar aus Anlaß der 400. Wiederkehr des Todesjahres Peter Flötners (gest. in Nürnberg 23. 10. 1546). Mangels geeigneter Räumlichkeiten im Museum mußte die Darbietung in den Räumen der Fränkischen Galerie am Marientor stattfinden. Es konnte sogar ein bescheidener Katalog erscheinen[50], der 477 Nummern, in der Mehrzahl allerdings Plaketten, umfaßte. Vor der Einmauerung geborgene Teile des Sebaldusgrabes wurden bei dieser Gelegenheit präsentiert, auch schon außernürnbergische Leihgaben gewonnen. Das Thema war der inspirierenden Wirkung des gefeierten Künstlers gemäß breit angelegt: „Peter Flötner und die Renaissance in Deutschland". Da die Kriegszerstörungen an den Kirchen viele Steinskulpturen heimatlos gemacht hatten, war es naheliegend, ihnen, soweit der Wiederaufbau es ermöglichte, im Museum eine vorläufige oder dauernde Bleibe anzubieten. So übergab unmittelbar nach der Bergung 1945 die Stadt Nürnberg das Waagrelief sowie die vierte Kreuzwegstation des Adam Kraft[51] als Dauerleihgabe. Das aus dem Schutt geborgene, zertrümmerte Hausrelief desselben Meisters mit den Kundschaftern Josua und Kaleb[52] wurde gegen Erstellung einer Kopie von dem privaten Besitzer übereignet. Ein großer Teil der Skulpturen aus Kirchenbesitz, der während des Krieges ausgelagert war und noch Jahre auf Rückkehr an den angestammten Platz warten mußte, wurde im Museum der Öffentlichkeit zugänglich gemacht, darunter Meisterwerke des Veit Stoß. Die Möglichkeit zum Ankauf von belangvolleren Werken eröffnete sich erst nach der Währungsreform im Jahr 1948: 1951 gelang der Ankauf einer schlesischen „Löwenmadonna" der Zeit um 1370 (Stafski Nr. 200), und zwar eines Exemplars, das einen ikonographisch seltenen Typ repräsentiert. Mehrere Zugänge von Kleinskulpturen, darunter ein Vesperbild um 1430 aus dem Rheingau (Stafski Nr. 187), waren vorausgegangen.

Erst Ludwig Grote, der 1951 die Leitung übernahm, durfte hoffen, in den zehn Jahren seines Wirkens Einfluß auf die abschließende Neuordnung nehmen und die Verantwortung eines „dritten Museumsgründers" tragen zu können. Grote bekannte sich zu einer integrierenden Darbietung: „Bei

[49] Jahresbericht GNM 86 (1940), Abb. 27–29.
[50] Peter Flötner und die Renaissance in Deutschland. Ausstellung anläßlich des 400. Todestages Peter Flötners. Nürnberg 14. 12. 1946 – 28. 2. 1947.
[51] Schwemmer (Anm. 25), Abb. 33 und 59.
[52] Schwemmer (Anm. 25), Abb. 32.

359. Augustinerbau, Raum im Erdgeschoß neben der Kresskapelle mit Rokokoplastiken: zwei Engel aus Niederaltaich, hl. Sebastian von J. M. Dückert, links stehende hl. Maria aus Eggenfelden in Niederbayern (jetzt im Bayerischen Nationalmuseum München), rechts hl. Adalbert, Prag um 1700 (im Kriege verbrannt). Aufstellung Heinrich Kohlhaußens von 1939

dem jetzigen Wiederaufbau wird angestrebt, das geistige Band, das alle Gestaltungen einer historischen Epoche umfaßt, wieder zur Anschauung zu bringen" (1952)[53]. Grotes Bekenntnis zur „alten" Museumskonzeption kam auch zum Ausdruck in dem Plan, der Gipssammlung wieder zur früheren Herrlichkeit zu verhelfen. Gelegenheit dazu hätte das Angebot des Bayerischen Nationalmuseums geboten, seine umfangreiche Abteilung von Abgüssen dem Germanischen Nationalmuseum zu übereignen. Die Verwirklichung des Plans scheiterte freilich an dem chronischen Nürnberger Raumdefizit.

Der Amtszeit Grotes kam die wirtschaftliche Erholung der Bundesrepublik zugute, die sich in großzügigen Neubauprojekten, aber auch in einer erfolgreichen Erwerbungspolitik niederschlug. Im folgenden seien einige der wichtigen Neuzugänge in der Reihenfolge der Erwerbungsjahre aufgezählt: 1953 eine Muttergottes des Hans Leinberger[54]; im gleichen Jahr die Mars-Venusgruppe aus

[53] Ludwig Grote: Der Gründer des Germanischen Nationalmuseums. In: Deutsche Kunst und Kultur im Germanischen Nationalmuseum. Nürnberg 1952, S. 12. – Zu Grotes Museumskonzept vgl. auch S. 282–310.
[54] Abb. in: Jahresbericht GNM 1972, Abb. 2.

Bronze des Konrad Meit[55]; 1954 als städtische Leihgabe die Muttergottes des Adam Kraft vom „Haus zum gläsernen Himmel"[56]; 1956 eine Jakobusbüste des Hans Zürn[57]; 1958 ein Jakobuskopf von 1330 aus der Marienburg in Westpreußen (Stafski Nr. 198); 1958 wieder von Adam Kraft zwei Musikantengruppen[58] aus dem ehemals Imhofschen Haus, womit fast alle figürliche Skulptur dieses Meisters, die sich nicht in oder an Kirchen befindet, ins Museum gerettet ist; im gleichen Jahr ein Hauptwerk des Veit Stoß: die Muttergottes vom Hause Weinmarkt 12, die bereits als Leihgabe im Museum war[59].

Bei der Amtsübernahme Erich Steingräbers (1962–1969) lag der Bebauungsplan weitgehend fest und auch die Neuordnung der Bestände war in den großen Zügen programmiert. Die Struktur der Aufstellung war durch Grote insofern grundlegend verändert worden, als er eine äußere Trennung von Mittelalter und Neuzeit vorgenommen bzw. in der Weise vorgeschrieben hatte, daß der „Galeriebau" Bestelmeyers dem Nachmittelalter, also der Malerei und Skulptur von der Dürerzeit bis zum Rokoko, die alte Klosteranlage aber, Kirche, Mönchszellen und Refektorium samt den auf dem alten Gelände errichteten ebenerdigen Neubauten (Westkopf und Mittelalterhalle) der Kunst der vorromanischen, romanischen und gotischen Epochen vorbehalten blieb. Die romanischen bis hochgotischen Skulpturen wurden dem Kunsthandwerk zugeordnet, die spätgotischen den Gemälden der gleichen Epoche. Daß der Tiroler Bildschnitzer Hans Klocker so in der Nachbarschaft des Malers Friedrich Pacher auftritt, ist nur folgerichtig im Sinn einer gegenseitigen Erhellung der Gattungen, die den geographisch gebundenen Wachstumskräften ihre Formgestalt verdanken. Etwas problematischer ist die Einverleibung des Til Riemenschneider und des Veit Stoß in diesen Rahmen und damit ihre   111, 315 Absonderung von Albrecht Dürer, wenn man auch eingestehen muß, daß beide die „Neuzeit" erst im Sog des großen Malers erreichten. Insofern ist diese Disposition keine Verlegenheitslösung. Für Veit Stoß, der mit Meisterwerken hervorragend repräsentiert ist, wurde durch Überdachung des vom „kleinen Kreuzgang" gebildeten Hofs ein würdiger Aufenthalt geschaffen: der für den Besuch seit 4. Juli 1968 geöffnete, so gewonnene Raum wirkt wie ein spätgotischer Kapitelsaal.

Im Zuge der Umverteilung erfolgte auf Initiative Steingräbers die Verlegung der seit Zimmermann im „Lapidarium" unter schlechten Lichtverhältnissen darbenden Steinskulpturen aus städtischem und kirchlichem Besitz: Sie wurden in die Kirche und die ihr vorgelagerten Lichthöfe verbracht. Die Figuren des „Schönen Brunnens" kamen in den westlichen der beiden Lichthöfe, wo sie unter von   184, 360 Bezold schon einmal eine vorübergehende Bleibe hatten. Eine originelle, turmartige Eisenarmierung wurde für sie verfertigt. Die Wanderung vieler Objekte von Standort zu Standort ist ein an das Schicksal des Museums gebundener Vorgang; sich wandelnde Konzepte und unterschiedliches Verständnis der Vergangenheit fordern ihren Tribut.

Die unter Aufseß auf das Jahr 1650 und unter Essenwein auf 1800 festgelegte obere Grenze des Sammelbereichs, die praktisch in Einzelfällen immer wieder durchbrochen worden war, wurde unter Steingräber nochmals bis 1930 verschoben. Demgemäß tauchen unter Neuerwerbungen jetzt Bildhauernamen auf wie Barlach, Belling, König, Seitz, Wimmer. Weitere Möglichkeiten bot die gesetzliche Verpflichtung, 2% der Baukosten neu errichteter öffentlicher Gebäude für die künstlerische Ausschmückung auszugeben[60]. Im Sommer 1965 lud das Museum zu einem Symposion sieben   116 Bildhauer ein, die über Möglichkeiten der skulpturalen Ausstattung des neuerbauten Museumsareals

[55] Bange (Anm. 31), Kat. 129 mit Abb.
[56] Schwemmer (Anm. 25), Abb. 44.
[57] Zoege von Manteuffel (Anm. 28), Farbtafel IV.
[58] Schwemmer (Anm. 25), Abb. 46, 51.
[59] Neuerwerbungen 1925–1929 (Anm. 44), Taf. 85.
[60] Vgl. die programmatische Presseinformation vom 28. Juni 1966 „Plastik des 20. Jahrhunderts im Germanischen Nationalmuseum" (Akten Registratur GNM 22/3 Jg. 1966). – Im übrigen: Tätigkeitsbericht GNM 1965, S. 2; 1966, S. 2; 1968, S. 3. – Zu „Kunst am Bau" vgl. auch S. 516–518.

360. Westlicher Lichthof neben der Kirche mit Aufstellung der Figuren des Schönen Brunnens vom Nürnberger Hauptmarkt. Zustand seit 1968

beraten sollten. Alle Teilnehmer waren bereit, an der Erfüllung dieser Aufgabe mitzuwirken. Als „Plastik am Bau" schmücken seitdem Großskulpturen Fassaden und Höfe, und zwar Georg Brenninger: „Brunnen" (1965, Kupfer, hart gelötet); Toni Stadler: „Nereiden" (1966, Bronze gegossen); Karl Hartung: „Columna" (1966, römischer Travertin); Bernhard Heiliger: „Phoenix" (1965/66, Bronze, gegossen); Hans Arp: „Ptolemäus" (1953, Bronze gegossen); Fritz König: „Großes Kreuz" (1968, Bronze, getrieben, gefalzt, hart gelötet); Josef Henselmann: „Ganymed" (1968, Bronze, gegossen). Dazu trat Marino Marinis „Il Guerriero" (1959/60, Bronze, gegossen).

309

119, 322

314, 121

119, 322

Als wichtigste Erwerbungen aus den „historischen" Epochen seien genannt ein Hl. Veit im Ölkessel mit Meistermarke des Veit Stoß und Jahreszahl 1520 (aus dem Besitz des Dichters Leo Weismantel)[61]; eine Muttergottes des Hans Klocker mit vorzüglich erhaltener Fassung[62]; ferner ein oberbayerischer Hl. Jakobus um 1500[63] sowie Kleinbildwerke aus Bronze und Elfenbein. Als Frucht der von Steingräber betriebenen wissenschaftlichen Erschließung der Bestände wurde 1965 ein neuer Katalog der Skulpturen in Stein, Holz, Ton und Elfenbein bis um 1450 vorgelegt[64], nachdem im Gefolge des grundlegenden Katalogs Josephis von 1910 im Jahre 1922 noch ein – vom Museum nicht selbst herausgegebener – Auswahlband erschienen war[65].

Unter Arno Schönberger, der 1969 die Amtsnachfolge Steingräbers antrat, fiel dem Museum die große Verpflichtung zu, zur 500. Wiederkehr des Geburtsjahres das Andenken Dürers mit einer Ausstellung zu würdigen. Im übergreifenden Rahmen des Ausstellungsprogrammes wurde die Rolle des großen Malers auch als Entwerfer von Skulpturen berücksichtigt.[66] Die nach dem Kriege aus den Kreuzgängen geräumten Trümmer von Gipsnachbildungen hatten Platz geschaffen für eine weniger dichte Aufreihung von originalen Grabdenkmälern. Als Verbindung zum 1975 eröffneten neuen Ostbau – an der Stelle, wo einst Viktoria- und Friedrich-Wilhelm-Bau gestanden hatten – erhielten die Kreuzgänge eine neue Funktion: Ihre Ausstattung wurde mit ausgesuchten originalen Grabdenkmälern vervollständigt. Im Untergeschoß des Ostbaues kam im Anschluß an die Jagdabteilung und in sinnvoller Ergänzung von Denkmälern dieses höfischen Vergnügens der alte „Gartensaal" wieder zu Ehren. Die Steinskulpturen des Ferdinand Dietz (1708–1777), der große Bestand an Steinskulpturen, der aus den Gärten von Veitshöchheim und Seehof in das Museum gelangt war, machte eine Wiederbelebung dieser alten Raumidee unumgänglich. Noch eindringlicher als der alte will der neue Gartensaal die Vorstellung einer freiräumlichen Anlage vermitteln, und zwar durch Einbeziehung nichtfigürlicher Dekorationselemente in Gestalt natürlicher Lorbeerbäumchen und eines Bodenbelages aus farbigem Kies in Form einer stilisierten Schnecke. Schönberger, vorher Direktor des Berliner Kunstgewerbemuseums, bevorzugte bei Erwerbungen wieder die Klein- und Geräteplastik: Elfenbeine, Bleiplaketten, holzgeschnitzte Gußmodelle[67]. Der bemerkenswerteste Neuzugang ist eine kleine Maria gravida aus dem Dominikanerinnenkloster zu Regensburg: frühestes bisher bekanntes Beispiel dieses ikonographischen Typus nördlich der Alpen[68]. Noch einige „moderne" Bildhauer erschienen seit 1969 im Inventarverzeichnis: Die Reihe der schon vorhin genannten wird erweitert durch die folgenden Namen: Hermann Haller, Fritz Koelle, Georg Kolbe, Edwin Scharff, Gustav Seitz, Franz von Stuck, Georg Wrba. Der Anschluß an die Gegenwart ist Realität geworden.

361

[61] Neuerwerbungen. In: Anzeiger GNM 1967, S. 193, Abb. 8.
[62] Neuerwerbungen. In: Anzeiger GNM 1964, S. 164–166, Abb. 6.
[63] Neuerwerbungen. In: Anzeiger GNM 1968, S. 164, Abb. 1.
[64] Heinz Stafski: Die mittelalterlichen Bildwerke, Bd. 1: Die Bildwerke in Stein, Holz, Ton und Elfenbein bis um 1450 (Kataloge des Germanischen Nationalmuseums Nürnberg). Nürnberg 1965.
[65] Hubert Wilm: Mittelalterliche Plastik im Germanischen Nationalmuseum zu Nürnberg. München 1922.
[66] Albrecht Dürer, 1471–1971. Ausstellung(skatalog) des Germanischen Nationalmuseums. Nürnberg 1971, Nr. 699–711, bearb. von Heinz Stafski.
[67] Tätigkeitsberichte GNM seit 1970 und Neuerwerbungsberichte im Anzeiger GNM seit 1970.
[68] Heinz Stafski: Die Statuette einer „Maria in Erwartung" aus dem Dominikanerinnenkloster Hl. Kreuz in Regensburg. In: Zeitschrift des deutschen Vereins für Kunstwissenschaft Bd. 27 (1973), S. 53–62.

361. Ostbau, Erdgeschoß, „Neuer Gartensaal" mit der Athena des Ferdinand Dietz (1708–1777) aus Schloß Seehof bei Bamberg. Zustand seit 1975

MONIKA HEFFELS – FRITZ ZINK
Das Kupferstichkabinett

Die strukturelle Eigenart des Kupferstichkabinetts, das neben der künstlerischen Handzeichnung und Druckgraphik umfangreiche und bedeutende Sachabteilungen wie z. B. Porträts, Stadtansichten und Prospekte, Landkarten, Spielkarten und besonders Historische Blätter mit all ihren Untergruppen pflegt, geht zurück auf das erste Sammlungskonzept des Germanischen Nationalmuseums bzw. seines Gründers Hans von Aufseß. Ein Programm, das nicht nur auf die Bewahrung und Pflege aller überkommenen Kunst- und Kulturgüter der deutschen Vergangenheit ausgerichtet war, sondern diese Vorzeit in ihrer ganzen Vielschichtigkeit veranschaulichen wollte, mußte der Graphik unabhängig von ihrem künstlerischen Eigenwert als geschichtlichem Dokument einen wesentlichen Platz im Gesamtorganismus des Museums einräumen. Gleichzeitig wurden dadurch Sammelschwerpunkte gesetzt, die den Ausbau des Kabinetts, das sich nur langsam zu einer selbständigen Abteilung entwickelte, auf etwa fünf Jahrzehnte maßgeblich bestimmten. Es erschien uns gerechtfertigt, diesem entwicklungsgeschichtlich bedeutsamen, bisher jedoch kaum durchleuchteten Zeitraum einen eigenen Abschnitt zu widmen, ohne daß das Jubiläumsjahr 1902 dabei als Zäsur gewertet werden soll.

Den Grundstock des Kupferstichkabinetts bildete die zunächst leihweise zur Verfügung gestellte, später vom Museum käuflich erworbene, „einige 30 Cahiers und Mappen füllende Kunstsammlung"[1] des Freiherrn Hans von Aufseß. Mit beschränkten Mitteln und stärker unter dem Gesichtspunkt des historischen Quellenwertes als der bestmöglichen Qualität des einzelnen Exemplares zusammengetragen, war dieser Bestand nicht mit fürstlichen Sammlungen zu vergleichen, wie sie anderen deutschen Kabinetten z. B. in Dresden, Coburg, München oder Karlsruhe zur Verfügung standen[2]. Dennoch nennt bereits die erste inhaltliche Aufgliederung August von Eyes im Wegweiser durch das Germanische Nationalmuseum 1853 neben Miniaturen eine Reihe von Handzeichnungen, die wie etwa Lucas Cranachs Vertreibung von Geistlichen durch Frauen und Kinder (Hz 4) oder der Hl. Sebastian von Hans Leu (Hz 33, damals noch nicht identifiziert) – um nur zwei Beispiele herauszugreifen – ihren Rang innerhalb der Sammlung bewahrt haben[3]. Unter der zitierten Druckgraphik ragt als Rarissimum die sechsteilige Kupferstichfolge des Schweizerkrieges 1499 vom Meister PW (Lehrs 18, A-F) hervor, daneben sind erwähnenswert der Clair-Obscur-Holzschnitt der Hexen B. 55 von Hans Baldung Grien und der große Rosenkranz von Erhard Schön (Geisberg 1133). Auf den „wahren

---

[1] Denkschrift für die hohe deutsche Bundesversammlung, das germanische Museum zu Nürnberg betreffend. Nürnberg 1853, S. 7.

[2] Zur Entstehungsgeschichte der zitierten Kabinette vgl. Werner Schmidt: Dresden. Kupferstichkabinett der Staatlichen Kunstsammlungen. – Dieter Kuhrmann: München. Staatliche Graphische Sammlung. Beide in: Das große Buch der Graphik. Hrsg. von Hermann Boekhoff und Fritz Winzer. Braunschweig 1968, S. 183–184, 379–380. – Heino Maedebach: 200 Jahre Kupferstichkabinett Coburg 1775–1975. In: (Ausstellungskatalog) Meisterwerke europäischer Graphik, 15.–18. Jahrhundert, aus dem Besitz des Kupferstichkabinetts Coburg. Ausstellung zur 200-Jahrfeier des Coburger Kupferstichkabinetts, 1775–1975 (Kataloge der Kunstsammlungen der Veste Coburg, 5). Coburg 1975–76. – Fritz Lugt: Les Marques de Collections de Dessins & d'Estampes. Amsterdam 1921, S. 291, Nr. 1602 und Suppl.-Bd. La Haye 1956, S. 223, Compl. zu Nr. 1602, Großherzogliches Badisches Kupferstichkabinett, Karlsruhe.

[3] Wegweiser GNM 1853, Teil 1, S. 30. – Die Zuschreibungen der weiteren aufgeführten Zeichnungen haben sich meist nicht halten lassen. Es bleibt die interessante Tatsache, daß von den 177 Nummern der von Fritz Zink katalogisierten deutschen Handzeichnungen bis zur Mitte des 16. Jahrhunderts etwa ein Drittel aus der Sammlung von Aufseß kommt, von den 465 von der Verfasserin katalogisierten deutschen Handzeichnungen des 18. Jahrhunderts keine einzige. Vgl. Fritz Zink: Die Handzeichnungen bis zur Mitte des 16. Jahrhunderts (Die deutschen Handzeichnungen, Bd. 1); Monika Heffels: Die Handzeichnungen des 18. Jahrhunderts (Die deutschen Handzeichnungen, Bd. 4. Kataloge des Germanischen Nationalmuseums Nürnberg). Nürnberg 1968 und 1969.

Datum.	Name.	Stand.	Benutzte Kapseln
9/III 1899.	Ernst Würtenberg Konstanz.	Maler.	Porträts: Hans Sachs.
7.–10.III.	Med Dr E Becher, Arzt, Karlstein (Böh...)		Buntpapier sammlung.
16. März	Wilhelm Suida Heidelberg	stud. kunst. hist. art.	7 Kapseln und B... aus dem Depot. Holzschn. v. einer Kapsel I. Kupferst. des 15.
"	Kullman Gy.	Hahn Nürnberg	Jahrh. Min. & Handz. H. Crispin? pass
21 3.	Max Geisberg	stud. hist. art. Münster i/W.	d. Kupferstiche 15 J.
24. März	Wilhelm Suida Heidelberg	stud. hist. art.	Kupf. pol. Leben I. ... ... Leben ... Leben I ... allegon. I ... Fast ...
5 IV 99	Prof. Maas	Marburg i/h	Holzschnitte, Kupferst. & Handzeichnungen Dürers
18. IV. 99	Grauiß??, Gottfried	Nürnberg stud. Gy.	Verbrechen u. Strafe, Rechtsleben.
21. 4. 99.	Hans Müller	hier	Tob. Hübner. Handzchg.
21. 4. 99.	Anton schlachter	hier Lehramtskd.	Holbeyrsche Samlg. (alzenau) Franken.
22. 4. 99.	Fr. Pröll.	Nürnberg	Holbeyrsche Samlg. Franken. (Osterrohr)

362. Erste Seite des Besucherbuches des Kupferstichkabinetts aus dem Jahre 1899 mit Eintragungen u. a. der Kunsthistoriker Wilhelm Suida (1877–1959) und Max Geisberg (1875–1943) als Studenten

Schatz von s. g. fliegenden Blättern" des 15.–17. Jahrhunderts, worunter sowohl die eigentlichen, meist illustrierten Flugschriften oder Flugblätter als Vorläufer der Zeitung – noch heute eine der wichtigsten Abteilungen des Kabinetts – verstanden werden als auch Einblattdrucke historischen Inhaltes, wird besonders aufmerksam gemacht[4]. Der Verfasser, August von Eye, 1853–1874 Vorstand der Kunst- und Altertumssammlungen und – in den ersten Jahren mit Unterstützung durch Jacob von Falke – auch Betreuer der graphischen Sammlung, formuliert zugleich als vordringliche Aufgabe die Erstellung eines Generalrepertoriums aller deutschen und niederländischen Kupferstiche und Holzschnitte auf der Grundlage von Bartsch und dessen Nachträgen, wobei nicht erreichbare Blätter durch Faksimiles, d. h. durch Photographien oder Nachzeichnungen, vertreten sein sollten[5]. Wenn sich dies Programm, das Hans von Aufseß noch 1869 leidenschaftlich verteidigte[6], auf längere Sicht auch als utopisch erwies, so hat es doch über Jahre hinweg als Anreiz gedient, dem Kupferstichkabinett Kopien und Photographien statt Originale zu stiften.

Als Teil der Kunst- und Altertumssammlung befand sich die graphische Sammlung 1853 im Hause des Kupferstechers Heinrich Petersen, dem Toplerhaus am Paniersberg Nr. 631 (Untere Söldnersgas- 5 se 17), das auch Archiv, Bibliothek und Münzabteilung beherbergte. Doch schon 1854 wurde sie in das inzwischen angemietete Haus der Witwe Nopitsch, das sog. alte Reichsschultheißenhaus (Burgstr. 24) übertragen[7]. Mit der Unterbringung im ersten Stock war eine Dauerausstellung exemplarischer Blätter der verschiedenen Techniken und Sachabteilungen verbunden – eine Gewohnheit, die man auch nach der Übersiedlung des Museums in die Kartause beibehielt. Erste pauschale Bestandszahlen veröffentlichte der 2. Jahresbericht 1855, der außerdem ein reichhaltiges „Depot" für die Zeit nach 1650 erwähnt[8]. In Hans von Aufseß' grundlegender Denkschrift von 1856 bilden die nach Meistern oder Schulen aufgeführten Handzeichnungen, Niellen und Schrotblätter, gestochene Platten, Kupferstiche, Holzstöcke, Holzschnitte, Steingravuren und Miniaturen eigene, mit Photos und Kopien vermischte Untergruppen der Abteilung Bildende Kunst[9]. Unter den Handzeichnungen erscheint dabei als wichtigstes Blatt Wolf Hubers Mondsee-Landschaft (Hz 18, mit Sammlersignatur Johann Andreas Boerner). Die Fülle des übrigen graphischen Materials ist auf fast alle anderen, differenziert gegliederten Abteilungen entsprechend der Tendenz aufgeteilt, die musealen Sammlungsobjekte als geschlossenen Organismus zu betrachten. Die Porträts erscheinen z. B. unter dem Abschnitt Geschichte nach Persönlichkeiten, ebenso die bereits 1853 von Eye zitierten Zeichnungen nach Grabdenkmälern, die später dem sog. Bilderrepertorium einverleibt wurden. Erste kurzgefaßte Publikationen in den Anzeigern von 1855 und 1856 stellten die Sammlungen von Kupferstichen[10], Handzeichnungen[11], illustrierten fliegenden Blättern[12], Miniaturen[13], Holzschnitten[14] und von (die Porträts einschließenden) biographischen Kunstdenkmälern[15] der Öffentlichkeit vor.

[4] Wegweiser GNM 1853, Teil 1, S. 32–33, 35–36.
[5] Wegweiser GNM 1853, Teil 1, S. 33–34.
[6] Hans von Aufseß: Das Germanische Museum und seine nationalen Ziele. Denkschrift zur Erläuterung des dem norddeutschen Bundesrath vorliegenden Haupt'schen Gutachtens über dieses Museum. Lindau 1869, S. 7.
[7] Anzeiger GNM 1854, Sp. 193–194.
[8] Jahresbericht GNM 2 (für 1854–1855), 1855, S. 9. – Gesprochen wird von über 200 Nummern Handzeichnungen und Miniaturen, zusammen über 10000 Kupferstichen und Holzschnitten, über 2600 Einzelporträts und über 5000 historischen Abbildungen für die Zeit vor 1651.
[9] Organismus GNM, 2. Abt., S. 88–127; unter den Holzschnitten und Kupferstichen sind auch in Büchern enthaltene aufgeführt. – Zum Charakter dieses Verzeichnisses vgl. Abb. 411.
[10] Die Kupferstichsammlung im germanischen Museum. In: Anzeiger GNM 1855, Sp. 65–67.
[11] Jacob von Falke: Die Handzeichnungen des germanischen Museums. In: Anzeiger GNM 1855, Sp. 144–147.
[12] Die Sammlung illustrierter fliegender Blätter im germanischen Museum. In: Anzeiger GNM 1856, Sp. 35–40.
[13] Die Sammlung der Miniaturen im germanischen Museum. In: Anzeiger GNM 1856, Sp. 73–76.
[14] Die Holzschnittsammlung im germanischen Museum. In: Anzeiger GNM 1856, Sp. 105–108.
[15] Die Sammlung biographischer Kunstdenkmäler im germanischen Museum. In: Anzeiger GNM 1856, Sp. 129–134.

Als das Germanische Nationalmuseum 1857 nach der Übersiedlung in die sukzessive ausgebauten Gebäude der ehemaligen Kartause im September wieder für das Publikum die Pforten öffnete, war die graphische Sammlung zusammen mit anderen Objekten in dem zunächst nur durch Büroräume zugänglichen „Kunstsaal" über der „Frauenhalle", dem ehemaligen Refektorium des Klosters, untergebracht. Während dem durchreisenden Besucher eine Musterausstellung unter Glas und Rahmen zur Verfügung stand, hatte der Liebhaber und Forscher die Möglichkeit, sich aus den im gleichen Raum befindlichen Kästen, Mappen und Rollen das Sehenswerte vorlegen zu lassen[16]. In späteren Wegweisern wurde allerdings der Besuch der nicht allgemein, sondern nur zur Benützung für „studierende Gelehrte und Künstler" zugänglichen Abteilungen wie der Kupferstichsammlung von der Anmeldung bei dem zuständigen Beamten abhängig gemacht.

Neuzugänge kamen in den ersten Jahren überwiegend aus Schenkungen und Deposita, deren Schwerpunkt auf Ansichten, Landkarten und historischen Blättern lag; 1856 z. B. stiftete Hauptmann G. von Bernewitz aus Chemnitz 86 Flugblätter. Ebenso wurden Spielkarten, wie sie wiederholt hinter den Vertäfelungen altnürnberger Häuser zum Vorschein kamen, immer wieder in die Sammlung gegeben. Auch der erste 1858 notierte Ankauf in dem 1853 einsetzenden allgemeinen Zugangsregister (erst ab 31. 8. 1886 führte das Kupferstichkabinett ein eigenes Register) betraf 85 Spielkarten des 15.–16. Jahrhunderts, was August von Eye zu einer Veröffentlichung im Anzeiger veranlaßte[17]. Mit zahlenmäßig größeren Zuwendungen wurde im Laufe der Jahre besonders die Porträtsammlung bedacht, die sich damit schon früh zu einer wichtigen und auch heute viel benutzten Abteilung entwickelte: 1856 schenkte der Polytechnische Verein Würzburg z. B. 662 Blatt, 1861 Frau Dr. H. Schröder in Altona aus dem Nachlaß ihres Mannes 4518 Stück, 1863 der Heidelberger Bankier Adolf Zimmern 3874 Bildnisse und 1879 – um noch ein späteres Beispiel zu zitieren – Senator Hermann Römer aus Hildesheim ebenfalls eine geschlossene Sammlung von ca. 5000 Stück. Gedacht werden soll an dieser Stelle auch des Fräuleins Elise Zimmermann aus Wiesbaden, die durch Testament von 1856 das erste größere Vermächtnis an Künstlergraphik stiftete. Die mit 5000 fl bewerteten rund 2000 Blätter deutscher, niederländischer, italienischer und französischer Schulen, darunter z. B. Albrecht Dürers Großes Glück B. 77 und Rembrandts Hundertguldenblatt B. 74 sowie seltene italienische Clair-Obscur-Holzschnitte, entstammten der Sammlung ihres Bruders, des Bibliothekssekretärs E. Zimmermann (Sammlerstempel Lugt 2677, dort nicht identifiziert)[18].

Bei der Vielzahl meist kleinerer Zugänge – es fehlten die großen Mäzene, und die wirklich bedeutenden Nürnberger Privatsammlungen wie beispielsweise das Praunsche Kabinett oder die Sammlung des Barons Hans Albert von Derschau waren lange vor der Museumsgründung aufgelöst und veräußert worden – läßt sich im Rahmen dieser Zusammenfassung kein ausführlicheres Verzeichnis der Stifter vorlegen. Sie rekrutierten sich aus Adel und Bürgertum und aus fast allen gehobeneren Berufen vom Bankier bis zum Doktor, vom Pfarrer bis zum Rittmeister und vom Lehrer bis zum Inspektor, darunter manche, die sich, wie etwa der Landgerichtsassessor Ludwig von Cuny in Köln (später Bonn) in den sechziger Jahren, durch laufende Zuwendung auch wertvollerer Blätter auszeichneten. Daß dem Kreis auch Kenner und Sammler angehörten, wie z. B. Jakob Heinrich von Hefner-Alteneck in München oder der durch seine Handbücher jedem Graphiksammler vertraute Andreas Andresen, welcher nicht nur während seiner Tätigkeit am Germanischen Nationalmuseum 1858–1862 den Bestand an Altmeistergraphik durch Blätter aus seinem Privatbesitz mehrte, liegt auf

---

[16] Wegweiser GNM 1861, S. 35–36.
[17] August von Eye: Spielkarten des 15. und 16. Jahrhunderts. In: Anzeiger GNM 1858, Sp. 183–184.
[18] Altregistratur GNM Teil II, Vermächtnisse und Stiftungen, Karton 36, Nr. 2. – Anzeiger GNM 1858, Sp. 57. – Fritz Lugt: Les Marques de Collections de Dessins & d'Estampes. Amsterdam 1921, S. 505, Nr. 2677.

der Hand. Seltener taucht hingegen der Name des 1862 verstorbenen, überregional bekannten Nürnberger Kunsthändlers, Sammlers und Kenners Johann Andreas Boerner in den Geschenklisten auf. Diese zunächst überraschende Tatsache erklärt sich dadurch, daß der in vielfacher Weise bemerkenswerte Mann als großer Förderer meist ungenannt bleiben wollte[19], ein Beweis der ihm nachgerühmten Bescheidenheit, die auch Eye in seinem Nekrolog 1863 hervorhebt[20]. Jede Namensnennung an dieser Stelle kann jedoch – was noch einmal betont werden muß – nur beispielhaft sein und für viele andere stehen. Eine zögernde Ankaufstätigkeit setzte 1860 ein, damals wie heute erschwert vom Kampf um die Mittel, der bei einem spendenabhängigen Museum ohne festen Ankaufsetat mit wechselndem Glück geführt wurde. Von Antiquar Friedrich Schreiber in Nürnberg erwarb man zwei Schwefeldrucke (Teigdrucke, Schreiber VI, 2774, 2822), von Artaria in Wien eine Partie Kupferstiche des 15. Jahrhunderts, darunter mehrere von Israhel van Meckenem, und von Antiquar Heinrich Lempertz in Köln in Ergänzung des vorhandenen Bestandes an großen Weigelschen Holzschnitt-Prospekten u. a. ein schönes, altkoloriertes Exemplar der Ansicht von Wismar. 1864 wurde die inzwischen durch zusätzliche Deposita erweiterte Sammlung von Aufseß käuflich erworben. Sieht man die Zugänge der folgenden Jahre und Jahrzehnte durch, so wird deutlich, wie mühsam Stein auf Stein gesetzt werden mußte, um dem Kupferstichkabinett seinen jetzigen Umfang und Gehalt zu verleihen, ganz im Gegensatz etwa zum benachbarten Coburg, das mit der ca. 300000 Blatt umfassenden, schon im späten 18. Jahrhundert angelegten Sammlung der Herzöge von Sachsen-Coburg-Saalfeld einen Bestand übernahm, der keiner Erweiterung bedurfte, ganz im Gegensatz aber auch zum Berliner Kupferstichkabinett, welches aus relativ bescheidenen Anfängen durch den geschlossenen Ankauf der Sammlung des Generalpostmeisters und Staatsministers Karl Ferdinand Friedrich von Nagler nur vier Jahre nach der Gründung im Jahre 1831 schlagartig in die Reihe international bedeutender Kabinette aufrückte[21]. Daß auch ein großer Teil der oben zitierten Sammlung von Derschau in seinen Bestand einging, sei nur am Rande vermerkt.

Eine neue Ära setzte mit der Direktion August Essenweins (1866–1891) ein, in der das Kupferstichkabinett nicht nur durch gezielte Erwerbungen gefördert, sondern zugleich durch umfangreiche Ordnungsarbeiten benutzbarer gemacht wurde. Als erstes wurde die Ausstellung im jetzt durch eine neue Südtreppe zugänglichen Raum der graphischen Künste, dem bisherigen Kunstsaal, verbessert; Proben von Landkarten, Prospekten und Kalendern waren im Vorraum bei den wissenschaftlichen Instrumenten, von Spielkarten im Erdgeschoß bei Hausgerät und Spielzeug ausgestellt[22]. Stärker realitätsbezogen als sein Vorgänger von Aufseß, unterzog Essenwein dessen „Organismus" einer grundlegenden Revision in seinem höchst instruktiven Bericht von 1870 an den Verwaltungsausschuß, der auch maßgebliche Auswirkung auf die weitere Entwicklung des Kabinetts hatte[23]. Neben der Erstellung von Abteilungsinventaren, die in der graphischen Sammlung im Laufe der siebziger Jahre einsetzte (das der Holzschnitte nicht vor Mitte 1872, das der Kupferstiche nicht vor 1873), war seine Hauptforderung die schon aus Verwaltungsgründen notwenige Zusammenlegung aller „Blättersammlungen" an einem Standort ohne Rücksicht auf übergeordnete museale Zusammenhänge. Wohl nicht von ungefähr verwendete er in seinem handschriftlichen „Specialprogramm des Kupferstichkabinettes" den Ausdruck Kabinett, während bisher nur von der Kupferstichsammlung die Rede

[19] Anzeiger GNM 1862, Sp. 122 (kurzer Nekrolog auf J. A. Boerner).
[20] August von Eye: Johann Andreas Boerner. In: Archiv für die zeichnenden Künste Jg. 9 (1863), S. 1–6.
[21] Vgl. Hans Möhle: Das Berliner Kupferstichkabinett. Berlin 1963. – Hans Möhle: Berlin. Kupferstichkabinett der Staatlichen Museen Preussischer Kulturbesitz. In: Das große Buch der Graphik. Hrsg. von Hermann Boeckhoff und Fritz Winzer. Braunschweig 1968, S. 111–112.
[22] Wegweiser GNM 1868, S. 55–56, 70–71, 86–98.
[23] August Essenwein: Bericht 1870; vgl. in diesem Band, S. 993–1026, bes. 1006–1008.

war[24]; denn wenn wir auch heute in der Regel nicht zwischen beiden Begriffen unterscheiden, so setzt das seit dem Ende des 16. Jahrhunderts gebräuchliche Wort Kabinett doch die Existenz eines eigenen benutzbaren Raumes für die Spezialsammlung innerhalb des größeren Bauzusammenhanges voraus. Dieses 1870/74 datierte Spezialprogramm ist in mehrfacher Hinsicht lesenswert. Essenwein übernimmt die bestehende Dreiteilung in Künstlerblätter, inhaltlich interessante Blätter und Abbildungsmaterial bzw. Bilderrepertorium, gibt aber gleichzeitig eine spezifizierte Gliederung dieser Abteilungen. So sollte die erste außer Miniaturen und – nur in einzelnen „guten Specimina" zu suchenden – Handzeichnungen die Kupferstiche und Holzschnitte vom 14. bis zur 1. Hälfte des 19. Jahrhunderts enthalten, darunter das Werk Dürers vollständig mit Kopien, aber auch die Niederländer des 16.–17. Jahrhunderts mit dem Schwerpunkt Rembrandt, des weiteren Lithographien der Frühzeit bis etwa 1830. Die neuere und zeitgenössische Kunst empfiehlt er, nur in Auswahl und dann billig oder als Geschenk zu sammeln. Schrift-, Druck- und Papierproben werden in einen Anhang verwiesen. Die zweite Abteilung umfaßt die Landkarten, Stadtpläne und Stadtansichten, Porträts und „historischen Flugblätter" (heute Abteilung „Historische Blätter"), die ihrerseits nach achtundvierzig Unterthemen geordnet sind, von denen sich die meisten, wie z. B. die Gruppen kirchliches, politisches und häusliches Leben, kirchliche und politische Allegorien und Satiren, Schlachten und Belagerungen, Unglücksfälle, Naturerscheinungen, Kalender, Astronomie, Schaustellungen, Poesie, Musik, Trachten und Mode usw., über ein Jahrhundert als praktikabel erwiesen. Die dritte Abteilung, das Bilderrepertorium, sollte in- und außerhalb des Hauses gefertigte Fotografien und Kopien sowie Abbildungsmaterial jeglicher Art als Ergänzung zu den im Museum aufbewahrten Originaldenkmälern vereinen. Als wünschenswerten Bestand kam Essenwein für die erste Abteilung auf 39 200, für die zweite auf 89 000 und für die dritte auf 100 000 Blatt bei geschätzten Beschaffungspreisen von 542 000, 59 000 und 10 000 Mark – Zahlen, die nicht der Realitätsgrundlage entbehrten; dabei gab er der optimistischen Hoffnung Ausdruck, daß Schenkungen und günstige Gelegenheiten diese Summen niedriger halten möchten. Die letzte Forderung seines Programms, nämlich die unmittelbare Nachbarschaft von Bibliothek und Kupferstichkabinett, um das gleichzeitige Studium der in ersterer aufbewahrten Graphikbände mit den im letzteren befindlichen Einzelblättern zu ermöglichen, konnte erst in jüngster Zeit durch den Neubau am Kornmarkt verwirklicht werden.

1872 wurde die Abteilung frühester Bilddrucke (Holz- und Metallschnitte) – nach den von Wilhelm Ludwig Schreiber erfaßten Beständen[25] die drittgrößte museale in Deutschland – durch zwei sich ergänzende Ankäufe aus der Sammlung des Oberstudienrates Dr. Konrad Dietrich Hassler in Ulm und, einer Anregung des Reichstags folgend, aus der Leipziger Versteigerung der berühmten Sammlung Theodor Oswald Weigel vom 27. 5. 1872 systematisch ausgebaut. Essenwein ließ es sich nicht nehmen, diese Neuerwerbungen selbst im Anzeiger von 1872 zu publizieren[26]. 1874 folgte sein Tafelwerk der frühen Holzschnitte[27], das einschließlich der in der Bibliothek aufbewahrten Buchholzschnitte 246 Nummern umfaßt. Unter den meist kolorierten Blättern befinden sich unikale Stücke von hohem dokumentarischem und künstlerischem Wert, so z. B. der Marientod (Schreiber 705), Christus in der Kelter (Sch. 841), der hl. Christophorus (Sch. 1355), die Marienverkündigung (Sch. 27), Christus und die kreuztragende Nonne (Sch. 929) und die neun Stellungen des hl. Dominikus beim Gebet (Sch. 1390), ein Holzschnitt, der bereits im Anzeiger von 1854 publiziert

[24] Altregistratur GNM Teil I, Abt. II, Karton 5, Nr. 2,2.
[25] Wilhelm Ludwig Schreiber: Handbuch der Holz- und Metallschnitte des 15. Jahrhunderts. 8 Bde. Leipzig 1926–1930.
[26] August Essenwein: Älteste Druckerzeugnisse im germanischen Museum: In: Anzeiger GNM 1872, I: Sp. 241–248, II: Sp. 273–281, III: Sp. 305–310. – Zur Debatte im Reichstag vgl. S. 196–197.
[27] August Essenwein: Die Holzschnitte des 14. und 15. Jahrhunderts im Germanischen Museum. Nürnberg 1874.

worden war. Es ist, nebenbei bemerkt, nicht uninteressant, daß die Abbildungen des Bandes nicht etwa auf den damals noch recht aufwendigen Fotografien, sondern auf Nachzeichnungen basieren.

Mit dem 1874 beschlossenen, 1875–76 im Museum aufgestellten Depositum der Paul Wolfgang Merkelschen Familienstiftung aus Nürnberg gelangte als Hauptstück der großformatige, aquarellierte Entwurf Wenzel Jamnitzers für den jetzt in Amsterdam befindlichen sog. Merkelschen Tafelaufsatz in das Kabinett[28]. Neben je einem Klebeband mit Kupferstichen und Holzschnitten von und nach Dürer ist als wichtigster Bestandteil desselben Depositums die Porträtsammlung zu nennen, nach dem handschriftlichen zweibändigen Verzeichnis ursprünglich rund 26 800 Blatt, von denen 1962/63 nach langdauernden Ordnungsarbeiten und Vorverhandlungen ca. 8000 Dubletten durch die Familienstiftung verkauft wurden[29].

Mit der Deponierung der Städtischen Graphiksammlung im Germanischen Nationalmuseum aufgrund einer Vereinbarung zwischen dem Magistrat der Stadt Nürnberg und der Museumsdirektion wurde das Kupferstichkabinett zu einer Studienanstalt ersten Ranges[30]. Die bis 1877 übergebene, in den folgenden Jahrzehnten durch stete Neuzugänge gemäß Eintragung in zwei städtischen Inventarbänden von 12 143 auf über 16 700 Nummern (Photos und spätere Rückgaben eingeschlossen) angewachsene Leihgabe enthält als Kernstück den seinerzeit von der Stadt übernommenen Teil der Hertelschen Sammlung – darin neben deutschen Künstlern wie z. B. einer umfangreichen Chodowiecki-Sammlung auch englische, französische, italienische und niederländische Schulen[31]. Daß darüber hinaus Albrecht Dürer und die Nürnberger Kleinmeister mit Kupferstichen und Holzschnitten im städtischen Bestand vortrefflich vertreten sind, kann nicht überraschen. Die Zusammenführung der beiden Sammlungen hatte offensichtlich im Museum selbst den Ausbau des Kabinetts intensiviert. Nicht nur, daß man die – 1880 beendeten – Katalogisierungsarbeiten einschließlich der Montierung und der Kapsel- und Mappenbeschaffung zügig vorantrieb, auch der größte Teil des Ankaufsetats wurde für die graphische Sammlung verwendet, die dadurch neben der Bibliothek als die reichhaltigste Abteilung des Hauses galt[32]. Vom guten Einvernehmen zwischen Stadt und Museum zeugte es, daß die erstere auf Anregung und durch Vermittlung der Museumsdirektion immer wieder als Käufer – und Leihgeber – einsprang, wenn dem Museum die Gelder zur Wahrnehmung wichtiger Auktionsangebote fehlten. Auf diese Weise gelangte z. B. eine Reihe von Kupferstichen und Holzschnitten Dürers aus der Sammlung Heinrich Anton Cornill-d'Orville, die 1900 in Stuttgart durch H. G. Gutekunst und F. A. C. Prestel versteigert wurde, in das Kabinett. 1897 kam die von der Stadt erworbene Norica-Sammlung des Kaufmanns Georg Arnold hinzu, u. a. mit zahlreichen Arbeiten von Johann Adam Klein und Gouachen der Nürnberger Künstlerfamilie Dietzsch[33]. Bis zu ihrer Integrierung im Jahre 1923 auf der Basis eines neuen Vertrages, der dem Germanischen Nationalmuseum die städtischen Leihgaben sichern sollte, solange sich dieses in Nürnberg befände, wurde die Benutzung der städtischen Blätter dadurch erschwert, daß sie von den museumseigenen separiert gehalten werden mußten, zunächst mit den übrigen Leihgaben der Stadt im Erdgeschoß des

[28] Anzeiger GNM 1874, Sp. 378. – Anzeiger GNM 1875, Sp. 16. – Zum Tafelaufsatz selbst vgl. S. 765–766 und Abb. 395.
[29] Die bis heute separat gehaltene Porträtsammlung war ursprünglich in der Bibliothek aufgestellt, sie wurde erst 1960/61 in das Kabinett übertragen. In der älteren Korrespondenz wird sie wiederholt als „Panzersche Porträtsammlung" bezeichnet. Ob es sich in der Tat um die Privatsammlung von G. W. Panzer, dem Verfasser des Verzeichnisses von Nürnbergischen Portraiten aus allen Ständen (Nürnberg 1790), handelt, war nicht mit Sicherheit feststellbar.
[30] Vertrag vom 28. 5. 1875; Altregistratur GNM Teil II, Abt. V, Verwaltung, Karton 277. – Wilhelm Schwemmer: Aus der Geschichte der Kunstsammlungen der Stadt Nürnberg. In: Mitteilungen des Vereins für Geschichte der Stadt Nürnberg 40 (1949), S. 97–206 (152–53).
[31] Georg Michael Remshard: Die Sammlungen des Handelsgerichts-Assessors Joh. Jacob Hertel auf den Gebieten der Kunst und Wissenschaft, des Gewerbefleißes und der Natur. Nürnberg o. J. (1841). – Schwemmer (Anm. 30), S. 152–154.
[32] Jahresbericht GNM 25 (für 1878), 1879. – Jahresbericht GNM 26 (für 1879), 1880.
[33] Schwemmer (Anm. 30), S. 174.

Augustinerbaues, ab 1884 im neuen Saal des Kupferstichkabinetts. Bei Neuerwerbungen wurde vom gemeinsamen Bestand ausgegangen[34].

Doch damit sind wir der Zeit vorausgeeilt. 1876 bemühte man sich, mit Hilfe von Subskriptionslisten einen Ankaufsfonds bei dem bekannten Leipziger Graphikhändler Wilhelm Drugulin zu schaffen. Die sich über Monate hinziehenden Überweisungen und Verkaufsverhandlungen führten schließlich zu einem Zuwachs alter Graphik im Werte von ca. 24 000 Mark, ein nicht gerade kleines, aber doch wohl hinter den Erwartungen zurückstehendes Resultat. Das mit 5000 Mark höchstbewertete Einzelblatt unter den Erwerbungen war der bis dahin unbeschriebene, von Max Lehrs später dem Meister PW zugewiesene Stich der Anna Selbsdritt (L. 9)[35].

Der schon immer rege Kontakt zu den Städten des deutschen Ostens, wo der nationale Gedanke auf besonders fruchtbaren Boden gefallen war, dokumentierte sich im Jubiläumsjahr 1877 durch den Danziger Ankauf des höchst seltenen Kupferstichfrieses der Stadt von Pieter van der Keere (Petrus Kaer) von 1618, zusammen mit vierzehn gleichfalls raren Danziger Ansichten von Aegidius Diekmann. Rudolf Bergau, von Herkunft und Beruf mit den altpreußischen Provinzen und mit Nürnberg verbunden, hatte bereits 1866 die Aufmerksamkeit auf diese Blätter gelenkt[36]. 1881 kam als Vermächtnis die unter thematischen Gesichtspunkten zusammengetragene zahlenmäßig große Sammlung des Grafen Botho von Stolberg-Wernigerode ins Kabinett, darunter vor allem Ansichten von Burgen, Schlössern und Städten[37].

Ende 1881 konnte das Kupferstichkabinett endlich ein eigenes Lokal im ausgebauten zweiten Geschoß des kürzeren Gebäudeflügels an der Kartäusergasse über dem Handelsmuseum beziehen[38]. Die Dauerausstellung graphischer Blätter zur Demonstrierung der verschiedenen Techniken, Künstler und Sachgebiete blieb im allgemeinen Museumsrundgang einbezogen; zusätzlich wurden in Sonntagsausstellungen Objekte aus der Sammlung vorgestellt. 1884 erschien der Anzeiger als Museumsorgan in neuer Form; dem Kupferstichkabinett wurde darin ab 1887 eine seiner Bedeutung angemessene eigene Rubrik im Verzeichnis der Neuerwerbungen eingeräumt. Ein vorangestellter kurzer Sammlungsüberblick beweist, daß sich das Essenweinsche Konzept für das Kabinett im wesentlichen bewährt hatte[39]. An geschätzten Bestandszahlen werden ohne städtische und Stolbergsche Sammlung sowie ohne das allein auf 50 000 Blatt veranschlagte Bilderrepertorium genannt: 300 Miniaturen, 1200 Handzeichnungen, 5200 Holzschnitte, 11 300 Kupferstiche, 600 Lithographien, 3700 Schrift- und Druckproben, 10 700 historische Blätter, 19 400 Porträts, 1300 Landkarten und 4000 Prospekte und Pläne; der wünschenswerte Zuwachs wird mit 100 000 Blättern bei einem angenommenen Beschaffungspreis von ca. 300 000 Mark beziffert.

1886 legte das Kupferstichkabinett, wie bereits erwähnt, ein eigenes Zugangsregister an. Die seit den siebziger Jahren geförderte Erwerbung alter Meister wurde weiter betrieben. Daß 1889 neben

---

[34] Anzeiger GNM 1884, S. 78.

[35] Anzeiger GNM 1876, Sp. 181. – Altregistratur GNM Teil II, Abt. IV, Kupferstichkabinett, Karton 262. – E. W. Drugulin (1825–1879) genoß nicht nur als Händler, sondern auch als Kenner einen ausgezeichneten Ruf. Sein „Allgemeiner Porträtkatalog" (Leipzig 1860), sein zweiteiliger Historischer Bilderatlas (Leipzig 1862, 1867) und sein Catalogue raisonné von Allart van Everdingen (1873) zählen noch heute zu den Standardwerken der Graphiksammler.

[36] Rudolf Bergau: P. Kaers Prospekt der Stadt Danzig. In: Altpreußische Monatsschrift 3 (1866), S. 345–349. – Ders.: Aelteste Sammlung von Danziger Ansichten. In: Archiv für die zeichnenden Künste Jg. 12 (1866), S. 155–160. – 1836 in Friedrichsruh bei Tapiau geboren, war Bergau nach dem Studium in Berlin ab 1864 mit Wiederherstellungsarbeiten in Westpreußen beschäftigt. 1868–1872 wirkte er als Kunstgeschichtslehrer an der Nürnberger Kunstschule und ab 1876 als Konservator der Kunstdenkmäler des preußischen Staates. Vgl. Altpreußische Biographie. Hrsg. von Christian Krollmann, Bd. 1. Marburg 1974, S. 49–50.

[37] Anzeiger GNM 1881, Sp. 305. – Ein großer Teil der auf 30 000 Blatt geschätzten Sammlung in 130 Mappen erwies sich als Abbildungsmaterial.

[38] Anzeiger GNM 1881, Sp. 353. – Zum Bau vgl. S. 437 und Abb. 207 (dort über dem Raum 28); erkennbar auch auf Abb. 68.

[39] Die Sammlungen des germanischen Nationalmuseums. E. Graphische Künste. In: Anzeiger GNM 1884–1886, S. 60–63, 70–78.

einer Altdorferzeichnung (Hz 1332) bei C. J. Wawra in Wien aus der Versteigerung der Sammlung Ritter von Klinkosch auch vierundzwanzig der prachtvollen Radierungen Bernardo Belottos gekauft wurden, ist allerdings wohl dem Umstand zu verdanken, daß es sich um Dresdner und sächsische Ansichten handelte. Eine systematische und kontinuierliche Mehrung der Künstlergraphik des 15. bis 18. Jahrhunderts setzte erst ein, als Gustav von Bezold die Museumsdirektion (1894–1920) und Hans Bösch die Leitung des Kupferstichkabinetts (1890–1905) übernahmen. Dabei wurden die Sachabteilungen nicht vernachlässigt, wohl aber trat ein Lieblingskind der Aufseßschen und Essenweinschen Ära, das Bilderrepertorium bzw. die Abbildungssammlung, mehr und mehr in den Hintergrund. Die Ursache ist nicht allein in der Furcht vor einer Verzettelung der Mittel und Kräfte zu suchen als vielmehr auch in der allgemeinen Abkehr von Repertoriumsgedanken und der stärkeren Hinwendung zum originalen Kunstwerk[40].

Durch regelmäßige Beteiligung an den Auktionen bei H. G. Gutekunst in Stuttgart ab 1890, aber auch durch Ankäufe bei den nicht weniger renommierten Häusern C. G. Boerner in Leipzig und Amsler und Ruthardt in Berlin sowie bei Franz Meyer in Dresden und Hugo Helbig in München kamen graphische Blätter von Martin Schongauer, Jost Amman, Jakob Bink, Albrecht Dürer, Hans Baldung Grien, Lukas Cranach, Hans Brosamer, Virgil Solis, Albrecht Altdorfer, Augustin Hirschvogel, Wenzel Hollar, Israhel van Meckenem, Johann Wilhelm Baur, Stefano della Bella, Jacques Callot, Heinrich Aldegrever, Rembrandt (z. B. das Hauptblatt der Drei Kreuze B. 78 aus der Stuttgarter Versteigerung der Sammlung Luigi Angiolini, Mailand), Gottfried Schadow, Hans Ulrich Franck und dem Meister der Spielkarten (Madonna L. 33) in die Sammlung, um nur einige Hauptnamen zu zitieren. An frühesten Holzschnitten ist neben Schreiber 932 und 1929 das schon damals (1896) mit 600 Mark hoch bewertete Verwandlungsbild mit zwei Affen als Reiter (Sch. 1985 m) erwähnenswert. Einer gewissen Zeittendenz folgend und vielleicht auch angeregt durch den Katalog der Berliner Ornamentstichsammlung von 1894 nahm das Interesse an Ornamentstichen, Goldschmiedeentwürfen und Vorlagezeichnungen verschiedenster Art einschließlich derjenigen des 18. Jahrhunderts zu[41]. Daneben glückten wichtige Erwerbungen an Meisterzeichnungen, die umso stärker ins Gewicht fallen, als man in der vorhergehenden Zeit mehr Wert auf die Schließung von Lücken als auf den Ankauf kostbarer Einzelstücke legte. 1890 wurden aus Mitteln des 1882 ins Leben gerufenen Fonds zur Erhaltung Nürnberger Kunstwerke die ersten drei Dürerzeichnungen aus der in Frankfurt/M. bei F. A. C. Prestel versteigerten Sammlung William Mitchell, London, angekauft: Die Anna Selbdritt (Winkler 220), die Grabtragung (W. 796) und Maria mit Kind unterm Baldachin (W. 526)[42]. 1898 kamen aus der C. G. Boernerschen Auktion in Leipzig die aquarellierten Federzeichnungen der Reichskrone, des Zeremonienschwertes und des Reichsapfels (W. 507, 505, 506) aus dem Nachlaß Karl Eduard von Lipharts hinzu. Dagegen scheiterten 1899 die Bemühungen, mit Hilfe der Stadt Dürers Lindenbaum auf der Bastei (W. 63) zusammen mit drei weiteren Dürerzeichnungen auf der Versteigerung der Sammlung Eduard Habich bei H. G. Gutekunst in Stuttgart zu erstehen, an den fehlenden Mitteln[43].

---

[40] Durch mangelnde Kultivierung geriet das Bilderrepertorium in der Folgezeit mehr und mehr in Vergessenheit. Bei der Auslagerung am Bergungsort während des 2. Weltkrieges mußte es erhebliche Einbußen hinnehmen, so daß es nur sehr lückenhaft erhalten ist.

[41] 1895 erwarb man den Entwurf eines Deckelhumpens von Gottfried Bernhard Göz (Hz 2431), 1903 eine Reihe ornamentaler Andachtsbildchen von Gottfried Rogg (Hz 2838–2864) und Gottfried Eichler d. J. (Hz 2866–2921), 1905 von Johann Esaias Nilson die Vorzeichnungen für die Stichfolge der Kinderstücke in Augsburger Tracht (Hz 3013–3024).

[42] Zur Begründung des Fonds Anzeiger GNM 1882, Sp. 133. – Da der verfügbare Betrag offenbar nicht ausreichte, zahlte die Stadt auf die Rechnung von zusammen 18028.-- Mark einen Zuschuß von 2496.-- Mark.

[43] Brief von Hans Boesch an den Magistrat der Stadt vom 27. März 1899 (Altregistratur GNM Teil II, Abt. IV, Kupferstichkabinett, Karton 263, Nr. 12,1). Bis heute besitzt das Kupferstichkabinett keine farbige Landschaftszeichnung von

Durch erfreuliche Zugänge zeichnete sich das Jahr 1896 aus. Neben Christoph Ambergers bemerkenswertem Deckfarbenblatt eines Frauenkopfes (Hz 2440) und der Landschaft mit Wasserschloß von Hans Leu (Hz 2439) ist als wichtiger Neuerwerb die nach langen Vorverhandlungen von der Witwe um 2500 Mark erworbene große Lithographiensammlung (in der Hauptsache Inkunabeln) des Münchner Professors und Lithographen Heinrich Weishaupt, eines Sohnes des Steindruckers und Senefelder-Schülers Franz Weishaupt, zu nennen. Durch gezielte Zukäufe – 1896 von der lithographischen Anstalt und Druckerei J. M. Hirschmann in Offenbach die 1806 in London erschienene Folge der „Specimens of Polyautography", 1897 vom Antiquariat J. Halle in München vierzig der ab 1804 von Wilhelm Reuter herausgegebenen „Polyautographischen Zeichnungen" Berliner Künstler und schließlich 1902 aus der Versteigerung der Spezialsammlung J. Aufseesser bei Amsler und Ruthardt in Berlin über dreihundert weitere seltene Lithos – wurde die jüngste der klassischen Bilddrucktechniken in breiter Fächerung aufzeigbar. Damit erhielt zugleich die bisher im wesentlichen aus Schenkungen und Deposita zusammengewachsene Abteilung der Graphik des 19. Jahrhunderts richtungsweisende Akzente[44]. Die weitere Sammeltätigkeit bezog auch Handzeichnungen stärker mit ein; so konnten 1907–1909 exemplarische Blätter von Joseph Anton Koch, Johann Christian Clausen Dahl, Johann Christoph Erhard, Julius Schnorr von Carolsfeld, Adrian Ludwig Richter, Bonaventura Genelli und Friedrich Preller d. Ä. (u. a. aus der 1908 bei C. G. Boerner in Leipzig versteigerten Sammlung Eduard Cichorius) erworben werden.

Um die Mitte der neunziger Jahre war der Raum im Kupferstichkabinett bereits wieder so beengt, daß Neuzugänge kaum mehr Platz fanden. Dem sollte 1897 der Ankauf des sog. Königsstiftungshauses im Südosten des Museumsgeländes zur Unterbringung von Bibliothek, Archiv und Kabinett abhelfen[45]. Der erforderliche Umbau war 1901 vollendet, und mit Beginn des Jubiläumsjahres 1902 fand der Umzug in die neue Örtlichkeit statt. Neuaufstellung, Auflockerung und Neuordnung nahmen freilich noch geraume Zeit in Anspruch[46].

Seit den achtziger Jahren hatte auch die Publikation der graphischen Bestände Fortschritte gemacht. 1886 veröffentlichte August Essenwein den Katalog der Spielkarten[47], die trotz stetiger und beachtlicher Neuzugänge (1890 kamen z. B. 47 Blatt eines Kartenspiels von Hans Schäufelein hinzu) bisher keine eigene Abteilung des Kupferstichkabinetts bildeten. 1887 gab Max Lehrs den Katalog der deutschen Kupferstiche des 15. Jahrhunderts heraus[48]. 1892–1896 erschien der von Hans Bösch bearbeitete Katalog der Holzstöcke des 15.–18. Jahrhunderts[49], deren weitgehende Vernichtung am Auslagerungsort während der Nachkriegswirren zu den einschneidenden Verlusten der Sammlung

268–270

Dürer. Auch eine zweite verpaßte Gelegenheit konnte nicht mehr wettgemacht werden: Veit Stoß ist mit keinem Kupferstich in der Sammlung vertreten, nachdem die Bemühungen um eine seiner überaus seltenen Arbeiten auf der Versteigerung der Sammlung Angiolini 1895 fehlgeschlagen waren.

[44] An Schenkungen der Vorzeit ist erwähnenswert das heute aufgelöste Skizzenbuch von Johann Evangelist Scheffer von Leonhartshoff von 1811 (1874 aus Wiener Privatbesitz). Den größten Komplex an Künstlern des 19. Jahrhunderts brachte die städtische Sammlung hinzu, darunter freilich auch große Lots von weniger bedeutenden Zeitgenossen, waren die lebenden Künstler doch laut Beschluß von 1822 gehalten, von jeder ihrer Arbeiten einen Abdruck in die städtische Graphiksammlung zu geben. Vgl. Schwemmer (Anm. 30), S. 159. – Durch die Stiftung ihrer Jahrespublikationen trugen seit dem Ende des 19. Jahrhunderts auch die Vereine für Originalradierung von München, Karlsruhe und Berlin sowie die Wiener Gesellschaft für vervielfältigende Kunst zur Erweiterung der Abteilung bei.

[45] Jahresbericht GNM 44, 1897.

[46] Jahresbericht GNM 48, 1901. – Jahresbericht GNM 49, 1902.

[47] August Essenwein: Katalog der im germanischen Museum befindlichen Kartenspiele und Spielkarten. Nürnberg 1886.

[48] Max Lehrs: Katalog der im germanischen Museum befindlichen deutschen Kupferstiche des 15. Jahrhunderts. Nürnberg 1887.

[49] (Hans Bösch:) Katalog der im germanischen Museum vorhandenen, zum Abdrucke bestimmten geschnittenen Holzstöcke vom 15. bis 18. Jahrhundert. Mit Abdrücken von solchen. Teil I. Nürnberg 1882, Teil II. Nürnberg 1894. Atlas mit 12 Taf. Nürnberg 1896.

gehört. 1903 ließ Ernst Wilhelm Bredt, der von 1901–1904 am Museum tätig war, den Katalog der mittelalterlichen Miniaturen folgen[50]. An interessanten Einzelveröffentlichungen sei der Aufsatz von Hans Bösch von 1897 über vierzehn den historischen Blättern – seiner ureigensten Domäne – zugeordneten Zeichnungen eines süddeutschen Bürgerhauses aus dem 18. Jahrhundert[51] und die Publikation einer Folge venezianischer Holzschnitte des 15. Jahrhunderts durch Paul Kristeller 1909[52] zitiert. Mit dem von Fritz Traugott Schulz, der seit 1901 am Museum wirkte, im Jahre 1908 herausgebrachten Band der Schrotblätter[53] und dem 1913 erschienenen Band der unedierten Holzschnitte von Walter Stengel[54], der seit 1911 Kustos am Kupferstichkabinett war, endete vorläufig die gedruckte Bestandsaufnahme.

M. H.

Die Jahresberichte der Zeit nach der Jahrhundertwende verzeichneten in der Regel eine Erweiterung aller Abteilungen des Kupferstichkabinetts; stärker als vorher bekannte man sich zu dem Grundsatz „lieber wenige, aber wahrhaft gute Objekte um teures Geld als viele, jedoch weniger belangvolle Blätter um einen geringen Preis zu erstehen"[55]. Immer wieder hervorgehoben finden sich Ankäufe von Handzeichnungen, besonders auch von Namen, die bisher nicht so vertreten waren, wie etwa 1911 von Daniel Chodowiecki und Adolf Menzel. Besonderer Wert wurde darauf gelegt, mit Hilfe von Künstlern und Kunstverlagen die Graphikbestände der Gegenwart zu mehren; 1912 überwiesen Lovis Corinth, Max Liebermann, Max Slevogt, Hans Thoma, Hans Walser Radierungen oder Lithographien ihrer Hand in vorzüglichen Drucken[56]. 1914 wurde dieser Fundus durch ein Geschenk von Wassily Kandinsky vermehrt, aus dessen Sendung von 10 Blättern das Museum 2 Aquarelle „Farbige Komposition" auswählen konnte[57]. Die Fortschritte in der Abrundung einzelner Abteilungen dürften wohl der Anlaß gewesen sein, daß Walter Stengel als Sachbearbeiter in einem separaten Band über die Neuerwerbungen des Kupferstichkabinetts in den Jahren 1911–1913 berichtete und dabei auch einzelne Aspekte einer Neuorganisation behandelte. Stengel widmete, seinem Interesse am Kunstgewerbe folgend, einige Aufmerksamkeit der Ornamentstichsammlung, die er topographisch ordnete[58]. In den folgenden Jahren gelangte eine große, mehrere tausend Nummern umfassende Spezialsammlung deutscher Almanachgraphik, die 1915 übernommen wurde, ebenso wenig später

[50] Ernst Wilhelm Bredt: Katalog der mittelalterlichen Miniaturen des germanischen Nationalmuseums. Nürnberg 1903.
[51] Hans Bösch: Ein süddeutsches bürgerliches Wohnhaus vom Beginn des 18. Jahrhunderts. In: Mitteilungen GNM 1897, S. 17–26, 41–53, 62–74, 109–116. – Der Zeichner konnte in jüngster Zeit als Johann Jakob Kleinschmidt aus Augsburg identifiziert werden.
[52] Paul Kristeller: Eine Folge venezianischer Holzschnitte aus dem 15. Jahrhundert im Besitze der Stadt Nürnberg (9. Veröffentlichung der Graphischen Gesellschaft). Berlin 1909. – Die ursprünglich mit anderen (zus. 55 Bll.) in einem Altar der Katharinenkirche aufgeklebten Holzschnitte wurden bei dessen Restaurierung in Berlin abgelöst und von der Übermalung befreit. Sie gelangten 1909 als Leihgabe der Stadt in das Kabinett.
[53] Fritz Traugott Schulz: Die Schrotblätter des germanischen Nationalmuseums zu Nürnberg (Einblattdrucke des 15. Jahrhunderts). Straßburg 1908.
[54] Walter Stengel: Unedierte Holzschnitte im Nürnberger Kupferstichkabinett (Einblattdrucke des 15. Jahrhunderts). Straßburg 1913.
[55] Jahresbericht GNM 53 (für 1906), 1906, S. 6.
[56] Jahresbericht GNM 59 (für 1912), 1912, S. 6.
[57] Archiv GNM Altregistratur IV 276 d.
[58] Walter Stengel: Erster Bericht über die Neuerwerbungen des Kupferstichkabinetts Pfingsten 1911 bis 1913. Nürnberg 1913. Aus diesem Bericht seien noch besonders hervorgehoben: 18 Entwürfe für die Wallfahrtskirche Vierzehnheiligen 1738/39, 1742/43, 1744, 1770; 4 Zeichnungen von Daniel Chodowiecki; 3 Tuschzeichnungen von Heinrich Füßli; 2 Ölstudien von Heinrich Reinhold; 4 Bleistiftzeichnungen von Adolf Menzel; ferner als Geschenk der Künstler 41 Lithographien und 36 Radierungen von Hans Thoma von 1896/99; 10 graphische Blätter von Max Liebermann; 2 Theaterdekorationsentwürfe von Karl Walser 1909; 22 Radierungen von Adolf Schinnerer 1906–12.

auch ein bedeutender Bestand an Exlibris, der in erster Linie den „heraldischen Interessen" des Museums dienen sollte, in den Besitz des Kupferstichkabinetts[59].

vgl. 68   1920 erfolgte der Umzug in das Obergeschoß des Museumsgebäudes am Kornmarkt, 1923 die Einordnung der Bestände der Städtischen Graphischen Sammlung Nürnberg in die graphische Sammlung des Museums[60]. Dubletten des Kupferstichkabinetts und der Kunstsammlungen der Stadt Nürnberg wurden an eine Leipziger Auktion der Kunsthandlung C. G. Boerner, 19.–23. Mai 1924, gegeben[61]. Jedoch zerschlug sich nach langen Verhandlungen die Möglichkeit, aus diesem Erlös die Sammlung Ehlers mit altdeutschen und schweizer Zeichnungen zu erwerben, an den Preisforderungen von 40000 US Dollar[62]. 1927 wurden entsprechend der dem Barock und dem Rokoko geltenden Schwerpunktbildung im Erwerbsprogramm von Direktor E. Heinrich Zimmermann (1920–1936) Zeichnungen von Franz Ignaz Günther, so die Kanzelentwürfe von 1750, 1760, 1765 und 1768, der Denkmalentwurf von 1749 und die Entwürfe für Festdekorationen 1750, aus dem Nürnberger Kunsthandel angekauft, nachdem schon 1922 eine Federzeichnung von Ignaz Günther „Krönung Mariae" (um 1765) sowie Skizzen von Daniel Gran mit Genien und von Thomas Christian Wink „Frühlingsmonat" erworben worden waren. In Weiterführung dieses Interesses folgten 1930/31 Entwürfe besonders für Deckengemälde von Johann Anwander, Wolfgang Baumgartner und zwei weitere Ignaz Günther-Zeichnungen, nämlich eine Dreifaltigkeit von 1760 sowie der Altarentwurf für Ettal von 1771–72. Um die gleiche Zeit kamen auch Zeichnungen der Gotik, der Renaissance und des Manierismus hinzu, darunter der Entwurf des Straubinger Sakramentshäuschens vom 1485/90, das doppelseitige Bodensee-Aquarell von 1522 und die Meisterzeichnung von Hans Rottenhammer „Anbetung der Hirten" um 1600 aus dem Berliner Handel.

Größte Vielfalt der Objekte zeichnete die Erwerbungen der dreißiger Jahre bis zum 2. Weltkrieg aus. 1932 wurde die 48 Blätter umfassende Serie des Peter Flötner'schen Kartenspiels um 1535/40 bei Gilhofer & Ranschburg in Wien für RM 2400,– erworben, 1933 der Kupferstich „Buchstabe V" des Meisters E S bei C. G. Boerner in Leipzig um denselben Preis. 1935 gelang der Ankauf von spätbiedermeierlichen Interieur-Aquarellen. Diese Erweiterung der kulturhistorischen Blätter war der Anlaß für die im gleichen Jahr veranstaltete Ausstellung mit „Innenansichten deutscher Wohnräume 1815–1870", in die Leihgaben aus anderen Museen wie aus Privatbesitz einbezogen waren[63]. 1936 wurde das Günther-Zeichnungswerk durch fünf Blätter vermehrt sowie eine Reihe weiterer Zeichnungen des 18. Jahrhunderts aus der Sammlung Sigmund Röhrer erworben. 1941 unter der Direktion Heinrich Kohlhaußens (1937–45) erfolgte der bei den zeitbedingten Devisenverhältnissen höchst beachtliche Ankauf von 190 Scherenschnitten aus Züricher Privatbesitz[64], darunter der Inkunabeln dieser Technik von Rudolf Wilhelm von Stubenberg[65] von 1653, im Jahr 1943 vermehrt durch vier Scherenschnitte von Fritz Griebel (vor 1939/41). Den künstlerischen und kulturhistorischen Charakter der Bestände des Kupferstichkabinetts hebt die Schrift seines langjährigen Leiters, Heinrich Höhn, „Die graphische Sammlung des Germanischen Nationalmuseums. Wesen und Aufgabe" hervor, die 1938 als Heft 5 der Bilderbücher des Germanischen Nationalmuseums erschien[66]. Kultur-

[59] Jahresbericht GNM 62 (für 1915), 1915, S. 4. – Jahresbericht GNM 63 (für 1916), 1916, S. 4.
[60] Jahresbericht GNM 70 (für 1923), 1923, S. 3.
[61] Auktionskatalog Kupferstich-Sammlung von alten Meistern des XV.–XVIII. Jahrhunderts . . . Versteigerung durch C. G. Boerner, Leipzig 19.–23. Mai 1924 (Versteigerungskatalog Nr. 142). Leipzig 1924.
[62] Geführt seitens des Museums durch Theodor Hampe. – Archiv GNM, Altregistratur GNM IV Nr. 269 Kupferstichkabinett 1921/27 IVa Ankäufe Nr. 128/1921, Nr. 2880 Brief vom 18. 8. 1921 und Akt IV 1 a 1923/24.
[63] Jahresbericht GNM 82 (für 1935), 1935, S. 3.
[64] Archiv GNM, Altregistratur GNM IV 276b IV 1a 1938–41, Journal 308, 1. 2. 1941, 614 vom 3. 3. 1941, 807 vom 18. 3. 1941 und 1857 vom 4. 7. 1951 und 1558 vom 5. 6. 1941 (RM 6000,–; Prof. Max Bucherer).
[65] Der Name wurde von Hans Buchheit, München, identifiziert.
[66] Heinrich Höhn: Die graphische Sammlung des Germanischen Nationalmuseums, Wesen und Aufgabe (Bilderbücher des Germanischen Nationalmuseums Heft 5). Nürnberg 1938.

historische Blätter, namentlich Andachtsgraphik, größten Umfangs wuchsen der Sammlung durch das Vermächtnis Hofrat Anton Maximilian Pachingers (München und Linz, gestorben 1938) im Jahre 1940 zu[67]. Am 12. 6. 1942 starb Heinrich Höhn mitten in der Arbeit. Ein Nachruf von Heinrich Kohlhaußen rühmte als seine Hauptleistung den wissenschaftlichen Ausbau des Kupferstichkabinetts[68].

Nach dem 2. Weltkrieg wurde während der Direktion Günter Troches 1946/49 mit Neuerwerbungen von Bildniszeichnungen des Nürnbergers Georg Strauch (1652, 1670/75), darunter eine als Geschenk von Edmund Schilling, London, und der Bleistiftzeichnung der Dürer-Gedenkfeier auf dem Nürnberger Johannisfriedhof 1828 von Ludwig Emil Grimm – wie die eine der Strauch-Zeichnungen als Ankauf aus dem Handel in München – der Anfang gemacht. Die Rückführung des umfangreichen Bergungsguts (Nürnberg, Paniersplatz) und die notwendigen Teilrevisionen erfolgten durch Wilhelm Schwemmer, der bis zu seinem Übertritt an die Städtischen Kunstsammlungen Nürnberg (1. 7. 1948) auch Archiv und Münzsammlung des Germanischen Nationalmuseums leitete. Der Erwerb des plötzlich zum Verkauf gelangten einzigen frei im westdeutschen Besitz befindlichen Dürer-Landschaftsaquarells von 1495 „Doss' Trento" scheiterte leider trotz intensiven Bemühens Troches mangels Mittel, obwohl die 900-Jahrfeier Nürnbergs günstige Möglichkeiten bot[69].

Der Verfasser, seit 1946 am Museum, seit Juli 1948 Leiter des Kupferstichkabinetts, sowie bis Ende 1957 gleichzeitig des Archivs und der Münzsammlung, führte in diesen Jahren bis 1954 die Revision der zurückgeführten Blätter zu Ende. Ein Erdgeschoßraum des Pförtnerhauses in der Unteren Grasersgasse Nr. 10 diente in dieser Aufbauzeit als Büro und Besucherraum, während die Bestände selbst noch bis Mai 1964 im Souterrain-Depot des Galeriebaues verbleiben mußten. Im Mai 1950 wurde für das Kupferstichkabinett der Graphik-Ausstellungsraum, der nach früheren Ausstellungsobjekten genannte „Goldsaal" im 1. Stock der Schausammlungen des Galeriegebäudes, mit einer Darbietung der frühesten deutschen Kupferstiche eröffnet[70]. Am 3. Juli wurden ein eigener Besucherraum für Kupferstichkabinett, Archiv und Münzsammlung verbunden mit dem Büro im Haus Untere Grasersgasse Nr. 10 eingerichtet[71]. Am 3. Februar 1958 wurde die erste Restauratorenstelle mit Arbeitsplatz ebenfalls im Erdgeschoß des Hauses Untere Grasersgasse Nr. 10 besetzt.

Die fünfziger Jahre waren durch die Veranstaltung von Ausstellungen bestimmt. Anläßlich der 900-Jahrfeier der Stadt Nürnberg 1950 vereinigte die Ausstellung des Museums mit dem Titel „Nürnbergs große Kunst" seit dem Dürer-Jubiläum 1928 erstmals wieder Berliner Leihgaben (Dürers Kalchreuther Tal-Aquarell sowie seine Waldquelle) mit solchen aus Erlangen (Selbstbildnis, Paradiesvögel) und der Familie von Stromer (Baumeisterbuch). An der Jubiläumsausstellung 1952 „Aufgang der Neuzeit" war das Kupferstichkabinett mit Handzeichnungen und Flugblattzeitungen beteiligt. Im Rahmen eines Ausstellungsprogramms des Kupferstichkabinetts, des Archivs und der Münzsammlung wurden seit 1953 „Kulturdokumente" folgender Landschaften gezeigt: Bodenseegebiete (1953), Oberpfalz und Niederbayern (1953), Franken (1953/54 und 1961), Bayerisch-Schwaben (1954/55), Oberbayern und Tirol (1955/56), Oberrhein- und Neckargebiete (1956), Norddeutsch-

[67] Vgl. Franz Lipp: Der Sammler und Kulturhistoriker Anton Maximilian Pachinger. In: Festschrift „Linzer Aspekte". Linz 1970, S. 64–73.
[68] Jahresbericht GNM 89 (für 1942), 1943, S. 5.
[69] Archiv GNM, Altregistratur GNM 276g (Dürer-Aquarell 1949/50, 11. 10. 1949 – 15. 6. 1950), damals Besitz Künstlerverein Hannover. Jetzt Basel Privatbesitz (Slg. Hirsch). – Somit besitzt, da der Ankauf des „Lindenbaums auf der Bastei" (Dürer-Aquarell um 1494) auf der Auktion Gutekunst 1899 ebenfalls mangels Mittel gescheitert war, Nürnberg leider keines der berühmten Landschaftsaquarelle Dürers.
[70] Jahresbericht GNM 95 (für 1949/1950), 1950, S. 98.
[71] Jahresbericht GNM 97 (für 1951–54) 1955, S. 24.

363. Ausstellung „Kulturdokumente aus Hessen, Thüringen und Sachsen", 29. März bis 6. Juni 1958 im sog. „Großen Refektorium"

363 land (1957), Österreich (1957/58), Hessen, Thüringen und Sachsen (1958/59). Soweit sie als Wander-ausstellungen von auswärts erbeten wurden, in Konstanz, Ludwigshafen, Hagen und Bamberg[72], erschienen vom Autor dieses Beitrags verfaßte Kataloge[73].

[72] Initiatoren: Otto Feger, Konstanz; Kurt Oberdorffer, Ludwigshafen; Herta Hesse, Hagen; Walter Tunk, Bamberg.
[73] Kulturdokumente der Bodenseegebiete aus dem Germanischen National-Museum Nürnberg. Wessenberg-Galerie-Kon-stanz 1953.
Kulturdokumente der Oberrhein- und Neckargebiete aus dem Germanischen Nationalmuseum Nürnberg. Stadtmu-seum Ludwigshafen. 15. 9. – 14. 10. 1956.
Kulturdokumente Norddeutschlands unter besonderer Berücksichtigung Westfalens. Leihgaben des Germanischen National-Museums in Nürnberg. Karl-Ernst-Osthaus-Museum Hagen. 13. 10. – 24. 11. 1957.
Kulturdokumente Österreichs aus dem Germanischen National-Museum in Nürnberg. Wessenberg-Galerie Konstanz. 26. 4. – 8. 6. 1958.
Kulturdokumente Frankens aus dem Germanischen National-Museum. Neue Residenz Bamberg. 8. 4. – 18. 6. 1961.
Vgl. auch die beiden Kataloge: Der deutsche Holzschnitt, 1420–1570. 100 Einblattholzschnitte aus dem Besitz des Germanischen National-Museums in Nürnberg (Tübinger Kataloge Nr. 2). Stadt Ravensburg. April 1959. – Deutsche Druckgraphik der ersten Hälfte des 19. Jahrhunderts. Aus dem Germanischen Nationalmuseum in Nürnberg. Lud-wigshafen. 19. 9. – 1. 11. 1964.

Seit dem Jubiläumsjahr 1952 konnten durch die Initiative Ludwig Grotes (1951–1962) markante Ankäufe getätigt werden: Die Vorzeichnung von Ferdinand Olivier „Fußpfad auf dem Mönchsberg bei Salzburg" um 1817, Zeichnungen von Virgil Solis (1550) und Hans Hoffmann (1591) aus dem Münchner Kunsthandel. 27 Flugblätter des 16. und 17. Jahrhunderts unter besonderer Hervorhebung des Hans Sachs (Ehebrecherbrücke, Narrenbad, Baldanderst) wurden auf einer Berner Auktion ersteigert. Als Jubiläumsgeschenk ging 1952 eine großformatige chursächsische Postroutenkarte vom Kunstantiquariat C. G. Boerner, Düsseldorf ein. 1954 kamen 9 Zeichnungen von Johann Christian Xeller in einem 29 Bleistift- und Federzeichnungen umfassenden Depositum Karl Maximilian von Prauns ins Kupferstichkabinett, und am Ende des gleichen Jahres, durch persönliche Bekanntschaft Grotes mit Kreisdirektor Erwin Blasius, Gandersheim, vermittelt, die Dürer-Zeichnungen Hl. Paulus und Antonius an der Waldquelle, um 1502, Agnes Dürer, 1504, und die Wolf Huber-Zeichnung Brustbildnis eines Unbekannten mit Barett, 1523, sämtlich gekauft aus Mitteln des Fördererkreises des Germanischen Nationalmuseums. 20 Zeichnungen Dürers (Händestudien; weinender Engelknabe) und seines Kreises nebst 148 druckgraphischen Blättern folgten 1962 als Depositum Irmgard Petersens, geb. Blasius. Im Zeitraum 1954–1962 wurden hervorragende Werke von Künstlern, die bisher nicht oder nicht durch vergleichbar qualitätvolle Blätter vertreten waren, gekauft: Michael Wolgemuts kolorierter Holzschnitt „Christus am Kreuz", 1484; Jörg Pencz' Deckenentwurf für den Hirschvogelsaal in Nürnberg, 1534; von Sebald Beham 6 kolorierte Holzschnitte „Kirchweih in Mögeldorf", um 1531; aus dem Verlag des Paul Fabricius in Nürnberg „Ein Lobspruch der Stadt Nürnberg" von Hans Sachs 1552; von Joachim von Sandrart eine Metallstift-Zeichnung „Ruine in Rom", 1631; von Jacob Philipp Hackert ein großformatiges frühes Aquarell „Felsenschlucht unterhalb von Tivoli", 1769; von Friedrich Olivier die Bleistiftzeichnung „Blick vom Monte Pincio in Rom", 1819; von Moritz von Schwind eine Federzeichnung „Ruhende Kriegsleute", 1822; und von Carl Gustav Carus die Kohlezeichnung „Zwei Männer am Strand", um 1850. Als Depositum des Kulturkreises der deutschen Industrie kamen moderne graphische Blätter, von Max Beckmann „Knaben am Fenster", 1912, Ernst Ludwig Kirchner „Schlittenfahrt", 1918, und Ewald Mataré „Yvonne Georgi", 1954, hinzu. Altbundespräsident Theodor Heuss schenkte 1962 die 12 kolorierten Holzschnitte des „Vater Unser" von Max Pechstein, 1921.

Die in diesem Zeitraum veranstalteten Ausstellungen des Germanischen Nationalmuseums griffen weitgehend auf die Bestände des Kupferstichkabinetts zurück. In den Ausstellungen „Meister um Albrecht Dürer", 1961, richtete dieses die Abteilung Einzelblattgraphik, in „Barock in Nürnberg", 1962, die Abteilungen Zeichnungen und Einzelblattgraphik ein. Im Zuge der Wanderausstellungen kamen 1964 vom Museo Correr in Venedig die „Venezianischen Veduten des 18. Jahrhunderts" nach Nürnberg; als Gegengabe folgte aus Beständen des Germanischen Nationalmuseums Graphik der Dürerzeit, eine Ausstellung, die im Anschluß von den Uffizien in Florenz übernommen wurde. Im selben Jahr wurde im Stadtmuseum Ludwigshafen die „Deutsche Druckgraphik der ersten Hälfte des 19. Jahrhunderts aus dem Germanischen Nationalmuseum" gezeigt.

Während der Direktion von Erich Steingräber 1962–69 wurde 1964 der neue große Besucherraum für Kupferstichkabinett, Archiv und Münzsammlung im Bibliotheks- und Verwaltungsbau an der Ecke Kornmarkt/Kartäusergasse eröffnet. In wandgebundenen Schränken und einer Theke hinter Schiebetüren sind seitdem die Abteilungen der Meisterzeichnungen und Meistergraphik, der kulturhistorischen Blätter und der Stadtpläne und Prospekte Nürnbergs leicht greifbar verwahrt; auch die große Katalogkartei, der Sachkatalog, der Katalog der Stadtpläne und Prospekte, Porträts und Künstler, letzterer mit zahlenmäßiger Erfassung der Blätter nach ihrer Technik und Nachweis der laufenden Kapselnummer, stehen hier zur Verfügung. Stadtpläne und Prospekte der deutschen und außerdeutschen Städte, Landkarten, Spielkarten, Lithographien, Porträts und Spezialabteilungen

310

sind im darunterliegenden Souterrainraum über eine Treppe zugänglich. Unweit davon befindet sich auch die Restaurierungswerkstätte für das Kupferstichkabinett.

Im Jahr 1963 konnte als wichtiger Neuerwerb die doppelseitige Federzeichnung von Peter Vischer d. J. „Skylla" und „Orpheus" von 1514 als Schenkung der Stiftung Volkswagenwerk registriert werden[74]. Gleichzeitig intensivierte sich der Erwerb moderner Druckgraphik: von Emil Nolde die Farblithographie „Junges Paar", 1913; von Erich Heckel der Holzschnitt „Zwei Frauen", 1909; von Lyonel Feininger ein Holzschnitt „Gelmeroda", 1918. An Zeichnungen wurden in diesem und folgenden Jahren erworben: Joseph Anton Kochs Reichenbachtal mit dem Wetterhorn, 1824; Friedrich Oliviers Palast Barberini in Rom, 1819, und Johann Wilhelm Schirmers Aquarell „Die Grotte der Egeria bei Rom", um 1840; diese Erwerbungen entsprechen der allgemeinen Einbeziehung des 19. Jahrhunderts in die Sammlungen. 1966 folgten Rudolf von Alts Aquarell „Hauptmarkt von Nürnberg", 1865, Ernst Ludwig Kirchners farbige Kreidezeichnung „Zwei Köpfe", um 1924/25, Erich Heckels Aquarell „Im Park von Dilborn", 1914, und Emil Noldes Farblithographie „Russin", 1913. Als Jubiläumsspende der Badischen Anilin- und Sodafabrik Ludwigshafen wurden durch Vermittlung von Prof. Carl Wurster 1965 die zwei Nürnberger Himmelskarten des nördlichen und südlichen Sternenhimmels von 1503 gestiftet. Als Beispiel für den Zuwachs von Zeugnissen zur Kulturgeschichte sei ein vollständiges Bologneser Tarock-Minchiate-Kartenspiel der Mitte des 18. Jahrhunderts erwähnt.

Das Jahr 1967 brachte als Leihgaben der Bundesrepublik Deutschland zehn Zeichnungen und Aquarelle, darunter von Rudolf von Alt die Aquarelle „Michaelerplatz in Wien", um 1874/75, und „Traunsee", 1852, von Thomas Ender „Seidelwinkel in der Rauris", um 1835, und von Adolf Menzel „Marktplatz in Berchtesgaden", um 1879/84. Im selben und im nächsten Jahr wurden die Zeichnungsbestände des 19. und 20. Jahrhunderts vermehrt durch Ludwig Richters „Christmarkt in Dresden", um 1853, und Alfred Rethels „Rudolf von Habsburg gegen die Raubritter", um 1831/32, sowie den Holzschnitt von Ernst Ludwig Kirchner „Sennkopf", 1917. Hinzu kamen von Martin Johann Schmidt, genannt Kremserschmidt, die Allegorie von Herbst und Winter, um 1760/70, von Johann Georg Dirr zwei Kanzelentwürfe, um 1775, von Philipp Otto Runge Blumen-Scherenschnitte, um 1795/1800, sowie von Käthe Kollwitz Radierungen von 1903/1905 und schließlich 1969 15 Papierschnitte von Fritz Griebel, um 1922–1950. Elf Zeichnungen von Johann Wolfgang von Goethe, Wilhelm von Kobell, Adolf Menzel, Friedrich Preller kamen im selben Jahr als Leihgabe der Städtischen Kunstsammlungen Nürnberg ins Kupferstichkabinett.

Im September 1968 konnte nach fünfjähriger Arbeit vom Unterzeichneten Band 1 des Kataloges der deutschen Handzeichnungen mit 178 Nummern vorgelegt werden. Ende 1969 erschien von Monika Heffels, die später, seit dem 1. Mai 1970, am Kabinett die Abteilungen Meisterzeichnung und -graphik vom Barock bis zur Gegenwart, Porträts, Landkarten und Silhouetten übernahm, nach dreieinhalbjähriger Arbeit als Band 4 der Kataloge der Handzeichnungen des Germanischen Nationalmuseums „Die Handzeichnungen des 18. Jahrhunderts" mit 465 Nummern. Der Band wurde von der Fritz Thyssen-Stiftung finanziert[75].

1969 gelang abermals der Ankauf einer Dürer-Zeichnung: „Weibliche Halbfigur im Typus der Maria" von 1521[76]. Elf Radierungen von Rembrandt, darunter die „Hütte hinter dem Plankenzaun" von 1648, und zwei druckgraphische Blätter Dürers wurden in diesem Jahr von der Max Kade-Foun-

---

[74] Neuerwerbungen des Germanischen Nationalmuseums 1963. In: Anzeiger GNM 1964, S. 174–175 und Abb. 24–25.
[75] Vgl. Anm. 3.
[76] Neuerwerbungen des Germanischen Nationalmuseums 1969. In: Anzeiger GNM 1970, S. 177/78 und Abb. 40. – Dort und in den anderen Bänden des Anzeigers GNM auch jeweils die übrigen Neuerwerbungen veröffentlicht.

dation, New York, geschenkt, nachdem Kade selbst schon 1963 den Dürer-Kupferstich „Melancholie" von 1514 überlassen hatte. Aus dem folgenden Jahrfünft bis 1974 ist der Ankauf einer bisher fehlenden Zeichnung von Heinrich Dreber, genannt Franz Dreber, und zwar „Am Lago di Loppio" (nördlich des Gardasees), 1843, zu melden. 15 moderne Zeichnungen und Aquarelle von Kirchner, Kokoschka, Nolde, Macke, Barlach, Schmidt-Rottluff, Nay, Gilles und Schumacher waren Leihgaben aus Privatbesitz. 26 großformatige, meist farbige Linolschnitte von Karl Rössing aus der Zeit 1951–1968 schenkte der Künstler 1973. Ein venezianischer Holzschnitt des Monogrammisten BI (IB) „Anbetung der Hirten" (nach Tizian), um 1567, kam als Leihgabe 1974 ins Kupferstichkabinett. Die Kreide- und Bleistift-Zeichnung Selbstbildnis Anselm Feuerbachs von 1847 deponierte 1974 die Künstlerklause Nürnberg, 1975 die Frhrl. von Welsersche Familienstiftung Hans Burgkmairs unikale Holzschnitte der exotischen Rassen aus der Serie der afrikanischen und indischen Eingeborenen von 1508.

1972 konnten die 1950 begonnenen, in viermonatigem Turnus stattfindenden Ausstellungen im neu eingerichteten Wechselausstellungsraum (ohne Tageslicht) für Graphik im ersten Stock der Schausammlungen wieder aufgenommen werden. Themen über graphische Techniken, Scherenschnitte, sowie solche topographischen und kulturgeschichtlichen Inhalts wurden mit eigenen Beständen dargeboten; zur Unterrichtung des Publikums dienten schriftliche Zusammenfassungen über das jeweilige Ausstellungsthema[77].

F. Z.

[77] Vgl. das Verzeichnis der Sonderausstellungen im Anhang.

LUDWIG VEIT
Das Münzkabinett

Mit der Gründung des Germanischen Nationalmuseums wurde der Grundstock zu einer der bedeutendsten deutschen Sammlungen von Münzen und Medaillen gelegt[1]. Sie umfaßt derzeit etwa 60000 Münzen und 20000 Medaillen. Dazu kommen etwa 50000 Banknoten und Notgeldscheine, gegen 2000 Marken, Zeichen und Rechenpfennige, sowie eine Sammlung von über 5500 Siegel- und Prägestempeln, eine der größten Spezialsammlungen ihrer Art in Europa.

In der Aufseß'schen Museumssystematik rangierten Münzen und Medaillen innerhalb der Abteilung „Historische Altertümer", im „System" bzw. im „Schema der deutschen Geschichts- und Altertumskunde" bei den geschichtlichen „Zuständen" unter „Verkehr", als Untergruppe von „künstlicher Erzeugung" bzw. „künstlichem Erwerb"[2]. Bei der Einreihung der Münzen in das System waren demnach die geldgeschichtlichen Kriterien maßgebend. Die Medaillen wurden an die Münzen angereiht, eine der zahlreichen Inkonsequenzen von Aufseß, wozu nur die heute noch gebräuchliche, irreführende Bezeichnung „Gedächtnismünzen" veranlaßt haben kann. Essenwein wies die Medaillen als Objekte der plastischen Kunst der Abteilung Plastik zu, die Münzen der Abteilung „Erwerbs- und Verkehrswesen"; „die Aufgabe der Fortführung der Münzsammlung" sollte dem 1881 gegründeten Handelsmuseum zufallen. Doch ist es zu einer effektiven Trennung dieser beiden Unterabteilungen des Münzkabinetts nie gekommen[3].

Münzen

Der regionale und zeitliche Sammelbereich für die Münzen beschränkte sich auf das deutsche Sprachgebiet und das Mittelalter. Anläßlich eines Angebots von römischen, mittelalterlichen und neueren Münzen im Jahre 1855 wies das Museum darauf hin, „daß nur die deutschen Münzen des Mittelalters für uns von Werth sind"[4]. Im selben Jahr wurde die Sammlung „als ein schwacher Anfang einer mittelalterlichen deutschen Münzsammlung" bezeichnet. Dabei zeigte man Interesse auch an gefälschten Münzen[5], natürlich nicht an Sammlerfälschungen. In das Sammelgebiet einbezogen waren Münzstempel, von denen man 1856 bereits mehrere besaß, wie das damals veröffentlichte älteste Inventar ausweist[6]. Man tauschte Abdrücke bzw. Abschläge dieser Prägestempel mit dem Joanneum in Graz[7].

[1] 1856 ist im Rahmen der Beschreibung der Sammlungen auch ein Inventar des Münzkabinetts veröffentlicht worden (Organismus, 2. Abt., S. 182–265). Dazu erschien der Sonderdruck „Münzsammlung des germanischen Nationalmuseums zu Nürnberg", Nürnberg 1856; eine knappe Übersicht bietet Essenwein: Bericht 1870, S. 8–9 (Medaillen), 21–22 (Münzen, Jetons, Zeichen), vgl. S. 1002–1003, 1018–1019; siehe auch August von Essenwein: Die Sammlungen (des Germanischen Nationalmuseums). In: Anzeiger GNM 1884–1886, S. 50–52 bzw. S. 124–125; siehe auch den Artikel „Münz- und Medaillensammlung". In: Deutsche Kunst und Kultur im Germanischen National-Museum. Nürnberg 1952, S. 236–237; in revidierter Fassung ebenda, 2. Aufl. Nürnberg 1960, S. 254–255.
[2] Vgl. S. 987. Zum System vgl.: Bernward Deneke: Das System der deutschen Geschichts- und Altertumskunde des Hans Freiherrn von und zu Aufseß und die Historiographie im 19. Jahrhundert. In: Anzeiger GNM 1974, S. 144–158.
[3] Essenwein: Sammlungen 1884 (Anm. 1), S. 56–57, 124–125.
[4] Archiv GNM, Altregistratur K 74, Akt Sammlung von Münzen 1849–1876; auch für das Folgende.
[5] Anläßlich eines Angebots von falschen Münzen durch A. Jungfer in Berlin vom 14.7.1864 (ebenda).
[6] Organismus, 2. Abt., S. 183.
[7] Das Joanneum schickte Bleiabschläge von acht Münzstempeln Friedrichs III.; das Museum stellte Lackabdrücke zur Verfügung; Brief vom 18.3.1863 (Archiv GNM, Altregistratur; vgl. Anm. 4).

Die Numismatiker standen dieser zeitlichen und regionalen Beschränkung mit einer gewissen Verständnislosigkeit gegenüber. In einem Brief vom Mai 1859 hatte Dr. Bernhard Karl von Köhne, kaiserlich russischer Staatsrat und Direktor der heraldischen Abteilung im dirigierenden Senat zu St. Petersburg, Mitglied des Gelehrtenausschusses für die Fächer Heraldik, Numismatik und Genealogie, empfohlen, die Sammlung auch auf „fremde, selbst orientalische und antike Münzen" auszudehnen, damit dem Studium der Numismatik ein möglichst reiches Material geboten werde. Überdies sei hinlänglich bekannt, wie wichtig die römischen Münzen für deutsche Geschichte seien. Der bekannte Numismatiker Friedrich Wilhelm Adolf Schlickeysen, seines Zeichens Geheimer Rechnungsrat in Berlin, empfahl in einem Brief vom 7. Juni 1866: „Es würde gut sein, wenn das Museum auch Gegenstände annähme, die aus der Zeit nach 1650 herstammen". Doch das Museum wollte nur Geld für Mittelaltermünzen aufwenden. Münzen und Medaillen nach 1650 nehme man zwar als Geschenk, doch müsse „die Bearbeitung derselben einer späteren Zeit vorbehalten bleiben". Man rechtfertigte sich dabei mit dem Hinweis, daß das Grenzjahr 1650 festgesetzt sei, „um nicht die Masse des zu bearbeitenden Stoffes zu sehr im Übermaß sich aufzuladen"[8].

So entstand eine ausschließlich deutsche Spezialsammlung, bei der die Antike (Griechenland und Rom) sowie die außerdeutschen Münzherren nur in Leitstücken vertreten sind, die im übrigen erst in jüngster Zeit unter großem finanziellem Aufwand angeschafft werden konnten. Das Germanische Nationalmuseum steht damit im Gegensatz zu den Universalsammlungen aller anderen großen Münzkabinette. Ein wesentlicher Grund für diese Beschränkung ist zweifellos der, daß das Kabinett nicht aus einer fürstlichen Sammlung wie z. B. München, Stuttgart, Karlsruhe, Berlin und Wien, erwachsen ist, sondern ohne Grundstock nach der Museumsgründung 1852 erst allmählich zusammengetragen werden mußte. Die zeitlichen Grenzen wurden freilich in der Folge schnell überschritten. Um 1870 wurden selbst Münzen des 19. Jahrhunderts berücksichtigt. Auf Grund einer gezielten Werbeaktion übergab 1873 die Mehrzahl der deutschen Regierungen Exemplare der letzten Prägungen der durch die Münzgesetze von 1871/73 außer Kurs gesetzten Münzen[9]. Eine erfolgreiche Sammelaktion sogar für Papiergeld, vor allem für Banknoten des 19. Jahrhunderts, schloß sich im selben Jahr an. Daß es heute keine zeitliche Beschränkung gibt, versteht sich von selbst. Es werden auch moderne Kurs- und Sondermünzen sowie moderne Medaillen gesammelt. Die regionale Abgrenzung hat allerdings Geltung behalten. Nach wie vor ist nur das deutsche Sprachgebiet einschließlich Österreichs in das Sammelprogramm einbezogen.

In dem zitierten Briefwechsel mit Schlickeysen von 1866 wird im Zusammenhang mit der zeitlichen Begrenzung betont, daß das Museum namentlich „Funde von Mittelaltermünzen, wenn wir solcher habhaftig werden können", zu erwerben suche. So stecken die Akten voller Nachrichten über Münzfunde, denen das Museum offensichtlich besondere Aufmerksamkeit zuwandte. Dabei wurden Grundsätze entwickelt und praktiziert, die modern erscheinen. Man erkundigte sich jeweils genau nach den Fundumständen und dem Umfang der Funde[10], ja, man interessierte sich sogar für Stempelverschiedenheiten, wie anläßlich des Fundes von Hamelwörden (bei Stade, Niedersachsen) 1859, der etwa 1000 Brakteaten hauptsächlich von Hamburg, Mecklenburg und Stralsund enthielt, doch „nur wenige Stempelverschiedenheiten . . ., allein es möchte für die Wissenschaft doch von Interesse sein, diese Verschiedenheiten genauer festzustellen"[11].

[8] Brief an Landgerichtsassessor Schamberger in Kulmbach vom 3. Mai 1857, (Archiv GNM, Altregistratur, vgl. Anm. 4).
[9] Anzeiger GNM 1874, Sp. 281.
[10] Z. B. beim Fund Saulburg bei Straubing (11. Jahrhundert); Brief vom 5. März 1857 an den Advokaten Lust in Straubing, einen Agenten des Museums (Archiv GNM, Altregistratur, vgl. Anm. 4).
[11] Brief an Freudenthal 1859 (ebenda).

Man kaufte nur einzelne Münzen aus den Funden an, in dem Bestreben, „von jeder Spezies, die der Fund enthält, ein Exemplar in seiner Sammlung niederlegen zu können"[12]. Das bedeutete zugleich, daß die erworbenen Fundkomplexe grundsätzlich aufgelöst und die einzelnen Münzen den jeweiligen Münzherren zugeordnet wurden[13]. Als Negativum ist zu werten, daß man selbst bei einheimischen Funden sich nur für deutsche Münzen interessierte. Als ein Bauer in Satteldorf bei Crailsheim eine Silber- und eine Goldmünze auf seinem Acker fand und anbot, erwarb das Museum nur die deutsche Silbermünze, nicht aber die Goldmünze, da diese „als eine orientalische für unsere Zwecke nicht dienlich ist"[14]. Erst seit den zwanziger Jahren dieses Jahrhunderts erwirbt das Museum, soweit möglich, Funde mit ihrem Gesamtinhalt und verwahrt sie geschlossen, als erste den Halbbrakteaten- fund von Emskirchen aus der Zeit um 1150 und den Pfennigfund von Pyras, vergraben um 1400[15]. An neueren im Museum verwahrten bedeutenderen Funden seien genannt die Hellerfunde von Nürn- berg, Meilenhofen und Mitteleschenbach (alle um 1280 vergraben), der Pfennigfund von Kastl (um 1410), die Funde von Hohlach (um 1550), Neustadt (um 1630), Weigendorf (um 1750) und Laufam- holz (um 1810)[16]. Hierbei gelang in einigen Fällen auch die Erwerbung der Fundgefäße, auf die man ursprünglich offenbar keinen besonderen Wert legte, wenn auch einige schon frühzeitig in das Museum gelangten, wo sie in der Abteilung „Hausgerät" untergebracht wurden[17].

Mit der Erwerbung von Münzfunden, doch auch durch planmäßigen Ankauf von Einzelmünzen und von Münzreihen aus dem Münzhandel und aus Privatbesitz wuchs die Unterabteilung Münzen vergleichsweise schnell zu einem beträchtlichen Umfang an. Dem Schriftwechsel anläßlich der Ankaufsverhandlungen sind einige interessante Hinweise auf die in den fünfziger und sechziger Jahren des 19. Jahrhunderts geforderten Preise zu entnehmen. Basis für die Preisgestaltung war zumeist der Silberwert. Mehrfach wurden Angebote wegen zu hoher Preisforderung abgelehnt, „um so mehr als der Silberwerth im ganzen ein ziemlich geringer ist", wie in einem Fall formuliert wurde[18]. Anläßlich der Erwerbung von Teilen des Brakteatenfundes von Fritzlar (vor 1859) beriet der bekannte Numismatiker Heinrich Philipp Cappe, Mitglied des Gelehrten- sowie des Verwaltungsausschusses, das Museum wie folgt: „Sie müssen als Grundsatz annehmen, daß alle zerbrechlichen Münzen, besonders Brakteaten, wenn solche in Massen vorkommen, nicht viel über den Silberwerth zu bezahlen sind, besonders wenn solche schriftlos sind"[19]. Für zwölf Brakteaten aus diesem Fund wurden damals 3 Gulden bezahlt, während man für Brakteaten aus dem Fund von Trebitz (vor 1863) 7^{1}/$_{2}$ Silbergroschen für das Stück verlangte, was man als überteuert ansah, da die Zahl der Münzen sehr bedeutend war und die schriftlosen Stücke überwogen[20].

[12] Brief an Justizrat Rostoski in Wittenberg 1863 wegen des Fundes Trebitz (ebenda).

[13] Z. B. beim Fund Brünstadt (Lkr. Gerolzhofen, Unterfranken), vergraben nach 1580; erworben wurden 570 Stück; siehe auch Hansheiner Eichhorn: Der Strukturwandel im Geldumlauf Frankens zwischen 1437 und 1610. Ein Beitrag zur Methodologie der Geldgeschichte (Vierteljahrschrift für Sozial- und Wirtschaftsgeschichte, Beiheft 58). Wiesbaden 1973, S. 166, 169.

[14] Brief vom 2. Juli 1861 (Archiv GNM, Altregistratur, vgl. Anm. 4).

[15] Jahresbericht GNM 75 (für 1928), 1928, S. 5–6. – Herbert J. Erlanger: Der Pfennigfund von Emskirchen, Landkreis Neustadt a. d. A. – Bad Windsheim. In: Jahrbuch für Numismatik und Geldgeschichte Jg. 24 (1974), S. 171–174. – Hermann Wintz-Ernst Deuerlein: Erlangen im Spiegel der Münze. Erlangen 1936, S. 328–329 (Fund Pyras).

[16] Dazu Ludwig Veit: Münzfunde 1960–1962 im Germanischen Nationalmuseum. In: Jahrbuch für Numismatik und Geldgeschichte Jg. 13 (1963), S. 151–157. – Dirk Steinhilber: Die mittelalterlichen und neuzeitlichen Funde aus Bayern in den Jahren 1963–1965. In: Jahrbuch für Numismatik und Geldgeschichte Jg. 16 (1966), S. 142–148, 153–157.

[17] Bergungsgefäße sind von folgenden Funden vorhanden: Oberviechtach 1958, vergraben um 1280, ein zerbrochenes Aquamanile (Inv.-Nr. Mü 22 931); Hellerfunde Meilenhofen bei Eichstätt bzw. Nürnberg 1960, vergraben um 1280 (Inv.-Nr. Mü 22 932 bzw. Mü 22 923); dazu Veit (Anm. 16), S. 155–156; Fund Heidenfeld 1831, vergraben um 1400 (Inv.-Nr. Ke 2466); Fund Wendelstein (bei Nürnberg) 1878, vergraben um 1400 (Inv.-Nr. Ke 2513); Fund Ettleben, vergraben 1. Hälfte 16. Jahrhundert (Inv.-Nr. Ke 2483).

[18] 1857 anläßlich des Münzfundes Bülfringen bei Walldürn (Baden), 1. Viertel 16. Jahrhundert (Archiv GNM, Altregistra- tur, vgl. Anm. 4).

[19] Briefwechsel 1859 (ebenda).

[20] Briefwechsel 1863 (ebenda). Siehe auch Anm. 81.

Von den Ankäufen größeren Umfangs sei nur die 1897 erworbene Regensburger Spezialsammlung des Regierungsregistrators Wilhelm Schratz, insgesamt über 1000 Stück, erwähnt[21]. Da kein eigener Ankaufsetat für das Münzkabinett zur Verfügung stand, erwarb man wichtige Stücke und Sammlungen kleineren Umfangs vor allem durch Tausch, so 1906 von der Staatlichen Münzsammlung München[22]. 1926 verkaufte das Museum eine größere Zahl von Dubletten und ausländischen Münzen und erwarb mit dem Erlös eine nach Umfang und Inhalt bedeutende Sammlung von Brakteaten[23]. Auch heute noch wird die Neuerwerbung von Münzen und Medaillen zum großen Teil durch Tausch oder Dublettenverkauf finanziert.

Bedeutenden Zuwachs erfuhr die Münzsammlung durch Legate und Schenkungen. 1856 bestimmte Frau Elise Zimmermann in Wiesbaden durch Testament vom 16. Februar das Germanische National-museum zum Erben ihrer Münzsammlung, die 259 Münzen und Medaillen enthielt, darunter über 200 antike Münzen. Damit wurde etwa ein Drittel des heute vorhandenen Bestandes an Römermün-zen erworben. Unter den wenigen zugehörigen Medaillen befand sich das bekannte Medaillon auf den 100. Todestag Albrecht Dürers 1628 von Johann Bezold[24]. Hervorzuheben ist das Carl Jakob Gabriel'sche Vermächtnis von 1878 mit 4250 Münzen[25]. Nach dem Tode des Justizrats Karl August Ferdinand Seger in Eisenach (1897) kamen über 700 Münzen, meist aus der Neuzeit, davon sehr viele aus dem 19. Jahrhundert, an das Kabinett[26]. Von den Zuwendungen der folgenden Jahrzehnte seien drei besonders wertvolle Sammlungen hervorgehoben: Die bedeutendste davon entstammte aus dem Legat des Berliner Kommerzienrats Johannes Kahlbaum mit etwa 5000 Gold- und Großsilbermün-zen des ausgehenden Mittelalters und der Neuzeit, die zum großen Teil von erlesener Erhaltung sind[27]. Durch Testament des Münchner Norica-Sammlers Guido von Volckamer aus der Nürnberger Patrizierfamilie der Volckamer von Kirchensittenbach kam 1941 eine Münzsammlung, die haupt-sächlich auf Nürnberg und die Pfalz spezialisiert war, insgesamt etwa 3000 Münzen, an das Mu-seum[28]. 1948 übergab die Witwe des Kommerzienrats Johann Christoph Stahl die von diesem in Jahrzehnten zusammengetragene Sammlung, überwiegend Münzen der Reichsstadt Nürnberg, ins-gesamt etwa 2500 Stück[29].

Die erwähnten Spezialsammlungen wurden mit Ausnahme der Sammlung Kahlbaum aufgelöst und

---

[21] Anzeiger GNM 1897, S. 45, 55–56; Jahresbericht GNM 44 (für 1897), 1897.

[22] Siehe Abteilungsregister und Dublettenkartei. Ein beträchtlicher Verlust drohte der Sammlung während des ersten Weltkrieges, als die Deutsche Reichsbank 1917 zur Hebung der Goldreserven des Reiches an das Museum herantrat mit dem Ersuchen, die Goldmünzen des Kabinetts gegen Erstattung des Feingoldwertes der Reichsbank zeitweilig zu überlassen. Man meinte, dem Ansuchen nachkommen zu müssen, zumal das Museum ganz auf die vaterländische Gesinnung des deutschen Volkes gegründet sei, dem es seinen Aufschwung verdanke. Deutschland sei in großer Not, man müsse Patriotismus durch die Tat beweisen. Auf Grund eines Gutachtens des Numismatikers Pick wollte man allerdings nur numismatisch unbedeutende Münzen weggeben, wobei trotzdem Bedenken auftraten im Hinblick darauf, daß das Stiftungseigentum nicht geschmälert werden durfte. Der Verwaltungsausschuß stimmte am 12. Juni 1917 dem Verkauf zu, wobei man mit einem Erlös von etwa RM 5000,-- rechnete. Die Aktion selbst scheint aber nicht mehr durchgeführt worden zu sein. (Archiv GNM, Altregistratur K. 105, Akt Verkauf von Goldmünzen an die Reichsbank 1917). – Vgl. den Beitrag von Peter Burian, S. 203–204.

[23] Münzen und Medaillen aus dem Besitz des Germanischen Nationalmuseums u. A. Versteigerungskatalog 57 der Firma Adolph E. Cahn, Frankfurt, Oktober 1926.

[24] Archiv GNM, Altregistratur K 36, Vermächtnisse (Nr. 2).

[25] Jahresbericht GNM 25 (für 1878), 1879. Die Sammlung war bereits 1864 testamentarisch dem Museum vermacht worden.

[26] Archiv GNM, Altregistratur K 39, Vermächtnisse Nr. 96. Im selben Jahr wurde die Sammlung des Hopfenhändlers Lazarus Schwarz in Nürnberg als Legat übereignet; Schätzwert 215 Goldmark (ebenda K 38, Nr. 95).

[27] Archiv GNM, Altregistratur K 37, Vermächtnisse Nr. 47. Mit den Münzen kamen auch seine übrigen Kunstsammlungen nach Nürnberg; siehe Anzeiger GNM 1909, S. 61, 64–66.

[28] Horst Pohl: Guido von Volckamer und seine Sammlungen. In: Mitteilungen des Vereins für Geschichte der Stadt Nürnberg Bd. 52 (1963–1964), S. 554–559.

[29] Die Sammlung enthält vor allem eine lange Reihe von Laurentiusgoldgulden und von Nürnberger Schillingen des 15. Jahrhunderts. Die letzteren stammen aus einem nicht mehr identifizierbaren Fund. Sie bilden die Grundlage des Aufsatzes von Johann Christoph Stahl: Die Münzvereinigung zwischen der Reichsstadt Nürnberg und den Burggrafen

sind im allgemeinen Museumsbestand aufgegangen. In der Ordnung dieses Hauptkomplexes sowie der für sich verwahrten Sonderbestände spiegeln sich z. T. die politischen Verhältnisse der Zeit, in der der Grundstock der einzelnen Sammlungen gelegt wurde. Gemäß dem Inventar von 1856 war die Münzsammlung des Museums zunächst alphabetisch-chronologisch nach Münzherren geordnet. Kurze Zeit danach wurden sie von Heinrich Albert Erbstein, der von 1862–1866 das Kabinett betreute[30], „nach dem allein richtigen geographisch-historischen System" eingeteilt, und zwar im Anschluß an die Reichskreise. Dieses System schien gerechtfertigt, zumal die Reichskreise ein Aufsichtsrecht über das Münzwesen in ihrem Bereich übten. Die zunächst noch getrennt verwahrten mittelalterlichen Münzen wurden schließlich den jeweils zuständigen Kreisen zugeteilt, dies auf Grund einer Anregung Heinrich Buchenaus, als er 1916 die Sammlung einer gründlichen Revision unterzog[31]. Innerhalb der einzelnen Reichskreise erfolgte eine Gliederung in die drei Gruppen Weltliche Münzherren, Geistliche Münzherren und Städte. Dieses Ordnungssystem ist, soweit ich sehe, nur im Germanischen Nationalmuseum konsequent angewandt worden. In jüngster Zeit wurden die Münzen der königlichen Münzstätten zu einem eigenen Bestand zusammengefaßt, und zwar getrennt nach den Münzperioden der Karolinger, der Ottonen und Salier sowie der Staufer einschließlich des Spätmittelalters.

Die Sammlung Kahlbaum, entstanden in der Zeit nach der Reichsgründung 1871, ist nach der politischen Gliederung des Wilhelminischen Reiches geordnet, und zwar nach dem politischen Rang der einzelnen Länder, wobei das nach 1871 aus dem Reichsverband ausgeschiedene Österreich an der Spitze steht. Die im Bereich der einzelnen Länder liegenden ehemaligen Münzstätten anderer Münzherren wurden jeweils alphabetisch angereiht. Eigene Abteilungen bilden die deutschen Münzen des 19. Jahrhunderts, die „Reichsmünzen" seit 1871, sowie das Ausland, alle drei Gruppen jeweils alphabetisch geordnet nach Münzherren. An Sonderabteilungen sind in jüngster Zeit „Münzfunde" sowie „Fälschungen und Nachahmungen" eingerichtet worden. Die unterschiedlichsten Ordnungssysteme, von der schlichten alphabetischen Ordnung bis zum numerus currens, zeigen die einzelnen Legate und Leihgaben, die aufgrund besonderer Auflagen getrennt vom allgemeinen Museumsbestand verwahrt werden müssen.

Eine Episode bedeutete die geldgeschichtliche Abteilung des 1881 gegründeten Handelsmuseums. Nach dem Ersten Weltkrieg wurden seine Bestände aufgelöst und bis auf einen offenbar nicht zuteilbaren geringfügigen Rest, der noch heute ein dürftiges Dasein fristet, den einschlägigen Abteilungen zugewiesen. Hierbei kamen ca. 500 Münzen und Rechenpfennige an das Münzkabinett[32].

Schwerpunkte der Münzsammlung sind die geld- und münzgeschichtlich bedeutsamen Perioden. Dabei wurde die Abteilung „Römische Münzen" von Anfang an vernachlässigt; so fehlen z. B. sogar jene Stücke, die sich auf die Eroberung Germaniens beziehen. Reichlich vertreten sind die Goldprägungen der germanischen Reiche der Völkerwanderung – so eine Reihe von Goldtrienten der Westgoten und Goldsolidi der Burgunder und Langobarden. Hingegen fehlt das für die Geld- und Münzgeschichte wichtige Nominale des Solidus in der Münzreihe der Merowinger und der Ostgoten, die nur mit Trienten bzw. Silbermünzen, jedoch vergleichsweise gut, repräsentiert sind. Ausreichend besetzt sind die Karolingerzeit und die Periode der Ottonen und Salier, ungewöhnlich gut die Stauferzeit, wobei vor allem die aus der Sammlung Ferdinand Friedensburgs stammende Reihe der

von Nürnberg, Johann und Albrecht, von 1457. In: Festschrift. Herausgegeben vom Verein für Münzkunde Nürnberg bei der Gedenkfeier anläßlich seines 25-jährigen Bestehens. Nürnberg 1907, S. 55–60.
[30] Erbstein ging 1866 an das Königliche Münzkabinett in Dresden.
[31] Bericht von Heinrich Buchenau in: Blätter für Münzfreunde 51 (1916), S. 169–170.
[32] Über das Handelsmuseum siehe vor allem die Druckschriften: „Ein deutsches Handelsmuseum" 1877; Statuten des deutschen Handelsmuseums vom 4. Juli 1879; Jahresberichte des deutschen Handelsmuseums 1–4 (für 1880–1882), 1880, 1881, 1883 (Archiv GNM, Altregistratur I, I Nr. 2 a Druckschriften).

Magdeburger Moritz-Brakteaten und die Löwenpfennige von Braunschweig hervortreten[33]. Wertvoll ist die umfangreiche Gruppe schwäbischer Brakteaten aus dem Fund am Federsee, hervorragend die Reihe bayerischer Gepräge des 12. und 13. Jahrhunderts aus Regensburg, die zumeist aus der Regensburg-Sammlung Wilhelm Schratz stammen; darunter befindet sich eine Anzahl der seltenen Regensburger Hälblinge (zumeist aus dem Fund Roding)[34]. Die bedeutenden Münzlandschaften des ausgehenden Mittelalters sind ziemlich gleichwertig belegt[35]. Für die Neuzeit dominiert Franken, mit den Münzen der Reichsstadt Nürnberg vor allem, die zu den schönsten Münzreihen in Deutschland gehören, und den Münzen der Markgraftümer Ansbach und Bayreuth. In der oben erwähnten Sammlung Kahlbaum ist auch Norddeutschland reich vertreten.

Ausgebaut wird die geldgeschichtliche Abteilung. Ur- und Vorformen des Geldes sind ebenso von Interesse wie die Geldsurrogate der neueren und neuesten Zeit. In den letzten Jahren konnten, wie oben erwähnt, zahlreiche Münzfunde zum Teil mit den Fundgefäßen erworben werden. In der Sammlung bisher fehlende geld- und münzgeschichtlich wichtige Leitstücke, anfangend bei den Münzen des antiken Griechenlands (hier die wichtigsten Nominale), über das antike Rom zu den im angrenzenden Ausland entstehenden Urtypen der wichtigsten Münznominale des hohen und ausgehenden Mittelalters sowie der Neuzeit, konnten in jüngster Zeit zusammengetragen werden.

Medaillen

Die Medaillensammlung war seit jeher von den Münzen getrennt verwahrt[36]. Die Beschränkung auf deutsche Medaillen hat auch hier eine einseitige Spezialsammlung entstehen lassen. Es gelang dabei zahlreiche kostbare Einzelstücke und auch umfänglichere Reihen aus allen Perioden der deutschen Medaillenkunst zu erwerben. Die heute etwa 16 000 Stück umfassende Sammlung ist besonders reich an Werken der großen Medailleure des 16. Jahrhunderts. Vertreten sind Erzeugnisse der Vischerschen Gießhütte Nürnberg, zahlreiche Medaillen von Hans Schwarz, Friedrich Hagenauer[37], Mathes Gebel und Joachim Deschler. Dazu kommen kostbare Holz-, Stein- und Wachsmodelle und eine Sammlung von Gußformen, die wahrscheinlich aus einer Nürnberger Gießerwerkstatt der Zeit um 1520 stammen[38]. Reich vertreten sind die erzgebirgischen Medaillen aus der Mitte des 16. Jahrhunderts mit meist religiös-reformatorischen Motiven. Für die Medaillenzentren in Südwestdeutschland (Augsburg und Straßburg) sowie für Norddeutschland bestehen empfindliche Lücken, deren Ausfüllung zum Programm gehört. Auch der allmähliche Ersatz der vielen sekundären Güsse durch Originale wird angestrebt. Die Medailleure der späten Renaissance (z. B. Valentin und Christian Maler, die beiden Abondio, Hans Philipp von der Pütt, Sebastian Dadler) und die süddeutschen Medailleure des Barock sind ausgiebig vertreten. Das sonst maßgebliche Grenzjahr 1650 fand glücklicherweise von Anfang an keine Berücksichtigung. Man sammelte auch Medaillen des Hochbarock und des Rokoko, ja sogar des 19. Jahrhunderts. So war es schon 1869 möglich, „eine Übersicht über den Entwicklungsgang und die vorzüglichsten Schulen in Deutschland vom 16.–18. Jahrhundert" den Besuchern des Museums zu bieten[39]. Empfindliche Lücken bestehen bei den bedeutenderen Medailleuren des Rokoko, die hauptsächlich in Bayern und Österreich wirkten (Hedlinger, Schega, Bengt Richter,

---

[33] Sie wurden über die Auktion Cahn 1926 erworben; siehe Anmerkung 23.

[34] Bericht (Anm. 31).

[35] Als besondere Seltenheit besitzt das Kabinett einen in Eltville geprägten Goldgulden des Erzbischofs Gerlach von Mainz (1346–1371); erworben 1891; Inv.-Nr. Mü 14138.

[36] Johann Müller: Die Medaillensammlung des germanischen Museums. In: Anzeiger GNM 1856, Sp. 14–16. – Essenwein: Bericht 1870 (Anm. 1).

[37] Einige Winke zur Beurteilung der Hagenauer'schen Medaillen. In: Anzeiger GNM 1853, Sp. 131.

[38] Paul Grotemeyer: Gußformen deutscher Medaillen des 16. Jahrhunderts. In: Neue Beiträge zur süddeutschen Münzgeschichte. Stuttgart 1953, S. 1–19.

[39] Jahresbericht GNM 16 (für 1869), 1870.

Domanöck, Gennaro und Donner). Erwähnenswert ist eine kleine 1914 erworbene Reihe von Zinnmedaillen, modelliert, gegossen und bemalt von dem Nürnberger Zinngießer Johann Georg Hilpert (1736–1795)[40]. Seit den achtziger Jahren waren mehrfach auch „moderne" Medaillen erworben worden, so Werke des Wiener Medailleurs Anton Scharff (1845–1903)[41] sowie Prägungen der Medaillenfirma Drentwett in Augsburg[42].

1904 bewilligte Kaiser Franz Joseph von Österreich 2000 Kronen für die Erwerbung von Habsburger Gedenkmedaillen. Eine Hohenzollernstiftung gleicher Zielsetzung war vorausgegangen[43]. Zahlreiche Medaillen aus der Zeit vor dem ersten Weltkrieg enthält die Sammlung von Medaillen auf Prinzregent Luitpold von Bayern[44] sowie die Stiftung des 1912 verstorbenen Oberlandesgerichtsrates Dr. Tischer in Dresden, eine Spezialsammlung zur Gründung des Wilhelminischen Reiches, mit einschlägigen Medaillen auf Personen und Ereignisse, die jedoch schon mit den Befreiungskriegen einsetzen. Die Stiftung wurde 1914 „zur Aufbewahrung, Verwaltung und weiteren Ausgestaltung" übergeben und sollte „patriotisch anregend" wirken[45]. Zu erwähnen ist ferner die Sammlung von Porzellan-Medaillen des Kurt Freiherrn von Manteuffel[46].

Die Medaillensammlung ist in ihrem Hauptkomplex kulturgeschichtlich geordnet. Das Inventar von 1856 führt folgende Gruppen auf: 1. Medaillen auf Örtlichkeiten; 2. auf Personen; 3. auf Begebenheiten und Handlungen; 4. auf unbekannte Begebenheiten und Handlungen; 5. Preismedaillen der Universität Altdorf, geordnet alphabetisch nach den mit den Prämien ausgezeichneten Studenten. Die heute bestehende Gliederung: Geistliche Fürsten, Weltliche Fürsten (unter Vorantritt der Häuser Habsburg, Hohenzollern, Wittelsbach und Wettin), Personenmedaillen, Ortsmedaillen und Miszellanmedaillen geht offenbar auf die Tätigkeit Heinrich Albert Erbsteins im Münzkabinett zurück. Die Sondersammlungen von Schuh, Prinzregent Luitpold, Tischer und Manteuffel weisen eine ähnliche Systematik auf.

Zeichen und Jetons (Rechenpfennige)

Diese kleinste Unterabteilung des Münzkabinetts[47] besitzt drei Komplexe von besonderer Bedeutung: die Nürnberger Rechenpfennige, die seit dem 16. Jahrhundert einen wichtigen Exportartikel der Reichsstadt Nürnberg bildeten[48], die Marken und Zeichen der Reichsstädte Nürnberg und Regensburg[49] und die zwar kleine, doch instruktive Sammlung von Orden und Ehrenzeichen, die in jüngster Zeit durch die Zuwendung der Orden des Bundespräsidenten Theodor Heuss ein besonderes Gewicht erhielt. Allein schon im Hinblick auf den vergleichsweise geringen Umfang der Sammlung (derzeit etwa 2000 Objekte) bestehen zwangsläufig empfindliche Lücken: so fehlen z. B. Exemplare der für die Entstehung und Entwicklung der Rechenpfennige besonders wichtigen Vorformen aus

[40] Er war tätig in der Werkstatt seines Bruders Johann Gottfried; vgl. den Arbeits- und Lehrbrief des Zinngießers Johann Gottfried Hilpert, Coburg 27. März 1760 (Archiv GNM, Hist. Archiv, Bestand Arbeits- und Lehrbriefe).
[41] Jahresbericht GNM 31 (für 1884), 1884. – Jahresbericht 33 (für 1886), 1886. – Jahresbericht GNM 35 (für 1888), 1888. – Jahresbericht GNM 36 (für 1889), 1889. – Jahresbericht GNM 37 (für 1890), 1890. – Jahresbericht GNM 38 (für 1891), 1891. – Jahresbericht GNM 39 (für 1892), 1892. Scharff, mit seinem klaren Realismus einer der Erneuerer der deutschen Medaillenkunst, war seit 1881 Leiter der Graveurakademie in Wien.
[42] Jahresbericht GNM 38 (für 1891), 1891.
[43] Jahresbericht GNM 24 (für 1877), 1878. – Jahresbericht GNM 51 (für 1904), 1904.
[44] Insgesamt 617 Stück, eine so gut wie vollständige Sammlung auf eine Herrscherpersönlichkeit.
[45] Insgesamt etwa 1400 Stück, meist Medaillen; Jahresbericht GNM 61 (für 1914), 1914. – Archiv GNM, Altregistratur K. 39, Tischer'sche Stiftung (Vermächtnisse Nr. 104). – Schulz, Festschrift, S. 29.
[46] Archiv GNM, Altregistratur K 38 Vermächtnisse Nr. 63.
[47] Das Inventar von 1856 (Organismus, 2. Abt., S. 258–263) zählt 179 Stück auf. Heute umfaßt die Sammlung gegen 2000 Stück.
[48] Von den Neuerwerbungen ist zu nennen die vor 1916 übernommene Sammlung Hohlfeld in Dresden; siehe Bericht (Anm. 31), S. 170.
[49] Die Regensburger Marken und Zeichen kamen mit der Sammlung Schratz an das Museum; siehe auch Wilhelm Schratz: Die Regensburger Rathszeichen. Stadtamhof 1883.

dem Spätmittelalter sowie ausländische, besonders französische und niederländische Leitstücke. Die Abteilung ist gegliedert in Marken und Zeichen, unter denen auch die Orden und Ehrenzeichen zu finden sind, sowie in Rechenpfennige, beide Gruppen alphabetisch geordnet nach Orten, innerhalb der Orte nach Sachgruppen bzw. nach Typen und Meistern.

Siegel- und Prägestempel

Das Inventar von 1856 führt nur 10 Siegelstempel auf[50]. Auch in den folgenden Jahren sind nur wenige Neuzugänge zu verzeichnen, doch darunter ein außergewöhnliches Stück, das Silbertypar der Universität Heidelberg von 1386, ein Kleinkunstwerk der ausgehenden Gotik von großer Qualität. Es kam 1857 als Geschenk des Fürsten Carl Egon von Fürstenberg an das Museum[51]. Mit der Sammlung des Geheimrats Friedrich Warnecke, Berlin, die fast 1000 Siegelstempel, zum Teil aus dem hohen und späten Mittelalter, umfaßte und von der Pflegschaft Berlin 1897 gestiftet wurde[52], erhielt diese Unterabteilung des Münzkabinetts mit einem Schlag einen hohen Rang. Hier finden sich so außergewöhnliche Stücke wie die Typare der Stadt Essen und des Augustinerchorherrenstifts St. Moritz in Naumburg, beide aus dem 13. Jahrhundert, die Konventssiegel des Benediktinerstifts Lambach in Oberösterreich aus der ersten Hälfte des 14. Jahrhunderts und des Minoritenklosters Saalfeld aus dem 14. Jahrhundert[53]. Der quantitativ beträchtlichste Zuwachs ist mit dem Legat Guido von Volckamers von 1940 zu registrieren, das in wesentlichen Teilen auf die Sammlung Elise Freiin König-Warthausen zurückgeht und etwa 2500 Siegelstempel, meist des 18. und 19. Jahrhunderts, zählt. Dazu gehört eine umfangreiche Gruppe von Stempeln aus kostbaren Materialien (Gold, Silber, Halbedelstein) oder in besonders ansprechender Ausführung, darunter eine Reihe zierlich gearbeiteter Berlocken des 18. Jahrhunderts[54]. 1975 konnte durch Ankauf das Silbertypar der Stadt Breslau, die Arbeit eines Breslauer Goldschmiedes von 1530, erworben werden[55].

In die Siegelstempelsammlung eingereiht sind die Prägestempel für Münzen und Medaillen, eine kleine, jedoch instruktive Sammlung. Neben spätmittelalterlichen Prägeeisen für Hammerprägung befinden sich darunter auch Prägestöcke für die seit der zweiten Hälfte des 16. Jahrhunderts verwendeten Prägemaschinen, die Walzen-, Taschen- und Spindelwerke. Von diesen Prägemaschinen selbst besitzt das Museum ein Spindelwerk (Balancier) für Großprägungen, das wohl aus der Münzstätte der Reichsstadt Nürnberg stammt und um 1700 gebaut worden sein dürfte (Länge des Schwungarms ca. 3 m !), dazu ein Spindelwerk für Kleinmünzen aus dem Jahr 1740 sowie ein sog. „Taschenwerk", wohl aus dem 17. Jahrhundert, ein Münzmaschinentypus, in dem sich das Walzenwerk fortsetzte[56].

Am Fach sind die Siegel- und Prägestempel nach dem numerus currens geordnet. Die Kartei der Siegelstempel weist die Unterabteilungen Weltliche Personen, Geistliche Personen, Weltliche Korporationen, Geistliche Korporationen auf. Die Prägestempel sind alphabetisch nach Münzherren geordnet.

Nürnberger Spezialsammlungen

Das Münzkabinett verwahrt als Leihgabe die Sammlungen der Stadt Nürnberg, insgesamt etwa 7000 Münzen und Medaillen. Dazu kommen Leihgaben von Nürnberger Kirchen und Familien, im

---

[50] Organismus, 2. Abt., S. 268.
[51] Inv.-Nr. Si. St. 216; Anzeiger GNM 1857, Sp. 94, Nr. 1627.
[52] Anzeiger GNM 1897, S. 42–44. Veröffentlichung eines Teiles der Sammlung in: Der Deutsche Herold 1887, 1889, 1890, 1892.
[53] Inv.-Nr. Si. St. 156, 2, 15, 29.
[54] Pohl (Anm. 28).
[55] Anzeiger GNM 1976, S. 192–193.
[56] Die Prägemaschinen werden in der Abteilung Zunft- und Handwerkssachen verwahrt (Inv.-Nr. Z. 2039, Z. 2291, Z. o. Nr.).

besonderen solche des Nürnberger Patriziats. Damit verfügt das Kabinett über eine so gut wie vollständige Reihe der Münzen der ehemaligen Reichsstadt Nürnberg und eine umfangreiche Spezialsammlung Nürnberger Medaillen.

Die Stadt Nürnberg war seit dem 16. Jahrhundert ein Zentrum der Numismatik[57]. Von der für die zweite Hälfte des 15. Jahrhunderts nachweisbaren kleinen Sammlung von Römermünzen, die unter anderem von Albrecht Dürer d. Ä. vergoldet wurden[58], mag das eine oder andere Stück vergoldeter Römermünzen stammen, die sich noch heute in einzelnen Nürnberger Sammlungen finden. Erhalten ist der Katalog dieser Sammlung, wohl der älteste Münzkatalog Deutschlands. Er wurde um 1480 unter dem Titel „Etlicher Keyßer Angesicht" von einem Nürnberger Schreibmeister auf Pergament niedergeschrieben[59]. In Humanistenkreisen sind die ersten bedeutenden Sammler antiker Münzen zu finden. So besaß Willibald Pirckheimer (1471–1531) eine Sammlung von beträchtlichem Umfang, die jedoch nicht mehr existiert[60]. Welcher Wertschätzung sich die antiken Münzen erfreuten, zeigen die Münzpokale der Zeit, wie sie das Museum in mehreren Exemplaren verwahrt[61].

Durch ein glückliches Geschick ist ein für die Renaissance typisches Münzkabinett in ursprünglichem Zustand auf uns gekommen. Es ist die in einem kostbaren Intarsienschränkchen untergebrachte Sammlung des Pfarrers bei St. Sebald in Nürnberg, Johann Michael Dilherr (1604–69), Leihgabe des Pfarramts St. Sebald seit 1885[62]. Sie ist mit dem Tod Dilherrs 1669 abgeschlossen und enthält etwa 300 griechische, keltische und römische Gold-, Silber- und Bronzemünzen. Neben seltenen Originalen finden sich darin in großer Zahl Abgüsse in Gold und Silber und vor allem die sogenannten Paduaner, die nachempfundenen Erzeugnisse italienischer Stempelschneider der Mitte des 16. Jahrhunderts. Der nach dem Tod Dilherrs im Druck erschienene Katalog[63] darf als einer der ältesten gedruckten Münzkataloge Deutschlands gelten.

Als mit der Wende zum 18. Jahrhundert das Sammeln von Münzen als standesgemäße Unterhaltung von Fürsten und Adel galt, entstanden in der Reichsstadt Nürnberg die Universalsammlungen des Isaac von Peyer und Johann Friedrich von Hagen sowie die Spezialsammlung Nürnberger Münzen und Medaillen des Christoph Andreas von Imhoff (1734–1807), die z. T. heute im Museum verwahrt werden. Die Größe der Sammlungen beeinträchtigte da und dort allerdings die Qualität. So enthielt das Hagen'sche Kabinett neben einer großen Zahl erlesener Originale nicht weniger als gegen 30000 Abgüsse in Zinn. Von einem Teil der genannten Kabinette sind schon im Laufe des 18. Jahrhunderts Gesamt- oder Teilkataloge erschienen. Jener des Imhoff'schen Kabinetts zeichnet sich durch eine bis in die Einzelheiten gehende Beschreibung der Münzen und Medaillen aus und ist heute noch unentbehrlich[64]. Die Sammlung des Christoph Andreas Imhoff ist in ihren wesentlichen Bestandteilen erhalten geblieben. Sie gelangte zunächst an den 1817 verstorbenen Staatsrat Johann Christoph Siegmund Kreß von Kressenstein, dann an die Stadtbibliothek Nürnberg und wurde am 14. Mai 1866 dem Museum als Depositum der Kress'schen Erben bzw. der Stadt übergeben, nachdem

[57] Ludwig Veit: Numismatik in Franken. In: Münze und Medaille in Franken. Katalog der Ausstellung im Germanischen Nationalmuseum 1963. Nürnberg 1963, S. 40–45; auch für das Folgende.

[58] J. Petz: Urkundliche Beiträge zur Geschichte der Bücherei des Nürnberger Rates, 1429–1538. In: Mitteilungen des Vereins für Geschichte der Stadt Nürnberg H. 6 (1886), S. 126, 149.

[59] Paul Joachimsohn: Hans Tuchers Buch von den Kaiser Angesichten. In: Mitteilungen des Vereins für Geschichte der Stadt Nürnberg H. 11 (1895), S. 1–86.

[60] Beschreibung in seinem Vermögensinventar von 1531 (Archiv GNM, Imhoff-Archiv, Fasz. 40 Nr. 4a).

[61] Der schönste unter Inv.-Nr. HG 10578 (Städtische Sammlung F 91), entstanden um 1570 in Nürnberg von der Hand des Meisters T. S.; Höhe 27,4 cm. In Fuß und Wand sind Abgüsse von Tetradrachmen von Thasos und Denaren der römischen Republik und Kaiserzeit eingelassen. Er gehörte einst zur Isaac von Peyer'schen Sammlung (siehe unten bei Anm. 69).

[62] Inv.-Nr. HG 3572.

[63] Christoph Arnold: Sylloge numismatum aureorum, argenteorum, aereorum, que Antistes Beatissimus Jo. Mich. Dilherrus Collegio Sebaldino lubens testamento reliquit. o. O. o. J.

[64] Christoph Andreas im Hof: Sammlung eines Nürnbergischen Münz-Cabinetts. 2 Teile. Nürnberg 1780 und 1782.

im Testament die Bedingung gestellt worden war, daß die Sammlung der Öffentlichkeit und der numismatischen Forschung zugänglich sein müsse, was damals nur im Museum gewährleistet schien[65]. Die Kress'sche Sammlung enthält insgesamt 2547 Münzen, Medaillen, Marken und Zeichen, darunter eine fast vollständige Reihe von Münzen der Stadt Nürnberg, mit großen Seltenheiten, wovon hier nur das Unikum des Reichsguldiners von 1527 genannt sei[66], dazu zahlreiche Medaillen der Renaissance und des Barock.

Das sogenannte Colmarsche Münzkabinett, ursprünglich ebenfalls in der Stadtbibliothek und seit 1877 als Depositum der Stadt Nürnberg im Museum, stammt aus dem Erbe des Königlich Bayerischen Kreis- und Stadtgerichtsrates Dr. Johann Albert Colmar, dessen Bibliothek und Münzsammlung 1835 versteigert wurde. Colmar hatte einen Teil der Sammlung des Nürnberger Polyhistors Christoph Theophil von Murr geerbt, unter anderem kostbare Dürer-Manuskripte[67]. Bei der Versteigerung wurde offenbar ein Teil der Münzen von der Stadt erworben. Die Sammlung Colmar stellt eines der typischen Kabinette des 18. Jahrhunderts dar. Von den zugehörigen 1902 Münzen und Medaillen sind etwa 80% Zinnachbildungen des 18. Jahrhunderts.

Als weitere Leihgabe der Stadt verwahrt das Museum die Reste des Isaac von Peyer'schen Kabinetts, das einstens der Universität Altdorf zur Förderung numismatischer Studien gestiftet worden und mit der Auflösung der Universität an die Stadt Nürnberg gekommen war. In deren Auftrag wurde es 1867 versteigert, wobei die beiden Brüder Erbstein die Versteigerung vorbereiteten[68]. Reste blieben bei der Stadt und kamen von dort wiederum als Leihgabe an das Museum, darunter der erwähnte kostbare Münzpokal aus der zweiten Hälfte des 16. Jahrhunderts[69].

Als Deposita Nürnberger Familien bzw. Familienstiftungen sind zu erwähnen: die Münz- und Medaillensammlung von Löffelholz (seit 1967); die Sammlung der Friedrich von Praun'schen Familienstiftung, zum Teil aus Resten des einstmals berühmten Praunschen Kabinetts bestehend[70], das selbst von Goethe besichtigt wurde; die Medaillensammlung von Rhau mit einer großen Zahl von prägefrischen Zinnmedaillen des 18. Jahrhunderts, die Sammlung Merkel, in der eine umfangreiche Sammlung von Abgüssen in Schwefelpaste aus der zweiten Hälfte des 18. Jahrhunderts enthalten ist[71].

Mit diesen Nürnberger Spezialsammlungen ist der Anteil der Deposita unter Eigentumsvorbehalt beträchtlich. Die Münzsammlung (etwa 60000 Stück) besteht zu 25%, die etwa 20000 Stück umfassende Medaillensammlung zu 30% aus Deposita, wovon 8% bzw. 14% Leihgaben der Stadt Nürnberg sind. Von den Rechenpfennigen, Marken und Zeichen (etwa 2000) sind 75% Eigentum des Museums, von dem Rest 16% Leihgaben der Stadt Nürnberg. Die Siegelstempel (über 5500 Stück) sind fast alle Eigentum des Museums. Die Prägestempel (insgesamt 67 Stück) je zur Hälfte Eigentum des Museums und Leihgabe, 20% davon gehören der Stadt Nürnberg.

Mit den Nürnberger Spezialsammlungen wurden unverhältnismäßig viele Nachgüsse, Nachprägungen und Nachahmungen übernommen. Dies entsprach den Sammelpraktiken der Zeit, die unbe-

---

[65] Handakt des Johann Sigmund Christoph Haller von Hallerstein betr. die Verhandlungen über das Münz- und Medaillenkabinett des Staatsrats Johann Christoph Sigmund Kreß von Kressenstein 1818–1823, mit Katalog des Münzkabinetts und Schriftwechsel wegen der Deponierung bei der Stadt Nürnberg 1823–1851 (Archiv GNM. ABK Nachlaß J. S. Chr. Haller von Hallerstein). – K. Schaefer: Das Nürnberger Münzkabinett des Freiherrn Johann Christoph Siegmund von Kress. In: Mitteilungen GNM 1896, S. 108–112.

[66] Hans-Jörg Kellner: Die Münzen der freien Reichsstadt Nürnberg. Grünwald 1957, Nr. 111.

[67] Hans Rupprich: Dürer. Schriftlicher Nachlaß. Bd. 2. Berlin 1966, S. 12–13. Verzeichniß der ... von ... Colmar hinterlassenen Sammlung von antiken und modernen Münzen und Medaillen ... Nürnberg 1835.

[68] Julius R. Erbstein und Heinrich Albert Erbstein: Das der Stadt Nürnberg gehörige Isaac von Peyer'sche Münz- und Medaillen-Cabinett. Geordnet und beschrieben. Nürnberg 1863.

[69] Siehe Anm. 61.

[70] Christophe Theophile de Murr: Description du Cabinet de Monsieur Paul de Praun à Nuremburg. Nürnberg 1797, S. 389–483.

[71] Archiv GNM, Merkel-Archiv BA 144: Nachlaßakt des Paul Wolfgang Merkel; darin „Verzeichnisse und Taxationen der Paul Wolfgang Merkel'schen Sammlung" 1831.

denklich sekundäre Stücke zur Ergänzung der Sammlungen heranzog. So empfiehlt im Mai 1859 der oben erwähnte kaiserlich russische Staatsrat Dr. von Köhne in St. Petersburg, die Sammlung von Kopien seltener Münzen besonders zu pflegen, sie jedoch getrennt aufzustellen, wobei auch eine gewisse Vollständigkeit erreicht werden könne. Die „Artistischen Werkstätten" hatten für „den Austausch mit auswärtigen Sammlern und Kabinetten" Medaillen und Siegel in Blei und Gips abgegossen. Die Medaillensammlung umfaßte 1856 550 Stück, „teils im Original, zum größten Teil aber in älteren und neueren Kopien"[72]. Bedenken wegen der Möglichkeit, mit diesen Abgüssen Fälschungen herzustellen, schob man beiseite, „demnach nicht zu besorgen ist, daß von dem Formator, wie es bei den in der Gießkunst gemachten Fortschritten leider vorkömmt, Vervielfältigungen gemacht werden, welche, wohl selbst bezüglich des Metalls von den Originalen kaum unterscheidbar, wieder als Originale verkauft werden können"[73]. 1922 wurden an Münzkopien „674 Stück in Zinn, Blei, Staniol und Komposition" wieder ausgeschieden[74]. Sie führten mehrere Jahrzehnte ein unbeachtetes Dasein und sind nun in die Kopiensammlung der Abteilung Münzen, in der auch Fälschungen und Nachahmungen untergebracht sind, eingereiht. Verhältnismäßig viele Metallkopien und Galvanos, von denen einige bis vor kurzem noch als Originale galten[75], finden sich bei den Siegelstempeln.

Inventarisierung, Verwahrung und Ausstellung

Im Rahmen der Veröffentlichung der Sammlungsinventare erschien in der Denkschrift von 1856 ein Inventar der Münzsammlung, auch als Sonderdruck unter dem Titel „Münzsammlung des germanischen Nationalmuseums zu Nürnberg", mit einer in der Denkschrift fehlenden „Vorerinnerung". Erfaßt sind dabei 7 Prägestempel, 1898 Münzen, 901 Medaillen, 179 Zeichen und Jetons[76]. Aus dem Briefwechsel erfahren wir Näheres über die Aufgaben dieses Inventars. Es lasse bezüglich einer wissenschaftlichen Verzeichnung kaum Wünsche offen, der Wert für die Forschung sei nur im Hinblick auf die geringe Zahl des Gebotenen gemindert, schreibt der uns schon bekannte Köhne aus Petersburg im Mai 1859. Das Museum äußert sich sehr bescheiden. Man erhebe keinen Anspruch auf „wissenschaftlichen Wert"[77]. Der Zweck des Druckes sei auch nicht, „etwa mit unserem Reichthum zu prangen, sondern im Gegentheil, um die nicht auszufüllenden Lücken zu zeigen und den zahlreichen Freunden des nationalen Unternehmens zur Ausfüllung derselben Gelegenheit zu bieten"[78].

1857 bot sich F. W. A. Schlickeysen an, jährlich die Erwerbungen des Museums an Münzen und Denkmünzen in der von ihm herausgegebenen Zeitung zu veröffentlichen[79]. Doch machte man keinen Gebrauch davon, wohl deshalb, weil im Anzeiger des Museums selbst jeweils ausführliche Neuerwerbungsberichte erschienen, in denen auch die Neuzugänge an Münzen aufgeführt waren. Im Anzeiger wurden auch Aufsätze aus dem Bereich der Numismatik veröffentlicht, so 1856 von Johann Müller „Die Medaillensammlung des germanischen Museums"[80], 1863 von Heinrich Albert Erbstein „Der Trebitzer Brakteatenfund"[81]. Mit der Begründung, Funde und ähnliche für Geschichts- und

[72] Jahresbericht GNM 4 (für 1856/57), 1858, S. 5. – Müller (Anm. 36).
[73] Brief des Leiters des Münchner Münzkabinetts an Aufseß vom 13. Dezember 1861, anläßlich der Bestellung von Gipsabgüssen durch das Museum. (Archiv GNM, Altregistratur, vgl. Anm. 4).
[74] Laut handschriftlichem Vermerk im Inventar des Münzkabinetts, Abteilung Münzen.
[75] Selbst versierte Museumsleute sind hier getäuscht worden; so Heinrich Kohlhaußen, der den Siegelstempel der Familie Grafenrieth Bern (Si. St. 493) als Original veröffentlichte. Heinrich Kohlhaußen: Straßburger Kleinkunst um die Mittelalterwende. In: Münchner Jahrbuch für bildende Kunst 1950, S. 170–176 (175–176). In Wirklichkeit handelt es sich um ein Silbergalvano von dem im Historischen Museum Bern verwahrten Bronze-Original (dortige Inv.-Nr. 9540).
[76] Siehe Anm. 1.
[77] Archiv GNM Altregistratur; vgl. Anm. 4.
[78] Schreiben an Dr. Otto Schönemann, Wolfenbüttel v. 5. Juni 1855 (Archiv GNM, Altregistratur; vgl. Anm. 4).
[79] Ebenda.
[80] Siehe Anm. 36.
[81] Anzeiger GNM 1863, Sp. 91–94, 129–133, 167–170, 200.

Altertumsfreunde interessante Vorkommnisse würden im Anzeiger ausführlicher besprochen, als dies in anderen Blättern geschehe, erbat das Museum 1864 nähere Informationen über den Goldmünzenfund von Würzburg (vergraben während des Bauernkrieges wohl 1525/26), über Umfang und numismatische Beschaffenheit und den Ort des Fundes[82].

Inventarisiert wurden, wie wir oben erwähnt haben, anfänglich nur die mittelalterlichen Münzen bis etwa 1500. Unter dem 24. Juni 1864 verfügte die Museumsverwaltung eine weitere Beschränkung. Zukünftig war die Inventarisierung nach dem Wert der Sammlungsgegenstände vorzunehmen, auch bei der Münzsammlung. Eine der Grundlagen für die Auswahl ausführlicher oder summarisch zu inventarisierender Stücke sollte damals der Antiquar Oberndorfer in München schaffen, der nach Nürnberg bestellt wurde, um die in der Münzsammlung vorhandenen Taler zu schätzen[83].

Die Beschreibung der Münzen in den internen Inventaren genügt selbst modernen Ansprüchen. Erfaßt wurden Münzherr, Nominale, Zeit der Prägung, Münzbild, Umschrift, Größe, Metall, Literatur. Man debattierte dabei sogar über an sich unwichtige Einzelheiten, etwa ob Avers oder Revers oder die entsprechenden deutschen Bezeichnungen (Hauptseite, Rückseite) verwendet werden sollten[84]. Die Inventarisierung erfolgte von Anfang an in einer Kartei, wobei für jedes Objekt eine eigene Karte vorgesehen war. Dies bedeutete für die damalige Zeit, die nur den Bandkatalog kannte, einen ungewöhnlichen Fortschritt. Die Karteikarten selbst waren in Pappkästen untergebracht, was besondere Vorsichtsmaßnahmen bei der Benützung bedingte[85]. Erst 1960 wurden Stahlblechschränke mit Kartenschubern dafür angeschafft.

Nach dem Umzug in die Kartause 1857 war das Münzkabinett zusammen mit der Siegelsammlung zunächst im Saal über dem Refektorium untergebracht[86], später wurde es in die Volckamer-Kapelle über der Sakristei der Kartäuserkirche, 1925 schließlich in den ersten Stock des Verwaltungsgebäudes am Kornmarkt verlegt[87], wo es bis zur Auslagerung zu Beginn des Zweiten Weltkrieges verblieb, den es im übrigen ohne nennenswerte Verluste überstand. Nach 1945 war das Kabinett vorübergehend im Hauptdepot, seit 1958 in einem Nebenraum des Hausmeistergebäudes verwahrt. Seit 1964 stehen ein bezüglich Größe und Sicherung genügender Depotraum sowie ein Studienraum im Verwaltungsgebäude an der Kartäusergasse zur Verfügung.

Bereits 1867 wurden drei „feuer- und einbruchsichere" Stahlschränke angekauft, in der die Hauptsammlung des Museums noch heute verwahrt wird. Ein vierter Stahlschrank nahm die Sammlung der Stadt Nürnberg auf. Im übrigen fanden Schränke der verschiedensten Form und aus unterschiedlichen Materialien Verwendung. Sie bieten ein wertvolles Anschauungsmaterial für das Problem der Verwahrung von Münzen und Medaillen, zumal ein Teil über den Krieg gerettet werden konnte[88]. Für die Sammlung Kahlbaum und die Tischer'sche Stiftung wurden mit großem Aufwand eigene

[82] Archiv GNM, Altregistratur; vgl. Anm. 4. Veröffentlicht wurde der Fund jedoch nicht, wie überhaupt durch den Weggang der Gebrüder Erbstein 1866 die Aktivitäten im Münzkabinett deutlich abnahmen.

[83] Brief vom 24. Januar 1860 (Archiv GNM, Altregistratur; vgl. Anm. 4).

[84] Schlickeysen schreibt unter dem 5. Juli 1857 an das Museum, ein bemittelter und sonst sehr unterrichteter Mann könne sich nicht entschließen, für eine Anstalt Beiträge zu leisten, deren Vorstand, einer öffentlich ausgesprochenen Rüge ungeachtet, fortfahre, in seinen Schriften sich entbehrlicher Fremdwörter zu bedienen. Sein Unwille richte sich vor allem gegen die Verwendung von Avers und Revers, „während von den besten deutschen Schriftstellern statt dieser Fremdwörter stets Hauptseite und Rückseite gebraucht werde". (Archiv GNM, Altregistratur; vgl. Anm. 4).

[85] Die Benützung der Kartei durch Besucher war verboten, da durch sie die Karteikarten allzu leicht in Unordnung gebracht wurden. Der Erste Direktor selbst hat dies, wenn auch unfreiwillig, vorexerziert, belegt durch einen auch für das Temperament August von Essenweins bezeichnenden Vermerk auf einer Karteikarte (Archiv GNM, ABK, Nürnberg, GNM, Essenwein): „NB. Als ich Zettel und Tablette geordnet hatte, fiel mir der Pack Zettel aus der Hand und flog nach allen Seiten; ihn nochmals zu ordnen brachte ich nicht zuwege. Es möge dies also gefälligst ein anderer thun. Nbg. 18/9 (18) 91 A. v. Essenwein".

[86] Jahresbericht GNM 4 (für 1856–1857), 1858, S. 8.

[87] Jahresbericht GNM 72 (für 1925), 1925.

[88] Hervorzuheben sind das Intarsienschränkchen für die Sammlung Dilherr von etwa 1650 und die beiden 1820 für das Kreßische Kabinett angefertigten Schränkchen (Handakt; vgl. Anm. 65).

Schränke aus Eiche angefertigt[89]. 1964 konnten für den Großteil der Sammlung moderne Stahlblechschränke angeschafft werden. Münzen, Medaillen und Siegelstempel liegen darin in Pappschächtchen auf in ihrer Einteilung durch lose Zwischenstege variablen Aluminiumtabletts[90].

Anfänglich dienten hier wie auch bei den anderen Abteilungen der Altertumssammlung die Gesamtbestände als Schausammlung. Unter August von Essenwein, der selbst das Münzkabinett betreute, wurde die Besichtigung von vorheriger Anmeldung abhängig gemacht[91]. Erst 1922 wurde im Obergeschoß des westlichen Verbindungstraktes vom Bestelmeyer'schen Galeriebau zu den Räumen über dem nördlichen Kreuzgangflügel eine Schausammlung für Münzen, im gegenüberliegenden Obergeschoß des östlichen Verbindungsbaues (über dem sog. Blauen Tor) eine nach Meistern geordnete Medaillenschausammlung eingerichtet[92].

Erst die Eröffnung des Theodor-Heuss-Baues im September 1958 gab die Möglichkeit, im Anschluß an die Schausammlung der Abteilung Vorgeschichte wieder eine Auswahl von Münzen auszustellen. Dabei wurden diese auf an der Wand senkrecht befestigten Glastafeln appliziert und damit dem Besucher die Möglichkeit geboten, ganz nahe heranzutreten[93]. Diese Schausammlung, mehrfach variiert und erweitert, fand in der Folge an den verschiedensten Plätzen ihr Unterkommen: auf der nördlichen Galerie der Ehrenhalle, im westlichen Mönchshaus am nördlichen Kreuzgangflügel, im Obergeschoß des östlichen Verbindungsbaues, wo 1922 die Medaillenschausammlung untergebracht war, im östlichen Raum des Erdgeschosses des Galeriebaues. Teile der Sammlung wurden in den allgemeinen kunst- und kulturgeschichtlichen Rundgang integriert, zunächst die Münzen der Völkerwanderung bis zur Stauferzeit (1966), die Renaissancemedaillen (1972) sowie die Barockmedaillen (1976). Dies wird unter Verzicht auf eine gesonderte Schausammlung des Kabinetts fortgeführt werden.

Inzwischen trat das Kabinett noch in einer anderen Form an die Öffentlichkeit: Kulturgeschichtlich orientierte und landschaftlich gegliederte Ausstellungen der von 1945 bis 1958 unter der Leitung eines Referenten stehenden Abteilungen Kupferstichkabinett, Münzkabinett und Archiv haben Teile der Bestände des Münzkabinetts in weiten Teilen Deutschlands bekannt gemacht[94]. Dazu kamen Sonderausstellungen zur Feier des achtzig- bzw. neunzigjährigen Bestehens des Vereins für Münzkunde Nürnberg, mit dem das Kabinett eng verbunden ist: 1963 die Ausstellung „Münze und Medaille in Franken"[95], 1972 „Rund um das Geld. Vom Spartopf zum Bankkonto". In reduzierter Form wurden die beiden Ausstellungen, wie auch andere thematisch begrenzte Ausstellungen in zahlreichen deutschen Banken gezeigt. Der Einsatz unserer funktionsfähigen Münzprägemaschinen zur Herstellung von Gedenkmedaillen gab diesen Wanderausstellungen eine besondere Attraktivität[96].

[89] Daß Eichenholz bzw. die darin enthaltene Gerbsäure u. U. sich schädigend auswirkt, bedachte man nicht.

[90] Nur einmal sündigte man schwer, als man für die Sammlung Kahlbaum Blechschächtelchen verwendete, deren scharfkantige Ränder allzu leicht die inliegenden Münzen und Medaillen beschädigen konnten.

[91] Siehe August von Essenwein: Die kunst- und kulturgeschichtlichen Sammlungen des germanischen Museums. Aufl. 1888. Nürnberg 1887, S. 2.

[92] Jahresbericht GNM 69 (für 1922), 1922, S. 1. Verwendet wurden als Schauvitrinen kleine verglaste Holzkästchen in den Abmessungen 57 × 46 × 7 cm.

[93] Tätigkeitsbericht GNM 1959. – Wegweiser durch das Germanische National-Museum in Nürnberg 1961, 1962, 1963, S. 17–19.

[94] Siehe S. 646–647 mit Anmerkung 73.

[95] Der gleichnamige Katalog ist im Selbstverlag des Vereins für Münzkunde Nürnberg erschienen. Zweite veränderte Auflage noch 1963.

[96] Diese Wanderausstellungen werden seit 1964 durchgeführt und zwar unter folgenden numismatischen Themen: Die Münzstätte Schwabach (1964). – Münze und Medaille in Franken. Markgrafentum Ansbach/Bayreuth, Hochstift Bamberg, Reichsstadt Nürnberg, Hochstift Würzburg, Erzstift Mainz (1966–1969). – Geld und Münze im Wandel der Zeiten (1971/72). – Vom Spartopf zum Bankkonto (1973). – Die Technik der Münz- und Medaillenprägung (1976/77). – Entstehung und Entwicklung der wichtigsten Münznominale (1976/77). Dazu sind jeweils Kataloge und Einführungen erschienen. – Vgl. das Verzeichnis der Ausstellungen im Anhang dieses Bandes.

WILFRIED MENGHIN
Die vor- und frühgeschichtliche Sammlung

Die vor- und frühgeschichtliche Sammlung reicht in ihren Anfängen bis in die Gründungszeit des Germanischen Nationalmuseums zurück. Ihre Bestände stellen sich vordergründig betrachtet heute als eine im wesentlichen unsystematische Ansammlung von Altertümer dar, deren Besonderheit in der weitgestreuten Fundprovenienz und der vergleichsweise hohen Qualität zahlreicher Sammlungsobjekte liegt. Spitzenstücke wie der ostgotische Goldschmuck von Domagnano[1], die urnenfelderzeitliche Goldblechbekrönung eines Kultpfahles aus Ezelsdorf[2], ein spätrömischer Paradehelm von Augsburg-Pfersee[3] und die frühlatènezeitliche Maskenfibel aus Parsberg[4] stehen neben außergewöhnlichen Spezialkollektionen, von denen stellvertretend die Flintgeräte aus Rügen[5] sowie die langobardischen Goldblattkreuze aus Italien[6] zu nennen sind; dazu kommt eine Vielzahl bedeutender Einzelfunde aus den verschiedensten Fundregionen und vorgeschichtlichen Perioden. Trotz der überdurchschnittlichen Wertigkeit und scheinbar willkürlichen Auswahl der Objekte handelt es sich jedoch nicht um eine bloße Cimeliensammlung. Von Anfang an beeinflußten kulturgeschichtliche Aspekte, welche sich aus der Gesamtkonzeption des Museums ergaben, maßgeblich die Zusammensetzung der Erwerbungen. Die wesentlichen Faktoren, die Aufbau und Entwicklung der Museumsabteilung bestimmten und mit wechselnder Akzentuierung bis heute wirksam sind, erläuterte August von Essenwein schon 1885 in seinem programmatischen Vorwort zum Katalog der im germanischen Museum befindlichen vorgeschichtlichen Denkmäler (Rosenberg'sche Sammlung):
„1. daß keiner der Direktoren des Museums ihr jene Aufmerksamkeit schenken konnte, deren jede Sache bedarf, die zu gewisser Blüte gelangen soll;
2. daß es vielmehr den Direktoren wie dem Verwaltungsausschuß eigentlich scheinen wollte, als gehöre eine solche Sammlung nicht zu den Aufgaben der Anstalt;
3. daß allenthalben in ganz Deutschland Lokalvereine, Lokal-Provinzial- und Landesmuseen es als ihre Aufgabe betrachten, alles, was an prähistorischen Denkmälern in ihrem kleineren oder größeren Bereiche gefunden wird, zu sammeln und entweder am ,Ort' oder ,im Lande' zu behalten und sich deshalb Anstalten bildeten, die jeder Centralisierung entgegenarbeiten"[7].

---

[1] Zuletzt Volker Bierbrauer: Die ostgotischen Funde von Domagnano, Republik San Marino (Italien). In: Germania Bd. 51 (1973), S. 499–523 mit Taf. 35–38. – Wilfried Menghin: Il materiale gotico e longobardo del Museo Nazionale Germanico di Norimberga proveniente dall' Italia (Ricerche di archeologia altomedievale e medievale, 1). Florenz 1977.

[2] Georg Raschke: Ein Goldfund der Bronzezeit von Etzelsdorf-Buch bei Nürnberg. In: Germania Bd. 32 (1954), S. 1–6 mit Taf. 1–5.

[3] Hans Klumbach: Spätrömische Gardehelme (Münchner Beiträge zur Vor- und Frühgeschichte, Bd. 15). München 1973, S. 95–97, Taf. 38–41, 1.

[4] Paul Jacobsthal: Early Celtic Art. Oxford 1944, S. 194 Nr. 316 mit Taf. 159–160. – Walter Torbrügge und Hans Peter Uenze: Bilder zur Vorgeschichte Bayerns. Konstanz, Lindau, Stuttgart 1968, S. 281, Abb. 259.

[5] Bisher nur im gedruckten Katalog der vorgeschichtlichen Sammlung erfaßt, unzureichend beschrieben und abgebildet (vgl. Anm. 7).

[6] Theodor Hampe: Goldschmiedearbeiten im Germanischen Museum: II. Langobardische Votivkreuze aus dem VI.–VIII. Jahrhundert. In: Mitteilungen GNM 1900/1901, S. 27–38. – Siegfried Fuchs: Die langobardischen Goldblattkreuze aus der Zone südwärts der Alpen. Berlin 1938.

[7] August Essenwein und Johanna Mestorf: Katalog der im germanischen Museum befindlichen vorgeschichtlichen Denkmäler (Rosenberg'sche Sammlung). 1. u. 2. Auflage Nürnberg 1886 und 1887, S. 3. – Den Katalog hat Mestorf verfaßt. Von Essenwein stammen das Vorwort und die Beschreibung der 1. Abteilung bis S. 14. Im folgenden je nach den Autoren zitiert.

Grundlegung

Das Verhältnis zwischen Germanischem Nationalmuseum und Römisch-Germanischem Zentralmuseum. – Die vorgeschichtliche Abteilung von 1856. Voraussetzungen, Aktivitäten, Fundbestand. – Das endgültige Scheitern der Einigungsbestrebungen 1867

Zur Zeit der Gründung des Germanischen Nationalmuseums befand sich die Vorgeschichte in einem vorwissenschaftlichen Stadium. Das Interesse an vaterländischen Altertümern war zwar geweckt und erfuhr im patriotisch gesinnten Deutschland nach den Befreiungskriegen nachhaltige Förderung, die zur Einrichtung zahlreicher regionaler Vereinssammlungen mit einem relativ großen Fundus vorgeschichtlicher Materialien führte[8]. Methoden zur Kategorisierung der Funde waren jedoch erst in Ansätzen entwickelt und hatten noch keine allgemeine Anerkennung gefunden. Selbst das von Christian Thomsen und anderen seit 1830 propagierte Dreiperiodensystem war bis in die siebziger Jahre Thema heftiger Gelehrtendiskussion[9], ebenso wie die ethnische Zuweisung des Fundmaterials, für die bereits um die Jahrhundertmitte geschichts- und sprachwissenschaftliche Ergebnisse nutzbar gemacht wurden, emotional bestimmten Deutungen unterworfen war[10]. Die Diskrepanz in den Forschungsmeinungen resultierte im wesentlichen aus der geschichtlichen Entwicklung und den unterschiedlichen Denkmälergruppen in Nord und Süd. Während in West- und Süddeutschland aufgrund der ethnisch-historisch deutbaren römischen und frühmittelalterlichen Altertümer historische Fragestellungen in den Forschungsansätzen dominierten, welche einer systematischen Erfassung des eigentlich vorgeschichtlichen Materials eher entgegenwirkten, war in Nord- und Ostdeutschland aufgrund fehlender geschichtlicher Bezüge allein der Fundstoff Grundlage archäologischer Bewertungskriterien[11]. In dieser, von methodischen und terminologischen Unsicherheiten und Mißverständnissen geprägten Phase setzte die auf das ganze deutsche Sprachgebiet ausgreifende Sammeltätigkeit des Germanischen Nationalmuseums ein.

Die Einstellung des Germanischen Nationalmuseums zum Aufbau einer eigenen Sammlung „vorchristlich-heidnischer" oder „frühchristlicher Altertümer" war anfänglich von Mißstimmigkeiten mit dem Römisch-Germanischen Museum in Mainz geprägt. Die Ursachen lagen in den Umständen der Gründung und der Überschneidung der Aufgabenbereiche der beiden gleichzeitig eingerichteten

---

[8] Zu Sinn und Zweck der Geschichts- und Altertumsvereine in der Sicht des 19. Jahrhunderts vgl. das Vorwort im Correspondenz-Blatt des Gesammtvereines der deutschen Geschichts- und Alterthums-Vereine. Bd. 1 (1852/53), S. 1 f. Allgemein: Hans Gummel: Forschungsgeschichte in Deutschland. Die Urgeschichtsforschung und ihre historische Entwicklung in den Kulturstaaten der Erde. Berlin 1938, S. 110–208. – Ernst Wahle: Geschichte der prähistorischen Forschung. In: Anthropos, Bd. 45 (1950), S. 497–538; Ebda. Bd. 46 (1951), S. 49–112. – Arnold Esch: Limesforschung und Geschichtsvereine. Romanismus und Germanismus, Dilettantismus und Facharchäologie in der Bodenforschung des 19. Jahrhunderts. In: Geschichtswissenschaft und Vereinswesen im 19. Jahrhundert. Beiträge zur Geschichte historischer Forschung in Deutschland (Veröffentlichungen des Max-Planck-Institutes für Geschichte, Bd. 1). Göttingen 1972, S. 163–191. – Zur Förderung der Vereine speziell in Bayern vgl. Torbrügge und Uenze (Anm. 4), S. 11 mit Anm. 8–9. – Hermann Dannheimer: Neunzig Jahre Prähistorische Staatssammlung München. Aus der Geschichte des Museums und seiner Vorläufer. In: Bayerische Vorgeschichtsblätter Bd. 40 (1975), S. 1–33.

[9] Der Streit um das Dreiperiodensystem ist wertfrei und prägnant dargestellt bei Hans Jürgen Eggers: Einführung in die Vor- und Frühgeschichte. München 1959, S. 43–52.

[10] Zur Diskussion um die ethnische Deutung des Fundstoffes um die Jahrhundertmitte Kurt Böhner im Vorwort zum Nachdruck von Wilhelm und Ludwig Lindenschmit: Das germanische Todtenlager bei Selzen in der Provinz Rheinhessen. Mainz 1848, Nachdruck Bonn 1972, S. X ff.

[11] Ernst Wahle: Einheit und Selbständigkeit der prähistorischen Forschung (Schriften der Gesellschaft der Freunde Mannheims und der ehemaligen Kurpfalz. Mannheimer Altertumsverein von 1859. H. 12). Mannheim 1974, S. 16–21. – Bezeichnend für den Forschungsstand ist die Diskussion zwischen Ludwig Lindenschmit als Vertreter der süddeutschen und Georg Christian Friedrich Lisch, Carl von Estorff, Leopold von Ledebur sowie Christian Thomsen als Repräsentaten der ostdeutschen bzw. skandinavischen Forschung auf der Versammlung des Gesamtvereins der deutschen Geschichts- und Alterthums-Vereine in Nürnberg 1853. Vgl. das Protokoll im Correspondenz-Blatt des Gesammtvereines der deutschen Geschichts- und Alterthums-Vereine Bd. 2 (1854), S. 30 f. Die Diskussion hatte die von Lisch im Correspondenz-Blatt des Gesammtvereines der deutschen Geschichts- und Alterthums-Vereine Bd. 1 (1853), S. 77 f. gestellten „Fragen über heidnische Gräberfunde" und die im selben Band auf S. 100 f. abgedruckte Antwort Lindenschmits zur Grundlage.

Anstalten[12]. Am 17. August 1852 nahm die „Versammlung deutscher Geschichts- und Alterthumsforscher" in Dresden die von Hans Freiherrn von und zu Aufseß vorgelegte Satzung für ein „germanisches Museum" in Nürnberg mit einstimmigem Beschluß an und empfahl es der Förderung[13]. Nach dem Willen seines Initiators sollte das Institut im wesentlichen drei Aufgaben haben: „. . . ein wohlgeordnetes Generalrepertorium über das ganze Quellenmaterial für die deutsche Geschichte, Literatur und Kunst, vorläufig von der ältesten Zeit bis zum Jahre 1650, herzustellen; sodann: ein diesem Umfang entsprechendes allgemeines Museum zu errichten, bestehend in Archiv, Bibliothek, Kunst- und Altertumssammlung; endlich: beides nicht nur allgemein nutzbar und zugänglich zu machen, sondern auch mit der Zeit durch Herausgabe der vorzüglichsten Quellenschätze und belehrender Handbücher gründlich Kenntnis der vaterländischen Vorzeit zu verbreiten"[14]. Bereits vor der Einladung des „Sächsischen Vereins zur Erforschung und Erhaltung vaterländischer Alterthümer" nach Dresden hatte der „Verein zur Erforschung der Rheinischen Geschichte und Alterthümer in Mainz" die deutschen Geschichts- und Altertumsvereine zu einer Versammlung eingeladen, auf der am 18. September 1852 die Gründung des Römisch-Germanischen Zentralmuseums in Mainz beschlossen wurde[15]. Es sollte nach dem Wortlaut der 1853 veröffentlichten vorläufigen Statuten die „Erstrebung einer möglichst vollständigen Vereinigung von Vergleichsmitteln alterthümlicher Gegenstände der germanischen und römischen Periode durch Zeichnung oder plastische Nachbildung zum Studium des klassischen Alterthums und der Urgeschichte unseres deutschen Vaterlandes"[16] zur Aufgabe haben.

Eigentlicher Zweck beider Versammlungen war die Gründung des seit langem angestrebten Gesamtvereines der Geschichts- und Altertumsvereine. Hatte schon die vorgezogene Einladung nach Dresden bei den westdeutschen Vereinen Befremden ausgelöst, so scheint der Umstand, „daß der Freiherr von und zu Aufseß sein mit ausdauernder Kunstbegeisterung und aufopfernder Vaterlandsliebe vereinigtes germanisches Museum, welches er . . ., als einen Mittelpunkt der Vereinigung betrachtet und die Förderung dieses Museums als eine Hauptaufgabe der gemeinschaftlichen Thätigkeit angenommen zu sehen wünschte"[17], dieses Gefühl verstärkt zu haben. Hinzu kam noch, daß Aufseß einer der Hauptinitiatoren der Dresdner Versammlung gewesen zu sein scheint, wie aus einer Rede Prinz Johanns von Sachsen hervorgeht[18]. In Mainz konnte Aufseß jedenfalls seine Vorstellungen nicht durchsetzen. Der von ihm vorgelegte Entwurf über die Stellung seines germanischen Museums zum Gesamtverein und zu den einzelnen Geschichts- und Altertumsvereinen ist von der

---

[12] Zum folgenden vgl.: Heinrich Wilhelm Schulz: Bericht über die unter dem Vorsitz S. K. Hoheit des Prinzen Johann, Herzogs zu Sachsen, vom 16. bis 19. August 1852 zu Dresden abgehaltende Versammlung deutscher Geschichts- und Alterthumsforscher. In: Mitteilungen des königlich sächsischen Vereins für Erforschung und Erhaltung vaterländischer Alterthümer H. 6 (1852), S. 109–146 – Heinrich Wilhelm Schulz: Bericht über die allgemeinen Versammlungen zu Dresden und Mainz im Sommer 1852. In: Correspondenz-Blatt des Gesammtvereines der deutschen Geschichts- und Alterthums-Vereine Bd. 1 (1852), S. 3–8.

[13] Protokoll der Dresdner Versammlung vom 17. 8. 1852 bei Schulz (Mitteilungen, Anm. 12) „. . . wurde der Beschluß der Versammlung gefaßt:
1. Es möge die weitere Begründung und Ausbildung des germanischen Museums der Generalversammlung dringend anzuempfehlen sein.
2. es möge Letztere, soweit die Gründung einer so großartigen Anstalt durch die aufopfernde Bemühung eines Privatmannes möglich, das Museum von dem heutigen Datum als begründet betrachten."

[14] Hampe, Festschrift GNM, S. 23.

[15] Das römisch-germanische Central-Museum zu Mainz. In: Correspondenz-Blatt des Gesammtvereines der deutschen Geschichts- und Alterthums-Vereine Bd. 1 (1853), S. 25–28 (25).

[16] Das römisch-germanische Central-Museum (Anm. 15) S. 25 – Ludwig Lindenschmit d. J.: Beiträge zur Geschichte des Römisch-Germanischen Centralmuseums in Mainz. In: Festschrift zur Feier des fünfzigjährigen Bestehens des Römisch-Germanischen Centralmuseums zu Mainz. Mainz 1902, S. 14.

[17] Schulz (Correspondenz-Blatt, Anm. 12), S. 3.

[18] Schulz (Mitteilungen, Anm. 12), S. 140: „Wenn demnächst der erste Anreger unserer heutigen Vereinigung der Freiherr von Aufseß . . .".

Versammlung nicht einmal diskutiert worden. Vielmehr wurden in den Satzungsentwurf für den Gesamtverein ausdrücklich keine „besonderen Beziehungen auf das germanische Museum des Freiherrn von Aufseß" aufgenommen[19]. Die Gründung eines Zentralmuseums für germanische und römische Altertümer in Mainz hingegen wurde einstimmig beschlossen[20].

Die Einrichtung zweier Anstalten mit ähnlicher Aufgabenstellung wurde allgemein begrüßt und die sachlich begründete zeitliche und örtliche Trennung der Museen in Mainz und Nürnberg als sinnvoll erachtet. Schon auf der Dresdner Versammlung war die Gliederung des Gesamtvereines in drei Sektionen beschlossen worden. In der ersten sollten die Archäologie der heidnischen Vorzeit, in der zweiten die Kunst des Mittelalters und in der dritten die Geschichtsforschung und historischen Hilfswissenschaften behandelt werden[21]. Die Mainzer Versammlung sprach sich dafür aus, „. . . daß man das germanische Museum zu Nürnberg nur in Bezug auf die Kunst und Gewerbethätigkeit des Mittelalters der allgemeinen Unterstützung der Vereine empfehlen und als einen Mittelpunkt für das betreffende Studium betrachten möchte, für die römisch-germanischen Denkmäler sollte dagegen das in dieser Beziehung schon jetzt höchst inhaltsreiche Mainzer Museum als dasjenige angesehen werden, welches durch das Zusammenwirken der Vereine insbesondere zu fördern und als Hauptsammlung festzuhalten wäre"[22]. Aufseß hingegen sah die Aufgabe des Germanischen Museums als nationale Einrichtung in der Erforschung und Bearbeitung des ganzen Gebietes der deutschen Geschichts- und Altertumswissenschaft unter Einbeziehung der vor- und frühgeschichtlichen Perioden, soweit sie für das Verständnis der deutschen Geschichte notwendig waren[23]. Die Archäologie der „heidnischen Vorzeit" war in der Auffassung der Zeit um 1850 Teil der „vaterländischen" oder „deutschen Vorzeit", wie dies auch in der Sektionsgliederung des Gesamtvereins zum Ausdruck kam[24]. Unter „deutscher Vorzeit" wurde damals die Vorgeschichte und die mittelalterliche Geschichte in Deutschland verstanden. Dies zeigt u. a. der „Entwurf eines Handbuches der deutschen Alterthumskunde" im Correspondenz-Blatt des Gesamtvereines der deutschen Geschichts- und Alterthums-Vereine von 1853[25], in dem „deutsche Alterthumskunde" die Germanen vor und nach der Völkerwanderungszeit und die Deutschen bis in das hohe Mittelalter umfaßt. Wie lange die heidnische Vorzeit als Teil der deutschen Geschichte aufgefaßt wurde, bezeugen noch die von Ludwig Lindenschmit d. Ä. nach 1864 herausgegebenen „Alterthümer unserer heidnischen Vorzeit"[26]. Darüber hinaus war Aufseß der Ansicht, daß es nur einer nationalen – nämlich seiner – Institution zustehen könne, diesen wichtigen Teilbereich der vaterländischen Geschichte zu erforschen[27], eine Voraussetzung, die das Römisch-Germanische Zentralmuseum als Eigentum des Gesamtvereins der deutschen Geschichts- und Altertumsvereine nicht erfüllte[28]. So bedrängte Aufseß den Vorstand des Mainzer Museums, sich um der gemeinsamen Sache willen dem Germanischen Museum anzuschließen. Die Hoffnung auf Gelingen dieses Vorhabens schien durch die schwierige Lage der Mainzer Anstalt begünstigt, die in den ersten Jahren ihres Bestehens mit großen finanziellen und strukturellen Schwierigkeiten zu kämpfen hatte, da die Unterstützung des Gesamtvereins, dem ursprünglich auch

[19] Schulz (Correspondenz-Blatt, Anm. 12), S. 6.
[20] Das römisch-germanische Central-Museum zu Mainz (Anm. 15), S. 25.
[21] Schulz (Correspondenz-Blatt, Anm. 12), S. 4.
[22] Schulz (Correspondenz-Blatt, Anm. 12), S. 6f.
[23] Bericht über das Verhältnis des germanischen Museums zu dem römisch-germanischen Museum in Mainz (Druckschrift Nürnberg vom 4. 9. 1856). Altregistratur GNM, Karton 40, Bl. 95.
[24] Schulz (Correspondenz-Blatt, Anm. 12), S. 4.
[25] Carl Gottlob Rehlen: Entwurf eines Handbuches der deutschen Alterthumskunde. In: Correspondenz-Blatt des Gesammtvereines der deutschen Geschichts- und Alterthumsvereine Bd. 1 (1853), S. 49–55.
[26] Ludwig Lindenschmit: Die Alterthümer unserer heidnischen Vorzeit. Bde. 1–4. Mainz 1864, 1870, 1881, 1889.
[27] Vgl. Anm. 23.
[28] Das römisch-germanische Central-Museum zu Mainz (Anm. 15), S. 25.

Aufseß sein Unternehmen anempfehlen wollte, sich auf Lippenbekenntnisse beschränkte und das Zentralmuseum auch nicht, wie etwa das Germanische Nationalmuseum, Förderung durch weite Kreise der Öffentlichkeit erfuhr[29]. Schließlich bot Aufseß dem Initiator und Konservator des Mainzer Museums Ludwig Lindenschmit d. Ä. 1855 in der Zeit größter Bedrängnis die Stelle eines Direktors der Kunst- und Alterthumssammlungen am Germanischen Nationalmuseum mit einem fixen Jahresgehalt von 1000 fl. an, welche Lindenschmit nach kurzer Bedenkzeit ablehnte[30].

Es folgten noch mehrere Versuche, eine Vereinigung beider Museen herbeizuführen und die Beschlüsse des Gesamtvereins von 1852 zu revidieren, doch bewirkten der Führungsanspruch des Germanischen Nationalmuseums, Animositäten und Mißverständnisse den Abbruch der Verhandlungen[31]. In einem gedruckten „Bericht über das Verhältnis des germanischen Museums zu dem römisch-germanischen Museum in Mainz" vom 4. September 1856 stellte Aufseß den Vorgang aus seiner Sicht zusammenfassend dar[32], worauf der Verwaltungsausschuß des Germanischen Nationalmuseums in seiner Jahreskonferenz im September 1856 beschloß: „Die Verhältnisse zum römisch-germanischen Museum in Mainz sollen nach vergeblich gemachten Einigungsvorschlägen das Germanische Museum auf sich beruhen lassen und zuwarten, bis etwa von jener Seite Gegenvorschläge gemacht werden"[33].

Aufseß' Reaktion auf das Scheitern der Verhandlungen war der Entschluß, selbst eine urgeschichtliche Sammlung aufzubauen, wie er das Lindenschmit im Sinne eines Konkurrenzunternehmens schon früher angedroht hatte[34]. Bereits im Juniheft des „Anzeigers für Kunde der deutschen Vorzeit" von 1856 findet sich unter der Rubrik „Zustände. Allgemeine Cultur- und soziale Zustände" ein Artikel „Die Sammlung urgeschichtlicher Alterthümer im germanischen Museum", der vermutlich aus der Feder von Aufseß stammt. Darin heißt es einleitend: „In der Zeit der Begründung des germanischen Museums, so lange es die Hoffnung festhielt, mit dem römisch-germanischen Museum in Verbindung zu treten . . . vermied ersteres fast absichtlich, nach der Seite der vorgeschichtlichen Zeiten des deutschen Volkes seine Sammlung zu bereichern. Eine nicht große Anzahl Anticaglien befand sich zwar im Museum, doch berücksichtigte man sie vorläufig nicht und würde sie nach Mainz nur abgegeben haben, falls jene Vereinigung zu Stande gekommen wäre. Da indes die Aussicht dazu mehr und mehr schwand, während der Zeit auch diese Sammlung durch Geschenke . . . bedeutend gewachsen war, wandte man auch hierauf die Aufmerksamkeit . . ."[35]. Nach summarischer Aufzählung der Funde und ihrer Herkunft schließt der Aufsatz: „Neben der Sammlung von Originalen geht eine andere von Gypsabgüssen her, . . . Da nun das Museum in dieser Richtung zu arbeiten und zu sammeln begonnen hat, wird es die Ergänzung des bisher vorhandenen Stoffes durch Nachbildungen von Originalen – soweit diese nicht selbst zu erlangen sind – in Abguß und Zeichnung selbständig und systematisch in die Hand nehmen". Die Voraussetzungen für ein solches „Concurrenzunternehmen" waren günstig. Im Museumsorgan, dem „Anzeiger für Kunde der deutschen Vorzeit", wurden seit

---

[29] Lindenschmit d. J. (Anm. 16), S. 29. – Ludwig Lindenschmit d. Ä. (1809–1893), der eigentliche Initiator des Römisch-Germanischen Zentralmuseums, war von 1853 bis zu seinem Tode ununterbrochen Mitglied des Verwaltungsausschusses des Germanischen Nationalmuseums. Zur Stellung und Bedeutung Lindenschmits d. Ä. in der Geschichte der prähistorischen Forschung und zu seinem Lebenswerk siehe: Lindenschmit d. J. (Anm. 16), S. 1 ff. – Karl Schumacher: Ludwig Lindenschmit. In: Mainzer Zeitschrift Bd. 1 (1906), S. 38–41. – Böhner (Anm. 10), S. XVII.
[30] Lindenschmit d. J. (Anm. 16), S. 34 f.
[31] Die ablehnende Antwort Lindenschmits d. Ä. ebenda S. 35.
[32] Altregistratur GNM (Anm. 23), S. 94–97. – Stellungnahme von Ludwig Lindenschmit d. Ä. hierzu ebenda Bl. 103–104 (Brief vom 9. 9. 1856 an den Verwaltungsausschuß des Germanischen Nationalmuseums).
[33] Hampe, Festschrift, S. 29 f.
[34] Lindenschmit d. J. (Anm. 16), S. 36.
[35] (Hans von und zu Aufseß ?): Die Sammlung urgeschichtlicher Alterthümer im germanischen Museum. In: Anzeiger GNM 1856, Sp. 165–168 (165 f.).

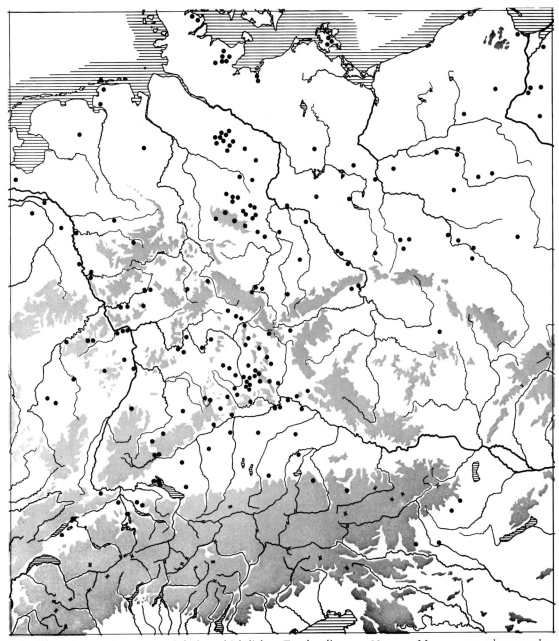

364. Provenienzen der vor- und frühgeschichtlichen Funde, die vor 1885 vom Museum erworben wurden
(handschriftliches Verzeichnis VaK). Die gleichmäßige Streuung der Fund- und Herkunftsorte ist Spiegelbild
der Erwerbsumstände. Fundkonzentrationen gehen auf die Schenkung ortsgebundener Sammlungen zurück

1853 laufend Notizen über vorgeschichtliche Veröffentlichungen und Ausgrabungen, dazu Nachrichten und Zeitungsnotizen über archäologische Entdeckungen in Deutschland und dem benachbarten Ausland abgedruckt. Publizistik, Popularität und das „Germanische" im Namen[36] hatten anscheinend zur Folge, daß das Germanische Nationalmuseum in der breiten Öffentlichkeit auch als Zentralstelle für vorgeschichtliche, nach damaliger allgemeiner Auffassung „germanische" oder „altdeutsche" Altertümer angesehen wurde. Dieser Tendenz hat das Museum nicht entgegengewirkt. Wenn nach heute gültiger Auffassung herausgestellt wird, daß mit „deutscher Vorzeit" nur das Mittelalter gemeint war und das „Germanische" im Museumsnamen nur als Synonym für „deutsch" in modernem Sinne stehe, so wird dies den historischen Tatsachen nicht ganz gerecht. „Deutsch" und „germanisch" waren gleichbedeutend, aber in dem Sinn, daß die „alten Deutschen" mit den Germanen des Tacitus identifiziert wurden. Die „deutsche Vorzeit" umfaßte das deutsche Mittelalter und die Vorgeschichte, dies umsomehr, als die vorgeschichtlichen Funde sich der Datierung und ethnischen Zuweisung noch größtenteils entzogen und gemeinhin als „alt-deutsch" gelten mußten, wenn sie auf deutschem Boden gefunden wurden. Aufseß selbst übergab mit seiner Privatsammlung vorgeschichtliche Funde aus eigenen Ausgrabungen[37], die er in den zwanziger Jahren in der Umgebung des Familienstammsitzes unternommen hatte[38]. In der Folge gelangten einzelne Funde und kleine Sammlungen, darunter die des Freiherrn Carl von Estorff[39], in das Museum, so daß die Sammlung 1856 bereits 355 Originale zählte und sich unter den gegebenen Umständen kontinuierlich vermehrte. Die Aktivität beschränkte sich nicht nur auf die Sammeltätigkeit. Im Oktober 1858 veranstaltete das Germanische Nationalmuseum seine erste Ausgrabung. Beraten von Freiherrn von Estorff wurden vier vorgeschichtliche Grabhügel in Rüssenbach, Ldkr. Ebermannstadt geöffnet, deren Inhalt der Conservator der Alterthumssammlung, Dr. Johannes Müller, im Museumsorgan unter der Rubrik „Religionsanstalten. Heidentum" veröffentlichte[40]. Eine weitere Ausgrabung führte 1856 August von Eye in einem Hügelgräberfeld in Walting-Roxfeld, Ldkr. Weißenburg durch[41].

Insgesamt aber war den vorgeschichtlichen Aktivitäten kaum Erfolg beschieden. Trotz der relativ günstigen Voraussetzungen entwickelte sich die Sammlung nicht in der gewünschten Weise. Die Ursachen dürften weniger in der mangelnden Intensität, als in der Motivation und Systematik der Sammeltätigkeit sowie der personellen und organisatorischen Struktur des Museums gelegen haben. Das vorgeschichtliche Material wurde als Teil des Ganzen und nicht als gesonderte Quellengattung betrachtet. Die einzelnen Funde und Fundkomplexe waren in den Kunst- und Altertumssammlungen nach Funktion getrennt dem Hausgerät, dem Schmuck oder den Religionsanstalten, Heidenthum beigeordnet[42]. Durch diese Zersplitterung war eine vergleichende Betrachtung des Fundstoffes als Ansatz zur systematischen Erforschung der Vorzeit, die in Analogie zu Mainz Zweck des Vorhabens sein sollte, von vornherein ausgeschlossen. Neben anderem dürfte diese Einsicht einer der Beweggründe für August von Essenwein gewesen sein, bald nach Übernahme der Direktionsgeschäfte die Vorschläge zur Fusion beider Anstalten zu erneuern. Eine Besprechung in Mainz am 9. Mai 1867 verlief ergebnislos, da Essenwein, wie schon elf Jahre zuvor Aufseß, auf einem Anschluß des

[36] Zur Diskussion über die Benennung des Museums als „germanisch" vgl. den Beitrag von Peter Burian, bes. S. 131–138.

[37] Hans Freiherr von und zu Aufseß: Nachrichten über eröffnete Grabhügel bei Aufseß. In: Archiv für Geschichte und Alterthumskunde des Obermain-Kreises Bd. 1 (1832), S. 79–87 mit Abb. 1–9. – Georg Raschke: Die vorgeschichtliche Sammlung im Germanischen Nationalmuseum. In: Anzeiger GNM 1963, S. 9.

[38] Bruno Müller: Hans Freiherr von und zu Aufseß als Prähistoriker. In: Bericht des Historischen Vereins Bamberg 95 (1956) S. 279–297.

[39] G. O. Carl von Estorff: Heidnische Alterthümer aus der Gegend von Uelzen im ehemaligen Bardengaue. Hannover 1846. – Dazu: Friedrich Carl Bath: Kammerherr von Estorff. Uelzen 1959.

[40] Johannes Müller: Die Ausgrabungen zu Rüssenbach. In: Anzeiger GNM 1858, Sp. 378–382.

[41] August von Eye: Ausgrabungen bei Rochsfeld. In: Anzeiger GNM 1866, Sp. 241–243.

[42] Zum System siehe Organismus GNM, 2. Abt., S. 65 ff., bes. 152 f. – Bernward Deneke: Das System der deutschen

Römisch-Germanischen Zentralmuseums beharrte. Am 2. Juni 1867 schrieb daraufhin Essenwein an Lindenschmit: „Wir müssen uns nun für unser Antiquarium dieselbe Aufgabe stellen, welche Sie haben, oder wenigstens eine ganz ähnliche. Wir müssen also auch dieselben Mittel und Wege einschlagen, wie Sie und werden alsdann, wenn wir die Sache geschickt anfangen, vielleicht im Laufe von einigen Jahren um ähnliches Geld, wie Sie es aufgewendet haben, auch ähnliche Resultate erzielen . . .“[43]. Lindenschmit, dessen Unternehmen inzwischen zu einer ersten Blüte gelangt war, antwortete sarkastisch: „. . . Si duo faciunt idem non est idem . . .“[44]. Der Plan einer Vereinigung beider Museen war damit zum zweiten Mal gescheitert. Ernstliche Versuche, die Verhandlungen wieder aufzunehmen, wurden seitdem nicht mehr unternommen.

Die vorgeschichtliche Sammlung unter August von Essenwein
Neuorganisation der Sammlung nach 1866. – Die Sammlung Rosenberg. – Ausstellungskonzeption und Forschungsstand. – Sammlungszuwachs bis zum Ersten Weltkrieg

Trotz seiner Ankündigung im Schreiben an Lindenschmit vom 2. Juni 1867 hatte Essenwein offenbar nicht die Absicht, dem Römisch-Germanischen Zentralmuseum auf vorgeschichtlichem Sektor ernstlich Konkurrenz zu machen. Es wurden zwar bald nach 1866 erstmalig die vor- und frühgeschichtlichen Fundobjekte geschlossen ausgestellt, doch ist dieser Vorgang ausschließlich im Zusammenhang mit der Umorganisation der Sammlungen und der teilweisen Neuorientierung in der Aufgabenstellung des Germanischen Nationalmuseums zu sehen. Ausschlaggebend war die Erkenntnis, „daß aus jeder Zeit vorzugsweise bestimmte Denkmäler erhalten sind, deren vielleicht sämmtliche oder wenigstens die Mehrzahl der verwandten Denkmäler in der nächsten Epoche nicht mehr vorhanden sind, so daß sich nicht alle Reihen ohne Unterbrechung von der ältesten Zeit durch alle späteren Zeiten verfolgen lassen“[45]. Die etwa 1500 vor- und frühchristlichen Denkmäler aus allen Teilen des deutschen Sprachgebietes wurden deshalb geographisch nach Fundorten geordnet, aber ohne zeitliche Gliederung zu einer eigenen Abteilung vereinigt und in einem separaten Katalog erfaßt[46]. An eine systematische Erweiterung war nicht gedacht. Den Zuwachs sollten, wie bisher, Geschenke ausmachen, während eigene Mittel nur im beschränkten Maße eingeplant waren, etwa zur Ergänzung der Gipsabgüsse, die dazu dienen sollten, „daß sich ganze Serien daraus bilden und, wenn auch nicht der zeitliche Entwicklungsgang, doch wenigstens der gesammte Formenkreis einer jeden solchen Serie sich überblicken läßt; daß z. B. sämmtliche Formen und Verzierungsweisen der Fibeln, Schnallen, Urnen, Schwerter, Speere usw. sich zeigen“[47]. Hierbei hatte Essenwein besonders die frühchristlichen, d. h. frühgeschichtlichen Altertümer als formale und typologische Vorläufer der mittelalterlichen Antiquarien im Auge[48].

Die vorsichtige und in vieler Hinsicht begründete Zurückhaltung Essenweins gegenüber einem energischen Ausbau der vor- und frühgeschichtlichen Abteilung, zu dem Freunde des Museums von

Geschichts- und Alterthumskunde des Hans von und zu Aufseß und die Historiographie im 19. Jahrhundert. In: Anzeiger GNM 1974, S. 144–158. – Vgl. den Abdruck in diesem Bande S. 977–992.
[43] Lindenschmit (Anm. 16), S. 54–55.
[44] Lindenschmit (Anm. 16), S. 55.
[45] Essenwein, Bericht 1870; vgl. in diesem Band S. 1019.
[46] Handgeschriebenes Inventar, bezeichnet „Vorgeschichte, alter Katalog“, Nr. 1–2500. Den Inventarnummern ist heute ein Va vorausgestellt.
[47] Essenwein, Bericht 1870; vgl. in diesem Band S. 1019.
[48] Dies um so mehr, als um diese Zeit der Begriff „deutsche Vorzeit“ schon auf die eigentlich „deutsche Geschichte“ reduziert war. Vgl. Anm. 51.

Anfang an gedrängt hatten, mußte 1881 aufgegeben werden. Vor allem nach 1870 scheinen die Vorbehalte der Direktion auch theoretisch von vielen Seiten bekämpft worden zu sein. Zwar konnten unter Hinweis auf bereits bestehende Sammlungen in Ansbach und München[49] und auf den Auftrag des Museums beispielsweise Vorschläge zur Bildung einer lokalen prähistorischen Sammlung, die aufgrund eigener Ausgrabungen in der Umgebung von Nürnberg aufgebaut werden sollte[50], abgewiesen werden. Diese Aufgabe übernahm seit Anfang der achtziger Jahre die anthropologische Sektion (später Abteilung Vorgeschichte) der Naturhistorischen Gesellschaft Nürnberg in verstärktem Maße[51]. Nicht verschließen konnten sich Direktion und Verwaltungsausschuß dagegen der besonders von dem preußischen Landgerichtsrat Alexander Julius Robert Rosenberg vertretenen Forderung, „Vergleichsobjekte" aus allen Gegenden Deutschlands zusammenzustellen. Rosenberg stellte 1881 die Direktion vor vollendete Tatsachen, indem er seine Sammlung von über 4000 meist steinzeitlichen Funden aus Nordostdeutschland dem Germanischen Nationalmuseum testamentarisch vermachte. 365 Über Rosenberg, einen langjährigen Freund und Gönner des Museums, ist wenig bekannt. Seine Sammeltätigkeit begann um 1850 auf Rügen. Bis zu seinem Tode am 30. 9. 1881 in Berlin war seine Kollektion nordischer Steinaltertümer zu überlokaler Bedeutung angewachsen. Einen Teil dieser Sammlung stellte er 1880 anläßlich der 11. Allgemeinen Versammlung der Deutschen Anthropologischen Gesellschaft in Berlin aus[52]. Rosenbergs Motivation, die vollständige Sammlung dem Germanischen Museum zu übereignen, wird in einem bei Essenwein zitierten Schreiben deutlich: „Nach § 1 der Satzung für das germanische Museum ist es zwar nur Zweck, die Kenntnisse der deutschen Vorzeit zu fördern und die Denkmale für deutsche Geschichte zu sammeln. Obwohl nun wenigstens die Steinaltertümer einer vorgeschichtlichen Zeit angehören und ebenso zweifellos nicht dem deutschen Volke zugehörig waren, so halte ich die Aufstellung derselben in einem germanischen Museum dennoch für geboten. Schon deshalb, weil sie auf deutschem Boden zweifellos erwachsen sind und jedenfalls den Urbewohnern deutschen Bodens angehörig waren"[53].

Mit der Sammlung Rosenberg kam nicht nur ein umfängliches Material in das Museum. Vielmehr enthielten die testamentarischen Bestimmungen Auflagen, welche die Entwicklung der Sammlung so nachhaltig beeinflußten, daß das Jahr 1881 heute als eigentliches Gründungsdatum der vorgeschichtlichen Abteilung gelten kann. Rosenberg war gegen das „System lokaler Einteilung" der vorgeschichtlichen Altertümer. Das Nebeneinanderstellen einer möglichst großen Anzahl jeweils gleichartiger Stücke aus den verschiedenen Fundprovinzen sollte zeigen, „was an gemeinsamen Motiven durch alle Zeiten und Gegenden der großen Kulturperioden vorhanden ist, und wieweit das Gemeinsame nach Gegenden durch lokale Einflüsse modifiziert wird". Zudem verlangte Rosenberg, daß kein Stück aus seiner Sammlung entfernt werden dürfe, da nur in der Massenhaftigkeit des Dargebotenen die Zusammenhänge deutlich würden. Obwohl Essenwein diese schon damals antiquierten Ansichten nicht teilte und er daran festhielt, „jedes einzelne Stück nach Herkunft und im Zusammenhang mit anderen, die etwa einem gleichen Funde angehören, einzutragen und zu katalogisieren"[54], wurde bei

[49] Essenwein (Anm. 7), S. 3. – Zu den Sammlungsaktivitäten in München vgl. Torbrügge und Uenze (Anm. 4), S. 10–12. – Dannheimer (Anm. 8). – Zu Tätigkeit und Wirken des Historischen Vereins von Ansbach und Mittelfranken vgl. Jahresbericht des Historischen Vereins im Rezatkreis Bd. 1 (1830).
[50] Essenwein (Anm. 7), S. 3.
[51] Hierzu und zum Verhältnis der Gesellschaft zum Germanischen Nationalmuseum siehe Walter Torbrügge: Zur Geschichte der Anthropologischen Sektion und der Prähistorischen Abteilung der Naturhistorischen Gesellschaft. In: Jahresbericht der bayerischen Bodendenkmalpflege (im Druck).
[52] Julius Alexander Robert Rosenberg in: Katalog der Ausstellung prähistorischer und anthropologischer Funde Deutschlands in Verbindung mit der 11. Allgemeinen Versammlung der Deutschen Anthropologischen Gesellschaft zu Berlin (5.–21. Aug. 1880). Berlin 1880, S. 338–366.
[53] Essenwein (Anm. 7), S. 3f.
[54] Essenwein (Anm. 7), S. 4.

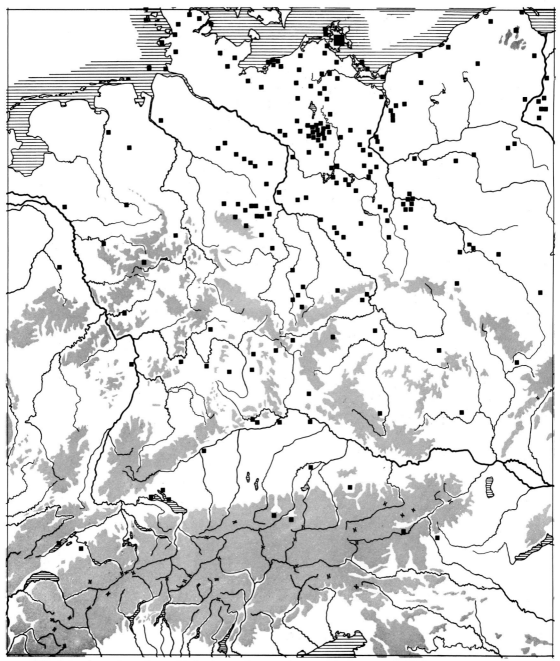

365. Die Sammlung Rosenberg. Verbreitung der Fundorte nach dem gedruckten Katalog von 1886. Die Konzentration der überwiegend spätneolithischen Funde in Nordostdeutschland kumuliert mit 160 Fundpunkten auf Rügen

der Aufstellung der Sammlung den Wünschen des Erblassers pietätvoll Rechnung getragen[55]. Auch Johanna Mestorf aus Kiel, die zur Ordnung, Katalogisierung und Aufstellung der Sammlung nach Nürnberg gerufen wurde, mußte entgegen ihrer eigenen wissenschaftlichen Auffassung dem System Rosenbergs folgen[56].

259, 366

Die alten vorgeschichtlichen Bestände, die seit 1866 im Antiquarium, einem Raum südwestlich vom Kleinen Kreuzgang ausgestellt waren, wurden mit der Rosenberg'schen Sammlung vereinigt und 1885 in dem auf Kosten des Reiches neuerbauten Saal 1 und einem anschließenden zweiten Raum in eigens angefertigten Vitrinen, Schaukästen und Wandtafeln in gedrängter Fülle präsentiert. Der gedruckte Katalog der Rosenberg'schen Sammlung, der erste und bislang einzige der vor- und frühgeschichtlichen Sammlung, erschien 1886. Es liegt nahe, die Herausgabe der zweiten Auflage des Kataloges durch das Germanische Nationalmuseum in Zusammenhang mit dem 18. Kongress der Deutschen Anthropologischen Gesellschaft in Nürnberg zu sehen, an dem auch Rudolf Virchow, damals der einflußreichste Förderer der anthropologisch-urgeschichtlichen Forschung in Deutschland, teilnahm[57]. Während der Kongress von 1887 der anthropologischen Sektion der Naturhistorischen Gesellschaft „reichlich Früchte gebracht und ihr nach außen . . . Geltung und Bedeutung verschafft" hat und ihre zukünftigen Aktivitäten positiv beeinflußte[58], wurden in der vorgeschichtlichen Sammlung des Germanischen Nationalmuseums keine Impulse spürbar, die auf die Verbindung von Anthropologie, Ethnologie und Urgeschichte als neue Forschungsrichtung zur Aufhellung der naturwissenschaftlich-evolutionistisch aufgefaßten Menschheitsentwicklung zurückzuführen gewesen wären. Das Museum verharrte weiter im historisch orientierten antiquarischen Sammelstadium und nutzte die Gelegenheit nur soweit, als auf der Tagungsausstellung vorgeschichtliche Funde aus Grabhügeln der Oberpfalz erworben wurden.

Ausstellungsprinzip, Präsentation und Materialfülle der Ausstellung von 1885 können nach dem gedruckten Katalog ausreichend rekonstruiert werden. Die insgesamt mehr als 7000 Funde aus allen Gegenden Deutschlands waren in vier Kategorien gegliedert. Einleitend wurden in der ersten Gruppe zusammengehörige Ensembles von Höhlenplätzen und aus Pfahlbausiedlungen gezeigt, die neben den Serien Rosenbergs verdeutlichen sollten, „wie die Epoche im Ganzen sich präsentiert, wenn auf den Stellen untergegangenen Lebens geforscht und gesucht wird"[59]. Das übrige Material war nach Werkstoffen in Steingeräte, Tongefäße und Bronzen geordnet, wobei das zahlenmäßige Schwergewicht aufgrund der Sammeltätigkeit Rosenbergs bei den Steinobjekten lag. Diese waren in „Serien" zusammengefaßt, welche durch die vermeintliche Funktion der Funde, etwa als Beile, Äxte, Pfrieme, Klopfsteine und Späne, bestimmt wurden. Die Bezeichnung „Serien" bedeutete jedoch nicht eine Zusammenfassung einzelner Gerätformen zu typologischen, d. h. entwicklungsgeschichtlichen Reihen. Ordnungsprinzip war ausschließlich das gruppenweise getrennte Nebeneinander gleichartiger Gerätformen, ohne daß die verschiedenen Typen miteinander in Beziehung gebracht wurden. Her-

---

[55] Mit dem Hinweis, daß auch in der Forschung in diesen Fragen keine Einigkeit bestehe, bemerkt Essenwein (Anm. 7), S. 4: „Der Standpunkt wurde auf Rosenbergs Autorität hin angenommen und besteht eben jetzt bei uns".

[56] Essenwein (Anm. 7), S. 6. – Zu seinem System vgl. Rosenberg (Anm. 52), S. 338 ff. und Mestorf (Anm. 7), S. 14 f. – Johanna Mestorf (1829–1909) beschäftigte sich seit 1859 eingehend mit Vorgeschichte und übertrug u. a. skandinavische Fachschriften ins Deutsche. Seit 1873 war sie Kustodin und ab 1891 Direktorin des Museums vaterländischer Alterthümer in Kiel.

[57] Zur Bedeutung Virchows und der Verbindung von Anthropologie, Ethnologie und Urgeschichte als neue Wissenschaftsrichtung vgl. Gummel (Anm. 8), S. 209–214; S. 300–315; S. 464 f. – Wahle (Anm. 11), S. 43–51; S. 62–65. – Christian Andree: Rudolf Virchow als Prähistoriker. Bd. 1: Virchow als Begründer der neueren deutschen Ur- und Frühgeschichtswissenschaft. Köln, Wien 1976, S. 13 ff. – Zur Errichtung des Saales vgl. S. 439–442.

[58] Festschrift zur Begrüßung des 18. Kongresses der Deutschen Anthropologischen Gesellschaft in Nürnberg. Nürnberg 1887. – Torbrügge (Anm. 51), mit Anm. 9.

[59] Essenwein (Anm. 7), S. 8.

366. Die vor- und frühgeschichtlichen Sammlungen in der Aufstellung von 1885 im neuerrichteten Saal 1. Die Ordnung in den Wandvitrinen folgt dem Rosenberg'schen Schema. Auf den Sockeln die Büste Kaiser Wilhelms I. von Johannes Schilling (1828–1910), die Büste von Aufseß, modelliert von Johann von Halbig (1814–1882), ausgeführt von Arnold Hermann Lossow (1805–1874), die Büste von Essenwein von Heinrich Schwabe (1847–1924)

kunft, Zeitstellung und Fundzusammenhänge blieben unberücksichtigt. Auch bei der dritten Gruppe, den Tongefäßen, die mit den 226 Stücken aus der Rosenberg'schen Sammlung 468 meist vollständig erhaltene Keramiken umfaßte[60], erfolgte keine Ordnung nach chronologischen oder typologischen Gesichtspunkten. Gliedernder und zugleich zusammenfassender Faktor waren in diesem Fall die Herkunftsregionen. Gefäße unterschiedlichster Form, Funktion und Zeitstellung, z. B. aus Schlesien, standen als geschlossenes Ensemble neben ebenso inhomogenen Komplexen aus der Provinz Posen, dem Rheinland, Süddeutschland oder aus Holstein usw.[61]. Die vierte Gruppe bestand aus 744 Bronzen, welche wiederum wie die Steingeräte nach Formen (Nadeln, Fibeln, Schwerter, Lanzen) geordnet waren. Hier wurden allerdings die Fundorte, soweit überhaupt möglich, in der Ausstellung angegeben[62].

Insgesamt ist festzustellen, daß die Aufstellung schon bei ihrer Einrichtung 1885 in Konzeption und Darstellung nicht dem damaligen Stand der Wissenschaft entsprach. Die resignierende Bemer-

[60] Mestorf (Anm. 7), S. 58ff.
[61] Mestorf (Anm. 7), S. 73ff.
[62] Mestorf (Anm. 7), S. 73.

675

kung Johanna Mestorfs, „Diese Sammlung qualifiziert sich in der Tat nur zur Aufstellung nach Formen"[63], kann rückblickend allerdings nur teilweise akzeptiert werden. Mit der systematischen Ordnung des umfangreichen, regellos zusammengekommenen Sammlungsmaterials war die Vorgeschichtsforschung um diese Zeit noch überfordert[64]. Vor allem das Nebeneinander von nord- und süd-, ost- und westdeutschen Funden war methodisch nicht zu bewältigen. Zwar hatte das Dreiperiodensystem als Ordnungskriterium in Deutschland inzwischen allgemeine Anerkennung gefunden, doch war die chronologisch-antiquarische Differenzierung innerhalb der einzelnen Perioden regional unterschiedlich weit fortgeschritten und stand in vielen Punkten noch zur Diskussion. Eine synchrone Darstellung der sich in der Fundabfolge spiegelnden kulturgeschichtlichen Entwicklung war daher noch nicht möglich. Trotzdem wäre auch 1885 bereits eine zukunftsträchtige Ordnung des Stoffes auf regionaler Grundlage nach typologischen Gesichtspunkten durchführbar gewesen, die ein organisches Wachstum der Sammlung bewirkt und systematische Forschungsansätze geboten hätten. So aber drückte sich in der Ausstellung das antiquarische Sammelstadium einer vaterländisch orientierten Vorgeschichtsforschung aus. Die Ursachen lagen hauptsächlich in der weitgehenden Berücksichtigung der Rosenberg'schen Ideen, die im wesentlichen eine überholte Wissenschaftsauffassung und Fragestellungen der Zeit vor 1850 widerspiegelten. Die grundsätzlichen Gesichtspunkte der Ausstellungskonzeption von 1885 formulierte Leopold von Ledebur[65] nämlich bereits 1838 für die Ausstellung des Königlichen Museums vaterländischer Alterthümer im Schloß Monbijou in Berlin: „Das ähnliche und verwandte in Form und Stoff, ohne Rücksicht auf Lokalität der Findung, ward nebeneinandergestellt; die so zur Anschauung gebrachten allmähligen Übergänge werden nicht wenig dazu beitragen, den oft sehr problematischen Zweck und die schwankende Terminologie dieser Gegenstände der Feststellung näher zu bringen. Die für die verschiedenen Richtungen religiöser, häuslicher, kriegerischer und commerzieller Tätigkeit der Völker so wichtigen Fragen: ob die Übereinstimmung der Gegenstände geographisch bedingt wird; ob die eine oder andere Form von Alterthümern ausschließlich oder überwiegend der einen oder anderen Gegend anheim falle; werden durch eine solche Zusammenstellung am schnellsten ihre Beantwortung finden"[66].

Nachdem der Rosenberg'sche Nachlaß in das Museum gelangt war, sah sich Essenwein genötigt, die Abteilung neu zu organisieren. Mit Herausgabe des gedruckten Verzeichnisses der Rosenberg'schen Sammlung war der erste handschriftliche Katalog ungültig. Es wurden separate Verzeichnisse der vorgeschichtlichen, römischen und germanischen Denkmäler angelegt[67]. Die Sammlung schien nun einer „energischen" Förderung würdig. Vor allem sollten die römischen und noch mehr die „eigentlich germanischen" Bestände vermehrt werden, um der Überrepräsentation der Steinzeitfunde zu begegnen und den Anschluß an das eigentliche Sammlungsgebiet des Museums zu finden[68]. An 367

[63] Mestorf (Anm. 7), S. 14.
[64] Die wissenschaftliche Bedeutung von Johanna Mestorf zeigt sich in der Ehrenmitgliedschaft der Anthropologischen Gesellschaft in Berlin (1891) und in der von Gustav Kossinna gegründeten Deutschen Gesellschaft für Vorgeschichte (1909). Vgl. Gummel (Anm. 8), S. 442f. und Ernst Wahle: Der Prähistoriker. Zur Geschichte seines Berufsstandes im deutschen Sprachraum. In: Mitteilungen der Anthropologischen Gesellschaft in Wien Bd. 100 (1970), S. 129–137.
[65] Leopold von Ledebur, bis 1875 Leiter der Berliner Kunstkammer, war von 1853 bis 1877 ein rühriges Mitglied des Verwaltungsausschusses des Germanischen Nationalmuseums. Inwieweit die Ideen Rosenbergs von Ledebur beeinflußt waren, bleibt dahingestellt, doch scheinen persönliche Kontakte durchaus möglich; vgl. die Ausführungen zum Rosenberg'schen Konzept bei Essenwein (Anm. 7), S. 5 ff.
[66] Leopold von Ledebur: Das Königliche Museum vaterländischer Alterthümer im Schlosse Monbijou zu Berlin. Berlin 1838, S. IX.
[67] Essenwein, Bericht 1884, S. 17. – Die neuen handgeschriebenen Inventare wurden ab 1887 geführt. Die vorgeschichtlichen Funde, soweit sie nicht im gedruckten Katalog erschienen, erhielten später die Bezeichnung Vb, die frühgeschichtlichen FG und die römischen R. In den beiden letzten Signaturen sind auch die nicht-vorgeschichtlichen Nummern des alten Vorgeschichtskataloges (VaK) aufgenommen. Zur Anlage gedruckter Kataloge, wie von Essenwein in Aussicht gestellt (Anm. 7), S. 104, ist es nicht gekommen.
[68] Essenwein, Bericht 1884, S. 20. – Hampe, Festschrift, S. 100.

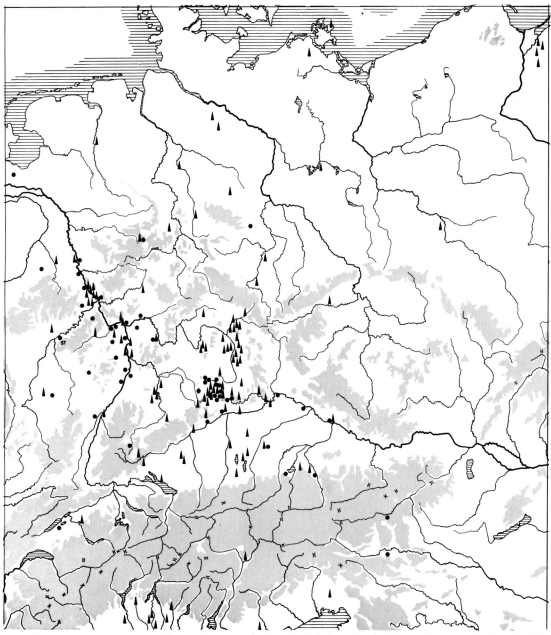

367. Provenienzen der provinzialrömischen und frühgeschichtlichen Funde (Verzeichnisse VaK, R und FG). Seit den achtziger Jahren ist der Fundzuwachs auf eine gezielte Sammeltätigkeit des Museums zurückzuführen

einen systematischen Ausbau der Bestände durch Ankäufe war allerdings erst nach Vervollständigung anderer Museumsabteilungen gedacht[69]. In den folgenden Jahren erlebte die Vorgeschichtsabteilung einen ungeahnten Aufschwung. Das Museumsorgan verzeichnet laufend Neuzugänge aus dem In- und Ausland[70]. Vom niederländischen Museum in Leyden stammten Originale und Nachbildungen. Aus Schweden und Dänemark gelangten Steingeräte, aus der Schweiz stein- und bronzezeitliche Funde in das Museum. Wohl als Zeichen der Anerkennung stifteten die Museen von St. Germain en Laye und Cluny Steinzeitfunde; Gönner aus der K. u. K. Monarchie ließen dem Germanischen Nationalmuseum bronze- bis latènezeitliche Funde aus dem Gräberfeld von Hallstatt, aus Nordböhmen und der Steiermark zukommen. Der König von Rumänien schenkte vor 1888 eine wertvolle metallgerechte Nachbildung des westgotischen Schatzfundes von Pietroasa, die heute verschollen ist. Neben kleineren Schenkungen, Stiftungen und Ankäufen machte die Erwerbung privater Sammlungen einen Großteil des Bestandszuwachses aus. 1904 konnte die Kollektion des Ausgräbers A. Nagel[71] mit bronze- und hallstattzeitlichen Funden aus der Oberpfalz und 1906 die Sammlung Julius Naue angekauft werden, die über 300 vor- und frühgeschichtliche Objekte aus Süd- und Westdeutschland sowie aus Italien enthielt[72]. 1904 und 1912 gelangten die Nachlässe von Privatforschern aus Wassertrüdingen bzw. Thalmässing in Mittelfranken ins Museum. An römischen Funden sind einige Bronzen unbekannter Herkunft zu nennen. Ein spätrömischer Gardehelm aus Augsburg-Pfersee konnte 1898 gekauft werden. Aus Andernach und Mayen stammen eine Reihe von römischen Kleinfunden. Koptische Grabfunde, unter denen besonders Textilien und Leder hervorzuheben sind, wurden 1904 mit der Sammlung Robert Forrer in Straßburg erworben. Besonders wurden Altertümer aus fränkischen und alamannischen Reihengräbern sowie überhaupt germanischer Schmuck angekauft. Das Schwergewicht lag zwischen 1882–86 bei den rheinischen Fundstellen von Andernach, Gondorf, Kaltenengers, Kettig, Niederbreisig und Mertloch. Aus Württemberg stammen größere Komplexe aus Ulm und Bronnen. Außergewöhnlich sind schließlich die vierzehn langobardischen Goldblattkreuze und der alamandinverzierte Goldschmuck mit Adlerfibel aus Italien, der zwischen 1884 und 1903 erworben werden konnte. Daneben versuchte man, die Bestände durch gezielte Aktionen zu mehren. Wie schon 1858 nach der ersten Aktivierung der Abteilung wurden 1891 bzw. 1893 in Igensdorf, Mittelfranken, und Labersricht, Oberpfalz, im Auftrag des Museums Grabhügel geöffnet und in Pfahlheim bei Ellwangen 1884 und 1891–93 alamannische Reihengräber untersucht. Die mit Unterstützung der örtlichen Pflegschaften durchgeführten Ausgrabungen wurden in den Mitteilungen des Germanischen Nationalmuseums veröffentlicht, welche in diesen Jahren häufig Arbeiten zu vor- und frühgeschichtlichen Materialien abdruckten[73].

Der überproportionale Zuwachs in der Zeit vor 1914 hängt ursächlich mit der Popularisierung der Vorgeschichte zusammen und ist nicht allein auf das Germanische Nationalmuseum beschränkt. Getrieben von dilettantischem Forschungsdrang beschäftigten sich seit den siebziger Jahren zuneh-

368

---

[69] Essenwein, Bericht 1884, S. 20: „Die systematische Ausbildung der ganzen Abteilung wird erst an die Reihe kommen können, wenn andere Abteilungen weiter gefördert sind." und S. 21: „In die Kostenberechnung über die Vervollständigung der Sammlungen haben wir indessen nur 30000 M aufgenommen, welche Summe vielleicht dem Fachmann, wenn er unsere Sammlung betrachtet, gering erscheint, umso mehr, als wir ja nicht wissen, wenn wir in die Lage kommen werden, sie verfügbar zu haben. Wir verlassen uns deshalb auf unser gutes Glück."

[70] Vgl. hierzu und zum folgenden ausführlich Raschke (Anm. 37), S. 9–12.

[71] Zur Rolle A. Nagels als Raubgräber und Fundlieferant überregionaler Museen vgl. Walter Torbrügge: Die Bronzezeit in der Oberpfalz (Materialhefte zur Bayerischen Vorgeschichte, H. 13). Kallmünz 1959, S. 33f.

[72] Zur Tätigkeit Julius Naues in den verschiedenen vorgeschichtlich engagierten Gremien und Einrichtungen in Bayern vgl. Torbrügge (Anm. 71), S. 32ff und Dannheimer (Anm. 8), S. 16f. – Zur Sammlung Naue existierte ein heute verschollener Katalog: „Verzeichnisse über prae- und frühhistorische Funde, die aus der Sammlung Naue ins Ger. Nat. Museum übergingen."

[73] Raschke (Anm. 37), S. 10.

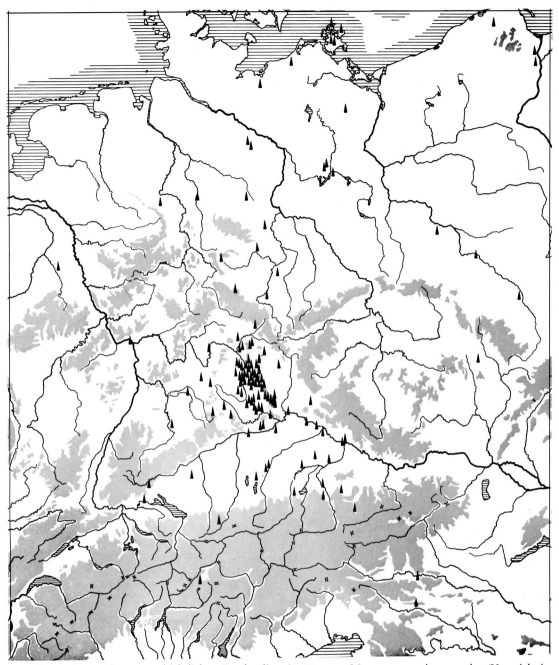

368. Provenienzen der vorgeschichtlichen Funde, die seit 1885 vom Museum erworben wurden (Verzeichnis Vb). Auffällig ist die Beschränkung auf den nordostbayerischen Raum, die im Erwerb lokaler Sammlungen und in dem allgemeinen Erstarken der Landesmuseen im deutschen Sprachraum begründet ist

mend private Sammler und Liebhaber mit prähistorischen Objekten[74]. Unbehindert von gesetzlichen Regelungen und begünstigt durch den wirtschaftlichen und verkehrstechnischen Aufschwung der Gründerzeit, wurden vielerorts archäologische Ausgrabungen beinahe zum Sonntagsvergnügen. Ziele dieser unqualifizierten Feldforschung waren, je nach Denkmälerbestand in den verschiedenen Gebieten, vorgeschichtliche Grabhügel, Urnenfelder sowie, vor allem im Rheinland, römische und fränkische Friedhöfe. Teilweise unter kommerziellen Aspekten professionell betrieben, erfuhr diese „Grabungskonjunktur" (Torbrügge) nachhaltige Förderung durch große Museen und andere interessierte Institutionen. Um einerseits die Fundausbeute vor Verstreuung und Verlust zu bewahren und andererseits ihre Sammlungen zu komplettieren, wurden über Agenten, Antiquare oder direkt bei den privaten Raubgräbern „Schauobjekte" in großer Zahl angekauft. Beispielhaft sind die Aktivitäten der vor- und frühgeschichtlichen Abteilung der Staatlichen Museen in Berlin, die aus ganz Deutschland in großem Stil Grabinventare und Einzelfunde ankaufte, so daß die Zahl der Funde von 1874 bis 1880 von 12 000 auf 18 000 stieg. Bis 1930 vervielfachte sich der Bestand auf 150 000 Objekte[75]. Obwohl bereits um die Jahrhundertwende ein allgemeines Nachlassen des Sammlerunwesens festzustellen war, was die Übergabe zahlreicher Privatsammlungen in öffentlichen Besitz zur Folge hatte, konnte der „graue Markt" für heimische Altertümer erst mit Erlaß der Ausgrabungs- und Denkmalschutzgesetze bzw. Verordnungen in den deutschen Staaten zu Beginn unseres Jahrhunderts eingeschränkt werden[76]. Bis dahin waren die vorgeschichtlichen Bestände im Germanischen Nationalmuseum um das Doppelte angewachsen. Wenn die Abteilung auch nicht sonderlich systematisch erweitert worden war, so wurde doch das von der Rosenberg'schen Sammlung verursachte Übergewicht steinzeitlicher Funde aus Nordostdeutschland durch die Neuzugänge in der chronologischen und geographischen Verteilung einigermaßen ausgeglichen. Das vom Museum angestrebte Ziel war im wesentlichen erreicht. Obgleich nicht alle Fundtypen und Kulturperioden gleichwertig vertreten und die vorhandenen Materialien wissenschaftlich nicht erschlossen waren, konnten einem interessierten Publikum in der um mehrere Räume erweiterten Schausammlung vorzeitliche Funde aus allen Gegenden Deutschlands von der Steinzeit bis in das Frühmittelalter vorgeführt werden. Die Sammlung Rosenberg war nach dem alten Schema unverändert im Saal 1 ausgestellt. Raum 2 war Schmuck und Gerät der vorgeschichtlichen Metallzeiten vorbehalten. Eine chronologische Gliederung innerhalb derselben bestand nicht. In Raum 3, dem westlichen Teil des Großen Kreuzganges, waren Abgüsse von Grabdenkmälern aus dem 1. Jahrtausend nach Chr. aufgestellt. Die Räume 4 und 5 enthielten die provinzialrömischen Funde. Raum 7, Zugang vom Kreuzgang zur Kirche, enthielt eine Trophäe von Nachbildungen fränkischer Waffen (metallgerechte Rekonstruktionen aus dem Römisch-Germanischen Zentralmuseum Mainz) sowie Gipsabgüsse von Waffen und Schmuckstücken frühmittelalterlicher Zeitstellung. Der größere Saal 8 bot in zwanzig Schränken Originalfunde der Völkerwanderungs- und Merowingerzeit sowie Zeugnisse der koptischen Kleinkunst[77].

[74] Torbrügge (Anm. 71), S. 31 ff. – Wahle (Anm. 8), S. 523.
[75] Wilhelm Unverzagt in: Gesamtführer durch die Staatlichen Museen zu Berlin. Berlin 1930, S. 287.
[76] Ausgrabungsgesetze und -Erlasse in Württemberg und Bayern 1907 bzw. 1908, in Preussen im Jahre 1914.
[77] Wegweiser GNM 1912/13, S. 15–29 mit beigelegtem Orientierungsplan. – Zur „Erweiterung um mehrere Räume" vgl. Wegweiser GNM 1896, S. 14 mit beigelegtem Orientierungsplan (Saal 1 und Räume 2–7).

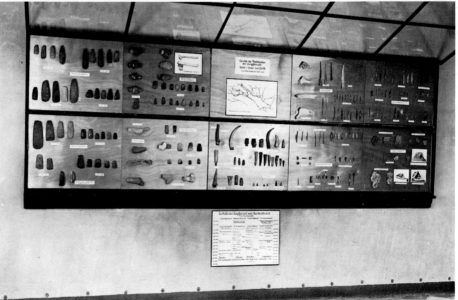

369. Die vorgeschichtliche Schausammlung in den Mönchshäusern, 1935 bis zum zweiten Weltkrieg

370. Wandvitrine mit Geräten der Jungsteinzeit in den Mönchshäusern, 1935 bis zum zweiten Weltkrieg

Die Sammlung zwischen den beiden Kriegen
Vorgeschichte als nationale Wissenschaft

Mit Beginn des Ersten Weltkrieges war die Zeit größerer Erwerbungen aus Privatbesitz vorbei. Die Organisation der Denkmalpflege unterband weiteren Fundzustrom, wobei sich jetzt die Stellung des Museums als überregionale Einrichtung sehr nachteilig auswirkte. War die vor- und frühgeschichtliche Sammlung des Germanischen Nationalmuseums um die Jahrhundertwende noch eine der umfangreicheren in Mitteleuropa, so verlor sie gegenüber den Provinzial- und Landesmuseen, denen der Fundanfall aus den amtlichen Plan- und Notgrabungen ausschließlich zugute kam, an Bedeutung. Die wenigen Neuerwerbungen karolingischer Zeitstellung waren dafür umso bedeutsamer[78]. Die Sammlung blieb in unveränderter Aufstellung bestehen[79]. Erst durch den Umbau des Saales 1, der bis dahin die Rosenberg'sche Sammlung aufgenommen hatte, in einen Vortragssaal, erfuhr die Ausstellung 1921 eine Neugestaltung[80]. Die Bestände wurden in die sogenannten Mönchshäuser umgeräumt und unter Berücksichtigung neuerer Forschungsergebnisse chronologisch geordnet ausgestellt[81]. In zwei Räumen (Nr. 29 und Nr. 28) konnten die alt- und jungsteinzeitlichen Funde besichtigt werden, wobei das von Rosenberg festgelegte System weitgehend aufgelöst wurde. Die folgenden beiden Räume (Nr. 27 und Nr. 26) waren den bronzezeitlichen Altertümern vorbehalten. Anschließend folgten Funde aus Gräbern der Hallstatt- und Latènezeit, die wie in den vorhergehenden Räumen nach ihrer regionalen Provenienz zusammengefaßt und einander als zeitliche Äquivalente gegenübergestellt waren. Im größten Raum (Nr. 24) wurden schließlich die provinzialrömischen, völkerwanderungszeitlichen und frühchristlichen Fundkomplexe gezeigt. Die Ausstellung blieb in dieser Form bis 1934 bestehen[82].

vgl. 135

1935 schien jedoch eine Neuaufstellung geboten[83]. Vorgeschichte, seit Gustav Kossinna eine „hervorragend nationale Wissenschaft"[84], wurde mit der nationalsozialistischen Machtergreifung ideologisiert. Im Sinne des „Reichsbundes für Deutsche Vorgeschichte", der eine weltanschauliche Ausrichtung der Forschung propagierte[85], sollten Bodenfunde als „völkische Zeugnisse" gewertet werden. Eine breit angelegte und gut organisierte Öffentlichkeitsarbeit, die jede Unterstützung von parteiamtlicher Seite erhielt, kürte Vorgeschichte als „wirklichen Abschnitt deutscher Geschichte vor der Zeit der geschriebenen Geschichte" zum nationalen Anliegen[86]. Obwohl das Germanische Nationalmuseum nicht, wie manche mit Vorgeschichte befaßten Museen, Ämter und Vereine[87], Mitglied des Reichsbundes war, konnte es sich dem Bemühen um „Volksbildung" nicht verschließen.

[78] Ernst Heinrich Zimmermann: Ein karolingischer Silberbecher aus Pettstadt in Franken. In: Anzeiger GNM 1928/29, S. 128–132. – Rudolf Helm: Germanischer Schmuck (Bilderbücher des Germanischen Nationalmuseums, H. 1) Nürnberg 1934, S. 16 Abb. 24. – August Neuhaus: Ein Schwert (Spatha) aus karolingischer Zeit. In: Anzeiger GNM 1928/29, S. 123–127.
[79] Wegweiser GNM 1919/20, S. 10–14.
[80] Jahresbericht GNM 69 (für 1922), 1923, S. 1.
[81] Wegweiser 1924/25, S. 60–71 mit beigelegtem Orientierungsplan.
[82] Wegweiser 1930, S. 199–216 mit beigelegtem Orientierungsplan.
[83] Wegweiser 1935, S. 77f.
[84] Gustav Kossinna: Die deutsche Vorgeschichte eine hervorragend nationale Wissenschaft. 1. Aufl. Würzburg 1912. – Zu den Vorstellungen, Wirkungen und Auswirkungen der Schriften Kossinnas s. Gummel (Anm. 8), S. 316–318; S. 371–375. – Wahle (Anm. 8) 86–88. – Ernst Wahle: Tradition und Auftrag prähistorischer Forschung. Ausgewählte Abhandlungen als Festgabe zum 75. Geburtstag am 25. Mai 1964. Hrsg. von Horst Kirchner. Berlin 1964, S. 246–250. – Frühgeschichte weiter gefragt? Zur Situation einer „belasteten" Wissenschaft. Aus: Die Zeit, Hamburg, vom 21. 8. 1947. – Eggers (Anm. 9), S. 199–254.
[85] Symptomatisch die Rede des Reichsleiters Rosenberg auf der zweiten Reichstagung des Reichsbundes für Deutsche Vorgeschichte in Bremen: Hans Maier: Die Zweite Reichstagung des Reichsbundes für Deutsche Vorgeschichte in Bremen. In: Nachrichtenblatt für Deutsche Vorzeit Bd. 11 (1935), S. 185–188; bes. S. 187.
[86] Der Bundesführer des Reichsbundes für Deutsche Vorgeschichte Hans Reinerth in seiner Rede „Völkische Vorgeschichtsforschung, eine Antwort an ihre Gegner" anläßlich der Reichstagung 1935. Maier (Anm. 85), S. 187.
[87] Maier (Anm. 85), S. 187.

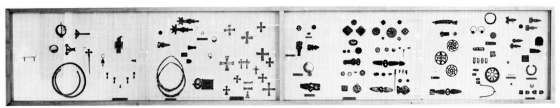

371. Wandvitrine mit Funden des ersten Jahrtausends in der Aufstellung im Raum des früh- und hochmittelalterlichen Kunsthandwerks (Raum 15), 1937. bis zum zweiten Weltkrieg. Vgl. Abb. 383

369, 370   Im Laufe weniger Monate wurde die Ausstellung in den Mönchshäusern umgebaut[88]. An der Neugestaltung der Sammlung war Louis Adalbert Springer, ein junger Kunsthistoriker mit vorgeschichtlicher Ausbildung (Prof. Martin Jahn), maßgeblich beteiligt[89]. Sie konnte anläßlich des „Reichsparteitages der Freiheit" 1935 einer interessierten Öffentlichkeit übergeben werden[90]. Konzept der Ausstellung waren Darstellung und Interpretation der Funde in nationalsozialistischer Sicht, die auf eine Rassen- und Kulturgeschichte des deutschsprachigen Raumes abzielte[91]. Die „vorgeschichtliche Schau" sollte vor allem eine werbende Wirkung ausüben. Den Gegebenheiten des Bestandes entsprechend, wurden die Funde von Springer in ihren geographischen und chronologischen Zusammengehörigkeiten nach den gängigen Zeit- und Kulturbegriffen erfaßt. Wie in der bisherigen Ausstellung folgten auf die Alt- und Jungsteinzeit in Süddeutschland die entsprechenden Funde aus Nord- und Ostdeutschland. Bronzezeitliche Materialkomplexe aus Ost- und Süddeutschland standen solchen aus der nordischen Bronzezeit gegenüber. Darauf folgten eisenzeitliche Altertümer aus Süddeutschland. Der letzte Raum war den germanischen Funden des 1. Jahrtausends n. Chr. und den provinzialrömischen Funden vorbehalten[92]. Trotz der nationalsozialistischen Diktion und Zielsetzung[93] sind einige Punkte der von Springer beschriebenen didaktischen Konzeption bemerkenswert[94]. Beispielsweise waren bewußt nicht nur Auswahlstücke ausgestellt, sondern auch unscheinbare Funde, um einen Querschnitt durch die gesamte archäologische Hinterlassenschaft vergangener Kulturen zu geben. Andererseits wurde eine Beschränkung der Schauobjekte angestrebt, damit der Besucher durch die Anordnung selbst angeregt werden sollte, sich mit den Dingen zu beschäftigen. Abgüsse und Nachbildungen fanden in der Ausstellung nicht mehr Verwendung[95]. Zur Erläuterung von Zusammenhängen zwischen einzelnen Kulturerscheinungen und -Komplexen sowie von archäologischen Abläufen dienten Verbreitungskarten und ausführliche Beschreibungen. Einzelbefunde waren durch Fotografien, Lageskizzen und Rekonstruktionszeichnungen ergänzt. Mit dieser Ausstellung rückte die Sammlung wieder stärker in das Blickfeld einer national stimulierten Öffentlichkeit. Der Ruf nach Unterstützung und Förderung durch andere deutsche Museen, aus deren Bestän-

[88] Wegweiser GNM 1930, S. 77 ff.
[89] Louis Adalbert Springer: Die Neuaufstellung der vorgeschichtlichen Sammlungen des Germanischen Nationalmuseums Nürnberg. In: Nachrichtenblatt für Deutsche Vorzeit Bd. 11 (1935), S. 199–204.
[90] Springer (Anm. 89), S. 202. – Zu kleineren Veränderungen im Sommer 1938 vgl. Jahresbericht GNM 85 (für 1938), 1939, S. 9.
[91] Wegweiser GNM 1935, S. 78.
[92] Wegweiser GNM 1935, S. 77–85 mit beigelegtem Orientierungsplan.
[93] Springer (Anm. 89), S. 203 f.: „Das in diesem Raum untergebrachte römische Kulturgut soll in Auswahlstücken zu Vergleichszwecken dienen. Es ist mit der Zusammennahme von Germanischem und Römischem keinesfalls eine gleiche Wertung ausgesprochen, sondern im Gegenteil, der Gegensatz zwischen der hochentwickelten germanischen Kultur der Völkerwanderungszeit und der römischen Verfallskunst soll sich in dieser Form der Ausstellung klar ausprägen".
[94] Springer (Anm. 89), S. 202.
[95] Wegweiser GNM 1935, S. 78.

372. Die vorgeschichtliche Ausstellung im Untergeschoß des Theodor-Heuss-Baues 1958–1974

den vor allem der germanische Fundstoff vervollständigt werden sollte, blieb jedoch erfolglos. Die wenigen angekauften Schmuckstücke, so die beiden goldenen Fingerringe aus „Haßleben" und „Gotland" waren Fälschungen[96]. Ebenso verhielt es sich mit dem großzügigen Geschenk einer angeblich aus Böhmen stammenden goldenen Fibel, bei der es sich jedoch um eine geschickte Imitation der museumseigenen Adlerfibel von Domagnano handelte[97].

Die Abteilung nach dem Zweiten Weltkrieg
Aktivitäten, Fundzuwachs, Ausstellung

Nach dem Zweiten Weltkrieg betreute mit Georg Raschke seit 1947 erstmals ein Fachprähistoriker 373 die Sammlung[98]. Seine vordringlichste Aufgabe war die Neuordnung des im Krieg stark in Mitleidenschaft gezogenen Bestandes. Die Funde waren 1942 größtenteils auf die Plassenburg bei Kulmbach verbracht worden, wo sie nach Kriegsschluß geplündert wurden. Elf Kisten mit vorgeschichtlicher Keramik und zwei mit Bronzen gingen verloren, letztere konnten jedoch zum Teil wieder aus dem Schutt im Burggraben geborgen werden. Die qualitätvollsten Ausstellungsstücke überstanden den Krieg unbeschädigt im Keller der Nürnberger Burg, ebenso die nicht verlagerten Depotbestände im Museumskeller. Die Bestandsaufnahme Raschkes Anfang der fünfziger Jahre ergab insgesamt 13085 katalogisierte Fundgruppen, wovon 10083 auf vorgeschichtliche, 1994 auf frühgeschichtliche und 1008 auf römische Inventarnummern entfielen. Raschke, von Haus aus Denkmalpfleger, beschränkte seine Tätigkeit nicht auf die Sichtung und Ordnung der Altbestände. Seine ehemalige Dienststelle vor Augen, faßte er die Abteilung als eine Art „Amt für Vorgeschichte" des Nürnberger Raumes auf. Neben der aktenmäßigen Erfassung von Fundmeldungen, der Fundbestimmung und der Betreuung

---

[96] Mårten Stenberger: Der goldene Fingerring aus Gotland im Germanischen Nationalmuseum. In: Anzeiger GNM 1936–39, S. 7–11.
[97] Georg Lill: Die Adlerfibel von 1936 und andere Fälschungen aus einer Münchner Goldschmiedewerkstatt. In: Germania Bd. 28 (1944–50), S. 54–62; Taf. 5–12.
[98] Raschke (Anm. 37), S. 11 f. – Wilfried Menghin: Georg Raschke. 13. Februar 1903–19. Juli 1973. In: Anzeiger GNM 1974, S. 159–164.

373. Dr. Ludwig Grote und der Referent für die vor- und frühgeschichtlichen Sammlungen Dr. Georg Raschke beim Zusammensetzen des urnenfelderzeitlichen Goldkegels Ezelsdorf, 1953

von Heimatmuseen und Privatsammlungen unternahm er für das Museum wiederum eigene Grabungen.

Bis zu Raschkes Ausscheiden im Jahre 1968 war der Fundbestand wieder stärker angewachsen.
Bereits 1946 waren von der Besatzungsmacht beschlagnahmte vorgeschichtliche Funde aus den
Grabungen des Frankenbundes auf dem Hesselberg in das Museum gelangt. Mit der Sammlung
Alfred Wlost wurde 1957 umfangreiches Fundmaterial aus den verschiedensten vorgeschichtlichen
Epochen Thüringens erworben. 1961 konnte, dank der Stiftung eines Bremer Vorgeschichtsfreundes,
eine Sammlung oberfränkischer Funde der späten Bronzezeit angekauft werden. Besonders erfreulich
war die Erwerbung alamannischer Grabinventare aus Württemberg. Die Schausammlung wurde 1958
372 im Untergeschoß des neu errichteten Theodor Heuss-Baues wiedereröffnet. Abgesehen von der
räumlichen Gestaltung und Ausstattung entsprach sie in der Gliederung des Fundmaterials nach
chronologischen Gesichtspunkten im Prinzip der Ausstellungskonzeption aus der Zeit vor 1935.
Einen Glanzpunkt der Ausstellung bildete der 1953 erworbene urnenfelderzeitliche Goldkegel von

bäudes, so daß alle vor- und frühgeschichtlichen Epochen von der Altsteinzeit bis in das frühe
Mittelalter gleichwertig und geschlossen präsentiert waren. Bereits 1967 mußten jedoch Teile der
Sammlung im Zuge von Baumaßnahmen wieder magaziniert werden; zugleich fanden die hervorragendsten frühgeschichtlichen Fundstücke bei der Ausstattung der Vitrinen im sogenannten Westkopf
Verwendung, wo der Übergang von der Antike zum Mittelalter dargestellt werden sollte. Nach
teilweiser Umgestaltung der Ausstellung durch Horst Wolfgang Böhme, der als zweiter ausgebildeter
Fachwissenschaftler Raschke im Amt folgte, mußte die im Untergeschoß des Heuss-Baues verbliebene Schausammlung 1974 im Zuge von neuerlichen Baumaßnahmen wiederum vollständig magaziniert
werden. Die Wiedereröffnung der vor- und frühgeschichtlichen Sammlung im ersten Obergeschoß
des Theodor Heuss-Baues wird zur Zeit vorbereitet.

Wertung
Vergleichbare Institutionen und Entwicklungen. – Ausblick

Die vor- und frühgeschichtliche Sammlung am Germanischen Nationalmuseum war von Anfang an
am öffentlichen Interesse orientiert. Anders als im gleichzeitig gegründeten Römisch-Germanischen
Zentralmuseum in Mainz, das sich speziell die Erforschung der vorgeschichtlichen Altertümer zum
Ziel gesetzt hatte[100], dienten die prähistorischen Funde im Nürnberger Museum nur zur Darstellung
der vorgeschichtlichen Epochen des deutschen Volkes. Abgesehen von der chronologischen und
geographischen Zersplitterung des Fundbestandes und den damit verbundenen wissenschaftlichen
Schwierigkeiten, wäre allein hieraus erklärlich, daß von der vorgeschichtlichen Abteilung zu keiner
Zeit wissenschaftliche Impulse ausgehen konnten. Hinzu kommt, daß die Sammlung nur zeitweise
gefördert wurde und bis 1947 keinen Fachreferenten hatte. Dieser Umstand kann als größtes Hemmnis in der Entwicklung der Abteilung bezeichnet werden, obwohl am Beispiel der Johanna Mestorf,
die 1885 die Sammlung ordnete und beschrieb, deutlich wird, daß das überregionale Sammlungskonzept und der vorhandene Bestand die Wissenschaft zu dieser Zeit allgemein noch überforderte[101]. Erst
um die Jahrhundertwende und später waren Chronologiesysteme erarbeitet, die eine vergleichende
Ordnung und Bewertung des differenzierten Materials erlaubten[102], welche im Germanischen Nationalmuseum in der Ausstellung erstmals nach 1923 zum Tragen kamen.

Diese Ordnungskriterien waren in der Hauptsache an musealen Beständen entwickelt worden.
Bekanntestes Beispiel ist das Dreiperiodensystem, das aufgrund der klaren Fundverhältnisse in
Dänemark bereits um 1830 in der nach Stein-, Bronze- und Eisenzeit gegliederten Schausammlung
des Kopenhagener Museums zum Ausdruck kam[103]. Der Fundstoff im Germanischen Nationalmu-
seum bot jedoch kaum Ansätze zur systematischen Ordnung, da die Funde nur als Schauobjekte zur
Dokumentation von Kulturzuständen gesammelt wurden. Vergleichbar war hierin die vor- und

---

[99] Raschke (Anm. 2), S. 1ff. Magisches Gold. Kultgerät der späten Bronzezeit. (Katalog der) Ausstellung GNM 26.5.–31.7.1977, Nr. 1 mit Abb. – Vgl. S. 298, 300–301.

[100] Vgl. Anm. 28.

[101] Zur personellen Situation der vor- und frühgeschichtlichen Sammlungen in der zweiten Hälfte des 19. Jahrhunderts und der Entwicklung des Berufsstandes bis zum Ersten Weltkrieg Wahle (Anm. 64), S. 129–137.

[102] Hier sind besonders die Forschungen des Schweden Oskar Montelius (1843–1921) und Paul Reineckes (1872–1958) zu nennen, deren chronologische Ordnung des vorgeschichtlichen Materials überhaupt erst die Parallelisierung der nord- und süddeutschen Funde ermöglichte. Dazu ausführlich Eggers (Anm. 9), S. 88–110.

[103] Eggers (Anm. 9), S. 32–40. – Die Chronologie der vorgeschichtlichen Metallzeiten Süddeutschlands wurde von Paul Reinecke anhand des von Ludwig Lindenschmit im Römisch-Germanischen Zentralmuseum in Mainz gesammelten Materials erarbeitet. s. Kurt Böhner im Vorwort zu Paul Reinecke: Mainzer Aufsätze zur Chronologie der Bronze- und Eisenzeit. Nachdrucke aus: Altertümer unserer heidnischen Vorzeit 5, 1911 und Festschrift des Römisch-Germani- schen Zentralmuseums 1902. Mainz 1965.

frühgeschichtliche Abteilung der Staatlichen Museen in Berlin. Ursprünglich fürstliches Raritätenkabinett, entwickelte sich ihr Vorläufer, das „Königliche Museum vaterländischer Alterthümer", später „Sammlung der nordischen Alterthümer", zuerst zu einer Art brandenburgischen Provinzialmuseums und gegen Mitte des 19. Jahrhunderts zu einer Sammlung des Preußischen Staates, die Funde aus Fiskalbesitz aller preußischen Territorien aufzunehmen und zu verwahren hatte[104]. Unter dem Einfluß der Berliner Gesellschaft für Anthropologie, Ethnologie und Urgeschichte wurde die prähistorische Abteilung der Berliner Museen nach 1870 endgültig zu einem Zentralmuseum für Vor- und Frühgeschichte, dessen eifrigster Förderer Rudolf Virchow schon 1876 eine Kustodenstelle für die Abteilung schuf[105]. Diese Museumsabteilung konnte aufgrund der personellen Struktur, seiner staatlichen und sonstigen Förderung den Anschluß an den Fortschritt der Vorgeschichtsforschung im letzten Drittel des 19. Jahrhunderts halten und darüber hinaus den verschiedenen wissenschaftlichen Strömungen Rechnung tragen[106]. Dennoch sind in Teilbereichen Parallelen zu der Entwicklung in Nürnberg unverkennbar. Auch das Berliner Museum trug, trotz oder besser wegen seiner unorganisch angesammelten Materialmassen aus ganz Deutschland wenig zur Systematik und grundsätzlichen antiquarisch-typologischen Ordnung des vorgeschichtlichen Fundstoffes bei. Was die seit 1876 angestellten Prähistoriker aus dem Fundmaterial selbst vor dem Ersten Weltkrieg erarbeiten konnten, sind Spezialuntersuchungen zu einzelnen Komplexen und später, nachdem die Grundlagen andernorts geschaffen waren, Gesamtdarstellungen zu vor- und frühgeschichtlichen Zusammenhängen[107].

Der Vergleich der Nürnberger mit der Berliner Museumsabteilung zeigt übereinstimmend die Schwierigkeiten auf, die sich aus der national motivierten, übergreifenden Sammlungskonzeption für die wissenschaftliche Bearbeitung des prähistorischen Fundstoffes vor dem Ersten Weltkrieg ergaben. Darüber hinaus macht die Entwicklung beim Bayerischen Nationalmuseum die begrenzten Möglichkeiten vor- und frühgeschichtlicher Sammlungen an kulturhistorischen Museen nationaler Prägung im allgemeinen deutlich. Wie das Germanische Nationalmuseum für den gesamten deutschen Sprachraum, sollte das 1855 gegründete Bayerische Nationalmuseum Geschichte und Kulturgeschichte Bayerns von den Anfängen an darstellen[108]. 1867 wurde diesem Museum der überwiegende Teil der auf bayerischem Boden gefundenen Objekte des königlichen Antiquariums überwiesen und als geschlossene Sammlung ausgestellt[109]. Unter Jakob Heinrich von Hefner-Alteneck, Direktor von 1868 bis 1885, kam diese Abteilung beinahe zur Auflösung, da die meisten Fundstücke ihren Platz in den sogenannten Fachsammlungen (Tracht, Bewaffnung, Hausgeräte, Glas, Keramik usw.) fanden[110]. Diese Entwicklung wurde 1886 revidiert, nachdem schon 1880 mit der Ordnung und Katalogisierung des archäologischen Materials begonnen war[111]. Trotz guter Bestände und ansehnlichen Zuwachses führte die vor- und frühgeschichtliche Abteilung neben den kunstgeschichtlichen Sammlungen stets ein Schattendasein. Dies umso mehr, als die wissenschaftlichen Aktivitäten schon in den achtziger

---

[104] Unverzagt (Anm. 75), S. 287.
[105] Unverzagt (Anm. 75), S. 284. – Hierzu auch Wahle (Anm. 52), S. 134.
[106] Unverzagt (Anm. 75), S. 284–286.
[107] Unverzagt (Anm. 75), S. 283–297.
[108] Oskar Lenz in: Kunst und Kunsthandwerk im Bayerischen Nationalmuseum München. Festschrift zum hundertjährigen Bestehen des Museums. München 1955, S. 7.
[109] Dannheimer (Anm. 8), S. 7, Anm. 24.
[110] Lenz (Anm. 108), S. 11 f. und 16 f. – Dieser Vorgang ist in Zusammenhang mit der Entstehung der Kunstgewerbemuseen zu sehen. Zu Gedanken und Zielsetzung der Kunstgewerbemuseen vgl. Barbara Mundt: Die deutschen Kunstgewerbemuseen im 19. Jahrhundert (Studien zur Kunst des neunzehnten Jahrhunderts, Bd. 22), München 1974.
[111] Georg Hager und J. A. Mayer: Die vorgeschichtlichen, römischen und merovingischen Alterthümer des Bayerischen Nationalmuseums. Kataloge des Bayerischen Nationalmuseums IV. München 1892, S. I–IV.

Jahren an die anfänglich naturwissenschaftlich anthropologisch-ethnologisch ausgerichteten Spezialsammlungen in München übergegangen waren[112]. Nach dem Ersten Weltkrieg stagnierte ihr Ausbau fast völlig[113]. Auch hier sind die Parallelen in der Entwicklung zum Germanischen Nationalmuseum offenkundig. Die Verselbständigung der Vor- und Frühgeschichte als wissenschaftliche Disziplin stand ihrer Integration in die von Kunsthistorikern dominierten kulturgeschichtlichen Museen entgegen, da Problemstellungen und Forschungsansätze als Voraussetzung zur Weiterentwicklung der vor- und frühgeschichtlichen Sammlungen fachspezifische Methoden, Kenntnisse und Einsichten erforderten.

Während die Bestände des Berliner Museums im Zweiten Weltkrieg teilweise zerstört wurden und das Bayerische Nationalmuseum seine vor- und frühgeschichtlichen Funde 1949 an die Prähistorische Staatssammlung abgab[114], hat sich die vorgeschichtliche Sammlung im Germanischen Nationalmuseum so, wie sie bis 1914 zusammengekommen ist, im wesentlichen ungestört erhalten. Die späteren Erwerbungen fügen sich in Bestand, Zusammensetzung und Herkunft in das ursprüngliche Bild ein. Alternativen zur Fundvermehrung oder Aktivierung wurden bis zum Ende des Zweiten Weltkriegs nicht gesucht. Bezeichnenderweise versuchte der erste, fest angestellte Prähistoriker am Germanischen Nationalmuseum aus der Einsicht heraus, „eine prähistorische Sammlung ohne regelmäßigen Zuwachs ist tot", wieder Anschluß an die fachliche und museale Entwicklung zu finden und der Abteilungsarbeit einen Inhalt zu geben, indem er denkmalpflegerische Aufgaben annektierte. Diese Ansätze waren wenig erfolgversprechend, da sie in Widerspruch zum überregional-nationalen Auftrag und zur Organisationsform des Germanischen Nationalmuseums stehen[115]. Vor diesem Hintergrund stellt sich die Frage, welche Aufgaben die Abteilung bei den gegebenen Umständen heute überhaupt wahrnehmen kann. Unter negativen Aspekten ist die Sammlung, in deren Bestand und Struktur längst überholte Ideen des 19. Jahrhunderts nahezu unverfälscht aufscheinen, museales Fossil. Andererseits zeigt sich gerade hierin ihre besondere Stellung, wenn nicht gar Bedeutung. Von Anfang an war sie, mit unterschiedlicher Akzentuierung, als Teil eines umfassenden kunst-und kulturgeschichtlichen Museums darauf angelegt, Vor- und Frühgeschichte in Deutschland darzustellen. Allein in der Beibehaltung oder besser Wiederbelebung dieser ursprünglichen Idee wird die Sammlung auch in Zukunft ihre Wirkung finden. Neben der noch ausstehenden Erschließung des reichen Fundmaterials[116] kann Sinn und Zweck der Abteilung nur in ihrer wissenschaftlichen Aktivierung und in der Entwicklung einer modern konzipierten, instruktiven, durch Leihgaben aus anderen deutschen Museen ergänzten Schausammlung liegen, in der vorgeschichtliche Fakten und Zusam-

[112] Wie anderswo (Wien, Berlin) brachte die Gründung der „Münchner Gesellschaft für Anthropologie, Ethnologie und Urgeschichte" im Jahre 1870 neue Impulse für die Vorgeschichtsforschung in Bayern. Die Aktivitäten ihres Gründungsmitgliedes Johannes Ranke führten 1885 zur Einrichtung der Prähistorischen Sammlung des Staates, die fortan die Funktion eines bayerischen Zentralmuseums für Vor- und Frühgeschichte wahrnahm. Zur Geschichte dieser Sammlung und ihrem Verhältnis zu den historischen Vereinen und zum Bayerischen Nationalmuseum vgl. Torbrügge und Uenze (Anm. 4), S. 10f. – Dannheimer (Anm. 8), S. 9ff.; S. 19ff.

[113] Führer durch das Bayerische Nationalmuseum in München. München 1911, S. 5f. – Paul Reinecke und Friedrich Wagner: Neue Funde und Forschungen. In: Der Bayerische Vorgeschichtsfreund Bd. 6 (1926), S. 64.

[114] Torbrügge und Uenze (Anm. 4), S. 12. – Dannheimer (Anm. 8), S. 27f. – Die Prähistorische Staatssammlung schied erst zu diesem Zeitpunkt aus dem Verband der naturwissenschaftlichen Sammlungen aus und wurde den kulturgeschichtlichen Museen assoziiert.

[115] Im übrigen stellten diese Versuche nur eine Wiederholung der schon 1885 mit Recht kritisierten Aktivitäten dar, mit denen die Sammlung durch Funde aus Ausgrabungen in der Umgebung von Nürnberg bereichert werden sollten; vgl. Essenwein (Anm. 7), S. 3.

[116] Die Veröffentlichung der prähistorischen Bestände des Germanischen Nationalmuseums wird seit Herbst 1974 im Rahmen eines von der Deutschen Forschungsgemeinschaft geförderten Forschungsvorhabens „Die vor- und frühgeschichtlichen Altertümer im Germanischen Nationalmuseum Nürnberg" vorbereitet.

menhänge anhand von Originalfunden aus ganz Deutschland nach dem jeweils neuesten Forschungsstand vorgeführt werden. Im Rahmen des Germanischen Nationalmuseums muß der Schwerpunkt hierbei auf der Erforschung und Darstellung der archäologischen Perioden des germanischen und deutschen Frühmittelalters liegen, während die eigentliche vorgeschichtliche Sammlung als Illustrationsmittel sowie als historisches Denkmal aus der Gründungszeit des Germanischen Nationalmuseums mit ihrer Auffassung von der in die graue Vorzeit erweiterten „deutschen Vorzeit" bewahrt werden sollte.

RAINER KAHSNITZ

Die Kunst der mittelalterlichen Kirchenschätze und das bürgerliche Kunsthandwerk des späten Mittelalters

Auf der Dresdener Versammlung deutscher Geschichts- und Altertumsforscher im August 1852, auf der es Hans von Aufseß gelang, die langerstrebte Anerkennung der Vertreter der historischen Wissenschaften für seine Gründung in Nürnberg zu gewinnen, wurde in der zweiten Sektion über Probleme der Kunst des Mittelalters, besonders der frühen Schatzkunst gesprochen[1]. Man forderte die Aufstellung der Kirchenschätze, wie dies in den Domen von Trier und Halberstadt und der Schloßkirche von Quedlinburg bereits geschehen sei, die Anlage von Verzeichnissen der für die Kunstgeschichte bedeutenden Kunstdenkmäler aus den früheren Jahrhunderten des Mittelalters, die in den Domschätzen mehrerer berühmter Kathedralen Deutschlands, wie zum Beispiel in Essen, Prag und Aachen vorhanden seien. Ganz allgemein sollte die Anfertigung von Verzeichnissen der vorhandenen Kunstdenkmäler nach bestimmten für diesen Zweck zu entwerfenden Formularen durch die einzelnen Regierungen und die Verbreitung der vorzüglichsten Bildwerke des deutschen Mittelalters durch „Vervielfältigung derselben in Gypsabdrücken" angestrebt werden. Die Aufseßsche Idee möglichst umfassender Verzeichnisse aller erhaltenen Werke, die er seit den ersten von ihm herausgegebenen Bänden des Anzeigers für Kunde des deutschen Mittelalters propagierte[2] und die er als vornehmste Aufgabe seines Nürnberger Instituts betrachtete, war – wie man sieht – Allgemeingut. In einer zweiten Sitzung wurde ausführlich über einzelne der „ältesten christlichen Denkmäler bis ins carolingische Zeitalter" gesprochen. Die von der Berliner Kunstkammer vor kurzem erworbene spätantike elfenbeinerne Abrahamspyxis wurde diskutiert; mehrere Kruzifixe wurden genannt, von denen der an einem Reliquienschrein in Emmerich, also wohl an der sogenannten Arche des heiligen Willibrod, befindliche ins 8. Jahrhundert datiert wurde. Jünger, jedenfalls nicht früher als karolingisch sei der Werdener Bronzekruzifix; die Miniatur des syrischen Rabula-Codex in Florenz aus dem Jahre 586 wurde als „älteste Vorstellung des Gekreuzigten" bezeichnet. Über die ältesten in Erz gravierten Grabplatten wurde im Anschluß an eine Diskussion zwischen Franz Kugler und Friedrich von Lisch gesprochen und eine Platte aus Verden von 1231 genannt. Ein Grabstein aus Münster aus dem 11. Jahrhundert, eine „Tapete" aus der „Elisabethkapelle" zu Marburg, ein Relief von der Wartburg wurden unter phantastischer Deutung bekannt gemacht. Das Protokoll bietet höchst interessante Einblicke in den Stand des Wissens und der Erforschung der früh-und hochmittelalterlichen Kunst um die Mitte des vorigen Jahrhunderts.

Das frühe und hohe Mittelalter im Urteil der Kunstgeschichte, im Interesse
der Sammler und Museen zur Gründungszeit des Germanischen Nationalmuseums
Zur Geschichte der Erforschung der Kunst – namentlich der ersten Hälfte des Mittelalters – gibt

[1] Heinrich Wilhelm Schulz: Bericht über die unter dem Vorsitz S. K. Hoheit des Prinzen Johann, Herzogs zu Sachsen, vom 16. bis 19. August 1852 zu Dresden abgehaltene Versammlung Deutscher Geschichts- und Alterthumsforscher. In: Mittheilungen des Königl. Sächsischen Vereins für Erforschung und Erhaltung der vaterländischen Alterthümer H. 6 (1852), S. 109–155 (123–126). – Fast ganz auf die Gründungsgeschichte beschränkt dagegen: Heinrich Wilhelm Schulz: Bericht über die allgemeinen Versammlungen zu Dresden und Mainz im Sommer 1852. In: Correspondenz-Blatt des Gesammtvereines der deutschen Geschichts- und Alterthums-Vereine Jg. 1 (1852/1853), Probeblatt Nov. 1852, S. 3–8 (4–5).
[2] Vorwort des Herausgebers. In: Anzeiger für Kunde des deutschen Mittelalters Bd. 1 (1832), Sp. 1–6.

es bisher keine Untersuchung[3]; das Fehlen einer umfassenden problem-orientierten Geschichte der Kunstgeschichte macht sich auch hier bemerkbar[4]. Die vorhandenen Gesamtdarstellungen beschränken sich auf Kunsthistoriker-Viten[5]; wissenschaftshistorische Untersuchungen zu einzelnen Begriffen sind selten[6]. Was die nicht-wissenschaftliche Erfassung, also die Rezeption durch Künstler und Kunstfreunde, betrifft, so hat sich das Interesse einerseits auf die Wiederentdeckung der sogenannten altdeutschen Kunst, also im wesentlichen der spätgotischen und dürerzeitlichen Malerei, durch die Romantik und andererseits der gotischen Architektur in der Zeit seit dem ausgehenden 18. Jahrhundert im Zusammenhang mit der Entstehung der Neugotik beschränkt[7]. Die Wandlungen im Verständnis und in der Beurteilung der gotischen Architektur hat insbesondere Paul Frankl durch alle Jahrhunderte vom Mittelalter bis zum 19. Jahrhundert verfolgt, den engen Verflechtungen zwischen fortschreitender Erforschung mittelalterlicher – gotischer – Architektur und der Ausbildung der Neugotik Georg Germann neuerdings eine aufschlußreiche Untersuchung gewidmet[8]. Im Rahmen der Geschichte des Germanischen Nationalmuseums kann nur versucht werden, auf wenige Gesichtspunkte hinzuweisen, die für die Sammeltätigkeit des Hauses als auslösende Faktoren von Bedeutung gewesen sein können oder doch geeignet erscheinen, den jeweiligen Hintergrund des zeitgenössischen Verständnisses der bildenden Kunst des frühen und hohen Mittelalters zu charakterisieren, vor dem sich die Eigenheiten dieses Museums, seine Leistungen und Versäumnisse deutlicher abzuzeichnen vermögen.

Zur Gründungszeit des Museums lagen die beiden wichtigsten, aus dem 19. Jahrhundert stammenden deutschsprachigen Gesamtdarstellungen der Kunstgeschichte vor – wenn im wesentlichen auch nur in den schmalen ersten Auflagen, während wir uns daran gewöhnt haben, ihr Gewicht für die Entwicklung der Wissenschaft an den vielfach vertieften späteren Bearbeitungen zu messen: Seit 1842 gab es Franz Kuglers Handbuch der Kunstgeschichte; von Carl Schnaases Geschichte der bildenden Künste war der Band über „Das eigentliche Mittelalter" 1850 erschienen[9]. Vorausgegangen war 1838 Kuglers ausführliche Beschreibung der Berliner Kunstkammer, in der gerade die hier interessierenden Werke der kirchlichen und weltlichen Schatzkunst eine eindrucksvolle

[3] Einige summarische Hinweise bei Lionello Venturi: Geschichte der Kunstkritik; deutsche Ausgabe München 1972, vor allem S. 180ff. und 220ff. – Beispielgebend könnte sein: Jacques Vanuxem: The Theories of Mabillon and Montfaucon on French Sculpture of the Twelfth Century. In: Journal of the Warburg and Courtauld Institutes Bd. 20 (1957), S. 45–58.

[4] Vorarbeiten zu einem Gesamtentwurf, freilich ohne Literaturnachweise, bietet: Dagobert Frey: Probleme einer Geschichte der Kunstwissenschaft. In: Deutsche Vierteljahrsschrift für Literaturwissenschaft und Geistesgeschichte Jg. 32 (1958), S. 1–37. – Einzelne historische Bemerkungen gelegentlich im Zusammenhang von Untersuchungen zur Methode der Kunstgeschichte.

[5] So vor allem die bisher umfassendste Darstellung von Wilhelm Waetzoldt: Deutsche Kunsthistoriker, Bd. 1–2. 1. Aufl. Leipzig 1921 u. 24; 2. unveränderte Aufl. Berlin 1965. – Völlig unzureichend und, soweit über Waetzoldt hinausführend, weitgehend nur durch Anekdoten angereichert: Udo Kultermann: Geschichte der Kunstgeschichte. Der Weg einer Wissenschaft. Wien und Düsseldorf 1966. – Auf einzelne Schulen oder Universitäten bezogen: Julius von Schlosser: Die Wiener Schule der Kunstgeschichte. Rückblick auf ein Säkulum deutscher Gelehrtenarbeit in Österreich. In: Mitteilungen des Österreichischen Instituts für Geschichtsforschung Erg. Band. XIII, H. 2. Innsbruck 1934, S. 140–228. – Herbert von Einem: Bonner Lehrer der Kunstgeschichte von 1818 bis 1935. In: Bonner Gelehrte. Beiträge zur Geschichte der Wissenschaften in Bonn. Bd.: Geisteswissenschaften. (150 Jahre Rheinische Friedrich-Wilhelms-Universität zu Bonn 1818–1968). Bonn 1968, S. 410–431.

[6] Zu nennen ist etwa: Lore Thermer: Romanische Baukunst. Beitrag zur Geistesgeschichte des Stilbegriffs. Mschriftl. phil. Diss. Bonn 1950 – jedoch beschränkt auf die Architektur.

[7] Alfred Neumeyer: Die Erweckung der Gotik in der deutschen Kunst des späten 18. Jahrhunderts. Ein Beitrag zur Vorgeschichte der Romantik. In: Repertorium für Kunstwissenschaft Bd. 49 (1928), S. 75–123. – Kenneth Clark: The Gothic Revival. An Essay in the History of Taste. 1. Aufl. London 1928; neuere Aufl. u. a. London 1962.

[8] Paul Frankl: The Gothic. Literary Sources and Interpretations through Eight Centuries. Princeton 1960. – Georg Germann: Neugotik. Geschichte ihrer Architekturtheorie. Stuttgart 1972. – Noch einseitiger ist die bisher nur spärliche Literatur zur Neuromanik auf die Architektur, und zwar im wesentlichen auf die tatsächlich ausgeführten Bauten im Sinne einer ersten Bestandsaufnahme beschränkt: Albrecht Mann: Die Neuromanik. Eine rheinische Komponente im Historismus des 19. Jahrhunderts. Köln 1966. – Michael Bringmann: Studien zur neuromanischen Architektur in Deutschland. Phil. Diss. Heidelberg 1968.

kunsthistorische Würdigung erfahren hatten. Ihre Zwischenstellung zwischen Kunst und Handwerk hatte Kugler deutlich hervorgehoben, wobei der Begriff „Kunst" durchaus noch den zweckfreien, nur um dieser ihrer künstlerischen Wirkung wegen geschaffenen Werke zugeordnet blieb, während die zum Gebrauch geschaffenen Dinge, bei denen oft überdies nicht so sehr die reine Form als vielmehr die Überwindung technischer Schwierigkeiten die Hauptsache sei, als Gegenstände des Handwerks verstanden wurden. Doch war Kugler in seinen Ausführungen bemüht, diese im Hintergrund stehende scharfe Trennung aufzulösen, da die häuslichen und vor allem die kirchlichen Prachtgeräte vielfach nicht nur „durch das verfeinerte Handwerk kunstreich ausgebildet, (sondern auch) mit wirklichen Kunstwerken in größerem oder geringerem Reichtum versehen" seien. Manches sei nur noch durch den Vorgang seiner technischen Herstellung mit dem Handwerk verbunden. Manches gehöre ohnehin den plastischen und zeichnerischen Künsten an, worunter er wohl vor allem Elfenbeinschnitzereien, Siegel, Emailwerke, Miniaturen und Glasmalereien verstand[10]. Sowohl die karolingische Kunst, die Kugler als Teil der altchristlichen behandelte, sowie die Werke der romanischen Zeit seien in ihrem Stil noch lange durch Reminiszenzen antiker Formen bestimmt. Werde die Form in den früheren Jahrhunderten des Mittelalters auch zunehmend roher, so sei die Ausbildung doch oft fein und detailliert, nicht selten von peinlicher Sorgfalt. Noch in romanischer Zeit habe man Technik, Behandlungsweise, Stil und Gedankenrichtung vielfach von den Byzantinern entlehnt, die allein noch im Besitz einer gewissen Kunstbildung gewesen seien. Die erst in unserer Zeit wieder gesehene Sättigung der byzantinischen Kunst mit antiker Form und ihre Funktion als Vermittlerin dieser klassischen Form an die westliche Kunst des Mittelalters wurde damit bereits ausgesprochen; in Byzanz habe sich die Kunst jedenfalls bis zum 12. Jahrhundert auf einer gewissen Höhe erhalten; erst im 13. Jahrhundert sei sie zu einer Mumie erstarrt[11].

Entscheidendes Kennzeichen der Kunst von der Spätantike bis zur Romanik sei die Vorliebe für kostbare Stoffe und prunkvolles Material, und zwar in dem Sinne, daß für die angestrebte höhere Wirkung eines Kunstwerkes das wertvolle Material nicht nur Voraussetzung sei, sondern zugleich seine eigene Wirksamkeit in das Werk einbringe, so daß also der Kunstwert im Verständnis der Zeit nicht nur auf der Form, sondern zugleich auf dem äußeren Wert des Materials beruhe. Die Herstellung von Prachtgeräten aus Gold und Silber – insbesondere für den Altardienst – habe einen wesentlichen Teil der Kunstbestrebungen dieser Jahrhunderte ausgemacht. Die großen Kirchenschätze Roms in karolingischer Zeit, von Mainz und Hildesheim in ottonischer Zeit wurden von Kugler als die zentralen künstlerischen Ereignisse beschrieben[12]. Die Vorliebe für schimmernde Dekoration und Häufung des prunkvollen Materials setze die Tradition der Spätantike fort, müsse aber – so Kugler – auch als Zeichen der barbarischen Kunststufe jener Zeit angesehen werden, da doch der Geist sich in der Form und nicht in der toten Materie offenbare und dort, wo diese ihre eigene Gültigkeit beanspruche, der Geist in Banden liege[13]. Mit unüberhörbarem Schaudern berichtete Kugler von jenem kolossalen Goldkreuz, das Erzbischof Williges (gest. 1011) dem

[9] Franz Kugler: Handbuch der Kunstgeschichte (1. Aufl.). Stuttgart 1842. Die 2. Aufl., Stuttgart 1848, war nur durch Zusätze von Jakob Burckhardt bereichert; erst die 3. Aufl., Stuttgart 1856, war durch Kugler selbst gänzlich neu bearbeitet worden. – Carl Schnaase: Geschichte der bildenden Künste, Bd. 4, Abt. 1: Geschichte der bildenden Künste im Mittelalter, Bd. 2: Das eigentliche Mittelalter, 1. Abt. (1. Aufl.). Düsseldorf 1850; die 2. Aufl. erschien erst 1869 und 1871.
[10] F(ranz) Kugler: Beschreibung der in der Königl. Kunstkammer zu Berlin vorhandenen Kunst-Sammlung (Ders.: Beschreibung der Kunst-Schätze von Berlin und Potsdam, Teil 2). Berlin 1838, vgl. vor allem die Einleitung S. V–VI.
[11] Kugler, Handbuch (Anm. 9), S. 374 u. 482; vgl. auch S. 504.
[12] Kugler, Handbuch (Anm. 9), S. 380/82 u. 486/87.
[13] Kugler, Handbuch (Anm. 9), S. 382.

len Künste gefehlt habe[26]. Dem Übergang des Kunstbetriebes aus den Händen der gelehrten Mönche und Geistlichen in die der zünftisch gegliederten Handwerker der Städte um die Mitte des 13. Jahrhunderts wurde eine weitreichende Bedeutung in der Veränderung des Kunstschaffens beigemessen, wenn auch die Vorzüge der hohen technischen Qualität für das ganze Mittelalter verbindlich blieben[27]. Die von der neueren Kunstgeschichte betonte enge Zusammengehörigkeit aller Zweige der Kleinkünste von Goldschmiede- und Bronzekunst, Buchmalerei und Elfenbeinplastik im frühen und hohen Mittelalter, für die sich heute der Begriff der „Kunst der Kirchenschätze" neben dem weniger glücklichen der „ars sacra" einzubürgern beginnt, und der so deutlich andersartige Charakter im Gegensatz zu den vergleichsweise handwerklichen späteren Werken aus Edelmetall[28] könnten hier eine Erklärung finden, wenn wir inzwischen den Anteil der Laien am frühmittelalterlichen Kunstschaffen auch nicht so gering veranschlagen wie das 19. Jahrhundert.

Neben Kuglers und Schnaases großen Gesamtentwürfen stand die ganz auf positivistische Sachforschung bezogene Tendenz der gleichzeitigen französischen „Archéologie"[29], die sich in anderem Verständnis des Wortes als im Deutschen nicht den Überresten des Altertums, sondern der eigenen gallo-römischen und mittelalterlichen Tradition widmete. An die barocke Tradition der Corpuswerke eines Bernard de Montfaucon (1655–1741), der Mauriner und Bollandisten u. a. anknüpfend, von dem historisch-antiquarischen Geist der berühmten École des chartes in Paris geschult und auf dem riesigen, bereits vor der Revolution begonnenen, aber erst 1823 erschienenen Werk Seroux d'Agincourts (1730–1814), der ältesten Darstellung der mittelalterlichen Kunst, die ganz auf die Einzelwerke ausgerichtet war[30], fußend, war die französische Forschung weniger als Kugler und Schnaase um die Geschichte der künstlerischen Form als Emanation des menschlichen Geistes bemüht, als vielmehr auf die Erforschung der historischen, ikonographischen und sachlichen Bedingungen der aus der Vergangenheit überkommenen Objekte, vor allem der christlichen mittelalterlichen Kunst. Dabei wirkte die aus dem 18. Jahrhundert stammende Tradition der klassifizierenden Beschreibung lange nach. In dem seit 1843 erscheinenden „Bulletin monumental" Arcisse de Caumonts (1801–1873) und seit 1844 vor allem in Adolphe Napoléon Didrons „Annales archéologiques" besaß diese Forschung ein gewichtiges Sprachrohr. Von 1847–56 erschienen von Charles Cahier und Arthur Martin die monumentalen Bände der Mélanges d'Archéologie, in

[26] Carl Schnaase: Geschichte der bildenden Künste im Mittelalter, Bd. 2. Die romanische Kunst. Bearb. unter Mithülfe von Alwin Schultz und Wilhelm Lübke (Carl Schnaase: Geschichte der bildenden Künste. 2. Aufl., Bd. 4). Düsseldorf 1871, S. 623–672, vor allem 657–658.

[27] Schnaase (Anm. 26), S. 238–242.

[28] Grundlegend vor allem Hanns Swarzenski: Monuments of Romanesque Art. The Art of Church Treasures in North-Western Europe. 1. Aufl. London 1954. 2. Aufl. London 1967. – Ganz geprägt von Swarzenskis Verständnis der Schatzkunst als einer monumentalen Kunstform des frühen Mittelalters die beiden Tafelbände von Hermann Schnitzler: Rheinische Schatzkammer. Düsseldorf 1957 und 1959. – Der Sprachgebrauch „ars sacra" knüpft sich vor allem an die Ausstellung dieses Titels in München 1950 und mehrere landschaftlich begrenzte Nachfolgeausstellungen in Deutschland. Die Bezeichnung als Buchtitel aufgenommen bei Peter Lasko: Ars sacra 800–1200 (The Pelican History of Art. Hrsg. von Nikolaus Pevsner u. Judy Nairn). Harmandsworth 1972. – Eine interessante Zusammenstellung der verschiedenen Versuche der Bezeichnung der Kunst der frühen Kirchenschätze bei Isa Ragusa: Rezension von Marie-Madeleine Gauthier: Émaux de moyen âge occidental. Fribourg 1972. In: The Art Bulletin Bd. 59 (1977), S. 273–76 (274).

[29] Den grundlegend verschiedenen Charakter der französischen und deutschen Kunstgeschichte um die Mitte des 19. Jahrhunderts betont vor allem Julius von Schlosser (Anm. 5), S. 151–153. – Vgl. auch Kultermann (Anm. 5), S. 328–333.

[30] Erschienen posthum: J(ean) B(aptiste) L(ouis) G(eorges) Seroux d'Agincourt: Histoire de l'Art par les Monumens, depuis sa décadence au IVe siècle juisqu'à son renouvellement au XVIe, Bd. 1–6. Paris 1823. – Das Werk erschien auch deutsch unter dem Titel: Sammlung von Denkmälern der Architektur, Sculptur und Malerei vom 4ten bis zum 16ten Jahrhundert. Mit 3335 Abb. auf 328 Taf. revidirt von A. Ferd. von Quast u. a., 3 Text- und 3 Tafelbde. Frankfurt am Main 1840. Hier vor allem von Interesse der Band: Sammlung der vorzüglichsten Denkmäler der Sculptur vorzugsweise in Italien vom 4. bis 16. Jahrhundert (mit zahlreichen Bronze-, Goldschmiedewerken und Elfenbeinen). – Zur zeitgenössischen Bewertung des Werkes vgl. die Rezension von Franz Kugler. In: Franz Kugler: Kleine Schriften und Studien zur Kunstgeschichte, Bd. 2. Stuttgart 1854, S. 55–59.

denen eine Fülle von Goldschmiedewerken, Emails, Bronzen, Miniaturen und Elfenbeinskulpturen des 9. bis 13. Jahrhunderts zusammen mit byzantinischen und orientalischen Stoffen aus deutschen und französischen Kirchenschätzen auf großen Tafeln bekannt gemacht und ganz in dem hier vertretenen Sinne der Zusammengehörigkeit dieser Kunstzweige, in denen sich die früh- und hochmittelalterliche Kunst vor allem repräsentiert, gewürdigt wurde[31].

Anton Springer (1825–1891), Lehrer der Kunstgeschichte an der Bonner und später an der Straßburger Universität, führte im französischen Sinne das Studium der Ikonographie in Deutschland ein. Ihm kam es darauf an nachzuweisen, daß das Mittelalter keine „Rätselbilder" geschaffen habe, daß die Inhalte der mittelalterlichen Werke vielmehr aus dem bildungsmäßigen Anschauungskreis der Künstler genommen waren. Von seinen ikonographischen Studien sei nur auf die zum Bilderschmuck der romanischen Leuchter hingewiesen[32]. Mit seinen immer stärker ins einzelne gehenden ikonographischen Studien wies er in den fünfziger und sechziger Jahren der späteren eigentlichen kunstgeschichtlichen Mittelalterforschung in Deutschland den Weg[33]. Neben Springer ist auf die Bedeutung des Wieners Gustav Adolf Heider (1819–1897) für die Sachforschung zur mittelalterlichen Kunst und insbesondere auf die von ihm redigierten „Mittheilungen (samt Jahrbuch) der Kaiserl. Königl. Central-Commission zur Erforschung und Erhaltung der Baudenkmale" hingewiesen worden[34]. Wohl zu Recht hat Julius von Schlosser sie „Mittelpunkt und Centralorgan der gesamten Kunstforschung der fünfziger und sechziger Jahre" genannt, neben denen der Nürnberger Anzeiger kaum in Betracht zu ziehen sei. Entgegen der Einschränkung des Titels auf die Baudenkmale enthielten Mitteilungen und Jahrbuch zahlreiche ikonographische und stilgeschichtliche Beiträge Wiener und anderer deutscher Gelehrter zur Goldschmiedekunst, zu Emails, Buchmalerei und sonstigen Werken der mittelalterlichen Kleinkunst[35].

Nicht unerwähnt bleiben dürfen in diesem Zusammenhang die schmalen ersten Auflagen des sich später zu einem umfassenden Kompendium entwickelnden Werkes von Heinrich Otte mit dem bezeichnenden, französischen Sprachgebrauch aufnehmenden Titel „Abriß einer kirchlichen Kunst-Archäologie des Mittelalters" von 1842 und 1845[36]. In kunstgeschichtlichen Fragen wollte der Verfasser, wie er im Vorwort der zweiten Auflage betonte, sich ganz an Kugler anschließen. In seinem nach Art eines Lehrbuches angelegten Werk suchte er, die vorhandenen Denkmäler klassifizierend zu ordnen, die Besonderheiten der einzelnen im kirchlichen Bereich vorkommenden Aufgaben herauszustellen und durch sachbezogene Erklärungen zu ihrem historischen Verständnis beizutragen. Freilich lag sein Interesse primär bei der Architektur und den großen kirchlichen Ausstattungsstücken. Ansonsten begnügte er sich noch in der zweiten Auflage mit dem Satz: „Erzeugnisse der ornamentistischen Künste, als: Goldschmiedearbeiten, gewirkte oder gestickte

[31] Charles Cahier und Arthur Martin: Mélanges d'Archéologie, d'Histoire et de Littérature. Collection de Mémoires sur l'Orfévrerie et les Émaux des trésors d'Aix-la-Chapelle, de Cologne, etc.; sur les Miniatures et les anciens Ivoires sculptés de Bamberg, Ratisbonne, Munich, Paris, Londres, etc.; sur des étoffes byzantines, siciliennes, etc.; sur des Peintures et Bas-Reliefs mystérieux de l'époque carlovingienne, romane, etc., Bd. 1–4. Paris 1847–56.

[32] Anton Springer: Ikonographische Studien IV. Der Bilderschmuck an romanischen Leuchtern. In: Mittheilungen der Kaiserl. Königl. Central-Commission zur Erforschung und Erhaltung der Baudenkmale Bd. 5 (1860), S. 309–322.

[33] Zu Springer vor allem von Einem (Anm. 5), S. 413–417 (415).

[34] Von Schlosser (Anm. 5), S. 154/55.

[35] Die Mittheilungen der Kaiserl. Königl. Central-Commission zur Erforschung und Erhaltung der Baudenkmale erschienen in der 1. Folge, Bd. 1–19 von 1856–74; das zugehörige Jahrbuch, ebenfalls in einer ersten Folge, Bd. 1–5 von 1856–61.

[36] Die erste Auflage erschien 1842 als „Kurzer Abriß einer kirchlichen Kunst-Archäologie des Mittelalters, mit besonderer Berücksichtigung auf die Königl. Preuß. Provinz Sachsen. Nordhausen 1842. – Die 2. Aufl. „Abriß einer kirchlichen Kunst-Archäologie des Mittelalters mit ausschließlicher Berücksichtigung der deutschen Lande. Nordhausen 1845. – Zuletzt: Handbuch der kirchlichen Kunst-Archäologie des deutschen Mittelalters. 5. Aufl. in Verbindung mit dem Verfasser bearb. von Ernst Wernicke, Bd. 1 u. 2. Leipzig 1883–85.

Teppiche und Gewänder etc. sind aus diesem Zeitraum zahlreich vorhanden und lassen die bei den übrigen Kunstzweigen besprochenen, verschiedenen Richtungen erkennen"[37]. Im Charakter seines Buches wie im wissenschaftlichen Anspruch – wenn auch bei ungleich höherem Stand der Sachkenntnisse – stand Otte den Beiträgen von Aufseß und seiner Mitarbeiter im Nürnberger Anzeiger zu Fragen mittelalterlicher Kunst nicht sehr fern. Wohl in Nachahmung des Tafelwerkes von Cahier und Martin veröffentlichte der in Würzburg lebende preußische Steuerinspektor Carl Bekker (gest. 1859), der später dem Nürnberger Museum durch häufige Geschenke und als Mitglied des Verwaltungsausschusses verbunden war, zusammen mit dem ebenfalls dem Verwaltungsausschuß angehörenden Münchener Konservator Jakob Heinrich von Hefner-Alteneck (1811–1903) in einzelnen Lieferungen mit farbigen Tafeln und recht allgemein beschreibendem Text seit 1847 in bunter, auch wahlloser Folge und Auswahl kirchliche, überwiegend weltliche Gegenstände des Kunsthandwerks aus Mittelalter und Renaissance. Der erste Band beschränkte sich im wesentlichen auf Würzburger und mittelrheinische Stücke; durch Beckers Wohnort Würzburg waren wohl die frühen Elfenbeine der Würzburger Bibliothek in die Sammlung geraten; in den späteren Bänden verlagerte sich die Auswahl ganz auf die Spätzeit. Auch Stücke aus den Sammlungen des Freiherrn von Aufseß und des Germanischen Nationalmuseums fanden gelegentlich Aufnahme[38].

Vor einer Betrachtung der Nürnberger Sammlung scheint es erforderlich, noch einmal in die erste Hälfte des 19. Jahrhunderts zurückzublicken. Wissenschaftlicher Erforschung älterer Kunst pflegt der Enthusiasmus der Sammler vorauszugehen. Einzelne mittelalterliche Geräte hatten schon in Renaissance und Barock Eingang in fürstliche Schatzkammern gefunden. So besaß die Ambraser Sammlung unter einigen Limoges-Emails bezeichnenderweise auch eine eucharistische Taube[39], so erwarb der Herzog von Württemberg im 17. und 18. Jahrhundert einen romanischen Bronzeleuchter oder ein kölnisches Elfenbeinkästchen, vielleicht auch das berühmte byzantinische Kästchen der Stuttgarter Sammlung[40]. Die Beispiele ließen sich leicht vermehren, was gewiß für die Beurteilung des Mittelalters im Denken der späteren Jahrhunderte, worüber bisher so wenig bekannt ist, nicht ohne Interesse wäre. Mehr noch waren liturgische Prachthandschriften des frühen Mittelalters mit Miniaturen und Buchdeckeln aus Gold, Silber und Elfenbein schon im Barock gesuchte Objekte für fürstliche und andere Büchersammlungen. Aus dem Umkreis Nürnbergs sei nur die Sammlung in Pommersfelden genannt, die auf die Handschriftenkäufe des Kurfürsten und Erzbischofs von Mainz Lothar Franz von Schönborn (1655–1729) in den Jahren 1724–1726 und weiterer Mitglieder seiner Familie im 18. Jahrhundert zurückgeht[41]. Das primäre Interesse an den Texten alter Handschriften dehnte sich offenbar früh auf die kostbare Buchausstattung und gelegentlich auch von dort auf andere Werke mittelalterlicher Kirchenschätze aus. Hatte der Paderborner Domdechant Christoph Graf von Kesselstatt (1757–1814) in den Jahren 1794–1806 illuminierte Handschriften, vorwiegend des 12. Jahrhunderts, im westfälisch-niedersächsischen Raum ge-

37 Otte, 2. Aufl. (Anm. 36), S. 70.
38 C(arl) Becker und J(akob) H(einrich) von Hefner-Alteneck: Kunstwerke und Geräthschaften des Mittelalters und der Renaissance, Bd. 1–3. Frankfurt a. Main 1852–1863. Bd. 1, der das Datum 1852 trägt, erschien in 12 Lieferungen von 1847 bis 1852. – Aus dem Nürnberger Museum: Bd. 1, Taf. 46 (später erworben); Bd. 2, Taf. 10, 11, 12, 22, 44, 47, 52/53; Bd. 3, Taf. 2, 5, 8, 20, 22, 41, 50. – Vereinigt mit dem Material des Trachtenwerks desselben Autors, erschien später eine 2. Aufl. unter dem Titel „Trachten, Kunstwerke und Geräthschaften vom frühen Mittelalter bis Ende des Achtzehnten Jahrhunderts nach gleichzeitigen Originalien", Bd. 1–10. Frankfurt am Main 1879–1889.
39 Heute im Österreichischen Museum für angewandte Kunst. – 1000 Jahre Babenberger in Österreich. (Katalog der) Niederösterreichische(n) Jubiläumsausstellung. Stift Lilienfeld 1976, Nr. 1091, 1100, 1101.
40 Heute im Württembergischen Landesmuseum Stuttgart. – Werner Fleischhauer: Die Geschichte der Kunstkammer der Herzöge von Württemberg in Stuttgart (Veröffentlichungen der Kommission für geschichtliche Landeskunde in Baden-Württemberg, Reihe B, Bd. 87). Stuttgart 1976, S. 58, 90, 98.
41 Wilhelm Schonath: 250 Jahre Schloß Pommersfelden (1718–1968). Ausstellungskatalog. Pommersfelden 1968 (zugleich als Neujahrsblatt der Gesellschaft für fränkische Geschichte H. 33), S. 133–138, Nr. 268–294. – Interessante

sammelt, die sein Neffe Edmund Graf von Kesselstatt 1825 dem Trierer Dom schenkte[42], so war in Deutschland offenbar der erste, der neben Handschriften, Gemälden, Glasgemälden und Curiositäten in umfassendem Sinne alle Zeugnisse der kirchlichen Schatzkunst von der Spätantike bis zum 12./13. Jahrhundert sammelte, der Kölner Baron Hüpsch (1730–1805), wie er sich jedenfalls selbst nannte. Schon in den Jahren vor der Säkularisation hatte er – vielfach als Berater belgischer und rheinischer Klöster in politischen Dingen tätig, gelegentlich täuschte er auch wissenschaftlich theologische Ambitionen vor – begonnen, illuminierte Handschriften, vor allem solche mit Elfenbein- und Edelmetalldeckeln, an sich zu bringen. Seine diesbezüglichen Machenschaften und sein in Köln unter Führung seiner Haushälterin zugängliches Kabinett sind oft beschrieben worden[43]. Der Hauptbestandteil seiner Sammlung steht noch heute im Hessischen Landesmuseum Darmstadt – Hüpsch hatte seine Sammlung durch Testament dem Großherzog von Hessen-Darmstadt vermacht – geschlossen vor Augen.

Säkularisationsgut war auch die Hauptquelle der beiden geistlichen Sammler, des Kölner Domherrn Franz Ferdinand Wallraf (1748–1824) und des lange mit ihm befreundeten, zuletzt bitter verfeindeten Kanonikus Franz Pick in Bonn (1750–1819). Wallraf, der in seiner Begeisterung für die Vergangenheit seiner Vaterstadt alles sammelte, wessen er habhaft werden konnte, hinterließ bei seinem Tode neben Gemälden, Kupferstichen, alten Büchern, Urkunden, Siegeln, Gemmen in immenser Zahl auch 18 vaterländische Altertümer des Mittelalters, 49 Metallarbeiten nachantiker Zeit und 187 „verschiedene Seltenheiten", worunter die Emails, Elfenbeine und Buchmalereien des Mittelalters gezählt wurden – die Miniaturen in den 544 Handschriften nicht gerechnet[44]. Sie bilden den Grundstock mehrerer Kölner Museen. Ähnlichen Charakters, wenn nach Goethes Urteil im Gegensatz zu Wallrafs Unordnung auch in der erfreulichsten und denkbar angenehmsten Anordnung aufgestellt, war Picks Sammlung in Bonn[45]. Zu seinen Schätzen gehörte nicht nur die aus Cappenberg erworbene Taufschale Barbarossas, über die Goethe eine Untersuchung veranlaßt hatte und die auf seine Veranlassung von der Weimarer Erbgroßherzogin Maria Pawlowna erworben wurde, von wo sie später nach Berlin gelangte. Er besaß wie Wallraf eine große Zahl illuminierter Handschriften, darunter das englische Evangeliar mit Federzeichnungen aus dem späten 10. Jahrhundert aus St. Severin in Köln (heute in der Pierpont-Morgan-Library in New York), das interessanterweise schon damals als eine „Seltenheit vom ersten Rang", das mit den besten Stücken dieser Art in der Pariser Bibliothek vergleichbar sei, bezeichnet und auf 300 Taler preußisch Courant geschätzt wurde. Stand die mittelalterliche Schatzkunst auch nicht in dem Maße wie im Kabinett des Baron Hüpsch im Vordergrund der Sammlung, so scheint sie Pick neben seinen römischen Altertümern doch in stärkerem Maße beschäftigt zu haben als etwa Wallraf, in dessen Sammlung sie wohl vorwiegend als Überbleibsel kölnischer Vergangenheit gelangt war. Die meisten kirchlichen Geräte dienten in Picks Bonner Haus zusammen mit Gemälden und Glasgemälden zur Ausstattung der in seiner Wohnung eingerichteten Kapelle, die in besonderer Weise

Angaben zur Geschichte früher Handschriftensammlungen, freilich beschränkt auf England: Seymour de Ricci: English Collectors of Books and Manuscripts 1530–1930 and their Marks of Ownership. Cambridge 1930.

[42] Franz Jansen: Der Paderborner Domdechant Graf Christoph von Kesselstatt und seine Handschriftensammlung. In: St. Liborius. Sein Dom und sein Bistum. Paderborn 1936, S. 355–368.

[43] Otto H. Förster: Kölner Kunstsammler vom Mittelalter bis zum Ende des bürgerlichen Zeitalters. Ein Beitrag zu den Grundfragen der neueren Kunstgeschichte. Berlin 1931, S. 71–79. – Die Sammlungen des Baron von Hüpsch. Ein Kölner Kunstkabinett um 1800. (Katalog der) Ausstellung des Hessischen Landesmuseums im Schnütgen-Museum. Köln 1964 (mit älterer Lit.). – Hermann Schnitzler: Ada-Elfenbeine des Baron v. Hüpsch. In: Festschrift für Herbert von Einem zum 16. Februar 1965. Berlin 1965, S. 222–228.

[44] Förster (Anm. 43), S. 79–83, 100–101, 155 (Reg.). – Ferdinand Franz Wallraf. (Katalog der) Ausstellung des Historischen Archivs der Stadt Köln. Köln 1975, dort S. 109/110 die zitierte Aufstellung. – Elga Böhm: Was ist aus Wallrafs Sammlung geworden? In: Wallraf-Richartz-Jahrbuch Bd. 36 (1974), S. 229–272.

[45] Armin Spiller: Kanonikus Pick. Ein Leben für die Kunst, die Vaterstadt und die Seinen. In: Bonner Geschichtsblätter Bd. 23 (1969), S. 122–228 (148 zur Barbarossaschale; 148, Anm. 74 u. 191 zum genannten Evangeliar; 179/80

Goethes Bewunderung hervorrief. Höhepunkt der Kapelleneinrichtung war der Reliquienschrein auf dem Altar, an dem Pick kraft bischöflichen Privilegs auch die Messe zelebrierte. 1813 hatte er ihn „ganz in der Art des Heiligen-Drei-Königs-Kastens in Köln" anfertigen lassen und zu seiner Verzierung alles verwandt, was er an „altem Schmelz und Kunstsachen aus dem Zeitalter" in seiner Sammlung besaß, außerdem auch Wallraf noch um einige passende Ergänzungen gebeten. Leider scheint eine Abbildung dieses ohne Zweifel höchst interessanten Gegenstandes früher Mittelalterverehrung nicht zu existieren; das Schicksal des Schreines läßt sich über die Versteigerung der Pickschen Sammlung 1819 hinaus, wo für ihn 620 Francs – bei einem Taxwert von 800 – erlöst wurden, nicht verfolgen[46].

In Süddeutschland waren es vor allem zwei große fürstliche Sammlungen. Fürst Ludwig von Oettingen-Wallerstein (1791–1870) sammelte neben altdeutschen Gemälden und Handschriften, die er in seiner „mittelalterlichen Bibliothek" in Schloß Wallerstein ab 1815/16 aufstellte, Elfenbeine, Emails und Goldschmiedewerke, die größtenteils noch heute auf dem Oettingen-Wallersteinschen Schloß Harburg vorhanden sind[47]. Die Gemäldegalerie, deren Gang Fürst Ludwig in einem von ihm selbst verfaßten Aufsatz 1824 mit einem Kreuzgang verglich, endete in einem mit Teppichen des 13.–15. Jahrhunderts behängten Oratorium und in der alten zum Schloß gehörigen Ritterkapelle, die er ausdrücklich als integralen Bestandteil seines Werkes bezeichnete. „Wie die Blicke des Beschauers in artistischer, so belebt das heilige Haus den Bau in religiöser, d. h. in mittelalterlicher Hinsicht"[48]. Die Integration der zusammengetragenen Kunstsammlung in Lebenszusammenhänge wurde auch hier versucht, und zwar durch die Einfügung der Galerie in den religiösen, will sagen mittelalterlich ursprünglichen Kontext, ein romantischer Gedanke, der dem ersten Förderer und Wiederbeleber der mittelalterlichen Glasmalerei wohl anstand. Eine der größten Sammlungen mittelalterlicher Kunst im deutschen 19. Jahrhundert trug Fürst Karl Anton von Hohenzollern-Sigmaringen (1811–1885) in seiner Kunstkammer in Schloß Sigmaringen zusammen, und zwar nach Anfängen in den dreißiger und vierziger Jahren besonders durch Ankäufe im Rheinland, wo um die Mitte des Jahrhunderts bereits ein blühender Kunsthandel bestand[49] und wo Karl Anton ab 1852 in Düsseldorf als preußischer Militärgouverneur in Schloß Jägerhof residierte. Bereits das Inventar des „Altdeutschen Saales" aus dem Jahre 1856 verzeichnete außer Gemälden und Skulpturen zahlreiche „byzantinische" Vortragekreuze, Reliquiare vom 9. bis 15. Jahrhundert, mehrere Aquamanilien, Monstranzen, Rauchfässer und dergl. Einige Abbildungen und Skizzen der geplanten Anordnung, etwa zur Verteilung der über dreißig Vortragekreuze, haben sich erhalten. Überfüllung sei kein Fehler, entschied der Fürst. Die bekannten Emails vom Stabloer Retabel soll er selbst in Stablo erworben haben; bei der Eröffnung des Museums in Sigmaringen 1867 zeigte die Email-Vitrine 72 Stück[50]. Seit 1853 bemühte sich der Fürst um die Erarbeitung wissenschaftlicher Kataloge durch die ersten Fachgelehrten. Doch erschien 1866 nur eine Auswahl aus dem geplanten Gesamtkatalog in zwölf Lieferungen durch Jakob Heinrich von

zum Reliquienschrein; 180–182 zu Goethes Besuch der Sammlung). – (Johann Wolfgang von) Goethe: Ueber Kunst und Alterthum in den Rhein und Mayn Gegenden. Stuttgart 1816, S. 31–36.

[46] Einige Hinweise bei Spiller, Pick (Anm. 45), S. 179, Anm. 96.

[47] Georg Grupp: Fürst Ludwig von Oettingen-Wallerstein als Museumsgründer. In: Historischer Verein für Nördlingen und Umgebung. Jahrbuch Bd. 6 (1917), 1918, S. 73–109 (101/02).

[48] L(udwig, Fürst von Oettingen-Wallerstein): Noch einiges über die Sammlung altdeutscher Gemälde in dem fürstl. Oettingen-Wallersteinischen Schlosse Wallerstein und über die dortigen sonstigen Kunstschätze. In: Kunst-Blatt Jg. 5 (1824), S. 353–360 (354); erschienen als Beilage zum Cottaischen Morgenblatt, Nr. 89 und 90 vom 4. und 8. Nov. 1824. – Vgl. auch Grupp (Anm. 47), S. 101/02.

[49] Förster (Anm. 43), S. 124, 130–31 und öfter.

[50] Walter Kaufhold: Fürstenhaus und Kunstbesitz. Hundert Jahre Fürstlich Hohenzollernsches Museum. In: Zeitschrift für Hohenzollerische Geschichte Bd. 3 (1967), S. 135–184 und Bd. 4 (1968), S. 73–174; auch separat erschienen (Bd. 3, vor allem S. 182/83 und Abb. 3 u. 4; zum Inventar Bd. 4, S. 120–126).

Hefner-Alteneck[51]. Der damalige Konservator am erzbischöflichen Museum in Köln Kaplan Franz Bock bearbeitete die Elfenbeine und Holzschnitzwerke, die mittelalterlichen Kreuze und Wasserbecken, sowie die Bronze- und Schmelzarbeiten; sein Katalog blieb jedoch ungedruckt.

Auch im so klassizistischen Berlin entstanden Sammlungen mittelalterlicher Kunst. Prinz Carl von Preußen (1801–1883), der jüngere Bruder Friedrich Wilhelms IV. und Wilhelms I., erwarb neben alten, erstaunlicherweise vorwiegend mittelalterlichen Waffen, die später der preußische Staat für die Sammlung des Berliner Zeughauses ankaufte, schon früh große Werke der Schatzkunst, 1820 als Neunzehnjähriger aus dem Handel den bronzenen Kaiserthron aus Goslar, 1836 das Heinrichskreuz aus dem Baseler Münsterschatz, daneben zahlreiche Reliquiare, Kelche, Monstranzen und Limousiner Emails. Zunächst bewahrte er sie in der Waffenhalle seines Stadtpalais auf. Als er später eine große Zahl italo-byzantinischer Skulpturen erworben hatte, die er in seiner von Schinkel erbauten Residenz, Schloß Glienicke bei Potsdam, angesichts der beträchtlichen Antikensammlung nicht mehr sinnvoll unterbringen konnte, errichtete er 1850 durch den Architekten Ferdinand von Arnim (1814–1866) neben dem Schloß aus den erworbenen Teilen des Kreuzgangs der Kartause von der Insel S. Andrea della Certosa in der Nähe des Lido von Venedig einen Klosterhof im „Charakter eines byzantinischen Chiostro". Eine kleine Kapelle wurde zur Aufbewahrung der kirchlichen Geräte, insbesondere des Heinrichskreuzes, bestimmt[52]. Als einer der großen Mittelaltersammler verhandelte er in den späten dreißiger Jahren auch über den Ankauf des goldenen Baseler Antependiums Kaiser Heinrichs II., dessen Erwerbung auch sein Bruder Friedrich Wilhelm IV. zeitweilig erwog.

Die goldene Altartafel aus dem Baseler Dom war das bedeutendste Stück mittelalterlicher Schatzkunst, das in der ersten Hälfte des 19. Jahrhunderts käuflich war, wie denn überhaupt mit den Gegenständen des Baseler Münsterschatzes – nach der unseligen Aufteilung zwischen den Kantonen Basel Stadt und Land 1834 und der anschließenden Versteigerung der dem Land zugefallenen Hälfte 1836 in Liestal – Hauptwerke der mittelalterlichen Goldschmiedekunst in den Handel gelangt waren, wie es sie nie wieder zu kaufen geben sollte[53]. Auch die Berliner Kunstkammer nutzte die Gelegenheit und erwarb 1836 vor allem gotische Goldschmiedewerke, das große Kapellenkreuz, die Grabkrone der Königin Anna, die Agnus-Dei-Monstranz Pius II. von Hans Rutenzweig und später noch die Monstranzen für die Heinrich- und Kunigundenreliquien; noch 1850 erwarb das Britische Museum das Eustachius-Haupt; andere Stücke gelangten über die großen, in Paris entstehenden, russischen Sammlungen der zweiten Jahrhunderthälfte – Soltykoff und Basilewsky – in die Ermitage. Das goldene Antependium wurde von seinem Erwerber Oberst Theubet von Pruntrut freilich jahrelang vergeblich an den europäischen Fürstenhöfen angeboten, so daß er schließlich froh sein mußte, es 1852 im Pariser Cluny-Museum deponieren zu können, für das es 1854 der französische Staat für 50000 Francs erwarb.

---

[51] Jakob Heinrich von Hefner-Alteneck: Kunstkammer seiner Königl. Hoheit des Fürsten Karl Anton von Hohenzollern-Sigmaringen. München 1866.

[52] Johannes Sievers: Bauten für den Prinzen Karl von Preußen (Karl Friedrich Schinkel. Hrsg. von der Akademie des Bauwesens, [Bd. 4]). Berlin 1942, dort vor allem das Kapitel „Der Bauherr und Kunstsammler", S. 1–17 und „Der Klosterhof", S. 159–162. – Vgl. auch Friedrich Wilhelm Goethert: Katalog der Antikensammlung des Prinzen Carl von Preußen im Schloß zu Klein-Glienicke bei Potsdam. Mainz 1972. – Zygmunt Świechowski: Veneto-byzantinische Fassadenreliefs im Klosterhof zu Berlin-Glienicke. In: Festschrift für Otto von Simson zum 65. Geburtstag. Berlin o. J. (1977), S. 62–71.

[53] Die Kunstdenkmäler des Kantons Basel Stadt, Bd. 2: Rudolf F. Burckhardt: Der Basler Münsterschatz (Die Kunstdenkmäler der Schweiz). Basel 1933, S. 22–26, 43–44 und öfter. Die Äußerung Franz Kuglers (Anm. 15) hier wohl mißverstanden; Kugler zweifelte nicht am Rang des Antependiums, sondern hielt gerade wegen seiner hohen Qualität eine Entstehung in der Zeit Kaiser Heinrichs II. nicht für möglich. Anders übrigens Schnaase (Anm. 9), S. 344.

Unter den deutschen Museen sammelte in den dreißiger und vierziger Jahren systematisch nur die Königliche Kunstkammer in Berlin Werke der mittelalterlichen Schatzkunst und der mittelalterlichen Skulptur[54]. Hier entstand damals die glanzvolle Sammlung früher Elfenbeine der späteren Berliner Skulpturensammlung[55]. Die Abrahamspyxis und das byzantinische Relief mit den vierzig Märtyrern im Eiswasser von Sebaste wurden früh wegen ihrer antikischen Form – so auch von Kugler – gerühmt. Die ottonische Verkündigung Mariä unter dem Baum wurde 1841 erworben. 1844 waren zahlreiche Emails und alte Bronzen vorhanden; neben den genannten Baseler Werken wurden das Dresche-Monile, die Hufnagel-Madonna aus Kaisheim von 1482 und der vor dem Einschmelzen in der Königl. Münze gerettete Soester Patroklusschrein von 1313 genannt[56]. Obwohl der langjährige Leiter der Kunstkammer, der preußische Hauptmann Leopold Freiherr von Ledebur (1799–1877), später eines der tätigsten Mitglieder des Verwaltungsausschusses des Germanischen Museums wurde, sollte die Berliner Erwerbungspolitik hier keine Nachfolge finden. Für den fränkischen Adeligen Hans von Aufseß mit seinen vergleichsweise bescheidenen Mitteln waren solche Werke der mittelalterlichen Goldschmiedekunst und Plastik wohl damals schon unbezahlbar, falls er sie überhaupt wahrgenommen hat.

Vor der Jahrhundertwende nahmen die wenigen deutschen Museen, die bereits bestanden, Werke mittelalterlicher Schatzkunst und auch mittelalterlicher Skulptur nur gelegentlich auf – vor allem, wenn sie mit der Geschichte der eigenen Vaterstadt in Verbindung standen. So überwies der Lübecker Rat in den dreißiger Jahren die Reste der durch Jürgen Wullenwewer eingeschmolzenen Lübecker Kirchenschätze, vor allem die Bergkristalleinsätze der Reliquiare und Monstranzen, der in Lübeck bestehenden „Kulturhistorischen Sammlung". 1841 wurde auf dem Chor der Katharinenkirche sogar eine „Sammlung Lübeckischer Kunstaltertümer" eröffnet[57]. Das Kölner Diözesanmuseum wurde erst 1853/55[58], die „Mittelalterliche Sammlung" in Basel 1856, das Welfenmuseum in Hannover mit seinen großartigen mittelalterlichen Beständen, dem Welfenschatz und dem Schatz der goldenen Tafel aus Lüneburg, erst 1861 (bis 1866)[59] gegründet. Auch in München gab es kein für mittelalterliche Werke aufnahmefähiges Museum, sieht man von der Königlichen Schatzkammer mit ihren reichen Säkularisationsbeständen vor allem Bamberger Herkunft ab. Das Bayerische Nationalmuseum entstand erst 1855; die sogenannten Vereinigten Sammlungen, die in den Jahren 1844–46 in den Galeriegebäuden am Hofgarten zusammengebracht wurden, enthielten – teilweise aus Staatsbesitz, teilweise aus dem persönlichen Eigentum des Königs – Antiken, alte Waffen und Kostbarkeiten in Elfenbein, Holz, Stein und Metall. Die überaus bescheidenen Kataloge verzeichneten jedoch unter der Fülle, wenn man nach den Themen urteilen darf, offenbar

[54] Valentin Scherer: Deutsche Museen. Entstehung und kulturgeschichtliche Bedeutung unserer öffentlichen Kunstsammlungen. Jena 1913, S. 186. – Leopold von Ledebur: Geschichte der Königlichen Kunstkammer in Berlin. In: Allgemeines Archiv für die Geschichtskunde des preußischen Staates Bd. 6 (1831), S. 3–57. – Kugler, Beschreibung (Anm. 10).

[55] W(olfgang) F(ritz) Volbach: Die Elfenbeinbildwerke (Staatliche Museen zu Berlin. Die Bildwerke des Deutschen Museums, Bd. 1). Berlin und Leipzig 1923.

[56] (Leopold von Ledebur:) Leitfaden für die Königl. Kunstkammer und das Ethnographische Cabinet zu Berlin. Berlin 1844, S. 1–13, 50, 52.

[57] Hans Arnold Gräbke: Hundertfünfzig Jahre Lübecker Museum. In: 150 Jahre Lübecker Museen. Eine Festschrift. Lübeck 1950, S. 7–23 (12, 15).

[58] Wilhelm Neuss: Hundert Jahre Verein für christliche Kunst im Erzbistum Köln und Bistum Aachen (Kunstgabe des Vereins für christliche Kunst im Erzbistum Köln und Bistum Aachen, T. 1). Mönchengladbach 1954, S. 12–18.

[59] Gert von der Osten: Die hundertjährige Geschichte des Niedersächsischen Landesmuseums. In: Hundert Jahre Niedersächsisches Landesmuseum zu Hannover 1852–1952. Hrsg. von K(arl) H. Jacob-Friesen. Hannover 1952, S. 7–26 (12). – Gert von der Osten: Zur Geschichte der öffentlichen Sammlungen von Bildwerken in Hannover. In: Katalog der Bildwerke in der Niedersächsischen Landesgalerie Hannover. Bearb. von Gert von der Osten (Kataloge der Niedersächsischen Landesgalerie, Bd. 2). München 1957, S. 14–24 (17/18).

barocker Elfenbeine – Datierungen waren nicht angegeben – nur ganz vereinzelt „ein Elfenbein mit byzantinischen Reliefs" oder „ein fragmentarisches altteutsches Relief in Elfenbein"[60].

Demgegenüber ist die überragende Bedeutung des 1843 eröffneten Pariser Musée de Cluny für die Geschichte des Sammelns mittelalterlicher Kunst bekannt und braucht hier nicht weiter vertieft zu werden[61]. Alexandre du Sommerard (1779–1842) hatte als einer der ersten in Frankreich eine riesige Sammlung von mittelalterlichen Möbeln, Teppichen, sonstigen Textilien, Goldschmiedewerken, Kleinskulpturen, Waffen und Keramik, vorwiegend natürlich des späteren Mittelalters und der Renaissance, zusammengetragen. Seit 1833 bewohnte er mit seiner Sammlung das Hôtel de Cluny, wo er sein fünfbändiges Werk „Les Arts au Moyen Age" schrieb, auf dessen beigegebenen 510 Tafeln er seine eigene Sammlung veröffentlichte, aber auch zahlreiche andere Werke, besonders solche des frühen Mittelalters – karolingische Buchmalereien, maasländische Emails, das hochgelobte Baseler Antipendium etc. – aufnahm. Die französischen Möbel des 15., vor allem aber des 16. Jahrhunderts sollten ebenso wie die zeitgleichen Keramiken und die hohe Bewertung der Limousiner Emails des Mittelalters und des 16. Jahrhunderts für den Geschmack der folgenden Sammlergenerationen vor allem Frankreichs vorbildlich werden. Auch die Selbstverständlichkeit, mit der hier Werke des Kunsthandwerks des 16. Jahrhunderts, teils sogar des 17. Jahrhunderts dem Mittelalter zugeschlagen wurden – durchaus im Gegensatz zu anderen Kunstzweigen –, sollte in vergleichbaren Sammlungen noch lange fortleben.

Neben den genannten geistlichen rheinischen Sammlern, die durch Herkunft dem sakralen Gerät zugetan und durch den übergroßen Reichtum solcher Werke im Rheinland auf die mittelalterliche Schatzkunst verwiesen waren – ihnen sollten sich bald Alexander Schnütgen (1843–1918) und auf dem Gebiet der Textilien Franz Bock (1823–1899) anschließen –, den großen fürstlichen Sammlern und den ersten entstehenden Museen besaßen in der ersten Hälfte des 19. Jahrhunderts durchaus auch kleine bürgerliche Sammler große Werke mittelalterlicher Kunst. Genannt seien beispielhaft Peter Christian William Beuth (1781–1853), der Freund Karl Friedrich Schinkels und beamtete Berliner Förderer von Industrie und Handwerk, der neben einem spätantiken Onyxgefäß etwa eine ottonische Goldschmiedearbeit aus dem Umkreis der Egbert-Werkstatt und maasländische Emails des 12. Jahrhunderts von höchstem Rang besaß, oder der Kölner Kaufmann Peter Leven (1796–1850), aus dessen 1853 versteigerter Sammlung Hauptwerke der mittelalterlichen Schatzkunst in das Victoria & Albert Museum gelangten[62].

In Franken war das Nürnberger Milieu dem Sammeln von Werken der früh- und hochmittelalterlichen Schatzkunst nicht günstig. So unermeßlich im zweiten Viertel des 19. Jahrhunderts hier die Bestände an Kunst und Kunsthandwerk des späten Mittelalters und des 16. und 17. Jahrhunderts gewesen sein müssen – war die Stadt doch praktisch auf dem Entwicklungsstand des 17. Jahrhunderts stehengeblieben[63] –, so selten dürften infolge ihrer späten Blüte im 15. und 16. Jahr-

[60] Oskar Lenz: Hundert Jahre Bayerisches Nationalmuseum. In: Kunst und Kunsthandwerk. Meisterwerke im Bayerischen Nationalmuseum München. Festschrift zum hundertjährigen Bestehen des Museums. München 1955, S. 7–33 (8). – Catalog der vereinigten Sammlungen, Nr. 5. Sammlung von Schnitzwerken und Kunstarbeiten in Elfenbein, Holz, Stein und Metall. München 1846.

[61] Zuletzt Alain Erlande-Brandenburg: Le Musée des Monuments français et les origines du Musée de Cluny. In: Das kunst- und kulturgeschichtliche Museum im 19. Jahrhundert. Vorträge des Symposions im Germanischen Nationalmuseum Nürnberg. Hrsg. von Bernward Deneke und Rainer Kahsnitz (Studien zur Kunst des 19. Jahrhunderts, Bd. 39). München 1977, S. 49–58 (54–58). – A(lexandre) du Sommerard: Les Arts au Moyen Age. En ce qui concerne principalement le Palais Romain de Paris, L'Hotel de Cluny issu de ses ruines et les objets d'art de la collection classée dans cet Hôtel, Textbde. 1–5, 2 Tafelbde. und 1 Atlas. Paris 1838–46.

[62] Paul Ortwin Rave: Die Kunstsammlung Beuths. In: Zeitschrift des deutschen Vereins für Kunstwissenschaft Bd. 2 (1935), S. 475–495. – Zu Leven: Förster (Anm. 43), S. 123/24, Abb. 65–67.

[63] Vgl. z.B. Ludwig Grote: Die romantische Entdeckung Nürnbergs (Bibliothek des Germanischen Nationalmuseums Nürnberg zur deutschen Kunst- und Kulturgeschichte, Bd. 28). München 1967, vor allem S. 8–13.

hundert Werke der Zeit vor 1300 gewesen sein. Das galt schon für die von Nürnbergern im 18. und 19. Jahrhundert zusammengetragenen Sammlungen. Immerhin enthielt das zunächst in die Stadtbibliothek gelangte, 1815 aber größtenteils nach Wien verkaufte Ebnersche Museum, das der Losunger Hieronymus Ebner 1753 testamentarisch zu „öffentlichem Nutzen" bestimmt hatte, angeblich ein Kleinodienkästchen aus dem 12. und ein Kruzifix des 13. Jahrhunderts aus vergoldetem Erz[64]. Dagegen war im nahen Bamberg, einer Stadt mit viel weiter zurückreichender Tradition, die Sammlung des Zeichenlehrers an der dortigen Gewerbeschule Joseph Martin von Reider (1793–1862) entstanden[65], die spätantike und frühmittelalterliche Elfenbeinwerke, darunter die als Reidersche Tafel in die Literatur eingegangene Auferstehung Christi der Zeit um 400, den Kunigundenkasten um 1000, mehrere Fuldaer Elfenbeine des 10. Jahrhunderts, Buchmalereien und manches andere Werk enthielt. 1859/60 wurde sie an das 1855 neu gegründete Wittelsbacher, das spätere Bayerische Nationalmuseum in München verkauft. Bereits im Jahre 1857 schrieb der Anzeiger des Nürnberger Museums über den bevorstehenden Verkauf, die Sammlung sei reich an altdeutschen Gemälden (unter anderem dem sogenannten Bamberger Altar), an kostbaren Miniaturmalereien und wertvollen Beiträgen zur christlichen Ikonographie; die ersten Kunsthistoriker hätten hier für die Periode des 11. und 12. Jahrhunderts Studien gemacht[66]. Schon in den dreißiger Jahren hatte Aufseß wie übrigens gelegentlich auch Reider selbst über das Wachstum der Bamberger Sammlung berichtet[67]. 1832 hieß es unter der Überschrift „Elfenbein- und Perlmutter-Arbeiten", vor kurzem sei Prof. von Reider so glücklich gewesen, einige sehr alte Elfenbein- und mehrere alte Perlmutter-Arbeiten zu erhalten. Ein „Elfenbeinschnitzwerk in byzantinischem Styl, die Geburt Christi vorstellend" und „neun Perlmutter-Reliefs im Styl des 15. Jahrhunderts" stammten aus der Auktion des Heinleinschen Kunstkabinetts, das im selben Jahr in Nürnberg versteigert worden war[68]. Bei dem ersten Stück handelte es sich um ein interessantes Elfenbein der Zeit um 1100[69]. Aufseß selbst scheint sich an der Auktion nicht beteiligt zu haben. In dem aus seinem Besitz stammenden Exemplar des Auktionskataloges, in dem die Ersteigerer namentlich mit den jeweils erzielten Preisen verzeichnet sind, taucht sein Name nicht auf[70].

Aufseß und die Anfänge der Sammlung

Es scheint überhaupt, als sei diese Art früh- und hochmittelalterlicher Kunst nur selten ins Gesichtsfeld des Freiherrn von Aufseß getreten, beschäftigte ihn doch vorwiegend die Geschichte und eher die Altertumskunde – um im Sprachgebrauch der Zeit zu bleiben – als die eigentliche

[64] Wilhelm Schwemmer: Aus der Geschichte der Kunstsammlungen der Stadt Nürnberg. In: Mitteilungen des Vereins für Geschichte der Stadt Nürnberg Bd. 40 (1949), S. 97–206, (130).

[65] Zu Reider Jakob Heinrich von Hefner-Alteneck: Entstehung, Zweck und Einrichtung des Bayerischen Nationalmuseums in München (Bayerische Bibliothek, Bd. 11). Bamberg 1890, S. 8–13. – Jakob Heinrich von Hefner-Alteneck: Lebenserinnerungen. München 1899, S. 210–217.

[66] Vermischte Nachrichten, Nr. 120. In: Anzeiger GNM 1857, Sp. 426.

[67] Bestrebungen und Arbeiten: Alterthumssammlungen. In: Anzeiger für Kunde des deutschen Mittelalters Jg. 1 (1832), Sp. 273–274. – Denkmäler der Vorzeit: Oelmalerei, Nr. 6. In: Anzeiger für Kunde des deutschen Mittelalters Jg. 2 (1833), Sp. 69–70.

[68] Denkmäler der Vorzeit: Elfenbein- und Perlmutterarbeiten. In: Anzeiger für Kunde des deutschen Mittelalters Jg. 1 (1832), Sp. 238, Nr. 1; 239, Nr. 3 und 8. – Verzeichniss des Anton Paul Heinlein'schen ausgezeichneten Kunstcabinets, welches vom 9. April 1832 an in der 2. Etage des Hauses S No. 880 am Hauptmarkte zu Nürnberg durch den Auctionator J. A. Boerner an die Meistbietenden gegen baare Zahlung öffentlich versteigert wird. Nürnberg 1832, Nr. 347 und 369.

[69] Adolph Goldschmidt: Die Elfenbeinskulpturen aus der Zeit der karolingischen und sächsischen Kaiser, Bd. 2. Berlin 1918, Nr. 166. – Rudolf Berliner: Die Bildwerke in Elfenbein, Knochen, Hirsch- und Steinbockhorn (Kataloge des Bayerischen Nationalmuseums, Bd. XIII, Abt. 4). München 1926, Nr. 16.

[70] Heute in der Bibliothek GNM unter der Signatur: 8° K 2165 mit Aufseß' Besitzerstempel. Das Exemplar mag freilich erst später in Aufseß' Besitz gelangt sein. Die Notizen sind nicht von seiner Hand. Die Art der sorgfältigen Eintragungen auf durchschossenen Blättern mit Summierung der jeweils erzielten Summen am Schluß der Seiten spricht eher dafür, daß der Katalog aus dem Besitz des Auktionators oder der Auftraggeber stammt.

Kunstgeschichte, und war er wohl auch in seinen Kunstanschauungen und nicht zuletzt in seinen Erwerbungsmöglichkeiten zu sehr durch das „altfränkische" Milieu Nürnbergs bestimmt.

Aufseß kam aus dem Kreise der Geschichtsforscher – Historiker, Juristen und Philologen –, die sich der in der ersten Hälfte des 19. Jahrhunderts etablierten Wissenschaft der vaterländischen Studien verschrieben hatten. Franz Schnabel hat eindrucksvoll auf den Vorrang des Germanischen innerhalb der wissenschaftlichen Bemühungen dieser Kreise hingewiesen[71], die sich nicht von ungefähr Germanisten nannten; die viel diskutierte Frage der Benennung des Germanischen Museums soll hier gar nicht erörtert werden[72]. Die zunächst als Bezeichnung einer Richtung nur bei den Juristen im Gegensatz zu den Vertretern der das römische Recht lehrenden „Romanisten" übliche Bezeichnung wurde in den Kreisen, denen Aufseß sich verbunden fühlte, gerade um diese Zeit auf alle ausgedehnt, die sich mit der Vergangenheit des deutschen Volkes und seiner Kultur beschäftigten. So wie ein Romanist derjenige sei, der das „Romanum" betreibe, so sei ein Germanist der, der sich das germanische oder deutsche Element zur Erforschung vorgenommen habe. Habe man im Westen Deutschlands, meint Schnabel, mit Vorliebe nach den römischen Kulturresten gesucht und in einem dadurch geprägten latenten Romanismus die gesamte Vergangenheit mit lateinischen Maßstäben begriffen, so habe in den Gegenden Deutschlands ohne römische Tradition der Germanismus im Vordergrund gestanden. Wie sehr auch Aufseß von der Vorstellung geprägt gewesen sein muß, man könne bei der Erforschung der eigenen Vergangenheit sich auf das deutsche oder germanische Element beschränken, also die lateinische Tradition des deutschen Mittelalters außer acht lassen, zeigt in äußerster Kraßheit die Frage, die er 1855 dem Gelehrtenausschuß des germanischen Museums vorlegte: „Ist es für die Zwecke des germanischen Museums nothwendig, das Römerthum in den germanischen Landen in seinem ganzen Umfange zu behandeln wie alle übrigen Zweige des Museums?" – und noch deutlicher in der Sektion für das Rechtswesen: „In wie weit hat sich das germanische Museum mit fremden, in Deutschland recipirten Rechten zu beschäftigen?" Tatsächlich entschied der Gelehrtenausschuß: „Mit fremden in Deutschland recipirten Rechten hat sich das germanische Museum nur insoweit zu beschäftigen, als dieselben auf deutsche Rechtsinstitute unmittelbar eingewirkt haben"[73]. Also auch auf diesem Gebiet sollte nicht das in Deutschland jahrhundertelang geltende, d. h. das römisch geprägte, sogenannte Gemeine Recht Gegenstand der Bemühungen des Museums sein, also nicht die ganze Wirklichkeit der deutschen Rechtsgeschichte erforscht werden, sondern nur die Beeinflussung der herkunftsmäßig ursprünglich deutschrechtlichen Institute durch das geltende römische Recht, von denen einige die Rezeption des römischen Rechts überstanden hatten, wenn gelegentlich auch nicht unverändert. Eine Trennung der Überlieferung der Vergangenheit wurde hier vollzogen, die in dieser Deutlichkeit nur der Jurisprudenz geläufig war, und zwar als Folge des jahrhundertelangen Gegensatzes von Romanisten und Germanisten, der sich an dem gleichzeitigen Nebeneinanderbestehen unterschiedlicher Rechtsordnungen orientiert hatte, wie sich das in den leges

---

[71] Franz Schnabel: Der Ursprung der vaterländischen Studien. In: Blätter für Deutsche Landesgeschichte Bd. 88 (1951), S. 4–27 (10, 23). – Heinz Gollwitzer: Zum politischen Germanismus des 19. Jahrhunderts. In: Festschrift für Hermann Heimpel zum siebzigsten Geburtstag am 19. September 1971 (Veröffentlichungen des Max-Planck-Instituts für Geschichte, Bd. 36), Bd. 1. Göttingen 1971, S. 282–356 (295–301). – Zu den Gegensätzen von Germanisten und Romanisten, mit etwas veränderter Frontstellung, auch: Arnold Esch: Limesforschung und Geschichtsvereine. Romanismus und Germanismus, Dilettantismus und Facharchäologie in der Bodenforschung des 19. Jahrhunderts. In: Geschichtswissenschaft und Vereinswesen im 19. Jahrhundert. Beiträge zur Geschichte historischer Forschung in Deutschland (Veröffentlichungen des Max-Planck-Instituts für Geschichte, Bd. 1). Göttingen 1972, S. 163–191 (181–183).

[72] Vgl. z. B. S. 131–138.

[73] Jahresconferenz des germanischen Museums. In: Anzeiger GNM 1855, Sp. 189–192. – Chronik des germanischen Museums. In: Anzeiger GNM 1855, Sp. 233–244 (236).

Romanorum und den leges Barbarorum in den germanisch beherrschten Völkerwanderungsstaaten ausgeprägt hatte. Wurden solche extremen Positionen im Museum wohl kaum unmittelbar auf andere Gebiete übertragen und spielte die Jurisprudenz, abgesehen von sporadischer Sammeltätigkeit der Bibliothek, in der Geschichte des Museums auch keine Rolle, so zeigte sich hier doch eine ausgeprägte Zurückhaltung der lateinischen Tradition gegenüber. Das lateinische Mittelalter konnte weitgehend übersehen werden und die ganz vom Nachleben antiker Restformen geprägte Kunst der ersten Hälfte des Mittelalters, wie sie in der zeitgenössischen Kunstgeschichte beschrieben wurde, die noch durchweg die karolingische Kunst als letzte Phase der Spätantike verstand, wenn nicht aus dem eigenen Interessengebiet ausgeklammert, so doch als Randerscheinung begriffen werden. Die Kunst des späteren Mittelalters, in der der Anteil der einzelnen Völker mit ihren sich herausbildenden Eigenarten naturgemäß viel entschiedener als im frühen und hohen Mittelalter hervortrat, trat demgegenüber in ganz anderer Weise ins Zentrum des – eben auf das Deutsche ausgerichteten – Mittelalterbildes des Germanischen Museums.

War die Zurückhaltung gegenüber der Kunst des früheren Mittelalters mehr gefühlsmäßig bedingt und nicht gedanklich fixiert, so hatte sich Aufseß für eine zeitliche Begrenzung der Aufgaben seines Museums in der anderen Richtung, auf die Endgrenze des Mittelalters hin, festgelegt, wenn auch betont wurde, daß die Begrenzung auf das Mittelalter nur vorläufig aus praktischen Gründen zu gelten habe[74]. Von Anfang an wurden Geschenke von Gegenständen aus späterer Zeit zur Aufbewahrung im Depot für den Fall späterer Erweiterung des Museums angenommen[75]. Die damals und später viel diskutierte Frage, wann das Mittelalter ende, glaubte Aufseß schon 1833 auf „diktatorische Weise" lösen zu müssen: in der Sammlung für Geschichte mit dem Jahre 1648, für Literatur mit Opitz, für die Kunst mit dem Überhandnehmen des italienischen Geschmacks im zweiten Viertel des 16. Jahrhunderts. Ausdrücklich sprach er von den „engeren Zeitgrenzen der Kunstabteilung"[76]. So sah dann auch die erste Satzung von 1852/53 die Anlage des Generalrepertoriums vorläufig bis zum Jahre 1650 vor[77]. Im Rahmen dieses Beitrages können weder Problematik noch Literatur zur Frage der Grenze von Mittelalter und Neuzeit in extenso aufgegriffen werden[78]. War für die Kunstgeschichte die Scheidung zwischen Mittelalter und Renaissance in Deutschland um oder bald nach 1500 stets eindeutig, die Renaissance als entschieden dem Mittelalter entgegengesetzte Epoche spätestens seit Jakob Burckhardts „Cultur der Renaissance in Italien" von 1860 eine feststehende Größe, so blieb für die allgemeine und insbesondere für die Kulturge-

---

[74] Z. B. Denkschrift für die hohen deutschen Staatsregierungen das germanische Museum zu Nürnberg betreffend. Nürnberg 1853, S. 4.

[75] So berichtete die „Chronik des germanischen Museums" in: Anzeiger GNM 1857, Sp. 405 nach dem Umzug in die Kartause, der Tiergärtner-Torturm werde nun die bisher dem Publikum wegen Mangels an Platz unzugänglichen und als Depot bewahrten kulturhistorischen Sammlungen der letzten zwei Jahrzehnte in geordneter Aufstellung enthalten, und in: Anzeiger GNM 1858, Sp. 267, der Turm habe „sein bisheriges mittelalterliches Gewand mit dem des Zopfes und Roccocos" vertauscht, weil hier die geschenkten Gegenstände aus späterer Zeit vorläufig deponiert seien.

[76] Hans von Aufseß: Gesellschaftsangelegenheiten. In: Anzeiger für Kunde des deutschen Mittelalters Jg. 2 (1833), Sp. 81–84 (82, 84).

[77] Vgl. S. 951.

[78] Ein Überblick über die verschiedenen Theorien bei Wilhelm Bauer: Einführung in das Studium der Geschichte. Tübingen 1921, S. 103–133. Und bei: Ernst Troeltsch: Der Historismus und seine Probleme (Gesammelte Schriften, Bd. 3). Tübingen 1922, S. 731 ff. – Die umfassendste Zusammenstellung aller vertretenen Theorien bei J. H. J. van der Pot: De Periodisering der Geschiedenes. s'Gravenhage 1951. – Im übrigen vor allem: Alfred Dove: Der Streit um das Mittelalter. In: Historische Zeitschrift Bd. 116 (1916), S. 209–230. – Fritz Friedrich: Versuch über die Perioden der Ideengeschichte der Neuzeit und ihr Verhältnis zur Gegenwart. In: Historische Zeitschrift Bd. 122 (1920), S. 1–43. – Emil Göller: Die Periodisierung der Kirchengeschichte und die epochale Stellung des Mittelalters zwischen dem christlichen Altertum und der Neuzeit (Reden, gehalten am 12. Juli 1919 bei der öffentlichen Feier der Übergabe des Rektorats der Universität Freiburg in Br., Nr. 2). Freiburg i. Br. 1919. – H(ans) Spangenberg: Die Perioden der Weltgeschichte. In: Historische Zeitschrift Bd. 127 (1923), S. 1–49.

schichtsschreibung die Grenze zu allen Zeiten problematisch und umstritten. Die Reformation oder die Aufklärung, der Fall Konstantinopels oder das Ende des dreißigjährigen Krieges wurden als die entscheidenden Zäsuren angesehen. Kulturhistorisch orientierte Autoren neigten offenbar stets dazu, die entscheidende Wandlung erst im 17. Jahrhundert zu sehen, da trotz der geistesgeschichtlich zentralen Ereignisse zu Beginn des 16. Jahrhunderts weder die entscheidenden Wirtschaftsformen, noch der soziale Ständebau, noch die praktischen Lebensverhältnisse sich nennenswert veränderten, sondern bis zur Neuordnung nach dem dreißigjährigen Kriege fortgedauert hätten[79]. Gustav Freytag sollte in seinen ab 1859 erscheinenden „Bilder(n) zur deutschen Vergangenheit" einflußreich die These vertreten, daß die Zeit von dem Ende der Hohenstaufenherrschaft bis zum dreißigjährigen Kriege eine zusammenhängende Periode darstelle[80]. Sicher nicht ohne Berechtigung wird man die Zeit der staufischen Herrschaft noch unmittelbar als Fortsetzung der Traditionen ansehen können, die die fränkische, karolingische, ottonische und romanische Zeit bestimmt hatten. Erst im 13. Jahrhundert begannen durch die langsame Herausbildung der Eigenarten der europäischen Völker, durch einen ungeheuren Aufschwung der Wirtschaftskräfte und der Städte, durch neue Formen von Frömmigkeit sich Erscheinungsformen des Lebens zu bilden, die ihrerseits über die kunst- und kirchengeschichtlichen Zäsuren zu Beginn des 16. Jahrhunderts hinauswirkten und erst durch die politische Neuordnung im Gefolge des dreißigjährigen Krieges, durch die Entstehung der nationalen Großmächte, die zunehmende Bedeutung der Naturwissenschaften und die beginnende Aufklärung im Laufe des 17. Jahrhunderts zu grundlegend anderen Lebensverhältnissen führten. Erst damals „verloren das Leben und die Kultur ihren ausgesprochenen geistlichen Anspruch, . . . nahm der menschliche Geist eine mehr weltliche Richtung" an[81]. Von daher gesehen scheint sowohl Aufseß' ursprünglich unterschiedliche Zeitbegrenzung für die Sammlungen von Kunst und Geschichte als auch seine endgültige Entscheidung für das Jahr 1650 nicht ohne Berechtigung, sollte sein Museum sich doch in erster Linie der Aufgabe der Verzeichnung von Quellen widmen und war seine Gründung noch lange Zeit auf die Erforschung der bürgerlichen Lebensverhältnisse und die Sammlung ihrer Denkmäler ausgerichtet und weniger als Kunstsammlung konzipiert.

Über den Stellenwert, den Aufseß der kirchlichen Schatzkunst beimaß, gibt am besten sein zur Anordnung der Sammlungen des Germanischen Nationalmuseums 1852/53 entworfenes „System der deutschen Geschichts- und Altertumskunde"[82] Auskunft. Dort wies er die kirchlichen Geräte oder Altertümer der Abteilung „Besondere Anstalten für allgemeines Wohl", und zwar der Rubrik „Religionsanstalten, christliche" zu. Während Glas- und Wandmalerei, Skulpturen, Schnitzwerke, aber auch Stickereien und Webereien – also im wesentlichen die Werke der zeichnenden Künste – „den allgemeinen Cultur-Zuständen in geistiger Beziehung" und damit der Kunstsammlung zugewiesen werden sollten, erschien die Sammlung kirchlicher Altertümer zusammen mit den Münzen und Siegeln, den Grabmonumenten, der Sammlung der Rechts-, Kriegs- und der Jagdaltertümer und den Sammlungen zur Kunde der häuslichen und privaten Lebensbedürfnisse in der

---

[79] Stellvertretend seien genannt: Georg Steinhausen: Geschichte der deutschen Kultur, Bd. 2. Leipzig und Wien 1904, S. 504 und öfter. – Georg Steinhausen: Kulturgeschichte der Deutschen in der Neuzeit. Leipzig 1912, S. 1–5. – Otto Lauffer: Die Begriffe „Mittelalter" und „Neuzeit" im Verhältnis zur deutschen Altertumskunde. Berlin 1936.

[80] Gustav Freytag: Bilder aus der deutschen Vergangenheit, Bd. 2, Abt. 1. Vom Mittelalter zur Neuzeit (1200–1500). Hier zitiert nach der 5. Aufl. Leipzig 1867, S. V–VIII.

[81] Spangenberg (Anm. 78), S. 24ff., 32. Auch Troeltsch (Anm. 78) sieht nicht die Reformation, sondern die Wandlungen des 17. Jahrhunderts als entscheidenden Einschnitt.

[82] Abgedruckt im Anhang, S. 975–992 (988–989). – Zu Bedeutung und Quellen: Bernward Deneke: Das System der deutschen Geschichts- und Altertumskunde des Hans von und zu Aufseß und die Historiographie im 19. Jahrhundert. In: Anzeiger GNM 1974, S. 144–158.

zweiten Hauptgruppe, der Altertumssammlung[83]. Die nähere Problematik dieser Abgrenzung erläuterte ein ungenannter Autor, wohl Aufseß selbst, in einem Übersichtsartikel „Die Sammlung kirchlicher Geräthe im germanischen Museum" des Jahres 1856[84]: „In eine Sammlung kirchlicher Denkmäler würde jedoch, genau genommen, Alles gehören, was jemals zu kirchlichen und religiösen Zwecken gedient hat, und dieses festgehalten, würden die wichtigsten anderen Rubriken, wie die Architektur, die Plastik, Malerei ... einen bedeutenden Theil des Ihnen Angehörenden abgeben müssen, wie ja bekannt ist, daß manche Zweige der Alterthumskunde, wie zum Beispiel die der Malerei bis ins 15. Jahrhundert nur aus dem kirchlichen Material zu sammeln vermögen. Doch ist im germanischen Museum der Grundsatz aufgestellt, daß jeder Gegenstand, ohne Rücksicht auf Kunst oder andere Merkmale, allerdings dahin eingeordnet wird, wohin er seiner ursprünglichen Bedeutung nach gehört" – die Radikalität dieser Entscheidung wurde im folgenden noch deutlicher betont – „ – aber nur, wenn dieser (der Gebrauchszweck) noch hinreichend ins Auge springt, um für die Wissenschaft etwas daraus zu entnehmen. Ist jedoch ein Denkmal zu sehr von seinen alten Zusammenhängen gelöst, so wird es dorthin versetzt, wo es vermöge seiner Eigenthümlichkeit den meisten Vortheil bringt. So werden zum Beispiel vollständig erhaltene Altäre nicht etwa der Abtheilung für Plastik oder Malerei, sondern den kirchlichen Geräthen zugeteilt; ein einzelnes Altarbild aber, eine vereinzelte Figur den ersteren". Als Kunstwerk wurde nur verbucht, was wegen seiner fragmentarischen Erhaltung zur Verdeutlichung seines speziellen ursprünglichen Zwecks nicht mehr geeignet schien. Was den besonderen Kulturzuständen nicht mehr zugerechnet werden konnte, wurde bei den allgemeinen Zuständen eingeordnet. Es galt dabei der juristische Grundsatz: Lex specialis derogat legi generali. Die radikale kulturhistorische Ausprägung – „ohne Rücksicht auf Kunst oder andere Merkmale" – und die Ordnung nach dem Gebrauchszweck – wurden vor allem im Gegensatz zu älteren, stärker an den Denkmälern selbst orientierten Ordnungsschemata, etwa Karl Benjamin Preuskers (1786–1871), deutlich, auf dessen Bedeutung für Aufseß unlängst hingewiesen wurde[85]. Preusker hatte u. a. bei den bildlichen (oder Kunst-)Denkmälern drei Gruppen unterschieden: 1. Bauwerke, 2. Bildwerke, darunter die verschiedenen Arten der Bildhauerkunst, Bildgräberei, Malerei, wozu auch die Bildschneiderei und -stecherei zähle, und 3. Geräthschaften, wobei bei diesen der Gebrauch die Hauptsache sei und die daran vielleicht befindlichen künstlerischen Bilder nur als Nebensache gelten könnten, während sie bei den Bildwerken als Hauptsache angesehen werden müßten. Doch hatte er ausdrücklich darauf hingewiesen, daß vor allem bei den gottesdienstlichen Gegenständen die Grenzlinie nicht ohne Schwierigkeiten zu finden sein dürfte.

Ganz in Aufseß' Sinn hatte auch der Gelehrtenausschuß des Museums in seiner Sitzung vom 14. bis 17. September 1855 auf die ihm vorgelegte entsprechende Frage entschieden: „Bei der Trennung der Denkmäler der Kunst und der Gewerbe behufs ihrer Einreihung in die Sammlungen des germanischen Museums entscheidet, ob diese Denkmäler vorwiegend zu nützlichem Gebrauch oder zu künstlerischem Zwecke bestimmt waren"[86]. Freilich scheint das Interesse des Museumsgründers mit Etablierung seines Museums und dem wachsenden Fortschreiten der Sammlungstätigkeit sich auf deren Vermehrung beschränkt zu haben und von solch grundsätzlichen Fragen abgelenkt worden zu sein. Die ältesten Wegweiser und Führer wiesen noch entschuldigend auf die mangelnde Einhaltung der vorgesehenen Ordnung hin. Später – seit 1860 – nach dem Umzug in

---

[83] Organismus GNM, Abt. 2, S. 360–368; vgl. auch Abb. 411.

[84] Ohne Verf.: Die Sammlung kirchlicher Geräthe im germanischen Museum. In: Anzeiger GNM 1856, Sp. 234–238.

[85] Karl Benjamin Preusker: Über Mittel und Zweck der vaterländischen Alterthumsforschung. Eine Andeutung. Leipzig 1829, S. 18–24. – Vgl. Deneke (Anm. 82), S. 150/51.

[86] Jahresconferenz des germanischen Museums. In: Anzeiger GNM 1855, Sp. 189–191 (191/92). – Chronik des germanischen Museums. In: Anzeiger GNM 1855, Sp. 233–244 (237).

die Kartause wurde zwar dem Wegweiser eine Kurzfassung des Systems beigegeben[87], ansonsten aber wurden die Sammlungsgegenstände in erster Linie den Möglichkeiten der vorhandenen Räume entsprechend verteilt.

Über die Anfänge, das Wachstum und den tatsächlichen Bestand der Aufseßschen Sammlung, bevor sie 1856 in dem großen gedruckten Verzeichnis zusammen mit den ersten Museumserwer- vgl. 411 bungen katalogisiert wurde, sind wir nicht unterrichtet[88]. Daß Aufseß in dem von ihm initiierten Museum der Gesellschaft für Erhaltung der Denkmäler älterer deutscher Geschichte, Literatur und Kunst, das er 1833 im Scheurl-Haus in der Burggasse in Nürnberg eröffnet und wohl bereits Ende desselben Jahres hatte schließen müssen, irgendwelche nennenswerten mittelalterlichen Bestände zeigen konnte, kann man nicht annehmen. Erwähnt wurden vor allem Kupferstiche, einige wenige Gemälde und Werke der Bildhauerkunst und Bildschnitzereien, Wachssiegel in Originalen und Nachbildungen, die noch ganz unbedeutende Münzsammlung und einiges an Heeres- und Hausgerät, darunter mehrere ganze Rüstungen. Die Sammlung, die sechs Gemächer füllte, enthielt zudem auch Leihgaben anderer Sammlungen, darunter Bodenfunde und andere Gegenstände des Nürnberger Oberstleutnants Carl Emil von Gemming und die zwei Räume füllende Bibliothek[89]. Auch für die Herkunft der Aufseßschen Besitztümer und seine Bezugsquellen ergeben sich nur selten Anhaltspunkte[90]. Erkennbar ist nur, daß wesentliche Teile seiner Sammlung offenbar erst nach Begründung des Museums im Jahre 1852 zusammengetragen wurden, wie anläßlich des Ankaufs der Aufseßschen Sammlung durch das Museum 1863/64 ausdrücklich betont wurde[91].

Der erste Wegweiser des 1853 eröffneten Germanischen Museums durch die zunächst im Turm am Tiergärtnertor in Nürnberg aufgestellte Sammlung aus dem Jahre 1853, der freilich in seiner 6–8 Beschreibung recht ungenau ist, nannte lediglich einen Bronzekruzifixus und ein Aquamanile[92]: Das „vergoldete Bischofs-Cruzifix" gehöre noch der byzantinischen Epoche an, wenngleich an der Figur des gekreuzigten Christus die übereinandergelegten Füße auf eine Übergangsperiode deuteten, indem diese Stellung sonst in jener Periode noch nicht vorkomme. Gemeint sein kann nur ein in der Anfangszeit häufig erwähnter vergoldeter bronzener Corpus Christi. Die Beschreibung als Dreinageltyp scheint auf einem Irrtum zu beruhen[93]; der auch sonst von Irrtümern nicht

---

[87] Wegweiser GNM 1853, T. 1, S. 7. – Wegweiser GNM 1860 und 1861, unpaginierte Beilage am Ende.

[88] Organismus GNM, Abt. 1 und 2. – Zum Charakter dieses Kataloges vgl. Abb. 411. – Der bei Hampe, Festschrift, S. 22 erwähnte Brief vom 15. Mai 1850, in der Aufseß dem mecklenburgischen Archivar Friedrich von Lisch seine Sammlung schildern soll, war mir nicht zugänglich.

[89] Einen gewissen Überblick gibt Aufseß selbst: Gesellschaft für Erhaltung deutscher Denkmäler. In: Anzeiger für Kunde des deutschen Mittelalters Jg. 2 (1833), Sp. 135–142 (139–142). – Zum Programm des Museums: Gesellschaftsangelegenheiten. In: Anzeiger für Kunde des deutschen Mittelalters Jg. 2 (1833), Sp. 81–84. – Zum Museum im Scheurlhaus auch Hampe, Festschrift, S. 15–18.

[90] Einer der seltenen Ausnahmefälle scheint bei den sog. „Plieningen-Scheiben" vorzuliegen, zwei Glasgemälden mit Stiftern von 1499 (Inv. Nr. MM 109–110), die bereits 1853 im Tiergärtnertorturm ausgestellt waren (Abb. 7). Die Scheiben waren aus der St.-Georgs-Kirche in Kleinbottwar bei Ludwigsburg in Württemberg im Jahre 1838 zusammen mit 6 zugehörigen Scheiben verkauft worden, die sich bis heute in dem 1841 von Karl Alexander von Heideloff erbauten Schloß Lichtenstein befinden (Markus Otto: Die Glasgemälde aus der St. Georgs-Kirche in Kleinbottwar. In: Ludwigsburger Geschichtsblätter Bd. 22 [1970], S. 27–39). Da Heideloff (1789–1865) zusammen mit Aufseß zu den Gründern der Gesellschaft zur Erhaltung der Denkmäler älterer deutscher Geschichte, Literatur und Kunst gehörte und auch später dem Museum als Mitglied des Verwaltungs- und Gelehrtenausschusses verbunden blieb, dürften sowohl die an Aufseß gelangten wie die von ihm in Lichtenstein eingebauten Kleinbottwarer Scheiben zwischen 1838 und 1841 durch seine Hand gegangen sein.

[91] Jahresbericht GNM 10 (für 1863), 1864. – Chronik des germanischen Museums. In: Anzeiger GNM 1855, Sp. 73–78 (75).

[92] Wegweiser GNM 1853, Teil II, S. 12.

[93] Walter Josephi: Die Werke plastischer Kunst (Kataloge des Germanischen Nationalmuseums). Nürnberg 1910, Nr. 147, Abb. S. 74, hat den Kruzifix aus heute nicht mehr erkennbaren Gründen mit Inv. Nr. Pl. o 463 identifiziert, einen Bronzekorpus im Viernageltypus; irrtümliche Annahme eines Dreinageltypus wäre freilich eher bei dem Kruzifixus mit den angewinkelten Beinen Pl. o 457 (Josephi Nr. 148 mit Abb.), dessen Erwerbungsumstände sonst auch nicht bekannt sind und der jedenfalls 1868 auch vorhanden war, verständlich. – Im Organismus GNM von

freie Text August von Eyes mag am Schreibtisch und nicht in der Sammlung entstanden sein. Über das Aquamanile hieß es: „Zu den ältesten (der kirchlichen Denkmale) gehört eine zur Aufbewahrung des Taufwassers oder Abendmahlsweines bestimmte Messingkanne in byzantinischer Arbeit", und kurz darauf: „Unter den Giess- und Trinkgefäßen erinnert eine Weinkanne in Gestalt eines Löwen an byzantinische Arbeit"[94]. 1856 wurde es im Anzeiger bereits als Gefäß in Gestalt eines byzantinischen Löwen bezeichnet, der als Aquamanile gebraucht wurde und im selben Jahr im Katalog ins 12. Jahrhundert datiert[95], während die Gips-Preisverzeichnisse seit 1855/56 als Entstehungsdatum das 14. Jahrhundert angaben[96], Zeichen der noch lange bestehenden Unsicherheit mittelalterlichen Bronzen gegenüber, die freilich bei der Beurteilung gerade dieses Stückes seine besonderen Gründe haben könnte, wie eine erwünschte neuere Untersuchung des Stückes ergeben mag. Aufseß hatte den Löwen nach einer Mitteilung Essenweins[97] bei einem Nürnberger Händler erworben.

Die Bezeichnung von Kruzifix und Aquamanile als byzantinisch entsprach dem älteren Sprachgebrauch der ersten Hälfte des 19. Jahrhunderts. So hatte Franz Kugler in seiner Beschreibung der Berliner Kunstkammer von 1838 noch den byzantinischen (= romanischen) vom deutschen (= gotischen) Stil unterschieden, freilich bereits in der ersten Auflage seines Handbuches von 1842 diesen Sprachgebrauch verurteilt, weil die byzantinische Kunst als „eine eigenthümliche . . . wie früher, so auch in der romanischen Periode und später, der occidentalisch-europäischen zur Seite" stehe[98]. An dem Begriff des germanischen Styls hielt er noch fest, obwohl er die Priorität französischer Bauten in dieser Stilart kannte. Die für viele Deutsche der Zeit bestürzende Erkenntnis der französischen Wurzeln der Gotik wurde nach einigem Zögern 1845 von August Reichensperger im Kölner Domblatt publiziert[99]. Unabhängig davon hielt sich besonders in Süddeutschland der alte Sprachgebrauch „byzantinisch" für den Stil der ersten Hälfte des Mittelalters offenbar noch lange, wie wir einer Äußerung August Essenweins aus dem Jahre 1873[100] entnehmen können.

Ein kleiner maasländischer Bronzeleuchter mit Drachenfüßen aus dem 12. Jahrhundert[101] und ein von Karl Alexander Heideloff 1852 publiziertes, dem 15. Jahrhundert zugeschriebenes kupfernes Wassergefäß, eine sogenannte Wasserblase, mit unglaublich primitiven Gravierungen[102], deren

1856, Abt. 2, S. 365 wird er als „Leib Christi von einem Cruzifix; massive, vergoldete Bronce mit ciselierter Arbeit. H. 6". 10. Jhdt.", in den Verzeichnissen der ab 1856 angebotenen Gipsabgüsse als „Der Leib Christi am Kreuz. Bronceguß a.d. 11. Jahrh. H. 6". – 36 kr." bezeichnet. – Erstes Preisverzeichnis von 1855/56, als Einzelblatt erschienen (Archiv GNM, Altregistratur GNM, Kapsel 1a). – Vgl. auch Abb. 16.

[94] Wegweiser GNM 1853, T. 2, S. 12/13. Gemeint ist KG 261 (Otto von Falke und Erich Meyer: Romanische Leuchter und Gefäße, Gießgefäße der Gotik. Berlin 1935, Abb. 472). Es blieb das einzige Aquamanile der Aufseß-Zeit; vgl. August Essenwein: Einige Fragen in Betreff der Aquamanilia. In: Anzeiger GNM 1865, Sp. 260–262 mit Abb. Eine Messingkanne in Löwenform wird außer diesem Stück später, etwa im Organismus unter den weltlichen Trink- oder Gießgefäßen, niemals erwähnt, so daß beide leicht differierenden Erwähnungen bei Eye sich nur auf dasselbe Stück beziehen können.

[95] O. Verf.: Die Sammlung kirchlicher Geräthe im germanischen Museum. In: Anzeiger GNM 1856, Sp. 234–238 (237). – Organismus GNM, Abt. 2, S. 366.

[96] Vgl. Anm. 103 und Abb. 16.

[97] Essenwein, Aquamanilia (Anm. 94).

[98] Franz Kugler: Beschreibung der in der Königl. Kunstkammer zu Berlin vorhandenen Kunst-Sammlung (Franz Kugler: Beschreibung der Kunst-Schätze von Berlin und Potsdam, T. 2). Berlin 1838, z.B. S. 20/21. – Kugler, Handbuch, 1. Aufl. (Anm. 9), S. 416/17, Anm. 1. – Eine Wertung der byzantinischen Kunst als eigenständig offenbar zuerst bei Carl Schnaase: Zur Würdigung der byzantinischen Kunst. In: Zeitschrift für Bildende Kunst Bd. 3 (1868), S. 137–175.

[99] Ausführlich schildert die vorsichtige Veröffentlichung Germann (Anm. 8), S. 139. – Kugler, Handbuch, 1. Aufl. (Anm. 9), S. 515. – In der 2. Auflage seines Werkes von 1859 spielt der Begriff des germanischen Stiles keine Rolle mehr; die Gotik wird uneingeschränkt als eine Entwicklung des französischen Kronlandes dargestellt, vgl. dort S. 2, Anm. 1.

[100] August Essenwein: Zwei zu den deutschen Reichkleinodien gehörige Futterale. In: Anzeiger GNM 1873, Sp. 1–6 (5).

[101] Inv. Nr. KG 226. – Organismus GNM, Abt. 2, S. 365. – Falke-Meyer (Anm. 94), Nr. 63, Abb. 65.

[102] Carl Heideloff: Die Ornamentik des Mittelalters. Eine Sammlung auserwählter Verzierungen und Profile byzantinischer und deutscher Architektur, Bd. 4 (H. XIX). Nürnberg 1852, Taf. 2. – August Essenwein: Kunst- und kultur-

neuzeitliche Entstehung offenbar erst relativ spät erkannt wurde, müssen noch in der ersten Hälfte der fünfziger Jahre erworben worden sein. Jedenfalls erschienen sie bereits zusammen mit dem genannten Bronzekruzifix und dem Aquamanile in den Jahren 1855/56 unter den Gegenständen, von denen das Museum Gipsabgüsse anbot[103]. Auch einige von den später so zahlreich vermehrten Limoges-Emails kamen zwischen 1852 und 1856 hinzu. Unter den kirchlichen Geräten verzeichnete der Katalog ein Reliquienkästchen und ein von Hefner-Alteneck aus der Aufseßschen Sammlung publiziertes Altar- oder Vortragekreuz, sowie – konsequenterweise als nicht mehr funktionsfähiges Fragment unter die Werke der Malerei, also der Kunst, eingeordnet – eine einzelne emaillierte Seitenplatte eines Limoges-Kästchens[104]. Emails hatte auch Carl Schnaase in seiner Geschichte der bildenden Künste des Mittelalters nicht den Metallarbeiten, sondern wie Aufseß zusammen mit der Glasmalerei, der Teppichweberei und Stickerei der Malerei zugerechnet[105]. Genannt wurden darüber hinaus einige freilich sehr einfache gotische Kelche und Monstranzen. 1861 war in der Geschichte der hier behandelten Sammlung das Jahr der ersten nennenswerten Erwerbungen. Aufseß erwarb – mit eigenen Mitteln – für das Museum ein bronzevergoldetes Reliquienkästchen in Form eines spätantiken Sarkophages mit stehenden Apostelfiguren des 11./12. Jahrhunderts, offenbar einen Bodenfund, und einen Bronzeleuchter des 12. Jahrhunderts in Elefantengestalt. Beide Stücke wurden im Museum als Aufseß' Leihgabe deponiert und im Anzeiger als Neuerwerbung des Museums genannt[106]. Nach Ausweis des Zugangsregisters erfolgten damals nahezu alle Erwerbungen auf Kosten des Museumsgründers; dazu gehörte im selben Jahr auch das frühe Reliquien-Altärchen mit gemalten Flügeln, eines der frühesten Werke der Nürnberger Tafelmalerei aus der Mitte des 14. Jahrhunderts, zunächst dem damals so viel gerühmten Kölner Meister Wilhelm zugeschrieben[107]. Nur gelegentlich erschienen im Zugangsregister auch Direktkäufe des Museums[108].

Im selben Jahr 1861 konnte das Museum eines der vornehmsten historischen Denkmäler des Nürnberger Mittelalters übernehmen. Die protestantische Kirchenverwaltung Nürnberg übergab als Leihgabe den „Heiltumsschrein", jenen großen mit silbernen Nürnberger Wappenschilden be- 386

geschichtliche Denkmale des Germanischen National-Museums. Eine Sammlung von Abbildungen hervorragender Werke aus sämtlichen Gebieten der Kultur. Leipzig 1877, Taf. 69.

[103] Erstes Preisverzeichnis von 1855/56, als Einzelblatt erschienen. Zum Beginn des Vertriebes von Abgüssen: Chronik des germanischen Museums (März 1855). In: Anzeiger GNM 1855, Sp. 75. – Zweites Preisverzeichnis, als Anlage zum Anzeiger GNM vom 3. März 1856. – Drittes und viertes Preisverzeichnis, separat und als Beilage zum Anzeiger GNM 1857 und 1859 erschienen, vgl. Abb. 16 (sämtlich Archiv GNM, Altregistratur GNM, Kapsel 1a).

[104] Das Reliquienkästchen Inv. Nr. KG 167, das Kreuz Inv. Nr. KG 216, die Einzelplatte Inv. Nr. KG 161; außerdem das Holzkreuz mit Limousiner Emailappliken Inv. Nr. KG 224; Organismus GNM, Abt. 2, S. 365 u. S. 127. – Kirchliche Geräte (Anm. 84), Sp. 237. – A(ugust) Essenwein: Die Reliquienbehälter in der Sammlung kirchlicher Alterthümer im germanischen Museum. In: Anzeiger GNM 1868, Sp. 309–315, 350–354 (312, Abb. 1). – Becker und Hefner-Alteneck (Anm. 38), Bd. 2 (H. XVI), S. 8 u. Taf. 12.

[105] Schnaase, 1. Aufl. (Anm. 9), S. 340. – Ähnlich äußert sich Kugler, Kunstkammer (Anm. 10), S. 14–17.

[106] Vgl. Zugangsregister der kunst- und kulturgeschichtlichen Sammlungen GNM 1861/nach 3880. – Chronik des germanischen Museums. In: Anzeiger GNM 1861, Sp. 401–410 (403). – Das interessante Bronzekästchen Inv. Nr. KG 158 ist bisher niemals untersucht worden. – Elefantenleuchter Inv. Nr. KG 227. A(ugust) Essenwein: Einige Leuchter für kirchlichen Gebrauch aus den Sammlungen des germanischen Museums. In: Anzeiger GNM 1867, Sp. 367–373 (368), Abb. 2. – Erich Meyer: Mittelalterliche Elefantenleuchter. In: Die Weltkunst Bd. 19 (1949), H. 1, S. 4–5 (4), Abb. 2.

[107] Inv. Nr. KG 1. – Josephi (Anm. 93), Nr. 219. – Alfred Stange: Deutsche Malerei der Gotik, Bd. 1. Berlin 1934, S. 200, Abb. 206/7. – Eberhard Lutze und Eberhard Wiegand: Die Gemälde des 13. bis 16. Jahrhunderts (Kataloge des Germanischen Nationalmuseums zu Nürnberg). Leipzig 1937. Textbd. S. 113/14; Tafelbd. Abb. 1–3.

[108] Das ab 1853 als Zugangsregister geführte „Verzeichnis der Geschenke für das germanische Museum an Kunst- und Alterthumsgegenständen" erfaßte nur die Geschenke, die mit derselben Nummer und meist mit gleichlautendem Wortlaut auch in der im Anzeiger GNM erscheinenden Chronik des Museums veröffentlicht wurden. Ab 1858 wurden in dem jetzt als „Register über den Zuwachs der Kunst- und Alterthumssammlungen des germanischen Museums" bezeichneten Inventar auch Leihgaben und Käufe eingetragen, zunächst jedoch ohne eigene Nummern, da die dafür vorgesehene Spalte die Überschrift „Nummer der Geschenke" trug.

schlagenen Holzschrein, den die Stadt 1438–1440 zur Aufbewahrung eines Teiles der ihr durch Kaiser Sigismund 1424 anvertrauten Reichskleinodien hatte anfertigen lassen. In dem im Gewölbe der Heiliggeistkirche hängenden Schrein hatte sie seitdem bis zur Wegführung nach Wien 1796 die zu den Reichskleinodien gehörenden Reichsreliquien verwahrt, darunter an erster Stelle die im Reichskreuz geborgene Heilige Lanze[109]. Der Heiltumsschrein und das leere, später ebenfalls in das Museum gelangte Lederfutteral von 1457 für den dritten, schon im 18. Jahrhundert verschwundenen Reichsapfel waren die einzigen in Nürnberg zurückgebliebenen Stücke des Reichsschatzes, letztes Unterpfand des politischen Ansehens Nürnbergs im Mittelalter. Jetzt bot sich die Deponierung dieser Reste einstiger Reichsgröße in einem in derselben Stadt entstandenen Nationalmuseum an[110].

Zwei Jahre zuvor hatte sich für einen Augenblick eine noch glänzendere Aussicht für das junge Museum eröffnet; für kurze Zeit schien es, als könne es einen der ältesten und vielseitigsten deutschen Kirchenschätze übernehmen. Am 20. April 1859 fragte der Halberstädter Domherr Werner Freiherr Spiegel zum Desenberg an, ob das Museum den Domschatz als Leihgabe übernehmen wolle, der zur Zeit völlig vernachlässigt in Halberstadt verkomme[111]. Der außerordentliche Reichtum an Werken der frühen Schatzkunst, byzantinischen und orientalischen Goldschmiede- und Edelsteinwerken, die wir, wenn auch mit weniger Wahrscheinlichkeit auf den Brautschatz der aus Byzanz stammenden ottonischen Kaiserin Theophanou, so doch auf die Beute des vierten Kreuzzuges zurückführen können, von der der Halberstädter Bischof Konrad von Krosigk sich einen besonders großen Anteil gesichert hatte, die große Anzahl von illuminierten Handschriften, von Elfenbeinen von der Spätantike bis zur Gotik und westlichen mittelalterlichen Goldschmiedearbeiten[112] hätte das Germanische Museum mit einem Schlage zu einer der großen Sammlungen mittelalterlicher Schatzkunst gemacht, wie es bis heute nur die rheinischen Kirchenschätze von Aachen, Essen, Köln und Trier und in geringerem Maße die Schätze von Quedlinburg und Frizlar sind, neben die erst 1935 das Berliner Kunstgewerbemuseum durch den Ankauf der Reste des aus dem Braunschweiger Dom stammenden Welfenschatzes[113] trat. Die Halberstädter Stücke hätten das

---

[109] Inv. Nr. KG 187. – E. (d. i. August von Eye): Der Schrein der sogen. Reichsreliquien zu Nürnberg. In: Anzeiger GNM 1861, Sp. 437–440 mit Abb. – Zuletzt Heinrich Kohlhaußen: Nürnberger Goldschmiedekunst des Mittelalters und der Dürerzeit 1240 bis 1540. Berlin 1968, S. 95–97, Kat. Nr. 169, Abb. 159–161 mit weiterer Lit.

[110] Inv. Nr. HG 3592, als Leihgabe im Museum seit vor 1873. Essenwein, Futterale (Anm. 100), Sp. 6, Abb. 2. – Albrecht Dürer 1471–1971 (Ausstellungskatalog GNM). München 1971, Nr. 249. – Das hier jeweils genannte weitere Lederfutteral (Essenwein, Sp. 1–5, bzw. Dürer-Kat. Nr. 250) wird heute nicht mehr zum Bestand der Reichskleinodien gerechnet. – Die in der „Chronik des germanischen Museums". In: Anzeiger GNM 1870, Sp. 205 (ähnlich Jahresbericht GNM 17 [für 1870] 1871, S. 2) erwähnten, damals von dem Nürnberger Antiquar A. Pickert dem Museum geschenkten zwei Glasschränke, in denen einst die deutschen Reichskleinodien in der Nürnberger Spitalskirche zur Besichtigung ausgestellt waren, ehe sie aus Nürnberg geflüchtet wurden, und die als „schätzbare Bereicherung der Sammlung historischer Reliquien im Museum" bezeichnet wurden, werden sonst niemals erwähnt. Über ihren Verbleib ist nichts bekannt.

[111] Akten: Correspondenz in Betreff des Halberstädter Domschatzes. Archiv GNM, Altregistratur GNM, Kapsel 28, lfd. Nr. 16; der ablehnende Bescheid des Oberpräsidenten vom 23. April 1860 in: Akten: Kunst- und kulturgeschichtliche Sammlungen 1859/61. Archiv GNM, Altregistratur GNM, Kapsel 7, lfd. Nr. 8, Bl. 95. – Vgl. auch S. 792.

[112] Zum Halberstädter Domschatz zuletzt: Johanna Flemming, Edgar Lehmann und Ernst Schubert: Dom und Domschatz zu Halberstadt. Wien und Köln 1972, S. 155–260 u. Abb. 108–183. – Zu den byzantinischen und orientalischen Werken vor allem Hans Wentzel: Das byzantinische Erbe der ottonischen Kaiser. Hypothesen über den Brautschatz der Theophano. In: Aachener Kunstblätter Bd. 40 (1971), S. 15–39, sowie Bd. 43 (1972), S. 11–96. – Hans Wentzel: Byzantinische Kleinkunstwerke aus dem Umkreis der Kaiserin Theophano. In: Aachener Kunstblätter Bd. 44 (1973), S. 43–86. – Byzantinische Kostbarkeiten aus Museen, Kirchenschätzen und Bibliotheken der DDR. Spätantike-Byzanz-Christlicher Osten. (Ausstellungskatalog der) Staatl. Museen zu Berlin, Frühchristlich-byzantinische Sammlung 1977. Bearb. von Arne Effenberger u. a. Berlin 1977, Nr. 8, 12–13, 108–111.

[113] Zuletzt: Dietrich Kötzsche: Der Welfenschatz im Berliner Kunstgewerbemuseum (Bilderheft der Staatl. Museen Preußischer Kulturbesitz Berlin, 20/21). Berlin 1973.

Erscheinungsbild des Museums entgegen dem bis heute deutlichen Übergewicht des späten Mittelalters und der Dominanz fränkischer Tradition entschieden verändert. Doch zerschlug sich der Traum trotz sofortiger Bemühungen des Museums bald; am 23. April 1860 untersagte der Oberpräsident der preußischen Provinz Sachsen Hartmann Freiherr von Witzleben die Überführung des Schatzes nach Nürnberg. Eine solche Chance kehrte nicht wieder. Die Entwicklung der Sammlung kirchlicher Schatzkunst sollte einen langsameren, unendlich bescheideneren Verlauf nehmen.

Neben den wenigen genannten Werken der kirchlichen Goldschmiede- und Bronzekunst ist auch der Anfänge der Sammlung von Elfenbeinen und Miniaturen zu gedenken. Zwar wurden sie in den Wegweisern und im Katalog der ersten Jahre an weit entfernter Stelle behandelt, doch scheint es in dem hier verfolgten Zusammenhang angebracht, alle Zweige der Künste zusammenzufassen, die in der ersten Hälfte des Mittelalters durch den Kreis der ausführenden Künstler und durch die gemeinsame Aufgabe des Schmuckes der Evangelienhandschriften durch Buchmalereien und Deckel aus Gold und Elfenbein eng verbunden waren. Gerade die Schaffung reich ausgestatteter liturgischer Handschriften stand lange Zeit im Vordergrund künstlerischen Bemühens, wodurch jenes so bezeichnende gemeinsame künstlerische Klima der kirchlichen Schatzkunst entstand, die wir als Buchmalerei, Goldschmiedekunst, Elfenbein- und Bronzeplastik verstehen. Liturgische Prunkhandschriften der karolingischen oder ottonischen Zeit lagen freilich noch mehr als hundert Jahre außerhalb des Blickfeldes des Museums; bis heute ist der Bestand der Handschriftensammlung der Bibliothek an liturgischen Handschriften des Mittelalters auffallend gering. Zwar konnte der Wegweiser von 1853 zwei lateinische Psalterien mit Miniaturen aus dem 13. Jahrhundert nennen, der Katalog von 1856 ein mit Initialen auf Goldgrund ausgestattetes Antiphonale des späteren 13. Jahrhunderts hinzufügen – sämtlich recht bescheidene Handschriften[114]; das Schwergewicht des Interesses lag aber bei den literarisch interessanten Handschriften des späten Mittelalters. Zwischen 1856 und 1863 muß Aufseß freilich das Augsburger Epistolar mit Silbereinband von 1506 erworben haben, das als eins der relativ seltenen Beispiele eines spätgotischen Edelmetall-Buchdeckels Beachtung verdient[115]. Auch bei den den Originalhandschriften angeschlossenen 40 Werken mit Kopien nach Handschriften fremder Bibliotheken interessierten in erster Linie Turnier- und Fechtbücher[116]. Allenfalls unter den Einzelblättern aus illuminierten Handschriften, die der Sammlung des Kupferstichkabinetts zugeordnet wurden, ragte aus einer Anzahl von Initialen der Handschriften des 14. und 15. Jahrhunderts ein Doppelblatt aus einer Engelberger Handschrift mit dem vor der thronenden Maria knienden Engelberger Abt Walter von Iberch und einer Verkündigung von 1250 heraus[117]. Ein schmaler Pergamentstreifen mit farbiger Federzeichnung eines stehenden Heiligen unter reicher Turmarchitektur – lange hochgeschätzt

[114] Wegweiser GNM 1853 T. 1, S. 18. Gemeint sind die Psalter Hs 4981 und 4984 a; Organismus GNM, Abt. 1, S. 192. – O. Verfasser: Die Miniaturen in der Bibliothek des german. Museums. In: Anzeiger GNM 1856, Sp. 308–311 (309). – E(rnst) W(ilhelm) Bredt: Katalog der mittelalterlichen Miniaturen des Germanischen Nationalmuseums. Nürnberg 1903, Nr. 21 u. 77 (hier zu Unrecht als Brevier des 14. Jahrhunderts bezeichnet). – Heinz Zirnbauer: Beschreibendes Verzeichnis der Miniaturhandschriften vom 10. bis zum Beginn des 16. Jahrhunderts im Germanischen Museum zu Nürnberg. Mschr. Manuskript in der Bibliothek GNM. Nürnberg 1927, Nr. 14 u. 23. – Zum Antiphonar Hs 4984 Organismus GNM, Abt. 1, S. 178; Miniaturen l.c., Sp. 309 und Zirnbauer Nr. 16. – Eine neue Bearbeitung der illuminierten Handschriften durch Barbara Hellwig erscheint demnächst.
[115] Inv. Nr. Hs 3155 b. – Nicht im Organismus GNM, Abt. 1. – Becker und Hefner-Alteneck (Anm. 38), Bd. 3, Taf. 5. – Zuletzt: Hans Holbein d. Ä. und die Kunst der Spätgotik (Katalog der Ausstellung). Augsburg 1965, Nr. 279.
[116] Wegweiser GNM 1853, T. 1, S. 19/20. – Zu den Nachzeichnungen E. (d. i. August von Eye): Über Copien von Miniatüren und Federzeichnungen in alten Handschriften. In: Anzeiger GNM 1854, Sp. 9–11. – Vgl. auch den Beitrag von Elisabeth Rücker in diesem Band, S. 560 mit Abb. 326.
[117] Kupferstichkabinett GNM Inv. Nr. Min 28. – Organismus GNM, Abt. 2, S. 123–127 (124, linke Spalte unten). – Bredt (Anm. 114), Nr. 17 u. Taf. V.

und allenthalben abgebildet – dürfte demgegenüber eher als ein liebenswertes Zeugnis zaghafter Annäherung des Jahrhunderts des Museumsgründers an die Stilformen des 12. Jahrhunderts Interesse beanspruchen können[118].

Von Elfenbeinreliefs und -figuren konnten der Wegweiser von 1853 und der Organismus als ältestes Stück auf ein nun wirklich byzantinisches Werk des 10. oder 11. Jahrhunderts hinweisen[119]. Spätere Werke wurden zum Teil nur summarisch genannt, als besonders schön ein heiliger Georg zu Pferde aus dem 15. Jahrhundert[120] gerühmt. Ein Reiterkampf mit Zelten und Bäumen in durchbrochener Arbeit, angeblich aus dem 13. Jahrhundert, der noch den ursprünglichen Rand des Elefantenzahnes zeige, galt lange Zeit als besonderer Ruhmestitel der Sammlung, obwohl schon der ungenannte Autor eines Aufsatzes von 1855 die Aufzählung der zahlreichen, schwer zu erklärenden Merkwürdigkeiten mit dem bezeichnenden Satz abschloß: „Könnte wohl jemand hierüber Aufschluß geben?"[121]. Kurz darauf mag Aufseß die fast vollplastische große Gruppe der trauernden Marien im Stile des 14. Jahrhunderts erworben haben, deren Zugehörigkeit zu einer größeren Gruppe von Elfenbeinen des 19. Jahrhunderts erst unlängst erkannt wurde[122]. Angefügt war eine Reihe von Abgüssen nach Elfenbeinen des 10. bis 14. Jahrhunderts aus den Museen zu München, Berlin und Dresden in Gips und Metall, die auch im einzelnen im gedruckten Katalog von 1856 aufgeführt wurden[123]. Die Gipsabgüsse stammten von dem Frankfurter Bildhauer und Medailleur Johann Wilhelm Sommer, von dem an anderer Stelle besonders gelobt wurde, sie ersetzten das Original in so befriedigender Weise, daß dem wissenschaftlichen Studium dadurch vollkommen Genüge geschehe[124], die Metallabgüsse von dem bekannten Siegelabgießer Albert Röckl in München[125]. Der Verfasser des Wegweisers, August von Eye, versäumte nicht hinzuzufügen, daß gerade eine der Hauptaufgaben des germanischen Museums in solcher Zusammenstellung von Abgüssen der besten und merkwürdigsten Skulpturen deutscher Kunst liege[126].

Kurz darauf begann das Museum auch selbst Gipse nach eigenen und fremden Vorlagen, und zwar, wie es im ersten Prospekt von 1855/56 ausdrücklich hieß, nach dem Vorbild der Berliner
16 Gipsformerei, serienmäßig herzustellen und mit Preislisten anzubieten[127]. 1855 schwelgte der un-

[118] Kupferstichkabinett GNM Inv. Nr. Min 24. – Organismus GNM, Abt. 2, S. 123 mit Abb. – O. Verf.: Die Sammlung der Miniaturen im germanischen Museum. In: Anzeiger GNM 1856, Sp. 73–76 (75) mit Abb. – Essenwein, Denkmale (Anm. 102), Taf. 10. – Bredt (Anm. 114), Nr. 8 mit Abb.

[119] Inv. Nr. O 475. – Wegweiser GNM 1853, T. 1, S. 38. – Organismus GNM, Abt. 2, S. 86. – Adolph Goldschmidt und Kurt Weitzmann: Die byzantinischen Elfenbeinskulpturen, Bd. 2. Berlin 1934, Nr. 164. – Heinz Stafski: Die Bildwerke in Stein, Holz, Ton und Elfenbein bis um 1450 (Kataloge des Germanischen Nationalmuseums Nürnberg. Die mittelalterlichen Bildwerke, Bd. 1). Nürnberg 1965, Nr. 203 mit Abb.

[120] Inv. Nr. Pl. O 397. – Wegweiser GNM 1853, T. 1, S. 38. – Organismus GNM, Abt. 2, S. 88. – Stafski (Anm. 119), Nr. 218. – Es existieren zahlreiche ähnliche Stücke; eine Zusammenstellung bietet Margaret H. Longhurst: Catalogue of Carvings in Ivory. Victoria and Albert Museum, Department of Architecture and Sculpture, T. 2. London 1929, S. 56/57.

[121] Inv. Nr. Pl. O 395. – Wegweiser GNM 1853, T. 1, S. 38. – Organismus GNM, Abt. 2, S. 87 mit Abb. – O. Verf.: Die Elfenbeinschnitzwerke im germanischen Museum. In: Anzeiger GNM 1855, Sp. 7–9 mit Abb. – Essenwein, Denkmale (Anm. 102), Taf. 26. – Josephi (Anm. 93), Nr. 620 mit Taf. 61.

[122] Inv. Nr. Pl. O 368. – Organismus GNM, Abt. 2, S. 87. – Stafski (Anm. 119), Nr. 227 mit Abb. – Jaap Leeuwenberg: Early Nineteenth-Century Gothic Ivories. In: Aachener Kunstblätter Bd. 39 (1969), S. 111–148 (146, Anm. 20). – Fälschung und Forschung. (Katalog der) Ausstellung Museum Folkwang Essen und Skulpturengalerie Berlin. Berlin 1976/77, Nr. 59 mit Abb.

[123] Organismus GNM, Abt. 2, S. 86–88. – Elfenbeinschnitzwerke (Anm. 121), Sp. 7.

[124] Chronik des germanischen Museums. In: Anzeiger GNM 1855, Sp. 75. – Zu Sommer, der als Medailleur auch unter dem Namen Pseudo-Dürer bekannt ist: Thieme-Becker: Allgemeines Lexikon der Bildenden Künstler, Bd. 31. Leipzig 1937, S. 270. – G. F. Hill und Graham Pollard: Renaissance Medals from the Samuel H. Kress Collection at the National Gallery of Art (Washington). London 1967, Nr. 628.

[125] Vgl. Franz von Löher: Das Geheimniss des Röckl'schen Metallabgusses von Siegeln und Medaillen und dessen Sammlungen im Reichsarchiv zu München. In: Archivalische Zeitschrift Bd. 3 (1878), S. 246–274; auch separat Stuttgart 1878. – Thieme-Becker (Anm. 124), Bd. 28. Leipzig 1934, S. 480.

[126] Wegweiser GNM 1853, T. 1, S. 38.

[127] Zu den Preislisten vgl. Anm. 103.

genannte Verfasser der Chronik im hauseigenen Organ, wie das Museum demnächst auch im Technischen seine Wirksamkeit zu öffentlicher Geltung bringen werde, nachdem der Bildhauer Sommer „seine ihm eigenthümliche und durch langjährige Erfahrung auf die höchste Stufe der Vollkommenheit gebrachte Kunst des Abformens einen Künstler des Museums, Maler W. Maurer, ganz unentgeltlich" gelehrt habe. „Obgleich dieß nicht gerade seiner Hauptaufgabe angehört, so ist es doch gewiß von dem wohlthätigsten Einfluß auf die vaterländische Kunst- und Geschmacksbildung, wenn das Museum neben seinen wissenschaftlichen Bestrebungen auch dahin wirkt, daß der germanische Styl nicht allein in Bauwerken, sondern auch in allen übrigen Lebensbedürfnissen, in so weit überhaupt hier ein ausgeprägter Styl möglich erscheint, wieder in sein Recht eingesetzt werde ... Es ist erfreulich, berichten zu können wie das Museum immer mehr Aufträge theils für Nachbildung und Copie von alten Originalien, theils für Anfertigung neuer Gegenstände zum Gebrauch im Styl des deutschen Mittelalters erhält"[128]. Man glaubt den Enthusiasmus der beginnenden Kunstgewerbebewegung zu vernehmen. Das erste Preisverzeichnis von 1855/56 bot zwölf verschiedene Abgüsse, darunter zehn nach Originalen des Germanischen Museums an. Daß unter den drei Elfenbeinen eine, unter den sechs Geräten wenigstens zwei, wenn nicht drei Fälschungen waren, denen so zu beträchtlicher Breitenwirkung verholfen wurde – später mit Erweiterung des Angebotes, stieg naturgemäß auch ihre Zahl –, dämpft freilich die Anteilnahme des modernen Lesers. Der kaum zu unterschätzende Anteil solcher Reproduktionen an dem entstehenden neuzeitlichen Bild der mittelalterlichen Kunst – gewiß war die Nürnberger Situation nicht ohne Parallelen anderenorts – verdiente eine gesonderte Untersuchung und dürfte über die bisher fast unbekannte Wirkungsgeschichte der Nürnberger Sammlungen hinaus manch interessanten Einblick in die Entstehung des „altdeutschen" Stilideales des 19. Jahrhunderts bieten. Kam der Vertrieb selbst erzeugter Gipse auch nach wenigen Jahren zum Erliegen, so verwandte das Museum auf den Ausbau der eigenen Gipssammlung noch auf Jahrzehnte hinaus den größten Teil seiner Energien und finanziellen Mittel, so daß schließlich sich nicht nur seine Räume zunehmend mit Gipsabgüssen füllten, sondern auch sein Ruf wohl lange Zeit eher durch diese Vollständigkeit der in Abformung vorhandenen Denkmäler der deutschen Kunst als durch die eigene Sammlung von Originalwerken begründet war.

Vor allem infolge dieser raschen Vermehrung der Gipsabgüsse sollte die Klage über nicht ausreichende Räumlichkeiten die Geschichte des Museums fortan durch alle Zeiten begleiten. Jakob von Falke, der von 1855 bis 1858 als Konservator an der Kunstsammlung hauptsächlich damit beschäftigt war, von Sommerards fünfbändigem „Moyen Age"[129] ein Register anzulegen, das auch sämtliche auf den einzelnen Tafeln dargestellte Gegenstände verzeichnete – Teil der großen Repertoriumsarbeiten, denen sich das Museum verschrieben hatte –, hat die Raumnot anschaulich geschildert[130]: Die Gipsabgüsse waren in einem kleinen Stall im Hof unter dem Namen „Gypshalle" untergebracht, in dem man, um genug Licht zu erhalten, die Türen öffnen mußte, wenn jemand die Hildesheimer Bernwards-Türen besichtigen wollte, die als einer der ersten großen Gipsabgüsse als Geschenk der Berliner Museen 1855 ins Museum gelangt waren[131].

Die Sammlungen waren seit Eröffnung des Museums am 15. Juni 1853 in den ersten Jahren teils im Hause am Paniersberg, dem sogenannten Toplerhaus, teils in dem ehemaligen Hause des 5

---

[128] Chronik des germanischen Museums. In: Anzeiger GNM 1855, Sp. 73–78 (75).
[129] Vgl. Anm. 61.
[130] Jakob von Falke: Lebenserinnerungen. Leipzig 1897, S. 127–153 (144).
[131] Z. R. Nr. 1855/772. – Chronik des germanischen Museums. In: Anzeiger GNM 1855, Sp. 129–134 (129).

6–8 Reichsschultheißen, Burgstraße 24, teils im Turm am Tiergärtnertor aufgestellt[132]. Im Wegweiser von 1853 wies August von Eye entschuldigend darauf hin, was an wissenschaftlicher Ordnung abgehe, habe man „durch gewisse, dem Locale entsprechende malerische Anordnung zu ersetzen gewußt"[133]. Die Elfenbeine und übrigen kleinen Gegenstände waren aus praktischen Gründen in dem eigentlich der Bibliothek und dem Archiv vorbehaltenen Haus am Paniersberg zusammen mit Münzen, Medaillen und Siegeln in Vitrinen ähnlich wie die Urkunden und Handschriften und die in Mappen verwahrten Abbildungen und Kopien untergebracht. Im dritten Geschoß des Turms am Tiergärtnertor war ein kleines Zimmer den kirchlichen Denkmälern und eines den Hausgeräten vorbehalten, während der Hauptraum mit Möbeln, einem Kachelofen und einigen Bildern als altdeutscher Wohnraum eingerichtet war, ohne freilich den Eindruck von Großartigkeit wie der entsprechende der Gemäldegalerie vorbehaltene Raum im vierten Geschoß zu erreichen, der mit

8 einem gewaltigen neugotischen Thronsessel mit Baldachin und rundem Teppich ausgestattet war[134].

Nach dem Umzug in die Kartause, wo die ersten Räume im September 1857 eröffnet werden

374 konnten, fanden die kirchlichen Altertümer zunächst Aufstellung im ehemaligen Kapitelsaal. Die kirchlichen Geräte wurden wie auf einem barocken Schaubuffet in mehreren Etagen geordnet und durch einen Baldachin ausgezeichnet; die Abbildung zeigt, wie bescheiden die Gegenstände waren. Seit 1858/59 standen auch die ehemalige Kartäuserkirche und die Sakristei mit der darüberliegen-

18, 344 den Volckamer-Kapelle zur Verfügung. Während die Kirche als „Kunsthalle" für Gemälde und

vgl. 350 Skulpturen, für die großen Kopien auf Leinwandkartons von Wand- und Glasmalereien und die Gipsabgüsse nach Monumentalskulpturen vorgesehen wurde[135] und bald mit dem programmati-

17, 345 schen Fresko Wilhelm von Kaulbachs geschmückt wurde[136], wurden die kleineren liturgischen Geräte – jetzt unter drei Baldachinen – in der Sakristei aufgestellt, wo 1861 auch der Heiltums-schrein Aufstellung fand. Der Führer von 1860 sprach schon von einer kleinen Schatzkammer, verwahrte sich jedoch gegen einen Vergleich mit den großen Schätzen alter Domkirchen durch den Hinweis, das Ziel dieser wie aller Sammlungen des Museums sei nicht die Schaustellung vieler prachtvoller Stücke, sondern eine „lehrreiche Mustersammlung, selbst der einfachsten Dinge, de-ren man zu kirchlichem Gebrauch bedurfte"[137]. Den Ausdruck „lehrreiche Mustersammlung" darf man wohl weniger im Sinne der aufkommenden Kunstgewerbebewegung als Sammlung von Vor-bildern zur Nachahmung in der Gegenwart denn als Sammlung von Beispielen für die Zustände in der Vergangenheit verstehen. In der Kapelle darüber waren Kopien nach Werken „weit großarti-gerer Kirchenschätze" in mehreren Regalen und Glasschränken zu sehen: Bischofsstäbe, Reliquia-re, Ciborien, Kelche, aber auch Abgüsse von Elfenbeinskulpturen; genannt wurde die Berliner Abrahamspyxis, ferner ein Taufbecken, woraus Kaiser Otto getauft worden sei – vielleicht eine Verwechslung mit der Barbarossaschale aus Cappenberg. Die Original-Elfenbeinskulpturen blie-ben traditionsgemäß wie im früheren Lokal des Museums zusammen mit Handschriften, Urkun-

334 den, Medaillen und Münzen im sogenannten „Kunstsaal" ausgestellt[138].

[132] Wegweiser GNM 1853, Teil 1 u. 2. – Zu dem ab 1854 mitbenutzten Haus des Reichsschultheißen: Chronik des germanischen Museums (August 1854). In: Anzeiger GNM 1854, Sp. 193–196.
[133] Wegweiser GNM 1853, T. 1, S. 7.
[134] Wegweiser GNM 1853, T. 2, Taf. nach S. 10 u. 16.
[135] Chronik des germanischen Museums (November 1858). In: Anzeiger GNM 1858, Sp. 385–394 (385). – Jahresbericht GNM 4 (für 1856/57), 1858, S. 8.
[136] Hampe, Festschrift, S. 52–53. – Vgl. auch S. 366–367 in diesem Band.
[137] Wegweiser GNM 1860, S. 12–13. Leider gibt es keine Abbildung der Aufstellung in der Sakristei; vgl. aber den Grundriß im Wegweiser.
[138] Wegweiser GNM 1860, S. 14, 33, 36–37.

374. Kirchliche Altertümer im ehemaligen Kapitelsaal der Kartause in der Aufstellung von September 1857 bis Sommer 1859. Rechts unter dem Baldachin Altargeräte; erkennbar unten links der älteste romanische Bronzeleuchter der Sammlung, rechts vorn das Limogeskästchen aus der Aufseßschen Sammlung. An der südlichen Chorwand Nürnberger Altärchen, um 1350, damals dem Kölner Meister Wilhelm zugeschrieben, dahinter holzgeschnitzte Nachbildung eines hölzernen Lesepults des 14. Jahrhunderts aus Herrieden in Mittelfranken. Holzschnitt aus der Illustrirten Zeitung von 1858

Im Jahre 1865 wurde diese Ausstellung begründet: Wie der Heiltumsschrein eine dem kirchlichen Gebrauch naheliegende Bedeutung habe, habe der ganze Raum eine diesem Charakter angemessene Verwendung erhalten. Die Anordnung und Aufstellung unter Baldachinen sei der Sitte des Altertums selbst entnommen – man wüßte gern, worauf der Verfasser sich bezieht. Bei der Verschiedenheit der Gegenstände sei es vorzugsweise das durch sie gebotene Gesamtbild älterer kirchlichen Lebens, welches Interesse gewähre[139]. Der Gedanke, die dem christlichen Kult entfremdeten und im Museum ohne Funktionszusammenhang gesammelten Werke in einem scheinbaren, meist vorwiegend malerischen Ambiente zu vereinen, um so nach einem Wort Goethes „dem Geschmack zu erstatten, was der Frömmigkeit entrissen" war, fand gerade im Nürnberger Museum seine besondere, später oft als vorbildhaft empfundene Verwirklichung. Weil die kirchlichen Werke, von ihren geweihten Plätzen entfernt, in profanen Häusern nicht ganz an angemesse-

[139] Wegweiser GNM 1865, S. 14.

716

375. Größere kirchliche Einrichtungsgegenstände im Kapitelsaal der Kartause nach Überführung der kleineren liturgischen Geräte in die Sakristei: Schnitzaltäre, Kirchenbänke, Leuchter, Totenschilde; links und rechts des Altares die vor 1870 erworbenen spätgotischen Altarbaldachinsäulen aus Ansbach; davor Kopie des Herrieder Lesepultes. Vorn links Flügelaltar aus Bronnholzheim in Württemberg, Schwaben um 1500, rechts der später verkaufte bemalte Reliquienschrein des 15. Jahrhunderts aus dem Zisterzienserinnenkloster Saarn bei Mülheim an der Ruhr, dahinter das Nürnberger Altärchen, um 1350. Photographie von 1896

ner Stelle seien, andererseits so eine schickliche Umgebung geschaffen werden könne, hatte Goethe ausdrücklich die Anlage solcher Scheinkapellen gefordert und als eine glückliche Verwirklichung seinerzeit die Kapelle des Kanonikus Pick in Bonn gelobt[140]. Freilich hatte sich schon Franz Kugler 1837 gegen die, wie er sagte, „vor zwanzig Jahren . . . beliebten sogenannten Scheinkapellen, die zur Aufbewahrung altdeutscher Kunstwerke dienten," ausgesprochen und allenfalls die „allereinfachste Andeutung des jedesmaligen Styles" für erlaubt gehalten, um so die Bedeutsamkeit der einzelnen Werke und ihre eigene Gültigkeit nicht zu beeinträchtigen[141]. Doch erwies sich gerade für die kirchliche Kunst des Mittelalters die Tendenz zur Herstellung scheinbarer Funktions- und Lebenszusammenhänge im Museum durch Einrichtung voll ausgestatteter Kir-

[140] Goethe: Kunst und Alterthum (Anm. 45), S. 6, 33/34; vgl. auch S. 11/12.
[141] Franz Kugler: Über die gegenwärtigen Verhältnisse der Kunst zum Leben. In: Franz Kugler: Handbuch der Geschichte der Malerei in Deutschland, den Niederlanden, Spanien, Frankreich und England. Berlin 1837, S. 337. Auch in: Franz Kugler: Kleine Schriften und Studien zur Kunstgeschichte, Bd. 3. Stuttgart 1854, S. 206–232 (217).

chen, Sakristeien und Kirchenschätze als überaus zählebig. Dies mußte umsomehr gelten, wenn historische kirchliche Räume vorhanden waren und ins Museum einbezogen wurden, so daß man in diesen Fällen nur selten der Versuchung widerstand, aus den vorhandenen Sammlungen Kircheneinrichtungen zusammenzustellen. Daneben kam es zu zahlreichen Neubauten – nicht zuletzt in Nachahmung der als malerisch und romantisch empfundenen Zusammenordnung von Bau und Sammlung im Germanischen Nationalmuseum[142]. Auch später – im Grunde bis heute – sollten im Germanischen Museum Kirche, Sakristei und bis zu seiner Zerstörung der kapellenartige Kapitelsaal auf der Südseite der Kirche nicht nur den Werken der kirchlichen Kunst vorbehalten, sondern in mehr oder weniger abgeschwächter Form kirchenartig eingerichtet bleiben. Allenfalls die Kirche selbst – unter dem Namen „Kunsthalle" und durch das Kaulbachsche Fresko weithin beherrscht – wurde bis zur Umstellung der zwanziger Jahre unseres Jahrhunderts stärker als Museumsraum begriffen. Bezeichnenderweise fand jedoch schon Aufseß' Nachfolger August Essenwein das von König Wilhelm I. von Preußen gestiftete Mittelfenster mit seiner Thematik – der Grundsteinlegung der Kartause in Gegenwart König Wenzels und des Hohenzollern-Burggrafen Friedrichs V. von Nürnberg – für den Kirchenraum zu weltlich; stattdessen errichtete er für das gestiftete Fenster einen eigenen Bau, die sogenannte Wilhelmshalle, und gab auch den Plan der Anfangszeit auf, dem Kaulbachschen Fresko einen entsprechend programmatischen historischen Freskenzyklus anzuschließen[143].

Die Zeit der Erwerbungen – Drei Jahrzehnte unter August von Essenwein und die Nachfolgeära bis zum Ende des ersten Weltkrieges

Als 1866 August Essenwein (1831–1892) für fast drei Jahrzehnte die Leitung des Museums übernahm, bedeutete dies nicht nur den Beginn äußerer und innerer Konsolidierung des Instituts, der Verlagerung des Schwerpunktes seiner Aktivitäten von den Repertoriumsarbeiten auf die typisch museale Aufgabe des Sammelns, einer entschiedenen Vermehrung der Sammlung und die Umgestaltung der bisherigen bescheidenen der Kartause hinzugefügten Gebäude zu einem gewaltigen Komplex neugotischer Bauten mit vielfach von farbigen Glasfenstern geschmückten Hallen und Kreuzgängen, die das Nürnberger Museum mehr noch als seine Sammlungen zum Inbegriff und Abbild des Mittelalters in romantisch-malerischem Sinne werden ließen[144]. Es war auch die Zeit der größten Wirksamkeit des Museums nach außen, des weitesten Echos in der Öffentlichkeit, wie es sich später allenfalls punktuell anläßlich besonderer Ereignisse wie der Fünfzigjahrfeier im Jahre 1902 wiederholen sollte. Schon die Zeitgenossen empfanden all dies als Essenweins Leistung. Sein großes Ansehen in der Fachwelt mag hier mit einem wenig bekannten Zitat des großen Hamburger Museumsmannes Justus Brinckmann (1843–1915) belegt werden: Als Alexander Schnütgen 1887 für das neu zu gründende Kunstgewerbemuseum in Köln sich nach einem Direktor umsah, schrieb ihm Brinckmann: „Vor allem hüten Sie sich, lieber Herr Domherr, die neue Anstalt einem Künstler, gleichviel ob Architekt, Bildhauer oder Maler zu unterstellen. Die Museen, welche – von Essenweins phänomenaler Bedeutung abgesehen – Künstlerdirektoren haben, sind durchweg in traurigem Zustand"[145].

[142] Gudrun Calov: Die Museumskirche. In: Festschrift (für) Dr. h. c. Eduard Trautscholdt zum siebzigsten Geburtstag am 13. Januar 1963. Hamburg 1965, S. 20–38. – Jörn Bahns: Kunst- und kulturgeschichtliche Museen als Bauaufgabe des späteren 19. Jahrhunderts. Das Germanische Museum und andere Neubauten seit etwa 1870. In: Das kunst- und kulturgeschichtliche Museum im 19. Jahrhundert. Vorträge des Symposions im Germanischen Nationalmuseum Nürnberg. Hrsg. von Bernward Deneke und Rainer Kahsnitz (Studien zur Kunst des 19. Jahrhunderts, Bd. 39). München 1977, S. 176–192 (185, 188).
[143] Zum Fenster Jahresbericht GNM 15 (für 1868), 1869, S. 2. – Zum Freskenzyklus Hampe, Festschrift, S. 53.
[144] Z. B. Franz Friedrich Leitschuh: Das Germanische Nationalmuseum in Nürnberg (Bayerische Bibliothek, Bd. 9). Bamberg 1890, S. 97–98.
[145] Armin Spiller: Alexander Schnütgen (1843–1918). In: Rheinische Lebensbilder, Bd. 5. Bonn 1973, S. 191–211 (203).

Essenwein war Architekt; er hatte sich durch Kirchenausstattungen, bei denen er von der Wandmalerei über die Glasfenster bis zu den Altargeräten und den Türen die Entwürfe geliefert hatte, einen Namen gemacht[146]. Mehrere große bauhistorische Veröffentlichungen und ein Inventar der mittelalterlichen Bauten Krakaus waren von ihm erschienen[147]. Kunsthistorisch kam er aus dem Kreis der Mittheilungen der K. u. K. Centralkommission für die Erhaltung und Erforschung der Baudenkmale um Gustav Heider, in dessen Zeitschrift er eine Reihe Aufsätze veröffentlicht hatte. Sein Buch über die von ihm vorgeschlagene und danach ausgeführte künstlerische Ausstattung der Kirche Groß St. Martin in Köln, das Gustav Heider „in dankbarer Anerkennung der aus seinen Schriften wie aus seinem Umgange geschöpften Belehrung" gewidmet war, ist ein beredtes Zeugnis dafür[148]. Essenwein sprach davon, wie die mittelalterliche Kunst nicht durch die individuelle Willkür eines Künstlers bestimmt gewesen sei, sondern daß in ihr Gedanken ausgesprochen worden seien, die die der kirchlichen Tradition waren und wie diese Gedanken durch die Kunst nur in Form gebracht wurden. Er sprach vom geschlossenen christlichen Bilderkreis des Mittelalters, der alles umfaßte, Gott und Mensch, Diesseits und Jenseits, Heiliges und Profanes, und davon, wie sehr die moderne archäologische Wissenschaft sich deshalb zu Recht mit dem Studium der alten Texte befasse, die allein eine haltbare Erklärung der mittelalterlichen Darstellung liefern könnten. Ein größerer Gegensatz als zu dem idealistischen, auf die Form und nicht auf den ikonographischen Inhalt und streng auf die Individualität der einzelnen künstlerischen Leistung bezogenen Kunstbegriff etwa Kuglers ist kaum denkbar.

Als Architekt und Bauhistoriker war er mit den technisch-handwerklichen Problemen älterer Kunst, vor allem der Architektur, vertraut. In Wien hatte er zudem der aufkommenden Kunstgewerbebewegung um Rudolf von Eitelberger (1819–1885) nahegestanden, der ebenso wie sein Stellvertreter und späterer Nachfolger im Amt des Direktors des Österreichischen Museums für angewandte Kunst Jakob von Falke (1825–1897) an der Berufung Essenweins nach Nürnberg durch Vorschlag und Gutachten entscheidenden Anteil genommen hatte[149].

Nicht nur von Hause aus mögen Essenweins Kenntnisse auf dem Gebiet der mittelalterlichen Kunst ungleich größer gewesen sein als die seines Vorgängers und wohl auch die des langjährigen Vorstandes der kunst- und kulturhistorischen Sammlung im Museum August von Eye (1825–96, Vorstand 1853–1875). Die Jahrzehnte seiner Nürnberger Direktorenzeit waren die Zeit rascher, allenthalben wirksam werdender Vermehrung der Sachkenntnisse über mittelalterliche Kunst. 1869–1871 erschienen Schnaases gerade auf dem Gebiet der mittelalterlichen Schatzkunst stark erweiterte und bis heute anregende Bände über die altchristliche, byzantinische, karolingische und romanische Kunst[150]. Der Mitarbeiter am zweiten Band, der inzwischen auch Kuglers Handbuch in mehreren Auflagen betreute, Wilhelm Lübke (1826–1893) hatte eine kirchliche Kunstgeschichte

[146] Eine Würdigung seiner architektonischen und sonstigen künstlerischen Tätigkeit fehlt. Einige ältere Arbeiten genannt bei Hampe, Festschrift, S. 86. – Zur Ausstellung seiner Entwürfe etc. im GNM aus Anlaß seines hundertsten Geburtstages 1931 (Jahresbericht GNM 78 [für 1931], 1931, S. 3) ist kein Katalog erschienen. – Zu den Fußbodenmosaiken des Kölner Domes und anderen Kirchenausstattungen in Köln: Peter Springer: Das „verschollene" Mosaik aus der Achskapelle des Kölner Domes. In: Kölner Domblatt Bd. 40 (1975), S. 177–204 (202–204). – Zu den Bauten des GNM Jörn Bahns in diesem Band.

[147] August Essenwein: Norddeutschlands Backsteinbau im Mittelalter. Karlsruhe o. J. – August Essenwein: Die mittelalterlichen Kunstdenkmale der Stadt Krakau. Graz 1866.

[148] A(ugust) Essenwein: Die innere Ausschmückung der Kirche Groß-St.-Martin in Köln. Köln 1866 (zuvor als Manuskript gedruckt Graz 1864), S. 4–6.

[149] So berichtet im Kondolenzbrief Falkes vom 15. Oktober 1892 an das Museum, abgedruckt bei Georg Freiherr von Kress: Erinnerungen an Geheimrat August von Essenwein. In: Mitteilungen des Vereins für Geschichte der Stadt Nürnberg H. 15 (1902), S. 133–183 (137–139).

[150] Carl Schnaase: Geschichte der bildenden Künste. 2. Aufl. Düsseldorf 1866–79, Bd. 3 und 4: Geschichte der bildenden Künste im Mittelalter. = Bd. 1: Altchristliche, byzantinische, muhammedanische, karolingische Kunst. Bearb. vom Verfasser unter Mithülfe von J. Rudolf Rahn. Düsseldorf 1869. Und: Bd. 2: Die romanische Kunst. Bearb. vom Verfasser unter Mithülfe von Alwin Schultz und Wilhelm Lübke. Düsseldorf 1871.

des deutschen Mittelalters in mehreren Auflagen vorgelegt[151], die stärker als Ottes obengenanntes Handbuch auch die kirchliche Schatzkunst berücksichtigte. Wichtigster Markstein für die Vertiefung der Kenntnis der mittelalterlichen kirchlichen Kunst waren Viollet-Le-Ducs (1814–1879) Hauptwerke über die kirchliche Architektur und sein Dictionaire du mobilier, in dessen ersten Bänden über „meubles" und „utensiles" eine Fülle von Stichworten der kirchlichen Ausstattung und Schatzkunst gewidmet waren[152]. Eine umfassende Gesamtdarstellung der frühen Schatzkunst bot in den sechziger Jahren Jules Labartes Histoire des arts industriels. Trotz des einschränkenden, ganz der zeitgenössischen Kunstgewerbebewegung verhafteten Titels behandelte er alle Zweige der Künste – mit Ausnahme der Tafel- und Wandmalerei – von der Elfenbeinskulptur und Bronzeplastik über die Buchmalerei bis zur Goldschmiedekunst, sogar die Glasmalerei und Mosaikkunst[153].

Aus Deutschland sind die Arbeiten des rheinischen Kanonikus Franz Bock zu nennen, die dieser neben seinem Hauptinteressengebiet, der mittelalterlichen Textil- und kirchlichen Paramentikkunde, über mehrere Kirchenschätze, vor allem Aachens und Kölns, sowie über die Reichskleinodien veröffentlichte[154]. Ganz in der Tradition der französischen Archéologie stehend und teilweise in engstem Kontakt mit ihren führenden Vertretern veröffentlichte seit 1857 der Bonner Museumsdirektor Ernst aus'm Weerth (1829–1909), langjähriges Mitglied des Nürnberger Verwaltungsausschusses (1868–1883), seine „Kunstdenkmäler des christlichen Mittelalters im Rheinland". Auf großen Tafeln mit erläuterndem Katalogtext machte er in zuverlässigen, noch heute viel genutzten Zeichnungen neben den rheinischen Wandmalereien die großen Reliquienschreine des 12. Jahrhunderts, Reliquiare und andere Objekte der rheinischen Kirchenschätze bekannt. Von seinen Sammlungen zu einem Corpus mittelalterlicher Elfenbeine erschienen freilich nur einige Tafeln; die Vorarbeiten zu einem Emailcorpus blieben ungedruckt, was wegen der inzwischen erfolgten Auflösung damals noch bestehender oder erkennbarer Zusammenhänge bedauerlich ist[155]. Neben den schon genannten österreichischen und französischen Zeitschriften, den „Mittheilungen der Kaiserl. Königl. Central-Commission", den „Annales archéologiques" und der „Revue de l'art chrétien" gewannen für die Geschichte der mittelalterlichen Kunst seit den sechziger Jahren zu-

[151] Wilhelm Lübke: Vorschule zum Studium der kirchlichen Kunst des deutschen Mittelalters. 1. Aufl. Dortmund 1852; wichtiger die späteren Auflagen, etwa 6. Aufl. Leipzig 1875.

[152] (Eugène) Viollet-Le-Duc: Dictionaire raisonné du mobilier français de l'époque carlovingienne à la renaissance, (Bd. 1). Paris 1858; später unter gleichem Titel als sechsbändiges Werk erschienen: Bd. 1 in 2. Aufl. Paris 1872, Bd. 2–6. Paris 1871–1875. – (Eugène) Viollet-Le-Duc: Dictionaire raisonné de l'architecture française du XIe au XVIe siècle, Bd. 1–10. Paris 1867–1868. – Vgl. den Ausstellungskatalog: Eugène Viollet-Le-Duc, 1814–1879. Paris 1965.

[153] Jules Labarte: Histoire des arts industriels au moyen âge et à l'époque de la renaissance, Bd. 1–4 und Album. Paris 1864–1866. 2. Aufl. Bd. 1–3. Paris 1872–1875.

[154] Franz Bock: Der Reliquienschatz des Liebfrauenmünsters zu Aachen. Aachen 1860. – Franz Bock: Die Kleinodien des Heiligen Römischen Reichs Deutscher Nation nebst den Krönungsinsignien Böhmens, Ungarns und der Lombardei, Bd. 1–2. Wien 1864. – Franz Bock: Der Kunst- und Reliquienschatz des Kölner Domes, T. 1–2. Neuss 1870. – Vgl. auch: Verzeichnis der Schriften über mittelalterliche Kunst, veröffentlicht in den Jahren 1852–1872 von Msgr. Canonicus Dr. Fr. Bock. – Scheins: Dr. Franz Bock (ausführlicher Nachruf). In: Echo der Gegenwart (Aachen) Jg. 1899, Nr. 333, vom 1. Mai. – Friedrich Schneider: Dr. Franz Bock (Nachruf). In: Literarische Rundschau für das katholische Deutschland Bd. 52 (1899), Sp. 245/46. – Wilhelm Fabian: Bock, Franz. In: Biographisches Jahrbuch und Deutscher Nekrolog, Bd. 4. Berlin 1900, S. 269–271. – Vgl. auch von Wilckens in diesem Band, S. 792–794.

[155] Ernst aus'm Weerth: Kunstdenkmäler des christlichen Mittelalters in den Rheinlanden. Bonn 1857–1868. Hier vor allem von Interesse: Abt. 1. Bildnerei, Bd. 3. Bonn 1866. – Fundgruben der Kunst und Ikonographie in den Elfenbein-Arbeiten des christlichen Altertums und Mittelalters. Professor aus'm Weerths nachgelassenes Werk. Hrsg. von Fritz Witte. Bonn 1912. – Eine Würdigung aus'm Weerths im Nekrolog von Paul Clemen. In: Kunstchronik N. F. Bd. 20 (1908/09), Sp. 361–363. – Vgl. auch Reinhard Fuchs: Zur Geschichte der Sammlungen des Rheinischen Landesmuseums Bonn. In: Rheinisches Landesmuseum Bonn. 150 Jahre Sammlungen, 1820–1970 (Kunst und Altertum am Rhein, Bd. 38). Düsseldorf 1971, S. 1–158 (99–117).

nehmend Bedeutung die lange von aus'm Weerth herausgegebenen „Jahrbücher der Alterthums-freunde im Rheinland" (Bonner Jahrbücher, erschienen seit 1842), gelegentlich das ebenfalls 1842 begründete „Kölner Domblatt", das freilich in erster Linie Centralorgan des Dombauvereins war und sich Problemen der Vollendung des Kölner Domes widmete[156], und von 1851–1872 das von Friedrich Baudri und später von Dr. von Endert herausgegebene „Organ für christliche Kunst" – wie das Kölner Domblatt weitgehend der Verbreitung der Neugotik verschrieben. An seine Stelle trat später, 1884–1918, Alexander Schnütgens „Zeitschrift für christliche Kunst", in der bei aller Tradition Kölns in der Propagierung der Neugotik der historisch-wissenschaftliche Anteil deutlich zunahm[157].

Mehr noch als die Literatur weckten offenbar die großen Ausstellungen das Interesse an mittel-alterlicher Schatzkunst. In den vierziger und fünfziger Jahren des vorigen Jahrhunderts waren Ausstellungen älterer Kunst noch selten. Schlosser nennt eine Ausstellung von 1846 in Wien als die älteste dieser Art[158]. Nach einem Vorläufer von 1840 in Köln im Spanischen Bau am Rathaus erregte 1854 eine große „Ausstellung altdeutscher und altitalienischer Gemälde auf dem Kaufhaus-saale Gürzenich zu Köln, veranstaltet durch den dortigen Verein für christliche Kunst im Sommer des Jahres 1854", erhebliches Aufsehen[159]. 1852 hatte Franz Bock in einer mittelalterlichen Kunst-ausstellung in Krefeld neben Paramenten auch mittelalterliche Goldschmiedewerke gezeigt[160]. In den sechziger und siebziger Jahren häuften sich die Ausstellungen historischen Kunstgewerbes, worüber der Anzeiger des Germanischen Nationalmuseums regelmäßig berichtete. Im wesentli-chen seinen Nachrichten folgend, können hier nur einige herausragende Ausstellungen genannt werden, da ein Überblick schwer zu gewinnen ist[161], weshalb auch die weniger im Blickfeld des Nürnberger Blattes liegenden französischen Ausstellungen ausgeklammert bleiben. 1860 veranstal-tete der Wiener Alterthumsverein eine „Ausstellung mittelalterlicher Kunstwerke" mit zahlreichen Werken früh- und hochmittelalterlicher Schatzkunst, der Essenwein eine ausführliche Bespre-chung widmete, 1862 Franz Bock in Aachen eine entsprechende Ausstellung, 1864 plante der böhmische Künstlerverein in Prag eine Ausstellung einheimischer, alterthümlicher Kunstgegen-stände, auf der neben Bildwerken, Gemälden, Siegeln und Urkunden auch Gegenstände des Kunstgewerbes gezeigt werden sollten[162].

Das bedeutendste Ereignis war die Ausstellung als Anlaß des weitgehend von Ernst aus'm Weerth organisierten internationalen archäologischen Kongresses im Jahre 1868 in Bonn[163]. Die

[156] Zum Kölner Domblatt: Germann (Anm. 8), S. 139–151 und öfter.
[157] Zu diesen Zeitschriften Neuss (Anm. 58), S. 8–11, 21 und öfter.
[158] Schlosser (Anm. 5), S. 148.
[159] Neuss (Anm. 58), S. 17. – Hermann Schnitzler: Von der neuen Kunsthalle, den Sieben Weisen des Altertums und den Kölner Museen. Köln 1967 (Privatdruck, unpaginiert).
[160] Fr(anz) Bock: Commentar zu der mittelalterlichen Kunst-Ausstellung zu Crefeld, worin niedergelegt ist die Ge-schichte der Paramentik und der kirchlichen Gefäße vom 10.–16. Jahrhundert. Crefeld 1852.
[161] Einige Sonderausstellungen mit älterem Kunsthandwerk genannt bei Barbara Mundt: Die deutschen Kunstgewerbe-museen im 19. Jahrhundert (Studien zur Kunst des 19. Jahrhunderts, Bd. 22). München 1974, S. 16.
[162] Vermischte Nachrichten Nr. 141. In: Anzeiger GNM 1860, Sp. 310 (zu Wien). – Katalog der vom Wiener Alter-thumsverein veranstalteten Ausstellung von Kunstgegenständen aus dem Mittelalter und der Renaissance, eröffnet am 16. Nov. 1860. 2. Aufl. Wien 1860. – A(ugust) Essenwein: Die archäologische Ausstellung des Wiener Alter-thumsvereins. In: Organ für christliche Kunst Bd. 11 (1861), S. 4–5, 27–31, 41–44, 50–53, 61–65, 73–76, 85–88. – F(ranz) Bock: Katalog der Ausstellung von neueren Meisterwerken mittelalterlicher Kunst aus dem Bereiche der kirchlichen Nadelmalerei und Weberei, der Goldschmiedekunst und Skulptur zu Aachen, nebst kunstgeschichtli-cher Einleitung. Aachen 1862. – Vermischte Nachrichten Nr. 22. In: Anzeiger GNM 1864, Sp. 78 (zu Prag).
[163] Verzeichniss der auf der internationalen Congress-Ausstellung zu Bonn befindlichen Kunstwerke und Alterthümer. Bonn 1868 (die Nürnberger Leihgaben Abt. III, Nr. 55, 57, 58). – A(ugust) Essenwein: Die Ausstellung des interna-tionalen archäologischen Congresses zu Bonn. In: Anzeiger GNM 1868, Sp. 318–322, 358–360, 388–390. – Vgl. auch Vermischte Nachrichten Nr. 96. In: Anzeiger GNM 1868, Sp. 341/42.

Kirchenschätze von Aachen, Trier und Essen, einschließlich der goldenen Madonna und der vier Kreuze, von Minden, Quedlinburg und zahlreiche Einzelstücke, darunter die Limburger Staurothek, der aus'm Weerth kurz zuvor eine Publikation gewidmet hatte, das Echternacher Evangeliar aus Gotha (heute in Nürnberg), die übrigen Werke der Trierer Egbert-Gruppe, zahlreiche Elfenbeine und illuminierte Handschriften waren versammelt. Das Germanische Museum hatte vier Limoges-Arbeiten beigesteuert. Eine der letzten Eintragungen in dem dürftigen Katalog, Nr. 147, lautete: „Drei und vierzig Aqua-Manilien romanischer und gotischer Zeit, früherhin Besitz des Hof-Buchhändlers Dr. Fritz Hahn in Hannover, jetzt Eigenthum des Kunsthändlers Goldschmidt in Frankfurt. Verkäuflich". Neun von ihnen sollten im Lauf der nächsten Jahre vom Germanischen Nationalmuseum erworben werden[164]. Essenwein würdigte die Ausstellung ausführlich im Anzeiger: Nichts sei für das kunsthistorische Studium so wichtig wie die Vergleichsmöglichkeiten einer solchen Ausstellung. „Der Gegenstände ersten Ranges, welche auf den Gang der Kunstgeschichte bestimmend eingewirkt haben, und von denen aber auch für die Beurtheilung anderer Werke allein der sicherste Anhaltspunkt gewonnen werden kann, gibt es nur wenige, und selbst die kostbarsten Sammlungen können nicht mehr als vereinzelt solche Stücke aufweisen". Genüge auf manchen Gebieten eine Reihe guter Abgüsse, so auf anderen eben doch nicht – offensichtlich hatte er dabei die Emailarbeiten im Auge –; eine interessante Äußerung, da gerade Essenwein mehr als andere die Anlage von Serien von Gipsabgüssen für das Nürnberger und andere Museen propagierte. 1867 hatte er noch geschrieben: „Zieht man die Goldschmiedekunst in den Kreis des Museums, so lernt man sicher aus einem einzelnen Kelche, sei er auch interessant, oder an einer halbzerbrochenen Monstranz nicht soviel, als an einer Serie von Gipsabgüssen oder galvanoplastischen Nachbildungen, welche, vom Tassilo-Kelch zu Kremsmünster ausgehend, die Kelche von Salzburg, Wilten, St. Aposteln in Cöln usw. bis zu den spätgotischen des 16. Jahrhunderts enthält"[165]. Für die Kenntnis der Entwicklung der Emails, der Elfenbeinskulptur, der Miniaturmalerei und der Aquamanilien sei die Bonner Ausstellung besonders ergiebig gewesen. Essenwein stellte, als für die byzantinische und ottonische Zeit kennzeichnend die herausragenden Einzelwerke deutlich den Erzeugnissen einer zweiten Periode vom 11. bis 13. Jahrhundert gegenüber, die viel Gleichartiges hervorgebracht habe. Er sah deutlich die Entwicklung der Emailkunst in ottonischer und romanischer Zeit in Deutschland, während gut 20 Jahre früher Franz Kugler in einer ausführlichen Besprechung des Emailkataloges des Louvre sich noch für außerstande hatte erklären müssen, die zahlreichen ihm, wie er betonte, durchaus bekannten rheinischen Emails deutlich von gleichzeitigen Limousiner Arbeiten abzusetzen, und nur leise Zweifel an der Meinung des französischen Katalogbearbeiters anmeldete, alle Emails auf Kupfer seien Erzeugnisse der Werkstätten von Limoges[166].

Die Besprechung der Bonner Ausstellung ist auch sonst für Essenweins Kunstanschauungen aufschlußreich. Die byzantinische Kunst des 10. Jahrhunderts habe sich jahrhundertelang jene alten guten Traditionen bewahrt, auf die vornehm herabzusehen, entgegen der Gewohnheit manch modernen Kunsthistorikers kein Anlaß bestehe, während uns in diesen Zeiten nicht nur diese Tradition, sondern die Kunst überhaupt verlorengegangen sei. Bei den Elfenbeinen nannte er die

[164] Heinrich Reifferscheid: Über figürliche Gießgefäße des Mittelalters. In: Mitteilungen aus dem Germanischen Nationalmuseum 1912; auch separat Nürnberg 1913, S. 89–93, Nr. 1, 2, 5, 6, 10, 15, 16, 19, 20. – Vgl. S. 730–731 mit Anm. 202 u. 206.

[165] A(ugust) Essenwein: Über die Anlage kleiner Museen. In: Anzeiger GNM 1867, Sp. 127–128, 189–190, 222–224, 324–328, 389–392 (222).

[166] Franz Kugler: Rezension von Notice des Émaux exposés dans les Galeries du Musée du Louvre, par M. de Laborde. Paris 1852. In: Franz Kugler: Kleine Schriften und Studien zur Kunstgeschichte, Bd. 2. Stuttgart 1854, S. 703–712 (707) (aus: Kunstblatt 1853).

interessantesten die, die noch direkte Anknüpfungspunkte an die Antike böten. Auch in den Miniaturen des Echternacher Evangeliars erkannte er die Nachklänge der Antike, „wie sie sich in den byzantinischen Miniaturen, woran die vorliegenden anschließen, in ununterbrochener Folge erhalten und fortgelebt haben". Die Überzeugung von der Abhängigkeit der frühmittelalterlichen Kunst von antikem Formengut und die Vermittlerrolle der byzantinischen Kunst, ein Wissen, das in der Kunstgeschichte des 19. Jahrhunderts mehr und mehr verloren ging, dürfte nicht unerheblich Essenweins Sicht der Kunst des frühen Mittelalters geprägt haben und auch auf seine späteren Ankäufe christlich-orientalischer Schatzkunst von Einfluß gewesen sein. Sein Verdikt über die spätgotische Monstranz aus Sigmaringen, die „in wildestes Chaos ausgeartet, an Stelle der architektonischen Formen ... eine Art Laube" zeige, ruft in Erinnerung, wie er 1870 bei der Behandlung der Sammlung der kirchlichen Geräte des Nürnberger Museums davon sprechen sollte, daß vom 11. bis 15. Jahrhundert auf diesem Gebiet sich alles entwickelt habe, Aufsteigen, Höhepunkt und Verfall der Kunst deutlich vor Augen lägen und die kirchliche Kunst ihren Kreislauf vor der Reformation vollständig abgeschlossen habe. Diese hätte kraft ihrer inneren Entwicklung auch ohne die äußere Beendigung durch die Reformation sich nicht fortentwickeln können. Alles, was nach der Reformation an kirchlichem Gerät entstanden sei, habe entweder Ausgang und Form aus der profanen Kunst entnommen und sei vollständig unkirchlich oder habe gar keine künstlerische Bedeutung mehr[167].

Auch in den folgenden Jahren berichtete der Anzeiger über die nun noch zahlreicher werdenden Ausstellungen mittelalterlichen Kunstgewerbes. Das Germanische Museum selbst zeigte 1871 im Zusammenhang seiner Dürerausstellung und 1872 wie im darauffolgenden Jahr jeweils eine kleine Sonderausstellung mit Kunstgewerbe, vorwiegend Goldschmiedekunst aus Privatbesitz, darunter jedoch nur wenige spätmittelalterliche Stücke[168]. Die historisch-archäologische Abteilung der Wiener Weltausstellung 1873, die nur in der österreichisch-ungarischen Abteilung nennenswerte Werke der kirchlichen Schatzkunst, darunter den damals in Österreich befindlichen Welfenschatz, zeigte, fand wegen der unsystematischen Anordnung und der völligen Mißachtung eines höheren wissenschaftlichen Standpunktes Essenweins herbe Kritik[169]. 1875 wurden auf der historischen Ausstellung kunstgewerblicher Gegenstände im Bundes-Palais in Frankfurt neben vielen späteren Gegenständen auch frühe Werke aus Kirchenschätzen genannt; von der Dresdner Ausstellung desselben Jahres wurde vor allem die Publikation großer Photographien nach dem Vorgang älterer kunstgewerblicher Ausstellungen in Berlin und Mailand begrüßt[170]. War auf der Frankfurter Ausstellung das mittelalterliche Kunstgewerbe des Oberrheins und Mitteldeutschlands vertreten, so zeigte 1876 die unter Beteiligung Alexander Schnütgens und unter der Leitung des auch als Sammler bekannten Kölner Bürgermeisters Karl Ferdinand Thewalt organisierte Ausstellung im Casino in Köln die überragende Bedeutung der rheinischen Kunst der frühen Jahrhunderte und den unermeßlichen Reichtum der rheinischen Kirchenschätze[171]. Im selben Jahr versammelte die Kunstgewerbeausstellung in München in ihrer historischen Abteilung neben dem Domschatz von Cammin,

[167] Essenwein, Bericht 1870, S. 16/17; in diesem Bd. S. 1012–1013.
[168] Vgl. das Ausstellungs-Verzeichnis im Anhang dieses Bandes.
[169] (August) E(ssenwein): Vermischte Nachrichten Nr. 68. In: Anzeiger GNM 1873, Sp. 275/76. – Karl Lind: Die österreichische Kunsthistorische Abteilung auf der Wiener Weltausstellung. Wien 1873; 2. Aufl. Wien 1874.
[170] Historische Ausstellung kunstgewerblicher Erzeugnisse zu Frankfurt am Main (Katalog). Frankfurt am Main 1875. – Historische-kunstgewerbliche Erzeugnisse zu Frankfurt am Main 1875. 100 Tafeln mit erläuterndem Text. Frankfurt am Main 1877. – Vermischte Nachrichten Nr. 147. In: Anzeiger GNM 1875, Sp. 263/64 (zu Frankfurt). – Richard Steche: Führer durch die Ausstellung kunstgewerblicher Arbeiten vom Mittelalter bis zur Mitte des 18. Jahrhunderts. 2. Aufl. Dresden o. J. (1875). – Photographische Aufnahmen aus der Dresdner Ausstellung alter kunstgewerblicher Arbeiten 1875. Dresden o. J. – Literatur-Nachrichten Nr. 24. In: Anzeiger GNM 1875, Sp. 319/20.
[171] Kunsthistorische Ausstellung zu Cöln (Katalog). Köln 1876. – Nachtrag zum Katalog. Köln 1876. – Vermischte Nachrichten Nr. 29 u. 123. In: Anzeiger GNM 1876, Sp. 62 u. 254–256.

zahlreichen Leihgaben der Marienkirche in Danzig, den Kelchen aus St. Peter in Salzburg und aus Wilten, dem Komburger Leuchter, der Silber-Statue des heiligen Georg in Elbing vor allem Museumsbesitz aus Braunschweig, Berlin, Stuttgart, Lübeck und Dresden. Das South-Kensington-Museum hatte über 130 Werke deutscher Kunst zur Verfügung gestellt, das Germanische National-Museum war nur mit Wandteppichen vertreten[172]. 1878 folgten Ausstellungen in Hannover mit den Kirchenschätzen von Hildesheim, Osnabrück und Stücken aus niedersächsischen Klöstern, 1879 in Leipzig, Münster und Lübeck[173], 1885 in Nürnberg, veranstaltet vom Bayerischen Gewerbemuseum, eine internationale Ausstellung von Arbeiten in edlen Metallen, die in einem historischen Teil vom 7. bis 16. Jahrhundert Emails, Bronzen, Reliquiare, Kelche und Monstranzen aus Privatbesitz, dem Kunsthandel und aus Kirchen vorführte. Das Germanische Museum war nicht beteiligt[174].

Die Zeit der großen Ausstellungen war auch die Zeit der großen Sammler. Damals entstanden in Paris die riesigen russischen Mittelalter-Sammlungen des Fürsten Peter Soltykoff, die 1861 bereits aufgelöst wurde, und des russischen Handelsherren Alexeji Petrovitch Basilewsky, die 1874 in einem großen Katalog publiziert, teilweise 1878 auf der internationalen Ausstellung in Paris auf dem Trocadero-Hügel in einem eigenen Pavillon gezeigt und 1884 an die Ermitage verkauft wurde[175]. Ihr folgte an Umfang und Bedeutung der österreichische Sammler Fréderic Spitzer (1815–1890), dessen Sammlung aus Antike, Mittelalter und Renaissance ab 1852 in Paris zusammengetragen, 1881 in einem sechsbändigen Prachtkatalog veröffentlicht wurde und 1893 zur Versteigerung kam[176].

Unvergleichlich bescheidener in Umfang und Bedeutung der einzelnen Objekte waren die gleichzeitigen deutschen Sammlungen. Eine Reihe illuminierter Handschriften und Werke mittelalterlicher Schatzkunst, wohl überwiegend aus seiner eigenen Diözese, hatte der Hildesheimer Bischof Eduard Jakob Wedekin (Bischof 1849–1870) zusammengetragen. Einiges gelangte nach seinem Tode in den Hildesheimer Domschatz, größere Bestände ins Viktoria & Albert-Museum; anderes wurde zerstreut[177]. In Hannover hatte ab 1845 der Buchdruckereibesitzer Friedrich Culemann (1811–1866) vor allem gotische Skulpturen und gotisches Kunstgewerbe gesammelt; beides erwarb 1887 die Stadt. Seine Sammlung erfreute sich schon bald nach der Jahrhundertwende erheblicher Berühmtheit[178]. Wenig bekannt ist über die Sammlung des Hannoveraner Hofbuchhänd-

[172] Katalog der Kunst- und Kunstindustrie-Ausstellung alter und neuer deutscher Meister sowie der deutschen Kunstschulen im Glaspalaste zu München 1876, (T. II:) Dr. Kuhn: Katalog für die Ausstellung der Werke älterer Meister. München 1876 (Nr. 491–624 die Leihgaben des South-Kensington-Museums). – K. A. Regnet: Führer durch die Kunst- & Kunstgewerbe-Ausstellung zu München. Wien 1876.

[173] Vermischte Nachrichten Nr. 76. In: Anzeiger GNM 1878, Sp. 200 (zu Hannover). – Katalog zur Ausstellung westfälischer Alterthümer und Kunsterzeugnisse vom Vereine für Geschichte und Alterthumskunde Westfalens im Juni 1879 zu Münster i. W. Münster 1879. – Ausstellung älterer kunstgewerblicher Gegenstände in Lübeck im Sept. 1879 (Katalog). Lübeck 1879. – Vermischte Nachrichten Nr. 55, 68, 100. In: Anzeiger GNM 1878, Sp. 157, 192, 254.

[174] Internationale Ausstellung von Arbeiten aus edlen Metallen und Legirungen in Nürnberg 1885. Offizieller Katalog. Hrsg. vom Bayrischen Gewerbemuseum in Nürnberg. 3. Aufl. Nürnberg 1885, Nr. 332–493.

[175] Alfred Darcel: La Collection Soltykoff. In: Gazette des Beaux-Arts 1861, Bd. 2., S. 169–178, 212–226, 291–304. – Catalogue des objects d'arts et de haute curiosité composant la célèbre collection de Prince Soltykoff dont la vente aura lieu 8 avril. Paris 1861. – Die bereits vorher aufgelöste Pariser Kunstgewerbesammlung Louis Fould enthielt vergleichsweise wenige frühe mittelalterliche Objekte. Vgl. Alfred Darcel: La Collection Louis Fould. In: Gazette des Beaux-Arts 1860, Bd. 2, S. 266–293. – Alfred Darcel: La Collection Basilewsky. In: Gazette des Beaux-Arts 1885, Bd. 1, S. 39–54. – A(lfred) Darcel und A. Basilewsky: Collection Basilewsky. Catalogue raisonné précédé d'un essai sur les arts industriels du 1er au XVIe siècle, Bd. 1 u. 2. Paris 1874.

[176] M. E. Molinier u. a.: La Collection Spitzer. Antiquité, Moyen Age, Renaissance, Bd. 1–6. Paris 1893. – Catalogue des objets d'arts et de haute curiosité, antiques, du moyen âge et de la renaissance, composant l'importante et precieuse collection Spitzer, dont la vente publique aura lieu du 17 avril au 16 juin 1893, Bd. 1 u. 2. Paris (1893).

[177] Hermann Engfer: Die Sammlungen des Bischofs Eduard Jakob Wedekin und die Gründung des Diözesan-Museums. In: Alt-Hildesheim. Jahrbuch für Stadt und Stift Hildesheim H. 41 (Dezember 1970), S. 62–75.

[178] Von der Osten, Bildwerke (Anm. 59), S. 20/21. – Irmgard Woldering: Kestner Museum 1889–1964. In: Hannoversche Geschichtsblätter N. F. Bd. 18 (1964). Auch separat Hannover o. J. (1964), S. 11–18.

lers Dr. Fritz Hahn, der zusammen mit seinem Bruder Verleger der Monumenta Germaniae Historica war. Er besaß fünf spätantike Elfenbeinpyxiden, die er selbst publizierte, und jene oben erwähnten 43 Aquamanilien, die auf der Ausstellung 1868 in Bonn gezeigt wurden[179]. Wohl zahlreiche Sammler dieser Größenordnung wären zu nennen, an die die Erinnerung meist völlig verblaßt ist. So nannte z. B. der Anzeiger des Germanischen Museums 1877 anläßlich der Auktion seiner Sammlung den heute kaum noch bekannten Kölner Hugo Garthe einen der eifrigsten, vielleicht den glücklichsten der deutschen Kunstsammler und wies auf die Kirchengeräte der romanischen Periode, auf die mittelalterlichen Elfenbeinwerke und 600 Siegelstempel hin, von denen später über die Berliner Siegel-Sammlung Friedrich Warnecke ein großer Teil in das Nürnberger Museum gelangen sollte[180].

Neben Franz Bock (1823–1899), der sich hauptsächlich als Sammler mittelalterlicher kirchlicher Textilien einen nicht immer rühmlichen Namen gemacht hatte, war ohne Zweifel der bekannteste und wichtigste Sammler mittelalterlicher Kunst der zweiten Jahrhunderthälfte der Kölner Domherr Alexander Schnütgen (1843–1918)[181]. Ab 1866 hatte er gesammelt. Als die Sammlung 1902 auf der von Paul Clemen veranstalteten Düsseldorfer Ausstellung[182] der Öffentlichkeit als ganze vorgeführt wurde, zeigte es sich, welch großartige Bestände auch in Deutschland und noch zu einem Zeitpunkt, zu dem ein Sammler nicht wie zu Jahrhundertbeginn aus dem mehr oder weniger herrenlosen Säkularisationsgut schöpfen konnte, zusammengebracht werden konnten. Später dem Kölner Kunstgewerbe-Museum als „Sammlung Schnütgen" angegliedert und seit 1932 selbständig, bildet sie zusammen mit älterem Kölner Besitz und, um die Früchte der Sammeltätigkeit ihrer späteren Direktoren Fritz Witte (1876–1937) und Hermann Schnitzler (1905–1976) vermehrt, in dem nach ihm benannten Kölner Museum heute die geschlossenste deutsche Sammlung von Skulpturen und Kunstgewerbe des Mittelalters.

Neben den privaten Liebhabern sammelten die im Laufe des 19. Jahrhunderts entstandenen öffentlichen Landes- oder Provinzialmuseen, besonders in Hannover und Stuttgart, und die meisten städtischen Museen, vor allem in Lübeck und Basel, inzwischen auch alle mittelalterliche Werke. Der mittelalterlichen Kunst besonders verbunden war das Kölner Diözesanmuseum, das sich, unter der Führung des Malers Friedrich Baudri und seines Bruders, des Kölner Generalvikars Johannes Baudri, 1853/55 gegründet, im Sinne der zeitgenössischen Kunstgewerbebewegung vor allem unter seinen Kustoden Franz Bock und Alexander Schnütgen um die Wiederbelebung der kirchlichen Kunst nach dem Maßstab der mittelalterlichen, insbesondere der gotischen Kunst bemühte, so daß die Neugotik, durch die Vollendung des Domes in Köln ohnehin allgegenwärtig und alle kirchlichen Kunstbestrebungen beherrschend, hier auf lange Zeit ein förderndes Zentrum fand[183]. Dem Kölner Vorbild folgten in anderen deutschen Diözesen gewisse Bestrebungen zu kirchlichen Sammlungen, etwa in Mainz, Hildesheim, Paderborn und Wien, die Dauer jedoch meist erst in Form von Neugründungen unseres Jahrhunderts gewinnen konnten.

[179] Fr(itz) Hahn: Fünf Elfenbeingefäße des frühesten Mittelalters. Hannover 1862. – Die Pyxiden gehörten später Ernst aus'm Weerth; vgl. Verzeichniss (Anm. 163), Nr. 110. – Zu Fritz Hahn: Albert Paust: Heinrich Wilhelm Hahn. In: Niedersächsische Lebensbilder. Hrsg. von Otto Heinrich May, Bd. 2. Hildesheim 1954, S. 108–119 (110/11).

[180] Vermischte Nachrichten Nr. 78. In: Anzeiger GNM 1877, Sp. 78/79. – Catalog der Kunstsammlungen des verstorbenen Herrn Hugo Garthe in Coeln. 1. Abt. Kunstwerke des Mittelalters und der Neuzeit. Versteigerung zu Coeln, den 28. Mai 1877 durch J. M. Heberle. (Köln 1877).

[181] Fritz Witte: Die Skulpturen der Sammlung Schnütgen in Cöln. Berlin 1912. (Mit einer Einleitung von) Alexander Schnütgen: Entstehungsgeschichte der Sammlung Schnütgen, S. 9–14. – Fritz Witte: Die liturgischen Geräte und anderen Werke der Metallkunst in der Sammlung Schnütgen in Cöln. Berlin 1913. – Neuss (Anm. 58), S. 19–22. – Hermann Schnitzler: (Einleitung.) In: Das Schnütgen Museum. Eine Auswahl. 4. Aufl. Köln 1968, S. 7–12. – Spiller: Schnütgen (Anm. 145).

[182] Illustrierter Katalog der kunsthistorischen Ausstellung Düsseldorf 1902. 2. Aufl. Düsseldorf 1902.

[183] Neuss (Anm. 58), S. 12–20.

Währenddessen galt vielfach gerade das Germanische Nationalmuseum als Träger der Bemühungen um das christliche Mittelalter, sollte seine Gründung angeblich doch die Vorliebe für mittelalterliche Forschungen in Teilen Deutschlands begründet haben, die noch verstärkt würde durch den übermächtigen Einfluß kirchlicher Kreise, in deren Interesse die allseitige Herbeiziehung und Erhebung des Mittelalters liegen müsse, wie ein erboster Vertreter der sogenannten „Wissenschaft des Heidentums", ein Herr M. Koch aus Heidelberg, bereits 1859 vor der Gesamtversammlung der Geschichts- und Altertumsvereine beklagt hatte[184]. Dabei waren die Nürnberger Sammlungen an mittelalterlicher Kunst noch über Jahrzehnte hinaus ohne größere Bedeutung – 1871 konnte Essenwein allenfalls schreiben: „Das Material, welches das germanische Museum besitzt, ist auf diesem Gebiete nicht mehr ganz ohne Bedeutung"[185] – und die Bestände kulturhistorischer Altertümer waren oft überhaupt nur in dem Sinne mittelalterlichen Ursprungs, wie die Kulturgeschichte diesen Zeitraum begrenzte. Nicht selten wurde wohl der Gesamtbestand der Nürnberger Sammlung kurzerhand als mittelalterlich angesehen, obwohl zahlreiche Stücke der kirchlichen und der weitaus größte Teil der zahlenmäßig überwiegenden weltlichen Geräte im 16. und 17. Jahrhundert entstanden waren.

Sogleich nach seinem Dienstantritt 1866 bemühte Essenwein sich um Bereicherung der Sammlung kirchlicher Geräte. Aus eigenem Besitz übergab er ein Pferdeaquamanile, das er einst in Trient erworben und bald darauf publiziert hatte[186]. 1867 konnte ein Kelch des 14. Jahrhunderts mit Email-Medaillons, 1868 ein gotisches Reliquienkreuz aus Silber, 1869 ein Limoges-Kreuz aus dem Nürnberger Handel und durch Vermittlung Ernst aus'm Weerths aus Sand bei Bergisch Gladbach für 100 Taler ein frühes Limoges-Reliquienkästchen erworben werden[187]. Mehrere Bronze-Kruzifixe – eines davon mit Kreuz – waren 1868 vorhanden, ohne daß sich bei den meisten von ihnen die genaueren Erwerbungsumstände feststellen lassen[188]. Als wichtigste Erwerbung

[184] Mitteilung des Herrn M. Koch zu Heidelberg. In: Correspondenz-Blatt des Gesammt-Vereines der deutschen Geschichts- und Alterthums-Vereine Jg. 7 (1859), S. 9–10. – Esch (Anm. 71), S. 183.

[185] Katalog der im germanischen Museum befindlichen kirchlichen Einrichtungsgegenstände und Geräthschaften (Originale). Nürnberg 1871, S. 3.

[186] Inv. Nr. KG 262. A(ugust) Essenwein: Ein Aquamanile des 12. Jahrhunderts. In: Mittheilungen der Kaiserl. Königl. Central-Commission zur Erforschung und Erhaltung der Baudenkmale Bd. 4 (1859), S. 49. – A(ugust) Essenwein: Einige Fragen in Betreff der Aquamanilia. In: Anzeiger GNM 1867, Sp. 260–262. – Falke-Meyer (Anm. 94), Abb. 540.

[187] Inv. Nr. KG 136 (Kelch). Kohlhaußen, Nürnberger Goldschmiedekunst (Anm. 109), Kat. Nr. 213 und Abb. 215–216. – Inv. Nr. KG 220 (Reliquienkreuz). – Ein weiteres gotisches Reliquienkreuz aus Silber war 1868 ebenfalls vorhanden. Zu beiden: A(ugust) Essenwein: Die Reliquienbehälter in der Sammlung kirchlicher Alterthümer im germanischen Museum. In: Anzeiger GNM 1868, Sp. 309–315 u. 350–354 (350–354, Abb. 4 u. 5). – Inv. Nr. KG 215 oder 217 (?) (Limoges-Kreuz). – Inv. Nr. KG 160 (Limoges-Kasten). August Essenwein: Einige kirchliche Gefäße in der Sammlung des germanischen Museums. In: Anzeiger GNM 1869, Sp. 61–65 mit Abb.

[188] (August) von Eye: Die Sammlung von Crucifixen im germanischen Museum. In: Anzeiger GNM 1868, Sp. 153–163. – Zur Sammlung auch Josephi (Anm. 93), Nr. 135–149. – Schon 1858 hatte ein Oberamtmann E. Mauch aus Gaildorf „ein großes byzantinisches Kruzifix von vergoldetem Kupfer" geschenkt (vgl. ZR 1858/2644 – vielleicht identisch mit Inv. Nr. KG 214), von dem es im Anzeiger GNM 1858, Sp. 426 hieß: „Ein von Herrn E. Mauch in Ulm eingesandtes metallenes Kruzifix verdient wegen seines hohen Alters und Kunstwerthes besondere Erwähnung". – 1860 schenkte ein Freiherr von Rosenberg „ein Christusbild von Bronze aus dem 10.–11. Jahrhundert" (vgl. ZR 1860/3823). – 1870 schenkte der Wiener Pfleger Professor Klein 7 Bruchstücke von bronzenen Kruzifixen (vgl. ZR 1870/5986), die wohl unter die summarische Inventarisierung der Nr. KG 202–213 eingegangen sind: „Verschiedene Crucifixfiguren in Bronze, theils vollständig, theils nur Bruchstücke von romanischen Crucifixen, in verschiedener Auffassung, zum Theil außerordentlich roh". – Johann Klein (1823–1883), Lehrer an der Zeichenschule in Wien, der sich als Spezialist für mittelalterliche Kunst und als Karton- und Kirchenmaler einen Namen gemacht hatte, war mit Essenwein befreundet, mit dem er mehrfach bei Kirchenausstattungen zusammengearbeitet hatte (Thieme-Bekker [Anm. 124], Bd. 27. Leipzig 1933, S. 440). Ihm verdankte das Museum außerdem 1872 die Wachsfüllungen von zwei Figuren der ottonischen goldenen Tafel aus dem Aachener Dom (ZR 1872/6744; nicht mehr erhalten) und 1870 gotische Architekturscheiben des 14. Jahrhunderts aus dem Dom in Münster, für den Klein mehrere neuromanische Fenster geschaffen hatte, und 1867 die Vermittlung mehrerer gotischen Ofenkacheln aus der Sakristei des Wiener Stephansdomes (Inv. Nr. A 494-500).

galt 1869 ein Heilig-Grab-Reliquiar mit einer Kreuzabnahme aus Bronze, angeblich aus Maastricht stammend, das mit seiner Datierung „um 1100" als frühes Beispiel der späteren umfangreichen Bronzeproduktion des Maasgebietes gelten konnte. Im Anzeiger nannte Essenwein es „das wol interessanteste Stück dieser Abteilung"[189].

Im selben Jahr konnte er im Anzeiger eine 1867 erworbene „altorientalische Glasschale" mit emaillierten Inschriften und Reitermedaillons veröffentlichen[190], den ersten der nicht wenigen orientalischen Schatzgegenstände, siculo-arabischen Elfenbeinen und fatimidischen Kristallarbeiten, die er in den nächsten Jahren erwerben sollte. Völlig zu recht wies er darauf hin, wie oft solche Gegenstände in abendländischen Kirchenschätzen vorhanden seien. Er verglich sie mit den altislamischen Glasflaschen, die im Schatz von St. Stephan in Wien mit Erde aus dem Heiligen Land gefüllt seien, und reihte deshalb auch das neuerworbene Stück unter die Reliquiare ein. Nicht ohne Stolz fügte er hinzu, derselbe Antiquar Goldschmidt aus Frankfurt habe auf dem Bonner archäologischen Kongreß ein zweites Stück ausgestellt, das das South-Kensington-Museum inzwischen für teueres Geld gekauft habe – eigentlich doch ein Umstand, der eher bedenklich hätte stimmen sollen. Es war offenbar auch ein Zweckgerücht; ein solches Glas findet sich in den dortigen Inventaren nicht. Auch das Nürnberger erwies sich später leider als Fälschung und wurde in den zwanziger Jahren aus der Sammlung ausgeschieden.

Besonders ließ Essenwein sich die Vermehrung der Gipsabgüsse angelegen sein. Nach seinem leidenschaftlichen Plädoyer von 1867, wieviel wichtiger eine vollständige Serie der Stücke, welche den Entwicklungsgang der jeweiligen Kunstrichtung zeige, in Abgüssen sei, als wenige, möglicherweise noch unbedeutende und beschädigte Originale – „Man muß das, was kunstgeschichtlich in erster Linie steht, stets vor sich haben, weil nur dann die wahre Erkenntnis sich entwickelt"[191], – war es nur folgerichtig, daß er nicht nur bei den Großskulpturen, sondern auch den Elfenbeinarbeiten die bisherige Tradition des Hauses intensivierte. 1869 kaufte er nach Ausweis des Zugangsregisters 97 Gipsabgüsse nach Elfenbeinen von der Arundel-Society in London. 1870 waren 350 Abgüsse nach Elfenbeinen von der römischen Periode bis zum 17. Jahrhundert vorhanden[192], von denen sich im Gegensatz zu den Gipsen nach übrigen Materialien bis heute eine beachtliche Zahl erhalten hat. Schwerer wird man Essenwein – auch bei Hintanstellung moderner Abneigung gegen Gipsabgüsse – folgen können, wenn er auch für kirchliche Geräte im engeren Sinne Abgüsse forderte und sammelte. Im Gegensatz zum Geld, das man im Original haben müsse, seien „Abgüsse vortrefflich am Platze für die Geschichte der mittelalterlichen kirchlichen Goldschmiedekunst, die ja in dieser Epoche eine so hervorragende Rolle spielte, daß sie fast in erster Linie ins Auge gefaßt werden muß"[193]. So sammelten sich im Museum im Laufe der Zeit Abgüsse zahlreicher romanischer Kelche, Reliquiare, Aquamanilien, der großen Bronzewerke wie des Hildesheimer und Lütticher Taufbeckens, der schon genannten Hildesheimer, aber auch der Augsburger und Nowgoroder Bronzetüren, von gotischen Bischofskrümmen, selbst solcher Gegenstände wie des ottonischen Heinrichreliquiars der Münchner Schatzkammer an. 1870 hielt es Essenwein sogar

34, 231, 345

---

[189] Inv. Nr. KG 159. – A(ugust) Essenwein: Ein Reliquiar des 11. Jahrhunderts in den Sammlungen des germanischen Museums. In: Anzeiger GNM 1870, Sp. 1–6.

[190] Inv. Nr. KG 169. – A(ugust) Essenwein: Eine altorientalische Glasschale in den Sammlungen des germanischen Museums. In: Anzeiger GNM 1869, Sp. 225–229. – Für Nachforschungen nach dem angeblichen Glas im Victoria & Albert Museum bin ich Mr. Robert Jesse Charleston, London, zu Dank verpflichtet.

[191] Essenwein, Kleine Museen (Anm. 165), Sp. 190.

[192] Essenwein, Bericht 1870, S. 7; in diesem Band S. 1001.

[193] Essenwein, Kleine Museen (Anm. 165), Sp. 328. – Die Gipse wurden unter den Nummern KG 354–485 und 530ff. zusammen mit einigen eingestreuten Originalen inventarisiert. – Zur Gipssammlung auch S. 611–612, 614–618 und Abb. 34, 40, 211, 231, 232, 234, 345–349.

für wünschenswert, die frühen mittelalterlichen Gold-Elfenbein-Buchdeckel mit Edelstein-, Email- und Niellobesatz, denen er in der Geschichte der Kunst dieser Zeit einen besonderen Rang beimessen zu müssen glaubte, in Abgüssen zu sammeln, „die durch Bemalung, die hier unumgänglich nöthig ist, uns die Originale, so weit als möglich, vor Augen führen und ersetzen müssen"[194]. Leider sind die meisten dieser Abgüsse, soweit sie den 2. Weltkrieg überstanden hatten, in den fünfziger und sechziger Jahren aus der Sammlung ausgeschieden worden, so daß der geringe Bestand des Erhaltenen heute kaum noch verstehen läßt, in welch breitem Umfang die Geschichte der frühen Schatzkunst im vorigen Jahrhundert in den Sammlungen des Museums dokumentiert wurde. Für eine Zeit, die diese Nachbildungen für einen geeigneten Ersatz der Originale hielt, muß sich der Rang der Nürnberger Sammlung in ganz anderer Weise dargestellt haben, als dies seit den zwanziger und dreißiger Jahren in den leergeräumten Hallen geschehen konnte, in denen die Lücken – das fast völlige Fehlen vorgotischer Elfenbeinskulpturen oder das Fehlen jeder nennenswerten größeren Goldschmiedearbeit des 12. Jahrhunderts – viel krasser offenbar wurden. Gerade bei der Elfenbeinsammlung wird man freilich auch bedenken müssen, wie die umfassende Abguß-Sammlung den Blick für die Notwendigkeit, auch Originale zu erwerben, so lange versperrt haben dürfte, bis zum Ausbau einer dem Rang der übrigen Bestände angemessenen Elfenbeinsammlung praktisch alle Chancen verspielt waren. Bei der Goldschmiedekunst mag die Dürftigkeit der Ersatzlösungen schneller offenkundig geworden sein.

In den späten sechziger Jahren bemühte sich Essenwein, durch eine Folge kleiner Aufsätze im Anzeiger – über Leuchter für kirchlichen und weltlichen Gebrauch, über Reliquiare, Kruzifixe, kirchliche Gefäße, Ciborien etc. – die vorhandenen Sammlungen systematisch zu veröffentlichen, wie er es später für andere Abteilungen des Museums fortsetzte[195]. War der wissenschaftliche Anspruch meist nicht hoch, so dienten diese Notizen doch der Dokumentation des vorhandenen Bestandes. 1871 legte das Museum in der Folge der seit 1868 publizierten gedruckten Kataloge der einzelnen Sammlungsabteilungen den der kirchlichen Einrichtungsgegenstände und Gerätschaften vor, der im Gegensatz zum Katalog der Bauteile von 1868 jedoch nur noch die Originale verzeichnete[196]. Ein Autor wurde nicht genannt. Die Diktion der Einleitung läßt Essenwein als Verfasser erkennen, die kurzen und oft nicht einmal zur Identifizierung der Stücke reichenden Beschreibungen mögen anhand vorhandener Unterlagen andere verfaßt haben. Die 350 Nummern waren in 12 Gruppen geteilt: I. Altäre, II. Verschiedene Einrichtungsgegenstände (Kirchenstühle, Fahnen und dergl.), III. Totenschilde, IV. Gewänder, V. Kelche, VI. Monstranzen, Ciborien, Ölgefäße, VII. Reliquiengefäße und Reliquien (die letzteren schon zu Aufseß' Zeiten vorhanden), VIII. Kreuze, IX. Leuchter, X. Sonstige kleine Kirchengefäße und -geräte (hier die damals vorhandenen einzigen zwei Aquamanilien), XI. Anregungsmittel der Privatandacht und Verwandtes (private Andachtsbilder, Rosenkränze, Geisseln, Ablaßzeichen, Votivfiguren aus Eisen und Wachs, Das Leiden Christi in einem Kirschkern u. ä.), XII. Curiosa (ein Stück Holz vom Krahnen des Kölner Domes, Bauteile vom Kirchturm der Nürnberger Lorenzkirche, in die der Blitz eingeschlagen hatte). Dem schmalen Bändchen waren einige Abbildungen beigegeben. Ein Beitrag zur Kenntnis der Geschichte der kirchlichen Kunst des Mittelalters – viele Stücke waren auch späteren Datums – war der Katalog nicht. Sein Wert beschränkte sich auf den eines listenartigen Verzeichnisses des Vorhandenen, weshalb er im Museum auch an die Stelle des offenbar damals vernichteten älteren Inventars treten konnte.

---

[194] Essenwein, Bericht 1870, S. 14/15; in diesem Band S. 1010.
[195] Vgl. Anm. 186–189 und die Bibliographie im Anhang dieses Bandes.
[196] Katalog (Anm. 185). – Daß es ältere Bestandskataloge der einzelnen Abteilungen mit numerischer Zählung gegeben haben muß, geht aus Essenweins Äußerung (in: Bericht 1870, S. 23; in diesem Band S. 1020) hervor.

1873 kündigte Essenwein neben Fotoserien nach Kunstwerken des Museums als mustergültigen Vorbildern für verschiedene Gewerbe[197] ein großes zweibändiges Werk unter dem Titel „Die kunst- und kulturgeschichtlichen Sammlungen des Germanischen Nationalmuseums zu Nürnberg, als Übersicht über die Entwicklung der deutschen Cultur im Ganzen und Einzelnen" an. Stattdessen veröffentlichte er 1877 einen wesentlich bescheideneren Abbildungsband unter dem Titel „Kunst- und kulturgeschichtliche Denkmale des germanischen National-Museums. Eine Sammlung von Abbildungen hervorragender Werke aus sämtlichen Gebieten der Kultur". Der Band sützte sich, wie er im Vorwort ausführte, auf vorhandene, bisher bereits im Anzeiger verwendete Klischees und enthielt Holzschnitte nach Abbildungen aus allen Bereichen des Hauses, nach Originalen, Gipsabgüssen oder auch nach in Nürnberg vorhandenen Abbildungen, wie etwa irischen Initialen aus Oettingen-Wallersteinschen Manuskripten, daneben auch Tafeln mit Zusammenstellungen von Gefäßdarstellungen auf Gemälden und dergl., alles in grober chronologischer, aber sonst nicht immer ganz einsehbarer Folge[198]. Essenweins starkes Interesse an ornamentaler Musterbildung mag für den großen Anteil der Textilien und Bodenfliesen verantwortlich sein. Erläuterungen waren den Tafeln nicht beigegeben.

Stärker offenbarte sich Essenweins systematischer Zugriff in seinem Museumsprogramm von 1870, in dem er sich einerseits mit Aufseß' System der Anordnung der Sammlungen auseinandersetzte, andererseits im einzelnen für alle Zweige der Sammlungen den Stand des Erreichten und des in Zukunft Anzustrebenden formulierte. Seine Ausführungen zu den kirchlichen Geräten stehen in engem Zusammenhang mit der Einleitung zu dem im folgenden Jahre erschienenen Katalog der kirchlichen Einrichtungsgegenstände und Gerätschaften[199]. Drei Gesichtspunkte verdienen hervorgehoben zu werden: Mit der überragenden Stellung der Kirche im Mittelalter hänge zusammen, daß die für die Kirche geschaffenen Kunstwerke von höchstem künstlerischem Rang seien. Daraus folge der besondere Zeugniswert der Sammlung kirchlicher Geräte für die Darstellung des Mittelalters im Museum, wie denn im Museum die kirchlichen Altertümer in besonderer Weise das Mittelalter und die häuslichen die Zeit danach charakterisierten. Im Hinblick auf diese Aufgabe nannte Essenwein die vorhandene Sammlung „höchst unbedeutend" und versprach ihre systematische Förderung. Zu dem alten, schon die Aufseß-Zeit beschäftigenden Problem, was zu den kirchlichen Geräten und was zur Kunstabteilung zu rechnen sei, gab er auf die Frage, für welche Abteilung der Gegenstand die größere Wichtigkeit habe, nicht dem Gebrauchszweck, sondern der künstlerischen Qualität den Vorrang. Das künstlerisch bedeutende Stück komme in die Kunstsammlung. In der Einleitung zum Katalog der kirchlichen Geräte von 1871 wurde die Aufgabe, eine Übersicht über die Geschichte der Skulptur zu geben, als vorrangig bezeichnet, so daß das Material zugunsten der Skulpturen- und Gemäldesammlung aus den kirchlichen Altertümern herausgezogen werden müsse und sich bei ihnen vorwiegend die Stücke geringeren Kunstwertes fän-

[197] Bereits vor Essenweins Zeit hatte das Museum durch die von ihm betriebene Literarisch-artistische Anstalt Fotoserien vertrieben. Vgl. Jahresbericht GNM 7 (für 1860), 1861, S. 1 und Jahresbericht GNM 11 (für 1864), 1865, S. 2. Dem Anzeiger 1865 waren mehrere Listen als Beilagen mitgegeben. Ein ausführlicher Prospekt über die geplanten 12 Serien mit je 12 Blättern unter dem Titel „Photographieen aus dem germanischen Museum" in Anzeiger GNM 1865, Sp. 131–136. Die erste Serie sollte u. a. Kirchengeräte umfassen. Offensichtlich zerschlug sich der Plan durch die Entlassung des Leiters der artistischen Anstalt, des Malers Johann Jakob Eberhard, nach dem Dienstantritt Essenweins. – Ein neuer Prospekt von 1866 in den Akten des Verwaltungsausschusses 1867 (Archiv GNM, Altregistratur GNM, Kapsel 733). – 1873 lagen sechzig entsprechende Photographien vor, die die Buchhandlung Sigmund Soldan in Nürnberg vertrieb; vgl. Chronik des germanischen Museums. In: Anzeiger GNM 1873, Sp. 81–84 (81).

[198] Essenwein, Denkmale (Anm. 102).

[199] Essenwein, Bericht 1870; in diesem Band, S. 1012–1013. – Katalog (Anm. 185), S. 3/4. – Zum Charakter der Sammlung vgl. auch die Einleitung des Aufsatzes: Essenwein, kirchliche Gefäße (Anm. 187), Sp. 61.

den. Aufseß wollte bekanntlich nur das, was infolge seines fragmentarischen Zustandes seine ursprünglich kirchliche Funktion nicht mehr ausreichend dokumentieren konnte, der Kunstsammlung einverleiben. In einer weiteren Erwägung werden Gedankengänge der Kunstgewerbebewegung wichtig: Die kirchlichen seien von den häuslichen Geräten nicht nach Gewerbezweigen, sondern nach dem Gebrauchszweck getrennt. Der ganz verschiedene Geist, der sie beherrsche, erlaube das. Doch bezeichnete Essenwein diese Auffassung als durch den Stand der Sammlung bedingt: Reichte das Material für eine Geschichte der Goldschmiedekunst, so wäre der Vorschlag durchaus angebracht, die Geschichte dieses Gewerbes darzustellen. Der Zeitpunkt, zu dem diese möglich sein werde, werde gewiß kommen. Bis dahin möchten einerseits die Erzeugnisse verschiedener Gewerbe wie Textilien und Goldschmiedekunst beieinander bleiben und andererseits Erzeugnisse derselben Gewerbe in den getrennten Abteilungen der kirchlichen und häuslichen Geräte eingereiht werden. Dem in der Anfangszeit des Museums vorrangigen Gebrauchszweck ordnete Essenwein damit nicht nur den Gesichtspunkt der künstlerischen Qualität, sondern auch den der Geschichte der speziellen Kunstgattungen über.

In anderer Brechung klang das Gedankengut der Kunstgewerbe-Bewegung im Katalog der Sammlung von 1871 noch einmal an. „Die kostbaren Gegenstände, die da und dort in Kirchenschätzen sowie in Museen noch aufbewahrt werden, sind meist Dinge, die schon zur Zeit ihrer Anfertigung als Seltenheiten und Kostbarkeiten betrachtet wurden; sie sind die höchste Blüte der Kunst ihrer Zeit". Doch könne man diese Dinge systematisch nicht erwerben. „Was im Handel vorkommt, sind nicht Werke ersten Ranges, sondern meist nur untergeordnete Sachen". An anderer Stelle erläuterte er das einmal mit dem Ausspruch, den Schrein der Heiligen-Drei-Könige aus dem Kölner Dom habe man zu keiner Zeit erwerben können. Demgegenüber klingt der folgende Rückgriff auf ältere Formulierungen des Hauses, im Germanischen Museum seien eben nicht in erster Linie Prachtstücke, sondern Gebrauchsgegenstände einfacher Landkirchen ausgestellt, die heute als Vorbilder für neue Schöpfungen nur nachdrücklich empfohlen werden könnten, recht durchsichtig. In der Neuauflage seines Berichtes von 1884[200], in der er über fast zwanzigjährige Erwerbstätigkeit Bilanz ziehen konnte, sprach er denn auch aus, es fehle vor allem an jenen Objekten, die schon im Mittelalter keine Handelsware gewesen seien, und bezeichnete das jüngst gekaufte Querner Antependium als Maßstab setzende Erwerbung, der Stücke entsprechender 378, 382 Größenordnung folgen müßten. Die große silberne gotische Monstranz, für die er damals 40 000 Mark auszugeben bereit war, fehlt freilich dem Museum noch heute – ebenso wie die zwei mit je 20 000 Goldmark veranschlagten romanischen Kelche.

Dennoch waren die siebziger und achtziger Jahre die Zeit der großen Erwerbungen in der vgl. 35, 378 Geschichte der Sammlung. Um die Wende 1871/72, im zwanzigsten Jahr des Museums, kaufte Essenwein bei dem Nürnberger Antiquar A. Pickert[201] sechs Aquamanilien, fünf davon aus der schon genannten Sammlung Hahn und ein niedersächsisches Scheibenreliquiar des 13. Jahrhunderts zusammen mit drei Schnitzaltären und einem großen spätgotischen Sakristeischrank, im selben Jahr 1872 ein Limousiner Vortragekreuz und von dem Kölner Sammler Bürgermeister Thewalt den interessanten kleinen Bronzelöwen mit roten Glasflußaugen des 12. Jahrhunderts, ein Gefäß für Weihrauchkörner[202]. 1873 erwarb er von dem Göttinger Kunstgelehrten und Hanno-

[200] Essenwein, Bericht 1884, S. 53.
[201] Die Nürnberger Kunsthandlung A. Pickert war im 19. Jahrhundert einer der wichtigsten Lieferanten des Germanischen Museums. Vgl. zu ihr S. 1008, Anm. 13.
[202] Inv. Nr. KG 488–493 (Aquamanilien). Falke-Meyer (Anm. 94), Abb. 285, 549, 244, 337, 545, 338. – Inv. Nr. KG 495 (Vortragekreuz). – Inv. Nr. 494 (Scheibenreliquiar). – Inv. Nr. KG 497 (Bronzelöwe). A(ugust) Essenwein: Romanische Kirchengeräthe im germanischen Museum. In: Anzeiger GNM 1875, Sp. 338–340.

376. Dr. med. Hermann Freiherr von
Eelking, Bremen (1818–1884), Gemälde
von unbekannter Hand. Seine Sammlung mittelalterlicher Schatzkunst
wurde 1880 vom Museum erworben

veraner Hof-Historienmaler Carl Oesterley (1805–1891) den Hildesheimer Kelch mit Niello-Ein-
lagen und Filigran des 13. Jahrhunderts aus Kloster Mariensee bei Hannover; ein möglicherweise
Wiener Kelch mit Email-Medaillons des 14. Jahrhunderts kam als Leihgabe der Nürnberger Jo-
hannis-Kirche im folgenden Jahr hinzu[203]. 1875 lieferte Pickert drei figürliche Bronzeleuchter[204].
Ein sog. Hedwigglas, ein fatimidischer Hochschnitt-Glasbecher, durch einen mittelalterlichen vergoldeten Silberfuß zu einem Kelch oder Reliquiar umgearbeitet, den vor einigen Jahren ein Herr
Kahlbaum in Stuttgart aus der Schweiz gekauft und ihn, „weil er ihm nicht glänzend genug für die
Ausstattung seiner Zimmer wirkte", wieder in den Handel gegeben habe, konnte 1877 mit Hilfe
des Münchener Bildhauers Lorenz Gedon (1843–1883) erworben werden. Aus welchem Kirchenschatz das Stück stammte, konnte nicht aufgeklärt werden; die Fassung wird neuerdings als vene-
zianisch angesehen[205]. Seit 1876 standen fünf weitere Aquamanilien, davon wiederum vier aus der
Sammlung Hahn, als Leihgabe des Nürnberger Händlers Pickert im Museum, die 1880 bezahlt
werden konnten[206].

[203] Inv. Nr. KG 516 (Hildesheimer Kelch). A(ugust) Essenwein: Ein romanischer Messkelch nebst Patene im germanischen Museum. In: Anzeiger GNM 1873, Sp. 162–166. – Zu Carl Oesterley vgl. Thieme-Becker (Anm. 124), Bd. 25.
Leipzig 1931, S. 574. – Inv. Nr. KG 539 (Kelch aus Nürnberg).
[204] Inv. Nr. KG 551–553. Essenwein, Kirchengeräthe (Anm. 202), Abb. 2 u. 3.
[205] Inv. Nr. KG 564. A(ugust) Essenwein: Ein „Hedwigsbecher" im germanischen Museum. In: Anzeiger GNM 1877,
Sp. 228–233.
[206] Inv. Nr. KG 580–584. Falke-Meyer (Anm. 94), Abb. 324, 442, 502, 542, 553.

Im selben Jahr gelang der Ankauf einer ganzen Sammlung. Mit der für 28 000 Mark – wie es hieß, weit unter Preis – erworbenen Sammlung des Bremer Arztes Dr. Hermann Freiherrn von 376 Eelking (1818–1884) gelangten 101 fast ausschließlich mittelalterliche, überwiegend hochmittelalterliche Gegenstände des Kunstgewerbes ins Germanische Museum. Essenwein selbst hatte, da das Museum dazu außerstande war, die Sammlung auf eigene Rechnung und Gefahr gekauft. In einem zwischen ihm und dem Museum eigens abgeschlossenen Vertrag[207] verpflichtete sich das Museum zwar, nach Maßgabe zu erwartender Stiftungen und Schenkungen in die von Essenwein übernommenen fünf Ratenzahlungen einzutreten, doch blieb das volle finanzielle Risiko bei ihm. Fünfzehn weitere mitangekaufte Gegenstände sollten zur Ermäßigung des Kaufpreises an das Gewerbemuseum in Bremen und den Hamburger Antiquar Fröschels weiterverkauft werden. Über Eelking ist wenig bekannt[208]. Er war Pfleger des Germanischen Museums in Bremen und stand offenbar in engem Kontakt zum dortigen Gewerbemuseum, an dessen Ausstellungen er sich mit Leihgaben – meist Möbeln, nur selten mittelalterlichen Gegenständen – beteiligte und für das er gelegentlich auch die Ausstellungskataloge schrieb[209]. Seine Sammlung scheint er relativ rasch und keineswegs, wie angenommen und sogar als Lokalisierungsindiz für einzelne Werke oder ganze Gruppen verwandt wurde, vorwiegend in Norddeutschland zusammengebracht zu haben. Einige Gegenstände lassen sich zuvor in anderen Sammlungen feststellen. So war die aus der Sammlung Soltykoff stammende, seinerzeit von Eugène Delaroix gezeichnete Krümme eines Bischofsstabes aus Limoges noch 1867 als Besitz des Kunsthändlers Baur auf der Pariser Weltausstellung ausgestellt[210]. In einem Nachruf in den Bremer Nachrichten vom 12. Dezember 1884 hieß es über Eelking: „Er hat fleißig mitgearbeitet an der Wiedergeburt des deutschen Kunstgewerbes und als Pfleger des Germanischen Museums zu Nürnberg unermüdlich dafür Sorge getragen, daß unser Nordwesten und insbesondere Bremen in jenem nationalen Museum so würdig als nur möglich repräsentiert wurde".

Die Sammlung Eelking war für die Mittelaltersammlung des Museums ein großer Gewinn: 6 Bronzeaquamanilien, mehrere Bronze-Weihrauchfässer und -Leuchter, das englische Email des 12. Jahrhunderts mit dem auf dem Wasser dem Herrn entgegenwandelnden Petrus, eine große Anzahl Limousiner Email-Gegenstände – darunter ein Vortragekreuz, zwei Reliquienkästen, zwei Pyxiden, ein Rauchfaß und Weihrauchschiffchen –, das Kopfreliquiar des hl. Gonsaldus aus dem frühen 14. Jahrhundert, ein großartiger, vielleicht norddeutscher silberner Leib Christi von einem Vortragekreuz des 14. Jahrhunderts, eine kölnische Monstranz und ein kölnisches Monile des 15.

[207] Archiv GNM, Altregistratur GNM, Kapsel 426, Sonderakten: Sammlung Eelking; dort der Vertrag Essenweins mit dem GNM mit beigefügter Liste. Es handelt sich um die Inv. Nrn. KG 585–624, 630; HG 2411–2412, 2425–2442 und die Elfenbeinskulpturen Pl. 0 370, 372, 387–388 (damals KP 1839–1840, 1843–1844) und eine Reihe zunächst nicht inventarisierter, ins Depot verwiesener Stücke, darunter einen als Fälschung bezeichneten kleinen Drachenleuchter, Keramiken und vor allem Möbeln.
[208] Genealogisches Handbuch des Adels. Freiherrliche Häuser, Reihe B, Bd. 2. Glücksburg 1957, S. 98 mit Porträt. – Einige Hinweise im Brief des Staatsarchivs Bremen vom 13. November 1975 an das Germanische Nationalmuseum, dort auch der zitierte Nachruf.
[209] Catalog der Ausstellung von historischen und Kunst-Denkmälern Bremens, im oberen Saale des Künstlervereins vom 27. Mai bis 9. Juni 1861. Bremen 1861 (Leihgaben Eelkings Nr. 18–20; bei anderen Stücken ist im Exemplar des Germanischen Nationalmuseums handschriftlich die spätere Erwerbung durch Eelking vermerkt). – Hermann von Eelking: Beschreibendes Verzeichnis der Alterthümer der kunstgewerblichen Weihnachts-Ausstellung in Bremen 1876. Bremen 1876. – Catalog (der) 2. Kunstgewerbliche(n) Weihnachts-Ausstellung zu Bremen 1877. Abt. II. Beschreibendes Verzeichnis der Alterthümer, verfaßt von Hermann von Eelking (zahlreiche Leihgaben Eelkings). – Katalog der IV. kunstgewerblichen Weihnachtsausstellung im Gewerbehause zu Bremen 1879. Bremen 1879 (von Eelking das Vorwort zur Ausstellung von Ehrengaben; Leihgaben Nr. 32–37). – Hermann von Eelking: Beschreibendes Verzeichnis der Alterthümer der VI. Kunstgewerblichen Weihnachts-Ausstellung 1881. Bremen 1881.
[210] Inv. Nr. KG 608. J(ean) J. Marquet de Vasselot: Trois crosses limousines du XIIIᵉ siècle, dessinées par Eugène Delacroix. In: Bulletin de la Société de l'histoire de l'art français Bd. 1936, S. 136–148. – J(ean) J. Marquet de Vasselot: Les crosses limousines du XIIIᵉ siècle. Paris 1941, Nr. 118 mit weiterer Lit.

Jahrhunderts, unter den Hausgeräten eine Anzahl gotischer Messingteller, die bis heute qualitätvollsten Stücke in der kleinen Sammlung gotischer Elfenbeine[211]. Der große Anteil der Limoges-Emails an der Mittelaltersammlung des Museums, der freilich durch die späteren Ankäufe herausragender Einzelstücke durch Essenwein noch verstärkt wurde, hat hier seine wichtigste Wurzel. Mit dem englischen Email des 12. Jahrhunderts, dessen Herkunft wohl zunächst nicht erkannt wurde – in der museumseigenen Literatur spielte das Stück niemals eine Rolle –, war zum ersten Mal ein hochmittelalterliches Goldschmiedewerk höchsten Ranges in die Sammlung gelangt, wenn das kleine Plättchen in seiner Vergoldung auch schlechter erhalten ist als die sechs zur selben Serie gehörigen Platten in London, Lyon, Dijon und New York. Die schon vorher ansehnliche Sammlung mittelalterlicher Bronzen wurde auf ihre heutige Höhe gehoben; allein 19 Aquamanilien waren jetzt vorhanden; nur das Reiteraquamanile aus der Kirche in Ludesch bei Bludenz in Vorarlberg sollte 1891 noch hinzukommen.

Auch zu einem anderen norddeutschen Sammler gab es Verbindungen. Bereits 1879 hatte der Hamburger Kaufmann und Sammler älteren, überwiegend nachmittelalterlichen Kunstgewerbes
100 Johannes Paul dem Museum eine norddeutsche Bronzefünte des 13. Jahrhunderts aus Hemmingstedt in Holstein geschenkt. 1882 erwarb das Museum unmittelbar im Anschluß an die Auktion
378 der Paulschen Sammlung das größte und schönste Limoges-Kreuz der Museumssammlung und ein Bronze-Rauchfaß des 12. Jahrhunderts, drei Jahre später aus dem Handel für 10 000 Mark den aus derselben Sammlung stammenden großen Limousiner, vielleicht aus Toulouse stammenden Reliquienschrein[212], der 1882 auf der Auktion sogar 14 000 Mark gebracht hatte – Preise, die im Vergleich zu den sonst für mittelalterliche Geräte gezahlten die Wertschätzung der Limousiner Emails im späteren 19. Jahrhundert deutlich erkennen lassen.

Pauls Hilfe glaubte Essenwein auch bei dem ehrgeizigsten Ankauf der Zeit in Anspruch nehmen
378, zu können. 1881 hatte Justus Brinckmann das zu der Gruppe der jütländischen Antependien und
382, 385 Retabeln des 12. und 13. Jahrhunderts gehörige, aus der kleinen Kirche in Quern in Holstein stammende Antependium in sein Museum genommen, da die Kirche verkaufen wollte. Kurz darauf muß er es Essenwein für 9000 Mark angeboten haben, sei es, daß er es selbst nicht kaufen konnte, sei es, daß es ihm in seinem doch im wesentlichen mit nachmittelalterlichen Dingen gefüllten typischen Kunstgewerbemuseum zu frühmittelalterlich-fremdartig wirkte. In einem Brief vom 31. Juli 1881 drängte er nachdrücklich, drohte mit Interessen der Berliner Museen und schloß: „Der Hauptgrund, welcher jetzt den Verkauf nothwendig macht – eben Geldmangel – könnte leicht durch einen glücklichen Zufall beseitigt werden und dann würde wenigstens mit meiner Zustimmung das Antependium unsere Sammlung nicht verlassen. Jetzt bedarf ich noch eines erheblichen Betrages zur Zahlung des Brustolone aus der Sammlung Demidoff, ist dieser Preis gedeckt, so habe ich wieder die Arme frei". Paul, an den sich Essenwein offenbar daraufhin gewandt hatte, schrieb ihm am 9. August 1881, angesichts der Höhe des Preises könne er das Stück dem Museum nicht schenken, wolle aber gerne den Kaufpreis, der inzwischen auf 6000 Mark ermäßigt

---

[211] Die Aquamanilien Inv. Nr. KG 585–586, 622–624, 630. Falke-Meyer (Anm. 94), Abb. 239, 365, 399 (später abgegeben), 496, 509 und Kat. Nr. 489. – Das englische Email Inv. Nr. KG 609. M. Chamot: English Medieval Enamels. London 1930, Kat. Nr. 18 und Taf. 10–13. – Der Silberkruzifixus jetzt Pl. o 441. Josephi (Anm. 93), Nr. 184 mit Abb. – Die Elfenbeine Inv. Nr. Pl. o 370, 372, 387–388. Stafski (Anm. 119), Nr. 216, 224, 226, 230. – Die meisten übrigen Stücke unpubliziert. – Zum Reiteraquamanile aus Ludesch, Inv. Nr. KG 712, vgl. Falke-Meyer (Anm. 94), Abb. 546a.
[212] Tauffünte Inv. Nr. KG 1032. – Limoges-Kreuz Inv. Nr. KG 644. – Rauchfaß Inv. Nr. KG 643. – Reliquienschrein Inv. Nr. KG 674. – Zur Sammlung Paul vgl. den Auktionskatalog: Catalogue des objets d'art et de haute curiosité composant la magnifique collection de M. Johannes Paul à Hamburg. J. M. Heberle (H. Lempertz' Söhne), October 1882. Köln 1882, Nr. 604 mit Taf. (Kasten), Nr. 610 (Vortragekreuz), Nr. 891 (Rauchfaß).

worden war, auf drei Jahre vorschießen. Billiger sei das Stück von Brinckmann nicht zu haben, da ein Privatier, den Brinckmann informiert habe – eine Bleistift-Randnotiz identifiziert ihn als Dr. von Eelking – dieselbe Summe biete. Paul kaufte das Antependium; Essenwein übernahm auch hier die persönliche Bürgschaft. 1884 konnte das Museum den Kaufpreis zurückzahlen[213].

Inzwischen – und das gilt bis heute – hatten die Limousiner Emails in der Sammlung ein kaum zu rechtfertigendes Übergewicht erlangt, selbst wenn man die dem Hause grundsätzlich auferlegte Beschränkung auf Kunstwerke und Altertümer deutscher Herkunft außer Acht läßt. Daß diese Frage Essenwein freilich je beschäftigt hätte, wird nirgends deutlich; eine solche Beschränkung wäre auch in Anbetracht der Zusammensetzung mittelalterlicher Kirchenschätze mit ihren zahlreichen byzantinischen und orientalischen Gegenständen und natürlich auch einer großen Anzahl der für den Export ins gesamte Abendland gearbeiteten Limoges-Emails des 12. bis 14. Jahrhunderts verfehlt. Auffallend bleibt jedoch die starke Zurückhaltung gegenüber rheinisch-maasländischen Emails, in denen doch, wie auch im 19. Jahrhundert bekannt war, die Goldschmiedekunst des 12. Jahrhunderts ihre höchsten Leistungen vollbracht hatte. 1885 und 1886 erwarb man von Alexan- vgl. 35 der Schnütgen für wenige hundert Mark einige kleine ornamentale Beschlagplättchen, den Knauf eines größeren Reliquienschreins und einige emaillierte Nimben[214], die nach den im Email wiedergegebenen Heiligennamen offenbar vom Kölner Ursula-Schrein stammten, der unter Schnütgens Aufsicht und Beratung restauriert bzw. erneuert worden war und zu denen sich zugehörige Stücke im Schnütgen-Museum erhalten haben. 1886 gelangte aus der Auktion der Sammlung Eugen Felix, Leipzig, auf der das Museum sich stark engagierte und neben vielen späteren Dingen auch einige Kästchen, darunter eins des 15. Jahrhunderts aus der Kirche in Friedberg erwarb, die Zwickelplatte eines Reliquiars mit der Halbfigur eines Engels als Spiritus Sapientiae in das Nürnberger Museum[215]. Nur ein einziges Mal kam es zu einer größeren Anstrengung: In der führenden Mittelalter-Kunsthandlung von Bourgeois Frères in Köln kaufte Essenwein im selben Jahr fünf „byzantinische" (= romanische) Emails für 5000 Mark, von denen aus unbekannten Gründen zwei für 1200 Mark zurückgegeben wurden[216]. Die beiden halbkreisförmigen Platten mit den Evangelisten Markus und Lukas, wohl von einem vierpaßförmigen Scheibenreliquiar stammend und möglicherweise mit 1888 erworbenen Fragmenten des Britischen Museums zusammengehörig, sind bis heute die einzigen figürlichen rheinischen-maasländischen Emails der Sammlung. Die dritte mit 2500 Mark ungleich höher bewertete große mandorlaförmige Scheibe einer Majestas Domini muß als englisches Werk aus der zweiten Hälfte des 12. Jahrhunderts bezeichnet werden, wenn eine ge-

[213] Inv. Nr. KG Pl. o 201. Josephi (Anm. 93), Nr. 132. – Joachim Kruse: Das kupfervergoldete Antependium aus Groß-Quern in Angeln. In: Nordelbingen Bd. 30 (1961), S. 83–99. – Der zitierte Briefwechsel im Archiv GNM, Altregistratur GNM, Kapsel 80, Akten der kunst- und kulturgeschichtlichen Sammlung 1880–1881. – Bei dem erwähnten Brustolone handelt es sich um den hölzernen Reliquienschrein der hl. Innocentia von Andrea Brustolon (1662–1732) aus dem Jahre 1715 aus der Sammlung Demidoff im Palazzo San Donato in Florenz (freundl. Hinweis von Dr. Jörg Rasmussen, Hamburg); vgl. Die Bildwerke des achtzehnten Jahrhunderts (Kataloge des Museums für Kunst und Gewerbe Hamburg, Bd. 4). Bearb. von Christian Theuerkauff u. a. Braunschweig 1977, Nr. 195.
[214] Inv. Nr. KG 676–680, 687–689.
[215] Inv. Nr. KG 686. – Das Friedberger Kästchen Inv. Nr. KG 694. – Später wurde über einen Münchener Händler noch das Bronze-Weihrauchfaß Inv. Nr. KG 693 erworben. – Zur Slg. Felix: A(ugust) von Eye und P. E. Börner: Die Kunstsammlung von Eugen Felix in Leipzig. Katalog(band) und Atlas. Leipzig 1880. – Katalog der reichhaltigen Sammlung des Herrn Eugen Felix in Leipzig. Versteigerung zu Köln, den 25. Okt. 1886 . . . durch J. M. Heberle (H. Lempertz' Söhne). Köln 1886, Nr. 366 (Emailplatte), Nr. 519 (Rauchfaß), Nr. 1059 (Friedberger Kasten).
[216] Inv. Nr. KG 691/92 (Evangelisten); 690 (englische Majestas Domini); vgl. auch ZR 1886/9178 a. Zu den Evangelisten Dietrich Kötzsche: Zum Stand der Forschung der Goldschmiedekunst des 12. Jahrhunderts im Rhein-Maas-Gebiet. In: Rhein und Maas. Kunst und Kultur, 800–1400, Bd. 2. Berichte, Beiträge und Forschungen zum Themenkreis der Ausstellung und des Kataloges. Köln 1973, S. 191–236 (Abb. 32). – Zur Bedeutung der Kölner und zeitweilig Pariser Kunsthandlung Bourgeois Frères das Vorwort von Alexander Schnütgen zum Auktionskatalog anläßlich der Auflösung des Geschäftes: Collection Bourgeois Frères. Katalog der Kunstsachen und Antiquitäten des VI. bis XIX. Jahrhunderts. Versteigerung zu Köln bei J. M. Heberle (H. Lempertz' Söhne). Köln 1904.

naue Zuordnung auch nur schwer gelingen will und das Stück bisher unpubliziert ist. So überragend gerade ihr künstlerischer Rang ist und so wenig ihre englische Herkunft im 19. Jahrhundert für das Germanische Museum erkennbar war, da die englische Kunst des frühen und hohen Mittelalters mit ihren hohen Qualitäten im Grunde erst in unserer Zeit in das Bewußtsein der deutschen Kunsthistoriker gedrungen ist, so bleibt es doch merkwürdig, daß ausgerechnet das Germanische Nationalmuseum zwei der wenigen überhaupt aus dem Mittelalter überkommenen englischen und fast nichts von den unvergleichlich zahlreicher erhaltenen rheinisch-maasländischen Emails des 12. Jahrhunderts besitzt. Daß das Museum nicht beizeiten in ganz anderer Weise rheinische oder maasländische Emailwerke erworben hat, was bei den intensiven Kontakten Essenweins zum Rheinland zu seiner Zeit unschwer hätte möglich sein müssen, ist auf dem Gebiet der mittelalterlichen Schatzkunst eines der großen Versäumnisse in seiner Geschichte. Da auch niemals ein sonstiges Goldschmiedewerk, ein Elfenbeinrelief oder Buchmalereien nennenswerter Bedeutung des 12. Jahrhunderts in die Sammlung kamen, repräsentieren neben der umfangreichen Bronzen-Sammlung die beiden englischen Emails – die Majestas Domini und die Platte mit Petrus auf dem Wasser – im Museum nahezu allein die Kunst des Jahrhunderts, das in unvergleichlich breiterer Produktion als die vorausgehenden eine Fülle von Werken der kirchlichen Schatzkunst hervorgebracht hat.

Zusammen mit den Emails erwarb das Museum von Bourgeois Frères 1886 für 7000 Mark ein Reliquiar mit fatimidischem Bergkristallring der Jahre 1021/36, der im 14. Jahrhundert in Venedig durch hohen Fuß und reiche Fassung zu einem Schaugefäß umgearbeitet worden war[217]. Es stammte aus der Geistlichen Schatzkammer der Wiener Burg und war dort mit zwei anderen Werken, dem Reliquiar eines Spans der Dornenkrone Christi (heute im Britischen Museum) und dem Kreuz Ludwigs von Anjou (heute wieder in Wien), von dem ungetreuen Restaurator Weininger durch eine Kopie ersetzt worden, wobei die eigentliche Reliquienkapsel und das bekrönende Kreuz der Kopie eingefügt wurden. 1860 war das Original noch auf der genannten vom Wiener Alterthumsverein veranstalteten Ausstellung gezeigt worden. Als sich die wahre Herkunft und die Unterschlagung herausstellten, machte das Museum zunächst den Kaufvertrag rückgängig; doch verzichtete das Wiener Oberhofmeisteramt ausdrücklich darauf, das Stück zurückzuerwerben. Zwei weitere gotische Goldschmiedewerke gelangten im selben Jahr ins Museum, eine zwar einfache, aber in ihrer handwerklichen Qualität noch heute als beste Monstranz des Museums zu bezeichnende Turmmonstranz um 1400, bei der freilich der bekannte neugotische Kölner Goldschmied Gabriel Hermeling die seitlichen Pfeiler ergänzt hatte, und ein in italienischer Art mit Blattwerk verzierter Kelch des 14. Jahrhunderts aus der Stadtpfarrkirche in Halle, den der „in Kreisen der Kunstfreunde und Sammler wohlbekannte" Richard Zschille aus Großenhain dem Museum schenkte, der im selben Jahr für das Museum auch kölnische Glasgemälde des späten 13. Jahrhunderts kaufte[218].

Auf der Auktion der Sammlung Felix waren auch fünf illuminierte Blätter einer hessisch-thüringischen Apokalypse des 14. Jahrhunderts gekauft worden; sie bilden einen der wenigen Höhe-

382, 383

---

[217] Inv. Nr. KG 695. – Essenwein, Archäologische Ausstellung (Anm. 162), S. 43, Taf. VI. – Gefälschte Kunstwerke (Ausstellungskatalog). Kunsthistorisches Museum Wien, Sammlungen für Plastik und Kunstgewerbe. Wien 1937, Nr. 3. – Zuletzt Hans R. Hahnloser: Ein arabischer Kristall in venezianischer Fassung aus der Wiener Geistlichen Schatzkammer. In: Festschrift Karl M. Swoboda zum 28. Januar 1959. Wien und Wiesbaden 1959, S. 133–140, Abb. 24–28.

[218] Inv. Nr. KG 697 (Monstranz). – Inv. Nr. KG 701 (Kelch). Chronik des germanischen Museums. In: Anzeiger GNM 1887, S. 75–87 (78); Max Sauerlandt: Hallesche Goldschmiedearbeiten aus vier Jahrhunderten. In: Ältere Denkmäler der Baukunst und des Kunstgewerbes in Halle a. S. Hrsg. vom Kunstgewerbeverein für Halle und den Regierungsbezirk Merseburg, H. 10. Halle a. S. 1912, S. 3–7 (4 mit Abb. auf S. 2). – Die genannten Glasgemälde aus St. Kunibert in Köln Inv. Nr. MM 7 u. 8.

punkte der Miniaturensammlung[219]. Die Buchmalerei lag offenbar weitgehend außerhalb Essenweins und seiner Mitarbeiter Interessen. Schon in dem grundlegenden Museumsprogramm von 1870 hatte er sich im Zusammenhang der Miniaturensammlung des Kupferstichkabinetts nur sehr allgemein geäußert: Miniaturen des 4. bis 10. Jahrhunderts von einiger Bedeutung würden schwerlich zu erlangen sein, dort sei man auf Kopien angewiesen. Das 12. und 13. Jahrhundert sei in der Sammlung im Gegensatz zum 14. und 15. Jahrhundert spärlich vertreten. Nach Blättern von künstlerischer Vollendung aus der Spätzeit werde man suchen müssen, aus der Frühzeit alles nehmen, was erreichbar sei. Bei der Behandlung der Bibliothek hatte er überhaupt nur vom Raumbedarf der Handschriften gesprochen[220]. Immerhin war 1868 auf Kosten des rheinischen Landgerichtsassessors Ludwig von Cuny, der jahrelang zum Ankauf von Handschriften und Urkunden, die in die Hände der von Fürth aus die Goldschläger ganz Europas beliefernden Altpergament-Händler gefallen waren, Geldbeträge zur Verfügung stellte, ein interessantes Lektionar mit figürlichen Federzeichnungen des 12. Jahrhunderts gekauft worden, dessen Holzdeckel freilich nur noch die Spuren seines ehemaligen Elfenbein- und Edelmetallbeschlages aufweist[221]. Die Handschrift hatte einst dem spätnazarenischen Maler und ersten Verwalter der Kölner Kunstsammlungen Johann Anton Ramboux (1790–1866) gehört. 1872 wurden die zwar nur mit kleinen Gold- und Silber-Initialen illumierten, aber wegen ihrer Unzialschrift und ihres der Itala nahestehenden Evangelien-Textes höchst bedeutsamen, in Mondsee um 780 geschriebenen Fragmente eines Lukas-Evangeliars gekauft, die noch heute in der Sammlung wie kaum ein anderer Gegenstand karolingische Geistigkeit mit ihrer auf älteste Schichten des lateinischen Christentums zurückreichenden Traditionen zu dokumentieren vermögen[222]. Im folgenden Jahr kam ein mit einer Purpurzierseite und großen Goldinitialen geschmücktes ottonisches Perikopenbuch Hildesheimer Herkunft von Johann Kirchner aus Neumarkt für 110 fl. hinzu. 1888 gelangte als Geschenk eines Herrn Martin Leichtle aus Kempten ein mit 19 Bildseiten auf Goldgrund geschmücktes, von seinem Vater in Augsburg erworbenes, vielleicht aus der Augsburger Diözese stammendes spätromanisches Psalterium in das Museum[223]. Wie auf so vielen Gebieten der früh- und hochmittelalterlichen Kunst war am Ende der achtziger Jahre die Sammeltätigkeit praktisch abgeschlossen. Bis zu der durch ganz andere Zusammenhänge motivierten Erwerbung einer ottonischen Prachthandschrift aus Echternach mit Gold-Elfenbeindeckel nach dem zweiten Weltkrieg sollte die Sammlung nicht mehr wachsen. Auch die früheren waren nur Gelegenheitserwerbungen. Der früh- und hochmittelalterlichen Buchmalerei hat das Museum nicht die Aufmerksamkeit zugewandt, die ihrer Bedeutung im Rahmen der mittelalterlichen Kunst angemessen gewesen wäre.

107, 142

War der Bestand gotischer Elfenbeine durch die Sammlung Eelking nachdrücklich, wenn auch im Grunde zum einzigen Mal – alle übrigen Stücke stammten praktisch aus der Sammlung Aufseß; nur 1881 kam noch ein französisches Diptychon des 14. Jahrhunderts mit Kreuzigung und Anbetung der Könige von besonders hoher Qualität aus dem Nürnberger Kunsthandel hinzu[223a] – ver-

---

[219] Inv. Nr. Hz 1279–1283. Auktionskatalog Felix (Anm. 215), Nr. 1096. – Alfred Stange: Deutsche Malerei der Gotik, Bd. 1. Berlin 1934, S. 83–85, Abb. 83–84. – Nicht bei Bredt (Anm. 114).

[220] Essenwein, Bericht 1870, S. 10, 14, 25/26; in diesem Band, S. 1005–1006, 1012–1013, 1022–1023.

[221] Hs 22 400. – Zu Cuny und zum Fürther Pergamenthandel Chronik des germanischen Museums. In: Anzeiger GNM 1868, Sp. 329–336 (330/31). Vgl. auch den Beitrag von Ludwig Veit in diesem Bande S. 526 mit Anm. 33.

[222] Hs 27 932. – Wilhelm Köhler: The Fragments of an Eight-Century Gospel Book in the Morgan Library (M 564). In: Studies in Art and Literature for Belle da Costa Green. Princeton 1954, S. 238–265. – Elias Avery Lowe: Codices latini antiquiores, Bd. 9. Oxford 1959, Nr. 1347.

[223] Hs 29 770 (Hildesheimer Perikopenbuch). Bredt (Anm. 114), Nr. 2. – Hs 56 632 (Psalter). Bredt (Anm. 114), Nr. 20. Franz Friedrich Leitschuh: Ein Denkmal der Buchmalerei des 13. Jahrhunderts. In: Mitteilungen GNM 1889, S. 246–254. – Hanns Swarzenski: Die lateinischen illuminierten Handschriften des 13. Jahrhunderts in den Ländern an Rhein, Main und Donau. Berlin 1936, S. 57 u. öfter mit Abb.

[223a] Inv. Nr. Pl. o 369. Stafski (Anm. 119), Nr. 229 mit Abb.

377. Byzantinisches Elfenbeinrelief aus der Mitte des 10. Jahrhunderts. Christus und der ungläubige Thomas im Kreise der Apostel. Erworben 1893, abgegeben 1936; heute Dumbarton Oaks Collection, USA

mehrt worden, so konnten in den letzten Jahren Essenweins auch einige frühe Elfenbeine erworben werden. Zu nennen ist an erster Stelle die Hälfte eines spätkarolingischen Diptychons aus St. Gallen, dessen andere Hälfte sich in Budapest befindet[224]. Als einziges Stück der Sammlung konnte die unfigürliche, nur mit Blattwerk ornamentierte Tafel die karolingische Elfenbeinskulptur, geschweige denn die gesamte westliche vorgotische Elfenbein-Tradition naturgemäß nicht repräsentieren, so sehr die Tafel in ihrer formalen Qualität auch als gültiges Werk karolingischer Kunst bezeichnet werden darf. Doch hätte sie nicht die einzige bleiben dürfen. 1890 kam eine wohl spanische Pyxis des 10. Jahrhunderts, 1892 ein angeblich aus Xanten stammendes sizilianisches Elfenbeinkästchen ohne Figur- oder Ornamentschmuck aus dem 12. Jahrhundert in der Form eines kleinen Zentralbaues hinzu[225]. Erst 1893 – schon nach dem Tode Essenweins – konnte auf der Auktion der Sammlung Spitzer in Paris neben einem wenig interessanten byzantinischen 377 Elfenbeinkamm[226] ein byzantinisches Relief mit Christus und dem ungläubigen Thomas im Kreise der Apostel, ein Werk der sog. malerischen Gruppe des zehnten Jahrhunderts, erworben wer-

[224] Inv. Nr. Pl. o 311. – Goldschmidt (Anm. 69), Bd. 1. Berlin 1914, Nr. 167. – Stafski (Anm. 119), Nr. 205.
[225] Inv. Nr. KG 710 (Pyxis). – Goldschmidt (Anm. 69), Bd. 4, Nr. 75. – Stafski (Anm. 119), Nr. 204. – Inv. Nr. KG 718 (Kästchen).
[226] Inv. Nr. KG 829. – La Collection Spitzer (Anm. 176), Bd. 1, Nr. 7. – Stafski (Anm. 119), Nr. 202.

den[227]. Mit der antikischen Lebendigkeit ihrer Formen im einzelnen bei gleichzeitig sehr mittelalterlicher Grundhaltung – kennzeichnendes Stilelement vieler Werke der makedonischen Renaissance – schien diese Tafel in besonderer Weise geeignet, den Anteil byzantinischer Formenwelt und ihre Lehrfunktion im Entstehungsprozeß mittelalterlicher westlicher Kunst zu verdeutlichen. Leider blieb sie durch den Unverstand späterer Zeiten dem Museum auf Dauer nicht erhalten und ist heute eines der an Hauptwerken byzantinischer Kunst reichen Sammlung in Dumbarton Oaks.

Nach dem Tode Essenweins, noch bevor im Herbst 1894 sein Nachfolger Gustav von Bezold ernannt wurde, trat für das Museum die Gelegenheit ein, von der er 1870/71 und 1884 gesprochen hatte[228]. Es galt, ein Stück zu erwerben, das schon zu seiner Entstehungszeit im Mittelalter als Kostbarkeit ersten Ranges und als höchste Blüte der Kunstbestrebungen seiner Zeit angesprochen werden mußte. Im Frühjahr 1894 kaufte man von der Frankfurter Kunsthandlung Raab & Knopp für 7500.– Mk. durch Vermittlung des Mainzer Prälaten und Kunsthistorikers Friedrich Schneider[229] ein karolingisches, mit Edelsteinen und Glasflüssen besetztes goldenes Vortragekreuz, das nach seiner angeblichen Herkunft aus einem Kloster in den luxemburgischen Ardennen heute unter diesem Namen bekannt ist[230]. Als einziges karolingisches Stück steht es in der Reihe der wenigen erhaltenen mit Edelsteinen besetzten Großkreuze, die von dem – stark erneuerten – Kreuz Kaiser Justins II. in der Sakristei von St. Peter in Rom über die mit Kameen übersäte Croce del Re Desiderio in Brescia, der Cruz de los Angeles von 808 und der Cruz de la Victoria von 908 in der Camera Santa in Oviedo bis zum ottonischen Reichskreuz in Wien, dem wenig früheren Lothar-Kreuz in Aachen und den vier ottonischen Goldkreuzen des Essener Münsterschatzes reicht. Mit seinem – in mittelalterlichen Augen – ungeheuerem materiellen Wert, inhaltlich als crux gemmata, als Zeichen des Sieges und Triumphes Christi, wie es seit der Väterzeit in Theologie und Kunst geläufig war, verstanden, konnte in ihm der hohe Anspruch und Rang kirchlicher Goldschmiedewerke im Mittelalter deutlich werden, – „daß der Schwerpunkt aller künstlerischen Tätigkeit jener Periode in der kirchlichen Kunst" und da gerade in der Goldschmiedekunst liege, „daß sich die höchste künstlerische Tätigkeit an der Aufgabe zeigt, welche die Kirche gestellt hatte". Die Sammlung kirchlicher Geräte war jetzt, wenn man Essenweins Wort abwandeln darf, in diesem Sinne nicht mehr unbedeutend. Theodor Hampe veröffentlichte das Stück als Vortragekreuz aus dem X. Jahrhundert im Zusammenhang von Aufsätzen zu prähistorischen Goldschmiedewerken. Seine Herkunft ließ sich bis jetzt nicht feststellen. Im Inventar wurde es – offenbar nach Angaben des Händlers – als „aus einer Stiftung (sic!) in den Vogesen" stammend eingetragen, zeitweilig galt es als mittelrheinisch. Im Nachlaß Friedrich Schneiders fand sich ein französisch beschriftetes Foto – vielleicht ein Hinweis auf die Herkunft –, auf dem er eigenhändig vermerkt hatte: „Aus den luxemburgischen Ardennen stammend. 1893/94 zum Kauf angeboten"[231]. Auf

382, 383,
385

[227] Ehemalige Inv. Nr. Pl. o 477 – La Collection Spitzer (Anm. 176), Bd. 1, Nr. 33. – Josephi (Anm. 93), Nr. 618. – Goldschmidt-Weitzmann (Anm. 119), Nr. 15. – Kurt Weitzmann: Ivories and Steatites (Catalogue of the Byzantine and Early Mediaeval Antiquities in the Dumbarton Oaks Collection, Bd. 3). Washington 1972, Nr. 21, Farbtaf. 4, Taf. 22/23.

[228] Essenwein, Bericht 1870, S. 16/17; in diesem Band S. 1012–1013. – Essenwein, Bericht 1884, S. 53; dort auch zum folgenden.

[229] Zu Schneider, der im kirchlichen Kunstleben des letzten Viertels des vorigen Jahrhunderts eine erhebliche Rolle spielte: Kunstwissenschaftliche Studien. Gesammelte Aufsätze von Friedrich Schneider. Wiesbaden 1911 mit weiterer Lit. – Anton Ph. Brück: Friedrich Schneider (1836–1907). Ein Beitrag zur deutschen Geistesgeschichte des 19. Jahrhunderts. In: Archiv für mittelrheinische Kirchengeschichte Jg. 9 (1957), S. 166–192. – Anton Ph. Brück: Briefe des Bonner Kirchenhistorikers Heinrich Schrörs an den Mainzer Prälaten Friedrich Schneider. In: Annalen des historischen Vereins für den Niederrhein, insbesondere das alte Erzbistum Köln, H. 174 (1972), S. 162–197.

[230] Inv. Nr. KG 763. – Theodor Hampe: Ein Vortragekreuz aus dem X. Jahrhundert. In: Mitteilungen GNM 1900, S. 98–106. – Victor H. Elbern: Liturgisches Gerät in edlen Materialien zur Zeit Karls des Großen. In: Karl der Große. Lebenswerk und Nachfolge. Hrsg. von Wolfgang Braunfels, Bd. 3. Düsseldorf 1965, S. 115–167 (122). – Zuletzt: Rhein und Maas. Kunst und Kultur 800 bis 1400. (Ausstellungskatalog). Köln 1972, Nr. A 1.

[231] Mittelrheinische Herkunft angenommen in: Alte Kunst am Mittelrhein (Ausstellungskatalog). Hessisches Landes-

378. Die Sammlung kirchlicher Geräte am Ende des 19. Jahrhunderts; Aufstellung in der Kartäuserkirche. Vorne links der 1885 aus der Sammlung Johannes Paul erworbene große Limousiner Reliquienschrein, in der Mitte das Limogeskreuz derselben Sammlung und zwei weitere Vortragekreuze, rechts spätgotische Marienkronen und Nachbildung der Grabkrone des Hunold von Aquitanien aus dem 8. Jahrhundert; dahinter in der Mitte das seit 1881 im Museum befindliche spätromanische Antependium aus Quern, links und rechts Emails und andere kleine Werke kirchlicher Schatzkunst; ganz hinten links das 1894 angekaufte karolingische Ardennenkreuz und in der Mitte die 1896 erworbene Zeno-Büste. Ausschnitt aus einer Lichtdrucktafel des Verlages Rudolf Schuster, Berlin, nach 1897

Schneiders Kenntnis geht wohl auch Hampes diesbezügliche Mitteilung in dem zitierten Aufsatz zurück. Heute besteht Einigkeit darüber, daß das Kreuz um 830 im Westen Deutschlands oder Norden Frankreichs unter gewisser Einwirkung touronischer Ornamentik entstanden sein muß. Den mittelalterlichen Kirchenschatz, dem es entstammt, aufzuspüren, dürfte nur durch einen Zufallsfund in der historischen Klosterliteratur des Barock gelingen.

Die über ein Vierteljahrhundert dauernde Amtszeit von Essenweins Nachfolger Gustav von Bezold (1894–1920) ist in der Erinnerung des Hauses als eine Zeit weitgehender Stagnation überliefert. In der Geschichte der hier zu behandelnden Sammlung ist im Grunde nur vom Ankauf der Zenobüste zu berichten. Das silberne Büstenreliquiar des heiligen Zeno aus der ersten Hälfte des 15. Jahrhunderts, das aus der Münchener Kunsthandlung Julius Böhler 1896 für 18000.– Mark gekauft wurde, stammte aus dem 1803 säkularisierten Chorherrnstift St. Zeno in Isen bei Berchtesgaden, wohin es laut Inschrift am Sockel 1467 als Stiftung des Propstes Ladislaus von Achdorf

museum Darmstadt 1927, Nr. 403. – Die Nachricht über das Foto bei Prälat Schneider mitgeteilt von Franz Klingelschmitt in einem Brief vom 14.8.1941 an das Museum. (Archiv GNM, Altregistratur GNM, Kapsel 427, VII. Verschiedenes).

gelangt war. 1802 war es in die „Liste des entbehrlichen Kirchensilbers" aufgenommen, muß aber kurz darauf in Privatbesitz gelangt sein. In den Säkularisationsakten von 1803 „Betreffs Einziehung und Vermünzung des Kirchensilbers im Landgericht Burgrein und vom Stift St. Zeno" ist von „auffallender Verheimlichung" die Rede. Durch mehrere Generationen war die Büste im Besitz der Familie Heilmaier in Isen, von der sie 1885 in den Kunsthandel gelangte. Jetzt durchweg als Salzburger Werk der Zeit um 1430/40 angesehen, nahm die Zenobüste seit 1896 als eines der seltenen Beispiele großer figürlicher gotischer Silberplastik in der Museumssammlung unter den gotischen Goldschmiedewerken lange Zeit den ersten Rang ein[232]. 1896 kam noch ein lothringisches oder maasländisches Bronzekruzifix auf reichem Rankenfuß aus dem 12. Jahrhundert von dem Bamberger Domkapitular Pfister, aus dessen Familienbesitz erworben, in die Sammlung, von dem das Museum bereits seit 1880 eine Kopie besaß[233], 1909 aus Neuenkirchen in Oldenburg eine spätgotische Monstranz mit Architekturaufbau, bei der jedoch Figuren und zahlreiche andere Teile erneuert sind[234]. Die umfassende Erwerbstätigkeit, der Aufbau der Sammlung war – im Grunde schon bald nach Essenweins Tod – beendet; nur wenige Goldschmiedewerke gelangten als Einzelstücke später noch in die Sammlung; Bronzen und Elfenbeine sowie Werke der Buchmalerei kamen vor den fünfziger und sechziger Jahren unseres Jahrhunderts nicht mehr hinzu[235].

Wendet man sich von den kirchlichen Geräten zu der Sammlung des profanen Kunsthandwerks vgl. 388 oder – im altertumskundlich bestimmten Sprachgebrauch des Hauses – der häuslichen Geräte, so kann die Situation nicht besser als durch Essenweins Ausspruch von 1870 von den zwei verschieden großen Zeitepochen gekennzeichnet werden, „welche vorzugsweise durch diese beiden Abtheilungen charakterisiert werden: das Mittelalter durch die kirchlichen, die Zeit nach demselben durch die häuslichen Alterthümer"[236]. Liegt der Schwerpunkt bei den kirchlichen Geräten stets in der Frühzeit, so bei den profanen Gegenständen generell in der Spätzeit des Mittelalters. Abgesehen von den an anderer Stelle dieses Bandes zu behandelnden mittelalterlichen Möbeln und Teppichen[237], an die sich der Ruf des Hauses knüpft, umfangreiche Bestände weltlichen mittelalterlichen Kunsthandwerks zu beherbergen, waren die Bestände profaner Goldschmiedekunst, an Zinn, Glas und Keramik aus der Zeit vor 1500 gering. Daß bei den einfacheren Gegenständen selten gezielt gesammelt werden konnte, sondern das meiste durch Schenkungen und Leihgaben zusammenkam, wirkte sich auf diesem Sektor besonders aus, da in Nürnberg naturgemäß Stücke des 16./17. Jahrhunderts häufiger als ältere vorkamen. Die von den kirchlichen Geräten getrennte Aufstellung der häuslichen, die ihrerseits zeitlich nicht oder nur ganz allgemein gegliedert war, ließ ohnehin leicht übersehen, wie spät die Belege für die meisten Gattungen einsetzten. Lange war die 1860 erworbene kupfervergoldete Buckelschale aus der Werkstatt des Nürnberger Sebastian Lindenast d. Ä. um 1500 das einzige Goldschmiedewerk. 1875 kam mit dem Schlüsselfelder Schiff eines der großen 64, 108, spätgotischen Schauobjekte des Museums hinzu; es wurde von der Schlüsselfelder Stiftung im 147, 389

---

[232] Inv. Nr. KG 743/805. – Hampe, Festschrift, Taf. XIX. – Zur Geschichte im 19. Jahrhundert Ludwig Heilmaier: Die Kirche St. Zeno in Isen. München 1920, S. 34–37. – Zuletzt Dieter Grossmann: Der Meister von Seeon. In: Marburger Jahrbuch für Kunstwissenschaft Bd. 19 (1974), S. 85–138 (119/20), Abb. 63. – Die Büste steht seit 1949 als Leihgabe des Germanischen Nationalmuseums im Bayerischen Nationalmuseum München (vgl. dazu S. 753).

[233] Inv. Nr. KG 625. – Falke-Meyer (Anm. 94), Kat. Nr. 98, Abb. 96. – El arte Romanico (Ausstellungskatalog). Barcelona und Santiago de Compostela 1961, Nr. 1101, Abb. LXII. – Mehrere Kopien des Stückes sind bekannt. Ein Exemplar des Bayerischen Nationalmuseums ohne Assistenzfiguren bei Hans R. Weihrauch: Die Bildwerke in Bronze und in anderen Metallen. Bayerisches Nationalmuseum München, Kataloge, Bd. XIII, 5. München 1956, Nr. 5 mit Abb.

[234] Inv. Nr. KG 855.

[235] Zu den Ankäufen der fünfziger und sechziger Jahre dieses Jahrhunderts siehe weiter unten, S. 760.

[236] Essenwein, Bericht 1870, S. 16; in diesem Band S. 1012.

[237] Vgl. die Beiträge von Leonie von Wilckens über Möbel und Textilien, S. 776–790, 791–813.

381. Zwei Vitrinen mit Bronzeaquamanilien in den Fensternischen des Raumes der kirchlichen Paramente (Raum 109, später 7) im Untergeschoß des Galeriebaus in der Aufstellung unter E. Heinrich Zimmermann. Zustand 1921 bis 1936. Photographie nach 1921

anderen Zeitschrift diesen Bericht übernahm, hinzu, da die Gefäße nach ihren Formen dem 9. bis 15. Jahrhundert gehörten, dürfte es sich eher um eine Töpferwerkstatt handeln[242]. Eine kontinuierliche Sammeltätigkeit gab es auf dem Gebiet der Gefäßkeramik nicht; die undeutliche Anbindung an die älteren vor- und frühgeschichtlichen Keramiken einerseits und an das spätere Steinzeug andererseits verhinderte, daß man über die Annahme von Geschenken hinaus die mittelalterliche Keramik als einen eigener Bemühung bedürftigen Sektor wahrnahm. So blieb die Sammlung klein; größere, freilich noch unaufgearbeitete Bestände sollten erst durch die Nürnberger Ausgrabungen des am Museum nach dem zweiten Weltkrieg tätigen Prähistorikers Georg Raschke in das Haus gelangen. Allenfalls auf dem Gebiet der zur Abteilung der Bauteile gehörenden Baukeramik, wozu auch Fußbodenfliesen und Ofenkacheln zählten, war das Museum, vor allem zu Essenweins Zeiten, um stete Vermehrung bemüht. Durch Ankäufe in Österreich, der Schweiz, in Niedersachsen und Norddeutschland entstand bei den Ofenkacheln, die durch den aus dem Besitz des Freiherrn von Aufseß stammenden spätgotischen Ofen aus Ochsenfurt am Main einen beherrschenden Mittelpunkt besaßen, eine auch landschaftlich weitgestreute Sammlung, während etwa bei den nur in der Frühzeit des Museums gesammelten, ebenfalls zu den Bauteilen gehörenden Eisensachen, vor allem Schlössern und Beschlägen, die Nürnberger, allenfalls fränkischen Stücke in der für das Haus generell charakteristischen Art dominierten[243]. Größeren Umfang erlangte aus dem Profanbereich nur die Sammlung der Kästchen aus Holz und Leder des 14. und 15. Jahrhunderts, die, soweit ihre Erwerbungsumstände erkennbar sind, zum Teil der Aufseß-Sammlung entstammten, überwiegend jedoch in den sechziger Jahren, einige wenige auch in den achtziger erworben wurden[244].

[242] Inv. Nr. Ke 2535, 2537, 2540–2543. – R(udolf) Bergau: Vermischte Nachrichten Nr. 115. In: Anzeiger GNM 1868, Sp. 373. – R(udolf) Bergau: Vermischte Nachrichten Nr. 108. In: Anzeiger GNM 1869, Sp. 348.
[243] O. Verf. (August Essenwein): Katalog der im germanischen Museum befindlichen Bautheile und Baumaterialien aus älterer Zeit. Nürnberg 1868.
[244] E (d.i. August von Eye): Die Sammlung von Schachteln und Kasten im germanischen Museum. In: Anzeiger GNM 1855, Sp. 206–207.

Waren die Nürnberger Sammlungen um die Jahrhundertwende auch außerordentlich populär, viele Stücke, besonders der häuslichen Einrichtungsgegenstände, durch Abgüsse, Nachbildungen und Kopien, die eine Reihe Nürnberger und andere Firmen, allen voran die Kunstanstalt C. W. Fleischmann in Nürnberg, vertrieben, weit verbreitet, so lag die wissenschaftliche Bearbeitung der Bestände lange Zeit im argen. Auch in die listenartigen gedruckten Inventare der Essenweinzeit waren nicht alle Abteilungen einbezogen worden; insbesondere war der riesige Bestand der Hausgeräte nicht erfaßt.

Um so gewichtiger schien daher die Publikation großer Kataloge in der Zeit vor dem ersten Weltkrieg[245]. Der Katalog der mittelalterlichen Miniaturen von Ernst Wilhelm Bredt war freilich wenig geeignet, dem wissenschaftlichen Ansehen des Hauses zu dienen. Offenbar weder durch Neigung, noch – trotz wissenschaftlicher Vorarbeiten auf diesem Gebiet – durch Kenntnisse zu dieser Aufgabe praedestiniert, fiel der im wesentlichen am Kupferstichkabinett tätige Verfasser bei Datierungen und Lokalisierungen nicht selten noch hinter den Kenntnisstand des Gesamtkataloges von 1856 zurück. Neben falschen Bestimmungen stehen groteske Stilcharakterisierungen: „Die Figuren etwa normal“, „Bildstil (Die Verkündigung) allegorisch repräsentativ. Die Geburt Christi allegorisch genrehaft aufgefaßt“, sind typische Formulierungen. Erfaßt wurden im wesentlichen die als Miniaturen inventarisierten Einzelblätter des Kupferstichkabinetts; selbst die als Handzeichnungen geführten Blätter der obengenannten thüringisch-hessischen Apokalypse des 14. Jahrhunderts fehlten. Bei den in der Bibliothek verwahrten Handschriften wurden zahlreiche illuminierte Stücke übersehen; die Bestimmung der Handschriftentexte war auch in den einfachsten Fällen oft falsch. Einen vollständigen Katalog der Werke plastischer Kunst legte Walter Josephi 1910 vor, in den er auch einen Teil der hier zu behandelnden Stücke, vor allem die Elfenbeine und die wohl zu diesem Zweck aus der Gruppe der kirchlichen Geräte um-inventarisierten Bronze- und Limogeskruzifixe aufnahm; dabei lebte die Unterscheidung der Anfangsjahre des Museums wieder auf: Ein Christuscorpus mit Kreuz blieb weiterhin ein Gerät und wurde nicht in den Katalog aufgenommen; ein Corpus ohne Kreuz wurde zu einer Plastik. Das Erscheinen des Kataloges steht in auffallendem Zusammenhang mit einer Serie großer Kataloge gerade deutscher Skulpturensammlungen zu Beginn des Jahrhunderts, denen als maßstabsetzende Vorbilder die der Berliner Sammlungen vorausgegangen waren[246]. Verdienstvoll war auch der umfangreiche Aufsatz des Jahres 1912 von Heinrich Reifferscheid mit einem Katalog der 20 mittelalterlichen Aquamanilien des Museums. Der allgemeine Teil mit der Aufarbeitung der historischen Quellen und der interessanten Geschichte der neuzeitlichen Erklärungsversuche der fremdartigen Gebilde – als Gefäße der Templer, als heidnisch-germanische oder heidnisch-slawische Götzenbilder – hat bis heute seinen Wert behalten, wenn die Datierungen durch das Corpus von Falke-Meyer aus dem Jahre 1935 auch vielfach überholt wurden.

[245] Bredt (Anm. 114); das zeitgenössische wissenschaftliche Echo war freilich recht positiv, vgl. die Rezensionen von Alfred Hagelstange. In: Mitteilungen der Gesellschaft für vervielfältigende Kunst. Beilage der „Graphischen Künste“ Jg. 1905, S. 35. Und wohl vom selben Autor (A. H.) in: Literarisches Zentralblatt Bd. 56 (1905), Sp. 1037. – Josephi (Anm. 93); zur wissenschaftlichen Bedeutung des Kataloges vgl. den Aufsatz von Heinz Stafski in diesem Band, S. 623. – Reifferscheid (Anm. 164).
[246] Wilhelm Bode und Hugo von Tschudi: Beschreibung der Bildwerke der christlichen Epochen. Berlin 1888. – 2. Aufl., Bd. 1–5. Berlin 1900–1913. – Burkhard Meier: Die Skulpturen (Das Landesmuseum der Provinz Westfalen in Münster, Bd. 1). Berlin 1914. – Julius Baum: Deutsche Bildwerke des 10.–18. Jahrhunderts (Kataloge der Kgl. Altertümersammlung in Stuttgart, Bd. 3). Stuttgart und Berlin 1917 (nach dem Vorwort in Arbeit seit 1910). – Vgl. auch die etwas anders organisierten Kataloge des Bayerischen Nationalmuseums, Bd. 4 und 5: Hugo Graf: Romanische Alterthümer. München 1890. Und: Hugo Graf, Georg Hager und Jos(ef) Al(ois) Meyer: Gotische Alterthümer der Baukunst und Bildnerei. München 1896.

382. Raum mit Werken „Von der Völkerwanderungszeit bis zu den Staufern" im Untergeschoß des Galeriebaues (Raum 14) in der Aufstellung Heinrich Kohlhaußens von 1937. Links das Querner Antependium, um 1220/30, daneben Madonna aus Straubing, Regensburg um 1290, in der Vitrine Ardennenkreuz, Hedwigglas und Bergkristallreliquiar aus der Wiener Burgkapelle, unten karolingischer Buchkasten, daneben spätrömischer Helm. Zustand 1937 bis zur Bergung im Zweiten Weltkrieg

Die Zeit der Neuaufstellungen – Die letzten fünfzig Jahre

War das 19. Jahrhundert die Zeit der großen Erwerbungen und des Ausbaus der Sammlungen, wie sie heute im wesentlichen vor uns stehen, so standen in den letzten 50 Jahren, in denen nur noch wenige einzelne Gegenstände, lange Zeit auch gar nichts erworben werden konnte, die Neuaufstellungen im Vordergrund der musealen Bemühungen um die mittelalterliche Schatzkunst und das profane spätmittelalterliche Kunsthandwerk.

Die Aufstellung, die wegen der unerträglichen Überfüllung, der veralteten Ordnungsgesichtspunkte und der Mischung von Echtem und Falschem in der späten Direktionszeit Bezolds so viele Vorwürfe gegen den Direktor und das Museum auf sich zog[247], war – abgesehen von der Einreihung der Neuerwerbungen – seit Jahrzehnten unverändert geblieben. Die Aufseßsche Teilung, die Großskulpturen in der Kirche, die größeren kirchlichen Einrichtungsgegenstände im Kapitelsaal

34, 35,
378

---

[247] Besonders krass wurde diese Kritik von Mitarbeitern des Hauses formuliert, vor allem von Walter Stengel: Vorarbeiten zur Reorganisation des Germanischen Museums. In: Museumskunde Bd. 15 (1919), S. 41–57. Stengels eigene Vorschläge beziehen sich nur auf die häuslichen Geräte, vor allem auf Möbel und eingerichtete Wohnräume.

und die kirchlichen Geräte in der Sakristei und Volckamer-Kapelle unterzubringen, war im 375
Grunde beibehalten worden. Zwar hatte sich Essenwein seit seiner Anfangszeit bemüht, „auf allen
den Gebieten, auf welchen das Material ausreichend vorhanden war, den Entwicklungsgang der
Formen von den ältesten Zeiten bis zum 17. Jahrhundert darzulegen"[248]. Dadurch hatten sich im
Laufe der Zeit zahlreiche Spezialsammlungen unter technologischen Gesichtspunkten – Glas, pro- 389–391
fane Goldschmiedekunst, Keramik – gebildet; selbst die Öfen waren in zwei Räumen zusammen- 41
gezogen worden. Es war dies ein Erbe der Kunstgewerbebewegung, die die technologischen Probleme der Herstellung in den Vordergrund rückte und zur Anordnung der Sammlungsbestände
nach Materialien tendierte. Die kirchlichen Gegenstände waren davon kaum berührt worden. Bei
ihnen stand der Funktionszusammenhang zu deutlich im Vordergrund. Auch in seinem Bericht
von 1870 lehnte Essenwein das Prinzip der eingerichteten Kirche und Sakristei nicht ab, sondern
schränkte nur ein, solange dies nicht durch vollkommen zusammengehöriges (d. h. wohl gleichzeitig entstandenes) Material geschehen könne, müsse der Totaleindruck eher gemildert als gefördert
werden, damit kein falscher Eindruck entstehe[249]. So waren die kirchlichen Geräte zunächst weiterhin in der Sakristei untergebracht. Im Jahr 1885 waren dort die Baldachine der Anfangszeit
noch vorhanden, wenn sie jetzt auch über Glasschränken und nicht mehr über offenen Regalen
hingen; 1887 wurden sie nicht mehr genannt. Wegen der Überfüllung der Sakristei, in der an erster
Stelle der Heiltumsschrein und die kirchlichen Paramente ausgestellt waren, wurden in den achtziger Jahren auch in der Kirche selbst zahlreiche Vitrinen mit Elfenbeinen und kirchlichen Geräten 34, 35,
aufgestellt. Später, zwischen 1887 und 1891, wurde die Sakristei für die großen Skulpturen der 378
Sammlungen der Stadt Nürnberg freigemacht, so daß alle Vitrinen mit Geräten in die Kirche
überführt werden mußten, wo dann auch der Heiltumsschrein seinen Platz fand[250].

Diese Anordnung blieb bis 1920 erhalten. In seiner kleinen Denkschrift aus seiner letzten Amts-
zeit entwickelte Bezold Pläne zu einer Neueinrichtung, die bei einer scharfen Trennung von hoher
Kunst und Kunstgewerbe die Werke der mittelalterlichen Malerei und Skulptur in die neugebaute
Gemäldegalerie überführen sollte und die Kirche allein der Sammlung kirchlicher Geräte vorbe-
hielt. Lediglich das Querner Antependium sollte möglicherweise als „Kunstwerk" ebenfalls in der
Gemäldegalerie Platz finden[251].

Bei der tatsächlich ausgeführten Umstellung unter seinem Nachfolger Heinrich Zimmermann
(1920–1936) wurde die Sammlung der kirchlichen Geräte weitgehend aufgelöst. In der Kirche 65
verblieben nur der Heiltumsschrein und einige Großskulpturen; auch der Kapitelsaal und die Sakristei wurden bis auf wenige Skulpturen geräumt. Das Querner Antependium kam tatsächlich in
die Gemäldegalerie. Der größte Teil der kirchlichen Goldschmiedearbeiten, das Ardennenkreuz,
das Hedwig-Glas, das venezianische Reliquiar mit dem fatimidischen Bergkristallring, der Hildesheimer Kelch, die Zeno-Büste sowie ein Teil der Limoges-Emails wurden zusammen mit der
überwiegend nachmittelalterlichen profanen Goldschmiedekunst in einen neueingerichteten
„Goldsaal" verbracht, der 1920 eröffnet werden konnte[252]. Anschließend wurden im Unterge- 64
schoß der neuerbauten Gemäldegalerie mehrere Räume mit Kunsthandwerk eingerichtet, denen
durch die dort verteilten Möbel und Öfen eine gewisse chronologische Ordnung vorgeschrieben
war. In den beiden vordersten Räumen am Lapidarium waren mittelalterliche Gegenstände verei-

[248] Jahresbericht GNM 13 (für 1866), 1867, S. 1.
[249] Essenwein, Bericht 1870, S. 17; in diesem Bd. S. 1013.
[250] Wegweiser GNM 1885, S. 49. – Wegweiser GNM 1887, S. 56–60. – Wegweiser GNM 1891, S. 51–62. – Wegweiser GNM 1893, S. 54–65. – Wegweiser GNM 1897, S. 75/76.
[251] Gustav von Bezold: Die Neuordnung der Sammlungen des Germanischen Museums. Nürnberg 1920.
[252] Wegweiser GNM 1924/25, S. 211/12 und 217/18. – Wegweiser GNM 1930, S. 255–257. – Jahresbericht GNM 67 (für 1920), 1920, S. 2 und 73 (für 1926), 1926, S. 3.

383. Schmuck der Völkerwanderungszeit und frühe kirchliche Geräte: oben Pettstadter Becher, Ardennen-kreuz, Hedwigglas und Kristallostensorium aus der Wiener Burgkapelle; unten karolingisches Schwert, Bron-zekanne aus einem alamannischen Grab aus Pfahlheim, karolingischer Buchkasten, romanischer Kasten in Gestalt eines Leoparden. Leicht variierte Rekonstruktion der Aufstellung Heinrich Kohlhaußens von 1937 nach dem Zweiten Weltkrieg im Untergeschoß des Galeriebaues. Zustand 1947 bis 1951/52

nigt, auf der Nordseite im „Gotischen Saal" überwiegend weltliche Gegenstände, auf der Südseite

380   im „Gelben Saal" kirchliche Geräte, soweit sie nicht aus Edelmetall waren, und kleine Plastiken, vor allem Bronzeleuchter, Elfenbein-Reliefs, ein Teil der nicht in den Goldsaal aufgenommenen Limoges-Emails sowie die rheinisch-maasländischen Emails[253]. Ein nach Norden gerichteter Raum war mit Paramenten ausgestattet. Um ihn „zu einem geschlossenen Bild zu ergänzen", wurde „der kirchliche Charakter, den er angenommen hatte", in den Fensternischen aufgenommen; dort wur-

381   den in Vitrinen die Aquamanilien aufgestellt. Mit Kirchenglocke, Tauffünte und Palmesel wurde der „Raum zu einer Art idealer Sakristei"[254]. Die Neuaufstellung der zwanziger Jahre schwankte

392, 393   zwischen der Tendenz zur Herstellung geschlossener Räume, was beim 17. und 18. Jahrhundert offenbar zu durchaus befriedigenden Lösungen führte, und krasser Trennung nach Materialien, was bei den liturgischen Geräten zu einer willkürlichen Teilung führte. Wegen der Vielzahl der Möbel und Öfen waren zahlreiche Kompromisse erforderlich. Bei den kirchlichen Gegenständen

[253] Walter Fries: Der Neubau des Germanischen Nationalmuseums und seine Einrichtung. In: Museumskunde Bd. 16 (1922), S. 153–190 (159/60, 172/73); damals als Raum 99 und 112, später als 4 und 15 gezählt. – Wegweiser GNM 1924/25, S. 8–10, 47–54.
[254] Raum Nr. 109, später Nr. 7. – Fries (Anm. 253), S. 164. – Wegweiser GNM 1924/25, S. 17. – Wegweiser GNM 1930, S. 23/24.

wirkte, wie die zitierte Äußerung von Walter Fries, der damals wohl in erster Linie das Kunstgewerbe betreute, über den Paramentenraum zeigt, die ältere Vorstellung der Einrichtung von Kirche und Sakristei nach. Demgegenüber hatte der dem Großteil der kirchlichen Geräte selbst gewidmete Raum 15 in seiner Anordnung einen durchaus profanen Charakter erhalten. Er war of- 380
fenbar, wenn man nach Abbildungen urteilen darf, vor allem infolge der formalen und maßstäbli-
chen Unterschiedlichkeit der ausgestellten Gegenstände sowie der hier nach wie vor in den alten
Vitrinen herrschenden Überfüllung einer der am wenigsten geglückten Räume der ganzen Folge,
der auch in seinem Erscheinungsbild im Vergleich zu den meisten übrigen Räumen einen erheblichen Modernitäts-Rückstand erkennen ließ.

Zu einer konsequent modernen, auch äußerlich ganz von dem nüchternen und harten Kargheits-
und Leere-Ideal der Zeit geprägten Umgestaltung kam es unmittelbar nach dem Dienstantritt des
Ersten Direktors Heinrich Kohlhaußen (1937–1945). Die Trennung nach Materialien wurde aufgehoben, die nach Kunstgattungen gelockert. Im Untergeschoß des Galeriebaus sollte in einer Folge 78, 382,
von 14 Räumen ein chronologischer „Überblick über die Meisterwerke aus Kunst und Kultur von 383
der Völkerwanderungszeit bis zum Dreißigjährigen Krieg“ gegeben werden[255]. Dabei sollten zu
Gunsten der Galerie Gemälde und Plastiken weniger, dafür aber die Kleinkunst besonders hervorgehoben werden. Die profanen Überreste des Mittelalters wurden stark herausgestellt – wohl bedingt durch den herrschenden Zeitgeist, aber begründet auch in den Interessen Kohlhaußens, als
dessen persönliches Werk man die Neuaufstellung zu betrachten hat. Die Ambivalenz vieler Objekte des Mittelalters zwischen profanem und kirchlichem Gebrauch wurde radikal zum Profanen
verschoben. Die Aquamanilien, deren Verwendung in Kirche und privaten Haushalten durch
Quellen bekannt ist, die im Museum aber stets als kirchliche Geräte gesehen worden waren, wurden jetzt der ritterlichen Kultur zugeschlagen. Im Jahresbericht des Museums hieß es über den
zweiten Raum, er beschränke sich „vorwiegend auf weltliche Altertümer der ritterlichen Kultur
des Hochmittelalters: Waffen, Siegel und Siegelstempel, Brakteaten und Kleinkunst wie Aquamanilien, Schachfiguren, Fliesen usw. reihen sich um das aus der Kartäuserkirche eingeholte Grabmal
des Grafen Sayn als vollgültigstem und edelstem Formausdruck des ritterlichen Menschen“. An
der Wand des Raumes stand als Titel angeschrieben (zunächst versuchsweise): „Der deutsche Ritter“, später „Ritterliche Kultur“. Die Zeitverhaftetheit wird im vorausgehenden Satz noch deutli- 78
cher: „Der erste Raum bringt ausgewählte Schmuckstücke von der Völkerwanderungszeit bis zu
den Staufern, mit anderen Worten, die Wandlung vom Germanischen zum Deutschen.“ Die Ein- 371
bringung zuvor stets von den Kunstsammlungen getrennter prähistorischer Gegenstände, vor allem einiger später Schmuckgegenstände, zur Verdeutlichung der in das Mittelalter hinüberreichen-
den Kontinuität war ohne Zweifel eine Bereicherung der Mittelaltersammlung. Daß im ersten
Raum jedoch auch das Ardennenkreuz, das Bergkristall-Reliquiar, kirchliche Bronzen und Groß- 382, 383
plastiken standen, wird im Jahresbericht überhaupt nur aus dem Gegensatz zum folgenden Satz
deutlich, daß der nächste Raum sich „vorwiegend auf weltliche Altertümer“ beschränke.

Wollte man den Vorrang des Profanen freilich nur als Konzession an die herrschenden politischen Verhältnisse sehen, würde man dem Verfasser des Tätigkeitsberichtes kaum gerecht. Zwar
hatte er seine Dissertation dem Marburger Elisabeth-Schrein gewidmet, seine wissenschaftliche
Arbeit sonst jedoch in einem sehr ausgeprägten Sinne dem „Kunsthandwerk“ zugewandt[256], ein

---

[255] Jahresbericht GNM 84 (für 1937), 1938, S. 5/6; auch zum folgenden. – Heinz Stafski: Umgestaltung des Germanischen Nationalmuseums in Nürnberg. In: Weltkunst Bd. 12 (1938), H. 3, S. 1/2.
[256] Richard Hamann und Heinrich Kohlhaußen: Der Schrein der Hl. Elisabeth zu Marburg. Marburg o. J. (1922).
– Erinnert sei vor allem an seine Arbeiten über mittelalterliche Minnekästchen und mittelalterlichen Schmuck; vgl.
die Bibliographie in: Anzeiger GNM 1964, S. 156–160.

Begriff, der damals ähnlich wie das zeitgenössische Wort „Werkkunst", das Kohlhaußen freilich nicht verwandte, eine besondere Färbung anzunehmen begann. Die besonderen Qualitäten der einfachen, der „edlen" Form, die ganz durch Material und Fertigungsweise bestimmt seien, gewannen auch bei der Beurteilung älterer Gegenstände Bedeutung. Im Zusammenhang der Einrichtung ist sehr bezeichnend von der „Erfindungsgabe und meisterlichen Formbewältigung bei diesen Kleinkunstwerken", dem völkerwanderungszeitlichen Schmuck, den Siegeln, Goldschmiedemodellen und Anhängern des Mittelalters die Rede. Sobald sich die Interessen an mittelalterlichen Gegenständen in besonderer Weise den formalen Problemen handwerklich gebildeter Gegenstände zuwandten, war es folgerichtig, daß die weltlichen Gegenstände profanen Gebrauchs gegenüber den von ikonographischen und bedeutungsmäßigen Traditionen und Inhalten stärker geprägten liturgischen Geräten in den Vordergrund traten. Max Sauerlandt, in dessen Hamburger Museum Kohlhaußen seine Museumslaufbahn begonnen hatte, hatte die Probleme von Werkform und Werkstoff bei Kunstwerken stark herausgestellt, die an Gegenständen des Kunsthandwerks deutlicher erkennbar würden als an anderen Werken der Kunst. In einer programmatischen Schrift über das Hamburger Museum[257] hatte er die chronologische Ordnung von Zusammenstellungen durchaus verschiedener Gegenstände und Kunstwerke, wie auch Kohlhaußen sie in Nürnberg anstrebte, befürwortet. Nicht die Reihung stoffgleicher Arbeiten helfe dem Verständnis eines Kunstwerks; auch kulturhistorische Gesichtspunkte wurden zurückgedrängt. Nützlich sei, Werke von verschiedenem Werkstoff, aber von verwandtem Formcharakter zusammen zu zeigen. Sie zwängen zu unmittelbarem Vergleich der formalen Probleme. Die Hinführung zu Formproblemen in diesem Sinne, die Herausstellung der Stilgleichheit von zeitgleichen Werken wurde als Aufgabe der Präsentation im Museum bezeichnet. Solchen Gedankengängen scheint Kohlhaußen stark verpflichtet gewesen zu sein.

1939 sprach Kohlhaußen im Jahresbericht von den auf Reichskosten zur Aufnahme der Reichskleinodien hergerichteten zwei großen Räumen im Erdgeschoß[258]. Schon früher hatte das Museum geglaubt, an die in Nürnberg nie verwundenen Empfindungen anknüpfen zu können, die Reichskleinodien seien der Stadt 1796 zu Unrecht entfremdet worden, da doch Kaiser Sigismund sie ihr 1424 zu „unwiderruflich ewiclichen" Verwahrung übergeben hatte: Nach dem preußisch-österreichischen Krieg hatte Essenwein 1866 versucht, Bismarck zu bewegen, von dem „jetzt aus Deutschland ausgeschiedenen" Österreich die Herausgabe der Reichkleinodien und ihre Verbringung nach Nürnberg zu verlangen. 1919, als man allgemein mit dem dann sehr bald in den Pariser Vorort-Verträgen durch die Alliierten verbotenen Anschluß Österreichs rechnete, war im Lokalausschuß des Museums von der „Reichskleinodienfrage" die Rede: „Man könnte anstreben, sich die Reichskleinodien als Morgengabe der Österreicher gelegentlich der Vereinigung Deutsch-Österreichs mit dem Deutschen Reiche überreichen zu lassen". Im Gegensatz zu diesen völlig erfolglosen und z. T. auch politisch abwegigen Überlegungen sollten die Reichskleinodien 1938 nach der Vereinigung Österreichs mit dem Deutschen Reich auf persönliche Anordnung Adolf

427

[257] Max Sauerlandt: Aufbau und Aufgabe des Hamburgischen Museums für Kunst und Gewerbe. Hamburg 1927. – Max Sauerlandt: Einheit des Künstlerischen. In: Max Sauerlandt: Ausgewählte Schriften. Hrsg. von Heinz Spielmann, Bd. 2. Hamburg 1974, S. 253–257 (zuerst erschienen als Privatdruck 1925).

[258] Jahresbericht GNM 85 (für 1938), 1939, S. 6. – Zu Essenweins Bemühungen vgl. den Beitrag von Peter Burian in diesem Band, S. 170–171. – Zur Erörterung im Jahre 1919 Akten im Archiv GNM, Altregistratur GNM, Kapsel 757: Protokoll der Sitzung des Lokalausschusses vom 21. Febr. 1919. In: Protokollband für die Sitzungen des Lokalausschusses 1915 mit April 1920, Bl. 73 (freundl. Hinweis von Dr. Bernward Deneke, Nürnberg). – Zur Überführung nach Nürnberg 1938 Akten des Bundesarchivs Koblenz, R. 43 II/1236 (Reichskanzlei, Kunst und Wissenschaft, betr. Zurückführung der Reichsinsignien und Reichskleinodien nach Nürnberg). – Über die Rückführung von Nürnberg nach Wien 1945 vgl. den Beitrag von Günther Schiedlausky, S. 268.

Hitlers tatsächlich nach Nürnberg zurückgebracht werden. Für die Rückführung hatte sich vor allem die Nürnberger Oberbürgermeister Willi Liebel eingesetzt. Kohlhaußen hatte eine Denkschrift beigesteuert, in der die Reichskleinodien kurz erläutert wurden, der historische Anspruch Nürnbergs begründet, aber auch ein besonderer zeitgenössischer Rechtsanspruch vertreten wurde: Nürnberg sei als Stadt der Reichsparteitage jetzt wieder in besonderem Maße „Stadt in des Reiches Mitte" geworden, wie sie es schon im 15. Jahrhundert für die Kurfürsten des Heiligen Römischen Reiches war, als sie durch den Markgrafen Friedrich von Brandenburg den Kaiser zur Verbringung der Reichskleinodien von Böhmen nach Nürnberg auffordern ließen. Auch in den Akten der Reichskanzlei, die die Bemühungen Wiener Stellen, u. a. des Reichsstatthalters in Wien Arthur Seyß-Inquart, spiegeln, die Entfernung aus Wien zu verhindern oder doch zu verzögern, war stets von einer Aufstellung im Germanischen Nationalmuseum die Rede. Seyß-Inquarts Vorschlag, die Reichskleinodien in Nürnberg nicht museal aufzustellen, sondern zum Mittelpunkt von Weihehandlungen bei den Reichsparteitagen zu machen, wurde von Hitler persönlich abgelehnt. Warum die Reichskleinodien schließlich in der Katharinenkirche und nicht im Museum aufgestellt wurden, ist nicht erkennbar. Das Museum verlor dabei zeitweilig den Heiltumsschrein, der zusammen mit den Reichskleinodien in die Katharinenkirche kam. Die vorübergehende Aussicht zur Übernahme der Reichskleinodien durch das Germanische Nationalmuseum im Jahre 1938 erscheint von heute aus nur noch als ähnlich unwirkliche und schnell wieder vergessene Hoffnung, wie es die älteren Bemühungen waren. Die wirkliche Geschichte der Sammlung verlief nach wie vor auf der Ebene langsamen Sammelns kleiner Erwerbungen, wie es die schwierigen finanziellen Verhältnisse der Anstalt zwischen den Kriegen gestatteten.

Heinrich Zimmermanns Erwerbungspolitik in den zwanziger und dreißiger Jahren war auf die Hebung der Qualität der Gemäldegalerie und Skulpturensammlung und den Ausbau der Sammlungen zum 18. Jahrhundert gerichtet. Dahinter traten seine eigenen älteren Interessen an frühmittelalterlicher Kunst, die man nach seinem wissenschaftlichen Werdegang erwarten mußte, zurück: Zimmermann hatte in seiner lange gültigen Dissertation über die Fuldaer Buchmalerei des 10. Jahrhunderts gearbeitet, anschließend das Corpus der vorkarolingischen Miniaturen und den 2. Band von Alois Riegls Spätrömischer Kunstindustrie bearbeitet[259]. Nicht zufällig scheint es, daß die beiden einzigen Erwerbungen zum mittelalterlichen Kunsthandwerk von Gewicht zwei karolingischen Objekten galten: 1928 einem karolingischen Silberbecher, der in Pettstadt bei Bamberg gefunden worden war, und 1936 einem Buchkasten des 9. Jahrhunderts mit Bronzebeschlägen aus Drachenflechtwerk auf der Vorderseite und interessanten, der Ornamentik der Hofschule Karls des Kahlen verpflichteten seitlichen Rankenblechen[260]. Leider wurde der Kasten durch Hingabe des byzantinischen Elfenbeines des 10. Jahrhunderts erkauft[261], wie denn Zimmermann vielfach Neuerwerbungen durch Verkäufe finanzierte. Diese in den zwanziger Jahren in deutschen Museen weit um sich greifende gefährliche Methode, meist mit der Straffung der Sammlung, der Konzentration auf bestimmte Sammelgebiete – in Nürnberg auf Werke deutscher Herkunft – und mit der Hebung des allgemeinen Qualitätsniveaus begründet, führte allenthalben zu schwer zu verantwor-

[259] E(rnst) Heinrich Zimmermann: Die Fuldaer Buchmalerei in karolingischer und ottonischer Zeit. In: Kunstgeschichtliches Jahrbuch der K. K. Zentral-Kommission für Erforschung und Erhaltung der Kunst- und Historischen Denkmale Bd. 4 (1910), S. 1–104. – E(rnst) Heinrich Zimmermann: Vorkarolingische Miniaturen, Textbd. und 4 Tafelbde. Berlin 1916. – E(rnst) Heinrich Zimmermann: Kunstgewerbe des Frühen Mittelalters. Auf Grundlage des nachgelassenen Materials Alois Riegls (Alois Riegl: Die spätrömische Kunstindustrie, T. 2). Wien 1923.
[260] Inv. Nr. FG 1966. E(rnst) Heinrich Zimmermann: Ein karolingischer Silberbecher aus Pettstadt in Franken. In: Anzeiger GNM 1928/29, S. 128–132. – Inv. Nr. KG 1133. Frauke Steenbock: Der kirchliche Prachteinband im frühen Mittelalter von den Anfängen bis zum Beginn der Gotik. Berlin 1965, Kat. Nr. 44.
[261] Archiv GNM, Altregistratur GNM, Kapsel 426, Sonderakte Nr. 22/2: Fischer, Luzern, Tausch des langobardischen Schreins gegen Becher & Elfenbein.

384. Vorführung der Burgundischen Uhr im Mathematisch-Physikalischen Salon in Dresden 1926. Hinter der Uhr der Sammler Karl Marfels und Gattin, links sitzend Prof. Dr. Ernst von Bassermann-Jordan, rechts vorn der Konservator des Dresdner Salons Max Engelmann, beide Verfasser eines Buches über die Burgundische Uhr. Die Uhr wurde 1943 vom Germanischen Nationalmuseum erworben. Photographie von 1926

tenden Verlusten[262]. Damals verlor die Sammlung des mittelalterlichen Kunsthandwerks u. a. drei siculo-arabische Elfenbeinpyxiden, die durchaus einem deutschen mittelalterlichen Kirchenschatz entstammen konnten, einen offenbar italienischen Elfenbein-Bischofsstab des 13./14. Jahrhunderts, der nach der Inventarbeschreibung einem Stück in der Benediktinerinnenabtei in Nonnberg in Salzburg ähnlich gewesen sein muß, eine Reihe romanischer Bronzekruzifixe, ein 1889 durch Vermittlung Wilhelm von Bodes gekauftes byzantinisches oder syrisches Bronze-Rauchfaß mit figürlichen Darstellungen und einen bemalten hölzernen Reliquienschrein des 15. Jahrhunderts aus
375 dem Zisterzienserinnenkloster Saarn bei Mülheim a. d. Ruhr[263]. Im Zusammenhang der Erwerbun-

[262] Vgl. etwa Böhm (Anm. 44), S. 257–267. – Vgl. auch die Beiträge von Pechstein S. 770 und Willers S. 851, 863.
[263] Inv. Nr. KG 526 und 528. Heute in der Walters Art Gallery, Baltimore, Inv. Nr. 71.311 und 71.314. Perry Blythe Cott: Siculo-arabic Ivories. Princeton Monographs in Art and Archaeology, Folio Series III. Princeton 1939, Nr. 81 und 84 mit Abb.; vgl. auch Nr. 86. – Inv. Nr. KG 579 (Bischofsstab). – Inv. Nr. KG 703 (Rauchfaß). Otto Pelka: Ein syro-palästinensisches Räuchergefäß. In: Mitteilungen GNM 1906, S. 85–92, Taf. IV/V. – Bei den Bronzen handelt es sich um die Exemplare Josephi (Anm. 93), Nr. 129, 130, 135, 136, 138–140, 144. – Inv. Nr. KG 874 (Reliquienschrein) vgl. Abb. 375 auf der rechten Seite. 1939 verkauft an das Städtische Museum Mülheim/Ruhr.

751

gen für die Skulpturensammlung gelangten zwei spätgotische Nürnberger Metallplastiken in die Sammlung: 1923 als Leihgabe einer Nürnberger Kirche die Silberfigur des Apostels Bartholomäus von 1509, die Paulus Müllner zugeschrieben wird, und 1932 ein hl. Jakobus von Sebastian Lindenast[264].

Auch bei seinen Erwerbungen suchte Kohlhaußen die Sammlung profaner Gegenstände zu bereichern; 1938 betonte er aus Anlaß einiger kleiner Erwerbungen die Wichtigkeit mittelalterlicher Schmuckgegenstände, von denen im Museum als Stücke nennenswerter Bedeutung bisher nur eine 1904 erworbene ottonische Goldfibel und seit 1917 ein spätgotisches Brautkrönchen vorhanden waren[265].

In einer Entscheidung, der man eine gewisse Kühnheit zubilligen muß, kaufte Kohlhaußen wenige Jahre später aus Privatbesitz eines der aufwendigsten erhaltenen profanen Werke des spätmittelalterlichen Kunstgewerbes, das unter dem Namen „Burgundische Uhr" seit langem bekannt war. Die Räderuhr in Gestalt einer zweitürmigen Kathedralfassade aus vergoldetem Messing mit den Wappen Herzog Philipps des Guten von Burgund, die älteste erhaltene Uhr mit Feder und Schnecke, falls die Datierung um 1430 zu Recht bestand, war seit langem in ihrer Echtheit umstritten. Seit 1835 bekannt, war sie 1926 in den Besitz des Uhrensammlers und -händlers Karl Marfels (gest. 1929) gelangt, der sie mit Hilfe Ernst von Bassermann-Jordans in einem beispiellosen Reklamefeldzug durch europäische und amerikanische Städte führte, wobei zeitweilig ein Verkaufspreis von 2¹/₂ Millionen Mark angestrebt wurde. Der Mathematisch-Physikalische Salon in Dresden, aber durch amerikanische Kunsthändler, die sich übergangen fühlten, gewarnt, auch private und museale Interessenten in den Vereinigten Staaten lehnten den Kauf ab, so daß die Uhr später lange Zeit als praktisch unverkäuflich im Dresdner Salon deponiert war. Als im Dritten Reich die SA die Uhr Adolf Hitler zum Geschenk machen wollte – der Kaufpreis sollte so aufgebracht werden, daß jeder SA-Mann 10 Pfg. geben sollte –, winkte die Reichskanzlei ab. Kohlhaußen, von der Echtheit überzeugt, erwarb die Uhr ohne Rücksicht auf die Bedenken der Uhrenfachleute 1943 für 120000 Mark und brachte so in das Germanische Museum eines der glanzvollsten der wenigen erhaltenen Stücke fürstlicher Hofkunst des späten Mittelalters. Durch Vergleich des Gehäuses mit dem Kapellen- und Dreiturmreliquiar des Aachener Münsterschatzes glaubte er sogar, die Herkunft aus einer Aachener Goldschmiedewerkstatt erweisen zu können. Da Bedenken im wesentlichen nur von Uhrenfachleuten geäußert worden waren, schien ihre Stellungnahme besonders wichtig. Erst nach dem Kriege konnten in den sechziger und siebziger Jahren bei zweimaliger gründlicher Untersuchung, bei der Gehäuse und Uhrwerk weitgehend demontiert wurden, auch von uhrentechnischer Seite Echtheit und ursprüngliche Zusammengehörigkeit aller Teile erwiesen sowie ihr Zusammenhang mit überlieferten Uhrenentwürfen burgundischer Hofuhrmacher geklärt werden, in deren Kreis man auch kunsthistorisch mit größerer Wahrscheinlichkeit als in Aachen den Verfertiger des Gehäuses zu suchen geneigt ist[266].

384

[264] Inv. Nr. Pl. 0 2452 u. 2508. Neuerwerbungen des Germanischen Museums in Nürnberg 1921–1924. Nürnberg 1925, Taf. 57–58 und Kohlhaußen, Nürnberger Goldschmiedekunst (Anm. 109), Kat. Nr. 341 und 347. – Zur Kevenhüllerschen Greifenklaue und zu einigen ebenfalls erworbenen mittelalterlichen Bronzen: Neuerwerbungen des Germanischen Museums 1925–1929. Nürnberg 1930, Taf. 156/57, 163.
[265] Jahresbericht GNM 84 (für 1937), 1938, S. 14–15. – Inv. Nr. FG 1973 (Goldfibel) und Inv. Nr. T 3567 (Brautkrone). Erich Steingräber: Alter Schmuck. Die Kunst des europäischen Schmucks. München 1956, Abb. 12 u. 115. – Vgl. S. 813.
[266] Inv. Nr. HG 9771. – Ernst von Bassermann-Jordan: Die Standuhr Philipps des Guten von Burgund. Leipzig 1927; die auf S. 43 angegebenen Zeitungsartikel, durchweg von Bassermann-Jordan verfaßt, begleiteten die Vorführung der Uhr in deutschen, belgischen und schweizer Städten. – Max Engelmann: Die Burgunder Federzuguhr um 1430. Halle 1927. – Heinrich Kohlhaußen: Die Standuhr Philipps des Guten von Burgund, ein Wunderwerk deutscher Formgestaltung um 1430. In: Jahresbericht GNM 90 (für 1943), 1944, S. 7–26. – Alfred Leiter: Fälschung oder echt? Eine Betrachtung über die Standuhr „Philipps des Guten von Burgund". In: Die Uhr. Fachzeitschrift für die Uhrenwirtschaft Jg. 12 (1958), H. 21, S. 39–40. – Alfred Beck: Weder echt noch Fälschung? Ein Beitrag zur Be-

Daß die Jahre nach dem zweiten Krieg nicht die Zeit großer Erwerbungen sein konnten, liegt auf der Hand. Leider erlitt die Sammlung, die unbeschadet durch den Krieg gelangt war, 1948/49 einen empfindlichen, wenn auch nicht endgültigen, so bisher schon jahrzehntelang andauernden Verlust. Da das Museum 1948 in einem seiner Schauräume die kulturellen Leistungen der ehemali-

136 gen Nürnberger Patrizierfamilien, darunter der Familie Tucher, die zu dieser Zeit an hervorragender Stelle im Verwaltungsrat vertreten war, besonders zu dokumentieren beabsichtigte, gewannen das dem Bayerischen Nationalmuseum in München gehörende Fragment mit dem Wappen eines im übrigen dem Nürnberger Museum gehörenden Tucherschen Teppichs des 15. Jahrhunderts und ein weiterer dort befindlicher Tucher-Teppich einen besonderen Affektionswert, so daß der damalige Direktor Ernst Günter Troche sich schließlich gezwungen sah, einem Tauschvertrag zuzustimmen,

64, 378 durch den neben bedeutenden barocken Werken auch die spätgotische Zeno-Büste leihweise dem Bayerischen Nationalmuseum überlassen werden mußte[267]. Der Tauschvertrag wurde auch später nicht rückgängig gemacht, obwohl der Tucher-Saal bald darauf aufgelöst wurde und die eingetauschten Teppiche ohnehin jahrzehntelang nicht ausgestellt werden konnten.

107, 142 Wenige Jahre später, 1955, erwarb das Museum mit einem der großen Echternacher Pracht-Evangeliare des 11. Jahrhunderts das bedeutendste Stück der hier zu behandelnden Sammlung. Die seit dem 19. Jahrhundert im Besitz des Sachsen-Coburg-Gothaischen Herzogshauses befindliche, aus der Abtei Echternach stammende Handschrift war das früheste mehrerer erhaltener reich illuminierter Evangeliare, die durchweg in kaiserlichem Auftrag im 11. Jahrhundert in Echternach geschrieben worden waren. Sie muß um 1020/30 im Echternacher Scriptorium entstanden und mit dem aus der Trierer Egbert-Werkstatt stammenden Gold-Elfenbein-Buchdeckel der Jahre 885–891 verbunden worden sein, den einst der jugendliche Otto III. gemeinsam mit seiner Mutter Theophanu während ihrer Vormundschaft der Abtei Echternach geschenkt hatte[268]. Mit seinen mehr als vierzig ganzseitigen Bild- und Zierseiten auf Purpurgrund, dem in Goldschrift geschriebenen Text der vier Evangelien, mit seinen goldgetriebenen figürlichen Reliefs der Echternacher Patrone und der kaiserlichen Stifter, den Zellenschmelzen auf Goldgrund von ungewöhnlicher Reinheit sowie einer Elfenbeintafel des wohl eigenwilligsten Künstlers des frühen Mittelalters, der als „deutscher Meister um 1000" in die Kunstgeschichte eingegangen ist, gelangte ein Objekt in die Sammlung, das wie nur wenige andere Anspruch und künstlerische Höhe vor Augen stellt, die mit der Kunst- und Kirchenpolitik der ottonischen Kaiser nach dem Vorbild der karolingischen verbunden waren. Selbst unter den Prunkhandschriften karolingischer und ottonischer Zeit, die in der Herstellung kostbarer liturgischer Handschriften eine der höchsten Aufgaben künstlerischer Tätigkeit sah und sie mit einem Aufwand ausstattete, den keine Zeit sonst gekannt hat, gibt es nur wenige Handschriften, die eine solche Fülle von Miniaturen aufweisen und ihren ursprünglichen Deckel aus Gold und Elfenbein erhalten haben. Für die Sammlung der kirchlichen Schatzkunst war ein Werk gewonnen, das wie kaum ein anderes die enge Verbindung der verschiedenen Zweige der mittelalterlichen Künste in der Ausstattung von kirchlichem Gerät und liturgischen Handschriften deutlich machte. Darüber hinaus gewinnt das Echternacher Evangeliar in der Sammlung eines speziell

---

trachtung der sogenannten Burgunder Uhr. In: Die Uhr. Fachzeitschrift für die Uhrenwirtschaft Jg. 13 (1959), H. 3, S. 20–23 (hier und bei Leiter zu den Verkaufsverhandlungen). – Die Beobachtungen der beiden Symposien von 1965 (unter Teilnahme von Philip Coole, London) und 1973 (unter Teilnahme von John H. Leopold, Groningen, und Klaus Maurice, München) sind bisher nicht publiziert. – Vgl. aber Klaus Maurice: Die deutsche Räderuhr. Zur Kunst und Technik des mechanischen Zeitmessers im deutschen Sprachraum. München 1976, Bd. 1, S. 85–87, Bd. 2, Abb. 77.

[267] Akten des GNM: Leihgaben Bayerisches Nationalmuseum.

[268] Hs 156.142. – Peter Metz: Das Goldene Evangelienbuch von Echternach im Germanischen National-Museum zu Nürnberg. München 1956; (2. Aufl.) München 1964. – Egon Verheyen: Das Goldene Evangelienbuch von Echternach (Bibliothek GNM, Bd. 22). München 1963.

der deutschen Kunst gewidmeten Museums als Werk der Epoche besondere Bedeutung, die einen der Höhepunkte der deutschen Kunstgeschichte darstellt. Percy Ernst Schramm schrieb damals an den Bundesminister des Innern: „daß weder Frankreich noch England, weder Spanien noch Italien an Kulturleistungen der deutschen Kunst (im 10./11. Jahrhundert) irgendetwas Vergleichbares an die Seite zu rücken haben: diese Zeit kann geradezu als die einzige Epoche bezeichnet werden, in der es der deutschen Kunst vergönnt gewesen ist, für Europa das Maß abzugeben"[269].

Daß das Germanische Nationalmuseum, das in seiner bürgerlich geprägten Sammlung – ohne jeden Grundstock einer alten fürstlichen Sammlung entstanden und fast niemals in der Lage, Objekte auch hoher materieller Kostbarkeit und fürstlicher Lebenshaltung zu erwerben – sich zum Ankauf des Gothaer Evangeliares entschloß, kann nur mit der Breitenwirkung frühmittelalterlicher Kunst in den Jahren nach dem 2. Weltkrieg erklärt werden. Hatte die karolingische und ottonische Kunst, insbesondere die Buchmalerei, im 19. Jahrhundert und weit darüber hinaus lange Zeit ausschließlich das Interesse der Fachgelehrten gefunden, so war die ottonische Buchmalerei wohl zum ersten Mal durch Heinrich Wölfflins Beschreibung der Bamberger Apokalypse – bei starker Betonung ihrer expressiven Züge – einer breiteren Öffentlichkeit nahegebracht worden. Die vielfach angesprochene Affinität der ottonischen Malerei zur abstrakten oder expressionistischen Kunst unseres Jahrhunderts – die großen dabei obwaltenden Mißverständnisse mögen hier dahinstehen – hatte in der Zeit nach dem zweiten Weltkrieg zugleich mit der Aneignung der zeitgenössischen Kunst eine besondere Aufnahmefähigkeit gewissen Werten ottonischer Kunst gegenüber hervorgebracht. Die großen Erfolge der Ausstellungen „Die Kunst des frühen Mittelalters" 1949 in Bern und „Ars Sacra" 1950 in München sind ebenso beredte Zeugnisse dieser Entwicklung wie Hans Jantzens Buch über die „Ottonische Kunst" mit seiner einseitigen Betonung expressiver Richtungen, vor allem der sogenannten Reichenauer Buchmalerei[270]. Die Vermutung liegt nahe, daß Ludwig Grote, der damalige Direktor des Museums, der sich für die Verbreitung moderner Kunst durch Ausstellungen nach dem Kriege besonders engagiert hatte, solche Verbindungen zu der ihm von Hause aus wohl fernliegenden Kunst des frühen Mittelalters empfand und so die Schwierigkeiten überwand, die der Erwerbung eines so kostspieligen Objektes durch das Germanische Nationalmuseum entgegenstanden. Der Kaufpreis betrug 1 200 000 Mark, von denen 500 000 durch Verkauf eines Bildes des Lucas van Leyden an das Museum of Fine Arts in Boston aufgebracht werden mußten; der Rest wurde durch Zuschüsse des Bundes und der Länder gedeckt. Das Germanische Nationalmuseum, das die Erwerbung als eines der großen Ereignisse seiner Geschichte verstand, veröffentlichte die Handschrift mit farbigen faksimileartigen Abbildungen und einem Text von Peter Metz, der weniger die kodikologischen und kunsthistorischen Probleme erörterte, als um eine Würdigung ihres besonderen Ranges und der inhaltlichen Bezüge der Malereien und des Deckels bemüht war. Percy Schramm nannte in einer Besprechung den Hauptabschnitt „Idee und Gestalt" einen „historisch-liturgischen Kommentar zum Einband und zu den einzelnen Miniaturen der Handschrift, . . . der von einem . . . im Fühlen und Trachten sich dem Mittelalter nahefühlenden Manne geschrieben ist"[271]. Die Handschrift sollte den großen Mü-

---

[269] Archiv GNM, Akten: Echternacher Kodex, Bd. 2: Schreiben der Professoren an das Bundesministerium des Innern, betr. Echternacher Kodex (Abschriften). – Zu den Erwerbungsumständen vgl. auch die Beiträge von Günther Schiedlausky und Elisabeth Rücker, S. 300 und 560.

[270] Heinrich Wölfflin: Die Bamberger Apokalypse. Eine Reichenauer Bilderhandschrift vom Jahre 1000. München 1918; 2. Aufl. München 1921. – Kunst des frühen Mittelalters (Ausstellungskatalog). Berner Kunstmuseum. Bern 1949. – Ars sacra. Kunst des frühen Mittelalters (Ausstellungskatalog). Bayerische Staatsbibliothek München. München 1950. – Hans Jantzen: Ottonische Kunst. München 1947.

[271] Vgl. Anm. 268. – Percy Ernst Schramm: Besprechung von Peter Metz: Das Goldene Evangelienbuch . . . In: Historische Zeitschrift Bd. 185 (1958), S. 376–380 (379).

385. Sog. „Schatzkammer" mit kirchlicher Schatzkunst des frühen und hohen Mittelalters in der Aufstellung Ludwig Grotes in der Sakristei auf der Nordseite der Kartäuserkirche. In der Vitrine: karolingisches Ardennenkreuz, karolingischer Buchkasten, venezianische Mitra des 14. Jahrhunderts, Elfenbeinplatten und Emails; an der Wand Antependium aus Quern, um 1220/30, darüber Kruzifix, angeblich aus Urach, Schwaben um 1100, vorn rechts Johannesfigur von der Schülzburg, Oberschwaben um 1280. Zustand 1953 bis 1962, Photographie um 1954

hen des Erwerbs entsprechend der Öffentlichkeit zugänglich gemacht werden, so daß sich Ludwig Grote entschloß, die Bindung zu lösen und die Miniaturen einzeln zusammen mit dem Deckel in einem gesonderten Raum auszustellen, was erst unter seinem Nachfolger in den sechziger Jahren rückgängig gemacht werden konnte.

War in den ersten Nachkriegsjahren in den erhaltenen Räumen Kohlhaußens Aufstellung der frühen mittelalterlichen Skulpturen und des Kunsthandwerks von der Völkerwanderungszeit bis etwa 1300 im wesentlichen rekonstruiert worden, freilich unter Verzicht auf die strenge in Wand- titeln zusammengefaßte Thematisierung (Ritterliche Kultur, Die Reichsstadt Nürnberg als Kultur- träger, etc.), so ergab sich nach 1952 eine Aufstellung, in der die ersten drei Räume neben dem Lapidarium mittelalterliche Plastik und Kunstgewerbe vereinigten. Die frühhistorischen Schmuck- gegenstände der prähistorischen Sammlung wurden offenbar aus dem Mittelalterraum wieder ent- fernt. Im ersten Raum (Nr. 4) waren Plastiken, Bronzen, Buchmalereien, frühe Gewebe, Druck- stoffe, Münzen und Siegel vom 10. bis zum Ausgang des 13. Jahrhunderts ausgestellt, in Raum 5 die kirchliche Kunst der Gotik mit Paramenten, „in Raum 6 ist alles, was sich auf das Rittertum und seine Lebensweise bezieht, vereinigt: Minne, Spiel, Reisen, Jagd, Fehde, Turnier." Die Auf- stellung suchte eine Mitte zwischen kulturhistorischen Zusammenstellungen und chronologischer Ordnung. 1953 zog Grote die frühen Werke aus der Sammlung heraus und richtete in der Sakri- stei, die seit der Umstellung der frühen zwanziger Jahre Barockskulpturen enthalten hatte und seit dem Wiederaufbau ungenutzt war, eine künstliche, jetzt auch sogenannte „Schatzkammer" mit kirchlichem Gerät der Romanik und Gotik ein: das Ardennenkreuz, der karolingische Buchkasten, die wenigen Elfenbeine, die fatimidischen Kristallreliquiare, Kelche, Monstranzen, das Quer- ner Antependium und einige wenige Plastiken waren hier vereint; merkwürdigerweise fehlte auch das karolingische Schwert aus Neuburg an der Donau, das in der älteren Aufstellung neben dem karolingischen Buchkasten gelegen hatte, nicht[272]. Die darüber liegende Volckamer-Kapelle wurde zum Erinnerungsraum an die Reichskleinodien ausgestaltet, in dem neben dem Heiltumsschrein die Bilder Karls des Großen und Kaiser Sigismunds von Albrecht Dürer, ein spätmittelalterlicher Heroldsmantel und Wachssiegel deutscher Kaiser gezeigt wurden.

Zu einer Neuaufstellung der Sammlung früh- und hochmittelalterlicher Schatzkunst zusammen mit zeitgenössischer Skulptur und wenigen Architekturteilen kam es 1967, als im Zuge der Errich- tung von Neubauten der Verbindungsbau zwischen dem Lapidarium und dem Kreuzgang als er- ster Ausstellungsraum des Museums in der Folge der geplanten chronologischen Anordnung der gesamten Sammlungen fertiggestellt wurde. Erich Steingräber, infolge eigener vielfältiger Arbeiten zur mittelalterlichen Goldschmiedekunst auf diesem Sachgebiet besonders engagiert, war damals Generaldirektor, Günther Schiedlausky der für die Durchführung verantwortliche Referent der Kunstgewerbesammlung. Die Neuaufstellung versuchte, „die mittelalterliche deutsche Kunst aus ihren wichtigsten Voraussetzungen abzuleiten: der mittelmeerisch-antiken und germanischen Kunst"[273]. Eine solche umfassende Gesamtdarstellung der Entstehung der mittelalterlichen Kultur wurde im Nürnberger Museum zum ersten Mal versucht; die vorhandenen Bestände mußten teil- weise durch Leihgaben ergänzt werden. Ein Helm, einige römische Bronzen, Keramiken, vor allem terra-sigillata-Gefäße und römische Gläser sollten die Welt der Antike, Beispiele der zahl- reich vorhandenen koptischen Textilien die spätantike frühbyzantinische Welt repräsentieren. Wie in Kohlhaußens Aufstellung konnten einige späte Schmuckgegenstände, darunter die ostgotischen

142

383

385

386

313, 387

---

[272] Jahresbericht GNM 93 (für 1947/48), 1948, S. 61. – Jahresbericht GNM 97 (für 1951/54), 1955, S. 11/12. – Wegweiser GNM 1956/57, S. 36 u. 84 und die folgenden Auflagen; zuletzt 1967 (12. Aufl.), S. 42–44, 104.
[273] Tätigkeitsbericht GNM 1967, S. 2 u. Abb. 2; dort noch eine weitere Vitrine mit römischer Keramik. – Einen vorüber- gehenden Zustand mit der Grabfigur des Grafen Sayn zeigt Abb. 313. – Zum Bau vgl. S. 303–305.

386. „Heiltumskammer" in der Aufstellung Ludwig Grotes in der Volckamer-Kapelle über der Sakristei mit Heiltumsschrein, den Bildern Kaiser Karls des Großen und Kaiser Sigismunds von Albrecht Dürer und einem Heroldsmantel des 15. Jahrhunderts. Zustand 1953 bis 1958

Funde von Domagnano mit der in den Jahren nach dem Kriege sehr bekannt gewordenen Adlerfibel um 600, die germanische Wurzel der mittelalterlichen Kultur verdeutlichen. In einer Vitrine waren byzantinische und mittelalterlich-orientalische Gegenstände zusammengefaßt, um den Anteil der östlichen Kulturen an der Verfeinerung des westlichen Kunsthandwerks zu erläutern. Die mittelalterliche Schatzkunst trat nach Maßgabe des Vorhandenen in ihrer ganzen Breite mit Goldschmiedekunst, Elfenbeinskulpturen, Buchmalereien, Textilien und Bronzen als eine miteinander vielfach verbundene, die frühen Jahrhunderte des Mittelalters bezeichnende Kunstform eindrucksvoll hervor.

Die Konzeption der Aufstellung war von dem modernen Verständnis der „Kleinkunst" als einer spezifischen Form monumentaler Kunst des frühen und hohen Mittelalters bestimmt, wie es die zeitgenössische und kunsthistorische Literatur herausgearbeitet hatte – hingewiesen sei noch einmal auf die bereits genannten Werke von Hanns Swarzenski und Hermann Schnitzler – und wie es die großen Mittelalter-Ausstellungen der späten vierziger und fünfziger Jahre in Bern, München und Essen auch ins Bewußtsein einer breiteren Öffentlichkeit gehoben hatten. Zwar wurden die Besonderheiten kirchlicher Schatzkunst, deren einheitliches Erscheinungsbild vom ausgehenden 8. bis zum 13. Jahrhundert so auffallend durch eben die gemeinsame Aufgabe der Ausstattung von Altar und kirchlicher Schatzkammer geprägt ist, deutlich herausgestellt; doch wurde nicht wie noch in der vorhergehenden Aufstellung der fünfziger Jahre eine künstliche „Schatzkammer" eingerichtet, in der die kirchlichen Geräte oder Altertümer vorzugsweise als Zeugnisse einer vergangenen mittelalterlichen Liturgie und älteren kirchlichen Schmuckbedürfnisses vorgeführt wurden. Nicht der altertumskundliche Aspekt, sondern die künstlerische Erscheinungsform der ausgestellten kirchlichen Gegenstände, ihr Anteil an der Gesamtgeschichte der mittelalterlichen Kunst bestimmte die Konzeption der Aufstellung. Insofern war man um die Aufzeigung kunsthistorischer Entwicklungslinien bemüht, wie denn die aus der germanischen und der spätantiken Welt ins Mittelalter hinüberwirkenden Formtraditionen auch in den angebrachten Beschriftungen angesprochen wurden. Besonders bezeichnend scheint die Vitrine mit den orientalischen und byzantinischen Objekten – war sie doch geeignet, einerseits den außerordentlichen Anteil solcher Gegenstände in der Zusammensetzung mittelalterlicher Schatzkammern zu verdeutlichen und diente insofern dem Verständnis mittelalterlichen Schatzwesens, sollte aber in erster Linie die von solchen Objekten ausgehenden künstlerischen und formalen Anregungen bei der Ausbildung der früh- und hochmittelalterlichen Kunst, insbesondere die über Byzanz vermittelte Überlieferung antiken Formengutes an die mittelalterliche Kunst der frühen Jahrhunderte, erkennbar machen. Freilich konnten die in der Sammlung zufällig vorhandenen orientalischen und byzantinischen Textilien und das einzige noch vorhandene byzantinische Elfenbeinrelief einer Kreuzigung einem unwissenden Betrachter den für die mittelalterliche Kunst so wichtigen immer noch antikischen Geist byzantinischer Formenwelt nur eingeschränkt vor Augen führen.

Die Quellen dieses in starkem Maße kunsthistorisch geprägten musealen Ausstellungskonzeptes für die Sammlungen der frühen Jahrhunderte mittelalterlicher Kunst sind nicht leicht zu benennen. Als einer zeitgenössischen Parallele dürfte für die Umsetzung des beschriebenen Verständnisses mittelalterlicher Schatzkunst in museale Präsentation beispielhafter Rang der Aufstellung, die John G. Beckwith im selben Jahre 1967 im Victoria and Albert Museum eingerichtet hatte, zuzumessen sein. Im Londoner Museum wurde in einem ersten großen Ausstellungssaal (Saal 43) – dem größeren Reichtum und den umfassenden, dichteren Beständen der Sammlung entsprechend – nach einleitenden Vitrinen mit römischen Gläsern, spätantiken und frühbyzantinischen Elfenbeinen und koptischen Stoffen unter Heranziehung einzelner spätantiker und byzantinischer Münzen und Steinschneidearbeiten zunächst die vorhandene Sammlung byzantinischer Goldschmiedewerke und Elfenbeinskulpturen vorgeführt. Erst darauf folgte die ganze Breite abendländischer Schatzkunst von der karolingischen bis zur spätromanischen Zeit der Mitte des 13. Jahrhunderts: Elfenbeinskulpturen, Goldschmiedewerke, die große Sammlung der Emails, die frühen und die romanischen Bronzen Englands und des Maasgebietes; einzelne Beispiele von Buchmalerei waren hinzugefügt; figürliche und ornamentale Skulpturen traten nur an den Rändern in Erscheinung. Die Aufnahme auch orientalischer neben byzantinischen Werken, die prononcierte Herausstellung des spätantiken Erbes, hierbei vor allem die Auswahl römischer Gläser, der große Anteil, der den koptischen Stoffen zur Verdeutlichung bereits in der Spätantike wirksam werdender Abstraktionstendenzen einge-

387. Neuaufstellung der kirchlichen Schatzkunst unter Einbeziehung völkerwanderungszeitlicher Grabfunde und mittelalterlicher Skulpturen im 1967 eröffneten neuerrichteten Verbindungsbau zwischen der Eingangshalle und dem mittelalterlichen Kreuzgang, dem sog. Westkopf. Vorn Münzen und frühgeschichtliche Funde, in der ersten Hochvitrine karolingische Objekte, u. a. Mondseer Itala-Handschrift, karolingischer Buchkasten, Pettstadter Becher und karolingische Waffen, dahinter Vitrine mit orientalischen und byzantinischen Schatzgegenständen; rechts hinten Ardennenkreuz; teilweise von der Säule verdeckt der Echternacher Codex aureus; von der Decke hängend Triumpfkreuz aus Maria im Kapitol in Köln. Zustand seit 1967

räumt wurde, die Einbeziehung von Münzen zur Dokumentation spätantiker und frühmittelalterlicher Formentwicklung kehrten auch in Nürnberg wieder.

Der hohe Anspruch des Ausstellungskonzeptes, das auch durch Schrifttafeln erläutert wurde, ließ hier freilich die Überanstrengung der vorhandenen Bestände, die in ihrer Zufälligkeit die gemeinten Entwicklungslinien eben doch nicht immer in wünschenswerter Deutlichkeit erkennen ließen, nicht übersehen. War die karolingische Kunst mit dem Ardennenkreuz, dem Pettstadter Becher, dem Mondseer Evangeliar-Fragment, dem karolingischen Buchkasten und dem St. Gallener Elfenbein inzwischen im Museum ungewöhnlich breit vertreten und wurde die überragende Stellung der ottonischen Kunst im Echternacher Evangeliar mit seinem Buchdeckel deutlich, so konnte das 12. Jahrhundert mit den wenigen kleinen Emails und den frühen Bronzen noch immer nur unvollkommen dargestellt werden. Die große Anzahl der Aquamanilien erschien als geschlossene, zeitlich nicht weiter differenzierte Gruppe. Die Stärke der Mittelalter-Sammlung auf dem Gebiet der figürlichen Bronzen, die drei Vitrinen füllten, wurde dabei deutlich ausgespielt. Das Querner Antependium bezeichnete bereits den Abschluß der hochmittelalterlichen Schatzkunst.

Die zahlreichen Limoges-Emails traten in einer Wandvitrine neben der Goldschmiedekunst, Buchmalerei und den Textilien des 13. und 14. Jahrhunderts und der zeitgenössischen Skulptur etwas zurück. In einer freistehenden Vitrine war – im Rückgriff auf ältere kulturhistorische Konzepte des Museums – weltliches Kunsthandwerk des 14. Jahrhunderts mit Bezug auf das Rittertum – gewiß nicht ohne Beziehung zu der in der Nähe stehenden Grabfigur des Grafen Sayn – zusammengefaßt: neben frühen Waffen des 14. Jahrhunderts, Minnekästchen und Spielsteinen konnten hier auch die 1968 neu erworbenen böhmischen Silberbecher aus dem Anfang des 14. Jahrhunderts Platz finden, Beispiele der steten Bereicherung, die die Sammlung mittelalterlichen Kunsthandwerkes in erstaunlicher Kontinuität in der Mitte der sechziger Jahre noch einmal für kurze Zeit erfuhr, als fast wie zu Essenweins Zeiten nahezu Jahr für Jahr im Anzeiger ein mittelalterliches, und zwar spätmittelalterliches Werk des Kunsthandwerks oder der sonstigen Kleinkunst verzeichnet werden konnte[274].

Die Aufstellung der Schatzkunst fand ihre Ergänzung durch die in der Sakristei um den Heiltumsschrein in zwei Wandvitrinen angeordnete kirchliche Goldschmiedekunst des 15. Jahrhunderts und die Bestände profanen Kunsthandwerks des späten Mittelalters in den nördlich am Großen Kreuzgang gelegenen Mönchshäusern: Möbel, Teppiche, schmiedeeiserne Beschläge und Schlösser, eine kleine Anzahl mittelalterlicher Gefäßkeramik und eine große Anzahl mittelalterlicher Ofenkacheln, wobei unter Mißachtung der strengen Zeitgrenzen gelegentlich der Bestand bis ins 16. Jahrhundert ausgeweitet wurde[275].

---

[274] Neuerwerbungen des Germanischen Nationalmuseums. In: Anzeiger GNM 1963, S. 228, Abb. 11 (Harsdorfer Goldwaage von 1497; HG 11 161). – Anzeiger GNM 1964, S. 164/65, Abb. 8 (Figur eines Wilden Mannes aus Messing, 15. Jahrh.; Pl.o 2982). – Anzeiger GNM 1965, S. 188/89, Abb. 7 (Silberpokal, 2. Drittel 15. Jahrh.; HG 11 355). – Anzeiger GNM 1966, S. 186, Abb. 4 (Elfenbeinkruzifix, um 1300; Pl 3014); S. 188, Abb. 8 (Korporalienkasten, um 1430; KG 1194). – Anzeiger GNM 1969, S. 220/21, Abb. 6 u. 7 (böhmische Silberbecher; HG 11 628).
[275] Die Sakristei wurde in der jetzt bestehenden Form 1972, die Mönchshäuser wurden 1973 eröffnet; vgl. Tätigkeitsbericht GNM 1972, S. 3 und 1973, S. 2.

KLAUS PECHSTEIN
Das Kunsthandwerk der Neuzeit

Im zweiten Teil seines kleinen Wegweisers durch das germanische Museum im Tiergärtnerturm, Kunst und Alterthum (1853), beschreibt August von Eye unter den mannigfachsten Hausgeräten, wie Speise- und Trinkgeschirren, Schüsseln, Tellern, Gläsern, Humpen und Krügen „als besonders beachtenswerth eine große, weißglasierte Porzellanschüssel aus der Mitte des 16. Jahrhunderts, mit der Darstellung der verschiedenen Lebensalter und des zweifachen Schicksales der Menschen nach dem Tode. Der Charakter jedes Alters ist symbolisch durch ein hinzugefügtes Thier näher bezeichnet. Wenn auch die Malerei deutsch ist, so zeigt sie doch den bereits in hohem Grade sich geltend machenden Einfluß italienischen Geschmacks, der im 16. Jahrhundert mehr und mehr in deutschen Landen eindrang"[1]. Das hier beschriebene Objekt dürfte zu den ältesten Bestandteilen der Sammlung des Freiherrn von Aufseß gehören. In der Denkschrift ‚Organismus und Sammlungen‘ von 1856 wird es wie folgt angeführt: „Schüssel von Steingut, weißglasiert, mit farbiger Darstellung der Altersstufen, des Todes, des Himmels und der Hölle. Durchmesser 1′5″. 16. Jahrhundert"[2]. Bei dieser Lebensalterschüssel handelt es sich, wie wir heute leicht feststellen können, um eine bezeichnete Arbeit des Virgiliotto Calamello aus Faenza, also um eine italienische Majolika der Renaissance, der Zeit um 1570[3]. Wenn wir in den Anfängen der Sammlungen des Freiherrn von Aufseß und des Germanischen Museums italienischen Majoliken, also nicht autochthonen Werken deutscher Kunst begegnen, mag dies im Widerspruch zur Gründungsabsicht stehen. Bei diesem Beispiel – dem sich andere anfügen ließen – hat aber die Folgezeit erwiesen, daß ein tieferer Sinn hinter solcher ungestümen Sammeltätigkeit lag. Denn in so vielen Fällen besaßen die Dinge, die gesammelt wurden, weder nach der Gattung ihren rechten Namen, noch waren sie historisch hinlänglich erforscht oder bekannt. Es gehörte Mut dazu, sich in so unsicheres Neuland vorzuwagen, aber auch geschärfte Sinne. Bei der Sammlung der italienischen Majoliken des Germanischen Nationalmuseums – wie übrigens auch bei der umfangreichen Sammlung venezianischer Gläser und Gläser in der Façon de Venise – haben spätere Erkenntnisse gezeigt, wie sehr diese Materie, zumal die zahlreichen Wappenmajoliken Nürnberger Patrizierfamilien, nicht allein Lebensweise und Luxus der führenden reichsstädtischen Geschlechter erläutern hilft, sondern auch für die Kenntnis der Anfänge der frühesten deutschen Produktionen, wie z. B. der im 16. Jahrhundert in Nürnberg entstandenen Fayencen, von Belang ist.

Vielleicht ist es auch die verstreute namenlose Fülle historischer Zeugnisse gewesen, die bei von Aufseß eines der auslösenden Momente war, ihrer habhaft zu werden, um sie der Forschung zu erhalten. Wohl an keinem anderen Ort in Deutschland dürfte ein solches Angebot der verschiedenartigsten kunsthandwerklichen Erzeugnisse, die veräußert wurden oder gerade noch in Privatbesitz waren, vorgelegen haben, wie im alten Nürnberg in der ersten Hälfte des 19. Jahrhunderts. Jacob von Falke, seit 1856 an dem neugegründeten Institut beschäftigt, schreibt über die Erwerbungen dieser Zeit: „Jeder Tag brachte Neues oder vielmehr Altes auf den Tandelmarkt, das sich etwa in System und Umfang des Museums einreihen ließ: Töpfe, Schüsseln, Gläser, Krüge, Eisenarbeiten, Hausgeräte,

[1] August von Eye: Das Germanische Museum. Wegweiser durch dasselbe für Besuchende. 2. Tl., Leipzig 1853, S. 13.
[2] Organismus, 2. Abt. S. 174.
[3] Inv. Nr. Ke 1892 (HG 350); Dm. 46 cm.

Küchengeräte usw. und unser ‚Baron‘, der zu handeln verstand, verfehlte nicht jeden Morgen einen Spaziergang über den Tandelmarkt zu machen und ein oder das andere Stück als billige Beute in das Museum zu bringen. Besseres fand sich bei den Antiquaren"[4]. Wie zufällig mußten sich solche Erwerbungen nicht ausnehmen, und rückschauend sagt Falke in seinen ‚Lebenserinnerungen‘: „Wer sich nicht ein Bild von der Zukunft zu machen verstand, sondern sich vorstellte, das ist die nationale Anstalt für das ganze Vaterland und alle Deutschen außerhalb desselben, der möchte leicht Herz und Mut verloren haben"[5].

Für uns heute ist es schwierig, mit Sicherheit aus dem inzwischen angesammelten großen Bestand kunsthandwerklicher Erzeugnisse den ältesten Besitz herauszusondern. Ältere Inventare und Signaturen des ‚Hausgerätes‘ sind um 1890, also unter von Essenwein durch dessen Neuinventarisierungen größtenteils beseitigt worden. Dennoch ersehen wir aus den seit 1853 geführten Zugangsregistern, in die zunächst nur die Geschenke eingetragen wurden, wie gleich am Anfang die Aufmerksamkeit allen Zeugnissen der deutschen Vergangenheit galt – freilich unter Begrenzung auf die nicht immer ganz eingehaltene Zeit bis 1650. Doch mehrten sich zunächst die Bestände nicht so sehr der Kunst- und Altertümersammlungen, damals unter der Rubrik der Systematik ‚Hauseinrichtung, Haushalt, Hausinventar‘ mit weiteren Unterteilungen untergebracht, sondern in erster Linie die von Archiv, Münzensammlung und Bibliothek zahlenmäßig stärker. Die Fülle des Küchen- und Tafelgeschirrs, der Schüsseln und Teller, des Keller-und Trinkgeschirrs, wie sie in der Denkschrift von 1856 aufgeführt werden, zeigt jedoch, wie jene Vielfalt der kunsthandwerklichen Erzeugnisse und Gebrauchsgegenstände der verschiedensten Art und aus den verschiedensten Perioden schon damals den Keim für das bildete, was das Museum in mehreren unterschiedlich großen Abteilungen kunsthandwerklichen und volkskundlichen Charakters heute dem Besucher in größerem Maßstabe bieten kann. Wen diese staunenswerte Vielfalt der erhaltenen Zeugnisse heute verwirrt, wo wir doch die meisten Dinge exakter einschätzen und genauer bestimmen können, wie sehr darf derjenige den Mut des Freiherrn von Aufseß bewundern, den wir in seinem Unternehmen nicht als einen Phantasten, wie einige seiner Zeitgenossen, sondern geradezu als einen Initiator der Geisteswissenschaften sehen, die, wie Erwin Panofsky sagt, doch die elementare Aufgabe haben, „die chaotische Vielfalt menschlicher Zeugnisse in etwas zu überführen, das man Kulturkosmos nennen könnte"[6]. Dennoch bedeutete der ‚Organismus‘ für die Erweiterung der Bestände stärker eine Inventargliederung, denn ein Programm; zumindest brachte die Entwicklung unter August von Essenwein ein anderes Prinzip in den Vordergrund, das verstärktes Wachstum hieß. Seine rege Tätigkeit über ein Menschenleben hin brachte ein immenses Anwachsen auf allen Sammlungsgebieten, aber eben ein ungleichmäßiges, das – da mehr als zwei Drittel aller Erwerbungen aus Geschenken oft bescheidener Art sowie Leihgaben bestanden – mit eigenen Mitteln nur unzureichend zu steuern war. Essenwein hatte für seine Zeit erstaunlich vielseitige Kenntnisse erworben – neben der Architektur, seinem eigentlichen Spezialgebiet. In sehr vielen oft kurzen Artikeln des ‚Anzeigers für Kunde der deutschen Vorzeit‘ hat er zahlreiche Objekte aus allen möglichen Bereichen des Kunsthandwerks, zumeist solche, die er für das Museum erwerben konnte, beschrieben und vorgestellt und in mancher Hinsicht erste Ansätze zu wissenschaftlicher Grundlegung gegeben. Da sein Ausgangspunkt kulturgeschichtlicher Art war, haben ihn die eigentlichen Fachgebiete des Kunsthandwerks, wie sie freilich sinnvoll erst später unterteilt wurden, nicht in dem Maße beschäftigt, wie dies an den damals gleichzeitig entstehenden Kunstgewerbemuseen der

[4] Jacob von Falke: Lebenserinnerungen. Leipzig 1897, S. 142.
[5] Falke (Anm. 4), S. 143.
[6] Erwin Panofsky: Kunstgeschichte als geisteswissenschaftliche Disziplin. In: Erwin Panofsky: Sinn und Deutung in der bildenden Kunst. Köln 1975, S. 11.

388. Sog. „Frauenhalle" im Erdgeschoß des Refektoriumsbaues am Kleinen Kreuzgang. Keramik und Glas, an der Decke der angeblich aus dem Rathaus in Forchheim stammende Leuchterengel, der Behaim-Leuchter von 1519, Nachbildung eines spätgotischen Messingleuchters aus dem Rathaus zu Regensburg, rechts der Ochsenfurter Ofen (1495–1519), davor der Teppich mit Ritterspielen (Elsaß, um 1385) und eine gotische Sitzbank; im Hintergrund Blick in die Waffenhalle. Lavierte Federzeichnung von Paul Ritter, 1857

Fall war. So hat Essenwein „den Weg vorgezogen, nicht die Goldschmiedearbeit, die Schlosser- und Schmiedekunst, die Glasarbeiten, Keramik usw. als Grundlage der Gruppeneinteilung zu wählen, sondern nach der Gliederung des Kulturlebens größere Gruppen zu bilden"[7]. Das Einzelstück, das von ihm vorgestellt wurde, besaß paradigmatischen Charakter für die später zu vervollständigende Sammlung der Nationalanstalt. So setzten erst mit Anfang der siebziger Jahre genauere Bemühungen um die Bestimmung von Keramik ein. Mit einer Reihe von zwanzig Artikeln im Anzeiger für Kunde der deutschen Vorzeit (1873–77) über „Buntglasierte Thonwaren des 15.–18. Jahrhunderts" stand Essenwein mit anderen am Anfang wissenschaftlicher Beschäftigung mit Keramik in Deutschland. „So wichtig und bedeutsam der ganze Gewerbszweig genannt werden muß, so groß sind die Schwierigkeiten, die sich der Bearbeitung einer bis ins Einzelne zuverlässigen Geschichte desselben

[7] August von Essenwein: Das germanische Nationalmuseum, dessen Sammlungen, sowie der Bedarf zur programmgemä- ßen Abrundung desselben. Nürnberg 1884, S. 44.

763

389. Nürnberger Goldschmiedekunst des 16. Jahrhunderts, darunter das Schlüsselfelder Schiff von 1503. Vitrine im Südbau am Wasserhof. Stereoskop-Photographie um 1895/97

entgegenstellen"[8]. Als er 1877 diese Reihe beendete, mußte er feststellen: „Wir dürfen nicht abschließen, ohne das Porzellan ebenfalls betrachtet zu haben. Unsere Sammlung ist jedoch zu ungenügend, um an ihrer Hand den Versuch zu machen"[9]. In seine wissenschaftlichen Bemühungen hat Essenwein auch die Geschichte der Hohlgläser frühzeitig mit einbezogen, die er von Anfang an in markanten und typischen Beispielen für das Museum gesammelt hat. Zu den Voraussetzungen für die Erforschung dieser Gegenstände bemerkte er: „Wenn überhaupt in Bezug auf die Geschichte des deutschen Handwerks und der Industrie noch eine große Reihe von Studien nötig ist, ehe alle Erscheinungen sich auch historisch begründet darstellen, so gilt dies insbesondere von der Geschichte der Gläserindustrie"[10].

Die gleichzeitige Sammeltätigkeit auf mehreren Gebieten unter den primär kulturhistorischen Prämissen bedeutete aber in mancher Hinsicht ein Anhäufen auch gleichförmiger Gegenstände. In

[8] August von Essenwein: Buntglasierte Thonwaren des 15.–18. Jahrhunderts im Germanischen Museum. In: Anzeiger GNM 1873, I. Sp. 121–127, II. 185–186, III. 222–226, IV. fehlt, V. 281–284, VI. 321–324; 1874, VII. Sp. 1–5, VIII. 143–145, IX. 329–334; 1875, X. Sp. 33–37, XI. 65–72, XII. 137–141, XIII. 169–173, XIV. 233–239, XV. 265–270; 1876, XVI. Sp. 65–70, XVII. 257–259; 1877, XVIII. Sp. 33–39, XIX. 63–68, XX. 237–242 (1873, 121).
[9] Essenwein (Anm. 8) 1877, Sp. 242.
[10] August von Essenwein: Deutsche Gläser im germanischen Museum. In: Anzeiger GNM 1879, Sp. 33–37 (33).

764

390. Gläser des 16.–18. Jahrhunderts. Vitrine im Großen Refektorium südlich des Kleinen Kreuzganges. Stereoskop-Photographie um 1895/97

einem Artikel über die Anlage kleiner Museen formuliert Essenwein: „Allein der Kunstgenuß . . . ist nicht das, was in erster Linie bezweckt werden soll. . . . einer wissenschaftlichen Anstalt kann es nur darum zu thun sein, Gegenstände zu haben, die belehren"[11]. Dieser Ansicht ist Essenwein jedoch bei seinen Bemühungen um Erweiterung der Bestände des Germanischen Museums keineswegs ausschließlich gefolgt. So hat er sich seit 1868 bemüht, den damals noch in Nürnberg befindlichen Merkelschen Tafelaufsatz von Wenzel Jamnitzer, das berühmteste Beispiel altdeutscher Renaissance-goldschmiedekunst, als Leihgabe der Familie Merkel zu erhalten, was ihm erst – kurzfristig – für die Dürer-Ausstellung des Museums 1871 gelang und dann 1875 als vermeintliche Dauerleihgabe. Als 1880 das in einem Raum mit besonderen Sicherheitsvorkehrungen untergebrachte Kunstwerk durch Verkauf an Rothschild hinter seinem Rücken verloren ging, schrieb Essenwein in einem Brief an den Merkelschen Familienvorstand Worte, die die Schwierigkeiten des Germanischen Museums als Nationalanstalt heute wie vor hundert Jahren erläutern: „Der verehrliche Familienrath hat es, wie es leicht begreiflich ist, im Interesse der Familienstiftung liegend erachtet, zu deren Gunsten den überaus

[11] August von Essenwein: Über die Anlage kleiner Museen. In: Anzeiger GNM 1867, Sp. 117–128, 189–190, 222–224, 324–328, 389–392 (128).

werthvollen Tafelaufsatz zu veräußern, da ja die Stiftung für die verschiedenen Zwecke, welchen sie dienen soll, umfangreiche Mittel nöthig hat. So wol ich dies begreife, ist es mir doch im höchsten Grade schmerzlich, das kostbare Werthstück aus dem germanischen Museum scheiden zu sehen, dessen glänzendste Zierde dasselbe seit einer Reihe von Jahren war. Ich kann aber auch mein Bedauern nicht unterdrücken, daß der verehrliche Familienrath mir von dem beabsichtigten Verkaufe und den gepflogenen Verhandlungen keinerlei Mitteilung gemacht hat. Ich hätte mich verpflichtet gefühlt, Alles daran zu setzen, daß dieser Schatz dem germanischen Museum, der Stadt Nürnberg, dem Lande Bayern und dem gesammten deutschen Vaterlande als öffentlicher gemeinsamer Besitz erhalten geblieben wäre, und eine große Nation, wie die deutsche es heute ist, würde die Mittel gefunden haben, ein Werk, auf welches sie mit Recht stolz sein kann, sich zu erwerben und zu erhalten. Die Nation, welche die Mittel aufwendet, auf Griechenlands Boden für die griechische Nation die griechischen Kunstdenkmale auszugraben zur Förderung von Kunst und Wissenschaft, hat ebensoviele Mittel als ein reicher Privatmann aufzuwenden, wenn es sich darum handelt, eines der glänzendsten Kunstdenkmäler der eignen großen Vorzeit der Gesammtnation öffentlich zugänglich zu erhalten. Die heutige Größe unserer Nation bürgt mir dafür, daß die Mittel flüssig gemacht worden wären, das Kunstwerk der nationalen Anstalt zu erhalten, wenn derselben die Verkaufsabsicht mitgeteilt worden wäre, nicht erst die fertige unabänderliche Thatsache"[12].

Es darf in diesem Zusammenhange aber auch daran erinnert werden, daß Essenwein sich gegen eine immer stärker werdende Konkurrenz sich rascher entwickelnder staatlicher Museen in der prosperierenden Zeit nach der Reichsgründung zu bewähren hatte. Julius Lessing, der, die Gunst der Stunde erfolgreicher nutzend, 1874 für 600000 M. den Lüneburger Ratssilberschatz für das Deutsche Gewerbe-Museum in Berlin mit Hilfe der preußischen Regierung erwerben konnte, mußte sich der Kritik Essenweins stellen, der im Jahr zuvor für den Verbleib dieses einzigen erhaltenen deutschen Ratssilberschatzes in Lüneburg eingetreten war, da „ja die historische Bedeutung der Gegenstände vor Allem gewahrt wird, wenn sie am Ort ihrer ursprünglichen Bestimmung bleiben"[13].

Der Verkauf des Merkelschen Tafelaufsatzes führte in der Folge zu der ‚Stiftung zur Erhaltung Nürnbergischer Kunstwerke', die, von Privaten gegründet, Nürnberger Kunstwerke vor dem Abwandern rettete und dem Germanischen Museum als Leihgaben der Stadt Nürnberg zuführte. Bereits 1884 und 1889 konnte Essenwein einige Silberpokale Nürnberger Meister, darunter einen von Christoph Jamnitzer, auf diese Weise dem Museum sichern. Später folgte noch eine Reihe weiterer Kunstwerke – allerdings keines vom Rang des Tafelaufsatzes[14].

Wenn spätere Mitarbeiter des Museums – wie Walter Stengel – Essenweins Wirken, seine Erwerbungen und Bauten für das Museum mit dem Wort „Chaos" umschrieben[15], so wird man dieses Urteil heute als zeitgebunden, aber auch als zu hart und ungerechtfertigt zurückweisen, besonders auch dann, wenn man die Schwierigkeiten bedenkt, mit denen Essenwein fertig zu werden hatte, und sieht, welche Widerstände zu überwinden waren, den alten Aufseß-Plan der Verwirklichung des ‚Repertoriums' auszutauschen gegen das gewichtige Ziel der Vermehrung der Sammlungen, wobei „alle Zweige gleichmäßig gepflegt werden" sollten[16].

---

[12] Leihgabeakten der Direktion des GNM. Für den vollständigen Wortlaut des Briefes vgl. Klaus Pechstein: Der Merkelsche Tafelaufsatz von Wenzel Jamnitzer. In: Mitteilungen des Vereins für Geschichte der Stadt Nürnberg Bd. 61 (1974), S. 90–121 (103 f.).

[13] August von Essenwein: Vermischte Nachrichten, Nr. 83. In: Anzeiger GNM 1873, Sp. 374.

[14] August von Essenwein: Drei Nürnberger Pokale aus vergoldetem Silber vom Beginne des 17. Jahrhunderts. In: Mitteilungen GNM 1887–89, S. 218–221.

[15] Walter Stengel: Vorarbeiten zur Reorganisation des Germanischen Museums. In: Museumskunde Bd. 15 (1920), S. 41–57 (41).

[16] Essenwein (Anm. 7), S. 5.

391. Gläser und deutsches Steinzeug des 17./18. Jahrhunderts, letzteres vorwiegend aus der Sammlung des Notars E. Wolf aus Altenburg. Aufstellung im großen Refektorium südlich des Kleinen Kreuzganges. Zustand in den neunziger Jahren des 19. Jahrhunderts

Essenweins Schrift über die Abrundung der Sammlungen (1884) ist eine Bestandsaufnahme nach mehreren Lustren angestrengter Tätigkeit, in der zugleich der Nachholbedarf konstatiert wird.

So setzt er darin „für Vervollständigung unserer Fayencen 5000 m., für eine Sammlung von Porzellan, die noch gänzlich fehlt, 20000 m."[17] an – gewiß, beides zusammen bildet nur den hundertsten Teil des gesamten Überschlages, aber das Vorhaben bedeutet doch zugleich eine Erweiterung des alten Sammlungsplanes bis in das 18. Jahrhundert herauf, gegenüber den ursprünglichen Intentionen, die nur die Zeit bis 1650 in das Sammelprogramm aufnehmen sollten.

391 Die zahlenmäßig umfangreichste Schenkung kunsthandwerklicher Gegenstände – über 900 Objekte – bedeutete der Zuwachs durch die Sammlung des Notars E. Wolf in Altenburg als Geschenk des Vaters des Verstorbenen im Jahre 1881 (HG 2514–3423). Diese Schenkung bildet – trotz starker Dezimierung in späterer Zeit, von der noch zu sprechen sein wird – in mancher Hinsicht ein

[17] Essenwein (Anm. 7), S. 61.

767

392. Nürnberger, Ansbacher und andere süddeutsche Fayencen des 17./18. Jahrhunderts, Kachelofen mit Lebensalterdarstellungen von 1642. Aufstellung unter E. Heinrich Zimmermann im Erdgeschoß des Galeriebaus, 1921 bis 1936

Kernstück der kunsthandwerklichen Sammlung im Hinblick auf die Erzeugnisse aus Mitteldeutschland: sächsisches und schlesisches Steinzeug, Thüringer und norddeutsche Fayencen, Zinn, geschnittene Gläser aus Sachsen, Böhmen und Thüringen, aber auch Dinge aus dem fränkischen Bereich wie Creußener Steinzeug und Nürnberger Zinn.

Deutsche Fayencen, daneben braune Bayreuther Ware, gehörten in größerem Umfange als Porzellan zu den Erwerbungen der Essenwein-Zeit. Insbesondere hat bei den ersten Zugängen an Porzellan der Sammler Adalbert Freiherr von Lanna, Prag (seit 1883 Mitglied des Verwaltungsausschusses des Museums) anregend und fördernd dem Museum zur Seite gestanden. Er hat eine große Auswahl früher Meißener und Wiener Porzellanarbeiten 1885 den Sammlungen als Geschenk zugehen lassen, von denen die beiden frühen Böttger-Porzellane, die kleine Statuette Augusts des Starken (mit etwas späterer Bemalung) und ein Kaffeetäßchen mit Untertasse mit aufgelegtem Irminger-Blattdekor sowie die beiden Wiener Schälchen mit Preisler-Dekor hier besonders erwähnt seien, zumal von dieser Lanna-Schenkung in den zwanziger Jahren unseres Jahrhunderts manches abgegeben wurde (HG 3622–3756).

Die umfangreiche Sammlung Sulkowski brachte vor allem für die Waffensammlung 1890 den bedeutendsten Zuwachs, enthielt aber für alle kunsthandwerklichen Abteilungen wichtige Zugänge,

393. Gläser des 16.–18. Jahrhunderts mit Möbeln und Gemälden des 18. Jahrhunderts. „Roter Saal" im Erdgeschoß des Galeriebaus in der Aufstellung unter E. Heinrich Zimmermann, 1921 bis 1936

seien es Gläser, Fayencen, Steinzeug, Bestecke oder als bemerkenswertesten Komplex des Kunsthandwerks das vielteilige Augsburger Reiseservice mit Achateinlagen (HG 4833–4936), von Tobias Bauer um 1700 gearbeitet, wozu auch der große Reisekoffer erhalten ist[18]. Auch hier verringerten sich die kunstgewerblichen Sammlungsstücke durch Verkäufe zwischen 1920–1922.

Gustav von Bezold, Architekt von Haus aus wie sein Vorgänger, bedauert in seiner Schrift über die Neuordnung der Sammlungen des Germanischen Museums, daß es in der vorangegangenen Zeit nicht möglich war, „alle (43) Abteilungen gleichmäßig auszubilden"[19]. Aber es war wohl nicht allein die Knappheit der Mittel und die zunehmende Raumnot im Hause, die das verhinderte, sondern auch die Einstellung Bezolds zur Rangfolge der Künste, die seine Entscheidungen für die Folgezeit bestimmte. Für die Kunstsammlungen sieht er einen Erweiterungsbau für „Plastik, Malerei und hervorragende Beispiele des Kunstgewerbes" vor. Er spricht von dem „vielen Mittelguten", das die Sammlung enthält und „daraus ausgeschieden werden muß"[20]. Die Pietät, die er seinem Vorgänger in Hinsicht auf dessen architektonische Museumsbauten angedeihen ließ, besaß er auch im Hinblick auf dessen

[18] Deutsche Kunst und Kultur im Germanischen National-Museum. 2. Aufl. Nürnberg 1960, Abb. S. 196. – Zum Erwerb der Sammlung Sulkowski vgl. auch S. 840–842.
[19] Gustav von Bezold: Die Neuordnung der Sammlungen des Germanischen Museums. Nürnberg 1920, S. 1.
[20] Gustav von Bezold: Erläuterungen zu dem Entwurf der Erweiterung des Germanischen Museums. Nürnberg 1913, S. 1.

Erwerbungen, die er angesichts der vorhandenen Fülle weder veräußerte noch wegtauschte. Seine kunsthandwerklichen Ankäufe, zumeist vorzügliche beispielhafte Stücke, erscheinen gezielt auf die Präsentation im neuprojektierten Museumsbau: so sind von ihm zahlreiche Porzellanplastiken des 18. Jahrhunderts – von Bustelli und Johann Peter Melchior –, aber auch Wiener und Berliner Porzellane erworben worden, die heute wieder den Kern dieser verhältnismäßig kleinen Sammlung bilden. Als eine feine Ergänzung der Sammlung von Goldschmiedearbeiten darf die 1913 erworbene vielteilige Augsburger Rokoko-Reisetoilette aus der Zeit um 1760 angesehen werden[21], hinzu kommt eine Reihe weiterer Nürnberger und Augsburger Goldschmiedearbeiten vornehmlich der Barockzeit (HG 7804–7808 u. 7811–7841).

Die von Bezold begonnene Straffung der Keramiksammlung, die bei verschiedenen Manufakturen, namentlich den süddeutschen, etwas ausgeufert war, die er in seinen Denkschriften begründet hatte, erfuhr unter seinem Nachfolger Ernst Heinrich Zimmermann eine an die Substanz des Bestandes gehende Revision: ca. 16% oder 1350 der vorhandenen inventarisierten und z. T. noch uninventarisierten Objekte wurden in den Jahren 1920/22 abgegeben oder getauscht. So wurde z. B. das in dem Neuerwerbungsband 1921/24 vorgestellte Hanauer Fayence-Waschservice (Ke 1764/65), bestehend aus Helmkanne und ovaler Schüssel, gegen 25 Ansbacher Krüge getauscht[22]! Die meisten Stücke wurden an die Antiquitätenhandlung Nüßlein & Co. veräußert, die dafür erhaltenen Mittel kamen kaum der kunsthandwerklichen Sammlung, wohl aber dem Bestand an Gemälden und Plastiken zugute.

Als die bemerkenswertesten Erwerbungen für die neuere kunsthandwerkliche Abteilung aus der Zeit zwischen 1920 und 1936 erscheinen der Apfelpokal nach Dürer von etwa 1520 (HG 8399)[23], die nielllierte Ulmer Silberflasche von 1560 (HG 8402)[24] und die Milon-von-Kroton-Schale des Christoph Jamnitzer von 1616 (HG 8393), die – mit einer Leibrente erworben – erst lange Jahre nach dem Zweiten Weltkrieg ins Eigentum des Museums überging[25].

Unbegreiflich erscheint dem Keramikfreund heute, daß sowohl das Bayerische Nationalmuseum wie das Germanische Nationalmuseum um 1925/28 die Chance, die fast 7000 Stücke umfassende Fayencensammlung des Sammlers Dr. Paul Heiland aus Potsdam (1880–1933) um ein Geringes zu erwerben, ungenutzt vorübergehen lassen konnten. Nach dem Vorausgehenden wird aber klar, daß, wie Martin Krieger feststellt, die „damalige Leitung den Ankauf von Teilen der Heilandschen Sammlung schon deshalb ablehnte, weil sie andere Erwerbungen für bedeutsamer hielt"[26]. Daß große Teile der Heilandschen Sammlung später gerade diesen beiden Institutionen doch zufielen, dem Germanischen Nationalmuseum gegen 1000 Objekte als Leihgabe der Stadt Nürnberg, ein größerer Teil dem Bayerischen Nationalmuseum, entspricht zwar den einstigen Intentionen dieses großen Fayencensammlers und -kenners, wird ihnen aber schwerlich ganz gerecht.

Gleich in einem seiner ersten Jahresberichte wurde deutlich, daß Heinrich Kohlhaußen eine 394 straffere Ordnung vor allem auch der kunstgewerblichen und kunsthandwerklichen Sammlungen und eine übersichtlichere Anordnung anstrebte, wozu noch in seinem ersten Amtsjahr mit „35

[21] Fritz Traugott Schulz: Zuwachs der Sammlungen. In: Anzeiger GNM 1913, S. 29, Abb. 15–16. – Ausstellungskatalog Goldschmiedekunst des 18. Jahrhunderts in Augsburg und München. München 1952, Nr. 92, Abb. 38, 40, 41.
[22] Neuerwerbungen des Germanischen Museums 1921–1924. Nürnberg 1925, Taf. 110 oben.
[23] Neuerwerbungen des Germanischen Museums 1925–1929. Nürnberg 1929, Taf. 159. – Heinrich Kohlhaußen: Nürnberger Goldschmiedekunst des Mittelalters und der Dürerzeit 1240–1540. Berlin 1968, S. 366–371. – Ausstellungskatalog. 1471 Albrecht Dürer 1971. Nürnberg 1971, Nr. 671 m. Abb.
[24] Neuerwerbungen (Anm. 23), Taf. 158 links.
[25] Neuerwerbungen (Anm. 23), Taf. 161. – Klaus Pechstein: Eine unbekannte Entwurfskizze für eine Goldschmiedeplastik von Christoph Jamnitzer. In: Zeitschrift für Kunstgeschichte Bd. 31 (1968), S. 314–321 (321, Abb. 7).
[26] Martin Krieger: Paul Heiland zum Gedächtnis. In: Keramos H. 25 (1964), S. 3–24 (14).

394. Silber, Gläser und Majolika des Nürnberger Patriziats. Vitrine im Erdgeschoß des Galeriebaus. Aufstellung Heinrich Kohlhaußens, 1937 bis zum Zweiten Weltkrieg

neuangefertigten, ahorn-graugebeizten Schauschränken, Tischen und Wandkästen" der Galeriebau ein neues Aussehen erhielt[27].

In diesem Bemühen um die Neuordnung und die Neuerwerbungen für die kunst- und kulturgeschichtlichen Sammlungen wird die Leistung des sowohl in kunstgewerblicher Hinsicht wie auch im Hinblick auf die Aufgabenstellung des historischen Museums eminent geschulten Kohlhaußen deutlich. Er setzte Akzente, die noch heute merkbar an den Schausammlungen ablesbar sind: Handwerksgeräte der verschiedensten Art und Herkunft, Gläser, Backmodeln, Porzellane und Fayencen vor allem der noch nicht vertretenen Manufakturen wurden von ihm erworben, wobei er – im Gegensatz zu seinem Vorgänger – den Zuwachs für die einzelnen Abteilungen möglichst ausgleichend akzentuierte.

Im Jahr 1940, also bereits während des Zweiten Weltkrieges, der die Sicherstellung der Bestände notwendig machte, wurden dem Museum die reichen Sammlungen an kunsthandwerklichen und anderen Arbeiten aus den verschiedensten Gebieten als Vermächtnis Guido von Volckamers, München (1860–1940), zuerteilt[28].

Die Rettung der ihm anvertrauten Kunstwerke durch rechtzeitige Verbringung an verschiedene Bergungsorte, die den Bestand der Sammlungen des Germanischen Nationalmuseums in wesentlichen Teilen über das Kriegsende erhalten ließ, erscheint als ein weiteres bleibendes Verdienst Kohlhaußens um das Germanische Nationalmuseum. Sieht man vom Verlust der Elfenbeinsamm-

439

[27] Heinrich Kohlhaußen: vgl. Jahresbericht GNM 84 (für 1937), 1938, S. 5.
[28] Jahresbericht GNM 87 (für 1940), 1941, S. 71.

lung, also der Sammlung der gedrechselten Nürnberger Erzeugnisse, ab[29], die ein Opfer des Krieges wurden, so sind die kunstgewerblichen Sammlungen mit verhältnismäßig geringen Kriegsverlusten davongekommen: die Erhaltung der Sammlungen insgesamt bildete einen wichtigen Umstand für den rasch einsetzenden Wiederaufbau unter Kohlhaußens Nachfolgern.

Der Sicherung der Bestände und dem Beginn des Wiederaufbaus der Sammlungsräume in der ersten Nachkriegszeit folgte frühzeitig eine verstärkte Aktivität nach außen. Die damals noch aller Orten allgemein vorhandene Bereitschaft vieler Leihgeber, auch Werke allerhöchsten Ranges zur Verfügung zu stellen, war eine wichtige Voraussetzung für das Gelingen der großen Jubiläumsausstellung ‚Aufgang der Neuzeit' 1952[30], einer Ausstellung, wie sie in dieser Weise heute nicht mehr wiederhol- 102, 103 bar ist; eine andere war vor allem das Mitwirken des seit 1946 als Berater am Germanischen Nationalmuseum tätigen Edmund Wilhelm Braun, dessen umfassender Kenntnis der Renaissance- 395 periode die Konzeption der Ausstellung mitverdankt wurde.

Die zehn Jahre, in denen Braun bis 1957 am Museum wirkte, stellen sich als außerordentlich fruchtbar gerade für die kunsthandwerklichen Abteilungen des Museums dar, sei es, daß durch seinen Rat wichtige Erwerbungen, z. B. in der Keramiksammlung gemacht werden konnten, sei es durch die Erstellung des fünfbändigen handschriftlichen Keramikinventars (mit über 2500 Objekten), sowie durch die unentwegte wissenschaftliche Bearbeitung vieler Objekte der Sammlungen, worüber die umfängliche Bibliographie des Gelehrten Auskunft gibt[31].

Von den weiteren Ausstellungen in der Amtszeit Ludwig Grotes brachte „Barock in Nürnberg" auch Kunsthandwerk in größerem Umfange; dabei konnten auch viele Nachkriegsneuerwerbungen vorgestellt werden, wie z. B. die beiden schönen emaillierten Schraubflaschen von Georg Strauch von 1650 (HG 10841 a, b) oder der Deckelpokal von dem Nürnberger Goldschmied Melchior Königsmül- ler von 1636 (HG 10913)[32], die überhaupt neue Bereicherung in die Sammlungsbestände brachten. Von den zahlreichen keramischen Erwerbungen seien die Proskauer Fayencen (Ke 2607–2609, 2612) hervorgehoben, die für die „Heimatgedenkstätten" mit Hilfe der Bundesrepublik Deutschland angekauft wurden, das große Paar bezeichneter Künersberger Fayencevasen von 1745 (Ke 2669 a, b)[33], der kuriose bisher unveröffentlichte Riesenkrug aus Muskauer Steinzeug um 1660/80 (Ke 2665) und als Ergänzung zu einer schon vorhandenen Deckelterrine aus dem Jagdservice für den Kurfürsten Clemens August von Köln eine große ovale Platte aus Meißner Porzellan von Kändler aus der Zeit um 1743 (Ke 2688)[34].

Vor allem aber wurden in dieser Zeit für die damals eingerichteten „Heimatgedenkstätten"[35] im vgl. 106 Museum Goldschmiedearbeiten aus den verlorenen deutschen Gebieten als Leihgaben oder mit Hilfe der Bundesrepublik Deutschland angekauft, so der Wappenbecher derer von Troilo, Neiße um 1710 (HG 10810), ein barocker Danziger Deckelhumpen (HG 10888), ein sogenanntes Königsberger Hörnchen von 1718 (HG 10915), ein Trinkgefäß in Gestalt eines springenden Hirschen aus Leutschau in der Zips, 17. Jahrhundert (HG 11120). Einen Glanzpunkt der Sammlung bildet der um 1720 entstandene Dresdener Jagdpokal mit dem Monogramm des Kurprinzen Friedrich August von

[29] Franz Fuhse: Katalog der im Germanischen Museum befindlichen Kunstdrechslerarbeiten des 16.–18. Jahrhunderts aus Elfenbein und Holz. Nürnberg 1891 (mit über 106 Gegenständen, die zumeist zerstört sind).
[30] Ausstellungskatalog Aufgang der Neuzeit. Deutsche Kunst und Kultur von Dürers Tod bis zum dreißigjährigen Kriege 1530–1650. Bielefeld 1952.
[31] Vgl. Günther Schiedlausky: Bibliographie Edmund Wilhelm Braun. In: Keramos H. 8 (1960), S. 22–24.
[32] Ausstellungskatalog Barock in Nürnberg 1600–1750. (Anzeiger GNM 1962) Nürnberg 1962, Nr. I 17, Abb. 51; Nr. E 1.
[33] Tätigkeitsbericht GNM für 1961, S. 6, Abb. 8
[34] Ausstellungskatalog Meißener Porzellan 1710–1810, bearb. v. Rainer Rückert. Bayerisches Nationalmuseum München, München 1966, Nr. 460, Taf. 114.
[35] Zu den Heimatgedenkstätten vgl. S. 244–248, 298 und 943.

395. Prof. Dr. Edmund Wilhelm Braun mit dem sog. Merkelschen Tafelaufsatz von Wenzel Jamnitzer (1508–1585), Nürnberg vor 1549, der 1871, von 1875 bis 1880, im zweiten Halbjahr des Jahres 1951 und während der Ausstellung „Aufgang der Neuzeit" 1952 im Museum ausgestellt war. Aufnahme von 1951

Sachsen, erworben aus Mitteln des Fördererkreises (HG 11167)[36]. Erworben werden konnte auch das große Messingbecken mit sächsisch-dänischem Wappen, dessen überreicher gravierter Dekor von dem Nürnberger Goldschmied Hans Epischofer 1573 geschaffen wurde (HG 11114)[37].

Über die Erwerbungen des Museums und die baulichen Maßnahmen sowie die Ausstellungstätigkeit bzw. Beteiligung an fremden Ausstellungen geben seit 1963 die Tätigkeitsberichte des Generaldirektors Auskunft; die wichtigeren Zugänge werden seitdem ausführlicher im Erwerbungsbericht des Anzeigers des Germanischen Nationalmuseums gewürdigt.

[36] Anzeiger GNM 1962, S. 227, Abb. 8a, b.
[37] Klaus Pechstein: Hans Epischofer – der Monogrammist HSE. In: Anzeiger GNM 1970, S. 96–102 (96f., Abb. 4–5).

Im Jahre 1968 konnte in dem neuerrichteten Obergeschoß des Westkopfes Kunsthandwerk des 16. und 17. Jahrhunderts (Goldschmiedearbeiten, Zinn, Keramik, Gläser, Möbel, Textilien) aufgestellt werden, an das sich 1975 ein Trakt mit der reichhaltigen Sammlung deutschen, insbesondere sächsischen und fränkischen Steinzeugs des 16.–18. Jahrhunderts anfügte; diese Darbietung wird ab 1977 den Übergang zur Sammlung der Zunft- und Handwerksaltertümer inklusive der Apotheken mit den Apothekengefäßen bilden.

In den letzten anderthalb Jahrzehnten konnten erneut als Leihgaben der Bundesrepublik Deutschland in bemerkenswertem Umfange barocke Goldschmiedearbeiten aus den ehemals deutschen Gebieten erworben werden, so daß diese jetzt in repräsentativer Weise ihren Platz in einer langen Vitrine im neueingerichteten Ostbau einnehmen. Kurz vor der Eröffnung dieser Abteilung „Kunsthandwerk aus Barock und Rokoko" konnte Arno Schönberger im Juni 1976 eine Schenkung von 15 höchst bemerkenswerten Silberarbeiten von der Renaissance bis zum Empire von Frau Ella Conradty, Röthenbach a. d. Pegnitz, vorstellen, die die Goldschmiedekunst in den Sammlungen in idealer Weise abrundet und ergänzt.[38] Wenn im Jubiläumsjahr 1977 das 125jährige Bestehen des Germanischen Nationalmuseums begangen wird, so wird dies vor allem dokumentieren, daß der Wiederaufbau der Räumlichkeiten abgeschlossen ist, die Sammlungen aufgestellt und dem Publikum wieder zugänglich gemacht sind: als daran sich anschließende Aufgaben ergeben sich die Fortführung der Studienmagazine mit ihren umfangreichen Beständen an Fayencen, Gläsern, Goldschmiede- und Emailarbeiten, Zinn-, Kupfer-, Eisen- und Messinggegenständen, Kästchen, Modeln und Werkzeugen.

Die katalogmäßige Beschreibung und wissenschaftliche Bearbeitung sowie fotografische Dokumentation bedeutet bei den zahlreichen, in die Tausende gehenden Objekten eine umfangreiche Aufgabe für die Zukunft, zumal Kataloge für die erwähnten Bestände bisher noch nicht vorliegen. Wenn auch viele Objekte des Museums ihre wissenschaftliche Bestimmung oder auch populäre Publikation gefunden haben, so darf in diesem Zusammenhang an ein Wort Robert Schmidts erinnert werden, das dieser große Kunstgewerbekenner vor nunmehr vierzig Jahren niederschrieb, ohne daß es inzwischen seine Gültigkeit eingebüßt hätte: „Und es ist eben nicht so, wie heute vielfach die Meinung zu sein scheint, daß jetzt genug geforscht sei, daß wir genug wissen; daß jetzt die Hauptaufgabe des Museumsmannes in der Nutzbarmachung und Popularisierung der Museumswerte liege. Wer das meint, der zeigt, daß er von dem eigentlichen Sinn der wissenschaftlichen Forschung keine Ahnung hat. Die Forschung und die wissenschaftliche Arbeit kann nie an ein Ende kommen; alles was die vorigen Generationen von Museumsleuten und was wir geschaffen haben, sind nur Etappen. Die Forschung geht weiter und muß weitergehen!"[39].

Von den vordringlichen wissenschaftlichen Arbeiten, die sich im Zusammenhang mit den Sammlungsbeständen stellen, seien folgende erwähnt: In größerem Umfange sind die Goldschmiedearbeiten, soweit sie Nürnberger Herkunft sind, in dem großen Werk von Heinrich Kohlhaußen behandelt, das aber mit dem Jahr 1540 abschließt. Für die Folgezeit fehlt sowohl eine Zusammenfassung der Nürnberger Goldschmiedekunst bis ins 18. Jahrhundert sowie ein Katalog der deutschen Goldschmiedearbeiten des Barock im Germanischen Nationalmuseum, der mit den zumeist als Leihgaben der Bundesrepublik Deutschland erworbenen Stücken aus den ehemals deutschen Gebieten einen repräsentativen Überblick über das Schaffen der deutschen Goldschmiede im 17. und 18. Jahrhundert ermöglicht, wie es in dieser Weise von kaum einem anderen Museum des deutschen Sprachraums

---

[38] Die 15 Goldschmiedearbeiten der Schenkung Frau Ella Conradty 1976 sollen – außer im Neuerwerbungsbericht des Anzeigers GNM 1977 – auch in einem gesonderten Artikel vorgestellt werden.

[39] Robert Schmidt: Kunsthistoriker und Museen. Ein Vortragsmanuskript aus dem Jahre 1937. In: Museumskunde H. 2 (1971), S. 73–85 (84).

396. Nürnberger Fayencen des 17./18. Jahrhunderts, rechts in der Vitrine eine gedeckte Tafel. Aufstellung Ludwig Grotes im Obergeschoß des Theodor-Heuss-Baus, 1962 bis 1974

127 geleistet werden könnte. Die Werke der kirchlichen Goldschmiedekunst des Barock und Rokoko sind in der Ebracher Kapelle ausgestellt. Im selben Geschoß des neuen Ostbaues ist die profane Goldschmiedekunst mit nahezu 400 Werken in insgesamt vier großen Vitrinen dargeboten, wobei das letzte große Legat von Frau Ella Conradty, geschlossen gezeigt, die Sammlung in schöner Weise abrundet und ergänzt. Die große Wandvitrine mit den Erwerbungen vornehmlich aus der Amtszeit von Erich Steingräber und Arno Schönberger mit barocken Goldschmiedearbeiten aus dem deutschen Osten – Breslau, Stettin, Danzig, Thorn, Königsberg sowie Riga und Reval – zeigt, daß die Sammlungsbestände in einigen seiner Abteilungen den Intentionen und Ansprüchen eines Nationalmuseums sehr nahekommen.

Sehr viele Objekte der keramischen Sammlungen, insbesondere von den Fayencen, bilden seit jeher Handbuchrequisiten, zahlreiche Stücke sind in der wissenschaftlichen Literatur seit langem bekannt, manche auch in Arbeiten, deren Anliegen eher kulturhistorischer als fachspezieller Art sind. Auch die in ihrem Umfang nur bescheidene Sammlung von Porzellanen enthält viele Rarissima, z. B. frühe Meißener Porzellane, von denen eine Reihe auf der großen Münchener Ausstellung 1966 gezeigt wurde. Eine große Aufgabe stellt sich mit der Bearbeitung der Geschichte der Nürnberger Fayencemanufaktur, für die bisher nur Vorarbeiten vorliegen, wofür das Museum mit seinen vielen hundert Nürnberger Fayencen einen guten Ausgangspunkt bildet.

LEONIE VON WILCKENS
Möbel und Spielzeug

Fünfzig Jahre nach der Gründung des Museums, 1902, begann Hans Stegmann in den „Mitteilungen des Germanischen Nationalmuseums" eine erst 1910 abgeschlossene Folge von Aufsätzen über die Möbel der Sammlung und ihre Einordnung, wobei er auch die hölzernen Kästen und die bäuerlichen Möbel einbezog[1]. Einleitend stellte er fest, daß das Museum „von Anbeginn an, wohl ausschließlich aus den Sammlungen des Begründers und ersten Vorstandes, Hans Freiherr von Aufseß, eine kleine aber werthvolle Sammlung von Möbeln, vornehmlich aus dem 16. und 17. Jahrhundert" besitze. „Der Wichtigkeit des Gegenstandes entsprechend hat die Sammlung unter Geheimrat A. v. Essenwein eine ununterbrochene, systematische Vermehrung gefunden, die neben den oberdeutschen Typen auch niederdeutsche, besonders rheinische und die so seltenen mittelalterlichen Möbel betraf"[2]. Die Möbelabteilung habe „von jeher sowohl seitens der wissenschaftlichen, mit der Geschichte der deutschen Vorzeit in Kultur und Kunst sich beschäftigenden Kreise, als auch dem weiten Kreise der Besucher aus dem ganzen deutschen Volke besondere Teilnahme erregt. Der Saal der mittelalterlichen Möbel, die beiden großen Hallen, welche die Möbel der Renaissance enthalten, die eingerichteten älteren Zimmer und die Reihe von bäuerlichen Zimmern, ganz abgesehen von den zahlreichen provisorisch aus Mangel geeigneter Räumlichkeiten im Museum verstreut untergebrachten Möbeln, bilden nicht nur durch ihre äußere schöne Erscheinung, durch die oft große Pracht ihrer Ausstattung eine Augenweide und Glanzpunkte in der Erscheinung des Museums, sondern sie sind auch eine der deutlichst und verständlichst zu Allen redenden Lehren über die Kultur unserer Altvordern . . . Sie bilden im System des Museums . . . keine eigene Abteilung, sondern sind derjenigen der Hausgeräte . . . eingereiht"[3].

   Es dürfte Aufseß und seine Zeit kennzeichnen, daß sämtliche aus seiner Sammlung stammenden „spätgothischen" Möbel als romantische Fälschungen oder zumindest Verfälschungen anzusehen sind. Zu ihnen gehört der in allen Ausgaben des Wegweisers hochgelobte, angeblich aus Augsburg kommende, intarsierte, – zwar erst – 1545 datierte Schrank (HG 4)[4], der 1945 verbrannte; seine Abbildung erweckt erhebliche Zweifel an seiner Originalität. Diese gelten auch für den Tisch mit Solnhofer Platte (HG 22), in die die „Weiberlisten" eingeätzt sind[5], und für den sogenannten Sterzinger Schrank (HG 2)[6]. Anders steht es bei ein oder zwei Nürnberger Renaissanceschränken aus der Aufseß-Zeit (HG 11, 14) und dann bei der 1861 als Geschenk des Freiherrn von Schaumberg in Kleinziegenfeld aufgenommenen prächtigen Brauttruhe der Cordula von Aufseß von 1583 (HG 58)[7], auch wenn Sockel und Deckplatte ergänzt sind.

   1867 wurde von Franz Bock ein großer „rheinischer Schrank" angekauft, dessen Schauseiten sich aus Feldern mit stark divergierenden Schnitzfiguren, die im einzelnen möglicherweise alt gewesen

399

41

400–403,

445–447

6

6, 388

399

---

[1] Hans Stegmann: Die Holzmöbel des Germanischen Museums. In: Mitteilungen GNM 1902, S. 62–70, 98–113, 142–158; 1903, S. 65–91, 105–130; 1904, S. 45–70, 101–120; 1905, S. 18–38, 63–75; 1907, S. 102–123; 1909, S. 25–58; 1910, S. 36–88 (wird besonders dann zitiert, wenn keine spätere Literatur vorhanden ist).

[2] Stegmann (Anm. 1), 1902, S. 63.

[3] Stegmann (Anm. 1), 1902, S. 62.

[4] Stegmann (Anm. 1), 1905, S. 70/71, Abb. 116.

[5] Anzeiger GNM 1855, Sp. 281 – Heinrich Kreisel: Die Kunst des deutschen Möbels. Bd. 1. München 1968, Abb. 135.

[6] Otto von Falke: Deutsche Möbel des Mittelalters und der Renaissance (Bauformen-Bibliothek, Bd. 20). Stuttgart 1924, Taf. 108.

[7] Gunther Thiem: Mitteldeutsche Intarsia. In: Jahrbuch der Coburger Landesstiftung 1959, S. 13–44 (23/24, Abb. 14) – Kreisel (Anm. 5), Abb. 233.

397. Titelblatt der Publikation Anton Lochner, Germanische Möbel. Eine Sammlung kunstgewerblicher Vorbilder aus dem Mittelalter ... 1897. Das Werk, das eine Anzahl von Möbeln aus dem Germanischen Nationalmuseum nach Federzeichnungen abbildet, wendet sich vor allem an die Kunsthandwerker, namentlich an die Schreiner, die Holzbildhauer, und möchte, der Zeittendenz entsprechend, nicht nur direkte Vorlagen für die Gestaltung des Hausrates bieten, sondern die Hersteller zu eigenem Schaffen anregen

sind, zusammensetzte (HG 3)[8]. Er wurde deshalb 1921 ebenso abgegeben wie die sogenannte Fürersche Bettstatt, die um 1863 in trümmerhaftem, übermaltem Zustand in das Museum gelangt war und nach mühsamer Restaurierung sowie weitgehender Ergänzung unter Essenwein seit 1869 ausgestellt wurde (HG 1)[9]. Bis 1918 hat man sich nicht gescheut, neben originalen oder doch angeblich

398, 399

[8] Stegmann (Anm. 1), 1905, S. 72–74, Taf. IV.
[9] August von Essenwein: Eine gothische Bettstatt im germanischen Museum. In: Anzeiger GNM 1871, Sp. 297–301 – Stegmann (Anm. 1), 1902, S. 101–103, Abb. 1.

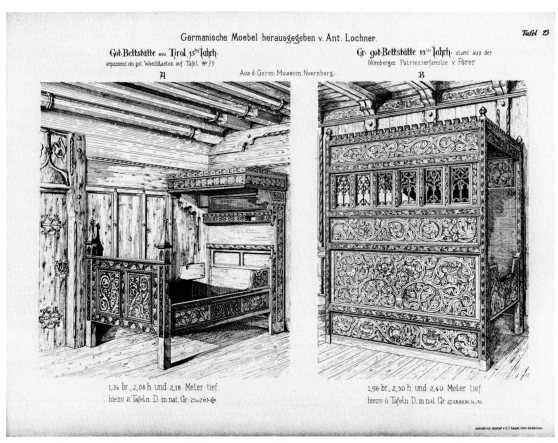

Germanische Moebel herausgegeben v. Ant. Lochner.

Got-Bettstätte aus Tirol 13ter Jahrh.
anpassend ein got. WaschKasten auf Tafel № 79

A

Aus d·Germ·Museum Nuernberg.

Gr· got·Bettstätte 13ter Jahrh· stamt aus der
Nürnberger Patrizierfamilie v. Fürer

B

1,34 br., 2,08 h. und 2,18 Meter tief.
hiezu 2 Tafeln D. in nat Gr. 25 u 26 &

1,96 br., 2,50 h. und 2,40 Meter tief.
hiezu 6 Tafeln D. in nat. Gr. 27,28,29,30,31,32

398. Zwei gotische Bettstätten nach Zeichnungen in dem von Anton Lochner herausgegebenen Werke Germanische Möbel von 1897. Die linke Bettstatt wurde 1881 von einem Wiener Sammler erworben und ist erheblich ergänzt. Die rechte Bettstatt, die nach einem Wappen aus dem Besitz der Nürnberger Patrizierfamilie Fürer stammen soll, fand Essenwein bei seinem Amtsantritt in einer Anzahl Trümmern vor und ließ sie – nach seiner Vorstellung in absoluter Richtigkeit und Genauigkeit – restaurieren

originalen Möbeln tatsächliche Kopien, wie die des berühmten Katzwanger Drehstuhles um 1500 (HG 33), auszustellen; sein (angebliches?) Original, das eines Tages Lutherstuhl genannt wurde, war über Regensburg bis 1902 nach London gelangt, scheint aber seitdem verschollen zu sein[10].

„Die vorletzten Jahrzehnte des 19. Jahrhunderts machten aus der Wiedererweckung der deutschen Renaissance in der Architektur und besonders in der Wohnungseinrichtung sozusagen eine nationale Angelegenheit. In diese Jahrzehnte fällt der Hauptzuwachs unserer Sammlungen. Bei dem Eifer, den Museen und Privatsammler in der Aufspürung aller nur einigermaßen guten Renaissancemöbel an den Tag legten, ist es kein Wunder, daß die Zeit von 1520 bis 1650 am besten im Museum vertreten ist. Freilich mußte dieser Eifer sich damit abfinden, manches stark – und mitunter nicht glücklich – restaurierte Stück mit in den Kauf zu nehmen"[11]. In der konsequenten Folge dieser hier von Stegmann

[10] Germanische Möbel. Eine Sammlung kunstgewerblicher Vorbilder aus dem Mittelalter von 1450 bis 1800 meist aus den Museen Nürnbergs. Hrsg. von Anton Lochner. Stuttgart o. J. (1897), Taf. 34.
[11] Stegmann (Anm. 1), 1902, S. 63.

399. Der Saal mit dem Mobiliar und den Hausgeräten des Mittelalters im früheren Gewebesaal; Blick nach Süden auf den Südflügel des Großen Kreuzgangs. Rechts an der Wand ein Vitrinenschrank mit dem nach der Auffassung des späten 19. Jahrhunderts namhaften Bestand an mittelalterlicher Keramik, die Fürerschen Bettstatt (vgl. Abb. 398) nebst einer 1885 erworbenen Truhenbank, um 1500, links an der Säule ein stark erneuerter Stollenschrank, der wegen seiner polygonalen Form Erkerschrank genannt wurde; weiter im Hintergrund der 1867 von Franz Bock erworbene, 1921 abgegebene im Aufbau neue figurenreiche „rheinische Schrank" sowie vor der Säule eine Tür aus Siegen, 14. Jahrhundert, erworben 1891. Photographie von 1896

dargelegten Begeisterung für die deutsche Renaissance und das, was man dafür hielt, erschienen in den neunziger Jahren zwei Tafelwerke, die vor allem Möbel aus dem Germanischen Nationalmuseum als „kunstgewerbliche Vorbilder" vorstellten. Während 1896 Adalbert Roeper und Hans Bösch Photos in Lichtdrucken boten[12], brachte ein Jahr später Anton Lochner exakte Werkzeichnungen mit zahlreichen Details[13]. Fast scheint es bezeichnend, daß bei seiner Auswahl das Übergewicht bei den nicht einwandfreien Stücken liegt, die offenbar durch ihre Ergänzungen bzw. durch die dekorative Zusammenstellung von nicht zusammengehörenden alten Teilen, die durchaus nicht alle von Möbeln stammten, zu einem neuen Ganzen die Augen der Zeit anzogen. Von neunzehn, mit Hilfe der Stegmannschen Veröffentlichungen identifizierbaren Stücken bei Lochner sind sieben 1921 ausge-

397, 398

[12] Adalbert Roeper und Hans Bösch: Möbel aller Stilarten vom Ausgang des Mittelalters bis zum Ende des 18. Jahrhunderts. 1. Aufl. München o. J. (1896); 2. Aufl. Leipzig (o. J.)
[13] Vgl. Anm. 10.

779

400. Kölnisches Zimmer. Gemäß dem Konzept zur Erweiterung der Sammlungen, das Essenwein 1884 vorlegte, entstand ein Zimmer, das die Wohnkultur des Niederrheins veranschaulichen sollte, mit einer in Köln erworbenen Decke, einer neuen Tür, die angeblich vom Hause der Faßbinderinnung in Köln stammen sollte, den in den letzten Jahrzehnten des vorigen Jahrhunderts besonders geschätzten rheinisch-westfälischen Stollenschränken, sowie einem vom Bildhauer Richard Moest (1841–1906) in Köln stark restaurierten Bett. Photographie um 1896

schieden worden, darunter die bereits erwähnte Fürersche Bettstatt, außerdem vier rheinische bzw. westfälische Stollenschränke, von denen die meisten in den achtziger Jahren von dem Kölner Bildhauer, Restaurator und Händler Richard Moest[14] erworben waren, und zwei Tische; vier weitere Möbel sind so verdächtig, daß sie nicht mehr ausgestellt werden können[15], eines ist erst im 19. Jahrhundert zu einem Überbauschrank umgearbeitet worden (HG 1927)[16]; bei dreien der sieben restlichen sind gleichfalls größere – zwar nicht verfälschende – Ergänzungen vorhanden. Aber Roeper und Bösch haben teilweise die gleichen zwielichtigen Möbel reproduziert[17]; immerhin haben sie – ein

[14] Richard Moest, Horb a. N. 1841–1906 Köln.
[15] Bank HG 1754: Roeper und Bösch (Anm. 12), Taf. 7 – Stegmann (Anm. 1), 1903, S. 67–70, Abb. 17–19. – Bett HG 3424: 1881 von E. Miller von Aichholz, Wien, erworben; auf der Karteikarte heißt es: „Vermutlich handelt es sich nicht um ein stark ergänztes altes Bett, sondern um ein aus modernen und heterogenen alten Teilen zusammengesetztes Möbel"; Roeper und Bösch, Taf. 5 – Stegmann, 1902, S. 104/05, Abb. 2. – Spätgotischer Schrank HG 2 vgl. Anm. 6. – Vor 1872 erworbene kleine Truhe mit Flachschnitzerei HG 60: Stegmann, 1904, S. 52, Abb. 62.
[16] Stegmann (Anm. 1), 1909, S. 40/41, Abb. 11.
[17] z. B. Bank HG 1754, Schrank HG 2, Bett HG 3424.

401. Ausschnitt aus dem Saal am Wasserhof mit Mobiliar und Hausgeräten der Renaissance und des Barock in der Einrichtung um 1895–1900. Als Hauptstück stand in der Mitte des Raumes das seit 1872 zunächst als Leihgabe im Museum befindliche Prunkbett des Paulus Scheurl von 1596, seitlich mit der Sammlung des Fürsten Sulkowski erworbene Prunkkabinette, Augsburg Mitte 17. Jahrhundert, von denen das rechte 1921 abgegeben wurde. Zustand um 1896

einziges Mal – bei dem im Jahre des Erscheinens ihrer Publikation von Magnus Voß in Husum angekauften, später sehr beliebten „Abendmahlsschrank" mit der Jahreszahl 1641 (HG 1928)[18] vermerkt: „Aus Teilen von Möbeln des 17. Jahrhunderts zusammengesetzt." Elf Jahre später sah Stegmann[19] nur noch, daß allein die Vorderfront alt und der Schrankkasten ergänzt war. Zu Beginn unseres Jahrhunderts sind von diesem Möbel zahlreiche Kopien angefertigt worden, die u. a. in der Antikenabteilung des Berliner Kaufhauses Wertheim vertrieben worden zu sein scheinen. Sogar von längst aus dem Museum ausgeschiedenen Möbeln tauchen ab und an noch Kopien auf.

Auch eine Reihe wirklich hervorragender Möbel ist unter Essenwein in das Museum gekommen: 1871 der Flötnerschrank von 1541, ehemals im Besitz der Nürnberger Patrizier Holzschuher (HG 1702)[20], 1872 von dem Händler Pickert in Nürnberg der doch wahrscheinlich Tiroler spätgotische Prachtschrank (HG 1526), der sich nach seiner Freilegung und Restaurierung 1972/73 wieder mit der schönen Maserung seines Zirbelholzes und in leuchtenden Farben präsentiert[21]. Im gleichen Jahr

[18] Peter W. Meister und Hermann Jedding: Das schöne Möbel im Lauf der Jahrhunderte. Heidelberg 1958, Abb. 203.
[19] Stegmann (Anm. 1), 1909, S. 25/26, Abb. 2.
[20] Falke (Anm. 6), Taf. 145 – Kreisel (Anm. 5), Abb. 147.
[21] Georg Himmelheber: Zweigeschossige Schränke der Spätgotik in Oberdeutschland. In: Münchner Jahrbuch der

erhielt das Museum zunächst als Leihgabe die kostbare Scheurlsche Bettstatt von 1596 (HG 1525)[22], 401
zehn Jahre später konnte der hohe Betrag für ihren Ankauf bei der Industrie gesammelt werden.
Pickert lieferte 1873 auch die beiden spätgotischen Kastentische mit Schnitzerei HG 1936 und 2024[23].
Am 14. 9. 1880 bot Levin Freiherr von Elverfeldt auf Schloß Canstein bei Brilon eine aus einem
westfälischen Kloster stammende Eichentruhe mit Eisenbandbeschlag (HG 3438) als Geschenk an[24].
1884 wurde eine weitere westfälische Truhe des 16. Jahrhunderts mit vielen geschnitzten Wappen von
einem Händler in Wetter angekauft (HG 3585)[25]. Die Leipziger Auktion der Sammlung Eugen Felix
brachte 1886 das reich intarsierte Augsburger Kabinett des Lienhart Stromair, um 1560–70 (HG
3957)[26]. Zusammen mit der Waffensammlung des Fürsten Sulkowski gelangte 1889 das Augsburger
Prunkkabinett (Mitte 17. Jahrhundert) aus Ebenholz, mit Alabastersäulchen und Einlagen aus
Lapislazuli sowie Ruinenmarmor (HG 4882)[27] in die Sammlungen; sein offenbar fast übereinstim-
mendes Pendant wurde 1921 an den Nürnberger Kunsthandel abgegeben (HG 4881). 401

Aus Ulm stammen sowohl der 1894 erworbene Tisch, dessen runde Platte in Elfenbeinintarsien
u. a. die Wappen der Familien Schleicher und Rehlinger zeigt, um 1611 (HG 5406)[28], als auch der
geschnitzte Armlehnstuhl mit dem Ulmer Wappen auf der gestickten Polsterung (HG 6468)[29], der
1899 von A. S. Drey in München angekauft wurde. Von 1895 bis 1919 befand sich als Leihgabe der
„Rhau'schen Relikten" ein großes Ebenholzkabinett mit Elfenbeinintarsien des späteren 17. Jahrhunderts (HG 5485) in den Sammlungen; darüber und über seinen Verbleib ist sonst nichts bekannt.

Erst in den neunziger Jahren des vorigen Jahrhunderts wurden die anfänglichen Bestimmungen der
Satzungen außer Kraft gesetzt „in der Hauptsache nur Denkmäler zu erwerben, die vor dem Jahre
1650 entstanden sind"[30]. Doch bereits 1882 hatte man aus der Kölner Nachlaßversteigerung des
Nürnberger Kunsthändlers Pickert den blaumarmorierten süddeutschen Aufsatzschrank mit Chinoi-
serien, um 1720, (HG 3808)[31], angekauft, wohl eher wegen seines auffälligen Äußeren als bereits aus
tatsächlichem Interesse am 18. Jahrhundert. Andererseits hebt sich der 1894 erworbene und wohl aus
Regensburg stammende, 1745 datierte Schrank mit den intarsierten Figuren der vier Jahreszeiten (HG
8165)[32] mit den Formen seines Korpus auf den ersten Blick wenig von denen eines Schrankes des 17.
Jahrhunderts ab. Mit der Wende des 19. Jahrhunderts folgt dann aber in der Reihe der Erwerbungen
ein Möbel des 18. Jahrhunderts dem anderen. Deutlich wird der Wandel des Geschmacks und der
Anschauung der Zeit, als der Jugendstil die zeitgenössische Möbelkunst bestimmte und sich daneben
ein Drittes Rokoko entfaltete. 1896 kam aus dem Wormser Kunsthandel die süddeutsche Aufsatz-
kommode des mittleren 18. Jahrhunderts mit Zinnintarsien (HG 9037)[33], 1900 folgte, angeblich

bildenden Kunst 3. Folge Bd. 18 (1967), S. 97–110 (101, Abb. 4) – Kreisel (Anm. 5), Abb. 101. – Nach der Restaurierung
Farbabb. in: Tätigkeitsbericht GNM 1973, Abb. 1.

[22] Adolf Feulner: Kunstgeschichte des Möbels seit dem Altertum. 3. Aufl. Berlin 1930, S. 290, Abb. 294 – Kreisel (Anm. 5),
Abb. 264.

[23] Stegmann (Anm. 1), 1910, S. 61/62, Abb. 18/19 – Otto Pelka: Deutsche Hausmöbel bis zum Anfang des 19. Jahrhunderts. 2. Aufl. (Voigtländers Quellenbücher, Bd. 8). Leipzig 1917 (1. Aufl. 1912), Abb. 28/29.

[24] Brief in Altregistratur GNM, Faszikel 80. Stegmann (Anm. 1), 1904, S. 50 (ohne Abb.).

[25] Falke (Anm. 6), Taf. 235.

[26] Lise Lotte Möller: Der Wrangelschrank und die verwandten süddeutschen Intarsienmöbel des 16. Jahrhunderts. Berlin
1956, S. 17, 79, 92, 100, 158 Nr. 5, Abb. 68–70.

[27] Kreisel (Anm. 5), Abb. 372.

[28] Stegmann (Anm. 1), 1910, S. 63–66, Abb. 22/23 – Kreisel (Anm. 5), Abb. 274.

[29] Kreisel (Anm. 5), Abb. 641.

[30] Stegmann (Anm. 1), 1902, S. 63.

[31] Catalog der Kunst-Sammlungen des Kgl. Bayer. Hofantiquars Herrn A. Pickert in Nürnberg. 2. Abtheilung. Versteigerung J. M. Heberle. Köln 15. 5. 1882, Kat. Nr. 2075 mit Abb. – Heinrich Kreisel: Die Kunst des deutschen Möbels. Bd. 2.
München 1970, S. 323/24, Farbtaf. XVI.

[32] Stegmann (Anm. 1), 1909, S. 30, Abb. 5 – Kreisel (Anm. 31), Abb. 350.

[33] Kreisel (Anm. 31), Abb. 325 (während Kreisel eine Augsburger Arbeit um 1750 vermutet, wird die Kommode im
Museum als mitteldeutsch betrachtet; vgl. auch Hermann Schmitz: Deutsche Möbel des Barock und Rokoko (Bauformen-Bibliothek, Bd. 18). Stuttgart 1923, Taf. 239).

402. Kleines Gobelinzimmer aus dem Erdgeschoß des für den Aachener Tuchfabrikanten und Bürgermeister Johann von Wespien (1687–1759) 1734 bis 1742 von Johann Joseph Couven (1701–1763) erbauten Hauses. Das 1902 erworbene Zimmer erhielt beim Einbau im alten Archivgebäude an der Kartäusergasse einen schon 1894 erworbenen Parkettfußboden aus Fürth. Zustand vor der Zerstörung des Bodens, der Decke und des Kamins im Zweiten Weltkrieg

ursprünglich im oberbayerischen Kloster Indersdorf aufgestellt, die hohe süddeutsche Kommode in Boulle-Arbeit (HG 6466)[34], 1901 aus dem Würzburger Kunsthandel ein fränkisches Kommodenpaar (HG 6619/20)[35] und aus dem Münchner Kunsthandel der breite, strenge Sekretär aus dem ehemaligen Besitz der Grafen Törring, Anfang 18. Jahrhundert, (HG 9036)[36]. 1908 wurde aus dem Münchner Kunsthandel der große Sekretär erworben, von dem es hieß, er wäre in Schloß Schleißheim beheimatet (HG 9018)[37]; wegen des Monogramms auf der Tür des Aufsatzes wurde er mit dem bayerischen Kurfürsten Max Emanuel in Verbindung gebracht. Nachdem vor einigen Jahren bereits Ludwig Baron Döry mündlich Zweifel an der Münchner Provenienz des kostbar intarsierten Möbels geäußert hatte und auf die enge Formenverwandtschaft mit dem von Ferdinand Plitzner geschaffenen Schreibschrank in Schloß Pommersfelden[38] verwies, bestätigte kürzlich Georg Himmelheber im Gespräch die entstandenen Zweifel[39]. Eine reich intarsierte Kommode, um 1720, die Heinrich Kreisel 1963 F.

[34] H. Schmitz (Anm. 33), Taf. 238 – Kreisel (Anm. 31), Abb. 368.
[35] Kreisel (Anm. 31), Abb. 1129 (zwar als bayerische Arbeit angegeben).
[36] Stegmann (Anm. 1), 1909, S. 52/53, Abb. 19 – Pelka (Anm. 23), Abb. 77.
[37] Schmitz (Anm. 33), Taf. 154 – Feulner (Anm. 22), S. 368, Abb. 352.
[38] Heinrich Kreisel: Das Schloß zu Pommersfelden. München 1953, Abb. 51.
[39] Im Anzeiger GNM 1862, Sp. 261/62 fand Rainer Kahsnitz den Abdruck einer Nachricht aus dem „Münchner Landboten", der sich auf unser Möbel zu beziehen scheint: „In dem Atelier des Meublerestaurators Resch in München war

403. Kabinett mit klassizistischer Tapete und Möbeln aus der Empire- und Biedermeierzeit. In dem vor 1905 eingerichteten Kabinett spiegelt sich sowohl die zeitgenössische Wertschätzung der Ausstattungen der ersten Jahrzehnte des 19. Jahrhunderts wie auch das Bestreben von Gustav von Bezold, die zeitlichen Grenzen der Sammelaufgaben des Museums zu erweitern

Plitzner zugeschrieben hat, ist seit 1910 im Museum (HG 7357)[40]. Mehrere dieser Möbel, über die Stegmann 1909 referierte und die damals ausgestellt waren, wurden erst 1935 in das Inventar aufgenommen, so daß sie höhere Nummern tragen als einige nach ihnen erworbene Stücke; z. B. der norddeutsche, 1911 in Mecklenburg (wohin er aber erst 1852 gelangt war) angekaufte Schreibschrank mit Intarsien in verschiedenen Hölzern, Bein und Perlmutt, um 1760, (HG 7627)[41] oder der 1917 bei Rosenbaum in Frankfurt/M. erworbene große Mainzer Schreibschrank, um 1765, (HG 8013)[42]. Ein mit dichtem goldenen Rankenwerk auf rotem Grund Lackmalerei imitierender, 1726 datierter Schreibschrank, vielleicht in Sachsen angefertigt, mußte 1935 leider sogar mit unbekannter Prove-

während einiger Tage ein Meisterstück der Renaissancezeit zu sehen. Es ist dieses ein Schrank und Schreibtisch etwa 6 Schuh hoch (ca. 209, tatsächlich 205 cm), mit den reichsten Verzierungen und Arabesken von Schildpatt, Elfenbein, vergoldetem und versilbertem Metall und edlen Hölzern nach allen Seiten hin ausgelegt. Ein Schildchen trägt die verschlungene Namenschiffre des Kurfürsten Max Emanuel. Dieser Schrank, dessen Herstellung ein volles Jahr in Anspruch nahm, wurde von einem spekulativen Ausländer, dem Vernehmen nach in der Gegend von Nürnberg, aufgekauft." Obgleich der letzte Satz nicht ganz eindeutig ist, dürfte er doch besagen, daß das Möbel in der Gegend von Nürnberg aufgefunden wurde, was ein weiterer Hinweis auf seine fränkische Provenienz wäre.

[40] Heinrich Kreisel: Eine Kommode von Ferdinand Plitzner im Germanischen Nationalmuseum. In: Anzeiger GNM 1963, S. 154–159.
[41] Schmitz (Anm. 33), Taf. 216 – Feulner (Anm. 22), Abb. 621.
[42] Unveröffentlicht. Vgl. Kreisel (Anm. 31), Abb. 1029–1031.

nienz „aus alten Beständen" inventarisiert werden (HG 9017)[43]. Erst seit 1935 kamen auch Stühle und Sessel, Konsoltische und Spiegel des 18. Jahrhunderts in die Sammlungen. Den Auftakt bildeten der geschnitzte, Johann Michael Hoppenhaupt in Berlin zugeschriebene Spiegelrahmen (HG 8998)[44] und ein flacher Schreibtisch in Weiß-Gold von Joseph Effner (HG 9004)[45].

In der Zeit, als Heinrich Kohlhaußen 1. Direktor des Museums war, wurde die Möbelsammlung durch wesentliche Neuerwerbungen ebenso bereichert wie in den dreißig Jahren seit Kriegsende: 1938 Konsoltisch von Effner mit reicher, goldgefaßter Schnitzerei, um 1730, (HG 9255)[46]; 1939 Rollschreibtisch des David Röntgen, von H. W. Lange, Berlin, (HG 9336)[47]; 1939 Kabinettschrank für Ulrich Egkher von Kapfing und Lichtenegg, München (?) um 1670, (HG 9343)[48]; 1941 Wiener Schreibschrank, um 1720, (HG 9473)[49]; 1946 Aufsatzsekretär mit den intarsierten Wappen der Nürnberger Patrizier Fürer von Haimendorf, um 1725, (HG 10030)[50]; 1954 großer Nürnberger Schrank mit Schnitzerei, nach Aussage des Allianzwappens auf dem ziselierten Schloß wohl 1644 für die Hochzeit des Carl Erasmus Tetzel und der Anna Felicitas Haller geschaffen (HG 10437)[51]; 1955 Danziger geschnitzter Eichenschrank, um 1700, (HG 10694)[52]; 1962 Schreibsekretär von Abraham und David Röntgen, um 1765–70, (HG 11257)[53]; 1963 mit Elfenbein intarsierter Breslauer Schrank, um 1750, (HG 11271)[54]; 1964 dreigeschossiger süddeutscher (Nürnberger?) Schrank, um 1700, (HG 11353)[55]; 1974 mit Bernstein inkrustierter Kabinettschrank, Königsberg, Anfang 18. Jahrhundert, (HG 11769)[56].

Im ersten und zweiten Jahrzehnt unseres Jahrhunderts waren zwar schon zwei vornehme Schreibschränke aus dem ersten Viertel des 19. Jahrhunderts (HG 7629 und 7910) durch Kauf bzw. Geschenk in die Sammlungen gekommen. Doch ist eigentlich erst nach 1950 begonnen worden, Möbel des 19. und des früheren 20. Jahrhunderts zu erwerben. Den Anfang machten 1952 der große Schreibtisch und der Mappenschrank, die Henry van de Velde 1896 entworfen und zwischen 1896 und 1900 in vier Varianten hat ausführen lassen (HG 10254/55)[57]. 1970 folgte der für die Londoner Weltausstellung von 1851 bestimmte Damenschreibtisch der Gebrüder Barth in Würzburg (HG 11685)[58]. Zu erwähnen sind auch die beiden Schreibtische der Brüder Grimm, die sich als Dokumente schon lange im Museum befinden, aber erst vor einigen Jahren in die Möbelsammlung eingereiht wurden (HG 11316–18), das 1969 erworbene Mobiliar eines Herrenzimmers, das nach Entwurf von Richard Riemerschmid 1904–06 in den Dresdner Werkstätten für Handwerkskunst angefertigt worden ist

[43] Stegmann (Anm. 1), 1909, S. 52 – Kreisel (Anm. 31), Abb. 58.
[44] Sigrid Müller-Christensen: Alte Möbel vom Mittelalter bis zum Biedermeier. 1. Aufl. München 1948, Abb. 164.
[45] Meister und Jedding (Anm. 18), Abb. 354 – Müller-Christensen (Anm. 44), Abb. 149.
[46] Müller-Christensen (Anm. 44), Abb. 148.
[47] Meister und Jedding (Anm. 18), Abb. 466.
[48] Feulner (Anm. 22), S. 390, Abb. 364 – Erich Hubala: Die Kunst des 17. Jahrhunderts (Propyläen-Kunstgeschichte, Bd. 9). Berlin 1970, S. 338, Taf. 406.
[49] Jahresbericht GNM 88 (für 1941/42), 1942, S. 60–62 (ohne Abb.).
[50] Jahresbericht GNM 92 (für 1946/47), 1947, S. 49, Abb. 12.
[51] Schmitz (Anm. 33), Taf. 3 – Hermann Schmitz: Das Möbelwerk. Die Möbelformen vom Altertum bis zur Mitte des 19. Jahrhunderts. 2. Aufl. Berlin 1929, Taf. 194 – Kreisel (Anm. 5), Abb. 391.
[52] Nicht veröffentlicht. Ein offenbar noch 1909 von Stegmann (Anm. 1), S. 33/34 erwähnter, jedenfalls bei Roeper und Bösch (Anm. 12), Abb. 32 reproduzierter Danziger Schrank um 1700 läßt sich nicht mehr nachweisen, auch nicht als gestrichen im Inventar.
[53] Neuerwerbungen 1962. In: Anzeiger GNM 1963, S. 225, Abb. 5 (mit älterer Literatur) – Hans Huth: Abraham und David Röntgen und ihre Neuwieder Möbelwerkstatt. München 1974, S. 70. Abb. 36–37.
[54] Neuerwerbungen 1963. In: Anzeiger GNM 1964, S. 168, Abb. 12.
[55] Neuerwerbungen 1964. In: Anzeiger GNM 1965, S. 196, Abb. 19.
[56] Neuerwerbungen 1974. In: Anzeiger GNM 1975, S. 156, Farbabb. 9.
[57] Heinrich Kreisel: Die Kunst des deutschen Möbels. Bd. 3: Georg Himmelheber: Klassizismus/Historismus/Jugendstil. München 1973, S. 240, Abb. 1005, 1009.
[58] Neuerwerbungen 1970/71. In: Anzeiger GNM 1971/72, S. 186–188, Abb. 24/25 – Ludwig Baron Döry: Die Möbelwerkstatt Barth in Würzburg bis 1851. In: Anzeiger GNM 1974, S. 124–143 (132–134, Abb. 5/6).

(HG 11656)[59], Stahlrohrmöbel aus der Produktion des Bauhauses (HG 11653–55)[60] und schließlich ein von Ernst Ludwig Kirchner um 1923 geschnitzter Spiegelrahmen (HG 11616)[61].

Leider sind 1945 bei Kriegsende einige Möbel, vor allem Schränke des 16. Jahrhunderts, am Auslagerungsort verbrannt, darunter der Nürnberger Giebelschrank, Mitte 16. Jahrhundert, (HG 13)[62], der altertümlich wirkende Tiroler Giebelschrank (HG 6981)[63] oder der zweigeschossige, 1582 datierte Nürnberger Schrank mit sechs Musen in Einlegearbeit (HG 8148)[64].

Fast alle wichtigen Möbel aus dem Besitz des Museums sind häufig in der Fachliteratur (Hermann Schmitz[65], Otto von Falke[66], Robert Schmidt[67], Adolf Feulner[68], Sigrid Müller-Christensen[69], Peter W. Meister und Hermann Jedding[70], Heinrich Kreisel[71]) aufgeführt und abgebildet worden.

Die Abteilung mit den Puppenhäusern, dem Spielzeug und den Spielen ist dem Sammlungsauftrag des Germanischen Nationalmuseums entsprechend primär kulturgeschichtlich geprägt. Zu den großen Puppenhäusern und den Puppenstuben, die vor allem das häusliche Leben im 17. Jahrhundert, aber auch im 19. Jahrhundert vor Augen führen, zu den Puppen und zu sonstigem tatsächlichen Kinderspielzeug treten zahlreiche Spiele für Erwachsene, wobei die ältesten Schachfiguren bereits aus dem frühen Mittelalter stammen. Gleichfalls erwähnt werden müssen die mehr als fünfzig auf Papier gedruckten Spiele und Spielfelder vom 17. bis zum 19. Jahrhundert im Kupferstichkabinett, das auch weitere Guckkastenbilder aufbewahrt.

In seinem Bericht von 1870 nennt August von Essenwein[72] ca. 160 Stück „Spielapparate und Spielzeuge". Damit umschreibt er die zu dieser Zeit vorhandene Sammlung von frühen Spielbrettern – u. a. für das Gänsespiel aus dem 17. Jahrhundert (HG 1412) –, von Schachbrettern und Schachfiguren sowie von geprägten Brettsteinen, wahrscheinlich auch die spätmittelalterlichen Fragmente von Puppen und Reitern aus weißem Pfeifenton, die 1859 bei Erdarbeiten in der Nürnberger Altstadt gefunden worden waren[73].

1872 wurden aus dem Nürnberger Kunsthandel zwei Puppenhäuser angekauft, nämlich das in der Anlage bereits auf die Zeit um 1600 zurückgehende, mit großem, von einer vergoldeten Balustrade umgebenem Hof (HG 1952) und das schrankartige, nur aus großer Stube und Küche übereinander bestehende (HG 1953). 1879 übergaben die Freiherrn von Stromer das 1639 datierte, in seiner Ausstattung einheitlichste Nürnberger Puppenhaus (HG 4063) dem Museum als Leihgabe; es war 1862 im Erbgang in die Familie gekommen, nachdem es 1825 Freifrau von Haller geb. Schenk von Dippen aus dem Nachlaß des Karl von Wölckern angekauft hatte[74]; das Museum konnte 1939 auch dieses Puppenhaus käuflich erwerben. Ebenfalls noch in den siebziger Jahren gelangte das dritte

404

[59] Neuerwerbungen 1969. In: Anzeiger GNM 1970, S. 176/77.
[60] Neuerwerbungen 1969. In: Anzeiger GNM 1970, S. 177.
[61] Neuerwerbungen 1968. In: Anzeiger GNM 1969, S. 242/243, Abb. 35.
[62] Aus Sammlung Aufseß. Falke (Anm. 6), Taf. 150.
[63] Erworben 1907 in München. Falke (Anm. 6), Taf. 25 – Müller-Christensen (Anm. 44), Abb. 9.
[64] Erworben 1921, zunächst (bis 1927) als Leihgabe. Falke (Anm. 6), Taf. 168 – Emil Lang: Fränkische Möbel um 1600. Dissertation Erlangen 1939 (1940), S. 66 Nr. 16.
[65] Vgl. Anm. 33, 51.
[66] Vgl. Anm. 6.
[67] Robert Schmidt: Möbel (Bibliothek für Kunst- und Antiquitätensammler, Bd. 5). 9. Aufl. Braunschweig 1965.
[68] Vgl. Anm. 22.
[69] Vgl. Anm. 44.
[70] Vgl. Anm. 18.
[71] Vgl. Anm. 5, 31, 57.
[72] Essenwein: Bericht 1870, S. 17; vgl. in diesem Band S. 1014.
[73] Anzeiger GNM 1859, Sp. 210/211.
[74] Hans Bösch: Die Puppenhäuser im germanischen Museum. In: Anzeiger GNM 1879, Sp. 229–238. Vergleiche auch Leonie von Wilckens: Tageslauf im Puppenhaus. Bürgerliches Leben vor dreihundert Jahren. München 1956.

404. Nürnberger Puppenhaus, datiert 1639. Das Puppenhaus wurde 1879 von den Freiherrn von Stromer, Nürnberg, dem Museum als Leihgabe übergeben

405. Papiersoldaten, Dresden (?), frühes 19. Jahrhundert

mehrstöckige Puppenhaus (HG 4481), das ehemals der Familie Kress von Kressenstein gehört hatte, in die Sammlungen. Einstweilen wurden die Puppenhäuser zusammen mit den Möbeln des 16. und 17. Jahrhunderts ausgestellt, und zwar neben der Scheurlschen Bettstatt, repräsentieren sie ja in Miniaturausführung nicht nur die für das 17. Jahrhundert in Nürnberg üblichen Möbel, sondern die ganze feste und bewegliche Ausstattung eines Bürgerhauses in allen seinen Teilen und geben im kleinen als richtige Häuser Einblick in Umfang und Vielfalt eines Haushaltes mit allem notwendigen Zubehör. Deshalb kommt den Puppenhäusern im Germanischen Nationalmuseum, das in seiner Abteilung des Hausgerätes neben kunsthandwerklich bedeutsamen Objekten ebenso die einfachen Dinge des täglichen Gebrauches sammelt, hervorragende Bedeutung zu.

1881 bereicherte ein größerer Posten verschiedenster Sachen die Spielzeugsammlung als Geschenk von Friedrich Distler, Nürnberg. Nachdem Gustav von Bezold die Leitung des Museums übernommen hatte, faßte man die Einrichtung eines eigenen Raumes für die stetig an Umfang und Beliebtheit wachsende Sammlung des Spielzeugs ins Auge und erbat dafür Stiftungen. Zu diesen gehören die vielen, von M. V. Barbeck, Nürnberg, geschenkten Spiele des 19. Jahrhunderts (HG 5610–46). Damals übergab die Familie Bäumler das vierte große Puppenhaus des 17. Jahrhunderts als Leihgabe (HG 7831); seine verfälschende graue Übermalung des 19. Jahrhunderts wurde 1969 abgenommen und die leuchtend dunkelrote, von weißen Ranken durchzogene Originalbemalung freigelegt, die nun wieder Außen und Innen zusammenschließt. Im Frühjahr 1898 konnte der neue Spielzeugraum im Obergeschoß des Kleinen Kreuzganges eröffnet werden. 1924 zog das Spielzeug in das Obergeschoß des Rolandshofes und blieb bis 1939 dort in der unmittelbaren Nähe der Kostümsammlung.

788

406. Spielzeugabteilung. Vitrinenausschnitt der Neuaufstellung 1968 mit Puppen und Figuren von um 1800 bis 1860 sowie einem Nürnberger Speiseschrank, 18. Jahrhundert

Puppen scheinen recht spät aufgenommen worden zu sein. 1904 wurde eine Puppe des 18. Jahrhunderts geschenkt[75]; da der ältere Bestand 1932 erst nachträglich inventarisiert worden ist, läßt sich nicht mehr feststellen, welche dies sein mag. Eine 1887 von Karl Söldner gestiftete Puppe[76], angeblich ein „Familienerbstück von 1760 aus der früheren Reichsstadt Weißenburg", wurde noch in die Abteilung „Tracht und Schmuck" eingeordnet (T 572); die Puppe muß im zweiten Viertel des 19. Jahrhunderts ganz neu ausgestattet worden sein. Frau Marianne Schneider verkaufte 1916 dreizehn Puppen aus ihrer Leipziger Sammlung und veröffentlichte sie im Anzeiger des Germanischen Nationalmuseums[77]. Seitdem ist Stück für Stück eine reichhaltige Kollektion von Spielpuppen bis in das frühe 20. Jahrhundert hinein zusammengekommen.

Wohl angeregt durch den schönen Bestand an alten Zinnfiguren, dessen Anfänge sich wenigstens bis 1875 zurückverfolgen lassen, nahm sich Theodor Hampe deren Geschichte an und schrieb 1924 ein noch heute grundlegendes Werk über die einzelnen Hersteller, ihre Erzeugnisse, deren Vorbilder und Verbindungen untereinander[78]. Eine Reihe der von ihm abgebildeten Figuren aus dem Besitz des Museums, die 1924 also vorhanden gewesen sind, konnte ebenfalls erst vor zwanzig Jahren nachträg-

---

[75] Zugangsregister-Nr. 23324.
[76] Karte des Karl Söldner vom 9. 3. 1887 in: Altregistratur GNM Faszikel 82.
[77] Marianne Schneider: Über die neuerworbene Puppensammlung. In: Anzeiger GNM 1916, S. 59–63.
[78] Theodor Hampe: Der Zinnsoldat. Ein deutsches Spielzeug. Berlin 1924.

lich in das Inventar aufgenommen werden. Mit Hilfe von Ankäufen und Geschenken ist die Zinnfigurensammlung nach und nach ausgebaut worden; gerade ihr Schwergewicht liegt ganz im kulturgeschichtlichen Bereich. Zuletzt wurde sie 1964 mit dem Ankauf einer umfänglichen Sammlung von meist Nürnberger Zinnfiguren des 19. und frühen 20. Jahrhunderts komplettiert[79].

Auch bei manchen anderen Dingen – z. B. dem großen, für zwei Kinder bestimmten Schaukelpferd aus zwei ineinander verschlungenen Schlangenleibern oder dem bemalten Glückshafen des 18. Jahrhunderts – weiß man nicht, wann und von wo sie in das Museum gelangt sind. Das Gleiche gilt für die einzigartigen gekniffenen Papiersoldaten des frühen 19. Jahrhunderts, die ein sächsisches (Dresdner?) Erzeugnis sein dürften[80]. Für vieles andere stellvertretend genannt zu werden verdienen die verschiedenen Fahrzeuge, von der Kutsche des 18. bis zum Blechauto des späten 19. und frühen 20. Jahrhunderts, die vielerlei Tiere, die wippenden Zirkusreiter (HG 9458), der erzgebirgische Wochenmarkt (HG 9023).

Als ein Anziehungspunkt des Museums sind nach 1945 die großen Puppenhäuser bald wieder gezeigt worden; viele der Spielsachen wurden in mehreren weihnachtlichen Sonderausstellungen vorgeführt. Nachdem die Puppenhäuser, die Puppen und alle sonstigen auszustellenden Dinge gründlich gereinigt und restauriert waren, sind sie seit 1968 nun ständig in drei eigenen Räumen über dem Refektorium am Kleinen Kreuzgang zugänglich. Dort sind auch so wichtige Neuerwerbungen der jüngsten Zeit zu sehen wie das Püppchen aus bunt glasierter Hafnerkeramik vom Ende des 15. Jahrhunderts (Ke 2845)[81], die holzgeschnitzte Puppe aus Thüringen, um 1530, (Pl 2993)[82] und die dreißig emaillierten Brettsteine des Christian Wermuth aus dem frühen 18. Jahrhundert (HG 11 127)[83].

448

405

133

[79] Neuerwerbungen 1964. In: Anzeiger GNM 1965, S. 199, Abb. 21.
[80] Deutsche Kunst und Kultur im Germanischen National-Museum. Nürnberg 1952, Abb. S. 199.
[81] Neuerwerbungen 1967. In: Anzeiger GNM 1968, S. 169, Abb. 9.
[82] Neuerwerbungen 1966. In: Anzeiger GNM 1967, S. 194, Abb. 9.
[83] Erworben 1961. Tätigkeitsbericht GNM 1961, S. 6.

LEONIE VON WILCKENS
Textilien und Kostüme

Gewebe, Zeugdrucke und Stickereien

Die „Sammlung der Webereien und Stickereien" gehört zu den ursprünglichen Museumsabteilungen und wurde von Anfang an gefördert, wenn sich auch die Beweggründe dieses speziellen Interesses erheblich wandelten. Die ersten Stücke kamen aus dem Besitz des Freiherrn von Aufseß. Bereits 1855 hieß es im „Anzeiger für Kunde der deutschen Vorzeit"[1]: „Daß eine solche Sammlung es werth ist, gepflegt zu werden, wird niemand zweifelhaft sein, der die mannigfachen Seiten kennt, in welcher sie dem Studium des Mittelalters Nutzen zu bringen vermag". Damals besaß man neben einer „nicht ganz unbedeutenden Sammlung von Originalen" eine belehrende von „Abbildungen alter Teppiche und Stoffe", die bis in die Essenweinsche Zeit weiter ausgebaut wurde, und wollte, um sich „schöne Exemplare in hinreichendem Maße zu beschaffen, die von Herrn Glinski in Berlin erfundene Kunst der täuschenden Nachahmung zu Hülfe nehmen"[2]. Als Faktum, das sich auf glückliche Weise in das Programm des Museumsgründers einfügte, überwiegt bei den Textilien „im Gegensatz gegen den sonstigen Geist des Mittelalters die weltliche Richtung... Indem nun in diese Wollengewebe, welche selbst ganze Wände als Tapeten zu bedecken hatten, die mannigfaltigsten Bilder zumeist aus den Höhen des socialen Lebens, ganze Romane, Hochzeiten und Festzüge, allegorische Darstellungen mit außerordentlichem Figurenreichthum u. s. w. hineingewebt sind, bieten sie insbesondere für die Geschichte des Costüms und der Sitten gar viel des Interessanten... Es ist daher begreiflich, wenn das germanische Museum für den Anfang vorzugsweise auf Ergänzung der Sammlung in dieser Beziehung bedacht gewesen ist, soweit seine Kräfte es gestatteten, ohne deshalb Stoffe mit religiösen Darstellungen zu vernachlässigen"[3].

Zum ältesten Bestand an Bildteppichen gehören das Fragment mit stehenden Heiligen des mittleren 14. Jahrhunderts (Gew 670), die zwei Nürnberger Teppiche mit dem Jüngsten Gericht (Gew 671) und einem Liebesgarten (Gew 672) aus der Mitte des 15. Jahrhunderts, die beiden oberrheinischen Teppichfragmente mit den fünf letzten Szenen aus dem „Busant", um 1490, (Gew 673) sowie mit vier Szenen aus der Geschichte von der Königin von Frankreich und dem ungetreuen Marschalk, 1492, (Gew 678), schließlich der große Brüsseler Teppich des frühen 16. Jahrhunderts mit einer musizierenden Gesellschaft im Freien (Gew 813). 1857 gelang es Aufseß, von dem Nürnberger Kunsthändler Pickert den elsässischen sog. Ritterspielteppich, um 1385, (Gew 668) offenbar gegen die Konkurrenz des Bayerischen Nationalmuseums in München und der Berliner Museen zu erwerben. Bereits zuvor war das „unschätzbare" Stück dem Kulturhistoriker und späteren Direktor des Bayerischen Nationalmuseums Jakob Heinrich von Hefner-Alteneck auf längere Zeit zum Abzeichnen nach München übersandt worden, für geplante, aber nicht realisierte Abbildungen in Neuauflagen seiner „Trachten des christlichen Mittelalters" und „Kunstwerke und Geräthschaften des Mittelalters"[4].

[1] Die Sammlung von Webereien und Stickereien im germanischen Museum. In: Anzeiger GNM 1855, Sp. 315–318.
[2] Ebenda. Vgl. auch Sp. 157.
[3] Wie Anm. 1.
[4] Jakob Heinrich von Hefner-Alteneck: Trachten des christlichen Mittelalters. 3 Bde. Frankfurt/M. 1840–54 – Derselbe: Kunstwerke und Geräthschaften des Mittelalters und der Renaissance. 3 Bde. Frankfurt/M. 1847–55. – Derselbe: Trachten, Kunstwerke und Geräthschaften vom frühen Mittelalter bis Ende des 18. Jahrhunderts. 10 Bde. Frankfurt/M. 1879–93.

1859 schien sich eine einmalige großartige Gelegenheit zu eröffnen, nämlich den Halberstädter Domschatz – mit seiner Fülle auch an mittelalterlichen bedeutenden Textilien – als Leihgabe zu erhalten. Der Halberstädter Domherr H. W. Spiegel von Desenberg wandte sich mit einer entsprechenden Anfrage an Aufseß, da nach dem Tode des Oberdompredigers Augustin niemand dem Schatz Sorge angedeihen lasse und dieser in einem ungeschützten und unsicheren Raume verkomme. Aber es stellte sich heraus, daß solch eine dem Germanischen Museum höchst willkommene Leihgabe der Genehmigung der zuständigen Regierung in Magdeburg bedurfte: Am 23. April 1860 lehnte der Oberpräsident der Provinz Sachsen ab[5].

Ende 1861 entbrannte eine heftige Auseinandersetzung zwischen dem Freiherrn von Aufseß und von Hefner-Alteneck um die große rotseidene Fahne mit dem Schmerzensmann zwischen den Hll. Sebaldus und Petrus, deren Entwurf Albrecht Dürer zugeschrieben wurde (KG 31). Sie scheint zu der Imhoffschen Sammlung gehört zu haben und später in die Hallersche gekommen zu sein. Bereits vor deren Auktion wurde sie von von Hefner-Alteneck erworben, der sie dem Germanischen Museum für 300 fl. anbot. Da Aufseß kein Geld hatte, versuchte er es von den Nürnberger Kirchen zu bekommen; dies mißlang jedoch, da sich die Fahne nicht in den alten Inventaren der Sebalduskirche nachweisen ließ. Von Hefner-Alteneck mußte warten, was er dazu nutzte, den Preis auf 400 fl. zu erhöhen. Aufseß willigte ein, auch so viel zu zahlen, wenn er nur erst das Geld zusammen hätte. Als wiederum einige Tage vergingen, fühlte sich Hefner von Alteneck nicht mehr an die vereinbarte Verschwiegenheit gebunden, benachrichtigte die Presse, zeigte die Fahne verschiedenen Kennern und war nicht einmal bereit, sie gleich nach Nürnberg zu schicken, nachdem das Geld bei ihm eingetroffen war[6]. Dieses so ausführlich geschilderte Gerangel vermag trefflich den ständigen Kampf von Aufseß um finanzielle Quellen in einer durchaus auf Konkurrenzfehde eingestellten Umwelt zu beleuchten.

1852, im Jahr der Gründung des Museums, veranstaltete der rheinische Kanonikus Franz Bock in Krefeld eine „mittelalterliche Kunstausstellung für Paramentik und Goldschmiedekunst" und stellte dazu in einem ausführlichen „Commentar" fest: „Wenn man nun auf profanem Gebiet in öffentlichen Ausstellungen das Mittel gefunden hat, die Übermacht der Industrie, der Fabrikation und des Maschinenwesens noch mehr zu heben, warum soll die christliche Kunst nicht dasselbe schuldlose Mittel ergreifen, um auf gleichem Felde mit gleichen Waffen der materiellen Richtung unserer Tage entgegenzutreten, um den Gebildeten, mehr aber noch dem Volke die Schöpfungen einer großen Vergangenheit wieder verständlich und genießbar zu machen, um endlich der Neuschaffung Gelegenheit zu bieten, durch Abzeichnung und getreue Nachahmung der vorhandenen Originale wieder Kunstwerke hervorzubringen, die nicht den Stempel unserer platten und flachen Zeit an sich tragen, sondern die das Auge erfrischen und zugleich das Herz erwärmen können"[7]. Bocks Verhältnis zum Mittelalter, an das er als an das große Vorbild wieder anzuknüpfen strebte, war ein anderes als das von Aufseß. Sein Enthusiasmus verleitete ihn in einer Zeit, in der noch kaum jemand ein Auge und Verständnis für die alten textilen Schätze und Dokumente besaß, dazu, auf seinen Reisen in den fünfziger Jahren zu allen bedeutenden Kirchenschätzen vor allem Deutschlands heimlich zahlreiche Stücke von Geweben und Stickereien herauszuschneiden oder sie sich schenken zu lassen, sogar vollständige Paramente an sich zu nehmen. Einen Teil der auf diese Weise zusammengetragenen Sammlung verkaufte er 1860–1864 an das 1852 als South Kensington eröffnete heutige Victoria and Albert Museum in London. Zugleich ging eine zweite Kollektion an das seit 1864 in Wien bestehende Österreichische Museum für Kunst und Industrie. Bock verkaufte aber auch Textilien an das 1867

---

[5] Altregistratur GNM ,Faszikel 7, Nr. 8. – Zum Halberstädter Domschatz vgl. auch S. 711–712.
[6] Altregistratur GNM, Faszikel 7, Nr. 8 – Anzeiger GNM 1862, Sp. 46–48.
[7] Franz Bock: Commentar zu der mittelalterlichen Kunstausstellung zu Crefeld, worin niedergelegt ist die Geschichte der Paramentik. Krefeld 1852, S. 11.

407. Kirchenfahne der Dürerzeit. Die auf der Rückseite des roten Seidenstoffs wiederholte Malerei wurde im 19. Jahrhundert Albrecht Dürer zugeschrieben. Die Fahne war seit den sechziger Jahren in der Sakristei der Kartäuserkirche ausgestellt und wurde später zusammen mit Paramenten am Westende der Kirche gezeigt. Reproduktion anläßlich der Erwerbung aus dem Nachlaß von Sigmund Christoph Joachim Freiherr Haller von Hallerstein 1862 im Anzeiger des Museums

gegründete Deutsche Gewerbemuseum in Berlin, das sich seit 1879 Kunstgewerbemuseum nannte, und schließlich 1867/68 an das Germanische Nationalmuseum eine „Sammlung von 74 Stoffmustern"[8]. Da er die Stoffe, um sie besser verwerten zu können, vielfach zerschnitten hatte, finden sich zu den Nürnberger Proben entsprechende Parallelstücke in London und in Wien. So konnte August von Essenwein 1869 schreiben: „Die Bock'sche Sammlung hat vorzugsweise schon Bekanntes gebracht, das theils durch dessen eigene Publikationen[9], theils durch Fischbach[10] aus der Sammlung

[8] Briefe von Bock an das Germanische Museum vom 1. und 14. 11. 1867. In: Altregistratur GNM, Faszikel 8, Nr. 10.
[9] Franz Bock: Geschichte der liturgischen Gewänder des Mittelalters oder Entstehung und Entwicklung der kirchlichen Ornamente und Paramente in Rücksicht auf Stoff, Gewebe, Farbe, Zeichnung, Schnitt. 3 Bde. Bonn 1859–71. –

des k. k. Museums in Wien . . . veröffentlicht wurde"[11]. Zu der aus Chur stammenden Seide mit einem Löwenbändiger (Gew 346) bemerkte er, daß sie „nun wol in allen Sammlungen vertreten sein wird, die aus der Bock'schen entstanden sind und noch entstehen werden"[12]. Vor dem Verkauf nach Nürnberg hatte Bock von zwei weißen Leinenhandtüchern mit blauen Musterstreifen, darunter dem um 1460–1470 von dem Augsburger Weber Hans Velman geschaffenen[13] (Gew 634/35), bei dem Fabrikanten Wallraven in Waldniel (westlich von Mönchengladbach) Kopien herstellen lassen[14]. Um dem Germanischen Museum bei dem geforderten Preis von 750 Thalern zuzüglich fünf Prozent Zinsen entgegenzukommen, bot Bock am 30. November 1867 die kostenlose Zufügung von vierzig Geweben des 16. bis 18. Jahrhunderts an; tatsächlich konnte der Restbetrag erst am 28. Juni 1869 gezahlt werden[15].

Seit seinem Amtsantritt als Erster Direktor war August von Essenwein um den Ausbau der Textilsammlung bemüht. Er erkannte in der Weberei die Vereinigung von Zeichnung und Farbe, „um ein ausdrucksvolles, den Charakter jeder Zeit treu widerspiegelndes Muster zu bilden; Feinheit und Eleganz der Zeichnung, wie Harmonie der Farben erfreuen das Auge in gleichem Maße"[16]. Er opponierte dagegen, daß bei Aufseß „für die Gewebe kein anderer Platz, an dem sie in das System eingereiht werden können, als die Gewerbstechnik" existiert habe; „für die große künstlerische Gedankenfülle . . . ist kein Raum, ja sie mußten nach dem System selbst in verschiedene Abtheilungen getrennt werden, wo sie nach ihrer Verwendung in Haus und Kirche eingereiht wurden. Die Stickerei ist davon geschieden und in innige Berührung mit Email, Glasmalerei etc. gebracht, denen sie jedenfalls ferner liegt als den Geweben"[17].

Wohl mußte Anfang 1868 für den Erwerb der Bockschen Sammlung in ganz Deutschland Geld gesammelt werden, doch schickte Essenwein noch im November 1867 Johann Rudolf August von Eye nach Gießen, der von dort am 22. mitteilte, daß die zwar nicht große Sammlung von Professor Hugo Joseph Maria von Ritgen an Gehalt der Bockschen durchaus ebenbürtig, für das Museum gewiß und wahrscheinlich um billigen Preis zu haben wäre[18]. Essenwein steckte sogar seine Fühler bis nach Spanien aus, doch nur mit geringem Erfolg[19]. Immerhin konnte er sich 1869 rühmen, einen „vollkommenen Überblick über den gesamten Entwicklungsgang der Weberei, vom frühen Mittelalter bis zum Schluß des 18. Jahrhunderts" geben zu können, es also auch nicht mehr mit dem einst von Aufseß als Sammlungsziel gesetzten Ende des Mittelalters bewenden zu lassen.

Im August 1868 wurde die nunmehr reich vermehrte Textilsammlung „in einem neuen, eigens dafür gebauten Raum" auf der Südseite der an die Kartäuserkirche anschließenden Kapelle aufgestellt. In dem Commissionsbericht des Verwaltungsratsmitgliedes Ernst Förster Sen. vom 1. Oktober

207, 208, vgl. 399

Derselbe: Die Musterzeichner des Mittelalters. Anleitende Studienblätter für Gewerb- und Gewebeschulen nach alten Originalstoffen eigner Sammlung. Leipzig 1859–61.

[10] Friedrich Fischbach erwähnt im Vorwort von: Ornamente der Gewebe. Hanau 1874, daß er nach 1866/67 in drei Lieferungen Gewebe der aus Bockschem Besitz stammenden Wiener Sammlung publiziert habe; es ist jedoch nicht gelungen, diese Lieferungen zu bibliographieren.

[11] August von Essenwein: Die Sammlung von Geweben im germanischen Museum. In: Anzeiger GNM 1869, Sp. 1–8 (1/2).

[12] Ebenda.

[13] Erich Meyer-Heisig: Ein Augsburger Prunkhandtuch aus der Mitte des 15. Jahrhunderts. In: Tiroler Heimatblätter 31 (1956), S. 47–50.

[14] Brief von Bock an das Germanische Museum vom 1. 11. 1869. In: Altregistratur GNM, Faszikel 8, Nr. 11.

[15] Laut Rechnungslegung des Germanischen Nationalmuseums.

[16] Essenwein: Bericht 1870, S. 15; vgl. in diesem Band, S. 1011.

[17] Ebenda, S. 4. – Vgl. Bernward Deneke: Notizen zum Thema Kunst und Gewerbe 1820 bis 1870. In: Anzeiger GNM 1975, S. 115–127 (123, 127 mit Anm. 64/65).

[18] Hugo Joseph Maria von Ritgen (1817–1899), Professor für Kunstgeschichte in Gießen, hat die Wartburg wiederaufgebaut. Der Brief von Johann Rudolf August von Eye in: Altregistratur GNM, Faszikel 8, Nr. 10.

[19] Geschenk dreier spanischer Seiden des 17. und 18. Jahrhunderts von A. Kleefeld, Madrid; Zugangsregister-Nr. 5661; Brief vom 22. 6. 68 in: Altregistratur GNM, Faszikel 8, Nr. 10.

1868[20] heißt es: „Der an die kleine Capelle stoßende Raum enthält eine der kostbarsten Abtheilungen des Museums: in überaus werthvollen Exemplaren und Fragmenten die Entwicklungsgeschichte der Weberei! Die Anordnung muß als besonders zweckmäßig bezeichnet werden. Wohl ist es nicht möglich den ganzen Vorrath auszubreiten; aber ein großer Theil ist in Glaskästen ausgelegt, u. zwar auf einer Unterlage aus weißem Papier, wodurch die Technik deutlich sichtbar wird. Sehr instructiv sind auch die den Originalen in einzelnen Fällen beigegebenen von H. Prof. Ortwein[21] sehr sorgfältig angefertigten Abbildungen, wodurch auf jene aufklärendes Licht fällt. Im selben Raum sind auch kostbare Weißstickereien . . . und große Teppiche . . . aufgehängt und ausgebreitet". 1869 erschien eine Würdigung der Sammlung im „Anzeiger"[22] und als zweiter Katalog der Abtheilungen der kunst- und kulturhistorischen Sammlungen im selben Jahr der der Gewebe und Stickereien mit insgesamt 552 Nummern[23]. Man rühmte sich, die bedeutendste Textilsammlung ihrer Art zu besitzen. Auf jeden Fall ist dieser Katalog der erste einer textilen Sammlung; 1870 folgte von Reverend Daniel Rock der für die Textilien des South Kensington Museums[24].

Nicht mehr in den Katalog aufgenommen werden konnte das Fragment des sog. Gereonsteppichs aus dem 11. Jahrhundert, den Franz Bock 1857 in St. Gereon in Köln gefunden hatte und der dann zum Zweck des mehrfachen Verkaufes zerschnitten wurde. Das Nürnberger Stück war im Herbst 1869 ein Geschenk des Kölner Malers Schüller[25]. Auf der Kunsthistorischen Ausstellung von 1876 in Köln zeigte der dortige Domkapitular Alexander Schnütgen als Nr. 361 die 773 textilen Objekte seiner privaten Sammlung, darunter als Nr. 20 einen weiteren Teil des Gereonsteppichs[26]. In den folgenden Jahren verkaufte Schnütgen; auch bei ihm wanderten zusammengehörende Stücke in verschiedene Sammlungen[27], vor allem nach Berlin, nach Hamburg und nach Nürnberg.

427 Nachdem 1868 der große flandrische Teppich mit dem sog. Meerwunder (Gew 814) von dem Münchner Händler J. C. Spengel, 1870 die Holzschuhersche Gregorsmesse von 1495 (Gew 679) zunächst als Leihgabe und 1875 von A. S. Drey in München ein Elsässer Wildleuteteppich des frühen 15. Jahrhunderts (Gew 669) in das Museum gekommen waren, hat sich der Besitz an hervorragenden Wandteppichen des 14. bis frühen 16. Jahrhunderts fast fünfzig Jahre lang nicht mehr verändert. Auf der Jubiläumsausstellung des Kunstgewerbevereins waren 1876 in München fast sämtliche dem Museum gehörende, nämlich zwölf Teppiche zu sehen. Zur Ergänzung dieses mittelalterlichen Bestandes übergab 1869 der bayerische König als Leihgaben aus dem Inventar der königlichen Civilliste vierzehn Gobelins des 16. bis 18. Jahrhunderts[28], die alle jedoch wieder nach München zurückgekehrt sind.

Dank seiner guten Kölner Beziehungen bemühte sich Essenwein 1873 beim Kirchenvorstand von St. Ursula um die Überlassung der dortigen frühen Seidengewebe: Da sie für die Kirche nicht von Interesse, doch für ein Museum durchaus solches besäßen, aber in kein ausländisches gelangen sollten; auch zu entsprechender Zahlung wäre er bereit. Der Kirchenvorstand lehnte binnen zweier Monate ab und teilte mit, daß die beiden besten Gewebe zwischen Glasplatten in der Goldenen Kammer

[20] Altregistratur GNM, Faszikel 734.
[21] August Ortwein, 1836–1900.
[22] Vgl. Anm. 11.
[23] Katalog der im germanischen Museum befindlichen Gewebe und Stickereien, Nadelarbeiten und Spitzen aus älterer Zeit. Nürnberg 1869.
[24] Daniel Rock: Textile Fabrics. A Descriptive Catalogue of the Collection of Church-Vestments . . . Needlework and Tapestries forming that Section of the Museum. South Kensington Museum. London 1870.
[25] Zugangsregister-Nr. 5921. – August von Essenwein: Über einen Wollteppich in der Sammlung der Gewebe im Germanischen Museum. In: Anzeiger GNM 1870, Sp. 33–35.
[26] Kunsthistorische Ausstellung zu Cöln. Köln 1876.
[27] Katalog der Kunst- und Industrieausstellung alter und neuer Meister sowie der deutschen Kunstschulen im Glaspalast zu München. München 1876.
[28] Zugangsregister-Nr. 5892 (29. 9. 1869).

ausgestellt würden; ob man von den anderen etwas abgeben könne, ließe sich überlegen[29]. 1870 hatte Ernst aus'm Werth einen „Teppichrest aus dem Dome zu Naumburg" geschenkt, ein Wollgewebe in Köperbindung mit Doppeladlern bzw. Löwen und Hirschen in Sechseckfeldern in Gelb auf blaugrünem Grunde (Gew 812 d)[30].

Mit Schreiben vom 30. Dezember 1874 gab der Küster der Danziger Marienkirche Hinz Kenntnis von seiner Absicht, „verschiedene Zeugstücke, werthvolle alte Muster enthaltend, welche ich trotzdem gesammelt und aufgehoben habe, zu veräußern, wenn dieselben nach ihrem archäologischen Werth gut bezahlt werden. Diese Zeugstücke, fast durchgehend in der Musterung vollständig, sind Besatzstücke von Alben, Kreuze der Dorsaltheile von Meßgewändern und noch gut erhaltene Reste von Gewändern, von mir aus ganz verrotteten Kaseln etc. gerettet. Vollständige Gewänder sollen nicht zerstückelt werden. Direktor Dr. Lessing aus Berlin war bereits da". Am 11. November 1875 teilte Hinz mit, daß die von ihm gesammelten Stoffreste durch Julius Lessing für Berlin und durch Jakob Krauth für dessen eigene Sammlung angekauft wären. Tatsächlich hat Lessing dem Germanischen Nationalmuseum am 26. Juli 1875 64 Dubletten von Danziger Seiden angeboten; diese wurden auch sämtlich erworben[31]. Ein solcher Dublettenverkauf war damals üblich; z. B. hatte das Nürnberger Museum 1863 eine umfangreiche Spitzensammlung angekauft, wobei ein Dublettenverkauf im „Anzeiger" 1863 angekündigt wurde[32].

In den siebziger und achtziger Jahren kaufte das Museum meistenteils bei den gleichen Händlern und Sammlern, bei denen die deutschen Kunstgewerbemuseen für ihre Textilsammlungen Kunde waren. Zu diesen gehörten, neben dem schon genannten Alexander Schnütgen in Köln, der Prälat Friedrich Schneider in Mainz, der ehemalige Bildhauer Jakob Krauth in Mannheim, seit 1883 in Frankfurt/Main[33], das Ehepaar J. C. und Julie Spengel in München. Das Germanische Museum erhielt teilweise Sonderpreise zugestanden, während von Julius Lessing vom Berliner Kunstgewerbemuseum höhere verlangt wurden[34].

Die internationale Bedeutung und das Ansehen der Nürnberger Textilsammlung in dieser Zeit kann ein Zitat aus dem Jahre 1877 des französischen kenntnisreichen Sammlers M. Dupont-Auberville[35] dokumentieren: „De plus, Nuremberg possède un des plus remarquables musées de l'Europe, dont, assurément, le directeur est l'un des hommes les mieux doués pour rendre utile à tous l'établissement auquel il se consacre. Pour notre compte nous n'oublierons jamais la visite que nous lui avons faite, et l'empressement avec lequel il fit passer dans nos mains les échantillons de tissus anciens, plus nombreux dans sa collection que partout ailleurs. Déjà nous avions eu l'occasion, aux expositions de Cologne et de Munich[36], de remarquer des particularités spéciales à l'Allemagne dans la reproduc-

---

[29] Brief von Essenwein vom 17. 6. 1873, Absage des Kirchenvorstandes von St. Ursula in Köln vom 15. 8. 1873. In: Altregistratur GNM, Faszikel 76.

[30] Zugangsregister-Nr. 5969. – Brief von Ernst aus'm Werth vom 5. 3. 1870. In: Altregistratur GNM, Faszikel 8, Nr. 11.

[31] Altregistratur GNM, Faszikel 79.

[32] Zugangsregister-Nr. 4350. Anzeiger GNM 1863, Sp. 239 Nr. 18.

[33] Der aus einer Kunsthandwerkerfamilie stammende Jakob Krauth (1833–1890) war Bildhauer gewesen und hatte als solcher seit Beginn der sechziger Jahre in Mannheim eine rege Tätigkeit entfaltet. Seit 1875 durch ein rheumatisches Leiden gehindert, wurde er zum Kunstsammler und -händler, wobei er sich auf Textilien spezialisierte. Seine erste Sammlung kaufte 1880 das Preußische Kultusministerium als Grundstock der Sammlung des heutigen Krefelder Textilmuseums. 1881/82 korrespondierte Krauth mit dem Germanischen Museum aus Krefeld. Seit 1883 in Frankfurt/ M. ansässig, baute er eine neue Sammlung auf, die später in großen Teilen von der Baron von Stieglitz'schen Zeichenschule in St. Petersburg erworben wurde und seit 1923 der Ermitage in Leningrad gehört. Krauths Nachlaß kam in das Karlsruher Kunstgewerbemuseum, später mit dessen Besitz in das 1919 gegründete Badische Landesmuseum in Karlsruhe. Vgl. Ulrich Thieme und Felix Becker: Allgemeines Lexikon der bildenden Künstler. Bd. 21, hrsg. von Hans Vollmer. Leipzig 1927, S. 473 mit weiterer Literatur.

[34] Vgl. Brief von Friedrich Schneider, Mainz, an Essenwein vom 20. 8. 1887. In: Altregistratur GNM, Faszikel 82.

[35] M. Dupont-Auberville: Art industriel. L'ornement du tissus. Paris 1877; nicht paginiert. Darin sind aus dem Besitz des Germanischen Museums die Seiden Gew 467, 515 und 516 nach Zeichnungen von Charles Ephrussi abgebildet.

[36] Vgl. Anm. 26/27.

tion des étoffes siculo-arabes. Nous retrouvâmes un nombre assez considérable de ces tissus à Nuremberg. Dans la conversation, que nous eûmes sur leur provenance, nous nous trouvâmes d'accord avec leur savant collecteur".

Nach einer ersten Stiftung im Jahre 1869 erhielt das Museum von dem Sammler Felix Lay in Essegg eine Kollektion von 325 Stücken slowenischer Stickereien geschenkt, die gern angenommen wurden als Beispiele aus neuerer Zeit, in denen sich alte sonst verlorene Traditionen erhalten haben. Der Stifter schrieb dazu am 29. September 1874 an Essenwein: „Ich habe die Freude erlebt, daß das Werk, welches ich mit bedeutendem Aufwande über diese Sachen herausgegeben habe, sich allgemeiner Anerkennung erfreut ... Ich bin aber nicht am Ziele, ich werde nicht eher ruhen, als biß der unendliche Schatz, welchen das Volk meiner Heimath auf unsere Zeit gerettet hat, auch für die Zukunft gerettet ist. Es genügt mir nicht, die Sachen veröffentlicht zu haben, ich will auch, daß sie im Original möglichst jedermann zugänglich werden, daß der Forscher aus dieser herrlichen sprudelnden Quelle schöpfe, der Künstler sich daran erfrische und sich neue Motive hole. Ich habe es dahin gebracht, daß das Museum zu Agram eine höchst bedeutende Summe ausgegeben hat, um unter meiner Leitung eine entsprechende Sammlung herzustellen. Ich habe dem Wiener Museum für Kunst und Industrie selbst eine solche Sammlung um den Preis von 5000 fl. Öst. zusammengestellt. Aber ich wünsche vor allem, daß auch Deutschland eine ganz hervorragende Sammlung solcher Erzeugnisse meiner Heimath besitze und aufstelle, weil gerade die deutsche Wissenschaft sie am besten zur Geltung bringen wird, weil die deutsche Kunst und Industrie den größten Nutzen daraus ziehen und so eine Tradition wieder beleben kann, welche voraussichtlich im Laufe einiger Generationen bei uns fast vollständig stagnieren wird, wenn nicht die moderne Kultur, wenn nicht die Mode sich ihrer annimmt und das Beispiel Deutschlands auch auf unsere Kreise zurückwirkt. Ich habe zwar 15 Stück zu dem Preis von F. 300 Öst. an das Deutsche Gewerbemuseum in Berlin abgelassen, aber diese wenigen Stücke können das nicht repräsentieren, was in unserer nationalen Industrie an herrlichen Motiven liegt. Ich erlaube mir daher, Ihnen zum Geschenke für das Germanische Museum ... den größeren Theil meiner Privatsammlung zu übergeben, die ich mit viel unendlicher Mühe und mit einem Kostenaufwand, welchen nur der zu würdigen weiß, der die Verhältnisse unseres Landes und die Eigenthümlichkeiten unseres Volkes kennt, zusammengebracht habe"[37].

So wie man damals diesen südslawischen Stickereien noch kein volkskundliches oder ethnographisches Interesse angedeihen ließ, sondern sie als hervorragende Dokumente von anderweitig kaum erhaltenen uralten Mustern schätzte, so kaufte man wohl aus ähnlichen Gründen 1886/87 eine größere Kollektion koptischer Wirkereien und Gewebe. Damit dürfte bei den Textilien das national gebundene Sammlungsprogramm des Museums doch nicht eigentlich durchbrochen worden sein, sondern der Nachdruck – im Sinne von Essenwein – auf der Dokumentation von Material, Technik und vor allem der Muster gelegen haben. Angeregt durch den Wiener Ägyptologen Joseph Karabacek weilte der österreichische Händler Theodor Graf Anfang der achtziger Jahre in Ägypten und fand 1882 im unterägyptischen Fayum, dem alten Arsinoe, in koptischen Grabstätten größere Mengen gewirkter Textilien, die später in das Österreichische Museum für Kunst und Industrie kamen[38]. 1884 sammelte der französische Ägyptologe Gaston Maspéro dort, in Sakkarah und im oberägyptischen Akhmim weitere koptische Gewebe[39]. Und 1886 kam Franz Bock nach Kairo; am 20. Dezember schrieb ein in Kairo weilender Herr Frank an Essenwein, daß es dort zwei Händler gebe, die Bock bedient hätten,

[37] Zugangsregister-Nr. 7210. – Altregistratur GNM, Faszikel 76. – Felix Lay und Friedrich Fischbach: Südslavische Ornamente. Hanau 1872. – Vgl. auch S. 892–893.
[38] Joseph Karabacek: Katalog der Theodor Grafschen Funde in Ägypten. Wien 1883.
[39] Gaston Maspéro, 1846–1916. Vgl. zu 1884 Edouard Gerspach: Les tapisseries coptes. Paris 1890, S. 2.

der eine sei der Conservator des Ägyptischen Museums, der Bruder des deutschen Ägyptologen Heinrich Brugsch, der andere Tano, ein Grieche. „Bock hat die Preise allerdings hier verdorben, die alten Fetzen hatten vor ihm fast gar keinen Werth, er hat so das Verdienst, auf sie aufmerksam gemacht zu haben"[40]. Von Bock damals in Ägypten erworbene koptische Textilien befinden sich außer in Nürnberg heute u. a. in den Musées Royaux du Cinquantenaire in Brüssel, im Städtischen Museum in Trier und im Prager Kunstgewerbemuseum. Wenige Jahre später folgte in Ägypten Robert Forrer aus Straßburg, der in seinen „Reisebriefen" seinen Aufenthalt und die Grabungen in Akhmim beschrieben hat; er schildert die Mumien, die von zahlreichen, teilweise mit Wirkereien gemusterten Tüchern umhüllt und mit vielfachen Binden umwickelt waren, wobei zum Füllen von Hohlräumen und zum Auspolstern auch alte und zerrissene Stücke Verwendung gefunden hatten[41]. Das Germanische Nationalmuseum erwarb von ihm einige dort gefundene Seidengewebe.

Bedeutungsvoller ist der am 28. Januar 1895 zum Preise von 9000 Mark getätigte Ankauf von ca. 350 Zeugdrucken des 5. bis 19. Jahrhunderts, die Forrer selbst in zwei grundlegenden Publikationen bekannt gemacht hat[42]; jedoch haben sich neuerdings die meisten der mittelalterlichen Zeugdrucke aus seiner Kollektion als romantische Nachahmungen des 19. Jahrhunderts erwiesen[43].

1895 erhielt Theodor Hampe den Auftrag zu einem neuen Katalog der Textilien, den er 1896 für die Gewebe und die Zeugdrucke mit einem Umfang von 2429 Nummern vorlegte[44]. Im Vorwort erwähnt er, daß es sich bei bestimmten Abschnitten nur um eine Überarbeitung des ersten Kataloges von 1869 handele. „Zur Bewältigung des weitaus größten Teiles der Aufgabe stand dem Verfasser dagegen nur ein geschriebener Katalog als Vorarbeit zur Verfügung, der aber im Wesentlichen den Zweck verfolgt, die eingegangenen neuen Erwerbungen so zu buchen, daß sie sich später leicht wieder identifizieren lassen, und sich daher mit einer einfachen Nomenklatur begnügt". An einen gedruckten Katalog habe man jedoch andere Anforderungen zu stellen. Diesem liege „die doppelte Absicht zu Grunde, zunächst und vor allem dem Forscher und Kenner einen Überblick über das im germanischen Museum vorhandene Material zu gewähren, dann aber auch dem Anfänger und Laien auf dem Gebiete der Gewebekunst, insbesondere in der Geschichte der Textilkunst, eine Art Leitfaden zu bieten, die ihm bei Besichtigung dieser und ähnlicher Sammlungen von Nutzen sein, ihn mit Interesse für diesen wichtigen Zweig der Kultur erfüllen und zu weiterem Studium anregen möchte ... Andererseits wurden die hauptsächlichen technischen Grundbegriffe, deren Erklärung den Rahmen eines Kataloges weit überschritten haben würde, als bekannt vorausgesetzt. Ebenso mußte von selbständiger neuer Forschung schon aus Mangel an Zeit Abstand genommen werden, doch ist, ... beispielsweise bei der Beschreibung des Ornaments, auf die umso größere Sorgfalt gelegt wurde, je weniger die betreffende Verzierungsweise bisher erforscht worden, hin und wieder auf Grund der vorhandenen Literatur und des vorliegenden Materials ein eigenes Urteil gewagt, eine neue Benennung vorgeschlagen worden." Die Hoffnung, daß der zweite Teil mit den Stickereien, Filetarbeiten, Spitzen und Posamenterien binnen Jahresfrist erscheinen werde, zerschlug sich durch die Ernennung Hampes zum Bibliothekar des Museums im Frühjahr 1898. Deshalb wurde 1899 Hans Stegmann mit

---

[40] Altregistratur GNM, Faszikel 82. – Franz Bock: Katalog frühchristlicher Textilfunde des Jahres 1886. Düsseldorf 1887. – August von Essenwein: Spätklassische Seidengewebe. In: Mitteilungen GNM 2 (1887–89), S. 89–96, 112–116, 170–174. – August von Essenwein: Ein gemustertes Wollengewebe aus spätgriechischer Zeit. In: Mitteilungen GNM 2 (1887–89), S. 174.

[41] Robert Forrer: Mein Besuch in El-Achmim. Reisebriefe aus Ägypten. Straßburg 1895, S. 43–48. Vgl. Robert Forrer: Die frühchristlichen Alterthümer aus dem Gräberfeld von Achmim-Panopolis. Straßburg 1893.

[42] Robert Forrer: Die Zeugdrucke der byzantinischen, romanischen, gothischen und späteren Kunstepochen. Straßburg 1894. – Derselbe: Die Kunst des Zeugdrucks vom Mittelalter bis zur Empirezeit. Straßburg 1898.

[43] Donald King: Textiles and the Origins of Printing in Europe. In: Pantheon Jg. 20 (1962), S. 23–30.

[44] Theodor Hampe: Katalog der Gewebesammlung des Germanischen Nationalmuseums. I. Teil: Gewebe und Wirkereien, Zeugdrucke. Nürnberg 1896.

der Fortsetzung beauftragt. Sie erschien 1901 mit weiteren 1224 Nummern[45]. Da „diese Sammlung sich weder quantitativ noch qualitativ mit der der Gewebe messen könne, auch wenn unter den Stickereien einzelne wertvollere Stücke vorhanden sind, . . . war eine systematische Geschichte der Stickerei nicht möglich." Stegmann gibt zudem im Vorwort zu, daß er außer der Sammlung des Nürnberger Museums keine andere aus eigener Anschauung kannte. Wie Hampe hat er nur mit Hilfe der spärlichen vorhandenen, meist mit wenig guten Abbildungen ausgestatteten Literatur gearbeitet.

Weil die Stickereien im Unterschied zu den Geweben als Unikate zu betrachten sind, blieb ihre Sammlung stärker auf deutsche Erzeugnisse eingeschränkt. Während wenigstens bis zum 18. Jahrhundert die in Deutschland benutzten kostbaren – und das sind die fast allein erhaltenen – Gewebe fremde Produkte waren, wurden nur selten Stickereien importiert. So besitzt das Museum zwar viele byzantinische, orientalische, spanische, italienische oder französische Seidengewebe, aber nur eine kleine byzantinische Perlstickerei (Gew 2430 a)[46] und eine in Venedig gestickte Mitra des frühen 14. Jahrhunderts (KG 709)[47] neben zahlreichen deutschen Stickereien, darunter auch so manche Nürnberger, vor allem des 16. bis 18. Jahrhunderts. Von mancher ausgezeichneten mittelalterlichen Arbeit – wie den beiden einst vielleicht als Albenbesätze verwendeten mit der Grablegung und Auferstehung Christi sowie dem Marientod, um 1320, (Gew 2437/38)[48], dem Leinentuch mit dem in der Kelter stehenden Schmerzensmann und dem Gnadenstuhl, Anfang 15. Jahrhundert, (Gew 2464)[49], dem Kaselkreuz mit stehenden Aposteln, Mitte 15. Jahrhundert, (Gew 2444) oder der zum ältesten Besitz gehörenden Wollstickerei mit einem Liebespaar und dem stilistisch viel zu späten Datum 1523 (Gew 2467) – ist die Herkunft unbekannt, so daß sich die Stickereien nur stilistisch den verschiedenen Kunstlandschaften des deutschen Sprachgebietes zuordnen lassen.

208, 229 Nachdem die Gewebesammlung 1884 in das Obergeschoß des Südflügels des Kleinen Kreuzganges umgezogen war, wurden die Textilien im Jahre 1907 in einem Saal oberhalb des Refektoriums neu präsentiert. Die Mittel dafür, die laut Voranschlag 1500 Mark betragen sollten, sammelte man mit Hilfe eines Rundschreibens bei der deutschen Textilindustrie. Zuvor waren bei den deutschen Museen mit Textilsammlungen (Berlin, Düsseldorf, Dresden, Hamburg, Karlsruhe, Krefeld, Stuttgart) aufgrund eines detaillierten Fragebogens Erfahrungen und Ratschläge für die Aufstellung eingeholt worden: 1. Ob zeitweilige oder dauernde Ausstellung, ob Fenstervorhänge notwendig; 2. ob in Geweberahmen oder auf Pappunterlagen; 3. welche Farben für die Leinenunterlagen der Rahmen, ob unter Glas; 4. ob Ausstellung mit ergänzenden Musterzeichnungen; 5. welche Aufstellungsart der Rahmen, ob Gardinen davor; 6. welches Verhältnis der verschiedenen Rahmengrößen zueinander und die nicht mit Rahmen ausgestellten Stücke[50]. Damals wurde also die Mehrzahl der Textilien auf in Rahmen gespanntes graues Leinen aufgenäht; man wählte drei Rahmengrößen, wobei jeweils zwei kleinere einem der nächstgrößeren entsprachen.

Diese Neuaufstellung dürfte einen Schlußpunkt gesetzt haben; die Textilsammlung trat nach der Jahrhundertwende stark in den Hintergrund. Nur noch wenige und meist zufällige Neuerwerbungen bereicherten sie, etwa 1902 zur Fünfzig-Jahr-Feier Geschenke aus der Sammlung von Frau Julie Spengel, München, 1907 Ankäufe aus deren Versteigerung[51] oder 1908 eine Tauschaktion mit eigenen Dubletten bei dem italienischen Sammler Giorgio Sangiorgi. Demgegenüber wurde in Berlin, in

[45] Hans Stegmann: Katalog der Gewebesammlung des Germanischen Nationalmuseums. II. Teil: Stickereien, Spitzen und Posamentierarbeiten. Nürnberg 1901.
[46] 1908 im Tausch von Giorgio Sangiorgi, Rimini.
[47] Erworben 1890 von Bourgeois Frères. Vgl. Alexander Schnütgen: Spätromanische gestickte Mitra. In: Zeitschrift für christliche Kunst, Bd. 3 (1890), Sp. 129–132. – Leonie von Wilckens: Bild der Verkündigung. Eine gestickte Mitra um 1325 aus Venedig. In: Kunst & Antiquitäten Bd. 1 (1976), S. 12–14.
[48] L'Europe gothique. XIIe–XIVe siècles. Ausstellung Paris 1968, Katalog-Nr. 339.
[49] Marie Schuette und Sigrid Müller-Christensen: Das Stickereiwerk. Tübingen 1963, S. 41, Abb. 237.
[50] Altregistratur GNM, Faszikel 102.
[51] Wolfgang Maria Schmid: Katalog der Textil-Sammlung J. Spengel München-Warthof. München 1907.

London, in Lyon und nicht zuletzt nun in den amerikanischen Museen eifrig und systematisch weiter gesammelt; so konnte 1901 das Cooper Union Museum (heute: Cooper-Hewitt-Museum) in New York dank der Hilfe von John Pierpont Morgan mit dem Ankauf der großen spanischen Sammlung Miguel y Badia den Grundstock für den bedeutenden Besitz alter Gewebe in den USA legen. – In Nürnberg hängte man nach 1896 bzw. 1901 einstweilen das wenige Hinzukommende, darunter auch so manches Stück aus alten Beständen, das bei der Katalogisierung nicht aufgefunden worden war, mit Nebenstellen an die nächstverwandten Nummern des gedruckten Kataloges an. Erst Mitte der zwanziger Jahre entschloß man sich, einen neuen Inventarband mit anschließenden, fortlaufenden Nummern für die Textilsammlung anzulegen.

Nach langer Pause wurde nun die Sammlung der Wandteppiche ausgebaut, wobei 1926 die Leihgaben sämtlicher mittelalterlicher Rücklaken der Lorenz- und der Sebalduskirche hochwillkommen waren. Sie sind dem Museum aus konservatorischen Gründen übergeben worden; deshalb wurde für sie nördlich anschließend an das Obergeschoß des neuen Galeriebaues ein abdunkelbarer Oberlichtsaal eingerichtet. Mit ihnen gewann die mittelalterliche Teppichsammlung hervorragendes Ansehen. Bis 1939 kamen drei weitere oberrheinische (Gew 3806/07)[52] bzw. Schweizer (Gew 3728)[53] Teppiche hinzu. Außerdem konnte man den kleinen Bestand der Teppiche des 17. und 18. Jahrhunderts vergrößern: 1924 durch das von Blumen umgebene Wappen von Sachsen-Weimar, Holland, 408 Anfang 17. Jahrhundert (Gew 1081)[54]; 1925 durch den Epitaphteppich für Augustin Khevenhüller von 1572, bis dahin im Besitz von dessen Nachkommen Friedrich Carl Graf von Giech (Gew 3720)[55]; 1928 durch das von Putten gehaltene Wittenberger Wappen aus der mitteldeutschen Werkstatt des Seger Bombeck (Gew 3735)[56]. Aus dem vergangenen Vierteljahrhundert sind drei Teppichkäufe hervorzuheben: 1954 ein für den Pfalzgrafen Ottheinrich um 1530 in Brüssel gearbeiteter mit dem Wirken der Fortuna (Gew 3946)[57]; 1969 Salomo und die Königin von Saba, Wismar unter flandrischem Einfluß, um 1555–60, (Gew 4157)[58]; 1973 ein bisher unbekanntes Nürnberger Fragment, um 1455–61, das ein Stück der Lorenzkirche zu einem Ganzen fügt: die von Heiligen umgebene Muttergottes (Gew 4216)[59].

Mehrere in den gleichen Jahren erworbene große Stickereien lassen das bis dahin für die textile Bildkunst vernachlässigte 17. und 18. Jahrhundert nachdrücklicher hervortreten: 1954 die seidengestickte Tischdecke des Kardinals Franz von Dietrichstein, Mähren oder Wien, um 1600 (Gew 3951)[60]; 1958 zwölf Bahnen Wandbespannung mit Figuren der Commedia dell'Arte, Musikanten etc., Dresden um 1715, (Gew 4020–25, 4030–35)[61]; 1969 und 1972 zwei weitere gestickte Tischdecken des 17. Jahrhunderts (Gew 4178[62] und 4208[63]). Auf dem Grundstock einiger bereits vorhandener früher

[52] Betty Kurth: Die deutschen Bildteppiche des Mittelalters. Wien 1926, Nr. 118/119. – Zum Bau des Teppichsaales vgl. S. 484 und Abb. 299–300, 68, 84.
[53] Kurth (Anm. 52), Nr. 55 a.
[54] Neuerwerbungen des Germanischen Museums in Nürnberg 1921–1924. Nürnberg 1925, Abb. 95. – G. T. van Ysselsteyn: Geschiedenis van de tapijtweverijen in de Noordelijke Nederlanden. 1. Leiden 1936, Abb. 178. – Geweven Boeket. Ausstellung, Rijksmuseum, Amsterdam 1971–72, Katalog-Nr. 20, Abb. 53.
[55] Leonie von Wilckens: Die Familiengobelins des Georg Khevenhüller. In: 900 Jahre Villach. Neue Beiträge zur Stadtgeschichte. Hrsg. v. Wilhelm Neumann. Villach 1960, S. 115–122, Taf. 12.
[56] Otto von Falke: Ein Bombeck-Teppich im Germanischen Museum. In: Pantheon Jg. 1 (1928), S. 392–393 mit 2 Abb.
[57] Anneliese Stemper: Die Wandteppiche. In: Ottheinrich. Gedenkschrift zur vierhundertjährigen Wiederkehr seiner Kurfürstenzeit in der Pfalz (1556–1559). Hrsg. v. Georg Poensgen. Heidelberg 1956, S. 141–171 (163–170). – A. Stemper: Der Prudentiateppich des Pfalzgrafen Ottheinrich im Kurpfälzischen Museum zu Heidelberg. In: Heidelberger Jahrbücher Bd. 2 (1958), S. 68–95 (90/91).
[58] Neuerwerbungen 1968. In: Anzeiger GNM 1969, S. 223–225, Abb. 11.
[59] Neuerwerbungen 1973. In: Anzeiger GNM 1974, S. 169–170, Abb. 3.
[60] Germanisches Nationalmuseum. Ausgewählte Werke. Nürnberg 1971, Abb. 118 (Ausschnitt).
[61] Leonie von Wilckens: Zwölf gestickte Wandbehänge aus Dresden. In: Pantheon Jg. 20 (1962), S. 69–76.
[62] Neuerwerbungen 1969. In: Anzeiger GNM 1970, S. 154–155, Abb. 7.
[63] Neuerwerbungen 1972. In: Anzeiger GNM 1973, S. 178, Abb. 10.

408. Ausstellungsraum für die Gewebesammlung im Erdgeschoß des Galeriebaus seit 1924. Die Sammlung ist in den für die vorausgehende Aufstellung von 1907 mit Hilfe der deutschen Textilindustrie angeschafften Schränken untergebracht, ausgewählte Stücke werden in den Pultkästen und den Wandrahmen gezeigt. An der Schmalseite Wandteppich mit dem Wappen Sachsen-Weimar, Holland, Anfang 17. Jahrh.

Leinendamaste konnte nach 1950 eine vorzügliche Sammlung von flandrischen und deutschen Damasten des 16. bis 19. Jahrhunderts durch manche Ankäufe und mit Hilfe von zahlreichen Geschenken aufgebaut werden[64]. – Abgesehen von einer Tischdecke in Halbgobelintechnik nach dem Entwurf von Ernst Ludwig Kirchner, um 1930, (Gew 4158)[65] und von kleineren Stickereien sowie verschiedenen Zeugdruckmusterkollektionen fehlen für das 19. und das 20. Jahrhundert einstweilen noch exemplarische Textilien.

408   1924 ging die „Gewebesammlung" wiederum auf Wanderschaft und wurde für einige Jahre in dem Saal an der Südostecke des Erdgeschosses des neuen Galeriebaues gezeigt. 1930 siedelte sie dann in drei Räume des Obergeschosses des Verwaltungsbaues am Kornmarkt über. Aus konservatorischen

[64] Vgl. z. B. Neuerwerbungen 1963. In: Anzeiger GNM 1964, S. 172, Abb. 12 – Neuerwerbungen 1973. In: Anzeiger GNM 1974, S. 175, Abb. 14/15 – Neuerwerbungen 1975. In: Anzeiger GNM 1976, S. 176, Abb. 4.
[65] Neuerwerbungen 1968. In: Anzeiger GNM 1969, S. 243, Abb. 36.

409. Raumansicht mit der Ausstellung „Fränkische Bildteppiche aus alter und neuer Zeit", März bis 4. Juli 1948 im Erdgeschoß des Galeriebaus. An den Wänden u. a. Rücklaken mit dem Katharinenleben, Nürnberg, um 1455/60, Germanisches Nationalmuseum, Leihgaben der Kirchengemeinden St. Lorenz und St. Sebald, Nürnberg, sowie Rücklaken mit Darstellungen aus dem Leben der hl. Walburga, um 1460, 1519, Leihgaben Fürst Oettingen-Wallerstein, Harburg

410. Raumansicht mit Ausstellung „Fränkische Bildteppiche aus alter und neuer Zeit", März bis 4. Juli 1948 im Erdgeschoß des Galeriebaus. An den Wänden u. a. ein Teppich mit dem Allianzwappen der Nürnberger Familien Uslar-Rieter sowie Stark mit der Jahreszahl 1604 aus dem Germanischen Nationalmuseum sowie ein Schwabacher Teppich, um 1720, Leihgabe der Kunstsammlungen auf der Veste Coburg, die Tischdecke, Anfang 17. Jahrhundert, mit biblischen und allegorischen Darstellungen zeigt Wappenschilde verschiedener Nürnberger Familien

Gründen ist sie seit 1945 magaziniert; es werden nur einige exemplarische Stücke innerhalb der kulturgeschichtlich orientierten Aufstellung gezeigt.

Auf Empfehlung von Hefner von Alteneck hatte Essenwein erstmals Anfang 1868 eine Stickerei zur Restaurierung an Frau Julie Spengel nach München gegeben. Im Mai des gleichen Jahres folgte ein Teppich, wobei die Kunsthändlersgattin während der Arbeit schrieb: „Vorläufig werden die herausgefressenen schwarzen Fäden ersetzt und zu diesem Zweck dem ganzen Teppich eine Unterlage gegeben, da man sonst keinen Halt hat. Später mache ich mich selbst über die Köpfe, welche so viel wie möglich aus dem alten Stoff gemacht werden, da es mir eine Hauptsache erscheint, daß diese möglichst original bleiben"[66]. Die Kosten für die halbjährige Arbeit betrugen 15 fl. 1869 arbeitete Frau Spengel das ganze Jahr an einem Gobelin, wobei sie am 2. Januar von solcher Restaurierung schrieb, sie wäre „eine sehr undankbare Arbeit, denn man sieht schließlich, wenn sie recht schön geworden ist, nicht, wieviel Mühe es gekostet"[67]. Hier mußten zunächst nicht hineingehörende Stücke herausgetrennt werden. Leider ist bei all diesen wie auch bei 1871 von Frau Spengel behandelten Textilien nicht angemerkt worden, um welche es sich gehandelt hat[68]. Auch der 1868 erworbene Teppich mit dem sog. Meerwunder (Gew 814) war vorher von Frau Spengel restauriert worden. – 1887 wurde die Werkstatt von Lina Mastaglio, einer Malersgattin in München, für zwei Teppiche in Anspruch genommen. Frau Mastaglios Atelier ist in den neunziger Jahren zu Ansehen gekommen und arbeitete auch viel für das Bayerische Nationalmuseum. 1898 wurde ihm die mühselige Instandsetzung des Teppichs aus dem Regensburger Rathaus mit dem Kampf der Tugenden und Laster anvertraut[69]. Das Germanische Nationalmuseum übertrug ihm 1901 die Reinigung und Herrichtung

[66] Altregistratur GNM, Faszikel 8, Nr. 10.
[67] Altregistratur GNM, Faszikel 8, Nr. 11.
[68] Ende 1875 schickte Essenwein an Frau Spengel einen „furchtbar schlechten Teppich" sowohl der Farbe als auch des sonstigen Zustandes nach, der auch Schaben enthielt. Beim Waschen hatte „sich natürlich viel lose verfressene Wolle abgelöst, was die Arbeit gerade nicht weniger macht, so daß mir bei dem Anblick nicht wohl zu Muthe wird, aber machen kann und werde ich ihn", schrieb J. Spengel am 6. November. Kurz darauf scheint man sich über einen Tausch geeinigt zu haben; das Museum bekam einen gotischen Schrank, Frau Spengel behielt den Teppich, was bei ihr später einen „Katzenjammer" auslöste, da sie „im vollsten Sinne des Wortes (die) eigene Arbeit bezahlt habe, denn ehvor war der Gobelin so viel werth wie Nichts". Im April 1876 war die Restaurierung abgeschlossen. – Ich vermute, daß es sich bei diesem „Gobelin" um den Nürnberger Teppich mit der Grablegung Christi im Österreichischen Museum für angewandte Kunst in Wien handelt, den dieses am 20. Mai 1878 auf der Münchner Versteigerung der Sammlung J. C. Spengel (Katalog-Nr. 463) erworben hat. Mit seinen leuchtenden heutigen Farben macht er den Eindruck bester Erhaltung, jedoch befremden – abgesehen von den erstaunlichen Farben – mancherlei Unstimmigkeiten: der seltsam streifige Himmel, mit dem sonst auf Nürnberger Teppichen nicht bekannten Vogelflug, die merkwürdigen Baumformen, die Stadtarchitektur auf der rechten Seite, die Maserung des Kreuzes, die nicht der in Nürnberg üblichen entspricht, schließlich die obere Webekante, die das Bild allzu knapp beschneidet. Die Büchse der Magdalena trägt eine „Beschriftung", die sich als M049V lesen ließe, wenn nicht eine solche Mischung von römischen und arabischen Ziffern unmöglich wäre; im übrigen ist 1495 ein viel zu spätes Datum. Eher steht die 9 auf dem Kopf, und es handelt sich um eine 6, die angebliche V wäre entsprechend eine gotische 7, so daß es vor den (wahrscheinlichen) Verballhornungen durch die Restaurierung gelautet hat: 1467. Auf die sechziger Jahre verweist der Stil der Figurengruppe, die in ihrer Anordnung original sein dürfte. – Vgl. Altregistratur GNM, Faszikel 79 – Kurth (Anm. 52), Nr. 305.
[69] Zuletzt Leonie von Wilckens: Regensburg und Nürnberg an der Wende des 14. zum 15. Jahrhundert. In: Anzeiger GNM 1973, S. 57–79 (57, 77 mit Anm. 1–6).

der großen Moses-Serie der Brüsseler Manufaktur van der Borght aus dem soeben erworbenen 402
Zimmer des Wespienschen Hauses in Aachen[70]. 1924/25 waren zwei Teppiche – u. a. der mit den
Wilden Leuten (Gew 669)[71] – in der Münchner Restaurierungswerkstatt von Frau Annette von
Eckardt, die 1926 auch den kurz zuvor erworbenen Khevenhüller-Epitaph-Teppich reinigte. Im
gleichen Jahr heißt es, daß der Verwaltungsrat eine Restaurierung der Gobelins nicht für notwendig
halte. 1930 wurden dreißig „Gobelins" an Ort und Stelle durch einen Angestellten der Münchner
Gobelinmanufaktur gesäubert. 1936/37 arbeitete Frau Magda Kirsch in Buxtehude bzw. in Hamburg
an zwei Teppichen und am längsten an einer mittelalterlichen Weißstickerei, offenbar der westfälischen Lesepultdecke des frühen 15. Jahrhunderts (Gew 2571)[72]. Erst im Jahre 1967 trat eine ausgebildete Textilrestauratorin in den Dienst des Museums. 1970 konnte eine eigene, mit allem notwendigen
Zubehör neu eingerichtete Textilrestaurierungswerkstatt bezogen werden, in der jetzt drei Restaura-
torinnen tätig sind. – Nach jahrzehntelangen Unzulänglichkeiten wurden in den letzten Jahren in
zwei Kellerräumen des neuen Ostbaues moderne Textildepots eingerichtet.

Paramente

Die nur kleine Sammlung sakraler Textilien in der Abteilung „Kirchliche Einrichtungsgegenstände
und Gerätschaften" geht in ihren Anfängen noch auf die Aufseß-Zeit zurück. Von der damals 411
erworbenen sogenannten Dürerfahne (KG 31) war bereits die Rede. Neben ihr werden im gedruckten 407
Katalog dieser Abteilung von 1871 vier Meßgewänder (Kaseln) aufgeführt, wobei die gestickten
Kreuze von zweien (KG 122/23) auf ihre Herkunft wenn nicht aus Nürnberg, so doch aus Franken im
15. Jahrhundert deuten. Seit 1872 sind als Leihgaben im Museum zwei Kaseln des 15. Jahrhunderts
und ein Amikt aus dem nahen Poppenreuth (KG 518/19) sowie barocke Ornate aus St. Leonhard in
Nürnberg (KG 499, 500, 809/10). Sie bezeugen, daß man im protestantischen Franken nach der
Reformation bis in das 18. Jahrhundert nicht nur die alten liturgischen Gewänder weitergetragen hat,
sondern auch neue aus farbigem Seidengewebe anfertigte. Dazu gehört ebenso die mit den Wappen
der Nürnberger Patrizier Fürer von Haimendorf und der Jahreszahl 1714 versehene Kasel aus
Regelsbach bei Schwabach (KG 741), die 1895 als Leihgabe überlassen wurde. Bis zum 18. Jahrhundert weisen die Inventare der Nürnberger Pfarrkirchen von St. Lorenz und St. Sebald eine große Zahl
spätmittelalterlicher ganzer Ornate und einzelner Gewänder auf, die – wie die im 17. und 18.
Jahrhundert dorthin gestifteten – je nach ihrer Farbe an bestimmten Sonn- und Feiertagen von der
Geistlichkeit benutzt wurden; in den Inventaren des frühen 19. Jahrhunderts kommen sie jedoch bis
auf wenige Ausnahmen nicht mehr vor. – Auch von weither erwarb das Germanische Nationalmuseum liturgische Textilien, z. B. 1884 aus Dünnwald bei Köln zwei in barocker Zeit beschnittene,
grüne Seidenkaseln des späten 14. Jahrhunderts (KG 654, 669). Über den Hamburger Kunsthandel
kam 1877 der byzantinische Reliquienbeutel des 11. Jahrhunderts (KG 562)[73], der sich zuvor in der
Sammlung des Hildesheimer Bischofs Eduard Jakob Wedekin (1849–70) befunden hatte und aus
dessen Diözese stammen dürfte. Daneben ist das bedeutendste mittelalterliche Stück die erwähnte
gestickte Venezianer Mitra um 1325 (KG 709)[74]. 1897, 1898, 1908, 1909 und schließlich 1936

[70] Max Schmid: Ein Aachener Patrizierhaus des 18. Jahrhunderts. Aachen 1900. – Vgl. auch Altregistratur GNM, Faszikel
88.
[71] Kurth (Anm. 52), Nr. 114.
[72] Altregistratur GNM, Faszikel 118. – Hans Arnold Gräbke: Eine westfälische Gruppe gestickter Leinendecken des
Mittelalters. In: Westfalen Bd. 23 (1938), S. 179–194 (188–189 Nr. 9, Abb. 81).
[73] Sakrale Gewänder des Mittelalters. Bearbeitet v. Sigrid Müller-Christensen. Ausstellung Bayerisches Nationalmuseum.
München 1955, Kat. Nr. 43 – Ausgewählte Werke (Anm. 60), Abb. 14 – Hermann Engfer: Die Sammlung des Bischofs
Eduard Jakob Wedekin und die Gründung des Diözesan-Museums. In: Alt-Hildesheim, Jahrbuch für Stadt und Stift
Hildesheim Bd. 41 (1970), S. 62–77 (67, Abb. 3 a/b).
[74] Vgl. Anm. 47.

δ. Ornat, Kirchenschmuck und Geräth.

(Meſsgewand vom 15. Jhdt.)

Meſsgewand (planeta) von rothem Sammet mit erhaben ausgesticktem Crucifix in Seide und Gold, unten die heil. Magdalena, mit untergelegtem Lederrelief. H. 5′ 1″; Br. 2′ 10″. 15. Jhdt.

Meſsgewand von weiſser Seide mit eingesticktem Kreuz in Gold und Seide; auf der Fläche des Kreuzes buntfarbig eingestickt; auf dem Querbalken und der Mitte: die Verkündigung Mariä und die Himmelskönigin; unten: St. Barbara und Katharina, St. Elisabeth und Margaretha. H. 3′ 10″; Br. 2′ 7″. 15. Jhdt.

Crucifix von Gold und Seide, sehr erhaben gestickt, zum Theil mit Holz unterlegt; zu den Seiten Sonne und Mond in Gold gestickt. — Ursprünglich auf einem Meſsgewande oder einer Prozessionsfahne befindlich. H. 3′ 10″; Br. 1′ 9″. 15. Jhdt.

Kreuz von Silber, mit 9 eingelegten, geschliffenen, grünen Glasflüssen, oben ein gereifter Ring; wahrscheinlich zum geistlichen Ornat gehörig. H. 3″ 6‴; Br. 2″ 6‴. 13. Jhdt.

Päpstliche Krone, 16. Jhdt. *Wassermalerei.*

Bischofsmütze im Kloster Rohr. 15. Jhdt. *Bleistftz., col.*

Brustspange eines Bischofsmantels, aus 5 Medaillons mit den Halbfiguren von Heiligen zusammengesetzt. H. u. Br. 5″ 9‴. 12. Jhdt. *Gypsabg.*

Brustspange eines Bischofsmantels, herzförmig, aus weiſsen und rothen geschliffenen Glasstücken in einer vergoldeten Metalleinfassung zusammengesetzt, von einem eben solchen Reifen umgeben, auf einer Unterlage von Messing. H. 3″ 1‴; Br. 3″ 1‴. 13. Jhdt.

Bischofsstab mit einfacher Krümmung; in der Windung die Verkündigung Mariä. H. d. obern Metallendes 6′. 11. Jhdt. *Bronceguſs nach dem Original von Elfenbein im Dome zu Bamberg. J. H. v. Hefner-Alteneck: Tr. d. chr. Mittelalters I. 39.*

Bischofsstab nach einem Gemälde in Kattensteinberg. 15. Jhdt. *Handz., col.*

Bischofsstab u. 3 Kelche in dem christlichen Museum zu Rom. 9. u. 14. Jhdt. *Bleistftz. v. G. C. Wilder.*

Bruchstück eines Altarbehangs von Leinen; darin gestickt ein Muster, aus Blumen, vier Einhörnern und einem Pelikan zusammengesetzt, an der Seite ein Rand mit eingestickten Pentagrammen und Blumen. H. 1′; Br. 3′ 1″. 14. Jhdt. *Aus der Kirche zu Beetzendorf im Fürstenthum Lüneburg.*

Altarbehang von Seide, mit groſsblumigem Muster in goldgelber und rother Schattirung. L. 7′; Br. 3′. 15. Jhdt.

Altarbehang von Seide, grünlicher Grund mit roth-, weiſs- und gelbbunten Blumen. L. 3′ 10″; Br. 2′ 5″. 16. Jhdt.

Rücklaken für Kirchstühle, mit der Darstellung von sechs Heiligen, auf blauem, gestirnten Grunde, Wollenwirkerei. L. 5′ 1″; H. 2′ 4″. 13. Jhdt.

Zwei Rücklaken für Kirchenstühle, mit farbigen, streifenweise geordneten Verzierungen und Inschriften; Wollenwirkerei. H. 3′ 2″; Br. 2′ 8″. 15. Jhdt.

Teppich mit der Darstellung des jüngsten Gerichtes; unten die Wappen der Volkamer u. Schürstab; Wollenwirkerei. H. 7′ 3″; Br. 4′ 3″ 3‴. 15. Jhdt.

Teppich im Chor der Kirche zu Heiligenkreuz. 15. Jhdt. *Bleistftz. v. G. C. Wilder.*

Altarteppich in der Kirche zu Kalchreuth. 1498. *Handz. v. dems.*

Teppich in der St. Sebalduskirche zu Nürnberg. 13. Jhdt. *Radir., col. v. dems.*

Eisengitter aus der St. Peterskirche zu München. 15. Jhdt. *Bleistftz.*

Kronleuchter in der Kirche zu Kraftshof. 15. Jhdt. *Wassermalerei v. G. C. Wilder.*

Derselbe Leuchter in anderer Ansicht. *Dsgl.*

Kronleuchter in der St. Lorenzkirche zu Nürnberg. 15. Jhdt. *Radir. v. G. C. Wilder.*

Derselbe Kronleuchter. *Bleistftz. v. dems.*

Kronleuchter in der Kirchhofskapelle zu Obergünzburg. 15. Jhdt. *Bleistftz.*

411. Teilabschnitt „Ornat, Kirchenschmuck und Geräth" der Abteilung „Gotteshäuser und deren Zubehör" im Verzeichnis der Kunst- und Alterthumssammlungen (Denkschriften des Germanischen Nationalmuseums) von 1856. Die Sammlungsgegenstände sind nach dem von Aufseß entwickelten System geordnet, wobei Originale, Nachbildungen und bloße Abbildungen gleichermaßen aufgenommen sind

gelangten weitere barocke Kaseln mit ihrem Zubehör in die Sammlung. 1902 schenkte das Münchner Kunsthändlerehepaar Spengel zum Museumsjubiläum ein besticktes süddeutsches Ziboriumsmäntel- 127 chen, um 1730–40 (KG 775). Das Wappen eines infulierten Abtes oder eines Bischofs auf der 1907 erworbenen, süddeutschen Mitra um 1700 (KG 826) zu identifizieren, ist bisher nicht gelungen.

Kostüme und Schmuck

Ein seit dem Beginn des 16. Jahrhunderts – anfangs vor allem in Nürnberg – nachweisbares Interesse am „historischen Kostüm", an der Kleidung der Vorfahren, von der man wußte, daß sie charakteristisch und anders als die eigene war[75], blieb fast ungebrochen bis in die zweite Hälfte des 19. Jahrhunderts hinein. Solange es sich nicht um bestimmte erhaltene Kleidungsstücke handelte, die historische Persönlichkeiten getragen hatten, so daß sich zu ihnen ein Verhältnis der Pietät einstellte, galt die Anteilnahme jedoch nur dem äußeren Eindruck; das Studium konzentrierte sich ausschließlich auf zeitgenössische Abbildungen oder auf solche, die man dafür hielt. Die intensive Sammeltätigkeit zum historischen Kleid des Franzosen François Roger de Gaignières (1642–1715) bekundet zugleich die rege Zuwendung zur Geschichte am Anfang der Zeit der Aufklärung[76]. Mit dem gesteigerten historischen Interesse der Spätaufklärung und der beginnenden Romantik verband sich auch neuer Sammelgeist. Damals hat der Kölner „Baron Hüpsch" offenbar als erster aus bloßem antiquarischen Geist Kleidungsstücke des späten 16. und des 17. Jahrhunderts gesammelt, die sich heute im Darmstädter Landesmuseum befinden[77]. Andererseits wurde in dem 1832 eröffneten, aus der ehemaligen Rüst- und Harnischkammer des sächsischen Hofes hervorgegangenen Historischen Museum in Dresden auch eine Kleiderkammer eingerichtet: „In dieser Garderobe, in welcher fürstliche Braut- und Staatskleider aufbewahrt werden . . ."[78], festliche und charakteristische Stücke, die bis in das spätere 16. Jahrhundert zurückzudatieren sind. Das Gleiche gilt für andere fürstliche Sammlungen wie die dänische, die heute im Kopenhagener Schloß Rosenborg gezeigt wird[79], oder die schwedische der Stockholmer Livrustkamaren. In dem bekannten Nürnberger Praunschen Kabinett waren bereits bis zum frühen 19. Jahrhundert die Pilgerkleider von Stephan III. Praun (1544–91) zu sehen gewesen[80]. 412, 413

Noch sehr lange lag der Nachdruck auf der – aus heutigem Blickpunkt zudem unkritischen – Sammlung von Abbildungen, die etwa Franz von Schlichtegroll 1802 so begründete[81]: „Mit Hülfe solcher getreuen gesammelten Bilder kann man sich also die teutsche Vorwelt verzaubern und gleichsam in den Tagen unserer Vorältern hausen und leben . . . Die Vortheile, die verständige und genaue Theater-Meister daraus ziehen können . . . Also auch der Historien-Maler wird dieses Magazin um Rath fragen können." Die gleichen Motive bewegten Jakob Heinrich von Hefner-Alteneck, als er 1840–54 in drei Bänden seine „Trachten des christlichen Mittelalters" zum ersten Male publizierte[82]. Seine farbigen Umzeichnungen nach zeitgenössischen Darstellungen der verschie-

[75] Leonie von Wilckens: Das „historische" Kostüm im 16. Jahrhundert. In: Waffen- und Kostümkunde 3. Folge, Bd. 3 (1961), S. 28–46.
[76] Wilckens (Anm. 75), S. 43, 46 Anm. 56.
[77] Zwei Stücke z. B. bei: Jakob Heinrich von Hefner-Alteneck: Trachten, Kunstwerke und Geräthschaften des siebzehnten und achtzehnten Jahrhunderts nach gleichzeitigen Originalen. 2. Aufl. Frankfurt/M. 1889, Taf. 9, 33.
[78] Johann Gottlob von Quandt: Andeutungen für Beschauer des historischen Museums. Dresden 1834, S. 181.
[79] Sigrid Flamand Christensen: Konge dragterne paa Rosenborg. 2 Bde. Kopenhagen 1940.
[80] Nürnberger Münzbelustigungen Nr. 35 v. 30. 8. 1766: „Armaturen und allerhand Curiosa worunter ein Pilgrimshabit eines alten Praun". – Walter Fries: Die Kostümsammlung des Germanischen Nationalmuseums zu Nürnberg. In: Anzeiger GNM 1924/25 (1926), S. 3–65 (5–16).
[81] Franz von Schlichtegroll: Gallerie altteutscher Trachten, Gebräuche und Geräthschaften nach zuverlässigen Abbildungen aus den vorigen Jahrhunderten. 2 Hefte. Leipzig 1802, S. 9/10. – Vergleiche aus derselben Zeit auch: Robert von Spalart, fortgesetzt v. Jacob Kaiserer: Versuch über das Kostüm der vorzüglichsten Völker des Alterthums, des Mittelalters und der neuern Zeit. I, 1–3; II, 1–5. Wien 1796–1811.
[82] Vgl. Anm. 4.

412, 413. Schränke aus der seit 1876 eingerichteten Kostümabteilung in dem von den Reichsstädten gestifteten Saal. Links „burgundischer" Heroldsrock, Teile der 1876 als Leihgabe erworbenen Pilgerkleider des Stephan III. Praun, (1544–1591) sowie die Tunika eines Mannes und eines Kindes nebst Schuhen, die zu den 1886/87 erworbenen Funden aus koptischen Gräbern gehören; rechts Wämser des 16. Jahrhunderts, orientalisches Hemdgewand sowie Ausrüstungsgegenstände des Stephan III. Praun (1544–1591). Stereoskop-Photographien um 1895/97

densten Art wirken in unseren Augen mißverstanden und sind mehr Zeugnis für ihre Zeit als für das späte Mittelalter, das sie vorführen sollten. In den nächsten zwanzig Jahren folgten die Kostümgeschichten von Jakob von Falke[83], Hermann Weiß[84] und dem Nürnberger Historienmaler Carl Köhler[85]. Dieser führte die „Trachten der Völker" nicht nur im Bild, sondern auch im Schnitt vor. Er wollte „eine historische und technische Darstellung der menschlichen Bekleidungsweise von den ältesten Zeiten bis in's 19. Jahrhundert und zugleich ein Supplement zu allen vorhandenen Kostümwerken für darstellende Künstler, Maler, Kostumiers und Forscher auf dem Gebiet der Trachtenkunde" geben. Köhler betonte, daß die „erklärenden Abbildungen ... theils nach wirklichen, den betreffenden Zeiten entstammenden Kleidungsstücken gefertigt, theils getreu nach gleichzeitigen, bildlichen Darstellungen gezeichnet worden" sind[86]; doch scheinen alte Kleidungsstücke nur in wenigen Ausnahmen Vorbild gewesen zu sein. Das rege Interesse im dritten Viertel des 19. Jahrhunderts bekunden ferner die Neuauflagen der bedeutenden Kostümwerke des 16. Jahrhunderts zwischen 1859 und 1880[87]. 1874 begann Franz Lipperheide die Folge der „Blätter für Kostümkunde", die

[83] Jakob von Falke: Die deutsche Trachten- und Modenwelt. 2 Bde. Leipzig 1858. – J. v. Falke: Kostümgeschichte der Culturvölker. Stuttgart 1880.
[84] Hermann Weiß: Kostümkunde 2. Geschichte der Tracht und des Geräthes im Mittelalter vom 4ten bis zum 14ten Jahrhundert. Stuttgart 1864; 3. Geschichte der Tracht und des Geräthes vom 14ten Jahrhundert bis auf die Gegenwart. Stuttgart 1872.
[85] Carl Köhler: Die Trachten der Völker in Bild und Schnitt. Eine historische und technische Darstellung der menschlichen Bekleidungsweise von den ältesten Zeiten bis in's neunzehnte Jahrhundert. Dresden 1871–73. – C. Köhler: Die Entwicklung der Tracht in Deutschland während des Mittelalters und der Neuzeit. Ein Hand- und Lehrbuch für Historiker, Künstler, Bühnenleiter und Garderobiers sowie für Gewerbetreibende, welche sich mit Anfertigung von Bekleidungsstücken beschäftigen. Nürnberg 1877 (Vorwort bereits 1868 datiert).
[86] C. Köhler, Entwicklung der Tracht (Anm. 85), Vorwort.
[87] Cesare Vecellio: Costumes anciens et modernes. 2 Bde. Paris 1859/60 (Neuauflage nach Ausgabe von 1581 in Holzstich

nach authentischen Quellen von verschiedenen Künstlern in Stahl gestochene historische Kleidung und Volkstrachten verbreitet haben.

1870, im Jahr vor der ersten Köhlerschen Publikation, war August von Essenwein[88] noch der Meinung, daß auf dem „Gebiete" von „Tracht und Schmuck . . . verhältnismäßig nur sehr wenige Originaldenkmäler erhalten sind. Alte Kleider waren nie Gegenstand besonderer Sorgfalt". Immerhin zählte die Sammlung zu diesem Zeitpunkt 282 Stück, „zu denen 64 Gemälde hinzukommen". Ein Jahr später bereits macht die Abteilung der bürgerlichen Kostüme in der Tat und auf ganz neue Weise von sich reden; denn es war gelungen, von dem Nürnberger Kunsthändler Pickert eine umfangreiche Sammlung von Originalkostümen und Kostümteilen zu erwerben. Nun konnte Essenwein feststellen[89]: „Unsere Kostümsammlung, die bis dahin nur unbedeutend war, ist jetzt unstreitig die erste und bedeutendste ihrer Art". Von weither waren Stücke vom 17. bis zum frühen 19. Jahrhundert zusammengekommen. In den folgenden drei Jahrzehnten wurde vor allem der Ausbau bis zum Ende des 18. Jahrhunderts gefördert. Mit der Leihgabe der erwähnten Pilgerkleider des Stephan Praun (T 412, 413 549–60) seit 1876 bilden bis auf den heutigen Tag gerade die Einzelstücke männlicher Kleidung des späten 16. und des 17. Jahrhunderts eine einzigartige Kollektion.

Da einstweilen nicht genügend Ausstellungsraum zur Verfügung stand, wurde erst nur ein kleiner Ausschnitt gezeigt. Nach dem Bau des von den deutschen Reichsstädten gestifteten Saales wurde dort seit Ende 1876 die Kostümsammlung eingerichtet und im Wegweiser von 1879[90] zum ersten Male ausführlich beschrieben. Nun hieß es bis in die neunziger Jahre, daß hier „unseres Wissens der erste Versuch gemacht ist, eine zusammenhängende Geschichte der Kostüme durch die erhaltenen Reste zu geben. Freilich ist die Reihe, insbesondere für die ältere Zeit, höchst lückenhaft, doch zeigt sie immerhin eine Anzahl interessanter Gegenstände". Von Ringen seit dem 12. Jahrhundert führte die Ausstellung über Taschen, über männliche Jacken des 16., die Praunschen Gewänder, Ketten, Kragen Handschuhe des 17. zu Jagdkostümen und Galafräcken des 18. Jahrhunderts. Eine Anzahl Herren- und Damenkleider, Hüte, Tabakspfeifen, Strümpfe, Handschuhe, Schuhe u. a. reichte bereits in den „Beginn des laufenden Jahrhunderts".

Für die Verwendung alter Kostüme in der zweiten Hälfte des 19. Jahrhunderts ist es durchaus symptomatisch, daß das Museum 1874 „eine seidene Pagenjacke des 16. Jahrhunderts" für 250 fl. – damals für ein Gewand ein stolzer Preis – bei dem Münchner Maler Rudolf Seitz erwarb[91]. 1899 kamen aus der Auktion der Sammlung des Münchner Historienmalers Josef Flüggen das Lederkoller um 1700 und das schwarze Trauerbandelier des 17. Jahrhunderts zusammen mit mehreren bürgerlichen und bäuerlichen Kostümen und Kostümteilen[92]. Das Angebot des Residenztheaters Hannover von „Herrenröcken in seltener Schönheit" der zweiten Hälfte des 18. Jahrhunderts, die zehn Jahre zuvor aus dem Prager Theaterfundus übernommen waren, wurde 1883 abgelehnt[93]. Nachdrücklich hat 1926 Walter Fries[94] unterstrichen, daß es wohl seit der Mitte des 19. Jahrhunderts eine historische

mit neuen Rahmungen von M. Catenacci). – Abraham de Bruyn: Costumes civils et militaires du XVIe siècle. Brüssel 1872 (Faksimile nach Ausgabe von 1581). – Jost Amman: Gynaeceum, sive theatrum mulierum. München 1880 (nach Ausgabe von 1586).

[88] August Essenwein: Bericht 1870, S. 19; vgl. in diesem Band S. 1015–1016.
[89] Jahresbericht GNM 18 (für 1871), 1872. Vgl. Zugangsregister-Nr. 6182 a.
[90] Wegweiser GNM 1879, S. 26/27.
[91] Zugangsregister-Nr. 7052 a. Wahrscheinlich T 1635; vgl. Fries (Anm. 80), S. 24, Abb. 13: um 1620.
[92] T 1535/36. Fries (Anm. 80), S. 40, Abb. 24. Katalog der Kostüm- und Antiquitäten-Sammlung . . . des Kgl. Prof. und Historienmalers Josef Flüggen in München. Auktion Hugo Helbing. München 12.–14. 6. 1899.
[93] Altregistratur GNM, Faszikel 81.
[94] Fries (Anm. 80), S. 3.

Trachtenkunde gebe, aber „diese ersten Kostümgeschichten waren fast ausschließlich dem Theater und dem Historienmaler zuliebe geschrieben und hatten den Nachteil, daß ihre Illustrationen – Nachzeichnungen nach alten Kostümbildern – gar keinen urkundlichen Wert besaßen. Auch war die Darstellung bestenfalls kulturgeschichtlicher Art, auf formgenealogische Probleme ließ sie sich selten ein".

1882 konnte man im Germanischen Nationalmuseum hinzufügen: „Einige Schränke mit Hauben und sonstigen Kostümstücken, wie sie als alte Tradition sich beim Landvolke in verschiedenen Gegenden erhalten haben und eben in unserer Zeit zu Grunde gehen, seien auch beachtet. Einige Uniformen aus unserer Zeit schließen die Reihe"[95]. Zwar teilte man 1896 theoretisch zwischen bürgerlichen und bäuerlichen Stücken, doch war die Ausstellung weiterhin, auch historisch, eine gemischte: „Die Sammlung umfaßt ihrem Plan nach zwei Teile: der erste stellt die Geschichte des Kostüms vom frühen Mittelalter bis ins 19. Jahrhundert durch die erhaltenen Reste selbst dar . . . Der zweite Teil der Kostümsammlung soll die jetzt einem raschen Verschwinden anheimfallenden deutschen Volkstrachten bewahren"[96]. Wenn man auch feststellte, daß die Aufstellung eine vorläufige sei, sich die Beschreibung ihr anschließe und daß die geschichtliche Folge nicht eingehalten werden könne, so bekundet solches Zusammenstellen von nur dem äußeren Schein nach Gleichem, solches malerische Ausbreiten von Ensembles den vom Impressionismus geprägten Geist des späten 19. Jahrhunderts. Damals kamen zum ersten Male tastend auch konservatorische Gesichtspunkte zur Sprache: „Da die Mehrzahl der Gegenstände sehr empfindlich gegen die Einwirkungen des Lichtes, ist der Saal ziemlich dunkel gehalten. Für besondere Studien kann die Erlaubnis eingeholt werden, einzelne Stücke für kurze Zeit in ein helleres Licht zu bringen"[97].Nach 1902 wurden die Volkstrachten endgültig – wenn auch nicht im Inventarband – von den bürgerlichen Kostümen geschieden, welche in den darunterliegenden Saal des Augustinerbaues umzogen, in dem bis dahin die Waffen ausgestellt waren.

In diesem Saal der deutschen Standesherren begann 1904 die Neuaufstellung, die 1905 für die Besucher eröffnet werden konnte. Um vor allem die Damenroben des 18. Jahrhunderts besser präsentieren zu können, versah man sie mit Unterkleidern; doch ging die kostümhistorische Einsicht des Konservators noch nicht so weit, daß man sich um die dem Kostüm, seinem Schnitt und seiner Zeit entsprechende Drapierung und Aufstellung bemühte, sondern man überließ alles der Schneiderin[98]. Mit den teilweise in ihrer Art höchst aparten Kleidern und Einzelteilen vom 17. bis zum frühen 19. Jahrhundert aus dem ehemaligen Besitz der Freiherrn vom Stein, die 1902 aus dem Würzburger Kunsthandel angekauft wurden, hatte die Sammlung noch kurz zuvor eine wesentliche Bereicherung erfahren. So konnte man Kleider bis zu den „Spitzengewändern des zweiten Kaiserreiches" zeigen[99]. Während die zeitliche Sammelgrenze des Museums bis in die neunziger Jahre üblicherweise bei 1650 lag, war bei den Kostümen und beim modischen Beiwerk schon seit 1871 teilweise bis zur Zeit der Museumsgründung gesammelt worden. 1930 vermerkt der Wegweiser: „Es ist geplant, die Kostüm-Abteilung noch weiter auszubauen, um wenigstens eine lückenlose Entwicklung der Mode des vergangenen Jahrhunderts zeigen zu können"[100]. Doch 1935 wurde der Kostümsammlung der dritte

[95] Wegweiser GNM 1882, S. 45.
[96] Wegweiser GNM 1896, S. 121/122.
[97] Wegweiser GNM 1896, S. 122.
[98] Karte vom 6. 11. 1904 mit Antwort vom GNM am 7. 11. 1904 in: Altregistratur GNM, Faszikel 90.
[99] Wegweiser GNM 1906, S. 144.
[100] Wegweiser GNM 1930, S. 298.

414. Aufstellung der Kostüme des 16. bis 18. Jahrhunderts im 1924 renovierten Oberlichtsaal des Friedrich-Wilhelm-Baus am Reichshof, Winter 1938/39. An der Schmalseite des Raumes das Prunkbett des Nürnberger Patriziers Paulus Scheurl von 1596

Raum genommen und dem Spielzeug eingeräumt; so schloß die Präsentation nun mit dem 18. Jahrhundert[101], und die Absichten von 1930 schienen einstweilen begraben. Die Unsicherheit mit dem späten 19. und gar mit dem 20. Jahrhundert hat sich auch bei der Inventarisierung bemerkbar gemacht. Ein 1921 erworbenes Kleid (T 3608) ist lange fälschlich an das Ende des 18. Jahrhunderts statt gegen 1860 datiert worden. Eine hervorragende Leipziger Damengarderobe mit zugehörigem Hut um 1880, die 1909 geschenkt worden ist, war aus diesen Gründen bis 1974 überhaupt nicht inventarisiert[102]. Das Gleiche gilt für vier außerordentlich reizvolle Pariser Modellhüte um 1880–90 oder fünf große Damenhüte aus dem ersten Jahrzehnt unseres Jahrhunderts. Nachdem also erst ziemlich spät, intensiver nach 1945, die Mode nach 1850 gesammelt wurde, ist leider bis heute das mittlere 19. Jahrhundert weniger gut vertreten. Wenn neuerdings versucht wird, bis an die Gegenwart heranzugehen, so bleiben noch große Lücken wenigstens von den zwanziger bis zu den fünfziger Jahren unseres Jahrhunderts zu füllen.

Nach der Einrichtung des Galeriebaues war die Kostümsammlung ein weiteres Mal umgezogen; sie wurde 1924 in dem großen südlichen Oberlichtsaal am Rolandshof, dessen Wände hell gestrichen waren, neu eröffnet. Die Einrichtung lag in den Händen von Walter Fries, der 1926 im Anzeiger eine erste wissenschaftliche Bearbeitung der Kostüme bis ungefähr zur Mitte des 18. Jahrhunderts vorleg-

[101] Wegweiser GNM 1935, S. 128/129.
[102] Zugangsregister-Nr. 25850. Inv. Nr. T 6058–60.

810

415. Aufstellung der Kostüme des 16.–18. Jahrhunderts im 1924 renovierten Oberlichtsaal des Friedrich-Wilhelm-Baus am Reichshof, Winter 1938/39. Die Kostüme wurden in Vitrinen gezeigt, die einen von Richard Riemerschmid (1868–1957) geschaffenen Typ abwandelten, und wurden mit zeitgenössischen Gemälden zusammen gruppiert

te[103]. 1938 stellte Heinrich Kohlhaußen die Kostüme im gleichen Saal neu auf und ließ dafür zehn Ganzglasvitrinen nach einem leicht variierten Entwurf von Richard Riemerschmid bauen[104]. Um dem Museum in der schweren Nachkriegszeit neue Freunde zu gewinnen, veranstaltete Ludwig Grote 1954 „Historische Kostümschauen": am 17. Mai bei der Jahrestagung des Kulturkreises im Bundesverband der deutschen Industrie in der Villa Hügel in Essen sowie am 15. Juni in der Kartäuserkirche des Museums[105]. Zahlreiche Kleider des 18. Jahrhunderts wurden zusammen mit Bildern, Möbeln und anderen Gebrauchsgegenständen ihrer Zeit seit 1956 bis 1970 in der „Kostümpassage" zwischen der Galerie und dem Obergeschoß des Heuss-Baues gezeigt. Nachdem sie gereinigt und in allen Einzelheiten konserviert worden waren, sind seit Sommer 1976 die schönsten Kleider des 18. Jahrhunderts in einer ähnlichen Zusammenstellung im Obergeschoß des Ostbaues inmitten des barocken Kunsthandwerks zu sehen; dabei ist aller Nachdruck darauf gelegt, daß sie sich ihrem originalen Schnitt gemäß präsentieren.

Der gültige Inventarband der Abteilung „Tracht und Schmuck" – zu der bis um 1960 auch die bäuerlichen Trachten und Schmucksachen gehörten, soweit sie nicht aus der Sammlung Kling stammen – ist um 1887/88 angelegt worden. Man begann damals, alte Bestände aufzuarbeiten und die

[103] Vgl. Anm. 80.
[104] Jahresbericht GNM 85 (für 1938), 1939, S. 3, Abb. 3.
[105] Jahresbericht GNM 97 (für 1951–1954), 1955, S. 33/34, Abb. 15. – Vgl. S. 305.

Neuerwerbungen bis Ende 1897 anzufügen. Später scheint man nicht mehr nachgekommen zu sein, hat Nummern doppelt besetzt und dies nur teilweise korrigiert[106]. Diese Schwierigkeiten erstrecken sich auf die Nummern 1358–2417. Erst im März 1900 gewann man wieder in etwa den Anschluß[107]. Auf diese Weise sind sehr viele seit langem dem Museum gehörende Stücke ohne Provenienzangabe verzeichnet, die sich bei den für derartige Fakten damals äußerst knappen, häufig ungenauen Bezeichnungen in den Zugangsregistern heute nachträglich nur noch ausnahmsweise eruieren lassen. Immerhin konnte die gestrickte Wollmütze T 1307 kürzlich als die 1882 erworbene, im Grundstein (mit einer Steinplatte verschlossener Raum) des 1467 datierten „Steintores" von Pößneck (Thüringen) gefundene Kopfbedeckung identifiziert werden[108].

Unglücklicherweise wurden 1921–23 aus der Abteilung mehr als sechshundert Inventarnummern abgegeben; teilweise waren es wohl tatsächlich Duplikate, dazu weniger gut erhaltene oder stark veränderte Stücke; aber auch so manches Wäschestück und viel modisches Zubehör des 18. und frühen 19. Jahrhunderts, Gegenstände, die heute fehlen und nicht mehr zu ersetzen sind, gehörten dazu.

Aus der Zeit vor dem 20. Jahrhundert besitzt das Museum – abgesehen von einigen der an sich schlichten Kleider der Empire- und frühen Biedermeierzeit – fast kein „Tageskleid" und überhaupt keine Arbeitskleidung. Gewiß sind stets die kostbaren, die „guten" Kleider weniger getragen und damit abgetragen worden und konnten deshalb teilweise die Zeiten überstehen. Daß seitdem so manches Stück für einen Zweitgebrauch – wie es der für Menschen des späten 20. Jahrhunderts kaum noch vorstellbaren Sparsamkeit früherer Zeiten entsprach – oder im 19. Jahrhundert für Theater- und Maskenspiel verändert worden ist, tritt erst allmählich zutage, wenn nach und nach die bisher nur äußerst knapp und unverbindlich beschriebenen Kleider genau aufgenommen und untersucht werden; dabei ergeben sich hin und wieder Überraschungen. So entpuppte sich ein bisher in das 18. Jahrhundert datierter Frack als Dienerlivree der Grafen Hoyos aus der ersten Hälfte des 19. Jahrhunderts (T 1618)[109], also als – vornehme – Arbeitskleidung.

Einige ältere und frühzeitig in die Sammlung gelangte Stücke modischen Zubehörs verdienen einzeln genannt zu werden. Der schwarze Seidengürtel mit damastartigem Muster und breiter emaillierter Schließe aus der Mitte des 15. Jahrhunderts war, vor 1856, angeblich ein Geschenk des Grafen Giech (T 55)[110]. Georg Fürst zu Schwarzburg-Rudolstadt stiftete 1871 zwei hohe Herrenhüte vom Ende des 16. Jahrhunderts (T 32, 34)[111]. Als Geschenk des Göttinger Professors Moriz Heyne kam 1886 der seidengestickte Beutel mit meist französischen Wappenschilden, um 1290–1340, in die Sammlung (T 518)[112]. Von Robert Forrer, Straßburg, wurde 1896 die seidengestickte Tasche mit

---

[106] So trugen bis vor kurzem einige Stücke Inventarnummern, die ihnen eigentlich nicht zustanden; z. B. der 1898 aus dem Augsburger Kunsthandel erworbene Herrenmorgenrock aus einer Seide der dreißiger Jahre des 18. Jahrhunderts, mehr als ein Jahrhundert später, um 1840–50, in die jetzige Form geschnitten: Zugangsregister-Nr. 16899, Inv. Nr. T 1358; der 1899 bei Julius Böhler, München, gekaufte sandfarbene Herrenrock mit reliefierter Stickerei, um 1700: Zugangsregister-Nr. 17724, Inv. Nr. T 1424 (Fries, Anm. 80, S. 42). Da die genannten Inventarnummern von bäuerlichen Kostümteilen bis um 1960 besetzt waren, dann aber frei geworden sind, können die beiden Herrenkleider diese Nummern nun doch behalten.
[107] Nichtsdestotrotz mußten bei der Fülle des Vorhandenen auch nach 1905 alte Bestände nachträglich inventarisiert werden: T 2980–3082.
[108] Altregistratur GNM, Faszikel 80.
[109] Silberknöpfe mit dem Wappen der Grafen Hoyos, dessen Figuren auch als Muster der aufgesetzten Borten erscheinen. Einzelheiten des Schnittes entsprechen nicht mehr dem 18. Jahrhundert, vgl. dagegen Heinrich Klemm: Das Buch der Livreen 3. Aufl. Dresden o. J. (1. Aufl. 1860), Nr. 29; S. 35: Lakai in großer Livree, wie solche in vielen Hochadligen deutschen und ungarischen Familien, besonders in Österreich, gebräuchlich ist. – Erworben 1871 bei Pickert (Anm. 89) als „Rock eines Seekapitäns (?) von weißem Tuch mit breiten Seidenlitzen besetzt, mit silbernen Wappenknöpfen".
[110] Zuletzt Ilse Fingerlin: Gürtel des hohen und späten Mittelalters. München–Berlin 1971, S. 195, 418–421 Kat. Nr. 356, Abb. 491–493, 495.
[111] Emma von Sichart: Praktische Kostümkunde in 600 Bildern und Schnitten. 2 Bde. (Neubearbeitung von Carl Köhler, vgl. Anm. 85). München 1926, Abb. 311.
[112] Opus anglicanum. English Medieval Embroidery. Ausstellung, Victoria and Albert Museum. London 1963, Kat. Nr. 47.

Minneszene des frühen 14. Jahrhunderts (T 1213)[113] und das gestickte Band der Altenberger Äbtissin Gertrud, der Tochter der Hl. Elisabeth, (T 1214)[114] angekauft. Schließlich erwarb man 1897 von A. S. Drey, München, die mit bunten Seiden- und mit Metallfäden gewirkte Tasche mit der Jahreszahl 1595 (T 1330).

Relativ klein ist die eigentliche Schmucksammlung mit Ketten, Armbändern, Gürtelketten und -schließen, Broschen, Ringen usw. Sie enthält nur wenige hervorragende Stücke. Goldene Ketten, Armbänder und Ringe mit den emaillierten Wappen der uckermärkischen Familien Steglitz und Holtzendorff, um 1600, wurden 1886 in Pinnow (Kreis Templin) gefunden (T 859–72). Zwei Gürtel und Amulette der zweiten Hälfte des 16. Jahrhunderts stammen aus einem Fund des Jahres 1912 in einem Pretzfelder (Oberfranken) Bauernhaus (T 3423–39). 1916 wurde das silbervergoldete Brautkrönlein, um 1450, mit der dreimal wiederholten Devise „trewelich" von Julius Böhler, München, angekauft (T 3567)[115]. Nürnberger Provenienz sind die Stückleinkette, um 1530–40 (T 4188)[116] und der kostbare Frauenkopfschmuck aus Goldfiligran mit mehr als vierhundert Perlen um 1600 aus dem Besitz der Patrizierfamilie Scheurl (T 3683)[117]. Umfangreich ist die Kollektion – in Gleiwitz und Berlin – aus Eisen gegossenem Schmuck des frühen 19. Jahrhunderts (T 3867–3970)[118]. Für das 20. Jahrhundert zeugt einstweilen nur die Kette mit halbedelsteinbesetztem Anhänger, die um 1905 nach Entwurf von Joseph Hoffmann in den Wiener Werkstätten ausgeführt worden ist (T 5835)[119].

Viele der wichtigsten Stücke der textilen Sammlungen sind durch Beschreibung und Abbildung in der Fachliteratur bekannt und häufig gewürdigt worden[120].

---

[113] Hans Wentzel: Almosentasche. In: Reallexikon zur deutschen Kunstgeschichte. Hrsg. von Otto Schmitt, Bd. 1. Stuttgart 1937, Sp. 395 Abb. 4.
[114] Stegmann (Anm. 45), S. 8/9.
[115] Erich Steingräber: Alter Schmuck. Die Kunst des europäischen Schmuckes. München 1956, S. 78, Abb. 115.
[116] Erworben 1940. Steingräber (Anm. 115), S. 100, Abb. 164 – Ausgewählte Werke (Anm. 60), Farbtaf. V.
[117] Erworben 1897 von Theodor Frhr. von Scheurl, Leihgabe der Stadt Nürnberg. Steingräber (Anm. 115), S. 124, Abb. 217.
[118] Vgl. dazu Albrecht Kippenberger: Eisenguß. In: Reallexikon zur deutschen Kunstgeschichte. Bd. 4. Stuttgart 1958, Sp. 1109–1138 (Sp. 1131–1133, Abb. 15 auf Sp. 1129/30).
[119] Neuerwerbungen 1969. In: Anzeiger GNM 1970, S. 172, Abb. 34.
[120] Außer den bereits zitierten Werken wären für die Kostüme noch zu nennen: Eva Nienholdt: Praktische Kostümkunde. (Bibliothek für Kunst- und Antiquitätenfreunde, Bd. 15). Braunschweig 1961. – Margarete Braun-Ronsdorf: Modische Eleganz. München 1963.

Historische Musikinstrumente

Die von Hans von und zu Aufseß 1833 begründete „Gesellschaft zur Erhaltung und Bekanntmachung der Denkmäler älterer deutscher Geschichte, Literatur und Kunst" hat – wie wäre es wohl anders möglich in bezug auf das deutsche Sprachgebiet, das vor allem in seinen um Böhmen gelegenen Teilen eine fünf Jahrhunderte lange ununterbrochene musikalisch-schöpferische Tradition zu verzeichnen hat – von Anfang an auch die Tonkunst als Kunstdenkmal berücksichtigt. Schon 1833 hat Gottlieb von Tucher ein Sammlungsprogramm für Musikalien formuliert[1], das in der Konzeption von der romantisch-historisierenden Ästhetik geprägt ist. Dokumentiert werden sollte „die Hauptperiode der Musik", d. h. der Zeitraum von etwa 1450 bis ca. 1600, eventuell noch der gregorianische Kirchengesang und der spätere Choral, „sofern er noch rein in den alten Kirchentonarten gesetzt vorkommt". Das 17. Jahrhundert „lieferte fast Nichts oder nur wenig Bedeutendes", und in dem sonst als Grenze der historischen Dokumentation festgelegten Jahr 1648 sei der Verfall der Musik „schon längst vollständig vorhanden". Weiterhin sollte an erster Stelle die niederländisch-deutsche Schule, „die Mutter aller Schulen der Musik bis auf den heutigen Tag" dokumentiert werden (man fragt sich, warum der oben genannte Kirchengesang „gregorianisch" heißt); die Niederländer seien „in ihrem innern Wesen so sehr deutsch, daß mir wenigstens ein mehrjähriges Studium der Kunstwerke beider Nationen keinen nationalen Unterschied . . . entdecken ließ". Offensichtlich war sich der Gutachter nicht der Tatsache bewußt, daß die übergroße Mehrzahl der Komponisten der „niederländisch" genannten Schulen aus dem französischen Teil der Niederlande und aus anderen Territorien des burgundischen Machtbereichs stammten; weiterhin übersah er die Tatsache, daß bis zu den „nationalen Schulen" des 19. Jahrhunderts immer mehr oder weniger das Bewußtsein lebendig war, daß die Musik „le langage universel de notre continent" ist.

In Tuchers Sammelprogramm spiegelt sich das Verhältnis der Romantik zur älteren Musik im Geiste eines Nazarenertums wider, das zum ersten Male der Heidelberger Jurist Justus Thibaut 1824 in seinem später oftmals neu aufgelegten Werkchen Über Reinheit der Tonkunst[2] formuliert hatte. Nun waren die kirchenmusikalischen Werke des Giovanni Pierluigi da Palestrina (um 1525–1594) im 17. und 18. Jahrhundert nie ganz in Vergessenheit geraten, und Komponisten-Theoretiker wie Johann Josef Fux, Giambattista Martini, Johann Georg Albrechtsberger und noch kurz vor Thibauts Grundsatzerklärung Luigi Cherubini (um 1820) hatten den Kompositionen des römischen Meisters und ihrem Stil in ihren Kontrapunktlehrbüchern gehuldigt. Um so mehr hielt Thibaut den palestrinensischen Stil als absolutes Ideal der Reinheit der Tonkunst seiner Zeit vor. Palestrina war 1555 ein halbes Jahr als Sänger an der Cappella Sistina tätig, in der sich nie eine Orgel befunden hat, und während des letzten Jahrzehnts seines Lebens war er Komponist der päpstlichen Kapelle. Überdies hat die Legende ihn wegen der angeblich von ihm komponierten Karfreitagsimproperien (sie sind in Wirklichkeit von Marcantonio Ingegneri) zum Retter der mehrstimmigen Kirchenmusik beim tridentischen Konzil befördert. Tatsache ist, daß Palestrina in seinen Spätwerken die strengen Vorschriften des Konzils bezüglich der kirchlichen Polyphonie befolgte. Beides – die Tätigkeit an der

---

[1] Gottlieb von Tucher: Ueber die Sammlung von Musikalien. In: Anzeiger für Kunde des deutschen Mittelalters Bd. 2 (1833), Sp. 84–88.
[2] Anton Friedrich Justus Thibaut: Über Reinheit der Tonkunst. 1. Aufl. Heidelberg 1824. 7. Aufl. Freiburg i. Br. 1893.

Cappella Sistina und die Strenge der letzten mehrstimmigen Kirchenwerke Palestrinas – machen es wahrscheinlich, daß seine Kompositionen oft ohne Instrumente aufgeführt worden sind. So ist es leicht verständlich, daß außer dem Stil Palestrinas auch die Aufführung seiner Werke a Cappella von Thibaut zu einem Element der von ihm proklamierten Reinheit der Tonkunst wurde. Das Ideal der A-Cappella-Ausführung wurde von dem Einzelfall des römischen Meisters auf die ganze Musik von 1450 bis 1600 ausgedehnt. Dieses findet man in Tuchers Sammelprogramm wieder: Die zu dokumentierenden „Produkte gehören dem Stile an, welchen man den contrapunktischen, den a Capella-Stil (sic) nennt". Daß – in den Niederlanden und in Deutschland wie in Italien – Darstellungen von musizierenden Gruppen, auch wenn sie in der Kirche auftreten, von Musikinstrumenten förmlich strotzen, wurde offensichtlich nicht als Entkräftung der a priori aufgestellten Theorie empfunden. Aus diesen Gründen ist es zu erklären, daß im Tucherschen Programm vom Sammeln von Musikinstrumenten nicht gesprochen wird.

Nüchterner ist das vom Freiherrn Hans von und zu Aufseß entworfene „System der deutschen Geschichts- und Alterthums-Kunde", das er 1853 erstellte. Darin kommt unter B. I. A. 2. a auch die Tonkunst vor[2a]. Man kann über die Stelle der Musik im System überhaupt diskutieren (z. B. ob nicht die Tonkunst der Sprache näher steht als der bildenden Kunst, mit der sie zur Gruppe „Kunst und Kunstwerke" zusammengefaßt wird). Man kann an Aufseß' dilettantischer Einteilung des Gebietes der Musik Kritik üben. Auch der Mangel an Logik ist augenfällig (z. B. Instrumentalmusikalien: „aa) für Saiten- und Blasinstrumente, bb) für Laute", als ob die Laute kein Saiteninstrument wäre). Positiv ist dagegen zunächst, daß dem System keine irgendwie ästhetisch begründete willkürliche Begrenzung auferlegt wird. Sodann ist folgendes zu bedenken. Musik hat mit Sprache, Theater und Ballett das gemeinsam, daß sie nicht mehr existiert, sobald sie verklungen, bzw. zu Ende gespielt ist. Die Einzelheiten der Tonkunst werden dokumentiert durch graphische Symbole, Tonwerkzeuge und musikikonographische Belege. Diese drei Kategorien „gefrorener Musik" erscheinen – allerdings nicht ganz vollständig – in Aufseß' System: Instrumente, Instrumentenikonographie (unter „Instrumentalmusik"; geschriebene und gedruckte Noten für Instrumente werden als „Instrumentalmusikalien" aufgeführt; es fehlt somit die für die Aufführungspraxis so wichtige Ikonographie der Vokalmusik) und geschriebene oder gedruckte Kompositionen und theoretische Werke.

In einem undatierten Faltblatt aus der Frühzeit des Museums über „Die musikalischen Sammlungen des germanischen Museums zu Nürnberg" werden unter „musikalischen Sammlungen" allerdings nur geschriebene oder gedruckte Kompositionen und theoretische Werke – bezeichnenderweise zum größten Teil vom 12. bis 17. Jahrhundert – verstanden. Musikinstrumente und Musikikonographie werden nicht einmal am Rande erwähnt.

Trotzdem fing man schon früh an, Musikinstrumente zu sammeln. In der 1856 erstellten Übersicht der Kunst- und Alterthumssammlungen[3] werden 33 Musikinstrumente und 7 ikonographische Belege aufgeführt. Unter den Instrumenten befinden sich immerhin die beiden Trumscheite MI 1 und 2 (unter der Bezeichnung „Monochordien" und ins 15. statt ins 16. Jahrhundert datiert), die Viola da Gamba von Hans Pergette, München 1599 (MI 6, als „Violoncello" angeführt), die Tanzmeistergeige in Bootform von Georg Wörle, Augsburg 1674 (MI 40), die Lauten von Michael Hartung, Padua 1602 (MI 44), und von Pietro Railich, Venedig 1644 (MI 45), das Doppelvirginal von Martinus van der Biest, Antwerpen 1580 (MI 85), der Altpommer des 16. Jahrhunderts (MI 91), der Baßpommer aus dem Jahre 1600 (MI 97), der Blockflötensatz von Hieronimus Franciskus Kynsecker, Nürnberg, 2. Hälfte 17. Jahrhundert (MI 98–104, als „Kriegspfeifen" angeführt), ein Choristfagott von Johann

---

[2a] Vgl. S. 979 und 983.
[3] Organismus GNM 2. Abt., S. 71–72.

Christoph Denner, Nürnberg, Ende 17. Jahrhundert (wohl MI 125), das Altkrummhorn des 16. Jahrhunderts (MI 109) und zwei Krumme Zinken um 1600. Das Sammelprogramm des Museums erstreckte sich etwa bis zur Mitte des 17. Jahrhunderts. Tatsächlich sind in der Instrumentenliste aus dem Jahre 1856 alle Instrumente in das 16. oder 17. Jahrhundert datiert. Wäre man sich der Tatsache bewußt geworden, daß das Englische Violett MI 18 („Geige sog. viole d'amour") und die Spitzharfe MI 61 aus dem 18. Jahrhundert, das Hackbrett MI 81 und die Oboe da Caccia von M. Deper (MI 108; „Krummhorn mit Schallbecher und Messingklappen") sogar aus der 2. Hälfte des 18. Jahrhunderts stammten, wären diese Instrumente wohl nie in die Museumsbestände aufgenommen worden. Man hat sich offensichtlich auch über den Erwerb einer Harfe romanischer Form gefreut (MI 60)[4], ohne sich der Tatsache bewußt zu sein, daß es sich hier um eine Fälschung handelte.

Vier Jahre später zählte der Instrumentenbestand des Germanischen Nationalmuseums 66 Nummern[5]. Neuerworben waren u. a. ein besonders seltenes Exemplar einer großen Baß-Viola da Gamba von Hanns Vogel, Nürnberg 1563 (MI 5), eine Alt-Viola da Gamba, 1636, und eine Bratsche 1656 von Paul Hiltz, Nürnberg (MI 10, 11), eine kleine Baß-Viola da Gamba von Ernst Busch, Nürnberg 1641 (MI 15), eine interessante Bratsche von Johann Adam Pöpel, Bruck bei Eger 1664 (MI 20), die Klarinette von Jacob Denner, Nürnberg, um 1715 (MI 149), die Musette um 1700 (MI 158), die beiden Naturtrompeten von Johann Carl Kodisch, Nürnberg, um 1700 (MI 162/163), die ornamental besonders schön ausgestattete Baßposaune von Johann Isaac Ehe, Nürnberg 1612 (MI 168), zwei Tenorposaunen von Sebastian Hainlein d. J., Nürnberg 1642 (MI 169) und von Erasmus Schnitzer, Nürnberg 1551 (MI 170), sowie eine Altposaune von Martin Friedrich Ehe, Nürnberg 1768 (MI 171). Es wird auch kurz vor 1860 gewesen sein, daß ein zweites, allerdings unvollständiges Choristfagott von Johann Christoph Denner erworben wurde (MI 106). Auf den Zapfen für die Stürze hatte man das Baßrohr und die Stürze eines Barockfagotts des 18. Jahrhunderts gesetzt! In dieser Form wurde das Instrument mit dem Trumscheit MI 1, der großen Baß-Viola da Gamba von Hanns Vogel, der Baßposaune von Johann Isaac Ehe und dem Baßpommer im Anzeigerband 1860 abgebildet.

In einem Bericht aus dem Jahre 1870 über den Stand der Sammlungen des Germanischen Nationalmuseums, von August Essenwein verfaßt, wird mitgeteilt, daß nunmehr 84 Musikinstrumente vorhanden seien[6]. Essenwein schreibt: „Zu einer Uebersicht der Geschichte der musikalischen Instrumente hat sie (die Sammlung) sich bis jetzt noch nicht erheben können; soweit dies überhaupt möglich ist, also freilich nur für die spätere Zeit (gemeint ist wohl die Zeit von 1648 an), wird dies um so bälder stattfinden müssen, als die Gelegenheit zu Erwerbungen immer seltener wird. Nachbildungen kann es hier natürlich nicht geben; dagegen hat Antiquar Pickert hier eine nicht unbedeutende Sammlung, die, abgesehen von Einzelkäufen, bald erworben werden muß und unsere Sammlung wesentlich abrunden wird." Ob tatsächlich die Sammlung A. Pickert erworben wurde, konnte nicht ermittelt werden. Auf jeden Fall hatte im Jahre 1871 die Instrumentensammlung einen erheblichen Zuwachs zu verzeichnen. Im 18. Jahresbericht heißt es: „Ebenso ist die Sammlung der Musikinstrumente durch ansehnliche Ankäufe bedeutend bereichert worden, zu denen auch als Geschenk der evangelischen Kirchenverwaltung zu Friedberg ein Regal v. J. 1639 und als Depositum unter Eigenthumsvorbehalt verschiedene Instrumente des 17. Jhdts. hinzugekommen sind"[7]. Bei dem Regal handelt es sich um das Instrument von Christophorus Wannenmacher (MI 79), beim Depositum vielleicht um eine Anzahl Instrumente, welche die evangelische Kirchenverwaltung in Fürth dem

[4] Anzeiger GNM 1858, Titelkupfer.
[5] Anzeiger GNM 1860, Sp. 44–46. – Vgl. auch die Abb. 205 (Raum zwischen Kirche und Frauenhalle) und 344 (auf der Empore).
[6] August Essenwein: Bericht 1870, S. 13; abgedruckt im Anhang dieses Bandes S. 1008–1009.
[7] Jahresbericht GNM 18 (für 1871), 1872.

416. Musikinstrumente in dem 1876–1877 erbauten Saal des Mecklenburgischen Adels im ersten Obergeschoß des Saalbaues an der Ostseite des Kleinen Kreuzganges, 1880–1935. Zustand in den neunziger Jahren des 19. Jahrhunderts. Stereoskop-Photographien um 1895/97

Museum leihweise zur Verfügung stellte. Allerdings werden zwei Instrumente aus Fürther Besitz (Naturtrompete von Johann Carl Kodisch, Nürnberg 1690, MI 164, und Naturwaldhorn von Jacob Schmidt, Nürnberg, um 1680, MI 181) schon im Anzeiger 1860 erwähnt[5]. Wahrscheinlich hat die Fürther Kirchenverwaltung eine schon vorhandene Instrumentenleihgabe um 15 Stücke erweitert. Erwerbungen des Jahres 1871 sind u. a. auch drei wichtige Zupfinstrumente: eine Gitarre (MI 57) und ein Cithrinchen (MI 67) von Joachim Tielke, Hamburg, sowie eine weitere Gitarre, vielleicht von Giovanni Railich, Padua, 1. Hälfte 17. Jahrhundert (MI 58).

Um 1872 wurde zum ersten Mal von den vorhandenen Musikinstrumenten ein relativ systematisch geordnetes Inventar angelegt, in dem die Einzelstücke mit dem Sigel MI und einer laufenden Nummer versehen wurden. Die Zahl der vorhandenen Stücke betrug damals knapp 200. Noch 1884–86, als das Germanische Nationalmuseum nur 230 Musikinstrumente besaß, erschien im Anzeiger[8] folgende optimistische Behauptung, teilweise im Wortlaut des Berichtes aus dem Jahre 1870: „Zu einer Übersicht der Geschichte der musikalischen Instrumente hat sie sich trotzdem bis jetzt nicht erheben können; soweit dies überhaupt möglich ist, also freilich nur für die spätere Zeit hat unser Museum bereits so viel gesammelt, daß viel kaum mehr zu erwarten ist . . . wohl bestehen da und dort in Privatbesitz Sammlungen von Musikinstrumenten, die früher oder später auf den Markt kommen; aber zur Ergänzung unserer Sammlung bieten sie wenig. Einzelnes wird indessen zu erwerben sein, und es ist für solche Fälle der Betrag von 10000 m, also gewiß nicht viel, in Rechnung zu bringen."

Dabei ist zu bedenken, daß August Essenwein durchaus einsah, daß die Dokumentation der Musik einer spezialisierten Kraft bedurfte. Er rief zur Errichtung einer besonderen Abteilung für Geschichte der Tonkunst auf, die „Beethovensaal" heißen sollte, und mit der er Hans von Bülow betrauen wollte. In einem Brief vom 29. Juni 1870[9] lehnte von Bülow es ab, eine solche Abteilung mit seinem Namen

[8] Anzeiger GNM 1884–86, S. 79–80.
[9] Hampe, Festschrift GNM, S. 147.

zu verbinden. Die in dem Brief enthaltenen Personalvorschläge von Bülows wurden nicht weiter verfolgt und das Vorhaben scheint darauf, vielleicht auch infolge des französisch-deutschen Krieges, gescheitert zu sein.

Vom Jahre 1880 an waren die Musikinstrumente im Saal des Mecklenburgischen Adels ausgestellt, im Obergeschoß eines nicht mehr existierenden, an den Chor der Kartäuserkirche anschließenden Traktes zwischen dem großen und dem kleinen Klosterhof[10]. Dort sah sie 1902 auch Guillaume Apollinaire, auf den vor allem die Trumscheite großen Eindruck gemacht zu haben scheinen[11]. 416, 417 vgl. 208, 229

Unter dem Direktorat von Heinrich Zimmermann wurde die Aufstellung der Musikinstrumente im Jahre 1935 in einen Saal im 1. Obergeschoß des Augustinerbaues und 1938 unter Heinrich Kohlhaußen in den Saalbau am Wasserhof verlegt[12]. In diesen Aufstellungen kamen sowohl die allgemein kulturhistorischen als auch die speziell musikgeschichtlichen Zusammenhänge kaum zur Geltung: Die Instrumente wurden in der damals üblichen Art nach Typen gruppiert dargeboten. 418

Zwischen 1921 und 1932 wurden von Zimmermann neun Instrumente verkauft. Er hatte sich offensichtlich richtig beraten lassen, denn wichtige Stücke waren nicht darunter. Schlimmer war die Rückgabe einer leihweise dem Museum überlassenen Sopranino-Blockflöte von Richard Haka, Amsterdam um 1690, im Jahre 1928. Seitdem ist bis auf den heutigen Tag diese Spezies im Germanischen Nationalmuseum nicht vertreten. Einen besonders empfindlichen Verlust bedeutete die Rückgabe der 17 von der evangelischen Kirchenverwaltung, Fürth, leihweise zur Verfügung gestellten Instrumente im Jahre 1932. Aus den Werkstätten von Johann Christoph und Jacob Denner befanden sich darunter zwei Oboen, zwei Klarinetten und ein Fagott. Nach dem Inventar stammten die beiden Klarinetten aus der Werkstatt des Johann Christoph Denner, der diese Instrumentengattung erfunden haben soll. Wenn dies zutrifft, handelte es sich dabei wahrscheinlich um die einzigen erhaltenen Exemplare aus der Werkstatt von Denner-Vater. Die Fürther Leihgabe umfaßte weiterhin acht Blechblasinstrumente aus den so besonders wichtigen Nürnberger Werkstätten. Der ganze Fürther Bestand wurde im 2. Weltkrieg vernichtet. Nach dieser Rückgabe im Jahre 1932 besaß das Museum noch 345 Musikinstrumente.

Als das Germanische Nationalmuseum zur Zeit seiner Gründung anfing, Musikinstrumente aufzunehmen, folgte es verbreiteten Tendenzen des Sammelns. Schon 1814 war die Instrumentensammlung des Erzherzogs Ferdinand von Tirol aus Schloß Ambras im unteren Belvedere in Wien zu sehen. 1824 legte Franz Xaver Glöggl in Linz ein Instrumentenmuseum an, dessen Bestände später von der Gesellschaft der Musikfreunde in Wien angekauft wurden. 1839 wurden die Instrumente des 17. und 18. Jahrhunderts aus der Benediktinerabtei Kremsmünster dem Oberösterreichischen Landesmuseum in Linz gestiftet. Seit 1857 verfügte das damalige South Kensington Museum in London über eine Instrumentensammlung. Von 1858 an entwickelte sich die Instrumentensammlung des Salzburger Museums Carolino Augusteum. 1860 wurden dem Städtischen Museum in Braunschweig die Bestände aus dem Rathaus und der Brüdernkirche überwiesen. Inzwischen bildeten L. Clapisson in Paris, François-Joseph Fétis in Brüssel, Paul de Wit in Leipzig, Mrs. Crosby Brown in New York, Daniel François Scheurleer in Den Haag, Heinrich Schumacher in Luzern, Morris Steinert in New York, César Snoeck in Renaix, George Donaldson in London, Fred Stearns in Ann Arbor, Michigan, J. C. Boers in Amsterdam und Alessandro Kraus in Florenz private Instrumentensammlungen, deren Bedeutung – vor allem bei Fétis, de Wit, Crosby Brown und Snoeck – die der Sammlung des Germanischen Nationalmuseums weit übertraf[13]. In den siebziger Jahren entstandene Musikin-

[10] Wegweiser GNM 1880, S. 63–64. – Zum Bau des Saales vgl. S. 438.
[11] Raymond Warnier: Guillaume Apollinaire. In: Anzeiger GNM 1970, S. 135–142, insbes. S. 138–139.
[12] Wegweiser GNM 1935, S. 150–151. – Jahresbericht GNM 85 (für 1938), 1939, S. 7 und 86 (für 1939), 1940, S. 7.
[13] Paul de Wit: Kurzgefaßter Katalog aller im Musikhistorischen Museum von Paul de Wit vorhandenen Musik-Instrumente. Leipzig 1893. – Paul de Wit: Katalog des Musikhistorischen Museums von Paul de Wit. Leipzig 1903. – Mary E.

417. Musikinstrumente in dem 1876–1877 erbauten Saal des Mecklenburgischen Adels im ersten Obergeschoß des Saalbaus an der Ostseite des Kleinen Kreuzganges, 1880–1935. Zustand in den neunziger Jahren
des 19. Jahrhunderts. Photographie um 1896

strumenten-Sammlungen hatten von Anfang an internationale Bedeutung: Es handelt sich um das Musée Instrumental du Conservatoire National Supérieur de Musique in Paris (begonnen 1861 mit dem Erwerb der Sammlung Clapisson), das Musée Instrumental du Conservatoire Royal de Musique in Brüssel (begonnen 1872 mit dem Erwerb der Sammlung Fétis, später unter anderem durch den Zugang der zweiten Sammlung Snoeck erweitert), die Instrumentalsammlung des Historischen Museums in Basel (seit 1877) und das United States National Museum, später Smithsonian Institution, in Washington D. C. (Instrumentensammlung seit 1879). In den Jahren nach 1880 und 1890 intensivierten sich die Gründungen öffentlicher Instrumentensammlungen: Es entstanden Abteilungen an Museen oder Spezialmuseen: am Liceo Musicale (jetzt im Museo Civico) in Bologna (1880 Veröffentlichung des Kataloges), am Historischen Museum in Frankfurt am Main (kurz nach 1880 Übernahme der Blasinstrumente der ehemaligen Stadtpfeiferei und des Pfeifergerichts), am Bayerischen Nationalmuseum in München (1883 Veröffentlichung des ersten Kataloges), das Gewerbemuseum in Markneukirchen (1884 durch Paul Otto Apian-Bennewitz angeregt), das jetzige Musikinstrumentenmuseum des Staatlichen Instituts für Musikforschung in Berlin (1888 gegründet durch den Erwerb der ersten Sammlung de Wit, später u. a. durch die zweite Sammlung de Wit und die erste Sammlung Snoeck erweitert), am Metropolitan Museum of Art in New York (1889 Stiftung der Sammlung Crosby Brown), am Museum Vleeshuis in Antwerpen (1894 Veröffentlichung der 4. Auflage des Kataloges), am Royal College of Music in London (1894 Stiftung der Sammlung Donaldson), das Musikhistorisk Museum in Kopenhagen (1897 gegründet), in der School of Music, University of Michigan, Ann Arbor, Michigan (1898 Stiftung der Sammlung Stearns), das Musikhistoriska Museet in Stockholm (1899 gegründet), die Yale University Collection of Musical Instruments, New Haven, Connecticut (1900 Stiftung von Teilen der Sammlung Morris Steinert). Geradezu epochal war 1902 die Gründung der Privatsammlung von Wilhelm Heyer in Köln durch Ankauf der dritten Sammlung de Wit; die Bestände wurden später u. a. durch den Ankauf der Sammlung Kraus erweitert. Sehr viel später als das Germanische Nationalmuseum gegründete Museen und Sammlungen wie die in Paris, Brüssel, Basel, Washington, Berlin, New York, Kopenhagen, Stockholm und schon gar das Heyer-Museum in Köln ließen alsbald die Instrumentenbestände des Germanischen Nationalmuseums sowohl zahlenmäßig als auch in bezug auf die Qualität weit hinter sich. Das South Kensington Museum (später Victoria and Albert Museum) besaß nicht sehr viel mehr Instrumente als das Germanische Nationalmuseum, die Qualität der Londoner Bestände war aber unvergleichlich viel besser als die der Nürnberger.

Der Stellenwert der Instrumentensammlung des Germanischen Nationalmuseums war mit demjenigen der schon genannten Sammlungen in Linz, Salzburg, Braunschweig, Bologna, Frankfurt am Main, München (Bayerisches Nationalmuseum), Antwerpen oder London (Royal College of Music), eventuell auch mit dem der später gegründeten Instrumentensammlungen in Boston (Museum of Fine Arts), Breslau (Schlesisches Museum für Kunstgewerbe und Altertümer), Darmstadt (Hessisches Landesmuseum), Hamburg (Museum für Hamburgische Geschichte und Museum für Kunst und Gewerbe), Lübeck (St.-Annen-Museum) oder Stuttgart (Württ. Landesmuseum) zu vergleichen.

und William Adams Brown: Musical Instruments and their Homes. A Complete Catalogue of the Collection of Musical Instruments now in the Possession of Mrs. J. Crosby Brown of New York. New York 1888. – Daniel François Scheurleer: Catalogus der Muziekbibliotheek en der Verzameling van Muziekinstrumenten. Den Haag 1885. – Heinrich Schumacher: Katalog zu der Ausstellung von Musikinstrumenten früherer Zeiten. Luzern 1888. – Morris Steinert: The Morris Steinert Collection of Keyed and Stringed Instruments with Various Treatises on the History of these Instruments. New York 1893. – César Snoeck: Catalogue de la collection d'instruments de musique anciens ou curieux. Gent 1894. – César Snoeck: Catalogue de la collection d'instruments flamands et néerlandais de C. C. Snoeck. Gent 1903. – Albert August Stanley: Catalogue of the Stearns Collection of Musical Instruments. Ann Arbor 1918. – Alessandro Kraus jun.: Catalogo della Collezione Etnografico-Musicale Kraus in Firenze. Sezione istrumenti musicali. Florenz 1901.

418. Saiteninstrumente im 1884 erbauten Saalbau am Wasserhof. Aufstellung 1939 bis zum zweiten Weltkrieg

Wie diese kleineren Instrumentensammlungen, die aus einigen hundert Stücken bestanden, konnte auch das Germanische Nationalmuseum keine Übersicht der Geschichte der Musikinstrumente bieten, obwohl eine Anzahl interessanter Stücke zu verzeichnen war. Einige davon wurden schon erwähnt. Man könnte ihnen noch die Viola d'Amore von Caspar Stadler (München 1714) mit hübschen Messing- und Zinnauflagen auf Boden und Zargen, eines der seltenen erhaltenen Exemplare des Typs der gotischen Harfe, das bis zum 2. Weltkrieg einzige erhaltene deutsche Spinett mit enharmonischen Tasten, drei Klavichorde aus der Werkstatt der Familie Kraemer (Göttingen), darunter ein Pedalklavichord, ein Exemplar des seltenen Typs des deutschen Klavizyteriums, ein Bassetthorn aus der Werkstatt der Erfinder dieses Instrumententyps Anton und Michael Mayrhofer vgl. 98 (Passau, um 1770), als Scherz des Rokoko die Figur einer Dame mit herausziehbaren Schubladen, von vgl. 404 denen eine ein Oktavklavichord enthält, schließlich das Miniaturspinett im Stromerschen Puppenhaus hinzufügen. Das letztgenannte Stück ist von so großer Wichtigkeit, weil von diesem Spinettyp nur ein Exemplar in der normalen Größe, und zwar in Salzburg, erhalten ist und man ihn sonst nur aus spärlichen ikonographischen Belegen kennt.

Zwischen 1932 und dem Ausbruch des 2. Weltkrieges kam nur ein Fagott des späten 18. Jahrhunderts dazu. An Kriegsverlusten hatte das Germanische Nationalmuseum dann 38 Instrumente zu verzeichnen, darunter unersetzbare Stücke wie ein Bibel-Regal des 18. Jahrhunderts (seitdem fehlt dieser Regaltyp im Museum), das erwähnte deutsche Spinett, sämtliche Klavichorde aus der Werkstatt

821

der Familie Kraemer und das Klavizyterium. Trotz sorgsamer Betreuung war das Fehlen eines musikwissenschaftlich geschulten Mitarbeiters die Quelle manches vermeidbaren Fehlers. Einige falsche Instrumentenbezeichnungen und Datierungen wurden schon erwähnt. Es wurde auch schon darauf hingewiesen, daß manchmal nicht zusammengehörige Stücke zu einem Instrument zusammengesetzt wurden und daß man gelegentlich auf eine Fälschung hereinfiel.

Eine der wichtigsten Möglichkeiten, eine Sammlung zu erschließen, ist die Veröffentlichung eines Kataloges. Frühe Kataloge sind die der Instrumentenbestände des ehemaligen South Kensington Museum in London (1870), des Conservatoire in Paris (1875), des Liceo Musicale in Bologna (1880) und des Bayerischen Nationalmuseums in München (1883)[14]. Ein Meilenstein in der Reihe der Musikinstrumentenkataloge und der instrumentenkundlichen Veröffentlichungen überhaupt war der erste Band des Kataloges der Musikinstrumente des Conservatoire in Brüssel, von Victor-Charles Mahillon geschrieben[15]. Dieser Band enthält eine sehr ausführliche Einleitung, in welcher der Verfasser eine Klassifikation der Musikinstrumente ausarbeitet, die bis auf den heutigen Tag Gültigkeit besitzt. Mahillons Systematik ist grundlegend für die Kataloge, die in den darauffolgenden Jahrzehnten veröffentlicht wurden. Es seien die der Museen von New York (1904–07), Basel (1906), Markneukirchen (1908), Kopenhagen (1909), der Gesellschaft der Musikfreunde in Wien (1912) und von Eisenach (1913) genannt[16]. Meilensteine in der Reihe der Musikinstrumentenkataloge und der Entwicklung der Instrumentenkunde waren auch Band 1 und 2 des Kataloges des Heyer-Museums in Köln, von Georg Kinsky verfaßt (1910–12)[17]. Der Autor ging darin weniger systematisch vor als Mahillon in seinem Standardwerk, dafür legte er die Ergebnisse seiner für die damalige Zeit erstaunlich genauen Untersuchungen an den Einzelinstrumenten vor; die einzelnen Typen und deren Entwicklung wurden mehr als vorher mit Hilfe der zeitgenössischen Theoretiker und Komponisten erfaßt. Der Band der Blasinstrumente wurde nie veröffentlicht, aber die erschienenen Bände sind bis auf den heutigen Tag für jeden, der sich instrumentenkundlich beschäftigt, ein Nachschlagewerk. Ein gleiches Fingerspitzengefühl findet man bei dem 1920 von Julius von Schlosser veröffentlichten Katalog der Musikinstrumente des Kunsthistorischen Museums in Wien[18]. Inzwischen hatten Erich Moritz Hornbostel und Curt Sachs in einem 1914 veröffentlichten Artikel die Systematik von Mahillon verfeinert. In dieser Form hat Sachs sie zunächst in seinem Handbuch der Musikinstrumentenkunde, sodann im 1922 veröffentlichten Katalog des Berliner Instrumentenmuseums angewandt[19]. Die grundlegenden Arbeiten von Mahillon, Kinsky, Schlosser und Sachs waren sehr brauchbare

[14] Carl Engel: A Descriptive Catalogue of the Musical Instruments in the South Kensington Museum. London 1870. – Gustave Chouquet: Le Musée du Conservatoire National de Musique. Catalogue raisonnée des instruments de cette collection. Paris 1875. Später wurden mehrere Ergänzungsbände veröffentlicht. – Raccolta di antichi strumenti armonici. Bologna 1880. – K. A. Bierdimpfl: Die Sammlung der Musikinstrumente des baierischen Nationalmuseums. München 1883.

[15] Victor-Charles Mahillon: Catalogue descriptif & analytique du Musée Instrumental du Conservatoire Royal de Musique de Bruxelles I. Gent. 1880. 2. Aufl. 1893. Band II–V erschienen 1896–1922.

[16] The Metropolitan Museum of Art. Catalogue of the Crosby Brown Collection of Musical Instruments of All Nations I–IV. New York 1904–1907. – Karl Nef: Historisches Museum Basel. Musikinstrumente. Basel 1906. – Katalog des Gewerbemuseums zu Markneukirchen. Markneukirchen 1908. – Angul Hammerich: Musikhistorisk Museum. Beskrivende illustreret Katalog. Kopenhagen 1909. – Eusebius Mandyczewski: Zusatz-Band zur Geschichte der k. k. Gesellschaft der Musikfreunde in Wien. Sammlungen und Statuten. Wien 1912. – Eduard Buhle: Verzeichnis der Sammlung alter Musikinstrumente im Bachhaus zu Eisenach. Leipzig 1913.

[17] Georg Kinsky: Musikhistorisches Museum von Wilhelm Heyer in Köln. Katalog. Bd. 1: Besaitete Tasteninstrumente, Orgeln und orgelartige Instrumente, Friktionsinstrumente. Köln 1910. Bd. 2: Zupf- und Streichinstrumente. Köln 1912.

[18] Julius von Schlosser: Kunsthistorisches Museum. Die Sammlung alter Musikinstrumente. Beschreibendes Verzeichnis. Wien 1920.

[19] Erich Moritz von Hornbostel und Curt Sachs: Systematik der Musikinstrumente. In: Zeitschrift für Ethnologie Bd. 46 (1914), S. 553–590. – Curt Sachs: Handbuch der Musikinstrumentenkunde. Leipzig 1920. – Curt Sachs: Die Sammlung alter Musikinstrumente bei der Staatlichen Hochschule für Musik zu Berlin. Beschreibender Katalog. Berlin 1922.

419. Musikkabinett im ersten Obergeschoß des Theodor-Heuss-Baues. Aufstellung Ludwig Grotes, 1962–1968

Werkzeuge, mit denen dann einige kleinere Instrumentensammlungen im deutschen Sprachgebiet katalogisiert werden konnten. In dem Jahrzehnt nach der Veröffentlichung des Berliner Kataloges erschienen die der Instrumentensammlungen des Deutschen Museums in München (1925) sowie der genannten Museen in Frankfurt am Main (1927), Braunschweig und Stuttgart (beide 1928), Hamburg (1930), Breslau und Salzburg (beide 1932)[20].

In diesem Zusammenhang ist es verständlich, daß auch die Leitung des Germanischen Nationalmuseums den Wunsch hegte, einen Katalog abfassen zu lassen. Damit wurde der damals junge Musikwissenschaftler Fritz Jahn beauftragt, der für seine 1925 erschienene Dissertation über Nürnberger Trompeten- und Posaunenmacher im 16. Jahrhundert[21] schon einige Instrumente im Museum untersucht hatte. Der 1927 von Jahn erstellte Katalog berichtigte manchen älteren Fehler und war für die damalige Zeit recht brauchbar; dennoch wurde er nicht veröffentlicht. Jahn konnte nur einen kurzen Bericht über die Musikinstrumentensammlung des Museums publizieren[22]. Sonst wurde in der Fachliteratur bis zum 2. Weltkrieg auf die Musikinstrumentensammlung des Germanischen Nationalmuseums nur selten Bezug genommen[23]. Die ausführlichen und brauchbaren Abhandlungen

[20] Peter Epstein: Katalog der Musikinstrumente im Historischen Museum der Stadt Frankfurt am Main. Frankfurt a. M. 1927. – Hans Schröder: Verzeichnis der Sammlung alter Musikinstrumente im Städtischen Museum Braunschweig. Braunschweig 1928. – Hans Heinz Josten: Württembergisches Landesgewerbemuseum. Die Sammlung der Musikinstrumente. Stuttgart 1928. – Hans Schröder: Museum für Hamburgische Geschichte. Verzeichnis der Sammlung alter Musikinstrumente. Hamburg 1930. – Peter Epstein und Ernst Scheyer: Schlesisches Museum für Kunstgewerbe und Altertümer. Führer und Katalog zur Sammlung alter Musikinstrumente. Breslau 1932. – Karl Geiringer: Alte Musik-Instrumente im Museum Carolino-Augusteum Salzburg. Führer und beschreibendes Verzeichnis. Leipzig 1932.
[21] Fritz Jahn: Beiträge zur Geschichte des Nürnberger Musikinstrumentenbaues. Trompeten- und Posaunenmacher im 16. Jahrhundert. Leipzig 1925.
[22] Fritz Jahn: Das Germanische Nationalmuseum zu Nürnberg und seine Musikinstrumenten-Sammlung. In: Zeitschrift für Musikwissenschaft Jg. 10 (1927–28), S. 109–111.
[23] Einige Abb. in: Hermann Ruth-Sommer: Alte Musikinstrumente. Berlin 1916. – Curt Sachs: Handbuch der Musikinstrumentenkunde. Leipzig 1920, 2. Aufl. 1930 (vgl. John Henry van der Meer: Curt Sachs and Nürnberg. In: Galpin

über Einzelstücke von Essenwein, Bezold und Stegmann[24] berücksichtigten nur kunstgewerbliche Aspekte.

Nach Kriegsende ging es langsam aufwärts. Einige Neuerwerbungen sind zu verzeichnen, unter denen der nicht nur instrumentenkundlich wichtige, in den beiden gleich zu erwähnenden Ausstellungen gezeigte Behaimsche Spinettdeckel die belangreichste war. Unter Ludwig Grote wurde zuerst aus Anlaß der 5. Internationalen Orgelwoche 1956 eine Ausstellung „Alte Musik und ihre Instrumente" gezeigt, bei der auch Instrumente aus den Nürnberger Sammlungen Rück und Neupert, auf die zurückzukommen sein wird, gezeigt wurden. Eine Anzahl Instrumente der Sammlung Rück wurde in die Ausstellung „Nürnberger Barock" im Jahre 1962 aufgenommen, wenn auch nicht im Katalog verzeichnet[25]. Inzwischen war im 1. Stock des Theodor-Heuss-Baues ein Musikkabinett eingerichtet[26], wobei der kulturgeschichtlichen Konzeption Grotes gemäß neben Instrumenten Gemälde, ein burgundischer Bildteppich und Graphiken mit Musikdarstellungen sowie handgeschriebene und gedruckte Noten dargeboten wurden. Dieses Musikkabinett wurde 1968 aufgelöst. $\quad$ 419

Konzerte wurden im Museum gelegentlich schon im 19. Jahrhundert organisiert, so am 17. August 1862 und am 12. Mai 1872, allerdings mit zeitgenössischer Musik, während ein Konzert mit Musik des 16.–18. Jahrhunderts am 16. August 1877 anläßlich des 25-jährigen Bestehens des Museums in der Lorenzkirche stattfand. Regelmäßige Konzertreihen hat es bis zum 2. Weltkrieg aber nicht gegeben. Nach dem Krieg ergriff der 1. Nachkriegsdirektor Ernst Günter Troche die Initiative zur Gründung der Musica-Antiqua-Konzerte in Zusammenarbeit mit dem Studio Nürnberg des Bayerischen Rundfunks. Freilich war man bis zum Jahre 1963 weit davon entfernt, dabei Instrumente aus den Beständen des Museums einzusetzen.

Auch in der Forschung rückte die Instrumentensammlung des Germanischen Nationalmuseums mehr in das Licht der Öffentlichkeit. Die Trompeten, Posaunen und Waldhörner aus Nürnberger Werkstätten wurden in der grundlegenden Studie von Willi Wörthmüller[27] besprochen. Ein Doppelband der „Bibliothek des Germanischen National-Museums zur deutschen Kunst- und Kulturgeschichte" wurde der Musik gewidmet[28]; Heinz Zirnbauer[29] schrieb eine Studie über den Behaimschen Spinettdeckel. Darüber hinaus wurden Musikinstrumente aus den Beständen des Museums in acht Veröffentlichungen sowie in mehreren Artikeln in „Die Musik in Geschichte und Gegenwart" erwähnt oder abgebildet.

Es war das große Verdienst Grotes, daß er die Unvollständigkeit des alten Instrumentenbestandes des Germanischen Nationalmuseums erkannte. In Nürnberg, das vom 16.–18. Jahrhundert im Holz-

Society Journal Jg. 23 (1970), S. 120–125). – Tobias Norlind: Systematik der Musikinstrumente. Bd. 1: Geschichte der Zither. Stockholm 1936; Bd. 2: Geschichte des Klaviers. Stockholm 1939. – Tobias Norlind: Musikinstrumentens historia i ord og bild. Stockholm 1941. – Zupf- und Streichinstrumente genannt in: Willibald Leo von Lütgendorff: Die Geigen- und Lautenmacher vom Mittelalter bis zur Gegenwart. 5.–6. Aufl. Frankfurt/M. 1922. – Blasinstrumente genannt in: Josef Zimmermann: Die Pfeifenmacherfamilie Walch in Berchtesgaden. In: Zeitschrift für Instrumentenbau Jg. 57 (1937). – Über das Regal von Wannenmacher: Ein Friedberger Orgelinstrument im Germanischen Nationalmuseum. In: Karl Schmidt: Aus vergangenen Zeiten. 2. Aufl. Friedberg (Hessen) 1935. Bd. 1, S. 36–40. – Über das Spinett mit enharmonischen Tasten: Wilhelm Dupont: Geschichte der musikalischen Temperatur. Kassel 1935, S. 49.

[24] August Essenwein: Ein Spinett vom Jahre 1580. In: Anzeiger GNM 1879, Sp. 257–261. – Gustav von Bezold: Ein Orgelgehäuse aus dem Ende des 16. Jahrhunderts. In: Mitteilungen GNM 1900, S. 138–141 und Taf. V. – Hans Stegmann: Die Holzmöbel des Germanischen Nationalmuseums. In: Mitteilungen GNM 1909, S. 25–58, und 1910, S. 36–88.

[25] Barock in Nürnberg. Ausstellung im Germanischen Nationalmuseum vom 20. Juni bis 16. September 1962. Katalog. (Der Behaimsche Spinettdeckel Nr. A 43).

[26] Tätigkeitsbericht GNM 1959, S. 1.

[27] Willi Wörthmüller: Die Nürnberger Trompeten- und Posaunenmacher des 17. und 18. Jahrhunderts. In: Mitteilungen des Vereins für Geschichte der Stadt Nürnberg Bd. 45 (1954), S. 208–325 und Bd. 46 (1955), S. 372–480.

[28] Alfons Ott: Tausend Jahre Musikleben 800–1800 (Bibliothek des Germanischen Nationalmuseums zur deutschen Kunst- und Kulturgeschichte, Bd. 18/19). München 1961.

[29] Heinz Zirnbauer: Lucas Friedrich Behaim, der Nürnberger Musikherr des Frühbarock. In: Mitteilungen des Vereins für Geschichte der Stadt Nürnberg Bd. 50 (1960), S. 330–351.

420. Wilhelm Rück (1849–1912) mit
Gattin und den Söhnen (sitzend) Hans
Rück (1876–1940) und (stehend)
Dr. Ulrich Rück (1882–1962)

und Blechblasinstrumentenbau führend gewesen war und eine stattliche Anzahl Lauten- und Geigenmacher vorzuweisen hatte, befanden sich zwei private Musikinstrumentensammlungen. Eine davon, die nahezu sämtliche europäische Typen sowie eine Anzahl außereuropäischer Musikinstrumente umfaßte, ging auf das Jahr 1888 zurück, als der Lehrer, Organist und spätere Gründer des Pianohauses, Wilhelm Rück (1849–1912), begann, systematisch Instrumente zu sammeln. Sein Erbe wurde von seinen Söhnen Hans (1876–1940) und Dr. Ulrich (1882–1962) u. a. durch den Ankauf kleinerer oder größerer Teile der Sammlungen Heinrich Schumacher, Luzern (1932), Fritz Wildhagen, Berlin (1933), Curt Sachs, Berlin (1934), Hugo Engel, Wien (1938), Theo Schäffer, München (1939), und Bernhard Klinkerfuss, Stuttgart (1942), erweitert. Auf der anderen Seite wurden, um Dublettenbildung zu vermeiden, Sammlungsteile abgestoßen, so durch Verkauf einer Anzahl von Instrumenten an das Händel-Haus in Halle an der Saale im Jahre 1942 und an das Mozarteum in Salzburg im Jahre 1956. Mit der Sammlung Georg Neuner in München, die den Grundbestand der Städtischen Musikinstrumentensammlung der Hauptstadt Bayerns bilden sollte, bestand ein reger Tauschverkehr, während 1957 eine Reihe von Instrumenten der Universität Erlangen gestiftet wurde. Museal ausgestellt war die Sammlung vor dem 2. Weltkrieg im Pianohaus Rück. Nach Kriegsschluß befand sich ein Teil der Stücke vorübergehend im Musikwissenschaftlichen Seminar der Universität Erlangen, im Jahre 1953 wurde aus Anlaß des Internationalen Musikwissenschaftlichen Kongresses der Gesellschaft für

Musikforschung im Juli und August in der Neuen Residenz zu Bamberg eine Anzahl von Instrumenten der Sammlung Rück zusammen mit solchen der Sammlung Neupert und des Musikinstrumentenmuseums des Staatlichen Instituts für Musikforschung, Berlin, der Öffentlichkeit präsentiert[30]. Ansonsten waren die Sammlungsbestände seit Kriegsende ausgelagert.

Ein besonderes Anliegen der Familie Rück war es, zumindest einen Teil der Instrumente in spielbaren Zustand zu versetzen. Für Tasteninstrumente hatte Otto Marx jahrzehntelang für die Familie Rück gearbeitet. Damit wurde auch in Nürnberg ein wichtiger Schritt zur Neubelebung des Klangbildes historischer Musik getan. In bezug auf das Pianoforte wurde in Nürnberg mindestens so sehr wie in Wien, Berlin und Leipzig Pionierarbeit geleistet, indem man zur Einsicht gelangte, daß ein Pianoforte der Klassik und der Romantik einen völlig anderen Klang hatte als heutige Instrumente. Für das Verständnis der Klavierwerke des 18. und 19. Jahrhunderts war diese Einsicht eminent wichtig. Die restauratorische Tätigkeit der Brüder Rück erstreckte sich aber auch auf andere Museen und Sammlungen. So wurden in der Rückschen Werkstatt Klaviere für das Historische Museum Basel, das Salzburger Museum Carolino Augusteum und das Musikhistorische Museum Stockholm restauriert. Den Höhepunkt der restauratorischen Tätigkeit bildete die Instandsetzung des Klavichords und des Hammerflügels von Anton Walter, beide aus dem Besitze Wolfgang Amadeus Mozarts, für das Mozarteum in Salzburg[31]. Noch im Jahre 1962 wurde in der Werkstatt Dr. Rücks das Doppelvirginal von Martinus van der Biest des Germanischen Nationalmuseums restauriert. Instrumente der Sammlung Rück wurden öfters in Ausstellungen gezeigt. Über Einzelstücke und Einzelteile der Sammlung Rück liegen bis einschließlich 1962 achtzehn Veröffentlichungen vor, während Instrumente aus dieser Sammlung in fünfzehn Artikeln in „Die Musik in Geschichte und Gegenwart" besprochen oder abgebildet wurden.

Als Dr. Ulrich Rück im achtzigsten Lebensjahr stand, wollte er seine nunmehr knapp 1500 Stücke zählende Sammlung für die Zukunft sichergestellt wissen. Ludwig Grote begriff, daß ihm eine einmalige Gelegenheit geboten wurde, die Instrumentensammlung des Germanischen Nationalmuseums zu vervollständigen. Am 28. September 1962 wurde ein Vertrag zwischen dem Museum und dem Bevollmächtigten Dr. Rücks unterschrieben, der das Eigentum des hinfort als „Sammlung historischer Musikinstrumente Dr. Dr. h. c. Ulrich Rück" bezeichneten Instrumentenbestandes auf das Museum übertrug. Die Erwerbung wurde durch finanzielle Hilfe der Stiftung Volkswagenwerk und der Fritz-Thyssen-Stiftung ermöglicht. Die Sammlung Rück sollte zusammen mit dem alten Museumsbestand die „Sammlung Historischer Musikinstrumente" bilden, mit deren Betreuung ein Sammlungsleiter und ein Restaurator beauftragt wurden[32]. In den darauf folgenden Jahren wurde die Sammlung Rück durch Stiftungen von Dipl. Ing. Otto Bess, dem Neffen Dr. Rücks, erweitert[33].

Die zweite große Instrumentensammlung in Nürnberg, der Dokumentation der Geschichte der Saitenklaviere gewidmet, war um 1895 von Johann Christoph Neupert (1842–1921) in Bamberg gegründet worden. Der Zweck war zunächst, Vorlagen für den Neubau historischer Klavierinstrumente zur Verfügung zu haben[34]. Die Sammlung wurde dann von den Söhnen Fritz (1872–1952), Dr. Reinhold (1874–1955) und Kommerzienrat Julius (1877–1970) und Enkelsöhnen Hanns (geb. 1902),

---

[30] Führer durch die Ausstellung historischer Musikinstrumente und graphischer Musikdarstellungen in Bamberg, Neue Residenz. 15. Juli mit 16. August 1953.

[31] Ulrich Rück: Mozarts Hammerflügel erbaute Anton Walter, Wien. In: Mozart-Jahrbuch 1955, S. 246–262. – Vgl. John Henry van der Meer: Mozarts Hammerflügel. In: Internationale Gesellschaft für Musikwissenschaft. Bericht über den neunten Internationalen Kongreß Salzburg 1964. Kassel u. a. 1966. Bd. 2, S. 273–280.

[32] Anzeiger GNM 1963, S. 237–239.

[33] Anzeiger GNM 1964, S. 179; 1965, S. 202–203; 1966, S. 207.

[34] J. C. Neupert, gegründet 1868. Werkstätten für historische Tasteninstrumente. Nürnberg 1939.

421. Johann Christoph Neupert (1842–1921)

Alfred (1900–1970) und Dr. Arnulf (geb. 1904) weiter ausgebaut. Die letzte Erwerbung war die der Sammlung des Physikers Hermann von Helmholtz (1821–94), Göttingen, im Jahre 1942. Auch hier wurden im Laufe der Jahre Sammlungsteile veräußert. 1923 wurde dem Musikwissenschaftlichen Seminar der Universität Erlangen eine Anzahl Instrumente gestiftet; weitere Sammlungsteile wurden 1934 an das Musikwissenschaftliche Institut der Universität Köln, 1942 an die Städtische Instrumentensammlung München und an das Händel-Haus in Halle an der Saale verkauft. Darüber hinaus erlitt die Sammlung während des 2. Weltkrieges teilweise im Münchener, teilweise im Nürnberger Lager der Firma Neupert nicht unerhebliche Verluste. Trotzdem blieb jahrzehntelang hindurch ein sorgfältig ausgewählter und liebevoll gehüteter Bestand erhalten, mit dem man weite Kreise mit der Entwicklung des historischen Klavierklanges bekannt machen wollte. Dazu wurde ein Teil der Sammlung zuerst 1925 in Bamberg, sodann Ende 1927 in der Noris-Halle in Nürnberg ausgestellt, kurz danach wurden im alten Waag-Gebäude in Nürnberg 132 Stücke der Sammlung dargeboten[35]. Nach dem 2. Weltkrieg wurden Einzelstücke der Sammlung in Bamberg (1953) und im Germanischen Nationalmuseum (1956) der Öffentlichkeit präsentiert. Auch die Familie Neupert war bestrebt, den alten Klavieren, auch den historischen Pianofortes, ihren ursprünglichen Klang wiederzugeben. Nach Kriegsende wurden einige gut gelungene Restaurierungen von Leo Niedermeyer durchgeführt.

[35] Hanns Neupert: Das Musikhistorische Museum Neupert in Nürnberg. Führer. Nürnberg 1938.

Besonders Hanns Neupert hat sich durch die Erforschung der Sammlungsstücke mit sechs Einzelveröffentlichungen und achtzehn Artikeln in „Die Musik in Geschichte und Gegenwart" um die Klaviergeschichte verdient gemacht, während bis zum Jahre 1968 in sieben Veröffentlichungen Ergebnisse ausführlicher Untersuchungen an den Instrumenten der Sammlung erschienen.

Die etwa 170 Klaviere der Sammlung Rück und die 1963 298 Einheiten umfassende Sammlung Neupert boten nur wenige Dubletten, sie ergänzten einander zu einer großartigen Dokumentation der Klaviergeschichte. Unter dem Direktorat von Erich Steingräber, der sich besonders für die Sammlung Neupert eingesetzt hatte, wurde am 9. Mai 1968 ein Vertrag zwischen dem Museum und der Familie Neupert unterschrieben, durch den die fortan „Klavierhistorische Sammlung Neupert" genannte Sammlung in den Besitz des Museums überging[36]. Diesmal wurde es zur Bedingung gemacht, daß die Stelle eines zweiten Instrumentenrestaurators beantragt werden sollte. Die Erwerbung der Sammlung Neupert wurde durch eine kräftige finanzielle Unterstützung von Seiten der Stiftung Volkswagenwerk ermöglicht.

Auch nach der Integrierung der beiden Nürnberger Privatsammlungen war man bestrebt, die Instrumentenabteilung weiter zu ergänzen. Dies geschah u. a. durch Erwerb eines Teils der Sammlung von Monturteilen von Streichinstrumenten des Wiener Kontrabassisten Karl Schreinzer (Stiftung E. Hoesch, Hagen-Kabel) sowie der Sammlung historischer Fagotte Will Jansen (1971), wobei dem in Nieuw Loosdrecht, Niederlande, wohnhaften Sammler die 36 Instrumente auf Lebenszeit als Leihgabe gelassen wurden. Besonders zu verzeichnen an Neuerwerbungen sind noch eine Laute von Joachim Tielke (Hamburg 1696), eine Pedalharfe mit einfacher Rückung von Henri Naderman (Paris 1793; Geschenk der Verbandes der Deutschen Zuckerindustrie, Hannover, und der Wirtschaftlichen Vereinigung Zucker, Bonn), eine zum prunkvollen Fertigungstyp des Nürnberger Trompetenmachers Johann Wilhelm Haas gehörende Naturtrompete, eine Violine von Pieter Rombouts (Amsterdam, Anfang 18. Jahrhundert), der früheste erhaltene Hammerflügel von Conrad Graf (Wien um 1805; das Instrument wurde dem Museum 1967 als Leihgabe überlassen und 1971 angekauft), eine Flötenuhr vom Anfang des 19. Jahrhunderts, als Unikum ein gerader Tenorzink aus Elfenbein des 17. Jahrhunderts, eine Violine von Johann Paul Schorn (Salzburg 1689; Geschenk des Verbandes der Deutschen Zuckerindustrie, Hannover), eine unversehrt erhaltene Glasharmonika der Biedermeierzeit und eine Mittenwalder Bratsche aus der Mitte des 18. Jahrhunderts mit ursprünglichem Hals (erworben mit Hilfe einer Spende der Berlinischen Lebensversicherung AG)[37].

Es erscheint sinnvoll, Dubletten im Tausch gegen Stücke abzugeben, die Lücken in der konzipierten Sammlungsreihe füllen. Auf diese Weise wurden ein besonders qualitätvoller Halbbaß von Franz Straub (Friedenweiler im Schwarzwald 1684) und ein hübsches Aeolodicon (Harmonium) der Biedermeierzeit für den alten Instrumentenbestand des Museums, ein möbelmäßig schön ausgestattetes Tafelklavier von Christian Salomon Wagner (Dresden 1794) und ein Halbbaß aus der Mitte des 18. Jahrhunderts für die Sammlung Rück, schließlich zur Dokumentation des englischen Pianofortebaues der Zeit von 1784 bis zur Mitte des 19. Jahrhunderts vier Hammerflügel, zwei Tafelklaviere und ein Giraffenflügel englischer Herkunft für die Sammlung Neupert erworben[38].

Dankbar sei auch einiger Leihgeber gedacht, deren Großzügigkeit zur Bereicherung der Sammlung wesentlich beigetragen hat. Zu nennen sind vor allem die Städtischen Kunstsammlungen Augsburg

---

[36] John Henry van der Meer: Die Klavierhistorische Sammlung Neupert. In: Anzeiger GNM 1969, S. 255–266.

[37] Anzeiger GNM 1968, S. 183. Über die Sammlung Schreinzer vor ihrer Zerstreuung: Kenneth Skeaping: The Karl Schreinzer Collection of Violin Fittings. In: Music Libraries and Instruments, ed. by Unity Sherrington and Guy Oldham. London 1961, S. 251–253. Vgl. Zur Entwicklung der Geige. Ausstellung zum Kongreß „Violinspiel und Violinmusik in Geschichte und Gegenwart". Graz 26. 6.–30. 6. 1972. – Anzeiger GNM 1966, S. 206–207; 1967, S. 208; 1968, S. 182–183; 1969, S. 249; 1970, S. 183; 1971/72, S. 202.

[38] Anzeiger GNM 1970, S. 183–184; 1971/72, S. 202–206; 1973, S. 185; 1974, S. 186; 1975, S. 165–166.

422. Blick in die Musikhistorische Sammlung im Erdgeschoß des seit 1963 erbauten Südbaues, eröffnet am 7. Juli 1969

mit einer Viola da Gamba von Ventura Linarolo, Venedig 1604, die Erbengemeinschaft Neunhof mit einem Klavichord von 1724 und einer Violine von Matthias Hummel, Nürnberg 1681, deren ursprüngliche Monturteile fast ganz erhalten sind. Herr Karl Ventzke, Düren, lieh achtzehn Holzblasinstrumente, unter ihnen solche, die zusammen mit einigen Instrumenten der Sammlung Rück eine nahezu vollständige Dokumentation der Arbeit des Flötenmachers Theobald Boehm, München, und ihrer Auswirkung auf den Flötenbau ergeben. Zu nennen sind schließlich drei englische Cembali von 1738, 1750 und 1800, ein englisches Querspinett von 1742 und ein englischer Schrankflügel von 1815 der Colt Clavier Collection, Bethersden near Ashford, Kent, England[39].

Die Familien Rück und Neupert hatten sich beim Zustandebringen ihrer Sammlungen nicht auf Instrumente aus dem deutschen Sprachgebiet beschränkt, so daß die Sammlung Historischer Musikinstrumente heute den für das Germanische Nationalmuseum gesteckten regionalen Rahmen sprengt. Sowohl Kunst- als auch Volksinstrumente aus anderen Ländern Europas sind vorhanden, z. B. eine erhebliche Zahl italienischer und flämischer Kielklaviere, neuerdings auch eine nicht unwichtige Dokumentation des englischen Klavierbaues. Darüber hinaus besitzt das Museum jetzt ca. 160 außereuropäische Stücke.

Das Erdgeschoß des seit 1963 errichteten Südbaues des Museums war für die Aufnahme der durch den Erwerb der Sammlung Rück nunmehr internationales Niveau besitzenden Musikinstrumentensammlung vorgesehen. Einige Gedanken über die Möglichkeiten der Aufstellung einer Instrumentensammlung hat der Verfasser in einem 1964 erschienenen Aufsatz festgehalten[40].

[39] Anzeiger GNM 1969, S. 249; 1973, S. 185–188; 1976, S. 186–191.
[40] John Henry van der Meer: Gedanken zur Darbietung einer Musikinstrumentensammlung. In: Museumskunde Jg. 33 (1964), S. 152–164.

Am 7. Juli 1969 wurde der heutige Musikinstrumentensaal im Südbau eröffnet. Angestrebt wurde eine repräsentative Dokumentation des instrumentalen Musizierens vom 16. bis zum frühen 19. Jahrhundert, womöglich durch Darbietung regelmäßig vorkommender Musizierensembles. Selbstverständlich wurden dabei auch Stücke ausgestellt, die nicht äußerlich schön sind, zuerst um ein gewisses Ensemble möglichst vollständig darzubieten, sodann auch, um im Hinblick auf das „Klingende Museum" klanglich reizvolle Instrumente griffbereit zu haben. Auf die Präsentation der Entwicklung der Blasinstrumente von etwa 1775 bis um 1850 und die Darstellung kurzlebiger Experimente, z. B. der Streichinstrumente von Chanot, wurde verzichtet. Aus konservatorischen Gründen wurde ein Aspekt des kulturhistorischen Konzeptes der vorhergehenden Zeit, nämlich die Darbietung von Papier (Noten, Musikalien, Graphik), aufgegeben. Die ausgestellten europäischen Kunstinstrumente sind nach Perioden geordnet, wobei ein Eindruck des instrumentalen Musiklebens der jeweiligen Epoche vermittelt werden soll. Gruppiert ist weniger nach kunst- oder literaturgeschichtlich begründeten als nach musikhistorischen Perioden. Parallelismus der Künste, der nicht im Material begründet liegt, zu fordern, schien immer bedenklich. Die Gruppen der einzelnen Perioden sind in übersichtlichen, kabinettähnlichen, durch Stellwände von einander getrennten Räumen aufgestellt. Kunstgewerblich besonders schön ausgestattete Stücke oder Instrumentengruppen, die organologische oder bautechnische Meilensteine bilden, so z. B. die Holzblasinstrumente der Familie Denner, werden durch die Art der Aufstellung hervorgehoben. Der Musikinstrumentensaal ist klimatisiert, was Fenster fast nur an der Nordseite und Thermopane-Glas notwendig machte. Für alle Musikinstrumente, die nicht zugleich Möbel sind, wurden in einer Sonderanfertigung Vitrinen hergestellt, die es ermöglichen, daß die klimatisierte Luft im Saal trotz des an der Oberseite einer jeden Vitrine angebrachten Leuchtkastens in sie eindringen und die darin ausgestellten Instrumente umspülen kann. Bei Aufstellung in Vitrinen wurde manchmal die Spielhaltung des einzelnen Instrumentes berücksichtigt. Es ist schließlich verständlich, daß die Gestaltung eines Saales, in dem Musikinstrumente auch erklingen sollen, durch akustische Rücksichten mit geprägt ist.

Kurz vor der Eröffnung wurde, von der Stiftung Volkswagenwerk finanziert, vom 6.–8. Mai 1969 eine Arbeitstagung zum Thema „Die Bedeutung, die optische und akustische Darbietung und die Aufgaben einer Musikinstrumentensammlung" abgehalten[41].

1971 erschien mit Förderung von Dr. Dr. h. c. Günter Henle, Duisburg, und mit Hilfe einer Spende der Firma Klöckner & Co., Duisburg, der „Wegweiser durch die Sammlung Historischer Musikinstrumente"[42].

Musikinstrumente können visuelle Schönheit besitzen, in erster Linie sind sie aber zur Erzeugung von Klängen bestimmt. Soweit es ohne Eingriffe in den dokumentarischen Wert eines Instrumentes möglich ist, wird versucht, es spielbar zu machen. Nachdem die Restaurierungswerkstatt für Musikinstrumente zuerst notdürftig am sog. Rolandshof, sodann im alten Bibliotheksbau untergebracht war, wurde im April 1970 eine neueingerichtete Werkstatt im 2. Obergeschoß des Südwestbaues bezogen. Um alle Instrumentenarten untersuchen, konservieren und restaurieren zu können, wurden auf einer Fläche von ca. 130 qm die dazu nötigen technischen Einrichtungen geschaffen, wie z. B. für Mikroskopie, Untersuchungen im ultravioletten und infraroten Strahlungsbereich, elektrolytische Reduktion, Vakuumsdesikkation und -imprägnierung. Vom 7.–10. Mai 1974 wurde im Museum ein Symposium für Restauratoren von Musikinstrumenten ohne Klaviatur organisiert.

[41] Studia Musico-Museologica. Bericht über das Symposium „Die Bedeutung, die optische und akustische Darbietung und die Aufgabe einer Musikinstrumentensammlung". Stockholm-Nürnberg 1970. Hektographiertes Manuskript.
[42] John Henry van der Meer: Germanisches Nationalmuseum Nürnberg. Wegweiser durch die Sammlung historischer Musikinstrumente. Nürnberg 1971. 2. Aufl. 1976.

Die Musica-Antiqua-Konzertreihe, noch immer in Zusammenarbeit mit dem Studio Nürnberg des Bayerischen Rundfunks, wurde auch nach der Abteilungsgründung fortgesetzt. Das allgemeine Leitbild änderte sich dabei allmählich. Immer mehr wurden spielbare Instrumente aus den Beständen des Museums bei den Konzerten verwendet. Bei der Aufführung der Musik wird versucht, nach verschiedenen Stilepochen in der Auswahl der Instrumente stärker zu differenzieren, u. a. durch das Heranziehen unterschiedlicher, den einzelnen Epochen angepaßter Instrumentalensembles und Instrumente. Nach Möglichkeit wird vermieden, z. B. Musik der französischen oder italienischen Ars nova (14. Jahrhundert) mit einer Familie von Viole da Gamba oder Krummhörnern oder die Oberstimme einer Komposition des 16. mit einer Querflöte des 18. Jahrhunderts ausführen zu lassen. Historische Cembali gibt es aus drei Jahrhunderten mit einer je nach Epoche und Herkunftsgebiet ungemein großen Variationsskala. Klangfarbe und Registrierungsmöglichkeiten sind jeweils unterschiedlich; es gibt Cembali mit einem und mit zwei Manualen, obwohl die Zahl der Werke, die unbedingt auf einem zweimanualigen Instrument gespielt werden müssen, relativ gering ist. Die Wahl des jeweiligen Cembalos wird weitgehend von den zu spielenden Kompositionen bedingt. Es wird als sinnlos empfunden, für die Ausführung des einfachsten Basso continuo ein zweimanualiges Cembalo mit fünf Oktaven Umfang mit Änderungsmöglichkeit der Registrierung auf jedem beliebigen Taktteil heranzuziehen. Werke des 17. und 18. Jahrhunderts für Streichinstrumente werden nur noch durch Klangwerkzeuge mit zeitgenössischen Monturteilen und Streichbögen oder mit entsprechenden Kopien ausgeführt. Bei barocker Ensemblemusik mit Blasinstrumenten werden zeitgenössische Holz- und auch Blechblasinstrumente (Naturwaldhörner und -trompeten mit ihrem den entsprechenden modernen Instrumenten weit überlegenen Klang) verwendet, bei Ensemblemusik der Klassik wird auf dieselbe Weise verfahren. Es braucht kaum erwähnt zu werden, daß die Verwendung moderner Serienerzeugnisse und von Metallsaiten auf Streichinstrumenten vermieden wird, daß der Bach-Bogen nur noch anekdotischen Wert hat und seine Verwendung für die Ausführung von Violinkompositionen von Johann Sebastian Bach im letzten Drittel des 20. Jahrhunderts als blamabel qualifiziert werden muß. Man versucht auch, von der „Objektivität" des Barock, verbunden mit Nähmaschinenrhythmus und Terrassendynamik, wegzukommen. Freilich ist auf Orgel und Cembalo nur eine Terrassendynamik möglich, bei allen anderen Instrumentengattungen und bei der Vokalmusik ist sie völlig unnatürlich. Dazu kommt, daß von einem Organisten oder Cembalisten im 17.–18. Jahrhundert erwartet wurde, daß er die Beschränkung in der Dynamik durch Nuancierung der Agogik, der Artikulation, der „improvisierten" Stimmendichte und der Ornamentik wettmachte. – Es wurden gelegentlich auch Vokalsolisten und -ensembles verpflichtet, die versuchten, das Bel-Canto-Ideal in der Ausführung der Musik von Mittelalter und Renaissance zugunsten einer mehr dem Charakter der jeweiligen Musik angepaßten Stimmbildung aufzugeben. Es versteht sich, daß versucht wird, je nach den finanziellen Möglichkeiten Künstler und Ensembles einzuladen, die sich auf die Aufführungspraxis der Musik irgendeiner historischen Periode spezialisiert haben.

Seit 1965 wird Johann Sebastian Bach auch nicht mehr zugleich als End- und Höhepunkt dessen, was als Musica Antiqua bezeichnet werden kann, betrachtet. Daher entfiel nunmehr das vorher obligatorische, Johann Sebastian Bach gewidmete Schlußkonzert jeder Saison. Zugleich wurde bei der Programmgestaltung bis in das 19. Jahrhundert vorgestoßen, soweit die Aufführung von Werken der Klassik und Romantik sich durch die Einbeziehung historischer Instrumente von derjenigen landläufiger Konzerte mit solchen Programmen absetzen konnte. Die meisten Musica-Antiqua-Konzerte werden einige Zeit nach der jeweiligen Veranstaltung vom 2. Programm des Bayer. Rundfunks ausgestrahlt.

Schließlich erfüllt eine Reihe von Schallplatten mit Aufnahmen von historischen Instrumenten des Museums den wichtigen pädagogischen Zweck, einen breiten Kreis von Liebhabern mit dem Klang historischer Instrumente vertraut zu machen. Zum Zeitpunkt des Abschlusses dieses Manuskriptes liegen zwanzig Platten und Kassetten vor; für sechs weitere haben die Tonbandaufnahmen stattgefunden; für sechs neue Plattenvorhaben wurden Besprechungen geführt.

Stücke aus der Sammlung Historischer Musikinstrumente werden für spezialisierte Untersuchungen nicht nur Instrumentenkundlern und sonstigen Musikwissenschaftlern, sondern auch auf historische Instrumente spezialisierten Musikern und Instrumentenbauern bereitgestellt. Gerade für sie enthält die Sammlung reichhaltiges Dokumentationsmaterial, dessen Aufbewahrung in Zusammenhang mit den etwa 400 Tasteninstrumenten aus räumlichen Gründen Probleme zu lösen gab. Depots mit Kompakt-Regalanlagen wurden in den Untergeschossen des Ostbaues im Herbst 1973 eingerichtet.

In Fachkreisen beginnt man einzusehen, daß historische Musik am besten auf zeitgenössischen Instrumenten klingt, oder aber, wenn diese fehlen, auch auf genauen Kopien solcher Instrumente zur Geltung kommt. Aus diesem Grunde wird das Museum vielfach von Instrumentenbauern aus dem In- und Ausland benutzt. Stücke des Museums und die daran vorgenommenen Untersuchungen haben Herstellern historischer Instrumente manche Anregung gegeben; von in Museumsbesitz befindlichen Stücken sind manche Kopien hergestellt worden. In der Restaurierungswerkstatt für Musikinstrumente wurden von Saiten- und Blasinstrumenten Röntgenaufnahmen gemacht. Bei Saiteninstrumenten (auch Klavieren) dienten diese vor allem dazu, die Innenkonstruktion zu ermitteln, bei Blasinstrumenten den Bohrungsverlauf und eventuell den Erhaltungszustand festzustellen. Nach solchen Röntgenaufnahmen wurden auch technische Zeichnungen von Musikinstrumenten angefertigt. Kontaktkopien der Röntgenaufnahmen und Lichtpausen der technischen Zeichnungen werden oft von Instrumentenbauern angefordert. Es wird als eine wichtige Aufgabe der Sammlung Historischer Musikinstrumente betrachtet, auf diese Weise bei der Herstellung von der Aufführung historischer Musik dienlichen Klangwerkzeugen behilflich zu sein.

Aber auch die instrumentenkundlichen Untersuchungen an Objekten der Abteilung sind zahlreich, und in vielen wissenschaftlichen Veröffentlichungen der letzten fünfzehn Jahre werden Musikinstrumente des Germanischen Nationalmuseums berücksichtigt. In 54 Publikationen werden Instrumente aus den Beständen des Museums ausführlich beschrieben und ausgewertet, knapp ein Drittel davon wurde von dem Unterzeichneten und von Friedemann Hellwig, dem ersten Restaurator für Musikinstrumente, verfaßt. Der Verfasser bereitet einen wissenschaftlichen Katalog der Sammlung Historischer Musikinstrumente vor.

JOHANNES WILLERS
Historische Waffen und Jagdaltertümer

Die Waffensammlung gehört zu den ältesten Sammlungsabteilungen des Germanischen Nationalmuseums. Die Sammlung des Freiherrn von Aufseß enthielt bereits verschiedene alte Waffen. Schon bei
6 der ersten Museumseinrichtung im Tiergärtnertorturm wurde ein „Waffenhalle" genannter Raum gezeigt, der freilich auch mit anderen Objekten eingerichtet war. Diese Selbstverständlichkeit, mit der die Waffe bereits bei dem ersten Erscheinen des Museums vorgestellt wurde, hängt aufs engste mit dem Gedankengut zusammen, das überhaupt zur Gründung des Museums geführt hatte. Das alte Heilige Römische Reich Deutscher Nation war dem Ansturm der von der französischen Revolution geprägten politischen Vorstellungen und der französischen Armee zum Opfer gefallen. Die von weitesten Kreisen des geistigen Deutschland als drückend empfundene Besatzung oder als entwürdigend gefühlte politische Bindung an Frankreich führte zu einer militanten Widerstandshaltung. Lyrik und Prosa des Zeitalters der Befreiungskriege sind erfüllt von der Verherrlichung von Waffen und Waffentaten. Das bekannteste Gedicht jenes Genres, das Schwertlied Theodor Körners, zeugt von einer mystisch-religiösen Verehrung der Waffe. Nach dem militärisch zwar glänzenden, für große Teile der deutschen Bevölkerung jedoch politisch unbefriedigenden Ausgang dieses Krieges – das alte Reich war nicht mehr neu entstanden – flüchtete man in die vermeintlich bessere Vergangenheit. Dabei kam es zur Wiederentdeckung der deutschen Helden- und Rittersagen. Vom Ausland her wurde dieses romantische Interesse an Rittertum und Waffenverehrung besonders durch die Werke Walter Scotts gefördert.

Neben dieser mehr geistigen Beschäftigung mit Waffen und Waffentaten gab es auch eine ganz reale. Nach dem Ende der Befreiungskämpfe zogen sich die enttäuschten deutschen Patrioten, die mit der Waffe das alte Reich wieder hatten errichten wollen, in geschlossene Vereine zurück, um sich für spätere Gelegenheiten im Waffengebrauch zu üben. Burschenschaft – Aufseß war Burschenschafter –, Turner und Schützen pflegten den Umgang mit Waffen praktisch. Auch in ihren Kreisen wurde mit
vgl. 20 den Waffen ein förmlicher Kult getrieben. Aus der Revolution von 1848 gibt es ein besonders interessantes Beispiel für diese Verbindung von Schwärmerei für alte und Anwendung moderner Waffen zugleich. Die Ordnungstruppe der Grazer Universität, die „Akademische Legion", führte zwei Schwerttypen, wobei der einfachere eine merkwürdige Mischung aus Neogotik und Neorenaissance, der reichere Typ eine Mischung aus Neorenaissance und Neobarock darstellte[1].

Im frühen 19. Jahrhundert bestand also, angeregt durch die politischen Verhältnisse, ein starkes romantisches und praktisches Interesse an Waffen und historischen Waffen. Sowohl Adel und Oberschicht, als auch Bürgertum, konservative und fortschrittliche Kräfte waren sich in diesem Interesse einig. Das alte Rittertum wurde allgemein mit romantischer Verklärung betrachtet, da sich die einen ihm verwandschaftlich und standesmäßig verbunden fühlten und die anderen es als Symbol für die Kraft und Einheit des alten Reiches sahen. So kann die Einrichtung einer „Waffenhalle" gleich bei der Museumsgründung als eine in der Zeit liegende Selbstverständlichkeit betrachtet werden.

---

[1] Schwert und Säbel aus der Steiermark (Veröffentlichungen des Landeszeughauses Graz, Nr. 4). Graz 1975, S. 68 f., Abb. 8; 2 weitere Exemplare der gleichen Gruppe in der Waffensammlung des Germanischen Nationalmuseums: W 1852 und W 1884.

☐ Aufseß und die Waffensammlung

Im Organismus[2] der Freiherrn von Aufseß wurden Waffen und Kriegswesen unter der Bezeichnung „Waffenschutz" zusammen mit der Abteilung „Rechtsschutz" als Unterteilung des Bereichs „Staatsschutz" aufgeführt. Unterteilt war die Abteilung „Waffenschutz" in: Kriegstheorie, Schutz- und Angriffswaffe, „Kriegsleute und Waffengattung" und „Kriegs- und Waffenübungen". Eine Gliederung, die im Einzelnen als nicht optimal bezeichnet werden muß, da die Reihenfolge der Waffen offenbar recht willkürlich aufgestellt worden war. Dieses System sollte durch die Sammlungen illustriert werden. Die vorhandenen Originalstücke reichten dafür nicht aus. Um einen möglichst geschlossenen Überblick bieten zu können, griff Aufseß auf Kopien aus Gips und Papiermaché, aber auch auf Zeichnungen zurück. „Treffliche Nachbildungen in Papiermachée", die er für „das Studium für nicht weniger wichtig" hielt, stammten aus der Fleischmann'schen Fabrik in Nürnberg; aber auch die eigene Gipsgießerei wagte sich an die technisch relativ schwierigen Waffennachbildungen[3]. Die einzige echte Rüstung (eine Arbeit des späten 15. Jahrhunderts) scheint jene gewesen zu sein, die Aufseß von der Figur des Hl. Georg an seinem Haus am Tiergärtnertortum (dem „Pilatushaus") hatte abnehmen lassen[4]. Da für den zeitlichen Beginn der Waffensammlung keine Grenze festgelegt war, enthielt sie auch vor- und frühgeschichtliche Waffen, „altheidnische" bzw. „altgermanische" Stücke, wie man sie bezeichnete.

Der größte Teil der Waffensammlung, die zu Aufseß' Zeit gezeigt wurde, dürfte aus seiner eigenen Privatsammlung stammen. Inwieweit dies älterer Aufseß'scher Familienbesitz war, läßt sich nicht mehr feststellen. 1856 zählte die Waffensammlung mit Originalen, Kopien in Gips und Papiermaché sowie Zeichnungen nur rund 250 Nummern[5], war also selbst nach den Maßstäben damaliger Privatsammlungen klein.

Die erste größere Neuerwerbung war 1861 ein Geschenk der Familie der Freiherrn von Künsberg, eine „aus mehreren 20 Stücken bestehenden Harnischsammlung"[6]. Dabei scheint es sich mehr um kompilierte Harnische bzw. Harnischteile gehandelt zu haben, wie aus einem Schriftstück mit der Spesenabrechnung der Überführung in das Museum hervorgeht[7]. Dort ist vom Transport einer „größere(n) Parthie alter Rüstungsbestandtheile" im Gewicht von 9 Ztr. von Schloß Wernstein bei Mainleus nach Nürnberg die Rede. Als Folge des Erwerbs der vielen Harnischteile setzte eine rege Korrespondenz mit „Waffenrestauratoren" ein[8], die mit den neuen Stücken Rüstungen vervollständigen, bzw. unvollständige mit neu gearbeiteten Stücken ergänzen sollten. Besonders eng arbeitete man, durch Vermittlung von Professor Jakob Heinrich von Hefner-Alteneck, mit dem Spenglermeister Jacob Schlözer in München und dessen Gesellen, dem später als Harnischmacher berühmt-berüchtigten Josef Hugel zusammen. Offenbar wurde sogar der Versuch gemacht, Hugel für das Musem abzuwerben[9]. Die Aufarbeitung der Rüstungen erstreckte sich nicht bloß auf Entrostung, sondern umfaßte sogar völlige Neuanfertigungen von Arm- und Beinzeugen und Helmen[10], ein Verfahren, das

424

---

[2] Organismus GNM, 2. Abt., S. XV. – Zum System von 1853 vgl. S. 991–992.

[3] Die Waffensammlung im germanischem Museum. In: Anzeiger GNM 1856, Sp. 277–80 (278).

[4] Fritz Traugott Schulz: Nürnbergs Bürgerhäuser und ihre Ausstattung. Leipzig, Wien o. J. Bd. 1., II. Hälfte, S. 549 und Abb. 672.

[5] Vgl. Anm. 3.

[6] Jahresbericht GNM 8 (für 1861), 1862, S. 2.

[7] Archiv GNM, Altregistratur GNM, Karton 75, Akt: „Rüstungen und deren Komplettierung, Geschenk der Familie Freiherr von Künsberg 1861", ohne Datum, Spesenabrechnung über den Transport des Künsberg'schen Geschenkes ins Museum.

[8] Altregistratur GNM, Karton 75, „Rüstungen . . .", Schreiben vom 20. Dezember 1861 an Johann Jacob Ritzer, „Schwertverfertiger" zu Nürnberg, sowie Korrespondenz mit Spenglermeister Jacob Schlözer in München.

[9] Altregistratur GNM, Karton 75, Schreiben vom 11. Dezember 1861 an Hugel persönlich.

[10] Altregistratur GNM, Karton 75, Schreiben Schlözers vom 25. Februar 1862.

834

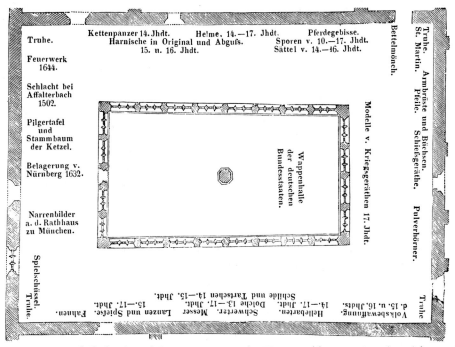

423. Grundriß der im Kleinen Kreuzgang des Kartäuserklosters 1859 eingerichteten Waffenhalle mit Angaben zur Gruppierung der Ausstellungsgegenstände. Aus dem Wegweiser von 1860

im 19. Jahrhundert durchaus üblich war. Bereits im nächsten Jahr (1862) folgte Graf Eberhard zu Erbach dem Künsberg'schen Beispiel und überließ dem Museum eine größere Anzahl Rüstungsstücke, ausdrücklich zur Ergänzung mehrerer defekter Rüstungen[11].

Als erste größere Erwerbung von bleibendem Wert ist das sog. kleine Nürnberger Zeughaus, eine um 1630 angefertigte Sammlung von Modellen zum Kriegswesen zu nennen[12]. Die rund 170 Modelle, die als Dokumente für die Geschichte des Kriegswesens im frühen 17. Jahrhundert von größter Bedeutung sind, standen im Mai 1864 bei der Auktion der Sammlung Hertel in Nürnberg zum Verkauf. Da das Museum die benötigten Geldmittel nicht aufbringen konnte, erwarb der 1. Sekretär Dr. Julius R. Erbstein um 705 fl. 36 kr. die Modelle persönlich, um sie nach ratenweiser Bezahlung durch Spender ins Eigentum des Museums übergehen zu lassen.

Die erste Aufstellung der Sammlungen erfolgte im ersten Geschoß des Tiergärtnertorturms in Form einer „Waffenhalle". Von einer Einhaltung der im Organismus festgelegten Reihenfolge war nichts zu bemerken. Mindestens 50% des Raumes nahmen zudem Möbel, Skulpturen oder Textilien ein und nur die restlichen Raumanteile, wie der Wegweiser von 1853 angibt, „Jagd-, Reit- und Kriegsgeräthe"[13]. Die einzige deutliche Gliederung der Waffen bestand darin, daß links die „Repräsentanten ritterlicher Ausrüstung", rechts aber Stücke der „Volks- und Landsknechtsbewaffnung"

[11] Jahresbericht GNM 9 (für 1862), 1863, S. 5.
[12] Jahresbericht GNM 11 (für 1864), 1865, S. 2. – Ernst Königer: Das kleine Nürnberger Zeughaus (Bilderhefte des Germanischen Nationalmuseums, H. 3). o. O. u. J. (Nürnberg 1967).
[13] Wegweiser GNM 1853, S. 4ff.

835

zu sehen waren. Der Gesamteindruck dieser Ausstellung war verwirrend. Trotz der Bezeichnung „Waffenhalle" bestimmten nicht die Waffen den Charakter des Raumes.

Bessern konnte sich dieser Zustand erst 1857 mit der Übersiedlung in das Kartäuserkloster. Zunächst wurden Kriegs- und Jagdgeräte provisorisch im Raum nördlich des Refektoriums im Erdgeschoß des „Kunstgebäudes" ausgestellt, im noch nicht restaurierten kleinen Kreuzgang aber Kopien und Modelle von Waffen und Kriegsgeräten[14]. Erst 1859 konnte der Jahresbericht die Fertigstellung der neuen „Waffenhalle" im kleinen Kreuzgang melden[15], wobei offenbar auf die im 14, 423 dritten Jahresbericht geplante Überdachung des Innenhöfchens mit Glas[16] verzichtet worden war. Die neue Aufstellung, von der sich nur die Abbildung eines Teils des Kreuzganges erhalten hat, 24 konnte nach der Reihenfolge des Organismus ausgerichtet werden. Der kleine Kreuzgang war von der Kirche aus entgegen dem Uhrzeigersinn zu durchschreiten und zeigte an den Außenwänden Rüstungen, Reitzeug, Schußwaffen, „Volksbewaffnungen" und Hieb- und Stichwaffen. In den 4 Ecken standen Truhen, an der Nordwand hingen Bilder, davon 3 mit rein waffenhistorischem Inhalt. Interessant ist, daß Aufseß die Gruppe „Volksbewaffnung", die er nicht im Organismus aufführte, doch für so gut befand, daß er sie von der ersten Aufstellung her übernahm. Wegen des fehlenden Abbildungsmaterials kann über den Stil der Aufstellung nichts genaues gesagt werden.

☐ August von Essenwein und die historische Waffenkunde

Auch für die Waffensammlung brachte 1866 der Dienstantritt Augusts von Essenwein eine neue 22 Dynamik. Essenwein hatte ein persönliches Interesse an historischer Waffenkunde. In Deutschland gab es damals noch keine Disziplin dieser Art, die strengeren wissenschaftlichen Maßstäben standgehalten hätte. Die Impulse, die Essenweins Interesse an diesem Fach weckten, kamen vermutlich von zwei Seiten. Zum einen von Wien her, wo 1833 Josef von Scheiger für das bürgerliche und 1844 Friedrich von Leber[17] für das kaiserliche Zeughaus kritische, erstmals von romantisierenden Übertreibungen und phantastischen Zuschreibungen gereinigte Beschreibungen angefertigt hatten. In seiner Wiener Zeit war Essenwein sicher mit diesen Arbeiten bekanntgeworden. Zum anderen stieß er als Architekt auf die Werke des französischen Architekten Eugène Emmanuel Viollet-le-Duc. Von dessen Arbeiten wurde besonders der „Essai sur l'architecture militaire au moyen age" (Paris 1854) für die Entwicklung der historischen Waffenkunde bedeutungsvoll. Auch die späteren Bauvorhaben Essenweins an der Stadtmauer beim Museum dürften auf Anregungen dieser Arbeit zurückgehen.

Ein umfassender Überblick über die deutsche Waffengeschichte war erst 1897 nach der Publikation von Wendelin Boeheims beispielhaftem „Handbuch der Waffenkunde"[18] möglich. Im Jahr vorher, bei der Gründung der deutschen Gesellschaft für historische Waffenkunde, sagte Boeheim rückblickend über Essenweins Arbeitsweise: „Er nimmt sich ein Objekt und beobachtet dessen Entwicklung Schritt für Schritt vom frühen Mittelalter bis ins 17. Jahrhundert. Für die Belehrung hat er im Gebiete das Beste geleistet"[19]. Essenwein hatte offenbar als Grundlage seiner Methode die Einteilung im Organismus Aufseß' übernommen, um durch systematische Untersuchungen der einzelnen Entwicklungsreihen sichere Bausteine für einen Gesamtüberblick über die Waffengeschichte zu gewinnen.

[14] Jahresbericht GNM 4 (für 1856/57), 1858, S. 7. f.
[15] Jahresbericht GNM 6 (für 1859), 1860, S. 8.
[16] Jahresbericht GNM 3 (für 1855/56), 1856, S. 45.
[17] Friedrich von Leber: Wien's kaiserliches Zeughaus zum ersten Male aus historisch-kritischem Gesichtspunkte betrachtet . . . (Rückblicke in deutsche Vorzeit, Bd. 2). Leipzig 1846.
[18] Wendelin Boeheim: Handbuch der Waffenkunde. Das Waffenwesen in seiner historischen Entwicklung vom Beginn des Mittelalters bis zum Ende des 18. Jahrhunderts (Seemanns kunstgewerbliche Handbücher, Bd. 7). Leipzig 1890.
[19] Wendelin Boeheim: Vortrag des II. Vorsitzenden, Custos Wendelin Boeheim, in der Versammlung des Vereins für historische Waffenkunde. In: Zeitschrift für historische Waffenkunde, Bd. 1 (1897), S. 2–6.

Ein wesentliches Element bei seiner Arbeitsweise war, teilweise in Übernahme Aufseß'scher Gedanken, der Vergleich erhaltener Objekte mit zeitgenössischen Bild- und Schriftquellen, um eine Entwicklungsreihe aufzuzeigen, aber auch um Datierungskriterien zu gewinnen. Seine beiden wichtigsten waffengeschichtlichen Arbeiten, die „Quellen zur Geschichte der Feuerwaffen"[20] und das „Helminventar"[21] waren nach dieser Methode erarbeitet worden. Im Vorwort zu jenem Inventar beschreibt Essenwein in seinem Todesjahr rückblickend seinen Arbeitsstil. Im „Anzeiger" und den „Mitteilungen" habe er verschiedene Beiträge zur historischen Waffenkunde in erster Linie deshalb gebracht, um die Aufmerksamkeit auf die neu entstehende Waffensammlung zu lenken. Diese Abteilung zu bilden und zu vervollständigen sei schwieriger gewesen, als die meisten anderen. Sie sei auch leider noch nicht systematisch so abgerundet, daß ein Katalog darüber erscheinen könne, der gleichzeitig ein „Bild des Waffenwesens in seiner gesamten Entwicklung" böte. Er habe als Vorarbeit Teilkataloge geplant, in denen „die sämtlichen Stücke der einzelnen Waffengattungen zu Gruppen vereinigt" betrachtet werden sollten. Die Krankheit habe ihn daran gehindert, diese Arbeiten zu veröffentlichen, die gewissermaßen als Seitenstück zu Viollet-le-Ducs Arbeit in seinem „Dictionnaire du mobilier français" angelegt seien. Daß Essenweins Interesse an Waffengeschichte und -sammlungen auch über den engeren Museumsbereich hinausging, beweist seine Stellungnahme gegen den damals geplanten Verkauf der Bestände des Grazer Landeszeughauses[22] und seine beratende Tätigkeit bei der Einrichtung eines türkischen Waffenmuseums in Konstantinopel[23]. Für die Ausformung der Waffenkunde als seriöser historischer Disziplin hat Essenwein Bedeutendes geleistet. Seine „Quellen zur Geschichte der Feuerwaffen"[24] darf man sogar als das grundlegende Werk für die Erforschung dieses Sachbereichs im deutschen Kulturraum bezeichnen. Der Tod verhinderte seinen Plan, eine zusammenfassende Geschichte der deutschen Waffen zu schreiben.

☐ Sammlungskonzept und Erwerbungen Essenweins

Vor dem Dienstantritt Essenweins kann nicht von einer gezielten Erwerbungspolitik für die Waffensammlung gesprochen werden. Man nahm, was man gerade bekam. Das sollte sich nun ändern. Bereits in Essenweins erstem Amtsjahr befaßte sich der Verwaltungsausschuß am 16. September 1867 vornehmlich mit dem Problem der Ordnung und Komplettierung der Waffenhalle[25].

Das 19. Jahrhundert war auf waffentechnischem Gebiet gekennzeichnet durch umwälzende Entwicklungen der Feuerwaffen, an denen die breite Öffentlichkeit ein außerordentliches Interesse bekundete. Essenwein erkannte wohl die Chance, durch den Aufbau einer Sammlung, die die Geschichte der Feuerwaffenentwicklung dokumentierte, an diesem Interesse der Öffentlichkeit teilzuhaben, mehr noch, das Interesse auch für andere Bereiche der historischen Waffenkunde zu wecken. Beleg für diese Absicht ist die bereits kurz nach Amtsantritt geäußerte Ablehnung der Zeitgrenze 1650 besonders für die Waffenabteilung[26]. Essenweins Erwerbungspolitik war deshalb bis etwa 1880 in erster Linie auf Feuerwaffen gerichtet, wovon die Neuerwerbungsmitteilungen der Jahresberichte beredtes Zeugnis ablegen. So beispielsweise bereits 1868, als man von der Stadt Weißenburg in Mittelfranken 12 Geschütze des 16. und 17. Jahrhunderts als Leihgaben erhalten

[20] August von Essenwein: Quellen zur Geschichte der Feuerwaffen. Leipzig 1877.
[21] August von Essenwein: Die Helme aus der Zeit vom 12. bis zum Beginne des 16. Jahrhunderts im germanischen Museum. Nürnberg 1892.
[22] August von Essenwein: Vermischte Nachrichten. In: Anzeiger GNM 1872, Sp. 398 f.
[23] Altregistratur GNM, Karton 29, Akt 22 „Mittelalterliche Geschütze vom Sultan übergeben, 1871", Schreiben von Präsidial-Sekretär Vanyczany an Essenwein vom 29. Januar 1870, Wien.
[24] Vgl. Anm. 20.
[25] Hampe, Festschrift, S. 117.
[26] Hampe, Festschrift, S. 118.

konnte[27], die leider 1967 nach fast hundertjährigem Verbleib im Museum wieder zurückgezogen wurden.

Eine der drei bedeutendsten Erwerbungen des 19. Jahrhunderts für die Waffensammlung war die einer ganzen Reihe schwerer Geschützrohre des 15. und 16. Jahrhunderts aus der Türkei. Essenwein hatte, wie er selbst schrieb, eines Tages in Bonn von einem Belgier erfahren, daß auf Rhodos mehrere Geschützrohre lägen, von denen eines bereits in das Artilleriemuseum nach Paris gekommen sei. „Der Beschluß, diese für das Museum zu requirieren, war sofort gefaßt"[28]. Im Verlauf des Jahres 1869 gelang es ihm, durch Intervention des österreichischen Reichskanzlers bei der Hohen Pforte vom türkischen Sultan Abd-ul-Asîs eine Blanco-Schenkungsurkunde über eine bestimmte Anzahl Waffen (aus Konstantinopel und Rhodos) zu erhalten[29]. Essenwein mußte die Objekte selbst aussuchen. In den letzten Monaten des Jahres 1869 machte er sich auf die, wie ausdrücklich bemerkt wird, nicht ungefährliche Reise. In Konstantinopel erlebte er eine Enttäuschung; man gab ihm dort nicht die gewünschten Kanonen, da das ausschlaggebende französische Schreiben des Großwesirs von „armes à feu" sprach, was auch Handfeuerwaffen bedeuten konnte[30]. Offenbar verärgert, suchte er sich nur eine Wallbüchse aus und reiste mit einem Schiff des österreichischen Lloyd, der ihn gegen Bezahlung der 3. Klasse in der 1. reisen ließ[31], im Oktober 1869 nach Rhodos. Den dortigen Gouverneur unterrichtete er von seinem Kommen nicht, „in der Absicht, dem Gouverneur keine Zeit zu lassen, die interessanteren Gegenstände etwa zu verbergen, so daß unserem Beauftragten nur die Wahl zwischen den minder werthen verbliebe"[32]. Er wählte 5 Geschützrohre aus, die von der österreichischen Panzerfregatte „Salamander" am 3. November 1869 nach Triest gebracht wurden[33]. Von dort aus wurden sie auf dem Schienenweg nach Nürnberg gebracht. Essenwein ließ wegen der Stücke in Konstantinopel nicht locker, bis er 1874 erreichte, daß der deutsche Kronprinz sich dafür einsetzte und auch diese 3 großen Geschützrohre vom Sultan als Geschenk erhielt. Die Rohre wurden diesmal von einem Krupp'schen Dampfer ebenfalls kostenlos nach Antwerpen gebracht und dann mit Eisenbahnspezialwaggons von Krupp nach Nürnberg geschafft[34]. Das Germanische Nationalmuseum hatte damit durch Essenwein unter minimalstem Geldaufwand eine zur Demonstration der Entwicklung der Artillerie höchst wichtige Reihe von Geschützrohren erhalten. Daß davon nur ein Geschützrohr von unzweifelhaft deutschem Ursprung war, stellte sich erst später heraus.

Kurz nach Ausbruch des Krieges 1870 traf im Museum als Geschenk Kaiser Napoleons III., der selbst ein interessierter Waffenhistoriker war, der vom Museum erbetene Gipsabguß des Geschützes „Löwe" des Peter Mülich von 1523 ein[35]. Auch in Deutschland selbst suchte Essenwein Geschütze zu erwerben, so gelangten auf seine Bitten 1870 verschiedene Feuerwaffen aus bayerischen Zeughäusern als Geschenk König Ludwigs II. von Bayern ins Museum. Wertvollere Stücke, um die er ebenfalls nachgesucht hatte, wurden ihm jedoch in München abgeschlagen. Das große Interesse an Feuerwaffen verstärkte sich durch den Sieg von 1870/71 noch erheblich. Mehrere deutsche Fürsten schenkten dem Museum Waffen, besonders Feuerwaffen älterer, aber auch neuerer Typen, sogar im Krieg erbeutete französische Geschütze[36]. Daneben konnte „eine bedeutende Reihe von Gewehren des 17. und 18.

[27] Jahresbericht GNM 15 (für 1868), 1869.
[28] Altregistratur GNM, Karton 29, Akt 22, Notiz Essenweins von 1871.
[29] Altregistratur GNM, Karton 29, Akt 22, undatiertes Schreiben Essenweins an Friedrich Leopold von Hofmann, Sektionschef im österreichischen Außenministerium.
[30] Altregistratur GNM, Karton 29, Akt 22, Schreiben vom 29. Januar 1870, Wien.
[31] Altregistratur GNM, Karton 29, Akt 22, Schreiben vom 15. September 1869, Triest.
[32] Altregistratur GNM, Karton 29, Akt 22, Schreiben vom 22. August 1869, Wien.
[33] Altregistratur GNM, Karton 29, Akt 22, Zeitungsausschnitt mit Meldung des Vorgangs (ohne Zeitungstitel oder Datum).
[34] Jahresbericht GNM 21 (für 1874), 1875 und Jahresbericht GNM 22 (für 1875), 1876.
[35] Jahresbericht GNM 17 (für 1870), 1871.
[36] Jahresbericht GNM 19 (für 1872), 1873 und Jahresbericht GNM 21 (für 1874), 1874.

Jahrhunderts"[37] erworben werden, „so daß sich diese belehrende Serie, welche die Geschichte der Feuerwaffen zeigt, immer mehr ausdehnt und ergänzt". Neben diesen Geschenken und Käufen war Essenwein bestrebt, vorhandene Lücken durch Leihgaben, wie die des Hofantiquars Pickert von 1876, zu schließen. Welchen Zweck er damit verfolgte, zeigt die Bemerkung: „. . . daß freundliche und wohlgewogene Gönner eine Reihe von Gegenständen bei uns sehen, durch deren Ankauf und Schenkung sie sich große Verdienste um die nationale Anstalt erwerben können"[38]. Diese Aktion war teilweise von Erfolg gekrönt.

Eine ähnliche Absicht ist wohl auch hinter dem Beschluß zu suchen, die Waffensammlung ab 1876 im Standesherrensaal des neu errichteten Augustinerbaues aufzustellen. Im 23. Jahresbericht konnte Essenwein melden: „Die im Standesherrensaale aufgestellte Waffensammlung hat das Interesse dieses hohen Kreises erregt"[39]. Das folgende Verzeichnis von Spenden in der Gesamtsumme von 6 850 Mark (1877 nochmals 8 924 Mark)[40] für die Erweiterung der Waffensammlung beweist den Erfolg dieser Aktion. Möglicherweise steckte hinter dem ganzen der Versuch, von den Standesherren, in deren Besitz sich damals teilweise noch große organisch gewachsene Waffensammlungen befanden, direkt Objekte geschenkt oder geliehen zu bekommen. Dies gelang zwar nicht, aber mit den laufenden Spenden und Ankäufen durch den Verein der deutschen Standesherren wurde die Waffensammlung bedeutend erweitert.

Bis zum Beginn der 1880er Jahre war die Waffensammlung derart gewachsen, daß man dem Gedanken nähertreten konnte, die sichtbaren Lücken endgültig zu schließen. Im August 1884 veröffentlichte deshalb Essenwein im Anzeiger ein bis ins Detail durchgearbeitetes Sammlungskonzept, nach dem die Waffensammlung vervollständigt werden sollte[41]. Zunächst stellte er sie mit ihrer Untergliederung vor. Diese basierte ganz offensichtlich auf dem Aufseß'schen Organismus, war aber in verschiedenen Punkten umgestellt und dadurch verbessert. So wurden z. B. die Schilde zusammen mit den Rüstungen und den Schutzwaffen geführt, während bei Aufseß die Schilde nach den Schuß-, Hieb- und Stichwaffen kamen. Auch das Vorziehen der Hieb-, Stich- und Stangenwaffen vor die Schußwaffen – bei Aufseß war die Reihenfolge umgekehrt – trug der geschichtlichen Entwicklung im Sinne einer chronologischen Reihenfolge der Waffentypen besser Rechnung.

Nach Essenwein umfaßte die Waffensammlung 1884 rund 1 500 Stücke, darunter keine Prunkwaffen und einige Typen nur in Nachbildungen. Der Bestand an Rüstungen und Helmen sei keinesfalls unbedeutend, aber, leider auch mangels Fachkräften, stark restaurierungsbedürftig. Höchst interessant ist Essenweins Ansicht über Prunkwaffen, deren Erwerb seiner Meinung nach kaum zu erhoffen sein dürfte, er läge auch weniger in der Aufgabe des Museums, denn, so fuhr er fort, „wir haben das Waffenwesen vom Standpunkte seiner Entwicklung und seiner Beziehung zur Kriegsführung zu betrachten; uns muß es interessieren, wie die Massen bewaffnet waren, welche die Schlachten geschlagen, welchen Einfluß ihre Bewaffnung auf den Gang des Kampfes hatte, und wie sich Angriffs- und Verteidigungswaffen zu jeder Zeit gegenseitig verhielten, wie die Entwicklung der einen die der anderen bedingte. Die Luxuswaffen, welche die Rüstkammern hoher Herren zierten, oder in denen sie zu Festen auszogen, hatten damals so wenig Einfluß auf den Gang der Schlachten, als heute Ehrendegen und Galauniformen. Wie heute die Bewaffnung des gemeinen Mannes maßgebend und wichtig ist, so auch früher die Waffe der Kämpfenden; ihr Gewicht, ihre Konstruktion, Ausdehnung, Material sind es, die uns interessieren, nicht die Verzierungen. Das Gleiche gilt natürlich auch von den

24, vgl. 221

---

[37] Jahresbericht GNM 17 (für 1870), 1871.
[38] Jahresbericht GNM 23 (für 1876), 1877.
[39] Vgl. Anm. 38.
[40] Jahresbericht GNM 24 (für 1877), 1878.
[41] Essenwein, Bericht 1884. In: Anzeiger GNM 1884, S. 98–101 (betr. Waffen). – Zum Bericht von 1870 vgl. S. 1016–17.

übrigen Abteilungen der Waffensammlung"[42]. Es sei dahingestellt, ob diese Äußerungen in der Absicht gemacht wurden, vielleicht doch Leihgaben aus dem Kreis der Standesherren zu erhalten, mehr eine gewisse Resignation widerspiegelten oder aber tatsächlich grundlegenden Ansichten Essenweins entsprangen. Von den anderen Gruppen der Waffensammlung hob er besonders die der Feuerwaffen hervor, die „für das Studium der Entwicklung (dieser Waffe) als eine der wichtigsten betrachtet" werden müsse[43]. Schließlich kam er zu einer Kostenaufstellung jener Stücke, die unbedingt benötigt würden:

„Eine schöne gotische Rüstung für Mann und Roß kostet wol	30 000 Mark
5–6 Helme	20 000 Mark
Turnierzeug	50 000 Mark
verschiedene kleinere, aber seltene Objekte	10 000 Mark
einige Schwerter	5 000 Mark
Stangenwaffen	5 000 Mark
Gewehre	10 000 Mark
Artillerie	10 000 Mark"[44].

Zusammengenommen entstünden Kosten von 140 000 Mark. Den Einwänden: „Solch große Summe? fragt der Laie. Ist sie nötig? Werden wir die Sachen überhaupt noch bekommen, insbesondere um solch geringe Summe? fragt der Fachmann"[45], antwortet Essenwein zunächst mit dem Hinweis darauf, daß noch mehr solcher Objekte in Privatbesitz seien, als man ahne. Höchst intressant ist seine Entgegnung auf den Einwand, daß Nachbildungen auch ausreichen würden (etwas inkonsequent hatte er eingangs dieser Abhandlung[46] eine ähnliche Äußerung gemacht). Während für andere Abteilungen des Museums die Erwerbung von Nachbildungen im großen Stil weiterging, lehnte er dies für die Waffensammlung in schroffer Form ab. Nachbildungen seien nur dort vertretbar, wo es auf die Form ankomme. Bei Waffen sei wichtig „die Frage nach dem Gewichte, womit der Kämpfende belastet war, nach der Beweglichkeit, die ihm die Waffe noch ließ, nach der Widerstandsfähigkeit und der Angriffskraft, die der Mann entwickelte, wenn er bewaffnet war. Was soll davon aus einer Papier- und Gipsnachbildung gelernt werden?". Er schließt mit der sarkastischen Bemerkung: „Für den genügen allerdings Nachbildungen, der in der Waffe nur eine Zimmerdekoration sieht . . . Ihm kann eine solche genügen; für ernstlich wissenschaftliche Arbeiten hat sie keinen Zweck"[47]. Damit war die weitere Entwicklung der Waffensammlung klar abgesteckt. Kopien wurden nicht mehr gekauft, Originale sollten die bestehenden Lücken füllen.

Schneller als es wohl selbst Essenwein vermutete, bot sich ihm die Gelegenheit, die meisten Fehlstellen zu schließen und die Waffensammlung aus ihrer (bis auf die Feuerwaffen) relativ provinziellen Bedeutung zu einer der wichtigsten deutschen Sammlungen zu erheben. Um 1800 waren wesentliche Bestände des Nürnberger Zeughauses während der österreichischen Besetzung der Stadt illegal durch einen österreichischen Offizier an den Armeelieferanten Dietrich verkauft worden, der sie nach Österreich schaffte. Durch die Heirat der Tochter des mittlerweile geadelten von Dietrich[48]

---

[42] Anzeiger GNM 1884, S. 100.
[43] Vgl. Anm. 42.
[44] Anzeiger GNM 1884, S. 101.
[45] Anzeiger GNM 1884, S. 101; bemerkenswert, wie Essenwein hier taktisch geschickt die offenbar zu erwartenden Einwände von Laien mit der fingierten Gegenfrage des „Fachmanns" vom Tisch fegt.
[46] Anzeiger GNM 1884, S. 100.
[47] Vgl. Anm. 45.
[48] Zu D.: Camillo List in: Joseph Freiherr von Dietrich'sche Waffensammlung aus Schloß Feistritz am Wechsel. (Auktionskatalog des) Dorotheum Wien. 29–30. Okt. 1923, S. 5–7.

mit einem Fürsten Sulkowski gelangten die Waffen nach Schloß Feistritz am Wechsel in den Besitz dieser aus Polen stammenden Familie. Joseph Maria Ludwig, 7. Fürst Sulkowski, 7. Herzog zu Bielitz usw. (1848–1920)[49] war wegen verschiedener Ereignisse in seinem unkonventionellen Lebenswandel entmündigt und in ein Irrenhaus eingeliefert worden. Zu seinem Mitvormund war der wohl bekannteste private Waffensammler Österreichs im 19. Jahrhundert, Hans Graf Wilczek, ernannt worden. Graf Wilczek war, dem vertraulichen Ton der Korrespondenz zufolge, mit Essenwein gut bekannt[50]. So dürfte jener besonders schnell von der Möglichkeit erfahren haben, die Waffensammlung, die aus dringenden finanziellen Gründen zu Gunsten der Familie des Entmündigten verkauft werden sollte, erwerben zu können. Bei den offenbar unter großer Eile und Diskretion stattfindenden Kaufverhandlungen gelang es Essenwein, den Preis von 160000 fl. auf 120000 fl. zu drücken, immerhin nach Reichswährung noch 206363 Mark. Diesen Abschluß billigte der Verwaltungsausschuß mit „großer Begeisterung"[51]. Da die Summe bar zu zahlen war, wurde mit Billigung der Bayerischen Staatsregierung ein Kredit von 200000.– Mark zu nur 4% Zins, rückzahlbar in 12 Jahren, aufgenommen. Als Pfand für den Kredit diente die zu erwerbende Sammlung.

Der Verkauf der Sammlung selbst entbehrte nicht einer gewissen Dramatik, da Fürst Sulkowski in der letzten Phase der Verhandlungen, vermutlich mit Hilfe seiner Familie, aus dem Irrenhaus ausbrach und in die Schweiz flüchtete. Von dort aus versuchte er vergeblich, den Verkauf zu verhindern, der nicht zuletzt deshalb sehr schnell abgewickelt wurde. Schließlich wurde Sulkowski sogar wieder für geschäftsfähig erklärt und erhob im August 1889 beim Amtsgericht Bonn Einspruch gegen den Verkauf seiner Sammlung. Das Gericht forderte das Museum auf, vorerst weder den Kaufpreis zu bezahlen, noch die Gegenstände abzuholen[52]. Da der Kauf aber bereits am 10. Juli getätigt worden war und die Sammlung schon am 3. August vom Museum in Feistritz übernommen worden war, wurde der Einspruch Sulkowskis zurückgewiesen[53]. Weiteste Kreise wurden wegen der Finanzierung des Kaufes angesprochen und spendeten, darunter Regierungen, Städte und Gesellschaften. Die Bayerische Landesregierung steuerte den außerordentlichen Betrag von 20000.– Mark bei, da gerade für Bayern der Rückkauf von Objekten des alten Nürnberger Zeughauses wichtig sei[54]. Als Marginalie sei angemerkt, daß 1890 unter den Spendern auch der Maler Adolph von Menzel mit 20 Mark vertreten war[55]. Dank des außerordentlich reichen Spendenflusses konnte der Kredit bereits 1896 und nicht erst, wie ursprünglich geplant, 1901 zurückgezahlt werden[56].

Die Erwerbung der Sulkowski'schen Sammlung fand in der Öffentlichkeit ein erhebliches Echo. In Österreich war man über den Verkauf verärgert. Man rügte u.a. den angeblich zu niedrigen Preis, deshalb mußte Hermann Helfert von der k.k. Central-Commission für kunst- und historische Denkmale im Auftrag des k.k. Unterrichtsministeriums die gesamten Verkaufsverhandlungen überprüfen. Außerdem forderte die Presse, teilweise sehr polemisch, ein Gesetz gegen die Verheimlichung von Funden und Verkäufen ins Ausland, das dann auch tatsächlich geplant wurde. Die Verstimmung selbst „höherer Persönlichkeiten"[57] in Österreich über den Verkauf scheint auch Essenweins vorher

[49] Genealogisches Handbuch des Adels. Fürstliche Häuser. Bd. 4. Glücksburg 1956, S. 517f.
[50] Altregistratur GNM, Karton 98, Akt „Sammlung Fürst Sulkowski", Schreiben Graf Wilczeks an Essenwein vom 5. Mai 1889, Wien.
[51] August von Essenwein: Die Erwerbung der fürstlich Sulkowskischen Sammlung für das germanische Museum. In: Anzeiger GNM 1889, S. 215–222, (220).
[52] Altregistratur GNM, Karton 98 „Sammlung Sulkowski", Artikel der „Kölnischen Volkszeitung" vom 20. November 1889.
[53] Anzeiger GNM 1889, S. 221.
[54] Jahresbericht GNM 38 (für 1891), 1891 und 39 (für 1892), 1892.
[55] Jahresbericht GNM 37 (für 1890), 1890.
[56] Jahresbericht GNM 43 (für 1896), 1896.
[57] Altregistratur GNM, Karton 98 „Sammlung Sulkowski", Schreiben von Hermann Helfert vom 10. September 1889, Wien, an Essenwein.

ganz vorzüglichen Beziehungen zu Wiener Kreisen getrübt zu haben. Im Deutschen Reich hingegen brachte die Presse positive bis begeisterte Berichte über den Rückkauf der alten Nürnberger Zeughausbestände.[58] Der Kauf der Sulkowski'schen Sammlung war insgesamt gesehen die bedeutendste vgl. 426 Erwerbung der Waffensammlung. Durch ihn erledigte sich der größte Teil der Desiderata-Liste Essenweins von 1884. Besonders bemerkenswert ist die Gruppe der 11 Renn- und Stechzeuge aus dem 31, 427 Nürnberger Zeughaus, da es sich nach dem Bestand der Wiener Waffensammlung um den größten alten Bestand an Turnierrüstungen handelt, der noch existiert. Essenwein selbst betonte, daß die Waffensammlung nunmehr „auf eine Höhe gehoben worden ist, daß ihr nunmehr an wissenschaftlicher Bedeutung wenige andere in Deutschland mehr gleichstehen oder gar überlegen sind". Mit den Sammlungen von Wien und Dresden wolle man sich gar nicht vergleichen, da dort kostbare Prunkwaffen und nicht feldmäßige Waffen aufbewahrt werden, „aber an Stücken, welche die Geschichte des Waffenwesens erläutern, darf sich jetzt unsere Waffensammlung zu den vollständigsten und reichhaltigsten rechnen"[59].

Essenwein hat diesen Erfolg nicht lange überlebt. Im Jahre 1892 ist er gestorben. Am Schluß seiner letzten Arbeit, dem Helminventar, sagt er mit Stolz und etwas Bitterkeit, zurückblickend auf seine Tätigkeit: „Wir haben auch für jenen Zeitraum ein selten umfangreiches Material in der Sammlung des Germanischen Museums beisammen, mit welchem gerade der Verfasser sich so enge verbunden fühlt, weil er es größtenteils beschaffen zu können, so glücklich war. Der Kenner des für die Kulturgeschichte so wichtigen Waffenwesens wird es zu würdigen verstehen, was es heißt, daß ein Bettelmann in diesen letzten Jahren es vermocht hat, bei den enormen Preisen aller Einzelstücke, die ja bloß durch Aufsuchung und Benützung jeder Gelegenheit zu Erwerbungen überhaupt erlangt werden können, eine solche Serie zusammenzubringen, sie werden des Verfassers Gefühle verstehen, mit welchen er auf die Reihe der Helme blickt, deren erster Teil hier besprochen ist. Diejenigen, welche denselben bei 425 Beschaffung des Geldes unterstützt haben, werden die Tiefe seiner Dankbarkeit ebenso ermessen, wie Jene, welche beigeholfen haben, das Material zu beschaffen, und welche so manches geschenkt haben"[60].

☐ Die Aufstellung der Waffensammlung in der Ära Essenwein

Bereits im ersten Jahr nach dem Amtsantritt Essenweins befaßte sich der Verwaltungsausschuß u. a. mit der Ordnung und Komplettierung der Waffenhalle[61]. Offenbar versuchte man, die Entwicklungsreihen der einzelnen Waffentypen vollständiger zu zeigen, als dies mit den zu wenigen Originalstücken möglich war. Essenwein ließ deshalb „zur Belehrung der Besucher"[62] Zeichnungen nach alten Bildquellen anfertigen, um die Lücken der Sammlung zu füllen. Schon im nächsten Jahr (1868) meldete er im Zusammenhang mit einer nicht näher erwähnten Neuaufstellung ein erstes Ergebnis, denn die Bildserie, die „den Entwicklungsgang der Rüstung von der römischen Periode bis auf unsere Tage zeigt", war fertiggestellt. „Die sehr wichtige Reihe, welche die Vervollkommnung der Feuerwaffen, und zwar der Stücke wie der Handfeuerwaffen in ihrer Construction, wie in der Anwendung anschaulich macht"[63], sollte im nächsten Frühjahr (1869) ausgestellt werden. Hier zeigt sich schon eine wesentliche Absicht, die Essenwein mit seinen Aufstellungen der Waffensammlung verfolgte. Er wollte dem Betrachter die Entwicklung der einzelnen Waffentypen von ihren Anfängen bis zur

[58] Eine große Anzahl von Zeitungsausschnitten über den Ankauf der Sulkowski-Sammlung befindet sich in: Altregistratur GNM, Karton 98 „Sammlung Sulkowski".
[59] Jahresbericht GNM 36 (für 1889), 1889.
[60] Vgl. Anm. 21.
[61] Vgl. Anm. 25.
[62] Jahresbericht GNM 14 (für 1867), 1868. – Vgl. vor allem Essenwein, Bericht 1870, S. 20; in diesem Band S. 1017.
[63] Jahresbericht GNM 15 (für 1868), 1869.

424. Die Waffensammlung im Standesherrensaal in der Aufstellung von 1876. Die an der Wand gereihten Rüstungen sind Bestand einer Harnischsammlung, die von der Familie der Freiherrn von Künsberg 1861 gestiftet wurde. Die Einzelteile der Sammlung wurden vielfach zu Rüstungen vervollständigt. Photographie um 1879

Gegenwart zeigen. Deshalb auch wollte er nach seinem Amtsantritt die bisherige obere Zeitgrenze der Sammlung (das Jahr 1650) aufgeben. Besonders für die Waffensammlung war, nach Essenwein, diese Grenze am wenigsten tauglich[64]. Der Erwerb der großen Kanonenrohre aus der Türkei machte Überlegungen zu einer „neuen Anordnung und Aufstellung" der Waffensammlung notwendig[65]. Durch das rasche Wachstum war die Waffenhalle derart überfüllt, daß 1872 ein Teil der Waffen – und zwar der Schußwaffen – in dem für Folter- und Strafwerkzeuge vorgesehenen Raum an der Süd-westecke des kleinen Kreuzganges aufgestellt werden mußte[66]. Die Aufstellung war so eingerichtet, daß man, den kleinen Kreuzgang von Süden betretend, folgende Typenreihen sehen konnte: Schuß-waffen (manuelle, dann Pulverwaffen), Artilleriemodelle, Rüstungen (auch Teile davon), Hieb- und Stichwaffen, Stangenwaffen, Fahnen und Sättel[67].

[64] Vgl. Anm. 26.
[65] Jahresbericht GNM 16 (für 1869), 1870.
[66] Jahresbericht GNM 18 (für 1871), 1872.
[67] Wegweiser GNM 1872, S. 17–22.

425. Die Sammlung von Helmen und Harnischen nach der an die Erwerbung der Sammlung Sulkowski 1889 anschließenden Neuordnung; entsprechend den von August von Essenwein bei Übernahme des Museums vertretenen Ausstellungsprinzipien sind Helme und Harnische in ihrer zeitlichen Entwicklung dargeboten. Auf dem Schrank aufgestellte Nachbildungen ergänzen die Folge der Originale. Aufstellung im Erdgeschoß des Augustinerbaus. Zustand 1896

Die Errichtung des sog. Augustinerbaues bot die Möglichkeit, einen speziell auf die Bedürfnisse der 215–222 Waffensammlung abgestimmten Schauraum zu schaffen. Im ersten Stock wurde ein die gesamte Grundfläche des Gebäudes einnehmender Saal gewählt. Seine flache Balkendecke wurde in der 424, 426 Längsachse durch einen von 2 Pfeilern gestützten Unterzugbalken getragen. Die Ausstattung des Raumes, des sog. Standesherrensaales, übernahm der Verein der deutschen Standesherren. Diese 221, 222 „Patenschaft" führte zu einer Raumausgestaltung, die das ritterliche Element stark betonte. Über den gemalten Wandbehängen, bzw. gemalten Quadern lief unterhalb der Decke ein hoher Fries um den Raum, der in alphabetischer Reihenfolge die Wappen jener Familie zeigte, die für die Raumausstattung gespendet hatten. Die Glasgemälde im oberen Stockwerk der an den Standesherrensaal angebauten Augustinuskapelle waren mit den jeweils drei tapfersten Helden des heidnischen Altertums, des alten Bundes und des Christentums, sowie den drei freigiebigsten Fürsten geschmückt. Die Glasgemälde in den anderen Fenstern zeigten die Darstellungen der ritterlichen Tugenden. All das war, laut Essenwein „im strengsten Stile, demgemäß auch im Kostüme des 13. bis 14. Jahrh. gebildet. In ihrer Mitte steht der Patron der Ritterschaft, der heil. Georg, und der Patron Deutschlands, der heil. Michael"[68]. Die Objekte waren, „soweit es die Verhältnisse zuließen"[69], chronologisch geordnet. An

---

[68] Wegweiser GNM 1885, S. 68. – Zum Augustinerbau vgl. S. 380–398, bes. S. 392–394 zum Saal der Standesherren.

426. Die Waffensammlung im Standesherrensaal nach der Neuordnung im Anschluß an die Erwerbung der Sammlung Sulkowski. Die Rüstungen verdeutlichen die Entwicklung im 16. und 17. Jahrhundert, in Vitrinen bzw. mit Hilfe von Gestellen sind Pistolen, Jagdgewehre, Bidhänder und Flammberge, Stangenwaffen des 17. und 18. Jahrhunderts gereiht. Zustand 1896

424 den beiden Längsseiten des Raumes standen die Harnische, in der Reihe der Entwicklung vom 15. bis 17. Jahrhundert. Zwischen ihnen waren die Sättel aufgestellt. Im Mittelteil des Raumes standen, im rechten Winkel zu den Längswänden, Gestelle mit den Fernwaffen (manuelle und Handfeuerwaffen), Hieb- und Stichwaffen und Stangenwaffen; die zur Waffensammlung gerechneten Fahnen waren in
35 der Kirche aufgehängt[70]. Die Reihe der Handfeuerwaffen reichte bis zu den Typen des Krieges von 1870/71, zeigten dem Betrachter also die gesamte Entwicklung bis zur Gegenwart. Um die Sammlung der Modelle von Kriegsmaschinen und Geschützen, darunter auch das sog. kleine Nürnberger
252 Zeughaus zu erreichen, mußte man den Saal nach Osten durch das „Reckentürmchen" verlassen und
253 in einen nördlich gelegenen Raum hinuntersteigen.

Bereits um 1885 war der Standesherrensaal derart überfüllt, daß, nach Essenwein, dessen Größe und Gestalt nicht zur Geltung kommen konnte. Später sollte ein Teil der Waffen an einem anderen Ort aufgestellt werden[71]. Durch den Erwerb der Sulkowski'schen Sammlung 1889 wurde dieses Problem übermächtig. Essenwein verwendete nun auch die unter dem Standesherrensaal, dessen

---

[69] Wegweiser GNM 1885, S.69.
[70] Wegweiser GNM 1885, S.92.
[71] Vgl. Anm.68.

Einrichtung im wesentlichen unverändert blieb, liegenden Erdgeschoßräume des Augustinerbaues für die Waffensammlung. Im mittleren Raum, dessen Südseite im Untergeschoß in die Leonhards- kapelle auslief, befand sich die Gruppe eines Geharnischten zu Pferd, während an der Ost- und 31 Westwand Renn- und Stechzeuge standen, da der Raum „dem ritterlichen Spiel" gewidmet war[72]. Die beiden anderen eingewölbten Räume östlich und westlich zeigten Harnische, Harnischteile und 425 Helme sowie Stangenwaffen. Im Kreuzgangflügel vor diesen drei Räumen lagen leichtere Geschütz- 218 rohre, bzw. schwere Handfeuerwaffen. Die Kriegsmodelle und das sog. kleine Nürnberger Zeughaus blieben im gleichen Raum wie vor Erwerb der Sulkowski-Sammlung. Etwas unklar ist der Verbleib der schweren Geschütze aus der Türkei seit ihrem Eintreffen im Museum. Sie lagen aus statischen Gründen vermutlich in einem der Innenhöfe. Im Jahresbericht 1876 wurde für 1877 ein „passendes Lokal zu gemeinsamer, entsprechender Aufstellung"[73] der Geschützsammlung in Aussicht gestellt, aber erst 1881 von der Einrichtung einer alten, bereits bestehenden Halle dafür gesprochen[74]. Diese Halle lag an der Südwestecke des Museumsbereiches.

1876 war der Standesherrensaal für die Waffen offiziell fertiggestellt worden, 1889 fand eine räumliche Ausweitung der Waffensammlung statt, aber bereits 1890 mußte die ernüchternde Er- kenntnis konstatiert werden, daß bei der Aufstellung der Sammlung wiederum nur von einem Provisorium gesprochen werden könne[75]. In dieser Situation trat August von Essenwein zurück und starb. Mit der Lösung der Probleme wurde der Nachfolger, Gustav von Bezold, konfrontiert.

☐ Die Neubauten Gustavs von Bezold für die Waffensammlung

Gustav von Bezold scheint nicht von demselben drängenden Interesse an der Waffenabteilung erfüllt gewesen zu sein wie sein Vorgänger. Er verwaltete das Übernommene und erntete in der Form vielfältiger Geschenke und Käufe das Ergebnis der Essenwein'schen Öffentlichkeitsarbeit. Seine für die Waffensammlung wichtigste Entscheidung war die Berufung von August Neuhaus im Jahre 1911. Neuhaus leitete bis 1945 die Waffensammlung; er war das stabilisierende Element der verschiedenen Auffassungen dreier Direktoren. In den dreißiger Jahren legte er eine umfassende Kartei über den Waffenbestand an.

1897 wurde beschlossen, an der Südwestecke des Museumsareals einen Neubau zu errichten. Er 272–282 sollte im Obergeschoß Bauernstuben, im Erdgeschoß aber in einer geräumigen Halle die Waffen- sammlung beherbergen[76]. Der Bau war 1900 nahezu vollendet. Für den Hauptteil der Waffen schuf man eine dreischiffige Halle. An ihrer östlichen Stirnwand wurden Abformungen der lebensgroßen 47, 281 Stuckreliefs des Ritters Dollinger, des Hunnen Krako und Kaiser Heinrichs II. zu Pferde angebracht, deren Originale vom Ende des 13. Jahrhunderts sich im Saal des Dollingerhauses in Regensburg befanden[77].

Das buntbemalte Gewölbe der Halle ruhte auf 20 Säulen aus Naturstein mit reichen Kapitälen. Die 21 großen Fenster besaßen Maßwerk. Vor der östlichen Stirnwand des Saales erstreckte sich unter den Stuckreliefs eine hohe Plattform, zu der zehn, durch einen Absatz unterbrochene Stufen hinauf- führten. Diese Plattform präsentierte eine Gruppe Harnische. Die anderen Harnische standen im

---

[72] Das Germanische National-Museum zu Nürnberg nach 50 Originalaufnahmen von Rud. Albrecht. Einleitender Text von Hans Stegmann. Nürnberg (1896), Text S. 9.
[73] Jahresbericht GNM 23 (für 1876), 1877.
[74] Jahresbericht GNM 28 (für 1881), 1882.
[75] Jahresbericht GNM 37 (für 1890), 1890.
[76] Jahresbericht GNM 44 (für 1897), 1897. – Vgl. S. 454–463.
[77] Alexander von Reitzenstein: Die Reiter von Mauerkirchen und Regensburg. In: Waffen- und Kostümkunde 3. F. Bd. 7 (1965), S. 61–80.

Mittelschiff vor und neben den Säulen, an jeder also drei, die ältesten Stücke an der Ostseite des Saales, die jüngsten an der Westseite. Auch hier herrschte noch die Absicht, innerhalb der einzelnen Waffengruppen eine chronologische Ordnung einzuhalten. Im südlichen Seitenschiff hingen in den alten Glasvitrinen aus dem Standesherrensaal die Armbrüste und Bogen, im nördlichen die Stangenwaffen. Hieb- und Stichwaffen befanden sich im Westteil der Halle. Die Handfeuerwaffen waren in den drei Erdgeschoßräumen des Augustinerbaues ebenfalls in chronologischer Reihenfolge aufgestellt[78]. Die drei Erdgeschoßräume des im Westen des sog. Bärenhofs gelegenen Gebäude beherbergten weitere Teile der Waffensammlung, die beiden südlichen die Artilleriesammlung, der nördliche Raum das sog. kleine Nürnberger Zeughaus und andere Kriegsmodelle[79]. Hatte Essenwein mit seiner Architektur – einem flachen Saal mit Holzbalkendecke und „ritterlicher" Ausmalung – noch eine Stimmung geschaffen, die für eine Waffensammlung vertretbar war – die Aufstellung in den Erdgeschoßgewölben des Augustinerbaues war auch für ihn nur eine Notlösung –, so gelang dies Bezold nicht ganz. Die Halle im Südwestbau erzeugte mit ihrer Einrichtung als Waffensammlung eine gewisse Dissonanz. Gewölbe und dreischiffige Halle mit Maßwerkfenstern, sowie die altarraumartige Plattform wirkten im Gegensatz zu den profanen Waffen kirchlich. Eine Erklärung für diese architektonische Lösung dürfte in dem übersteigerten Helden- und Waffenkult zu suchen sein, der sich besonders nach dem Regierungsantritt Wilhelms II. breitgemacht hatte und von dem eine ganze Reihe von National- und Kriegerdenkmälern zeugte. Im Wegweiser 1919/20 wird betont, daß der Gesamteindruck dieses Raumes „lebhaft an den repräsentativen Charakter alter Zeughäuser erinnert"[80]. Der größte Teil der Waffensammlung wurde endgültig im Winter und Frühling 1902/03 aufgestellt[81].

Nach der Einrichtung der Waffenhalle gingen die Aktivitäten auf dem Gebiet der Waffensammlung merklich zurück. Lediglich 1907 fand ein Dublettentausch mit dem Berliner Zeughaus statt[82] und 1917 ein Ankauf aus der Dresdner Waffensammlung[83]. Die allgemeinen Raumprobleme des Museums, die Bezold 1907 und 1908[84] erstmals in den Jahresberichten ansprach, hatten offenbar inzwischen so viele Schwierigkeiten aufgeworfen, daß die Waffensammlung mit ihrer neuen Aufstellung einstweilen in den Hintergrund treten mußte.

Für die Errichtung des Südwestbaues hatte 1898 ein Teil jenes Gebäudes, in dem sich die Geschütze befanden, abgerissen werden müssen[85]. Einige der Geschütze scheinen danach jahrelang notdürftig unter einem hölzernen Schutzdach im Freien gestanden zu haben[86]. Bezold dachte daran, für die Geschütze eine Halle im Mauerzwinger zu erbauen. Dieser war am 7. Dezember 1882 von der Stadt dem Museum so lange eingeräumt worden, als das Museum in Nürnberg blieb[87]. Die Kosten für den Bau übernahm die Pflegschaft Berlin. Da Sandstein als Baumaterial die Kosten zu sehr erhöht hätte, entschied man sich bei den Außenwänden für Ziegelmauerwerk mit Fenster- und Türeinfassungen aus Sandstein und bei den Wänden des Innenhöfchens für Fachwerk. Die Geschützhalle wurde ein, am westlichen Ende des Zwingers vor dem Museum gelegener ebenerdiger, rechteckiger Bau mit einem kleinen Innenhof. In dieses Höfchen legte man die großen Geschützrohre aus der Türkei. Ihre

272, 278

---

[78] Wegweiser GNM 1913/14, S. 109ff.
[79] Wegweiser GNM 1913/14, S. 130ff.
[80] Wegweiser GNM 1913/14, S. 32.
[81] Jahresbericht GNM 50 (für 1903), 1903.
[82] Jahresbericht GNM 54 (für 1907), 1907, S. 5.
[83] Jahresbericht GNM 64 (für 1917), 1917, S. 5.
[84] Jahresbericht GNM 54 (für 1907), 1907 und Jahresbericht GNM 55 (für 1908), 1908.
[85] Jahresbericht GNM 45 (für 1898), 1898.
[86] Altregistratur GNM, Karton 326, Akt „Erbauung der Geschützhalle und Mauerübergang 1910", Schreiben vom 28. Mai 1909 an das bayerische Staatsministerium des Innern und Schreiben vom 11. Mai 1910 an den Stadtmagistrat Nürnberg.
[87] Altregistratur GNM, Karton 326, Akt „Geschützhalle", Schreiben vom 7. September 1903 an das bayerische Staatsministerium des Innern. – Zum Bau vgl. S. 466.

Besichtigung war nur nach Anmeldung beim Direktorium möglich[88]. Inwieweit Neuhaus bereits an der Einrichtung der Geschützhalle beteiligt war, läßt sich nicht feststellen; ebensowenig ist über die Zielsetzung der Einrichtung oder die Raumausstattung bekannt. Die weiteren Jahre brachten wohl eine Reihe von Neuzugängen, so 1917 den Ankauf einer Reihe interessanter Waffen aus dem alten Bestand der Dresdner Waffensammlung[89], im ganzen aber keine Höhepunkte mehr. Eine wesentliche Ursache dafür war der 1. Weltkrieg, in dessen Verlauf Neuhaus von 1916 bis 1918 zur Armee eingezogen war. So konnte es erst nach Kriegsende 1921 zu der dringend erforderlichen Neuaufstellung der Waffensammlung kommen.

□ E. Heinrich Zimmermann und die Waffensammlung

Hatte sich Bezold in seiner Haltung zur Waffensammlung noch völlig von den Essenwein'schen Gesichtspunkten bestimmen lassen, so zeigte sich unter Zimmermann eine veränderte Haltung. Die längst überfällige Modernisierung des Museums wurde eingeleitet, was freilich nicht ohne Härten abging. Die allgemein katastrophale finanzielle Lage nach dem verlorenen Krieg erforderte ein Höchstmaß an wirtschaftlichen Überlegungen. Das besondere Interesse Zimmermanns galt im allgemeinen der großen Kunst und im besonderen der Kunst des Barock, die im Museum nur recht spärlich vertreten war. Notgedrungen traten die kulturgeschichtlichen Belange dabei etwas zurück. Die Betonung des künstlerischen Moments während seiner Amtszeit beleuchtet ganz gut die Bemerkung von Neuhaus: „Die reine sach- und fachgemäße Form tritt, wenn sie auch nicht ganz vernachlässigt wird, in der Jagdsammlung des Germanischen Museums hinter die künstlerisch durchgebildete zurück. Es entspricht dies auch der Gesamtaufgabe des Museums, das vornehmlich Spitzenleistungen auf allen Gebieten der Kunst und Kultur der deutschen Vergangenheit aufnehmen soll"[90]. Die Äußerungen markieren eine völlige Abkehr vom Konzept Essenweins von 1884, hauptsächlich die Bewaffnung der kampftragenden Massen zu sammeln. Welche neue, politisch motivierte Auffassung von historischer Waffenkunde nach 1933 entstand, läßt sich 1936 im Zusammenhang mit der Erwerbung des Prunkturnierharnischs von Anton Peffenhauser erkennen. Damals schrieb Zimmermann in den Briefen, mit denen er um Spenden öffentlicher Stellen bat, daß diese Rüstung „in der Stadt der Reichsparteitage bei dem durch den Führer neuerweckten Sinn für Wehrhaftigkeit als ein besonders schönes Symbol" wirke[91]. Den gleichen Tenor hat das Schreiben an Adolf Hitler: „Den deutschen Volksgenossen dieses herrliche Sinnbild deutscher Wehrhaftigkeit und alter deutscher Handwerkskunst zu erhalten und zu vermitteln, ist heute mehr denn je Ziel und Aufgabe des germanischen Museums"[92]. Eine besonders enge Einstellung Zimmermanns zur Waffensammlung läßt sich aber nicht konstatieren.

□ Die Neuaufstellung der Waffensammlung in den zwanziger Jahren.

Im Jahre 1921 wurde die Waffensammlung abermals neu aufgestellt. Nach dem Bericht von Neuhaus über diese Aktion[93] müssen am Schluß in der alten Aufstellung von 1902 unhaltbare Zustände geherrscht haben. Es ist da die Rede von „oft bemängelten Zuständen", „gänzlich untauglichen Räumen", „Anhäufung von unwichtigem und wertlosem Kram" usw. In seiner Festschrift spricht

---

[88] Wegweiser GNM 1913/14, S. 10.
[89] Vgl. Anm. 83.
[90] August Neuhaus: Deutsche Jagd-Altertümer (Bilderbücher des Germanischen Nationalmuseums, H. 3). Nürnberg 1935, S. 3.
[91] Altregistratur GNM, Karton 127, Akt „Erwerbung der Prunkturnierrüstung des Herzogs Johann Wilhelm von Weimar, 1936", Schreiben vom 28. Mai 1936 an Reichsinnenminister Frick.
[92] Altregistratur GNM, Karton 127, „Prunkturnierrüstung 1936", Schreiben vom 29. Mai 1936 an Hitler.
[93] August Neuhaus: Die Neuaufstellung der Waffensammlung. In: Anzeiger GNM 1921, S. 23–25.

Fritz Traugott Schulz davon, daß „die Waffensammlung aus dem Erdgeschoß des von Bezold'schen Südwestbaues herausgeholt und, aufgelöst in einzelne zusammengehörige Fachgruppen, vollkommen neu aufgestellt" wurde[94]. Die Umstellungen waren in der Tat tiefgreifend. Die Handfeuerwaffen, Armbrüste und das sogenannte kleine Nürnberger Zeughaus wurden in den großen Refektoriumssaal überführt. Die Handfeuerwaffen wurden gut sichtbar so aufgestellt, daß sie den Entwicklungsgang bis zur Einführung der Perkussionszündung im frühen 19. Jahrhundert zeigten. Die neueren Stücke schaffte man ins Magazin. Hier wurde also ein weiterer Gedanke Essenweins aufgegeben, nämlich dem Betrachter die Entwicklung eines Waffentyps bis zur Gegenwart zu zeigen. Der Raum nördlich des Refektoriums wurde mit den Jagdaltertümern eingerichtet[95]. Neuhaus betonte dabei ausdrücklich, daß nicht beabsichtigt sei, einen Überblick über die Geschichte der Jagd zu geben[96], denn dazu reiche das Material noch nicht aus. Es wurde dies die erste Aufstellung, in der die Jagdaltertümer als selbständige Sammlung in Erscheinung traten. Als Folge dieser Entscheidung publizierte Neuhaus 1935 einen kurzen Katalog der Jagdsammlung[97].

Die wohl optisch recht wirkungsvolle freie Aufstellung der Harnische in der Waffenhalle des Bezold'schen Südwestbaues war für die Objekte wegen der Berührungen der Besucher und der „in Nürnberg besonders schlechten Luftverhältnisse"[98] schädlich. Die Rüstungen mußten zur Sicherheit hinter Glas gebracht werden. Aus Ersparnisgründen benutzte man dazu die alten Vitrinen. Sie

251, 253 wurden im Raum nördlich des Wasserhofs aufgestellt. Aus konservatorischen Gründen wurde auch eine Heizung eingebaut[99]. Die Butzenscheiben und Fensterkreuze dieses Raumes wurden durch helle Verglasungen ersetzt, um das „mystische Halbdunkel" zu beseitigen. Die Wände wurden dunkelblau gestrichen, wohl um die optische Wirkung der blanken Harnische zu steigern, die Vitrinen dunkelbraun. In dem westlich davon gelegenen kleinen Raum wurden die Renn- und Stechzeuge frei, allerdings durch eine Eisenstange abgeschrankt, aufgestellt, daneben Säbel und Schilde. „Minderwertige und zusammengestoppelte Rüstungen" wurden ausgeschieden, die letzten Nachbildungen endgültig beseitigt. Als Zeitgrenze für diesen Raum setzte man den Anfang des 17. Jahrhunderts fest. Neuhaus schließt seinen Bericht der Umstellungen mit der Bemerkung: „Es ergibt sich damit die völlige Ausräumung der großen Waffenhalle. Sie mag manchem bedauerlich erscheinen; sie war aber im Interesse der Erhaltung der wertvollen Bestände unvermeidlich". Die schweren Rohre aus der Geschützhalle im Zwinger sollten später wieder in den unmittelbaren Museumsbereich zurückgeführt werden, da sie dem allgemeinen Besuch nicht zugänglich waren[100]. 1922 wurde die große Halle hinter dem Heilsbronner Portal, östlich des Wasserhofs, mit den Stangenwaffen und den Hieb- und Stichwaffen, sowie einigen Rüstungen eingerichtet[101]. Auch hier befolgte man eine chronologische Reihenfolge der Aufstellung. Teilweise waren auch noch frühgeschichtliche Waffen ausgestellt[102].

1929 wurden die Schußwaffen – manuelle und Handfeuerwaffen – und die Jagdabteilung von ihren vorübergehenden Standorten im Refektoriumsgebäude entfernt und neu aufgestellt[103]. In den Kreuzgang um den Rolandshof wurden die Geschütze und ihr Zubehör verbracht. Die schweren großen Geschützrohre waren in der Halle im Zwinger weiterhin der Allgemeinheit entzogen. Im südlich an

[94] Schulz, Festschrift, S. 79.
[95] Jahresbericht GNM 68 (für 1921), 1921, S. 2.
[96] Neuhaus, Neuaufstellung (Anm. 93), S. 24.
[97] Vgl. Anm. 90.
[98] Vgl. Anm. 96.
[99] Jahresbericht GNM 68 (für 1921), 1921, S. 2. – Innenansichten des Saales aus anderer Zeit Abb. 401 und 418.
[100] Neuhaus, Neuaufstellung (Anm. 93), S. 25.
[101] Jahresbericht GNM 69 (für 1922), 1922, S. 1. – Innenansicht aus älterer Zeit Abb. 41.
[102] Wegweiser GNM 1922/23.
[103] Jahresbericht GNM 76 (für 1929), 1929, S. 3. – Wegweiser GNM 1930, S. 162–199.

den Rolandshof anstoßenden Raum befanden sich die Handfeuerwaffen. Beide Abteilungen waren ebenfalls wieder chronologisch gegliedert. Die Jagdabteilung, die ihren Platz in den beiden Räumen nördlich des Rolandshofes gefunden hatte, war in Jagdgeräte und Jagdwaffen unterteilt, wobei die eigentlichen Jagdwaffen durch den Raum der Jagdgeräte von den übrigen Waffen getrennt waren. Offenbar sollte damit eine stärkere Trennung von den Kriegswaffen dokumentiert werden. Bilder von der Aufstellung der Waffenabteilung während der Amtszeit des Direktors Zimmermann haben sich im Museum leider nicht erhalten, so daß über den Ausstellungsstil keine detaillierten Angaben gemacht werden können.

□ Verluste und Erwerbungen

Während der Amtszeit E. Heinrich Zimmermanns war der Besitzstand der Waffensammlung starken Veränderungen unterworfen. Gleich in seinem ersten Dienstjahr erlitt die Sammlung der Feuerwaffen des 19. Jahrhunderts große Verluste. Durch Artikel 245 des Versailler Vertrages erzwang Frankreich die Rückgabe der Kriegsbeute von 1870/71 vom Deutschen Reich. Wie erwähnt, hatte das Museum sieben Geschütze, eine Mitrailleuse, Handfeuerwaffen, Blankwaffen und verschiedene Ausrüstungsgegenstände (insgesamt 56 Stücke) vom Kaiser und von Reichsfürsten als Geschenk erhalten. Eine „Reichsrücklieferungs-Kommission" in Berlin hatte die Auslieferung nach Frankreich zu koordinieren. Auf den nachdrücklichen Hinweis der Direktion, die monierten Objekte seien Eigentum des Germanischen Nationalmuseums, nicht Leihgaben des Reichs, könnten also aufgrund der Stiftungssatzungen nur gegen die bindende Zusicherung von Entschädigung abgegeben werden[104], wurde aus Berlin für das Reich Ersatz zugesagt[105]. Daraufhin schickte man die Beutestücke weisungsgemäß an das Armeemuseum in München, von wo aus sie nach Frankreich ausgeliefert wurden. Den vom Museum angegebenen Gesamtschätzwert von 440000 Mark bestätigten im großen und ganzen Erich Haenel vom Historischen Museum in Dresden[106] und Direktor Halm vom Bayerischen Armeemuseum[107] als Gutachter. In München wollte man versuchen, durch das Zurückhalten bestimmter Stücke bis zum Verstreichen der Reklamationsfrist der Ententemächte einiges zu retten[108], was aber wohl nicht gelang. Für den Fall einer ihm unwahrscheinlich erscheinenden Entschädigung sagte der Direktor des Münchner Armeemuseums dem Germanischen Nationalmuseum zu, einen entsprechenden Teil der Entschädigungssumme abzugeben. Diese Zusage wurde leider nicht eingehalten. Erst 1937 teilte das Bayerische Ministerium für Unterricht und Kultus aus München dem Museum kühl mit, daß es an der Verteilung der bereits im Frühjahr 1924 (!) vom Reichskommissariat für Reparationslieferungen überwiesenen Entschädigungssumme von 22 500 Mark nicht beteiligt worden sei. Vielmehr sei die gesamte Summe an das Armeemuseum in München überwiesen worden. Ein Wiederaufrollen der Sache sei sinnlos[109]. So war die Waffensammlung trotz anderslautender Zusagen enteignet worden. Die möglicherweise durch anderweitige Rücksichten bedingte Zurückhaltung der Direktion in dieser Frage ist umso bedauerlicher, als gerade in den zwanziger Jahren durch die wirtschaftlichen Verhältnisse in Europa große Mengen wertvoller alter Waffen in den Kunsthandel gelangten und mögliche Entschädigungsgelder hier gut hätten verwendet werden können.

---

[104] Altregistratur GNM, Karton 425, Sonderakt „Rücklieferung der Beutestücke", Schreiben vom 6. Dezember 1920 an Freiherrn von Steur in Berlin.
[105] Altregistratur GNM, Karton 425, „Rücklieferung", Telegramm aus Berlin vom 10. März 1921.
[106] Altregistratur GNM, Karton 425, „Rücklieferung", Schreiben von Erich Haenel vom 5. April 1921, Dresden.
[107] Altregistratur GNM, Karton 425, „Rücklieferung", Schreiben von Halm vom 20. April 1921, München.
[108] Vgl. Anm. 107.
[109] Altregistratur GNM, Karton 425, „Rücklieferung", Schreiben des bayerischen Staatsministeriums für Unterricht und Kultus vom 28. Januar 1937, München.

Neben dieser Enteignung wurde die Waffensammlung von verschiedenen Verkäufen betroffen, denn um Neuerwerbungen finanzieren zu können, begann Zimmermann Museumsobjekte zu verkaufen. Diese Aktion muß – jedenfalls für die Waffensammlung – als unselig bezeichnet werden. Wichtige Stücke wanderten aus der Sammlung ab. Am bedauerlichsten ist der Verlust eines von Bezold 1914 erworbenen italienischen Helms der zweiten Hälfte des 15. Jahrhunderts, der sich heute, eingestuft als einer der schönsten je hergestellten Helme, im Metropolitan Museum of Art in New York befindet[110]. Das Stück wurde verkauft, um die Regensburger Madonna des späten 13. Jahrhunderts[111] zu erwerben. Innerhalb der Waffensammlung hatte dieser Helm jedoch mindestens den gleichen Stellenwert, wie die Regensburger Madonna innerhalb der Plastik. Er war 1914 um 35 000 Mark gekauft und 1923 in der Inflation zusammen mit einem nicht näher bezeichneten Objekt um etwas über 1 Million Mark verkauft worden! Ähnliche, wenn schon nicht gleich gravierende Fälle ließen sich nennen. Andererseits wurde die Sammlung durch wichtige Neuerwerbungen, teilweise von großer Bedeutung, bereichert. So kam z.B. 1924 ein Topfhelm des 14. Jahrhunderts ins Museum[112]. Der Helm war von Neuhaus auf einem Totenschild in einer einsam gelegenen Kirche bei Nürnberg entdeckt und mit einiger Energie als Leihgabe der Kirchengemeinde für das Museum gesichert worden, wenngleich sich „die oberste Kirchenbehörde . . . (darüber) etwas vor den Kopf gestoßen" fühlte[113]. Unter etwas mehr als einem Dutzend erhaltener Helme dieses Typs ist er der besterhaltene. Man kann ihn gut als den bedeutendsten Helm der ganzen Sammlung und als einen der wichtigsten für die historische Waffenkunde bezeichnen.

Seit 1921 erstmals die Jagdaltertümer getrennt von den Kriegswaffen als eine Abteilung aufgestellt worden und die Unvollständigkeit dieser Sammlung erkannt war[114], sind – offenbar bedingt durch Zimmermanns Vorliebe für den Barock – gezielte Ankäufe zu ihrer Vervollständigung zu beobachten. Ein prunktvolles Jagdschwert war leider, wie zwei weitere von der Firma Kahlert in Berlin erworbene Degen, eine in betrügerischer Absicht gefertigte Arbeit des Dresdener Blankwaffenfälschers Konrad[115].

Sehr wichtige Bereicherungen konnten in der Reihe der Harnische während der Amtszeit Zimmermanns verzeichnet werden, obschon in den zwanziger und frühen dreißiger Jahren gerade bessere Waffen in großem Umfang nach Amerika verkauft wurden. Mehrere spezialisierte Händler kontrollierten dieses Geschäft, das durch übergroßes Gewinnstreben den Charakter eines nationalen Ausverkaufs angenommen hatte. Dabei waren die Preise derart hoch, daß in Europa kaum ein Käufer zu finden war. Dennoch gelang es, 1921 einen gebläuten Prunkharnisch mit vergoldeten Ätzornamenten, eine Arbeit des Augsburger Plattners Anton Peffenhauser für Kurfürst Christian I. von Sachsen von 1591, zu erwerben[116]. Möglich war dies wohl aber nur deshalb, weil das Stück auf dem Tauschweg von den sächsischen Staatssammlungen in Dresden erworben wurde. Ungleich schwieriger gestaltete sich

[110] Gustav von Bezold: Prunkhelm aus der Mitte des 15. Jahrhunderts. In: Anzeiger GNM 1914, S. 46. – Bruno Thomas, Ortwin Gamber und Hans Schedelmann: Die schönsten Waffen. Heidelberg, München 1965, Nr. 15.

[111] Heinz Stafski: Die Bildwerke in Stein, Holz, Ton und Elfenbein bis um 1450 (Kataloge des Germanischen Nationalmuseums Nürnberg. Die mittelalterlichen Bildwerke, Bd. 1). Nürnberg 1965, S. 28, Nr. 9 (Pl 2300). Obschon aus Straubing stammend als „Regensburger Madonna" bezeichnet, da Zimmermann sie zunächst für eine Arbeit des Regensburger Erminold-Meisters hielt; vgl. Abb. 382.

[112] Jahresbericht GNM 71 (für 1924), 1924, S. 3.

[113] Altregistratur GNM, Karton 110, Sonderakt „Turnierhelm in der Kirche zu Kalbensteinberg 1924/25", Notiz von Neuhaus vom 18. Februar 1925.

[114] August Neuhaus: Neuerwerbungen für die Jagdgeräte-Sammlung. In: Anzeiger GNM 1921, S. 31; vgl. Anm. 96.

[115] Hans Schedelmann: Der Waffensammler. Gefälschte Prunkwaffen. In: Waffen- und Kostümkunde 3. F. Bd. 3 (1965), S. 124–132, Abb. 12. – Hans Schedelmann: Konrad Fecit. In: Waffen- und Kostümkunde 3. F. Bd. 13 (1971), S. 52–61, Abb. 22 und 23, S. 55.

[116] Jahresbericht GNM 68 (für 1921), 1921, S. 6.

1936 die Erwerbung einer weiteren Peffenhauser-Arbeit. Es war eine Prunkturnierrüstung mit Sattel und Roßstirnen, wie sie in der Waffensammlung zur Vervollständigung der Reihe der Turnierrüstungen noch gefehlt hatte. Das Stück war von einem Händler zunächst ins Ausland gebracht worden, um es ungestört nach Amerika verkaufen zu können, aber – vermutlich auf Betreiben Zimmermanns – vom Reichsinnenministerium nachträglich auf die Liste der national wichtigen Kunstgegenstände gesetzt worden. Durch Druck auf den Besitzer wurde die Rückführung ins Reich veranlaßt. Nach umfangreichen Aktivitäten Zimmermanns sagten Hitler, der Reichsminister des Innern, der Reichsminister für Wissenschaft, Erziehung und Volksbildung, die Bayerische Staatsregierung und der Nürnberger Oberbürgermeister zu, Anteile an den Gesamtkosten zu übernehmen, so daß die Rüstung erworben werden konnte. Um ihre Bedeutung zu unterstreichen, veröffentlichte Neuhaus im Jahr 1937 eine reich bebilderte Monographie über das Stück[117]. Nach Anfertigung eines Pferdes im Stil der dreißiger Jahre wurde das eindrucksvolle Objekt während des Reichsparteitages 1936 in der Ehrenhalle des Museums aufgestellt. Schwierigkeiten entstanden für die Direktion später, als eine Prüfung des Reichsfinanzministeriums ergab, daß bei einer Zusammenstellung der Spendenmittel und des eigenen Beitrags des Museums nicht nur die Rüstung finanziert, sondern für das Museum noch ein Überschuß erwirtschaftet worden war[118]. Der Peffenhauser Prunkturnierharnisch war die letzte bedeutende Neuerwerbung für die Waffensammlung während Zimmermanns Amtszeit. Das Ergebnis seiner Tätigkeit ist für die Waffensammlung schwer zu bewerten. Den teilweise sehr bedauerlichen Verkäufen, bzw. Erwerbungen von geschickten Fälschungen, steht eine ganze Reihe hervorragender Neuerwerbungen gegenüber, durch die z.B. die Sammlung der Harnische vervollständigt werden konnte. Die Jagdsammlung schließlich ist erst während Zimmermanns Amtszeit als selbständige Abteilung behandelt worden. Seine Ankäufe für die Waffen- und Jagdsammlung waren die bedeutendsten nach denen Essenweins.

☐ Die Umstellungen Heinrich Kohlhaußens

Heinrich Kohlhaußens Einstellung zur Waffensammlung zeigt sich am besten in seiner grundsätzlichen Äußerung im 85. Jahresbericht: „Da das germanische Nationalmuseum nicht den falschen Anspruch erhebt, den großen Spezialsammlungen auf dem Gebiete des Waffen- und Rüstungswesens nachzueifern, sondern im Rahmen deutscher Gesamtkultur und im Einklang mit geist- und formverwandten Werken der Zeit wesentliche Leistungen der deutschen Waffenkunst jedermann nahe bringen will, sind neben und über den Rüstungen mittelalterliche[119] Bildteppiche und Totenschilde zur Schau gebracht. Die heraldische Kraft der gold- und silberornamentierten, großfigurigen Wappenschilde und die starke Farbigkeit der strengen Bildbehänge bindet sich mit den vollkommenen Formen der Helme und Harnische zum Symbol von den volkerhaltenden Kräften des Wehrwillens und Familiensinns"[120]. Diese Sätze dokumentieren die schon bei Zimmermann sichtbare Abkehr von den Bestrebungen Essenweins, die Waffen der kampftragenden Massen zu zeigen. Der Hinweis, daß man „wesentliche Leistungen der deutschen Waffenkunst" jedermann nahe bringen wolle, bezeichnet das Aufgeben einer umfassenden kulturhistorischen Betrachtung alter Waffen und die Einengung auf eine rein kunstgeschichtliche Betrachtungsweise. Daß diese aber keine besseren Kriterien in die historische Waffenkunde einführt, beweist das eklatante Fehlurteil über das als Neuerwerbung publizierte „Prunkschwert aus dem 2. Viertel des 16. Jahrhunderts"[121]. Das Stück ist nämlich eine von

---

[117] August Neuhaus: Ein Prunkturnierharnisch im Germanischen Nationalmuseum. Leipzig 1937.
[118] Bundesarchiv Koblenz, Akt R 2/12, 937 (Reichsfinanzministerium).
[119] 90% der Harnische des Germanischen Nationalmuseums sind nicht mittelalterlich.
[120] Jahresbericht GNM 85 (für 1938), 1939, S. 7.
[121] Jahresbericht GNM 85 (für 1938), 1939, S. 21 f.

427. Aufstellung der Waffensammlung im Erdgeschoß des Galeriebaus, Ende 1938/1939. Nach dem Jahresbericht des Museums verbanden sich die Rüstungen mit den Totenschilden sowie den Bildteppichen zum Symbol der volkserhaltenden Kräfte des Wehrwillens und des Familiensinns. Im Hintergrund flandrischer Wandteppich „Das Meerwunder", Anfang 16. Jahrhundert

dem Händler Kahlert in betrügerischer Absicht verkaufte Fälschung des Dresdner Handwerkers Konrad[122].

Die Neuerwerbungen für die Waffen- und Jagdaltertümersammlung gingen während der Amtszeit Kohlhaußens, verglichen mit früheren Zeiten, stark zurück. Besonders herausragende Stücke konnten nicht mehr erworben werden. Lediglich 1941 wurden vom Berliner Zeughaus als Leihgabe der Wehrmacht einige jener Objekte überwiesen, die in den napoleonischen Kriegen aus Deutschland entführt und nun aus Frankreich zurückgebracht worden waren[123].

Schon im ersten Jahr nach seinem Amtsantritt veranlaßte Kohlhaußen eine Umgruppierung der Waffensammlung. Die Schilde wurden von ihren bisherigen „ungünstig hohen Aufbewahrungsorten" entfernt, restauriert und zusammen mit den gotischen Angriffswaffen, denen sie standhalten sollten (Bogen, Armbrüste usw.) in einem „neuverglasten, hell gestrichenen Nebenraum des großen Kreuzgangs" zu „geschlossener Wirkung gebracht"[124]. Andere Waffen wurden beispielsweise in
79 jenen Räumen aufgestellt, in denen die Leistungen einzelner Familien anschaulich gemacht werden

[122] Vgl. Anm. 115.
[123] Jahresbericht GNM 84 (für 1937), 1938, S. 11 f.
[124] Jahresbericht GNM 84 (für 1937), 1938, S. 25.

sollten, so z. B. in dem der Nürnberger Familie Kress gewidmeten Raum[125]. Die „kostbaren Rüstungen und Helme" fanden eine neue Aufstellung in den zwei Erdgeschoßsälen des Galeriebaues, die „in 427 Erwartung der Reichskleinodien" (die allerdings niemals im Museum aufgestellt wurden) auf Reichskosten zu „neutralen, hellen Sammlungsräumen" umgebaut worden waren. Die beiden Räume waren in den Erdgeschoßablauf der „Meisterwerke deutscher Kultur sinnvoll einbezogen worden". Im ersten Saal wurden die Renn- und Stechzeuge gezeigt, darüber an den Wänden Totenschilde, vor der Fensterseite aber in zwei großen Schränken die Helme vom 14. bis 16. Jahrhundert. In diesem Teilbereich behielt man also das alte Konzept bei, Waffentypen in ihrer chronologischen Entwicklung zu zeigen. Im zweiten Saal vereinigte man Rüstungen, Gobelins und Bilder der Renaissance. Im nächsten Jahr (1939) wurden im Erdgeschoß des Galeriebaues die „Meisterwerke deutscher Kultur" in veränderter Aufstellung wieder zum Besuch freigegeben. Dabei wurden „unsere schönsten alten Waffen von der Karolingerzeit bis zum dreißigjährigen Krieg neben den an Ort und Stelle belassenen Möbeln, Teppichen, neben einigen Bildern, Plastiken und vielem Gerät zur Ausstattung weitestgehend verwendet, so daß der Besucher für die Zeitspanne nahezu eines Jahrtausends den Form gewordenen Wehrwillen unserer Vorfahren nacherleben kann"[126]. Nach Kriegsausbruch beteiligte sich das Museum 1940 an der Ausstellung „Der Krieg in Buch und Bild" in der fränkischen Galerie mit Waffen und zeitgenössischen Bildern[127].

Die Wirkung der modernen Waffen erzwang ab 1941 die Bergung der alten Waffen und der anderen Museumsabteilungen in bombensicheren Depots[128]. Danach kam mehr und mehr die Ausstellungstätigkeit zum Erliegen. Nach nahezu hundertjähriger stetiger Entwicklung der Waffensammlung trat eine tiefgreifende Zäsur ein. Für lange Jahre war die Sammlung der Besichtigung und wissenschaftlichen Bearbeitung entzogen.

Nach dem Grundsatz der Bergung, Sammlungsbestände so auseinander zu ziehen, daß kein totaler Verlust an einer Stelle möglich war[129], lagerte man einen Teil der Waffen in den Kellern unter dem Museum, einen anderen in Schloß Banz und einen Teil der Jagdabteilung in Schloß Schwarzenberg bei Scheinfeld ein[130]. Die großen Geschützrohre blieben in ihrer Halle im Mauerzwinger liegen. Einige Stücke trugen deshalb leichte Beschädigungen durch Bombensplitter davon. Beim letzten Luftangriff auf Nürnberg (5. April 1945) stürzte durch einen Bombentreffer das alte Direktionsgebäude mit dem berühmten Heilsbronner Portal ein. Dabei wurde im Keller, wie ein Symbol für den absoluten Tiefpunkt in der Entwicklung der Waffensammlung, auch die alte Rüstung vom Pilatushaus zerstört[131], die schon Aufseß in die Sammlung eingebracht hatte. Die weiteren Verluste hielten sich in erträglichen Grenzen, viele Mühen bereitete allerdings später, die Verrostung als Folge der meist zu feuchten Bergungslager zu beseitigen.

☐ Die Nachkriegszeit

Die Amtszeit von Direktor Ernst Günter Troche war gekennzeichnet von Rückführung und Sichtung der ausgelagerten Museumsgüter. So wurden von November bis Dezember 1945 ein Teil der Jagdsammlung aus Schloß Schwarzenberg bei Scheinfeld zurückgeholt und im März 1946 die in Schloß Banz ausgelagerten Waffen[132]. 1946 erkannte Troche, daß u.a. Waffen und das übrige rostende

[125] Jahresbericht GNM 85 (für 1938), 1939, S. 6.
[126] Jahresbericht GNM 86 (für 1939), 1940, S. 9.
[127] Jahresbericht GNM 87 (für 1940), 1941, S. 9.
[128] Jahresbericht GNM 89 (für 1942), 1943, S. 3.
[129] Jahresbericht GNM 91 (für 1944–46), 1946, S. 8.
[130] Jahresbericht GNM 91 (für 1944–46), 1946, S. 17.
[131] Notiz vom 16. Mai 1949 im Inventarbuch, s. Anm. 4.
[132] Vgl. Anm. 130.

428. Jagdwaffen und Jagdgeräte des 18. Jahrhunderts in der von Ludwig Grote 1956 im ersten Obergeschoß des Galeriebaus eingerichteten sog. Passage mit Zeugnissen des künstlerischen und handwerklichen Schaffens des Barock und Rokoko

Eisengut ständiger Aufsicht und Pflege bedurften, um nicht unersetzliche Schäden entstehen zu lassen[133]. So behandelte denn der neue Waffenrestaurator Leonhard Beyer im Zuge einer ersten provisorischen Sicherung die Waffen mit säurefreiem Öl, das von einer Nürnberger Firma gestiftet worden war[134]. 1947 richtete man als Restaurierungswerkstatt die ehemalige Schmiede neben dem Heizungsgebäude neu ein[135]. 1948 wurde sie mit Flüssigkeitsbädern und elektrischem Trockenofen ausgestattet[136], so daß die Restaurierung zügiger vorangehen konnte. Gleichzeitig mit der Restaurierung mußten auch die Magazinverhältnisse verbessert werden. Für die Waffen- und Jagdsammlung diente als Lagerungsort ein erhaltener Raum am sogenannten Rolandshof, der 1948 mit neuen Regalen versehen worden war[137]. Zum Schutz dieses Raumes wurde zwar 1949 ein Dach errichtet[138], aber noch 1950 mußte die Unzulänglichkeit dieses Magazins wegen zu hoher Feuchtigkeit festgestellt werden[139]. Die weiterlaufende Revision der Waffen und Jagdaltertümer war im Berichtsjahr 1949/50 noch nicht

[133] Jahresbericht GNM 91 (für 1944–46), 1946, S. 20.
[134] Jahresbericht GNM 91 (für 1944–46), 1946, S. 29.
[135] Jahresbericht GNM 92 (für 1947), 1947, S. 29.
[136] Jahresbericht GNM 93 (für 1948), 1948, S. 68.
[137] Jahresbericht GNM 93 (für 1948), 1948, S. 67.
[138] Jahresbericht GNM 94 (für 1949), 1949, S. 91.
[139] Jahresbericht GNM 95 (für 1949/50), 1950, S. 120.

abgeschlossen[140]. Sie erbrachte schließlich, daß, bis auf den Verlust einiger weniger bedeutender Stücke, die Waffensammlung des Museums im Vergleich zu denen anderer deutscher Museen, den Krieg und besonders die unmittelbare Nachkriegszeit relativ gut überstanden hatte. Als Nachfolger für den seit 1945 ausgeschiedenen August Neuhaus setzte Troche im Herbst 1946 den vom oberschlesischen Landesmuseum in Beuthen gekommenen Ernst Königer ein, der bis 1975 die Waffen und Jagdaltertümer betreuen sollte.

Unmittelbar nach Kriegsende mußten die von der deutschen Wehrmacht aus Frankreich zurückgebrachten Waffen über den „Central Collecting Point" in München wiederum ausgeliefert werden. Eine vorübergehende Vermehrung der Sammlung brachte lediglich die Anordnung der Militärregierung im Februar 1947, historisch wertvolle Waffen in Privathand straflos im Museum als Leihgaben zu deponieren[141]. Die Amerikaner befürchteten offenbar durch solche Sammlungen eine Gefährdung der Sicherheit ihrer Truppen! Wegen des Platzmangels im Depot und der Unmöglichkeit, die Stücke auszustellen, bedeutete das Ganze aber eher eine Belastung des Museums.

Nach dem verlorenen Krieg war es in Deutschland zu einer stark emotionalen Ablehnung alles Militärischen, Kriegerischen und in diesem Zusammenhang auch zu einer Aversion gegen historische Waffen gekommen. Diese Haltung führte mancherorts sogar zu vorsätzlicher Vernichtung historischer Waffensammlungen, die den Krieg überstanden hatten. So verwundert es fast, daß bereits 1948 die staatliche bayerische Schlösserverwaltung dem Museum anbot, die frühesten und wertvollsten Bestände an Waffen nach dem Wiederaufbau im älteren Palas der Nürnberger Kaiserburg zu zeigen[142]. Ab 1950 wurden in den beiden wiedererrichteten Sälen der Burg Waffen, Möbel, Wirkteppiche und Bilder aus Museumsbesitz gezeigt[143]. Zugleich wurden auch im Museum selbst, wenn auch nur vorläufig, auf der Empore der Ehrenhalle Waffen ausgestellt, nachdem vorher schon in der Ausstellung „Das Handwerk und seine Meister" erstmals seit Kriegsende wieder Stücke dieser Sammlung gezeigt worden waren[144]. Man betrachtete damals die Waffen, wohl in einer Art Alibifunktion, ausschließlich unter ihrem künstlerischen und kunsthandwerklichen Wert, was im Juni 1950 ganz gut zum Ausdruck kam, als ein Helm mit Ätzmalerei als „Kunstwerk des Monats"[145] gezeigt wurde.

Die großen Geschützrohre hatten in ihrer Halle im Mauerzwinger ohne größere Schäden den Krieg überstanden. 1947 mußten sie in den sogenannten Bärenhof gebracht werden[146], wo sie schon vor 1910 gelegen waren. Die Stadt hatte nämlich im Verwaltungsrat den Antrag eingebracht, den Vertrag von 1882, der dem Museum den Mauerzwinger zur Nutzung überlassen hatte, aufzukündigen. Man plante von städtischer Seite, in der Geschützhalle durch eine Nürnberger Brauereigesellschaft eine Gastwirtschaft einzurichten (das heutige Tucherbräustübl)[147]. Somit wurde nach 37 Jahren die etwas unglückliche Entscheidung Bezolds revidiert, die Geschütze außerhalb des engeren Museumsbereichs aufzustellen, wo sie der Öffentlichkeit weitestgehend entzogen waren.

Auch unter Direktor Ludwig Grote wurden die Waffen mehr unter ihrer künstlerischen als kulturgeschichtlichen Bedeutung betrachtet. Während seiner Amtszeit wurden sie jedoch erstmals nach dem Krieg wieder in einer längerfristigen Aufstellung gezeigt. Dennoch war die vordringliche Aufgabe auch jener Jahre die Beseitigung der Kriegs- und Kriegsfolgeschäden durch eine umfassende

[140] Jahresbericht GNM 95 (für 1949/50), 1950, S. 122.
[141] Jahresbericht GNM 92 (für 1947), 1947, S. 35. – Altregistratur GNM, Karton 728, Akt 147 und 161.
[142] Jahresbericht GNM 93 (für 1948), 1948, S. 73.
[143] Jahresbericht GNM 96 (für 1950–51), 1951, S. 79; über diese Aufstellung sendete der Rundfunk im November 1950 ein Gespräch mit Ernst Königer (Jahresbericht 96, S. 97).
[144] Jahresbericht GNM 95 (für 1949/50), 1950, S. 97f.
[145] Jahresbericht GNM 95 (für 1949/50), 1950, S. 92.
[146] Jahresbericht GNM 92 (für 1947), 1947, S. 30.
[147] Jahresbericht GNM 92 (für 1947), 1947, S. 62.

429. Vitrine mit den zu einem Feldlager gruppierten Modellen der ersten Hälfte des 17. Jahrhunderts, angefertigt nach Konstruktionszeichnungen des Nürnberger Zeugmeisters und Architekten Johann Carl (1587–1665). Aus der Neuaufstellung der Waffensammlung im Erdgeschoß des Ostbaus 1975

Restaurierung und Konservierung und die Schaffung eines geeigneten Depotraums. Dieser wurde während Grotes ersten Amtsjahren mit dem Depot im Dachraum des wiederaufgebauten Refektoriumsgebäudes geschaffen. Es war das erste moderne Sammlungsdepot des Museums. Der Großteil der Waffen war somit wieder in jenes Gebäude zurückgekehrt, in dem und in dessen Nähe (kleiner Kreuzgang) die erste Waffenaufstellung im Kartäuserkloster eingerichtet worden war.

Wie schon nach dem ersten Weltkrieg, wenn auch in geringerem Umfang als damals, kamen auch nach dem zweiten Weltkrieg interessante alte Waffen in Europa in den Handel. Das Germanische Nationalmuseum konnte dabei leider keine bedeutenden Objekte erwerben. Im Gegenteil zogen jene Sammler, die ihre Stücke durch das Museum vor der Beschlagnahme durch die Amerikaner gerettet hatten, ihre Leihgaben ab, ohne sich in irgend einer Form erkenntlich zu zeigen. Bedauerlicherweise wurden darüber hinaus 1956 vom Museum 5 Geschützrohre des 19. Jahrhunderts, darunter ein hochinteressantes Rohr von 1859 aus Krupp'scher Fertigung, als Altmetall verkauft[148]. Damit war die einst bedeutende Sammlung zur Geschichte der Artillerie des 19. Jahrhunderts auf einen bedeutungslosen Rest zusammengeschmolzen. Besonders bitter ist auch, daß es 1958 nicht gelang, die erforderlichen Geldmittel für den Erwerb eines süddeutschen spätgotischen Pferdeharnischs bereitzustellen, der bei einer Züricher Auktion angeboten wurde[149]. Solch ein Stück war ein altes Desiderat der Waffensammlung, von dem schon Essenwein und Neuhaus gesprochen hatten[150]. Da nur noch 6 solcher Harnische erhalten sind, die sich alle in öffentlichen Sammlungen befinden, ist diese Lücke nun niemehr zu schließen.

In der Amtszeit Grotes fanden Teile der Waffensammlung in dem Verbindungstrakt zwischen Lapidarium und kleinem Kreuzgang sowie in den beiden östlich davon liegenden Räumen am Kreuzgang einen neuen Standort. Nachteilig bei dieser Aufstellung machte sich, wie schon in der Bezold'schen Waffenhalle, bemerkbar, daß die freistehenden Objekte von den Besuchern zu leicht angefaßt werden konnten. Das gleiche war auch bei der freien Aufstellung der Renn- und Stechzeuge in einem Raum am östlichen Ende des Galeriebau-Erdgeschosses der Fall[151]. Die Harnische kamen zwar als Vollplastiken zur Geltung, mußten aber zu oft gereinigt werden. Als Konsequenz errichtete man in dem Verbindungstrakt Lapidarium – Kreuzgang ein Holzpodest, auf dem die Harnische des 15. und 16. Jahrhunderts der Berührung der Besucher entzogen waren. Die 1936 erworbene Prunkturnierrüstung auf dem Pferd fand ihren Platz in der Eingangshalle und wurde so für lange Zeit eine Art Wahrzeichen des Museums.

Teile der Jagdabteilung wurden 1956 im neuen Kostümsaal im Obergeschoß zwischen Heußbau und Galeriebau in Verbindung mit Kostümen, Möbeln und anderem zum Thema „Lebenskultur des Barock und Rokoko"[152] ausgestellt. Ein weiterer Teil der Jagdsammlung war seit 1960 in dem vom Museum eingerichteten Patrizierschloß Neunhof[153] der Öffentlichkeit in den Sommermonaten zugänglich.

141, 428

vgl. 143

□ Die Waffensammlung von 1962 bis zur Gegenwart

Durch die umfassenden Baumaßnahmen in den sechziger Jahren – speziell die Errichtung des sogenannten Westkopfs – mußte die alte Aufstellung der Waffen im Trakt zwischen Lapidarium und

[148] Notiz vom 4.5.1956 im Inventarbuch.
[149] Hans Schedelmann: Ein Rückblick auf den Waffenmarkt des letzten halben Jahrhunderts. In: Waffen- und Kostümkunde, 3.F. Bd. 14 (1972), S. 25–52, (48), Nr. 69 und Abb. 69.
[150] Neuhaus, Prunkturnierharnisch (Anm. 117), S. 3.
[151] Wegweiser GNM 1956/57, Raum 8.
[152] Wegweiser GNM 1956/57, Raum 59.
[153] Tätigkeitsbericht GNM 1960, S. 2.

Kreuzgang 1962/63 abgebaut und ins Depot verbracht werden. Ihre endgültige Aufstellung sollten sie im geplanten sogenannten Ostbau finden. Größere Neuzugänge konnte die Sammlung nicht mehr verzeichnen.

Während des Dürerjahres 1971 wurden auf der Nürnberger Kaiserburg die wichtigsten Teile der Waffensammlung in einer Sonderausstellung gezeigt, die in der Öffentlichkeit großes Interesse 429 fand[154]. Im Juli 1975 konnte die von Ernst Königer in Zusammenarbeit mit dem Verfasser neuaufgestellte Sammlung der Waffen und Jagdaltertümer im Erdgeschoß des Ostbaues eröffnet werden. Nach rund 35 Jahren der Provisorien wurde damit wieder eine dauernde Lösung gefunden. Wie schon bei Essenwein, zeigt auch diese Aufstellung die chronologische Entwicklung der Waffen, allerdings nicht mehr streng in einzelne Typengruppen geschieden, sondern die Schutz- und Angriffswaffen jeweils so zusammengefaßt, daß der Betrachter die gesamte Bewaffnung einer bestimmten Epoche überblicken kann. Die großen Geschützrohre aus der Türkei wurden von ihrem bisherigen Standort im großen 429 Kreuzganghof in den Hof nördlich und nordwestlich des Ostbaues verlegt, so daß sie von der Waffensammlung aus gut besichtigt werden können. Die Jagdsammlung schließt sich direkt an die Waffensammlung an, auch sie zeigt in einzelnen Vitrinen die Entwicklung von Jagdwaffen und Geräten jeweils einer bestimmten Epoche[155].

Die Waffensammlung des Germanischen Nationalmuseums darf heute zu den bedeutendsten überhaupt existierenden gerechnet werden. In der Bundesrepublik Deutschland dürfte sie die wichtigste sein. Das Konzept Essenweins, von vornherein nicht mit den alten gewachsenen fürstlichen Sammlungen, wie Dresden, Wien u. a. und deren Prunkwaffen konkurrieren zu wollen, sondern sich auf Waffen zu beschränken, mit denen wirklich gekämpft wurde, hat sich als richtig erwiesen. Durch die im Laufe der Zeit dennoch erworbenen Prunkwaffen bietet die Sammlung heute einen repräsentativen Überblick über die Entwicklung der Waffen in Deutschland vom 11. bis zur Mitte des 19. Jahrhunderts.

[154] Tätigkeitsbericht GNM 1971, S. 5. – Erwin Schalkhauser: „Kostbare Waffen und Jagdgeräte". Ausstellung des Germanischen Nationalmuseums in der Kaiserburg Nürnberg. In: Waffen- und Kostümkunde, 3. F. Bd. 13 (1971), S. 150f.
[155] Während der Drucklegung erschien: Ernst Königer: Zur Wiedereröffnung der Waffen- und Jagdsammlung im Germanischen Nationalmuseum. In: Waffen- und Kostümkunde. Zeitschrift der Gesellschaft für historische Waffen- und Kostümkunde F.3, Bd. 19 (1977), S. 25–44.

JOHANNES WILLERS
Wissenschaftliche Instrumente

Die heute unter dem Begriff „wissenschaftliche Instrumente" zusammengefaßte Sammlung ist aus verschiedenen Beständen zusammengewachsen. Ihre geschichtliche Entwicklung ist verwirrend, auch die Bezeichnung wechselt häufig. Ein besonderes, gezieltes Interesse, ein Sammlungskonzept ist – mit Ausnahme der medizinhistorischen Sammlung – nicht zu erkennen. Auch von der Seite der wissenschaftlichen Bearbeitung fristete die Abteilung lange Zeit ein Schattendasein. Dennoch muß die Sammlung wissenschaftlicher Instrumente des Germanischen Nationalmuseums heute als sehr bedeutend bezeichnet werden. Der Bestand der medizinhistorischen Instrumente gehört nach seiner Qualität wohl zu den wichtigsten Sammlungen dieser Art. Über die Sammlung der Erd- und Himmelsgloben bemerkt Alois Fauser: „an Belegstücken zur frühen Geschichte des Erdglobus kann keine Sammlung der Welt mit dem Germanischen Nationalmuseum konkurrieren"[1].

Astronomische, geodätische und mathematische Instrumente

Der Beginn der Sammlung war sehr bescheiden. Im „Organismus" des Freiherrn von Aufseß wurden wissenschaftliche Geräte unter der Gruppe „Zustände" als dritte Untergliederung „Wissenschaft" in den Zusammenstellungen „Erd- und Himmelskunde" (astronomische Instrumente und Tafeln), Heilkunde („Chirurgie- und Geburtshülfe") und Mathematik („mathematische Instrumente") aufgeführt[2]. Im anschließenden Verzeichnis der Sammlungsobjekte wurden für die genannten Bereiche nur 25 Originalstücke genannt[3]. Ein Teil dieser Instrumente wurde in einer Schublade eines Schrankes im dritten Geschoß des Tiergärtnertorturms aufbewahrt, wie der Wegweiser von 1853 berichtet[4]. Im Kartäuserkloster zeigte man die wissenschaftlichen Geräte, deren Bestand inzwischen etwas gewachsen war, im „Kunstsaal" im Obergeschoß des Refektoriums. Ein Glaskasten enthielt „die kleinern astronomischen und mathematischen Instrumente, an die sich astrologische und alchymistische Gegenstände anschließen"[5].

In den folgenden Jahren erfuhr die Sammlung weitere Vermehrungen, von denen besonders eine erste Leihgabe der Stadt Nürnberg (1871) an älteren physikalischen Apparaten, astronomischen Instrumenten, Lehrmitteln u. a.[6] Erwähnung verdient. Eine ganz entscheidende Bereicherung war die große zweite Leihgabe der Stadt an wissenschaftlichen Instrumenten von 1877, sie enthielt nämlich die, seit dem 16. Jahrhundert gesammelten, höchst bedeutenden Stücke aus der Stadtbibliothek, die noch heute im wesentlichen den Wert der Sammlung ausmachen (astronomische Geräte des Regiomontan-Nachlasses, Erdglobus des Johannes Schöner von 1520 u. a.). Im Jahresbericht wurde die Aufstellung der „seit Jahren zusammengestellte(n) Sammlung mathematischer, astronomischer, physikalischer und sonstiger wissenschaftlicher Apparate" als „gänzlich neue Abteilung" bezeichnet[7]. Es

334

[1] Alois Fauser: Ältere Erd- und Himmelsgloben in Bayern. Stuttgart 1964, S. 20.
[2] Organismus, 2. Abt., S. XI. – Zum System von 1853 vgl. S. 984–985.
[3] Organismus, 2. Abt., S. 138 f.
[4] Wegweiser GNM 1853, 2. Teil, S. 11 f.
[5] Wegweiser GNM 1860, S. 43.
[6] Jahresbericht GNM 18 (für 1871), 1872; zur Geschichte der städtischen Sammlung wissenschaftlicher Instrumente: Wilhelm Schwemmer: Aus der Geschichte der Kunstsammlungen der Stadt Nürnberg. In: Mitteilungen des Vereins für Geschichte der Stadt Nürnberg Bd. 40 (1949), S. 97–206, (113 f.).
[7] Jahresbericht GNM 24 (für 1877), 1878.

430. Astronomische, geodätische und mathematische Instrumente des 15.–17. Jahrhunderts, links in der Vitrine Holz-Säule mit Städteentfernungen und Wegstundenangaben von Nürnberg aus, aus dem Garten Christoph Volckamers, Nürnberg 18. Jahrhundert. Aufstellung im ersten Obergeschoß nördlich der Kirche mit Durchblick auf die Empore der Kartäuserkirche. Stereoskop-Photographie um 1895/97

war dies zwar nicht ganz so, denn schon im Wegweiser für 1868[8] wurde eine Aufstellung wissenschaftlicher Instrumente erwähnt, aber die, im Vergleich zu anderen Abteilungen, höchst flüchtige Schilderung läßt erkennen, daß diese Sammlung nicht sehr umfangreich gewesen sein kann.

Da keiner der Herren des Museums Sachkenntnisse auf dem komplizierten Gebiet der Geschichte der Naturwissenschaften besaß, gewann die Direktion den später als Geophysiker zu großem Ansehen gelangten Professor Dr. Siegmund Günther (1848–1923)[9] als Bearbeiter. Als eine der wenigen Arbeiten aus dem Bereich dieser Abteilung veröffentlichte Günther 1878 in der „Leopoldina" einen kurzen Katalog der „mathematischen Sammlung" des Museums[10]. In der Einleitung erwähnte er, daß ihm die „Aufstellung und Anordnung des gesammten Materials" übertragen worden sei und daß er „die wichtigsten Bestandtheile des Cabinetes" im August 1877 den Festgästen der Versammlung der deutschen Altertumsvereine vorgestellt habe. Günther spricht von der „mathematisch-physikalischen Section" des Museums, offenbar in sprachlicher Anlehnung an den „mathematisch-physikalischen Salon" in Dresden, ohne aber diese bekannte Sammlung in irgend einer Form (als Vorbild) zu erwähnen. Auf den von Günther erstellten Zettelkatalog geht auch das erste Inventarbuch der Sammlung wissenschaftlicher Instrumente zurück, das also erst um 1878 angelegt wurde.

Die Sammlung war damals im Obergeschoß des westlichen Endes des nördlichen großen Kreuzgangflügels und auf der Empore an der Westseite der Kirche aufgestellt. An der Aufstellung selbst läßt sich kein Konzept ablesen. Die Objekte wurden, nach Günther, in die Gruppen: Zeichenkunst, Maß- und Gewichtskunde, Feldmeßkunst, Sonnen- und Kunstuhren, Astronomie (auf der Kirchenempore), physikalische Unterrichtsmodelle (mit drei Unterabteilungen: Mechanik, Optik und Kalorik,

[8] Wegweiser GNM 1868, S. 70.
[9] Gert A. Zischka: Allgemeines Gelehrten-Lexikon (Kröners Taschenbuchausgabe, Bd. 306). Stuttgart, 1961, S. 265.
[10] Siegmund Günther: Die mathematische Sammlung des germanischen Museums. In: Leopoldina H. 14 (1878), S. 93–96 und S. 108–110.

sowie Magnetismus und Elektrizität), geodätische Instrumente sowie Globen, Fernrohre und Brennspiegel eingeteilt. Dazu kamen die Gruppen Magie, bzw. Astrologie und Kalender, eine Zuordnung, die auf den Aufseß'schen Organismus zurückging[11]. Ob all diese Unterteilungen in sich chronologisch gegliedert waren, ist nicht auszumachen. Die damals auch ausgestellten wenigen medizinhistorischen Instrumente des Museums erwähnt Günther nicht.

Aus dem folgenden Zeitraum ist besonders das Jahr 1883 zu erwähnen, in dem die Sammlung „mathematischer, physikalischer und sonstiger wissenschaftlicher Instrumente und Apparate"[12] große Zugänge verzeichnete. Der Nürnberger Uhrmacherverein hatte nämlich einen Aufruf ergehen lassen, aufgrund dessen deutsche Uhrmacher eine große Anzahl alter Uhren und Uhrwerke schenkten. Auch Geldspenden für Ankäufe trafen aus diesem Kreis ein. So entstand „eine überaus lehrreiche Reihe von Taschenuhren und Werken . . ., die den gesamten Entwicklungsgang vom 16. bis 19. Jahrhundert" zeigte – um 1922 verkaufte Direktor Zimmermann allerdings einen guten Teil dieses technikgeschichtlich äußerst interessanten Bestandes. Etwa in den Jahren 1880–1890 konnte insgesamt gesehen die Sammlung wissenschaftlicher Instrumente – 1890 auch als „Sammlung der mathematischen Instrumente" bezeichnet[13] – reichhaltige Zugänge verzeichnen, obschon es mit Kenntnissen über die Verwendungszwecke der Instrumente sehr im Argen lag. So wurden als markante Kennzeichen einiger Instrumente, die 1888 ins Museum kamen, angegeben, daß sie sachlich interessant und aus vergoldetem Kupfer, aus Bronze und Messing wären und aus dem 16., 17. und 18. Jahrhundert stammten[14]. Im Wegweiser von 1888 wurde gar bei der Schilderung eines Astrolabs behauptet, das Instrument habe zur Bestimmung der Polhöhe (Breitengrad über dem Äquator) gedient und „die Möglichkeit und damit den Anstoß gewährt, die großen geographischen Entdeckungen im Beginne der neueren Geschichte zu machen"[15]. Das Astrolab diente zur Bestimmung der Sternpositionen und zur Zeitmessung bei Nacht, die Polhöhe des Beobachtungsortes mußte bei der Konstruktion berücksichtigt werden, sonst war es unbrauchbar!

Gustav von Bezold befaßte sich etwas intensiver mit einem Teil der wissenschaftlichen Instrumente. Er publizierte 1897 in einem mehrteiligen Aufsatz in den „Mitteilungen"[16] einen Katalog der geodätischen („geometrischen") Instrumente, der, obschon er sich selbst als Laie auf dem Gebiet bezeichnete, recht fundiert ist. Für lange Jahre blieb dies die einzige Arbeit eines Museumsangehörigen zu jenem Sammlungsbereich. Während Bezold's Amtszeit wurden ab 1902 die medizinischen Instrumente aus der Sammlung wissenschaftlicher Instrumente herausgezogen und dem neugegründeten medico-historischen Kabinett zugeordnet[17]. Die wichtigsten Neuerwerbungen jener Jahre waren 1895 der bekannte Stöffler'sche Himmelglobus vom Ende des 15. Jahrhunderts[18], 1906 der noch bekanntere Behaim-Globus von 1491/92 (zunächst als Leihgabe der Familie von Behaim)[19], 1911 eine in Amsterdam erworbene Sammlung von Geräten des Hofinstrumentenmachers Kaiser Rudolfs II. Erasmus Habermel (Mitte 16. Jahrhundert – 1606)[20] und 1916 das Geschenk der reichhal-

43

vgl. 79

[11] Vgl. Anm. 2.
[12] Jahresbericht GNM 30 (für 1883), 1883.
[13] Jahresbericht GNM 37 (für 1890), 1890.
[14] Jahresbericht GNM 35 (für 1888), 1888.
[15] Wegweiser GNM 1888, S. 106, Nr. 2263.
[16] Gustav von Bezold: Wissenschaftliche Instrumente im germanischen Museum. In: Mitteilungen GNM 1897, S. 3–14, 26–39, 55–62, 81–96; 1898, S. 6–12, 100–110a; 1899, S. 65–74. Ein Resumé der Arbeit veröffentlichte Bezold unter dem gleichen Titel in: Abhandlungen der naturhistorischen Gesellschaft zu Nürnberg Bd. 17. Nürnberg 1907 (Festschrift zum XVI. Deutschen Geographentag in Nürnberg), S. 21–40.
[17] Jahresbericht GNM 49 (für 1902), 1902.
[18] Jahresbericht GNM 42 (für 1895), 1895; Fauser, Erd- und Himmelsgloben (vgl. Anm. 1), S. 131f.
[19] Jahresbericht GNM 53 (für 1906), 1906; Oswald Muris: Der „Erdapfel" des Martin Behaim. In: Ibero-Amerikanisches Archiv, Jg. 17 (1943), S. 1–64. – E. G. Ravenstein: Martin Behaim, his Life and his Globe. London 1908.
[20] Jahresbericht GNM 58 (für 1911), 1911.

tigen Uhrensammlung eines Majors Bolz. Die 138 Räderuhren demonstrierten die Entwicklung des Uhrwerks vom 15. bis ins 19. Jahrhundert[21]. Alle diese Neuzugänge kamen in die Ausstellungsräume, was zu jener, von Bezold stark beklagten Überfüllung des Museums führte, deren Beseitigung er nicht mehr durchführen konnte.

Bereits 1921, beim Amtsantritt Heinrich Zimmermanns, fand eine tiefgreifende Umstellung statt. Die „wissenschaftlichen und technischen Instrumente" wurden zusammen mit Stadtplänen, -prospekten, Landkarten usw., „als Sammlung für sich formiert", in der alten Kostümgalerie im Obergeschoß des südlichen großen Kreuzgangflügels aufgestellt[22]. Die Uhrensammlung wurde aus „ihrem früheren dunklen Verlies bei dem chemisch-pharmazeutischen Laboratorium entfernt und mit den Sonnenuhren und Taschenuhren als eigene Abteilung in Saal 93 aufgestellt"[23]. Nach der Beschreibung dieser Aufstellungen im Wegweiser 1922/23 waren die Objekte nach Sachgruppen, z. B. Räderuhren, Sonnenuhren, Sonderformen[24], Fernrohre, Globen, geodätische, astronomische Geräte, besondere Uhren, Zeichengeräte geordnet. Innerhalb dieser Gruppen scheint eine gewisse chronologische Reihenfolge beachtet worden zu sein. Bemerkenswert ist, daß „technische Werkzeuge" zu den wissenschaftlichen Instrumenten gestellt wurden, ein zwingender innerer Zusammenhang ist jedoch dafür nicht erkennbar. Zum 300. Todestag Johannes Keplers veranstaltete das Museum 1930 eine Sonderausstellung[25]. In den Räumen des Kupferstichkabinetts wurden wissenschaftliche Instrumente und Graphiken zu Leben und Werk des Astronomen gezeigt. Wie aus anderen Abteilungen, so verkaufte Heinrich Zimmermann auch aus der Sammlung wissenschaftlicher Instrumente verschiedene Objekte, besonders aus dem Bestand der Uhren. Dagegen wurden auch gute, aber keine überragenden Stücke erworben.

Bereits bei seinem Dienstantritt kritisierte Heinrich Kohlhaußen das „zusammenhanglose Nebeneinander verschiedener Fachsammlungen". Es müßte durch Umgruppierung ein „sinnvolles Nacheinander oder Zueinander" gefunden werden[26]. So wurde denn die medizingeschichtliche Sammlung zwischen Apotheken und wissenschaftliche Sammlung eingeschoben, wodurch ein geschlossener „naturwissenschaftlicher Trakt" entstand. Zugleich wurden Doppelstücke aus den Schauräumen entfernt, um die Sammlung übersichtlicher zu gestalten. „Zweitrangige Bilder" wurden zur „farbigen und inhaltlichen Belebung" eingefügt[27]. All das waren aber im Grunde nur dekorative Eingriffe in die Sammlung. Eine wissenschaftliche Bearbeitung erfuhr sie dabei leider nicht. Als typisches Beispiel kann der Bericht über die Erwerbung eines kleinen „nautisch-astronomischen Taschenbestecks" von Christoph Schißler (Augsburg, 1559) gelten[28]. Er besteht aus einer rein kunsthistorischen Schilderung des Objekts, dessen eigentliche Funktion oder Bedeutung als wissenschaftliches Gerät überhaupt nicht gewürdigt wurde. Aus der gleichen Betrachtungsweise heraus wurde die 1943 erworbene

384 Tischuhr Herzog Philipps des Guten von Burgund als kunstgewerbliches Objekt unter den Hausgeräten inventarisiert und nicht zu den wissenschaftlichen Instrumenten gerechnet. Eine der bedeutendsten Erwerbungen konnte 1937 gemacht werden, als es gelang, mit einer Geldspende Adolf Hitlers

vgl. 79 den Behaimglobus anzukaufen[29], der sich seit 1906 als Leihgabe im Haus befand.

---

[21] Jahresbericht GNM 63 (für 1916), 1916; Altregistratur GNM, Karton 118, Akt: Anfragen 1917. Reichsanzeiger vom Januar 1917.
[22] Jahresbericht GNM 68 (für 1921), 1921, S. 2 – Wegweiser GNM 1922/23, S. 84–87.
[23] Jahresbericht GNM 68 (für 1921), 1921, S. 2.
[24] Wegweiser GNM 1922/23, S. 82f.
[25] Jahresbericht GNM 77 (für 1930), 1930, S. 3.
[26] Jahresbericht GNM 84 (für 1937), 1938, S. 4.
[27] Jahresbericht GNM 84 (für 1937), 1938, S. 36.
[28] Jahresbericht GNM 86 (für 1939), 1940, S. 16–20.
[29] Jahresbericht GNM 84 (für 1937), 1938, S. 3.

431. Astronomische und geodätische Instrumente des 16. und 17. Jahrhunderts. Aufstellung im Oberge-schoß des Theodor-Heuss-Baus, 1958–1967

Der beginnende Bombenkrieg erzwang auch die Bergung der wissenschaftlichen Instrumente. Bei der Revision nach dem Krieg wurde festgestellt, daß die Bestände der „Uhren, wissenschaftlichen Geräte und ärztlichen Instrumente" keine Verluste erlitten hatten[30]. Allerdings waren damit wohl lediglich Totalverluste angesprochen. Durch die unvorhergesehen lange unsachgemäße Lagerung hatten die Objekte nämlich teilweise erhebliche Korrosions- und Feuchtigkeitsschäden davongetragen. Die Revision, bei der er mitgeholfen hatte, benutzte Prof. Ernst Zinner (1886–1970), ehemaliger Direktor der Sternwarte Bamberg, der damals wohl beste Kenner wissenschaftlicher Instrumente, um einen Katalog der wichtigsten Instrumente des Museums anzufertigen. Das maschinenschriftliche Original sandte er 1949 dem Museum zu[31]. Auf 53 Seiten beschrieb Zinner die Instrumente und ihren Erhaltungszustand und erklärte ihre einzelnen Details.

1946 wurde mit Ernst Königer erstmals ein Referent für die Verwaltung der wissenschaftlichen Instrumente bestimmt. Die medizinhistorische Sammlung integrierte man wieder in die Sammlung wissenschaftlicher Instrumente. Seit dieser Zeit tragen neuerworbene medizingeschichtliche Stücke die Inventarbezeichnung „WI" (wissenschaftliches Instrument). Auch die Maße und Waagen des

[30] Jahresbericht GNM 91 (für 1944–46), 1946, S. 11.
[31] Nach Brief vom 15. 3. 1949, eingeheftet im Inventarbuch; Jahresbericht 94 (für 1949), 1949, S. 88.

432. Astronomische, Zeitmessungs-Instrumente und Erdkarten, vorn Geräte des Mathematikers Johann Praetorius (1537–1616). Aufstellung im Obergeschoß des Theodor-Heuss-Baus, 1958–1967

aufgelösten Handelsmuseums wurden damals in die „wissenschaftlichen Instrumente" eingereiht. Als Depot für astronomische Geräte, Uhren und medizingeschichtliche Objekte dienten zunächst Räume im Keller des Bestelmeyer-Baues; die physikalischen und chemischen Schulmodelle und Versuchsgeräte wurden in einem notdürftig reparierten Raum am sog. Rolandshof gelagert. Später kam der Magazinbestand auf den Dachboden des alten Bibliotheksgebäudes bis zu dessen Abbruch im Jahre 1973[32] und dann vorläufig in das für die Glasgemälde vorgesehene Depot. 1974 wurde er endgültig in ein eigenes modernes Depot verbracht[33].

Als erste Objekte der Abteilung wissenschaftlicher Instrumente wurden nach dem Krieg die beiden wichtigsten Globen ausgestellt. Der Behaimglobus vertrat „fürs erste (die) . . . kulturgeschichtlichen Abteilungen" im Museum[34]. In der Barockausstellung, die das Museum mit eigenen Beständen in der Neuen Residenz Bamberg einrichtete, wurde, zeitlich nicht ganz passend, der Schönerglobus von 1520 gezeigt[35]. Erst die Errichtung des Heuss-Baues am Kornmarkt bot die Gelegenheit, die bedeutendsten wissenschaftlichen Instrumente des Museums wieder auszustellen. Die Objekte standen in

431, 432

[32] Mündliche Auskunft von Dr. Ernst Königer.
[33] Jahresbericht GNM (für 1974), S. 2.
[34] Jahresbericht GNM 93 (für 1948), 1948, S. 61.
[35] Jahresbericht GNM 93 (für 1948), 1948, S. 64.

drei hohen Kastenvitrinen. An den Wänden wurden, wie schon früher, wissenschaftsgeschichtlich
bedeutende Graphiken (meist Landkarten) gezeigt. Nach Fertigstellung des sog. Westkopfes stellte in
dessen Obergeschoß Ernst Königer die wissenschaftlichen Instrumente neu auf[36]. Die Uhren wurden
von den übrigen Instrumenten getrennt in einer großen Wand- und drei Tischvitrinen gezeigt. Die
anderen Instrumente stellte Königer nach Herstellern getrennt in drei Kastenvitrinen aus. Eine große
Wandvitrine enthält neben Geräten auch wieder Druckgraphik des 15. und 16. Jahrhunderts mit
astronomischen und geographischen Darstellungen.

vgl. 313, 3

Der Schöner- und der Stöffler-Globus stehen in eigenen Vitrinen. Dem Behaim-Globus wurde,
seiner großen Bedeutung gemäß, jenes Südkabinett im Obergeschoß des Galeriebaues eingeräumt,
das von der Sammlung der wissenschaftlichen Instrumente aus über eine Treppe zu erreichen ist. In
der Raummitte steht der Globus selbst in einer hohen Glasvitrine, während Detailphotos seiner
Oberfläche, die an den Wänden angebracht sind, dem Betrachter die Orientierung erleichtern sollen.

Im Jahre 1976 fand erstmals seit der Keplerausstellung 1930 wieder eine Ausstellung statt, die fast
ausschließlich mit Exponaten der Sammlung wissenschaftlicher Instrumente bestritten wurde. Sie war
dem Astronomen und Mathematiker Johannes Regiomontanus anläßlich seines 500. Todestages
gewidmet. Die im Atrium des Verwaltungsbaus eingerichtete Ausstellung, zu der ein bebilderter
Katalog[37] und eine Tonbildschau erarbeitet wurden, zeigte mit ihrem erfreulichen Erfolg bei Fachwelt, Presse und Publikum, daß für historische wissenschaftliche Instrumente ein manchmal unter-
schätztes Interesse besteht.

Das medico-historische Kabinett

Eine Sonderstellung nahm zwischen 1902 und 1945 die Sammlung medizinhistorischer Instrumente
ein. Sie war in dieser Zeit eine von den „wissenschaftlichen Instrumenten" selbstständige Sammlungsabteilung und muß deshalb gesondert betrachtet werden.

Im Organismus des Freiherrn von Aufseß werden medizinische Instrumente unter der Gruppe
„Heilkunde" aufgeführt[38]. Nach der Untergruppe „Apothekerwesen" folgt „Chirurgie- und Geburtshülfe", die in „Wundarzneikunde", „Hebammenkunst" und „Chirurgische Instrumente" untergliedert ist. Die Bereiche Orthopädie, Augenheilkunde bzw. Optik u. ä. fehlen ganz. Im Verzeichnis der „Kunst- und Alterthums-Sammlungen" werden unter dem Titel „Chirurgie und Geburtshülfe" sieben verschiedene Objekte aufgeführt[39]. In den folgenden Jahren, auch unter Essenwein, scheint
dieser Bestand sich nicht wesentlich erweitert zu haben. Die wenigen Stücke konnten keine Entwicklungslinien aufzeigen, von seiten des Museums bestand offenbar auch kein Interesse daran.

Auf den Versammlungen deutscher Naturforscher und Ärzte 1893 in Nürnberg und 1899 in
München wurde zwar die Gründung einer medico-historischen Abteilung im Germanischen Museum angeregt, aber erst 1900 bewilligte der 18. Kongreß für innere Medizin in Wiesbaden Geldmittel
für diesen Zweck[40]. Etwa zur gleichen Zeit entwickelte sich eine Korrespondenz mit dem Psychiater
Dr. Johann Bresler in Freiburg in Schlesien, der dem Museum mitteilte, in „irrenärztlichen Kreisen"
bestehe die Absicht, ein historisch-psychiatrisches Museum zu gründen. Bresler schlug das Germanische Nationalmuseum als geeigneten Standort vor. Im Laufe des Meinungsaustausches zeigten sich
bald die Schwierigkeiten dieses Projektes: nämlich das Fehlen entsprechender Ausstellungsstücke.

---

[36] Jahresbericht GNM (für 1968), S. 4.
[37] 500 Jahre Regiomontan – 500 Jahre Astronomie. Nürnberg 1976.
[38] Organismus, 2. Abt., S. XI.
[39] Organismus, 2. Abt., S. 139.
[40] Archiv GNM, Altregistratur GNM, Karton 95, Aufruf an verschiedene Pflegschaften vom 1. April 1903.

Ein Aufruf Breslers an seine Kollegen, wertvolle Objekte dem Museum zu stiften, blieb völlig ergebnislos[41], so daß diese Initiative mangels Substanz scheiterte.

Die Ansätze zu einem medizingeschichtlichen Museum konkretisierten sich erst 1901, als die Direktion des Germanischen Nationalmuseums erfuhr, daß auf der 73. Versammlung deutscher Naturforscher und Ärzte in Hamburg die Gründung einer „deutschen Gesellschaft für Geschichte der Medizin und Naturwissenschaften" beabsichtigt war. Bezold schrieb sofort an einen der Initiatoren, den Medizinhistoriker Karl Friedrich Jakob Sudhoff (1853–1938) in Hochdahl bei Hannover, man bitte, in die Satzungen dieser Gesellschaft aufzunehmen, daß deren „Monumenta" der medicohistorischen Abteilung im Germanischen Nationalmuseum übergeben werden sollten. Der Kongreß für innere Medizin in Wiesbaden habe 1900 bereits für eine solche Abteilung 1000 Mark gestiftet. Aus hiesigen Ärzten und Vertretern des Museums solle eine Kommission gebildet werden, die die Schritte zur Anlage einer medizinhistorischen Abteilung beraten solle[42]. Verglichen mit der eher ausweichenden Haltung gegenüber dem Projekt eines historisch-psychiatrischen Museums, scheint die Museumsdirektion hier versucht zu haben, eine entstehende medizinhistorische Sammlung in das eigene Haus zu bringen. Im Vorschlag zur Gründung einer Kommission von Nürnberger Ärzten und Museumsvertretern kommt jedoch die unsichere Haltung der Direktion – wohl auch das fehlende Fachwissen – zum Ausdruck.

1902, im Jahre des fünfzigjährigen Museumsjubiläums, das, in Anwesenheit des deutschen Kaisers gefeiert, dem Germanischen Nationalmuseum außerordentliches Ansehen und Publizität im ganzen deutschen Kulturraum eintrug, veröffentlichte eine Anzahl Ärzte einen Aufruf zur Gründung eines „medico-historischen Instituts"[43]. Als Absender zeichneten die Direktion des Germanischen Nationalmuseums sowie Hofrat Dr. M. Emmerich und Dr. Richard Landau (1864–1903)[44] in Nürnberg. Die Aktion hatte großen Erfolg, sowohl was Sach- als auch Geldspenden betraf[45]. Bis September 1902 liefen einmalige Beiträge in Höhe von 1068 Mark und Zusagen von Jahresbeiträgen in Höhe von 159 Mark ein, worüber eine Spenderliste mit der gleichzeitigen Bitte um weitere Unterstützung veröffentlicht wurde[46]. Um die günstige Stimmung auszunutzen, nahm man 1903 eine Spende des preußischen Ministeriums für geistlichen Unterricht und Medizinalangelegenheiten über 500 Mark zum Anlaß, eine umfassende Presseaktion zu starten[47]. Die angeschriebenen Zeitschriften wurden sorgfältig ausgewählt. Interessanterweise wurde offenbar besonderer Wert auf eine Werbung unter den österreichischen Medizinern gelegt[48]. Auch die Pflegschaften des Museums wurden gesondert angeschrieben[49]. So meldete denn auch der Jahresbericht für 1903 wieder erstaunlich viele Spenden für die medico-historische Abteilung[50], darunter eine große Anzahl von ärztlichen Vereinen.

[41] Archiv GNM, Altregistratur GNM, Karton 95, Schreiben vom September und Oktober 1899, Februar 1901 und Januar 1902.
[42] Archiv GNM, Altregistratur GNM, Karton 95, Schreiben vom 19. September 1901 an Dr. Karl Sudhoff.
[43] Jahresbericht GNM 49 (für 1902), 1902. Der Wortlaut des Aufrufs hat sich im Archiv des Germanischen Nationalmuseums nicht erhalten.
[44] Nachruf auf Dr. Richard Landau. In: Leopoldina, Bd. 39 (1903), S. 130.
[45] Vgl. die Jahresberichte ab 1902.
[46] Archiv GNM, Altregistratur GNM, Karton 95, Drucksache vom Dezember 1903.
[47] Archiv GNM, Altregistratur GNM, Karton 95, Undatiertes Schriftstück beginnend: „Das medico-historische Kabinett des germanischen Museums . . ., welches anläßlich der Jubiläumsfeierlichkeiten . . . im Juni 1902 ins Leben gerufen wurde . . .". Das Schriftstück ist vermutlich der Entwurf der allen ausgewählten Zeitschriften zugeschickten Pressemitteilung. Im gleichen Akt mehrere Zeitungsausschnitte als Ergebnis dieser Aktion.
[48] Archiv GNM, Altregistratur GNM, Karton 95, Schreiben von Artaria und Co. vom 10. April 1903, Wien, mit einem Verzeichnis aller österreichischen Zeitungen und Zeitschriften, die für Werbung für das medico-historische Kabinett in Frage kamen.
[49] Vgl. Anm. 40.
[50] Jahresbericht GNM 50 (für 1903), 1903.

Im gleichen Jahr 1903 drängten die beiden Nürnberger Initiatoren des medico-historischen Kabinetts, Emmerich und Richard Landau, in einem Brief auf eine Aufstellung und Eröffnung der medico-historischen Abteilung. Nachdem einleitend der Museumsdirektion dafür gedankt wurde, daß sie „selbst in höchst dankenswerter Weise unsere (Emmerichs und Landaus) Idee sich angeeignet hat", wurde um einen Raum für die Sammlung gebeten. „Denn es ist dringend wünschenswert, daß der in diesem Sommer durch das Turnfest zu erwartende Zufluss von Freunden in unsere Stadt, unter denen sich Ärzte genug befinden werden, von diesem medicohistorischen Cabinet etwas zu sehen bekommt. Gerade durch diese Demonstratio ad oculos wird das Interesse auf's neue für die Sache erweckt werden, diese selbst also gefördert werden. Auch erscheint uns die Zahl der Spender gross genug, um ihnen für ihre Spenden durch Aufstellung derselben eine Art Generalrechenschaftsbericht geben zu sollen"[51]. Man habe sich schon erkundigt und erfahren, daß sich der alte Bibliothekssaal für Sammlungen herrichten ließe, so daß die Raumfrage kaum Schwierigkeiten bereite. Aus dem Brief läßt sich eine gewisse Verstimmung der beiden Absender über das Hinauszögern der Aufstellung der neuen Sammlung erkennen. Bezold sagte zwar am 12. Mai Emmerich und Landau zu, „im Laufe des Sommers" einen Raum zur Verfügung zu stellen[52], dennoch konnte die „Sammlung von Denkmälern der Heilkunde" erst im April 1904 eröffnet werden[53]. Anwesend war dabei Prinz Ludwig Ferdinand von Bayern, der, selbst Arzt, zu den wichtigsten Stiftern von Geldern und Objekten für die neue Sammlung gehörte.

Seine Aufstellung fand das medico-historische Kabinett in Saal 91, der nördlich des Wasserhofs, im 1. Geschoß gelegen, von der Südseite der Kostümbildergalerie zu betreten war. In Schränken und Kästen waren, ohne erkennbare Gliederung, ärztliche Instrumente der verschiedensten Fachrichtungen ausgestellt. Außerdem wurden auch anatomische Modelle aus Elfenbein von Stephan Zick[54], sowie Medaillen auf hervorragende Ärzte, Schriften und Bücher „aus der schon sehr umfangreichen medico-historischen Bibliothek" und medizingeschichtlich interessante Blätter aus dem Kupferstichkabinett gezeigt[55]. Die Reserviertheit, mit der man von Museumsseite dieser Sammlung begegnete, zeigt sich deutlich im Wegweiser von 1906, wenn es dort heißt, daß der Besucher „einen mehr oder weniger angenehmen Einblick in die Vergangenheit und Entwicklung ärztlicher Kunst und Wissenschaft" gewinnen könne[56]. Diese erste Aufstellung zeigt, daß die Bestände des medico-historischen Kabinetts die verschiedensten Museumsabteilungen berührten: Bibliothek, Kupferstichkabinett und Münzkabinett. Ein Teil der medizinischen Instrumente wurde aus der Sammlung wissenschaftlicher Geräte übernommen. Die seit 1902 neu hinzukommenden Stücke wurden nicht mehr mit einer Inventarnummer dieser Abteilung versehen, offenbar war eine eigenständige Inventarisierung vorgesehen, die aber nicht durchgeführt wurde.

Die relativ umfangreichen Geldzuweisungen für die medizingeschichtliche Sammlung führten 1904 zu einer „Stiftung zur Pflege der Geschichte der Medizin"[57], aus deren Geldmitteln Neuankäufe für die Sammlung finanziert wurden. Besonders der Bestand an medizingeschichtlicher Literatur wurde damit laufend erweitert. Da Richard Landau im September 1903 gestorben war, fungierte als Gutachter über die anzukaufenden Objekte allein Hofrat Emmerich. Er empfahl Erwerbungen oder lehnte

[51] Archiv GNM, Altregistratur GNM, Karton 95, Brief von Hofrat Dr. Emmerich und Dr. R. Landau vom 13. April 1903.
[52] Archiv GNM, Altregistratur GNM, Karton 95, auf Brief Emmerich/Landau vom 13. April 1903 Notiz vom 12. Mai 1903, signiert v. Bezold.
[53] Jahresbericht GNM 51 (für 1904), 1904, S. 1.
[54] Wegweiser GNM 1922/23, S. 88.
[55] Wegweiser GNM 1906, S. 207f. – Zur Lage des Raumes vgl. Abb. 229, 253.
[56] Wegweiser GNM 1906, S. 206.
[57] Jahresbericht GNM 51 (für 1904), 1904, S. 7.

sie ab und hatte somit eigentlich freie Hand für den Aufbau der Sammlung. Ein direktes Sammlungskonzept ist nicht zu erkennen und auch niemals formuliert worden.

Durch den raschen Zuwachs war der Raum für die Sammlung bereits 1906 nicht mehr ausreichend. Zugleich begann das Interesse am medico-historischen Kabinett zu sinken. Man schrieb deshalb 1913 in einer Bitte um Spenden an die „Münchner Medizinische Wochenschrift", daß die medizingeschichtliche Sammlung des Museums „wohl bereits als eine der wichtigsten und anschaulichsten ... ihrer Art" betrachtet werden könne, leider sei „jedoch in der letzten Zeit die finanzielle Unterstützung, die dieser Abteilung anfangs von so vielen Seiten zuteil wurde, immer spärlicher geworden"[58]. Deshalb sei notwendig, „den finanziellen Kräften aufzuhelfen", um wichtige Neuanschaffungen tätigen zu können. Trotz aller Bemühungen war das Nachlassen des Interesses, vielleicht durch den ersten Weltkrieg mitbedingt, nicht aufzuhalten. Auch Emmerich trat nicht mehr in Erscheinung. Die letzte nachweisbare Anregung aus den Kreisen der ehemaligen Förderer wurde im November 1915 gegeben, als der mit dem Museum (besonders durch die chemisch-pharmazeutische Sammlung) in engerem Kontakt stehende Apotheker Hermann Peters in Hannover empfahl, bei Um- oder Neubauten zu versuchen, die medico-historische Abteilung räumlich an die chemisch-pharmazeutische Sammlung heranzurücken[59]. Beide gehörten, nach Peters, immerhin zur Geschichte der Medizin. Man antwortete ihm, eine Verlegung der medizinhistorischen Sammlung sei schon ins Auge gefaßt[60].

Erst um 1921 wurden Änderungen an der Aufstellung der medizinhistorischen Sammlung vorgenommen. Offenbar wurden damals die Medaillen, Bücher und graphischen Blätter entfernt, jedoch die Sammlung der Brillen hinzugefügt und eine gewisse Straffung der Aufstellung durch Aussonderung verschiedener Objekte vorgenommen[61]. Wer dies durchführte oder anregte, auch mögliche Vorbilder dafür, kann nicht festgestellt werden. 1921 wurden in der großen Oberlichtgalerie vor der Sammlung medizinhistorischer Altertümer die „wissenschaftlichen Instrumente" aufgestellt. Dadurch wurde ein erster Schritt zur späteren Einreihung des medico-historischen Kabinetts in die Sammlung wissenschaftlicher Instrumente getan. Weitere Änderungen erfolgten 1924/25, als zunächst bauliche Umgestaltungen am Ausstellungsraum selbst durchgeführt wurden[62]. Die einzelnen Sachgruppen wurden abermals straffer zusammengefaßt, weniger wichtiges ausgesondert und „jeder einzelne Gegenstand durch Wahl eines lichten blauen Grundtones, der sich für das hellglänzende Metall besonders eignet, in seiner Greifbarkeit für Auge und Studium gehoben"[63]. An den Wänden zeigte man erneut Bildnisse berühmter Ärzte und anatomische Darstellungen.

Unter Kohlhaußen wurde die medizinhistorische Sammlung nach Entfernung der Rotschmiedewerkstatt endlich in die unmittelbare Nachbarschaft der Apotheken und Laboratorien verlegt, wie bereits 1915 von Apotheker Peters gefordert. Damit hatte man „einen geschlossenen naturwissenschaftlichen Trakt von den frühen Globen über medizinische Instrumente zu den Apotheken und den Laboratorien" geschaffen[64]. Diese Aufstellung blieb nur kurz bestehen, bis sie durch die notwendig gewordene Kriegsbergung aufgelöst wurde. Diese Bergung ersparte der medizinhistorischen Samm-

[58] Archiv GNM, Altregistratur GNM, Karton 127, Akt I, 1 c, Schreiben vom 16. Oktober 1913 an die „Münchner Medizinische Wochenschrift". Die Zeitschrift spendete 1914 dann 300 Mark (Jahresbericht GNM 61 (für 1914), 1914, S. 3).
[59] Archiv GNM, Altregistratur GNM, Karton 127, Akt I, 1 c, Schreiben von Hermann Peters vom 6. November 1915, Hannover-Kleefeld. – Zu Peters und der pharmaziegeschichtlichen Sammlung vgl. S. 871–877.
[60] Archiv GNM, Altregistratur GNM, Karton 127, Akt. I, 1 c, Schreiben an Peters vom 8. Februar 1916.
[61] Wegweiser GNM 1906, S. 205–208 und 1922/23, S. 88 f.
[62] Jahresbericht GNM 71 (für 1924), 1924, S. 2.
[63] Jahresbericht GNM 72 (für 1925), 1925, S. 2.
[64] Jahresbericht GNM 84 (für 1937), 1938, S. 36.

lung schwere Verluste[65]. Dennoch sind als Kriegsfolge Korrosionsschäden auf den vorwiegend metallenen Objekten aufgetreten.

Nach dem zweiten Weltkrieg wurde mit Ernst Königer zum ersten Mal ein Referent mit der Betreuung dieser Sammlung beauftragt. Allerdings wurden die medizinhistorischen Geräte nicht mehr als selbständige Einheit aufgefaßt, sondern als Teil der Sammlung wissenschaftlicher Instrumente behandelt und de facto mit ihr vereinigt. Die einst zum medico-historischen Kabinett gehörigen Bücher, Medaillen und Graphiken wurden den betreffenden Abteilungen überlassen. Damit war das alte medico-historische Kabinett in seiner ursprünglichen Form aufgelöst.

Erstmals nach dem Krieg wurden ab 1958 die medizinhistorischen Instrumente auf der nördlichen Empore der Ehrenhalle gezeigt, nachdem Ernst Königer die wichtigsten Bestände der Sammlung im Rahmen seines Buches „Aus der Geschichte der Heilkunst – von Ärzten, Badern und Chirurgen" in der Reihe des Museums veröffentlicht hatte[66]. Es war innerhalb eines halben Jahrhunderts die erste Publikation von seiten des Museums in Zusammenhang mit dieser Sammlungsabteilung. Beim Einbau des Meistermann-Fensters in der Ehrenhalle[67] wurde, um dessen künstlerische Wirkung nicht zu stören, 1967 die kulturgeschichtlich höchst bedeutende Sammlung in das Depot wissenschaftlicher Instrumente gebracht und der Öffentlichkeit entzogen. Mittlerweile sind andere medizinhistorische Sammlungen im deutschen Kulturraum entstanden und haben in der Fachwelt das Interesse auf sich gezogen, ohne allerdings meist den Rang der Nürnberger Sammlung zu erreichen. Bei der im Sommer 1977 geplanten Neueröffnung des Obergeschosses des nördlichen großen Kreuzgangflügels wird in einem Raum bei den Apotheken ein Teil der medizinhistorischen Sammlung wieder der Öffentlichkeit zugänglich sein.

---

[65] Jahresbericht GNM 91 (für 1944–1946), 1946, S. 11.
[66] Ernst Königer: Aus der Geschichte der Heilkunst – von Ärzten, Badern und Chirurgen (Bibliothek des Germanischen Nationalmuseums Nürnberg zur Deutschen Kunst- und Kulturgeschichte, Bd. 10). 1. Aufl. München 1958.
[67] Jahresbericht GNM (für 1967), S. 2.

HEINZ STAFSKI
Die historisch-pharmazeutische Sammlung

Der Entschluß zur Errichtung einer selbständigen pharmaziegeschichtlichen Abteilung wurde 1883 gefaßt – mehr als drei Jahrzehnte nach der Gründung des Germanischen Nationalmuseums. Den Anstoß gab der Apotheker Hermann Peters (1847–1920), der 1879 Besitzer der traditionsreichen Nürnberger Mohrenapotheke geworden war. Hermann Peters[1] hatte in Hildesheim das Gymnasium besucht und war vor seiner Niederlassung in Nürnberg an der Ratsapotheke in Hannover tätig gewesen. In einem Rückblick auf seine Bemühungen um das Zustandekommen der Nürnberger Sammlung[2] berichtet er, wie er bald nach seiner Übersiedlung die Gelegenheit ergriff, das Germanische Nationalmuseum auf der Suche nach Apothekenaltertümern zu durchstreifen. Mit Genugtuung stellte er fest, daß Denkmäler aus der Vergangenheit der deutschen Heilkunst anzutreffen waren, bedauerte aber, daß sie „nicht nebeneinander, sondern in verschiedenen anderen Abteilungen der Anstalt mit aufbewahrt wurden", also den Materialgattungen Glas, Keramik, Metall zugeordnet waren. Nachdem Peters in Nürnberg Fuß gefaßt hatte, beschrieb er im Frühjahr 1883 in einer Fachzeitschrift die pharmazeutischen Bestände des Museums und regte an, man möge den Apothekenaltertümern im Rahmen der kulturhistorischen Sammlungen eine eigene Heimstatt bereiten. Er bot seine persönliche Hilfe an und stellte die Unterstützung durch den deutschen Apothekerverein in Aussicht. Das Museum ging bereitwillig auf das Angebot ein. Die Gründung einer historisch-pharmazeutischen Sammlung wurde noch im selben Jahr beschlossen. Die Aufgabe, die Peters am Germanischen Nationalmuseum übernahm, war durch zeitlich vorhergegangene Anstöße motiviert: Kurz vor seinem Umzug, als er noch für die Ratsapotheke zu Hannover tätig war, fand dort die Hauptversammlung des deutschen Apothekervereins statt. Gleichzeitig wurde eine pharmaziehistorische Ausstellung veranstaltet. Eine Anzeige in der „Pharmaceutischen Zeitung" vom 6. August 1879 hatte alle Apotheker zur Einsendung von Exponaten aufgefordert. Es kamen 61 Gegenstände zusammen, deren Entstehungszeit bis ins 14. Jahrhundert zurückreichte: Geräte, Bücher, Lehrbriefe, Urkunden. Es war das erste Unternehmen dieser Art in Deutschland; bei der praktischen Durchführung mag Hermann Peters dem verantwortlichen Ratsapotheker Prollius bereitwillig zur Hand gegangen sein[3]. Der Gedanke, durch Spendenaufrufe in der „Pharmaceutischen Zeitung" an die Altertümer heranzukommen, die von den Apothekern aufbewahrt wurden, ist in Hannover und später in Nürnberg[4] erfolgreich versucht worden.

Man darf annehmen, daß Peters nach eigenen Vorstellungen Aufbau und Einrichtung der Abteilung im Museum vornehmen konnte. Dabei konnte der Status des seit 1877/1881 bestehenden Handelsmuseums als Vorbild dienen, das als selbständige Stiftung des deutschen Kaufmannsstandes ins Museum integriert war. In der Tat wurde zwischen dem Apothekerverein und der Direktion des

---

[1] Georg Edmund Dann: Hermann Peters. In: Pharmazeutische Zeitung. Zentralorgan für den deutschen Apothekerstand, Jg. 83 (1947), Nr. 18, S. 413–415.

[2] Hermann Peters: Die historisch-pharmazeutische und chemische Sammlung des Germanischen Nationalmuseums. In: Mitteilungen GNM 1913, S. 44–95 (44).

[3] Diese Zusammenhänge nachgewiesen bei Wolfgang Schneider: Gründung und Aufbau des pharmaziegeschichtlichen Museums in Nürnberg durch Hermann Peters. In: Festschrift zum 65. Geburtstage von Georg Edmund Dann am 22. Juli 1963 (Veröffentlichungen der Internationalen Gesellschaft für Geschichte der Pharmazie e.V., NF Bd. 22). Stuttgart 1963, S. 133–151.

[4] August Essenwein: Die Gründung einer historisch-pharmazeutischen Sammlung im Germanischen Nationalmuseum zu Nürnberg. In: Pharmaceutische Zeitung. Central-Organ für die gewerblichen und wissenschaftlichen Interessen der Pharmacie ... Jg. 28, Nr. 40 vom 19. Mai 1883, S. 318/19.

433. Der Apotheker Hermann Peters (1847–1920), Gründer der historisch-pharmazeutischen Sammlung

Museums am 20. Juni 1884 ein entsprechender Vertrag geschlossen[5]. Er erhielt die Zustimmung der Generalversammlung des Apothekervereins am 4. September 1884. In § 7 dieses Vertrages heißt es: „Der deutsche Apotheker-Verein verpflichtet sich, zur Durchführung dieses Unternehmens aus seiner Kasse jährlich 500 Mark zu bezahlen. Die weiter erforderlichen Mittel sollen durch einmalige und jährliche Beiträge von den dem Zwecke des Unternehmens nahestehenden Vereinen, Korporationen, Firmen, Einzelpersonen aufgebracht werden". Nach Abschluß dieses Vertrages trat das Museum in Verbindung mit den Vorständen des Apothekervereins sowie den Mitgliedern einer vertraglich vorgesehenen Kontrollkommission an die Standesorganisationen heran, um Gelder zu erlangen. An Mitteln für käufliche Erwerbungen kamen bis 1913 insgesamt 42000 Reichsmark zusammen. Die Sach- und Geldzuwendungen waren an die Bedingung geknüpft, sie ausschließlich für die entstehende Abteilung zu verwenden.

In einem ersten ausführlichen Bericht von 1887 veröffentlichte Essenwein eine von Peters erarbeitete Zusammenstellung über die Bestände der neuen Sammlung. Sie umfaßte damals eine Reihe von sogenannten „Ausschmückungs- und Schaustücken", wie etwa ein Krokodil, eine Schildkröte, Stoßzähne des Sägehais, Seeschnecken und Muscheln, dann pharmazeutische Geräte und Werkzeuge, eine Vielzahl von Gefäßen, darunter 51 bemalte Majolikatöpfe aus dem 16. und 17. Jahrhundert, 75 einfachere Majolika-Standgefäße und Fayencetöpfe, 72 Porzellangefäße, 534 Glasgefäße, die zum großen Teil noch mit Arzneistoffen gefüllt waren, eine „Droguen-Sammlung" mit außer Gebrauch gekommenen Arzneimitteln, eine Anzahl von Archivalien sowie eine Bibliothek mit ca. 1.600 Bänden. Dieser Bibliothek wurde damals – im Unterschied zum übrigen Fundus – schon einige Bedeutung beigemessen; sie umfaßte innerhalb ihrer Gliederung in zwanzig Gruppen auch die Bereiche

[5] Der Wortlaut des Vertrages bei: August Essenwein: Das mit dem Germanischen Nationalmuseum verbundene historisch-pharmazeutische Centralmuseum. In: Anzeiger GNM 1887, S. 23–25, 33–36, 49–52 (33–35).

434. Das chemisch-pharmazeutische Laboratorium mit Destillierkolben, verschiedenen Destillier- und Brennöfen und -herden, eingerichtet im Jahre 1890. Zustand in den dreißiger Jahren des 20. Jahrhunderts

Aberglauben, Magie und Zauberei, Alchemie und Chemie, geheime Gesellschaften, Rosenkreutzer etc., sowie medizinhistorisch interessante Werke, beispielsweise über Bäder und Heilquellen oder über Epidemien und Pest[6]. Über die allmählichen Erweiterungen des Bestandes berichtete der Anzeiger des Germanischen Nationalmuseums in einer eigenen Rubrik „Historisch-pharmazeutisches Centralmuseum".

Der Plan des als ehrenamtlicher Mitarbeiter des Museums und zugleich als Sachwalter seines Berufsstandes wirkenden Peters sah die Darbietung der pharmazeutischen Abteilung in der Sammlung in drei Bereichen vor: Erstens sollte eine Offizin, zweitens eine Materialkammer, drittens ein Laboratorium eingerichtet werden. Der für eine wirksame Präsentation unentbehrliche Teil war natürlich die Offizin, ohne die keine sinnvolle Aufstellung der Gegenstände möglich war. Eindringlich appellierte Essenwein deshalb an die Apotheker, bei der Beschaffung einer Holzeinrichtung behilflich zu sein; dabei wolle er sich selbst mit einem relativ späten Beispiel – gemeint war der Anfang des 18. Jahrhunderts – zufrieden geben, nur um zu einer angemessenen Darbietung zu gelangen[7]. Diese Vorbedingung konnte 1888 mit dem Erwerb der Offizin der Hirschapotheke aus Öhringen in

[6] Essenwein (Anm. 5), S. 49–52.
[7] Essenwein (Anm. 5), S. 23–24, 52.

435. Inventar der Nürnberger Sternapotheke, der große Arzneischrank mit Wappen des Apothekers Wolfgang Friedrich Dieterich, des Inhabers der Sternapotheke 1705–1752. Vom Museum erworben im Jahre 1895. Aufnahme in den dreißiger Jahren des 20. Jahrhunderts

Württemberg erfüllt werden. Ihre hochbarocke Einrichtung war durch eine die Regale bekrönende vergoldete Galerie mit Putten und Wappentieren zwischen üppigem Blattwerk recht ansehnlich. Sie war freilich mehrfach übermalt. Die Bemühungen richteten sich deshalb darauf, den ursprünglichen Zustand wieder herzustellen; insbesondere wurden die „merkwürdigen Signaturen" von Peters eigenhändig aufgrund der Reste ergänzt[8]. Allerdings war die Öhringer Apotheke ohne Inventar erworben worden und mußte mit nicht zugehörigen Gefäßen aus Fayence, Porzellan und Glas ausgestattet werden. Peters mühte sich persönlich um die Herbeischaffung der fehlenden Einrichtungsgegenstände, „die er teils mit dem Zufallsglück des Sammlers hier und da erwerben oder als Spenden aus Berufskreisen entgegennehmen konnte, teils aber auch durch systematische Spürarbeit mühselig aus Italien und anderswoher herbeischaffen mußte"[9].

Im Jahre 1890 konnte auch das Laboratorium eingerichtet und eröffnet werden, das „höchst malerisch und belehrend" mit originalen Apparaturen und Geräten des 16.– 18. Jahrhunderts die fabrikatorische Werkstatt früherer Apotheker anschaulich vor Augen führte. Der Aufbau erfolgte in

[8] Anzeiger GNM 1888, S. 137.
[9] Dann (Anm. 1), S. 414.

436. Kräuterkammer im Obergeschoß der 1895 erworbenen Nürnberger Sternapotheke aus dem Jahre 1727. Aufnahme aus den dreißiger Jahren des 20. Jahrhunderts

freier Anlehnung an Bildquellen aus der Barockzeit und vermittelte unter künstlich verrußter Decke den Eindruck einer Alchemistenküche. Diese Anlage wurde fünf Jahre später beträchtlich geändert, weil neue Erwerbungen wesentliche Ergänzungen ermöglichten und die jüngeren, meist farblosen Gläser durch Gefäße von dunkelgrünem Glas ersetzt werden konnten. „Nicht nur vom kulturhistorischen, sondern auch vom malerischen Standpunkt aus betrachtet macht das Laboratorium jetzt einen höchst mystischen Eindruck, von dem die meisten Besucher des Germanischen Nationalmuseums sich immer gern für längere Zeit fesseln lassen"[10].

Um den ganzen Umfang eines Apothekenbetriebes zu veranschaulichen, fehlte noch eine Materialkammer. Eine glückliche Gelegenheit ergab sich im Jahre 1895 zum Erwerb des historischen Mobiliars der Nürnberger Stern-Apotheke, als deren besonderer Vorzug hervorgehoben wurde, daß sie im Unterschied zu anderen zum Verkaufe stehenden historisch-pharmazeutischen Sammlungen nicht durch die Hände von Zwischenhändlern gegangen war[11]. Neben dem monumentalen, 4 m hohen Arzneischrank, der sich an Motive einer barocken Portalarchitektur anlehnt, ist als bedeutungsvollster Zuwachs die zugehörige Kräuterkammer zu erwähnen. Die Aufschriften auf den – mit Land-

[10] Hermann Peters: Das historisch-pharmazeutische Zentralmuseum zu Nürnberg. In: Anzeiger GNM 1896, S. 11–14.
[11] Peters (Anm. 10).

schaften bemalten – Schubladen bieten einen Katalog der zur Entstehungszeit 1727 geläufigen Heilmittel. Der große Arzneischrank enthielt noch die originalen Gefäße mit dem Sternemblem.

Hermann Peters gab 1898 sein Nürnberger Domizil auf und zog wieder nach Hannover, um sich ganz der gelehrten Arbeit zu widmen[12]. Zu diesem Zeitpunkt hatte die pharmazeutische Sammlung des Museums eine Gestalt angenommen, die, abgesehen von der Zunahme der Bestände, bis zum Wiederaufbau nach dem zweiten Weltkrieg im Jahre 1952 kaum Akzentverschiebungen erfuhr. Damals wurde noch einmal neben der Hirsch-Apotheke aus Öhringen und der Stern-Apotheke aus Nürnberg auch das Laboratorium rekonstruiert. Daß die Sammlung räumlich nicht mehr erweitert wurde, lag nicht am Weggang ihres Schöpfers und dem Ausbleiben neuer Impulse, sondern war in der Ausfüllung der Grenzen begründet, die dem speziellen Sachbereich im übergreifenden kulturhistorischen Rahmen des Germanischen Nationalmuseums gezogen waren. Wenn man einen „Vorraum" mit Einzelstücken wie Haus-Reiseapotheken, Gemälden, Wahrzeichen, Emblemen, medizinischen Instrumenten hinzurechnet, war die Sammlung auf fünf Abteilungen in gesonderten Räumen angewachsen. Peters selbst hatte für die Verwirklichung seines Programms einen Zeitraum von 10 Jahren angesetzt und diesen Zeitplan mit der Einfügung der Stern-Apotheke 1895 ziemlich genau eingehalten. Eine räumliche Ausweitung des Programms war nicht in Aussicht genommen. Immerhin sollte nicht übergangen werden, daß zumindest zeitweise auch die finanzielle Unterstützung nicht den Erwartungen entsprach; so waren Ankäufe des Jahres 1895, nachdem der Apothekerverein weitere Hilfe über eine Verlängerung der zugesagten Zahlungen versagt hatte, nur über ein neu konstituiertes Komitee möglich[13].

Die Sammlung des Museums gewann durch ihre Priorität eine anregende Funktion für viele gleichartige Unternehmungen, zumal die Einordnung in den allgemeinen Rahmen des Nürnberger Museums auf die Dauer den gesteigerten Ansprüchen der Apotheker nicht genügte. Ein Vertreter des Berufsstandes, Fritz Ferchl aus Mittenwald (1892–1953), gab seiner Unzufriedenheit Ausdruck[14]: „Einmal bereits wurde der Versuch unternommen, ein „Pharmaziegeschichtliches Zentralmuseum" für Deutschland zu schaffen. Es war in den 80er Jahren des vorigen Jahrhunderts, als der große Pharmaziehistoriker Hermann Peters in der Gründerzeit des Germanischen Nationalmuseums zu Nürnberg dazu aufrief und Tausende von deutschen Apothekern Geld und Güter sondergleichen spendeten. Die pharmazeutischen Altertümer, die gastlich hier zusammenkamen, bildeten wohl eine historische Apotheke und ein historisches Laboratorium mit einer Fülle und einer Pracht von Gegenständen, wie sie ein zweites Mal kaum zu beschaffen sind, aber es wurde nur eine kleine Abteilung eines großen Museums deutscher Kulturgeschichte, in keiner Weise ein deutsches Apotheken-Museum. Als Oscar von Miller, der Gründer des Deutschen Museums in München, ein zweites Mal rief, spendete wiederum der Opfersinn deutscher Apotheker für die Wiedergabe der vielgestaltigen Vergangenheit der deutschen Pharmazie. Doch noch einmal schlug der Plan fehl, es wurde wiederum nur die übliche historische Schau-Apotheke, wie sie sich in weiteren 12 deutschen Museen mehr oder minder groß und mehr oder minder gut zusammengestellt findet". Die Apotheker erstrebten eine stärkere Berücksichtigung der berufsspezifischen Belange, speziell des Arzneimittelwesens. So kam es 1938 zur Gründung des Deutschen Apothekenmuseums in München, das in extensiver Hinsicht den Wünschen der Pharmazeuten entsprach. Initiator dieser Konzeption war der schon erwähnte Fritz Ferchl, der zwei Jahre vorher den Apothekenaltertümern in Nürnberg ein

[12] Eine Würdigung seiner wissenschaftlichen Arbeiten ebenfalls bei Dann (Anm. 1).
[13] Peters (Anm. 10), S. 12.
[14] Dr. F. (Fritz Ferchl): Das Deutsche Apotheken-Museum. Ein Geleitwort zu seiner Gründung. In: Zur Geschichte der Deutschen Apotheke. Geschichtliche Beilage der „Deutschen Apotheker-Zeitung", Jg. 1936/37, Nr. 6/7 (1937), S. 17/18.

876

knappes Bilderbuch gewidmet hatte[15]. Die Münchner Sammlung erlitt 1944 durch Kriegseinwirkung erhebliche Verluste, erhielt nach dem Krieg eine vorübergehende Bleibe in der Neuen Residenz zu Bamberg (1946–57) und nach vergeblichen Bemühungen, sie weiter in Bayern zu halten, eine endgültige Zuflucht im Ottheinrichsbau des Heidelberger Schlosses[16].

Die pharmazeutische Abteilung des Germanischen Nationalmuseums hatte inzwischen selbst historischen Charakter angenommen. Als das Werk eines der Väter der Geschichte der Pharmazie verdient sie in einem Zustand konserviert zu werden, der der ursprünglichen Konzeption Hermann Peters' entspricht. Georg Edmund Dann hat sie „die große, damals in der Welt einzig dastehende Sammlung" genannt[17]. Fritz Ferchl, der ihr den Status des „Zentralmuseums" mit seiner Münchner Neugründung streitig machte, hat persönlich an ihrer Wiederaufstellung nach dem letzten Kriege Anteil genommen. In seinen zahlreichen Veröffentlichungen hat er immer wieder auf die Schätze zurückgreifen müssen, die in Nürnberg schlummerten. Bis in die Gegenwart zeigt sich der Rang der Nürnberger Sammlung in den Leihgaben zu pharmaziehistorischen Ausstellungen in aller Welt und dem Anteil, den ihre Stücke in entsprechenden Publikationen einnehmen. Nicht nur die Sammlung, auch die Bibliothek, das Kupferstichkabinett und das Archiv bleiben pharmaziegeschichtliche Fundgruben und halten unausgewertete Dokumente des Fachbereichs bereit. Seit 1963 sind die Sammlungen im Zuge der Baumaßnahmen vorübergehend magaziniert, um nach der dringend erforderlichen Restaurierung des Apothekenmobiliars 1977/78 wieder unweit des alten Standortes aufgestellt zu werden. Bereits jetzt wurde am Mobiliar der Öhringer Apotheke eine alte Bemalung freigelegt. Die Neuaufstellung wird sich im wesentlichen an das Konzept des Gründers halten; nur das Laboratorium, das ja keine echte Raumeinheit war, soll in seiner frei erfundenen Form nicht mehr wiedererstehen. Der historischen Glaubwürdigkeit soll mit einer nüchternen Darbietung eine neue Ordnung und Gruppierung nach sachbezogenen Gesichtspunkten dienen.

Unterdessen blieb das Museum stetig um Ergänzung der Bestände bemüht. Seit dem letzten Kriege wurden u. a. mehrere Apotheken-Waagen, Gewichtssätze und eine Hausapotheke erworben. Wichtigster Neuzugang war das 1968 ersteigerte „Einhorn" mit Narwalzahn aus der Klosterapotheke in Altötting[18]. Als das Museum 1956 die Publikationsreihe „Bilder aus deutscher Vergangenheit" konzipierte, galt der erste Band einer Kulturgeschichte der Apotheke[19]. Das Museum sucht sich des Auftrages bewußt zu sein, den es durch die Initiative von Hermann Peters einst übernommen hat.

[15] Fritz Ferchl: Deutsche Apotheken-Altertümer (Bilderbücher des Germanischen Nationalmuseums, H. 4). Nürnberg 1936.

[16] Werner Luckenbach: Zu einigen Neuerwerbungen des Deutschen Apotheken-Museums während der letzten 15 Jahre. In: Heidelberger Jahrbücher Bd. 16 (1972), S. 73–93.

[17] Dann (Anm. 1).

[18] Neuerwerbungen des Germanischen Nationalmuseums 1968. In: Anzeiger GNM 1969, S. 227, Abb. 15.

[19] Heinz Stafski: Aus alten Apotheken (Bibliothek des Germanischen National-Museums zur deutschen Kunst- und Kulturgeschichte, Bd. 1). München 1956. 4. Aufl. München 1967. – Auch ein älterer Band von Heinrich Kohlhaussen, Günther Schiedlausky und Heinz Stafski: Alte Apothekengefäße. Biberach an der Riss 1960, hatte überwiegend aus den Nürnberger Beständen geschöpft.

GERHARD HIRSCHMANN – KLAUS PECHSTEIN
Zunft- und Handwerksaltertümer

„Wir Zinngießergesellen in Nürnberg haben beschlossen, nach Einführung der Gewerbefreiheit unsere überflüssig gewordenen Utensilien unter demselben ausdrücklichen und nämlichen Vorbehalt wie unsere Herrn Meister dem Germanischen Museum dahier zu übergeben. Solche sind:

1. Die Lade nebst Stiftungsurkunde vom Jahre 1612.
2. Ein Buch, der Kandelgießer Gesellen Handwerks Ordnung vom Jahre 1608.
3. Ein Buch, der löblichen Zinngießer Gesellschaft Oerten Buch vom Jahr 1801.
4. Einige Bücher und Decrete.
5. Einen Grabbrief über die auf dem St. Rochusfriedhof mit No. 1513 bezeichnete Sand-Grabstätte.
6. Eine zinnerne Kanne nebst Teller vom Jahr 1784".

Dieses in die ‚kandelgießer Handwerks Gesellenordnung von 1608‘ eingetragene Schreiben ist von dem letzten Altgesellen des Nürnberger Zinngießerhandwerks, Johann Paul Schick, im Juni 1868 unterschrieben[1].

∗

Das bayerische Gesetz über Einführung der Gewerbefreiheit vom 30. 1. 1868 hatte die Auflösung der Gewerbevereine (Art. 26) zur Folge. Über die im Eigentum dieser Vereine befindlichen „denkwürdigen Kunstgegenstände" erging am 28. April 1868 eine gemeinsame Entschließung der Staatsministerien. In ihr wurde vorgeschlagen, dahin zu wirken, daß die aufgelösten Gewerbevereine diese Gegenstände „mit Vorbehalt der Eigenthumsrechte in Öffentlichen Sammlungen" aufbewahren.

Gemäß dieser Entschließung wurde im Mai 1868 vom Magistrat eine „Tabellarische Übersicht in Betreff der Auflösung der Gewerb-Vereine, hier insbesondere die Erhaltung denkwürdiger Kunstgegenstände aus den früheren Zunftladen" angefertigt[2]. Aus dieser Übersicht geht hervor, daß die Kunstgegenstände und Laden in folgender Form entweder im städtischen Museum oder im Germanischen Museum aufbewahrt werden sollten:

In städtischem Besitz: Bäcker (o)[3], Bierwirte, Metzger (o), Stecknadler (o), Zuckerbäcker, Bürstenmacher, Buchbinder, Nadler u. Fischangelmacher (o), Nagelschmiede, Beutler, Müller, Weber, Spezereihändler, Büttner, Flaschner, Gastwirte, Hornpresser, Kürschner, Lebküchner (o), Rotgerber, Schlosser (Windenmacher), Schneider, Schuhmacher, Strumpfwirker, Wagner, Tuchmacher, Ahlenschmiede (o), Gold- und Silberarbeiter (o).

Im Germanischen Museum: Feilenhauer, Huf- und Waffenschmiede, Schreiner (o), Gürtler, Glaser, Tuchbereiter, Scheibenzieher, Gold- und Silberdrahtzieher (o), Rotgießer, Drechsler (o), Hutmacher (o), Kammacher, Kupferschmiede, Posamentiere, Zimmerleute, Zinngießer.

Dabei meldeten alle „Gewerbegenossen" einen Eigentumsvorbehalt an. Am 31. Mai 1868 legte der Magistrat diese Übersicht der Regierung von Mittelfranken vor.

---

[1] Nürnberg, Stadtarchiv, Findbuch E 5 I, Zinngießer Nr. 14. Die Autoren teilen sich in die Ausführungen in der Weise, daß der folgende erste Abschnitt von Gerhard Hirschmann, der zweite von Klaus Pechstein stammt.
[2] Nürnberg, Stadtarchiv, HR VI b 2. Nr. 42.
[3] Das Zeichen (o) bedeutet, daß bei diesen Handwerken weder Lade noch Bücher erwähnt werden, sondern nur Fahnen, Kostüme oder Pokale.

437. Saal der Zunft- und Handwerksaltertümer. Ürtentafeln, Zunftladen, Sargschilde und Schleifkannen, vor der Rückwand die bei Festumzügen in der ersten Hälfte des 19. Jahrhunderts benutzte damals angefertigte Rüstung der Nürnberger Flaschner, über der Decke die Fahnen der Nürnberger Handwerker aus den dreißiger Jahren des 19. Jahrhunderts. Zustand bis 1897

Durch Protokolle vom 14. Mai und 24.–28. Mai 1875[4] erklärten sich die folgenden Innungen damit einverstanden, daß ihre 1868 dem Magistrat der Stadt Nürnberg übergebenen Gegenstände und Archivalien ins Germanische Museum kamen:

1. Ahlenschmiede B[5]	11. Hornpresser E B
2. Bäcker B	12. Kürschner E B
3. Beutler E B	13. Lebküchner E B
4. Buchbinder E B	14. Metzger (Rindmetzger) E B
5. Bürstenmacher E B	15. Müller E B
6. Büttner E B	16. Nadler E B
7. Flaschner B	17. Nagelschmiede B
8. Gastwirte E B	18. Rotgerber E B
9. Gold- und Silberarbeiter	19. Schleifer E B
10. Heftleinmacher (Stecknadler) E B	20. Schlosser E B

[4] Nürnberg, Stadtarchiv, HR 9956 (Städtische Kunstsammlungen 1864–76, Bd. I).
[5] Die Buchstaben bedeuten: B = Innung behielt sich Benutzungsrecht vor; E = Innung behielt sich Eigentum vor. Nr. 9 und 23: Diese Innungen übereigneten ihren Besitz bedingungslos an die Stadt.

21. Schneider E B	25. Tuchmacher E B
22. Schuhmacher B	26. Wagner E B
23. Spezereihändler	27. Zirkelschmiede E B
24. Strumpfwirker B	

Die in der tabellarischen Übersicht von 1868 aufgeführten Handwerke der Bierwirte, Zuckerbäcker und Weber fehlen 1875. Stattdessen sind in der Übersicht von 1868 die Schleifer und Zirkelschmiede nicht enthalten, die 1875 Gegenstände ans Germanische Museum übergaben[6].

Am 14. August 1879 äußerte der Magistrat in einem Schreiben an das Museum, daß die Beschlüsse der 1868 aufgelösten Innungen über Eigentumsvorbehalte kaum mehr Gültigkeit haben dürften. „Es dürfte den meisten, wenn nicht allen noch vorhandenen früheren Innungsmeistern schwerfallen, die Rechtsnachfolger der aufgelösten Innungen, d. h. der sämtlichen ehemaligen Meister dieser Innungen, wie die Reverse lauten, rechtsgültig festzustellen". Die noch vorhandenen Meister der früheren Feilenhauer-, Glaser-, Drahtzieher- und Wagnerinnungen hätten bereits auf ihr Miteigentumsrecht verzichtet. Der Magistrat erklärte, er wolle sich darum bemühen, auch die übrigen ehemaligen Innungsmeister zu entsprechenden Entscheidungen zu veranlassen[7]. Ob es dazu tatsächlich kam, ist nicht mehr zu ermitteln. Im einzelnen läßt sich nur feststellen, daß die Drechsler ihre Innungslade 1880 vom Germanischen Nationalmuseum zurückerhielten. Die Weberinnung übergab 1885 ihre Innungsgegenstände der Stadt als Eigentum. Die Meister der aufgelösten Flaschnerinnung übertrugen 1887 der 1885 neu gegründeten Flaschnerinnung das Eigentum an den Innungsgegenständen. Bei der Gastwirtinnung wurde das Eigentum an den Innungsgegenständen an die Stadt übertragen.

Am 6. November 1899 forderte der damalige Stadtarchivar Ernst Mummenhoff in einem Bericht an den Magistrat die Auslieferung der Handwerksarchivalien an das Stadtarchiv. Er schrieb: Schon seit Jahren sei ein Verzeichnis sämtlicher Handwerksarchivalien angelegt, das sich im städtischen Archiv befinde. „Von diesem genauen Zettelkatalog hat das Germanische Museum erst im vorigen Jahre Abschrift genommen." Mummenhoff beantragte, daß die im Museum befindlichen Archivalien der Handwerkerladen, soweit sie nicht zu einer Ausstellung vereinigt sind, dem Stadtarchiv ausgeantwortet würden, wohin sie gehörten. Dasjenige Material, das ausstellungsfähig sei, werde im sog. „Zunftsaal" zur Anschauung gebracht. Die übrigen Akten und Bücher steckten in den Handwerkerladen und seien zum Teil hineingepfropft. Diese Aufbewahrung sei sehr ungünstig. Das städtische Archiv besitze schon ganze Handwerkerarchive. So sei es nur billig, wenn diese beiden Gruppen nun vereinigt würden. Am 14. August 1900 beschloß daraufhin der Magistrat: „Von den Innungsgegenständen soll das im Germanischen Museum zur Auslage gebrachte Material dort verbleiben. Die in den Truhen untergebrachten und hiedurch jeder Benützung entzogenen Urkunden sollen, soweit die Stadtgemeinde über sie zu verfügen berechtigt ist, an das Stadtarchiv abgegeben werden. Die Truhen sowie alle übrigen Innungsfahrhabe sollen im Germanischen Museum verwahrt bleiben"[8]. Demzufolge wurden ein Jahr später die seinerzeit mit den Handwerksladen übernommenen schriftlichen Dokumente an das Stadtarchiv übergeben, worüber Mummenhoff am 20. Juni 1901 einen Abschlußbericht erstattete. Diejenigen Nürnberger Handwerksarchivalien, die Museumseigentum sind, kamen im Rahmen eines Austausches zwischen der Stadt Nürnberg und dem Museum im Jahre 1966 als Leihgabe ebenfalls in das Stadtarchiv Nürnberg. Damit ist der Gesamtbestand dort vereinigt und – systematisch erschlossen – der Forschung zugänglich.

★

[6] Nürnberg, Stadtarchiv, HR 9980, 9991, 9987, 9992.
[7] Nürnberg, Stadtarchiv, HR 9957, Bl. 319–322.
[8] Nürnberg, Stadtarchiv, HR 9963.

438. Saal der Zunft- und Handwerksaltertümer in dem 1898 fertiggestellten Ausbau des Obergeschosses des Nordflügels des Großen Kreuzganges. An der Stirnwand Ürtentafeln, Sargschilde und Schleifkannen, rechts Zunftladen, darüber die Fahnen der Nürnberger Handwerker aus den dreißiger Jahren des 19. Jahrhunderts; auf dem Tisch in der Mitte die von Johann Carl, dem Besitzer der „Allgemeinen Brauer- und Hopfenzeitung", zur Feier des fünfundzwanzigjährigen Bestehens des Brauerbundes gestiftete goldsilberne Kassette. Zustand bis 1920

Die Sammlung der ‚Utensilien' der verschiedensten Nürnberger Handwerke bildet seit 1868 den Schwerpunkt der Abteilung ‚Zunft- und Handwerksaltertümer' des Germanischen Nationalmuseums. Das Museum betrachtete es als seine „natürliche Pflicht", darauf hinzuwirken, daß die Innungen in Nürnberg ihre Besitztümer nicht verschleudern, und bedauerte, daß einzelne dieser Organisationen – nicht zuletzt auf das Betreiben des lokalen und fremden Antiquitätenhandels – ihre Requisiten verkauften, wiewohl auch das Bayerische Nationalmuseum eine Aufforderung an die Zünfte erlassen hatte, die zum Verkaufe anstehenden Altertümer zuerst dort anzubieten[9]. Zusammen mit den Handwerksladen fand eine Reihe von Herbergszeichen, Handwerkstafeln mit Flügeln (sogen. Ürtentafeln), Trinkgeschirren aus Silber und Zinn ins Museum, wobei es sich bei alledem um Gebrauchsgegenstände, weniger um Prunkgeräte handelte. Mit Ausnahme zweier Modellpokale für das Meisterstück der Goldschmiede – zweien von mehreren einst vorhandenen, die um 1573 von bisher namentlich noch nicht nachgewiesenen Nürnberger Meistern angefertigt worden waren – sowie des Geschworenenbuches, die vom Handwerk der Goldschmiede erworben wurden, sind von

[9] Chronik des Germanischen Museums. In: Anzeiger GNM 1868, Sp. 169.

439. Saal der Zunft- und Handwerksaltertümer in der Neuaufstellung Heinrich Kohlhaußens im Obergeschoß über dem Nordflügel des Großen Kreuzganges. Zustand von 1924 bis 1939

den Goldschmieden, dem glänzendsten Handwerk im alten Nürnberg, keine Handwerksaltertümer
ins Museum gelangt[10]. Etwas günstiger steht es mit den Hinterlassenschaften der Nürnberger Zinngießer, von denen die Dokumente erhalten sind (heute im Stadtarchiv). Vier Meistertafeln mit den
Meisterpunzen sind heute im Stadtmuseum Fembohaus. Unter den metallverarbeitenden Handwerken, von denen „Utensilien“ übernommen wurden, sind einige bisher noch wenig untersucht
worden, so z. B. die Flaschner, von denen bemerkenswerte Meisterstücke sowie Markentafeln und
‚Ürte‘ vorhanden sind[11]. Ältere Fotos zeigen, daß diese z. T. mit Gebrauchsspuren und Beschädigungen versehenen Handwerksladen, Fahnen, Trinkgefäße aus Zinn, Sparbüchsen, Leuchter, Sargschil-
der und Ürtentafeln in dichtgedrängter Repräsentation nahezu vollständig ausgestellt waren.

Es würde zu weit führen, die Gerätschaften der einzelnen Handwerke, die im Germanischen
Museum seit Jahrzehnten aufbewahrt werden, einzeln aufzuzählen, dazu sind sie zu vielfältig und
auch verschiedenartig, freilich auch mit vielen Lücken behaftet. Die Erschließung und Beschreibung
der wichtigsten Handwerksaltertümer stellt eine der dringendsten Aufgaben für die Zukunft dar. Das
GNM konnte im Jubiläumsjahr 1977 wieder eine größere Anzahl derartiger Objekte in eigens dafür

[10] Vgl. Kurt Pilz: Das Handwerk in Nürnberg und Mittelfranken. Nürnberg 1954, S. 79–81.
[11] Dazu ist eine spezielle Abhandlung des Verfassers in Vorbereitung.

882

440. Inventar der Harscherschen Kupferschmiede, einer schon im 17. Jahrhundert bekannten und bis ins 19. Jahrhundert mit Handbetrieb arbeitenden Werkstätte aus dem Kupferschmiedehof in Nürnberg. Zustand von 1924 bis zum Zweiten Weltkrieg

errichteten Räumen der Öffentlichkeit zugänglich machen, wobei auf der einen Seite das innere Leben des Handwerks mit seinem Brauchtum, auf der anderen Seite die Unerschöpflichkeit, der Erfindungsreichtum und die Kunstfertigkeit insbesondere der metallverarbeitenden Handwerke mit ihren Erzeugnissen vorgeführt werden.

Da es im alten Nürnberg keine Zünfte im eigentlichen Sinne des Wortes gegeben hat, sondern vielmehr Handwerke und geschworene Handwerke unter der strengen Aufsicht des vom Rat geleiteten „Rugamtes", das die Versammlungs- und andere Freiheiten, wie sie die Handwerker in anderen Reichsstädten genossen, einschränkte, so gab es hier auch keine ‚alte Zunftherrlichkeit‘, keine großartigen Zunftherbergen oder Trinkstuben, keine aufwendigen Trinkgefäße wie etwa in Basel, wo man sie noch heute besichtigen kann. Weil die Museumssammlung sich auch heute noch überwiegend aus den nürnbergischen Handwerksaltertümern zusammensetzt, kann man sie auch nicht für das ältere deutsche Handwerkswesen als repräsentativ ansehen. Dagegen ist aus den Nürnberger Handwerken eine ganze Reihe von Handwerksgeräten, Meisterstücken und Werkzeugen auf uns überkommen, die in das technische, handwerkliche und künstlerische Vermögen in oft einzigartiger Weise Einblicke erlauben, wie z. B. bei den Zirkelschmieden, den Schlossern, den Flaschnern, den Zinngießern und den Rotschmieden mit ihren zahlreichen spezialisierten Berufen wie den Gießern, Formern,

Ausbreitern, den Hahnenmachern, Stück- und Glockengießern, den Gewichts- und Wäglein-machern. Insgesamt sind die Handwerke des alten Nürnberg, insbesondere die metallverarbeitenden, im Germanischen Nationalmuseum stärker als alles übrige vertreten, d. h. auch auf die verschiedenen Abteilungen des Museums verteilt: die Posaunen- und Trompetenmacher in der Musikinstrumen-tenabteilung, die Kompaß- und Uhrmacher in der Sammlung wissenschaftlicher Geräte, die Gold-schmiede und Juweliere sowie die Zinngießer und Beckenschläger in den kunsthandwerklichen Sammlungen, die Plattner und Geschützgießer und zahlreiche andere Handwerke in der Waffen-sammlung. Insofern als diese Gewerke des alten Nürnberg im Museum mit ihren Höchstleistungen und in breiter, einzigartiger Fülle vertreten sind, erreicht die Repräsentation mit diesen zahllosen Zeugnissen eine Dichte, wie sie dem Range dieses alten führenden Kunst- und Handwerkszentrums entspricht, das ja einen wesentlichen Teil des ganzen alten deutschen Handwerkswesens mitgeformt und repräsentiert hat.

Wenn diese Abteilung seit der Jahrhundertwende nicht mehr stärker anwuchs, so lag dies gewiß nicht an mangelndem Interesse, vielmehr wurden zu dieser Zeit Handwerksaltertümer in den Hei-matmuseen systematischer gesammelt. So wurden, um wenige Einzelbeispiele herauszugreifen, 1910 auf der Versteigerung der deutschen Zunftabteilung des Nordischen Museums in Stockholm in Köln zwei Zunftschilder der Buchbinder und Futteralmacher zu Straßburg 1766 (Z 1835, 1836)[12] und ein Zunftschild der Fischer zu Mainz, 18. Jahrhundert (Z 1838), sowie zwei Prozessionsstangen der Schmiede in München, 18. Jahrhundert, (Z 1840, 1841) erworben. Mit Hilfe der Bundesrepublik Deutschland konnten 1955 ein silberner Deckelpokal der Fleischhauerzunft in Riga von 1707 (Z 2267) und 1958 zwei silberne Sargschilde der Breslauer Drechslerinnung von 1693 (Z 2270, 2271) erworben werden. Ein Geschenk an die Sammlung war ein zinnerner Deckelhumpen aus Halle von 1767 (Z 2281) von A. Moritz 1962. Ein schöner Zuwachs gelang 1959 mit dem Erwerb einer Gruppe von Handwerksgerät, bestehend aus Universalwerkzeug, Schraubstock, Zangen, Metallsäge und Greif-zirkel (Z 2275–2279), das dem 16. Jahrhundert angehört[13]. Der stattliche zinnerne Kirchenleuchter mit der Gestalt der Spes aus dem Jahre 1768 ist die jüngste Erwerbung (Z 2304) der über 2300 Nummern umfassenden Abteilung[14].

[12] Auktionskatalog: Deutsche Zunftabteilung des Nordischen Museums zu Stockholm. I. M. Heberle. Versteigerung 25.–30. April 1910. Köln 1910. Nr. 1621 u. 1622, Taf. VII.
[13] Vgl. Walter Bernt: Altes Werkzeug. München 1939, Abb. 34 a, b, 35, 40, 61, 99 u. 165.
[14] Anzeiger GNM 1976, S. 178 mit Abb.

BERNWARD DENEKE
Die volkskundlichen Sammlungen

Das Museum und die germanistisch-philologische Volkskunde 1852–1870

Einem Teil der Sachbereiche, die seit etwa 1890 unter stärkerer Akzentuierung der Zusammengehörigkeit eines vielgestaltigen, in sich inhomogenen Materials unter den Begriff der Volkskunde subsumiert worden sind[1], hat das Germanische Nationalmuseum in seinen Programmen seit der Zeit seiner Gründung Aufmerksamkeit gewidmet. Das Volkskundliche gewinnt in den Planungen der Jahre 1852–53 Bedeutung unter den beiden Aspekten 1. einer speziellen Provenienz beziehungsweise Beschaffenheit einer Gruppe von Quellenzeugnissen, die für Aussagen zur Geschichte und Kulturhistorie herangezogen werden sollten, sowie 2. in größerem Umfange als Teilgebiete einer weitgefächert angelegten Altertumskunde. Als eine eigene Quellengruppe erscheinen Sektoren der Volkskunde bereits in dem ersten Satzungsvorschlag, den Hans von und zu Aufseß der Versammlung deutscher Geschichts- und Altertumsforscher zu Dresden 1852 unterbreitete. Nach diesem Entwurf hatte das im Germanischen Museum zu erstellende Generalrepertorium über das Quellenmaterial für die deutsche Geschichte, Literatur und Kunst von der ältesten Zeit bis zum Jahre 1650 fünf Arten an Dokumenten einzuschließen: archivalische Quellen, literarische Quellen, monumentale Quellen, Kunst und Altertum sowie schließlich „die noch im Volk lebendig erhaltenen altergebrachten Sitten und Gebräuche, Sagen und Lieder", die – soweit sie noch nicht durch den Druck bekanntgemacht worden waren – in besonderen Aufzeichnungen erfaßt werden sollten[2].

In der in solchen Absichten bezeugten Anschauung von der Relevanz der Volksüberlieferungen für die Altertumskunde setzte sich eine Auffassung fort, die schon in dem von Hans von und zu Aufseß begründeten und zeitweise herausgegebenen Anzeiger für Kunde des deutschen Mittelalters (seit 1832) sowie dessen Fortsetzung, dem Anzeiger für Kunde der teutschen Vorzeit, manifest ist. Auch dort erschienen sporadisch die allenthalben üblichen Aufforderungen, die dahinschwindenden Traditionen zu dokumentieren, wie etwa 1833 eine Bemerkung die Freunde der Publikationsfolge anregte, „sie möchten entweder selbst oder durch ihre Verbindungen die noch vorhandenen Räthsel ihrer Gegenden unmittelbar aus dem Munde des Volkes sammeln, wo möglich in der Mundart aufschreiben und sammt der Auflösung an den Anzeiger zur Bekanntmachung einsenden"[3]. Gleiche Sorge galt in Übereinstimmung mit der verbreiteten Meinung über die Seltenheit, Gefährdung und Hinfälligkeit

---

[1] Darlegung des Gegenstandes der Volkskunde durch Karl Weinhold: Zur Einleitung. In: Zeitschrift für Volkskunde Jg. 1 (1891), S. 1–10. – Hinweis auf die zentrale Bedeutung dieses, das erste eigene Publikationsorgan der Volkskunde einleitenden Aufsatzes in der Textsammlung: Volkskunde. Ein Handbuch zur Geschichte ihrer Probleme. Hrsg. von Gerhard Lutz. Berlin 1958, S. 38. – Zur Situation der Volkskunde um die Jahrhundertwende unter Einbeziehung der Museen vgl. Wolfgang Brückner: Das Museumswesen und die Entwicklung der Volkskunde als Wissenschaft um die Jahre 1902/1904. Die Dingwelt der Realien im Reiche der Ideen. In: Das kunst- und kulturgeschichtliche Museum im 19. Jahrhundert. Vorträge des Symposions im Germanischen Nationalmuseum, Nürnberg. Hrsg. von Bernward Deneke und Rainer Kahsnitz (Studien zur Kunst des 19. Jahrhunderts, Bd. 39). München 1977, S. 133–142.

[2] Heinrich Wilhelm Schulz: Bericht über die unter dem Vorsitz S. K. Hoheit des Prinzen Johann, Herzogs zu Sachsen, vom 16. bis 19. August 1852 zu Dresden abgehaltene Versammlung deutscher Geschichts- und Alterthumsforscher. In: Mittheilungen des Königl. Sächs. Vereins für Erforschung und Erhaltung vaterländischer Alterthümer H. 6 (1852), S. 109–155 (152). – Vgl. den Abdruck der Satzungen von 1852, S. 951–953, § 4.

[3] Franz Joseph Mone: Abschnitt Bekanntmachungen. Bitten. In: Anzeiger für Kunde des deutschen Mittelalters Jg. 2 (1833), Sp. 291.

historischen Quellenmaterials den schriftlich fixierten Traditionen. So spricht einer der Einsender bezogen auf eine vollständige kritisch-genaue Sammlung zu den im Anzeiger der dreißiger Jahre ebenso wie in der Neugründung der fünfziger Jahre viel behandelten Volksliedern das Bedürfnis aus, die auf einzelnen Bogen oder in seltenen Sammlungen bewahrten wenigen Überbleibsel dem Untergange zu entreißen[4]. Diesen Ansätzen folgend sind im Anzeiger bis zu dessen Erlöschen im Jahre 1839 volkstümliche Überlieferungen zum Abdruck gebracht worden. Neben den Texten und Untersuchungen zum Volkslied nimmt vom Umfange her die lange Sequenz der Volkssagen aus dem Badischen, die der als Finanzrat bei der Großherzoglichen Steuerdirektion in Karlsruhe wirkende Bernhard Baader (1786–1859) veröffentlichte, den meisten Platz ein[5]. Baader stellte zu seinen Mitteilungen auch einige allgemeinere Erwägungen an, so beschäftigte er sich auf Grund der Kritik an der Authentizität einer der von ihm publizierten Erzählungen mit dem Verhältnis von Sage und Geschichte wie von anderer Seite Fragen der Sagenentstehung behandelt wurden und ein dabei erörterter Lösungsversuch der vorgeprägten Auffassung des Menschen im Prozesse der Sagenbildung viel Gewicht beimaß, so daß in gewisser Weise ein Thema vorweggenommen ist, das hundert Jahre später der Prager Gelehrte Albert Wesselski (1871–1939) in der Auseinandersetzung mit Thesen über die Sagenbildung aus dem Erlebnis erneut zur Geltung brachte[6].

Besonders aber wurde von Baader angesichts des sich ausbreitenden Trends zu poetischer Behandlung der Sagenstoffe auf die Texttreue in der Wiedergabe der aus dem Volksmunde gesammelten Beiträge insistiert, damit – so heißt es – „verfälschte Ware" nicht die spärlicher werdenden echten Fabulate verdränge[7]. Zwar lassen solche Wendungen nicht direkt auf die besondere Hochschätzung ästhetischer Qualitäten oraler Traditionen schließen, doch ist der Einfluß dieser Bewertungen der Volksdichtungen nicht ganz außer acht zu lassen: so setzt sich beispielsweise ein Beitrag über die Volkslieder mit der Anmaßung der Herausgeber, an Texten zu ändern, mit dem Argument auseinander, daß „gleisnerische Zutaten" poetische Werte im Historisch-Gegebenen entstellen könnten: „man sollte ja in einer durch poetische Erzeugnisse überfüllten Zeit froh sein, ächte Volkslieder zu besitzen, die sich von der allgemeinen und darum faden Süßelei der gewöhnlichen Lieder fernhalten"[8]. Solche Anschauungen ließen sich jenseits ihrer kulturkritischen Aktualität wiederum auf die Vergangenheit übertragen und spiegeln sich auch in der Meinung, daß die Volkslieder in ihrem inneren Wert geeignet wären, die ganze poetische Literatur des 16. Jahrhunderts aufzuwiegen[9].

Die Frage, wieweit das veröffentlichte Quellenmaterial an volkstümlichen Überlieferungen, namentlich die Aufzeichnungen nach neueren Aufnahmen, der Erforschung der Geschichte und Kultur des Mittelalters als dem eigentlichen Aufgabenbereich des Anzeigers dienlich sein konnten, ist relativ selten angeschnitten: Gelegentlich sind die möglichen Einwände dadurch unterlaufen, daß Fragen des Fortlebens älterer Traditionen behandelt werden. So etwa begleitete der vor allem als Sammler neugriechischer Volkslieder hervorgetretene Werner von Haxthausen einige von ihm mitgeteilte

[4] H. Leyser: Volkslieder. Braunschweiger Chronik. In: Anzeiger für Kunde der teutschen Vorzeit Jg. 4 (1835), Sp. 122–123.

[5] Bernhard Baader: Deutsche (auch Teutsche) Volkssagen. In: Anzeiger für Kunde der teutschen Vorzeit Jg. 4 (1835), Sp. 162–164, 306–312, 406–411; Jg. 5 (1836), Sp. 174–177, 318–322, 413–415; Jg. 6 (1837), Sp. 68–71, 173–175, 304–310, 394–400; Jg. 7 (1838), Sp. 51–55, 221–227, 362–371, 471–480; Jg. 8 (1839), Sp. 60–66, 176–186, 303–315, 530–540. – Biographische Daten zu Baader bei Peter Assion: Besprechung von Bernhard Baader: Volkssagen aus dem Lande Baden und den angrenzenden Gegenden. Karlsruhe 1851. Neudruck Hildesheim, New York 1973. In: Badische Heimat Jg. 55 (1975), S. 278–279.

[6] Bernhard Baader: Volkssagen betreffend. In: Anzeiger für Kunde der teutschen Vorzeit Jg. 7 (1838), Sp. 429–430. – Anonym: Schlußbemerkung. Ebendort Jg. 3 (1834), Sp. 366–367. – Albert Wesselski: Probleme der Sagenbildung. In: Schweizerisches Archiv für Volkskunde Bd. 35 (1936), S. 131–188.

[7] Bernhard Baader: Die Volkssagen vom Niederrhein. In: Anzeiger für Kunde der teutschen Vorzeit Jg. 8 (1839), Sp. 199.

[8] Anonym: Teutsche Volkslieder. In: Anzeiger für Kunde der teutschen Vorzeit Jg. 7 (1838), Sp. 55–56.

[9] H. Leyser (Anm. 4).

Dichtungen mit Ausführungen, der eine vergleichende Sichtung zugrunde liegt: „Die teutsche Volkssage und das teutsche Volkslied scheinen in ihrem unverwüstlichen Grunde so alt wie die Bevölkerung, die sie mitgebracht und vererbt hat; aber die Zeit hat ihr Gewand, ihre Sprache und Wendungen geändert und sie sind mit den einwandernden Stämmen von neuem einheimisch geworden in dem neuen Lande, eingewachsen dem fremden Boden, umgebildet im fremden Klima"[10]. Mit solchen Aussagen ist, wenn auch nicht direkt, die allgemeine Ansicht aufgenommen, daß die Volkspoesie über die Zeitgebundenheit ihrer Formen und Inhalte hinaus mehr oder weniger stark verschlüsselte Aussagen über die weit zurückliegende Vergangenheit enthalten würde, so daß der Altertumsforscher gelegentlich daran erinnert wird, bei seinen Nachgrabungen die volkstümlichen Traditionen um die von ihm untersuchten Stätten mit zu berücksichtigen. Zwar ist der Einfluß von Jacob Grimms „Deutscher Mythologie" (1835) nicht sonderlich stark in den Beiträgen des Anzeigers zu spüren, doch dürfte sie möglicherweise den Herausgeber der späteren Bände der Publikation, Franz Joseph Mone (1796–1871), veranlaßt haben, eine Mythologie der Volkssage zu fordern, die als Postulat indessen möglicherweise einen kritischen Ansatz gegenüber Grimms Darlegungen insofern enthielt, als damit zu einer Prüfung des Gewichts dieser Erzählgattung als Geschichtsquelle unter Berücksichtigung der ethnischen und regionalen Sonderungen eingeladen ist[11]. Auf der anderen Seite aber zeigt der Anzeiger in einer der wenigen den Realien gewidmeten Stellen deutlich eine Auffassung kultureller Entwicklung, in der die Kontinuität von Gegebenheiten aus der Vorzeit bis in die Gegenwart vorausgesetzt wird. Es handelt sich hier um die Erfassung der unterschiedlichen Typen der Bauernhäuser und die Festlegung der regionalen Verbreitung der einzelnen Formen, weil sich angeblich auf diese Weise die alten „Volksgrenzen" ermitteln lassen sollten[12]. Damit ist eine Aufgabe angedeutet, die der später durch seine Mitgliedschaft in dessen Verwaltungsausschuß dem Germanischen Nationalmuseum verbundene hessische Landeshistoriker Georg Landau nach 1852 als eines der Forschungsvorhaben, die der Zentralisation bedürften, in den Gesamtverein der deutschen Geschichts- und Altertumsvereine einbrachte[13]. Die auf diese Weise begründete sogenannte stammeskundlich-geographische Richtung der Bauernhausforschung, die bis jetzt z. B. in Benennungen wie Niedersachsenhaus, fränkisches Gehöft gegenwärtig ist, mag für das spätere Sammlungskonzept der volkskundlichen Abteilung des Germanischen Nationalmuseums insofern nicht ganz unwichtig gewesen sein, als Gustav von Bezold, in dessen Amtszeit als Erster Direktor die Volkskundesammlung angelegt wurde, in einer frühen Studie zwar nicht die These von der Stammesgebundenheit des dörflichen Hauses sich zu eigen machte, aber doch in dem von ihm besonders behandelten niederdeutschen Hallenhaus den Typus altgermanischer Wohnbauten erblickte[14].

Aufseß selbst hat sich innerhalb des Anzeigers so gut wie nicht an den Erörterungen über die literarischen und außerliterarischen Volksüberlieferungen beteiligt, jedoch hat er nicht zuletzt im Hinblick auf den in diesen Zeugnissen sichtbar werdenden Umgang mit dem Geschichtlichen seine eigenen Vorstellungen über eine Popularisierung der Kenntnis der Historie formulieren können. Seine diesbezüglichen Bemerkungen sind abhängig von jener zeittypischen retrospektiven Betrachtungsweise, der zufolge die ältere positive Einstellung breiterer Bevölkerungsschichten zu kulturellen

---

[10] Werner von Haxthausen: Westfälische Volkslieder. In: Anzeiger für Kunde der teutschen Vorzeit Jg. 6 (1837), Sp. 164–169 (166).
[11] Franz Joseph Mone: Nachweisung teutscher Sagen. In: Anzeiger für Kunde der teutschen Vorzeit Jg. 8 (1839), Sp. 199–200.
[12] Anonym: Volksmäßige Bauart. In: Anzeiger für Kunde der teutschen Vorzeit Jg. 6 (1837), Sp. 366.
[13] Josef Schepers: Stand und Aufgaben der nordwesteuropäischen Hausforschung. In: Rheinisches Jahrbuch für Volkskunde 4 (1953), S. 7–68 (25–26). – Wiederabdruck bei Josef Schepers: Vier Jahrzehnte Hausforschung. Beiträge zur Baugeschichte in Nordwest-Europa. Hrsg. von Stefan Baumeier und Alois Hüser. Sennestadt 1973, S. 59.
[14] Gustav von Bezold: Der Niedersächsische Wohnhausbau und seine Bedeutung für die allgemeine Baugeschichte. In: Allgemeine Bauzeitung 1881, H. 9–10, S. 1–6.

Erscheinungen in der Gegenwart verloren ging[15]: „Die Geschichts- und Kunstkenntniß sollte nicht Eigenthum einer Klasse, etwa der eigentlichen Studierten und Künstler seyn, sondern, wie in alter Zeit, sich unter alle Klassen der Menschen verbreiten. So war es in frühester Zeit, als noch die Thaten der Väter bloß im Munde des Volkes fortlebten, dann später, als jeder nur irgend bedeutende Ort seine eigene Chronik, fast jede Familie eine kleine Hauschronik führte; so war es, als noch die Künste neben Berufsgeschäften und Handarbeiten getrieben wurden, nicht sowohl der Mode, des Luxus oder des Brodes wegen, wie heute, sondern der Kunst selbst zur Liebe. Diesen Sinn wieder zu wecken steht freilich nicht in Eines Menschen Macht. Doch warum sollte in unserer Zeit, wo durch gute Schuleinrichtung die Volksbildung gegen sonst so weit voran geschritten ist, wo Jedermann Lesen, Schreiben, ja vieles, was er nicht braucht, lernt, die vaterländische Geschichte nicht wieder großes Gemeingut werden können? Warum sollte nicht ein jeder, der etwas weiß und sieht, dieses als Baustein zur Geschichte darreichen können?"[16].

Durch diese ausführliche Behandlung der Volksüberlieferungen im Anzeiger der Jahre zwischen 1832 und 1839 war im Vorfeld der Begründung des Germanischen Nationalmuseums eine Prädisposition für eine weitere Beschäftigung mit dieser Art an Quellenzeugnissen geschaffen. Darüber hinaus aber zeigt die Bedeutung, die dieser Quellengruppe in den Konzepten der Jahre 1852–53 eingeräumt ist, erneut die enge Abhängigkeit der Grundlagen, auf die Aufseß das Germanische Nationalmuseum stellte, von den Arbeitsvorhaben, denen sich die Geschichtsvereine nach ihren Programmen widmen wollten[17]. Der in diesen Kreisen besonders einflußreiche Karl Benjamin Preusker (1786–1871) hat schon 1829 in einem Überblick über die Quellen der vaterländischen Geschichts- und Altertumskunde die „in Sprache und Sitte der jetzigen Menschen-Generation fortlebenden alterthümlichen Andeutungen" als eine eigene Kategorie an Quellen aufgefaßt und innerhalb seiner knappen Aufzählung Volkssagen, Sprichwörter, Überreste alter Dialekte, Orts- und Personennamen, volkstümliche Bezeichnungen von Handlungen und Ämtern, Sitten und Gebräuche besonders hervorgehoben[18]. Solche Anregungen sind in der Vereinspublizistik vielfach aufgenommen worden, zumal – wie bereits erwähnt – volkstümliches Wissen gemäß einer auch im Anzeiger anzutreffenden Anschauung Hinweise enthalten konnte, die zu den Stätten der im Rahmen der Tätigkeit dieser Gesellschaften bevorzugten unterirdischen Nachgrabungen hinführen sollten[19]. Erwägungen über die zweifache Relevanz des Quellenmaterials, die mit ihm gegebene direktere oder indirektere Aussage über Gegebenheiten der Vergangenheit, schloß der Vorstand des Archivs zu Münster in Westfalen, Heinrich August Erhard (1793–1852), in seine grundsätzliche Rede anläßlich der Versammlung des Vereins für Geschichte und Alterthumskunde Westfalens im Jahre 1840 ein: „Noch rechnen wir zu den Materialien der Geschichtsforschung die Landes- und Lebensverhältnisse der Gegenwart, nehmlich den topographischen Charakter des Landes im Allgemeinen, und die lokalen Merkwürdigkeiten einzelner Orte und Gegenden, die Lebensart, das Haushaltungswesen, die Sitten und Gebräuche der Einwohner, die Sprache mit ihren Eigenthümlichkeiten, und die im Munde des Volkes gangbaren Redeweisen, Sprichwörter, Sagen und Volkslieder, insofern sich dies alles theils an geschichtliche

---

[15] Später z. B. Friedrich Theodor Vischer: Aesthetik oder Wissenschaft vom Schönen. Zum Gebrauche für Vorlesungen. Bd. 3, 1, Reutlingen und Leipzig 1851, S. 89.

[16] Hans von und zu Aufseß: Vorwort des Herausgebers. In: Anzeiger für Kunde des deutschen Mittelalters Jg. 1 (1832), Sp. 1–6 (3).

[17] Bernward Deneke: Konzeption einer Altertumskunde des deutschsprachigen Gebietes in der ersten Hälfte des 19. Jahrhunderts. In: Volkskunde im Museum. Hrsg. von Wolfgang Brückner und Bernward Deneke (Veröffentlichungen zur Volkskunde und Kulturgeschichte, Bd. 1). Würzburg 1976, S. 58–91.

[18] Karl Benjamin Preusker: Ueber Mittel und Zweck der vaterländischen Alterthumsforschung. Eine Andeutung. Leipzig 1829, S. 23–24.

[19] Karl Benjamin Preusker: Alterthumsforschung. In: Jahrbücher der Vereine für Geschichte und Alterthumskunde 1831, S. 123–124.

888

Thatsachen und Erinnerungen anknüpft, theils in anderer Weise zu Schlüssen auf den Zustand der Vorzeit berechtigt"[20].

Ähnliche Ansichten sind mannigfach geäußert worden; so hat der Direktor des Hessischen Hof- und Staatsarchivs in Kassel Christoph von Rommel (1781–1859) bei seinem Versuche, alle für die hessische Landesgeschichte wichtigen Quellenarten zusammenzustellen, auch an die Auswertungsmöglichkeiten, die Sagen und Traditionen, die Volkssprache, die Ortsnamen, Sitten, Rechtsgebräuche bieten, erinnert[21]. Solche Bekundungen verdeutlichen zugleich, daß das Germanische Nationalmuseum dem damaligen Standard historischer Forschung genügte, wenn es zumindest programmatisch die Volksüberlieferungen zum Bestandteil seiner Dokumentationsvorhaben machen wollte. Jedoch motivierte der Überblick über den Umfang der Geschichtswissenschaft und der Kulturhistorie nebst der ihrer Erforschung dienenden Quellen, wie er in systematischer Auffächerung der einzelnen Sachbereiche angestrebt worden ist[22], nur sehr partiell zu aktiver Erfassung der Teilgebiete, die der Erkenntnis der Vergangenheit dienen konnten. Die im Katalog der Kunst- und Altertumssammlungen von 1856 genannten Materialien zu einzelnen kulturhistorisch-volkskundlichen Themen[23], nicht nur zu der von Wolfgang Jacobeit besonders behandelten Ergologie[24], sind geradezu als kärglich zu bezeichnen. Auf der anderen Seite aber hat der mit der Gründung des Museums erneuerte Anzeiger für Kunde der deutschen Vorzeit sich wiederholt Einzelthemen aus der Volkskultur angenommen. Dabei ist es besonders bemerkenswert, daß in den ersten Jahren des Bestehens der Anstalt, die unter nationalem Vorzeichen begründet worden war, über Bevölkerungsgruppen berichtet wurde, die mit anderen Ethnien zusammenlebten. So bemühte sich der eine dieser Beiträge darum, anhand von Eigenheiten der Sprache, der Kleider, Trachten und Sitten die deutsche Abkunft der Bewohner der Gottschee in Slowenien zu belegen[25], während ein zweites dieser Derivate statistisch-topographischer Landesbeschreibung die Volkszustände und Dorfeinrichtungen in Siebenbürgen darstellt. Dieser Aufsatz geht von der These aus, daß sich in Sitte und Sage, Dialekt und Tracht, Wohnung und Rechtsleben Spuren und Denkmale germanischen Wesens erhalten haben[26].

Die Geltung, die damals die Beschäftigung mit volkstümlichen Traditionen im Rahmen historischer Forschung hatte, ist der Grund dafür, daß das Museum mit einer Anzahl von Forschern auf diesem Sektor in Verbindung trat und sie für seinen Gelehrtenausschuß gewinnen konnte. Von Anfang an scheint vor allem Ludwig Bechstein die Rolle zugedacht worden zu sein, in diesem Gremium die Gruppe Sitten, Gebräuche, Spiele zu übernehmen[27], doch zog dieser es wohl vor, sich auf die Altertumskunde Thüringens zu konzentrieren. Von den Brüdern Grimm war Jacob nach dem Verzeichnis von 1856 für die Fächer deutsche Mythologie und deutsche Sprache zuständig[28], während

20 Heinrich August Erhard: Rede bei der feierlichen Versammlung des Vereins für Geschichte und Alterthumskunde Westfalens zu Münster am 16. Oktober 1840. In: Zeitschrift für vaterländische Geschichte und Alterthumskunde Bd. 4 (1841), S. 11–41 (30).

21 Christoph von Rommel: Andeutungen über Hülfsquellen der Landesgeschichte, welche weder zur gedruckten noch ungedruckten Literatur gehören. In: Zeitschrift des Vereins für hessische Geschichte und Landeskunde Bd. 1 (1837), S. 77–119 (89–106).

22 Vgl. Hans von und Aufseß: System der deutschen Geschichts- und Alterthumskunde, entworfen zum Zwecke der Anordnung der Sammlung des Germanischen Museums. Vgl. Faksimile in diesem Band S. 977–992.

23 Vgl. Organismus GNM Abt. 2, S. 1–382.

24 Wolfgang Jacobeit: Bäuerliche Arbeit und Wirtschaft. Ein Beitrag zur Wissenschaftsgeschichte der deutschen Volkskunde (Deutsche Akademie der Wissenschaften zu Berlin. Veröffentlichungen des Instituts für deutsche Volkskunde, Bd. 39). Berlin 1965, S. 33–37, bes. über das Germanische Nationalmuseum.

25 Vinzenz Ferrer Klun: Die Gottscheer. In: Anzeiger GNM 1854, Sp. 49–54.

26 Friedrich Schuler von Libloy: Volkszustände und Dorfeinrichtungen im deutschen Siebenbürgen. In: Anzeiger GNM 1857, Sp. 285–288, 327–329, 367–369, 400–401.

27 Vgl. Manuskript Vertheilung der Fächer des germanischen Museums Rubrik: Sitten und Cultur. In: Akten den Gelehrtenausschuß betreffend, 1853–1854, Bl. 17 r. Archiv GNM, Altregistratur GNM, Karton 9.

28 Gelehrtenausschuß des germanischen Museums. In: Jahresbericht GNM 3 (für 1855/1856), 1856, S. 38–42. Zu den Lebensdaten der erwähnten Mitglieder des Gelehrtenausschusses vgl. das Verzeichnis im Anhang.

sich Wilhelm dem Beitritt unter Hinweis auf seine Verpflichtungen gegenüber den Arbeiten am Deutschen Wörterbuch entzog[29]. Ebenso konnte Ludwig Uhland sein Alter und das Bedürfnis eine längst vorbereitete Untersuchung auf dem Gebiete der Altertumskunde zu Ende zu führen, vorschützen, um einer Mitwirkung enthoben zu sein[30]. Von weiteren Gelehrten, die sich durch Veröffentlichungen über einzelne Sektoren der Volkskunde qualifiziert hatten, nennt das Verzeichnis von 1856[31] Karl Müllenhoff, damals Professor in Kiel, August Stöber aus Straßburg[32] sowie Ignaz Vinzenz Zingerle, der brieflich die gründliche Kenntnis der Sagenwelt und Literatur Tirols beteuerte sowie seine besondere Sachkunde auf dem Gebiete der Mythologie durch die wohl damals noch zum Druck anstehende Abhandlung über die Oswald-Legende zu erhärten versuchte[33]. Eine etwas isolierte Stellung nimmt in dem Namensverzeichnis der Pädagoge und Historiker Wilhelm Gottlieb Soldan aus Gießen ein, dessen in späteren Neubearbeitungen lange nachwirkende Geschichte der Hexenprozesse von 1843[34] ihn dazu bestimmte, in dem Ausschuß für die Geschichte der Magie zuständig zu sein. Von den später in die Versammlung berufenen Gelehrten mögen Ernst Ludwig Rochholz aus Aarau, die Siebenbürger Johann Karl Schuller aus Hermannstadt und Josef Haltrich aus Schässburg sowie Franz Xaver Schönwerth aus München genannt sein; sie alle wählten in Briefen an den Vorstand in unterschiedlicher Zusammensetzung der Spezialgebiete Teilaspekte einer Beschäftigung mit der Volksüberlieferung in der weiteren oder engeren regionalen Begrenzung ihres Wirkungskreises[35].

Die Anfänge von Schönwerths Bestandsaufnahme der Sitten und Sagen aus der Oberpfalz sollte Anlaß für einige allgemeinere Betrachtungen im Anzeiger bieten; der Frageplan, wie er der Erhebung Schönwerths zugrunde lag, veranlaßte – wohl unter Verkennung der regionalen Begrenztheit des Unternehmens – auf die mit den Bestrebungen des Germanischen Nationalmuseums identischen Tendenzen der umfassenden Repertorisierung von Quellenzeugnissen das Augenmerk zu lenken[36]. Auf diese Weise dienten die Ansätze des in München tätigen Verwaltungsbeamten Schönwerth wie des General-Conservators der Kunstdenkmäler des Preußischen Staates, Ferdinand Alexander von Quast, Bemühungen um die Erfassung der Kunstdenkmäler in Preußen, dazu, die Dokumentationsvorhaben der Nürnberger Anstalt zu stützen und sie fest „im Geiste und Bedürfnisse der Zeit" zu verankern. Solche Feststellungen riefen in Hinsicht der Volksüberlieferungen jedoch keine Eigeninitiative hervor, wiewohl Schönwerths Frageplan die Gelegenheit bot, sich ausdrücklich zu den allgemein verbreiteten Rettungsgedanken zu bekennen und daran mitzuwirken, daß solche Sorge um die Substanz der Vergangenheit jene antiaufklärerische Prägung erhielt, die ihr über lange Jahrzehnte

[29] Schreiben von Wilhelm Grimm, Berlin 10. 1. 1854, 21. 2. 1855. Akten den Gelehrtenausschuß betreffend 1853–1854, Bl. 153, 1855–1858, Bl. 20. Archiv GNM, Altregistratur GNM, Karton 10.

[30] Schreiben von Ludwig Uhland, Tübingen 7. 1. 1854, Akten den Gelehrtenausschuß betreffend 1853–1854, Bl. 149. Archiv GNM, Altregistratur GNM, Karton 9.

[31] Gelehrtenausschuß des germanischen Museums (Anm. 28).

[32] Karl Walter: August Stöber und das Germanische Nationalmuseum in Nürnberg mit Briefen von August Stöber, Ludwig Schneegans und Karl Schmidt. In: Elsaß-Lothringisches Jahrbuch Bd. 13 (1934), S. 223–243.

[33] Schreiben von Ignaz Vinzenz Zingerle, Innsbruck 21. 11. 1855. In: Akten den Gelehrten-Ausschuß betreffend 1855–1858, Bl. 73. Archiv GNM, Altregistratur GNM, Karton 10. – Der Verfasser des Schreibens bezieht sich auf Zingerle: Die Oswaldlegende und ihre Beziehung zur deutschen Mythologie. Stuttgart, München 1856.

[34] Wilhelm Gottlieb Soldan: Geschichte der Hexenprozesse. Aus den Quellen dargestellt. Stuttgart 1843. Über weitere Ausgaben vgl. Wolfgang Brückner: Forschungsprobleme der Satanologie und Teufelserzählungen. In: Volkserzählung und Reformation. Ein Handbuch zur Tradierung und Funktion von Erzählstoffen und Erzählliteratur im Protestantismus. Hrsg. von Wolfgang Brückner. Berlin 1974, S. 394–416 (398).

[35] Schreiben von Ernst Ludwig Rochholz, Aarau 14. 12. 1858; Schreiben von Johann Karl Schuller, Hermannstadt 21. 12. 1858; Schreiben von Josef Haltrich, Schäßburg 27. 11. 1859; Schreiben von Franz Xaver Schönwerth, München 27. 10. 1859. In: Akten Gelehrtenausschuß 1859ff., Bl. 47 (Rochholz); Bl. 82 (Schuller); Bl. 244 (Haltrich); Bl. 214 (Schönwerth). Archiv GNM, Altregistratur GNM, Karton 10.

[36] Unternehmungen. In: Anzeiger GNM 1854, Sp. 151f. Über den Fragebogen Schönwerths vgl. Roland Röhrich: Franz Xaver Schönwerth. Leben und Werk. Kallmünz 1975, S. 53f.

bleiben sollte: „Die Aufklärung, die leider noch immer zu sehr unter der Gestalt der gefährlichsten, zerstörenden Halbbildung unaufhaltsam weiter vordringt, gegen welche wahre, gründliche Bildung die einzige sichere Schutzmacht ist, arbeitet mit Macht daran, diese alten Überlieferungen zu vernichten. Es giebt Gegenden in Deutschland, wo auch die letzten Spuren davon zu verschwinden im Begriff stehen und es ist höchste Zeit, zu sammeln und festzuhalten, was noch erhalten ist, wenn wir nicht aller dieser Entwicklungsformen, worin das geheimste Leben und Weben des Volksgeistes sich offenbart, verlustig gehen wollen".

Die in diesen Sätzen greifbar werdende Orientierung an der Volksgeistlehre[37] sollte kurze Zeit später im Konzept der von zwei Mitarbeitern des Museums begründeten Zeitschrift für deutsche Kulturgeschichte zu einer der Grundlagen für eine neue Durchdringung des Historischen werden[38]. Schon bei einer Auffächerung des Programms ergab sich, daß unter den Auspizien dieses Verständnisses von Kulturgeschichtsschreibung vielfach „volkskundliche" Themen als wichtig erkannt wurden, so wenn etwa die Meinungsäußerungen des rohesten Bauernstandes in dunklen Zeiten als relevante Quelle gewertet werden oder eine Auffassung von Kunst vertreten ist, die weniger nach qualitativer Vollkommenheit, als nach der Beziehung zu breiteren Schichten der Bevölkerung fragt[39]. Als bezeichnend für die in dieser kurzlebigen Publikationsfolge angestrebte Intensivierung der Forschungen über Volksüberlieferungen darf angesehen werden, daß die vielen weit zerstreuten Arbeiten über die Sage hier erstmalig bibliographisch erschlossen wurden[40]. Immer wieder erweist sich auch im Zusammenhang dieser Zeitschrift die Aufgeschlossenheit der ersten Mitarbeiter des Germanischen Nationalmuseums für Gegenstände aus der Volkskunde; so schrieb beispielsweise Karl August Barack über das frühe Schützenwesen der Deutschen oder über die Spinnstube in Geschichte und Sage[41], August von Eye über das Verhältnis von Kunst und Leben im 16. Jahrhundert[42], Johannes Müller über Zünfte und Geschlechter im 14. Jahrhundert[43]. Unter den von Jacob von Falke aus seinem über vier Jahrzehnte hin weiter verfolgten Spezialgebiet der Kostümgeschichte beigesteuerten Aufsätzen ist eine Studie über die Volkstracht insofern interessant, als sie der geläufigen These von der angeblich geschichtlichem Wandel entzogenen volkstümlichen Kultur zu widersprechen versucht[44]. Auf der anderen Seite aber scheint es symptomatisch für den Stand des Sammelwesens, daß solche Darlegun-

---

[37] Volker Hartmann: Die deutsche Kulturgeschichtsschreibung von ihren Anfängen bis Wilhelm Heinrich Riehl. Marburg/Lahn 1971, S. 117–120. – Volksgeist bei Gottfried Gervinus z. B. Klaus von See: Die Ideen von 1789 und die Ideen von 1914. Völkisches Denken in Deutschland zwischen Französischer Revolution und Erstem Weltkrieg. Frankfurt am Main 1975, S. 70–74.

[38] Die von dem damaligen Konservator der Altertumssammlung Johannes Müller und dem ersten Sekretär des Museums Johannes Falke herausgegebene „Zeitschrift für deutsche Kulturgeschichte. Bilder und Züge aus dem Leben des deutschen Volkes" erschien 1856–1859. Über den Zusammenhang der damals sich formierenden Kulturgeschichtsschreibung mit dem Germanischen Nationalmuseum vgl. Bernward Deneke: Die Museen und die Entwicklung der Kulturgeschichte. In: Das kunst- und kulturgeschichtliche Museum im 19. Jahrhundert. Vorträge des Symposions im Germanischen Nationalmuseum, Nürnberg. Hrsg. v. Bernward Deneke und Rainer Kahsnitz (Studien zur Kunst des 19. Jahrhunderts, Bd. 39). München 1977, S. 118–132 (119–121).

[39] Johannes Falke: Die deutsche Kulturgeschichte. In: Zeitschrift für deutsche Kulturgeschichte Jg. 1 (1856), S. 5–30. Dort auch Darlegungen, die über die Beziehung der Kulturgeschichtsschreibung zur Volksgeistlehre Aufschluß geben (S. 26).

[40] Anonym: Die Literatur der Sagensammlungen. Eine bibliographische Zusammenstellung. In: Zeitschrift für deutsche Kulturgeschichte Jg. 2 (1857), S. 412–419, 478–481, 537–539, 608–611.

[41] Karl August Barack: Das frühere Schützenwesen der Deutschen. In: Zeitschrift für deutsche Kulturgeschichte Jg. 1 (1856), S. 189–210. – Karl August Barack: Die Spinnstube nach Geschichte und Sage. In: Zeitschrift für deutsche Kulturgeschichte Jg. 4 (1859), S. 36–68.

[42] August von Eye: Das Verhältniß der Kunst zum Leben im 16. Jahrhundert. Ein Beitrag zur Geschichte der inneren Entwicklung der christlichen Kunst. In: Zeitschrift für deutsche Kulturgeschichte Jg. 3 (1858), S. 547–561.

[43] Johannes Müller: Zünfte und Geschlechter im vierzehnten Jahrhundert. In: Zeitschrift für deutsche Kulturgeschichte Jg. 1 (1856), S. 372–393. – Vgl. auch Johannes Müller: Ueber Trinkstuben. In: Zeitschrift für deutsche Kulturgeschichte Jg. 2 (1857), S. 239–266, 619–642, 719–732, 777–805.

[44] Jacob Falke: Die Entstehung und Gestaltung der deutschen Volkstrachten. In: Zeitschrift für deutsche Kulturgeschichte Jg. 4 (1859), S. 217–230, 298–313.

gen über den ständigen Einfluß der Mode auf das ländliche Kostüm damals gegenüber den Aufgaben musealer Dokumentation sich abstinent verhalten konnten, wie wohl die größere Attraktivität der pittoresken ländlichen Gewandungen bei einem Vergleich mit den Moden der fünfziger Jahre gesehen wurde und der Gang der Trachtengeschichte an den Erfolgen konservierender Bemühungen zweifeln ließ.

Ab 1866 half das Germanische Nationalmuseum wie viele historische Vereine dem Germanisten und Volkskundler Wilhelm Mannhardt (1831–1880) bei der Verteilung seines Fragebogens zur Erforschung von agrarischen Gebräuchen, namentlich von Erntesitten, indem es diesen seinem Anzeiger beilegte und die geplante Erkundung der Aufmerksamkeit der Pfleger empfahl[45]. Das Museum, das Mannhardt wegen dessen Tätigkeit im Rahmen von Vortragsveranstaltungen im Hilfs-verein zu Berlin verpflichtet war, warb nach den etwas kärglichen Resultaten der Aktion im folgenden Jahre erneut für eine Beteiligung, um die Dichtigkeit des Belegnetzes – zumeist entfielen auf Distrikte in der Größe eines preußischen Kreises etwa sechs bis sieben Nachrichten – noch zu verbessern[46]. Bei der Anzeige des Arbeitsvorhabens wurde das Interesse an seinem Gedeihen zugleich mit dem Argument begründet, daß das Museum selbst die Erstellung einer solchen Dokumentation zu seinen ursprünglichen Aufgaben zählte, jedoch bis dahin nicht in der Lage gewesen sei, diese zu realisieren[47]. So schien es nur konsequent, daß August von Essenwein im Zusammenhang mit seinen Reformbe-strebungen die intensive Verbindung des Instituts zu den philologisch-germanistisch orientierten Wissenschaften zerschnitt. Essenwein wies auf die Spezialkenntnisse, deren es bedürfe, volkstümliche Überlieferungen zu interpretieren, ebenso aber auf die besonderen Fähigkeiten „lebendig mit dem lebendigen Volke zu verkehren" bei denjenigen hin, von denen die Satzungsbestimmung der Auf-zeichnung dieser Traditionen zu verwirklichen gewesen wäre[48].

Bestände zur Volkskunde in den Sammlungen vor der Abteilungsgründung

Im selben Jahre, als Essenwein die alten volkskundlichen Projekte, weil sie hier nur dilettantisch durchführbar waren, aus dem Blickfeld des Museums endgültig ausklammerte, wandte er sich, wenn auch mehr sporadisch, neuen Tendenzen des Sammelns zu; er glaubte, auf die von verschiedenen Seiten an die Anstalt herangetragene Aufforderung reagieren zu sollen, sich der Pflege und dem Studium „dessen, was sich von alten Traditionen im Kostüm, in den Geweben zum häuslichen Gebrauch, in den verschiedenen Geräthen usw., wie sie heute noch in den von der modernen Mode unberührten Landgegenden so mancher Theile Deutschlands vorkommen . . ." zuzuwenden[49]. In Nürnberg war man sich zwar der Bedeutung solcher Sammlungsbestrebungen bewußt, doch ver-wehrten Geldmittel und Raum dem Museum, sogleich seinen Beständen eine „moderne Sammlung alter Traditionen" anzufügen. Mit seinen Überlegungen suchte Essenwein frühzeitig an eine damals aufkommende Strömung des Sammelns Anschluß. Vor allem anläßlich der Weltausstellung 1867 zu

[45] Inserate und Bekanntmachungen. In: Anzeiger GNM 1866, Sp. 39–40 – Vgl. Ingeborg Weber-Kellermann: Erntebrauch in der ländlichen Arbeitswelt des 19. Jahrhunderts auf Grund der Mannhardtbefragung in Deutschland von 1865 (Veröffentlichungen des Instituts für mitteleuropäische Volksforschung an der Philipps-Universität Marburg-Lahn, Allg. Reihe, Bd. 2). Marburg 1965, S. 32, Faksimile des Frageplans dort S. 41–42.
[46] Zur Mannhardt'schen Sammlung agrarischer Gebräuche. In: Anzeiger GNM 1867, Sp. 223–224.
[47] Besprechung von Wilhelm Mannhardt: Roggenwolf und Roggenhund. Beitrag zur germanischen Sittenkunde. Danzig 1865. In: Anzeiger GNM 1866, Sp. 31–34.
[48] August von Essenwein: Denkschrift an die vom Lokalausschusse des germanischen Museums zur Abgabe eines Gutachtens über den Antrag des I. Vorstandes, auf Revision der Satzungen und des Organismus berufene Commission, zu deren ausschließlichem Gebrauch verfaßt. Manuskript. Nürnberg, den 15. Februar 1869, Bl. 3(a). Faszikel Differen-zen mit Frhrn v. Aufseß. Archiv GNM, Altregistratur GNM, Karton 12, 1.
[49] Chronik des germanischen Museums. In: Anzeiger GNM 1869, Sp. 369.

Paris, deren historische Abteilung den Vorstand des Nürnberger Instituts beschäftigte[50], widmeten sich einzelne Berichte ganz besonders jenen Erzeugnissen, in deren Beschaffenheit oder Dekorationsweisen lokale oder regionale Traditionen bewahrt waren. Vielfach wurde ganz im Sinne der alle Kulturbereiche der Vergangenheit nach Vorlagen hin durchforschenden Kunstgewerbebewegung der vorbildliche Charakter dieser Produktionen hervorgehoben und ihnen auf Anregung des bereits erwähnten Jacob von Falke, der nun als Custos am Österreichischen Museum für Kunst und Industrie in Wien tätig war, auf der Weltausstellung von 1873 zu Wien eine eigene Gruppe unter dem Begriff der nationalen Hausindustrie eingerichtet[51]. Wahrscheinlich ist Essenweins Interesse an diesen Herstellungen traditioneller Prägung von seinen guten Verbindungen zur Donaumonarchie abhängig. Dies ergibt sich auch daraus, daß die zitierten Ausführungen aus dem Anzeiger durch Geschenke südslawischer Textilien ausgelöst wurden, die der Fabrikant und Förderer der kroatischen Ethnographie Felix Lay aus Essegg (1838–1913) dem Museum übergeben hatte. In einem Nachruf auf Essenwein, den der Ornament- und Musterzeichner Friedrich Fischbach (1839–1908), der ja zugleich auch zusammen mit Felix Lay eine Publikation über südslawische Hausindustrie vorlegte, veröffentlichte, ist daran erinnert, daß der spätere Vorstand des Nürnberger Instituts schon während seiner Tätigkeit für die Eisenbahndirektion in Wien den Wert dieser Ornamente erfaßt habe und gemäß einer üblichen façon de parler die Diskrepanz zwischen dem Formensinn der Bäuerinnen und deren Bildungsgrad hervorgehoben habe[52].

Die Möglichkeit, mit den in tradierten Techniken geschaffenen zeitgenössischen Gegenständen Einblick in sonst verlorene Arbeitsweisen der Vergangenheit zu erhalten, lag bei Ankäufen in den folgenden zweieinhalb Jahrzehnten fast gänzlich außerhalb des Blickfeldes der Museumsleitung, wie wohl dieser einmal gefundene Aspekt noch 1901 in dem von Hans Stegmann zusammengestellten Teil des Katalogs der Textilien sich als tragfähig erwies, die Einbeziehung südslawischer Stickereien in die Sammlungen des Museums zu rechtfertigen: „Eigentlich außerhalb des Rahmens des Germanischen Museums liegend, geben diese Stickereien dem Kulturhistoriker doch insofern ein bei der Seltenheit derartiger Erzeugnisse aus den eigentlichen Kulturländern sehr erwünschtes Vergleichsmaterial an die Hand, als sie ebenso, wie Arbeiten des hohen Nordens in dem durch die Abgelegenheit bedingten konservativem Sinn Technik und Musterung in ganz ähnlicher Weise weitergepflegt und erhalten haben, wie wir sie in den germanischen Landen im Mittelalter vorfinden"[53]. Für solche Erwägungen indessen war in Essenweins Programm[54] über die Erweiterung der einzelnen Museumsabteilungen noch kein Raum, wie denn ohnehin angesichts des Entwicklungsstandes der Auffächerung der Disziplinen es verständlich erscheint, daß dort kein direkt weiterführender Ansatz für die Einrichtung einer Volkskundeabteilung zu finden ist. Zwar ist in den Ausführungen zu dem Sektor „häusliches und geselliges Leben" der Auffassung von einer allen gesellschaftlichen Gruppierungen mit gleichem Interesse zugewandten Kulturgeschichte genüge getan, doch mündet die Äußerung, daß diese „in den Saal des Vornehmen, wie in die Stube des Bürgers und in die Kammer des Armen" leite,

[50] (August von Essenwein): Die archäologische Ausstellung in Paris im Jahr 1867. In: Anzeiger GNM 1866, Sp. 114–116.
[51] Bernward Deneke: Die Entdeckung der Volkskunst für das Kunstgewerbe. In: Zeitschrift für Volkskunde 60 (1964), S. 168–201 (170–179).
[52] Friedrich Fischbach: Erinnerungen an August von Essenwein. Ausschnitt aus nicht identifizierter Zeitung. In: Lokalausschuß 1892–1893, Bl. 100. Archiv GNM, Altregistratur GNM, Karton 746. – Vgl. Felix Lay, Friedrich Fischbach: Südslavische Ornamente gesammelt . . . und nebst einer Abhandlung über die Verbreitung und Cultur der Südslaven . . . Hanau 1872. 1873 ist von Lay eine Sammlung südslavischer Textilien dem Österreichischen Museum für Kunst und Industrie in Wien übergeben worden. Vgl. die Notiz: Mittheilungen des K. K. Österreichischen Museums für Kunst und Industrie Bd. 4 (1873), S. 427. – Vgl. auch S. 797.
[53] Hans Stegmann: Katalog der Gewebesammlung des Germanischen Nationalmuseums. Teil 2. Nürnberg 1901, S. 42 f.
[54] Essenwein: Bericht 1870. Vgl. Abdruck in diesem Bande, S. 993–1026.

441. Vitrine mit Südtiroler Trachten aus der Mitte des 19. Jahrhunderts. Die 1891 und 1892 erworbenen Trachten aus dem Puster- und Sarntal mit den in der Holzschnitzerei zu St. Ulrich, Gröden, angefertigten Figuren wurden bis zur Übernahme in den Trachtensaal des Südwestbaus zusammen mit der Kostümsammlung im Saal mit den Wappen der ehemaligen Reichsstädte ausgestellt und gehörten dort zu den besonders hervorgehobenen Zeugnissen des noch kleinen Fundus an ländlichen Kleidungen. Stereoskop-Photographie um 1895/97

nicht in konkretere Erwägungen, wie die Wohnkultur der Mittel- und Unterschichten angemessen dokumentiert werden sollte. Damals aber schon galt – wie später erneut bei Erwerbung der Bauernstuben – besonderes Augenmerk einer selektiven Erfassung regionaler Vielfalt, deren Exemplifikation die Verbindung der lokalen Ausprägungen in den Ausgestaltungen der Wohnräume zu den jeweils bestimmenden Sozialschichten nicht ganz vernachlässigte[55]. Die schon in Kreisen der historischen Vereine vertretene Meinung, daß der Wandel der Produktionsformen Sammel- und Dokumentationsaufgaben stelle[56], fand in Essenweins Programm im Abschnitt über „Erwerbs- und Verkehrswesen" knapp Berücksichtigung; hier ist daran erinnert, daß die Fortschritte des Maschinenwesens und die Einführung außereuropäischer Werkzeuge Änderungen in den Handwerksbetrieben bewirke, die eine museale Bewahrung der außer Gebrauch kommenden Gerätschaften notwendig mache[57]. Diese Feststellung, die auch Zeugnisse zur Geschichte der Landwirtschaft, des Gartenbaus, der Fischerei, der Jagd, von Bienenzucht und Bergbau einschloß, dürfte kaum neue Sammel-Initiativen ausgelöst haben. Bezeichnenderweise veranlaßten auch Anregungen, die von entstehenden Sammlungen oder von Ausstellungen anderer Institute hätten ausgehen können – soweit zu sehen – in den siebziger und achtziger Jahren keine weiteren Überlegungen über eine stärkere Berücksichtigung ländlicher Altertümer im seit den Erneuerungen der späten sechziger und frühen siebziger Jahre vielfach museologisch stagnierenden Germanischen Nationalmuseum; vor allem blieb die Tätigkeit von Artur Hazelius (1833–1901) ohne Einfluß auf die Nürnberger Anstalt, wie wohl dieser die Publikationen des von ihm 1873 gegründeten Nordischen Museums in Stockholm mit Widmungen übersandte[58].

Unabhängig von allen Programmen waren indessen seit Gründung des Museums eine Vielzahl von Gegenständen erworben und eingeordnet worden, die später zum Teil über Um- oder Zweitsignierungen in die Volkskundeabteilung einbezogen wurden, oder in das Gravitationsfeld der sich konsti-

[55] Essenwein: Bericht 1884, S. 50–51. Vgl. auch den 1884 erweiterten Bericht von 1870, in diesem Bande S. 1013–1015.
[56] Hermann Heimpel: Geschichtsvereine einst und jetzt. Abdruck in: Geschichtswissenschaft und Vereinswesen im 19. Jahrhundert. Beiträge zur Geschichte historischer Forschung in Deutschland (Veröffentlichungen des Max-Planck-Instituts für Geschichte, 1). Göttingen 1972, S. 45–73 (57).
[57] Essenwein: Bericht 1884, S. 54–55.
[58] Mit Widmung z. B. J.-H. Kramer: Le Musée d'Éthnographie Scandinave à Stockholm fondé et dirigé par le Dr. Arthur Hazelius. 2. Aufl. Stockholm 1879, Titel.

442. Vitrine mit alpenländischen Masken aus dem 19. Jahrhundert. Die 1893 im Münchner Handel gekaufte Auswahl an Masken fand aus regionalgeschichtlichen Gründen besonderes Interesse; sie wurden zunächst im Umkreis von Ansbach lokalisiert und zum Teil in das 17. Jahrhundert datiert. Zunächst im Kostümsaal ausgestellt, wurden sie bei Einrichtung der Volkskunde-Abteilung nach 1900 in den dem ländlichen Hausrat gewidmeten Saal im Obergeschoß des Augustinerbaus überführt. Stereoskop-Photographie um 1895/97

tuierenden Wissenschaft kamen. Diese Sachgruppen können hier nicht alle aufgeführt werden. Einzelnes mag genannt sein, um die Themenbereiche zu charakterisieren. Beispielsweise begegnen schon im von August von Eye abgefaßten Wegweiser aus dem Jahre 1853 „Dinge zum Anhängen, die theils in frommer Absicht, theils zu abergläubischen Zwecken getragen wurden"[59]. Ein Teil dieser Exponate darf ebenso zu den Dokumentationen volkstümlicher Religiosität gezählt werden, wie manche der Gegenstände, die später August von Essenwein in seinem Katalog der kirchlichen Einrichtungsgegenstände und Gerätschaften von 1871 unter den Begriff der „Anregungsmittel der Privatandacht und Verwandtes" aufführte. Neben den Pilgerzeichen und Rosenkränzen sind dort auch jene Eisenvotive erwähnt, die wegen ihrer Provenienz aus den Gebieten, die sich später der Reformation anschlossen, ein wichtiges Hilfsmittel zur Datierung des schwer zu ordnenden Materials darstellen[60]. Der Darbietung im Rahmen der volkskundlichen Abteilung zugeführt werden sollten später eine Anzahl von dem älteren Bestand zugehörenden Hausgerätschaften, so die schon im Führer von 1853 erwähnte, später erheblich vermehrte Gruppe der Werkzeuge häuslichen Fleißes, also die Spinnräder und Haspeln[61], aber auch Gebrauchs- und Ziergeschirre aus Keramik und Metallen, die vor allem zur Ausstattung der Bauernstuben benötigt wurden. Auf den wesentlichen Anteil, den die Kunstgewerbebewegung an der Entdeckung und Neubewertung der ländlichen Altertümer hatte, mag hindeuten, daß der Direktor des Bayerischen Gewerbemuseums in Nürnberg Theodor von Kramer 1888 für die Abteilung Tracht und Schmuck mehrere ländliche Schmuckstücke aus der Umgebung von Hamburg schenkte und damit die Grundlage für die im folgenden Jahrzehnt vielfach erweiterte Sammlung an Erzeugnissen kleinstädtischer Goldschmiede schuf[62]. Schließlich mag noch darauf hingewiesen sein, daß die später vollzogene Einrichtung einer Volkskundesammlung immer auch eine Ausgliederung von Beständen aus Zusammenhängen, denen sie vom Thema her zugehör-

[59] Wegweiser GNM 1853, T. 1, S. 40.
[60] August von Essenwein: Katalog der im germanischen Museum befindlichen Kirchlichen Einrichtungsgegenstände und Geräthschaften (Originale). Nürnberg 1871, S. 18–20. – Zu den Eisenvotiven vgl. Bernward Deneke: Ältere Eisenvotive vornehmlich aus der Sammlung des Germanischen Nationalmuseums Nürnberg. In: Bayerisches Jahrbuch für Volkskunde 1966/67, S. 205–207.
[61] Wegweiser GNM 1853, T. 2, S. 14.
[62] Anzeiger GNM 1888, S. 159–160.

ten, bedeuten konnte. So waren längere Zeit gemeinsam mit der Kostümsammlung „einige Schränke mit Hauben und sonstigen Kostümstücken, wie sie als alte Tradition sich beim Landvolk in verschiedenen Gegenden erhalten haben und eben in unserer Zeit zu Grunde gehen" dargeboten, und damit Gruppierungen geschaffen, die einen vollständigeren Überblick über das Bekleidungswesen ermöglichen als die späteren Aufteilungen. Ebenso fand der Besucher des Museums in dem Raum mit der Keramik auch eine Gruppe, die zunächst knapp als „Bauerngeschirre. Deutsches Fabrikat. 18. Jahrh." gekennzeichnet ist und später als „deutsche und schweizer Faiencen geringerer Gattung, für Bürger und Bauern" etwas ausführlicher in ihrer Beziehung zu den älteren Faiencen und den Porzellanen betrachtet wird[63].

Die sich intensivierende Einbeziehung von Dokumentationen zu ländlichen Lebensformen in der Mitte der neunziger Jahre wird mit der Erwerbung einer Sammlung eingeleitet, deren Zusammenhang mit der entstehenden Abteilung bäuerlicher Altertümer später nicht gewürdigt werden sollte, wie es sich denn hier um ein Sachgebiet handelt, dessen Bedeutung für eine umfassende Erkenntnis der Kulturgeschichte gegenüber den älteren, beispielsweise von dem Dresdner Bibliothekar Gustav Klemm vertretenen Ansätzen[64] in den historischen Museen in den letzten Jahrzehnten des 19. Jahrhunderts zurückgedrängt war. 1892 erhielt das Museum die von dem 1854–1863 als Professor, 1872–1882 als Direktor an der land- und forstwirtschaftlichen Akademie in Hohenheim tätigen Ludwig von Rau parallel zu der an seiner Wirkungsstätte bestehenden Lehrmittelsammlung[65] angelegte private Zusammenstellung von Pflugmodellen und Modellen von Handgeräten zur Bodenbearbeitung aller Völker und Zeiten nebst den dazugehörigen der Aufstellung dienenden Schränken. In einer Vereinbarung, derzufolge dieser neue Besitz dem unveräußerlichen Vermögen des Museums zugehören sollte, wurde zugestanden, stets Sorge um eine würdige Aufstellung zu tragen[66]. Der Erwerbungsbericht hebt die Authentizität des Materials hervor: „Direktor von Rau hat viele Jahre lang das Ackerbauwerkzeug zum Gegenstand seines eifrigsten Studiums gemacht, und bildet daher diese Modellsammlung, von der jedes Stück nach den besten Quellen, genau nach seinen Angaben und unter seiner Aufsicht hergestellt wurde, eine sehr wertvolle Bereicherung der bereits recht umfassenden Abteilung technischer Modelle des Museums"[67]. Die damit angedeutete Eingliederung in die Museumsbestände wurde alsbald vollzogen; schon im Wegweiser von 1893 ist diese Dokumentation zum Thema Pflüge und Ackerbaugeräte zusammen mit den der Bautechnik gewidmeten Modellen aus der ersten Hälfte des 19. Jahrhunderts, die nebst Nachbildungen von Wagen, Schiffen, landwirtschaftlichen Geräten vom Polytechnikum in München 1873 übernommen worden waren, aufgestellt[68]. Gerade diese Zuordnung, die kulturhistorische Interpretationsmöglichkeiten zugunsten einer in der Tradition der polytechnischen Lehranstalten[69] stehenden Gruppierung zurückdrängte, dürfte der Integration der Rau'schen Sammlung Abbruch getan haben. Von Nachteil erwies sich besonders

[63] Wegweiser GNM 1884, S. 44, 64. – Wegweiser GNM 1891, S. 82. – Zur Gruppierung der Kostüme S. 809.
[64] Über Gustav Klemms Konzept eines unabhängig von ästhetischen Qualitäten der Realien nach den Prinzipien der Naturwissenschaften angelegten kulturhistorischen Museums vgl. Gustav Klemm: Allgemeine Cultur-Geschichte der Menschheit Bd. 1. Leipzig 1843, S. 352–362. Beilage: Fantasie über ein Museum für die Culturgeschichte der Menschheit.
[65] Ernst Klein, Wilhelm Krepela: Die historischen Pflüge der Hohenheimer Sammlung landwirtschaftlicher Geräte und Maschinen (Quellen und Forschungen zur Agrargeschichte, Bd. 16). Stuttgart 1967, S. 1–2, auch über die Tätigkeit von L. von Rau. – Vgl. auch Ernst Klein: Die akademischen Lehrer der Universität Hohenheim (Landwirtschaftliche Hochschule) 1818–1968 (Veröffentlichen der Kommission für geschichtliche Landeskunde in Baden-Württemberg, R. B., Bd. 45). Stuttgart 1968, S. 107.
[66] Vertragsentwurf vgl. Archiv GNM, Altregistratur GNM, Karton 84. Kunst- und kulturgeschichtliche Sammlungen. Erwerbungen und Anfragen, 1893, ohne Nr.
[67] Chronik des germanischen Museums. In: Anzeiger GNM 1892, S. 92.
[68] Wegweiser GNM 1893, S. 120.
[69] Vgl. Barbara Mundt: Die deutschen Kunstgewerbemuseen im 19. Jahrhundert (Studien zur Kunst des 19. Jahrhunderts, Bd. 22). München 1974, S. 27–29, 79–80.

auch, daß die Absicht aufgrund der vom Vorbesitzer hinterlassenen Notizen eine Publikation vorzubereiten, scheiterte, wiewohl ein Mitarbeiter des Museums, der vor allem als Literarhistoriker ausgebildete Ludwig Fränkel, sich anbot, den schriftlichen Nachlaß unter Heranziehung eines Fachgelehrten zu bearbeiten. Die Museumsleitung selbst bemühte sich bei der Landwirtschaftlichen Hochschule in Berlin um einen Agrarhistoriker, der sich der Materialien annahm; doch scheinen die von dort kommenden Anregungen, die andere Bearbeiter vorschlugen, nicht weiter verfolgt worden zu sein[70].

Die Gründung der Abteilung in den Jahren um 1890–1905
□ Ziele und Möglichkeiten des Sammelns. – Die Mitarbeit von Oskar Kling an der Erweiterung der Sammlung des Museums

Viele Indizien sprechen dafür, daß die volkskundlichen Sammlungen in der Ausdehnung, die sie nach Abschluß der ersten grundlegenden Phase des Erfassens der relevanten dinglichen Zeugnisse im Jahre 1905 erhalten hatten, ohne ein fest umrissenes Konzept entstanden sind. Umfassende Planungen im Hinblick auf die zu treffende Auswahl, auf bestimmte begrenzte Ziele des Sammelns und Darbietens, des Ergänzens der älteren Abteilungen, waren wahrscheinlich weder aufgrund der damals vorhandenen regionalen Sammlungen noch der vorliegenden Bestanderschließungen durch Veröffentlichungen möglich. An der in den neunziger Jahren zunehmenden Einbeziehung ländlicher Altertümer in die bestehenden Museen, an der Gründung einer Vielzahl von Ortsmuseen mit dem dadurch eingeleiteten Trend zu intensiver Durchforschung eines engeren Umlandes, an der Einrichtung von Spezialanstalten zunächst in Berlin mit dem 1889 begründeten Museum für deutsche Volkstrachten und Erzeugnisse des Hausgewerbes[71] wie in Wien mit dem 1897 eröffneten Österreichischen Museum für Volkskunde[72] wird ablesbar, daß das Germanische Nationalmuseum mit der Anlage von Sammlungen auf dem Gebiete der Volkskunde teil hatte an einem Prozeß, der erst allmählich die Anschauungen über die Aufgaben und Inhalte einer volkskundlichen Abteilung prägte.

Diese generalisierende Feststellung ist, bezogen auf die Entwicklung der volkskundlichen Sammlungen, indessen insofern einzuschränken, als punktuell das Museum immer wieder von anderen Instituten angeregt und beeinflußt worden ist, so daß nach der Jahrhundertwende der Anstalt eine Abteilung zugewachsen war, in der sich zeitgenössische Strömungen des Selektierens aus einem weitaus größeren und differenzierteren Fundus an dinglichen Objektivationen spiegeln.

Um zu einer angemessenen, möglichst vielen Faktoren Rechnung tragenden Darbietung zu kommen, ist es für die Zeit zwischen 1890 und 1905 unumgänglich, neben den Erwerbungsberichten auch die Korrespondenz des Museums auszuwerten, ohne daß indessen die meisten Informationen, die in den Akten enthalten sind, zitiert werden können. Diese Briefe, die dem Museum von Mitarbeitern, von Personen, die um Hilfe und Rat gebeten wurden, von Interessenten und Händlern zugeschickt wurden, vermitteln eine detailliertere Kenntnis von den immer nur auf Einzelheiten zielenden Intentionen der Museumsleitung, dem Personenkreis, mit dem das Museum in Verbindung stand, den Gegebenheiten des Sammelns als die nur gelegentlich von einigen allgemeineren Bemerkungen unterbrochenen dürren Aufzählungen von Neuerwerbungen im Anzeiger. Die Nutzung dieser Mitteilungen gibt den Dingen häufig, ohne daß das im einzelnen hier deutlich werden kann, etwas von

[70] Schreiben von v. Boecklin, geb. Rau, Frankfurt a. Main 27. 2. 1893 (wegen einer Bearbeitung durch Fränkel). – Schreiben der Königlichen Landwirtschaftlichen Hochschule zu Berlin 2. 3. 1893. J. N. 85. Archiv GNM, Altregistratur GNM, Karton 84. Kunst- und kulturgeschichtliche Sammlungen. Erwerbungen und Anfragen 1893.
[71] Ulrich Steinmann: Die Entwicklung des Museums für Volkskunde von 1889 bis 1964. In: 75 Jahre Museum für Volkskunde zu Berlin 1889–1964. Festschrift. Berlin 1964, S. 7–47.
[72] Leopold Schmidt: Das österreichische Museum für Volkskunde. Werden und Wesen eines Wiener Museums (Österreich-Reihe, Bd. 98–100). Wien 1960.

dem Zusammenhang zurück, dem sie vor ihrer Erwerbung zugehörten und der ein Interesse an ihnen motivierte; sie führen insofern hin zu den Nachrichten, die durch die schematisierenden Einträge in das später angelegte Inventar abgeschnitten worden sind[73]. Indessen ist der Aussagewert dieser Briefe insofern beschränkt, als die von Nürnberg ausgehenden Anfragen und Aufträge überhaupt nicht, die Antworten auf eingehende Postsachen zumeist nur in Stichworten bewahrt sind. Auch wirkt erschwerend, daß persönliche Kontakte, wie sie auf den zum Erwerb von volkskundlichen Altertümern unternommenen Reisen geknüpft wurden, ebenso aber auch die Ergebnisse von Besichtigungen nicht registrierbar sind, wiewohl über solche Unternehmen gelegentlich in den Protokollen des Lokalausschusses berichtet ist. So reiste mit dem Ziel der Ergänzung der bestehenden Sammlungen der Zweite Direktor Hans Bösch im Frühjahr 1896 und 1897 nach Norddeutschland und weilte Ende 1898 oder Anfang 1899 in Westfriesland. Im Jahre 1901 war der Erste Direktor Gustav von Bezold, der vorher schon eine Reise in die Wetterau zu Erwerbungen nutzte, abermals in den Niederlanden.

Am Anfang der Geschichte der volkskundlichen Abteilung steht also kein Programm in der Art, wie es Essenwein für andere Abteilungen vorgelegt hatte. In den Nachrichten, die hier ausgewertet werden, erhält die neue Abteilung in sporadischen Anmerkungen erste Konturen, so vor allem in einer Notiz des Jahres 1891, die Nachrichten über Erwerbungen einiger Trachtenstücke aus Franken, aus der Oberpfalz, aus Niederbayern, Schwaben und Tirol mit der Bitte an die Freunde der Anstalt verbindet, bei der Beschaffung der mit rapider Schnelligkeit verschwindenden Trachten behilflich zu sein[74], besonders aber auch im Protokoll der Jahreskonferenz von 1893. Hier waren einige Volkstrachten, die als Neuerwerbungen vorgeführt wurden, dem durch seine Quellenstudien zur Kulturhistorie als besonders kompetent angesehenen, in Prag lehrenden Alwin Schultz Anlaß zu dem Hinweis, daß die kulturgeschichtliche Bedeutung dieser Altertümer deren konsequentere Erfassung ratsam erscheinen lasse, zumal, bedingt durch die Natur der Sache, diese Materialien rascher dem Untergang anheimgegeben seien, als ein „eigentliches wahres Kunstwerk". Damit war eine Handlungsgrundlage gegeben, die eigene Initiativen stützte und diese bei dem Aufsichtsgremium absicherte, so daß der im folgenden Jahr an den Verwaltungsausschuß erstattete Bericht fast wie ein Vollzug eines erhaltenen Auftrages sich ausnimmt: „Dem im Vorjahre ausgesprochenen Wunsche, die bäuerlichen Alterthümer in den Sammelkreis des Museums zu ziehen, wurde möglichst Folge gegeben, und es konnten neben einer Anzahl süddeutscher Stücke namentlich solche friesischer Herkunft erworben werden"[75]. Wie weit die Erweiterung dieses Sammelgebietes durch den neugewählten Ersten Direktor Gustav von Bezold neue Impulse erhielt, läßt sich im einzelnen nicht feststellen. 1895 in seiner Antrittsrede vor dem Verwaltungsausschuß behandelt Bezold die Einbeziehung volkstümlicher Altertümer nur sehr kurz; immerhin bekannte er sich zu dem Grundsatz, daß die Anstalt das Anschauungsmaterial für die deutsche Kulturgeschichte sammle. Seine Ansicht, daß die Frage der richtigen Auswahl, die Benutzbarkeit der Sammlung, größeres Gewicht haben müsse, als die Erzielung von Vollständigkeit innerhalb der einzelnen Abteilungen, hinderte ihn trotz des nur spärlich vorhandenen Platzes nicht, in den Darlegungen über das Raumprogramm auch einer Sammlung von Bauerntrachten zu gedenken[76]. Alsbald verdichteten sich im Anzeiger des Museums Nachrichten über Neuerwerbungen von ländlichen Gegenständen. In der Aufteilung der Einkäufe zeichnete sich

[73] Vgl. Klaus Beitl: Herkunftsakten. Archivalisches Hilfsmittel zur museographischen Bestimmung volkskundlicher Objekte. In: Österreichische Zeitschrift für Volkskunde 64 (1961), S. 200–204.
[74] Jahresbericht GNM 38 (für 1891), 1891.
[75] Protokoll der Jahreskonferenz des Verwaltungsausschusses des germanischen Nationalmuseums für 1893, Bl. 132 r. Hans Bösch: Verwaltungsbericht 1893–1894 Verwaltungsausschuß. Jahreskonferenz 1894, Bl. 122 r. Archiv GNM, Altregistratur GNM, Karton 746, 747.
[76] Referat Gustav von Bezold. In: Verwaltungsausschuß. Jahreskonferenz 1895, Bl. 176–179. Archiv GNM, Altregistratur GNM, Karton 747.

die Herausbildung einer Abteilung ab, die in einer ersten Zusammenfassung der ihr zugehörenden Materialien 1896 als „Sammlung der Volkstrachten und von Gegenständen der Volkskunst" umschrieben ist[77]. Im gleichen Jahr noch wird diese Umschreibung durch den prägnanteren Begriff der „Volksaltertümer" ersetzt und bei dieser Gelegenheit die Beziehung dieser Objektgruppe zum Kunstgewerbe wie zur Kulturgeschichte hervorgehoben[78]. Einige Jahre später ist dann mit der Benennung „bäuerliche Altertümer" ein Kennwort gefunden[79], das auch für das später angelegte Inventar maßgebend werden sollte.

Damals war die Verbindung zu Oskar Kling in Frankfurt am Main bereits geknüpft. Sein wesentlicher Anteil an der Begründung der neuen Abteilung ist bereits sporadisch gewürdigt worden und bis in die Gegenwart in der inventarmäßigen Aufteilung der Bestände bewahrt[80]. Über Oskar Kling (1851–1926) ist relativ wenig bekannt. Er war promovierter Zoologe und hatte sich, wenn ein kurzer ihm gewidmeter Nachruf in einer Frankfurter Zeitung korrekt informiert, nach dem gescheiterten Versuch des Mitwirkens an der Kolonialisierung Ostafrikas in Frankfurt als Privatier niedergelassen[81]. Schon in den achtziger Jahren erhielt das Germanische Nationalmuseum durch ihn verschiedentlich Unterstützungen. Während bei der Übergabe einer Anzahl von Gipsabgüssen größerer und kleinerer Kunstwerke vor allem aus westdeutschen Städten im Jahre 1884 Kling in der Chronik des Museums genannt ist[82], zog er sich später in die Anonymität zurück, so daß wahrscheinlich nur umfangreiche Zuwendungen wie die Schenkung der 40000 Bände umfassenden Bibliothek von Ludwig Heinrich Euler aus Frankfurt[83] und die Spende einer beträchtlichen Summe zum Ankauf von Glasgemälden auf der Auktion der Sammlung Vincent in Konstanz 1891[84] sich ermitteln lassen. Es soll hier nicht übergangen werden, daß der Ausgleich der von dem Museum vorgelegten Summe für die in Konstanz ersteigerten Kunstwerke durch Kling unvorhergesehener Anstrengungen bedurfte, so daß es durch unverschuldete Verzögerungen zu einer ersten Krise in der Beziehung zwischen Kling und dem Museum kam. Umsomehr lassen dessen weitere Aktivitäten zugunsten der Anstalt seine Anhänglichkeit gegenüber dieser erkennen. Aus den hier gesichteten Unterlagen ist nicht zu ermitteln, wann Kling anfing, sich mit den ländlichen Altertümern zu beschäftigen; manche Indizien sprechen dafür, daß die Besitztümer, die später nach Nürnberg gingen, in wesentlichen Teilen als Ergebnis einer systematischen Durchforschung Deutschlands in den neunziger Jahren zusammengekommen sind. Ein früher Hinweis, daß Kling für das Museum schon länger sammelte, findet sich in einem Brief aus dem Jahre 1893[85]. Dieser hatte sich mit einem Schreiben zu beschäftigen, in dem angeregt war, daß das Museum einen Volkstrachtensaal des Territoriums der Reichsstadt Nürnberg begründet und gleichzeitig um Hilfe bei der Pflege alten Brauchtums jenseits der üblichen Maskeraden vor allem aber auch des Volksliedes gebeten wird. In seiner Antwort sah Bösch keine Möglichkeiten, daß das Museum mit seiner geringen direkten Verbindung zur Bevölkerung in Sachen der Brauchpflege sich engagiert, sondern möchte diese Aufgabe den Lehrern und Pfarrern überlassen. Immerhin deutet sein Hinweis auf die Erfolge der Trachterneuerung im Badischen darauf, daß solche Bestrebungen auch in Nürnberg registriert wurden. Zum anderen Teil der Anfrage wird auf die Sammeltätigkeit des namentlich nicht genannten Freundes der Anstalt hingewiesen, dessen damals auf

---

[77] Neue Erwerbungen des Museums. In: Anzeiger GNM 1896, S. 9–11 (11).
[78] Neue Zugänge des Museums. In: Anzeiger GNM 1896, S. 40–42 (41).
[79] Zuerst als Rubrik Abschnitt Ankäufe. In: Anzeiger GNM 1899, S. 58.
[80] Vgl. die knappen Bemerkungen von Ludwig Grote: Geleitwort. In: Erich Meyer-Heisig: Deutsche Volkskunst. München 1954, S. 7–8.
[81] Nach Mitteilung des Stadtarchivs Frankfurt am Main.
[82] Zuwachs der Sammlungen. Kunst- und kulturgeschichtliche Sammlungen. In: Anzeiger GNM 1884, S. 53.
[83] Zuwachs der Sammlungen. Bibliothek. In: Anzeiger GNM 1886, S. 285. – Vgl. S. 563.
[84] Zuwachs der Sammlungen. Ankäufe. In: Anzeiger GNM 1891, S. 62.
[85] Schreiben von J. Schwarz, Nürnberg 27. 7. 1893, J. N. 3065 nebst Konzept der Antwort Bösch. Archiv GNM, Altregistratur GNM, Karton 84. Kunst- und kulturgeschichtliche Sammlungen. Erwerbungen und Anfragen 1893–1894.

400 Kostüme geschätzter Fundus mit dem Vorhaben zusammengebracht werde, diesen dem Museum als Stiftung zukommen zu lassen. Von Interesse ist die Absichtserklärung, der Gegend von Nürnberg im Rahmen einer geographisch umfassenden Darbietung nur den ihr zukommenden Anteil einzuräumen, die sich aber zugleich mit der Bekundung einer Bereitschaft verbindet, eventuell doch die Rolle eines heimatbezogenen Trachtenmuseums zu übernehmen. So wird in dem Brief vorgeschlagen, daß es Sache der Bevölkerung von Nürnberg sei, eine stärkere Einbeziehung des Umlandes der ehemaligen Reichsstadt anzustreben, wobei eine Unterstützung von Seiten des Museums angeboten wird. Aus eigener Erfahrung aber glaubt Bösch raten zu sollen, daß solche Pläne alsbald verwirklicht werden müssen, habe er doch selbst an einer Reihe von Sonntagsvormittagen das Knoblauchsland nach einem vor etwa fünfzig Jahren außer Gebrauch gekommenen Trachtenstück durchsucht. Weiter als in diesem Brief ist das Verhältnis des Museums zu Kling in einer Bemerkung von Bezold aus dem Jahre 1896 präzisiert, derzufolge Kling nicht als Sammler in eigenem Interesse bäuerliche Altertümer erwarb, sondern, durch Essenwein angeregt, zugunsten des Museums tätig wurde[86].

Auf diese Beziehung zu Kling, deren Auswirkungen auf die vom Museum ausgehende Erfassung ländlichen Kulturguts im Verlaufe dieses Beitrages eingehender zu würdigen sein wird, ist insofern schon hier zu verweisen, weil sie auch bei dem episodenhaften und, so weit erkennbar, unrealistischen Versuche, als Grundlage für die entstehende Volkskundeabteilung einen scheinbar in sich abgerundeten größeren Bestand anzukaufen, das Meinungsbild erheblich beeinflußte. Im Jahre 1895 hielt man es zu Nürnberg für erwägenswert, einen Fundus an volkskundlich relevanten Gegenständen zu erwerben, die der als Mitarbeiter des Museums für deutsche Volkstrachten und Erzeugnisse des Hausgewerbes in Berlin maßgebend tätige Ulrich Jahn (1861–1900) für die deutsch-ethnographische Abteilung eines stark vom Folklorismus bestimmten Abschnittes der Weltausstellung zu Chicago 1893 besorgt hatte[87]. Die Darbietung ländlicher Altertümer im Germanischen Nationalmuseum hätte über einen solchen Ankauf zumindest in Teilen stärker einen Zusammenhang mit früheren Veranschaulichungen dörflicher Lebensformen sichtbar werden lassen, denn das Jahnsche Unternehmen wies zurück auf vorausgehende Weltausstellungen, auf denen mannigfach zur Belehrung und Unterhaltung des Publikums Ausschnitte aus den nationalen Volkskulturen vorgeführt wurden. Am Anfang solcher Präsentationen steht wohl die bereits erwähnte Ausstellung zu Paris 1867, auf der neben anderen Erzeugnissen traditioneller Fertigung auch den Trachten eine eigene Sektion eingerichtet war. Diese zunächst mit sozialpolitischen Überlegungen motivierte Zusammenstellung sollte vor allem insofern für Ausstellungen zum Thema des Kleiderwesens vorbildlich werden, als hier die viel bewunderte skandinavische Gruppe naturalistische Figurinen verwendete[88]. Aus den Programmen der folgenden Weltausstellungen beeinflußten das ethnographische Dorf und die bereits genannte Sektion mit Erzeugnissen der nationalen Hausindustrie in Wien 1873 die Entfaltung volkskundlicher Sammlungen ebenso wie die Vorführung von schwedischen Wohnräumen durch Artur Hazelius zu Paris 1878. Die Eigentümlichkeit der von Hazelius damals geschaffenen Darbietung von Interieurs, nämlich die bühnenartige Einrichtung der Räume mit drei geschlossenen Wänden und einer zum Betrachter hin offenen Seite, sollte nicht nur die Anlage der Bauernstuben in Nürnberg bestimmen[89].

[86] Protokoll der Jahreskonferenz des Verwaltungsausschusses des germanischen Nationalmuseums für 1896. In: Verwaltungsausschuß für 1896. In: Verwaltungsausschuß. Jahresconferenz 1896, S. 235. Archiv GNM, Altregistratur GNM, Karton 748.

[87] Amtlicher Bericht über die Weltausstellung in Chicago 1893 erstattet vom Reichskommissar. Berlin 1894, S. 224–232. – Karl Weinhold: Ulrich Jahn †. In: Zeitschrift des Vereins für Volkskunde Jg. 10 (1900), S. 216–219.

[88] Z. B. Armand-Dumaresq: Spécimens des costumes populaires des diverses contrées. In: Exposition universelle de 1867 à Paris. Rapports du Jury International. Hrsg. von Michel Chevalier. Bd. 13, Paris 1868, S. 857–878 (863–864). – Vgl. auch Deutsche Ausstellungs-Zeitung. Paris 5. 9. 1867, Nr. 63.

[89] Adelhart Zippelius: Handbuch der europäischen Freilichtmuseen (Führer und Schriften des Rheinischen Freilichtmuseums und Landesmuseums für Volkskunde in Kommern, Nr. 7). Köln 1974, S. 24.

Nachdem die Sammlung aus Chicago zurück war, hatte sie – zunächst als Leihgabe – Aufstellung im Volkskundemuseum in Berlin gefunden und wurde hier von Kling im Hinblick auf ihre Brauchbarkeit untersucht. Kling hat seiner Kritik bereits während seines Aufenthaltes zu Berlin allzu schroff Ausdruck verliehen und dadurch einen der leitenden Herren des Museums, den Bankier Alexander Meyer Cohn, zu der Aussage veranlaßt, daß der Fundus nicht mehr zur Disposition stehe[90], wiewohl möglicherweise dessen Tätigkeit im Pflegschafts-Kollegium des Germanischen Nationalmuseums in Berlin Hilfe hätte bieten können. Diese Gegebenheiten, aber auch die enormen Kosten, die sich, wenn sie korrekt wiedergegeben sind, auf 60 000 Mark beliefen, dürften mitbedingt haben, daß von Kling ein Ankauf wenig günstig dargestellt wurde[91]. Ihm schien es, als würden sich unter den von ihm wahrgenommenen, zum Teil stark lädierten Figurinen mit Kostümen nur etwa ein halbes Dutzend Trachten repräsentieren, die damals nicht mehr zu erhalten waren. Von dieser Feststellung aus schien ihm auch die Absicht Meyer Cohns, einige Kostüme, und zwar solche aus Tirol, Pommern (Weizakker), den Vierlanden, dem Alten Land bei Hamburg sowie aus dem Umland von Stettin oder aus Brandenburg nach Nürnberg zu schenken, wenig interessant. Zudem zeigten sich Unkorrektheiten und Unvollständigkeiten in der Zusammensetzung der Ensembles. Besonders bemängelt wurden die Disproportionen in der regionalen Zusammenstellung, die einer Nutzung im Sinne ethnographischer Vergleichungen als abträglich galt. Außerdem hatten die Stuben mit Ausnahme einer solchen aus Lüneburg nicht immer den Beifall Klings; abgesehen davon, daß von einem „alamannischen Zimmer" aus dem Umland von Zürich der Ofen nur zur Hälfte aufgestellt war, schienen Einrichtungsgegenstände und Vertäfelungen nicht durchgehend zusammengehörig; weitere Beispiele der „sogenannten Zimmer" bestanden lediglich aus einer Wand. Abschließender Beurteilung der Sammlung dienten die Hinweise, daß man damals in Berlin über die Herkunft der Gegenstände nichts wußte, weil der Katalog noch nicht von Chicago zurück war und die wenigen Etiketten, die häufig nicht korrekt auslagen, wenig hilfreich sein konnten.

Es läßt sich nicht mehr ermitteln, wieweit eine solche ergebnislose Reise sich doch wiederum auf die Entwicklung der Nürnberger Sammlung auswirkte, weil auf Gegenstandsgruppen Aufmerksamkeit gerichtet wurde, die Inhalt einer volkskundlichen Sammlung zu sein hatten. So etwa ist Klings Notiz über die ohne direkten Bezug zu den eingerichteten Stuben dargebotenen Hausmodelle aus Tirol, Hessen, Westfalen, aus den Gebieten von Spreewald und Schwarzwald vielleicht eine der Ursachen gewesen, daß man zu Nürnberg alsbald wiederum ohne irgendwelche Berücksichtigung regionaler Verteilung des Sammlungsgutes einzelne verkleinerte Ansichten von Gebäulichkeiten bestellte.

Dadurch, daß der für Chicago zusammengekaufte Fundus an ländlichen Altertümern nicht verfügbar war, hatte das Museum seinen kleinen Grundstock an ländlichen Altertümern durch eine Vielzahl von Ankäufen von Einzelstücken beziehungsweise mehr oder weniger umfangreichen Komplexen zu erweitern. So ergibt sich denn, daß der beträchtlichen Zahl der Erwerbungen von volkskundlichen Gegenständen und Volkstrachten in den Jahresberichten des Museums mehrfach gedacht ist; zuerst für 1897 ist darauf hingewiesen, daß im Mittelpunkt der Sammeltätigkeit „zur Zeit die deutschen Volksalterthümer – Trachten, Hausgeräte, Möbel usw." stehen, „ein Gebiet des Volkslebens, das im raschen Verschwinden begriffen dem Gedächtnis der Zukunft verloren geht, wenn es nicht jetzt noch gesammelt wird"[92]. Zwischen 1897 und 1902 ist dann regelmäßig über die besonderen Aktivitäten

[90] Schreiben von Alexander Meyer Cohn, Berlin 21. 12. 1894, J. N. 4382, nebst Antwort Bösch, 22. 12. 1894, in der zum Ausdruck gebracht ist, daß das Museum einen Ankauf der Sammlung erwogen habe. Archiv GNM, Altregistratur GNM, Karton 98. Kunst- und kulturgeschichtliche Sammlungen. Trachtensammlung Dr. Kling 1893–1903.
[91] Schreiben von Dr. Oskar Kling, Frankfurt am Main 2. 1. 1895, J. N. 25. Archiv GNM, Altregistratur GNM, Karton 98. Kunst- und kulturgeschichtliche Sammlungen. Trachtensammlung Dr. Kling 1893–1903.
[92] Jahresbericht GNM 44 (1897).

zugunsten der neuen Abteilung berichtet. Anschließend brechen derartige Informationen mit einer Ausnahme, der eigentlichen Erwerbung der Sammlung Kling im Jahre 1905, ab. Unter den im letzten Jahrzehnt des 19. Jahrhunderts am Museum tätigen Beamten war keiner von seiner Ausbildung her besonders dazu gerüstet, sich der entstehenden Abteilung zu widmen, jedoch sind der Anstalt – wie noch zu erwähnen ist – die auf die Halligen der Nordsee sich konzentrierenden landeskundlichen Forschungen ihres Bibliothekars Eugen Träger sehr zugute gekommen. Später, 1902, als die Aufstellung der erworbenen Sachgüter bevorstand, ist aus dem Kreise der Mitarbeiter Otto Lauffer motiviert worden, sich einige Kenntnisse über ländliche Altertümer anzueignen, wie denn Lauffer in seinen Lebenserinnerungen hervorhebt, daß diese Tätigkeit für seine weitere Laufbahn sehr wichtig war[93]. Lauffer hat sich der ihm übertragenen Aufgabe mit so großer Intensität unterzogen, daß er alsbald in der Zeitschrift für Volkskunde mehrfach über neue Forschungen zu Hausbau und Tracht in Deutschland berichten konnte[94]. Über die Beschäftigung mit seiner Sammlung hinaus hat Kling die Ankäufe, mit denen das Germanische Nationalmuseum die eigenen Bestände anreicherte, mannigfach beeinflußt. Ohnehin haben zeitweise Kling und das Nürnberger Institut nebeneinander Erwerbungen, die dem gleichen Ziele galten, getätigt, was einen über Jahre sich erstreckenden Meinungsaustausch, dauernde Absprachen über das jeweilige Engagement in Hinsicht von Einzelkomplexen erforderlich machte. Häufig gingen Sendungen von Nürnberg nach Frankfurt zur Begutachtung, zum Vergleich mit Klingschen Besitztümern, zur Auswahl. Eine exakte Abgrenzung des jeweiligen Arbeitsfeldes ist nicht zu ermitteln, und wenn es gelegentlich in einem Briefe heißt, daß interessante, namentlich ältere Gegenstände, die Kling nicht kaufte, vom Museum übernommen würden[95], bleiben mancherlei Fragen offen. Vielfach sind Klings auf zweckbezogenen Reisen erworbenen Kenntnisse der Bezugsquellen und deren Qualitäten wie seine Vorstellung über angemessene Preise dem Museum zugute gekommen. Kling glaubte gelegentlich – so im Hinblick auf einige Kostüme des Museums für deutsche Volkstrachten und Erzeugnisse des Hausgewerbes zu Berlin – registrieren zu sollen, daß von einzelnen Verkäufern die geringe Ortskenntnis der Klienten ausgenutzt würde und „Gewissenhaftigkeit" der Händler für die praktizierte Art des Sammelns ein wichtiges Postulat wäre[96]. Darüber hinaus wurde Kling angesichts der recht geringen Kenntnisse der Leitung des Nürnberger Museums über Volkskunde für besonders kompetent in sachlichen Entscheidungen angesehen, wobei es indessen gelegentlich scheint, als seien von dem Frankfurter Privatier die in der Literatur punktuell festgehaltenen Befunde sowie eigene notwendig nur sporadische Beobachtungen unzulässig verallgemeinert worden. Die vereinzelt dastehenden Belege für solch unkritisches Vorgehen lassen sich nicht nur im Hinblick auf die Tracht benennen[97], sondern ebenfalls für die Einrichtung der Stuben. Ein Beispiel bietet etwa die Hartnäckigkeit, mit der Kling auf die Aufstellung einer „Kunst", der Verbindung von

[93] Protokoll der Sitzung des Lokalausschusses vom 17.11.1900. Protokolle des Lokalausschusses 1900–1901, Bl. 100 v. Archiv GNM, Altregistratur GNM, Karon 750. – Otto Lauffer: Abschiedsbriefe, Erinnerungen an Leben, Lernen und Lehren, an Liebe, Lust und Leid. Manuskript, S. 110. Für die Möglichkeit in das Manuskript Lauffers Einsicht nehmen zu dürfen, ist der Enkelin, Frau Bärbel Röhling, Hannover, und Herrn Museumsdirektor Prof. Dr. Jörgen Bracker, Museum für Hamburgische Geschichte, Hamburg, zu danken.

[94] Otto Lauffer: Neue Forschungen über Hausbau und Tracht in Deutschland. In: Zeitschrift für Volkskunde Jg. 12 (1902), S. 360–368. Fortgesetzt unter dem Titel Neue Forschungen über Wohnbau, Tracht und Bauernkunst in Deutschland, ebendort Jg. 13 (1903), S. 330–340, 14 (1904), S. 226–243. Vgl. auch ebendort Jg. 15 (1905), S. 107–124, 182–204, Jg. 16 (1906), S. 100–116, 223–235, 329–351.

[95] Stichwortartiges Antwortkonzept von Hans Bösch, 22.6.1898 auf Schreiben Dr. Otto Sprengell, Lüneburg 20.6.1898, J. N. 2770. Archiv GNM, Altregistratur GNM, Karton 86. Kunst- und kulturgeschichtliche Sammlungen. Erwerbungen und Anfragen.

[96] Schreiben von Dr. Oskar Kling, Frankfurt am Main 13.11.1895, J. N. 4474. Archiv GNM, Altregistratur GNM, Karton 98. Kunst- und kulturgeschichtliche Sammlungen. Trachtensammlung Dr. Kling 1893–1903.

[97] Schreiben von Dr. Oskar Kling, Frankfurt a. M. 18.7.1894, J. N. 2244. Archiv GNM, Altregistratur GNM, Karton 98. Kunst- und kulturgeschichtliche Sammlungen. Trachtensammlung Dr. Kling 1893–1903.

Sitzgelegenheit und Ofen, in einem südwestdeutsche Wohnkultur veranschaulichenden Ensemble insistierte[98]. Auf der anderen Seite hielt Kling mehrfach auch gegen widerstrebende Auffassungen der Direktion, die sich manchesmal mit dem vereinzelten Objekte begnügen wollte, an dem größeren Dokumentationswert der in sich geschlossenen, einen Überblick über Typen ermöglichenden Reihung fest und hat gelegentlich wohl selbst zugegriffen, wenn seine Bestrebungen nicht weiter verfolgt worden sind. Seinem besseren Urteil wird z. B. verdankt, daß der Überblick über die damals als ostfriesisch geltenden „gotischen" Truhen aus dem Umland von Oldenburg, die der dortige Händler Landsberger besorgt hatte, um die wichtige Variante einer in eine Kufentruhe gewandelten Stollentruhe vermehrt wurde[99]. Desgleichen erinnerte Kling mehrfach daran, daß die bereits vorhandenen Zeugnisse aus Häusern der Vierlande bei Hamburg noch der Abrundung bedürften, wobei hier, wie so häufig, die landeskundliche Beschreibung einen Anhalt bot, im Hinblick auf Ankäufe für die Volkskundeabteilung sicherere Vorstellungen zu gewinnen[100]. Ganz besonders unterstützte Kling auch die Pläne der Direktion zu Ensemblebildungen, so wurden im Jahre 1897 als Ausstattungsgut für eine oberösterreichische Stube ein Schrank, eine Bettstelle, eine Kommode mit Aufsatzschrank, eine Truhe, eine Wiege, ein Uhrenkasten mit Uhr, ein Tisch, vier Stühle sowie zwei Tellerbretter in Linz gekauft. Kling hatte nicht nur diese Möbel ausfindig gemacht, sondern zugleich in einer von einigen Skizzen begleiteten Liste all die Gegenstände benannt, die ihm zusätzlich charakteristisch für die oberösterreichische Wohnkultur zu sein schienen; im einzelnen sind hier angeführt ein halbes Dutzend Heiligenbilder, zwei Kaiserbilder aus dem 19. Jahrhundert, ein Kienspanleuchter, ein Kienspanhalter, der auf den Boden gestellt wird, ein geschnitztes Kreuz für die Zimmerecke, gestickte Bettwäsche, sowie ein paar gute alte Tulpenteller, eine Bezeichnung, die sich nach der beigegebenen Illustration wohl auf die später sogenannten „Zwiebelschüsseln" des frühen 18. Jahrhunderts bezieht[101].

Große Mühe hat Kling, wohl auch durch die räumliche Nähe zu seinem Wohnort mitbedingt, auf die museale Dokumentation des Bau- und Wohnwesens in Hessen verwendet; bei den hier getätigten Erwerbungen des Jahres 1898 war, vermutlich wegen der Abbrucharbeit für das später sogenannte hessische Haus in Pohl-Göns, Kr. Friedberg, einer der Bediensteten des Germanischen Nationalmuseums, der auf dem Bausektor sachverständige damalige Praktikant Karl Frank, beteiligt. Frank berichtete in einem Schreiben an die Direktion über die damaligen Erwerbungen. Demzufolge wurden gekauft in Hörnsheim, Kr. Wetzlar 32 Stück Irdengeschirr, die später Kling übernommen hat, eine Bettlade, eine Wiege, eine Flachsbreche, eine Flachsschwinge, ein Joch, eine Kübelbank; in Gießen vier Stühle, eine Truhe, die intarsierte Truhe mit St. Georg, eine weitere Bettstelle, die für ein damals offensichtlich geplantes Schwälmer Zimmer vorgesehen war, ein Wandschränkchen, ein Küchenschrank, dessen damals schon hervorgehobene Restaurierungsbedürftigkeit zu Änderungen führte, die in ihrem Einfluß auf die Beschaffenheit des Möbels nur schwer festlegbar sind, Spinnrad und Haspel sowie fünf Flachsbearbeitungswerkzeuge. Eine Wiege wurde dann noch gegen eine Wanduhr vertauscht[102]. Die im Hinblick auf das Vorhaben einer umfassenden Dokumentation

[98] Schreiben von Dr. Oskar Kling, Frankfurt a. M. 13. 2. 1899, J. N. 644. Archiv GNM, Altregistratur GNM, Karton 98 mit Skizze. Kunst- und kulturgeschichtliche Sammlungen. Trachtensammlung Dr. Kling 1893–1903.

[99] Schreiben von Dr. Oskar Kling, Frankfurt a. M. 20. 7. 1896, J. N. 2704. Archiv GNM, Altregistratur GNM, Karton 98. Kunst- und kulturgeschichtliche Sammlungen. Trachtensammlung Dr. Kling 1893–1903.

[100] Schreiben von Dr. Oskar Kling, Frankfurt a. M. 9. 8. 1901, J. N. 3148. Archiv GNM, Altregistratur GNM, Karton 98. Kunst- und kulturgeschichtliche Sammlungen. Trachtensammlung Dr. Kling 1893–1903.

[101] Schreiben von Dr. Oskar Kling, Bückeburg 14. 8. 1897, J. N. 1710. Archiv GNM, Altregistratur GNM, Karton 98. Kunst- und kulturgeschichtliche Sammlungen. Trachtensammlung Dr. Kling 1893–1903.

[102] Schreiben von Karl Frank, Marburg (Lahn) 9. 8. 1898, J. N. 3310. Archiv GNM, Altregistratur GNM, Karton 86. Kunst- u. kulturgeschichtl. Sammlungen. Erwerbungen u. Anfragen 1898.

hessischer Wohnkultur berechtigte Auffassung der beiden Vertreter des Museums, daß noch einige wichtige Möbel anzukaufen wären, scheiterte am Einspruch der Direktion; dieser, der in einer Kopie zu den Akten genommen ist, erinnert deutlich daran, daß die Vervollständigung der sich herauskristallisierenden Ensembles damals sehr erheblich von den finanziellen Möglichkeiten des Instituts abhängig geblieben ist[103].

□ Die Erwerbungen in Niederdeutschland. Die Zusammenarbeit mit anderen Museen

Während Franks kurzes Wirken schon in eine fortgeschrittene Phase des Sammelns von ländlichen Altertümern fiel, hat, wie bereits erwähnt, ein anderer Mitarbeiter durch Bemühungen in seinem ganz speziellen Forschungsfeld die neue Abteilung des Museums begründen helfen. Eugen Träger, Mitarbeiter an der Bibliothek des Museums, hatte, wie er in seinem Buche über die Halligen der Nordsee von 1892 schrieb, diese Inseln besser kennengelernt als andere Zeitgenossen und versuchte Aufmerksamkeit auf die drohenden Gefahren zu lenken[104]. Gelegentlich der seinen Erhebungen dienenden Reise des Jahres 1893 hatte er, der als Geograph ausgebildet war, wohl den Auftrag erhalten, Erwerbungen für die Sammlungen zu machen. Schon auf der Hinreise wurden die bestehenden Erwartungen zurückgedrängt. Träger suchte damals Justus Brinckmann, den Direktor des Museums für Kunst und Gewerbe in Hamburg, auf, der ihn wissen ließ, daß, sofern das Nürnberger Museum Altertümer aus dem Marschengebiet zu besitzen wünsche, es allerhöchste Zeit wäre, sich diese zu besorgen, denn Händler und Gelehrte würden ein Stück nach dem anderen ausführen. Dieser Eindruck wurde bei einer ersten Kontaktaufnahme mit dem durch landeskundliche Veröffentlichungen hervorgetretenen Lehrer Christian Jensen, der in Oevenum auf Föhr ansässig war, bestätigt: Jensen gab – so Träger – die Versicherung ab, daß alle seine „Bemühungen nach friesischen Alterthümern vergeblich sein würden, weil Badegäste, Händler und Museumsbeamte eine wahre Jagd auf dieselben machen, so daß auf Föhr nur noch in wenigen Familien solche vorhanden sind. Diese Familien aber gehören entweder zu den Begüterten, die selbst großen Werth auf ihre Erbstücke legen, oder aber sie stehen allen Ankaufsversuchen mißtrauisch gegenüber, weil Käufer möglichst geringe Summen zu zahlen suchen, um dann über den günstigen Kauf zu frohlocken"[105]. Trotz der angekündigten Schwierigkeiten konnte Träger einen kleineren Bestand an Gegenständen erwerben; einem der Schwerpunkte damaliger Planung folgend, beschäftigte er sich vor allem mit den Kleidungen, von denen einige ausgewählte Beispiele durch die Tafeln des 1891 erschienenen Werkes von Jensen über die Nordfriesischen Inseln erneut vorgestellt worden waren[106], und dem Trachtenschmuck; jedoch erstreckte sich sein Interesse von vornerein auch auf Haushaltsgeräte. Nach und nach gelangten in den Besitz des Museums auf Oland ein Mangelbrett und ein Wäscheklopfer von 1792, auf Langeness an Messinggeräten ein Bettwärmer von 1738, ein Stövken und ein Dochthalter, in Keitum auf Sylt mit weiterem Hausgerät eine grün gestrichene, mit Eisen beschlagene Schifferkiste. Von den damaligen Erwerbungen sind die von Hooge – Kleiderkisten für Schiffer von 1751, 1775 sowie ein Nähkästchen und ein weiteres Kästchen von 1745 und 1749 – später als wichtige Dokumente für die Entwicklung der nordfriesischen Dekorationsweise behandelt worden[107], doch gehörten dem damals erworbenen

[103] Konzept zum Schreiben von Hans Bösch an Karl Frank, Nürnberg 11.8.1898. Zu J. N. 3310. Archiv GNM, Altregistratur GNM, Karton 86. Kunst- und kulturgeschichtliche Sammlungen. Erwerbungen und Anfragen 1898.
[104] Hansen: Eugen Träger. In: Die Heimat Jg. 12 (1902), S. 49–51.
[105] Schreiben von Dr. Eugen Träger, Husum 10.7.1893, J. N. 1902. – Schreiben von Dr. Eugen Träger, Hallig Langeness 13.7.1893, J. N. 2540. Archiv GNM, Altregistratur GNM, Karton 84. Sonderakte Dr. Trägers Ankauf auf den Halligen. Kunst- und kulturgeschichtliche Sammlungen. Erwerbungen und Anfragen 1893.
[106] Christian Jensen: Die Nordfriesischen Inseln Sylt, Föhr, Amrum und die Halligen vormals und jetzt. Mit besonderer Berücksichtigung der Sitten und Gebräuche der Bewohner. Hamburg 1891.
[107] Aufstellung der Erwerbungen durch Dr. Eugen Träger. Archiv GNM, Altregistratur GNM, Karton 84. Sonderakte Dr.

Fundus noch mehr an Kleingeräten, so ein Nähkästchen von 1762, ein Pfeifenständer und ein Uhrenhalter von 1793, zu.

Von größerer Bedeutung für die weitere Entwicklung als die Akquisition der genannten und weiterer Einzelstücke war es jedoch, daß die Möglichkeit wahrgenommen werden konnte, dem Museum zwei vermutlich 1774 entstandene Türen, die der Überlieferung nach auf einer Grönlandfahrt beschnitzt worden sein sollten, zu sichern. Die beiden Objekte gehörten zu einem Fundus, den der schon genannte Ulrich Jahn für das Volkskundemuseum in Berlin ausgewählt, aber nicht bezahlt hatte, so daß Gelegenheit war, sie nach einer dem Vorbesitzer eingeräumten Wartezeit zu übernehmen. Zunächst ist in den Korrespondenzen die Frage einer Überführung von weiteren Teilen der Wandverkleidung, der die Türen zugehörten, nicht behandelt, doch hatte der Gemeindevorsteher von Langeness, der den Ausbau besorgen ließ, die gesamte aus Brettern zusammengesetzte Vertäfelung übersandt[108]. Eine Skizze erläutert die ursprüngliche Anlage des Raumes, die in Nürnberg beim Aufbau erheblich modifiziert wurde. Zwar sind unter Beibehaltung des Vorbildes die Wandabschnitte um den Ofen und um die Fenster mit Fliesen verkleidet worden, sowie Heizung und Bettstelle nebeneinander an einer Wand angebracht, doch wurden die beiden Türen, die ursprünglich von gegenüberliegenden Wänden in den Raum führten, nebeneinander angebracht. Dieser Eingriff dürfte nicht nur vollzogen worden sein, um die Hauptstücke des Raumes in das Blickfeld der Besucher zu rücken, vielmehr ergibt sich aus einem Beitrag, den Träger über seine Erwerbungen schrieb, daß die Holzwände Spuren der Vermoderung erkennen ließen, wie denn das Haus auf der Peterswerft von Nordmarsch-Langeness, das Träger bei einem Besuche wegen der Türen noch vollständig eingerichtet gesehen haben will, zu Folge dessen Angaben nach zwei Jahren in den Fluten der Nordsee versunken war[109].

Mit den Ankäufen Trägers aus dem Jahre 1893 begann eine in den folgenden Jahren sich noch intensivierende Einbeziehung niederdeutscher Altertümer in die Sammlungen, die zu einer vergleichsweise dichten Dokumentation der materiellen Kultur des westlichen Niedersachsens sowie von Teilen Schleswig-Holsteins führte. Die Gründe für die intensive Zuwendung zu den Lebensformen des niederdeutschen Dorfes lassen sich den hier herangezogenen Quellen wahrscheinlich nicht in allen ihren Aspekten entnehmen; so ist es eine offene Frage, wieweit die im Ablaufe der Jahrzehnte wechselnde Wertschätzung der einzelnen Landschaften bei breiteren Schichten der Bevölkerung das Sammlungskonzept mitbeeinflußte. Der besondere Anteil, den Niederdeutschland an der um 1890 sich formierenden Heimatdichtung hatte, mag auf damals bestehende Präferenzen hindeuten[110]. Ebenso harmonierten Möbel aus einzelnen Gebieten Norddeutschlands mit ihrem mehr oder weniger ausgeprägten Schnitzwerk wie den lange weiterwirkenden Renaissanceformen mit dem allgemeinen Geschmack der letzten Jahrzehnte des 19. Jahrhunderts. Als symptomatisch für solche Übereinstimmungen darf es angesehen werden, daß der Kunstschreiner und Gründer des Gewerbemuseums in Flensburg, Heinrich Sauermann, mit seinen den heimischen Raumgestaltungen verpflichteten Interieurs auf den Weltausstellungen in Chicago 1893 und Paris 1900 Erfolge erzielte. Entsprechende

---

Trägers Ankauf auf den Halligen. Kunst- und kulturgeschichtliche Sammlungen. Erwerbungen und Anfragen 1893. – Unter Einbeziehung der von Träger erworbenen Hausgerätschaften Ernst Schlee: Volkstümliche Schnitzereien von der Hallig Hooge. In: Nordelbingen Bd. 26 (1958), S. 100–115.

[108] Schreiben Eugen Träger, Langeness 15.7.1893, J. N. 2541. – Schreiben von Gemeindevorsteher Paulsen, Langeness 11.10.1893. J. N. 3308 mit beigefügter Zeichnung. Archiv GNM, Altregistratur GNM, Karton 84. Sonderakte Dr. Trägers Ankauf auf den Halligen. Kunst- und kulturgeschichtliche Sammlungen. Erwerbungen und Anfragen 1893.

[109] Eugen Träger: Geschnitzte friesische Türen im germanischen Museum. In: Mitteilungen GNM 1896, S. 130–134 (130–131). – Vgl. auch Eugen Träger: Friesische Häuser auf den Halligen. In: Mitteilungen GNM 1896, S. 112–119.

[110] Karlheinz Rossbacher: Heimatkunstbewegung und Heimatroman. Zu einer Literatursoziologie der Jahrhundertwende (Literaturwissenschaft – Gesellschaftswissenschaft, 13). Stuttgart 1975, S. 20–21.

Erzeugnisse Sauermanns konnten vor Mitte der neunziger Jahre, als die „Volkskunst" in den kunstgewerblichen Zeitschriften kaum behandelt wurde, dort die Gediegenheit und die ästhetischen Qualitäten ländlicher Wohnkultur Niederdeutschlands bezeugen[111].

Während sich solche allgemeinen Prädispositionen in ihren Folgen schwer abwägen lassen, ist der Einfluß, den Justus Brinckmann durch seine Tätigkeit für das Museum für Kunst und Gewerbe in Hamburg auf die museale Dokumentation ländlicher Gegenstände hatte, mannigfach nachweisbar. Brinckmann hatte sich zu Anfang der achtziger Jahre intensiver mit diesem Kreis an Altertümern beschäftigt; eine Würdigung seiner Tätigkeit, die Alfred Lichtwark aus Anlaß des 25-jährigen Bestehens des Museums für Kunst und Gewerbe 1902 schrieb, hebt eigens hervor, daß in Zeiten, in denen niemand sich um die dann zur Jahrhundertwende viel behandelte Volks- oder Heimatkunst bemühte, das Hamburger Institut sich der Aufgabe der Erfassung und Bewahrung angenommen hätte[112]. Bis zu einem gewissen Grade hatten die Veröffentlichungen Brinckmanns, so neben den Neuerwerbungsberichten vor allem sein zweibändiger, als Handbuch des Kunstgewerbes angelegter Führer durch die von ihm geleitete Anstalt, den Kreis an niederdeutschen Altertümern, die als besonders charakteristisch angesehen wurden, festgelegt und damit auch eine Grundlage für die weiteren Selektionen aus dem vorhandenen, noch im Privatbesitz beziehungsweise im Handel befindlichen Fundus an Gegenständen geschaffen. Die Orientierungshilfe, die auf diese Weise geboten war, wurde auch in Nürnberg genutzt und spiegelte sich in der Zusammensetzung der Erwerbungen sowohl in der Konzentration auf einzelne „Volkskunst"-Landschaften – z. B. auf das Alte Land, die Vierlande, die Wilstermarsch –, aber ebenso in der Zusammensetzung der aufgenommenen Bestände, so in der Bevorzugung des mit Kerbschnitt ornamentierten Kleingerätes aus Holz, der mit kräftigem Reliefschmuck und Farbe ausgestatteten Mangelbretter der Wilstermarsch, der Berücksichtigung der Formenvielfalt der Sitzmöbel Schleswig-Holsteins und des Unterelbgebietes oder der besonderen Begünstigung einzelner Schmucktypen wie z. B. der von Brinckmann hervorgehobenen Hemdspangen der Vierlande oder des Alten Landes, die jeweils in zahlreichen Versionen angeschafft worden sind[113].

Neben diesem von Hamburg ausgehenden mehr mittelbaren Einfluß auf die volkskundliche Sammlung des Germanischen Nationalmuseums ist dieser auch die direkte Verbindung zwischen den beiden Instituten zugute gekommen. Brinckmanns Anteilnahme an einer Förderung des Germanischen Nationalmuseums wird deutlich daran, daß er Sachgüter anbot, die nicht in sein Interessengebiet fielen, wie etwa einzelne Volkstrachten, auf deren Dokumentation angesichts der finanziellen und räumlichen Situation Verzicht geleistet wurde. Brinckmann dachte aber vor allem auch daran, Dubletten aus den Beständen der Hamburger Anstalt auszusortieren; so ließ er gelegentlich wisssen, daß zahlreiche Neuzugänge in der Möbelabteilung ihn nötigen würden, von einander nahe verwandten Stücken einige abzustoßen[114]. Wenn in solchen Korrespondenzen aus Hamburg angegeben ist,

[111] Robert Mielke: Die Verwerthung der Volkskunst in der Innen-Dekoration. In: Illustrierte kunstgewerbliche Zeitschrift für Innen-Dekoration Jg. 4 (1893), S. 185–187. – Vgl. auch Ellen Redlefsen: Heinrich Sauermann – ein Möbelfabrikant und Museumsgründer vor 100 Jahren. In: Nordelbingen Bd. 45 (1976), S. 9–29.

[112] Alfred Lichtwark: Justus Brinckmann: In: Das Hamburgische Museum für Kunst und Gewerbe. Dargestellt zur Feier des 25jährigen Bestehens von Freunden und Schülern Justus Brinckmanns. Hamburg 1902, S. 1–67 (53). – Vgl. Ulrich Bauche: Volkskundliches in Sammlung und Sichtweite Justus Brinckmanns und seines Hamburgischen Museums für Kunst und Gewerbe. In: Volkskunde im Museum. Hrsg. von Wolfgang Brückner und Bernward Deneke (Veröffentlichungen zur Volkskunde und Kulturgeschichte, Bd. 1). Würzburg 1976, S. 92–107.

[113] Justus Brinckmann: Führer durch das Hamburgische Museum für Kunst und Gewerbe, zugleich ein Handbuch der Geschichte des Kunstgewerbes. 2 Bde. Hamburg 1894. Bd. 1, S. 209–212 (Schmuck), Bd. 2, S. 632–633 (Sitzmöbel), S. 683–684 (Mangelbretter Wilstermarsch), S. 686–697 (Kerbschnittarbeiten).

[114] Schreiben des Hamburgischen Museums für Kunst und Gewerbe, Hamburg (Justus Brinckmann) 27. 12. 1896, J. N. 4532 (Schreiben wegen Trachten). – Schreiben des Hamburgischen Museums für Kunst und Gewerbe, Hamburg

daß die Kapazität der Werkstatt nicht ausreichen würde, die notwendigen Reparaturen durchzuführen[115], ist damit die auch aus dem Rechnungswesen des Germanischen Nationalmuseums ersichtliche beträchtliche Hinfälligkeit der um die Jahrhundertwende auf den Markt kommenden Zeugnisse ländlicher Kultur gekennzeichnet. Eine größere Zahl an Gegenständen wurde von Justus Brinckmann im Jahre 1896 gekauft und im Neuerwerbungsbericht des Anzeigers besonders hervorgehoben[116]. Damals gelangten unter anderem in das Museum einer jener seltenen Bankschränke des 16. Jahrhunderts aus Nordschleswig, der gleich als ein Beispiel für die mitunter beträchtliche Restaurierungsbedürftigkeit der damaligen Erwerbungen insofern genannt werden darf, als er völlig mit neuen Eisenbeschlägen versehen werden mußte, ein Wagenstuhl mit Klappsitz aus der Wilstermarsch, ein Hängeschränkchen des 18. Jahrhunderts aus der Wilstermarsch, sowie eine Stollentruhe vom Ende des 17. beziehungsweise dem Anfang des 18. Jahrhunderts aus den Vierlanden, die, allgemeinem Hang zu möglichst früher Datierung ländlicher Altertümer folgend, im Zugangsregister als spätgotisch bezeichnet wurde. Zu diesen Möbeln kommen noch ein Armlehnstuhl aus dem Alten Lande mit der Jahreszahl 1798 sowie ein Dreipfostenstuhl, dessen Bezeichnung als Sitzmöbel aus Heimbach dem durch die Kunstgewerbezeitschriften vermittelten Wissensstand entsprach[117]. Schließlich sind aus der Zahl der Textilien ein Kissenüberzug mit einem in Netznadelarbeit verzierten Einsatz sowie zwei Beiderwandvorhänge mit den Darstellungen vom Einzug Christi in Jerusalem bzw. der Geschichte von Pyramus und Thisbe insofern zu erwähnen, als es sich hier um Webereien beziehungsweise eine Stickerei handelte, die von Brinckmann in dem bereits genannten Führer in einem Abschnitt über Stickereien und Webereien der Bauern in den Elbmarschen und in Schleswig-Holstein besonders hervorgehoben worden sind. Auf die große Seltenheit einzelner Farbzusammenstellungen bei den Beiderwanden hatte bereits Eugen Träger hingewiesen, der sich glücklich schätzte, in den Besitz einer rot-weißen Bettgardine gelangt zu sein[118].

Bei den von Brinckmann beeinflußten Erwerbungen im Umkreise von Hamburg kam es zu einer Auseinandersetzung, in der die alte in die Anfänge des Museums zurückreichende Problematik des Verhältnisses von regionaler Sammlung und Zentralmuseum erneut ausgetragen worden ist[119]. Im Jahre 1900 beabsichtigte die Nürnberger Anstalt, ihre Bestrebungen, einen Raum aus den Vierlanden bei Hamburg aufzustellen, zu verwirklichen und drang ohne Abstimmung der Interessen in ein Gebiet ein, dem sich – wie bereits gesagt – Justus Brinckmann über Jahre hin mit großer Intensität gewidmet hatte. Das Nürnberger Institut wähnte sich als Abschluß längerer Bemühungen bereits als Eigentümer einer besonders wichtigen Vertäfelung aus dem Hause Hitscher in Neuengamme[120], für die es – und auch dies mag bezeichnend sein für die Möglichkeiten der in Hinsicht der lokalen Märkte nicht sonderlich erfahrenen Leitung eines Zentralinstituts – mit dem Betrag von 4000, schließlich von

(Justus Brinckmann) 14. 8. 1898, J. N. 3356. Archiv GNM, Altregistratur GNM, Karton 85, 86. Kunst- und kulturgeschichtliche Sammlungen. Erwerbungen und Anfragen 1896, 1898.

[115] Schreiben des Hamburgischen Museums für Kunst und Gewerbe, Hamburg (Justus Brinckmann) 11. 2. 1896, J. N. 3097. Archiv GNM, Altregistratur GNM, Karton 85. Kunst- und kulturgeschichtliche Sammlungen. Erwerbungen und Anfragen 1895–1896.

[116] Die neuen Zugänge. In: Anzeiger GNM 1896, S. 67–72 (69–70).

[117] A. P. (Arthur Pabst): Heimbacher Stühle. In: Kunstgewerbeblatt N. F. Jg. 1 (1890), S. 37–38.

[118] Brinckmann (Anm. 113), S. 52–53, 57–58.

[119] Vgl. Hans von und zu Aufseß: Verhältniss der historischen Vereine zum germanischen Museum. Rede gehalten auf der Generalversammlung der beiden oberfränkischen Vereine in Culmbach am 6. Juli 1853. Bayreuth 1853.

[120] Über dieses Getäfel, das nach freundlicher Mitteilung von Dr. Ulrich Bauche, Hamburg, später in die Verwahrung des Museums für Hamburgische Geschichte, Hamburg, überging, vgl. Ulrich Bauche: Landtischler, Tischlerwerk und Intarsienkunst in den Vierlanden unter der beiderstädtischen Herrschaft Lübecks und Hamburgs bis 1867 (Volkskundliche Studien, Bd. 3). Hamburg 1965, S. 174–175. Die Korrespondenz um das Zimmer ist zusammengefaßt in der Sonderakte Erwerbung eines Vierländer Zimmers betr. Kunst- und kulturgeschichtliche Sammlungen. Erwerbungen und Anfragen 1900. Archiv GNM, Altregistratur GNM, Karton 87. Vgl. besonders die Schreiben des Hamburgischen

5500 Mark mehr geboten hatte, als es den örtlichen Gepflogenheiten entsprach. Diese Unkenntnis niederdeutscher Verhältnisse scheint, wenn Brinckmann und seinen Gewährsleuten Glauben geschenkt werden darf, selbst den Gang der Verhandlungen beeinflußt zu haben, denn der Zweite Direktor der Nürnberger Anstalt, Hans Bösch, mußte sich darüber belehren lassen, daß einiges Wissen über die landeseigenen Sprachgewohnheiten unentbehrlich sei, wenn man gesicherte Absprachen treffen möchte. Brinckmann, der zeitweise auf der Weltausstellung in Paris weilte, begegnete also der drohenden Abwanderung mit einem ganzen Bündel von Einwänden bis hin zu recht massiven Drohungen, unter denen der Hinweis auf die Förderung, die dem Germanischen Nationalmuseum von Hamburger Bürgern immer wieder zuteil wurde, die Aktionsschwäche des vielen Wohltätern verpflichteten Nürnberger Instituts nutzte. Den Hamburger Museumsdirektor beschäftigten die damals sich ergebenden Schwierigkeiten wohl schon länger; er hatte sich, wie er schrieb, schon früher von Essenwein versprechen lassen, daß dieser seine Einflußzone respektiere, und konnte nunmehr geltend machen, daß es Denkmale gebe, die für die Darbietung der regionalen Kulturgeschichte, für die Regionalforschung eine ungleich größere Bedeutung hätten, als für die Nürnberger Sammlungen. Jedenfalls sah Brinckmann, um den Raum für Hamburg zu erhalten, sich genötigt, diesen ausbauen und in das von ihm geleitete Museum überbringen zu lassen, was Gelegenheit bot, das unwiderlegbare Argument, daß die Altertümer so lang als irgend möglich an ihrem Standort bleiben sollten, in die Erörterungen einzubringen: „Meiner Ansicht nach verkennen wir Museen unsere Aufgabe, wenn wir kulturgeschichtliche Denkmäler, wie ein solches jenes Zimmer ist, ihrer Umgebung gewaltsam entrücken, um unsere Sammlungen zu füllen. Vielmehr sollte unsere Aufgabe sein, solche Denkmäler möglichst an Ort und Stelle zu erhalten, selbst mit Opfern. Erst dann sollten wir eingreifen, wenn ein Umbau oder drohende Veräußerung ins Ausland die Zerstörung des ursprünglichen Zustandes unabwendbar machen"[121]. Damit ist eine Auffassung vertreten, die hinüberwirken sollte auf die Erörterungen intensivierter Denkmalspflege, die wiederum Bezold die Möglichkeit boten, im Rahmen einer Behandlung der Altertumsmuseen sich mit Hinweis auf das hier umrissene Exemplum zu den Grundsätzen Brinckmanns zu bekennen[122].

Auch zu anderen niederdeutschen Museen waren, mit der Absicht ihre Unterstützung und Vermittlung bei der Erwerbung von Volksaltertümern zu haben, Verbindungen geknüpft worden. Der Direktor des Museums in Altona, Otto Lehmann (1865–1951), hat sich besonders um eine Stube aus der Wilstermarsch bemüht[123], doch ließ sich sein Anteil an der Erwerbung der Stubenvertäfelung aus Herzhorn, Kr. Steinburg, nicht klären. Ebenso sporadisch wie die Korrespondenz mit Lehmann ist der Briefwechsel mit Johannes Goos, der sich des Dithmarscher Landesmuseums in Meldorf angenommen hatte. Soweit zu sehen, galt die Beziehung nach dort vor allem der Beschaffung eines für die Dithmarschen charakteristischen Hörnschaps[124], also eines für die Ecke gefertigten Schrankes mit etwa quadratischem Grundriß, und bezeugt erneut die Tendenzen, bei der Anlage der Volkskundeab-

Museums für Kunst und Gewerbe, Hamburg (Justus Brinckmann), Paris 26. 7. 1900, J. N. 2715; Paris 27. 7. 1900, J. N. 2760; Paris 1. 8. 1900, J. N. 2809; Hamburg 12. 8. 1900, J. N. 2941; Hamburg 13. 8. 1900, J. N. 2942.

[121] Schreiben des Hamburgischen Museums für Kunst und Gewerbe, Hamburg (Justus Brinckmann), Paris 1. 8. 1900, J. N. 2809. Archiv GNM, Altregistratur GNM, Karton 87. Sonderakt Erwerbung eines Vierländer Zimmers betr. Kunst- und kulturgeschichtliche Sammlungen. Erwerbungen und Anfragen 1900.

[122] Diskussionsbeitrag von Gustav v. Bezold. In: Vierter Tag für Denkmalpflege Erfurt 25. und 26. September 1903. Stenographischer Bericht. Ohne Ort und Jahr, S. 39.

[123] Schreiben des Altonaer Museums, Altona (Dr. Otto Lehmann) 29. 3. 1900, J. N. 1003. Archiv GNM, Altregistratur GNM, Karton 87. Kunst- und kulturgeschichtliche Sammlungen. Erwerbungen und Anfragen 1900.

[124] Schreiben des Vorstands des Museums Dithmarsischer Alterthümer, Meldorf (J. Goos) 29. 5. 1896, J. N. 1938. – Schreiben des Vorstands des Museums Dithmarsischer Alterthümer 25. 2. 1899, J. N. 821. Archiv GNM, Altregistratur GNM, Karton 85, 87. Kunst- und kulturgeschichtliche Sammlungen. Erwerbungen und Anfragen 1896, 1900. – Über Johannes Goos vgl. Nis R. Nissen: 100 Jahre Dithmarscher Landesmuseum. In: Dithmarschen 1972, H. 1, S. 1–13.

teilung Landeseigentümliches anhand von regionalen Sonderformen in der Ausstattung zu demonstrieren. Auch Goos hatte Anlaß, darauf hinzuweisen, daß das von ihm beschaffte Möbel einer Restaurierung zu unterziehen wäre, doch schienen ihm die Schäden relativ geringfügig; bei einem Vergleich mit der später von dem Leiter des Meldorfer Museums veröffentlichten Reihe stattlicher Hörnschaps, die namentlich auch aus den dortigen Sammlungen stammen[125], zeigt sich recht deutlich, daß es nach damaliger Betrachtungsweise nicht immer die besten Möbel waren, die für die Nürnberger Dokumentation ausgewählt worden sind. Aus dem Kreise der Vorstandschaft des Museumsvereins für das Fürstentum Lüneburg ist der Arzt Otto Sprengell (1837–1898) zu nennen, der, nachdem die volkskundlichen Bestände des heimischen Museums einen gewissen Grad an Abrundung erhalten hatten, anbot, für die Nürnberger Anstalt eine gleiche Kollektion, namentlich Textilien und Trachten aus den Vierlanden, zusammenzubringen[126]. Sprengell, der auch die Aufgabe eines Pflegers für das Germanische Nationalmuseum in Lüneburg übernommen hatte, gehört zu dem Kreis der Gewährsleute, von denen die Übermittlung von ländlichen Altertümern an das Museum mit einigen allgemeineren Bemerkungen über die Entwicklung der Kultur in ihrem Herkunftsgebiet verbunden ist; so schreibt er bei der Übersendung eines Bräutigamshemdes und eines Paradehandtuchs aus den Elbmarschen über den Zusammenhang zwischen den günstigen Agrarkonjunkturen der Mitte des 19. Jahrhunderts und der luxusbedingten positiven Einstellung zum tradierten Sachgut[127]. Ähnlich begleitete August Vasel (1848–1910) aus Beierstedt, Gutsherr und Gründungsmitglied des Vaterländischen Museums in Braunschweig, seine im Vergleich zu den großen Stiftungen, die er den heimischen Museen machte, nur spärlichen Geschenke nach Nürnberg mit Literaturhinweisen; vor allem eine der frühen landeskundlichen Darstellungen, Richard Andrees Braunschweiger Volkskunde, bot ihm Gewähr, daß die Zweckbestimmung der von ihm gelieferten Dinge, unter denen sich Trachtenteile, die eigentümlichen, zur Verzierung der Spinnräder benutzten Flachspuppen, eine Elle oder ein Schüsselkranz befinden, auch bekannt wurde[128]. Gleiche Unterstützungen wie von den norddeutschen Museen hat die Volkskundeabteilung von den entsprechenden Instituten aus Süddeutschland kaum erhalten. Zwar ist versucht worden, Ernst Wagner, Leiter der Großherzoglichen Staatssammlungen für Altertums- und Völkerkunde in Karlsruhe sowie Mitglied des Verwaltungsausschusses des Germanischen Nationalmuseums, für eine Förderung der Trachtenabteilung zu gewinnen, doch konnte dieser kaum Hilfe bieten. Wagner schrieb im Jahre 1895, daß sein Museum seit drei bis vier Jahren mit geringem Geldzuschuß badische Trachten und Hausgeräte sammele und jetzt zumindest alle Haupttrachten so ziemlich beisammen wären; natürlich aber wären keine Dubletten, die an das Germanische Nationalmuseum gehen könnten, erworben worden[129]. Von den zahlreichen Versuchen

[125] Johannes Goos: Das Dithmarscher Hörnschapp. In: Nordelbingen Bd. 10 (1934), S. 407–427.
[126] Schreiben von Dr. Otto Sprengell, Lüneburg 20.6.1898, J. N. 2770. Archiv GNM, Altregistratur GNM, Karton 86. Kunst- und kulturgeschichtliche Sammlungen. Erwerbungen und Anfragen 1898. – Über Sprengells Tätigkeit für das Museum für das Fürstentum Lüneburg vgl. R. (Wilhelm Reinecke): Dr. med. Otto Sprengell. In: Jahresberichte des Museums-Vereins für das Fürstentum Lüneburg 1896/98, vor S. 1.
[127] Schreiben von Dr. Otto Sprengell, Lüneburg 25.8.1896, J. N. 2926. Archiv GNM, Altregistratur GNM, Karton 85. Kunst- und kulturgeschichtliche Sammlungen. Erwerbungen und Anfragen 1896.
[128] Schreiben von August Vasel, Beierstedt bei Jerxheim 23.1.1902, J. N. 305 und 9.4.1902, J. N. 1863. Archiv GNM, Altregistratur GNM, Karton 88. Kunst- und kulturgeschichtliche Sammlungen, Erwerbungen und Anfragen 1902. – Über Vasel vgl. Paul Zimmermann: Zum Andenken August Vasels. In: Braunschweigisches Magazin Bd. 17 (1911), S. 1–11. Vasel übergab als Schenkung an das Vaterländische Museum in Braunschweig eine Sammlung an Möbeln, Keramik, Textilien, das Herzog-Anton-Ulrich-Museum Braunschweig erhielt als Vermächtnis neben Gemälden graphische Blätter und Handzeichnungen in bedeutendem Umfang. Eine weitere Sammlung volkskundlicher Altertümer ging an das Städtische Museum Braunschweig. Freundliche Mitteilung von Dr. Gerd Spies, Braunschweig.
[129] Schreiben der Direktion der Gr. Badischen Sammlungen für Altertums- und Völkerkunde, Karlsruhe (Ernst Wagner) 2.11.1895, J. N. 4433. Archiv GNM, Altregistratur GNM, Karton 85. Kunst- und kulturgeschichtliche Sammlungen. Erwerbungen und Anfragen 1895.

des Museums, Verbindung zu den für die jeweiligen Regionen und Orte zuständigen potentiellen Gewährsleuten aufzunehmen, verliefen die Bemühungen um die Bestandsergänzungen durch den Archivar Franz Zimmermann (1850–1935) aus Hermannstadt erfolgreicher. Zimmermann legte, wie sonst nur selten ein Helfer, besonderen Wert darauf, daß die von ihm beschafften Kleidungsstücke aus Groß-Scheuern bei Hermannstadt – es handelt sich um Anzüge eines Mädchens und eines Burschen sowie von Mann und Frau – sachgerecht dargeboten wurden und beabsichtigte zu diesem Zwecke, eine Frau aus dem Herkunftsort der Trachten zur Mithilfe bei der Präsentation zu entsenden. Zugleich wird aus den Briefen von Zimmermann deutlich, daß es für den um die Erforschung der Landesgeschichte von Siebenbürgen verdienten Gelehrten sehr wichtig war, Beispiele für die materielle Kultur seines Wirkungskreises in Nürnberg vertreten zu sehen[130].

□ Der Einfluß der Bauernhausforschung

Die Ansicht, daß die Anlage von musealen Sammlungen zur Volkskunde in einer ersten Phase wesentlich von den Bemühungen um eine Bestandsaufnahme des Bauernhauses, von der Erfassung unterschiedlicher Hauslandschaften bestimmt ist[131], bestätigt sich wie so vielfach anderwärts für Nürnberg vor allem dadurch, daß als Resultat von sieben bis acht Jahren des Sammelns die regionale Differenzierung des Bauernhauses über eine Folge von verschiedenartigen Stuben dargeboten werden konnte. Für die Bedeutung der Bauernhausforschung bei der Zusammenfassung ländlicher Altertümer zu solchen Gruppierungen ist ein Aufruf bezeichnend, mit dem Bezold, einer Einladung des Herausgebers folgend, in Alois Johns Zeitschrift „Unser Egerland" für die Beschaffung der Stube aus dem Egerland 1901 warb, die dann wesentlich mit Hilfe des heimischen Antiquitätenhandels und des Arztes und Sammlers Michael Müller (1849–1914) aus Franzensbad zusammenkommen sollte[132]. Bezold erinnert eingangs daran, daß die Volkskunde sich seit mehreren Jahrzehnten eifrig mit der Erforschung des deutschen Bauernhauses beschäftigte und wiederholte die schon erwähnte, auch von ihm hier vertretene Auffassung von der Stammesgebundenheit der Gebäulichkeiten, in deren „typischen Formen uralte Volks- und Namenseigentümlichkeiten fortleben". Dann fährt er fort: „Leider sind auch diese alten Hausformen im Aussterben; nicht nur die Forderungen der Feuersicherheit und der Hygiene, welche die neuen Bauordnungen an das Bauernhaus stellen, sondern wesentlich auch die Ausbildung unserer Maurer und Zimmerleute auf den Baugewerksschulen, auf welchen den lokalen Bauweisen nicht die mindeste Aufmerksamkeit geschenkt wird, führen dahin, daß die alten festen Formen mehr und mehr verschwinden. Im Laufe eines Jahrhunderts werden Bauernhäuser, welche die alte landschaftliche Eigenart noch im vollen Umfange erkennen lassen, zu großen Seltenheiten geworden sein. Es wäre ein verdienstliches Unternehmen, wenn die wichtigsten Formen des deutschen Bauernhauses in guten Beispielen in einer Sammlung vereinigt oder, da dies nur auf sehr großem Raume möglich wäre, wenigstens in den Provinzen schöne alte Bauernhäuser, welche zum Abbruch kommen, in öffentlichen Besitz gebracht und an geeigneter Stelle wieder aufgebaut würden. Das Germanische Museum in Nürnberg, welchem zur Ausführung eines solchen Planes weder die Räumlichkeiten noch die Mittel zur Verfügung stehen, hat es unternommen, wenigstens einen Teil

[130] Schreiben von Franz Zimmermann, Hermannstadt 17. 1. 1898, J. N. 436 mit Verzeichnis der für die einzelnen Figuren bestimmten Trachten, sowie Hermannstadt 10. 2.1898, J. N. 666. Archiv GNM, Altregistratur GNM, Karton 86. Kunst- und kulturgeschichtliche Sammlungen. Erwerbungen und Anfragen 1898.
[131] Leopold Schmidt: Die Historisierung der Volkskunde als museologisches Problem. In: Forschungen und Fortschritte Jg. 37 (1963), S. 249–253 (250).
[132] Bernward Deneke: Die Egerländer Stube im Germanischen Nationalmuseum Nürnberg. Zur Geschichte musealen Sammelns und Darbietens ländlicher Altertümer. In: Jahrbuch für ostdeutsche Volkskunde Bd. 16 (1973), S. 254–277. Die hier nachgetragenen Lebensdaten Müllers verdanke ich den Angaben von Frau Dr. Ulrike Zischka, Museum für Deutsche Volkskunde, Berlin.

dieser Aufgabe auszuführen und eine Reihe charakteristischer Bauernstuben aus verschiedenen Teilen Deutschlands, Oesterreichs und der Niederlande in seinen Sammlungen zur Aufstellung zu bringen, welche nicht nur die bauliche Erscheinung, sondern auch die Einrichtung mit Möbeln und Hausgeräten zur Anschauung bringen. In dieser Reihe soll auch eine Egerländer Stube Aufnahme finden. Da die hierfür erforderlichen Gegenstände im Antiquitätenhandel schwer zu beschaffen sind, richtet das Museum an die Besitzer solcher für das Egerland bezeichnender Gegenstände, welche geneigt sind, diese käuflich abzugeben, die Bitte, ihre Angebote zukommen zu lassen"[133].

Darüber hinaus aber zeigt sich, daß, wie bereits angedeutet, eine Vorführung der regional gebundenen Gehöfttypen als ein integrierendes Element der Veranschaulichung der ländlichen Kultur betrachtet wurde. So hat, wie andere Institute auch, das Germanische Nationalmuseum frühzeitig begonnen, sich einige Modelle zuzulegen, so 1896 auf eine Anregung von Kling die verkleinerte Nachbildung eines „altsächsischen Bauernhauses"[134] und einige Jahre später solche eines „fränkischen" Gehöfts aus dem Elsaß sowie eines Schwarzwälder Schindelhauses nebst zugehörigen Hausgerätschaften, Menschen, Tieren, Wagen. Der Hersteller der letztgenannten Anlagen, der Kunstmaler Georg Maria Eckert (1828–1903), hatte seine Fertigkeiten damals bereits bei entsprechenden Modellen für das Volkskundemuseum in Berlin und das Landesmuseum seiner Heimatstadt Karlsruhe bewährt[135]. Neben solchen Versuchen der Dokumentation ländlichen Wohnens und Wirtschaftens hatte das Museum zu einigen Architekten, die sich mit dem Bauernhaus beschäftigten, Verbindungen angeknüpft. Aus den Korrespondenzen ergibt sich, daß die 1892 einsetzende Vorbereitung des Werkes über das Bauernhaus im Deutschen Reich und seinen Grenzgebieten durch den Verband Deutscher Architekten- und Ingenieurvereine Anlaß bot, eine intensivierte Durchforschung einzelner Regionen nach Altertümern zu planen[136].

Gegenüber den mehr sporadischen Kontakten war es für das Museum wichtig, daß der in Diepholz als Bauinspektor tätige Hugo Prejawa (1854–1926), der in dem Werke über das Bauernhaus das westliche Niedersachsen zu bearbeiten hatte[137], Anfang 1897 anregte, eine „niedersächsische Bauernstube" im Germanischen Nationalmuseum einzurichten. Prejawa, der mit dem Museum wegen seinen Ermittlungen über die Bohlenwege durch die Moore in Niederdeutschland korrespondierte, beklagte, daß angesichts fest eingefahrener, den qualitätsvollen Einzelstücken geltenden Selektionsprinzipien eine ganze „Stilrichtung", eben die des niederdeutschen Hallenhauses, zugrunde gehen könne, zumal die Aufgabe des Dokumentierens und Bewahrens von keinem der an sich zuständigen Museen wahrgenommen wurde[138]. Der Bauinspektor und Hausforscher hatte, um sein Ziel einer umfassenden, detailgetreuen Veranschaulichung der bäuerlichen Kultur seiner Wirkungsstätte zu erreichen, ein Inventar vorgelegt, das eine Vielzahl von Möbeln und anderen Gebrauchsgegenstän-

[133] Gustav von Bezold: Aufruf bezüglich einer „Egerländer Stube" im „Germanischen Museum" in Nürnberg. In: Unser Egerland Jg. 5 (1901), S. 1.

[134] Schreiben von Antonie Karstens, Breitenfelde (Lauenburg) 2. 8. 1896, J. N. 2729; 16. 8. 1896, J. N. 2825. Aus dem Schreiben geht hervor, daß ein Modell, wie es im Museum in Kiel stand, gefertigt werden sollte. Archiv GNM, Altregistratur GNM, Karton 85. Kunst- und kulturgeschichtliche Sammlungen, Erwerbungen und Anfragen 1896.

[135] Schreiben von Georg Maria Eckert, Karlsruhe 16. 2. 1898, J. N. 124. Archiv GNM, Altregistratur GNM, Karton 86. Kunst- und kulturgeschichtliche Sammlungen. Erwerbungen und Anfragen 1898.

[136] Schreiben von Hubert Kratz, Leipzig 16. 8. 1895, J. N. 3273. Der Architekt Kratz läßt die Museumsleitung wissen, daß er als Mitglied der Deutschen Bauern-Haus-Commission im Zusammenhang der Bearbeitung des Kreises Altenburg (Sachsen) 300–400 Ortschaften aufsuchen werde und bietet seine Hilfe beim Erwerb von Altertümern an. Archiv GNM, Altregistratur GNM, Karton 85. Kunst- und kulturgeschichtliche Sammlungen. Erwerbungen und Anfragen 1895.

[137] H. Prejawa: Westhannover. In: Das Bauernhaus im Deutschen Reiche und in seinen Grenzgebieten. Hrsg. v. Verbande Deutscher Architekten- und Ingenieur-Vereine. Dresden 1906, S. 53–62. Die Abb. z. T. nach Gegenständen, die Prejawa für das Germanische Nationalmuseum erworben hat.

[138] Schreiben des H. Prejawa, Diepholz 7. 2. 1897, J. N. 606. Archiv GNM, Altregistratur GNM, Karton 86. Sonderakte Kauf der Diepholzer Bauernstube. Kunst- und kulturgeschichtliche Sammlungen. Erwerbungen und Anfragen 1897. Dort die umfangreiche Korrespondenz mit Prejawa.

den, die er sich als Inhalt von Herdraum und Döns dachte, enthielt[139]. Die Einbeziehung von modernem Wandschmuck und Porzellan in das Verzeichnis kann darauf hinweisen, daß die gängigen Harmonisierungen in der Zusammensetzung des Hausrats vermieden wurden, und ohne Vernachlässigung der altertumskundlichen Bestimmung ein Gegenwartsbezug in das Ensemble eingehen sollte. Prejawa brachte im Laufe einiger Jahre, trotz mancher, noch zu erwähnender Einwände seiner Auftraggeber, einen guten Teil der ihm erforderlich scheinenden Objekte in den Kreisen Diepholz und Vechta zusammen und konnte diesen mit Hilfe des Balkenwerks, dessen wichtigste Teile er dem Meyerhof in Osterfeine, Kr. Vechta entnahm, einen angemessenen Raum schaffen. Seine Mitwirkung bei den Aufstellungs- und Einrichtungsarbeiten im Jahre 1901 darf als ein Indiz dafür genommen werden, daß der Museumsleitung die Authentizität der Darbietung ländlicher Wohnkultur nicht gleichgültig war[140], wie denn andererseits Prejawa auf der Grundlage von Zeichnungen nach Flett und Döns die Benutzer der Museumspublikationen mit den Gegebenheiten des niederdeutschen Hallenhauses vertraut machte[141]. In diesem Beitrag ist das Exemplarische der Hausanlagen der Gegend, der Flett und Döns entstammten, besonders hervorgehoben, zugleich aber mit dem Hinweis darauf, daß es bei der Zusammenstellung weniger um die Vorführung lokaler Sonderungen als um die Veranschaulichung typischer Merkmale zu tun gewesen sei, ein allenthalben greifbarer Grundsatz musealer Praxis bei der Darbietung ländlicher Altertümer gekennzeichnet. Trotz, wie aus der Korrespondenz ablesbar, erheblicher Bemühungen hatte Prejawa nicht alle Stücke zusammengebracht beziehungsweise in präsentierbarem Zustand erworben, die ihm wichtig waren; entsprechend ist dem Rechnungswesen des Museums zu entnehmen, daß einige Ausstattungsstücke erst in Nürnberger Handwerksbetrieben – wohl zumeist nach gegebenen Vorbildern – entstanden sind, wie zum Beispiel der Kasten für den Torf[142]. Überhaupt waren, bevor die Räumlichkeiten, nicht nur Flett und Döns, zugänglich gemacht werden konnten, beträchtliche Restaurierungsarbeiten erforderlich. So wurde bei vielen Stücken, nach einer in den Rechnungen fast stereotyp wiederkehrenden Formel, die Ölfarbe entfernt, wie denn auch Prejawa empfohlen hatte, die von ihm gelieferten Stücke von den Farben zu befreien und braun zu beizen[143]. Erst Jahrzehnte später hat man erkannt, daß die allenthalben durchgeführten Angleichungen der Möbel an die ästhetischen Vorstellungen der Zeit um die Jahrhundertwende die Kenntnisse über die ursprünglich vorhandene farbige Behandlung des Schnitzwerkes erheblich beeinträchtigten[144].

Ganz anders als Prejawa hat der Architekt und damalige Schriftleiter der Süddeutschen Bauzeitung, Franz Zell (1866–1961), seine Aufgabe angesehen, als er dem Germanischen Nationalmuseum im Jahre 1902 zusagte, sich um eine oberbayerische Stube zu bemühen. Hier ist nichts mehr von jenem Bedürfnis nach exakter Auslotung des in Frage kommenden Materials zu verspüren; Zell versuchte mit der nach 1945 aufgelösten sogenannten Miesbacher Stube von vornherein einen „Prunkraum" zu

---

[139] Das Inventar ist veröffentlicht bei Bernward Deneke: Eine Sammlung bäuerlicher Altertümer aus dem südlichen Oldenburg im Germanischen Nationalmuseum Nürnberg. In: Das Oldenburger Münsterland. Jahrbuch 1973, S. 151–164 (152–155).

[140] Protokoll der Sitzung des Lokalausschusses vom 6. 11. 1901. Protokolle der Sitzungen des Lokalausschusses 1901–1902, unpaginiert. Archiv GNM, Altregistratur GNM, Karton 751.

[141] H. Prejawa: Erläuterungen zu dem im Germanischen Nationalmuseum aufgestellten Teil eines Niedersächsischen Bauernhauses. In: Mitteilungen GNM 1903, S. 131–152.

[142] Rechnung von Mathias Wunderlich, Nürnberg, 26. 1. 1902. Belege zur Rechnung des Hauptmuseumsfonds pro 1901, Beleg 190/44. Archiv GNM, Altregistratur GNM.

[143] Schreiben von H. Prejawa, Diepholz 31. 8. 1897. Archiv GNM, Altregistratur GNM, Karton 86. Sonderakte Kauf der Diepholzer Bauernstube. Kunst- und kulturgeschichtliche Sammlungen. Erwerbungen und Anfragen 1897. – Weitere Belege für das Entfernen von Ölfarbe z. B. Tiroler und Thurgauer Stube, Rechnung von Jg. Sperger, Nürnberg 16. März 1901. Belege zur Rechnung des Hauptmuseumsfonds pro 1900, Beleg 175/63. Archiv GNM, Altregistratur GNM.

[144] Elfriede Heinemeyer, Helmut Ottenjann: Alte Bauernmöbel aus dem nordwestlichen Niedersachsen (Nordwestniedersächsische Regionalforschungen, Bd. 1). Leer 1974, S. 84–85.

erstellen, dessen Ausstattung von den künstlerischen Qualitäten alter ländlicher Wohnkultur Zeugnis ablegen sollte[145]. So kam das Museum durch seine Aktivitäten in den Besitz einer Decke mit der Immaculata und den vier Erdteilen aus dem Jahre 1803, einiger Möbel der zweiten Hälfte des 17. und der Mitte des 18. Jahrhunderts mit den für die damalige Zeit charakteristischen Dekoren, von Oberammergauer Schnitzereien und einigen Hinterglasbildern, die damals weniger wegen ihrer erst durch den Blauen Reiter und den Expressionismus gewürdigten Gestaltungen[146] oder als Zweig handwerklicher beziehungsweise hausgewerblicher Betätigung, sondern eher beiläufig zur Ergänzung der Raumausstattungen in die Museen hineingelangten.

☐ Die Trachtensammlung von Oskar Kling

Wie Franz Zell aus München, Michael Müller aus Franzensbad, August Vasel aus Beierstedt, der später noch zu erwähnende Oskar Spiegelhalder aus Lenzkirch im Schwarzwald, gehörte auch Oskar Kling zu den Sammlern, die sich vor der Jahrhundertwende mit erstaunlicher Intensität der ländlichen Altertümer annahmen. Im Unterschied zu den zahlreichen Nachrichten über die entstehende Museumssammlung sind von Klings Tätigkeit für die mit seinem Namen verbundenen Bestände an Aufzeichnungen im wesentlichen nur die von ihm geführten Inventarbände geblieben. In ihnen ist auch der 14660 Nummern an Objekten umfassende Bestand anfänglich listenartig, dann später mit zunehmender Gründlichkeit verzeichnet. Eine Durchsicht der Namen der von Kling häufiger angeführten Vorbesitzer bestätigt erneut, daß vielfach Museum und Sammler aus den gleichen Quellen kauften, wie denn Parallelen zwischen den Erwerbungen der Anstalt und denen von Kling – zum Beispiel zum Schmuck, zur Tracht, zu regionalen Gruppen an Möbeln, hölzernem Kleingerät, Keramik – deutlich machen, daß, unabhängig von präzisen Abstimmungen in Einzelfällen, sehr nahe verwandte Vorstellungen der Auswahl aus dem überkommenen Fundus an bäuerlichen Einrichtungsgegenständen zugrunde lagen. Auch wenn der von Kling beschaffte Fundus an Trachten, an ländlichen Textilien und volkstümlichem Schmuck als sein wesentlicher Beitrag zur Volkskunde-Abteilung angesehen werden darf, verleihen auch andere von ihm zur Verfügung gestellte Objekte, so die niederrheinische Hafnerkeramik, das volkstümliche Glas, die Erzeugnisse des Gelbgusses nach Zahl und Qualität jeweils begrenzteren Sachgruppen ihr Gewicht.

Die Tatsache, daß die Trachten in den neunziger Jahren nicht nur in Nürnberg in den Mittelpunkt der musealen Präsentation ländlicher Kultur rücken konnten, ist abhängig von der allgemeinen Aufmerksamkeit, die damals schon seit fast einem Jahrhundert der menschlichen Bekleidung und insbesondere auch deren regionalen Ausprägungen gewidmet wurde. Ethnographisches Interesse, die Erfahrung der Historizität aller Lebensformen, das Bedürfnis, den verloren geglaubten Nationalcharakter mit dem Blick auf eine bessere Vergangenheit zu erneuern, bewirkten seit der Zeit der späten Aufklärung eine gesteigerte Beschäftigung mit dem Kostüm von Adel und Bürgertum[147] und bildeten zugleich die Voraussetzung für die um 1800 einsetzenden regional begrenzten oder allgemeinen Abbildungsfolgen mit der Darbietung von ländlichen Kleidungen[148]. Eine zusätzliche Motivation erhielt die Erstellung von solchen Serien durch die Beobachtung des sich vollziehenden Wandels in

---

[145] Schreiben von Franz Zell, München 4. 3. 1902, J. N. 915. Archiv GNM, Altregistratur GNM, Karton 89. Kunst- und kulturgeschichtliche Sammlungen. Erwerbungen und Anfragen 1902. – Vgl. auch Bernward Deneke: Franz Zell als Sammler ländlicher Altertümer. In: Bayerisches Jahrbuch für Volkskunde 1972–1975, S. 116–125.

[146] Klaus Lankheit: Hinterglasmalerei im XX. Jahrhundert. In: Ausstellungskatalog Hinterglas-Malerei im XX. Jahrhundert. Mainz 1962.

[147] Bernward Deneke: Beiträge zur Geschichte nationaler Tendenzen in der Mode von 1770–1815. Eine Studie zur deutschen Volkstracht von 1814–1815 mit besonderer Berücksichtigung der Verhältnisse in Frankfurt. In: Schriften des Historischen Museums Frankfurt am Main 12 (1966), S. 211–252 (235–238).

[148] Die Intensivierung der Darstellungen mit ländlichen Kleidungen seit um 1800 zeigt die Zusammenstellung illustrierter Trachtenwerke z. B. bei Eva Nienholdt, Gretel Wagner-Neumann: Katalog der Lipperheideschen Kostümbibliothek. Berlin 1965, Bd. 1, S. 162–194.

den Bekleidungsgewohnheiten; die von ökonomischen Konstellationen ausgelöste Zuwendung zur modischen Kleidung wurde moralisierender Wertung unterzogen, so daß konservierende Tendenzen einer Überhöhung durch sozialpolitische Aspekte nicht zu entraten hatten. Wie dieses einmal eingeführte Betrachtungsschema auch im Rahmen von Illustrationsserien zum Landleben sich aktivieren ließ, zeigt beispielsweise in den dreißiger Jahren des 19. Jahrhunderts Alois Wilhelm Schreibers Überblick über Trachten, Volksfeste und charakteristische Beschäftigungen im Großherzogtum Baden, in dem – zum Teil noch ganz im Sinne von Rousseau – die einfache Lebensweise in ihrer glücklichen Beschränktheit wie die heimischer Tradition verhaftete Art der Häuser, der Geräte und Kleidung mit den eingreifenden Veränderungen durch die Industrialisierung oder die Beteiligung am Handel konfrontiert werden[149]. Solche Auffassung hinwiederum interdependierte mit einer positiven Einschätzung der ästhetischen Beschaffenheit der Volkstracht, die über den als nüchtern und unkünstlerisch empfundenen modernen Anzug gestellt wurde. So ist es zu erklären, daß einzelne Künstler ländliche Kleidungen sammelten, deren malerische Qualitäten für ihre Werke verwendeten und auf dieser Grundlage zugleich den Zwängen akademischer Lehre zur sachgerechten Wiedergabe des Kostüms genügten. Das Germanische Nationalmuseum hat mit Ankäufen aus dem 1899 in München versteigerten Trachtenfundus des Historienmalers Josef Flüggen (1842–1906) ebenso Nutzen aus den retrospektiven Tendenzen in der Malerei des 19. Jahrhunderts gezogen wie das Bayerische Nationalmuseum in München, das sich auf derselben Auktion um fränkische Kleidungen bemühte. Nach Nürnberg gelangten damals neben Einzelstücken von den angebotenen „holzgeschnitzten bekleideten Puppen in Lebensgröße" unter anderem die Figur eines Mädchens aus Weißenburg (Mittelfranken) sowie die Gestalt des Meraner Saltners[150]. Solche Gelegenheiten waren, wie aus einem nicht wahrgenommenen Angebot an das Museum aus der Gegend von Bozen ersichtlich, damals nicht ganz selten; der Korrespondent hatte, um für die Ausübung der Genremalerei gerüstet zu sein, alle älteren und neueren Formen der Bauerntracht des Sarntals zusammengebracht und konnte anhand von 34 beziehungsweise 38 Trachtenfiguren die möglichen lokalen Varianten vorführen[151].

In welchem Maße die angeführten Faktoren, also ethnographische Fragestellungen, ästhetische Qualitäten, sozialpolitische Erwägungen, Kling beim Zusammentragen der Trachten leiteten, läßt sich nicht mehr ermitteln, jedenfalls aber hat ihm bei seinem Beginnen ein großer Fundus an illustrierten Publikationen und Einzelblättern Orientierungsmöglichkeiten geboten. Die Bedeutung, die diese Trachtendarstellungen für Kling hatten, wird nicht zuletzt dadurch deutlich, daß er sich eine Vereinigung der Abbildungen zur Volkstracht aus dem 1881 an das Museum gelangten Vermächtnis des Botho von Stolberg – Wernigerode mit den eigenen Besitztümern vertraglich zusichern ließ. Darüber hinaus hat Kling auch zahlreiche Photographien, deren Aussagewert für die Dokumentationen des sich ändernden Landlebens damals erkannt worden ist[152], einbezogen.

In Analogie zu dem Hang, aus Möbeln und sonstigem Hausrat in den Museen Wohnräume einzurichten, zielten Klings Intentionen auf die Darbietung von in sich geschlossenen Trachtenensembles, wobei gelegentlich die Figurinen älterer und neuerer graphischer Blätter als feststehender

[149] Alois Wilhelm Schreiber: Trachten, Volksfeste und Charakteristische Beschäftigungen im Grosherzogthum Baden, H. 1, Freiburg o. J. (um 1835).
[150] Katalog der bedeutenden Kostüm- und Antiquitäten-Sammlung aus dem Besitz des Kgl. Professors und Historienmalers Herrn Josef Flüggen in München. Auktion Hugo Helbing in München 12.–14. 6. 1899. München 1899, Nr. 10, 20.
[151] Schreiben Weithaas, Kampen bei Bozen, ohne Datum, praes. 19. 6. 1900, J. N. 2128. Archiv GNM, Altregistratur GNM, Karton 87. Kunst- und kulturgeschichtliche Sammlungen. Erwerbungen und Anfragen 1900.
[152] Anreger ist wohl auch hier Alfred Lichtwark: Die Bedeutung der Amateur-Photographie. Halle a. S. 1894, S. 12. – Anonym: Die Photographie im Dienste der Landes- und Volkskunde. In: Die Heimat Jg. 10 (1900), S. 190–193, S. 215–216.

Typus aufgefaßt worden sind, auf deren Umsetzung in ein dreidimensionales Schaustück unabhängig von den empirisch faßbaren Gegebenheiten in den einzelnen Trachtenlandschaften hingearbeitet worden ist. Sicher schuf der Plan, möglichst viel von dem gesammelten Material zu kompletten Trachten zu kombinieren, eigene Zwänge. So konnte ein Mitarbeiter des Museums, Otto Lauffer, im Rückblick Vorbehalte gegenüber der Zusammengehörigkeit aller Einzelstücke unter dem Gesichtspunkt der wechselnden Funktionsbezogenheit der Tracht nicht unterdrücken[153]; aber gerade Lauffers berechtigte und auch anhand der Beschaffung anderer atypischer Stücke exemplifizierte Ansicht, man müsse „die Dinge eben von vorneherein richtig kennen", sonst vergreife man sich entweder schon beim Ankauf oder doch spätestens bei der Aufstellung im Museum, ist insofern zu relativieren, als damals nicht von gesicherten Überblicken über das Sachgut in den meisten Gegenden ausgegangen werden konnte. Zwar kann einer differenzierenden Beurteilung der Tätigkeit von Kling hier nicht vorgegriffen werden, doch spricht ein Eindruck, den Rudolf Helm aufgrund seiner Bearbeitung der Männertrachten im Bestande von Kling gewonnen hat, zugunsten der Sammlung; auch Helm konnte einzelne Fehler registrieren, möchte indessen berücksichtigt sehen, daß hier möglicherweise anderwärts nicht dokumentierte Befunde festgehalten worden sind, die Kling auf seinen Reisen kennengelernt hatte[154].

□ Der kleinstädtische Antiquitätenhandel als Bezugsquelle

Viele Erwerbungen in den neunziger Jahren sind dadurch ermöglicht worden, daß auch an kleineren Orten sich ein Antiquitätenhandel herausgebildet hatte, der bezogen auf die Pläne der Nürnberger Anstalt zum Teil intensiv besorgt war, die an ihn herangetragenen, mehr oder weniger präzise formulierten Aufträge auszuführen. Mitunter ergaben sich längere Korrespondenzen, in deren Verlauf die nicht immer ausschließlich auf Altertümer spezialisierten Händler zum Teil ausführliche Beschreibungen, Zeichnungen und auch Fotografien vorlegten, so mit H. Meyer in Wilster[155], der dem Museum angefangen mit zwei Wandbettverkleidungen aus dem Umkreis von Itzehoe eine Anzahl von Gegenständen aus dem Einzugsgebiet seines Wohnortes verschaffte beziehungsweise offerierte, mit Theodor Büdde aus Quakenbrück, der für sein Geschäft mit Uhren, Gold- und Silberwaren von günstigen Konjunkturen für älteren ländlichen Schmuck zu profitieren hoffte[156], mit der aus einer Gemischtwarenhandlung hervorgegangenen Firma von J. Stadler in Jestetten, die besonders gute Verbindung in die Schweiz unterhielt[157]. Stadler verständigte 1898 unter Bezugnahme auf eine frühere Besprechung das Museum davon, daß er in einem schlichten Bauernhause in der Nähe von Konstanz ein Getäfel nebst Buffet und Waschkasten von 1666 entdeckt habe[158]. Nach einer Besichtigung gingen Wandverkleidung und Möbel, die wie das meiste Stadler bekannte Holzwerk dieser Art mit Ölfarbe überstrichen waren, in den Besitz des Museums über, doch sollte es noch längere Zeit dauern, bis das Ensemble durch die Beschaffung des zugehörigen Ofens ausstellungsfähig

[153] Lauffer (Anm. 93), S. 110.
[154] Rudolf Helm: Die bäuerlichen Männertrachten im Germanischen Nationalmuseum zu Nürnberg. Heidelberg 1932, S. 6.
[155] Schreiben von H. Meyer, Wilster 19. 5. 1896, J. N. 1666. Archiv GNM, Altregistratur GNM, Karton 85. Kunst- und kulturgeschichtliche Sammlungen. Erwerbungen und Anfragen 1896. – Später zahlreiche Angebote.
[156] Zahlreiche Angebote, besonders 1898 und 1899, z. B. Schreiben von Theod. Büdde, Quakenbrück 22. 3. 1898, J. N. 1179. Archiv GNM, Altregistratur GNM, Karton 86. Kunst- und kulturgeschichtliche Sammlungen. Erwerbungen und Anfragen 1898.
[157] Für Nachforschungen über die Firma ist dem Bürgermeisteramt Jestetten, Bürgermeister Brohammer, zu danken.
[158] Schreiben von J. Stadler, Jestetten 8. 11. 1898, J. N. 4431. Stadler bezieht sich auf ein Gespräch mit Bösch. Archiv GNM, Altregistratur GNM, Karton 86. Kunst- und kulturgeschichtliche Sammlungen. Erwerbungen und Anfragen 1898. Das Schreiben der Hotel-Pension Schloß Wolfsberg, Wolfsberg 21. 8. 1902, J. N. 4046, nennt als Herkunftsort der jahrzehntelang als aus dem Klettgau stammend behandelten Stube den Umkreis von Ganterswyl. Archiv GNM, Altregistratur GNM, Karton 89. Kunst- und kulturgeschichtliche Sammlungen, Erwerbungen und Anfragen 1902.

wurde[159]. Manchesmal versuchte die Direktion des Nürnberger Museums in ausgedehnten Verhandlungen zu Erwerbungen zu kommen, die ihren vorgefaßten Vorstellungen entsprachen. So schien es dem Händler Wiggerts aus Hamburg, der gleichfalls wegen des begehrten Vierländer Zimmers bemüht wurde, unumgänglich, die nicht allzu kenntnisreichen Korrespondenten aus Nürnberg, die es nach einem „ganzen Zimmer" verlangte, näher über die von der Lage im Hause abhängige Beschaffenheit der Stuben wie der Ausstattungen zu unterrichten[160]. Aus dem weiteren Meinungsaustausch, der zum Ankauf der heute ausgestellten Vertäfelung aus Zollenspieker führte, ergibt sich, daß die Zahl der um die Jahrhundertwende auf den Markt kommenden Einrichtungen der genannten Region nicht ganz unbeträchtlich gewesen sein muß. So konnte der Händler eine in Nürnberg nicht genehme Vertäfelung nach Berlin verkaufen und dem Germanischen Nationalmuseum gleichzeitig noch weitere Angebote unterbreiten, beziehungsweise damals noch bewohnte Räume in Aussicht stellen[161].

Die Möglichkeiten in der ersten Zeit intensiven Aufsammelns ländlicher Altertümer zeigen sich in den Vorschlägen, die Oskar Spiegelhalder (1864–1925) aus Lenzkirch zur Darstellung der Wohnkultur im Schwarzwald unterbreitete. Dem Sammler, der im Verlaufe der Zeit drei Museen, nämlich das Augustinermuseum in Freiburg im Breisgau, das Landesmuseum in Karlsruhe und die Schwarzwaldsammlung zu Villingen mit größeren Beständen an volkskundlichen Altertümern ausstattete[162], schien zunächst daran gelegen, die wirtschaftlichen Verhältnisse in dem Gebiet, dem seine Aufmerksamkeit galt, zu veranschaulichen; er dachte daran, Wohn- und Schlafstube – also zwei Räume – einer Familie, die landwirtschaftlich und hausindustriell tätig war, zu dokumentieren. Als sich aber abzeichnete, daß für eine solche Zusammenstellung kein Platz war, wurde von ihm eine für die Darbietung der Wohnkultur lange Zeit typische Variante gewählt: demnach sollte, um möglichst viel an Hausrat zeigen zu können, ein Raum konstruiert werden, in dem die Funktionen des Wohnens und Schlafens zusammenfielen, der Besucher also in die Welt des Kleinbauern oder Altenteilers versetzt war[163]. Besonders aber war Spiegelhalder, der hier die Kritik an den später gefundenen Lösungen vorwegnimmt, daran gelegen, daß das von ihm eventuell gelieferte Ensemble als ein in sich geschlossener Raum eingerichtet wurde, weil nur ohne die sonst übliche bühnenartige Darbietung der anheimelnde Charakter einer Schwarzwaldstube bewahrt blieb[164]. Im übrigen aber sind die Verhandlungen mit Spiegelhalder, nicht zuletzt wegen dessen Preisforderungen, am Ende des Jahres 1901 abgebrochen worden. Immerhin aber können seine mehrfachen detaillierten Offerten, die auf einer Sammlung von 1600 Stück basierten, ebenso aber auch die Angebote von Vierländer Einrichtungen als ein Korrektiv betrachtet werden gegenüber den vielen Nachrichten, die davon sprechen, daß es großer Anstrengungen bedürfen würde, Relikte der Volkskultur tradierter Prägung zusammenzubringen.

Wie schon erwähnt, war die Museumsleitung schon am Anfang ihrer Bemühungen um volkskundlich relevante Altertümer durch Eugen Träger darauf vorbereitet worden, daß die Knappheit an dinglichen Erzeugnissen eilige Maßnahmen erfordere. Solche Feststellungen bedürfen

[159] Schreiben von J. Stadler, Jestetten 12. 12. 1901, J. N. 5082. Archiv GNM, Altregistratur GNM, Karton 88. Kunst- und kulturgeschichtliche Sammlungen. Erwerbungen und Anfragen 1901.

[160] Schreiben von Ed. Wiggerts, Hamburg 24. 4. 1900, J. N. 1353. Archiv GNM, Altregistratur GNM, Karton 87. Sonderakte Erwerbung eines Vierländer Zimmers betr. Kunst- und kulturgeschichtliche Sammlungen. Erwerbungen und Anfragen 1900.

[161] Schreiben von Ed. Wiggerts (Anm. 160) nebst Schreiben desselben Hamburg 5. 11. 1900, J. N. 4080 mit gleicher Archiv-Signatur.

[162] Über den Ankauf von Spiegelhalders Sammlung für Karlsruhe 1909 Max Walter: Die volkskundliche Abteilung des Badischen Landesmuseums. In: Badische Heimat 15 (1928), S. 172–182 (175–176). Erwerb der Sammlung für Villingen Paul Revellio: Beiträge zur Geschichte der Stadt Villingen. Villingen 1964, S. 13–14.

[163] Schreiben von Oskar Spiegelhalder, Lenzkirch 14. 8. 1901, J. N. 3195. – Schreiben von Oskar Spiegelhalder, Lenzkirch 7. 12. 1901, J. N. 5042. Archiv GNM, Altregistratur GNM, Karton 88. Kunst- und kulturgeschichtliche Sammlungen. Erwerbungen und Anfragen 1901.

[164] Schreiben von Oskar Spiegelhalder, Lenzkirch 7. 12. 1901 (Anm. 163).

selbstverständlich der Differenzierung nach Regionen und Sachen, vor allem aber im Hinblick auf die Trachten geht aus den Mitteilungen der Korrespondenten hervor, daß dem Museum angeblich die letzten Chancen geboten würden, entsprechende Sammlungen anzulegen. Da erscheint also auch in den Korrespondenzen des Museums jene allerletzte Trachtenträgerin, deren Hinterlassenschaft dadurch nochmals aufgewertet worden war, daß der Blick von Fürstlichkeiten freundlich auf ihr geruht hatte[165]. Ähnlich wird mehrfach versichert, daß bestimmte Kleidungen nur noch bei alten Leuten anzutreffen seien; beispielsweise schreibt ein Gewährsmann aus Stargard in Pommern bezüglich der Trachten aus dem Weizacker: „Wie ich Ihnen bereits früher mitteilte, stirbt diese Tracht allmählich ganz aus. Die jüngere Generation kleidet sich ganz modern. Nur noch in einigen Dörfern von alten Leuten findet man diese eigenartigen Kleider getragen. Mehr durch Zufall und persönliche Bekanntschaft ist es mir geglückt, die Sachen zu beschaffen"[166]. Größere Mühen bereitete auch hier die Besorgung einer Männerkleidung, da diese auch in der älteren Generation bereits unüblich geworden war; so mußten Einzelstücke aus verschiedenen Orten zusammengestellt werden, nachdem eine Registrierung des überhaupt Vorhandenen ergeben hatte, daß in den bevorzugt für Einkäufe genutzten beiden Gemeinden nur noch ein, allerdings derzeit nicht verfügbarer Rock vorhanden war[167]. Bei solchen Erwerbungen wurde nicht übergangen, daß solche Kombinationen bedingt durch lokale Unterschiede nicht ganz unproblematisch waren, jedoch stimmten sie, wie dargelegt, mit den allgemeinen Tendenzen des Sammelns insofern überein, als dieses weniger auf eine Berücksichtigung der lokalen Sonderungen als auf eine Darbietung des regionalen Typus sich konzentrierte. Zugleich aber zeigt sich auch in den Briefen über die Trachten aus dem Weizacker, daß die sich ausbreitende Folklorisierung, die Wiederaufnahme der Tracht bei volkstümlichen Festen, namentlich auch in den höhergestellten Schichten, es schwierig machte, das Hinschwinden älterer Bekleidungsgewohnheiten, dort wo Kenntnisse vorwiegend auf Fotografien beruhten, überhaupt glaubhaft zu machen[168].

Weitere ähnliche Informationen verstärkten den Eindruck, als gälte es, letzte Möglichkeiten, die einzelnen Trachtenlandschaften angemessen zu repräsentieren, zu nutzen. Kling gab etwa nach einem Besuch im Hannoverschen Wendland zu bedenken, ob die Tracht aus dem Umland von Lüchow nicht trotz des erheblichen Preises erworben werden solle, weil das damals von einem dort tätigen Lehrer angebotene Ensemble das letzte oder vorletzte Kostüm sei, das überhaupt zusammengestellt werden könne[169]. Genau so deutet Klings Bericht über seine achttägigen Nachforschungen nach den letzten Resten des für die Grafschaft Hauenstein charakteristischen altertümlichen Anzugs auf die geminderte Substanz[170]. Es waren besonders wohl auch die von den Trachtendarstellungen bekannten Ausstattungsstücke, die Aufmerksamkeit auf sich zogen und bei ihrer Erwerbung ein größeres finanzielles Engagement rechtfertigten, wie etwa der aus Hamburg vermittelte, als festlicher Kopfputz dienende Huif aus Sylt, zu dem der Vorbesitzer glaubhaft versicherte, daß ihm während seiner langjährigen Aufenthalte auf der Insel kein weiteres Exemplar als das angebotene, in der eigenen Familie angeblich bis um 1800 verwendete, begegnet sei; auch dem Direktor des Museums zu Altona,

[165] Schreiben von Arthur H. Duffner, Karlsruhe, ohne Datum, präs. 15.9.1899, J. N. 4107. Es handelt sich um eine Tracht aus Furtwangen. Archiv GNM, Altregistratur GNM, Karton 87. Kunst- und kulturgeschichtliche Sammlungen. Erwerbungen und Anfragen 1899.

[166] Schreiben von Otto Vogel, Stargard 6.5.1897, J. N. 1616. Archiv GNM, Altregistratur GNM, Karton 86. Kunst- und kulturgeschichtliche Sammlungen. Erwerbungen und Anfragen 1897.

[167] Schreiben von A. W. T. Vogel, Stargard 31.5.1894, J. N. 2023. Archiv GNM, Altregistratur GNM, Karton 84. Kunst- und kulturgeschichtliche Sammlungen. Erwerbungen und Anfragen 1894.

[168] Schreiben von A. W. T. Vogel, Stargard 30.5.1897, J. N. 2022. Archiv GNM, Altregistratur GNM, Karton 86. Kunst- und kulturgeschichtliche Sammlungen. Erwerbungen und Anfragen 1897.

[169] Schreiben von Dr. Oskar Kling, Frankfurt am Main (Anm. 91).

[170] Schreiben von Dr. Oskar Kling, Frankfurt am Main 18.10.1894, J. N. 3544. Archiv GNM, Altregistratur GNM, Karton 98. Kunst- und kulturgeschichtliche Sammlungen. Trachtensammlung Dr. Kling 1893–1903.

Otto Lehmann, sei es gelegentlich mehrerer Reisen in Sylt nicht gelungen, ein solches Stück für sein Museum zu erhalten[171]. Diese vielfältig registrierte Schwierigkeit in der Beschaffung des verknappten Materials wurde zumindest gelegentlich noch dadurch vergrößert, daß den Museen nicht nur in den anderen Anstalten und den gelegentlich brieflich erwähnten, zu größeren Aufwendungen fähigen Privatsammlern, sondern auch – nun gewissermaßen schon als der „Rücklauf" allgemeinen Interesses – in Gruppen, die der Heimatpflege sich widmeten, Konkurrenten entstanden waren. Aus der unmittelbaren Nachbarschaft von Nürnberg schilderte ein Freund des Instituts, welcher Mühe es bedurfte, einige Reste der alten Kleidung der Knoblauchsbauern zu erhalten, nachdem die heimische Tracht bei den Einwohnern von Neunhof neue Wertschätzung gefunden hatte und von den Burschen bei der Kirchweih verwendet wurde[172]. Indessen betreffen Feststellungen über die Seltenheit des Vorkommens nicht allein die Kleidungen, sondern ebenso auch andere Gruppen von Altertümern, beispielsweise – wie sich aus einer Nachricht aus Lauenburg ergibt – besonders aufwendig gestaltete Textilien: „. . . nachdem ich hörte, daß in der Winsener Marsch sich noch Stickereien befänden, habe ich die ganze Marsch durchsucht . . . und wie habe ich sie durchsucht, von den ärmsten Familien bis zu den reichsten Leuten, aber theils waren die Sachen verkauft, theils haben die nichts darauf gegeben und die Sachen verbrannt, wie sie selber sagten. Und so möchte ich wohl behaupten, daß derartige Stickereien sich überhaupt nicht mehr vorfinden"[173].

Vielfach gehörten die Gegenstände, die für das Museum erworben worden sind, wohl kaum noch den Lebenskreisen von Alltag und Festtag der dörflichen Bevölkerung unmittelbar zu; entgegen den Hinweisen darauf, daß die Umgestaltung der ländlichen Ausstattungen sammlerische Aktivitäten notwendig mache, galten diese zumeist Ensembles und Einzelstücken, die schon länger nicht mehr dem Gebrauch zugehörten. Von diesem Gesichtspunkt aus trifft eine der dem Museum in ausgiebigem Meinungsaustausch verbundene Korrespondentin aus Bozen eine ganz interessante, auf ästhetische Implikationen deutende Feststellung, nachdem sie die Ergebnisse einer kirchlichen Kollekte nach Gegenständen, die ihr des Aufbewahrens wert erschienen, durchmustert hatte: „Die frommen Bozener bauen . . ., um einem dringenden Bedürfnis der heilsbedürftigen Seelen abzuhelfen, noch eine Kirche und wird dafür im ganzen Land gefochten. Unter den milden Gaben befinden sich auch allerhand alte Schmucksachen und dgl., mit denen sich die betr. Geber eine Staffel in den Himmel bauen wollen. Ich habe allerhand gesehen, doch sind eben die meisten Schmuckgegenstände nur veraltet, d. h. altmodisch, aber nicht alterthümlich und war nichts durch schöne Form hervorragendes darunter"[174].

Es gab indessen, bezogen auf die aktuelle Verwendung des für das Museum relevanten Sammelguts, einige bezeichnende Ausnahmen, so wenn sich nach einer wiederum aus Bozen stammenden Mitteilung die erstrebte Akquisition einer Tracht aus dem Sarntale bis zu einem Zeitpunkt verschieben sollte, zu dem diese ein letztes Mal zu einer bevorstehenden Primiz angelegt worden war[175]. In einem

[171] Schreiben von Dr. Fr. Ohaus, Hamburg 6. 5. 1901, J. N. 1933. Archiv GNM, Altregistratur GNM, Karton 89. Kunst- und kulturgeschichtliche Sammlungen. Erwerbungen und Anfragen 1901.
[172] Schreiben von Joh. Scharrer, Nürnberg 10. 3. 1902, J. N. 1035. Archiv GNM, Altregistratur GNM, Karton 89. Kunst- und kulturgeschichtliche Sammlungen. Erwerbungen und Anfragen 1902.
[173] Schreiben von J. Koop, Lauenburg 24. 2. 1902, J. N. 884. Archiv GNM, Altregistratur GNM, Karton 89. Kunst- und kulturgeschichtliche Sammlungen. Erwerbungen und Anfragen 1902.
[174] Schreiben von Ch. Schnerr, Bozen 25. 1. 1898, J. N. 416. Archiv GNM, Altregistratur GNM, Karton 86. Kunst- und kulturgeschichtliche Sammlungen. Erwerbungen und Anfragen 1898. Ch. Schnerr traf bei den Bemühungen, das Germanische Nationalmuseum mit Altertümern aus Südtirol zu versorgen, auf den gleichen Kreis von Händlern, die für den Verein für österreichische Volkskunde in Wien sammelten. Vgl. Schreiben von Ch. Schnerr, Bozen 4. 8. 1896, J. N. 2745. Ebendort, Karton 85.
[175] Schreiben von Ch. Schnerr, Bozen 9. 1. 1897, J. N. 312. Archiv GNM, Altregistratur GNM, Karton 86. Kunst- und kulturgeschichtliche Sammlungen. Erwerbungen und Anfragen 1897.

anderen Falle – es handelt sich um die in Niederkleen bei Butzbach erworbene Kelter – scheint ein generationsbedingtes Verhaftetsein an die gewohnten Arbeitsprozesse ausschlaggebend dafür, daß der Inhaber den Kauf rückgängig machen wollte und seinem Ansinnen mit Hinweisen auf den Charakter des Gerätes als ererbtes, seit uralten Zeiten in der Familie befindliches Besitztum Nachdruck zu verleihen versuchte[176]. Die zeitliche Distanz zu den Verhältnissen, unter denen das Sammlungsgut entstanden ist, war mitunter dadurch aufgehoben, daß Fertigkeiten von Handwerkern genutzt werden konnten, die noch fähig waren, Gegenstände der tradierten Art herzustellen, wie etwa jener alte Schuster in Sarnthein bei Bozen, der die zur Ergänzung der Sammlung an Bekleidungen notwendigen Schuhe über einen für moderne Zwecke unbrauchbaren Leisten arbeiten konnte[177]. Ebenso ist aus den Briefen von Kling zu entnehmen, daß dieser einen Trachtenschneider aus der Schwalm nach Frankfurt bestellte, doch sind die Arbeiten, die der Landhandwerker zu verrichten hatte, nicht näher beschrieben[178].

☐ Das Museum und die Volkskunstbestrebungen um 1890–1900.

Die Vorbereitungen für die Einrichtung der volkskundlichen Abteilung fallen in eine Zeit, in der das Kennwort von der Volkskunst sich allenthalben einbürgerte und ausgedehnte Erörterungen darüber, wie bei breiteren Bevölkerungsschichten eine bessere Einstellung zu den Erscheinungsformen des Künstlerischen zu erzielen sei, auch die tradierte Volkskunst berücksichtigten. Im Germanischen Nationalmuseum waren günstige Voraussetzungen vorhanden, diese Tendenzen zu registrieren, so bezog die Bibliothek den von Ferdinand Avenarius herausgegebenen Kunstwart, der sich für die Erneuerung volkstümlicher Kunst besonders engagierte, ebenso aber auch die von Oskar Schwindrazheim initiierten Beiträge zu einer Volkskunst von 1891–1893, deren Entwürfe Vorstellungen über die Beschaffenheit einer volkstümlichen Kunst zu konkretisieren versuchten[179]. Die in diesen und ähnlichen Publikationen vermittelte, zum Teil ältere Wertungen aufnehmende Betrachtungsweise gewann – allerdings nur in ihren historischen Perspektiven – Einfluß auf die knappen Beiträge, mit denen im Anzeiger die Neuerwerbungen kommentiert werden; so etwa erscheint ein aus Husum kommender Abendmahlsschrank geeignet, zu zeigen „welch feines Formenverständnis zu jener Zeit auch in jene doch immer bäuerlichen Kreise, wo der Schrank jedenfalls entstanden, gedrungen war". Von der gleichen Auffassung ist das Urteil über ein gesticktes Paradetuch aus dem Lüneburgischen bestimmt, bei dem Farbzusammenstellung, Zeichnung und Ausführung als geradezu meisterhaft und hervorragend stilvoll bezeichnet werden[180]. Selbstverständlich konnte eine Erfassung ländlicher Altertümer, die den zusammenkommenden Bestand nach solchen Kriterien beurteilte, nur sehr selektiv vorgehen. Dabei blieben manche für die dörfliche Kultur wichtigen Gegenstandsgruppen völlig unberücksichtigt. Landwirtschaftliche oder gewerbliche Gerätschaften, von denen Vereinzeltes Mitte der neunziger Jahre aus Schwäbisch Hall für eine Darstellung der „Geschichte der Arbeit" geschenkweise überlassen wurde[181], waren häufig lediglich zu Dekorationszwecken erworben, wie

---

[176] Schreiben von Johannes Ohly, Niederkleen b. Butzbach 7.4.1898, J. N. 1812. Das Museum hat den Kauf nicht rückgängig gemacht. Archiv GNM, Altregistratur GNM, Karton 86. Kunst- und kulturgeschichtliche Sammlungen. Erwerbungen und Anfragen 1898.

[177] Schreiben von Ch. Schnerr, Bozen 29.8.1896, J. N. 3030. Archiv GNM, Altregistratur GNM, Karton 85. Kunst- und kulturgeschichtliche Sammlungen. Erwerbungen und Anfragen 1896.

[178] Schreiben von Dr. Oskar Kling, Frankfurt am Main 25.6.1901, J. N. 2568. Archiv GNM, Altregistratur GNM, Karton 98. Kunst- und kulturgeschichtliche Sammlungen. Trachtensammlung Dr. Kling 1893–1903.

[179] Bernward Deneke: Beziehungen zwischen Kunsthandwerk und Volkskunst um 1900. In: Anzeiger GNM 1968, S. 140–161.

[180] Die neuen Zugänge. In: Anzeiger GNM 1896, S. 67–72 (70).

[181] Schreiben von Scheuffels, Schwäbisch Hall, ohne Datum, präs. 11.2.1896, J. N. 566. Archiv GNM, Altregistratur GNM, Karton 85. Kunst- und kulturgeschichtliche Sammlungen. Erwerbungen und Anfragen 1896.

etwa die zwölf Sicheln, die lange im hessischen Haus ihren Platz hatten. Und wenn – wie durch den als Mitglied des Verwaltungsausschusses tätigen Münchner Historiker Karl Theodor von Heigel – an eine Sammlung der Ackerbaugeräte erinnert wurde, ließ sich immerhin auf den Rau'schen Bestand an Modellen der Ackerbaugerätschaften hinweisen[182]. Gelegentlich ist das Verlangen nach künstlerisch qualitätvollen Gegenständen auch an die Vermittler von Altertümern herangetragen worden; so waren etwa einer von den historisierenden Ausstattungen des späten 19. Jahrhunderts geprägten Optik niederdeutsche Möbel mit einer starken Verkröpfung besonders begehrenswert. Bei solchen Überlegungen wurde kaum darüber Rechenschaft gegeben, wie weit die Befolgung solcher Desiderata zu Lasten der Dokumentation der realen Befunde gehen mußte. Jedenfalls schien es einem Hamburger Händler unvermeidbar, seine Auftraggeber aus Nürnberg, die ein allzu deutliches Mißbehagen über die Beschaffenheit einer Stollentruhe aus dem Jahre 1746 äußerten, darüber zu belehren, daß die Einrichtungen in dieser Zeit, in der das Möbelstück entstand, eben so gestaltet waren, während die wohl höher eingeschätzten, aufwendigeren Dekorationen erst später aufkamen[183].

Unter den gekennzeichneten Gesichtspunkten bereiteten besonders Prejawas Bestrebungen zu exaktem, an inventarartigen Aufzeichnungen orientiertem Aufsammeln des Inhalts von Herdraum und Döns eines niederdeutschen Hallenhauses erhebliche Sorgen. Zwar wurde nach einem Bericht von Bezold vor dem Verwaltungsausschuß mit der Zeit eingesehen, daß zu den Stuben eine Vielzahl von Gegenständen beträchtlicher Unscheinbarkeit und geringer Bedeutung zur Abrundung des Gesamtbildes gehören würden[184], immerhin aber war es notwendig, Prejawa deutlich den eigenen Standpunkt in zwei Briefen darzulegen. Da etwa kann sich Bösch mit dem Inhalt eines ihm unterbreiteten Inventars nur teilweise einverstanden erklären, weil, wie es heißt, das Museum darauf eingerichtet wäre, die „Blüthen der deutschen Kultur" darzubieten: „Ich . . . muß besonders auch mich gegen das Geschirr erklären, namentlich das irdene, das fabrikationsmässig hergestellt wird. Wir wollen auf dem Fleth nur die schönsten Sachen aufstellen; es soll ein Ideal werden. Da das Holzwerk alt ist, so müssen auch die Möbel und das Geschirr entsprechend alt sein. Wir werden Anrichte etc. daher mit holländer Fayencen aus dem vorigen Jahrhundert ausstatten. Wenn wir nicht eine Rumpelkammer erhalten wollen, so dürfen wir nur formenschöne oder originelle Stücke aufnehmen u. uns allen Schund möglichst vom Leibe halten. . . . natürlich kann ich photographierte Soldatenbilder nicht brauchen, ebenso keine Urkunde, keinen Kalender u.s.w. Ich ersuche Sie daher wiederholt, nur alte, schöne oder wenigstens originelle Stücke zu erwerben . . .". Dieser Tenor ist dann in einem späteren Schreiben, in dem auf die kargen Einwände Prejawas repliziert wird, beibehalten: „Was Ihre Ausführungen über die Kleinigkeiten betrifft, die auf dem Flett u. in der Stube sein müssen, so bin ich theilweise damit einverstanden. Aber recht viele Stücke zeigen doch absolut keine Spur von Kunst, weder in der Verzierung, noch in der Form, namentlich was moderne Fabrikarbeit ist. Und von diesen Sachen habe ich genug. Da müssen wir, wenn auch aus anderen Gegenden, bessere Stücke dafür nehmen"[185].

---

[182] Protokoll der Jahreskonferenz des Verwaltungsausschusses für 1901. Bl. 141 v. Archiv GNM, Altregistratur GNM, Karton 751.

[183] Notiz auf Schreiben von Ed. Wiggerts, Hamburg 15. 10. 1901, J. N. 4192 – Schreiben von Ed. Wiggerts, Hamburg 24. 10. 1901, J. N. 4403. Archiv GNM, Altregistratur GNM, Karton 88. Kunst- und kulturgeschichtliche Sammlungen. Erwerbungen und Anfragen 1901.

[184] Gustav von Bezold (Verwaltungsbericht für das Jahr 1897–1898). In: Verwaltungsausschuß. Jahreskonferenz 1898, Bl. 111 v. Archiv GNM, Altregistratur GNM, Karton 749.

[185] Kopie des Schreibens des Germanischen Nationalmuseums Nürnberg (Hans Bösch) an H. Prejawa 18. 9. 1897, sowie undatiertes späteres Schreiben. Archiv GNM, Altregistratur GNM, Karton 86. Sonderakte Kauf der Diepholzer Bauernstube. Kunst- und kulturgeschichtliche Sammlungen. Erwerbungen und Anfragen 1897.

□ Die Aufstellung der Sammlungen

In den Fragen der Präsentation der Trachten fanden das Museum und Kling Anschluß an die bereits erwähnte, erstmalig in Berichten über die skandinavische Kostümabteilung der Weltausstellung zu Paris 1867 besonders hervorgehobene Art der Darbietung mit den naturalistischen Figurinen. Offensichtlich gab es damals, ausgelöst durch den allgemeinen Trend zur Veranschaulichung von ländlichen Kleidungen, häufiger Überlegungen über eine vorteilhafte Gestaltung der Objektträger, so berichtete der Direktor des Museums in Karlsruhe, Ernst Wagner, von eigenen Plänen und schlug eine Zusammenarbeit vor[186]. Dem Bedarf entsprechend gab es Geschäfte, die sich auf die Herstellung und Ausstattung von Trachtenfiguren spezialisiert hatten; etwa unterrichtete kurz vor der Jahrhundertwende eine Offerte von der Gelegenheit, aus Rottenburg am Necker „plastisch dargestellte, lebensgroße Figuren von alten württemb(ergischen) Schwarzwälder Bauerntrachten, welche vermöge ihrer Originalität nichts zu wünschen übrig lassen" zu beziehen[187]. Ein ähnliches Etablissement bestand offensichtlich in Amsterdam, denn von dort aus erwarb Kling sechs völlig eingekleidete Repräsentanten niederländischen Trachtenwesens[188]. Desgleichen wurde die günstige Konjunktur von Joseph Theodor Moroder (1846–1939), der als Professor der Kunstanatomie an der Fachgewerbeschule St. Ulrich, Gröden in Südtirol, zeichnete, genutzt. Dieser konnte zu seiner Empfehlung geltend machen, daß für seine aus Zirbelkiefer gefertigten Gestalten von ihm die „Typen der verschiedenen Thäler und Gegenden mit großer Gewissenhaftigkeit studiert" worden seien und auf seine Tätigkeit für das Bayerische Nationalmuseum in München wie für das Museum in Bozen, aber auch darauf, daß Kling gelegentlich bei ihm Trachten ankaufte, hinweisen[189]. Durch diese Verbindung nach Gröden bedingt, erhielt die österreichische Gruppe auch im Hinblick auf die Objektträger in der Darstellung der Trachtenlandschaften durch das Museum ein eigenes Gepräge, das sie bis heute bewahrt hat. Wenn Moroder gleichzeitig noch sein Interesse an der Konservierung der Bekleidungen berühmter kaiserlicher und fürstlicher Personen etc. mit historischem Porträtkopf bekundet, wird erkennbar, daß die in den Jahrzehnten vor der Jahrhundertwende eingeführte Form der musealen Trachtenpräsentation ihre Abhängigkeit von den Darbietungen der Kunst- und Wunderkammern wie den Wanderschauen nicht ganz verleugnete. In gleicher Weise ergaben sich lockere Beziehungen zu den Schaustücken des Wachsfigurenpanoptikums, wie denn von Nürnberg aus sporadisch Verbindungen zu dem namhaften 1877 gegründeten Etablissement von Gustav und Louis Castan (1836–1899 beziehungsweise 1828–1909) in Berlin angestrebt wurden, nachdem von dort aus eine Stube aus dem Hannoverschen Wendland im Museum zu Lüneburg mit Figuren ausstaffiert worden war[190].

272–280 Von vornherein war die Errichtung des Südwestbaus unter dem Aspekt vorbereitet worden, daß dort unter anderem die Sammlung von Kling ihre Aufstellung finden sollte. Ganz besonders setzte Kling sich hier sogleich dafür ein, daß die Trachten zusammen in einem Raume untergebracht wurden; er fand, daß eine solche Darbietung am ehesten der Anlage einer Sammlung, deren Bestimmung es war, eine „Übersicht über die hauptsächlichsten deutschen Trachten" zu geben, angemessen

---

[186] Schreiben der Direktion der Gr. Badischen Sammlungen für Altertums- und Völkerkunde. Karlsruhe (Anm. 129).
[187] Schreiben von Wilh. Heberle, Rottenburg 26. 3. 1899, J. N. 1124. Archiv GNM, Altregistratur GNM, Karton 88. Kunst- und kulturgeschichtliche Sammlungen. Erwerbungen und Anfragen 1899.
[188] Schreiben von W. L. Meyer an Dr. Oskar Kling, Amsterdam 1. 7. 1899. Archiv GNM, Altregistratur GNM, Karton 98. Kunst- und kulturgeschichtliche Sammlungen. Trachtensammlung Dr. Kling 1893–1903.
[189] Schreiben von Joseph Theodor Moroder, St. Ulrich, Gröden 7. 9. 1898, J. N. 3599. Archiv GNM, Altregistratur GNM, Karton 86. Kunst- und kulturgeschichtliche Sammlungen. Erwerbungen und Anfragen 1898.
[190] Schreiben von Lehrer Mente, Rebenstorf bei Lübbow 3. 11. 1898, J. N. 4352. Archiv GNM, Altregistratur GNM, Karton 86. Kunst- und kulturgeschichtliche Sammlungen. Erwerbungen und Anfragen 1897–1898. Vgl. zu solchen Darbietungen auch Wolfgang Brückner: Bildnis und Brauch. Studien zur Bildfunktion der Effigies. Berlin 1966, S. 164–182.

443. Trachtensaal mit Teilen der Sammlung von Dr. Oskar Kling in Frankfurt am Main im zweiten Geschoß des Südwestbaus in der Aufstellung von 1905. Der eigens für die Sammlung geplante Saal ließ gemäß den Befürchtungen des Stifters nur eine sehr gedrängte Aufstellung der 354 Figuren, Halbfiguren und Büsten sowie der zahlreichen Einzelstücke zu. Der Rundgang führte den Besucher von den niederländischen und norddeutschen Kleidungen im Osten des Saals zu den Repräsentanten süddeutschen Trachtenwesens. Im Vordergrund Vitrine mit Kostümen aus Südtirol nebst einer Reihung von Linzer Hauben. Einzelbereiche ländlicher Kleidung waren separat dargeboten; in den Schaukästen vorne der ländliche Schmuck, an der Rückwand die umfangreiche Korbsammlung. Photographie um 1933/34

wäre[191]. Aus diesem Verständnis der Sammlung als einer Vergleichen dienenden Zusammenstellung lokal gebundener Bekleidungsformen ergab sich 1897 von seiten Klings die später realisierte Anregung, die Bauernstuben und die Hausgerätschaften im ersten, die Trachten im zweiten Stockwerk des Neubaus unterzubringen[192]. Natürlich bewegte diesen vornehmlich auch die Abstimmung des Bauvorhabens auf das Volumen der Bestände, doch ist ein Teil der darüber geführten Erörterungen wohl mündlichem Austausch vorbehalten geblieben. 1898 wurde ein förmlicher Vertrag zwischen Geschenkgeber und dem Museum abgeschlossen, dessen Bestimmungen sich im besonderen auf eine Sicherstellung der Sammlung bezogen, so sind in einem Übereinkommen Vorschriften bezüglich des Schutzes vor Diebstahl, aber auch vor der Einwirkung von Licht enthalten. Gleichzeitig ist bestimmt, daß die Verwaltung des Besitzes den beiden Direktoren und Kling, beziehungsweise einem von

---

[191] Schreiben von Dr. Oskar Kling, Frankfurt am Main 17. 9. 1896, J. N. 3247. Archiv GNM, Altregistratur GNM, Karton 98. Kunst- und kulturgeschichtliche Sammlungen. Trachtensammlung Dr. Oskar Kling 1893–1903.
[192] Schreiben von Dr. Oskar Kling, Frankfurt am Main 3. 4. 1897, J. N. 1129. Archiv GNM, Altregistratur GNM, Karton 98. Kunst- und kulturgeschichtliche Sammlungen. Trachtensammlung Dr. Kling 1893–1903.

444. Trachtensaal mit Teilen der Sammlung von Dr. Oskar Kling im zweiten Geschoß
des Südwestbaus in der Aufstellung von 1905. Im Vordergrund Vitrine mit Kleidungen
Niedersachsens und des Unterelbgebiets. Es fehlen die bei anderen Gruppen verwendeten
naturalistischen, regionale Physiognomien darstellenden Figurenköpfe. Hüte und Hauben
waren auf Balusterstäben befestigt. Kleine Emailschilder boten die Herkunftsangabe.
Photographie um 1933/34

diesem benannten Nachfolger obliegen sollte, auch ließ Kling sich seine Mitwirkung an der Aufstellung wie an einer eventuell beabsichtigten Publikation[193] garantieren. Aus diesem Übereinkommen
folgte, daß Kling weitgehendes Mitspracherecht bei der Einrichtung des Trachtensaales hatte und sich
besonders mit den Schränken, in denen die Sammlungen Platz finden sollten, beschäftigte. Schon
frühzeitig schlug er die Verwendung von Eisen vor, wobei ihm die enormen Kosten, die bei einer
Gesamtlänge der Schränke von 246 laufenden Metern auf 50000–60000 Mark geschätzt wurden,
gerechtfertigt erschienen[194]. Aus diesem Grunde ist für die Einrichtung die besonders auf Geldtreso-
re, daneben aber auch auf staubdichte Museumsschränke spezialisierte Firma Valentin Hammeran aus

[193] Vertrag zwischen dem Germanischen Museum in Nürnberg vertreten durch dessen I. Direktor Herrn G. v. Bezold und
Herrn Dr. Oscar Kling z. Z. in Frankfurt a. Main. Nürnberg 13. Juli 1898. Daneben: Übereinkommen über Einzelheiten der Aufstellung der Trachten-Sammlung des Herrn Kling betreffend, von deren Durchführung die Übergabe
derselben abhängt. Nürnberg 13. Juli 1898. Archiv GNM, Altregistratur GNM, Karton 37, Nr. 54. Vermächtnisse,
Stiftungen und Schenkungen.
[194] Schreiben von Dr. Oskar Kling, Frankfurt am Main 14. 1. 1898, J. N. 182. Archiv GNM, Altregistratur GNM, Karton 98.
Kunst- und kulturgeschichtliche Sammlungen. Trachtensammlung Dr. Kling 1893–1903.

Frankfurt-Sachsenhausen herangezogen worden. Die Diskrepanzen zwischen den Ansprüchen, die der Sammler und das Museum hatten, und den technischen Möglichkeiten der Zeit um die Jahrhundertwende werden am besten ablesbar an den Unterhandlungen über die Scheiben, die in diese Schränke eingesetzt werden sollten. Hier wurde die Firma bei schon fortgeschrittener Fertigung veranlaßt, das zu wellige und zu stark gebogene Glas[195] durch ein belgisches Fabrikat größerer Abmessungen der Scheiben zu ersetzen, doch zeigte sich bei der Abnahme in Nürnberg, daß auch dies Material einen erheblichen Fehler hatte und ein „rauchiger Niederschlag" die angestrebte volle Transparenz beeinträchtigte, ja eine Erblindung des Glases befürchten ließ[196]. Aus diesen und anderen Schwierigkeiten ergab es sich, daß die ursprünglich für den 31. März 1902 vorgesehene Abnahme der Sammlungen sich erheblich verzögerte und die von Kling durchgeführten Einrichtungs- und Aufstellungsarbeiten, die von der Museumsleitung teilweise mit erheblicher Ungeduld verfolgt wurden, erst 1905 zu einem Abschluß gelangten. Wenn auch im Bericht über die Erwerbung Klings Anonymität, wie seit den neunziger Jahren üblich, gewahrt wurde, wurde seiner Verdienste um die Geltung des Museums wie um die deutsche Volkskunde ausführlich gedacht. Der Chronist glaubt wohl nicht zu Unrecht die Anstalt im Besitze einer Sammlung, die „sowohl hinsichtlich der Vollständigkeit wie der Qualität und der kritischen Auswahl der Gegenstände ... die vollständigste in Deutschland und ein besonderer Schmuck des Germanischen Museums" sei[197]. 354 Figuren, Halbfiguren und Büsten boten dem Besucher einen Überblick, der im Osten des Saales bei den Trachten der Niederlande begann und in der Nähe der westlichen Wand bei den Kleidungen aus Tirol sowie den separiert aufgestellten Figuren aus dem Wendland endete. Den einzelnen regionalen Gruppen waren Kartons mit den Trachtenteilen, die nicht für die Herstellung der Figurinen benutzt worden waren, zugeordnet. In Pultschränken an der Westseite des Raumes waren die Schuhsammlung, Frauentaschen, der Schmuck, Gebetbücher und Pfeifen zusammengestellt. Die meisten der Figurinen waren – wie erhaltene Beispiele zeigen, mittels Emailschildchen – mit Angaben über ihre Herkunft versehen, so daß der im Jahre nach Beendigung der Aufstellung publizierte Führer sich mit dem Hinweis auf diese Erläuterungen auf knappe Beschreibungen der geschichtlichen Perspektiven volkstümlichen Bekleidungswesens wie auf allgemeine Angaben zu dessen Funktion im Rahmen der lokalen Gruppen beschränkte[198]. Ganz in Übereinstimmung mit anderen von wissenschaftlichen Impulsen bestimmten Bestandsaufnahmen zur Volkskunde – Cornelius Gurlitts Darlegungen über die Zukunft des ländlichen Kostüms in Sachsen mag als ein Beispiel genannt sein[199] – distanziert sich der Autor des Beitrages für diesen Wegweiser von der Trachtenpflege, indem er den ästhetischen Gewinn, den eine konservierte oder erneuerte Tracht dem Außenstehenden bringt, gegen die moralischen Nachteile für betroffene Bevölkerungsteile abzuwägen versucht.

Schon drei Jahre bevor die 1898 fixierte Vereinbarung über die Aufstellung der Sammlung Kling verwirklicht werden konnte, zum fünfzigjährigen Jubiläum des Germanischen Nationalmuseums im Jahre 1902, war das Geschoß mit den Stuben eröffnet worden. Der erwähnte Führer begleitete den Besucher vom Flett und Döns des niederdeutschen Hauses ausgehend vorbei an den Räumen aus dem Egerland, dem Unterinntal, dem Klettgau (Thurgau) in das „hessische Haus", in dem Küche und

[195] Schreiben von Valentin Hammeran, Frankfurt am Main 5. 9. 1902, J. N. 4515. Archiv GNM, Altregistratur GNM, Karton 98. Kunst- und kulturgeschichtliche Sammlungen. Trachtensammlung Dr. Kling 1893–1903.

[196] Gustav von Bezold, Manuskript Abnahmeprotokoll der gelieferten Sammlungsschränke usw., datiert Nürnberg 6. 10. 1903. Archiv GNM, Altregistratur GNM, Karton 98. Kunst- und kulturgeschichtliche Sammlungen. Trachtensammlung Dr. Kling 1893–1903.

[197] Chronik des Germanischen Museums. In: Anzeiger GNM 1905, S. XVII.

[198] Wegweiser GNM 1906, S. 147–149.

[199] Cornelius Gurlitt: Die Zukunft der Volkstrachten. In: Sächsische Volkskunde. Hrsg. v. Robert Wuttke. 2. Aufl. Dresden 1901, S. 553–563.

445. Kammer aus Hindelopen, Prov. Friesland, Niederlande, Einrichtung im wesentlichen 18. Jahrhundert, in der Folge der 1902 eröffneten Bauernstuben. Die unter Mitwirkung von Oskar Kling aus dem niederländischen Handel erworbene Ausstattung wurde wegen der mit Lackmalerei dekorierten Möbel, der Fliesen und der Vielzahl der an den Wänden angebrachten und auf Borden aufgestellten Porzellane und Fayencen in den Museumsführern als besonders malerisch charakterisiert. Photographie um 1902/04

Stube betrachtet werden konnten. Die benachbarte, gleichfalls an der westlichen Wand des Raumes
445 gelegene Kammer aus Hindelopen in Holland darf zu den Einrichtungen gezählt werden, bei denen die Orientierungshilfen, die andere Museen dem Nürnberger Institut bei den Dispositionen über die Anlage einer volkskundlichen Sammlung boten, besonders deutlich wird. Das Museum hatte die Ausstattung für dieses Zimmer im Zusammenwirken mit Kling erworben, nachdem Räumlichkeiten gleicher Provenienz im Kunstgewerbemuseum in Düsseldorf und im Museum für Volkskunde in Berlin gezeigt werden konnten[200]. Dem Rundgange schlossen sich, nachdem man die Toreinfahrt eines Hofes aus der Wetterau nebst einer Anzahl von landwirtschaftlichen Geräten passiert hatte, das schon erwähnte Zimmer aus Miesbach und die Stube aus der Krempermarsch an. In dem folgenden Raum, der vermutlich einmal für das bei Oskar Spiegelhalder zu beschaffende Schwarzwaldzimmer reserviert war und später die damals noch separat im zweiten Geschoß des Augustinerbaus aufgestellte Vierländer Vertäfelung nebst Möbeln aufnehmen sollte, waren vorläufig Ausstellungsstücke aus
446 Schleswig-Holstein zusammengefaßt worden. Am Ende des Ganges war dann die kleine Halligenstu-

[200] Führer durch das Kunstgewerbe-Museum Düsseldorf. Düsseldorf 1906, S. 16f. – Steinmann (Anm. 71), S. 26. Die Orientierung an diesen Vorbildern ergibt sich aus einer Mitteilung von Hans Bösch bei der Sitzung des Lokalausschusses vom 24. 3. 1899. Protokolle der Sitzungen des Lokalausschusses 1898–1899, Bl. 59 r. Archiv GNM, Altregistratur GNM, Karton 749.

446. Darbietung von Möbeln des 17.–19. Jahrhunderts sowie von Geschirr in der Folge der Bauernstuben, Aufstellung von 1902. In einem für eine Stubenvertäfelung reservierten Gehäuse wurde ein Teil der bei Erwerbungen für die Volkskundeabteilung besonders bevorzugten Möbel Schleswig-Holsteins zusammengestellt. Mit der Reihung von Geschirr aus Messing und Keramik war beabsichtigt, die „Blink", wie sie in Bauernhäusern Schleswig-Holsteins der Aufbewahrung und Schaustellung des blanken Metallgeschirrs diente, vorzuführen. Zugleich sollten die ästhetischen Qualitäten ländlicher Ausstattung bewußt gemacht werden. Photographie um 1902/04

be, um deren Ausstattung sich Eugen Träger in den Anfängen des Bestehens einer volkskundlichen Sammlung im Museum besonders bemüht hatte, zu besichtigen.

Die Einrichtung dieser Stuben korrespondierte zeitlich mit dem sich intensivierenden Einwirken der Konzeptionen der nordischen Freilichtmuseen auf mitteleuropäische Bestrebungen zur Darbietung ländlicher Altertümer, die unter anderem mit der Broschüre von L. Passarge über das Nordische Museum in Stockholm und Skansen von 1897 eingeleitet worden ist[201]. Otto Lauffer mag von dieser oder einer ähnlichen Informationsschrift wie auch von ethnographischen Ensembles auf Ausstellungen angeregt worden sein, sich kritisch mit Fragen der Veranschaulichung ländlichen Wohnens an seiner Wirkungsstätte auseinanderzusetzen und dazu anzumerken, daß die Bedeutung von solchen Wohnräumen innerhalb der Behausung nur erlebbar sei, wenn sie im Zusammenhang der Gebäude, denen sie ursprünglich zugehörten, dargeboten würden. Ähnlich ergibt sich für ihn auch bei Betrach-

[201] L. Passarge: Das nordische Museum und Skansen. Stockholm 1897.

926

447. Sog. Nürnberger Küche. Gerätschaften überwiegend Nürnberg, 18. Jahrhundert. Entsprechend den zeitgenössischen Vorstellungen über den didaktischen Nutzen von Ensemblebildungen richtete August von Essenwein 1888 im damals fertiggestellten Südbau eine Anzahl von Stuben, darunter auch eine Küche ein. Diese konnte zunächst in Ermangelung einer Vielzahl von Gerätschaften nur unvollständig ausgestattet werden. Die Bemühungen des Museums unter Hinweis auf die Tradition der Nürnberger Prangküchen über die Frauen der Mitglieder des Lokalausschusses den Rat und die Hilfe der Damenwelt Nürnbergs und des Umlandes zu gewinnen, erwiesen sich, wie das Verzeichnis der eingehenden Geschenke zeigt, sogleich als überaus erfolgreich. Photographie um 1900/05

tung der Möglichkeiten getreuer Präsentation innerhalb räumlich begrenzter Museumssäle der Vorteil des hier auf der Grundlage der Nürnberger Erfahrungen postulierten „Freiluftmuseums"[202].

Obwohl demnach also das Museum notwendig hinter dem, was museologisch als erstrebenswert angesehen wurde, zurückstehen mußte, hatte doch in der Einrichtung der Bauernstuben erneut eine Zielvorstellung Verwirklichung gefunden, durch die Überlegungen zur sachgerechten Darbietung der Museumsbestände im Germanischen Nationalmuseum fast von Anfang an begleitet wurden. Schon sehr früh, 1856, hat der damalige erste Sekretär des Museums, Johannes Falke, in einer Beschreibung der Anstalt die später von den kulturhistorischen Darbietungen mannigfach adaptierte Aufgabe der Gruppierung nach Ensembles besonders hervorgehoben. Er sah es als wichtig an, nach einer Erweiterung der noch sehr begrenzten Räumlichkeiten des Museums jedem Teil der Sammlung „den geeigneten umschließenden Raum zu schaffen und so die gesammte gewerkliche und künstlerische Entwickelung der verflossenen Jahrhunderte in der zweckmäßigsten und übersichtlichsten

[202] Otto Lauffer: Ein deutsches Freiluftmuseum. In: Deutsche Stimmen Jg. 4 (1902/1903), S. 91–96.

Zusammenordnung dem Beschauer vor das Auge zu stellen, insbesondere auch durch Herstellung von Zimmern im Geschmacke der verschiedenen Zeiten vollständige, abgerundete Bilder vom häuslichen Leben derselben zu geben"[203]. In gleicher Weise hat Essenwein es für richtig befunden, eine „Reihe von Lokalitäten einzurichten, deren jede ein vollkommenes Bild einer bestimmten Zeit, Gegend und Gesellschaftsklasse gibt, so daß das Publikum, welches sie durchschreitet, in einer solchen Reihe gewissermaßen den Entwicklungsgang des häuslichen Lebens aufs Neue durchlebt". Essenwein, dem, als er diese Vorschläge formulierte, besonders daran gelegen war, Distanz von den oft angestrebten malerischen Wirkungen zu wahren und „Gesamtbilder . . . genau so wie sie wirklich waren" zu geben[204], hat diesen Vorsatz bei der Gruppierung einer Anzahl der in den Bereich der Hausfrau gehörenden Gerätschaften zu einer zunächst noch reichlich unvollständigen Küche im 447
Jahre 1888 erneut bekräftigt[205].

Über diese Vorgeschichte der Bemühungen um die Aufstellung von Zimmern im Germanischen Nationalmuseum hinaus hatte jedoch die Wiederherstellung der Beziehung zwischen einer Vielzahl von Einzelobjekten in den Bauernstuben um die Jahrhundertwende eine besondere Aktualität insofern, als damals volkspädagogische Erwägungen solche Absichten entschieden förderten, wie denn Fragen der Einbindung von Museumsobjekten in das Milieu ihrer Herkunft beziehungsweise die Andeutung ihrer ursprünglichen Umwelt die Vorträge und Diskussionen der Konferenz der Centralstelle für Arbeiter-Wohlfahrtseinrichtungen mit dem Titel „Die Museen als Volksbildungsstätten" Mannheim 1903 mitgeprägt haben[206]. Schon vorher hatte der Direktor des Museums zu Graz, Karl Lacher (1850–1908), an den pädagogischen Nutzen der entstehenden Volkskundesammlungen erinnert: „Unsere Landesmuseen werden durch ihre ethnographischen Abtheilungen erst zur anziehenden Bildungsstätte für das ganze Volk. Sie sind die besten Lehrer, die in leicht faßlicher, anschaulicher Weise die Culturgeschichte ohne individuelle Zuthat dem Besucher ständig vermitteln, und diese gewonnene Einsicht klärt und befestigt sich durch häufig wiederholte Betrachtung"[207]. So ließen sich dann Beziehungen herstellen zwischen der Ensemble-orientierten Ausstellung von Sammlungen, namentlich dem Freilichtmuseum als dem eigentlichen Volksmuseum, der Volkskunst und der Volksbildung, wie das in den Artikeln des Architekten und Malers Hans Eduard von Berlepsch-Valendas geschehen ist. Berlepsch-Valendas, der auf der Grundlage seiner Erwägungen auch Arbeiterhäuser entwarf, hat in seinen Betrachtungen über die allgemeine Situation der Präsentation von Kulturgeschichte die Lösungen im Germanischen Nationalmuseum als pädagogisch fortschrittlich empfunden und damit schließlich den neuen Trakt mit den Bauernstuben in ein Bezugsfeld gerückt, von dem die Direktion des Museums Distanz wahrte[208]. Jedenfalls faßte Bezold seine Eindrücke, die er auf dem erwähnten Kongreß in Mannheim gewonnen hatte, dahingehend zusammen, daß „die für Demonstrationen und Führungen aufgewandte Zeit und Mühe in keinem Verhältnisse zum Erfolge stehe" und bestätigt damit ältere Bedenken gegen das Führungswesen, die sich in einer Protokollnotiz von 1899 finden: „Seiner Überzeugung nach werde auf diesem Wege der Volksbildung gar nichts genützt, ein Eingehen auf Einzelnes sei nicht möglich und es werde im Wesentlichen nur die Neugierde des Publikums beschäftigt und eine oberflächliche Halbbildung unterstützt"[209].

[203] Johannes Falke: Das Germanische Nationalmuseum. In: Weimarisches Jahrbuch für deutsche Sprache, Litteratur und Kunst Bd. 5 (1856), S. 81–106 (95).
[204] Essenwein: Bericht 1870. Vgl. den Abdruck in diesem Bande S. 1014.
[205] Bauten. In: Anzeiger GNM 1888, S. 130–132.
[206] Die Museen als Volksbildungsstätten. Ergebnisse der 12. Konferenz der Centralstelle für Arbeiter-Wohlfahrtseinrichtungen (Schriften der Centralstelle für Arbeiter-Wohlfahrtseinrichtungen, Nr. 25). Berlin 1904, z. B. S. 37 f., S. 103, S. 109.
[207] Karl Lacher: Die Aufgaben der Kunstgewerbemuseen auf culturhistorischem Gebiete. Graz 1901, S. 4 f.
[208] Hans Eduard von Berlepsch-Valendas: Volkskunst, Volksbildung, Volks-Museen. In: Kunst und Handwerk Jg. 54 (1903/1904), S. 47–54, 61–67.

Besondere Zustimmung fand die neue Abteilung in jenen Kreisen, die schon in den neunziger Jahren sich um die tradierte und die zu erneuernde Volkskunst sorgten, bedeutete die Einbeziehung ländlicher Altertümer in das angesehene Institut doch auch ein Stück Legitimierung dieses Sammelgebietes und der um ihre Anerkennung ringenden Volkskunde[210]. Hier wurde vor allem auf die Wissenschaftlichkeit der Nürnberger Anstalt gesetzt, deren Mitarbeiter mit Einbeziehung des Sachguts der Dörfer und Kleinstädte in den vom Museum herausgegebenen Mitteilungen diesem Aufsätze widmeten. Den Anfang der Reihe der Abhandlungen bildet neben den bereits angeführten kleinen Beiträgen von Eugen Träger über Häuser beziehungsweise die beschnitzten Türen der Halligen eine sich an historischen Ableitungen versuchende Studie von Karl Schäfer über die Bauernstühle[211]. Nach der Jahrhundertwende behandelte Hans Stegmann mit den Möbeln des Museums auch die der Volkskunde zugehörenden Ausstattungen und konnte, bedingt durch seinen Überblick über die Abstufungen in der Einrichtung der Behausungen manche, das damals kaum bearbeitete Gebiet fördernde Einsicht vermitteln[212]. Hingegen sind die Aufsätze Otto Lauffers über einzelne Stuben spezieller, jedoch ist seine nicht zum Abschluß gelangte Folge durch allgemeine, die Situation des Sammelns und Darbietens des Sachgutes der Dörfer beleuchtende Bemerkungen eingeleitet[213]. Vor allem diese Abhandlungen von Stegmann und Lauffer dürften bewirkt haben, daß Stuben und Möbel der Volkskundeabteilung in den zusammenfassenden Darstellungen der zwanziger und dreißiger Jahre nicht ganz übergangen sind[214].

Die Sammlungen 1905–1970

Nach der Aufstellung beziehungsweise Überführung des den Trachten gewidmeten Teils der Sammlung Kling erlosch das Interesse an einer Fortentwicklung der volkskundlichen Abteilung. Bezold hatte schon vorher bei der Sitzung des Verwaltungsausschusses im Jahre 1903 bekundet, daß von Seiten des Museums der ihm mögliche Beitrag zur Veranschaulichung der ländlichen Kultur erbracht war: „Die neue Abteilung der Bauernaltertümer wird damit zu einem vorläufigen Abschluß kommen. Sie ist ja in keiner Weise vollständig, doch Vollständigkeit auf diesem weiten Gebiete kann überhaupt nicht unsere Absicht sein. Die Abteilung ist schon jetzt eine der größten, wenn nicht die größte unserer Sammlungen, und ein gewisses Gleichgewicht zwischen den einzelnen Abteilungen muß doch eingehalten werden"[215].

1908–1909 wurde davon berichtet, daß das Material, soweit es nicht zur Sammlung Kling gehört, katalogisiert werde. Es entstand ein von dem damaligen Assistenten Walter Stengel angelegtes knappes Verzeichnis, das die Exponate, von relativ wenigen Ausnahmen abgesehen, in der Ordnung ihrer Darbietung – d. h. also von Stube zu Stube – und in der Abfolge der außerhalb dieser aufgestellten Gegenstände mit Angabe des jeweiligen Standorts registrierte[216]. Durch diese Aufteilung des

[209] Protokoll der Sitzung des Lokalausschusses vom 20. 11. 1903, unpaginiert. Protokoll der Sitzung des Lokalausschusses vom 3. 2. 1899, Bl. 44 r. Archiv GNM, Altregistratur GNM, Karton 749, 752.
[210] Robert Mielke: Museen und Sammlungen. Ein Beitrag zu ihrer weiteren Entwicklung. Berlin 1903, S. 15.
[211] Karl Schäfer: Deutsche Bauernstühle. In: Mitteilungen GNM 1897, S. 74–79.
[212] Hans Stegmann: Die Holzmöbel des Germanischen Museums. In: Mitteilungen GNM 1902, S. 62–70, 98–113, 142–158; 1903, S. 65–91, 105–130; 1904, S. 45–70, 101–120; 1905, S. 18–38, 63–75; 1907, S. 102–123; 1909, S. 25–58; 1910, S. 36–88.
[213] Otto Lauffer: Die Bauernstuben des Germanischen Museums. In: Mitteilungen GNM 1903, S. 3–55; 1904, S. 3–37, S. 143–195.
[214] F. Rudolf Uebe: Deutsche Bauernmöbel. Ein Überblick für Sammler und Liebhaber (Bibliothek für Kunst- und Antiquitäten-Sammler). Berlin 1924. – Alexander Schöpp: Alte deutsche Bauernstuben. Innenräume und Hausrat. Berlin 1934.
[215] Gustav von Bezold: Verwaltungsbericht 1902–1903. In: Verwaltungsausschuß. Jahreskonferenz 1903, unpaginiert. Archiv GNM, Altregistratur GNM, Karton 753.
[216] Die Erledigung dieser Aufgabe durch Walter Stengel ergibt sich aus den Protokollen der Sitzung des Lokalausschusses 18. 12. 1908, 17. 3. 1909. Archiv GNM, Altregistratur GNM, Karton 753.

Materials bietet das Inventar, das vielfach den Vorbesitz nicht oder als späteren Eintrag aufführt, immer wieder Hilfen, die Provenienz einzelner Gegenstände kennenzulernen. Die Sammlung von Kling wurde von ihrem Stifter bis zu dessen Tod weiterbetreut; nach wie vor galt dieser in besonderem Maße als für die Volkskundeabteilung zuständig, so daß anläßlich der Überlegungen über Ressortaufteilungen innerhalb des Museums seiner ehrenamtlichen und stellenplanunabhängigen Tätigkeit gedacht wurde[217]. Vereinzelt konnte auch der Bibliothekar Heinrich Heerwagen seine Sachkenntnis, die auch in sporadischen, oft nur miszellenartigen Aufsätzen zur Volkskunde ihren Ausdruck fand[218], für die Abteilung nutzbar machen, so bei dem ersten der auf Anregung des Germanistenverbandes veranstalteten Lehrkurse über deutsche Altertümer für Gymnasiallehrer im Sommer 1918[219].

Gelegentlich wirkte das Gewicht der Sammlung an ländlichen Altertümern auf Dokumentationskonzepte anderer Abteilungen hinüber. So fand es Walter Stengel als Leiter des Kupferstichkabinetts anläßlich der Sitzung des Verwaltungsausschusses 1917 unter Vorlage von systematisch geordneten Beispielen aus dem Bereich der Gelegenheitsgraphik für angemessen, daß das Institut als „die museale Centrale der volkskundlichen Studien in Deutschland" auch unscheinbare Blätter von „volkskundlich sachlichem Interesse" zu berücksichtigen habe. Die Absicht, „neben den Höhepunkten in gewissen Grenzen den Tiefstand einer Kultur zu zeigen, in der Weise, daß die Degeneration volkstümlicher Motive in kurzen Lehrgängen dargestellt werden kann", deutet auf eine Rezeption von Auffassungen über das Verhältnis von Stilkunst und Volkskunst, die der Straßburger Altertumsforscher Robert Forrer (1866–1947) vertreten hatte[219a]. Angesichts der Bedeutung, die eine überregional angelegte, umfassende Darbietung der dinglichen Zeugnisse der Volkskultur in einem etablierten Institut für die damals nur karg an den Universitäten vertretene Volkskunde hatte, wird es verständlich, daß der Vorsitzende des Verbandes der Vereine für Volkskunde, John Meier (1864–1953) aus Freiburg i. Br., sich beim Rücktritt von G. von Bezold 1920 um die Zukunft des Germanischen Nationalmuseums sorgte und vor den Hegemoniebestrebungen der Kunstgeschichte warnte. Meier erinnert an die ursprünglichen Programme, die für ihn zugleich „Existenzberechtigung" und „Existenznotwendigkeit" der als „deutsches historisches Museum" eingerichteten Anstalt begründen. Der Ansatz „ein Bild der historischen Entwicklung der Kultur des deutschen Volkes auf dem Gebiete von Staat, Recht, Wirtschaft, Altertümern, Kunstgewerbe, Kunst und Literatur zu geben", gewinnt für ihn besondere Aktualität, weil das Germanische Nationalmuseum nur auf diese Weise seinen Beitrag zu den damals sich verstärkenden Bildungsbestrebungen erbringen könne: „Von allen Seiten und von den gewichtigsten Stellen erschallt heute der Ruf nach deutsch orientierter Schule und deutscher Bildung, eine Forderung, der sich Mittel- und Hochschulen nicht entziehen werden

[217] Theodor Hampe: Die Zukunft des Germanischen Museums. Anregungen und Vorschläge. Nürnberg 1920, S. 10.

[218] Auswahlbibliographie zur Volkskunde: Hermann Schreibmüller: Dr. Heinrich Heerwagen (1874–1942). In: Oberdeutsche Zeitschrift für Volkskunde Jg. 17 (1943), S. 156–160. Der nach einer Mitteilung Schreibmüllers an die Lehrstätte für deutsche Volkskunde in Heidelberg übergebene, die Volkskunde betreffende Teil des Nachlasses Heerwagen ist dort nicht mehr vorhanden. Freundliche Auskunft Dr. Peter Assion, Badische Landesstelle für Volkskunde, Freiburg i. Br.

[219] Jahresbericht GNM 65 (für 1918), 1918, S. 2. – Über die Veranstaltung vgl. den Bericht Th. Valentiner: Ein Lehrgang über Deutsche Altertümer. In: Zeitschrift für den deutschen Unterricht Jg. 32 (1918), S. 456–457. Aspekten der Volkskultur widmete sich auch G. von Bezold, der über Siedlung, Dorfformen, Stadtanlagen, Bauern- und Stadthäuser anhand von Lichtbildern referierte. Ebenso behandelte Bezold auch auf dem zweiten Lehrgang 1919 Dorf und Stadt. Vgl. dazu W. Hofstaetter: Lehrgänge über deutsche Altertümer. 1. Germanisches Nationalmuseum in Nürnberg. Ebendort Jg. 33 (1919), S. 514–515.

[219a] Protokoll der Jahreskonferenz des Verwaltungsausschusses des Germanischen Nationalmuseums für 1917. Protokollband des Verwaltungsausschusses S. 109. Archiv GNM, Altregistratur GNM, Karton 758. – Vgl. Robert Forrer: Von alter und ältester Bauernkunst (Führer zur Kunst, Bd. 5). Esslingen 1906.

können . . . Der deutsche Unterricht wird versagen und in Volksschule, wie in den Unterstufen und Oberstufen der höheren Schulen keine nachhaltigen Wirkungen auslösen, wenn er nicht neben der selbstverständlichen sprachlichen und literarischen Schulung volkskundlich, altertumskundlich, kunstgeschichtlich basiert ist. Er verliert in einem Germanischen Museum, das sich von seiner ursprünglichen Zweckbestimmung entfernte, einen seiner wichtigsten Stützpunkte und, durch die Wirkungen dieser Umgestaltung würden auch die landschaftlichen Stützpunkte in den kleinen Museen ihm verloren gehen". Meier resumiert seine Forderungen in drei Leitsätzen; von der Feststellung ausgehend, daß das Germanische Nationalmuseum ein historisches, kulturhistorisches Institut sei, verlangt er, daß an die leitende Stelle kein reiner Kunsthistoriker, dem eine große Anzahl wichtigster Sammelgebiete wesensfremd sei, sondern ein kunsthistorisch gebildeter Altertumskundler gehöre und der Verwaltungsausschuß um Vertreter der Fächer Geschichte, Germanistik, Volkskunde zu ergänzen sei[219b]. In Meiers Schreiben spiegeln sich die seit der Jahrhundertwende intensivierten Erörterungen über die Orientierung der Museen innerhalb des Gefüges der sich verwissenschaftlichenden und spezialisierenden Disziplinen. Auch Otto Lauffer, damals Direktor des Museums für Hamburgische Geschichte und Ordinarius für deutsche Altertums- und Volkskunde in Hamburg schaltete sich auf der Grundlage seiner Versuche, die spezifischen Aufgaben der historischen Museen zu umreißen[219c], in die Diskussion um die Weiterentwicklung seiner früheren Wirkungsstätte ein. Sein Standpunkt ist dem von Meier ähnlich, wenn auch ohne die Tendenz, den Gegenwartsbezug im Sinne einer Deutschkunde herzustellen. Lauffer, der – wie in den Jahren 1893/ 94 nach dem Tode Essenweins auch sein Lehrer, der Germanist Moriz Heyne – 1920 in der Liste der Kandidaten für den Ersten Direktor geführt wurde, begrüßte es angesichts der Sonderung der Disziplinen, daß es „von größerem Standpunkte . . . (einer) Gesamtwissenschaft deutscher Kulturentwicklung" als ein Glück angesehen werden müsse, „daß in dem Germanischen Museum jene alte umfassende Arbeitsweise sich bis heute erhalten" habe und weist darauf, daß erst vor kurzem der Germanist Konrad Burdach (1859–1936) im Zusammenhang mit seinen Forschungen zur Renaissance in Deutschland ein Institut für die nationale Kulturgeschichte, in dem Geschichtswissenschaft, Philologie, Rechts- und Kunstgeschichte kooperieren, gefordert habe[219d]. Er erblickte im Germanischen Nationalmuseum ein Institut, das – wenn auch zugegebenermaßen in bescheidenerem Umfange –, auf solche interdisziplinären Arbeitsvorhaben hin ausgerichtet sei und verlangt zugunsten der „Gesamtinteressen der Wissenschaft des Deutschtums", daß die Leitung nicht rein kunstgeschichtlich orientiert sei[219e].

Während in solchen Konzepten hervorgehoben ist, daß das Kunstwerk im Germanischen Nationalmuseum unter kulturhistorischen Aspekten zu betrachten sei, bot der spätere Erste Direktor E. Heinrich Zimmermann in seiner dem Verwaltungsausschuß zugeleiteten Programmschrift „Die zukünftige Gestaltung des Germanischen National-Museums" jene Alternativen, die von Seiten der Forscher, die Altertumskunde als Disziplin zu formieren beabsichtigten, als der Tradition des

---

[219b] Schreiben Verband deutscher Vereine für Volkskunde (John Meier) Freiburg i. Br. 19. 5. 1920. Protokollband zur Sitzung des Verwaltungsausschusses 1920, S. 248–251. Archiv GNM, Altregistratur GNM, Karton 759.

[219c] Otto Lauffer: Das historische Museum. Sein Wesen und Wirken und sein Unterschied von den Kunst- und Kunstgewerbe-Museen. In: Museumskunde Bd. 3 (1907), S. 1–14, 78–99, 179–185, 222–245. – Otto Lauffer: Historische Museen. In: Die Kunstmuseen und das deutsche Volk. Hrsg. v. Deutschen Museumsbund. München o. J. (1920), S. 169–184.

[219d] Konrad Burdach: Deutsche Renaissance. Betrachtungen über unsere künftige Bildung. 2. Aufl. Berlin 1918, S. 73.

[219e] Unsignierte Kopie eines Schreibens Otto Lauffers an Generaldirektor Wilhelm von Bode, Berlin, 8. 4. 1920. Protokollband zur Sitzung des Verwaltungsausschusses 1920, S. 212–222. Archiv GNM, Altregistratur GNM, Karton 759. Der Inhalt des Schreibens faßt die wesentlichen Aspekte eines vorausgehenden Aufsatzes zusammen. Vgl. Otto Lauffer: Die Erforschung der deutschen Altertümer des Mittelalters und der neueren Zeiten. Fragen der Wissenschaft und der Organisation. In: Zeitschrift für den deutschen Unterricht Jg. 33 (1919), S. 449–463.

Nürnberger Instituts unangemessen verworfen waren. Zimmermann negierte den schroffen Gegensatz zwischen Kunst- und Kulturgeschichte. Seiner Meinung nach vergaßen die Kulturhistoriker „daß das Kunstwerk – und zwar je vollendeter es ist in um so höheren Maße – der stärkste sichtbare Ausdruck der Kultur eines Zeitalters ist und daß von ihm eine sehr viel nachhaltigere Wirkung ausgeht wie von irgendeinem anderen kulturhistorischen Einzelobjekte. Das Verhältnis läßt sich durch eine Staffelung ausdrücken, die vom einfachsten Gebrauchsgegenstand bis zum vollendeten Kunstwerke hinaufreicht. Dort also, wo die Stoffgebiete des Kunst- und Kulturmuseums die gleichen sind, überlasse man billig dem ersten die Vertretung, denn das Ziel des Germanischen Museums muß es sein, die Höchstleistungen und nicht die mittleren Durchschnittsarbeiten der Kultur eines jeden Zeitalters zur Schau zu stellen. Das gilt ganz besonders für die Wohnungskunst und Gegenstände des täglichen Gebrauchs". Von dieser Voraussetzung aus ist eine reinliche Scheidung zwischen Kunstmuseum und kulturhistorischer Abteilung mit den bäuerlichen Altertümern postuliert; um die Aufgabenstellung der letzteren zu umschreiben, bedient sich Zimmermann einer zentralen Kategorie aus der Volkskunde: „Das Germanische Museum muß sich darauf beschränken, nur diejenigen außerhalb des Bereiches des Kunstmuseums liegenden kulturhistorischen Zweige zu pflegen, die Sitten und Gebräuche des deutschen Lebens in der Vergangenheit illustrieren. Auch so bleibt das Feld noch ein weites und erfordert Konzentrierung auf das notwendige und typische"[219f].

Im ganzen stagnierte die Volkskunde-Abteilung und entsprach, nachdem die Umorganisationen als Folge der Fertigstellung des Bestelmeyer-Baus nach 1920 vorgenommen wurden, museologischen Erfordernissen nicht mehr. Aber erst nach dem Tode von Kling im Jahre 1926 wurde die Frage einer Erneuerung erwogen. Sicher war es für die Abteilung von Vorteil, daß gelegentlich der Verwaltungsratssitzung des Jahres 1928 der Präsident der Notgemeinschaft der Deutschen Wissenschaften Friedrich Schmidt-Ott sowie der im Gremium durch seine Veröffentlichungen besonders zuständige Zentrumspolitiker und Kirchenhistoriker Georg Schreiber über neue Arbeitsvorhaben auf dem Sektor der Volkskunde, namentlich den Atlas der Deutschen Volkskunde sowie eine damals geplante große volkskundliche Ausstellung, berichteten und an den „natürlichen Zusammenhang" des Germanischen Nationalmuseums mit diesen Absichten erinnerten[220]. Solche Anregungen aufgreifend, suchte die Direktion für eine gerade freiwerdende Konservatorenstelle alsbald einen jungen Beamten, „der sich in deutscher Volkskunde einigermaßen auskennt, oder wesentliche Gewähr bietet, sich gut einzuarbeiten"[221]. Nach einigen Konsultationen, bei denen man sich auch der Hilfe von Josef Maria Ritz vom Landesamt für Denkmalpflege in München, der damals durch erste Untersuchungen zur materiellen Volkskultur in Bayern, namentlich in Franken, hervorgetreten war, bediente, wurde Rudolf Helm für das Nürnberger Institut gewonnen. Helm hatte sich während seiner Tätigkeit beim Landesmuseum in Kassel mit der Tracht beschäftigt und einige Abhandlungen zu diesem Thema vorbereiten können[222]. Durch diese Studien war er besonders befähigt, die bis dahin unterbliebene wissenschaftliche Bearbeitung der Klingschen Trachtenbestände zu fördern. Im Jahre 1932 erschien gleichzeitig mit einer Übersicht über den Klingschen Fundus anhand ausgewählter Beispiele die

[219f] E. Heinrich Zimmermann: Die zukünftige Gestaltung des Germanischen National-Museums. Vervielfältigtes Manuskript. Protokollband zur Sitzung des Verwaltungsausschusses 1920, S. 232–246 (233–234). Archiv GNM, Altregistratur GNM, Karton 759.

[220] Niederschrift über die Sitzung des Verwaltungsrates des Germanischen Nationalmuseums 1928. Archiv GNM, Altregistratur GNM, Karton 760.

[221] Schreiben von Ernst Heinrich Zimmermann an Josef Maria Ritz, Bayerisches Landesamt für Denkmalpflege, 4. 8. 1928. Archiv GNM, Altregistratur GNM, Karton 287 c. Akten betr. Personal.

[222] Rudolf Helm: Schnittzeichnungen hessischer Trachten. In: Hessische Blätter für Volkskunde Bd. 27 (1928), S. 15–68. – Rudolf Helm: Die hessischen Trachtenbilder von Ferdinand Justi aus dem Besitz der Familie (Kasseler Museumsverein. Veröffentlichungen, H. 3). Kassel 1929.

Veröffentlichung über die bäuerlichen Männertrachten[223]. In diesem Bande wird das allzu knappe Verzeichnis der Sammlungsgegenstände von einführenden Texten begleitet, die durch die zusammenfassende Charakterisierung des volkstümlichen Bekleidungswesens in den einzelnen Landschaften wie durch die konsequente Einordnung des meist isoliert betrachteten ländlichen Anzugs in die Abläufe der Kostümhistorie zu den wenigen Darlegungen gehören, die für eine wissenschaftliche Beschäftigung mit der Tracht maßgebend geblieben sind. Helm hat während seiner bis 1938 reichenden Tätigkeit in Nürnberg außerdem durch seine gewichtigen Beiträge zur Geschichte des mittelfränkischen Bauernhauses[224] auf die Aufgaben hingewiesen, die von einer Zentralanstalt in einem Gebiet ohne entsprechende landeskundliche Forschungsstätten wahrzunehmen sind.

Während in der Aufbereitung der Bestände auch durch die Anlage der in den übrigen Abteilungen bereits seit langem geführten Kartei Fortschritte erzielt werden konnten, unterblieben zunächst Ergänzungen der Sammlungen, die sich im wesentlichen mit Geschenken zu begnügen hatten, ebenso aber auch Weiterentwicklungen in der Darbietung. Mit der letzteren beschäftigte man sich dann 1933 im Zusammenhang mit einem geplanten Erweiterungsbau. Eilends hatte der Erste Direktor Ernst Heinrich Zimmermann damals sein Bekenntnis formuliert und die Übernahme der Macht im Reiche durch Adolf Hitler in ihrem „universalen Wert“, in ihrer grundlegenden Bedeutung „für die gesamte deutsche Geisteskultur, so auch insbesondere für den Bestand unseres Museums“, gewürdigt[225]. Es lag nahe, über das Publikumsbedürfnis hinaus auch die politische Konstellation zugunsten einer Besserung der Situation der volkskundlichen Abteilung anzuführen; so heißt es etwa in einem Briefe, der für Änderungen wirbt: „Das Interesse an den Trachten ist in den letzten Monaten in ganz ungeahntem Maße gewachsen und wird von der Regierung lebhaft befürwortet. Die Bestrebungen zur Erhaltung und Neueinführung der Volkstrachten ziehen immer weitere Kreise. Es wäre unverantwortlich, wenn wir diese Bewegung, die uns in der Folge ja auch reichlich zugute kommt, nicht in jeder Weise unterstützen und uns gegen Anregungen taub stellten“[226]. Das Argument von der Aktualität der Volkskunde-Sammlung findet auch Eingang in eine im April 1934 veröffentlichte, etwas über drei Druckseiten umfassende „Denkschrift über die notwendigen Erweiterungs- und Umbauten des Germanischen Nationalmuseums zu Nürnberg“, in der vorgeschlagen ist, den alten im rechten Winkel an den Südwestbau anschließenden Trakt durch einen dreigeschoßigen Neubau zu ersetzten, um hier die Trachten nach modernen Vorstellungen anzuordnen. Um Behörden, Verbände und Private zur Zeichnung von Beiträgen zu den Kosten, die auf 300000 Reichsmark errechnet wurden, zu veranlassen, sind Umfang und Geltung der Sammlung mit der Art ihrer Darbietung konfrontiert: „Die Bedeutung der Sammlung deutscher Volkstrachten beruht nicht allein auf ihrer Reichhaltigkeit (es sind nicht weniger als 353 Figuren neben tausenden von Einzelstücken vorhanden), sondern vor allem auf dem dokumentarischen Wert der einheitlichen, heute nahezu ausgestorbenen Trachten. Dieser im Germanischen Museum vereinigte Schatz an Trachten aller deutschen Stämme ist einzigartig und überhaupt nicht wieder zusammenzubringen. Und wie mußte aus Raum-

[223] Rudolf Helm: Deutsche Volkstrachten aus der Sammlung des Germanischen Museums in Nürnberg. München 1932. – Rudolf Helm: Die bäuerlichen Männertrachten im Germanischen Nationalmuseum zu Nürnberg. Heidelberg 1932.

[224] Rudolf Helm: Das Bauernhaus im Gebiet der freien Reichsstadt Nürnberg (Veröffentlichungen der Gesellschaft für fränkische Geschichte Reihe 12, Bd. 1). Berlin 1940.

[225] Jahresbericht GNM 80 (für 1933), 1933, S. 2.

[226] Kopie Schreiben von Ernst Heinrich Zimmermann an L. Labbé Frankfurt am Main, 27.11.1933. Faszikel Dr. Oskar Kling. Archiv GNM, Altregistratur GNM, Karton 38, Nr. 54. Vermächtnisse, Stiftungen und Schenkungen. Der Propagierung des geplanten Neubaus für die Trachtenabteilung diente auch ein Vortrag, über „Deutsche Volkstrachten“, den das Museum am 19.2.1934 zusammen mit dem von Alfred Rosenberg begründeten Kampfbund für deutsche Kultur veranstaltete (Einladung im Akt Tagespresse 1923–1936. Archiv GNM, Altregistratur GNM, Karton 424). Über den „Kampfbund“ vgl. Hildegard Brenner: Die Kunstpolitik des Nationalsozialismus. Reinbek 1965, S. 7–21 u. ö. – Über Trachtenmode und Nationalsozialismus vgl. Hermann Bausinger: Volkskunde. Von der Altertumsforschung zur Kulturanalyse. Berlin, Darmstadt 1972, S. 205 f.

mangel diese Sammlung ausgestellt werden? . . . Kein Modegeschäft würde seine Modelle in einer solchen Überfülle in einen Raum zusammenpferchen. Das Neben- und Hintereinander der Figuren läßt eine ruhige Wirkung des einzelnen Stückes gar nicht aufkommen und die enge Aufstellung der Vitrinen verhindert ein Zurücktreten, um die Gesamterscheinung der Tracht einer Gegend zu überblicken. . . . Die würdige und übersichtliche Aufstellung der Sammlung deutscher Volkstrachten wird heute von der Öffentlichkeit umsomehr gefordert, als sich allerorten die Bestrebungen mehren, auf alte Überlieferungen in der Tracht zurückzugreifen". Mit solchen Erklärungen wurden aber nicht zugleich Initiativen ergriffen, erst am Anfang der Amtszeit von Heinrich Kohlhaußen, in den Jahren 1937 und 1938, konnte das Vorhaben, der Volkskunde mehr Raum zu geben, zumindest in Ansätzen verwirklicht werden; die niederdeutschen Möbel wurden damals im Augustinerbau zusammengefaßt und durch Beiderwand, Irdenware sowie Schmuck ergänzt, im zweiten Obergeschoß dieses Baus entstand eine Abteilung mit Arbeiten aus Süddeutschland, während die Gegenstände aus Mitteldeutschland in zwei Sälen an der Kartäusergasse untergebracht wurden[227]. Damit waren in Verbindung mit den Trachten und Bauernstuben drei große „Landschaftsgruppen" entstanden, so daß der Grundsatz, die Sammlungen nach dem „stammhaften Gefüge" des deutschen Volkes zu ordnen, auch in die räumlich entlegeneren Sammlungsabschnitte hinüberwirkte. Kohlhaußen hat dies damals sehr zeitgemäße, germanistischer Volkstumsideologie verhaftete Prinzip[228], das hier mit dem Buchtitel des Literarhistorikers Josef Nadler gekennzeichnet ist[229], auch sonst in den Sammlungen deutlicher akzentuiert, und es als Gewinn für den Museumsbesucher angesehen, wenn diesem die „mühelose Erkenntnis von Wesen und Bedeutung der heimischen Kulturlandschaft und deren Vergleich mit anderen deutschen Stammeskulturen" ermöglicht werde. „Der sorgsam Durchschreitende, ob Ostmärker oder Rheinländer, Schwabe, Franke oder Holsteiner, findet nun schon in den verschiedensten Abteilungen von der Vorzeit über die ‚Meisterwerke' bis zu den bäuerlichen Gefilden den starken charaktervollen Beitrag seiner engeren Heimat, der ihn mit Stolz auf seine Herkunft erfüllt, aber auch die andersartigen, Achtung einflößenden Beiträge benachbarter oder gar weit entfernter deutscher Stämme nahebringt"[230].

Wie durch die erwähnten Neugruppierungen erhielt die Volkskunde erstmalig auch durch Spezialausstellungen oder durch die Einbeziehung in thematisch umfassendere Ausstellungen größere Publizität. Von diesen Unternehmen hat die Ausstellung „Deutsche Bauernmalerei" von 1940[231] einen Bezug zu den damals aktuellen Themen der Volkskundeforschung und war durch die Untersuchung von Torsten Gebhard über die volkstümliche Möbelmalerei in Altbayern, den Überblick über farbige Volksmöbel von Josef Maria Ritz sowie Albert Schröders Studien über den bemalten Hausrat in Nieder- und Ostdeutschland vorbereitet[232]. Die lange Serie der nach dem Kriege von 1939–1945 wieder aufgenommenen Weihnachtsausstellungen wurde 1937 mit einer Darbietung „Deutsches Winterbrauchtum", zu der alle Museumsabteilungen Material liefern konnten[233], eingeleitet. Ihr folgte 1941 eine Ausstellung „Weihnacht – Rauhnacht", in der eine Anzahl ausgewählter Beispiele der an sich ganz anderen Zusammenhängen zugehörigen Masken auf das Brauchtum der Zwölf Nächte,

448

[227] Jahresbericht GNM 86 (für 1939), 1940, S. 3–6.
[228] Wolfgang Emmerich: Germanistische Volkstumsideologie. Genese und Kritik der Volksforschung im Dritten Reich (Volksleben, Bd. 20). Tübingen 1968, S. 181–185, 229–238.
[229] Josef Nadler: Das stammhafte Gefüge des Deutschen Volkes. München 1934.
[230] Jahresbericht GNM 85 (für 1938), 1939, S. 5–6.
[231] Jahresbericht GNM 87 (für 1940), 1941, S. 7. – Vgl. auch Liselotte Engelhardt: Eindrücke von der Ausstellung „Deutsche Bauernmalerei" im Germanischen Nationalmuseum. In: Nürnberger Schau Jg. 1941, H. 3, S. 77–79.
[232] Gislind M. Ritz: Möbelforschung in Altbayern. In: Ausstellungskatalog Volkstümliche Möbel aus Altbayern. München 1975, S. 44–49.
[233] Jahresbericht GNM 84 (für 1937), 1938, S. 8.

448. Ausstellung „Weihnacht-Rauhnacht" im Atrium des Museums, Winter 1941. Die Darbietung traditionellen Brauchtums der Dämonenabwehr in den Zwölf Nächten nach der Weihnacht durch Larven des 19. Jahrhunderts, denen eine Schaukel mit geflügelten Seepferden aus dem 18. Jahrhundert zugeordnet war, verband sich mit Gruppierungen christlicher Feier, so dem Baldachinaltar mit der Nürnbergischen Maria im Strahlenkranz aus Trautskirchen (Mittelfranken), viertes Viertel 15. Jahrhundert, und den auf Verkündigung und Anbetung deutenden Engeln des 18. Jahrhunderts, z. T. Skulpturen von Ignaz Günther, an der Brüstung vor dem Eingang zur Gemäldegalerie. Weiter waren Spielzeug und Lebkuchenmodel, die auf dem Tisch ausgebreitet waren, berücksichtigt. Im Mittelpunkt stand der Christbaum, der damals als „schönstes Sinnbild des Deutschtums in aller Welt" im Jahresbericht vorgestellt ist

also auf Geisterumzug und Dämonenabwehr hindeuten sollten, so daß neben den christlichen auch jene nordisch-paganen Elemente berücksichtigt waren, die damals die sogenannten Volkstumswissenschaften als die vermeintliche Grundlage der mittelalterlichen und neuzeitlichen Kultur beschäftigten[234].

Das allgemeine Interesse an der Volkskunde zeigte sich auch daran, daß erstmalig wieder die Sammlungen erheblich und durch bedeutende Stücke erweitert wurden. Auch wenn es nicht immer möglich ist, Präferenzen zu erkennen, dürfte es doch anmerkenswert sein, daß Kohlhaußen, der sich besonders mit dem Kunsthandwerk beschäftigte, immer wieder sein Augenmerk auf Gegenstände richtete, die nach bewährtem Interpretationsschema auf ältere Stilstufen zu verweisen schienen, so bei einem Kastentisch aus der Rhön, der „mittelalterliche Gewöhnung" spiegeln soll, wie bei einzelnen, in altertümlicher Technik gefertigten Wirtschaftstruhen aus der Rhön und aus Kärnten[235]. Einige wesentliche Ergänzungen erfuhr der schon vorhandene Bestand an buntem Hausrat, so durch einen Schrank aus dem Alpbachtal in Nordtirol, der dadurch, daß die Art des Dekors einer frühen Phase der

[234] Jahresbericht GNM 88 (für 1941), 1942, S. 20–21. – Vgl. auch Heinrich Kohlhaußen: Weihnacht-Rauhnacht. Zu der gleichnamigen Ausstellung im Germanischen Nationalmuseum. In: Nürnberger Schau Jg. 1941, H. 12, S. 269.
[235] Jahresbericht GNM 85 (für 1938), 1939, S. 49–50.

farbigen Ausstattung von Holzwerk verhaftet blieb, zu einem wichtigen Beleg bei der Darstellung der Entwicklung der Möbelmalerei werden sollte, so aber auch durch bemalte Einrichtungsgegenstände aus Gebieten, die wie die Oberpfalz oder Mittelfranken bis dahin in den Sammlungen kaum vertreten waren[236]. Wie so häufig mögen bei solcher Begünstigung einzelner Sachgebiete, zu denen auch das Maskenwesen mit der Anschaffung einiger Larven aus Graubünden, dem Lötschental und Kärnten zu zählen wäre, Schwerpunktbildungen in der Publizistik nicht ohne Einfluß gewesen sein[237]. In der regionalen Aufteilung der Erwerbungen wurde, wahrscheinlich bedingt durch alte Verbindungen von Kohlhaußen, die ohnehin schon recht stattliche Sammlung an hessischen Altertümern nochmals um wichtige Stücke vermehrt, so um eine Bettstelle aus Brandoberndorf, Kr. Wetzlar, von 1844, und Sitzmöbel, aber auch um Gerätschaften, die wie die Löffelkästchen aus der Schwalm oder die Flachsreffe aus Roßdorf bei Amöneburg[238] damals von Karl Rumpf aus Marburg (Lahn) unter dem Gesichtspunkt ihrer als altertümlich angesehenen Ornamentik behandelt wurden[239]. Die gelegentliche Hervorhebung von diesen Schmuckformen in den Jahresberichten der Anstalt zeigt einen gewissen Grad an Affinität zu der damals modischen Sinnbildforschung, auch wenn deren fatalen Deutungen, nach denen in volkstümlichen Zierweisen spezielle in die Vorzeit zurückreichende Aussagen enthalten sein sollen, nicht durchgehend in Museumskreisen aufgenommen und gefördert worden sind. So konnte Kohlhaußen anläßlich der schon erwähnten Ausstellung über Bauernmalerei davon sprechen, daß von den Germanen zu den Bauern ein direkter Weg der Überlieferung führe und nach einem Pressebericht über die Eröffnung der Veranstaltung daran erinnern, daß in der Bauernmalerei noch die Symbole und alten Zeichen, wie Hakenkreuz und Sechsstern, die auf die alten germanischen Formvorstellungen zurückgingen, zu finden seien[240].

Neben Hessen waren im Zeichen gesteigerter Volkstumspflege jene Regionen besonders im Blickfeld des Nürnberger Instituts, die außerhalb der Staatsgrenzen lagen. Der Bestand an Gegenständen aus Siebenbürgen erfuhr eine Bereicherung durch Stiftungen aus dem Nachlaß des Archivars Franz Zimmermann aus Hermannstadt, der schon vor der Jahrhundertwende um eine angemessene Repräsentation der Trachten seiner Heimat im Germanischen Nationalmuseum Sorge trug[241]. Der ohnehin nicht unbeträchtliche Fundus wurde dann, begünstigt durch eine Studienreise des Ersten Direktors nach Rumänien, nochmals erweitert[242]. Hier anzureihen sind auch Erwerbungen, die durch die Aussiedlung deutscher Bewohner aus Südtirol im Anschluß an einen Vertrag zwischen dem Deutschen Reich und Italien im Spätjahr 1939 ermöglicht wurden[243]. Auch gelangten einige Stücke aus dem damals „wiedergewonnenen" Elsaß in die Sammlungen[244].

[236] Jahresbericht GNM 86 (für 1939), 1940, S. 55. – Jahresbericht GNM 87 (für 1940), 1941, S. 62.
[237] Jahresbericht GNM 84 (für 1937), 1938, S. 43. – Jahresbericht GNM 89 (für 1942), 1943, S. 61. – Ein kurzer Hinweis auf die Maskenbestände des Germanischen Nationalmuseums begegnet zwar schon bei Marie Andree-Eysn: Volkskundliches. Aus dem bayrisch-österreichischen Alpengebiet. Braunschweig 1910, S. 178, doch sind diese erst im Zusammenhang intensiver einsetzender Forschung in den dreißiger Jahren ausführlicher behandelt worden bei Hilde Emmel: Masken in volkstümlichen deutschen Spielen (Deutsche Arbeiten der Universität Köln, 10). Jena o. J. (1936). – Zur Forschungsgeschichte allgemein Leopold Schmidt: Die österreichische Maskenforschung 1930–1955. In: Masken in Mitteleuropa. Volkskundliche Beiträge zur europäischen Maskenforschung. Hrsg. v. Leopold Schmidt (Sonderschriften des Vereines für Volkskunde in Wien, Bd. 1). Wien 1955, S. 4–71 (4–21).
[238] Jahresbericht 84 (für 1937), 1938, S. 44.
[239] Karl Rumpf: Eine deutsche Bauernkunst. Herkunft und Hochblüte des volkstümlichen Strich- und Kerbschnittornamentes und seiner Sinnbildformen (Schriften des Landesamtes für Volkskunde). Marburg (Lahn) 1943.
[240] Vgl. den Bericht über die Ausstellungseröffnung Fränkischer Kurier 18. 11. 1940, S. 3. – Zum Thema: Will-Erich Peuckert, Otto Lauffer †: Volkskunde. Quellen und Forschungen seit 1930 (Wissenschaftliche Forschungsberichte. Geisteswissenschaftliche Reihe, Bd. 14). Bern 1951, S. 331–335. – Vgl. auch Michael H. Kater: Das „Ahnenerbe" der SS 1935–1945. Ein Beitrag zur Kulturpolitik des Dritten Reiches (Studien zur Zeitgeschichte). Stuttgart 1974, S. 114–115, 140–141, 196–197.
[241] Jahresbericht GNM 84 (für 1937), 1938, S. 45–46.
[242] Jahresbericht GNM 85 (für 1938), 1939, S. 51.
[243] Jahresbericht GNM 87 (für 1940), 1941, S. 59–62.
[244] Jahresbericht GNM 87 (für 1940), 1941, S. 67.

449. Trachtenfigurinen im Kreuzgang vor der Bergung am Auslagerungsort in Cadolzburg-Schwarzenberg. Photographie 1941

Nach dem Kriege von 1939–1945 wurde Erich Meyer-Heisig, der sich besonders während seiner Tätigkeit an den Städtischen Kunstsammlungen zu Breslau mit ländlichen Altertümern Schlesiens beschäftigt hatte[245], zum Referenten für die Volkskundesammlung bestellt. Diese aber konnte erst 1954 nach Abschluß der Instandsetzung der wiederherstellbaren Gebäulichkeiten des Museums im ersten und zweiten Stockwerk des Südwestbaus erneut zugänglich gemacht werden. Die schon vor dem Krieg im Ungefähren durchgeführte Aufgliederung des Bestandes nach Gebieten wurde nun konsequenter verwirklicht, indem das Sachgut kleinerer oder größerer Regionen des deutschsprachigen Gebietes gemäß einer unterstellten Herkunft „aus ein und derselben menschlichen Gemeinschaft"[246] zusammengruppiert und auf eine oder mehrere Raum- beziehungsweise Vitrineneinheiten

[245] Erich Meyer-Heisig: Drei Weihnachtskrippen. In: Die Grafschaft Glatz Jg. 27 (1932), Januar. – Erich Meyer-Heisig: Die Heimkultur des schlesischen Bauerntums der Vergangenheit: Die Möbel. In: Schlesische Heimat 1938, S. 15–31. – Erich Meyer-Heisig: Formen und Verbreitung der schlesischen Hauben. In: Die hohe Straße Bd. 1 (1938), S. 231–252. – Erich Meyer-Heisig: Schaugehänge bei den Trachten deutscher Bauern. In: Altschlesische Blätter Jg. 13 (1938), S. 47–51. – Erich Meyer-Heisig: Sinnzeichen aus alter Überlieferungswelt auf schlesischen Ostereiern. Ebendort S. 53–58. – Erich Meyer-Heisig: Bauerntum in Schlesien. Wesen und Leistung im Grenzland (Kurzführer, hrsg. von der Direktion der Kunstsammlungen der Stadt Breslau, Nr. 2). Breslau 1938, 2. Aufl. 1940. – Weitere Manuskripte über schlesische Möbelmalerei und über Stand und Anliegen der Forschung zur schlesischen Volkskunst sind nach Angaben von Meyer-Heisig (Zusammenstellung, Personalakte) als Folge des Krieges verloren gegangen.
[246] Verwaltungsbericht des Germanischen National-Museums in Nürnberg über das Jahr 1953/54. Anlage zum Verwaltungsratsprotokoll der Sitzung vom 2. 7. 1954.

450. Aufstellung der volkskundlichen Sammlungen im zweiten Stockwerk des Südwestbaus, 1954. Der Raum (vgl. Abb. 443) war bei den Wiederherstellungsarbeiten nach dem Zweiten Weltkrieg mit einer hellen Eternitdecke versehen worden. Im Vordergrund Vitrinen mit fränkischen (links), thüringisch-sächsischen und österreichischen Trachten (rechts). In einer den räumlichen Gegebenheiten sich anpassenden Darbietung der Volkskultur der südlichen Teile des deutschen Sprachgebiets wurden Hinterglas- und Votivbilder den Trachten und dem Hausrat zugeordnet. Auf der bühnenartigen Empore wurden unter anderem Brauchtumszeugnisse aus dem Lebens- und Jahreszyklus vorgeführt, am Aufgang Gestalten der Fastnacht, unter anderem Maskenanzüge aus Überlingen und dem mittelfränkischen Altmühltal, 19. Jahrhundert. Photographie von 1954

aufgeteilt wurde. Damit erschien die vom ehemaligen Reichskunstwart Edwin Redslob initiierte Reihe von Landschaftsmonographien, „Deutsche Volkskunst", die 1923 mit einem Band über Niedersachsen begonnen hatte und nach mancherlei Änderungen 1951 mit einer Veröffentlichung über Hessen beendet worden war, für die museale Darbietungspraxis aktualisiert, ohne daß es indessen der vorhandene Besitz beziehungsweise der Raum gestattete, die Dichtigkeit in der Materialaufbereitung, die einzelne dieser Bände auszeichnete, zu erreichen. Umsomehr aber mußte die „Zeitdimension", auf deren Berücksichtigung Dagobert Frey wenig später die sich intensivierende kultur- und kunstgeographische Betrachtung wies[247], zurücktreten, so daß die scheinbare Harmonie der aus dem gleichen Gebiet entstammenden dörflichen Altertümer den Blick auf den zeitlichen Wandel der Lebensformen und Ausstattungsgewohnheiten verstellte. Um bei der Ordnung des Materials nach Landschaften zu klaren Trennungen zu kommen, wurden die Gegenstände niederdeutscher Herkunft im ersten Geschoß, das Sachgut der süddeutschen, österreichischen und schweizerischen Dörfer und Kleinstädte im zweiten Stockwerk des Baus untergebracht. Das Konzept hatte zur Folge, daß die Stuben aus dem Thurgau und dem Inntal in das zweite Stockwerk verlegt und hier vor der östlichen Wand wiedererrichtet wurden. Die freiwerdenden Gehäuse an ihrem ursprünglichen Standort wurden ebenso wie der Raum der damals aufgelösten Stube aus Miesbach an drei Seiten mit Holz

[247] Dagobert Frey: Geschichte und Probleme der Kultur- und Kunstgeographie. In: Archaeologia Geographica Jg. 4 (1955), S. 90–105 (104).

451. Vitrine mit siebenbürgischen Trachten Ende 19./Anfang 20. Jahrhundert aus der Aufstellung der volkskundlichen Sammlungen im zweiten Stockwerk des Südwestbaus, 1954. Außer den Trachten waren, gemäß der Tendenz zur landschaftlichen Gliederung, auf dem Boden der Vitrine siebenbürgische Stickereien, Zinnhumpen und Keramik ausgebreitet; im Hintergrund schlesischer Damast mit Szenen aus der Weihnachtsgeschichte, 18. Jahrhundert. Photographie von 1954

verkleidet und mit Glasscheiben versehen. Sie dienten hinfort als große Vitrinen der Aufstellung der Trachten und des Hausrats aus Niederdeutschland, beziehungsweise im Falle der Stube aus Miesbach der Vorführung entsprechender Materialien aus Hessen. Entlang der Wände waren zahlreiche Möbel gereiht. Um Textilien und Schmuck zeigen zu können, dienten die Truhen gleichzeitig als Vitrinen. Ihre Kasten hatten einen zweiten, höher gelegenen Boden und eine Verglasung erhalten, so daß bei offenstehendem Deckel der Besucher den für ihn arrangierten „Truheninhalt" betrachten konnte.

450, 451 Besondere Zustimmung fanden bei der Presse die Lösungen, die für die Ausstattung des zweiten, hallenartig wirkenden Obergeschosses gefunden worden waren. Hier hatte Meyer-Heisig, der während seiner Tätigkeit für das Germanische Nationalmuseum zugleich das Baureferat versah, um die Höhe des oben durch eine gewölbte Eternitdecke abgeschlossenen Raumes besser nutzen zu können, über eine Abfolge von neu geschaffenen Vitrinen einen plattformartigen Umgang anbringen lassen. Während die Vitrinen der unteren Zone in der üblichen Ordnung nach Landschaften Trachtenfiguren, viele Einzelteile des Kostüms, Mobiliar und sonstigen Hausrat aufnahmen, wurden auf dem Umgang in kleineren Vitrinen einzelne, nach Materialien gruppierte Sachgebiete, Realien des Lebens- und Jahreskreises sowie Gegenstände des Volksglaubens und der Volksfrömmigkeit dargeboten, so daß unter Einbeziehung dieses Traktes der aufmerksame Museumsbesucher deutlich daran erinnert

452. Vorführung schwäbisch-alemannischer „Fasnacht" anläßlich der Hundertjahrfeier des Museums 1952 im Kreuzgangshof. Auf der die offizielle Feier einleitenden Veranstaltung „Deutsches Volkstum. Lieder und Tänze" waren neben den Trachtengruppen (vgl. Abb. 114, 115) auch Brauchtumsgestalten aus einigen südwestdeutschen „Fasnachtsorten" vertreten, die hier abseits zeitlicher und lokaler Bindung ihre Riten vorführten, so der Schuddig und die Gruppe der das Rügegericht vollziehenden Tagausrufer aus Elzach, Kr. Emmendingen

wurde, daß das einzelne Exponat über seine Bindung an die Herkunftslandschaft hinaus einer Vielzahl von Bezugsfeldern zugehört.

Schon zwei Jahre vor dieser Neuaufstellung hatte die Volkskundeabteilung Gelegenheit, die regionale Vielfalt der Kleidungen und des Brauchtums aus Anlaß des hundertjährigen Bestehens des Germanischen Nationalmuseums vorzuführen. Meyer-Heisig organisierte damals eine Folklore-Veranstaltung, bei der vor allem Gruppen auftreten sollten, bei denen die Tracht noch lebendig war, beziehungsweise vor der Umsiedlung getragen wurde, also, wie er sagte, nicht „zu einer, wenn auch noch so gut gemeinten Maskerade geworden" war[248]. Aufgrund einer recht umfangreichen Korrespondenz, die zum Teil das Dahinschwinden der für die damals sogenannte Volkstumsdarbietung benötigten Requisiten erneut bestätigte, entstand eine in elf Abteilungen gegliederte Vorführung „Deutsches Volkstum – Lieder und Tänze", bei der Trachten aus Effeltrich (Oberfranken), aus 104, 105 Oberbayern, aus Tirol, aus dem Allgäu, aus dem Bregenzer Wald, aus Hessen, das durch die Schwalm und durch die Kleidung der katholischen Bewohner von Mardorf vertreten war, aus einzelnen Tälern des Schwarzwaldes, aus Siebenbürgen, der Iglauer Sprachinsel und dem Egerland gezeigt wurden,

[248] Kopie des Schreibens von Erich Meyer-Heisig an Josef Hanika, München 11. 6. 1952. Archiv GNM, Altregistratur GNM. Akte Jubiläum 1952. Trachtengruppen.

453. Vitrine mit rheinischem Hafnergeschirr aus der Ausstellung „Mit Drehscheibe und Malhorn". Ausstellung „Volkstümlicher Töpferarbeiten aus drei Jahrhunderten" 2. Juli–15. Oktober 1954. Zu der im großen Kreuzgang eingerichteten Ausstellung, die erstmals einen umfassenderen Überblick über das Hafnergeschirr des deutschsprachigen Gebietes gab, hatten zahlreiche Museen mit Leihgaben beigetragen. Ganz besonders war bei der Auswahl der ungefähr 550 Exponate das Ziergeschirr berücksichtigt

452 aber auch Verkleidungen der südwestdeutschen „Fasnet" nicht fehlten. Es ist hier nicht Raum, die in das 19. Jahrhundert zurückreichende folkloristische Ahnenreihe dieser als Gratulationscour der deutschen Stämme für das hundertjährige Museum arrangierten Heimatschau[249] zu behandeln. Daß, wie so häufig, Trachtendarbietungen und Bestrebungen der Trachtenerhaltung ineinander übergingen, ergibt sich aus den Briefen, die Meyer-Heisig mit dem Schwälmer Pfarrer Heinz Metz wechselte[250], besonders deutlich. Die sehr unterschiedlichen Bedingungen für ein relikthaftes Vorhandensein der Tracht wurden in einem Prolog, den Eugen Roth der Vorführung widmete, ebenso überspielt, wie dort etwa auftretende Zweifel an der Authentizität der sich präsentierenden „lebendigen" Tracht beschwichtigt sind:

> „Wir haben heut Euch eingeladen
> Nicht zu verschollnen Maskeraden.
> Lebendig Volk, aus freien Stücken

[249] Z. B. Hans Moser: Der Folklorismus als Forschungsproblem der Volkskunde. In: Hessische Blätter für Volkskunde Bd. 55 (1964), S. 9–57 (29). – Vgl. auch Hans Moser: Vom Folklorismus in unserer Zeit. In: Zeitschrift für Volkskunde Jg. 58 (1962), S. 177–209.
[250] Kopie des Schreibens von Erich Meyer-Heisig an Heinz Metz 30. 10. 1953. Archiv GNM, Altregistratur GNM. Akte Jubiläum 1952. Trachtengruppen.

Erschien uns diesen Tag zu schmücken:
Nicht Spieler schlechthin, des habt Acht!
Mit Sang und Tanz in echter Tracht
Tritt fröhlich jede Schar vor Euch
Zu zeigen ihre alten Bräuch'"[251].

In der ersten Zeit nach der Rückkehr der Volkskundeabteilung in die Schauräume des Museums konnte diese zwei Ausstellungen zeigen, von denen die Darbietung über ländliche Hafnerkeramik 453 gleichzeitig mit den beiden Stockwerken des Südwestbaus im Kreuzgang 1954 eröffnet wurde, während die den volkstümlichen Textilien gewidmete Veranstaltung 1956 folgte. Obgleich der eigene Bestand bei beiden Unternehmungen die Grundlage bildete, waren – wenn auch in sehr unterschiedlichem Maße – Leihgaben – bei der Keramik annähernd neunzig Prozent, bei den Textilien lediglich zwanzig Prozent der Exponate – zur Ergänzung und Abrundung einbezogen[252]. Es entstanden repräsentative Überblicke über die genannten Sachgebiete und anhand einer Auswahl aus dem vorgeführten Material den jeweiligen Forschungsstand resümierende Monographien, die in Teilen überholt, aber als Gesamtdarstellung bisher nicht ersetzt sind[253]. Unmittelbare Vorgänger beider Unternehmen finden sich – wenn auch in anderer Zusammensetzung – in der Reihe der Schulausstellungen, die das Staatliche Museum für Deutsche Volkskunde zu Berlin unter den Titeln „Ton und Töpfer" und „Weben und Wirken" 1940 beziehungsweise 1941/42 zeigte[254], so daß Meyer-Heisig möglicherweise durch die Veranstaltungen des ihm landsmannschaftlich verbundenen Konrad Hahm (1892–1943) und seines Institut angeregt worden ist, das Thema der Werkstoffe und ihrer Verarbeitung erneut ausstellungsmäßig zu behandeln.

Überhaupt war die unter der Leitung von Konrad Hahm aktivierte Tätigkeit des Berliner Instituts zunehmend in das Blickfeld des Germanischen Nationalmuseums gerückt, weil dieses zeitweise, d. h. vor allem vor der Neubegründung der Sammlungen in West-Berlin unter der Leitung von Lothar Pretzell seit 1959[255], die einzige überregionale Dokumentation zur Volkskunde in der Bundesrepublik nebst West-Berlin besaß. So darf es als bezeichnend angesehen werden, daß Meyer-Heisig von den Funktionen, die Hahm innerhalb der Volkskunde wahrgenommen hatte, die des Geschäftsführers der Volkskunstkommission übernahm. Diese nationale Kommission wurde im Zusammenhang mit dem Congrès International des Arts populaires in Prag 1928 geschaffen und 1935 durch Erlaß des Reichsministers für Wissenschaft, Erziehung und Volksbildung eine diesem unterstellte, mit einer Satzung versehene Einrichtung[256]. Als eines ihrer Mitglieder hat der Direktor des Bayerischen Landesamtes für Denkmalpflege, Josef Maria Ritz (1892–1960), den Gedanken einer solchen Zusammenarbeit weitergepflegt, der sich dann 1960 zu Nürnberg im Zusammenwirken von Generalkonservator Torsten Gebhard, München, Erich Meyer-Heisig und dem Direktor des Schleswig-Holsteinischen Landesmuseums, Ernst Schlee, Schleswig, erneut konkretisieren sollte. Es war beabsichtigt, die alten Ziele der Forschung und der Veröffentlichung zum Thema Volkskunst wiederum zur Geltung zu bringen.

[251] Eugen Roth: Festlicher Spruch. Hundert Jahre Germanisches National-Museum. August 1952. Manuskript. Archiv GNM, Altregistratur GNM. Akte Jubiläum 1952. Trachtengruppen. Vgl. auch Erich Meyer-Heisig: Deutsches Volkstum. Lieder und Tänze. In: Hundertjahrfeier des Germanischen Nationalmuseums am 9. und 10. August 1952. Bericht an unsere Mitglieder.
[252] Vgl. die Presseberichte Nürnberger Zeitung vom 2. 7. 1954; Nürnberger Nachrichten vom 29. 6. 1956.
[253] Erich Meyer-Heisig: Deutsche Bauerntöpferei. Geschichte und landschaftliche Gliederung. München 1955. – Erich Meyer-Heisig: Weberei. Nadelwerk. Zeugdruck. Zur deutschen volkstümlichen Textilkunst. München 1956.
[254] Vgl. Konrad Hahm: Schulausstellungen im Museum für Deutsche Volkskunde. In: Volkswerk 1942, S. 302–306.
[255] Theodor Kohlmann: Das Museum für Deutsche Volkskunde von 1959 bis 1974. In: Lebendiges Gestern. Erwerbungen von 1959 bis 1974 (Staatliche Museen Preußischer Kulturbesitz. Schriften des Museums für Deutsche Volkskunde Berlin, Bd. 1). Berlin 1975, S. 7–14.
[256] Konrad Hahm: Deutsche Volkskunstkommission. In: Volkswerk 1941, S. 299–302.

Aus solch bestätigter Zentralität[257] ergaben sich über das enge Gebiet der Volkskunde hinausreichende Aufgaben der Sicherung, der Bewahrung und Darstellung des Kulturgutes der Gebiete, die – nach der damals üblichen Sprachregelung – unter fremder Verwaltung standen. An den von Ludwig Grote begründeten Heimatgedenkstätten war, bedingt durch die fehlenden Materialien auf anderen Sektoren, die Volkskundeabteilung zunächst in beträchtlichem Umfange beteiligt, doch stieß diese Dominanz von Gegenständen der Volkskunst auf Kritik[258] und wurde nach und nach durch die Einbeziehung von Kunstgegenständen beseitigt, zumal die Förderung durch das Vertriebenenministerium zahlreiche Neuerwerbungen möglich machte. Hier bedurfte es – wie Meyer-Heisig im Sinne einer Aktivierung des politischen Nutzwertes historischer Dokumente ausführte – „der Zeugnisse eines anderen Ranges und damit höherer Aussagekraft und . . . des Herkommens aus einer weiter zurückliegenden Zeitschicht als das bei volkskundlichen Denkmälern der Fall sein kann; und dieses um der tieferen Begründung des Rechtes willen"[259]. Unabhängig von den Fragen der Präsenz der Volkskunde in den Heimatgedenkstätten wurden aber zahlreiche wichtige Altertümer aus den Gebieten jenseits von Oder und Neiße erworben und damit außerhalb der wechselnden politischen Konstellationen die Sammlungen auf Sachbereiche ausgedehnt, die bis dahin nicht oder nicht ausreichend vertreten waren[260]. So beispielsweise auf die Masurenteppiche, deren Veröffentlichung durch Konrad Hahm bereits vorher Kohlhaußen motiviert hatte[261], eines der dort mitbehandelten Doppelgewebe anzuschaffen, so auf einzelne Möbelstücke aus Schlesien und der Batschka, vor allem aber auf Textilien aus Siebenbürgen. Hier bot die in der Nachbarschaft von Nürnberg ansässig gewordene Bevölkerung des genannten Gebietes die Möglichkeiten zu Ankäufen und – im Hinblick auf die Tracht – auch für Erwägungen im Sinne der in den fünfziger Jahren zeitgemäßen Vertriebenenvolkskunde[262]. Auf die erneute Berücksichtigung der Trachten mußte besonderer Wert gelegt werden, weil die Zahl der Klingschen Ganzfiguren mit Kleidungen durch Kriegseinbußen erheblich dezimiert war. Somit gelangte ein Fundus an Kostümen in das Museum, der, wie häufig an der Beschaffenheit der Gewebe und der Auszier ablesbar ist, ein späteres Stadium der Trachten verkörpert, als die zwischen 1890 und 1905 gesammelten Dokumente ländlichen Bekleidungswesens.

Eine weitere Schwerpunktbildung in der volkskundlichen Sammlung betraf die Zeugnisse religiösen Volksglaubens. Eine erste Erweiterung hatten die vorhandenen spärlichen Bestände schon vor 1945 erfahren, als Heinrich Kohlhaußen zusammen mit einer Leonhardfigur einige Beispiele der vorher unter ästhetischen wie altertumskundlichen Aspekten von Josef Maria Ritz und Rudolf Kriss gewürdigten Eisenvotive kaufte[263]. Während diese Opfergaben zunächst außerhalb der volkskundlichen Sammlungen und zwar wegen der Heiligenskulptur in die Skulpturenabteilung eingeordnet wurden, gelangte der wichtige Bestand zum kleinen Andachtsbild, den Anton Maximilian Pachinger (1864–1938) zusammengebracht hatte, in das Kupferstichkabinett[264]. Die Verbindungen zwischen

[257] Vgl. auch Leopold Schmidt: Auf der Suche nach der verlorenen Volkskunde. 1. Bericht über eine Winterreise 1957 zu den Sammlungs- und Forschungsstätten der Volkskunde in Süd- und Westdeutschland. In: Österreichische Zeitschrift für Volkskunde 60 (1957), S. 226–245 (229–231).

[258] Niederschrift über die Sitzung des Verwaltungsrates des Germanischen National-Museums Nürnberg, 24. 10. 1953, S. 17–18. Zu den Heimatgedenkstätten S. 246–248, S. 298.

[259] Erich Meyer-Heisig: Die Sammlung zur deutschen Volkskunst im Germanischen Nationalmuseum. In: Volkskunde-Kongreß Nürnberg 1958. Vorträge und Berichte. Hrsg. v. F. Heinz Schmidt-Ebhausen (Beiheft zur Zeitschrift für Volkskunde 1959). Stuttgart 1959, S. 27–39 (32).

[260] Erich Meyer-Heisig (Anm. 259), S. 35–37.

[261] Jahresbericht GNM 86 (für 1939), 1940, S. 54–55. Konrad Hahm: Ostpreußische Bauernteppiche (Forschungen zur deutschen Kunstgeschichte, Bd. 21). Jena 1937, S. 83–92.

[262] Literatur bei Adolf Bach: Deutsche Volkskunde. 3. Aufl. Heidelberg 1960, S. 420–422.

[263] Jahresbericht GNM 89 (für 1942). 1943, S. 59–60. – Josef Maria Ritz: Eisenvotive als Volkskunst. In: Festschrift für Marie Andree-Eysn. Hrsg. von Josef Maria Ritz. München 1928, S. 44–48. – Rudolf Kriss: Technik und Altersbestimmung der eisernen Opfergaben. In: Jahrbuch für historische Volkskunde Bd. 3/4 (1934), S. 277–289.

[264] Jahresbericht GNM 85 (für 1938), 1939, S. 44.

dem Germanischen Nationalmuseum und dem Hofrat aus Linz reichen nach dessen Briefen in die Zeit von Essenwein, der den jungen Sammler ermutigte und förderte, zurück[265]. Pachinger erwog zunächst, wie aus seinem 1905 niedergeschriebenen Testament hervorgeht, seine Linzer Besitztümer an Liegenschaften, besonders aber seine alten Möbel, die er sich in Nürnberg als Linzer Stube gruppiert dachte, seine Sammlungen an Miniaturen, Weihemünzen, Wappen, Wallfahrtsbildern, Pergamentmalereien, Gratulationskarten sowie seine ikonographisch geordneten Dokumentationen der Nürnberger Anstalt zu stiften[266], doch bewirkten Mißstimmungen, wie sie sich aus Pachingers Forderungen nach Auszeichnungen ergaben, dessen wirtschaftliche Schwierigkeiten, schließlich Besserungen im zeitweise problematischen Verhältnis des Hofrats zu seiner Heimatstadt Linz Modifikationen in den ursprünglichen Abmachungen, so daß nach Nürnberg vor allem Graphik, vornehmlich die umfassende, nach Gebieten gegliederte Sammlung an kleinen Andachtsbildern kam. Durch das sehr großzügige Vermächtnis war eine Grundlage für das Studium der nach 1950 anwachsenden Zahl der Belege aus dem Gebiet des Volksglaubens geschaffen. Die verstärkt einsetzende Forschung, vor allem aber auch die Übergabe der bedeutendsten bestehenden Sammlung durch ihren Begründer Rudolf Kriss (1903–1973) an das Bayerische Nationalmuseum im Jahre 1951[267], dürften einer intensiveren Berücksichtigung des Sachgebietes förderlich gewesen sein. Zu einem der Zentren der musealen Darstellung von dinglichen Objektivationen der volkstümlichen Frömmigkeit wurde die Volkskundeabteilung indessen erst, als 1965 dank einer Bewilligung der Stiftung Volkswagenwerk in Wolfsburg ihr die im Vorjahre in Basel ausgestellte[268] Sammlung von Erwin Richter (1903–1960) aus Wasserburg am Inn angeschlossen werden konnte. Nachdem in den vorausgehenden Jahren besonders durch die Untersuchungen von Wolfgang Brückner[269] und Lenz Kriss-Rettenbeck[270] die Vielfalt der Aspekte, unter denen ein solcher Bestand für die abendländische Kultur- und Religionsgeschichte auswertbar ist, exemplifiziert worden war, schien die Integration dieser Sammlung mit ihren mannigfachen Beziehungen auch zu anderen Bereichen des Museums wohl vorbereitet. Erwin Richter hatte sich durch seine Ausbildung bei Josef Strzygowski und seine während der Jahre in Wien eingeleitete Verbindung zur Mythologen-Schule von Karl von Spiess für Arbeiten auf dem Sektor der Volkskunde gerüstet und – darin Rudolf Kriss ähnlich – seine seit den dreißiger Jahren erworbenen Votivtafeln, Votivgaben, Devotionalien und Amulette als Basis für Forschungen, die bei ihm besonders dem Volksglauben, der Volksmedizin und dem Wallfahrtsbrauchtum galten, genutzt[271].

Mit dem knappen Hinweis auf die Erwerbung der Sammlung Richter ist der Entwicklung vorausgegriffen. Meyer-Heisig hatte in den letzten Jahren seines Wirkens die Schwerpunkte anders gesetzt. Nachdem er noch bei einem Vortrag anläßlich des in Nürnberg veranstalteten und vom Germanischen Nationalmuseum organisierten Volkskunde-Kongresses von 1958 das Vorhandensein künstlerischer Gestaltung bei ländlichen Altertümern als ein wesentliches Kriterium für die Einreihung in die

[265] Schreiben Anton Maximilian Pachinger, Linz 13. 10. 1906. Archiv GNM, Altregistratur GNM, Karton 38, Nr. 73. Vermächtnisse, Stiftungen, Schenkungen. – Über Pachinger vgl. Franz Lipp: Der Sammler und Kulturhistoriker Anton Maximilian Pachinger. In: Aus dem Antiquariat Jg. 27 (1971), S. A 149–A 164.
[266] Testament von Anton Maximilian Pachinger 12. 10. 1905. Archiv GNM, Altregistratur GNM, Karton 38, 73. Vermächtnisse. Stiftungen und Schenkungen.
[267] Lenz Kriss-Rettenbeck: Zur Aufstellung der Sammlung Kriss im Bayerischen Nationalmuseum. In: Bayerisches Jahrbuch für Volkskunde 1960, S. 105–110.
[268] Leonie Richter: Die „Sammlung Erwin Richter". Zur Sonderausstellung im Schweizerischen Museum für Volkskunde Basel, Mai–Oktober 1964. In: Schweizer Volkskunde Jg. 54 (1964), S. 17–21. Ebendort auch biographische Angaben.
[269] Wolfgang Brückner: Volkstümliche Denkstrukturen und hochschichtliches Weltbild im Votivwesen. Zur Forschungssituation und Theorie des bildlichen Opferkultes. In: Schweizerisches Archiv für Volkskunde 59 (1963), S. 186–203.
[270] Lenz Kriss-Rettenbeck: Das Votivbild. München 1958. – Ders.: Bilder und Zeichen religiösen Volksglaubens. München 1963.
[271] Sonderdrucke der über fünfzig Beiträge Richters in Zeitschriften und Sammelwerken werden in der Bibliothek des Germanischen Nationalmuseums Sign. 4°Vb Ric 31/1 verwahrt.

454. Ausstellung „Zeugnisse religiösen Volksglaubens" mit der neu erworbenen Sammlung von Erwin Richter aus Wasserburg am Inn in der sog. Mittelalterhalle 11. Dezember 1965–27. Februar 1966. Mit Hilfe von Objekten aus anderen Museumsabteilungen waren die Votivtafeln und -gaben im Zusammenhang der Geschichte volkstümlicher Frömmigkeit dargeboten, links an der Wand als eines der frühen Zeugnisse des Votivwesens das Votivbild des Stephan Praun, Gemälde von Paul Lautensack d. Ä. 1511, davor Christus auf dem Palmesel, Nürnberg um 1370, rechts Andachtsbilder aus der Sammlung von Anton Maximilian Pachinger

volkskundliche Sammlung des Germanischen Nationalmuseums hervorgehoben hatte[272], entschloß er sich kurze Zeit später, der allgemein anerkannten Notwendigkeit folgend, landwirtschaftliches Arbeitsgerät zu dokumentieren. Besonders in den 1957 einsetzenden Beiträgen von Wolfgang Jacobeit waren die im Vergleich zu anderen Ländern Mitteleuropas fehlenden musealen Grundlagen für die wissenschaftliche Behandlung dieses für die Erkenntnis von Arbeit und Gesellschaft wichtigen Sachbereiches kenntlich gemacht und Wege zum Ausgleich des bestehenden Defizits gewiesen[273]. Mit der Realisierung der hier wie auch anderwärts sporadisch entwickelten Vorstellungen war mit Ausnahme der von Ernst Schlee initiierten und seit 1957 im größerem Umfange durchgeführten volkskundlichen Landesaufnahme in Schleswig-Holstein[274] noch kaum begonnen worden, als das Germanische Nationalmuseum nach dem Protokoll der Sitzung seines Verwaltungsrates im Jahre 1961 beabsichtigte, eine Sammlung von Geräten für die Feldbestellung und Wirtschaftsführung anzulegen, ehe diese völlig verschwunden wären[275]. Wenn die in den folgenden Jahren ohne Möglichkeit zu den unerläßlichen ausgreifenden Dokumentationen betriebene Sammeltätigkeit sich vor allem den Verhältnissen des landwirtschaftlichen Arbeitens im Umland von Nürnberg widmete, ist den Grenzen, welche im Hinblick auf die Schauräume und die Magazine einem im Stadtzentrum gelegenen Museum gesetzt sind, Rechnung getragen. Sie förderten Tendenzen zur Sicherung und Darbietung exemplarischer Zeugnisse, zugleich aber manifestiert sich auch erneut die nach 1945 verstärkt vollzogene Zuwendung der Abteilung zur Veranschaulichung der Volkskultur Frankens, die vor allem auch für die Erweiterung der Bestände an Hafnerkeramik, an Möbeln, Korbwaren und

[272] Meyer-Heisig (Anm. 259), S. 34.

[273] Z. B. Wolfgang Jacobeit: Zur Erforschung des bäuerlichen Arbeitsgeräts in Deutschland. In: Zeitschrift für Agrargeschichte und Agrarsoziologie Jg. 5 (1957), S. 154–157. – Wolfgang Jacobeit: Das bäuerliche Arbeitsgerät – ein wichtiger Forschungszustand der deutschen Volkskunde. In: Rheinisch-westfälische Zeitschrift für Volkskunde Bd. 7 (1960), S. 109–114.

[274] Arnold Lühning: Gerätekundliche Feldforschung in Schleswig-Holstein. In: Arbeit und Volksleben. Deutscher Volkskundekongreß 1965 in Marburg (Veröffentlichungen des Instituts für mitteleuropäische Volksforschung an der Philipps-Universität Marburg-Lahn, Reihe A, Bd. 4). Göttingen 1967, S. 123–134.

[275] Niederschrift über die Sitzung des Verwaltungsrates des Germanischen Nationalmuseums Nürnberg am Mittwoch, den 5. 7. 1961, S. 12–13.

455. Aufstellung der volkskundlichen Sammlungen im Südbau, 1969. Gegenüber der die regionale Bindung der Volkskultur akzentuierenden Aufstellung von 1954 orientiert sich die Darbietung stärker an den Materialgruppen

sonstigem Holzgerät wichtig wurde. Mit dieser besonderen Berücksichtigung des Sachguts fränkischer Dörfer und Kleinstädte wurde nicht nur ein seit langem bestehender Mangel in der regionalen Aufgliederung des Bestandes korrigiert, sondern zugleich auch für die schon um die Jahrhundertwende von Julius Leisching behandelte Frage nach dem Verhältnis der Zentralsammlungen zu den damals in großer Zahl gegründeten Ortsmuseen[276], eine in diesem Falle zumindest zeitweise praktizierbare Teillösung gefunden. Dies regionalbezogene Engagement veranlaßte schließlich unter Vorwegnahme der seit 1973 sich entfaltenden Bestrebungen zur Einrichtung eines Freilichtmuseums in Mittelfranken zur Überlegung darüber, wie weit in Verbindung mit Schloß Neunhof ein fränkisches Bauernmuseum, in dem auch alte Gebäulichkeiten Aufstellung finden sollten, geschaffen werden könne[277]. Der Dokumentation des Bauernhauses galt schließlich auch ein weiteres Unternehmen von Meyer-Heisig, der – wohl nicht zuletzt unter dem Einfluß der in vielen Gegenden vollzogenen Gründung von Freilichtmuseen: Rheinisches Freilichtmuseum in Kommern, gegründet 1958, Westfälisches Freilichtmuseum bäuerlicher Kulturdenkmale in Detmold, gegründet 1960, Schleswig-Holsteinisches Freilichtmuseum in Kiel, gegründet 1960[278] – „mit Rücksicht darauf, daß durch die Mechanisierung der Landwirtschaft das alte Dorfbild und die alten Haustypen in rascher Entwicklung zugrundegehen"[279] eine Sammlung von Bauernhausmodellen anzulegen begann und damit im Rahmen der

[276] Julius Leisching: Die Bedeutung der Ortsmuseen. In: Mitteilungen des Mährischen Gewerbemuseums Jg. 21 (1903), S. 57–64.
[277] Verwaltungsbericht des Germanischen National-Museums Nürnberg über das Jahr 1961. Anlage zum Verwaltungsratsprotokoll der Sitzung vom 27. 6. 1962. Eine Vielzahl von Erwerbungen aus Franken der Zeit zwischen 1946 und 1964 sind veröffentlicht in der als Ausstellungskatalog entstandenen Veröffentlichung von Bernward Deneke, Hermann Maué: Volkskunst aus Franken. Eine Auswahl aus den Beständen des Germanischen Nationalmuseums Nürnberg. Nürnberg 1975.
[278] Zippelius (Anm. 89), S. 62.
[279] Niederschrift (Anm. 275), S. 12–13.

Möglichkeiten, wenn auch in ganz anderer Weise, an einen alten Plan Otto Lauffers für ein zentrales deutsches Freilichtmuseum anknüpfte. Im Ganzen waren etwa fünfzig dieser Bauernhausmodelle im festgelegten Maßstab von 1 : 20 zu den Leitformen der deutschen Haustypen vorgesehen. Wenn möglich, sollten die Einzelteile in der Art hergestellt sein, daß die zimmermannmäßigen Verbindungen und die Gefüge erkennbar blieben. Für diese Arbeiten, die durch einen hauseigenen Modellschreiner und im Auftrag durch geeignete Handwerker außerhalb des Museums durchgeführt wurden, war eine Frist von etwa 10 Jahren eingeplant, so daß die Dokumentation erst nach dem Abschluß der Aufstellung im Südbau vollständig gewesen wäre. Indessen ist später die Problematik dieser Aktion unter den Aspekten des dokumentarischen und didaktischen Nutzens der Modelle bewußt geworden und dies Vorhaben zunächst soweit reduziert fortgeführt, daß nur noch Modelle von unmittelbarem didaktischen Bezug zum Sammlungsgut zu fertigen waren.

Viel zu früh ist Erich Meyer-Heisig, durch den für die Volkskunde im Germanischen Nationalmuseum ein neues Fundament gelegt worden war, 1964 verstorben. Ihm ist es nicht mehr möglich 317 gewesen, die von ihm wesentlich erweiterten Sammlungen in dem neu entstehenden Südbau aufzustellen oder in Notizen und Skizzen seine Absichten über die Verteilung der Bestände auf das Bauwerk, in dem die Volkskunde die drei oberen Stockwerke zugewiesen erhielt, niederzulegen. Das im Hinblick auf den fortschreitenden Bau sehr spät, im Wesentlichen im Jahre 1965 erarbeitete Konzept, orientiert sich in einer groben Gliederung daran, die Möbel und den übrigen Hausrat auf der gleichen Stockwerksebene unterzubringen wie die Bauernstuben, die sich entgegen den vorausgehenden Überlegungen nicht in den Südbau übertragen ließen. Eine weitere Festlegung war dadurch gegeben, daß den Trachten und Textilien erneut die Sorgfalt zuteil werden sollte, die schon Oskar Kling auf sie verwendet wissen wollte; so erschien es unumgänglich, für sie das erste Stockwerk vorzusehen, weil nur hier die Möglichkeit war, den bis dahin nicht eingeplanten Dunkelraum wenigstens nachträglich durch die Anbringung von Vorhängen zu schaffen. Zusätzlich verlangte die eben erworbene Sammlung Richter, die später im dritten Geschoß dargeboten wurde, einen eigenen größeren Abschnitt innerhalb des verfügbaren Raumes.

Diese Vorbedingungen, besonders aber die zunehmende Spezialisierung innerhalb der Erforschung der ländlichen Altertümer mit ihren für die einzelnen Materialgruppen divergierenden Einsichten in Formen der Produktion, der Distribution und des Verbrauchs, ließen es ratsam erscheinen, wiederum 455 stärker nach Materialien zu gliedern und dabei zu versuchen, durch die Einbeziehung von Gegenständen aus den kunst- und kulturgeschichtlichen Sammlungen einzelne Entwicklungslinien zu verdeutlichen, das heißt somit auch, die übliche Isolierung der volkskundlichen Sammlungen durch die Nutzung der ihr im Germanischen Nationalmuseum gebotenen Möglichkeiten zumindest partiell aufzuheben.

Mit diesen Bemerkungen über die gegenwärtige, 1969 eröffnete Aufstellung ist der Rahmen, den sich dieser Beitrag gesteckt hat, überschritten. Er erhält seinen Gegenwartsbezug auf ganz anderer Ebene dadurch, daß die Voraussetzungen, unter denen die Sammlungen begründet und vermehrt worden sind und die im Laufe der Jahrzehnte wechselnden Selektionsmechanismen die Wertigkeit der Gegenstände als Geschichtsquelle mitbestimmen; so verstanden erscheint Sammlungsgeschichte immer auch als ein Versuch, die Beziehung der musealen Dingwelt zur gewesenen Realität besser kennen zu lernen.

Anhang

Texte zur Geschichte des Museums
Ausschüsse und Beamte
Sonderausstellungen und Bibliographie

Satzungen und Dienstordnungen
Anmerkungen von Rainer Kahsnitz

Satzungen des germanischen Museums zu Nürnberg vom 1. August 1852[1]

I. Allgemeine Grundsätze

§ 1.

Das germanische Museum verfolgt einen dreifachen Zweck:
a. ein wohlgeordnetes Generalrepertorium über das ganze Quellenmaterial für die deutsche Geschichte, Literatur und Kunst, vorläufig von der ältesten Zeit bis zum Jahr 1650, herzustellen;
b. ein diesem Umfange entsprechendes allgemeines Museum zu errichten, bestehend in Archiv, Bibliothek, Kunst- und Alterthumssammlung;
c. beides nicht nur allgemein nutzbar und zugänglich zu machen, sondern auch mit der Zeit durch Herausgabe der vorzüglichsten Quellenschätze und belehrender Handbücher gründliche Kenntniß der vaterländischen Vorzeit zu verbreiten.

§ 2.

Die Geschäfte des Museums stehen unter Leitung eines Vorstandes, dem 24 Beisitzer aus den Reihen deutscher Fachgelehrte als wissenschaftliche Rathgeber und als Controlle zur Seite stehen und die nöthigen Beamten mit Canzlei- und Dienstpersonale beigegeben sind.

§ 3.

Das Vermögen des Museums wird durch Aktien, Jahresbeiträge, Schenkungen und Stiftungen zusammengebracht, ist unveräußerlich und untheilbar und hat die Natur einer Stiftung zum Zweck des Unterrichts[1a].

II. Besondere Bestimmungen zur Durchführung.

§ 4.

Die in § 1. als Hauptzweck angedeutete Herstellung eines General-Repertoriums über das Quellenmaterial wird erzielt:
a. für archivalische Quellen, durch Einziehung aller in öffentlichen und unveräußerlichen Privatarchiven befindlichen noch ungedruckten Regesten oder Repertorien von Urkunden, Acten und Rechnungen;
b. für literarische Quellen, durch Einziehung aller hieher gehörigen in öffentlichen und unveräußerlichen Privat-Bibliotheken befindlichen noch ungedruckten Handschriften-Verzeichnisse;
c. für monumentale Quellen, durch Aufzeichnung und, wo möglich, leichte Skizzirung aller deutschen Baudenkmale, Grab- und sonstigen Monumente, soweit sie in die Periode gehören und noch nicht beschrieben oder abgebildet sind;
d. für Kunst und Alterthum, durch Einholung der noch nicht gedruckten Verzeichnisse der in öffentlichen und unveräusserlichen Privatsammlungen, Kirchen, Rathhäusern u. s. w.

befindlichen deutschen Kunst- und Alterthumsgegenstände;
e. für die noch im Volke lebendig erhaltenen, althergebrachten Sitten, Gebräuche, Sagen und Lieder, durch besondere Aufzeichnung derselben, soweit sie noch nicht durch den Druck bekannt sind.
Es sollen alle deutschen Regierungen, alle Vereine und Corporationen, wie auch Privatpersonen, welche Inhaber von unveräusserlichen Archiven, Bibliotheken, Kunst- und Alterthums-Sammlungen sind, gebeten werden, die gewünschten Mittheilungen zum Besten des gemeinnützigen Unternehmens gratis zu machen. Im Nichterfüllungsfalle werden Copien von den vorliegenden Verzeichnissen auf Kosten des Museums erbeten.

§ 5.

Das in § 1. unter b. angedeutete Museum soll sowohl aus Originalien als getreuen Copien archivalischer, literarischer, artistischer und antiquarischer Schätze bestehen. Seine ersten Grundlagen erhält es durch die unentgeldliche, bereits erfolgte Überlassung des freiherrlich von Aufseßischen deutschen Museums für Geschichte, Literatur und Kunst zu Nürnberg auf die Dauer von 10 Jahren; seine Vermehrung durch Geschenke und Vermächtnisse, namentlich durch die zu erbittende Ueberlassung von Doubletten oder Copien aus Staats- und Vereinssammlungen, durch Einsendung einschlagender Verlagswerke deutscher Kunst- und Buchhandlungen; endlich durch Anschaffungen von Originalien und guten Copien aus den Mitteln des Museums.

§ 6.

Die in § 1. unter c. angedeuteten Arbeiten des Museums bestehen darin:
a. die oben § 4. bezeichneten Verzeichnisse und Beschreibungen in ein streng wissenschaftliches System zu bringen und mit alphabetischen Namens-, Orts- und Sachregistern zu versehen, so, daß augenblicklich jede Anfrage auch über den speciellsten Gegenstand beantwortet werden kann;
b. nach Herstellung dieser Repertorien, aus dem Gesammtquellenschatz das Vorzüglichste und Wesentlichste durch Veröffentlichung in die Hände des gelehrten Publicums zu legen, anschließend an die Monumenta der Frankfurter Gesellschaft für ältere deutsche Geschichtskunde, daher vor-

---

[1] Erschienen als Separatdruck. Nürnberg 1852 und 1853. – In: Mittheilungen des Königl. Sächs. Vereins für Erforschung und Erhaltung vaterländischer Alterthümer, H. 6 (1852), S. 151–155. – Gelegentlich auch als Anlage zum Anzeiger GNM 1853, nach Sp. 147/48.
[1a] Vgl. Anm. 4.

951

zugsweise die von derselben nicht bearbeiteten Zweige deutscher Geschichtswissenschaft, Literatur, Kunst und Archäologie berücksichtigend;

c. ein aus den speciellsten Forschungen der Gesammtquellen hervorgehendes, gemeinfaßliches Handbuch in verschiedenen Abtheilungen, je nach verschiedenen Zweigen, herauszugeben, wodurch auch der Laie in der Wissenschaft sich über vaterländische Geschichten und Zustände bis 1650 gründlich belehren kann;

d. ein Correspondenzblatt herauszugeben, welches leitende Artikel über die Tendenz des Museums, Berichte über dessen Fortgang und Bestand, einschlägliche Anfragen und Beantwortungen, Mittheilungen über die Gesammtthätigkeit der historischen Vereine zu bringen hat.

Den 24 Beisitzern als Fachgelehrten ist es überlassen, Redactionscommissionen für die literarischen Unternehmungen zu bilden, die wissenschaftlichen Arbeiten zu leiten und zu prüfen. Aeussere Anordnung, Honorirung, Druck und Herausgabe ist Sache des Vorstandes unter Beirath der Beisitzer.

§ 7.

Die Geschäfte des Museums werden in der Art geleitet und besorgt, daß der am Sitze des Museums wohnende Vorstand das Ganze überwacht, die zum Dienste des Museums erforderlichen Beamten und Diener nach Maasgabe des Etats und des jezeitigen Bedürfnisses ernennt, ihre Thätigkeit leitet und kontrollirt, übrigens in allen Fällen, wo er des Rathes Sachverständiger bedarf, sich an die ihm beigeordneten Beisitzer schriftlich zu wenden hat, deren Gutachten einholt und darnach handelt.

Das Beisitzer-Collegium, bestehend aus 24 an verschiedenen Orten Deutschlands wohnenden Gelehrten derjenigen Zweige der Wissenschaft, welche im Museum vertreten sind, bildet sowohl den Rath als die Controlle des Vorstandes und tritt mit demselben alle Jahre einmal und zwar am Sitz des Museums zusammen zur Besprechung der Geschäfts- und literarischen Angelegenheiten, zur Erledigung des Rechnungswesens und Inspicirung der Sammlungen und Repertorien. Wo das Beisitzer-Collegium gegenüber dem Vorstande selbstständig handelt, hat das älteste oder ein dazu erwähltes Mitglied die Leitung der Verhandlungen, ein zweites die Schriftführung zu übernehmen.

Im Falle der Unmöglichkeit eines persönlichen Zusammentritts ordnen die Beisitzer aus ihrer Mitte eine Commission ab, welche in ihrem Namen obige Funktionen ausübt.

An die Jahreszusammenkünfte mögen sich noch andere Freunde der Sache, insbesondere die Vertreter der historischen Vereine anschließen, um das Beste des Museums und der historischen Wissenschaften, sowie ihre eigenen Zwecke zu fördern.

§ 8.

Vermögen und Jahresrente des Museums sind zu erzielen:

1. durch Aktien, von welchen auf eine Reihe von wenigstens 10 Jahren das Museum den Zinsengenuß hat;

2. durch feststehende jährliche Geldunterstützungen von Seite der Staatsregierungen und Corporationen;

3. durch milde Stiftungen und Schenkungen;

4. durch Jahresbeiträge der Freunde und Beförderer des Museums.

Die Verwaltung der Aktien ist durch einen Ausschuß der Aktionäre vertreten und liefert blos an das Museum die Zinsen des Aktienkapitals ab; die Schuldurkunden werden bei der königlichen Bank zu Nürnberg bis zur Rückerstattung deponirt.

Alle übrigen zum Kapital-Fond des Museums vom Geber bestimmten Kapitalien, so wie Rentenüberschüsse werden mit pupillarischer Sicherheit angelegt und die Schuldurkunden bei der Kuratel-Behörde deponirt. Nur die Zinsen hievon sind zu laufenden Ausgaben zu verwenden; das Kapital kann zu wesentlichen Vergrößerungen der wissenschaftlichen und Kunstsammlungen des Museums angegriffen werden, wenn die Geber nicht eine besondere Verwendungsbestimmung für ihre Dotation gemacht haben.

Die Verwaltung des Vermögens steht dem Vorstande selbständig unter Mitwirkung eines Rechnungsführers und Kassiers zu; der jährliche Etat, so wie alle ausserordentlichen Ausgaben unterliegen jedoch der Genehmigung des Collegiums der Beisitzer oder deren hiezu erwählten Commission. Die Hauptresultate der Jahresrechnung mit dem Bestand der Aktienkapitalien und des Fonds werden im Correspondenzblatt jährlich bekannt gemacht.

§ 9.

Vorstand und Beisitzer bleiben so lange im Amte, bis sie selbst resigniren oder erhebliche Gründe obwalten, eine Neuwahl zu beschließen, wobei die Entscheidung dem Collegium der Beisitzer zusteht. Sobald die Stelle des Vorstandes oder eines Beisitzers erledigt wird, ist solche ohne allen Verzug zu besetzen. Bei plötzlicher Erledigung der Stelle eines Vorstandes, etwa durch den Tod, wird bis zur definitiven Wahl eine provisorische Verwesung und zwar augenblicklich angeordnet, im Nothfalle vorläufig von dem am Sitze des Museums oder diesem zunächst wohnenden Mitglide des Beisitzer-Collegiums, welches sofort darüber an alle übrigen Mitglieder Notiz zu geben hat. Der erste Secretär des Museums hat überdieß die Verpflichtung, die Mitglieder des Collegiums ungesäumt von solcher Erledigung in Kenntniß zu setzen, die Lokalitäten des Museums unter Verschluß und Siegel zu legen, und Schlüssel und Siegel mit der Anzeige an das am Sitze des Museums oder diesem zunächst wohnende Mitglied des Beisitzer-Collegiums zu senden.

Satzungen der Aktiengesellschaft zur Unterstützung des germanischen Museums zu Nürnberg vom 1. August 1852[2]

§ 1.

Die Aktiengesellschaft hat den Zweck auf patriotische Weise für das germanische Museum zu Nürnberg als einer für deutsche Wissenschaft und Kunst und deren allgemeine Verbreitung höchst gemeinnützigen Anstalt einen Fond zu bilden, aus dessen Nutzung diese Anstalt Mittel zur Erfüllung ihrer großen Aufgabe schöpfen kann.

§ 2.

Eine Aktie besteht nach Belieben der Zeichner wegen Verschiedenheit des Münzfußes entweder aus 100 Thalern oder aus 100 Kaisergulden oder 100 rheinischen Gulden oder 200 Franken und wird auf 10 Jahre unverzinslich gewährt. Nach Ablauf von 10 Jahren wird das eingezahlte Aktienkapital zurückbezahlt, so daß das im Jahre 1852 eingelegte Kapital am 2. Januar 1862, das im Jahre 1853 eingelegte am 2. Januar 1863 zurückerstattet, resp. bei der Königl. Bank zu Nürnberg zur Disposition gestellt wird. Die deßfallsige Anzeige geschieht durch die allgemeine Zeitung.

§ 3.

Zur Erleichterung der Aktionäre steht es denselben frei, ihre Aktieneinzahlung anstatt mit baarem Gelde durch Einlage von 4- und mehrprozentigen Staatspapieren im Nennwerth ihrer Aktienzeichnung zu berichten, wo dann die Coupons davon auf die treffenden Jahre bis zu der in § 1 bemerkten Heimzahlung für das Museum abfallen. Der Eigenthümer erhält seiner Zeit entweder seine eingelegte Staatsobligation mit laufenden Coupons oder das bei etwaiger Ziehung dafür erhaltene baare Geld zurück; es steht jedoch selbst jeden Augenblick frei, seine Obligation gegen Einsendung des vollen Betrages zurückzuziehen.

§ 4.

Zur Wahrung der Interessen der Aktionäre, zur Sicherung des Aktienkapitals und Vermittelung der Heimzahlung wird ein Ausschuß von 3 Personen in der Stadt Nürnberg niedergesetzt, wovon 2 Mitglieder aus der Wahl der dortigen und nächstgelegenen Aktionäre hervorgehen, das dritte der jezeitige Vorstand des germanischen Museums ist. Dieser Ausschuß erwählt einen Verwalter des Aktienkapitals, der aus den eingehenden Zinsen honorirt wird und welcher für bestmögliche Anlegung des Kapitals zu haften hat. Die Schuldbriefe des Aktienkapitals werden bei der Königl. Bank zu Nürnberg bis zur Rückgabe an den Eigenthümer deponirt, und die davon abfallenden Zinscoupons oder Hypothekenzinsen durch den Verwalter an das Museum ausgeliefert.

Allerhöchste landesherrliche Bestätigung Sr. Maj. des Königs von Bayern[3]

Seine Majestät der König haben inhaltlich der höchsten Entschliessung des k. Staats-Ministerium des Innern für Kirchen- und Schulangelegenheiten v. 18. Februar l. J. allergnädigst zu genehmigen geruht, daß nach den in Abdruck vorgelegten Satzungen in Nürnberg ein germanisches Museum für deutsche Geschichte, Literatur und Kunst gegründet werde, daß dieses Museum als Stiftung zum Zweck des Unterrichts[4] die Eigenschaft und Rechte einer juridischen Person erlange und daß endlich zur Aufbringung der Mittel für diesen Zweck eine Aktien-Gesellschaft sich bilde.

Dies ist dem k. Kämmerer Dr. Hans Freiherrn von Aufseß zu Nürnberg auf seine Vorstellung vom 4. Oktober v.J. schleunigst eröffnen zu lassen.

München den 18ten Februar 1853

Auf Seiner Königlichen Majestät allerhöchsten Befehl

Durch den Minister

Der Generalsekretär Ministerialrath (gez.) von Bezold

[2] Publiziert wie die Satzung des Museums (Anm. 1). – Zur Aktiengesellschaft vgl. auch die Einleitung zur Pflegschaftsordnung S. 1027–1033.

[3] Akten des Bayerischen Staatsarchivs, Nürnberg: Bestand Regierung von Mittelfranken, Kammer des Innern, Abgabe 1932, Tit. XVII, Nr. 246 I, Blatt 1. Ausfertigung des Staatsministeriums des Innern für die Regierung in Ansbach. – Nicht im Regierungsblatt für das Königreich Bayern 1853. – Im Auszug publiziert wie die Satzungen des Museums und der Aktiengesellschaft (Anm. 1).

[4] Der Begriff „Stiftung zum Zwecke des Unterrichts" ist nur historisch aus der Entwicklung des Stiftungsrechts zur Gründungszeit des Museums zu verstehen. In der ersten Hälfte des 19. Jahrhunderts war es in der juristischen Literatur und Rechtssprechung Deutschlands noch weitgehend umstritten, ob eine Stiftung nicht einer causa pia bedürfe, d. h. ob sie zu anderen als kirchlichen oder mildtätigen Zwecken errichtet werden könne, da das Rechtsinstitut der Stiftung in seiner nachantiken Ausbildung seit dem späten Mittelalter sich nur im Bereich der Kirche und der weitgehend mit ihr verbundenen Armenpflege entwickelt hatte und bis zur Säkularisation aufs engste mit diesem Bereich verbunden geblieben war. Zu der Rechtsfrage, die auch in dem bekannten jahrzehntelangen Streit um die Errichtung der Städelschen Stiftung in Frankfurt aus dem Jahre 1815 eine Rolle gespielt hatte, vgl. Hans Liermann: Geschichte des Stiftungsrechts (Handbuch des Stiftungsrechts, Bd. 1). Tübingen 1963, vor allem S. 250–252. Auch das bayerische Stiftungsrecht, das im Gefolge der hier besonders radikal von der Aufklärung bestimmten Säkularisation den kirchlichen Charakter der Stiftungen weitgehend unterdrückt und alle ehemals kirchlichen Stiftungen der Aufsicht und zeitweilig auch der Verwaltung des Staates unterstellt hatte, kannte nicht wie das spätere Bürgerliche Recht Stiftungen zu jedem beliebigen erlaubten, sondern nur zu bestimmten gemeinnützigen Zwecken. So unterschied die bayerische Verfassungsurkunde vom 26. Mai 1818 bei den kirchlichen Stiftungen, denen sie das Eigentum garantierte, in Titel IV, § 9, Abs. 4 Stiftungen zum Zwecke des Cultus, des Unterrichts und der Wohltätigkeit (Liermann, S. 254–258). Dieselbe Einteilung galt offenbar auch für die zahlreichen, meist ehemals kirchlichen Stiftungen, die weiterhin in weltlicher Verwaltung

Satzungen des germanischen Nationalmuseums zu Nürnberg vom 22. Mai 1869, in Kraft seit 1. Januar 1870[5]

§ 1.

Das germanische Museum, eine Nationalanstalt für alle Deutschen, hat den Zweck, die Kenntniß der deutschen Vorzeit zu erhalten und zu mehren, namentlich die bedeutsamen Denkmale der deutschen Geschichte, Kunst und Literatur vor der Vergessenheit zu bewahren und ihr Verständniß auf alle Weise zu fördern.

§ 2.

Diesem Zwecke dienen möglichst reichhaltige kunst- und kulturhistorische Sammlungen, welche, übersichtlich geordnet, zur öffentlichen Benützung aufgestellt sind, eine aus Handschriften und Drucksachen gebildete Bibliothek und ein Archiv. Das letztere hat seine Bedeutung besonders durch Erhaltung solcher Urkunden, welche verloren zu gehen, oder dem allgemeinen Gebrauche entzogen zu werden drohen.

§ 3.

Um die Benützung der kunst- und kulturhistorischen Sammlungen, der Bibliothek und des Archivs zu erleichtern, werden Spezialkataloge und Repertorien geführt. Im Anschlusse an die wissenschaftlichen Arbeiten des Museums können sich diese Repertorien auch auf solche Gegenstände erstrecken, welche nicht im Museum enthalten sind; insbesondere sind mit den Kunstsammlungen durch die Repertorien auch bildliche Nachweise über verwandtes, nicht im Original oder Nachbildungen in den Sammlungen selbst befindliches Material verbunden.

§ 4.

Um die Kenntniß der historischen Denkmale zu verbreiten und ihr Verständniß zu vermitteln, macht das Museum gelehrte und populäre Veröffentlichungen, welche sich über alle Theile der deutschen Geschichte, Literatur und Kunst erstrecken können, theils durch seinen Anzeiger, theils durch besondere Druckschriften. Auch der Herausgabe von größeren geschichtlichen Quellenwerken, welche ein allgemeines nationales Interesse darbieten, wird sich das Museum unterziehen, wenn für dieselbe nicht anderweitig gesorgt ist, und zu einer allen Anforderungen entsprechenden Durchführung der Aufgabe die Mittel vorhanden sind.

§ 5.

Das Museum hat sich mit den wissenschaftlichen und Kunst-Anstalten und Vereinen, welche verwandte Bestrebungen verfolgen, sowie mit allen hervorragenden Gelehrten, welche sich mit der deutschen Vergangenheit beschäftigen, in Verbindung zu setzen, um so einen möglichst lebendigen Zusammenhang zwischen allen die Vorzeit des deutschen Volkes betreffenden Studien herzustellen. Das Museum wird zugleich alle derartigen Studien, ob sie von Vereinen oder Einzelnen ausgehen, insofern sie Erfolg versprechen, bereitwillig unterstützen.

§ 6.

Der Sitz des germanischen Museums ist Nürnberg. Das Museum ist eine von der königlich bayerischen Regierung – als der Regierung des Landes, worin es seinen Sitz hat – anerkannte juristische Person und hat die Eigenschaften und Rechte einer Stiftung zum Zwecke des Unterrichts.

§ 7.

Das Vermögen des Museums ist unveräußerlich und untheilbar, vorbehaltlich der bereits erworbenen Rechte Dritter.

Die Sammlungen des Museums umfassen auch Gegenstände, welche der Anstalt unter Eigenthumsvorbehalt nur geliehen sind. Bei diesen sind stets die Bedingungen genau aufrecht zu erhalten, unter denen sie übergeben wurden.

§ 8.

Das Vermögen des Museums besteht:

a. in den Gebäuden, Grundstücken, Inventargegenständen und Sammlungen,

b. in gestifteten, unangreifbaren Kapitalien,

c. in dem Reservefonds,

d. in den zur Vorausgabung im laufenden Jahre bestimmten Geldern.

§ 9.

Die Mittel zur Erhaltung der Anstalt werden geliefert:

a. durch Zinserträgnisse des Vermögens,

b. durch Unterstützung der deutschen Regierungen,

c. durch freiwillige Beiträge von Fürsten, Standesherren, Städten, Körperschaften, Vereinen, Gesellschaften und Privaten,

d. durch Erträgnisse der Druckschriften und der Eintrittsgelder für die Besichtigung der Sammlungen, so lange Eintrittsgelder nicht entbehrlich werden.

§ 10.

An der Spitze der Anstalt steht der Verwaltungsausschuß, gebildet von 25–30 Männern der Wissenschaft und Kunst, insbesondere von Fachmännern, aus verschiedenen Theilen Deutschlands, die bei Erledigung einer Stelle von dem Ausschusse selbst mit einfacher Majorität durch Stimmzettel gewählt werden. Außer diesen sind als vollberechtigte, stimmfähige Mitglieder in den Ausschuß zu berufen:

---

blieben. Die königliche Genehmigung einer im allgemeinen Sinne gemeinnützigen, reinen „Kulturstiftung", wie sie die Aufseßsche Stiftung darstellte, konnte deshalb wohl rechtlich nur bei einer – zweifellos etwas gewaltsamen – Subsumierung der neuen Gründung unter den Begriff „Stiftung zum Zwecke des Unterrichts" erfolgen.

[5] Erschienen als Separatdruck. Nürnberg 1870. – Zur Bedeutung der neuen Satzung und zu der durch sie erfolgten Zweckänderung der Aufseß'schen Stiftung vgl. Chronik des germanischen Museums. In: Anzeiger GNM 1869, Sp. 173–178 (173–175). Und Karl Rehm: Das germanische Museum zu Nürnberg im Jahre 1869. In: Deutsche Vierteljahrs-Schrift Jg. 33 (1870), H. 1, S. 299–316 (mit Satzungs-Text).

1. ein Jurist als Rechtsconsulent,

2. ein Kaufmann oder Finanzmann als Kassen- und Rechnungskontroleur.

Beide müssen ihren Sitz in Nürnberg haben und geben durch Wohnortsveränderung ihre Theilnahme am Ausschusse auf.

§ 11.

Der Verwaltungsausschuss versammelt sich in der Regel einmal im Jahre zur Erledigung der laufenden Geschäfte. Vornehmlich sind in jeder ordentlichen Sitzung des Ausschusses folgende Geschäfte zu erledigen:

1. Prüfung der Verwaltung im Allgemeinen und der Thätigkeit der Anstalt mit Rücksicht auf die in der letzten Versammlung gefaßten Beschlüsse.

2. Prüfung des Rechnungswesens des vergangenen Jahres.

3. Beschlußfassung über die von Mitgliedern oder von anderer Seite im Laufe des Jahres gestellten Anträge.

4. Plan für die Thätigkeit des folgenden Jahres.

5. Etat für das folgende Jahr.

§ 12.

Der Verwaltungsausschuß kann in einzelnen Jahren das Ausfallen der Sitzungen beschließen und eine aus wenigstens sieben seiner Mitglieder bestehende Commission ernennen, welche in seinem Namen alle seine Funktionen ausübt. Mehr als zweimal nach einander soll jedoch die Sitzung nicht ausfallen.

§ 13.

Aus den in Nürnberg und in der nähern Umgebung wohnenden Mitgliedern des Verwaltungsausschusses wählt letzterer eine permanente Commission: den Lokalausschuß, der sich gewöhnlich monatlich im Sitzungszimmer des Museums versammelt, um von dem Gange der Geschäfte des Museums und von allen erheblicheren dasselbe berührenden Begegnissen Kenntniß zu nehmen.

§ 14.

Der Lokalausschuß hat die im Laufe des Jahres vorkommenden, zur Zuständigkeit des Verwaltungsausschusses gehörigen, unvorhergesehenen Angelegenheiten des Museums in Berathung zu ziehen, in wichtigeren Fällen zur Mittheilung und Beschlußfassung des ganzen Ausschusses vorzubereiten, in weniger wichtigen selbst zu entscheiden. Seine Beschlüsse unterliegen der Prüfung und Controle des gesammten Verwaltungsausschusses.

Der Direktor ist verpflichtet, den Lokalausschuß zu einer außerordentlichen Sitzung zu berufen, wenn mindestens drei Mitglieder desselben dies beantragen.

§ 15.

Der Verwaltungsausschuß kann erforderlichen Falls auch durch schriftliche Abstimmung, ohne Zusammenkunft, Geschäfte erledigen. Eine solche schriftliche Abstimmung erfolgt:

a. wenn das Direktorium es für nothwendig erachtet,

b. auf Beschluß des Lokalausschusses.

Nur in den dringendsten Fällen können außerordentliche Versammlungen des Verwaltungsausschusses auf Veranlassung des Direktoriums oder des Lokalausschusses berufen werden.

§ 16.

Der Verwaltungsausschuß ist beschlußfähig, wenn mindestens zwei Drittel der Mitglieder anwesend sind, oder ihre Stimme bei schriftlicher Abstimmung abgeben.

Bei den Sitzungen des gesammten Ausschusses können sich abwesende Mitglieder mittelst besonderer schriftlicher Vollmacht durch Erscheinende vertreten lassen und werden bei Constatirung der Beschlußfähigkeit mitgezählt. Mehr als Eine Vollmacht kann jedoch kein Erscheinender übernehmen.

§ 17.

Der Verwaltungsausschuß und die ihn vertretenden Commissionen fassen ihre Beschlüsse mit einfacher Stimmenmehrheit. Bei gleicher Stimmenzahl entscheidet die Stimme des Vorsitzenden, in juridischen Fragen die des Rechtsconsulenten, in finanziellen die des Controleurs. Die beiden Letzteren haben Sitz und Stimme in diesen Commissionen.

§ 18.

Die Vollziehung aller Beschlüsse des Verwaltungsausschusses und seiner Commissionen liegt in der Hand eines Direktoriums, welchem zugleich der Vorsitz im Verwaltungsausschusse und in dessen Commissionen zusteht. Das Direktorium besteht aus einem ersten und zweiten Direktor.

§ 19.

Der erste Direktor vertritt das Museum in allen Beziehungen nach außen und leitet Namens des Verwaltungsausschusses, unter eigener Verantwortlichkeit gegen denselben, die Thätigkeit der Anstalt, die geschäftliche Correspondenz, die Verwaltung, das Kassen- und Rechnungswesen derselben.

§ 20.

Der erste Direktor wird auf Lebensdauer vom Ausschusse mit einfacher Majorität der Votirenden durch Stimmzettel gewählt, durch den Rechtskonsulenten in Gegenwart des Verwaltungs- oder Lokalausschusses auf die Satzungen verpflichtet und in's Amt eingeführt.

§ 21.

Der zweite Direktor ist permanenter Beirath des ersten Direktors und dessen Stellvertreter in Abwesenheit oder Behinderungsfällen. Er hat das Recht und die Pflicht, Einsicht zu nehmen in die gesammte Thätigkeit, Verwaltung und Correspondenz der Anstalt.

§ 22.

Auch der zweite Direktor wird auf Lebensdauer gewählt und auf die Satzungen verpflichtet, wie der erste. Es ist zulässig, daß die Stelle des zweiten Direktors von einem der höheren Beamten des Museums bekleidet werde.

§ 23.

Bei plötzlicher Verwaisung des Direktoriums nimmt der Rechtskonsulent die Leitung der Anstalt provisorisch in die Hand. Er beruft sofort den Lokalausschuß und vollzieht die von diesem angeordneten Vorkehrungen, namentlich zu möglichst schnellem Zusammentritte des Gesammtverwaltungsausschusses.

§ 24.

Zur Vermittlung zwischen der Anstalt und den Männern der Wissenschaft und Kunst, sowie als wissenschaftlicher Beirath besteht ein Gelehrtenausschuß, welcher durch Wahl des Verwaltungsausschusses ergänzt wird.

§ 25.

Zur Vermittlung zwischen der Anstalt und dem größeren Publikum sind Pflegschaften in verschiedenen Städten Deutschlands und des Auslands errichtet. Die Pfleger werden durch das Direktorium bestellt.

§ 26.

Für die Verwaltung der Anstalt und die Ausführung ihrer Obliegenheiten werden Beamte berufen, deren Zahl durch den Verwaltungsausschuß festgesetzt wird. Derselbe weist jedem Einzelnen seinen Wirkungskreis zu und gibt spezielle Dienstesinstruktionen, auf deren Grund die Beamten der Leitung des Direktoriums unterstellt sind. Denjenigen Beamten, welchen die Leitung einer Abtheilung des Museums übertragen ist, steht das Recht zu, den Sitzungen des Verwaltungs- und Lokalausschusses wie der Commissionen des ersteren, mit berathender Stimme beizuwohnen, sofern nicht die Sitzung durch Beschluß in eine vertrauliche verwandelt wird.

§ 27.

Die Anstellung der Beamten erfolgt durch den ersten Direktor auf Grund eines Dienstvertrages, Anstellungen auf Lebensdauer können nur mit Zustimmung des Verwaltungsausschusses geschehen, und sind die Verträge sodann durch Mitunterschrift einer vom Verwaltungsausschusse zu bestimmenden Commission zu vollziehen. Jeder Beamte wird vom Rechtskonsulenten in Gegenwart der beiden Direktoren und eines Protokollführers verpflichtet unter spezieller Hinweisung auf die ihm erteilte Dienstesinstruktion.

§ 28.

Die Diener und Aufseher der Anstalt ernennt der erste Direktor nach Bedarf und nach Maßgabe des Etats in widerruflicher Weise. Zu einem besonderen Dienstvertrag bedarf es einer vom Verwaltungsausschusse genehmigten Instruktion.

§ 29.

Regelmäßig wird ein Jahresbericht über die Thätigkeit des Museums veröffentlicht, welchem ein Auszug der letzten Jahresrechnung beizugeben ist.

§ 30.

Das Stiftungsstatut – § 1 dieser Satzungen – ist unabänderlich. Die Abänderung des übrigen Inhaltes derselben, §§ 2–29, und der nachfolgenden Bestimmung dieses Paragraphen steht der Versammlung des Verwaltungsausschusses zu.

Zu einem gültigen Abänderungsbeschlusse wird wenigstens die Gegenwart von drei Vierteln der Mitglieder, mit Ausschluß jeder Vertretung, eine Mehrheit von zwei Dritteln der Stimmen und die Genehmigung der königlich bayerischen Staatsregierung erfordert.

Genehmigung: „Unter Rückschluß der mit Bericht vom 31sten Mai und 14ten Juni ds. Js. vorgelegten Verhandlungen, von welchen nur Beilage Ziff. 16 bei den diesseitigen Akten zurückbehalten worden ist, wird der Direktion des germanischen Museums in Nürnberg eröffnet, daß Seine Majestät der König unter ausdrücklicher Wahrung des Allerhöchst-Demselben zustehenden Aufsichtsrechtes die unterm 31sten Mai ds. Js. vorgelegten Satzungen des germanischen Museums mit dem Bedeuten allergnädigst zu genehmigen geruht haben, daß der erste Absatz des § 7 zu lauten habe: „das Vermögen des Museums ist unveräußerlich und untheilbar, vorbehaltlich der bereits erworbenen Rechte Dritter.""

Satzungen des germanischen Nationalmuseums in Nürnberg vom 15. Juni 1894[6]

§ 1.

Das germanische Museum, eine Nationalanstalt für alle Deutschen, hat den Zweck, die Kenntnis der deutschen Vorzeit zu erhalten und zu mehren, namentlich die bedeutsamen Denkmale der deutschen Geschichte, Kunst und Literatur vor der Vergessenheit zu bewahren und ihr Verständnis auf alle Weise zu fördern.

§ 2.

Dem Zwecke dienen möglichst reichhaltige kunst- und kulturgeschichtliche Sammlungen, welche, übersichtlich geordnet, zur öffentlichen Benützung aufgestellt sind, eine aus Handschriften und Drucksachen gebildete Bibliothek und ein Archiv. Das letztere hat seine Bedeutung besonders durch

[6] Erschienen als Separatdruck. Nürnberg 1894. – Auch in: Ministerialblatt für Kirchen- und Schul-Angelegenheiten im Königreich Bayern 1894, S. 170–179. – Museumseigene Veröffentlichungen der Satzung verwandten seit 1911 in § 1 regelmäßig die vom Verwaltungsausschuß in seiner Sitzung vom 9. und 10. Juni 1911 gegen den Widerstand des bayerischen Ministeriums des Innern für Kirchen- und Schulangelegenheiten beschlossene Form des Museumsnamens „Germanisches Nationalmuseum", die schon früher in offiziellen und inoffiziellen Papieren des Museums vielfach gebräuchlich war. Vgl. u. a. Protokoll der Sitzung des Verwaltungsausschusses vom 9. und 10. Juni 1911, Bl. 67, Archiv GNM, Altregistratur GNM, Kapsel 755.

Erhaltung solcher Urkunden, welche verloren zu gehen, oder dem allgemeinen Gebrauche entzogen zu werden drohen.

§ 3.

Um die Benützung der kunst- und kulturgeschichtlichen Sammlungen, der Bibliothek und des Archives zu erleichtern, werden Spezialkataloge und Repertorien geführt. Im Anschlusse an die wissenschaftlichen Arbeiten des Museums können sich diese Repertorien auch auf solche Gegenstände erstrecken, welche nicht im Museum enthalten sind; insbesondere sind mit den Kunstsammlungen durch die Repertorien auch bildliche Nachweise über verwandtes, nicht im Original oder in Nachbildungen in den Sammlungen selbst befindliches Material verbunden.

§ 4.

Um die Kenntnis der geschichtlichen Denkmale zu verbreiten und ihr Verständnis zu vermitteln, macht das Museum gelehrte und populäre Veröffentlichungen, welche sich über alle Teile der deutschen Geschichte, Literatur und Kunst erstrekken können, teils durch Zeitschriften, teils durch besondere Druckschriften. Auch der Herausgabe von größeren geschichtlichen Quellenwerken, welche ein allgemeines nationales Interesse darbieten, wird sich das Museum unterziehen, wenn für dieselbe nicht anderweitig gesorgt ist, und zu einer allen Anforderungen entsprechenden Durchführung der Aufgabe die Mittel vorhanden sind.

§ 5.

Das germanische Museum ist eine unter dem verfassungsmäßigen Schutze und der Oberaufsicht der bayerischen Staatsregierung stehende öffentliche Stiftung zum Zwecke des Unterrichtes mit dem Sitze in Nürnberg.

§ 6.

Die Verwaltung des Museums wird nach Maßgabe der gegenwärtigen Satzungen von einem Direktorium geführt.

§ 7.

Dem Direktorium ist als leitendes und kontrollierendes Organ der Verwaltungsausschuß vorgesetzt. Er ist berufen, die auf den Zweck der Anstalt bezüglichen allgemeineren Angelegenheiten zu würdigen und die wichtigeren Fragen künstlerischer und wissenschaftlicher Natur zu entscheiden.

§ 8.

Die Oberaufsicht über die Anstalt wird vom K. bayerischen Staatsministerium des Innern für Kirchen- und Schulangelegenheiten geführt. Dieselbe erstreckt sich insbesondere auf die finanzielle Geschäftsführung und umfaßt das gesamte Etats-, Kassa- und Rechnungswesen.

§ 9.

Das Direktorium besteht aus einem I. und einem II. Direktor. Die Direktoren werden auf gutachtlichen Vorschlag des Verwaltungsausschusses durch Königliche Entschließung ernannt. Dieselben werden in Bezug auf ihre Verhältnisse und Rechte nach Analogie der im Verwaltungsdienste pragmatisch angestellten Staatsdiener mit der Einschränkung behandelt, daß für die Zahlung der Gehalte und Pensionen ausschließlich die dazu bestimmten Fonds des Museums haften[7].

Die Höhe der Pensionen wird mit Rücksicht auf die Leistungsfähigkeit des Pensionsfonds endgiltig von der Oberaufsichtsstelle festgesetzt.

Die Direktoren werden durch einen K. Kommissär in ihr Amt eingeführt und in Gegenwart der Beamten des Museums beeidigt.

Die Direktoren unterstehen in allen ihren dienstlichen Beziehungen, insbesondere auch rücksichtlich ihrer Stellung zum Verwaltungsausschusse, der Disziplinargewalt der K. bayerischen Staatsregierung.

§ 10.

Der I. Direktor vertritt und leitet die Anstalt. Dem II. Direktor kann durch Beschluß des Verwaltungsausschusses und mit oberaufsichtlicher Genehmigung ein Teil der Aufgaben des I. Direktors unter eigener Verantwortlichkeit übertragen werden.

§ 11.

Beide Direktoren unterstützen und vertreten sich gegenseitig. Der eine hat von der Thätigkeit des andern fortlaufend Kenntnis zu nehmen. Über alle wichtigeren Fragen haben sie sich zu benehmen.

§ 12.

Dem Direktorium ist die erforderliche Anzahl von Beamten, Hilfsarbeitern und Bediensteten unterstellt. Geeigneten, in oder bei Nürnberg wohnenden Fachmännern kann eine Funktion am germanischen Museum auch als Nebenamt übertragen werden.

Die Beamten des Museums werden auf Vorschlag des Direktoriums vom Staatsministerium des Innern für Kirchen- und Schulangelegenheiten ernannt.

Die Hilfsarbeiter, dann die Aufseher und Diener werden vom I. Direktor im Benehmen mit dem II. Direktor in widerruflicher Weise nach Maßgabe des genehmigten Etats bestellt.

Für die Zahlung der Gehalte und Pensionen haften ausschließlich die einschlägigen Fonds des Museums.

Sämtliche Beamte und Bedienstete werden in disziplinärer Hinsicht als öffentliche Diener behandelt und unterliegen zunächst der Disziplinargewalt des I. Direktors.

Die näheren Verhältnisse und Aufgaben der Direktoren, Beamten und Bediensteten werden nach Anhörung des Verwaltungsausschusses durch besondere Dienstordnungen geregelt.

§ 13.

Der Verwaltungsausschuß besteht vorerst aus den seitherigen Mitgliedern. Zu diesen treten noch sieben weitere Mitglieder hinzu, von denen je drei der Reichskanzler und das K. bayerische Staatsministerium des Innern für Kirchen- und Schulangelegenheiten, ein Mitglied der Stadtmagistrat Nürnberg auf eine von ihnen beliebte Zeitdauer ernennt.

[7] § 9, Abs. 1, S. 2 und Abs. 2 erhielten 1911 folgende Fassung: „Die Verhältnisse und Rechte der Direktoren sind durch eine Dienstordnung für das Direktorium, durch die Gehaltsordnung für die Beamten und durch die Satzung für die Versorgungskasse geregelt."

In der Folgezeit besteht der Verwaltungsausschuß einschließlich der sieben, von den genannten öffentlichen Faktoren zu ernennenden aus 25 Mitgliedern, zumeist Männern der Wissenschaft und Kunst. Soweit dieselben nicht ernannt sind, ergänzen sie sich durch Zuwahl. Eine Kooptation findet demnach insolange nicht statt, als nicht die Zahl der Mitglieder unter 25 herabsinkt. Ein Mitglied, welches trotz ordnungsmäßiger Ladung dreimal nacheinander ohne genügende Entschuldigung den Sitzungen ferne bleibt, wird als ausgetreten angesehen.

§ 14.

Der Verwaltungsausschuß versammelt sich regelmäßig einmal im Jahre und zwar thunlichst in der Woche nach Pfingsten.

Aus zwingenden Gründen kann mit oberaufsichtlicher Genehmigung der Verwaltungsausschuß zu einem außerordentlichen Zusammentritte berufen werden.

Die Berufung erfolgt durch das Direktorium in der Weise, daß die Mitglieder wenigstens 14 Tage vorher unter Angabe des Tages und der Stunde und unter Mitteilung der Tagesordnung zur Versammlung eingeladen werden.

Die Sitzungen leitet ohne Stimmrecht der erste, in dessen Verhinderung der II. Direktor, soweit nicht der Verwaltungsausschuß in besonderen Fällen, wie z. B. bei eigener Beteiligung der Direktoren, die Wahl eines anderen Vorsitzenden aus seiner Mitte beschließt.

Jede ordnungsmäßig berufene Versammlung ist vorbehaltlich der Bestimmung in § 30 beschlußfähig.

Die einfache Mehrheit der Erschienenen entscheidet; bei Stimmengleichheit giebt die Stimme des Vorsitzenden, soferne er aus der Mitte des Verwaltungsausschusses gewählt ist, außerdem die Stimme des Funktionsältesten und bei gleichem Funktionsalter des lebensältesten Mitgliedes den Ausschlag. Die Abstimmung geschieht mündlich.

An den Sitzungen können mit beratender Stimme auch Kommissäre des Reiches und der Kgl. bayerischen Regierung, sowie ein Vertreter der Stadt Nürnberg teilnehmen.

Auch können einzelne Sachverständige und Beamte des Museums zu den Beratungen zugezogen werden.

Der Verwaltungsausschuß ist befugt, zur Vorberatung einzelner Angelegenheiten aus seiner Mitte Kommissionen zu bilden.

§ 15.

Bei jedem ordentlichen Zusammentritte des Ausschusses sind hauptsächlich folgende Geschäfte zu behandeln und zu erledigen:

1. Kontrolle der Verwaltung im Allgemeinen und der Thätigkeit der Anstalt, namentlich auch mit Rücksicht auf die bei der letzten Versammlung gefaßten Beschlüsse;

2. Kontrolle des Rechnungswesens des Vorjahres und Abgabe etwaiger Erinnerungen;

3. Gutachtliche Aufstellung des Etats für das folgende Jahr;

4. Entscheidung künstlerischer und wissenschaftlicher Fragen;

5. Etwaige Anträge wegen Änderung dieser Satzungen (§ 30) und sonstige Anträge.

Anträge der Mitglieder sind mindestens drei Wochen vor dem Zusammentritte des Ausschusses dem Direktorium mitzuteilen.

§ 16.

Die nicht in Nürnberg wohnenden Mitglieder des Verwaltungsausschusses haben, so oft sie zu einer Versammlung desselben (oder zu einer Kommission) dahin berufen werden, Schadloshaltung anzusprechen, bestehend in den Kosten der Fahrt – Eisenbahnbillet beliebiger Klasse – von ihrem Wohnorte direkt nach Nürnberg und zurück und in einer Tagesdiät von 14 m. auf solange, als sie den Sitzungen beiwohnen. Außerdem erhalten sie das Tagegeld für je einen Tag zur Her- und Rückreise, wenn ihr Wohnsitz mehr als 50 km von Nürnberg entfernt ist.

§ 17.

Aus den in Nürnberg oder dessen Umgebung wohnenden Mitgliedern des Verwaltungsausschusses kann von dem letzteren mit oberaufsichtlicher Genehmigung ein Lokalausschuß gebildet werden.

Derselbe versammelt sich regelmäßig allmonatlich in Nürnberg, um von dem Gange der Geschäfte des Museums, sowie von allen dasselbe berührenden wichtigeren Vorgängen Kenntnis zu nehmen und die etwa veranlaßten Anregungen zu geben.

§ 18.

Das Vermögen des Museums besteht:

a. in den Gebäuden, Grundstücken, Inventargegenständen und Sammlungen,

b. in gestifteten, unangreifbaren Kapitalien,

c. in den Reservefonds,

d. in den zur Verausgabung im laufenden Jahre bestimmten Geldern.

Das Museumsvermögen in seinen unter lit. a und b aufgeführten Bestandteilen ist – vorbehaltlich etwaiger bereits erworbener Rechte Dritter – unveräußerlich und unteilbar.

Die Sammlungen des Museums umfassen auch Gegenstände, welche der Anstalt unter Eigentumsvorbehalt überlassen sind, so namentlich die dem Museum überwiesenen Kunstsammlungen der Stadt Nürnberg. Rücksichtlich dieser Gegenstände sind die Bedingungen genau aufrecht zu erhalten, unter denen sie übergeben wurden.

§ 19.

Die Mittel zur Erhaltung und Ausbildung der Anstalt liefern:

a. die etatsmäßigen laufenden Beiträge des deutschen Reiches, des bayerischen Staates und der Stadt Nürnberg;

b. die einmaligen oder jährlichen freiwilligen Beiträge von Regierungen, Fürsten, Standesherren, Städten, Korporationen, Vereinen, Gesellschaften und Privaten;

c. Zinserträgnisse,

d. die Erträgnisse verkaufter Druckschriften und der Eintrittsgelder für die Besichtigung der Sammlungen, so lange Eintrittsgelder nicht entbehrlich sind.

§ 20.

Außer

1. dem unveräußerlichen Stiftungsfond (Fond I),

zerfällt das Museumsvermögen – entsprechend dem Grundsatze, daß jede Gabe, die dem ausdrücklichen oder mutmaßlichen Willen des Spenders entsprechende Verwendung zu finden hat – in folgende zur Verausgabung bestimmte Fonds, in

2. den Verwaltungsfond (Fond II),

3. den Verwaltungsreservefond (III),

4. den Hauptmuseumsfond (IV) mit den innerhalb der Zwecke desselben liegenden „besonderen Nebenfonds" und „vereinigten Nebenfonds",

5. den Reservefond für die Sammlungen (V),

6. den Pensionsfond (VI).

§ 21.

Der Verwaltungsfond besteht aus den jährlichen Zuschüssen des deutschen Reiches, des bayerischen Staates und der Stadt Nürnberg und dient zur Bestreitung der Verwaltungskosten des Museums, für deren Deckung er ausschließlich haftet.

Diese Zuschüsse, zu welchen noch die etwa eigens für die Zwecke der Verwaltung zur Verfügung gestellten Gelder, sowie die Zinsen der besonders hiefür gestifteten Kapitalien kommen, bilden vorbehaltlich der Bestimmung in § 22 den Höchstbetrag dessen, was die Verwaltung kosten darf. Nach Maßgabe dieser Summe wird alljährlich der Ausgabenetat für die Verwaltung festgestellt.

§ 22.

Ergeben sich im einzelnen Jahre Erübrigungen an dem Verwaltungsfonde, so fließen diese dem Verwaltungsreservefonde zu, dessen Bestände mit oberaufsichtlicher Genehmigung für besondere Bedürfnisse der Verwaltung in den folgenden Jahren verwendet werden dürfen.

§ 23.

Der Hauptmuseumsfond wird gebildet:

a. aus den freiwilligen jährlichen Beiträgen, welche namentlich durch die Pflegschaften, oder auch direkt durch die Museumsverwaltung gesammelt werden,

b. aus den einmaligen Gaben,

c. aus den Zinsen gestifteter unangreifbarer Kapitalien,

d. aus den Eintrittsgeldern und dem Ertrage der Druckschriften.

Aus diesem Fond werden die Kosten der Neubauten und der Sammlungsankäufe, sowie die Kosten der Erhaltung der Sammlungsgegenstände bestritten.

Jeder dem Museum ohne besondere Bestimmung übergebene Betrag wird diesem Fond zugewiesen.

§ 24.

Die zu bestimmter Verwendung innerhalb der Zwecke des Hauptmuseumsfondes übergebenen und übernommenen Gelder werden getrennt vom Hauptmuseumsfond als „besondere Nebenfonds" verwaltet.

Über dieselben wird regelmäßig eine eigene Rechnung ge-

stellt, deren Prüfung und Entlastung sich der Stifter selbst vorbehalten kann.

Kleinere Fonds dieser Art, insbesondere solche, welche nur einen Posten in Einnahme und Ausgabe haben und bei welchen der Stifter es gestattet, daß ein sich ergebender Aktivrest zur Ergänzung etwa unzureichender Mittel anderer ähnlicher Fonds verwendet wird, werden in gemeinsamer Rechnung als „vereinigte Nebenfonds" verwaltet.

Jeder Stifter kann einen auf seine Gabe beschränkten Auszug aus der Rechnung verlangen.

§ 25.

Der Reservefond für die Sammlungen soll für letztere die Erwerbung einzelner hervorragender Gegenstände ermöglichen, welche aus den ordentlichen etatsmäßigen Mitteln nicht erworben werden könnten.

Demselben wird alljährlich aus dem Hauptmuseumsfond eine durch den jeweiligen Etat bestimmte Summe zugewiesen, bis er den Betrag von 100 000 m. erreicht hat. Jede Verfügung über diesen Fond bedarf der vorgängigen oberaufsichtlichen Genehmigung, und es ist auf thunlichst baldige Ersetzung des entnommenen Betrages Bedacht zu nehmen.

§ 26.

Der „Pensionsfond für die Beamten" ist zur Gewährung von Pensionen an die Direktoren und an die Beamten der Anstalt und deren Hinterbliebene bestimmt. Derselbe haftet ausschließlich für die Zahlung der Pensionen.

Dem Fond, welcher bereits besteht, wird zur Verstärkung alljährlich aus dem Verwaltungsfond des Museums eine durch den jeweiligen Etat bestimmte Summe zugewiesen.

Die näheren Verhältnisse und Obliegenheiten des Fonds sind durch ein besonderes Statut geregelt.

§ 27.

Zur Herstellung und Erhaltung einer Verbindung zwischen der Anstalt und weiteren Kreisen der Wissenschaft und Kunst, sowie als wissenschaftlicher Beirat der Anstalt besteht ein Gelehrtenausschuß, welchen der Verwaltungsausschuß durch Wahl zu ergänzen berechtigt ist.

§ 28.

Zur Vermittlung zwischen der Anstalt und dem größeren Publikum sind Pflegschaften in möglichst vielen Städten Deutschlands und des Auslandes errichtet. Die Pfleger werden durch das Direktorium bestellt.

§ 29.

Das Direktorium hat alljährlich einen Bericht über die Thätigkeit des Museums zu veröffentlichen, welchem ein Auszug der letzten Jahresrechnung beizugeben ist.

§ 30.

Der Stiftungszweck – § 1 dieser Satzungen – ist unabänderlich. Die Abänderung der übrigen Bestimmungen der Satzungen setzt einen zustimmenden Beschluß des Verwaltungsausschusses und die Genehmigung der Kgl. bayerischen Staatsregierung voraus.

Die Beschlußfähigkeit des Verwaltungsausschusses ist in diesem Falle von der Anwesenheit von wenigstens zweidrittel der Mitglieder bedingt.

Genehmigung: Im Namen Seiner Majestät des Königs. Seine Königliche Hoheit Prinz Luitpold, des Königreichs Bayern Verweser, haben allergnädigst geruht, den im Abdrucke anliegenden, vom Verwaltungsausschusse einstimmig angenommenen neuen Satzungen für das germanische Museum in Nürnberg die Allerhöchste Genehmigung zu erteilen.

Dies wird dem Direktorium des germanischen Museums in Nürnberg mit dem Anfügen eröffnet, daß die neuen Satzungen, welche demnächst im Ministerialblatte für Kirchen- und Schulangelegenheiten zur öffentlichen Kenntnis gebracht werden, sofort in Wirksamkeit treten.

München, den 15. Juni 1894

(gez.) Dr. von Müller. – Der Generalsekretär (gez.) von Wisbeck.

Satzungen des Germanischen Museums vom 20. Mai 1921, genehmigt am 18. Juli 1921[8]

§ 1.

Das Germanische Museum ist eine dem gesamten deutschen Volke gewidmete Stiftung. Es hat den Zweck, die Kenntnis der deutschen Vorzeit zu erhalten und zu mehren, namentlich die bedeutsamen Denkmale der deutschen Geschichte, Kunst und Literatur vor der Vergessenheit zu bewahren und ihr Verständnis auf alle Weise zu fördern.

§ 2.

Diesem Zwecke dienen Sammlungen von Denkmalen der deutschen Kultur und Kunst, eine Bibliothek und ein Archiv, die der Öffentlichkeit in weitestem Maße zugänglich zu machen sind.

Zur weiteren Verbreitung und Vertiefung der Kenntnis der deutschen Vorzeit und ihrer Denkmale veranstaltet das Germanische Museum wissenschaftliche und volkstümliche Veröffentlichungen, Vorträge und Führungen.

§ 3.

Das Germanische Museum hat seinen Sitz in Nürnberg. Es ist als öffentlich-rechtliche Stiftung eine juristische Person und steht unter dem Schutz und der Oberaufsicht der Bayerischen Staatsregierung.

Diese Oberaufsicht wird durch das Bayerische Staatsministerium für Unterricht und Kultus ausgeübt.

§ 4.

Leitendes Organ der Stiftung ist der Verwaltungsrat. Die laufende Verwaltung des Museums führt der Direktor. Er vertritt die Stiftung gerichtlich und außergerichtlich.

§ 5.

Der Verwaltungsrat besteht aus fünfundzwanzig Mitgliedern, von denen drei die Reichsregierung[9], drei das Bayerische Staatsministerium für Unterricht und Kultus und eines die Stadt Nürnberg je auf die Dauer von fünf Jahren ernennt.

Die übrigen Mitglieder wählt der Verwaltungsrat auf die Dauer von neun Jahren vornehmlich aus Kreisen der Wissenschaft und Kunst.

Alle drei Jahre scheidet ein Drittel der gewählten Mitglieder aus; das ausscheidende Drittel wird nach der Dauer der bisherigen Zugehörigkeit zum Verwaltungsrat, bei gleichlanger Zugehörigkeit durch das Los bestimmt. Die ausscheidenden

Mitglieder können wieder gewählt werden. Scheidet ein Mitglied vor Ablauf seiner ordentlichen Wahlzeit aus, so ist sein Nachfolger nur für die verbliebene Wahlzeit seines Vorgängers zu wählen. Ein gewähltes Mitglied, das trotz ordnungsmäßiger Ladung dreimal nacheinander ohne genügende Entschuldigung den Sitzungen des Verwaltungsrates ferngeblieben ist, wird als ausgeschieden angesehen.

§ 6.

Der Verwaltungsrat wählt auf die Dauer von drei Jahren aus seiner Mitte

1. einen Vorsitzenden und einen Schriftführer und je einen Stellvertreter,

2. einen Beirat von drei Mitgliedern und drei Stellvertretern,

3. nach Bedarf weitere Ausschüsse[10].

---

[8] Erschienen als Separatdruck. Nürnberg 1921. – Auch in: Amtsblatt des Bayerischen Staatsministeriums für Unterricht und Kultus 1921, S. 155–161. Die Satzung von 1921 ist die letzte völlige Neufassung; spätere Änderungen (vgl. u. a. die folgenden Anmerkungen) beschränkten sich auf einzelne Bestimmungen. Spätestens seit der am 6. Juni 1957 verabschiedeten Fassung ist ausschließlich die Bezeichnung „Germanisches Nationalmuseum" gebräuchlich. – Vom Abdruck der zur Zeit gültigen Fassung dieser Satzung von 1921 mit den nachfolgenden Änderungen wird abgesehen, weil während der Drucklegung eine neue Satzung beraten und verabschiedet werden soll.

[9] Durch Beschluß des Verwaltungsrates vom 22. 9. 1950 und die Genehmigung des Bayerischen Staatsministeriums für Unterricht und Kultus vom 21. 3. 1951 wurde in § 5, Abs. 1; 7, Abs. 3; 12, Abs. 1; 15, Zif. 1 und Abs. 2; 17 a, Halbs. 2 und 18, Abs. 3 die Beteiligung der Reichsregierung durch eine solche der Bundesländer ersetzt. Bei der Neufassung der Satzung durch Beschluß des Verwaltungsrates vom 6. 6. 1957 und die anschließende Genehmigung der Bayerischen Staatsregierung vom 15. 7. 1958 und der übrigen Bundesländer – das Verfahren zog sich teilweise bis 1960 hin – wurde in § 5 die Zahl der Mitglieder des Verwaltungsrats um ein vom Bund zu ernennendes Mitglied auf 26 erhöht. Vgl. zu der Entwicklung, die zu dieser Erweiterung führte, den Beitrag von Burian in diesem Band, S. 257–261.

[10] Am 1. 7. 1966 wurde als zusätzliches Organ des Museums ein Arbeitsausschuß eingeführt; die übrigen Satzungsänderungen beschränkten sich auf rein organisatorische Fragen.

§ 7.

Der Verwaltungsrat versammelt sich regelmäßig einmal im Jahr. Er wird durch den Vorsitzenden spätestens vierzehn Tage vor der Versammlung unter Mitteilung der Tagesordnung berufen.

Die Sitzungen leitet der Vorsitzende oder dessen Stellvertreter. In beider Verhinderung wählen die anwesenden Mitglieder des Verwaltungsrates einen Versammlungsleiter aus ihrer Mitte. Jede ordnungsmäßig berufene Versammlung des Verwaltungsrates ist vorbehaltlich der Bestimmung des § 18 beschlußfähig. Die einfache Mehrheit der erschienenen Verwaltungsratsmitglieder entscheidet. Bei Stimmengleichheit gibt die Stimme des Vorsitzenden den Ausschlag.

Das Reich, Bayern und Nürnberg sind berechtigt, zu den Sitzungen des Verwaltungsrates Vertreter mit beratender Stimme abzuordnen.

Falls außerhalb der regelmäßigen Jahressitzung eine Beschlußfassung des Verwaltungsrates nötig wird und dem Vorsitzenden die Berufung des Verwaltungsrates zu mündlicher Beratung entbehrlich erscheint, so kann er Abstimmung und Beschlußfassung durch Schriftwechsel mit sämtlichen Mitgliedern herbeiführen. Eine mündliche Beratung und Beschlußfassung ist jedoch herbeizuführen, falls mehr als ein Drittel der Mitglieder des Verwaltungsrates oder die Aufsichtsbehörde es verlangen.

§ 8.

In der Jahresversammlung des Verwaltungsrates sind folgende Angelegenheiten zu erledigen:
1. Entgegennahme des Jahresberichtes des Direktors;
2. Prüfung der Verwaltung und der Tätigkeit der Anstalt namentlich auch in Hinsicht auf die von der vorhergehenden Versammlung gefaßten Beschlüsse;
3. Rechnungsablage;
4. Festsetzung des Voranschlages für das folgende Jahr;
5. Entscheidung musealer Fragen;
6. Anträge.

§ 9.

Die nicht in Nürnberg wohnenden Mitglieder des Verwaltungsrates erhalten, wenn sie zu Versammlungen oder Ausschußsitzungen berufen werden, Ersatz des tatsächlichen Aufwandes.

§ 10.

Dem Direktor steht auf musealem Gebiete, insbesondere auch bei wichtigeren Ankäufen, der Beirat beratend zur Seite. Seine Zustimmung ist notwendig zu Veränderungen im Bestande des Museums und zu einschneidenden Umordnungen der Sammlungen.

§ 11.

Der Direktor untersteht dem Verwaltungsrat und der Oberaufsicht des Bayerischen Staatsministeriums für Unterricht und Kultus. Er hat den Beirat über die Tätigkeit im Museum auf dem Laufenden zu erhalten und ist nach Maßgabe des § 10 an dessen Rat bzw. Zustimmung gebunden.

Die übrigen Beamten des Germanischen Museums sind dem Direktor dienstlich unterstellt.

§ 12.

Sämtliche Beamten werden durch die Bayerische Staatsregierung ernannt, der Direktor auf Vorschlag des Verwaltungsrates im Einvernehmen mit der Reichsregierung[11], die übrigen Beamten auf Vorschlag des Direktors.

Wissenschaftliche und künstlerische Hilfsarbeiter und Volontäre werden nach Vorschlag des Direktors in widerruflicher Weise nach Maßgabe des Haushalts vom Bayerischen Staatsministerium für Unterricht und Kultus aufgenommen.

Die Dienstaufgaben des Direktors und der übrigen Beamten werden durch besondere Dienstordnungen geregelt; die Dienstordnungen werden nach Begutachtung des Verwaltungsrates vom Bayerischen Staatsministerium für Unterricht und Kultus erlassen.

§ 13.

Gehälter und Versorgungsbezüge sind durch Gehaltsordnungen und durch die Satzung der Versorgungskasse (Abs. 2) festgesetzt und entsprechen vorbehaltlich der Bestimmung des Abs. 3 denen des Bayerischen Beamtenbesoldungsgesetzes.

Die Versorgungskasse ist zur Versorgung der Beamten im Ruhestand und der Hinterbliebenen der Beamten bestimmt. Das Germanische Museum ist Mitglied des Bayerischen Versorgungsverbandes.

Die Stiftung haftet für die Gehaltsansprüche der Beamten nur insoweit, als die nach § 15 Abs. 1 Ziff. 1 der Satzung vorgesehenen Einnahmen, und für die Versorgungsbezüge der Beamten und ihrer Hinterbliebenen nur insoweit, als die in § 15 Abs. 1 Ziff. 5 vorgesehenen Einnahmen ausreichen.

§ 14.

Das Vermögen des Germanischen Museums besteht aus:
1. Grundstücken, Gebäuden, Einrichtungsgegenständen und Sammlungen,
2. unangreifbaren Kapitalien,
3. der Versorgungskasse.

Die Versorgungskasse wird getrennt von dem übrigen Vermögen des Museums verwaltet und darf für andere Zwecke nicht in Anspruch genommen werden.

§ 15.

Die laufenden Einnahmen des Museums bestehen aus:
1. den jährlichen Zuschüssen des Reichs, Bayerns und der Stadt Nürnberg,
2. Zinsen der Kapitalien,
3. Eintrittsgeldern, Garderobegeldern und Erlös aus Drucksachen,

---

[11] Am 6. 6. 1959 wurde neben einigen redaktionellen Änderungen der bisherige Titel eines Ersten Direktors durch den eines Generaldirektors ersetzt und in § 12 die Beteiligung der Reichsregierung, die seit 1950 durch eine Mitwirkung der Bundesländer bei der Ernennung des Ersten Direktors ersetzt war, auf eine Mitwirkung des Bayerischen Staatsministeriums für Unterricht und Kultus beschränkt.

4. freiwilligen Beiträgen von öffentlichen Stellen, Vereinen und Privaten,

5. Zuschüssen des Bayerischen Versorgungsverbandes und Zinsen des Vermögens der Versorgungskasse.

Die Zuschüsse des Reichs, Bayerns und der Stadt Nürnberg sind ausschließlich für die Verwaltung bestimmt.

Die Einnahmen aus Zinsen, Eintrittsgeldern usw. sowie aus freiwilligen Beiträgen sind für Neuanschaffungen, Neubauten und Schuldentilgung zu verwenden.

Die Zuschüsse des Versorgungsverbandes und die Zinsen des Vermögens der Versorgungskasse fließen der Versorgungskasse zu.

§ 16.

Alljährlich ist ein Voranschlag über die Einnahmen und Ausgaben aufzustellen, der vom Verwaltungsrate festgesetzt und vom Bayerischen Staatsministerium für Unterricht und Kultus genehmigt wird.

Das Staatsministerium für Unterricht und Kultus übt die Oberaufsicht über das gesamte Haushalts-Kassen- und Rechnungswesen.

§ 17.

Zur Vermittlung zwischen dem Germanischen Museum und den weiten Kreisen des deutschen Volkes sind die Pflegschaften, die sich schon bisher als eine besonders wertvolle Stütze des Museums bewährt haben, weiter auszubauen. Die Pfleger werden vom Direktor bestellt. Ihre Aufgabe ist, die Teilnahme am Museum zu wecken und rege zu halten, für die Aufbringung von Mitteln zum weiteren Ausbau des Mu-

seums zu sorgen und damit im Sinne des Stifters das deutsche Gemeingefühl zu stärken.

§ 18.

Der Stiftungszweck ist unabänderlich[12].

Die übrigen Bestimmungen der Satzung können durch den Verwaltungsrat abgeändert werden. Solche Beschlüsse des Verwaltungsrates erfordern die Zustimmung von wenigstens zwei Dritteln der Mitglieder.

Satzungsänderungen bedürfen der Zustimmung der Reichsregierung und der Genehmigung der Bayerischen Staatsregierung.

Übergangs-Bestimmungen.

1. Die bisherigen Mitglieder des Verwaltungsausschusses bilden den Verwaltungsrat.

2. Das älteste Drittel der bisherigen gewählten Mitglieder scheidet nach der Tagung des Verwaltungsrates aus, welche auf die Genehmigung dieser Satzungen durch die Aufsichtsbehörde folgt.

3. Der gegenwärtige 2. Direktor bleibt im Amte.

Genehmigung des Bayer. Staatsministeriums für Unterricht und Kultus vom 18. Juli 1921:

Die in der Sitzung des Verwaltungsausschusses am 20. Mai 1921 angenommene neue Satzung des Germanischen Museums wird hiermit genehmigt.

Die Satzung wird demnächst im „Amtsblatt des Bayerischen Staatsministeriums für Unterricht und Kultus" veröffentlicht werden; sie tritt sofort in Kraft.

(gez.) Dr. Matt.

Dienstordnung für die Verwaltung der kunst- und kulturgeschichtlichen Sammlungen des germanischen Nationalmuseums vom 6. Oktober 1870[13]

§ 1.

Die kunst- und kulturgeschichtlichen Sammlungen bestehen aus folgenden selbständigen Abtheilungen, denen durch Beschluß des Verwaltungsausschusses je nach Bedürfniß weitere zugefügt, wie auch mehrere der bestehenden vereinigt, oder einzelne getrennt werden können.

1. Architektur, Bautheile und Baumaterialien.
2. Ornamentale Plastik.
3. Figürliche Plastik.
4. Grabdenkmale.
5. Kleine Plastik.
6. Siegel.
7. Medaillen.
8. Monumentale Malerei (Mosaik, Wandmalerei, Glasmalerei).
9. Gemälde.
10. Miniaturmalerei.
11. Handzeichnungen.
12. Holzschnitte.
13. Kupferstiche.
14. Schrift- und Druckproben.

15. Kulturgeschichtliche Blätter.
16. Historische Blätter.
17. Genealogische und heraldische Blätter.
18. Porträte.
19. Landkarten und Prospecte.
20. Gewebe und Stickereien, Nadelarbeiten, Spitzen.
21. Büchereinbände.
22. Musikalische Instrumente.
23. Astronomische, geographische und mathematische Instrumente.
24. Hausmobiliar und Geräthe.
25. Trachten und Schmuck.
26. Waffen.
27. Denkmäler des Staats- und Rechtslebens.
28. Kirchliche Geräthe, Gefäße und Gewänder.
29. Denkmäler des Erwerbs- und Verkehrswesens.

---

[12] Am 3. 10. 1934 wurden durch Einfügung von § 17 a und Neufassung des § 18, Abs. 1 einige unwesentliche Änderungen der Vermögensverwaltung festgelegt.
[13] Erschienen als Separatdruck Nürnberg 1870.

30. Denkmäler des Zunftwesens, der Corporationen und Gesellschaften.
31. Münzen, Jetons, Zeichen, Maße und Gewichte.
32. Vorchristliche Alterthümer.

Die Frage, ob ein Gegenstand in die kunst- und kulturgeschichtlichen Sammlungen oder in die Bibliothek oder in das Archiv gehöre, wird in zweifelhaften Fällen durch das Direktorium unter Beirath der betreffenden Abtheilungsvorstände entschieden.

§ 2.

Die für die kunst- und kulturgeschichtlichen Sammlungen bestimmten Eingänge werden vom Direktorium, welches den gesammten Einlauf eröffnet, entweder stückweise oder in uneröffneter Verpackung dem Vorstande der Abtheilung übergeben. Sofern sich ein Begleitschreiben dabei befindet, bestätigt der Abtheilungsvorstand oder der ihn vertretende Beamte auf demselben den Empfang; wenn jedoch ein solches nicht anliegt, wird das Einlangen der Gegenstände auf einem besonderen Zettel, der summarisch verfaßt auf das Zugangsregister sich beziehen kann, bemerkt. Dieser Zettel wird im Geschäftsbureau abgegeben und dort, nachdem er vom I. Direktor präsentiert worden, in's Tagebuch eingetragen. Auf diesem Zettel ist bei Ankäufen stets der Preis zu bemerken und bei Auszahlung der Beträge auf denselben Bezug zu nehmen, damit nicht für einen Gegenstand mehr als einmal Zahlung geleistet werde.

§ 3.

Ueber jede der obengenannten Abtheilungen wird ein besonderer Katalog geführt, und zwar in doppelter Weise: ein numerischer oder Inventarkatalog und ein systematischer, der erstere in Buchform, der letztere in losen Blättern. Jeder Gegenstand ist möglichst bald nach seinem Einlangen mit einer Nummer und dem Buchstaben seiner Abtheilung zu versehen und in den Inventarkatalog einzutragen; sodann ist für den systematischen Katalog ein Zettel mit wissenschaftlicher Beschreibung zu fertigen, auf welchen gleichfalls die Inventarnummer zu setzen ist. Die Zettel des systematischen Katalogs sind in derselben Reihenfolge wie die Aufstellung der Sammlungen zu ordnen, so daß der Zettelkatalog eine stete Uebersicht der letzteren bietet.

§ 4.

Jeder in die Sammlungen gelangte Gegenstand, auf welchem Wege die Erwerbung auch erfolgt sei, wird, wenn er Eigenthum des Museums, sobald er eingetragen und katalogisiert ist, in Folge der durch die Satzungen ausgesprochenen Unveräußerlichkeit ein unveräußerlicher Theil des Stiftungsvermögens. Werden daher ganze Sammlungen oder größere Partieen von Gegenständen gekauft, oder einzelne etwa blos deshalb, damit sie vom Untergang gerettet werden, so daß Manches gleich schon beim Kaufe nicht dazu bestimmt ist, in die Sammlungen eingereiht zu werden, oder gehen Geschenke ein, die nicht brauchbar sind, so werden diese Gegenstände sofort ausgeschieden und in einem besonderen Depot, über dessen wichtigere Gegenstände gleichfalls ein Verzeichniß zu

führen ist, aufbewahrt, bis sie wieder verkauft oder vertauscht werden können. Ebendahin gehören alle Doubletten, die sich auf irgend eine Weise ergeben; doch sollen Gegenstände, die als Geschenke eingehen, nie verkauft, sondern nur vertauscht und dies im Verzeichnisse besonders angemerkt werden.

§ 5.

Jeder einzelne Gegenstand kann nur in eine einzige Abtheilung eingereiht und nur in dieser im Katalog aufgeführt werden, und zwar stets in diejenige, für welche er der Natur der Sache nach am wichtigsten ist. Hat ein Gegenstand auch auf andere Sammlungen Bezug, so ist im systematischen Kataloge derselben durch einen an der betreffenden Stelle eingelegten Zettel auf ihn und auf die Abtheilung, in der er sich befindet, hinzuweisen. Diese Verweisungszettel sind jedoch so einzurichten, daß bei einer etwaigen Revision die leichte Übersicht nicht leidet und selbst bei rascher Revisionsarbeit keine Irrung entstehen kann; sie sind daher möglichst von den Katalogzetteln zu unterscheiden. Sind jedoch Nachbildungen in mehreren Exemplaren oder zu einem Original ein oder mehrere Nachbildungen vorhanden, so können diese in mehrere Abtheilungen förmlich eingereiht, mit Nummern versehen und katalogisiert werden.

§ 6.

Die Verwaltung der Sammlungen hat für Aufbewahrung und Aufstellung der Gegenstände entsprechende Sorge zu tragen, und zwar, unter Berücksichtigung der durch die Räumlichkeiten gebotenen Beschränkung, in der Weise, daß dieselbe möglichst systematisch und für den Beschauer lehrreich sei. Insbesondere ist bei Auswahl der Gegenstände da, wo eine Abtheilung ihrer Natur nach nicht vollständig zur Ausstellung gelangen kann, stets Rücksicht auf möglichste Belehrung und Anregung zu nehmen.

§ 7.

Die Verwaltung der kunst- und kulturgeschichtlichen Sammlungen hat eine Sammlung von Abbildungen (ein Bilderrepertorium) anzulegen und mit Sorgfalt in gleicher Weise und nach gleichem System zu ordnen wie die Sammlungen selbst, so daß an jede Abtheilung und Unterabtheilung sich eine entsprechende dieses Bilderrepertoriums ergänzend anschließt. Diese Abbildungssammlung besteht theils aus Photographieen, Lithographieen, Kupferstichen, Holzschnitten, Handzeichnungen, die durch Geschenk oder Ankauf zufällig eintreffen, und bei denen nur für entsprechende Ordnung zu sorgen ist, theils aus Zeichnungen, die systematisch im Museum selbst gefertigt werden, und deren Auswahl, Bestimmung und Herstellung der Verwaltung dieser Abtheilung obliegt.

§ 8.

Ebenso sind für jede Abtheilung, wo es zweckmäßig erscheint, schriftliche Repertorien über verwandtes Material beizufügen und dabei speziell auf die Bibliothek und deren Repertorien, sowie auf das Archiv und seine Repertorien Rücksicht zu nehmen.

Besonders sind in's Auge zu fassen: Kupferstiche und Holzschnitte hervorragender Meister, welche eine Ergänzung der Sammlungen der Kupferstiche und Holzschnitte bilden, historische und kulturgeschichtliche Darstellungen, Prospekte, Porträte, Siegel.

§ 9.

Um eine entsprechende Repertorisierung der Bibliothek für die Zwecke der kunst- und kulturgeschichtlichen Abtheilung zu bewirken, sowie auch für die eigene Abtheilung die nöthigen Hinweise zu erhalten und doppelte Arbeit zu vermeiden, wird sich die kunst- und kulturgeschichtliche Abtheilung auch an der Repertorisierung der Bibliothek, und zwar in speziellem Einvernehmen mit der Verwaltung derselben, betheiligen und solche Werke repertorisieren, die spezielle Fachkenntnisse erfordern.

§ 10.

Damit die Sammlungen des Museums für das Publikum wie für die Gelehrten möglichst nutzbringend werden, sind durch die Verwaltung entsprechende Publikationen herzustellen, und zwar: allgemeine Uebersichten über alle Sammlungen oder über Theile derselben, Kataloge einzelner Abtheilungen, endlich sonstige, im Plane des Museums gelegene Werke im Anschluß an die Sammlungen. Ferner betheiligt sich die Verwaltung am „Anzeiger" durch selbständige Aufsätze, Notizen, literarische Anzeigen, Herstellung und Vervielfältigung der entsprechenden Abbildungen u.s.w.

Auch hat die Verwaltung den ihr vom Direktorium zugewiesenen Theil der Museumscorrespondenz, soweit sie die Sammlungen betrifft, entweder durch gänzliche Erledigung oder durch Verfassung von Concepten zu besorgen.

§ 11.

An der Spitze der Verwaltung der kunst- und kulturgeschichtlichen Sammlungen steht vorläufig ein Vorstand, dem das jeweils für die gestellten Aufgaben nöthige Hülfspersonal beigegeben ist.

Dieser Vorstand ist dem Direktorium nach Maßgabe der Satzungen und auf Grund der allgemeinen Dienstordnung für die Beamten wie dieser speziellen Dienstordnung unterstellt. Er hat im Einvernehmen mit dem verantwortlichen Direktorium und unter dessen Leitung die allgemeinen Beschlüsse des Ausschusses zu vollziehen, sowie die durch denselben speziell für jedes Jahr gestellte Aufgabe zu erfüllen. Nach diesen Beschlüssen ist insbesonder der Umfang der in §§ 7–10 genannten Arbeiten einzurichten und das dazu erforderliche Hülfspersonal zu bemessen.

Der Vorstand der kunst- und kulturgeschichtlichen Sammlungen hat daher auch im Einvernehmen mit dem Direkto-

rium den Plan für das folgende Jahr zur Vorlage an den Verwaltungsausschuß aufzustellen und dabei, da dieser Plan stets mit Rücksicht auf den gleichzeitig festzusetzenden Hauptetat und die Thätigkeit der ganzen Anstalt einzurichten ist, denselben umsomehr den Anordnungen des verantwortlichen Direktors gemäß zu entwerfen, als ihm zur Vertretung abweichender Anschauungen bei den Berathungen des Ausschusses selbst Gelegenheit geboten ist.

§ 12.

Der Vorstand der kunst- und kulturgeschichtlichen Sammlungen hat demgemäß das Recht (§ 26 der Satzungen) den Sitzungen des Verwaltungs- und Lokalausschusses und der Commissionen des ersteren beizuwohnen, sowie Anträge nach Maßgabe der Geschäftsordnung zu stellen. Er hat insbesondere die Pflicht, Referate, die seine Abtheilung betreffen und ihm vom Direktorium oder den Ausschüssen zugetheilt werden, auszuarbeiten und vorzulegen.

§ 13.

Der Abtheilungsvorstand ist dem Direktorium für die Arbeiten des ihm zugewiesenen Personals verantwortlich; daher steht es ihm auch zu, im Falle von Anstellungen dem Direktorium seine Meinung über die Candidaten zu äußern, worauf möglichste Rücksicht zu nehmen ist. Er vertheilt, sofern ihm ein Personal zugewiesen ist, an dieses in entsprechender Weise die der Abtheilung zukommenden Geschäfte, sieht dessen Arbeiten durch und verbessert sie. Die betreffenden Beamten sind dabei gehalten, ganz im Sinne ihres Vorstandes zu arbeiten, welcher dem Direktorium gegenüber die Verantwortung trägt.

§ 14.

Monatlich ist dem Direktorium und durch dieses dem Lokalausschuß ein Bericht vorzulegen, worin der Abtheilungsvorstand über die ausgeführten Arbeiten, Vermehrung der Sammlungen, Art der Benützung, Personalien u. A. Mittheilung macht. Ebenso ist monatlich für die Chronik des Museums im Anzeiger ein Geschenkeverzeichniß zusammenzustellen.

§ 15.

Wenn sich im Laufe der Zeit die einzelnen Sammlungen so mehren, daß ein einziger Vorstand die gesammte Uebersicht über alle, mit Rücksicht auf die ihm obliegende Verantwortung, nicht mehr führen kann, so wird der Verwaltungsausschuß für je eine oder mehrere Abtheilungen besondere Vorstände bestimmen, die unter sich dienstlich gleichgestellt sind, und von denen jeder für die von ihm vertretenen Abtheilungen an die vorliegende Instruction gebunden ist.

Benützungsordnung für die kunst- und kulturgeschichtlichen Sammlungen des germanischen Nationalmuseums vom 6. Oktober 1870[14]

§ 1.

Die dem Publikum zugänglichen Lokalitäten, in welchen die kunst- und kulturgeschichtlichen Sammlungen aufgestellt sind, werden zu gewissen Stunden und unter bestimmten Bedingungen dem allgemeinen Besuche geöffnet. Es ist dafür eine besondere Besuchsordnung festgesetzt.

§ 2.

Der Eintritt in die Lokalitäten, die dem Publikum nicht geöffnet sind, sowie die über die Besuchsordnung hinausgehende Benützung der in den zugänglichen Lokalitäten befindlichen Gegenstände ist nur gegen Anmeldung bei dem Vorstande der Sammlungen gestattet, welcher diese Erlaubniß in der Regel jedem ertheilen wird, gegen den besondere Gründe zur Verweigerung derselben nicht vorliegen. Eine solche Benützung kann nur in Begleitung eines Beamten geschehen. Da jedoch die Beamten ihre Beschäftigung haben, so wird erwartet, daß nicht blos müßige Neugier den Wunsch eingehender Betrachtung, die Herausnahme von Gegenständen aus Schränken und Mappen und andere Bemühungen der Beamten veranlaßt, sondern das Streben nach Belehrung. Die Beamten, insbesondere der Vorstand der Abtheilung, sind daher berechtigt, die ertheilte Erlaubniß zurückzuziehen, wenn sie sehen, daß nicht ernste Gründe Veranlassung dazu gegeben haben.

§ 3.

Denjenigen Besuchern, welche zum Zwecke von Studien in die Anstalt kommen, sind der Vorstand und die Beamten der Abtheilung besondere Aufmerksamkeit schuldig. Es sind denselben Arbeitsplätze einzuräumen, aus den Katalogen und Repertorien die betreffenden Abtheilungen vorzulegen, mit ihnen durchzugehen und ihnen dann die gewünschten Mappen und Gegenstände mitzutheilen; nie jedoch dürfen Kataloge, besonders Zettelkataloge und Repertorienkästen, ihnen in die Hand gegeben werden. Sollen Zettel aus den Kästen genommen und zur Benützung, resp. Abschrift übergeben werden, so kann dies nur durch die Beamten selbst geschehen, welche auch dafür zu sorgen haben, daß die Zettel nach gemachtem Gebrauch sofort wieder richtig eingereiht werden. Ausstellungsgegenstände, welche in den dem Publikum geöffneten Räumen sich befinden, können jedoch nur, wenn sie leicht beweglich sind, und die Rücksicht auf das besuchende Publikum es gestattet, von ihrem Platze weggenommen werden.

§ 4.

Bei etwa vorzunehmender Beschreibung oder Abzeichnung sind den Künstlern oder Gelehrten die nöthigen Fingerzeige und Hindeutungen zu geben, und dieselben auf alle Punkte aufmerksam zu machen, die für ihre Studien wichtig sind, aber nicht sofort in die Augen springen, da anzunehmen ist, daß den Benützenden die längere Kenntniß und Erfahrung der Beamten, welche die Gegenstände stets unter Augen haben, förderlich und willkommen sein könnte.

§ 5.

Die Benützenden sind gehalten, alle ihnen in dem Lokale anvertrauten Gegenstände sorgfältig zu behandeln, jede Beschädigung derselben zu vermeiden, und die Beamten haben darauf zu achten, daß keinerlei Beschädigungen vorkommen, daß insbesondere Zeichnungen und Stiche nicht zerknittert, noch beim Durchzeichnen beschädigt werden. Die Beamten haben daher das Recht und die Pflicht, Personen, welche nicht in entsprechender Weise die Gegenstände behandeln, von der Benützung geradezu auszuschließen.

§ 6.

Jeder Benützende ist verpflichtet, etwaigen Schaden, der durch ihn aus Unkenntniß, Unvorsichtigkeit, Leichtsinn oder gar Böswilligkeit entsteht, in dem Umfange zu ersetzen, in welchem solchen das Museum selbst, mit oder ohne Ueberlassung des beschädigten Gegenstandes an den Beschädiger, abschätzt. Außerdem ist jeder, der sich einmal eine böswillige Beschädigung hat zu Schulden kommen lassen, für immer von der Benützung auszuschließen.

§ 7.

Das Verleihen von Sammlungsgegenständen aus der Anstalt, sowie Abformung derselben, kann allein mit Bewilligung des Direktoriums geschehen, welches dieselbe jedoch nur in dem Falle zu ertheilen hat, wenn es sich um höhere, wissenschaftliche Zwecke handelt, oder die Gewährung im Interesse des Museums gelegen ist, ferner wenn ihm die Nachsuchenden persönlich oder durch ihre Stellung als vertrauenswürdig und auch ersatzfähig bekannt sind, und endlich wenn die Gegenstände nicht leicht beschädigt werden können. Im Allgemeinen ist daher die Erlaubniß zur Hinausgabe von Gegenständen der Kunstsammlung aus dem Museum an Private nur selten und mit höchster Vorsicht thunlich; vielmehr sind diese zu veranlassen, daß sie eine Behörde, eine öffentliche Anstalt, eine Universität, Bibliothek, Museum oder einen Verein ersuchen, die Gegenstände, falls solche nicht durch den Transport Schaden leiden können, kommen zu lassen und sie den Betreffenden unter ihrer Verantwortung anzuvertrauen.

Der die Bewilligung ertheilende Direktor trägt persönliche Verantwortung für jeden etwa entstehenden Schaden, falls er nicht nachweisen kann, daß er in besonderem Interesse des

[14] Erschienen als Separatdruck Nürnberg 1870.

Museums und mit größter Vorsicht gehandelt habe, indem er Gegenstände, die einer Beschädigung leicht ausgesetzt sind, überhaupt ausleiht, oder an Private hinausgibt, welche nicht das nöthige Vertrauen verdienen.

§ 8.

Falls die betreffenden Beamten sehen, daß Personen, welche die Gegenstände zu benützen wünschen, nicht in der Lage sind, dieselben gut abzuzeichnen, alte Schriften richtig zu lesen und abzuschreiben u. A., und es über die Grenzen dessen gehen würde, was die eigenen Geschäfte erlauben, wenn sie dieselben unterstützen wollten, so mögen sie die Benützenden auf Künstler oder Gelehrte hinweisen, die dem Museum bekannt und im Stande sind, gute Kopieen herzustellen, und sie auch wohl darauf aufmerksam machen, daß das Museum selbst unter Umständen es übernimmt, gegen angemessene Vergütung Kopieen durch seine Beamten oder durch ihm bekannte Künstler anfertigen zu lassen. Der Abtheilungsvorstand kann jedoch derartige Dienstleistungen nur mit Zustimmung des Direktoriums für das Museum übernehmen, sofern der Umfang der vom Verwaltungsausschusse gestellten Jahresaufgabe und die verfügbaren Kräfte

es gestatten. Die eigenen Arbeiten des Museums dürfen in keinem Falle darunter leiden.

§ 9.

Es steht den Benützenden im Allgemeinen frei, ihre in den Sammlungen gemachten Studien, ohne Rücksicht auf den Umfang der dabei vom Museum geleisteten Hilfe, zu publicieren. Eine Ausnahme findet nur statt:

1. bei Gegenständen, die nicht freies Eigenthum des Museums, sondern demselben unter Bedingungen übergeben sind, welche eine Publikation oder überhaupt eine weitergehende Benützung verbieten;

2. bei Gegenständen, deren Publikation durch das Museum bereits beschlossen, aber noch nicht erfolgt ist. Sobald ein Jahr nach der Publikation durch das Museum vergangen ist, fällt diese Beschränkung weg.

§ 10.

Reklamationen wegen verweigerter Benützung im Ganzen oder in einzelnen Fällen, wie auch gegen auferlegte Beschränkung derselben, sind an das Direktorium zu richten, gegen Entscheidung von dieser Seite an den Lokalausschuß.

Dienstordnung für die Verwaltung des Archivs des germanischen Nationalmuseums vom 6. Oktober 1870[15]

§ 1.

Das Archiv des germanischen Museums enthält:
1. Pergamenturkunden;
2. Originalpapierurkunden;
3. Urkundenabschriften auf Papier und einzelne Facsimiles;
4. Aktenfaszikel;
5. Urkundenbücher und handschriftliche Urkundenverzeichnisse anderer Archive;
6. Autographen.

Die Frage, ob ein Gegenstand ins Archiv oder in die Bibliothek oder in die kunst- und kulturgeschichtlichen Sammlungen gehöre, wird in zweifelhaften Fällen durch das Direktorium unter Beirath der betreffenden Abtheilungsvorstände entschieden.

§ 2.

Die für das Archiv bestimmten Eingänge werden vom Direktorium, das den gesammten Einlauf eröffnet, entweder stückweise oder auch in uneröffneter Verpackung dem Archivvorstande übergeben. Sofern sich ein Begleitschreiben dabei befindet, bestätigt der Archivvorstand oder der ihn vertretende Beamte auf demselben den Empfang; wenn jedoch ein solches nicht anliegt, wird das Einlangen der Gegenstände auf einem besonderen Zettel, der summarisch verfaßt auf das Zugangsregister sich beziehen kann, bemerkt. Dieser Zettel wird im Geschäftsbureau abgegeben und dort, nachdem er vom I. Direktor präsentiert worden, ins Tagebuch eingetragen. Auf diesem Zettel ist bei Ankäufen stets der Preis zu bemerken

und bei Auszahlung der Beträge auf denselben Bezug zu nehmen, damit nicht für einen Gegenstand mehr als einmal Zahlung geleistet werde.

§ 3.

Zusammenhängende Gruppen von Archivalien, die erworben oder zur Benützung und Aufstellung unter Eigenthumsvorbehalt übergeben werden, sind stets ungetrennt zu lassen. Vereinzelt eingehende Urkunden sind ohne Rücksicht auf ihren Inhalt chronologisch zu ordnen; Aktenfaszikel chronologisch, Urkundenbücher geographisch und alphabetisch.

§ 4.

Jedes in das Archiv einlangende Stück ist möglichst bald in das Zugangsregister, sodann in einen kurzgefaßten Zettelkatalog einzutragen, welcher für jede getrennte Abtheilung besonders zu führen ist. Jeder Zettel desselben hat auch die Nummer des Zugangskataloges zu enthalten.

§ 5.

Zu leichterer Benützung des Archivs werden mehr oder minder ausführliche Regesten der eigenen Urkunden, auch Aktendesignationen, sowie Personen-, Orts- und Sachrepertorien gefertigt.

[15] Erschienen als Separatdruck Nürnberg 1870.

§ 6.

Der Archivverwaltung liegt es außerdem ob, Kataloge, Regesten und Repertorien zur Publikation vorzubereiten, selbständige Werke mit Benützung des eigenen Materials, sowie des Materials fremder Archive auszuarbeiten, sich am Anzeiger durch selbständige Aufsätze, Notizen, Uebersichten, Literaturberichte u. A. zu betheiligen.

Es liegt ihr ferner ob, einzelne die Wissenschaft fördernde Zusammenstellungen zu machen, wie Übersichtskataloge über das Material anderer Archive in Bezug auf bestimmte Materien, zur Vermehrung der Sammlung Abschriften der Urkunden fremder Archive zu fertigen und Aehnliches. Ebenso kann ihr im Einvernehmen mit der Bibliothek die Repertorisierung solcher Werke der Bibliothek, welche besondere historische Kenntnisse erfordern, übertragen werden.

Die Bestimmungen über die im Vorstehenden aufgeführten Arbeiten trifft alljährlich der Verwaltungsausschuß, welcher auch besonders über das Einzelne der Arbeit an den Regesten und Repertorien entscheidet, wobei er unter Berücksichtigung der Gesammtaufgabe zugleich über die nöthige Arbeitskraft verfügt.

§ 7.

Die Verwaltung des Archivs hat auch die Aufgabe, ein besonderes Augenmerk auf die Quellen zu richten, an welchen Urkunden, die anderswo verloren gegangen oder veräußert worden sind, zu Tage kommen, namentlich auf den Pergamenthandel im Allgemeinen, und hat das Direktorium aufmerksam zu machen, wenn eine Correspondenz deshalb nöthig werden sollte. Ferner hat die Verwaltung den ihr vom Direktorium zugewiesenen Theil der Museumscorrespondenz, soweit sie das Archiv betrifft, entweder durch gänzliche Erledigung oder durch Verfassung von Concepten zu besorgen.

§ 8.

An der Spitze der Archivverwaltung steht der Archivar, dem das jeweils für die gestellten Aufgaben nöthige Hülfspersonal beigegeben wird. Der Archivar ist dem Direktorium nach Maßgabe der Satzungen und auf Grund der allgemeinen Dienstordnung für die Beamten, wie dieser speziellen Dienstordnung unterstellt. Er hat im Einvernehmen mit dem verantwortlichen Direktorium und unter dessen Leitung die allge

meinen Beschlüsse des Ausschusses zu vollziehen, sowie die speziell für jedes Jahr gestellte Aufgabe zu erfüllen. Nach diesen Beschlüssen ist insbesondere der Umfang der in § 6 und 7 genannten Arbeiten einzurichten und das erforderliche Hülfspersonal zu bemessen.

Der Archivar hat daher auch im Einvernehmen mit dem Direktorium den Plan für das folgende Jahr zur Vorlage an den Verwaltungsausschuß aufzustellen und dabei, da dieser Plan stets mit Rücksicht auf den gleichzeitig festzusetzenden Hauptetat und die Thätigkeit der ganzen Anstalt einzurichten ist, denselben umsomehr den Anordnungen des verantwortlichen Direktors gemäß zu entwerfen, als ihm zur Vertretung abweichender Anschauungen bei den Berathungen des Ausschusses selbst Gelegenheit geboten ist.

§ 9.

Der Archivar hat demgemäß das Recht (§ 26 der Satzungen) den Sitzungen des Verwaltungs- und Lokalausschusses und der Commissionen des ersteren beizuwohnen, sowie Anträge nach Maßgabe der Geschäftsordnung zu stellen. Er hat insbesondere die Pflicht, Referate, die seine Abtheilung betreffen und ihm vom Direktorium oder den Ausschüssen zugetheilt werden, auszuarbeiten und vorzulegen.

§ 10.

Der Archivar ist dem Direktorium für die Arbeiten des ihm zugewiesenen Personals verantwortlich. Daher steht ihm auch zu, im Falle von Anstellungen dem Direktorium seine Meinung über die Candidaten zu äußern, worauf möglichste Rücksicht zu nehmen ist. Er vertheilt, sofern ihm ein Personal zugewiesen ist, an dieses in entsprechender Weise die dem Archive zukommenden Geschäfte, sieht dessen Arbeiten durch und verbessert sie. Die betreffenden Beamten sind dabei gehalten, ganz im Sinne des Archivars zu arbeiten, welcher dem Direktorium gegenüber die Verantwortung trägt.

§ 11.

Monatlich ist dem Direktorium und durch dieses dem Lokalausschuß ein Bericht vorzulegen, worin der Archivar über die ausgeführten Arbeiten, Vermehrung des Archivs, Art der Benützung, Personalien und Anderes Mittheilung macht. Ebenso ist monatlich für die Chronik des Museums im Anzeiger ein Geschenkeverzeichniß zusammenzustellen.

Dienstordnung für die Verwaltung der Bibliothek des germanischen Nationalmuseums vom 6. Oktober 1870[16]

§ 1.

Die Bibliothek des Museums besteht aus folgenden Abtheilungen:
1. Hauptbibliothek, enthaltend die Druckwerke von 1550 bis auf die neueste Zeit;
2. Handschriftensammlung;

3. Sammlung alter Drucke aus der Zeit vor 1550;
4. Musikaliensammlung.
Hierzu können noch Spezialsammlungen kommen, und zwar

[16] Erschienen als Separatdruck Nürnberg 1870.

967

sind jedenfalls als solche zu behandeln und gesondert aufzustellen:

a. jede einzelne Büchersammlung, die dem Museum nur zur Aufbewahrung und Benützung übergeben ist, von der jedoch zu erwarten steht, daß sie zurückgezogen werden könnte;

b. jede in sich geschlossene Sammlung, die einen besondern historischen Werth hat.

Die Frage, ob ein Gegenstand in die Bibliothek, oder in's Archiv, oder in die kunst- und kulturgeschichtliche Sammlung gehöre, wird in zweifelhaften Fällen durch das Direktorium unter Beirath der betreffenden Abtheilungsvorstände entschieden.

§ 2.

In den Spezialsammlungen können auch Werke enthalten sein, die nicht zu den vom Museum vertretenen Fächern gehören; in die Hauptbibliothek dagegen werden nur diejenigen aufgenommen, welche zur Aufgabe des Museums in irgend einer Beziehung stehen. Für einlangende Schriften, die keinen Bezug auf diese Aufgaben haben, besteht ein Depot. Schriften, die mehrmal vorhanden sind, kommen in die Doublettensammlung.

§ 3.

Die für die Bibliothek bestimmten Eingänge werden vom Direktorium, das den gesammten Einlauf eröffnet, entweder stückweise oder auch in uneröffneter Verpackung dem Bibliotheksvorstande übergeben. Sofern sich ein Begleitschreiben dabei befindet, bestätigt der Bibliotheksvorstand oder der ihn vertretende Beamte auf demselben den Empfang; wenn jedoch ein solches Begleitschreiben nicht anliegt, wird das Einlangen der Gegenstände auf einem besondern Zettel, der summarisch verfaßt auf das Zugangsregister sich beziehen kann, bemerkt. Dieser Zettel wird im Geschäftsbureau abgegeben und dort, nachdem er vom I. Direktor präsentiert worden, ins Tagebuch eingetragen. Auf diesem Zettel ist bei Ankäufen stets der Preis zu bemerken und bei Auszahlung der Beträge auf denselben Bezug zu nehmen, damit nicht für einen Gegenstand mehr als einmal Zahlung geleistet werde.

§ 4.

Jedes in die Bibliothek gelangte Buch, auf welchem Wege die Erwerbung auch erfolgt sei, ist, wenn es Eigenthum des Museums, sobald es eingetragen und katalogisiert worden, in Folge der durch die Satzungen ausgesprochenen Unveräußerlichkeit ein unveräußerlicher Theil des Stiftungsvermögens. Werden daher ganze Sammlungen oder größere Partieen von Büchern auf einmal gekauft, von denen einzelne den Zwecken des Museums nicht entsprechen, also nicht bestimmt sind, in die Bibliothek eingereiht zu werden, oder gehen Geschenke ein, die nicht brauchbar sind, so werden diese sofort dem Depot zugewiesen, über dessen Inhalt gleichfalls ein Katalog zu führen ist und aus welchem bei Gelegenheit die nicht entsprechenden Sachen auch verkauft oder vertauscht werden können. Ebendahin gehören alle Doubletten; doch sollen Bücher, die geschenkweise eingehen, nie verkauft, sondern nur vertauscht, und dies im Verzeichnisse besonders angemerkt werden.

§ 5.

Jedes einlangende Buch ist möglichst bald in das Zugangsregister, sodann in die Kataloge einzutragen, und zwar sind folgende Kataloge zu führen:

1. ein alphabetischer Zettelkatalog, in welchen jedes Werk mit vollem Titel auf einem besondern Zettel eingereiht wird;

2. ein systematischer Zettelkatalog (Realkatalog), welcher die gleichen Zettel, in systematischer Weise geordnet, umfaßt;

3. ein in Buchform zu führender numerischer oder Standkatalog, in welchem jedes Werk nur mit einem bibliographischen Schlagworte, nebst Angabe des Formats und der Bändezahl, angeführt ist;

4. für die Handschriften ein ausführlich beschreibender Zettelkatalog.

Die Aufstellung der Bücher selbst geschieht nach ihrem Zugange in numerischer Reihenfolge und in drei Formate gesondert.

§ 6.

Zu leichterer Benützung der Bibliothek ist ein Literaturrepertorium anzulegen, welches nach Personen, Orten und Sachen eingetheilt ist. In dieses Repertorium sind nicht nur ganze Bücher, sondern bei größeren Werken auch einzelne wichtige Kapitel, bei Sammelwerken jeder besondere Theil, bei Zeitschriften jeder Aufsatz geschichtlichen Inhalts einzutragen, und zwar je durch so viele Zettel, als der Aufsatz Beziehungen für das Repertorium bietet.

Dieses Repertorium, in welchem also die gesammte historische Literatur über jede Spezialität sich sammelt, hat sich zwar im Allgemeinen an die eigene Bibliothek in ihren verschiedenen Abtheilungen zu halten, doch können auch bei den Arbeiten des Museums sich ergebende Literaturnachweise eingetragen werden, wenn gleich sich das betreffende Werk nicht im Museum befindet. Zur Vermeidung von Irrthümern sind aber diese Zettel so einzurichten, daß man daraus ersieht, das Werk sei nicht in der Bibliothek vorhanden, und daß, falls es später erworben werden sollte, die Ergänzung des Zettels möglich ist.

§ 7.

Der Verwaltung der Bibliothek liegt es ferner ob, einzelne die Wissenschaft fördernde Zusammenstellungen auszuarbeiten, als: ein Repertorium der Handschriften der verschiedenen deutschen Bibliotheken, Uebersichten zur Geschichte der Buchdruckerkunst u. A., ferner Verfassung selbständiger Werke auf dem Gebiete der Literaturgeschichte, Veröffentlichung von Katalogen. Dergleichen Aufgaben werden stets nur durch bestimmte Beschlüsse des Verwaltungsausschusses mit Rücksicht auf die Gesammtaufgabe des Museums und die zugewiesenen Arbeitskräfte gestellt.

§ 8.

Die Verwaltung der Bibliothek hat sich durch fortlaufende

Einsichtnahme von Buchhändlerkatalogen, Börsenblättern des Buchhandels, Antiquariats- und Auktionskatalogen etc. eine Uebersicht über alle Erscheinungen des Buchhandels zu verschaffen und zu erhalten und durch Mittheilung an die Direktion die nöthigen Schritte zu veranlassen, daß die Bibliothek stets in entsprechender Weise ergänzt werde.

§ 9.

Die Bibliotheksverwaltung hat die Correctur und Revision sämmtlicher vom Museum ausgehender Druckschriften, sowohl wissenschaftlicher als auch populärer und rein administrativer zu besorgen, und dabei auf eine einheitliche, gleichmäßige, rationelle Schreibweise besonders zu achten. Diese Schreibweise darf nur in ganz speziellen Fällen und auf ausdrückliches Verlangen der Verfasser aufgegeben werden, was sodann durch eine Notiz der Redaktion zu bemerken ist. Auch hat die Verwaltung den ihr vom Direktorium zugewiesenen Teil der Museumscorrespondenz, soweit sie die Bibliothek betrifft, entweder durch gänzliche Erledigung oder durch Verfassung von Concepten zu besorgen.

§ 10.

An der Spitze der Bibliotheksverwaltung steht der Bibliothekar, dem das jeweils für die gestellten Aufgaben nöthige Hülfspersonal beigegeben ist, und der auch die Arbeiten der Beamten anderer Abtheilungen zu leiten hat, soweit solche der Bibliothek für einen Theil ihrer Arbeitszeit zugewiesen sind.

Der Bibliothekar ist dem Direktorium nach Maßgabe der Satzungen und auf Grund der allgemeinen Dienstordnung für die Beamten, wie dieser speziellen Dienstordnung unterstellt. Er hat im Einvernehmen mit dem verantwortlichen Direktorium und unter dessen Leitung die allgemeinen Beschlüsse des Ausschusses zu vollziehen, sowie die durch denselben speziell für jedes Jahr gestellte Aufgabe zu erfüllen. Nach diesen Beschlüssen ist insbesondere der Umfang der in § 5 und 6 genannten Arbeiten einzurichten und das dazu erforderliche Hülfspersonal zu bemessen.

Der Bibliothekar hat daher auch im Einvernehmen mit dem Direktorium den Plan für das folgende Jahr zur Vorlage an den Verwaltungsausschuß aufzustellen und dabei, da dieser Plan stets mit Rücksicht auf den gleichzeitig festzusetzenden Hauptetat und die Thätigkeit der ganzen Anstalt einzurichten ist, denselben umsomehr den Anordnungen des verantwortlichen Direktors gemäß zu entwerfen, als ihm zur Vertretung abweichender Anschauungen bei den Berathungen des Ausschusses selbst Gelegenheit geboten ist.

§ 11.

Der Bibliothekar hat demgemäß das Recht (§ 26 der Satzungen), den Sitzungen des Verwaltungs- und Lokalausschusses und der Commissionen des ersteren beizuwohnen, sowie Anträge nach Maßgabe der Geschäftsordnung zu stellen. Er hat insbesondere die Pflicht, Referate, die seine Abtheilung betreffen und ihm vom Direktorium oder den Ausschüssen zugetheilt werden, auszuarbeiten und vorzulegen.

§ 12.

Der Bibliothekar ist dem Direktorium für die Arbeiten des ihm zugewiesenen Personals verantwortlich. Daher steht ihm auch zu, im Falle von Anstellungen dem Direktorium seine Meinung über die Candidaten zu äußern, worauf möglichste Rücksicht zu nehmen ist. Er vertheilt, sofern ihm ein Personal zugewiesen ist, an dieses in entsprechender Weise die der Bibliothek zukommenden Geschäfte, sieht dessen Arbeiten durch und verbessert sie. Die betreffenden Beamten sind dabei gehalten, ganz im Sinne des Bibliothekars zu arbeiten, welcher dem Direktorium gegenüber die Verantwortung trägt.

Hinsichtlich der Arbeiten für das Literaturrepertorium jedoch, sowie für jede Arbeit überhaupt, die nicht durch das Bibliothekspersonal, sondern durch Beamte anderer Abtheilungen besorgt wird, ist der betreffende Abtheilungsvorstand verantwortlich. Eine Correctur oder ein besonderer Einfluß auf die Arbeiten liegt hier nicht in der Aufgabe des Bibliothekars, welcher die von anderen Abtheilungen geleisteten Arbeiten einfach einzureihen und, falls er dagegen Bedenken hat, diese dem Direktorium mitzutheilen und dessen Einflußnahme zu bewirken hat.

§ 13.

Monatlich ist dem Direktorium und durch dieses dem Lokalausschuß ein Bericht vorzulegen, worin der Bibliothekar über die ausgeführten Arbeiten, Vermehrung der Bibliothek, Art der Benützung, Personalien u. A. Mittheilung macht. Ebenso ist monatlich für die Chronik des Museums im Anzeiger ein Geschenkeverzeichniß zusammenzustellen.

Bestimmungen über die Publikationen des germanischen Nationalmuseums vom 6. Oktober 1870[17]

§ 1.

Die Publikationen des Museums bestehen in:
1. dem Anzeiger für Kunde der deutschen Vorzeit;
2. einem regelmäßigen Jahresberichte;
3. Denkschriften, Nachweisen und andern das Museum betreffenden Schriftstücken;
4. allgemeinen Uebersichten über die Sammlungen im Ganzen oder über einzelne Abtheilungen;
5. Spezialkatalogen und
6. größeren oder kleineren selbständigen Werken.

[17] Erschienen als Separatdruck Nürnberg 1870.

§ 2.

Der Anzeiger für Kunde der deutschen Vorzeit ist regelmäßig in Monatslieferungen auszugeben, deren jede aus einem wissenschaftlichen Hauptblatte und aus einer Beilage besteht. Die verantwortliche Redaktion desselben führt der I. Direktor, sowie, als dessen Stellvertreter, für die betreffenden Nummern der zweite. Der I. Direktor kann jedoch die Redactionsverantwortung auch für immer mit dem zweiten theilen, sowie diese weitere Personen aus den Beamten oder den Ausschüssen des Museums herbeiziehen können.

§ 3.

Jede Monatslieferung des Anzeigers umfaßt 2–3 Bogen und soll in dem Hauptblatte nur Originalartikel aus allen Gebieten der Geschichte, namentlich der Kulturgeschichte enthalten. Vorzugsweise ist dabei auf erste Veröffentlichungen von Quellenmaterial, sowie einzelner, im Museum selbst befindlicher literarischer, archivalischer und künstlerischer Originalschätze besonderes Augenmerk zu richten. Im Allgemeinen sollen nur kürzere Artikel Aufnahme finden und deshalb ein Aufsatz nicht über einen halben Bogen in einer Nummer einnehmen, sich auch nicht durch mehr als drei Nummern hinziehen. Wenn die Artikel Illustrationen verlangen, sind solche als Holzschnitte im Texte oder, soweit es der Etat gestattet, auf besondern Tafeln in Stahlstich oder Lithographie so gediegen als möglich herzustellen.

§ 4.

Die Beilage hat zu enthalten:

1. Die Chronik des Museums, in welcher die im Laufe des Monats vorgekommenen wichtigeren Ereignisse, ferner die eingegangenen Geldgeschenke und gezeichneten Jahresbeiträge, die Geschenkeverzeichnisse der drei Abtheilungen der Sammlungen aufzuführen sind;

2. eine Chronik der Akademieen, gelehrten Gesellschaften und historischen Vereine, und zwar sowohl die zur Kenntniß der Redaktion kommenden Thatsachen aus dem Vereinsleben, Auszüge aus den Sitzungsberichten u.s.f., als auch eine Uebersicht der durch jene herausgegebenen Literatur;

3. eine Uebersicht über die neu erschienenen historischen, literatur-, kunst- und kulturgeschichtlichen Werke, wobei eingehendere Besprechungen hervorragender Werke nicht ausgeschlossen sind. Dieser Literaturübersicht hat die Redaktion besondere Aufmerksamkeit zuzuwenden und für Beziehung tüchtiger Kräfte zu sorgen. Die drei wissenschaftlichen Abtheilungen des Museums haben die Pflicht, sich hiebei zu betheiligen;

4. Verzeichnisse der in nicht von historischen Vereinen herausgegebenen Zeitschriften enthaltenen Artikel einschlägigen Inhalts. Auch dieser Abtheilung ist alle Sorgfalt zu widmen, namentlich sind wegen der Zeitschriften, die im Museum nicht oder zu spät eingehen, besondere Maßregeln zu treffen;

5. kleine Notizen historischen und archäologischen Inhalts;

6. Mittheilungen des Direktoriums und der Ausschüsse des Museums an das Publikum, soweit sich die Ausschüsse mit diesem in Verbindung zu setzen haben; Anzeigen und Anfragen von Personen und Buchhandlungen, die mit dem Museum in Verbindung stehen.

§ 5.

Die Redaktion des Jahresberichtes hat der verantwortliche I. Direktor oder bei Verhinderung dessen Stellvertreter, der II. Direktor, zu besorgen.

Jeder Jahresbericht hat zu enthalten:

1. Nachrichten über alle wichtigen im Jahre vorgekommenen Ereignisse des Museums, namentlich über dessen fortlaufende Entwicklung, auch soweit sie sich der Besprechung in den monatlichen Mittheilungen entzieht; einen Ueberblick über die Thätigkeit im vergangenen Jahre;

2. ein Verzeichniß derjenigen, welche im Laufe des Jahres neu zu leistende Jahresbeiträge gezeichnet haben, sowie

3. ein Verzeichniß der einmaligen Geldgaben zu allgemeinen und besonderen Zwecken;

4. eine summarische Uebersicht über die Geschenke für die Sammlungen, welche aber auch in den ersten Theil verflochten werden kann;

5. einen summarischen Auszug aus der letzten genehmigten Rechnung mit den nöthigen ganz kurzen Erläuterungen.

§ 6.

Im Anschlusse an die Jahresberichte oder selbständig können von Zeit zu Zeit auch Zusammenstellungen aller derjenigen, welche Geldbeiträge leisten, der Vereine, mit denen das Museum in Schriftentausch steht, der Buchhändler, welche Freiexemplare ihres Verlags zugesagt haben, u. a. statistische Tabellen ausgegeben werden. Ebenso sind alle statutarischen Bestimmungen, Instruktionen des Museums, dann Uebersichtstabellen, Denkschriften über die Lage desselben, – theils vom Direktorium ausgehend mit Benützung des durch Etat-Titel gegebenen Credits, theils in Folge besonderer Beschlüsse des Verwaltungs- oder Lokalausschusses, – durch das Direktorium zu verfassen und in Druck zu geben.

§ 7.

Zur Orientierung der das Museum Besuchenden sind allgemeine Uebersichten über die Sammlungen im Ganzen oder über einzelne Abtheilungen, besonders über die dem Publikum zugänglichen kunst- und kulturgeschichtlichen Sammlungen, zu veröffentlichen. Ihre Abfassung liegt unter Oberleitung und Redaktion des Direktoriums den einzelnen Abtheilungen des Museums ob, falls sie nicht das Direktorium unter Beihülfe der einzelnen Beamten selbst übernimmt. Es sind zu doppeltem Zwecke zwei Schriften zu verfassen: ein möglichst kurzer Ueberblick von höchstens 2 Bogen Stärke, der nur auf das Hervorragendste und Wichtigste aufmerksam macht, und eine ausführlichere, eingehendere, wissenschaftlich gehaltene, mit Illustrationen versehene Arbeit. Es ist Aufgabe des Direktoriums, dafür zu sorgen, daß solche stets vorräthig seien und sofort eine neue Auflage veranstaltet werde, sobald zu erwarten ist, daß die vorhergehende vergriffen wird; doch sind die Auflagen nicht zu groß zu machen, damit sie nicht durch die Weiterbildung und die damit zusammenhängenden Umgestaltungen im Museum überholt werden.

§ 8.

Spezialkataloge einzelner Abtheilungen, sowie größere oder kleinere selbständige Werke sind nur in Folge besonderer Beschlüsse des Verwaltungsausschusses zu publicieren. Spezialkataloge sind stets durch die betreffenden Abtheilungen unter Leitung des Direktoriums zu verfassen. Für selbständige Werke, ob große oder kleine, wird der Verwaltungsausschuß einzelne oder mehrere Autoren unter besonderem Uebereinkommen ernennen, wobei natürlich die Beamten des Museums nicht ausgeschlossen, und über den Grad ihrer Selbständigkeit, Nennung ihres Namens als Verfasser, besonderes Honorar u.s.w. spezielle Vereinbarungen zu treffen sind, ebenso wie über die Frage, ob die Werke im Verlage des Museums oder in fremdem Verlage erscheinen sollen.

Dienstvorschriften für die Aufseher des germanischen Nationalmuseums vom 6. Oktober 1870[18]

§ 1.

Die Aufseher haben die Verpflichtung, so lange die Sammlungen des Museums dem Besuche zugänglich sind, über die Sicherheit der ausgestellten Gegenstände zu wachen und dieselben, so weit sie dem Staube ausgesetzt, in angemessener Weise rein zu halten. Ferner liegt ihnen ob, an der Controle der Eintrittsgelder mitzuwirken und beim Aufstellen und Ordnen der Ausstellungsgegenstände behülflich zu sein, endlich einzelne Botengänge im Innern der Stadt zu machen.

§ 2.

Sie haben im Allgemeinen in allem, was den Aufsichtsdienst in den Sammlungen betrifft, dem Vorstande der kunst- und kulturgeschichtlichen Abtheilung, hinsichtlich der Controle der Eintrittsgelder dem Kassier, hinsichtlich der Ausgänge dem Hausmeister Folge zu leisten. Damit nicht aus den verschiedenen Dienstleistungen eine Irrung entstehe, wird in den folgenden §§ das Nähere bestimmt.

§ 3.

Der Dienst als Aufseher in den Sammlungen dauert im Sommer von $^1/_2$9–1 Uhr Vor- und von 2–5$^1/_2$ Uhr Nachmittags, im Winter von 9–1 und von 2–4 Uhr, und zwar wird nach der Besuchsordnung je nach $^1/_2$1 und 5 Uhr, resp. 3$^1/_2$ Uhr, kein Besucher mehr eingelassen; die bereits anwesenden haben jedoch bis zu der bezeichneten Stunde zum Verlassen des Lokales Zeit. Erst wenn diese abgelaufen ist, haben die Aufseher das Recht, die Besucher zum Weggange zu mahnen; sie dürfen jedoch nicht eher ihren Posten verlassen, bis die letzten Besucher wirklich abgetreten sind.

§ 4.

Ist zur bestimmten Stunde noch kein Besucher da, oder im Laufe der Besuchsstunden gar keiner anwesend, so ist es den Aufsehern gestattet, sich in die Aufseherstube zu begeben, oder vor die Thüre zu treten. Sie dürfen sich jedoch während des Aufsichtsdienstes unter keiner Bedingung weiter als in den Vorhof entfernen und haben, sobald ein Besucher eintritt, sämmtlich an ihre Posten sich zu begeben und daselbst zu verharren, so lange Besucher da sind.

§ 5.

Jedem Aufseher ist ein bestimmter Theil der Lokalitäten zugewiesen. In diesem hat er die Runde zu machen, und es ist ihm nur gestattet, an bestimmten Punkten, wo Stühle aufgestellt sind, auszuruhen. Auch hat er sein Augenmerk vornehmlich auf die Gegenstände zu richten, die ihm als besonders wichtig bezeichnet sind, ohne dabei aber die Aufsicht über das ganze ihm anbefohlene Gebiet zu verlieren. Er hat die Runde je nach der Zahl der Besucher, ob sie da oder dort sich sammeln, zu beschleunigen, oder zu verlangsamen.

§ 6.

Die Aufseher haben die Besucher stets zu überwachen, doch ohne sie zu belästigen. Sie sollen daher nicht einzelnen Besuchern auf Schritt und Tritt folgen, wenn ihnen nicht etwa solches speziell durch die Beamten aufgetragen ist; auch dürfen sie gegen keinen einzelnen Besucher ein Mißtrauen an den Tag legen, haben jedoch, wenn sie irgend etwas Verdächtiges bemerken, in nicht auffallender Weise die betreffenden Personen zu beobachten und, wenn nöthig, die Beamten oder den Direktor sofort davon in Kenntniß zu setzen.

§ 7.

Die Aufseher haben die Besucher, ohne ihnen jedoch lästig zu fallen, auf den bequemsten Weg zum Rundgange aufmerksam

---

[18] Erschienen als Separatdruck Nürnberg 1870. – Vom Abdruck der Dienstordnung für die Beamten, für den Hausmeister, der Geschäftsordnung des Verwaltungsausschusses, des Lokalausschusses etc., sämtlich vom selben Tage, wurde wegen der vielen Wiederholungen, insbesondere der Bestimmungen der Satzungen, abgesehen.

zu machen; dürfen aber weder verlangen, daß diese den vorgeschlagenen Weg nehmen, noch auch, wenn diese ihren
Andeutungen kein Gehör schenken, solche wiederholen. Sie
haben sich im Allgemeinen artig gegen jeden zu betragen,
mürrischen, zänkischen Besuchern keineswegs zu widersprechen, auch etwaigem unartigen und unanständigen Benehmen der Besucher nicht in ähnlicher, sondern in gebildeter
Weise, mit Ruhe und Anstand zu begegnen.

§ 8.

Die Aufseher sollen den Besuchern keine Erläuterungen über
die ausgestellten Gegenstände geben, sondern, wenn diese
Erklärungen verlangen, sie an die Beamten verweisen, welche
allein genaue und richtige Auskünfte zu ertheilen haben. Sie
sollen sich auch nicht in längere Gespräche mit Einzelnen
einlassen, da es vorkommen könnte, daß diese ihre Aufmerksamkeit vom Aufsichtsdienste ablenken wollen, damit inzwischen Andere Gelegenheit finden, in den Sammlungen etwas
zu beschädigen, oder zu entwenden.
Besucher, welche etwa einzelne Gegenstände berühren oder
vom Platze nehmen wollen, sollen sie höflich darauf aufmerksam machen, daß dies nicht gestattet ist, sondern die Besucher, wenn sie irgend etwas in näheren Augenschein zu nehmen oder zu studieren wünschen, sich an die Beamten zu
wenden haben, welche jedem Gesuche freundlich entsprechen werden.

§ 9.

Sollte irgend eine Beschädigung an den Schränken, Gläsern,
Ausstellungsgegenständen oder den Lokalitäten selbst vorkommen, so haben die Aufseher die betreffenden Personen
sofort auf die Ersatzpflicht aufmerksam zu machen, die Beamten zu rufen, auch im Falle boshafter Beschädigung die zur
Ausweisung oder Verhaftung nöthigen Schritte zu thun. Unterlassen die Aufseher dieses, so fällt die Haftpflicht, soweit
sie haftfähig sind, ihnen selbst zu. Jedenfalls haben sie, wenn
irgend etwas geschehen sein sollte, ohne daß sie es bemerken
oder verhindern konnten, sofort Anzeige zu machen.

§ 10.

Die Aufseher haben während ihres Rundganges stets, sobald
sie bemerken, daß Staub oder leichte Unreinigkeiten auf den
Glaskästen oder offenen Gegenständen liegen, diese sofort in
der Weise leicht zu reinigen, wie die Beamten es ihnen angeben; insbesondere haben sie auf Spinnweben ihr Augenmerk
zu richten und dieselben zu entfernen. Auch haben sie, wenn
der Schmutz überhand nehmen sollte, zu den Zeiten, wo
zufällig gar keine Besucher während der Besuchsstunden anwesend sind, an Reinigung der Gläser durch sorgfältiges Ab-
wischen, Abblasen des Staubes u.s.w. unter Leitung der Beamten Hand anzulegen.

§ 11.

Die Aufseher wechseln von Woche zu Woche ihre Posten, so

daß eine gleichmäßigere Vertheilung eintritt, da wegen der
Eigenthümlichkeiten der Lokale nicht jedem ein gleich großes oder gleich leicht zu übersehendes Gebiet zugetheilt werden kann. Will indessen ein Aufseher zu Gunsten eines Ka-
meraden einen beschwerlicheren Posten ausnahmsweise noch
eine Woche behalten, so ist dies zulässig, mit Ausnahme des
ersten Postens am Eingange, bei welchem der Wechsel regelmäßig stattzufinden hat.

§ 12.

Im Winter, wo mitunter tagelang kein Besuch kommt, ist es
gestattet, daß die Aufseher mit besonderer Genehmigung der
Beamten, den Dienst so einrichten, daß ein einzelner einen
Besucher auf dem Gange durch die sämmtlichen Sammlungen
begleitet, und daß sie in dieser Begleitung abwechseln. Sobald
jedoch mehr einzelne Besucher oder zusammengehörige Gesellschaften eintreffen, als Aufseher da sind, so haben diese
sofort ihre Posten anzutreten.

§ 13.

Derjenige Aufseher, welcher seinen Posten am Eingange hat,
muß stets bei der Controle der Eintrittsgelder in der Weise
mitwirken, daß er die Karte jedes einzelnen Besuchers in
Augenschein nimmt. Es werden deshalb den Aufsehern die
verschiedenen Formulare der Karten gezeigt, die zu der Zeit
Geltung haben. Der Aufseher ist dafür verantwortlich, daß
niemand, unter welcher Form und Bedingung es immer sei,
außer den Beamten oder denjenigen Personen, welche die
Direktoren selbst einführen, ohne Karte eintrete. Er ist ferner
dafür verantwortlich, daß die nur auf einen einmaligen Besuch lautenden bezahlten sowie die Freikarten in ein beim
Eingange befindliches Kästchen niedergelegt werden, und hat
zu diesem Zwecke entweder die Besucher um Niederlegung
der Karten daselbst zu ersuchen, oder ihnen diese zu dem
Zwecke abzunehmen. Unterläßt er bei dieser Controle die
Anzeige einer etwaigen Unregelmäßigkeit in der Billetausga-
be, so ist er als Mitschuldiger zu betrachten.

§ 14.

Es ist den Aufsehern unbedingt verboten, Trinkgelder von
den Besuchern anzunehmen, oder auch an dieselben Gegenstände irgend welcher Art zu verkaufen, ausgenommen
solche, deren Verkauf im Verkaufslokale ihnen vom Museum
etwa aufgetragen ist.

§ 15.

Die Aufseher sind verpflichtet, einzelne Gänge, die ihnen
aufgetragen werden, nach Schluß der Besuchszeit zu machen.
Insbesondere hat täglich ein Aufseher, und zwar von Woche
zu Woche wechselnd, auf die Post zu gehen, die Briefschaften
und kleineren Pakete auszutragen. Der Hausmeister hat über
die richtige Besorgung dieser Gänge zu wachen; er darf die
Aufseher jedoch nie während der Besuchszeit aussenden
ohne besonderen Auftrag der Direktoren, noch die Gänge

ungleich vertheilen. Etwaige Beschwerden gegen ihn, wie gegen die Beamten sind nur bei dem Direktorium anzubringen. Es wird den Aufsehern besonders zur Pflicht gemacht, auch wenn sie sich verletzt glauben, in aller Ruhe zu bleiben und ohne jedes heftige Wort einfach den Beschwerdeweg zu betreten.

Hans von und zu Aufsess

System der deutschen Geschichts- und Alterthumskunde entworfen zum Zwecke der Anordnung der Sammlungen des germanischen Museums (1853).

Mit einer Einleitung von Bernward Deneke

In den Satzungen des Germanischen Museums zu Nürnberg, die Hans von und zu Aufseß der Versammlung deutscher Geschichts- und Altertumsforscher in Dresden 1852 vorschlug, ist festgelegt, daß die angestrebten Verzeichnisse und Beschreibungen des im Zentrum der Aktivitäten der Anstalt stehenden Generalrepertoriums in ein streng wissenschaftliches System zu bringen seien, so daß unter Heranziehung der zu erstellenden Namens-, Orts-, und Sachregister „augenblicklich jede Anfrage auch über den speciellsten Gegenstand beantwortet werden" könne[1]. Mit dieser Bestimmung hatte Aufseß den eigenen Vorstellungen über eine an wissenschaftlichen Prinzipien orientierte Sammlung, wie er sie der Frankfurter Germanistenversammlung des Jahres 1846 vorgetragen hatte, genügt[2], zugleich aber der neu gegründeten Anstalt eine Aufgabe gestellt, der er alsbald mit dem in der ersten Hälfte des Jahres 1853 veröffentlichten, im folgenden abgedruckten „System der deutschen Geschichts- und Alterthumskunde entworfen zum Zwecke der Anordnung der Sammlungen des germanischen Museums" nachzukommen beabsichtigte. Obwohl von Seiten des Museums die eigenständige Leistung bei der Entwicklung dieses Systems besonders hervorgehoben worden ist[3], darf nicht übersehen werden, daß in der Zeit um die Mitte des 19. Jahrhunderts mannigfach Tendenzen zu Systematisierungen einzelner Fachgebiete sich abzeichneten[4]. Im Speziellen gingen dem von Aufseß geschaffenen Ordnungsgefüge eine Vielzahl von Zusammenstellungen der Teilbereiche der Geschichtswissenschaft und der zu ihrer Erforschung wichtigen Quellenarten voraus. Besonders in Kreisen der historischen Vereine mit ihren Intentionen, allen Feldern der regionalen oder lokalen Vergangenheit unter Einbeziehung der oft vernachlässigten Kulturgeschichte gleiche Aufmerksamkeit zu widmen, bestand ein Hang, die diffusen Materialien in sichtenden Aufzählungen stichwortartig zu erfassen und die Bedeutung der für gewöhnlich in der Historiographie nicht berücksichtigten Quellengruppen zu prüfen. Mit seiner Aufteilung des Inhalts der Geschichte in die Sektoren (Ereignis-)Geschichte und Zustände folgte Aufseß wiederum längst eingeführten Anschauungen, wie sie vor allem unter dem Einfluß der seit um 1800 zu den Modewissenschaften zählenden Statistik als der dem Zuständlichen zugewandten Disziplin herausgebildet hatten[5].

Von dem System entstand alsbald eine verkürzte Übersicht; sie ist dem Anzeiger für Kunde der deutschen Vorzeit vorangestellt[6]. Hier ist es der Zweck dieser Zusammenfassung, eine Vorausschau auf die Themen des Anzeigers zu bieten und zugleich die feststehende Einteilung und organische Aufeinanderfolge der Beiträge zu gewährleisten. Tatsächlich sind die einzelnen Aufsätze des Anzeigers zunächst

durch Marginalien auf Sachgebiete des Systems bezogen, damit aber wird zugleich auch ein gewisser Grad an Unsicherheit in der Handhabung von Klassifikationen kenntlich gemacht. Ein zweiter Abdruck dieses Überblicks findet sich in der „Denkschrift für die hohe deutsche Bundesversammlung das germanische Museum zu Nürnberg betreffend" von 1853[7] und soll hier unmittelbar die damals vorhandenen Museumsbestände charakterisieren. Unter dem Titel „Systematische Übersicht des Inhalts der in Archiv, Bibliothek, Kunst- und Alterthumssammlung des germanischen Museums vorhandenen historischen Quellen und Materialien" dient diese Aufstellung unter geänderten Vorzeichen dazu, offenkundig zu machen, daß es „kaum eine Seite des menschlichen Lebens" gäbe, „die hier nicht ihre Vertretung finde"[8]. Die 1853 in der Nachfolge älterer Überlegungen zur Historiographie behandelte Absicht, auf der Grundlage einer systembezogenen Vereinigung der verschiedenen Quellengattungen – also der urkundlichen, schriftstellerischen, poetischen und künstlerischen Dokumente – die einzelne Begebenheit zu erhellen, ließ sich in den folgenden Jahren nicht konsequent realisieren. Im Vorwort der zweibändigen Denkschrift des Jahres 1856 mußte selbstkritisch eingeräumt werden, daß entgegen den Zielen nur die Kunst- und Altertumssammlungen nach

---

[1] Satzungen des germanischen Museums zu Nürnberg vorgeschlagen von Hans Freiherr von und zu Aufseß. Beilage 1 zu Heinrich Wilhelm Schulz: Bericht über die unter dem Vorsitz S. K. Hoheit des Prinzen Johann, Herzogs zu Sachsen, vom 16. bis 19. August 1852 zu Dresden abgehaltene Versammlung deutscher Geschichts- und Alterthumsforscher. In: Mittheilungen des Königl. Sächs. Vereins für Erforschung und Erhaltung vaterländischer Alterthümer H.6 (1852), S. 109–155 (151–155). – Vgl. auch S. 951–952.

[2] Hans von und zu Aufseß: Sendschreiben an die erste allgemeine Versammlung deutscher Rechtsgelehrten, Geschichts- und Sprachforscher zu Frankfurt am Main. Nürnberg 1846, S. 20–21.

[3] Jahresbericht GNM 1 (für 1853/54), 1854, S. 11.

[4] Z.B. Barbara Mundt: Die deutschen Kunstgewerbemuseen im 19. Jahrhundert (Studien zur Kunst des neunzehnten Jahrhunderts, Bd. 22). München 1974, S. 91–114.

[5] Bernward Deneke: Das System der deutschen Geschichts- und Altertumkunde des Hans von und zu Aufseß und die Historiographie im 19. Jahrhundert. In: Anzeiger GNM 1974, S. 144–158.

[6] Vorwort. In: Anzeiger GNM 1853/54, Sp. 1–6 (3–6).

[7] Denkschrift für die hohe deutsche Bundesversammlung das germanische Museum zu Nürnberg betreffend. Nürnberg 1853, S. 13–15.

[8] Denkschrift (Anm. 7), S. 7. – Vgl. auch den identischen Text in der Denkschrift für die hohen deutschen Staatsregierungen, das germanische Museum zu Nürnberg betreffend. Nürnberg 1853, S. 7, 13–15.

System

der

deutschen Geschichts- und Alterthumskunde

entworfen

zum Zwecke der Anordnung der Sammlungen

des

germanischen Museums

von

Frh. H. v. u. z. Aufsess,

Dr. der Rechte, d. Z. Vorstand des germanischen Museums.

Artistisch-literar. Anstalt des germ. Museums zu Nürnberg.

Commissionär Fr. Fleischer in Leipzig.

1853.

dem System geordnet werden konnten[9]. Eine solche Beschränkung hatte indessen den Vorteil, daß die Lücken in den aufgefächerten Teilen der Bestände mit Hinweisen auf die nach anderen Prinzipien geordneten literarischen Sammlungen verdeckt werden konnten. Wohl im wesentlichen aufgrund der erwähnten verkürzten Fassung des Systems ist schließlich als Falttafel ein Schema entstanden, das dem ersten Bande des Anzeigers beilag[10], ohne daß den sonst gängigen Gepflogenheiten folgend, eigens auf diese Beigabe hingewiesen wurde; so läßt sich die Bestimmung dieser Art der Aufbereitung des Materials nicht genau benennen. Ein Separatdruck dieses Schemas wurde auf der Rückseite mit den Texten der Satzungen des Museums, der Aktiengesellschaft sowie der Genehmigung der Institutsgründung durch König Ludwig II. von Bayern und der Empfehlung durch den Bundestag ausgestattet; er wurde vermutlich als Kurzinformation über die Anstalt verbreitet. Diese Darstellung des Systems, die aus Raumgründen kleinere Änderungen gegenüber der komprimierten Fassung erforderlich machte, entsprach in ihrer stammbaumartigen Anlage insofern einem der Leitgedanken, die der hier vorgenommenen Auffächerung des Stoffes zugrundelagen, weil sie einen „Überblick über das ganze weite Feld des germanischen Museums" gewährte und „die Zusammengehörigkeit aller demselben eingewiesenen Zweige zu einem großen Stamme" vorführte[11]. Dieses Schema ist bis in die sechziger Jahre hinein weiterverwendet worden und diente in den damals veröffentlichten Wegweisern für die Museumsbesucher als Übersichtstafel über den materiellen Umfang der Quellen des Germanischen Nationalmuseums[12].

Aufseß hat verschiedentlich versucht, eine breitere Öffentlichkeit für eine sachgerechtere Anlage seines Systems zu interessieren. Entsprechend enthält die Jahreskonferenz von 1853 als einen ihrer Programmpunkte die Beratung darüber, wieweit das System zu berichtigen und zu erweitern sei. Das Ergebnis einer längeren – nicht im Detail protokollierten – Besprechung regelte damals, „daß eine Billigung des von dem Vorstande entworfenen Systems in dessen allgemeinen Grundzügen als bestehend anzunehmen sey"[13]. Nachdem die Jahreskonferenz von 1855 sich vor allem Fragen der Abgrenzung der Aufgabenstellung des Museums gewidmet hatte, wurde 1856 in der Einladung an die Mitglieder des Gelehrtenausschusses die Erörterung über das „gegenseitige Verhältnis und Ineinandergreifen der einzelnen wissenschaftlichen Zweige" der Tätigkeitsfelder des Museums, die Feststellung einer diesbezüglichen „wissenschaftlichen Ordnung" in den Mittelpunkt des bevorstehenden Zusammentreffens gestellt[14]. Aus den Kreisen der dem Museum verbundenen Gelehrten liegt nur eine Antwort zu diesen Fragen vor; in dieser äußert der in Greifswald wirkende Medizinhistoriker Heinrich Haeser einige seinen Zuständigkeitsbereich betreffende Vorschläge[15]. Damals war mit der Veröffentlichung der nach dem System gegliederten Kataloge der Kunst- und Altertumssammlungen den Verhandlungen weitgehend vorgegriffen worden. So einigte sich das kleine in Nürnberg versammelte Gremium, das mit den wissenschaftlichen Bediensteten

diejenigen konsultierte, die täglich mit der Systematisierung von Quellenmaterial beschäftigt schienen, darauf, daß angesichts der fortschreitenden Arbeit größere Änderungen wenig förderlich sein würden, jedoch den Beamten in einzelnen Fällen Erweiterungen und Abweichungen gestattet seien[16]. Auch aus den vorausgehenden und den folgenden Jahren liegen nur karge Stellungnahmen vor; unter diesen lassen sich einzig Schreiben des Juristen Carl Friedrich Wilhelm Gerber und des Rechtshistorikers Heinrich Gottfried Gengler aus Erlangen ausführlicher auf Erwägungen zur Gliederung ihres Fachbereichs ein[17]. 1859 wurde dann nochmals die Einsetzung einer Kommission zur Behandlung des Systems vorgeschlagen, doch wehrte anläßlich der Konferenz des Gelehrtenausschusses der damals in München tätige Staatsrechtler Johann Caspar Bluntschli diesem Verlangen[18].

Spezialrezensionen über das System in wissenschaftlichen Zeitschriften, namentlich aber spätere Erwähnungen in kritischen Rückblicken auf die Entwicklung der Geschichtswissenschaft oder deren Teilbereiche lassen sich nicht nachweisen; im Grunde blieb der Entwurf ohne Folgen. Das besonders 1856 sichtbar werdende allgemeine Desinteresse der Gelehrten an den Aufseßschen Konzeptionen darf als symptomatisch für die Beziehungen des Museums zur Situation praktizierter Wissenschaft nach der Jahrhundertmitte betrachtet werden.

[9] Organismus GNM Abt. 1, S. VI–VII.
[10] Beilage Anzeiger GNM 1853–54, nach Sp. 323/324.
[11] Jahresbericht GNM 1 (für 1853/54), 1854, S. 11.
[12] Vgl. Das germanische Nationalmuseum und seine Sammlungen. Wegweiser für die Besuchenden. Nürnberg 1861, S. 2 mit Beilage 2.
[13] Anschreiben 23.7.1853 sowie Protokoll der I[ten] Sitzung des Ausschusses des Germanischen Museums. In: Versammlungen und Jahresconferenzen 1853–1855, unpaginiert, Bl. 26 r. Archiv GNM, Altregistratur GNM, Kapsel 729.
[14] Prüfungs- und Berathungsgegenstände der beiden Ausschüsse des germanischen Museums bei der Jahresconferenz vom 11–13 September 1856. In: Generalconferenzen 1856–1858, Bl. 42 r. Archiv GNM, Altregistratur GNM, Kapsel 729. Auch als Beilage zum Anzeiger GNM August 1856.
[15] Brief Haeser, Greifswald 24.8.1856. In: Generalconferenzen 1856–1858. Archiv GNM, Altregistratur GNM, Kapsel 729.
[16] Protokoll der ersten allgemeinen Versammlung der Jahresconferenz des Jahres 1856 bzw. Protokoll der Abschlußsitzung. In: Generalconferenzen 1856–1858, Bl. 43 r–44 r, 47 r. Archiv GNM, Altregistratur GNM, Kapsel 729. Vgl. Chronik des germanischen Museums. In: Anzeiger GNM 1856, Sp. 281–282.
[17] Undatierte Notizen Gerbers sowie Schreiben Genglers 28.1.1859. In: Akten Die Aufstellung eines wissenschaftlichen Systems der Geschichtskunde betreffend bzw. System des Germanischen Museums. Archiv GNM, Altregistratur GNM Kapsel 2, Nr. 10, 11.
[18] Protokoll der Sitzung des Gelehrtenausschusses vom 28. September 1859. In: Generalconferenzen 1858, 1859, Bl. 352 r. Archiv GNM, Altregistratur GNM, Kapsel 730.

Das System, welches den Anordnungen der Sammlungen des Museums zu Grunde gelegt ist, entstand aus der Nothwendigkeit irgend eine feststehende Eintheilung des vorhandenen histor. Quellenmaterials zu machen. Es musste deshalb eigens erfunden werden, indem kein bisher uns bekanntes den Zweck erfüllte, Schriftliches und Bildliches so zu verschmelzen, dass beides vereinigt in ein und dasselbe System und Fachwerk eingepasst werden konnte, wie es hier nothwendig ist. Denn gerade die Vereinigung der literarischen und artistischen Quellen zu Einem Zweck, die Vereinigung Alles dessen, was die deutsche Vorzeit uns als Denkmal ihres Lebens und Strebens hinterlassen hat, zu Einem grossen Ganzen ist Aufgabe des Museums. Hier musste also weiter gegriffen werden als bisher und ein äusserer und innerer Zusammenhang sogleich in der Anordnung des bereits Vorhandenen der Sammlung hergestellt werden.

Nichts ist aber vollkommen, zumal wo es erst auf Erfahrungen ankommt, auf noch unbekannte Stoffe und Materialien zur Arbeit. Das hier zu Grunde liegende System soll daher keineswegs als eine vollgültige Constitution der künftigen Museumssammlung angesehen werden, sondern nur als ein Entwurf, nach welchem bis zu besserer Ausarbeitung die nothwendige, vorläufig zu treffende Anordnung des vorhandenen Stoffes geschah.

Es ist dem sachkundigen Rathe der einzelnen Fachgelehrten des Gelehrtenausschusses anheim gegeben in den einzelnen Fächern und Abtheilungen eine übereinstimmende sachgemässe systematische Ordnung herzustellen, welche am Ende ein vollendetes Ganze im Zusammenhange der einzelnen Fachsysteme zu bilden hat. Eine bestimmt formulirte Idee eines Gesammtsystems aller einzelnen Fächer, in dem diese sich sämmtlich als organische Theile zusammenfinden und gegenseitig ergänzen, wie auch an einander abgeben, was dem andern mit stärkerem Zuge sich hingiebt, war als Anknüpfungs- und Verständigungsmittel hiezu nothwendig aufzustellen, selbst auf die Gefahr hin einer grossen Mangelhaftigkeit.

Zur Verständigung sei noch Folgendes bemerkt:

1) Eine besondere Rubrik machten bisher die s. g. Quellen der Geschichte, des Rechts u. s. w. aus. Jede Urkunde, jede Chronik, jedes Monument und Bild ist in seiner Art Quelle. Da jedoch unsere specielle Aufgabe es ist, gerade diese Quellen zu ordnen und übersichtlich zu machen, so musste diese allgemeine Rubrik der Quellen in den einzelnen Rubriken aufgehen und in unserm System ganz wegfallen. Eben so haben wir die Rubrik „Literatur" behandelt.

2) Eine gleiche Ursache leitete uns auch dahin die Rubrik „Alterthümer" nicht aufzunehmen, sondern diese in die treffenden speciellen Rubriken einzutheilen. Der Begriff Alterthum ist so weit und unbestimmt, wie der von Quelle. Die Quellen der Geschichte und der menschlichen Zustände der Vorzeit, namentlich der frühesten Perioden — aber wo hören diese auf? — gelten für Alterthümer und würden entweder in ein Chaos zusammen fliessen oder gerade so systematisch in einzelne Alterthümer einzutheilen seyn, wie wir sie in das grosse Ganze nun einreihten.

3) Man ist gewohnt mit dem Worte „Geschichte" nicht nur die eigentliche Geschichte d. h. das Geschehene, die Begebenheiten, concrete Fälle zu bezeichnen, sondern überhaupt Alles, was je in der Zeit sich historisch entwickelt hat; so z. B. giebt es eine Geschichte

der Poesie, Sprache, Kunst, Musik u. s. w. Nicht um uns von dem einmal angenommenen Sprachgebrauch loszusagen, den wir gerne gelten lassen, sondern weil es zur praktischen und klaren Durchführung unseres Systems sehr sachdienlich erschien, bezeichneten wir mit dem Worte „Geschichte" blos dasjenige, was im engeren Sinn Geschichte ist, die That-handlungen, Begebenheiten der Menschen, wogegen wir alles Uebrige, was nicht in diese Kategorie fällt, mit dem Worte „Zustände" bezeichneten. Und so bekommen wir zwei grosse Hälften des Quellenmaterials für Geschichte und für historische Zustände, welche letztere gleichsam die Grundlage und Staffage der historischen Begebenheiten der Personen bilden. Sie stehen in innigster Beziehung zur Geschichte selbst und sind die steten Begleiter aller historischen Begebenheiten, welche ohne sie nie in ihrer Reinheit und Wahrheit geschauet und beurtheilt werden können.

Die historischen Zustände gründlich zu erforschen ist daher eben so wichtig als die Geschichtsforschung selbst; und in so fern gebührt ihnen mit Recht der Platz neben der Geschichte, nicht, wie bisher, unter ihr als blosse Gehülfen und Diener der Geschichte, als Hülfswissenschaften.

4) Aus dem Grunde der Vereinigung schriftlicher und bildlicher Quellen zu Einem Ziele und aller speziellen Zweige des historischen Wissens zu Einem grossen Ganzen musste hie und da von der gewöhnlichen Unterbringung oder Eintheilung einzelner Zweige und Gegenstände abgewichen werden. Das Einzelne musste dem Ganzen sich unterordnen und accomodiren und es konnte daher nicht eine Spezialwissenschaft so behandelt werden wie sie einzeln für sich in einem Handbuche behandelt wird. Denn in ihrer Zusammenstellung durchdringen und kreuzen sich Kirche und Staat, Kirche und Schule, Wissenschaft und Schule, Kunst und Gewerbe, Handel und Gewerbe u. s. w. Selbst die materiellsten Dinge wie Münzen, Hausrath, Kleidung können die schönsten Zeugnisse der Kunst abgeben. Sie müssen aber gerade da, wo der Schwerpunkt des Zweckes ihrer Existenz sich hinneigt, eingereiht werden. Man wird sie im System da finden und sie zu den verschiedenartigen Zweigen der Wissenschaft und Kunst nach Dienlichkeit beiziehen und ausnützen können. Durch letzteres konnte jedoch ihr wahrer Standpunkt nicht alterirt werden. Das ganze System bezweckt ja zunächst nicht eine neue Wissenschaft zu gründen, sondern das zur Wissenschaft dienende wirklich vorliegende Material zu ordnen und zugänglich zu machen. Gleichwohl mag es nicht unwahrscheinlich seyn, dass mit der Zeit sich durch neue systematische Zusammenstellungen selbst der Geschichts- und Alterthumskunde neue Seiten abgewinnen lassen werden. Es würde der grösste Lohn unserer Arbeit seyn, wenn dieselbe dem gelehrten Publikum Anlass gäbe sich darüber auszusprechen und die Mängel zu verbessern, die mit der ersten Aufstellung eines Systems immer verbunden sind, und in concreto schon deshalb unvermeidlich waren, weil wir uns nicht freien Lauf lassen durften ein blos ideales System auszuarbeiten, sondern dasselbe in allen Punkten mit den wirklich im Museum vorhandenen selbstständigen (nicht aus Sammelwerken entnommenen) Quellen und Materialien übereinstimmen musste und deren Maas nicht überschreiten durfte.

Hauptübersicht des Systems.

Deutschlands Geschichte und Zustände bis zur Mitte des siebenzehnten Jahrhunderts.

A. Geschichte:

I. nach Oertlichkeiten:
   A. Deutschlands und der europäischen Staaten,
   B. einzelner Provinzen und Gebiete,
   C. einzelner Städte, Klöster, Kirchen, Burgen, Orte.

II. nach Persönlichkeiten:
   A. Geschlechtshistorien und Genealogien,
   B. Biographien.

III. nach besondern Begebenheiten:
   A. im kirchlichen Leben,
   B. im Staatsleben,
   C. im Kriegsleben,
   D. Reisen,
   E. ausserordentliche Vorfälle.

B. Zustände:

I. allgemeine Cultur- und sociale Zustände:
   A. in geistiger Beziehung:
      1) Sprache und Schrift:
         a) Sprache,
         b) Schrift und Schriftproducte:
            a) Schriftkunde,
            b) Schriftproducte.
      2) Kunst und Kunstwerke:
         a) Tonkunst,
         b) bildende Kunst:
            a) Baukunst,
            b) Plastik,
            c) zeichnende Künste,
            d) Künstlerzeichen,
            e) Symbolik der Kunst.
      3) Wissenschaft:
         a) speculative und geistige:
            a) Philosophie,
            b) Theologie,
            c) Afterphilosophie.
         b) positive und materielle:
            a) Naturwissenschaften:
               α. Erd- und Himmelskunde,
               β. Physik und Chemie,
               γ. Heilkunde.
            b) Mathematik,
            c) historische Wissenschaften,
            d) Staats- und Rechtswissenschaft.
      4) Erziehung und Bildung:
         a) pädagogische Anstalten:
            a) Erziehung und Unterricht,
            b) Schulwesen und Schulen.
         b) gelehrte Gesellschaften, Collegien.
   B. in materieller Beziehung:
      1) Land und Leute:
         a) Land (Topographie und Statistik):
            a) Deutschland,
            b) deutsche Provinzen und Gebiete,
            c) Städte, Klöster, Burgen.
         b) Leute:
            a) Geschlechts- und Familienverhältnisse,
            b) Standes- und Classenverhältnisse,
            c) Nationalitäten und Stammverhältnisse.
      2) Leben:
         a) Lebensbedarf und Erwerb:
            a) Bedarf:
               α) Leibesbedeckung,
               β) Leibesunterhalt.
            b) Erzeugung und Erwerb:
               α) natürlicher:

aa) Landbau und Thier-
nutzung,

bb) Bergbau und Hüt-
tenwesen.

β) künstlicher:

aa) Industrie, Gewerbe
und Handel,

bb) Verkehr.

b) Lebensweise:

a) Sitten und Gebräuche,

b) sociale Verhältnisse:

α) Geselligkeit, Courtoisie,
β) Unterhaltungen, Feste.

II. Besondere Anstalten für allgemeines
Wohl:

A. für geistiges Wohl, Religionsanstalten:

1) heidnische, Götzendienst,

2) christliche, Gottesdienst, Kirche:

a) allgemeine Verhältnisse:

a) äussere:

α) Kirchenverfassung,

β) Kirchenrecht,

γ) Kirchenjurisdiction.

b) innere:

α) Kirchenbekenntniss,
β) Kirchenordnung.
γ) Kirchenamt und Gewalt.
δ) Kirchenversammlung.

b) besondere Verhältnisse:

a) in Rücksicht der Personen,
b) in Rücksicht der Sachen,
c) in Rücksicht der Handlungen.

B. für materielles Wohl, Staatsanstalten:

1) staatliche Rechtsgrundlagen:

a) Volksgemeinden, Volksrechte,

b) Benefizial- und Lehnwesen:

a) allgemein deutsches Lehnrecht,

b) Provinziallehnrechte.

2) der deutsche Reichs- und Staats-
körper:

a) Staatsverfassung, Ordnung und
Rechte

a) des Reiches:

α) Reichsordnungen, Ge-
setze,

β) Reichsoberhaupt,

γ) Reichsbeamte, Reichstag,

δ) Reichslande, Reichsgut.

b) der Territorien und Gebiete:

α) nach ihrer Verschiedenheit,

β) Landes- und Localord-
nungen,

γ) Kreis- und Landesver-
tretung,

δ) Hof- und Erbämter.

b) Staats- und Hofceremoniel.

c) Staatsverwaltung:

a) Regierungsweise,

b) Regierungsorgane,

c) Finanzmittel,

d) Fürsorge für Staatswohl:

α) Polizei,

β) Wohlthätigkeitsanstal-
ten.

d) Staatsschutz:

a) Rechtsschutz:

α) Gerichtsbarkeit,
β) Gerichte,
γ) Gerichtsverfahren,
δ) Rechtsnormen:

aa) im Civilrecht,

bb) im Strafrecht.

ε) Rechtsfälle.

b) Waffenschutz:

α) Kriegswesen,

β) Kriegsbedarf,

γ) Kriegsleute, Waffengattung,

δ) Kriegs- und Waffen-
übung.

System.

Deutschlands Geschichte und Zustände bis zur Mitte des siebenzehnten Jahrhunderts. (1)

A. Geschichte:

I. nach Oertlichkeiten:
  A. Geschichte:
    1) Deutschlands,
    2) der europäischen Staaten. (2)
  B. Geschichte einzelner deutscher Provinzen und Gebiete.
  C. Geschichte einzelner Orte:
    1) Städte und Märkte,
    2) Klöster und Kirchen,
    3) Burgen, Dörfer und Plätze.

II. nach Persönlichkeiten:
  A. Geschlechtshistorie und Genealogie:
    a. regierender Häuser uud Herrngeschlechter,
    b. Ritter- und Bürgergeschlechter.
  B. Biographien:
    1) Geschichtswerke und schriftliche Notizen über:
      a. Kaiser und Könige,
      b. Fürsten, Grafen und Herren,
      c. Adeliche und Bürgerliche,
      d. kirchliche Personen, Heilige,
      e. Dichter, Gelehrte, Staatsmänner,
      f. Künstler, Gewerbtreibende,
      g. Frauen.
    2. Kunstwerke über Persönlichkeiten:
      a. Grabmonumente,
      b. Bildnisse, Portraits.

III. nach besondern Begebenheiten:
  A. im kirchlichen Leben, Kirchengeschichte:
    1) Kirchenversammlungen, Colloquien,
    2) Reformatorische Bewegungen:
      a. vor Luther,
      b. Reformation Luthers und der Zeitgenossen:
        a. Reformationshandlungen,
        b. Reformationsschriften im Allgemeinen:
          α. Streitschriften,
          β. Geistlichkeit und Cölibat,
          γ. Beicht und Ablass,
          δ. Messe und Abendmahl,
          ε. Heiligenverehrung u. Bildnisse,
          ζ. Spott-Bilder und Schriften.
    3) Kirchenfeierlichkeiten und Feste:
      a. Prozessionen, öffentliche Wallfahrten,
      b. Heiligthumsehrung und Zeigung,
      c. Weihfeste, Benedictionen.
    4) geistliche Gerichts- und Strafhandlungen, Inquisition.

---

(1) Die Unterabtheilungen sollen hier nicht sowohl die wissenschaftlichen Gliederungen des Allgemeinern bedeuten, als anzeigen, dass über diese Spezialitäten eigene Abtheilungen bestehen während alle übrigen in der allgemeinen Rubrik sich mit befinden. Es fallen daher die Gliederungen da weg, wo sie nicht besonders in den Sammlungen vertreten sind. Die allgemeine Rubrik dagegen ist stets vertreten.

(2) Da es zu viel Raum wegnähme, wenn die Namen der Länder, Orte, Geschlechter, Personen u. s. w. hier aufgeführt würden, so diene blos zur Notiz, dass kein auf Deutschland einflussreiches Land, kein deutsches Gebiet und Geschlecht von Erheblichkeit unvertreten ist, Ortsgeschichten und Biographien in grosser Zahl vorhanden sind. Die alphabetischen Register hierüber können vorgelegt werden.

B. im Staats- und Hofleben:
1) Wahl- und Krönungshandlungen,
2) Huldigungen, Belehnungen,
3) Hoffeierlichkeiten und Feste:
    a. Auf- und Einzüge,
    b. Turniere, Ringelrennen, Fest-
      schiessen,
    c. Kindtauffeierlichkeiten,
    d. Hochzeitsfeierlichkeiten,
    e. Leichenfeierlichkeiten.
4) Reichs- u. Fürstenversammlungen,
5) Friedensschlüsse, Einigungen,
6) Gerichts- und Strafhandlungen.

C. im Kriegsleben:
1) Religions- und Bürgerkriege:
    a) Kreuzzüge gegen Saracenen und
      Heiden,
    b) Türkenkriege,
    c) Hussitenkrieg,
    d) Bauernkrieg von 1525,
    e) Religionskriege des 16. Jahrh.
    f) Niederländischer Krieg,
    g) 30jähriger Krieg.
2) Reichskriege:
    a) gegen Italien,
    b) gegen die Schweiz,
    c) gegen Burgund,
    d) gegen Frankreich.
3) Reichsexecutionskriege,
4) innere Kriege, Fehden:
    a) Städtekriege,
    b) Fürsten- und Adelskriege:
      a) Albertinischer Krieg,
      b) Grumbachische Fehde.

D. Reisen:
1) in Deutschland und europäischen
    Ländern,
2) ins gelobte Land und in fremde
    Welttheile,
3) Gesandtschaftsreisen.

E. Ausserordentliche Vorfälle und
   Erscheinungen:
1) Greuelscenen, Erschreckliches,
2) Wunderbares, Unglaubliches,
3) Naturerscheinungen,
4) Elementarereignisse.

B. Zustände:
I. allgemeine Cultur- und sociale Zustände:
A. in geistiger Beziehung:
1) Sprache und Schrift:
    a) Sprache:
      a) Wort- und Namensbedeutung:
        α) Glossarien und Vocabularien,
        β) Namen von Personen und
          Orten.
      b) Wortbeugung, Grammatikali-
        sches,
      c) Aussprache, Mundarten, Dialekt,
      d) Redeweise:
        α) Einzelrede, Rhetorik,
        β) Gesprächs- und Conver-
          sationsweise.
    b) Schrift und Schriftproduct:
      a) Schriftkunde, Graphik:
        α) Schreibmaterial,
        β) Handschrift, Schreibkunst:
          aa) Inscriptionsschrift, Epi-
            graphik,
          bb) Urkundenschrift, Diplo-
            matik,
          cc) Literärschrift, Handschrif-
            tenkunde.
        γ) Druckschrift, Typographie.
      b) Schriftproducte:
        α) Inschriften,
        β) Archivalien:
          aa) Urkunden und Grund-
            bücher,
          bb) Akten und Rechnungen,

cc) Briefe, Stammbücher, Notizenbücher. (3)

γ) Literarische Werke:

  aa) Bücher, Bibliographie:

    αα) allgemeine,

    bb) besondere:

      αα) der Wissenschaften,

      ββ) der Büchersammlungen.

    cc) Büchereinbände und Ausstattung.

  bb) Literatur:

    αα) nach Form der Schreibweise:

      αα) Prosa (4),

      ββ) Poesie (5).

    bb) nach Inhalt der Materie:

      αα) historisches Gedicht und Lied,

      ββ) Epos, Roman, Legende,

      γγ) Sage, Märchen,

      δδ) Erzählung, Fabel, Schwank,

      εε) Dramatisches, Declamatorisches,

      ζζ) Lehrgedicht, Satyre,

      ηη) Spruch, Sprüchwort, Reim, Räthsel,

      ϑϑ) geistliche Dichtung, Kirchenlied,

      ιι) lyrische Dichtung, Minnelied,

      κκ) Volksdichtung, Volksbücher,

      λλ) Meistergesang.

2. Kunst und Kunstwerke:

  a) Tonkunst:

    a) Tonbildung und Lehre

    α) der Stimme, Gesang,

    β) der Instrumente, Instrumentalmusik.

    b Tonsatz und dessen Producte:

    α) Gesangmusikalien:

      aa) geistliche Gesänge, Kirchenmusik,

      bb) weltliche Gesänge, Volkslied.

    β) Instrumentalmusikalien:

      aa) für Saiten- und Blasinstrumente,

bb) für Laute.

b) Bildende Kunst:

  a) Baukunst:

    α) Baustyl:

      aa) romanischer, Rundbogenstyl,

      bb) gothischer, Spitzbogenstyl,

      cc) Renaissance, Mischstyl.

    β) kirchliche Baukunst:

      aa) Kirchengebäude:

        αα) im Ganzen,

        bb) im Einzelnen:

          αα) unterirdische Kapellen, Grüfte, Krypten,

          ββ) Thürme,

          γγ) Portale und Thüren.

      bb) Klostergebäude, Kreuzgänge.

    γ) bürgerliche Baukunst:

      aa) Paläste und Häuser:

        αα) im Ganzen,

        bb) im Einzelnen.

      bb) monumentale Bauten:

        αα) Ehrenpforten,

        bb) Denksäulen.

    δ) Kriegsbaukunst:

      aa) Burg- und Befestigungsbauten:

        αα) im Ganzen,

        bb) im Einzelnen.

      bb) Schanz- und Lagerbau.

    ε) Wasser- und Schiffbaukunst:

      aa) Brücken-, Brunnen-, Damm- und Hafen-Bauten,

      bb) Schiffsbaukunst.

    ζ) Strassenbauten und Pflaster.

  b) Plastik:

    α) in Stein und gebrannter Erde:

      aa) architektonisch-ornamentale,

      bb) monumentale (6)

---

(3) Wo es sich ausscheiden liess, sind Briefe, Urkunden und Akten da eingereiht, wo sie als Quelle hingehören.

(4) Die prosaischen Literaturprodukte finden sich in der ganzen Bibliothek nach ihrem Inhalte eingereiht, hier blos spezielle Sammelwerke über prosaische Literatur.

5) Allgemeine Sammelwerke und poetische Werke gemischter Art.

(6) Grabmonumente s. oben bei Biographie.

2

cc) kleinere Arbeiten aus Alabaster, Speckstein u. dgl.

β) in Metall:

aa) monumentale,

bb) kleinere Arbeiten (7).

γ) in Holz:

aa) architektonisch-ornamentale,

bb) monumentale,

cc) kleinere Arbeiten.

δ) Zierarbeiten in verschiedenen Substanzen:

aa) Elfenbein, Bein, Horn,

bb) Perlmutter, Schildplatt, Korallen, Bernstein,

cc) Leder, (8)

dd) Papier, Teigmassen,

ee) Wachs- und Harzmassen.

ε) zeichnende Künste:

α) Zeichnungskunst:

aa) Handzeichnung,

bb) Niello und Schrotkunst,

cc) Metallstecherkunst, Kupferstiche,

dd) Holzschneidekunst, Xylographie,

ee) Steingravirkunst.

β) Malerei:

aa) Pinselmalerei:

αα) Miniaturen:

αα) mit nicht eingebrannten Farben, Pergamentmalerei,

ββ) mit eingebrannten Farben, Email, Limosin.

bb) Tafelgemälde:

αα) Temperamalerei,

ββ) Wassermalerei,

γγ) Oehlmalerei.

cc) Wandgemälde,

dd) eingebrannte Malereien in Glas, Thon,

 εε) Patronen- und Briefmalerei.

bb) Stoffmalerei:

αα) in hartem Stoff, Mosaik,

bb) in weichem Stoff, Stickereien, Webereien.

d) Künstlerzeichen, Steinmetzenzeichen,

e) Symbolik der Kunst:

α) der kirchlichen,

β) der weltlichen.

3. Wissenschaft:

a) speculative und geistige:

α) Philosophie:

α) Logik und Methaphysik,

β) Naturrecht.

b) Theologie (9).

α) Heilige Schrift und deren Auslegung, Exegese,

β) Dogmatik und Dogmengeschichte,

γ) Scholastik,

δ) Mystik und Ascetik,

ε) Moral, Ethik.

c) Afterphilosophie:

α) Magie:

aa) Zauberei,

bb) Schatzgräberei,

cc) Segensprechen, Amulette.

β) Geisterkunde,

γ) Wahrsagerei: (10)

aa) Chiromantie und Physiognomik,

bb) Traumdeuterei,

cc) Kartenschlagen.

b) positive und materielle:

α) Naturwissenschaften:

α) Erd- und Himmelskunde:

aa) Erdkunde, Naturkunde:

αα) Steinreich, Geognosie u. Mineralogie,

---

(7) Medaillen, Siegel s. unten b. Münzwesen, Ehrenauszeichnungen.
(8) Siehe besonders b. Bücher, b. Hausinventar.
(9) Die praktische Theologie s. unten b. Kirche.
(10) Den astrologischen Theil s. unten b. Astronomie.

bb) Pflanzenreich, Botanik,

cc) Thierreich, Zoologie.

bb) Himmelskunde, Astronomie:

aa) reine Astronomie,

bb) angewandte Astronomie:

αα) auf Astrologie:

aaa) Prognosticationen,

bbb) Planetenbücher,

ccc) Wetterbücher.

ββ) auf Kalenderwesen:

aaa) Calendarien, Kalender-
werke,

bbb) Wandkalender, Wappen-
kalender,

ccc) Bauernkalender, Runen-
kalender.

cc) astronomische Instrumente und
Tafeln.

β) Physik und Chemie:

aa) physikalische Wissenschaften,

bb) Chemie:

aa) reine Chemie,

bb) angewandte auf Alchymie.

γ) Heilkunde:

aa) Körper- und Gesundheitslehre:

aa) Anatomie und Physiologie,

bb) Gesundheitserhaltung:

αα) Speise, Diät,

ββ) Aderlassvorschriften,

γγ) Bäder, Wildbäder, Bader,

δδ) Verhalten bei ansteckenden
Krankheiten.

bb) Krankheitslehre, allgemeine Pa-
thologie:

aa) Seuchen und Volkskrankheiten:

αα) Pest,

ββ) Lustseuche.

bb) Frauen- und Kinderkrankheiten.

cc) Heillehre, Therapie:

aa) medicinische Heilmittel,

bb) Geheim- und Wundermittel.

dd) Apothekerwesen,

ee) Chirurgie- und Geburtshülfe:

aa) Wundarzneikunde,

bb) Hebammenkunst,

cc) Chirurgische Instrumente,

ff) Thierheilkunde.

b) Mathematik:

α) Arithmetik und Zahlenverhältnisse,

β) Geometrie, Messkunst,

γ) mathematische Instrumente.

c) historische Wissenschaften:

α) altclassische Literatur und Sprache,
Philologie,

β) Geschichtsstudium, Forschung, Critik,

γ) Geschichtschreibung, Historiographie.

d) Staats- u. Rechtswissenschaften: (11)

α) Staatswissenschaft,

β) Rechtswissenschaft:

aa) fremdes Recht:

aa) römisches,

bb) longobardisches,

cc) canonisches.

bb) einheimisches Recht.

4. Erziehung und Bildung:

a) pädagogische Anstalten:

a) Erziehung und Unterricht,

b) Schulwesen und Schule:

α) Lehrbücher,

β) Stipendien und Alumneen,

γ) Academien:

aa) einzelne Universitäten,

bb) Studenten und deren Leben.

δ) Schulen und Unterricht.

b) gelehrte Gesellschaften, Collegien:

a) literarische und poetische,

b) historische und antiquarische,

c) medicinische u. naturwissenschaftliche.

---

(11) Das Weitere s. unten bei Staatsanstalten.

B. in materieller Beziehung:

1) **Land und Leute:**

a) **Land** (Topographie u. Statistik):

a) Deutschland und die angrenzenden Länder,

b) deutsche Provinzen und Gebiete,

c) Orte:

α) Städte und Märkte,

β) Klöster und Kirchen,

γ) Burgen, Dörfer und Plätze.

b) **Leute:**

a) Geschlechts- und Familienververhältnisse:

α) Männerwelt,

β) Frauenwelt,

γ) Ehe- u. Familienstand, Kinder.

b) Standes- und Classenverhältnisse:

α) Freiheitsverhältnisse:

aa) Freie,

bb) Unfreie und Ministerialen.

β) Standesverhältnisse:

aa) Adel und dessen Gattungen:

aa) hoher Adel,

bb) niederer Adel,

cc) Ritterschaft, Ritterwesen.

bb) Bürger und Städtewesen,

cc) Bauern, Dorfwesen.

aa) Besitz- u. Gutsverhältnisse,

bb) Lasten und Dienste.

γ) Classenverhältnisse:

aa) Geistliche, Beamte, Kriegsleute, (12)

bb) fahrende Leute, Heimathlose, Proletarier,

cc) Arme.

c) nach Nationalitäten und Stammverhältnissen:

α) Germanen,

β) Romanen,

γ) Celten,

δ) Slaven, Wenden,

ε) Juden,

ζ) Türken,

η) Zigeuner, Heiden.

2. **Leben:**

a) **Lebensbedarf und Erwerb:**

a) **Bedarf:**

α) Leibesbedeckung:

aa) Kleidung:

aa) nach Geschlecht und Alter:

$\alpha\alpha$) Männertracht,

$\beta\beta$) Frauentracht,

$\gamma\gamma$) Kinder- und Jugendtracht.

bb) nach Ständen und Classen:

$\alpha\alpha$) höhere Stände,

$\beta\beta$) mittlere u. niedere Stände.

cc) Einzelnheiten der Kleidung:

$\alpha\alpha$) Kopfbedeckung,

$\beta\beta$) Hand- und Fussbekleidung, Sporn,

$\gamma\gamma$) Ueberkleider und Mäntel,

$\delta\delta$) Unterkleider, Wäsche,

$\varepsilon\varepsilon$) Taschen, Gürtel und sonstige Zugehörungen.

bb) Schmuck und Zierde:

aa) Ringe,

bb) Ketten und Geschmeide,

cc) Kopfschmuck,

dd) Kleiderzierde, End und Gebänd.

cc) Toilett- und Reinlichkeitsgegenstände:

aa) Baden und Waschen,

bb) Haar- u. Barttoilette, Kämme,

cc) Salben u. Parfümerien, Schönheitsmittel.

β) Leibesunterhalt und Bequemlichkeit:

aa) Nahrung:

---

(12) Siehe über solche unten b. Kirche, Staat.

aa) Speise, Essen,

bb) Trank, Trinken,

bb) Hauseinrichtung, Haushalt:

   aa) Wohnung und deren Bestandtheile:

    $\alpha\alpha$) Haus- uud Zimmereinrichtung,

    $\beta\beta$) Einzelnheiten:

      aaa) Decke und Vertäfelungen,

      bbb) Thüren und Fenster, Beschläge,

      ccc) Fussböden und deren Ueberdeckung,

      ddd) Oefen, Kamine, Kochapparat,

      eee) Treppen, Geländer.

   bb) Hausinventar:

    $\alpha\alpha$) Haus- und Zimmermobiliar,

    $\beta\beta$) Küchen- und Tafelzeug,

    $\gamma\gamma$) Keller- und Trinkgeschirr,

    $\delta\delta$) Reit- Fahr- und Tragrequisiten, Pferde, Saumthiere,

    $\varepsilon\varepsilon$) Luxusgegenstände, Luxusthiere,

    $\zeta\zeta$) Spielzeug und Scherzhaftes.

   cc) Haushalt, Dienstboten.

b) **Erzeugung und Erwerb:**

  α) natürlicher:

   aa) Landbau und Thiernutzung:

    aa) Forst- und Jagdwesen:

     $\alpha\alpha$) Forstwesen,

     $\beta\beta$) Jagdwesen:

      aaa) Jagdarten,

      bbb) Jagdrechte und Bräuche,

      ccc) Jagdrequisiten.

     $\gamma\gamma$) Bienenzucht, Zeidelei,

     $\delta\delta$) Fischerei.

    bb) Feldbau und Thierzucht, Landwirthschaft,

    cc) Garten-, Wein- und Obstbau.

   bb) Bergbau und Hüttenwesen:

    aa) Bergwerke,

    bb) Hüttenwesen,

    cc) Salzwerke, Salinen.

β) künstlicher:

  aa) Industrie, Gewerb und Handel:

   aa) Erfindungen, Monopole,

   bb) höhere Industrie, Freikünste, Mechanik,

   cc) Gewerbsindustrie, Handwerk:

    $\alpha\alpha$) Zunft- u. Gildenwesen, Handwerksordnungen,

    $\beta\beta$) Gewerbstechnik, Technologie,

    $\gamma\gamma$) unehrliche Gewerbe und Geschäfte.

  bb) Handel:

    $\alpha\alpha$) Handelswege und Einigungen, Hansa,

    $\beta\beta$) Handelsplätze, Verkaufsanstalten, Märkte,

    $\gamma\gamma$) Preisverhältnisse, Tarife,

    $\delta\delta$) Handelstechnik, Buchhaltung,

    $\varepsilon\varepsilon$) Wechsel und Bankwesen,

    $\zeta\zeta$) Wucher, Handelsbetrug.

  bb) Verkehr:

   aa) Handelsmittel:

    $\alpha\alpha$) Maas und Gewicht,

    $\beta\beta$) Münzwesen:

     aaa) Münzrechte, Ordnungen, Werth und Gewicht,

     bbb) Münzen:

      aaa) einzelner Gebiete,

      bbb) Münzsorten,

      ccc) Gedächtnissmünzen, Medaillen,

      ddd) Münzzeichen, Jettons.

   bb) Verkehrsanstalten und Mittel:

    $\alpha\alpha$) Post-, Boten- und Fuhrmannswesen,

    $\beta\beta$) Strassen und Wege,

    $\gamma\gamma$) Schifffahrt.

   cc) Zoll- und Geleitswesen, Plackereien.

b) **Lebensweise:**

  a) Sitten und Gebräuche:

α) Sitten :

  aa) Sittlichkeit, Zucht,

  bb) Unsittlichkeit, Verkehrtheit

    aa) des Mundes (Schwören, Flu-
chen etc.),

    bb) des Fleisches (Völlerei, Un-
zucht),

    cc) des Geistes (Narrheiten, Thor-
heiten) (13).

β) Gebräuche :

b) sociale Verhältnisse :

  α) Geselligkeit und Courtoisie :

  aa) geselliges Benehmen,

  bb) Hof- und adelige Lebensweise :

    aa) Hofordnungen,

    bb) Burgordnungen, Ganerbschaf-
ten,

    cc) Landleben.

  cc) Höflichkeiten, Grobheiten :

    aa) Anstand und Höflichkeit,

    bb) Geschenke, Gastlichkeit,

    cc) Lobsprüche, Ehrenholde und
Spruchsprecher,

    dd) Unhöflichkeiten, Grobheiten.

  dd) Ehrenauszeichnungen: (14)

    aa) Titel und Würden,

    bb) Wappen, Heraldik :

      $\alpha\alpha$) Wappen-Abbildungen und
Verzeichnisse,

      $\beta\beta$) Wappenerklärungen.

    cc) Siegel, Sphragistik :

      $\alpha\alpha$) Siegelstöcke, Petschafte,

      $\beta\beta$) Siegelabdrücke und Ver-
zeichnisse,

      $\gamma\gamma$) Siegelerklärungen.

    dd) Zeichen, Fahnen, Paniere.

  ee) Ehrlosigkeit, Anrüchtigkeit.

β) Unterhaltungen, Fest- und Feierlichkeiten :

aa) Unterhaltungen und Vergnü-
gungen :

  aa) Spiel und Zeitvertreib :

    $\alpha\alpha$) Karten-, Würfel-, Brett-
und Schachspiel,

    $\beta\beta$) Gesellschaftsspiele, Ball-,
Kegelspiel,

    $\gamma\gamma$) Fest- und Schau-Spiele,
Gauklerwesen, Glücks-
häfen,

    $\delta\delta$) Zeitvertreib, Rauchen, Knei-
pen, Spatzierengehen.

  bb) Leibesübungen :

    $\alpha\alpha$) Gymnastik,

    $\beta\beta$) Tanzen, (15)

    $\gamma\gamma$) Reiten, Fahren.

bb) Feste und Feierlichkeiten :

  aa) Familienfeste und Feierlichkeiten,

  bb) öffentliche Feste und Feierlichkeiten.

  cc) Schmaussereien, Trinkgelage,
Mumenschanz.

II. Besondere Anstalten für allgemeines
Wohl :

  A. für geistiges Wohl, Religionsanstalten :

  1) heidnische, Götzendienst,

  2) christliche, Gottesdienst, Kirche :

  a) allgemeine Verhältnisse :

    a) äussere :

    α) Kirchenverfassung, staatsrechtliche
Verhältnisse,

    β) Kirchenrecht, insbesondere

    aa) Eherecht,

    bb) Zehntrecht,

    cc) Baurecht und Last, onus fab-
ricae.

  γ. Kirchenjurisdiction.

---

(13) Die übrigen Geistesverirrungen s. oben b. **Afterphilosophie.**

(14) Ueber die Ritterorden s. unten b. **Kirche.**

(15) Tanzmusik s. oben b. **Musikalien**; Fechten s. unten b. **Kriegsübung.**

b) **innere:**
  α) Kirchenbekenntniss:
    aa) allgemeines christliches,
    bb) Augsburgisches.
  β) Kirchenordnung:
    aa) römisch-katholische,
    bb) protestantische.
  γ) Kirchenamt und Gewalt,
  δ) Kirchenversammlung.

b) **besondere Verhältnisse:**
  a) in Rücksicht der **Personen:**
    α) Heilige und Schutzpatrone,
    β) Kirchenpatrone,
    γ) Geistlichkeit, Hierarchie:
      aa) Klerus, Weltgeistlichkeit,
      bb) Regularen, Canonicer und Orden:
        aa) Canonicate und Domstifte,
        bb) Klosterregularen:
          αα) Mönche,
          ββ) Nonnen.
    δ) Ritterorden:
      aa) Templer,
      bb) Deutschherrn,
      cc) Johanniter,
      dd) andere Ritterorden.
    ε) Bruderschaften und geistliche Genossenschaften,
    ζ) Damenstifte,
    η) Sektirer und Ketzer.
  b) in Rücksicht der **Sachen:**
    α) Kirchengut, Kirchenvermögen,
    β) Heiligthümer, geheiligte Sachen und Orte,
    γ) Gotteshäuser und deren Zugehör:
      aa) Altäre, Sacrarien, Taufsteine, Weihgefässe,
      bb) Kanzeln, Chorstühle, Beichtstühle,
      cc) Glocken, Orgeln.
    δ) Ornat, Kirchenschmuck und Geräth.
  c) in Rücksicht der **Handlungen** und des Verhaltens:
    α) geistliche Regeln und Uebungen:
      aa) Fest- und Sonntagsfeier,
      bb) Gebets- und Andachtsübungen,
      cc) Fasten, Wallfahrten, Bussübungen, Gelübde.
    β) Kirchen- und Gottesdienst:
      aa) Gottesdienst und Ceremonien
        aa) der Katholiken,
        bb) der Protestanten.
      bb) Kirchengebete, Andachten und Prozessionen,
      cc) geistliche Handlungen:
        aa) Taufe und Confirmation,
        bb) Beichte und Ablass,
        cc) Abendmahl und Messe,
        dd) Einsegnungen u. Weihen
          αα) der Ehe,
          ββ) der Geistlichen, (Ordination),
          γγ) der Kranken und Todten,
          δδ) der Orte, Gebäude und Sachen.
      dd) Lehrfunction:
        aa) für die Gemeinde (Predigt),
        bb) für die Jugend (Katechetik).
      ee) Seelsorge (Pastorale):
        aa) für Gesunde,
        bb) für Kranke und Sterbende.

B. für **materielles** Wohl, Staatsanstalten:
1) staatliche Rechtsgrundlagen:
  a) Volksgemeinden, Volksrechte,

b) Benefizial- und Lehnwesen:

a) allgemein deutsches Lehnrecht:

α) das Lehn:

aa) Lehngattungen,

bb) Lehnerrichtung, Vertrags-
verhältniss,

cc) Lehnfolge, Lehnerneuerung,

dd) Aufhebung des Lehnver-
bandes.

β) die Lehnspersonen:

aa) Lehnsherr,

bb) Vasall,

cc) persönliche Verpflichtungen
derselben.

b) Provinziallehnrechte und Gewohnheiten.

2) der deutsche Reichs - und Staats-
körper:

a) Staatsverfassung, Ordnungen und
Rechte

a) des Reiches:

α) Reichsordnungen, Gesetze und
Herkommen:

aa) goldene Bulle, Wahlkapi-
tulationen,

bb) Reichsabschiede, Landfrieden,

cc) Bündnisse und Friedensschlüsse.

β) Reichsoberhaupt:

aa) Wahl und Krönung,

bb) Reichskleinodien,

cc) Majestätsrechte, Regalien,

dd) Reichsverweser, Reichsvi-
cariat.

γ) Reichsbeamte und Räthe der
Krone, Reichstag:

aa) Erzämter und Reichsbeamte,

bb) Kurfürstencollegium,

cc) Fürsten- und Grafen - Collegium,

dd) Reichstag, Fürstentage.

δ) Reichslande, Reichsgut:

aa) Reichslande, R.Territorium,

bb) Reichsgut, Königshöfe.

b) der Territorien und Gebiete:

α) nach ihren Verschiedenheiten:

aa) Fürstenthümer, Graf- und
Herrschaften,

bb) Reichsstädte,

cc) Reichsritterschaft.

β) Landes- und Local-Ordnungen
und Gesetze,

γ) Kreis- und Landesvertretung:

aa) Kreistage,

bb) Landtage.

δ) Hof- und Erbämter.

b) Staats- und Hofceremoniel:

a) Hofwesen,

b) Gesandtschaften,

c) Hof- und Staatssprache.

c) Staatsverwaltung:

a) Regierungsweise,Regierungskunst,
Politik,

b) Regierungsorgane, Beamte,

c) Finanzmittel zu Staatszwecken:

α) direkte Abgaben, Bete, Steuern,

β) indirecte Abgaben, Umgeld,
Taxen,

γ) Kriegssteuern, Römermonat,
Türkenpfennig.

d) Fürsorge für Staatswohl:

α) Polizei:

aa) Sicherheitspolizei,)

bb) Gesundheits- und Victua-
lien-Polizei,

cc) Sittenpolizei.

β) Wohlthätigkeitsanstalten:

aa) für Arme, Alte u. Reisende,
bb) für Kranke und Gebrech-
liche.
d) Staatsschutz:
a) Rechtsschutz:
α) Gerichtsbarkeit:
aa) kaiserliche,
bb) Territorialgerichtsbarkeit.
β) Gerichte:
aa) kaiserliche:
aa) Hof- und Kammerge-
richt,
bb) Landgericht,
cc) westphälisches Gericht,
dd) Reichsvogteien.
bb) Provinzial-u. Localgerichte,
cc) Specialgerichte,
dd) Gerichtsstätten, Säle,
ee) Gerichts-u. Strafrequisiten.
γ) Gerichtsverfahren:
aa) allgemeines und civilrecht-
liches:
aa) schriftliches Verfahren,
bb) Gerichtsbräuche und Gewohnheiten,
cc) Eid, Eidbücher,
dd) Ordalien, Zweikampf.
bb) strafrechtliches für
aa) einzelne Verbrechen und
Strafen,
bb) Hexenprozesse.
δ) Rechtsnormen: (16)
aa) im Civilrecht für
aa) dingliche Rechte,
bb) persönliche Rechte,
cc) Forderungen,
dd) Erbrecht und Fidei-
commiss.

bb) im Strafrecht.
ε) Rechtsfälle und Deductionen:
aa) in Civilsachen,
bb) in Strafsachen.
b) Waffenschutz:
α) Kriegs- und Heerwesen:
aa) Heerverfassung und Kriegs-
rechte,
bb) Kriegskunst, Strategie,
cc) Befestigungskunst (17)
β) Kriegsbedarf:
aa) Rüstung für Mann und
Pferd:
aa) für Mann:
αα) volle Rüstung,
ββ) Einzelheiten.
bb) für Pferde:
αα) Rüstzeug,
ββ) Sattelzeug und
Decken.
cc) Waffen:
αα) Schiesswaffen:
aaa) mit Schnellkraft,
bbb) mit Pulverkraft,
ββ) Stich- u. Hiebwaffen:
aaa) Speere,
bbb) Schwerdter, Degen,
Dolche,
ccc) Kolben, Aexte,
Hämmer.
γγ) Schilde und Schutz-
wehr.
cc) Munition u. Wagenburg.
dd) Sturm- u. Belagerungs-
requisiten.
γ) Kriegsleute u. Waffengattung:
aa) die deutschen Heere,
bb) fremde Heere,
cc) Waffengattungen:

---

(16) S. oben Ordnungen, Gesetze.
(17) S. oben b. Baukunst.

3

αα) Fussvolk,

bb) Reiterei,

cc) Artillerie,

dd) Technische Corps, Train.

δ) Kriegs- und Waffenübung:

aa) Fecht- und Ringekunst, Exerzierkunst,

bb) Schiesskunst, Schützenwesen,

cc) Kampfübung, Turnier, Uebungszüge, Lustlager.

Niemand wird leugnen können, dass vorstehendes System so ziemlich alle Lebensverhältnisse des Menschen berührt, wenigstens dass solche irgend einer Rubrik subsumirt werden können. Ein ungleich reicheres Detail wird sich aber erschliessen, wenn die grosse Zahl von Sammelwerken, von denen wir blos die Scriptores, die historischen Zeitschriften und Taschenbücher mit ihren mannigfaltigen Aufsätzen anzudeuten brauchen, mit beigezogen werden und aus ihnen jede Einzelnheit dem Systeme eingereiht werden wird. Bis jetzt sind blos alphabetische Register darüber angefertigt, sowie über die in Druckwerken und Handschriften vorkommenden Abbildungen merkwürdiger Gegenstände. Es ist jedoch die nächste Aufgabe des Museums dieses Alles dem Systeme, welches nun vorerst einer Revision und Erweiterung der Fachgelehrten des Museumsausschusses unterliegt, einzufügen und dadurch dem Suchenden zu bieten was vorläufig möglich erscheint, wie diess in §. 6. der Satzungen des germanischen Museums vorgeschrieben ist, mit den Worten: „Die in §. 1. unter c. angedeuteten Arbeiten des Museums bestehen darin: a) die oben §. 4. bezeichneten Verzeichnisse und Beschreibungen in ein streng wissenschaftliches System zu bringen und mit alphabetischen Namen-, Orts- und Sachregistern zu versehen, so, dass augenblicklich jede Anfrage auch über den speziellsten Gegenstand beantwortet werden kann;" u. s. w. Wenn hier eigentlich nicht sowohl von den eigenen Sammlungen des Museums als von den fremden Sammlungen, deren Verzeichnisse blos dem Museum vorliegen, die Rede ist, so versteht sich von selbst, dass die nächste Pflicht dahin gehen musste, die eigenen Sammlungen, das Archiv, die Bibliothek und die Kunst- und Alterthumssammlung des Museums so zu bearbeiten und nutzbar zu machen, wie diess auch die fremden werden sollen. Indem wir durch vorliegende Arbeit einen Anfang gemacht zu haben glauben, an welchen sich noch viel Gutes und Lehrreiches anknüpfen lassen mag, bitten wir in Liebe und mit gutem Willen das Werk fördern zu helfen, welches Jeden für sein Fach, sei es jetzt oder später, etwas beitragen kann und wird.

AUGUST ESSENWEIN

Das germanische Nationalmuseum zu Nürnberg
Bericht über den gegenwärtigen Stand der Sammlungen und Arbeiten, sowie die nächsten daraus erwachsenden Aufgaben, an den Verwaltungsausschuß erstattet (1870)[1]
Anmerkungen von Rainer Kahsnitz

Vorwort

Die am 1. Januar d. J. in's Leben getretenen revidierten Satzungen des germanischen Nationalmuseums bestimmen in §. 11, daß der Verwaltungsausschuß in jedem Jahre, bei seinem Zusammentritt, über die Thätigkeit der Anstalt im folgenden Jahre besondere Beschlüsse zu fassen habe. In dieser bestimmten Form war bis jetzt das Eingreifen des Verwaltungsausschusses nicht vorgezeichnet. Die Aufgabe der Anstalt lag als Ganzes in den Paragraphen des Organismus vor und so arbeitete das Direktorium, im Verein mit den einzelnen Abtheilungsbeamten, ungestört an dieser Gesammtaufgabe fort, bald da, bald dort, wo möglich gleichmäßig auf allen Gebieten fortschreitend, und das Eingreifen durch den Verwaltungsausschuß geschah vorzugsweise durch die jährliche Prüfung und durch Beschlußfassung über einzelne Fragen, die zufällig bei dieser Gelegenheit auftauchten. Auf diese Weise hat allerdings der Verwaltungsausschuß, wie die Protokolle zeigen, manchmal tief in die Entwicklung eingegriffen und trotz der mehr negativen Form durch eine Reihe von Beschlüssen der Anstalt die Richtung gegeben, die jetzt in den revidierten Satzungen Ausdruck gefunden hat.

Wenn nun der Verwaltungsausschuß künftighin nicht blos das Geschehene und somit die vom Direktorium eingeschlagene Richtung im Allgemeinen prüfen, sondern von Jahr zu Jahr speziell die Aufgabe stellen soll, welche das Direktorium, unter eigener Verantwortung gegen den Ausschuß, im Laufe eines Jahres mit den unter seiner Leitung stehenden Beamten durchzuführen hat, so muß demselben eine Basis gegeben sein durch genaue Darlegung des jeweiligen Standes und durch eine genaue Vorzeichnung der Aufgabe in größerem Umfange, wie sie aus den Satzungen naturgemäß hervorgeht. Insbesondere muß die erste solche, speziell bestimmende Verhandlung in großen allgemeinen Zügen einen Hauptplan feststellen und prüfen, wie weit das unter Geltung der alten Statuten Entstandene beizubehalten, oder etwa zu modifiziren sei, welches theils durch bloße Billigung des Geschehenen vom Verwaltungsausschuß, theils durch unzusammenhängende, im Laufe der Jahre gefaßte Beschlüsse und deren mehr oder minder präzise Beachtung erreicht worden ist. Es wird daher nöthig sein, daß die Herren Mitglieder des Ausschusses über den Stand, in welchem sich gegenwärtig Sammlungen, Katalogs-, Repertorien- und andere Arbeiten des Museums befinden, genaue Aufklärung erhalten; dies ist der erste Zweck der gegenwärtigen Denkschrift.

Auf so vielen Gebieten begegnet uns aber noch Unfertiges, theilweise erst Begonnenes, was nur dann richtig zu verstehen und an das nur dann, sei es fortbauend, sei es abändernd, angeknüpft werden kann, wenn darauf hingewiesen ist, unter welchen Verhältnissen es entstanden, was dabei beabsichtigt und wie dessen weitere Förderung bisher vom Direktorium in Aussicht genommen war. Diese Darlegung, mit der sich naturgemäß ein Programm verbindet, welches der I. Direktor zu acceptiren vorschlägt, ist die zweite Aufgabe der Denkschrift. Ich muß dabei anknüpfen an die autographirte Broschüre, welche ich unter dem Titel „Aufgaben des germanischen Museums" bei Gelegenheit der Verhandlungen über die Satzungsrevision den Herren Mitgliedern des Verwaltungsausschusses unterbreitet habe; was dort nur im Allgemeinen angedeutet, soll hier unter Berücksichtigung der ziffermäßigen Nachweise über den jetzigen Stand ausführlich erörtert werden.

Eine solche authentische und ziffermäßige, in's Einzelne gehende Darlegung des jetzigen Zustandes des germanischen Museums und dessen, was seither beabsichtigt und angestrebt war, wird aber jedenfalls außer dem Verwaltungsausschusse auch viele ferner stehende Freunde der Anstalt interessiren, zu deren Belehrung über dieselbe beitragen und, da der gegenwärtige Zustand, wie auch die Beschlüsse des Ausschusses lauten mögen, doch nur nach und nach sich ändern kann, noch auf eine Reihe von Jahren für viele Fälle einen Anhaltspunkt gewähren. Endlich gibt diese Darlegung des jetzigen Zustandes der Anstalt, nachdem diese durch die Statutenänderung an einem entscheidenden Wendepunkt angekommen, auch in späteren Jahren zu Vergleichungen über gemachte Fortschritte eine entsprechende Gelegenheit. So habe ich mich denn entschlossen, dieselbe dem Druck zu übergeben, wenn sie auch dem großen Publikum nicht vorgelegt werden soll.

Nürnberg, Juni 1870.

Der I. Direktor des germanischen Museums
A. Essenwein.

---

[1] Dem Bericht, der 1870 als eigenes Heft im Verlag der literarisch-artistischen Anstalt des germanischen Museums im Druck erschien, war ein handschriftlicher Bericht des Ersten Direktors des Museums August Essenwein vorausgegangen, der dem Verwaltungsausschuß für die Satzungsneufassung des Jahres 1870 vorgelegen hatte. Diese beendete eine erbitterte langjährige Diskussion über

Wenn heute auf die gegenwärtigen Verhältnisse des germanischen Museums die Aufmerksamkeit der zunächst Betheiligten, sowie auch weiterer Kreise hingelenkt wird, so ist es wol nicht nöthig, die Geschichte desselben seit seiner Entstehung zu wiederholen, noch auf die Motive weiter einzugehen, die den Begründer, Freiherrn von Aufseß, geleitet, noch auch jene, welche das deutsche Volk bestimmten, der nationalen Anstalt seine Theilnahme in dem Maße und Umfange zuzuwenden, in welchem es geschehen ist. Die Aufführung einiger wenigen Data dürfte genügen, um die Leser, welche die früher vom Museum herausgegebenen betreffenden Druckschriften nicht zur Hand haben, in dieser Beziehung zu orientieren.

Die Anstalt verdankt ihre offizielle Entstehung dem Beschlusse der Versammlung deutscher Geschichts- und Alterthumsforscher, die vom 16.–19. August 1852 unter Vorsitz des Prinzen Johann, gegenwärtigen Königs von Sachsen in Dresden tagte, und welche, nachdem Herr von Aufseß die durch ihn als Privatmann vollzogene Gründung des Museums gemeldet und zugleich die von ihm demselben gegebenen Satzungen, sowie Proben der Sammlungen und der beabsichtigten Arbeiten vorgelegt hatte, am 17. August 1852 den Beschluß faste, das germanische Museum nach den Vorschlägen und Anträgen des Herrn von Aufseß und in der Form, die er ihm gegeben, von diesem Tage an als begründet zu betrachten. So wichtig dieser Beschluß war, so brachte er doch keine materielle Hülfe, und die seitdem regelmäßig wiederkehrenden Versammlungen der deutschen Geschichts- und Alterthumsforscher hatten zwar mitunter Gelegenheit und Veranlassung, der Fortschritte des Museums zu gedenken, übten jedoch auf dessen Entwicklung keinerlei Einfluß. Da Herr von Aufseß, obwohl er auf zehn Jahre seine Sammlungen unentgeltlich zur Verfügung stellte und zehn Jahre lang die Leitung der Geschäfte unentgeltlich besorgte, der Stiftung weder ein Stiftungskapital oder sonstiges greifbares Grundvermögen, noch eine Rente zu geben in der Lage war, so ist das deutsche Volk in seiner Gesammtheit, welches die Mittel geliefert hat, der eigentliche Stifter der Anstalt, und diese somit als eine Stiftung des gesammten Volkes, als eine Nationalanstalt im vollsten und reinsten Sinne des Wortes zu betrachten. Die ganze deutsche Nation, an deren Spitze Deutschlands Fürsten und Regierungen, ihnen folgend Tausende und aber Tausende aus allen Ständen, allen Gauen, ohne Unterschied des Stammes, ohne Rücksicht auf religiöses Bekenntniß, noch auf politische Parteistellung, haben dabei das Ihrige gethan und es übernommen, auch in Zukunft weiter zu sorgen für die Anstalt, welche als eine gemeinsame That zeigt, daß die deutsche Nation, auch ohne politische Einheit, doch ein einheitliches, großes Ganze ist. Hat sie doch in den letzten Dezennien wiederholt zu gemeinsamen Schritten sich geeinigt; wiederholt sind Sammlungen zur Erreichung bestimmter Zwecke durch ganz Deutschland vorgenommen worden; so diejenigen für den Ausbau des Domes zu Köln, für so manche zu errichtende Denkmale berühmter Männer, für die Befreiung Schleswig-Holsteins, für das freie deutsche Hochstift, für die Nordpolfahrt, für die Gesellschaft zur Rettung Schiffbrüchiger u. s. w. Bei Eintritt von Unglücksfällen wurde in ganz Deutschland gesammelt, um den Betroffenen ihr Schicksal zu erleichtern; so nach dem Brande Hamburgs, nach der Pulverexplosion in Mainz, bei den Ueberschwemmungen in der Schweiz, bei der Noth in Ostpreußen; man sammelte für die Verwundeten und für die Hinterbliebenen der Krieger u. s. w. In allen diesen Fällen war bei vielen Gebern nicht blos der direkte Zweck bestimmend, sondern man wollte auch zeigen, daß die deutsche Nation gemeinsame Ziele, gemeinsame Gedanken habe; man wollte zeigen, daß wenn sich die Stämme auch oft auf dem Gebiete der Politik gespannt, ja selbst feindlich gegenüberstehen, doch die innere Einheit der Nation hochgehalten werde, daß man an der geistigen Einheit der Nation und ihrer Erhaltung ein mächtiges Interesse habe. Dieser Zug des deutschen Volkes mußte natürlich um so größeren Einfluß üben, als es aufgerufen wurde, zu einem Werke Beisteuer zu leisten, das nicht nur auf dem Gebiete der rein geistigen Interessen errichtet werden sollte, sondern äußerlich als ein großes Denkmal erscheinen, das ein bedeutendes greifbares Eigenthum bilden sollte, welches dem ganzen Volke gemeinsam angehören, aus dem das ganze Volk, wie es zu gemeinsamer Stiftung aufgefordert worden, Belehrung und Erhebung schöpfen sollte. Gemeinsamen Interessen des deutschen Volkes soll das germanische Nationalmuseum dienen. Ein Zeichen der innern Einheit der Nation soll es sein; es soll dem Volke, indem es ihm seine Geschichte und die Entwicklung seiner Kultur lebendig vor Augen führt, seine weltgeschichtliche Bedeutung und seinen Einfluß auf die Kulturentwicklung der ganzen Menschheit zeigen. Für solche Ziele hatte das gesammte Volk Interesse und trat freudig ein, als es dazu aufgerufen wurde; freudig gibt es dazu auch heute noch seine Beisteuern.

die Hauptaufgaben des Museums und stellte unter Verzicht auf das Generalrepertorium des gesamten Quellenmaterials zur deutschen Geschichte und Kultur die Sammlungen in den Vordergrund der musealen Bemühungen. Als das wichtigste nach der Gründung verfaßte Gesamtprogramm für die Tätigkeit des Germanischen Nationalmuseums und seiner Abteilungen wird es hier abgedruckt, und zwar im Text ungekürzt und in der ursprünglichen Orthographie. Essenwein legte, nachdem er 1872 zusammen mit dem Zweiten Direktor Georg Karl Frommann eine kurze Denkschrift unter dem Titel „Die Aufgaben und die Mittel des germanischen Museums. Eine Denkschrift. Nürnberg 1872" in Druck gegeben hatte, die sich hauptsächlich mit finanziellen Fragen befaßte, 1884 noch einmal eine überarbeitete Fassung vor: „Das germanische Nationalmuseum, dessen Sammlungen, sowie der Bedarf zur programmgemäßen Abrundung derselben. Nürnberg 1884". Der Bericht, der in Fortsetzungen auch im Anzeiger GNM 1884/86, S. 1–9, 29–35, 41–52, 57–63, 73–87, 97–101, 113–125, 133–139, mit Abbildungen versehen, erschien, setzte die programmatischen Überlegungen zur Erweiterung des Museums und der einzelnen Abteilungen fort und nannte auch bestimmte Geldsummen, die in nächster Zeit zur Vervollständigung der Sammlungen erforderlich seien.

Die Satzungen der Anstalt vom Jahre 1852 sind nicht das Resultat der Erfahrung, sie hatten sich nicht nach und nach aus realen Verhältnissen gebildet, – sie waren theoretische Aufstellungen, und so konnte es nicht fehlen, daß sie sich mit der Zeit da und dort ungenügend erwiesen. Deshalb wurde schon im Jahre 1855 neben den Satzungen unter dem Namen Organismus[2] ein Gesetzbuch eingeführt, das nicht blos eine Ausführungsverordnung der Satzungen ist, sondern mannigfache Bestimmungen enthält, die in den Satzungen nicht einmal angedeutet sind. Im Laufe der Jahre zeigte sich, daß es nicht wünschenswerth sei, manche Bestimmungen der Satzungen ganz in dem gegebenen Umfange aufrecht zu halten, daß dagegen andere mehr hervorgekehrt werden müßten, wenn die Anstalt sich das Interesse des Volkes erhalten sollte, das ihr entgegen gebracht worden war. So wurden nicht nur bei verschiedenen Jahresconferenzen des Verwaltungsausschusses eingreifende Einzelbeschlüsse gefaßt, welche für eine Reihe von Jahren der Thätigkeit ihre Richtung gegeben haben, es wurden auch in den Jahren 1862 und 63 Verhandlungen wegen gänzlicher Neugestaltung der Satzungen gepflogen, die jedoch aus äußern Gründen zu keinem Resultate führten. Waren es damals äußere Gründe, die Veranlassung gaben, die Verhandlungen abzubrechen, so waren es ebenfalls äußere Gründe, die im vergangenen Jahre zu deren Wiederaufnahme die Anregung gaben; doch eben auch nur die Anregung; auf die Verhandlungen selbst hatten sie keinen Einfluß, und die berathende Versammlung des Verwaltungsausschusses erklärte ausdrücklich, daß sie an die 1863 abgebrochenen Verhandlungen wieder anknüpfe.

Die revidierten Satzungen haben die Genehmigung der kgl. bayerischen Regierung erhalten, welche, nachdem die Anstalt in Bayern ihren Sitz genommen und als Stiftung unter den Schutz der bayerischen Gesetze sich begeben, als oberste Curatelbehörde darüber zu wachen hat, daß der Stiftungszweck stets eingehalten werde, und die somit dem deutschen Volke, als dem Stifter der nationalen Anstalt, die Garantie bietet, daß seine Gaben keinem andern als dem Stiftungszwecke zugewendet werden. So enthalten natürlich in den Grundzügen die neuen Satzungen nichts anderes, als was die alten bezweckten. Die Anstalt ist nach wie vor der Erforschung unserer Vorzeit gewidmet; sie soll der Gegenwart und Zukunft ein treues Bild unserer Vergangenheit vor Augen führen; sie soll die deutsche Wissenschaft, jenes Kleinod auf welches das Volk stolz ist, fördern und die gewonnenen Resultate der Gesammtheit belehrend zugänig machen; des Volkes Patriotismus und das Gefühl der innern, geistigen Einheit aller Stämme soll durch sie geweckt und gehoben, im Volke, im Ganzen wie bei den Einzelnen, soll der Sinn für die Vorzeit, das Interesse an den Denkmalen, die sie uns hinterlassen, und das Verständniß derselben gemehrt werden. Dadurch wird aber auch der Gegenwart genützt; es wird das Verständniß für manche bestehende Verhältnisse erschlossen und so auch für die Gestaltung der Zukunft des deutschen Volkes ein wesentlicher Einfluß geübt werden können, wenn man verfolgt, wie die Thatsachen aus den Zuständen entste-

hen mußten, wie diese sich naturgemäß nach und nach entwickelt haben, auf welche Weise große Geister, mächtig eingreifend, die Entwicklung fördern konnten, wie aber auch ihre Wirksamkeit nur dadurch möglich war, daß sie den Zuständen Rechnung trugen, das Gesetz ihrer Entwicklung vor Augen hatten.

An diesen Grundzügen der Anstalt ändern die neuen Statuten nichts; sie ändern aber auch nichts an einem zweiten Grundsatze, daß alle Einzelzweige der archäologischen Wissenschaften gleichmäßig gepflegt, daß die eigentlich historischen Studien mit den kulturgeschichtlichen in Verbindung gebracht und so die Geschichte und die Zustände des Volkes in allen seinen innern und äußern Beziehungen erforscht und dargestellt werden sollen. Auch darin stehen die neuen Satzungen auf demselben Boden wie die alten, daß Sammlungen angelegt, Verzeichnisse und Abbildungen des nicht in den Sammlungen Befindlichen aufgestellt, daß möglichst systematisch und vollständig alles vertreten sein soll, was die Vorzeit hinterlassen hat, daß der Hauptnachdruck darauf gelegt werde, das Material in der Absicht der Belehrung zu sammeln, daß die vergleichenden Studien durch getreue Abbildungen und Abgüsse möglichst vieler, insbesondere aller wichtigen Monumente jeden Zweiges gefördert werden sollen. Endlich ist auch die Aufgabe der Veranstaltung von Publikationen in den alten wie in den neuen Satzungen enthalten.

Es ist also der Geist, der in der nächsten Zeit die Anstalt leiten wird, kein anderer als er sich nach und nach herausgebildet und besonders in den letzten Jahren sich kundgegeben hat. Wenn wir daher von der Aufgabe des Museums im Ganzen und Einzelnen sprechen, so ist darin allerdings mehr die individuelle Ansicht des Vortragenden enthalten; es ist das Programm, wie es in den letzten Jahren der gegenwärtige Leiter der Anstalt verfolgt hat; es ist noch nicht ein auf Grund der neuen Satzungen von dem Verwaltungsausschusse aufgestelltes Programm, es ist vielmehr nur die Grundlage zu einem solchen Ausspruche des Verwaltungsausschusses. Allein da, wie eben gesagt, die neuen Satzungen gerade der Ausdruck dessen sind, was sich im Anschlusse an die alten Satzungen nach und nach ergeben hat, so kann doch dies dem Verwaltungsausschusse vorgeschlagene Programm wohl darauf hoffen, von diesem im Wesentlichen als Grundlage angenommen zu werden.

I.

Wir müssen, ehe wir auf das Einzelne eingehen, uns ein großes Gesammtbild der Anstalt und ihrer Aufgabe machen. Wenn wir dabei auch nur allgemeine Grundsätze aufstellen, so dürfen wir doch nicht unterlassen, den gegenwärtigen

---

[2] Organismus des Germanischen Museums. In: Das Germanische Nationalmuseum. Organismus und Sammlungen (Denkschriften des Germanischen Nationalmuseums, Bd. 1,1). Nürnberg 1856, S. 1–92.

Stand der Geschichtswissenschaft, der einzelnen historischen Hülfswissenschaften, der Kunst- und Kulturgeschichte in's Auge zu fassen und so das Programm, das auf eine Reihe von Jahren hinaus die Grundlage der Thätigkeit der Anstalt bilden wird, den bestehenden, wirklichen Verhältnissen gemäß einzurichten; wir dürfen nicht außer Acht lassen, daß im Augenblicke die äußeren Verhältnisse uns der direkten Pflege manches Zweiges, der in unser großes Programm fällt, vollständig überheben, so daß uns da mehr die Aufgabe bleibt, dasjenige, was anderwärts geschieht, zu verfolgen, die Resultate zu sammeln, während auf anderen Gebieten jetzt schon ein direktes Eingreifen von Seite des germanischen Museums nothwenig ist. So hat die große allgemeine Geschichtsforschung in einer Reihe von Anstalten und Gelehrten, auf die Deutschland stolz sein kann, ausgezeichnete Vertreter; die Lokalforschung fördert manches nicht Uninteressante und Unwichtige zu Tage; die Urkundenschätze der großen, reichen Archive Deutschlands finden immer tüchtigere Bearbeitung, und so werden es wesentlich die greifbaren Geschichtsdenkmäler und die Pflege der Kulturgeschichte sein, die wir in's Auge zu fassen haben.

Unter andern Umständen kann freilich später dem Museum die Aufgabe gestellt werden, besonders durch Publikationen auch in die Gebiete der Wissenschaft direkt einzugreifen, die wir jetzt noch bei Seite lassen können, und wir werden diesen Umstand als eine Mahnung betrachten müssen, von der Thätigkeit, wie sie sich uns jetzt von selbst vorschreibt, nicht zu viel auf eine unbestimmte Zukunft zu vertagen.

Die §§. 1–3 der Satzungen stellen das allgemeinste Bild der Aufgabe so dar, daß möglichst reichhaltige kunst- und kulturgeschichtliche Sammlungen aufgestellt, damit eine Bibliothek und ein Archiv, letzteres vorzugsweise zur Rettung bedrohten Materials bestimmt, verbunden werden sollen, daß außer den Katalogen auch durch Repertorien schriftliche und bildliche Nachweise über verwandtes, nicht in den Sammlungen selbst befindliches Material an diese geknüpft werde, und daß endlich Publikationen durch die Anstalt erfolgen sollen. Dieselbe ist also im Wesentlichen eine Lehranstalt. Wenn wir vorläufig von den Publikationen absehen, so geschieht dies deshalb, weil in erster Linie durch die Statuten die Sammlungen selbst berücksichtigt sind, und diese somit auch in erster Linie gefördert werden sollen, weil die Sammlungen ein in sich geschlossenes Ganze darstellen, bei dessen Betrachtung und Verfolgung man wesentlich sich belehren kann. Um diesen Zweck aber zu erreichen, muß die ganze Anstalt so übersichtlich als möglich eingetheilt sein; sie muß in einzelne Abtheilungen zerlegt, spezialisiert werden. Es wurde daher eine Reihe von Einzelabtheilungen gebildet, deren jede eine zusammengehörige Gruppe von Denkmälern enthält. Wenn auch bei der Gruppenbildung zunächst für jede einzelne, die aus der Sache selbst hervorgehenden, besonderen Grundsätze maßgebend waren, so wurde doch gesucht, die Nebeneinanderstellung der Gruppen so anzuordnen, daß Vergleiche zwischen den verschiedenen Fächern angestellt werden können. Man war bestrebt, für eine Reihe von Fächern so viel Material

in Original und Nachbildung zu sammeln, daß der gesammte Entwicklungsgang sich darin veranschaulicht, daß vor Allem das Wichtigste, das, was am meisten charakterisiert, vertreten ist. Wo nun ein Fach so weit gefördert war, suchte man es, wo möglich, bis dahin noch zu vervollständigen, daß auch derjenige, welcher nicht blos eine allgemeine Uebersicht haben, sondern Spezialstudien machen will, das nöthige Material vorfindet; hiezu dienen besonders, neben den in die Sammlungen eingereihten Originalen und Nachbildungen, die bildlichen Repertorien – eine Sammlung von Abbildungen in Kupferstich, Holzschnitt, Aquarellen, Photograpieen, Handzeichnungen, die systematisch eben so wie die Sammlungen selbst geordnet sind, so daß jene Abtheilung mit ihren Unterabtheilungen sich direkt an eine Abtheilung der Sammlungen anschließt.

Eine solche Zerlegung in einzelne, sich immer mehr detaillierende Spezialgebiete geschah an der Hand des zur Richtschnur genommenen, von Freiherrn v. Aufseß unter mehrfacher Mitwirkung Dritter verfaßten „Systemes der deutschen Geschichts- und Alterthumskunde". Dasselbe ist so organisiert, daß es alle Beziehungen des menschlichen Lebens, seiner äußerlichen Thätigkeit und seines Geistes zu umfassen strebt und alle in gegenseitige Beziehungen bringt. Wenn auch, wie dies in der Natur eines Systemes liegt, schematisch trocken, so entfaltet sich doch in demselben das ganze reiche Leben und der ganze Gang der Geschichte in ihren vielseitigen Beziehungen, wird der innere Zusammenhang aller ihrer Theile nachgewiesen, und es gehört somit jedenfalls zu den Verdiensten des germanischen Museums, die Zweige der Kunst- und Alterthumswissenschaft, als großes einheitliches Ganze verbunden, als Grundlage einer solchen Anstalt in's Auge gefaßt zu haben.

Im Einzelnen freilich waren Verbesserungen nöthig und auch leicht möglich; wir können sie hier nicht alle verfolgen, sondern wollen nur auf die aufmerksam machen, die auf die Sammlungen selbst, auf das Verständniß derselben, auf die Art ihrer Aufstellung Einfluß haben. So ist auf dem Gebiete der Künste speziell sowohl, als auf dem Gebiete der Formenwelt überhaupt die Architektur nicht als die große Mutter, nicht als jener wichtige, geistig treibende, fast alle anderen Künste belebende Gedanke dargestellt, an dem sich alle Kunstthätigkeit erwärmt, der in der gesammten Formenwelt in erster Linie entscheidet, der vorzugsweise für die Auffassung des gegenseitigen Verhältnisses, von äußerer Aufgabe, geistigen Gedanken, materiellem Stoff, Technik und Form maßgebend war, der, allen andern Gebieten der Kunst- und Gewerbsthätigkeit vorausschreitend, sich entwickelte. So ist bei den vielseitigen Berührungspunkten, die alle Einzelgebiete der Kultur unter sich haben, nicht überall der wichtigste Bezug zur Berührung gewählt und dadurch manches Zusammengehörige getrennt, Manches, was sich naturgemäß mit und an einander entwickelt hat, in verschiedene, ferne liegende Abtheilungen verwiesen, Manches nur sehr künstlich in das System hineinverflochten. So war z. B. für die Gewebe kein anderer Platz, an dem sie in das System eingereiht werden können, als die Gewerbstechnik; für die große künstlerische Gedankenfülle, die sich in Zeichnung und Farbe auf den Geweben zeigt, ist kein Raum, ja sie müßten nach dem Systeme selbst in verschiedene Abtheilungen getrennt werden, wo sie nach ihrer Verwendung in Haus und Kirche eingereiht würden. Die Stickerei ist davon geschieden, und in innige Berührung mit Email, Glasmalerei etc. gebracht, denen sie jedenfalls ferner liegt als den Geweben. Das Email ist von der Goldschmiedearbeit losgerissen, mit und an der es sich entwickelt hat, weil die Begriffe Pinselmalerei, Stoffmalerei u. s. w. künstlich herbeitheoretisiert sind, statt daß sich das System an den Entwicklungsgang gehalten hätte, den im Laufe der Jahrhunderte diese Künste genommen.

Wenn wir nun nicht zunächst an Abänderungen dieses Systems gegangen sind, so hat dies seinen Grund darin, daß es sich doch nur um Einzelheiten handelte, und daß damit im Ganzen wenig gewonnen wäre. Es zeigen sich bei jedem Gebiete, das durch eine solche Unterabtheilung repräsentiert ist, so viele Berührungspunkte nach verschiedenen Seiten hin, daß ein tabellarisch gefaßtes System nie alle diese Berührungspunkte zeigen kann. Eine Sammlung kann dem Publikum nicht nach einem rein theoretischen Systeme geordnet vor Augen geführt werden, weil das Publikum nie sich herbeilassen wird, vor Betrachtung derselben sich das System einzuprägen, um orientiert zu sein, weshalb dieser oder jener Gegenstand gerade an der oder jener Stelle erscheint, an der man ihn sonst nicht suchen würde. Vollends unklar und statt belehrend geradezu verwirrend würde aber der Eindruck sein, so lange nicht das gesammte Material zur Darstellung des ganzen Systemes vorhanden ist, sondern noch allenthalben Lücken sich zeigen. Ja gewisse Lücken lassen sich absolut gar nicht ausfüllen, weil nicht für alle Unterabtheilungen des Systemes überhaupt greifbare Monumente da sind, weil sich der geistige Theil, der ja so wichtig ist, nicht in Monumenten darstellen läßt. Bei Aufstellung der Sammlungen kommen viele praktische Erwägungen entgegen, die weit bestimmender sein müssen, als irgend ein theoretisches System. Anders verhält sich die Sache bei den Abtheilungen, die nicht dem Publikum vor Augen geführt, sondern nur zum Studium bereit gestellt sind; diese werden am zweckmäßigsten nach einem theoretischen System geordnet. Da kommt es aber nicht darauf an, ob gerade die wichtigsten Beziehungen heraustreten, so daß also eine Aenderung des offiziellen, vorgezeichneten Systems gar nicht vorgenommen wurde. Am meisten findet dasselbe seinen Ausdruck im systematischen Katalog der Bibliothek. Dort allein kommen alle Abtheilungen und Unterabtheilungen vor; allein es ist auch gleichgültig, an welcher Stelle eine solche Abtheilung und Unterabtheilung der Katalogzettel steht, wenn man nur in jeder Unterabtheilung alles Zusammengehörige auch beisammen hat. In einzelnen Gruppen der Kunst- und Alterthumssammlungen zeigt sich auch wieder annährend das ganze umfassende System, so z. B. in den historischen und kulturgeschichtlichen Blättern; doch auch hier kommt, so lange sie in Mappen liegen, weniger darauf an, daß das System absolut vollkommen sei, als daß

man sie gut finden kann. Bei dem Theile der Sammlung dagegen, welcher dem Publikum unter Glas vor Augen geführt wird, müssen naturgemäß wieder andere Rücksichten eintreten.

Soweit daher die kunst- und kulturgeschichtlichen Sammlungen, die in dem Systeme vorhandenen Abtheilungen repräsentieren können, bilden sie verschiedene naturgemäße Gruppen. Zu solchen haben sich, meist von praktischen Gesichtspunkten aus, die Sammlungen nach und nach concentriert, und eben sind wir damit beschäftigt, bei einer totalen Revision der Sammlungen und Kataloge die letzten Inkonsequenzen zu beseitigen und die zusammengehörigen Gruppen äußerlich noch mehr zusammenzufügen. Diese Gruppen müssen auch wol für die nächste Zeit festgehalten werden, wenn nicht auf's Neue das ganze Museum in ein Chaos zerlegt und daraus wieder neu geschaffen werden soll. Diese Gruppen sind folgende[3]:

1. Architektur, Bautheile und Baumaterialien.
2. Ornamentale Plastik.
3. Figürliche Plastik.
4. Grabdenkmale.
5. Kleine Plastik.
6. Siegel.
7. Medaillen.
8. Monumentale Malerei (Mosaik, Wandmalerei, Glasmalerei).
9. Gemälde.
10. Miniaturmalerei.
11. Handzeichnungen.
12. Holzschnitte.
13. Kupferstiche.
14. Schrift- und Druckproben.
15. Kulturgeschichtliche Blätter.
16. Historische Blätter.

---

[3] Die Abteilungen wurden später auf 41 erweitert. Das Programm von 1884 (Anm. 1) sah folgende Einteilung vor:
A. Vorchristliche und frühchristliche Altertümer. Abteilungsbuchstabe V.
    1. Vorgeschichtliche Denkmäler.
    2. Römische Denkmäler.
    3. Germanische Denkmäler.
B. 4. Architektur, Bauteile, Baumaterialien. Abteilungsbuchstabe A.
C. Plastik.

5. Ornamentale Plastik	Abteilungsbuchst.	O. P.
6. Figürliche Plastik	"	F. P.
7. Grabdenkmale	"	Gd.
8. Kleine Plastik	"	K. P.
9. Siegel	"	S.
10. Medaillen	"	M.

D. Malerei.

11. Monumentale Malerei (Mosaik-, Wand- und Glasmalerei)	"	M. M.
12. Gemälde		Gm.

997

17. Genealogische und heraldische Blätter.
18. Porträte.
19. Landkarten und Prospekte.
20. Gewebe und Stickereien, Nadelarbeiten, Spitzen.
21. Büchereinbände.
22. Musikalische Instrumente.
23. Astronomische, geographische und mathematische Instrumente.
24. Hausmobiliar und Geräthe.
25. Trachten und Schmuck.
26. Waffen.
27. Staats- und Rechtsleben.
28. Kirchliche Geräthe, Gefäße und Gewänder.
29. Erwerbs- und Verkehrswesen.
30. Zunftwesen, Corporationen und Gesellschaften.
31. Münzen, Jetons, Zeichen, Maße und Gewichte.
32. Vorchristliche Alterthümer.

Wenn wir hier bei Aufzählung der Gruppen nicht die Ordnung des Systems eingehalten haben, so entwickelt sich dies theilweise aus dem Vorausgeschickten, zum Theil aber aus der Praxis der Verwaltung. So müssen naturgemäß der Aufbewahrung und Verwaltung wegen alle Blättersammlungen in äußeren Zusammenhang gebracht werden; das System legt die Städteansichten, die Landkarten, die Porträte, die kulturgeschichtlichen Darstellungen, die Blätter, welche die Geschichte des Holzschnitts und der Kupferstecherkunst repräsentieren, weit auseinander; in der Praxis ist eine Verwaltung nicht denkbar, wenn diese nicht in äußerem Zusammenhange stehen. Zuweilen sind es auch unsere Lokalitäten, welche den verschiedenen Gruppen einen andern Zusammenhang anweisen. So weit, als es angieng, haben wir versucht, auch hier die Anordnung systematisch zu halten.

II.

Unsere Sammlungen sollen vorzugsweise kulturgeschichtliche sein; wir haben daher in erster Linie die verschiedenen Künste, als die Blüthen der Kultur, in's Auge gefaßt, und dies um so mehr, als auf diesen Gebieten gerade die Monumente die wichtigste Rolle spielen und als in ihnen diejenigen Theile

E. Graphische Künste (Kupferstichkabinet).

13. Miniaturmalereien	Abteilungsbuchst.	Mm.
14. Handzeichnungen	"	Hz.
15. Holzschnitte	"	H.
16. Kupferstiche	"	K.
17. Lithographieen	"	L.
18. Papier, Schriftarten, Druckproben	"	S.D.

} Material zum Studium der Bedeutung u. Entwickelung der betreffenden Künste.

19. Historische Blätter	"	H. B.
20. Porträte	"	P.
21. Landkarten	"	L.
22. Stadtpläne u. Prospekte	"	S. P.

} Durch den Inhalt des Dargestellten als Geschichtsquellen interessierendes Material.

F. Künste, Wissenschaften und Gewerbe.

23. Musikinstrumente	Abteilungsbuchst.	M. I.
24. Wissenschaftl., d. h. astronomische, geograph. u. mathem. Instrumente	"	W. I.
25. Technische Instrumente u. Apparate	"	T. I.
26. Büchereinbände	"	B.

27. Gewebe, Stickereien, Nadelarbeiten	Abteilungsbuchst.	G.
G. 28. Denkmäler des Staats- u. Rechtslebens	"	S.R.
29. Denkmäler des Kriegswesens, Waffen	"	W.
H. Häusliches und geselliges Leben.		
30. Hausmobilien und Geräte	"	
31. Trachten und Schmuck.	"	T.
I. 32. Kirchliches Leben, Geräte, Gefäße u. Gewänder	"	K.G.
K. Erwerbs- und Verkehrswesen.		
33. Zunftwesen	"	Z.
34. Handel u. Verkehr (Handelsmuseum)	"	H.M.
35. Münzen, Zeichen, Jetons	"	M.

L. 36. Archiv.
Studienmaterial:
M. 37. Abbildungssammlung (Bilderrepertorium).
N. Bibliothek.
38. Sammlung für Geschichte der Buchdruckerkunst
39. Sonstige kulturgeschichtliche Originaldenkmäler

} Nur der Form wegen bei der Bibliothek.

40. Kunst- und kulturgeschichtliche Litteratur.
41. Historische Litteratur.

der Kultur repräsentiert sind, welche nicht nur historisches Interesse haben, welche nicht nur der Wissenschaft angehören, sondern durch die Schönheit der Formen zum Gefühle und zu den Herzen Aller am lautesten sprechen. Der Systematik, der wir nicht entsagen wollen, entsprechen wir damit wohl auch, besonders indem wir nicht die populärste, sondern die größte und bedeutendste aller Künste, die Mutter aller übrigen, die Architektur an die Spitze stellen.

In Original können wir allerdings die Monumente derselben nicht in die Sammlungen aufnehmen; doch haben wir eine Sammlung von Modellen der wichtigsten Bauwerke, in denen sich auf dem Gebiete der kirchlichen, der bürgerlichen und der Kriegsbaukunst der Entwicklungsgang verfolgen läßt, in's Auge zu fassen. An die Verwirklichung dieses Gedankens ist bis jetzt noch nicht Hand gelegt; die Art, wie wir uns solche ausgeführt denken, ist wesentlich die, welche Kallenbach[4] bei den von ihm für das Berliner Museum ausgeführten Modellen eingehalten hat. Eine Sammlung, wie diese mustergültige Berliner, wenn sie eine mit Verständniß ausgewählte Serie der wichtigsten Monumente in gleichem, nicht zu kleinem Maßstabe vorführt, gibt jedem Beschauer ein Bild des Entwicklungsganges, während dem Forscher die Abbildungen in den Mappen, sowie die wichtigen Publikationen in der Bibliothek Gelegenheit zum Nachschlagen und Material zu systematischen Studien bieten. Diese Mappen, welche hier die jeder einzelnen Abtheilung angefügte Abbildungssammlung enthalten, sind bereits in dieser Abtheilung sehr reich, und es lassen sich selbst ohne Zuhülfenahme der Bibliothek jetzt schon eingehende Studien machen. Die Zahl der Blätter beträgt mehrere Tausende; sie sind wohlgeordnet, so daß die Resultate sofort in die Augen springen.

Die Sammlung dieser ersten Gruppe selbst umfaßt eine Anzahl Bautheile. Der Katalog darüber liegt gedruckt vor[5]; indessen hat sich in der kurzen Zeit, die seit der Drucklegung verflossen ist, diese Sammlung schon sehr bedeutend vermehrt, und die Ziffer Tausend dürfte im Katalog bald erreicht sein. Es ist natürlich, daß umfangreiche, schwere Fragmente von abgetragenen Gebäuden nur aus der Nähe aufgenommen werden können. Ist es überhaupt schon betrübend, daß in unserer Zeit weit mehr alte Bauwerke vernichtet werden, als das eigentliche Bedürfniß erfordert, so würde es noch betrübender sein, wenn nicht wenigstens allenthalben in den Lokalmuseen sich Raum für die interessanteren Ueberreste fände; und so wird auch selten Nothwendigkeit wie Gelegenheit da sein, aus der Ferne größere Fragmente hieher zu schaffen; das Nationalmuseum tritt hier ganz auf die gleiche Stufe mit den lokalen Museen, indem es im Wesentlichen nur die hier in Nürnberg selbst sich findenden Trümmer sammelt und aufbewahrt. Da wir jedoch nicht blos den rohen Kern der Gebäude, sondern Alles, was fest steht und einen Theil des Baues bildet, hieher rechnen, wie Fußbodenbelege, Thüren, Fenster, Gitter, Schlosserarbeiten, Oefen, so hat unsere Sammlung einige Abtheilungen, die systematisch abgerundet und jetzt schon von großer Bedeutung sind, so die Sammlung der Fliesen (Fußboden- und Wandbelegplatten), die keiner

andern nachsteht, die ausgezeichnete Sammlung von Oefen und Ofenkacheln, dann die der Schlosserarbeiten. Diese Sammlungen lassen sich auch ferner mit geringen Kosten weiter ausbilden, und die noch vorhandenen Lücken werden sich mehr und mehr ausfüllen.

III.

Es lassen sich bei manchen Stücken nur schwer die Grenzen bestimmen, welche diese Theile des Baues von der folgenden Abtheilung, der ornamentalen Plastik, trennen. Ein Kapitäl, ein Schlußstein, ein Wasserspeier, ein geschnitzter Balken und anderes gehören, so zu sagen, in beide Abtheilungen; es müssen deshalb, da bei der Zutheilung trotz aller Sorgfalt mitunter Inconsequenzen vorkommen, beide Abtheilungen äußerlich sich nahe gerückt sein, und unsere Kreuzgänge mit ihren Nebenräumen bieten dazu die besten Aufstellungsorte[6]. Die Sammlung der ornamentalen Plastik zählt jetzt ca. 200 Nummern. Ihr wurde in der letzten Zeit, wie der vorhergehenden Abtheilung, besondere Aufmerksamkeit gewidmet. Da es sich hier vorzugsweise um Gypsabgüsse handelt, so können die nöthigen Materialien leicht beigeschafft werden, und wir denken ebenso, wie in letzter Zeit in verschiedenen Städten Abgüsse angefertigt worden sind, damit fortzufahren und recht bald einen Ueberblick über den Entwicklungsgang der architektonischen Ornamentik mit Rücksicht auf die einzelnen Provinzialschulen und wichtigsten Baudenkmale zu geben.

IV.

In das architektonische Ornament mengt sich die Thier- und Menschengestalt ein, und so läßt sich auch wiederum die Grenze zwischen ornamentaler und figuraler Plastik nicht genau ziehen; auch hier ist deshalb nöthig, daß beide Abtheilungen in äußerer Verbindung stehen und sich möglichst eng an einander anschließen. Wir haben als Grundsatz für die

4 Georg Gottfried Kallenbach hatte für die Kgl. Kunstkammer in Berlin, und zwar für die Abteilung älterer Architekturmodelle aus Kork seit den vierziger Jahren des 19. Jahrhunderts eine Reihe Modelle aus Papiermaché angefertigt. Vgl. Leopold von Ledebur: Leitfaden für die Kgl. Kunstkammer und das Ethnographische Cabinet zu Berlin. Berlin 1844, S. 67 (drei Modelle). Der Führer von 1859 nennt 76 Modelle Kallenbachs: Richard Fischer: Historisch-kritische Beschreibung der Kunstkammer in dem Neuen Museum zu Berlin. Berlin 1859, S. 8–10. – Zu Kallenbachs Modellen vgl. auch: Franz Kugler: Architektonische Modelle. In: Franz Kugler: Kleine Schriften und Studien zur Kunstgeschichte, Bd. 2. Stuttgart 1854, S. 381–382 (aus: Kunstblatt 1842).
5 (August Essenwein:) Katalog der im germanischen Museum befindlichen Bautheile und Baumaterialien aus älterer Zeit. Nürnberg 1868.
6 Photographien des Kreuzganges aus dem letzten Viertel des vorigen Jahrhunderts zeigen den Grabdenkmälern gegenüber zwischen den Fenstern Serien von Abgüssen nach Kapitellen; vgl. Kupferstichkabinett GNM, Kapsel 1442a.

Zutheilung aufgestellt, daß diejenigen Figuren, welche, sei es als Relief oder rund, selbständig sind, die Abtheilung der figürlichen Plastik bilden, während diejenigen, welche an Kapitälen, Konsolen, Schlußsteinen vorkommen, die Wasserspeier, Krönungsfiguren, kurz alle diejenigen, welche in der Regel mehr handwerksmäßig gearbeitet, strenger stylisiert, auf den Ferneffect berechnet sind und überhaupt selbständig nicht gedacht werden können, in die vorige Abtheilung eingereiht werden. Während wir in der vorigen Abtheilung, obwohl die Zahl der Nummern noch nicht groß ist, doch wenigstens einen annähernden Ueberblick über den Entwicklungsgang des Ornaments jetzt schon finden können, sind wir auf dem Gebiete der großen figürlichen Plastik davon noch sehr weit entfernt. Die Zahl der Nummern beläuft sich ungefähr auf 260, darunter etwa 105 Originale; allein meist sind letztere nur Repräsentanten der späteren Zeit, vorzugsweise der fränkischen Schule. Die großen klassischen Arbeiten aus Freiberg, Wechselburg, Bamberg, Straßburg, Freiburg, Köln sind noch vollständig unvertreten, und es muß mit zu den ersten Aufgaben gehören, den Entwicklungsgang der deutschen Skulptur mit Berücksichtigung aller Schulen durch gute Gypsabgüsse der bedeutendsten Werke dem Publikum vor Augen zu führen. – Die Reihe der Abbildungen, die sich an diese Abtheilung anschließt, ist zum Theil, weil das Material schwer zugänglich noch nicht reich genug, um für das Studium das zu ersetzen, was der Sammlung noch fehlt.

V.

Wir betrachten im Zusammenhange mit der figürlichen Plastik die Sammlung der Grabdenkmale theils, weil in ihnen die figürliche Plastik eine so große Rolle spielt, ja, weil gewisse Schulen in den Grabdenkmalen ihre höchsten Triumphe gefeiert haben, theils auch deshalb, weil sie naturgemäß in äußerer Verbindung mit den beiden letztgenannten Abtheilungen bleiben müssen. In der Sammlung der Grabdenkmale, die bis jetzt durch 6 Originale und 64 Abgüsse vertreten ist, zeigt sich neben dem künstlerischen auch das historische Moment in voller Bedeutung; dieselbe wird in ihrer chronologischen Ordnung auch den Entwicklungsgang zeigen, den die Grabsteine im Laufe der Zeiten genommen. Die den ersten Jahrhunderten angehörigen kleinen Inschriftsteine mit den Symbolen, die sich auch in den Katakomben Roms finden, die größeren, mit Kreuzen und Bischofsstäben versehenen, unten schmaleren oben breiteren Steine der Karolinger-Zeit und des 10. Jahrhunderts, die einfachen, jedoch schon mit plastischem Schmucke ausgestatteten Steine des 11. Jahrhunderts, wie sie uns die Hildesheimer Denkmäler darstellen, machen den Figuren der Bestatteten auf dem Deckel der Tumba Platz, und in ihnen zeigen sich im 13. und 14. Jahrh. einige der glänzendsten Leistungen der figürlichen Plastik. Die Inschriften, kurz gefaßt, Namen und Todestag angebend, sind auf den Rand beschränkt. Neben den plastischen Figurengrabsteinen, die als Deckel von Tumben über der Erde lagen, gehen die blos in

den Stein eingeritzten, meist einfachen, sowie die gravierten Metallplatten her; auch bloße Wappengrabsteine zeigen sich. Mit dem 16. Jahrhundert kommen die mehr architektonisch gehaltenen auf, in denen die Figuren in Nischen stehen, mitunter auch klein, häufig die ganze Familie in einem Relief versammelt, um das Kreuz knieend. Dieser Entwicklungsgang läßt sich in seinen verschiedenen Nuancen jetzt schon verfolgen; allein die Aufgabe ist denn doch hier noch eine andere. Wir haben da nicht blos die kulturgeschichtliche Seite in's Auge zu fassen: die Grabdenkmäler sind zugleich Geschichtsdenkmäler; sie führen uns das Gedächtniß der großen Männer, zum Theil ihre Gestalt, vor; in ihnen begegnen uns die Namen und Repräsentanten der großen und mächtigen Familien, die schon durch Macht und Besitz, auch wenn nicht jedes einzelne Mitglied große Thaten verrichtete, auf die Geschicke Deutschlands wichtigen Einfluß ausübten; sie zeigen uns die Feldherren, die Künstler und Gelehrten, welche den deutschen Namen groß gemacht haben, und den Mittelpunkt der ganzen Serie bilden die deutschen Könige und Kaiser, die idealen Träger der Weltherrschaft. Auf diesem Gebiete können wir uns also nicht begnügen, den kulturgeschichtlichen Entwicklungsgang zu verfolgen; hier müssen wir weiter gehen. Diese Sammlung muß eine Walhalla werden, in der sich die Geschichte Deutschlands und seiner großen Männer spiegelt, und mit Rücksicht auf die nationale, patriotische Seite unserer Aufgabe, wie mit Rücksicht auf den praktischen Umstand, daß unsere fertigen Kreuzgänge nur durch diese Grabdenkmale entsprechende Ausfüllung finden, müssen wir die Beschaffung derselben als die erste Hauptaufgabe betrachten.

Die Frage, ob die Grabsteine zu stellen, oder zu legen seien, wurde in ersterem Sinne entschieden. Selbst wenn man sie auf den Boden legen wollte, würde nicht der zur Beurtheilung der künstlerischen Bedeutung nöthige Standpunkt zu gewinnen sein. Die allgemeine Regel, daß man, um einen Gegenstand übersehen und beurtheilen zu können, und nicht verzogene und verschobene Linien vor sich zu haben, eine Entfernung einnehmen muß, welche mindestens der Größe des Gegenstandes gleich und dem Mittelpunkte des Gegenstandes möglichst direkte gegenüber sich befindet, erlaubt es nicht, daß der Gegenstand, welcher im Durchschnitte größer als die Höhe des menschlichen Auges vom Boden ist, auf den Boden gelegt werde; als Deckel einer Tumba aber entzieht sich derselbe geradezu dem Anblicke, und da in einem Museum Belehrung die Hauptsache ist, so können wir Tumben nur an Orten aufstellen, wo durch eine Gallerie ein so erhöhter Standpunkt zu bekommen ist, daß man den Deckel derselben von oben gehörig übersehen kann. Wo die Tumba selbst solche Bedeutung hat, daß uns ein Abguß des Deckels nicht genügt, da müssen wir besondere, dem Kreuzgange sich anschließende Lokalitäten dafür benützen, und wenn ein Ueberblick nicht gewonnen werden kann, außer dem vollständigen Abgusse der Tumba noch einen Abguß des Deckels an der Wand aufstellen.

Wenn wir des großen Umfanges, sowie auch der damit verbundenen Kosten wegen in der Beschaffung der Abgüsse uns immerhin eine gewisse Beschränkung werden auferlegen müssen, so kann dagegen die Sammlung der Abbildungen, die sich daran anschließt, umfassend und groß sein. Auch jetzt schon ist sie an Umfang ziemlich ansehnlich. Sie ist, wie alle unsere Sammlungen, bei denen es der Natur der Sache nach thunlich ist, chronologisch geordnet; früher war sie es, wie alle Sammlungen, bei denen dies überhaupt möglich, nach dem Alphabet, und wir werden wol auch, wenn sie etwa den dreifachen Umfang der jetzigen erreicht haben und wenn die Reihe der Abgüsse eine Uebersicht über den Entwicklungsgang aller der kunst- und kulturgeschichtlichen Momente bieten wird, diese Blätter wieder alphabetisch ordnen, um in einem gegebenen Falle das Gesuchte möglichst rasch zu finden.

VI.

Eine weitere Abtheilung unserer Sammlungen wird die Monumenten-Gruppe der kleinen Plastik bilden müssen. Dieselbe hat jetzt mit der großen Plastik gemeinsam ihre Stelle in der ehemaligen Kirche. Es sind daselbst eine Reihe von Glasschränken aufgestellt, von denen einer die interessanten, zum Theile kostbaren Originale enthält, die ohne Unterabtheilungen, ohne Rücksicht auf den Stoff chronologisch geordnet sind. Es läßt sich aus dieser Uebersicht, obwohl von einer Vollständigkeit hier durchaus nicht die Rede sein kann, ein nicht uninteressanter Ueberblick auch darüber gewinnen, welche Materialien man zu jeder Zeit vorzugsweise anwendete, welche Rolle Bronze, Elfenbein, Alabaster, Speckstein, Holz, Perlmutter, Wachs u. A. spielten, und wie sich die Formen in der gleichen Zeit nach dem Material verschieden entwickelten. Die Sammlung der Originale umfaßt jetzt 225 Stück. Eine Erweiterung derselben hängt natürlich fast vollständig vom Zufall ab, und wir können an systematischer Entwicklung hier nicht arbeiten; wohl aber läßt sich diese erreichen in Gypsabgüssen, die gut und verhältnißmäßig billig herzustellen sind. Dann ist es aber nöthig, nach dem Material einzelne Reihen zu bilden. Sehr bedeutend ist jetzt schon unsere Reihe von Abgüssen nach Elfenbeinsculpturen, die aus 350 Stück besteht. Hier tritt von der römischen Periode bis in das 17. Jahrhundert der ganze Entwicklungsgang klar vor Augen; man sieht nicht nur, welche Formen sich, theilnehmend an der großen Stylentwicklung, hier ausgebildet haben, welche Einflüsse von der Antike übrig geblieben, wie die nordische Kunst, wie die byzantinischen Elemente, wie Italien und Frankreich im Laufe der Zeiten auf die deutsche Kunst Einfluß übten, man sieht auch welche Aufgaben der Kunst der Elfenbeinschneiderei in den verschiedenen Zeiten gestellt wurde. Da sind die Diptychen und Triptychen, die Ceremonienkämme, die Pyxen, die Hörner, die Täfelchen der Büchereinbände, einzelne Rundfiguren, Kästchen, Schachfiguren und Brettsteine, Bischofsstäbe, Spiegelkapseln u. A. bis zu den geschnitzten Humpen und Pokalen des 16.–18. Jahrhunderts vertreten. Diese Serie, noch mancher

Ergänzung fähig und bedürftig, war in den letzten Jahren Gegenstand besonderer Aufmerksamkeit und wird dies auch ferner bleiben, da sie eine der interessantesten und belehrendsten Reihen ist, und da sich in ihr, wie nicht leicht in einer andern, der Geist und die Entwicklung der Kunst kundgibt. Haben wir hier den Abgüssen so große Sorgfalt zuzuwenden, so wird die Sammlung der Abbildungen, die sich daran anschließt, von geringerer Bedeutung sein und nur da als Ergänzung eintreten müssen, wo die Abnahme von Formen von den Originalen aus Engherzigkeit nicht gestattet, oder wo, wie dies leider noch vorkommt, nur sehr mangelhafte Abgüsse zu erlangen sind.

So schön, wie bei der Elfenbeinsculptur, läßt sich eine Uebersicht über den Entwicklungsgang bei den übrigen Zweigen der kleinen Plastik nicht leicht geben. Es ist hier, wie auch schon unsere Sammlung zeigt, mit Ausnahme einzelner weniger Abgüsse von Bronzen, in Metall getriebenen Figuren, Alabaster und anderen Sculpturen, die uns aus früherer Zeit begegnen, wesentlich das 16. Jahrhundert, das uns mit einer Fülle künstlerisch vollendeter kleiner Denkmale in Holz, Kehlheimer Stein, gebranntem Thon und anderen Materialien entgegentritt. Von einzelnen Abtheilungen lassen sich überhaupt Abgüsse nicht herstellen, wie z. B. von den Wachssculpturen; hier müssen wir uns also, und können es auch mit Rücksicht auf die späte Zeit und verhältnißmäßig nicht so hohe künstlerische Bedeutung, wol mit den wenigen Originalen begnügen.

VII.

Der Plastik schließe ich in einer eigenen, selbständigen Abtheilung die Siegelsammlung an. Man kann diese allerdings von den verschiedensten Seiten betrachten; denn Siegel können im Anhange an die Urkundensammlung als integrierende Bestandtheile derselben angesehen, sie können als persönliche Denkmäler von der rein historischen Seite aufgefaßt, sie können auch als heraldische betrachtet werden, und es läßt sich an ihnen der Entwicklungsgang einer ganzen Reihe von kulturhistorischen Gesichtspunkten in's Auge fassen. Vor Allem ist es der Entwicklungsgang der Plastik, den uns die Siegel selbst aus einer Zeit vor Augen führen und durch viele Repräsentanten erkennen lassen, aus der wir sonstige Denkmäler fast gar nicht oder nur in geringer Zahl haben. Mit Rücksicht darauf, daß sich so vielseitige Gesichtspunkte hier verfolgen lassen[7], erscheint auch die Aufgabe, die Siegel-

---

[7] Auch die Kgl. Kunstkammer Berlin besaß eine große Sammlung originaler von Urkunden abgeschnittener Wachssiegel. Auf den künstlerischen Rang vieler Siegel als Kleinplastiken und ihrer Bedeutung für die Kunstgeschichte der Jahrhunderte, aus denen andere Plastiken nicht oder kaum vorhanden seien, hatte Franz Kugler mehrfach hingewiesen. Für Essenwein wichtig dürften vor allem gewesen sein: Franz Kugler: Beschreibung der in der

sammlung zu pflegen, eine desto wichtigere, die Art, wie dies geschehen, die Art, wie sie geordnet werden soll, eine um so schwierigere. Unsere Sammlung, bei der zur Zeit die Einreihung der Rein'schen Sammlung[8] und die damit in Verbindung stehende, durch viele Einschübe von selbst sich ergebende neue Anordnung noch nicht beendet ist, zählt ca. 11,000 Nummern, die bereits eingereiht und katalogisiert sind, während eine noch gar nicht nennbare, vielleicht auch 10,000 Nummern betragende Reihe der Einordnung und Katalogisierung harrt. Man hatte nämlich früher ziemlich streng an der Jahreszahl 1650 festgehalten und spätere Stücke in das Depot verwiesen. Sind nun auch eine Reihe von Siegeln aus dem Depot mit guten Katalogzetteln versehen, so sind sie doch nicht eingereiht, noch numeriert, was jetzt zugleich mit der Einordnung der Rein'schen Sammlung geschieht; auch läßt sich noch nicht feststellen, welche Zahl von Dupletten sich durch die Rein'sche Sammlung ergibt, so daß also im Augenblicke die Zahl der zu erwartenden Einreihungen nicht einmal nur annähernd festgestellt werden kann. Die Anordnung der Sammlung, wie sie jetzt durchgeführt wird, ist folgende. Es sind zunächst zwei Hauptabtheilungen in Aussicht genommen. Die eine soll den Entwicklungsgang der formellen Seite der Sphragistik zeigen und deshalb chronologisch geordnet werden; die absolute Chronologie wird allerdings hier nicht eingehalten werden können, da es sich auch darum handeln wird, den Entwicklungsgang gewisser Detailformen zu zeigen. Da außer der künstlerischen Form die Verfolgung des Entwicklungsganges auch noch nach manchen anderen Seiten hin interessant ist, so in Ansehung der Farbe des Wachses, der Hüllen, Kapseln aus Wachs, Holz und Blech und noch verschiedener anderer Einzelheiten, so wurden zu dieser Gruppe die vorhandenen Originalsiegel bestimmt, welche allerdings für die älteste Zeit noch Lücken lassen. Eine zweite Abtheilung der Siegelsammlung dagegen soll mit möglichster Rücksicht auf Vollständigkeit die Siegel der einzelnen Familien und ihrer Glieder, der Serien der Fürsten, Bischöfe, Aebte, die Siegel der Städte zeigen. In diese Abtheilung sollen auch Abgüsse aller in der ersten Abtheilung der Siegelsammlung, sowie der im Archive befindlichen Originalsiegel eingereiht werden. Die erste Rücksicht bei dieser zweiten Abtheilung der Siegelsammlung geht dahin, irgend ein gesuchtes Siegel so einfach und rasch als möglich finden zu können, und es war allerdings die Frage, ob deshalb nicht die früher einmal in der Siegelsammlung bestandene, rein alphabetische Ordnung wieder einzuführen sei. Doch schien es, daß derselbe Zweck auch bei einer systematischen Eintheilung, die ja für so viele Fragen wichtig ist, sich erreichen lasse. Es ist daher an die Spitze gestellt die Serie der Kaisersiegel, die in sich wieder chronologisch geordnet ist; dieser folgen die verschiedenen größeren und kleineren Reihen der Dynastensiegel, wobei die Familien in alphabetischer Reihenfolge, die Siegel innerhalb der Familie theils nach Linien, theils einfach chronologisch gelegt sind. Den weltlichen Fürsten schließen sich, wiederum in alphabetischer Reihenfolge, die Bischöfe und reichsunmittelbaren Aebte, innerhalb

jeder einzelnen Serie gleichfalls chronologisch geordnet, diesen die Klöster an, und zwar nach einzelnen Orten und innerhalb derselben alphabetisch gelegt; dann der niedere Adel, die Patrizier und die Bürgerlichen, einfach alphabetisch geordnet und, wo sich von einer Familie Serien finden, diese in chronologischer Reihenfolge; ferner die Städte und bei jeder Stadt, unmittelbar an die Gemeindesiegel anschließend, die Pfarrsiegel, Siegel der Universitäten und Schulen, wo solche vorhanden sind, der Zünfte und sonstiger Korporationen. Einen besonderern Anhang bilden die heute im Gebrauch befindlichen Siegel der Regierungen, Aemter, Gerichte und Städte. Auf neue Privatsiegel einzugehen, schien im Allgemeinen nicht entsprechend, und nur da, wo sich ältere Serien bis in die neuere Zeit fortsetzen, die Aufnahme gerechtfertigt. Wir haben daher die Siegelsammlung mit dem vorigen Jahrhunderte abgeschlossen.

Der Zufall hat uns außer den deutschen Siegeln, die allein in die Sammlung aufgenommen sind, eine unbedeutende Anzahl auswärtiger Siegel zugeführt. Wir haben diese ebenfalls als einen Anhang, obwohl sie keine complete Serie zeigen, hier angeschlossen: an der Spitze die päpstlichen Siegel, dann in alphabetischer Reihenfolge die der übrigen europäischen Könige, ferner alphabetisch geordnet, die der verschiedenen Bischöfe und Patriarchen, endlich gleichfalls alphabetisch den Rest.

In dieser doppelten, nach verschiedenen Gesichtspunkten geordneten Sammlung werden wir zunächst mit den jetzt begonnenen Arbeiten zum Ziele kommen, dann systematisch die Erweiterung betreiben müssen. Ein Bedürfnis wird sich hier allerdings nicht von der Hand weisen lassen, nämlich ein Atelier für Gypsabgüsse, sei es auch nur auf ein bis zwei Jahre, mit einem einzigen Arbeiter, da viele Abgüsse nur selbst gefertigt, viele nur im Tauschwege erhalten werden können. Diese Rücksicht wird in Erwägung zu ziehen sein bei der Frage, ob sofort, nachdem eben jene oben bezeichnete Ordnung durchgeführt sein wird, der Siegelsammlung die besondere Aufmerksamkeit geschenkt, oder die systematische Erweiterung vorläufig vertagt und nur das zufällig einlaufende Material eingereiht werden soll.

VIII.

Wie wir die Siegelsammlung sogleich nach der plastischen

Königl. Kunstkammer zu Berlin vorhandenen Kunst-Sammlung. Berlin 1838, S. IX und 18–33. – Franz Kugler: Handbuch der Kunstgeschichte. Stuttgart 1842, S. 485–86 und 582.

[8] Bei der Rein'schen Siegelsammlung handelte es sich um eine umfangreiche Sammlung von Siegelabgüssen aus dem Nachlaß des Eisenacher Professors Dr. phil. et Dr. jur. h. c. Wilhelm Rein (1809–1865), der im Frühjahr 1865 vom Verwaltungsausschuß des germanischen Nationalmuseums zum Ersten Vorstand gewählt worden war, aber noch vor der Annahme der Wahl verstarb. Zu Rein: R. Hoche: Rein, Wilhelm R. In: ADB Bd. 27 (Leipzig 1888), S. 719–20. – Hampe, Festschrift GNM, S. 76.

Kunst wegen ihrer hervorragenden Beziehung zu derselben hier betrachtet haben, so lassen wir ihr auch jetzt die Betrachtung der Medaillensammlung folgen. Allerdings ist man gewohnt, die Medaillen in unmittelbare Verbindung mit den Münzen zu bringen, und wir verkennen nicht, daß mancherlei Beziehungspunkte durch die Art der Herstellung beider gegeben sind, ja daß sich zu gewissen Zeiten die Münzen ebenso künstlerisch durchgebildet zeigen wie die Medaillen, so daß es schwer ist, wenn wir die Geschichte der Stempelschneidekunst betrachten wollen, Münzen und Medaillen zu trennen. Wir haben jedoch von vorneherein bemerkt, daß kein System alle und jede gegenseitigen Beziehungen richtig darstellen könne. Wir finden, daß bei der Münze die Frage nach der künstlerischen Gestaltung in erster Linie gar nicht maßgebend ist. Die Münze ist zuvörderst Verkehrsmittel, sie repräsentiert einen materiellen Werth, und die Frage nach Gewicht und Feingehalt ist wichtiger als die Frage nach der äußern Form und der Prägung; die Medaille dagegen ist ausschließlich Kunstwerk, der innere Materialwerth vollkommen nebensächlich und nur insoweit von Bedeutung, als es sich fragen muß, ob das Metall die Feinheit der künstlerischen Durchführung in größerem oder geringerem Maße gestattet. Im Museum war von jeher jede, auch noch so unbedeutende, Unterabtheilung für sich gesondert gehalten und mit Nr. 1 beginnend numeriert, so daß dieselben Zahlen sich hunderte Male fanden und daher Confusionen mitunter unvermeidlich waren. Naturgemäß war also auch die Medaillensammlung getrennt gehalten. Als nun die oben erwähnte Zusammenfügung in größere Gruppen stattfand, wurde die Medaillensammlung als eine besondere belassen; es kann deshalb ihre Betrachtung an dieser Stelle gesondert folgen.

Auch hier lassen sich zwei Gesichtspunkte in's Auge fassen. Der erste, der rein praktische, daß eine gesuchte Medaille schnell zu finden sei, hat bisher überwogen; die Medaillen sind nur in einige große Unterabtheilungen geschieden: 1) Porträtmedaillen, a) weltliche Fürsten, b) geistliche Fürsten, c) Adelige und Bürgerliche; 2) Medaillen auf Begebenheiten und Orte. Alle Unterabtheilungen sind in sich alphabetisch geordnet. Der Grund, weshalb diese Ordnung bis jetzt noch beibehalten wurde und nicht der zweite Gesichtspunkt maßgebend geworden ist, nämlich der, bei diesem rein künstlerischen Gebiete auch den Entwicklungsgang der Kunst darzustellen, liegt vorzüglich darin, daß noch gewisse große Lükken erst ausgefüllt werden müssen, ehe die einzelnen Schulen bestimmt hervortreten; dann aber auch darin, daß neben unserer eigenen Sammlung, die nunmehr aus 800 Nummern besteht, noch in Verbindung mit der Kreß'schen, ehemals Imhof'schen, Münzsammlung[9] sich eine sehr kostbare nürnbergische Medaillensammlung befindet, die als zusammengehörige Stiftung von jener nicht getrennt werden kann. Wir haben indessen, um auch dem wichtigeren Zweck der Medaillensammlung gerecht zu werden, für das Publikum, dem ja ohnehin nicht die ganze Sammlung vor Augen geführt werden kann, eine Uebersicht über die verschiedenen Schulen und ihren Entwicklungsgang in einer Reihe der kostbarsten, aus beiden Sammlungen genommenen Stücke ausgelegt, und zwar im Anschlusse an die Denkmäler der kleinen Plastik, und diese Uebersicht gehört zu den glänzendsten Partien unserer dem Publikum sich zeigenden Sammlungen.

Die alphabetisch geordnete eigentliche Sammlung umfaßt das 16., 17. und 18. Jahrhundert. Wir haben jedoch auch an 200 moderne Medaillen, und diese sind in neuester Zeit eingereiht und chronologisch geordnet worden. Wie wichtig die chronologische Ordnung ist, zeigt sich selbst in dieser, kaum 70 Jahre umfassenden Sammlung. Unter den Originalen befinden sich auch eine Anzahl Abgüsse und galvanoplastische Reproduktionen. Sie erfüllen hier ihren Zweck vollständig. Dagegen ist für die Sammlung der Abbildungen auf diesem Gebiete keine Aufgabe gestellt.

IX.

Wir haben die Reihen der Skulpturen von der Architektur ausgehend betrachtet, indem die monumentale Skulptur, sowohl ornamentale, als figurale, sich im engsten Bunde mit derselben, ja fast als Theil der Architektur, entwickelt hat. Von da aus sind wir unter Einschaltung der damit in Verbindung stehenden Grabdenkmale zur Betrachtung der unter dem Einflusse der großen Skulptur stehenden kleinen Plastik übergegangen. In unserem Gebäude sind alle diese Theile im Kreuzgange und den damit in unmittelbarer Verbindung stehenden Nebenräumen aufgestellt, und hier, mit Einschluß der ehemaligen Kirche, ist auch deren weitere Entwicklung gedacht.

Gehen wir zur Schwesterkunst der Plastik, zur Malerei über, so führt uns die historische Betrachtung ihrer Entwicklung ebenfalls auf die Architektur, von welcher und in Verbindung mit welcher auch die Malerei bei uns in Deutschland, wie in allen Kulturepochen der antiken Welt, ihren Ausgang genommen und sich entwickelt hat, ehe sie selbständig geworden ist. Wir verkennen dabei gewiß nicht den Einfluß und die Bedeutung anderer Elemente, wie sie in der Miniaturmalerei, im Email und anderen Kunst- und Industriezweigen uns entgegentreten; allein auch sie stehen nicht außer Zusammen-

9 Zu der von Christoph Imhoff (1666–1723) geschaffenen Münzsammlung, die sein späterer Erbe, der Staatsrat Johann Christoph Sigmund Kress († 1818), den Kress'schen Erben mit der Auflage hinterließ, sie der Öffentlichkeit zugänglich zu machen, weshalb sie 1821 der Stadt Nürnberg übergeben und von dieser 1866 im Germanischen Nationalmuseum deponiert wurde, vgl. Wilhelm Schwemmer: Aus der Geschichte der Kunstsammlungen der Stadt Nürnberg. In: Mitteilungen des Vereins für Geschichte der Stadt Nürnberg Bd. 40 (1949), S. 97–206 (129–130) und Ludwig Veit in diesem Band S. 659. – Über die Sammlung war 1780–82 ein zweibändiger Katalog publiziert worden: Sammlung eines Nürnbergischen Münz-Cabinets welches mit vieler Mühe so vollstaendig, als moeglich, in wenigen Jahren zusammengetragen und sodann auf das genaueste beschrieben worden von Christoph Andreas, dem vierten, im Hof. Nürnberg 1780–82.

hang mit der Architekturentwicklung, welche auf die monumentale Malerei den größten Einfluß hatte. Dem Entwicklungsgang historisch folgend, müssen wir zunächst die Mosaiken an die Spitze dieser Abtheilung stellen. Freilich sind uns die älteren in Deutschland ausgeführten Mosaiken nicht mehr erhalten; wir sind jedoch in der Lage, uns von dem Styl derselben ein vollkommenes Bild zu entwerfen, wenn wir die in Rom, Ravenna und anderen Orten ausgeführten betrachten, da es in jener Zeit nur eine große Kunst gab, deren Werke durch dieselben Künstler oder wenigstens Schulen in demselben Geiste, mit denselben Mitteln diesseits wie jenseits der Alpen geschaffen wurden. Wir müssen daher nothwenig als Repräsentanten, nicht blos als Parallelen und Vorstufen, einige jener altchristlichen Mosaiken an die Spitze stellen und daran die wenigen Reste fügen, welche sich in Deutschland, vorzugsweise am Rheine, aus der Zeit vom 10.–13. Jahrhundert finden, denen sich dann die im 14. Jahrhundert entstandenen zu Prag, Marienburg und andere anschließen. In Original können wir natürlich diese wenigen monumentalen Werke nicht im Museum haben, und es ist lediglich vom Zufall abhängig, ob uns auch nur einzelne der Glaspasten und Steinchen oder kleine zusammenhängende Stückchen als Probe zugehen werden; wohl aber können wir uns vollkommen naturgetreue, colorierte Cartons in der Größe der Originale verschaffen und so durch Nebeneinanderstellung des räumlich weit zerstreuten ein Bild dieser Kunst, ihrer Effecte, wie ihrer Mittel bekommen.

Aehnlich müssen wir vorgehen, um die Geschichte der monumentalen Malerei darzustellen, die mit Temperafarben und andern Bindemitteln theils auf dem bloßen Steine, theils auf Kalkbewurf ausgeführt sind. Allerdings ist es möglich, Proben von Originalen, welche von den Wänden abgenommen sind, zu erhalten; allein, wenn es auch möglich, ist es immerhin gewiß sehr bedauerlich, wenn solche wichtige und seltene Werke so wenig Beachtung und Schutz an Ort und Stelle finden, daß man sich entschließen kann, sie abzunehmen. Während wir für die Mosaiken bis jetzt noch gar keinen Anfang gemacht haben, sie in solchen Cartons herzustellen, sind von Wandmalereien bereits einige Proben, die gewiß befriedigend sind, gemacht worden. Die Frage, ob in umfassendem Sinne darin in nächster Zeit weiter gegangen werden soll, ist zugleich eine Lokalitätenfrage. Es bedarf eines großen Raumes, in welchem jene Cartons an Wand und Decke, sowie an improvisierten Lattengewölben befestigt werden können. Da wir aber noch eine Reihe anderer Lokalitäten, wie sich im Verlaufe dieser Abhandlung zeigen wird, dringender nöthig haben, so werden wir uns vorläufig mit den wenigen, in den letzten Jahren beschafften Proben begnügen müssen, während die an diese Abtheilung sich anschließenden Mappen in verkleinertem Maßstabe reiche Schätze sammeln können.

Ganz ähnlich verhält es sich auch mit der Darstellung der Geschichte der Glasmalerei; auch hier sind nur untergeordnete Sachen, wenn auch leichter als bei der Wandmalerei, in Original zu erlangen. Die Proben, die wir jetzt schon haben und unter denen sich einzelne relativ sehr bedeutende kleine-

re Werke befinden, die sich durch besondern Kunstwerth auszeichnen, wie die Kabinetsmalereien vom 16. Jahrhundert, geben so ziemlich einen Ueberblick über die Entwicklung dieser Kunst vom 14.–18. Jahrhundert; wenn sie auch dem Publikum vielleicht weniger imponieren, so kann doch der Künstler viel daran lernen. An diese Originale schließt sich bereits eine Serie von Cartons an, die nicht unbedeutend ist, jedoch vorläufig auch als geschlossen betrachtet werden muß, so lange nicht ein großes Lokal zur Verfügung steht[10]. Auch hier wird zunächst der Schatz der Mappen zu mehren sein.

X.

Unsere Gemäldesammlung, wobei das Wort im engeren Sinne zu verstehen ist und die Tafelmalereien speziell in's Auge gefaßt sind, ist bis jetzt nicht groß; sie zählt aber einige

---

[10] Von getreuen Kopien nach Wand- und Glasmalereien im Rathaussaal und der Marthakirche in Nürnberg, die der für das Museum häufig tätige Nürnberger Maler J. Georg Eberlein (1819–1884) angefertigt habe, ist bereits im Jahresbericht GNM 2 (für 1854/55), 1855, S. 14 die Rede; vgl. auch Jahresbericht GNM 3 (für 1855/56), 1856, S. 6. Nach dem Einzug in die Kartause wurden in der Reihe der Montagsausstellungen, bei denen nachmittags von 3–7 Uhr den Freunden des Museums in öffentlicher Ausstellung die in den Mappen enthaltenen „Schätze" vorgelegt wurden, auch Kopien nach Wand-, Glas- und Tafelmalereien gezeigt; vgl. Anzeiger GNM 1858, Sp. 89. Im selben Jahr berichtet der Anzeiger GNM, Sp. 384, die Kartäuserkirche sei u. a. zur Aufnahme von Kopien auf Leinenkartons von alten Wand- und Glasmalereien bestimmt. 1867 wurden originalgroße kolorierte Kartons „einer Serie von Glasgemälden des Mittelalters, darunter der uralten des Domes zu Augsburg" in eigener Arbeit des Museums angefertigt (Jahresbericht GNM 14 (für 1867), 1868), zwei Jahre später die aus Braunschweig ausgeliehenen Originalpausen der romanischen Wandgemälde des Braunschweiger Domes kopiert, vgl. Anzeiger GNM 1869, Sp. 77. Für 1869 und 1870 verzeichnet das Zugangsregister des Museums mehrere originalgroße Kartons von Fenstern aus Köln, u. a. aus St. Kunibert, darunter einen als Leihgabe des Ersten Direktors Essenwein. Die Sammlung muß im Laufe der Zeit einen gewissen Umfang angenommen haben. 1884 berichtet Essenwein, mit Kopien nach Mosaiken sei noch kein Anfang gemacht, nach Wandmalereien seien befriedigende Proben vorhanden, nach Glasmalereien eine nicht unbedeutende Serie von Kartons (Essenwein, Bericht 1884, S. 30–31). Auf Abb. 350, die den Zustand der Kirche im späten 19. Jahrhundert wiedergibt, sind am oberen Rande über den Tafelgemälden einige solcher Kopien auf Leinwand erkennbar. Wenige Fragmente originalgroßer Kopien auf Papier nach verschiedenen Fenstern des 14. Jahrhunderts und verkleinerte Kopien nach Fenstern der Marthakirche haben sich unter den derzeit ungeordneten Resten des Bilderrepertoriums im Kupferstichkabinett GNM erhalten.

ausgezeichnete Werke. Die Zahl der Bilder, die uns vorzugsweise als Repräsentanten der Kunst der Malerei interessieren, beschränkt sich ausschließlich auf die verschiedenen Theile der sogenannten altdeutschen Schule. Es sind deren gegen 100. Am stärksten vertreten ist die Nürnberger Schule, der sich die übrige fränkische, dann Repräsentanten der schwäbischen, kölnischen, flandrischen und niederdeutschen, auch der österreichischen (böhmischen?) Schule anschließen. Die Frage, wie die Vermehrung dieser Sammlung vorzunehmen sei, kann jetzt wol noch nicht entschieden werden. Es liegt uns jedenfalls die Aufgabe vor, die verschiedenen Schulen in ihrer Entwicklung zu verfolgen, wenn möglich selbst die hervorragenden Meister zu charakterisieren. Bei dem seltenen Verkauf jedoch und den hohen Preisen der Gemälde wird es lediglich von dem glücklichen Zufall, daß uns etwa einmal eine größere Sammlung übergeben wird, in der auch die jüngeren Schulen repräsentiert sind, abhängen, ob eine umfassende Ergänzung der Werke der älteren Schulen stattfinden kann, so daß diese Sammlung, die gewiß zu den relativ schwächsten unserer Anstalt gehört, sich auch nur mit bescheidenen Gemäldegallerien wird vergleichen dürfen. Wenn auch nicht im Museum selbst die Gelegenheit geboten ist, an guten Originalwerken umfassendere Studien zu machen, so fehlt sie doch in Nürnberg keineswegs, und da wir ja gottlob noch immer die ganze Stadt als ein Museum betrachten können, in das sich unser germanisches Museum eingefügt hat, so bietet sich denen, die solche Studien machen wollen, hier immerhin reiche Gelegenheit dazu. Vielleicht auch wird sich mit der Zeit in Nürnberg selbst zeigen, daß es wünschenswerth und im Interesse des Fremdenverkehrs, dieser reichen Quelle des Einkommens für die Stadt, gelegen ist, wenn etwas mehr Concentration in den Kunstsammlungen eintritt; es dürfte vielleicht dann aus den verschiedenen hier zerstreuten Gemäldesammlungen eine größere im germanischen Museum zum Zwecke der Belehrung zusammengestellt werden. Die reichen Schätze, welche sich hier befinden, würden Material genug bieten, eine der schönsten und lehrreichsten Sammlungen der altdeutschen Schule zu vereinigen, für die wir gewiß gern ein würdiges Lokal beschaffen würden.

Ein anderes Verfahren, unsere Aufgabe auf diesem Gebiete zu lösen, bestünde darin, daß wir von den bedeutendsten und epochemachenden Gemälden aller hervorragenden Meister, welche da und dort in den Gallerien Europas zerstreut sind, wirklich gute Copien anfertigen ließen und ebenso, wie wir in Gypsabgüssen die Plastik, wie wir in colorierten Cartons die Geschichte der monumentalen Malerei repräsentieren wollen, in diesen Copien die Geschichte der selbständigen Malerei darstellten. So schön und entsprechend jedoch dieser Gedanke wäre, so schwierig seine Durchführung; wir können leicht Gypsgießer bekommen, welche tadellose Abgüsse liefern, wir können Leute finden, die Mosaiken, Wand- und Glasmalereien vortrefflich copieren; aber wir können ganz gewiß nur schwer einen oder eine Reihe von Künstlern finden, deren Nachbildungen von Tafelgemälden den Originalen so nahe kommen, daß uns, wenn wir die Copien aller

Werke Dürer's oder Holbein's neben einander stellen, auch wirklich Dürer's und Holbein's Geist entgegentritt. Das ist so fraglich, daß der gegenwärtige Direktor wenigstens die Verantwortung dafür nicht auf sich nehmen möchte, solange nicht etwa ein Zufall ihm einen solchen Künstler entgegenführt, auf welchen er im vollsten Maße vertrauen kann.

Es versteht sich von selbst, daß in diese Serie nur solche Gemälde aufgenommen werden, welche vom künstlerischen Standpunkt aus zu beurtheilen sind, während wir alle diejenigen, welche der Darstellung wegen, ohne Rücksicht auf die Stufe der Kunst, unser Interesse in Anspruch nehmen, in andere Abtheilungen, z. B. in die der Trachten, des Kriegswesens, der häuslichen oder kirchlichen Alterthümer u. s. w., einreihen müssen. Dies schließt natürlich nicht aus, daß Bilder, die einen kulturgeschichtlich wichtigen Gegenstand darstellen, hier Aufnahme finden, falls sie daneben auch durch Kunstwerth sich auszeichnen. In diesem Falle kann immerhin im Katalog der betreffenden Abtheilung an richtiger Stelle ein Hinweis auf das in dieser Abtheilung eingereihte und katalogisierte Bild gegeben werden.

Wenn wir oben gesagt haben, daß bis jetzt unsere Gemäldesammlung eine der relativ schwächsten Partieen des Museums ist, wenn wir nicht einmal uns darüber schlüssig machen konnten, welcher Weg für die Zukunft zu betreten sei, so haben wir natürlich um so größeres Gewicht wieder auf die Mappen zu legen. Wenn auch auf diesem Gebiete Photographieen ungenügend, Lithographieen und Kupferstiche nur mit Vorsicht zu benützen sind, so bietet doch unsere Sammlung von Nachbildungen eine schöne Uebersicht über dieses Gebiet, und es ist das Beste vorhanden, was hier überhaupt zu finden ist.

XI.

Die Miniaturmalerei hat zwar ihre Vertreter in einer Reihe alter Originalhandschriften der Bibliothek. Es ist jedoch in Nürnberg auch Gelegenheit gewesen, viele aus Büchern herausgeschnittene Einzelblätter mit zum Theil kostbaren Gemälden, Initialen und Randverzierungen zu sammeln, und wir können den Entwicklungsgang dieser Kunst vom 12.–17. Jahrhunderte in einer Serie dergleichen, die 236 Nummern zählt, verfolgen. Die ältere Zeit ist freilich darin gar nicht, selbst das 12. und 13. Jahrhundert nur spärlich vertreten, um so schöner aber das 14. und 15., dessen glänzende Farben und zarte Ausführung uns schon in den mehr handwerklichen Arbeiten erfreut, während einzelne Blätter der Sammlung würdig neben den kostbarsten Werken dieser Kunstgattung stehen. Wenn uns nun auch künftighin der Zufall wenig Neues wird bringen können, so werden wir doch um so mehr, als gerade die vorige Abtheilung keine größere nähere Zukunft zu haben scheint, mit Freuden nach denjenigen spätern Blättern greifen, welche sich durch künstlerische Vollendung auszeichnen, während wir geradezu die Gelegenheit suchen müssen, Alles zu erwerben, was uns aus früherer und frühester Zeit überhaupt zugänglich ist.

Für gewisse Dinge freilich wird sich kaum Gelegenheit finden. Miniaturen von einiger Bedeutung aus dem 4.–10. Jahrhundert werden schwerlich zu erlangen sein. Da wird es denn nöthig werden, in den Bibliotheken zu Wien, Paris, München u. a. m. systematisch Copien anfertigen zu lassen, welche diese Perioden repräsentiren. Bereits ist in den letzten Jahren Einiges geschehen, und die betreffenden Mappen unserer Abbildungssammlung zeigen schon eine große Reihe vortrefflicher Miniaturcopien, die im germanischen Museum ausgeführt wurden[11].

XII.

Eine an die Miniaturen sich anschließende Abtheilung bilden die Handzeichnungen. Hier kann es sich nicht darum handeln, den Entwicklungsgang als den einer eigenen Kunst zu studiren; wir haben vielmehr das ureigenste Schaffen der einzelnen Meister vor uns, denen wir auf anderen Gebieten begegnet sind. Nichts kann uns so klar den Geist derselben vor Augen führen, als die von keinem äußeren Einfluß beherrschten, fast absichts- und zwecklos hingeworfenen Skizzen, als die Studien, die sie für ihre größeren Werke gemacht, in denen sich die ganze Genesis großer Kunstwerke verfolgen läßt, in denen wir oft den Meister besser verstehen können als in diesen selbst, weil wir darin gleichsam sein Schaffen mit ansehen können. Unsere Sammlung von Handzeichnungen zählt jetzt 180 Nummern. Einige wenige darunter sind von hoher künstlerischer Bedeutung; die Mehrzahl eben noch interessant und wichtig genug, um sie aufzubewahren. Von Namen großer Meister begegnen uns nur wenige, wobei freilich zu berücksichtigen ist, daß wir im Allgemeinen keine unnöthigen Taufen vorgenommen und, wo es uns unbestimmt schien, lieber gar keinen Namen gesetzt oder mindestens demselben ein ? beigefügt haben.

Wenn bis in die neueste Zeit authentische Nachbildungen von Handzeichnungen noch schwieriger zu beschaffen waren, als Nachbildungen von Gemälden, und wenn Alles, was an Vervielfältigungen bis vor wenigen Jahren erschienen, von weniger als zweifelhaftem Werthe war, so ist es erfreulich, daß unsere Mappen noch nicht viele solche Nachbildungen enthalten; jetzt aber, wo die Photographie in ein Stadium übergegangen ist, daß durch ihre Hülfe tadellose Nachbildungen, wie z. B. die von Braun in Dornach, erscheinen können, jetzt ist es jedenfalls eine der nächsten Aufgaben der Anstalt, hier für Sammlung alles Wichtigen zu sorgen und die Meister möglichst vollzählig zu vertreten.

Eine besondere Abtheilung der Handzeichnungen bilden die Baurisse und solche Zeichnungen, die als Vorlagen für verschiedene Zweige der Kunstgewerbe in früherer Zeit gefertigt wurden.

XIII.

Gehen wir von den zeichnenden Künsten auf die vervielfältigenden über, so ist die zunächst uns begegnende Abtheilung die der Holzschnitte. Unsere Sammlung gibt jetzt schon eine interessante Uebersicht über den Entwicklungsgang dieser Kunst. Alle diejenigen Blätter, welche nicht speciell in dieser Hinsicht maßgebend sind, werden hier ausgeschlossen und in andere Abtheilungen verwiesen. Die Zahl der Blätter dieser Abtheilung beläuft sich jetzt auf 607; darunter sind manche Kostbarkeiten, namentlich Blätter aus der früheren Zeit, schöne Blätter von Dürer u. A. Auch Unica sind darunter. Eine Ergänzung der einzelnen Meister in Originalen, dann, wo möglich, zu jedem Original die Beigabe aller bekannten älteren Copien, erscheint hier sehr wünschenswerth, da unsere, wie jede öffentliche Sammlung dieser Art, neben der Belehrung im Allgemeinen auch dazu dienen muß, daß Privatsammler ihre Blätter mit denen unserer Sammlung vergleichen und so die Frage, ob dieselben Originale, ob und welche Copien es sind, entscheiden können. Allerdings hat sich auf diesem Gebiete und mehr noch auf dem des Kupferstichs immer mehr eine Sammlerliebhaberei geltend gemacht, die weit über das wissenschaftliche Interesse hinausgeht. Es wird uns nicht möglich sein, hinsichtlich der Schönheit und besseren Erhaltung der Abdrücke, sowie des Besitzes gewisser Seltenheiten stets mit Liebhabern zu concurriren, die, dieser einzigen Sparte zugewendet, Mittel genug haben, ihre Liebhaberei zu bezahlen. Selbst mit manchen öffentlichen, gut dotierten Kupferstichsammlungen werden wir nicht gleichen Schritt halten können; indessen werden wir doch noch Manches erreichen. Unser Grundsatz muß der sein: so lange nicht die wesentlichsten Lücken in den Reihen der einzelnen Meister geschlossen sind, zunächst das leichter Zugängliche und Billige zu suchen, Kostbarkeiten aber nur ausnahmsweise, wenn eine besonders günstige Gelegenheit dazu sich bietet. So werden wir uns vorläufig mit Blättern begnügen, die für die wissenschaftliche Behandlung, sowie für die Vergleichung taugen. Ist einmal unsere Sammlung nahezu abgerundet, so können wir die Mittel darauf concentriren, fehlende Seltenheiten, sobald sich eine Gelegenheit ergibt, selbst um hohe Preise zu erwerben, oder nach und nach die weniger guten Blätter durch bessere zu ersetzen. Es war seither festgehalten, daß nur Einzelblätter in die Sammlung aufgenommen, Holzschnittwerke dagegen nicht hier, sondern in die Bibliothek eingereiht wurden. Dieser Grundsatz wird auch ferner zu befolgen sein, wobei es sich jedoch von selbst versteht, daß da, wo wir ein Werk unvollständig besitzen, die etwa vorhandenen Einzelblätter daraus in die Sammlung der Holzschnitte aufzunehmen sind; dasselbe gilt auch von Blättern aus Werken, die schon in der Bibliothek vorhanden, falls uns solche noch einmal zukommen.

Der Umstand, daß Bücher, die für die Geschichte des Holzschnittes von Bedeutung sind, in der Bibliothek sich befin-

[11] Zu den Kopien nach Buchmalereien vgl. den Beitrag von Elisabeth Rücker in diesem Band S. 560 und Abb. 326.

den, veranlaßte schon früher, an den Katalog dieser Abtheilung ein besonderes Repertorium anzuknüpfen, worin die in Bibliothekwerken vorhandenen, für die Geschichte des Holzschnittes wichtigen Abbildungen verzeichnet sind[12].

Da, wie wir schon oben gesagt haben, zu jedem Originalblatt der Vergleichung wegen, wo möglich, jede Copie aus älterer Zeit beigefügt wird, so kann das alle Abtheilungen der Anstalt begleitende Bilderrepertorium (Abbildungssammlung) hier nur geringe Bedeutung haben, indem vielleicht auch neuere Facsimiles, Nachschnitte u. A., selbst Photographien, die uns die fehlenden kostbaren Originalblätter einstweilen ersetzen müssen, am besten direkt in die Sammlung selbst eingereiht werden.

Alles, was wir über die Holzschnitte zu sagen hatten, wiederholt sich bei dem vornehmeren Kupferstich. Die Sammlung hat jetzt 1605 Nummern. Wir wollen nicht die kostbaren und seltenen Blätter hier aufzählen, deren manche zu besitzen wir so glücklich sind, noch all das wiederholen, was wir bezüglich des Holzschnittes gesagt haben; nur zwei Bemerkungen seien noch gemacht. Wie alle Sammlungen des Museums, so wurden auch diese früher streng mit dem Jahre 1650 abgeschlossen; die spätere Geschichte der Kupferstechkunst wie des Holzschnittes fand keine Vertretung; auch waren nur die deutschen (mit Einschluß der niederländischen) Schulen vertreten. Nach und nach kam jedoch durch Geschenke manches Werthvolle hinzu, das nicht in die Sammlung eingereiht werden konnte, und das betreffende Depot enthält viele bedeutende Blätter aus neuerer Zeit, wie auch ältere außerdeutschen Ursprungs. Wenn wir nun auch, soweit es sich um Geldausgaben handelt, stets unserer Hauptaufgabe gemäß die ältere Zeit und die deutsche Kunst in's Auge fassen werden, so werden wir doch in die Hauptsammlung Alles einreihen, was der deutschen Kupferstech- und Holzschneidekunst bis auf die moderne Zeit angehört, und selbst einen Anhang zur Vertretung der modernen Kunst beifügen. Ebenso werden wir die ohne Geldausgaben uns zugänglichen fremden Blätter in einer besonderen Abtheilung der Sammlung anreihen. Wenn diese Arbeit geschehen, wird die Zahl der Holzschnitte etwa 1000, die der Kupferstiche etwa 2000 betragen. Die zweite anzufügende Bemerkung ist die, daß wir aus der Sammlung der Kupferstiche, wie aus der der Holzschnitte, eine größere Reihe unter Glas und Rahmen gebracht haben, um den Entwicklungsgang dieser Künste dem besuchenden Publikum vor Augen zu führen.

XIV.

An diese Abtheilungen, wie sie der Besichtigung des Publikums vorgeführt werden, schließt sich eine andere an, welche die Entwicklung der Urkundenschrift, der Buchschrift und zugleich der innern Ausstattung der Bücher mit Zeichnungen und Minaturgemälden, dann des Buchdrucks und der Ausstattung der Bücher mit Holzschnitten und Kupferstichen zeigt. Die hier dem Publikum vorgeführten Gegenstände sind zum größten Theile aus dem Archive und der Bibliothek entnommen. Es sind jedoch auch manche geschriebene und gedruckte Einzelblätter vorhanden, welche inhaltlich ohne jede Bedeutung sind und als bloße Bruchstücke nicht in die Bibliothek gehören. Sie bilden eine Sammlung von Schrift- und Druckproben, welche Zeiten repräsentieren, sowie Meister der Druckkunst, die in vollständigen Manuscripten und Bänden in der Bibliothek nicht vertreten sind. Daran schließen sich einzelne Titelblätter, aus welchen sich der Entwicklungsgang, den diese interessante Spezialität genommen, ersehen läßt; ferner Buchdruckerzeichen, Papierproben mit Wasserzeichen, Proben bunt bedruckter Papiere. Diese Sammlung, welche jetzt ca. 300 Nummern zählt, zeigt recht auffallend, wie für die Kulturgeschichte wirklich nichts unbedeutend ist, wie sich der Geist der Zeit in Allem ausspricht. Wenn wir die Entwicklung des Titelblatts von der einfachen Erwähnung des Inhaltes eines Bandes auf der ersten und letzten Seite, wie sie in den älteren Manuscripten und in den Drucken des 15. Jahrhunderts sich findet, bis zu den schwülstigen doppelten und dreifachen Titelblättern mit ihren Vorhängen, Posaunenengeln und all den allegorischen Figuren der Barokzeit verfolgen, so zeigt sich uns ein eben solches Stück Kulturgeschichte; wir sehen die analogen Wandlungen der Formen, wie sie uns in den Trachten entgegentritt, wie sie die große Kunst zeigt und wie sie sich selbst in dem Fortgange der Wissenschaft bemerklich machen. Der naturgemäße Anknüpfungspunkt, welcher sich in den Druckproben für ein Repertorium geben würde, welches die Nachweise für die Geschichte der Druckkunst enthielte, ist hier nicht verfolgt worden, weil ein solches Repertorium doch zweckmäßiger an die Bibliothek sich anlehnt und von erfahrenen Bibliotheksbeamten am leichtesten und entsprechendsten hergestellt werden kann. – Nachbildungen dieser Sammlung sind naturgemäß so vereinzelt, daß die Abbildungssammlung hier kaum eine Gelegenheit bietet, weitere Studien zu fördern; nur nach einer Richtung hin geschieht dies durch die Copien monumentaler Inschriften, welche den Zusammenhang, wie den Unterschied in der Entwicklung der monumentalen Schrift und der Schriftzüge der Manuscripte und Drucke zeigt.

Da eben diese Abtheilung mehr den vergleichenden Studien gewidmet ist, als der Betrachtung des Inhaltes, so sind alle Bruchstücke, welche selbständige inhaltliche Bedeutung haben, nicht hier eingereiht, sondern in die Bibliothek; dagegen werden alle anderen sich ergebenden Bruchstücke, auch wenn solche durch ganze Werke in der Bibliothek repräsentiert sind, sobald sie irgend welche formelle Bedeutung haben, hier aufgenommen.

[12] Es handelt sich um einen (nicht erhaltenen) handschriftlichen Katalog. Der Katalog von August Essenwein: Die Holzschnitte des 14. und 15. Jahrhunderts im Germanischen Nationalmuseum. Nürnberg 1874, verzeichnet die Bestände von Kupferstichkabinett und Bibliothek in integrierter Folge.

Wir haben oben gesagt, daß die Sammlung der Blätter, welche keinen künstlerischen Werth haben, sondern blos der Darstellung wegen unser Interesse in Anspruch nehmen, sich in der Verwaltung nicht von den Blättern gänzlich trennen lassen, welche uns in künstlerischer Beziehung interessieren; wir haben deshalb auch sie im Zusammenhange damit zu betrachten. Diese Blätter bilden 5 Abtheilungen unserer Sammlung. Es sind 1) kulturhistorische Blätter, 2) historische Blätter, 3) genealogische und heraldische Blätter, 4) Porträte, 5) Landkarten, Prospekte, (Gesammt-Ansichten von Städten, Dörfern, Burgen, Klöstern u. s. w.) und Pläne.

Im Wesentlichen ist das, was wir über diese Abtheilungen zu sagen haben, so übereinstimmend, daß wir nur im Zusammenhang über alle fünf sprechen werden. Der großen Mehrzahl nach sind diese Blätter einzelne Flugblätter, die nur höchst geringen künstlerischen, dafür aber desto mehr inhaltlichen Werth haben; sie sind wichtige Quellen für die Geschichte der Ereignisse, wie der Zustände. Blätter aus Büchern sind jedoch auch hier nicht ausgeschlossen, wenn die Bücher selbst in der Bibliothek nicht vorhanden, oder wenn der Zufall ohne Geldausgabe auch Blätter aus Werken, die in der Bibliothek enthalten sind, uns noch zugeführt hat. Die Unterabtheilungen der einzelnen Abtheilungen sind nach dem Eingangs erwähnten „Systeme" gebildet. Neuere Blätter aus den Gebieten der zwei erstgenannten Sammlungen, sofern sie nicht der Phantasie moderner Künstler entsprossen, sondern Copien älterer Originalblätter sind, wurden in die Abbildungssammlung eingereiht. In letzterem Falle sind sie für unsere Zwecke bedeutungslos. Bei den genealogischen und heraldischen Blättern war es zweckmäßig, Altes und Neues nicht zu trennen; ebenso bei den Porträten, bei welchen nur diejenigen ausgeschieden sind, welche nicht wirkliche, sondern Ideal-Porträte darstellen. Im Uebrigen konnte eine weitere Unterscheidung hier nicht stattfinden; eben so wenig bei der letzten der fraglichen Abtheilungen. Während die historischen und kulturgeschichtlichen Blätter, den verschiedenen Abtheilungen und Unterabtheilungen des Systemes folgend, in jeder Unterabtheilung diejenige Ordnung haben, welche eben am entsprechendsten ist, so fand sich für die Stammbäume, Tabellen, Wappen u. s. w. der 3. oben genannten Abtheilung, ebenso bei den Porträten, Landkarten u. s. w. nur die alphabetische Folge zur Anwendung geeignet. Die Zahl der Blätter der fünf Abtheilungen ist gegenwärtig folgende: kulturhistorische 700 Stück; historische 900 Stück; genealogische und heraldische 500 Stück; Porträte 8000 Stück; Landkarten, Prospekte und Pläne 1350 Stück.

An diese Abtheilungen knüpfen sich, da sie ihrem Inhalte nach wesentlich mit einer Reihe von Bibliothekswerken zusammenhängen, Repertorien an, welche den verwandten hierher gehörigen Stoff verzeichnen, ebenso Repertorien, welche das nachweisen, was in andern Abtheilungen (der Kunstblätter und Gemälde) enthalten ist.

Repräsentieren diese Blätter, welche eine, wenn auch untergeordnete, mehr handwerkliche Kunst uns hinterlassen hat, alle Gebiete, auf denen das menschliche Leben sich bewegt, so kehren wir nun wieder zu den Gebieten zurück, welche wir als die Blüthen der Kultur bezeichnet haben. Wir haben mit den bildenden Künsten und ihren Ausläufern, den vervielfältigenden, den Kreis nicht abgeschlossen, welchen die Kunst um das menschliche Leben gezogen; die Poesie, der geistige Inbegriff aller Kunst, ist nicht körperlich genug, um Denkmale zu schaffen, die an und für sich Sammlungs- und Ausstellungsgegenstände wären; die Bücher, in denen ihre Denkmale niedergeschrieben und aufbewahrt sind, gehören der Bibliothek an. Aehnlich verhält es sich mit ihrer Schwester, der Musik. Diese hat indessen in den Instrumenten, auf denen sie vorgetragen wurde, Denkmäler hinterlassen, die eine eigene Sammlung bei uns bilden. Der Zahl nach 84 Stück enthält dieselbe einige sehr seltene und kostbare Gegenstände. Zu einer Uebersicht der Geschichte der musikalischen Instrumente hat sie sich bis jetzt noch nicht erheben können; soweit dies überhaupt möglich ist, also freilich nur für die spätere Zeit, wird dies um so bälder stattfinden müssen, als die Gelegenheit zu Erwerbungen immer seltener wird. Nachbildungen kann es hier natürlich nicht geben; dagegen hat Antiquar Pickert[13] hier eine nicht unbedeutende Sammlung, die, abgesehen von Einzelkäufen, bald erworben werden muß und unsere Sammlung wesentlich abrunden wird. Für die ganze ältere Periode, aus der Originale überhaupt nicht erhalten sind, müssen wir das Material auf andern Gebieten suchen und die Skulpturen, Malereien und Miniaturen der älteren Periode studieren, auf denen sich Darstellungen musikalischer Instrumente finden; hier wird also unsere Sammlung von Abbildungen das Wesentlichste leisten müssen. Aber auch für das Publikum schien es nöthig, eine Uebersicht in

[13] Der kgl. bayerische Hofantiquar A. Pickert, der sein Geschäft in Fürth begründet hatte und später am Albrecht-Dürer-Platz in Nürnberg weiterführte, war der führende Nürnberger Kunsthändler im dritten Viertel des 19. Jahrhunderts und bedeutendste Vermittler von Ankäufen für das Germanische Nationalmuseum. Sein Geschäft bestand bis 1881. Damals wurde die eigene Kunstsammlung Pickerts, die eine Sehenswürdigkeit Nürnbergs war, in Köln versteigert: Catalog der Kunst-Sammlungen des Kgl. Bayer. Hofantiquars Herrn A. Pickert in Nürnberg, Abt. I und II. (Kataloge der) Versteigerung zu Cöln am 24. Oktober 1881 (bzw.) am 15. Mai 1882 und die folgenden Tage durch J. M. Heberle (A. Lempertz' Söhne). Köln 1881 und 1882. Aus dem Nachlaß seines Sohnes Max Pickert, der das Geschäft später fortgeführt hatte, wurden 1913 noch Gegenstände in München versteigert: Antiquitäten, Einrichtungsgegenstände, Gemälde. Nachlaß des verstorbenen Herrn Max Pickert, Nürnberg. (Katalog der) Auktion in München in der Galerie Helbing. 7. bis 9. Oktober 1913. – Vgl. auch Friedrich Glaser: Das Pickert-Museum in Nürnberg. In: Der Sammler 1913, Nr. 92, S. 4–5.

Zeichnungen zusammenzustellen, was in drei größeren Tableaux geschehen ist.

Werke, welche sowohl Musikalien und damit den Entwicklungsgang der Musik, als auch die Theorien enthalten, bilden einen Theil der Bibliothek; eine kleine Auswahl ist, anschließend an die Instrumente, ausgelegt und dabei auch wesentlich auf das Formelle Rücksicht genommen, so daß das Publikum die Neumen, die Entwicklung der Notenschrift und Verwandtes, was sich eben mit den Augen und nicht mit dem Ohre erfassen läßt, selbst die verschiedene Gestalt der Noten- und Chorbücher überblicken kann.

Wenn wir später eine Erweiterung dieser Sammlung anstreben, so genügt natürlich das jetzige Lokal durchaus nicht.

XVII.

Wir haben in der 15. Abtheilung von Werken gesprochen, welche eine handwerkliche Kunst hervorgebracht hat; wir könnten also auch hier von der Kunst den Weg zur Betrachtung des Handwerkes finden, indem wir naturgemäß diejenigen Zweige des Handwerkes voranstellen würden, welche in ihrer höheren Ausbildung der Kunst so nahe stehen, daß die Grenze zwischen Kunst und Handwerk schwer zu bestimmen wäre. Die Unterscheidung zwischen Kunst und Handwerk liegt ja überhaupt gar nicht im Sinne der Zeit, welche das germanische Museum zu erforschen und darzustellen hat. Das, was wir heute Kunst nennen, war ebenso zünftig organisiert, wie die verschiedenen Handwerke, und unter diesen gab es sehr viele, welche Werke hervorbrachten, die, den Tag überdauernd, von uns heute gern Kunstwerke genannt werden. Wir haben jedoch, indem wir von den bildenden Künsten zu den sprechenden übergegangen sind, indem wir Poesie und Musik zum Gegenstand der Betrachtung gemacht, naturgemäß den Weg zu der Wissenschaft gefunden, jener zweiten großen Blüthe am Baume der Kultur. Auch die Wissenschaft hat ihre Denkmäler vor allem in den Büchern niedergelegt; die Bücher bilden somit die hauptsächlichsten Monumente, und wir haben bei Besprechung der Bibliothek vorzugsweise die Wissenschaft als solche zu betrachten. Es wurde bereits bei der XV. Abtheilung gesagt, daß die kulturgeschichtlichen Blätter sich über alle Zweige der Kultur verbreiten; wir haben also auch dort eine Reihe der Wissenschaften zu suchen, die sich auf die Geschichte der Wissenschaft beziehen. Zur Ausübung mancher Wissenschaft bedarf es aber auch der Instrumente, und diese bilden eine abermalige Abtheilung unserer kulturgeschichtlichen Sammlungen. Hier sind die chirurgischen, die astronomischen Instrumente, die Meßapparate u. dgl. m. Die Maße gehören einer andern Abtheilung an, lassen sich aber äußerlich ebenso hier ausstellen, wie man die Quellen jeder Wissenschaft – die Tintenfässer, Federn, Lineale und Griffel – wohl am zweckmäßigsten hier anreiht. Soweit diese Abtheilung dem Publikum vorgeführt wird, kann dies überhaupt nicht vereinzelt geschehen; es müssen, wie dies jetzt schon der Fall ist, aus der Sammlung der kulturgeschichtlichen Blätter und aus der Bibliothek eine Reihe von Werken mit ausgestellt werden, die jene Instrumente aus der Vereinzelung herausreißen und uns eine gewisse Uebersicht über Umfang und Entwicklungsgang der verschiedenen Wissenschaften geben. In wie weit unsere Sammlung jetzt schon Bedeutung hat, in wie weit die ausgestellte Uebersicht wirklich charakteristisch ist, ob das Wichtigste unserer Sammlungen auch wirklich ausgestellt ist, mögen Fachmänner beurtheilen. Der I. Direktor des germanischen Museums muß selbst gestehen, daß seine Kenntnisse in Chirurgie und Astronomie, in Physik und Chemie, wie in verschiedenen anderen Wissenschaften nicht groß genug sind, um mit Erfolg die Geschichte dieser Fächer studieren und in die verborgenen Winkel der Astrologie, Theosophie, Magie, selbst auch nur der mathematischen Wissenschaften, das Publikum einführen zu können, und es wird gewiß, wenn diese Abtheilung mit ihren Unterabtheilungen in der Anstalt praktische Bedeutung bekommen soll, nothwendig werden, daß sie gelegentlich ein Fachmann in die Hand nimmt, der nicht, selbst auf dem Gebiete des Kalenderwesens und seiner Entwicklung, sich als Ignoranten bekennen muß.

Einerseits jedoch dürfte in der That die Verfolgung der Geschichte jeder einzelnen dieser Wissenschaften eben nur einzelne Fachmänner interessieren, die zu ihren Studien einer Nachhülfe durch das germanische Museum nur etwa insoferne bedürfen, daß dieses die Literatur und die Monumente sammelt und ihnen zur Verfügung stellt; andererseits dürfte es unmöglich sein, dem Publikum durch eine Sammlung überhaupt den Zweck, die Aufgabe und den Entwicklungsgang der einzelnen Wissenschaften klar zu machen, und soferne wir dem Publikum unsere Sammlung vor Augen führen, geschieht es nur, um ihm die Bedeutung der Wissenschaft überhaupt für die Kulturentwicklung der Menschheit in Erinnerung zu bringen und die wenigen Fachmänner, welche als „Publikum" durch die Sammlungen gehen, an der betreffenden Stelle darauf aufmerksam zu machen, daß das germanische Museum auch das Material zum Studium dieser Wissenschaften sammelt, und daß unter den Monumenten in den Sammlungen des Museums sich auch für sie Material befindet. Die nächste Aufgabe für das Museum in Bezug auf diese Abtheilung können wir nur darin finden, Zerstreutes zu sammeln. Abgesehen von der Bibliothek, welche ja die Geschichte aller Wissenschaften zu pflegen hat, abgesehen von der Sammlung der kulturgeschichtlichen Blätter, werden wir auch hier gewissenhaft und sorgfältig Alles zu sammeln haben, was uns der Zufall in den Weg führt, werden aber eine systematische Sammlung wol erst dann in's Auge fassen können, wenn der Zufall oder eine so bedeutende äußere Entwicklung, daß wir auch diesen Gebieten größere Aufmerksamkeit zu schenken genöthigt sind, uns die dazu tüchtigen Personen zuführt.

Wir sind bei Besprechung dieses Theiles der Aufgabe unserer Anstalt in einen Ton gekommen, von dem wir fürchten müssen, er könnte uns den Vorwurf zuziehen, daß wir geradezu in Bezug auf den allerwichtigsten Faktor der Kultur, in Bezug auf die Wissenschaft, etwas an's Frivole streifende Anschauungen hätten, und wir wollen uns schließlich nur noch dagegen verwahren. Wenn wir auf anderen Gebieten – da ja niemand auf allen in gleicher Weise zu Hause sein kann – uns gestehen müssen, nicht mit Spezialforschern in unserer Auffassung gleichen Schritt halten zu können, so gestattet uns doch der Standpunkt, den diese in der Kultur überhaupt einnehmen, als Dilettanten den Spezialisten von Weitem zu folgen und außer der Anerkenntniß der Bedeutung dieser Spezialfächer für die ganze Wissenschaft dieselben und die Aufgabe des Museums in Bezug auf sie wenigstens in allgemeinen Umrissen anzudeuten. Hier aber haben wir Gebiete vor uns, auf denen kein Dilettantismus helfen kann, und auf denen wir einfach die hohe Bedeutung derselben für die Kultur anerkennen, das Sammeln ohne bestimmte Einsicht für unsere gegenwärtige Aufgabe halten, aber die bewußte Pflege als über unsere Kräfte gehend vorläufig in der Ueberzeugung zur Seite legen müssen, daß niemand Alles kann, und daß die Pflege dessen, was wir verstehen und für die nächste Aufgabe halten müssen, oder dessen, was uns durch Kräfte zu erreichen möglich ist, die nicht gar zu sehr auf vereinzelte Gebiete beschränkt sind, nicht blos gleichfalls verdienstlich, sondern geradezu wichtiger ist.

XVIII.

Wir haben in der Einleitung zur vorigen Abtheilung erwähnt, daß eine Reihe von Handwerken ihre Erzeugnisse in solchen Formen ausgeführt haben, daß es uns schwer fällt, die Grenze zwischen Kunst und Handwerk zu bezeichnen; ein solches Gebiet wollen wir nun zunächst in's Auge fassen, wenn wir von der Handwerkstätigkeit überhaupt sprechen. Wir haben oben Kunst und Wissenschaft die Blüthen am Baume der Kultur genannt; die verschiedenen Handwerksthätigkeiten sind die Zweige und grünen Blätter des Baumes. Weniger reizend für das Auge, sind sie doch wichtiger für das Gedeihen des Stammes, als welchen wir das öffentliche und häusliche Leben zu betrachten haben, denn jene ihn schmückenden Blüthen. Wir wollen unsere Betrachtung auf einem Gebiete beginnen, das nicht blos der Kunst verwandt ist, sondern auch äußerlich an die Wissenschaften anknüpft. Wir haben als die hauptsächlichsten Monumente der Wissenschaft die Bücher bezeichnet; ihr äußeres Gewand – der Büchereinband – soll Gegenstand der ersten Betrachtung der eigentlichen handwerklichen Thätigkeit sein. Einen entsprechenden Übergang dazu von der Wissenschaft selbst finden wir in einer alten Originalbibliothek, die wir den Besuchern unserer Sammlungen vor Augen führen können, der Bibliothek des gelehrten Staatsmannes und zugleich Professors der Jurisprudenz an der Wittenberger Universität aus dem Zeitalter der Reformation, des Nürnberger Patriziers Christoph Scheurl.[14] Die äußere Form der Bibliotheken im ganzen Mittelalter war eine sehr einfache. So lange die Bücher geschrieben wurden, waren sie überaus kostbar, und bei der Zahl der Bücher, welche die Kirche zu ihren liturgischen Zwecken nöthig hatte, blieben für Abschrift wissenschaftlicher Werke nicht

viele Kräfte zur Verfügung. Auch hatte die Wissenschaft bis zum Schlusse des Mittelalters fast ausschließlich im Klerus ihre Träger, so daß auch die Manuskripte wissenschaftlichen Inhaltes naturgemäß an der äußeren Form der liturgischen Bücher theilnahmen und nur eben eine untergeordnetere Klasse derselben äußerlich darstellten. Die Unterhaltungsliteratur, soweit sie nicht blos von Mund zu Mund getragen, sondern in Büchern festgehalten wurde, schloß sich dieser zweiten Klasse enge an. Bibliotheken, selbst die reicher Klöster, waren nicht sehr umfangreich; die einzelnen Werke wurden als Kostbarkeiten betrachtet und soferne sie gemeinsamen, um nicht zu sagen öffentlichem, Gebrauche zugänglich waren, an die Kette gelegt, um nicht rasch in Einzelbesitz zu wandern. Als charakteristisch haben wir anzuführen, daß je älter die Einbände, sie um so kostbarer sind, jedoch so ausgestattet, daß man sieht, auf eine Massenaufbewahrung war dabei nicht gerechnet. Eigentliche, umfangreiche Bibliotheken konnten erst nach Erfindung und Verbreitung der Buchdruckerkunst entstehen, und wir haben uns jedenfalls die äußere Erscheinung aller älteren Bibliotheken, soferne sie überhaupt diesen Namen ansprechen können, ähnlich zu denken, wie die uns vorliegende. Auch im 17. Jahrhunderte war die äußere Gestalt der Bibliotheken, wie wir aus alten Abbildungen sehen, noch ganz dieselbe, und noch heute soll die große Hauptbibliothek des Eskurial, sowie einige italienische Bibliotheken die gleiche Erscheinung darbieten. Damit mußte sich naturgemäß ein einfacher, handwerksmäßiger Bibliothekeinband ausbilden. Die älteren Einbände dagegen waren jeder als einzelnes Kunstwerk betrachtet, der Rücken als solcher nicht in die künstlerische Ausstattung gezogen, sondern nur die beiden hölzernen Deckel, mit getriebenem Gold- oder vergoldetem Silberblech überdeckt, mit Email, Niello, Filigran, Edelsteinen und geschnittenen Elfenbeinplatten bekleidet. Wir befinden uns hier ganz auf dem Gebiete der spezifisch kirchlichen Kunst, die im 12. und 13. Jahrhundert ihre höchsten Blüthen getrieben hat. Wie die Bücher dem Dienste des Altares bestimmt waren, so wurden sie auch ähnlich wie die übrigen Altargeräthe ausgestattet, und wenn sich nicht an jene älteren, prächtigen Einbände eine Reihe späterer anschließen würden, die jenen Charakter vollständig verlassen haben, so hätten wir die Büchereinbände ganz einfach mit den übrigen Erzeugnissen der kirchlichen Goldschmiedekunst zu vereinigen. In Original haben wir freilich von diesen älteren, kostbaren Werken keine in unseren Sammlungen, wohl aber eine Reihe von Abgüssen, die durch Bemalung, die hier unumgänglich nöthig ist, uns die Originale, so weit als möglich, vor Augen führen und ersetzen müssen. Diesen älteren kirchlichen Einbänden, deren Kunst noch durch eine größere Zahl von Nachbildungen zu repräsentieren ist, schließen sich die Ledereinbände des 14. und 15. Jahrhunderts an. Auch bei ihnen ist die Fläche des Deckels

[14] Zur Scheurlbibliothek vgl. den Beitrag von Elisabeth Rücker in diesem Band, S. 572 und Abb. 329.

der Ort, wo der Schmuck angebracht wurde; auch sie sind also nicht auf eine Massenaufstellung berechnet. Die Ornamente, welche in das Leder eingeschnitten, oder aus demselben herausgetrieben sind, werden durch mächtige Metallbeschläge geschützt, die theilweise den größeren Theil des Deckels überziehen. Einzelne Einbände aus getriebenem edlen Metalle mit Emailschmuck und Steinen, theilweise mit Sammetunterlage, finden sich auch hier, wie selbst in der späteren Epoche, noch immer. Mit dem Schlusse des 15. und Beginn des 16. Jahrhunderts bildet sich jedoch neben den vielen Arten, in denen sich die Büchereinbände zeigen, neben den Beuteln und Kapseln, neben den einfachen Pergamentumschlägen ein eigentlicher Bibliothekeinband aus, wie wir ihn in der Scheurl'schen Büchersammlung treffen, darauf eingerichtet, daß die Bücher massenweise dicht nebeneinander gestellt und, ohne an den Nachbaren hängen zu bleiben, leicht aus der Reihe herausgezogen werden können. Zu dem Ende bleibt der Messingbeschlag ganz weg oder reduzirt sich auf ein paar Schließen. Der Lederüberzug der Holzdecke erscheint gleichfalls, da mit den Einbänden kein Prunk beabsichtigt ist, überflüssig und vereinfacht sich auf einen Streifen am Rücken. Die Bücher wurden, den Schnitt nach vorn gekehrt, reihenweise aufgestellt und auf den vordern Schnitt der Titel des Buches geschrieben. Während wir in unsern Sammlungen die frühere, kirchliche Periode des Büchereinbandes nicht in Originalen vertreten haben, sind für die spätere Periode, von der wir hier gesprochen, sowie für die folgende der weißen, braunen und buntbemalten Ledereinbände, der Pergamentbände u. s. w. reichliche Muster vorhanden. Einzelheiten, die noch nicht vertreten sind, werden leicht nach und nach noch zu beschaffen sein.

Die Bücher bilden mit ihren Einbänden zusammen kulturgeschichtliche Monumente; es werden also in die kulturgeschichtlichen Sammlungen nur die von den Büchern getrennten Einbände aufzunehmen, die andern aber in die Bibliothek einzureihen sein, die freilich dadurch manches Buch erhält, das mehr des Einbandes wegen für uns wichtig ist, seinem Inhalte nach aber keinen oder nur untergeordneten Werth hat. Manche Bücher der Bibliothek sind deshalb hier, in der dem Publikum vorgeführten Reihe der Büchereinbände aufgelegt, und es dürfte selbst der Fall vorkommen, daß wir einzelne Werke, um deren kulturgeschichtlich wichtige Einbände zu schützen, dem liberalen allgemeinen Gebrauche vorenthalten müssen.

Wenn auch unsere Sammlung an Abgüssen von Einbänden der älteren Periode, sowie an Originalen vom 14.–18. Jahrhundert die wesentlichen Lücken noch leicht ergänzen kann, so ist doch der Reichthum an schönen Originalen überhaupt, die für uns nicht erreichbar sind, so groß, daß für die Sammlung von Abbildungen sich ein reiches Material ergibt, das nicht nur für die Wissenschaft, sondern auch für das heutige Kunstgewerbe von wesentlicher Bedeutung ist.

XIX.

Ein Industriezweig, den wir wegen der Wichtigkeit, welchen die Fabrikation auf die Herstellung desselben ausübt, unter die gewerbliche Thätigkeit rechnen müssen, der aber an künstlerischer Bedeutung wenigen Zweigen nachsteht, die wir unter den Künsten betrachtet haben, und der auch uns vorzugsweise von seiner künstlerischen Seite interessiert, ist die Weberei. In ihr vereinigt sich Zeichnung und Farbe, um ein ausdrucksvolles, den Charakter jeder Zeit treu wiederspiegelndes Muster zu bilden; Feinheit und Eleganz der Zeichnung, wie Harmonie der Farben erfreuen das Auge in gleichem Maße.

Das Museum war so glücklich, jetzt schon eine höchst lehrreiche und wichtige Sammlung zusammenstellen zu können, welche den Entwicklungsgang von der römischen Periode bis zum Beginn unseres Jahrhunderts darlegt, und wenn auch darin noch manche Lücke sich befindet, so werden dieselben zu ergänzen sein, ohne daß dafür größere Opfer jetzt mehr zu bringen wären. Eine besondere Aufgabe liegt dem Museum in dieser Beziehung nicht mehr vor; es bedarf nur der Aufmerksamkeit von Seite des Direktoriums, damit solche Denkmale, von denen man ja in der Regel nur Bruchstücke für wissenschaftliche Zwecke nöthig hat, wenn sie da oder dort auftauchen, auch für das Museum gewonnen werden. Besonders erwünscht müssen uns noch die sassanidischen, byzantinischen und arabischen Muster sein, von denen wir nur wenige in unseren Sammlungen aufzuweisen haben, während schon die italienischen des 14. Jahrhunderts reichlich vertreten sind. Es ist nicht nothwendig, auf den Reichthum unserer Sammlung hier im Einzelnen einzugehen, da ein illustrirter Katalog erst jüngst veröffentlicht wurde,[15] und wenn auch seit der Veröffentlichung dieses Kataloges eine Reihe besonders wichtiger Zugänge sich ergeben hat, wenn auch die in der Einleitung zu diesem Kataloge ausgesprochene Bemerkung, daß in dieser verhältnismäßig neuen Wissenschaft noch eine Reihe von Spezialfragen zu erledigen ist, ehe die Bestimmung eines jeden Stoffes, die unbedingt entspricht, vorgenommen werden könne, manche Studien seither veranlaßt hat und jetzt allerdings bereits einige sichere Bestimmungen sich geben lassen, als damals, so scheint doch das Resultat, wie es in jenem Kataloge niedergelegt ist, noch immer nicht wesentlich genug alterirt, um jetzt schon eingehender davon zu handeln.

Für unsere Abbildungssammlung allerdings entsteht hier noch eine wesentliche Aufgabe. So eifrig und fleißig auch in den letzten Jahren gerade auf diesem Spezialgebiete publizirt worden ist, so fehlt unseren Mappen doch noch manches interessante und wichtige Muster, das bekannt, aber bei uns nicht in Original vertreten ist, und die große Zahl der schönen Muster, wie sie auf Gemälden vorkommt, ist für unsere

[15] Katalog der im germanischen Museum befindlichen Gewebe und Stickereien, Nadelarbeiten und Spitzen aus älterer Zeit. Nürnberg 1869.

Sammlung nicht einmal in Bezug auf die eigenen Bilder des Museums ausgebeutet.

Weniger reich als in Bezug auf Gewebe ist unsere Sammlung in Bezug auf Stickereien, von denen nur einige wenige eine hervorragende Bedeutung haben. Hier ist allerdings eine Erweiterung sehr erwünscht; ob aber so hervorragende Werke auch zu haben sein werden, und ob die dafür zu bringenden Opfer nicht doch, wenigstens vorläufig, unsere Kräfte übersteigen, wird eine andere Frage sein. Mit Kleinigkeiten und gewöhnlichen Arbeiten, um den Entwicklungsgang dieser Kunst zu zeigen, insbesondere ihr Verhältnis zu den Geweben, sind wir hinreichend versehen. Es kann also auch hier von einer besonderen Aufgabe vorläufig nicht die Rede sein, und wir müssen auch hier den Zufall walten lassen, der uns vielleicht Kostbarkeiten zuführt.

Mit der Stickerei, großentheils das Werk weiblicher Hände, ist auch die Sammlung von Nadelarbeiten, Filet, Klöppelarbeiten u. A. naturgemäß in Verbindung gebracht. Mit Ausnahme der geklöppelten Spitzen, die wiederum einen nicht unwichtigen Industriezweig repräsentieren, ist die allgemeine Bedeutung dieser Arbeiten nicht sehr groß, und doch bieten sie, speziell unsere Sammlung, einige interessante Bemerkungen. Während im Allgemeinen am Schluß des 16. Jahrhunderts und im Beginn des 17. die Kunst längst von ihrem Höhepunkt herabgestiegen war, während man insbesondere in der Regel damals von Sinn für eine naturgemäße, rationale Entwicklung der Formen aus der Technik und dem Materiale kaum eine Ahnung mehr hatte und fast auf allen Gebieten des Schaffens Formen anwendete, die von andern Gebieten übertragen, oder auch, wo sie dem Gebiete selbst angehörten, längst ausgeartet waren, so machen sich in diesen Nadelarbeiten eine Reihe von Mustern bemerkbar, die so originell und rationell und zugleich so schön sind, daß sie dem Schönsten, was andere Zeiten auf anderen Gebieten geleistet haben, würdig zur Seite stehen, und zeigen somit, daß in der That kein Gebiet zu unbedeutend ist, um es zum Gegenstand speziellen Studiums zu machen, daß überall etwas zu lernen ist, daß aber auch zur Charakteristik einer jeden Zeit in's Auge gefaßt werden muß, welchen Einzelgebieten sich die originell schaffende künstlerische Thätigkeit zuwendete. Wir werden noch an anderer Stelle Gelegenheit haben, zu bemerken, daß Zeitperioden, denen ein hoher künstlerischer Sinn innewohnt, gewisse Gebiete der Thätigkeit geradezu vernachlässigten, sie nicht für würdig hielten, künstlerische Sorgfalt ihnen zuzuwenden; daß andere Zeiten, die im Allgemeinen keine große künstlerische Gestaltungskraft besaßen, wiederum solche einzelne Zweige in glänzender Weise künstlerisch zu beleben wußten, so daß zur Beurtheilung einer Zeit im Ganzen die Frage, welchen künstlerischen Gebieten sich die Gestaltungskraft in ihr zuwendete, von großer Wichtigkeit ist.

Die Sammlung der Gewebe, Stickereien, Nadelarbeiten und Spitzen zählt jetzt ungefähr 600 Nummern; allein, obwohl erst vor wenigen Jahren ein neuer Saal dafür gebaut wurde, kann er sie doch, da sehr umfangreiche Stücke dabei sind, jetzt schon durchaus nicht mehr fassen, und ein großer Theil muß unaufgestellt oder zusammengelegt, so daß er nicht sichtbar ist, der Zeit harren, wo er durch Bau eines zweiten Saales dem Publikum zugänglich gemacht werden kann. Der Bau eines solchen Saales muß daher bei der Baufrage ins Auge gefaßt werden, besonders da auch Gegenstände sich darunter befinden, bei denen Rücksichten auf den Geber hinzukommen, um ihre Aufstellung uns recht bald wünschenswerth zu machen, wie z. B. bei den von Sr. Majestät dem Könige von Bayern uns überlassenen Gobelins.

XX.

Wir haben oben bemerkt, daß uns bei Feststellung der einzelnen Abtheilungen vor Allem praktische Gesichtspunkte leiten und daß wir die Gruppen so anordnen müssen, daß nicht das beisammen ist, was etwa ein ideales Schema, durch allerlei theoretische Schlüsse veranlaßt, nebeneinander reiht, sondern das, was durch das Leben selbst und durch den Entwicklungsgang der Kultur in eine innere Verbindung getreten ist. Wir haben daher in den beiden vorhergehenden Abtheilungen einzelne Gewerbszweige besonders als geschlossene Gruppen einer künstlerischen Thätigkeit betrachtet; nun aber müssen wir aus praktischen Gründen eine Reihe von kunstgewerblichen Thätigkeiten in zwei größere Gruppen zusammenfassen: in eine Gruppe, welche die Erzeugnisse begreift, die zu kirchlichem Gebrauche gefertigt, und in eine zweite Gruppe, welcher die angehören, die für das häusliche Leben bestimmt sind. Wir haben da allerdings die Erzeugnisse manches Gewerbes in zwei Abtheilungen einzureihen; allein es scheint bei ihnen weniger bedeutungsvoll, daß sie aus derselben Werkstätte hervorgegangen, als daß sie, verschiedenen Hauptzwecken dienend, von ganz verschiedenem Geiste belebt sind. Dann sind es auch zwei verschiedene große Zeitepochen, welche vorzugsweise durch diese beiden Abtheilungen charakterisiert werden: das Mittelalter durch die kirchlichen, die Zeit nach demselben durch die häuslichen Alterthümer. Wir müssen dabei freilich bemerken, daß zu dieser Auffassung wesentlich der gegenwärtige Stand unserer Sammlungen beiträgt; wenn wir z. B. das Material hätten, die Geschichte der Goldschmiedekunst ebenso zu verfolgen, wie wir die Geschichte der Gewebe und Büchereinbände verfolgen können, so wäre gewiß der Vorschlag zu machen, die Geschichte dieses Gewerbes zusammenzustellen und hervorzukehren. Das Gleiche gilt von einer Anzahl anderer Gewerbe; und wenn wir auch jetzt gewiß noch keines dieser Gewerbe für sich zu betrachten haben, so wird doch wohl im Laufe der Entwicklung der Anstalt der Zeitpunkt kommen, wo sich aus diesen beiden Abtheilungen einzelne, selbstständige Abtheilungen aussondern werden, die jetzt noch kaum Unterabtheilungen bilden.

Wir haben die kirchlichen Geräthe vorzugsweise in drei Hauptgruppen zerlegt, die mehr der Bedeutung der Gegenstände in der Kirche entsprechen als ihrer Fabrikationsweise. Die erste Unterabtheilung umfaßt das große Mobiliar, das sich unmittelbar der Architektur des Kirchenbaues einfügt:

Altäre, Kanzeln, Taufsteine, Chorstühle und Verwandtes; hierher gehören auch die Epitaphien, Todtenschilde, Ablaßtafeln u. A. m. Nach dem Grundsatze, daß jeder Gegenstand, wenn er mehrere Abtheilungen berührt, in diejenige einzureihen ist, für die er die größte Wichtigkeit hat, haben wir bei verschiedenen einzelnen Gegenständen zu fragen, ob die künstlerische Bedeutung die überwiegende ist, oder die kirchliche, und manche auch hierher gehörige Gegenstände sind in der Abtheilung der ornamentalen und figürlichen Plastik, der Grabdenkmale, der Gemälde zu suchen. Im Allgemeinen sind hier gerade die Theile eingereiht, welche geringeren eigentlichen Kunstwerth haben.

Die zweite Unterabtheilung bilden die kleineren kirchlichen Geräthe und Gefäße: Kelche, Monstranzen, Ciborien, Reliquiarien, Weihrauchfässer und Schiffchen u. A.; die dritte: die Kultusgewänder und übrigen Ornatstücke von den höchsten kirchlichen Würden bis zu den niedrigsten. Der ganze Kreis, in den uns diese drei Unterabtheilungen führen, hat sich in der Zeit vom 11.–15. Jahrhundert entwickelt. Wir sehen in jener Zeit auf allen diesen Gebieten das Aufsteigen, den Höhepunkt und den Verfall der Kunst, die natürlich eine spezifisch kirchliche ist. Für Jeden, der einen Einblick in den innern Zusammenhang der Ereignisse und Zustände gewinnen kann, muß es sich zeigen, daß nicht der Zufall, sondern die innere Entwicklung, die im Beginne des 16. Jahrhunderts auftretende Reformation eine solche Wendung nehmen ließ, daß sie der kirchlichen Kunst, die ihren Kreislauf vollständig abgeschlossen hatte, den Faden abschneiden mußte. Diese hätte auf dem Punkte, bei welchem sie angelangt war, als kirchliche Kunst sich nicht weiter entwickeln können; sie mußte entweder an einem früheren Punkt des Entwicklungsganges nochmals anknüpfen oder als kirchliche Kunst aufhören zu sein. Die Thätigkeit freilich hörte nicht auf; allein Alles, was nach der Reformation für den katholischen Kultus sowohl, als für den protestantischen geschaffen wurde, ist entweder als vereinzelter Ausläufer der früheren Thätigkeit zu betrachten, oder hat von der profanen Kunst seinen Ausgang wie seine Formen entlehnt und ist somit vollständig unkirchlich geworden, oder hat gar keine künstlerische Bedeutung.

Die wichtige und hervorragende Stellung, welche die Kirche im Mittelalter hatte, ist die Veranlassung, daß der Schwerpunkt aller künstlerischen Thätigkeit jener Periode in der kirchlichen Kunst zu suchen ist, daß sich auf dem Gebiete eines jeden Gewerbes die höchste künstlerische Thätigkeit an den Aufgaben zeigt, welche die Kirche gestellt hatte. So ist auch für das ganze Mittelalter das, was uns die gegenwärtige Abtheilung zu zeigen bestimmt ist, weitaus das Wichtigste, und mit Rücksicht darauf müssen wir unsere Sammlung nicht blos höchst unbedeutend nennen, sondern auch ihre systematische Förderung als eine der nächsten Aufgaben des Museums betrachten. Systematisch können wir freilich nicht auf Bereicherung durch Originale ausgehen, da diese in festem Besitze und nur durch Zufall zu erwerben sind. Was im Handel vorkommt, sind nicht Werke ersten Ranges, sondern meist nur untergeordnetere Sachen; wir werden gleichwohl nicht versäumen, auch hier jede Gelegenheit zur Bereicherung zu ergreifen. Eigentlich systematisch können wir nur die Erweiterung unserer Sammlung von Gypsabgüssen, sowohl kleiner wie größerer Gegenstände, betreiben. Gegenwärtig befinden sich Originale und Abgüsse in den zwei Kapellen an der Nord- und Südseite der ehemaligen Kirche. Diese beiden Kapellen sind jedoch später ausschließlich für Originale zu verwenden, und die Gypsabgüsse in demjenigen Theile des Kreuzganges unterzubringen, der nicht für Grabdenkmale und architektonische Abgüsse bestimmt, im wesentlichen also der Theil, worin jetzt die Waffensammlung aufgestellt ist. Deshalb sind auch die Schränke, in welchen jetzt die Waffen verwahrt sind, nicht für diese, sondern schon für die künftig aufzunehmenden Gypsabgüsse eingerichtet worden. Was die Art der Aufstellung betrifft, so liegt es nahe, aus den Originalen in den beiden Kapellen gewissermaßen Totalbilder zusammenzustellen. Macht nun schon an und für sich jeder Raum, in welchem kirchliche Gegenstände sich befinden, einen etwas kirchlichen Eindruck, so wird dieser gewiß bei uns selbst durch die ehrwürdigen Räume noch gesteigert; doch muß dieser Totaleindruck eher gemindert als gefördert werden, so lange nicht reichliches, vollkommen zusammengehöriges Material vorhanden ist, damit nicht eine Anstalt, die vor Allem belehren soll, durch ein scheinbares, ansprechendes Bild falsche Anschauungen hervorrufe und empfängliche Gemüther durch einen falschen Eindruck irre führe, statt sie wirklich zu belehren.

Wir haben oben gesagt, daß durch die Gegenstände dieser Abtheilung eine ganze Zeitperiode, nämlich das Mittelalter, vorzugsweise charakterisiert sei. Der Geist, welcher in den kirchlichen Werken liegt und in ihnen ausgebildet ist, hat sich allen anderen Erzeugnissen, auch denen, die für das Profanleben bestimmt waren, mitgetheilt; es wird deshalb bei vielen Gegenständen schwer zu entscheiden sein, ob sie in diese oder in die folgende Abtheilung aufzunehmen sind, eine Frage, deren Lösung eben auch aus dem angegebenen Grunde der absoluten Consequenz nicht bedarf.

XXI.

Die Darlegung der häuslichen Alterthümer bildet einen der populärsten und ansprechendsten Theile unserer Aufgabe. Wenn die deutsche Nation vorzugsweise eine häusliche, wenn das Familienleben vor Allem bei uns in seiner reinsten Entwicklung wahrzunehmen ist, so wird die Vorführung dessen, was das Haus in seinem Innern birgt, gewiß das Interesse Aller in hohem Grade beanspruchen. Die Monumente, die uns in dieser Abtheilung begegnen, führen uns in das häusliche Leben ein; sie zeigen uns dasselbe in all seinen Beziehungen; die verschiedenen Klassen und Stände der Menschen in ihren Verrichtungen, in der Thätigkeit wie in der Ruhe, in ernster Arbeit wie in Lust und Schmerz, treten vor uns hin. Die Kulturgeschichte leitet uns in den Saal des Vornehmen, wie in die Stube des Bürgers und in die Kammer des

Armen; sie zeigt uns die dort versammelte Gesellschaft, wie die Einsamkeit der letzteren; sie führt uns über Treppen und Gänge, an ihrer Hand betreten wir die Küche, untersuchen den Keller und sehen uns auf dem Dachboden um; die Vorrathskammer der Frau, die Kinderstube, das Gelaß der Dienstboten öffnen sich uns; wir besuchen Hof und Garten, und eine Fülle kulturgeschichtlicher Monumente tritt uns entgegen; Schrank und Truhe und Alles, was darinnen eingeschlossen, sind Monumente; was auf dem gedeckten Speisetische steht und die Geräthe in Küche und Keller sind Monumente, ebenso wie die Spielsachen der Kinder und die Spielapparate der Großen. Das häusliche Leben bietet uns somit eine große Reihe von Unterabtheilungen, welche sich wiederum in einzelne Gruppen sondern, an denen der Entwicklungsgang, den jede einzelne Gattung der erwähnten Monumente genommen, sich getrennt verfolgen läßt. Wir haben gegenwärtig diese Abtheilung in folgende Unterabtheilungen geschieden:

1. Hausmobiliar: Schränke, Truhen, Tische, Bänke, Sessel, Bettstellen u. A.; c. 80 Stück.
2. Kästchen, Schachteln und Futterale in Holz, Bein, Leder, Pappe, edeln Metallen, Eisen etc.; c. 140 Stück.
3. Tafelgeschirre: Teller und Platten aus Thon, Zinn, edeln Metallen, Holz; c. 140 Stück.
4. Trinkgefäße aus edeln Metallen, Zinn, Thon, Glas, Elfenbein und Holz; c. 370 Stück.
5. Küchengeschirre: Kochapparate, Formen für Gebäcke, u. A.; ca. 260 Stück.
6. Kellereinrichtungsgegenstände; 10 Stück.
7. Spielapparate und Spielzeuge; circa 160 Stück.
8. Die verschiedenen übrigen häuslichen Utensilien, wie Leuchter und Lichtputzscheeren, Laternen u. s. w. bis zum Besen, der Bürste, Scheere und anderen Kleinigkeiten.

Wenn die Sammlungen sich mehren, so werden gewiß nach und nach auch hier noch einzelne selbständige Abtheilungen sich herausbilden, so die Lederfutterale und Kästchen, deren interessante Technik auch heute wieder Gegenstand besonderer Aufmerksamkeit von Seite der Kunstindustriellen geworden ist, so die Goldschmiedekunst u. A.

Auf allen den Gebieten, auf welche uns die Denkmäler dieser Abtheilung führen, werden wir vorzugsweise Originale zu suchen haben, die wenigstens für die spätere Periode noch immer leicht zu haben sind; Abgüsse sind nur von Detailstücken herzustellen, wohl aber können Nachbildungen im Material und der Technik der Originale für einzelne Gebiete unerläßlich werden. Vor Allem aber ist hier ein weites Feld für die Sammlung der Abbildungen geboten. Neben Abbildungen von anderwärts vorhandenen Originaldenkmalen tritt hier die Aufgabe heran, aus Miniaturen und Gemälden eine Reihe von Zeichnungen zu excerpieren, welche uns vorzugsweise diejenigen Zeiten vorzuführen haben, aus denen Originaldenkmale des häuslichen Lebens fast gar nicht mehr existie-

ren, sowie gewisse Einzelzweige der späteren Zeit, die auch zu vergänglich waren, um den Tag zu überdauern.

Unsere Studien dürfen sich aber nicht blos auf die Einzelheiten werfen, wir dürfen nicht blos die Entwicklung der Einzelheiten, wir müssen auch das Bild des Ganzen in seinem Entwicklungsgange verfolgen. Es ist eine Reihe in's Auge zu fassen, die uns das häusliche Leben im Ganzen, zu Bildern abgerundet, vorführt. Die Mehrzahl der Originalmonumente für diesen Zweck haben wir in den kulturgeschichtlichen Blättern und in Gemälden zu suchen, denen sich die verwandten Darstellungen anschließen, welche in verschiedenen Abtheilungen der kunstgeschichtlichen Sammlungen eingereiht sind.

Auch nach Originalen, die wir nicht haben und nicht bekommen können, wird manches charakteristische und treue Kulturbild zu copieren sein. Es ist jedoch außer dieser Serie von Bildern, soweit als möglich, auch eine Reihe von Lokalitäten einzurichten, deren jede ein vollkommenes Bild einer bestimmten Zeit, Gegend und Gesellschaftsklasse gibt, so daß das Publikum, welches sie durchschreitet in einer solchen Reihe gewissermaßen den Entwicklungsgang des häuslichen Lebens auf's Neue durchlebt. Gewiß wird diese letztgenannte Aufgabe für die Durchführung sowohl, als für das beschauende Publikum besonders ansprechend sein; aber sie ist nur sehr schwer zu lösen, wenn wir nicht geradezu schwindeln wollen. Es ist sehr leicht, in irgend einem Zimmer durch malerische Aufstellung alter Schränke und Tische durch Belebung derselben mit Krügen und Gläsern, durch Behängung der Wände mit Waffen und Musikinstrumenten, durch einige alte Teppiche und Einsetzung gemalter Scheiben in die Fenster einen Gesammteindruck hervorzubringen, der originell von unsern heutigen Wohnungen absticht und uns angenehm anmuthet, bei welchem daher jeder, der von der Sache nichts versteht und nur den Eindruck auf sich wirken läßt, gerne glaubt, in die alte Zeit zurück versetzt zu sein. Ein Alterthumsliebhaber mag so seine Wohnung ansprechend für sich und als Gegenstand des Neides für seine Freunde einrichten; Aufgabe einer wissenschaftlichen Anstalt ist das nicht. Wenn eine wissenschaftliche Anstalt dergleichen Gesammtbilder darstellen will, muß sie solche geben genau so, wie sie wirklich waren, und nicht so, wie sie der allermodernste sentimentale Weltschmerzler, welcher mit der Gegenwart zerfallen ist und sich ein romantisches Bild der alten Zeit ausmalt, sich vorstellt. Die alte Zeit war gewiß romantischer als unsere, und auch ein richtiges Bild derselben wird anregen; aber so sentimal verschwommen, verschroben und verdreht, wie sie sich heute mancher vorstellt, war sie nicht. Außer im 19. Jahrhundert wollte man nie romantisch sein, man war einfach, wahr und darum charakteristisch; die Kammer des Armen bot kein malerisches Elend, sondern eben Elend dar; was der Bauer in seinem Hause hatte, sollte ihm dienen und war nicht darauf berechnet, einen romantischen Eindruck zu machen. Für eine wissenschaftliche Anstalt, die gar keinen andern Zweck hat, als zu zeigen, wie Alles wirklich war, ist es Schwindel, wenn man einen Schrank aus Tirol, einen Tisch aus Danzig, einen

Stuhl aus Köln in ein Zimmer stellt, das ein nürnbergisches Getäfel hat, weil in jeder Stadt und in jeder Provinz die Gegenstände, auch in derselben Zeit, etwas verschieden gebildet wurden und daher nie in dieser Weise beisammen waren. Wenn man den Krug, der in der Hütte des Armen diente, oder in dem der Bauer seinen Taglöhnern das Getränke auf das Feld mitgab, zwischen Einrichtungsgegenstände stellt, die der vornehmen Welt ihre Entstehung verdanken; wenn man das, was in Küche und Keller, in der Werkstätte und in der Rüstkammer war, in ein scheinbar altes Schlafzimmer zu malerischem Ensemble zusammenstellt und dadurch beim Publikum den Eindruck hervorruft, als ob es in der Vorzeit irgendwo wirklich so ausgesehen habe, so belügt man es einfach, und wenn dies durch eine öffentliche, wissenschaftliche Anstalt geschieht, damit es etwa dem Publikum dort besser gefalle und sentimentale Seelen schwärmen können, so ist das eben Schwindel. Diese etwas weit ausgeholte Darstellung ist nicht überflüssig, weil das jetzige Direktorium sich in der That das Mißfallen mancher Besucher zugezogen hat, indem es für nöthig fand, das malerische Ensemble des ehemaligen Refektoriums zu zerstören, bei dessen Herstellung seiner Zeit gewiß nicht die Absicht vorgelegen hatte, ein wirkliches Bild zu geben, sondern das eben entstanden war, weil man, so gut es angieng, in einem Raume ohne bergende Glasschränke die verschiedenartigsten, den verschiedensten Zeiten angehörigen Gegenstände aufstellen mußte, und daher aus Noth zu einer etwas malerischen Aufstellung gegriffen hat. Diese malerische Aufstellung hatte bei einem früheren Besuche einige schwärmerische Künstler in eine nie dagewesene romantische alte Zeit versetzt, so daß sie eigens wiederkamen um dieselbe als Folie für historische oder Genrebilder zu malen, und dann über den Frevel entsetzt waren, der an solche Ideale getastet und einfach dieselben beseitigt hatte. Die Herren waren keiner Belehrung zugänglich, sondern ließen noch besonders dem Strome ihrer Gefühle in dem Beschwerdebuche freien Lauf, und zeigten so auf's deutlichste, wie gefährlich für solche empfängliche Gemüther ein romantisches Aufstellungsbild werden kann, wenn es nicht bis in's Letzte wahr ist.

Wenn wir auch solchem Schwindel durchaus ferne bleiben müssen, so hat doch das Direktorium die Herstellung wirklich wahrer Bilder als ein, allerdings nicht sehr nahe liegendes Ziel nicht aus den Augen verloren, und mancher Gegenstand, der in den letzten Jahren in das Museum gekommen ist, wurde vorzugsweise zu dem Zwecke erworben, ihn später in der angedeuteten Weise zu verwenden. Die Durchführung solcher Gesammtbilder ist wesentlich eine Geldfrage. Wir müssen die dazu erforderlichen Lokalitäten erst bauen; da müssen Halle und Zimmer, Saal und Kammer in ähnlicher Weise, wie sie ein altdeutsches Wohnhaus bildeten, gruppiert werden; da muß die Täfelung und die Decke, der Fußboden und der Ofen mit dem Mobiliar wirklich übereinstimmen, und damit müssen wir eben warten, bis wir das nöthige Geld haben.

Es wurde oben gesagt, daß diese Gegenstände, welche in ihrer Gesammtheit die vorliegende Abtheilung bilden, sich mehr nach ihrer Bestimmung und den verschiedenen Zeitperioden untereinander und miteinander verbinden, als nach den verschiedenen Gewerben, die sie hervorgebracht haben; und so dürfte es sich jedenfalls empfehlen, alle diejenigen Gegenstände, die nicht Theil einer größeren Serie gleichartiger Bilder sind, so aufzustellen, daß die gleichzeitigen möglichst nahe zusammenkommen. In dieser Weise ist es auch bereits geschehen. Das ehemalige Refektorium, welches diese Denkmäler zu umfassen hat, ist indessen jetzt schon zu klein geworden, und eine Reihe von Möbeln mußte in den Kreuzgang gestellt werden. Wenn sie nun dort auch einstweilen die Stellen ausfüllen, für die bis jetzt die beabsichtigten Abgüsse von Grabdenkmalen noch nicht beschafft sind, so liegt doch darin ein großer Uebelstand der baldigst durch entsprechende Lokalitäten gehoben werden muß.

XXII.

Nachdem uns die vorige Abtheilung den äußeren Rahmen vorgeführt hat, in welchem sich das häusliche Leben unserer Vorfahren abspielte, zeigt uns nun die gegenwärtige, welche uns Tracht und Schmuck vor Augen stellt, das Aeußere der Menschen selbst. Wir befinden uns hier auf einem Gebiete, auf dem verhältnismäßig nur sehr wenige Originaldenkmäler erhalten sind. Alte Kleider waren nie Gegenstand besonderer Sorgfalt, und unsere Vorfahren haben sie ebenso wie wir den allgemeinen Wandelungsprozeß alles Irdischen durchmachen lassen; nur der Zufall hat uns da und dort etwas gerettet. Unsere Sammlung hat also nicht gerade Aussicht, einen großen äußern Umfang zu erlangen; vorzugsweise werden sich die Originaldenkmäler dieser Abtheilung auf kleinere Schmuckgegenstände, sowie auf Gemälde beschränken, welche Personen der verschiedenen Zeiten darstellen und, auch ohne Kunstwerth zu haben, uns durch die Darstellung wirklich richtiger Kostüme interessieren. Da sie nicht gerade theuer sind, so kann auch davon noch so Vieles erworben werden, daß es uns, wenigstens für Süddeutschland, die Entwicklung der Tracht, etwa vom Jahr 1500 bis 1800, zu zeigen vermag. Für das Studium der Geschichte der Trachten sind wir vorzugsweise außer jenen Gemälden auf die große Zahl der Holzschnitte und Kupferstiche, für das eigentliche Mittelalter auf die Miniaturen, Grabsteine, Siegel und andere Kunstdenkmale angewiesen. Es wird jedoch nicht genügen, aus diesen genannten Kunstwerken die betreffenden Abbildungen auszuziehen und mit den schon publizierten in unseren Mappen zu vereinigen; hier müssen wir eine große Reihenfolge solcher direkt nach den Originalen gezeichneten Figuren auch dem Publikum vorlegen und ihm den Entwicklungsgang auf diese Weise zeigen, – eine Arbeit, die bereits in Angriff genommen und ziemlich weit fortgeschritten ist.

Unsere Sammlung von Originalgegenständen, die in diese Abtheilung gehören, beläuft sich auf 282 Stück, zu denen 64 Gemälde hinzukommen. Als Aufstellungsort dafür ist seiner Zeit der ganze Raum in Aussicht genommen, welcher sich neben dem Saale der graphischen Künste, über dem ehemaligen Refektorium, ergeben wird, wenn alle jetzt diesen Raum in kleine Zimmerchen trennenden Scheidewände herausgenommen sein werden.

XXIII.

Eine Abtheilung, die mit der vorstehenden sehr nahe verwandt ist und doch den Menschen in einer ganz anderen Situation zeigt, tritt uns nun entgegen; es sind die Waffen. Ein großer Theil ist zum Schutze des Körpers bestimmt; andere gewinnen ihre Bedeutung erst in der Hand und sind so mit der Persönlichkeit verwachsen, daß sie als Schmuck und als Zeichen der Würde des Mannes ihm nicht nur in den Kampf folgen, sondern dessen beständige Begleiter sind; wieder andere sind nur in Verbindung mit der Tracht außer dem Kampfe, die sie im ernsten Augenblicke zu decken und zu verstärken bestimmt sind, verständlich. So würde denn gewiß auch die Berechtigung nicht zu leugnen sein, die vorige und diese Abtheilung ganz zu verbinden. Wir haben uns jedoch bei reiflicher Erwägung entschlossen, sie zu trennen, weil hier wieder eine Reihe von Gegenständen hereinzuziehen ist, die der Tracht absolut ferne liegen, von der Bewaffnung des Mannes aber nicht getrennt werden können; so die ganze Artillerie, die Belagerungsmaschinen u. A. Dagegen haben wir wiederum aus den Waffen diejenigen nicht ausgeschieden, die entweder blos Prunkwaffen waren, oder die mehr der Kampfübung und den Kampfspielen (Turnieren) dienten, oder die auf der Jagd Anwendung fanden. Diese Abtheilung ist wieder in mehrere Unterabtheilungen geschieden: 1) Schutzwaffen: Rüstungen für Mann und Roß im Ganzen und in Einzelheiten, incl. Schilde, gegenwärtig 120 Stück; 2) Angriffswaffen: a) Nahwaffen: Schwerter und Dolche, circa 40 Stück; Stangenwaffen, circa 80 Stück; Aexte und Hämmer, 5 Stück; b) Fernwaffen: Armbrüste und Bogen nebst Zugehör (Winden, Köcher, Pfeile), 130 Stück; Gewehre und Pistolen nebst Zugehör (Pulverhörner, Patronenkapseln, Pulverproben, Kugelformen und Kugeln, Schlüssel u. A.), 180 Stück; 3) Artillerie; 4) Belagerungsmaschinen und Train.

Unsere Sammlung besitzt unter den Schutzwaffen keine Prachtstücke, die als Kunstwerke größere Bedeutung hätten denn als Waffen; sie besitzt auch viele für die Geschichte der Bewaffnung selbst wichtige Gegenstände theilweise noch gar nicht, theilweise nur in Nachbildungen; nichts desto weniger ist dieselbe an Rüstungen und Helmen keineswegs vollständig unbedeutend, nur sind die Stücke zum Theil defekt und bedürfen erst einer entsprechenden Reinigung und Restauration. Daß die Schränke, worin sie jetzt stehen, mit Rücksicht auf eine andere Bestimmung angefertigt worden sind, ist schon oben, in der XX. Abtheilung erwähnt, der sie künftig dienen sollen. Daß eine vollständige, gründliche Reinigung und Ergänzung der fehlenden Theile, soweit solche entsprechend und zulässig, nicht jetzt schon geschehen ist, liegt zum Theile daran, daß uns tüchtige Kräfte dazu nicht zur Verfügung standen, daß das Lokal etwas feucht war und somit jede

Arbeit hinausgezogen wurde, bis die definitive Aufstellung im neuen Lokale Veranlassung geben würde, all diese Arbeiten vorzunehmen. Was unsere Aufgabe in dieser Beziehung betrifft, so wird die Ergänzung der Lücken in's Auge zu fassen sein, bei denen wir uns wol auf Nachbildungen werden beschränken müssen, wenn nicht ein günstiger Zufall uns etwa als Geschenk die Dinge zuführt, die wir sicherlich bei den heutigen Preisen, ohne Schädigung der übrigen Abtheilungen der Anstalt, in Original nicht bezahlen können. Kostbare Prunkrüstungen zu besitzen, werden wir sicher kaum hoffen dürfen; es liegt dies aber auch weniger in unserer Aufgabe. Wir haben das Waffenwesen vom Standpunkte seiner Entwicklung und seiner Beziehungen zur Kriegsführung zu betrachten; uns muß es interessieren, wie die Massen bewaffnet waren, welche die Schlachten geschlagen, welchen Einfluß ihre Bewaffnung auf den Gang des Kampfes hatte und wie sich Angriffs- und Vertheidigungswaffen zu jeder Zeit gegenseitig verhielten, wie die Entwicklung der einen die der andern bedingte. Die Luxuswaffen, welche die Rüstungskammern hoher Herren zierten, oder in denen sie zu Festen auszogen, hatten damals so wenig Einfluß auf den Gang der Schlachten, als heute Ehrendegen und Galauniformen. Wie heute die Bewaffnung des gemeinen Mannes maßgebend und wichtig ist, so auch früher die Waffen der Kämpfenden; ihr Gewicht, ihre Construction, Ausdehnung, Material sind es, die uns interessieren, nicht die Verzierung. Das Gleiche gilt natürlich auch von den übrigen Abtheilungen der Waffensammlung. Bei den Schwertern und Dolchen bedarf es nicht gerade einer großen Anzahl von Stücken, um den Entwicklungsgang darzulegen. Unsere kleine Sammlung thut dies schon im Wesentlichen; die vorhandenen Lücken sind leicht bei Gelegenheit zu ergänzen. Ebenso verhält es sich mit den Armbrüsten und ihrer Zugehör. Was die Feuerwaffen betrifft, sowohl die Handfeuerwaffen, als auch die Artillerie, so besitzt nach den Erwerbungen der letzten Jahre unsere Sammlung eine Reihe von Stücken der höchsten Wichtigkeit, und wir hoffen, daß auch die noch vorhandenen Lücken zu ergänzen sein werden. Aber auch schon jetzt muß für das Studium der Entwicklung der Feuerwaffen unsere Sammlung als eine der wichtigsten betrachtet werden. Wenn wir hier nicht weiter auf die Einzelheiten dieser interessanten Abtheilung eingehen, so geschieht dies nur deshalb nicht, weil das Museum hoffentlich recht bald eine Publikation derselben veranstalten wird.[16] Erwähnen müssen wir jedoch noch hier, daß neben den Originalstücken auch eine reiche Sammlung alter Modelle vorhanden ist, von besonderer Wichtigkeit für die Zeit des dreißigjährigen Krieges und die darauf folgende Periode. In dieser Modellsammlung findet sich auch Material

[16] (August Essenwein:) Quellen zur Geschichte der Feuerwaffen. Facsimilierte Nachbildungen alter Originalzeichnungen, Miniaturen, Holzschnitte und Kupferstiche, nebst Aufnahmen alter Originalwaffen und Modelle. Hrsg. vom germanischen Museum. Lief. 1–4. Leipzig 1872–77.

für das Studium des Trains und der für Marsch und Belagerung einem Heere nöthigen, so verschiedenartigen Apparate.

Wenn wir gleich unsere Waffensammlung als eine für das Studium sehr reichhaltige bezeichnen dürfen, so zeigt doch auch sie einige Lücken, die nie auszufüllen sein werden, weil sich eben gewisse Dinge überhaupt nicht erhalten haben. Deshalb war eine Reihe von Abbildungen nach Darstellungen auf alten Holzschnitten, Miniaturen, Zeichnungen in Feuerwerks-, Zeug- und Artilleriebüchern zur Vervollständigung nöthig, deren Herstellung große Aufmerksamkeit geschenkt worden ist. Ein großer Theil dieser Zeichnungen wird sogar dazu dienen müssen, um dem Publikum das Verständnis der Waffen zu vermitteln. Bereits ist eine Serie von Zeichnungen aufgestellt, welche den Entwicklungsgang in Form und Gebrauch der Rüstungen von der römischen Periode bis auf die Ausläufer bei den Kürassieren unserer Zeit zeigt[17]. Eine gleiche Serie über die Entwicklung der Handfeuerwaffen, wie eine zweite über die Entwicklung der Artillerie, sind bereits gezeichnet und harren ihrer Aufstellung. Ehe dies jedoch geschieht, muß ein entsprechendes Lokal für die Waffensammlung hergestellt werden; denn das jetzige erweist sich als durchaus ungenügend, da es nicht einmal möglich ist, die großen Artilleriestücke bei den übrigen Waffen aufzustellen und so die instructive Seite unserer Sammlung hervortreten zu lassen.

XXIV.

Die Waffen haben uns aus der Ruhe des Hauses in das Getümmel des Feldes geführt und uns im Kriegswesen und Kampfe eine Einrichtung zum Schutze des Staates, wie zu seiner Erweiterung und Vergrößerung gezeigt. Wir sind also in das öffentliche Leben von seiner härtesten und rauhesten Seite aus eingedrungen und haben nunmehr die übrigen Denkmäler des öffentlichen Staatslebens, in Verbindung mit der Gerechtigkeitspflege, in dieser Abtheilung zu betrachten. Staat, Verwaltung und Rechtspflege sind idealer Natur und nicht in Denkmälern verkörpert; doch sind die Insignien Denkmäler, die uns jene Gebiete vor Augen führen. Die Reichskleinodien, Monumente des Regimentes sind jedem Deutschen theuere Erinnerungen; die Insignien der Herrschaft über einzelne Theile unseres deutschen Vaterlandes von den großen Ländern und Reichen, die sich in ihm gebildet haben, sind greifbare Monumente, denen sich die Einrichtungen der Lokalitäten, in welchen die Versammlungen getagt und die Beamten gearbeitet haben, anschließen. Wenn auch die Mehrzahl der Originalquellen in der Sammlung der kulturhistorischen Blätter enthalten ist, wenn auch die Sammlung der Abbildungen Vieles ergänzen muß, was uns in Original nicht zugänglich ist, so sind doch auch einige nicht unwichtige Denkmale bei uns selbst vorhanden, vom silbernen Reliquienschreine, der einst die zu den Kleinodien des heiligen römischen Reiches gehörigen Reliquien barg, von den Lederkapseln, die einzelne Theile der Krönungsinsignien enthielten, bis zu den Glasschränken, in denen dieselben zuletzt ausgestellt waren, ehe sie auf Nichtwiederkommen aus der Stadt Nürnberg geflüchtet wurden, welcher Kaiser Sigismund für ewige Zeiten das Recht der Aufbewahrung verliehen hatte. Der schönste Festtag für die allen Deutschen gemeinsame nationale Anstalt müßte es sein, wenn einst diese Kleinodien, an welche gleichfalls jeder Deutsche ein Anrecht hat, wieder in die altehrwürdige deutsche Reichsstadt und in das nationale germanische Museum gelangen würden.

Den Schluß der Reihe der Denkmäler aus dem öffentlichen Leben Deutschlands bildet die uns übergebene Einrichtung des ehemaligen Sitzungssaales des Bundestages des deutschen Bundes zu Frankfurt a. M., sowie die auf das 48er deutsche Parlament bezüglichen Gegenstände.

Die Strafrechtspflege hat gleichfalls eine Reihe von Denkmälern hinterlassen, deren manche in unseren Sammlungen sich befinden. Wenn auch dieser Theil des öffentlichen Lebens nicht gerade den wohlthuendsten Eindruck auf das besuchende Publikum macht, so interessiert doch diese Abtheilung die Besucher in der Regel ganz besonders. Es kann hier nicht unsere Aufgabe sein, zu zeigen, wie die Härten der Gerechtigkeitspflege in der ganzen Denkweise der Zeiten, denen sie angehörten, begründet lagen, noch daß die Hervorkehrung dieser Härten gerade das wesentlichste Element ausmachte. Die Gesammtzahl der Gegenstände, die in die Abtheilung des Staats- und Rechtslebens eingereiht sind, beträgt 53 Stück. Eine vereinigte Aufstellung der ersteren Denkmäler war bis jetzt nicht möglich und wird auch künftighin höchstens dann erreicht werden, wenn wir sie vom rein historischen Standpunkte aus betrachten und einen Saal für historische Erinnerungen einrichten. Die Denkmäler der Strafrechtspflege verlangen nur ein bescheidenes Lokal, das sie auch gefunden und ferner innehaben können.

Als Denkmäler des Staats- und Rechtslebens müssen wir auch die Urkunden betrachten; sie bilden nach den Satzungen der Anstalt als „Archiv" eine besondere Hauptabtheilung, von der später die Rede sein wird.

XXV.

Die Organisation der Gesellschaft beschränkte sich jedoch nicht auf die gesetzgebende und exekutive Gewalt des Staates; sie führte noch zu einer Reihe von Vereinigungen, welche die Mitglieder eines Standes und eines Gewerbes verband. Solche Corporationen und Zünfte wurden erst in neuester Zeit fast überall in Deutschland aufgehoben. Zu deren äußerer Repräsentierung gehörte eine Reihe von Utensilien, welche, zu einer besonderen Sammlung vereinigt, eine eigene Abtheilung des Museums bilden. Eine große Zahl dieser Denkmäler gelangte vor etwa zwei Jahren, als die Zünfte in Bayern der

---

[17] Zu solchen Zeichnungen, die die Waffen-Ausstellung erweitern und erläutern sollten, vgl. Johannes Willers in diesem Band S. 842.

Gewerbefreiheit Platz machten, in das germanische Museum; einzelnes Andere war früher schon vorhanden. Im Allgemeinen stammen die sämmtlichen Gegenstände aus jüngerer Zeit; einige sind ganz neu, erst unmittelbar vor der Auflösung der Zünfte angefertigt. Mehrere der vor den Zünften übergebenen Gegenstände haben großen materiellen oder Kunstwerth; doch ist dies freilich nur eine geringe Minderzahl. Bei einzelnen Gegenständen schien es zweckmäßig, sie eben ihres Kunstwerthes wegen in andere Abtheilung einzureihen. Diese Sammlung, wie sie jetzt vorliegt, zählt im Ganzen 594 Nummern und bietet trotz der angeführten Umstände ein nicht uninteressantes Gesammtbild. Es sind Laden, Kannen, Pokale, Uertentafeln, Fahnen, Herbergsschilde u. A. Leider ist bis jetzt die Sammlung noch nicht entsprechend aufgestellt, was indessen in kürzester Zeit geschehen muß, da nicht nur die Meister und Gesellen, welche die Gegenstände übergeben haben, großes Interesse an diesen Dingen nehmen und häufig darnach fragen, sondern auch fremde Besucher für diese Abtheilung, welche die Repräsentanten des ehemals so blühenden Nürnberger kunstreichen Gewerbstandes umfaßt, ein besonderes Interesse haben. Ein Lokal dafür dürfte sich ziemlich leicht finden.

XXVI.

An die Zünfte und ihre Denkmäler schließen sich die des Erwerbs- und Verkehrswesens überhaupt an. Alles, was uns Handel, Feldbau, Gartenwirthschaft einerseits, anderseits die Post- und Botenanstalten, die Transportmittel überhaupt und so vieles Verwandte repräsentiert und kennen lehrt, gehört in diese Abtheilung. Allerdings haben wir hier, da die kulturgeschichtlichen Blätter nicht mitzuzählen sind, nur wenige Denkmäler, und es dürfte überhaupt kaum zu erwarten sein, daß die Sammlung sich so bereichert, um wirklich diese Zweige entsprechend zu vertreten. Von einer gemeinsamen Aufstellung mußte deshalb bis jetzt und wird wahrscheinlich auch künftig ganz abgesehen werden. Die Waffen, welche zur Jagd gedient, können ja ohnehin nicht von denen getrennt werden, welche im Kriege oder im Waffenspiele benutzt wurden. So sind denn die Sachen, welche diese Abtheilung bilden, theils mit den häuslichen Alterthümern, theils mit der vorhin genannten Abtheilung, theils mit der Waffensammlung vereinigt ausgestellt. Es läßt sich nicht leugnen, daß diese Abtheilung für ein kulturgeschichtliches Museum von großer Wichtigkeit und Bedeutung ist; deshalb haben wir auch aus derselben, so gering sie ist, eine selbständige Abtheilung gebildet. Wenn es uns auch kaum gelingen wird, die Geschichte der Landwirthschaft, der Jagd, des Handels u. s. w. in Originalmonumenten vollständig entsprechend zu repräsentiren, so ist doch das Studium derselben durch Benützung von Miniaturen, Kupferstichen, Holzschnitten, Gemälden, plastischen Denkmälern aller Art möglich, und wir werden durch systematische Auszüge aus solchen Kunstwerken in unserer Abbildungssammlung eine entsprechende Uebersicht zusammenzustellen haben. Bis jetzt freilich ist auch dafür noch

wenig geschehen; doch kann gerade auf solchen Gebieten, wo die künstlerische Bedeutung untergeordnet ist, das alte Bilderrepertorium, mit dessen Durchführung der Verfasser sonst wenig einverstanden ist, recht wohl dienen, so daß wir eine entsprechende systematische Bearbeitung auch noch so lange verschieben können, bis unser Zeichner andere Abtheilungen, die in ähnlicher Weise zu bearbeiten sind, erledigt haben wird.

XXVII.

Das mächtigste aller Verkehrsmittel, das Münzwesen, ist im Gegensatz zu den andern Zweigen, welche die vorige Abtheilung bilden, durch eine so große Reihe von Denkmalen darzulegen und zu verfolgen, daß daraus eine eigene Abtheilung gebildet werden mußte, der wir dann noch Maße und Gewichte angeschlossen haben. Unter Verweisung auf das, was im VIII. Abschnitte gesagt ist, daß wir nämlich die Medaillen nicht mit der Münzsammlung vereinigt haben, weil wir in ihnen Kunstwerke, in den Münzen dagegen ein Verkehrsmittel erblicken, haben wir auf diese Prinzipienfrage hier nicht mehr weiter einzugehen. Unsere Münzsammlung umfaßt jetzt über 8000 eingereihte Nummern, denen sich noch etwa 2000 anschließen, die nicht eingereiht und katalogisiert sind, und von denen freilich ein großer Theil bei der Bearbeitung sich als Dupletten zeigen werden. An die Hauptsammlung reiht sich die schon erwähnte Kreß'sche Sammlung, die an Münzen ca. 1500 Nummern zählt, dann eine Anzahl Jetons und Zeichen, etwa 2000 Nummern, endlich die Maße und Gewichte mit 25 Nummern.

Die eigentliche Münzsammlung enhält fast ausschließlich deutsche Münzen; früher bestand sie nur aus solchen. Es war jedoch im Laufe der Jahre durch Geschenke eine nicht unbeträchtliche Anzahl antiker, sowie mittelalterlicher und neuerer Münzen aus fremden Ländern eingelaufen, was Veranlassung gab, sie gleichfalls zu ordnen und als einen Anhang an die deutschen anzureihen. Die Münzen sind in zwei Hauptabtheilungen geschieden: Mittelaltermünzen und neuere Münzen; letztere gehen bis zum Jahre 1806, bis zur Auflösung des deutschen Reiches. Von spätern, also ganz modernen Münzen sind nur solche aufgenommen, die eine bestimmte historische Bedeutung haben. Für die Scheidung der Mittelaltermünzen von den neueren ist nicht eine bestimmte Jahreszahl, sondern der Stylcharakter maßgebend gewesen. Uebrigens sind die Unterabtheilungen in diesen beiden Hauptabtheilungen vollständig einander gleich, so daß sich an jede Unterabtheilung der Mittelaltermünzen eine gleiche Unterabtheilung der neueren Münzen in der zweiten Hauptabtheilung anschließt, soferne überhaupt eine Serie in beiden Abtheilungen vertreten ist. An der Spitze der Mittelaltermünzen stehen, chronologisch geordnet, die deutschen Kaisermünzen, worunter nur die von den Kaisern selbst geschlagenen, keineswegs aber Städtemünzen begriffen sind. Im Uebrigen folgt die Eintheilung beider Hauptabtheilungen zunächst der des deutschen Reiches in seine Kreise; den Beginn macht der österreichische Kreis, den Schluß der obersächsische. In jedem Kreise sind zuerst die Münzen der weltlichen Münzherren, dem Range nach und bei gleichem Range alphabetisch geordnet, dann die Münzen der geistlichen Herren, endlich die Städtemünzen, alphabetisch geordnet, eingereiht. Jede einzelne dieser Unterabtheilungen ist wieder chronologisch geordnet. Unter den Münzen der neueren Zeit, wo einzelne Jahrgänge durch größere Reihen vertreten sind, ist in jedem Jahrgange die Ordnung nach dem Werthe bestimmt. Die Münzen sind fast ausschließlich Originale; nur einzelne Bleiabschläge oder Gypsabgüsse befinden sich darunter. Nach unserem Grundsatze, die Münzen als Verkehrsmittel zu betrachten, ist auch in der That die Frage nach dem Feingehalte und Gewichte eine weit wichtigere, als die nach dem Style der Prägung. Nachbildungen müßten überhaupt ausgeschlossen sein, wenn zur Vervollständigung der Serien Unica und sehr seltene Münzen auf andere Weise als durch Nachbildungen zu erhalten wären. Im Allgemeinen jedoch werden auch fernerhin vorzugsweise Originale gesucht werden müssen.

Auch die eigentlichen Falschmünzen (NB. nicht die offiziell schlechten und somit vom Münzherrn ausgegebenen falschen Münzen, welche in die Hauptsammlung aufgenommen sind) sind in einem Anhange vertreten. Ueber die Ordnung derselben, sowie über die der Zeichen und Jetons, ist nicht nöthig, besonders hier zu sprechen. Hinsichtlich der Kreß'schen Münzsammlung jedoch muß bemerkt werden, daß sie, als ehemals Imhofische, die dem Verfasser des bekannten Werkes als Grundlage diente[18], genau nach dem Systeme dieses Werkes geordnet, dem Museum übergeben und in dieser Ordnung erhalten worden ist.

XXVIII.

Wenn jede Zeit allen ihren Erzeugnissen einen gleichmäßigen Stempel aufdrückt, so finden natürlich auch innere Beziehungen zwischen allen Erzeugnissen einer solchen Zeit statt, und sie stehen sich untereinander näher als selbst den verwandten einer andern Zeitperiode. Nun ist es aber auch eigenthümlich, daß die Erhaltung der Denkmäler gewissen strengen, aber nicht ganz einfachen Gesetzen folgt; daß aus jeder Zeit vorzugsweise bestimmte Denkmäler erhalten sind, deren vielleicht sämmtliche oder wenigstens die Mehrzahl der verwandten Denkmäler in der nächsten Epoche nicht mehr vorhanden sind, so daß sich nicht alle Reihen ohne Unterbrechung von der ältesten Zeit durch alle späteren Zeiten verfolgen lassen. Dies ist besonders der Fall in Bezug auf eine Anzahl von Denkmälern, die dem häuslichen Leben, dem Schmucke und Anderem angehören, von denen uns aus der ältesten Periode der Kultur der Stämme, welche Deutschland bewohnten, so manche erhalten sind, deren Reihe sich bis in die frühchristlichen Zeiten Deutschlands verfolgen läßt, ohne jedoch in eine Reihe von mittelalterlichen Werken sich fortzusetzen. Dies gab Veranlassung, im wesentlichen alle Denkmäler der vor- und frühchristlichen Periode Deutschlands,

die sich in Originalen oder Abgüssen in unseren Sammlungen befinden, zu einer selbständigen Abtheilung zu vereinigen und nur einzelne Repräsentanten in die Serien einzureihen, welche sich, wie z. B. die Schwerter, in ununterbrochener Reihenfolge von dieser Zeit bis auf die unsrige verfolgen lassen. Diese Sammlung vorchristlicher Denkmäler umfaßt jetzt ca. 1500 Stück. Einzelne Gegenstände darunter sind von großer Bedeutung; im Ganzen ist jedoch weder der materielle, noch der wissenschaftliche Werth so erheblich, daß sich diese Sammlung mit andern ähnlichen, diesem Felde ausschließlich gewidmeten, messen kann. Ihr Inhalt ist so verschiedener und mannigfaltiger Art und doch wieder nach allen Seiten so lückenhaft, daß es schwer hält, ein praktisches System zu finden, nach welchem die Sammlung zu ordnen wäre. Das Direktorium des Museums hat daher vorläufig geglaubt, daß unter diesen Umständen eine rein geographische Ordnung nach Fundorten am zweckmäßigsten sein dürfte. So zeigt denn diese Sammlung allerdings, da sie fast alle Gegenden Deutschlands umfaßt, welche Gegenstände vorzugsweise da und dort gefunden werden, wo römische Gegenstände in größerer Zahl vorkommen, wo die frühere, wo die spätere Zeit vorzugsweise vertreten ist, da sie hauptsächlich die Dinge enthält, die in jeder Gegend am häufigsten vorkommen, also speziell für dieselbe charakteristisch sind. Doch kommt dabei leider allerdings auch in Betracht, daß von manchen Gegenständen der Fundort nicht mit absoluter Sicherheit zu bestimmen ist. Für diese Sammlung wurden nur ausnahmsweise einzelne Gegenstände gekauft; die Mehrzahl derselben ist als Geschenk in's Museum gekommen und unter dieser Hauptbedingung wird auch die fernere Entwicklung vor sich zu gehen haben. Wenn deshalb auch wahrscheinlich die Originale noch längere Zeit nach unserem geographischen Systeme geordnet bleiben können, so wird es doch nothwendig werden, die Reihe der Abgüsse systematisch so zu ergänzen, daß sich ganze Serien daraus bilden und, wenn auch nicht der zeitliche Entwicklungsgang, doch wenigstens der gesammte Formenkreis einer jeden solchen Serie sich überblicken läßt; daß z. B. sämmtliche Formen und Verzierungsweisen der Fibeln, Schnallen, Urnen, Schwerter, Speere u. s. w. sich zeigen. Nachdem das römisch-german. Centralmuseum in Mainz unter Lindenschmit's[19] Leitung diese Nachbildungen in so vortrefflicher Weise fertigt, kann natürlich nur die Rede davon sein, dergleichen von dem genannten Institute zu beziehen, wenn nicht etwa einmal im Interesse der Wissenschaft sich eine Vereinigung oder wenigstens ein festes Uebereinkommen dieses Institutes mit dem germanischen Museum bewerkstelligen lassen wird. Werden durch solche

[18] Vgl. Anm. 9.
[19] Ludwig Lindenschmit d. Ä. (1809–1893) war Gründer und erster Leiter des römisch-germanischen Zentralmuseums in Mainz. Zu Lindenschmit vgl. Wilfried Menghin in diesem Band, S. 666–671 mit Anm. 29 und das Verzeichnis der Mitglieder des Verwaltungsausschusses, S. 1052.

Nachbildungen einzelne Serien übersichtlich und vollständig geworden sein, wird inzwischen vielleicht auch für manche verwandte Serie des Mittelalters in Original oder in Nachbildungen entsprechendes Material sich gesammelt haben, so wird sich gewiß auch auf manchen Gebieten die Kluft schließen, welche diese Abtheilung von den entsprechenden späteren Abtheilungen des Museums scheidet, und es wird eine innigere Verbindung vielleicht zweckmäßig erscheinen. Mit Rücksicht darauf soll eine Ergänzung durch Nachbildungen vorzugsweise für die Gebiete angestrebt werden, auf denen sich der Anschluß an das Mittelalter und durch dieses an die neuere Zeit finden lassen wird.

XXIX.

Unser Museum soll nicht blos ein kulturhistorisches sein, es soll auch ein historisches werden. In diesem Sinne haben wir uns bei einzelnen Abschnitten der gegenwärtigen Abhandlung bereits ausgesprochen und hätten auch noch bei andern darauf hinweisen können. So haben wir gesagt, daß die Reihe der Grabdenkmale nicht blos von Seite ihrer künstlerischen Bedeutung, sondern auch von Seite der historischen ausgewählt werden müsse; wir haben bei den Siegeln auf ihre historische Bedeutung aufmerksam gemacht; wir haben in den Münzen eine Reihe von Denkmalen, welche an einzelne historische Persönlichkeiten anknüpfen; wir haben in den Medaillen, in den gemalten und gestochenen Porträts die Bildnisse der hervorragendsten historischen Männer und Frauen. Wenn nun einstens mit Rücksicht auf diese historische Bedeutung die Reihe der Grabdenkmale entsprechend abgerundet sein wird, wenn das Publikum durch Aufstellung der Siegel, Medaillen und Porträts eine Reihe von Namen historischer Personen, zum Theil ihre Gesichtszüge selbst, vor Augen haben wird, so muß sich unwillkürlich der Wunsch aufdrängen, auch die Denkmäler jener deutschen Männer zu sehen, welche gelebt haben, ehe die deutsche Kunst selbständige größere Denkmäler zu errichten vermochte; es wird erwünscht sein, die Darstellung der urgermanischen Völkerschaften aus den Denkmälern der Römer kennen zu lernen, und so dürfte wol den jetzt bereits bestehenden Einzelsammlungen des Museums einstens eine weitere anzufügen sein, die den Beginn der Betrachtung dann machen wird, indem sie von klassisch-römischen Denkmälern alle diejenigen umfaßt, die zur deutschen Geschichte in irgend welcher Beziehung stehen, so alle Darstellungen von Germanen auf römischen Monumenten, so die Statuen und Porträtbüsten derjenigen Römer, welche mit den Germanen gekämpft oder in sonstiger Weise Einfluß auf Deutschlands Geschicke hatten, so die Münzen, welche auf die Kämpfe mit den Germanen geschlagen worden sind, u. A. m.

Bis jetzt wurde in dieser Beziehung noch kein spezielles Programm aufgestellt, noch überhaupt zur Realisierung dieser projektierten Abtheilung irgend etwas gethan; sie soll auch nur als Zukunftsobjekt hier betrachtet werden, wo von dem gegenwärtigen Stande und den daran sich knüpfenden Aufgaben des Museums gehandelt wird.

XXX.

Zu allen diesen Abtheilungen sind die entsprechenden Kataloge, und zwar in neuester Zeit doppelte Kataloge: ein numerischer oder Inventarkatalog und ein systematischer, in gehöriger Ordnung geführt. In früherer Zeit war das Katalogwesen etwas complicierter organisiert, doch auch stets in entsprechendem Zustande. Die Reduktion der Kataloge auf zwei für jede der oben genannten Hauptabtheilungen ist jedoch vollständig genügend und übersichtlich. Jeder Gegenstand erhält, sobald er in die Abtheilung eingereiht wird, eine Nummer, welcher außerdem der Buchstabe der Abtheilung beigefügt ist, und wird in den numerischen oder Inventarkatalog ganz kurz eingetragen. Dieser Inventarkatalog ist gebunden; der systematische Katalog dagegen besteht aus losen Blättern, deren jedes eine ausführliche Beschreibung des betreffenden Gegenstandes, sowie die Nr. desselben enthält. Die systematische Ordnung ist darin strenge festgehalten, und jeder Zugang wird sofort an die betreffende Stelle zwischen die andern Zettel eingeschoben. Da wir nicht unbedingt vor Irrthum geschützt sind, so ist es, wenn sich bei der Bestimmung und Beschreibung eines Gegenstandes ein Fehler eingeschlichen hat, sehr leicht möglich, jeden Augenblick an Stelle des falschen Zettels einen richtigen einzuschalten oder, wenn in der Reihenfolge der Zettel ein Mißgriff gemacht wurde, denselben zu beseitigen. Die Sammlung selbst ist ohnehin, wo nicht die Oertlichkeiten zu einer Abweichung zwingen, in derselben Folge geordnet wie der systematische Katalog. Da es natürlich wünschenswerth ist, jeden Gegenstand so rasch als möglich einzureihen, so ist oft, namentlich bei Gegenständen, zu deren Bestimmung Spezialkenntnisse nöthig sind, während unter unsern Beamten sich kein Spezialist dieses Faches findet, der Fall gegeben, daß ein provisorischer Zettel in den systematischen Katalog eingelegt werden muß; und so findet sich denn eine große Reihe provisorischer Zettel in einzelnen Abtheilungen. Auch ist, da es doch für den Katalog einer öffentlichen Anstalt, wenn nicht nöthig, so doch würdig ist, daß die Zettel alle von der Hand eines geübten Schreibers sauber und rein geschrieben seien, eine Abschrift sehr vieler Katalogzettel nöthig, die einen Gehülfen für lange Zeit hinaus beschäftigen würde. Daß wir indessen die Herstellung dieser Abschriften nicht gerade zu den dringenden Arbeiten rechnen, braucht wol kaum erwähnt zu werden; und so können wir allerdings sagen, daß die Kataloge der Sammlungen sich in gutem, geordnetem Zustande befinden.

Wir haben bei einzelnen Abtheilungen erwähnt, daß neben den betreffenden Katalogen eine Reihe von Aufzeichnungen hergehen. Wo es sich nur um wenige kurze Verweisungen handelt, da kann leicht an jeder Stelle des systematischen Katalogs ein besonderer Zettel eingeschaltet werden, der diese Verweisung enthält; wo jedoch die Zahl derselben eine sehr große würde, da ist es zweckmäßiger, diese Verweisungen zu einem besonderen Repertorium zu vereinigen. Dies ist z. B. der Fall bei der Sammlung der Holzschnitte und Kupferstiche, wo die in die Bibliothek eingereihten Werke viele Illustrationen enthalten, welche für die Geschichte dieser Künste von Wichtigkeit sind. Hier ist ein besonderes Verzeichnis der in der Bibliothek vorhandenen Kupferstiche und Holzschnitte aufgestellt.

In der jüngsten Zeit ist dessen Ergänzung in's Stocken gerathen; es ist jedoch sobald als möglich diese Arbeit wieder aufzunehmen.

Eine große, umfassende Arbeit ist das Personenregister, das in alphabetischer Ordnung eine Reihe von Zetteln enthält, auf deren jedem verzeichnet ist, was sich in Bezug auf irgend eine Familie oder einzelne Person in unseren Sammlungen an Wappen, Grabsteinen, Porträts, Siegeln, Münzen, Medaillen oder historischen Blättern befindet. Zu großem Theil ist auch das betreffende Abbildungsmaterial aus einzelnen Werken in der Bibliothek in dieses Personenregister hereingezogen. Es läßt sich nicht leugnen, daß dieses Register in manchen Fällen sehr bequem ist; da jedoch unsere Sammlungen alle so systematisch geordnet sind, daß jedes Porträt oder Siegel, jede Münze, Medaille u. s. w. rasch gefunden werden kann, so ist die praktische Bedeutung dieses Registers keine übermäßig große. Das Hereinziehen der Abbildungen, welche sich in der Bibliothek befinden, repräsentiert vorzugsweise die praktische Seite dieses Personenregisters. Da jedoch der praktische Gebrauch desselben ein so seltener ist, so kann von Seite des Direktoriums vorläufig ein besonderes Gewicht nicht auf dessen Fortsetzung gelegt werden. Unsere neuen Satzungen räumen den Repertorienarbeiten ohnehin nur dann einen Platz ein, wenn sie sich an die eigenen wissenschaftlichen Arbeiten des Museums anschließen und diesen dienen. Wenn auch unter dem jetzigen Direktorium diese Arbeiten etwas in's Stocken gekommen sind, und deren Wiederaufnahme vorläufig nicht beantragt wird, so kann doch immerhin später wieder darauf zurückgekommen werden, wenn unsere Mittel, deren Verwendung nach anderer Seite hin weit dringender erscheint, es uns gestatten, besondere Beamte für diesen Zweck zu bezahlen.

In ähnlicher Weise wie dieses Personenregister war früher auch ein Ortsregister angelegt, das schon vor dem Amtsantritte des gegenwärtigen I. Direktors suspendirt wurde und dessen Wiederaufnahme ebenfalls jetzt nicht beantragt werden kann.

Früher wurden alle neue Zeichnungen, Abbildungen u. s. w. gleichfalls mit Nummern und Katalogzetteln versehen und als Theile der Hauptsammlung betrachtet, überhaupt im Kataloge ebenso wie Originalgegenstände behandelt. Dies war möglich, so lange die Zahl der Abbildungen eine beschränkte war. Als jedoch das Direktorium die Nothwendigkeit empfand, die Sammlung dieser Abbildungen entschieden zu fördern, und als in den jüngsten Jahren die Zugänge in Folge dessen tausendweise geschahen, war es nicht mehr möglich, dieses System aufrecht zu erhalten. Die Einrichtung mußte daher so getroffen werden, daß die Blätter durch ihre syste-

matische Ordnung einen Katalog vollständig überflüssig machten, und daß daraus nach und nach das jetzt fast alle Abtheilungen der Sammlungen begleitende Bilderrepertorium entstand, welches, wenn auch noch nicht vollständig, wie bei Besprechung der einzelnen Sammlungen bereits gesagt wurde, doch schon einen sehr zweckmäßigen Cursus der gesammten Alterthumswissenschaft, soweit sie sich durch darstellbare Monumente verfolgen läßt, repräsentiert. Obwohl in den verschiedenen früheren Abschnitten eingehend davon im Einzelnen die Rede war, so schien es doch nothwendig, hier, bei Besprechung der an die Sammlungen sich anschließenden wissenschaftlichen Arbeiten, desselben noch einmal im Zusammenhange zu gedenken. Da die systematische Ordnung den Katalog überflüssig macht, so ist es schwer, die gegenwärtige Zahl der Blätter anzugeben; obwohl erst seit 4 Jahren in dieser Form angelegt und damals circa 2000 Blätter zählend, ist dieselbe jetzt etwa 20–25 000 stark. Ihre systematische Vermehrung wird fortwährend eifrig betrieben und kann auch für künftighin geradezu als die wichtigste Arbeit des Museums betrachtet werden. Vorzugsweise ist es der Ankauf von Photographien, soweit uns solche nicht geschenkt werden, und die Anfertigung von Zeichnungen einzelner Objekte, als Auszüge aus Gemälden, Holzschnitten, Miniaturen u. s. w. der älteren Zeit, die hier in's Auge zu fassen sind.

Eine nicht unwichtige, selbständige wissenschaftliche Arbeit, die sich an die kunst-und kulturgeschichtlichen Sammlungen anschließt, ist das Wappenlexikon. Bekanntlich kommt es sehr häufig vor, daß bei archäologischen Studien ein Wappen begegnet, das nur nach seinen Figuren bestimmt werden kann. Nun geben aber alle Wappenbücher die Ordnung nicht nach den Wappenfiguren, sondern nur nach den Familien, so daß, wenn man die Familie kennt und mit der Einrichtung des Wappenbuches vertraut ist, man sehr leicht und rasch finden kann, ob deren Wappen im Buche enthalten ist, und wie es aussieht. Wenn man jedoch wissen will, welcher Familie ein vorliegendes Wappen angehört, so muß man auf's Gerathewohl eine Anzahl Wappenbücher von Anfang bis zu Ende durchlesen. Das Wappenlexikon des Museums hat nun eine erste Hauptabtheilung, welche auf circa 17 000 Blättern einzelne Wappen gezeichnet enthält. Diese Blätter sind nach den Wappenbildern geordnet, so daß man sofort ein unbekanntes Wappen nach seinen Bildern aufzusuchen und zu bestimmen im Stande ist.

Da jedoch viele zusammengesetzte Wappen mehr als ein Bild haben, die Ordnung aber immer nach dem Bilde des ersten Feldes geschieht, so sind in einer zweiten Abtheilung des Wappenlexikons Verweisungszettel zusammengestellt, deren Zahl etwa 7000–8000 Blätter beträgt.

Eine dritte Abtheilung endlich enthält ein Namensregister, da auch die nach Namen geordneten Wappenbücher stets nur gewisse Kreise umfassen, und es deshalb häufig nöthig wäre, eine ganze Reihe von Wappenbüchern durchzusehen, um auf das gesuchte Wappen zu kommen. Die Zahl ihrer Blätter beträgt circa 17 000.

In praktischer Beziehung ist gewiß das Wappenlexikon eine der wichtigsten Arbeiten des Museums; sie ist, soweit sie geführt wurde, aus 55 Bibliothekswerken zusammengestellt. Indessen mußte auch diese Arbeit vorläufig sistiert werden, da sie noch auf Jahre hinaus mindestens 2 Beamte ausschließlich beschäftigt haben würde, einen zeichnenden und einen schreibenden; denn ungefähr 6 Jahre lang haben zwei Beamte gearbeitet, um das gegenwärtige Resultat zu erzielen. Wenn unsere Sammlungen und das vorhin erwähnte Bilderrepertorium zu einem solchen Abschluß gekommen sein werden, so soll von Seite des Direktoriums sofort die Wiederaufnahme der Arbeiten, die wol nach annähernder Berechnung einen Aufwand von fl. 10000 erfordern dürften, beantragt werden.

XXXI.

Ist in den kunst- und kulturgeschichtlichen Sammlungen nicht der ganze Inhalt dessen erschöpft, was wir als Kultur bezeichnen können, sind es vielmehr gerade die wichtigsten, geistigsten Beziehungen der Kultur, die keine greifbaren Monumente hinterlassen konnten, spiegelt sich die Geschichte selbst nur sehr unvollkommen in historischen Denkmalen ab, so muß an einer Anstalt, welche Lehranstalt sein will, auch für diesen Theil der großen Aufgabe in entsprechender Weise gesorgt sein. Deshalb ist eine umfangreiche Bibliothek als eine Hauptabtheilung der ganzen Anstalt durch die Satzungen vorgezeichnet worden, welche zugleich auch das Material umfaßt, das die Literatur zum Studium der in den kulturgeschichtlichen Sammlungen vertretenen Fächer bietet. Der Anlage entsprechend, welche ihr von vornherein gegeben wurde, und die auch kaum je wird verlassen werden können, weil sonst alle Katalogs- und Repertorienarbeiten umgeworfen werden müßten, hat die Bibliothek eine große Unterabtheilung, die als Hauptbibliothek die gesammte deutschgeschichtliche Literatur enthält und ohne Unterabtheilungen in Fächer, einfach nach Formaten geordnet ist. Als zweite Unterabtheilung schließt sich daran die Sammlung der Vereins- und akademischen Schriften historischen Inhalts, als dritte die der Musikalien, als vierte die der Handschriften, als fünfte die der alten Drucke. Ferner bilden einige in sich abgeschlossene, zusammenhängende kleinere Bibliotheken, die als Stiftungen übergeben wurden, einzelne selbstständige Abtheilungen. Endlich schließt sich daran ein Depot, welches die den Aufgaben des Museums ferne liegenden Bücher enthält, sowie die Duplettensammlung. Wir wollen auch hier, da täglich neuer Zuwachs stattfindet, den Bestand in runden Zahlen angeben, nämlich für die Hauptbibliothek circa 50000 Bände, für die Vereinsschriften circa 2000, für die Musikalien 300, Handschriften 800, alte Drucke 800, für die ältere Scheurl'sche Bibliothek, die in den kulturgeschichtlichen Sammlungen aufgestellt ist, 400 Bände (meist Sammelbände mit circa 4000 Schriften), für die jüngere Scheurl'sche 500; ferner für die Bibliothek des Frankfurter deutschen Parlamentes v. J. 1848 4000 Bände, für die übrigen, mit Ausnahme der Dupletten und des Depots, 2000 Bände; im Ganzen also

über 60000 Bände. Der Inhalt der Bücher ist sehr verschieden; manche wichtige und kostbare Werke sind darunter. Da jedoch die Bibliothek fast ausnahmslos durch Geschenke sich gebildet hat, so war ihre Anlage nicht nach einem bestimmten Systeme möglich; daher fehlen auch wiederum manche fast unentbehrliche, insbesondere manche ältere Werke, während gewiß im Allgemeinen eine neu entstandene Bibliothek nicht leicht an älteren Sachen so gut bestellt sein dürfte als die unsere. Jedoch nur an „älteren" Sachen; die ältesten sind sehr schwach bei uns vertreten. Die Incunabeln der Buchdruckerkunst, welche uns weniger vom inhaltlichen als vom Standpunkte der Geschichte des Buchdruckes interessieren müssen, entsprechen weitaus nicht dem Zwecke, noch auch den übrigen Abtheilungen der kulturgeschichtlichen Sammlungen. Bis jetzt konnte für dieselben verhältnismäßig wenig geschehen, da sie nicht gerade den wichtigsten Zweig der Kultur repräsentieren, so daß von Seite der kulturgeschichtlichen Sammlungen andere Zweige vorgehen mußten, und weil sie inhaltlich von vollkommen untergeordneter Bedeutung sind, somit die den Aufgaben der Bibliothek gewidmeten Mittel für sie nicht verwendet werden durften. Indessen wird auch ihre Zeit bald kommen, wenn die kulturgeschichtlichen Sammlungen so weit gediehen sein werden, daß auch die Geschichte des Buchdruckes folgen muß.

Die Bereicherung der Bibliothek wird vorzugsweise durch die Liberalität des deutschen Verlagsbuchhandels gefördert, und es muß hier mit besonderem Danke anerkannt werden, daß kein anderer Stand an Opferwilligkeit für unsere Anstalt dem der Buchhändler gleichkommt. Ganz vollständig erhalten wir indessen doch die neuen Erscheinungen nicht, die für uns wichtig wären; namentlich fehlen uns so manche für die Verwaltung der kulturgeschichtlichen Sammlungen selbst wichtige Kupferwerke. Vom französischen und englischen Buchhandel können wir natürlich die Liberalität des deutschen nicht erwarten. Auch hier sind es gerade größere Kupferwerke, die wir nöthig haben, zur Zeit aber leider noch entbehren; sie zu beschaffen, gehört zu den nächsten Aufgaben.

Die Aufstellung der Bücher nach dem Zugang und nur unter Berücksichtigung des Formates hat vielfache Bedenken hervorgerufen. Es wurde eine solche nach Fächern der Wissenschaft empfohlen, ja, es wurde sogar im Verwaltungsausschusse der Beschluß gefaßt, der Aufstellung der Bibliothek ein wissenschaftliches System zu Grunde zu legen, ein Beschluß, der indessen gänzlich unausführbar ist und dessen Nichtausführung auch in den späteren Sitzungen keine Beanstandung fand. Der Grund der Unausführbarkeit liegt darin, daß nicht blos die Kataloge, sondern auch die Repertorienarbeiten auf die gegenwärtige Numerierung basiert sind. Da nun diese bei einer Umstellung nicht beibehalten werden könnte, so müßten entweder jene gänzlich verworfen und neu begonnen, oder erst durch ein anzufertigendes Register von Verweisungen brauchbar gemacht werden. Und zu welchem Zwecke wäre diese ganze Arbeit? In einer Bibliothek kann es sich um gar nichts Anderes handeln, als jedes vorhandene

Buch so rasch als möglich aufzufinden, und das ist bei uns auch jetzt schon der Fall. Eine systematische Uebersicht der Bibliothek aber ist durch einen besondern Katalog hergestellt. In der Bibliothek selbst ist sie nicht nöthig, da ja doch das Publikum, auch die Forscher nichts selbst suchen können; was vorhanden ist, ersehen sie aus dem Kataloge, und die Bücher, welche sie wollen, werden ihnen gebracht. Es ist sonach gleichgültig, wo sie stehen.

XXXII.

Die Hauptbedeutung für die Benützung der Bibliothek liegt also in einer zweckmäßigen Anordnung des Katalogs. Abgesehen von dem für die Verwaltung nöthigen Zugangsregister (Inventarkatalog) und dem Standkataloge, werden ein systematischer und ein alphabetischer Blattkatalog geführt, welche beide vollkommen allen Anforderungen genügen. Während jener mittels bibliographisch genau abgefaßter und nach den Namen der Autoren oder nach Schlagwörtern alphabetisch geordneter Zettel angibt, welche Werke überhaupt vorhanden und unter welcher Nummer und Format sie aufgestellt sind, zeigt dieser mit den gleichen, nach dem Aufseß'schen Systeme abgetheilten Zetteln, von welchen Büchern jedes Spezialfach und seine Unterabtheilungen vertreten sind.

Der systematische Katalog enthält jedoch nur die Titel der ganzen Werke. Sammelwerke, welche die verschiedensten Gebiete berühren, Zeitschriften mit ihrer großen Menge der mannigfaltigsten Aufsätze können schwer in demselben einen geeigneten Platz finden. Man hat daher, um die Bibliothek so nutzbar als möglich zu machen, noch sogenannte Repertorien angelegt, die nichts anderes sind als ein sehr detaillierter Spezialkatalog, und die in 3 Abtheilungen nach Personen, Orten und Sachen gegliedert und in jeder derselben alphabetisch geordnet sind. Darin ist jeder einzelne Aufsatz, jede selbständige Abhandlung eines Sammelwerkes, selbst einzelne Kapitel größerer Werke, sofern sie spezielle Gegenstände behandeln, eingetragen, und zwar so oft, als es die verschiedenen Beziehungen nöthig machen. Dieses Repertorium wurde früher so behandelt, daß eine Reihe von Eintragungen auf einem und demselben Zettel erfolgte, was sich jedoch später der nöthigen Einschaltungen wegen als sehr unzweckmäßig herausstellte, so daß schon im Jahre 1861 eine Aenderung dahin stattfand, daß kleinere Zettel angewendet und jeder mit einem einzigen Eintrage versehen wurde. Es zeigte sich jedoch auch, daß manche der Einträge auf den alten Zetteln von weniger gebildeten Gehülfen nicht mit der nöthigen Sorgfalt und Zuverlässigkeit gearbeitet waren, so daß also eine abermalige Repertorisierung der älteren Theile der Bibliothek für nöthig erachtet und auch sofort in Angriff genommen wurde. Da jedoch, wo zu früheren Nummern neue Bände als Fortsetzungen hinzukamen, diese nicht sofort mit den Zugängen der Repertorisierungsarbeit unterzogen, sondern zurückgestellt wurden, bis die Reihe des Nachrepertorisierens die betreffende Nummer erreichen würde, so umfaßt das neue Repertorium noch nicht die ganze Bibliothek. Repertorisiert sind

etwa ³/₄ der Bibliothek; noch ¹/₄ bleibt also nachzuholen. Zu diesem Zwecke sind genaue Notizen über den Fortgang der Nachrepertorisierung stets gemacht worden.

Es ist natürlich wünschenswert, daß diese Arbeit so bald als möglich geschehe. Wenn sie durch das jetzige Personal der Bibliothek geschehen muß, das durch die übrigen Arbeiten, sowie durch die Repertorisierung der Zugänge in Anspruch genommen ist, so wird sie wohl vor Jahren nicht beendet sein. Es wäre daher wünschenswert, andere Maßregeln ergreifen zu können, durch welche die Ausfüllung dieser Lücke bald bewirkt würde, da gewiß von allen Repertorienarbeiten, welche das Museum unternommen, dieser Spezialkatalog die besten Früchte getragen und am häufigsten, sowohl für die Studien des Museums selbst, als auch Fremder, die sich an das Museum wenden, gebraucht wird. Eine Frage, welche dabei zu erörtern ist, wird die sein, in wie weit es zweckmäßig erscheint, die Nachweisung von Aufsätzen, die nicht in Werken unserer Bibliothek enthalten, aber bei Gelegenheit der für das Museum nöthigen Zusammenstellungen uns begegnen, fortzusetzen, eine Frage, die wir mit Rücksicht auf die verhältnismäßig geringe Arbeit bejahen möchten. Im Allgemeinen nehmen diese Repertorisierungsarbeiten überhaupt das Bibliothekpersonal vorzugsweise in Anspruch, und es liegt darin der schon häufig auffallend gefundene Umstand begründet, daß unsere Bibliothek, im Verhältnis zu ihrem Umfange und zu ihrer Benützung, hinsichtlich des Personals gut versehen ist. Wir möchten daher auch vorläufig keine andere Einrichtung oder neue Arbeit vorschlagen, durch welche eine Vermehrung dieses Personals nöthig würde; allein wir müssen doch darauf hinweisen, daß eine Bibliothek nur dann ihren Zweck erfüllt, wenn sie wirklich benützt werden kann, daß also eine solche Benützbarmachung, soferne sie mit der Bedeutung des Inhaltes in richtigem Verhältnisse steht, gewiß nur zu billigen ist, insbesondere soferne dadurch nicht die Mittel abgeschnitten werden, die Bibliothek selbst so weit als nöthig zu ergänzen.

Unsere Handschriften sind in ähnlicher Weise wie die gedruckten Werke ihrem Titel nach in den Katalog aufgenommen und in die Repertorisierung hereingezogen; es ist jedoch noch außerdem ein Handschriftenverzeichnis in Form eines Blattkatalogs angefertigt, in welchem jede einzelne Handschrift ausführlich beschrieben ist.

Eine Arbeit, die bei der Bibliothek früher gemacht, seit dem Jahre 1862 aber suspendiert wurde, für welche jedoch zu geeigneter Zeit eine Wiederaufnahme beabsichtigt wird, ist das Handschriftenverzeichnis, welches mitunter gute Dienste leisten könnte, jedoch so selten wirklich benützt werden wird, daß die Frage, ob sich die Kosten dafür mit dem Resultate in Einklang befinden, jedenfalls angeregt werden muß, so lange die uns zur Verfügung stehenden Mittel eine Beschränkung auferlegen. Es wurde bei diesem Handschriftenverzeichnisse in's Auge gefaßt, daß zum Studium, insbesondere zur Richtigstellung der Texte, nöthig ist, die verschiedenen Handschriften, welche einen und denselben Inhalt haben, zu kennen. Es sollten also die Handschriftenkataloge der verschiedenen Bibliotheken ausgezogen und daraus ein großes, vollständiges Handschriftenverzeichniss zusammengestellt werden. Diese Arbeit ist jedoch, obwohl schon die bedeutende Zahl von 30000 Zetteln vorhanden ist, noch so weit zurück, daß von einer Vollständigkeit nicht die Rede sein kann, daß aber wohl schon zu übersehen ist, welch bedeutende Arbeit und welch große Kosten erwachsen würden.

Eine fernere, früher in der Bibliothek gemachte Zusammenstellung ist für die Geschichte des Buchdrucks nicht unwichtig, nämlich ein Verzeichniss der älteren Drucker und der von ihnen ausgegangenen Bücher bis zum Jahre 1650. Die Bearbeitung konnte jedoch nur nebenher stattfinden und ist mitunter lückenhaft geblieben. Gegenwärtig wird diesem Verzeichnisse Alles beigefügt, was unserer Bibliothek einverleibt wird. Wenn später die kulturgeschichtliche Bedeutung unserer Incunabelnsammlung Veranlassung gibt, dieselbe weiter zu pflegen, um eine Sammlung zur Geschichte des Buchdruckes daraus zu machen, so wird auch die eingehendere Bearbeitung dieses Buchdruckerverzeichnisses nöthig werden.

XXXIII.

Das Archiv des germanischen Museums sollte nach der ersten Anlage seine Bedeutung vorzugsweise darin haben, daß es eine Gesammtübersicht über das zerstreute Material der deutschen Geschichte, soweit solches in Archivalien niedergelegt ist, bieten, also durch seine Repertorienarbeiten einen Mittelpunkt aller deutschen Archive bilden sollte. Die neuen Satzungen weisen demselben indessen vorzugsweise die Aufgabe zu, zerstreutes und bedrohtes Urkundenmaterial zu sammeln und zu retten. Wir können also über die verschiedenen Wandelungen, welche das Archiv seit seinem Entstehen durchgemacht hat, hinwegsehen, nachdem die ihm durch die neuen Satzungen zugewiesene Aufgabe vorläufig eine sehr einfache geworden ist. Das Archiv enthält gegenwärtig, in runden, annähernden Ziffern ausgedrückt, circa 7000 Pergamenturkunden, 2500 Papierurkunden (theils alte Originale, theils Abschriften), circa 160 Urkundenbücher, Urkundenverzeichnisse und Verwandtes, circa 2000 Aktenfaszikel, außerdem mehrere 1000 Autographen. Was die deutschen Gebiete betrifft, so sind vorzugsweise Nürnberg und die fränkischen Gegenden, Regensburg und Oberpfalz, Schwaben, Tirol, Oesterreich ob d. Enns vertreten; doch verbreiten sich unsere Materialien fast über alle Gegenden Deutschlands. Die Mehrzahl der Urkunden kann als dem Untergange entrissen betrachtet werden. Die inhaltliche Wichtigkeit ist natürlich sehr verschieden; ebenso ist es natürlich, daß eine sehr große Zahl derselben vollständig vereinzelt dasteht. In ähnlicher Weise wird es auch ferner mit den Zugängen sein. Das benachbarte Fürth, als der Mittelpunkt des Pergamenthandels, bietet insbesondere Veranlassung, viele Pergamenturkunden auf dem Wege zu den Goldschlägern abzufangen und von dem Untergange zu retten. Wenn uns, wie im Verlaufe dieser Abhandlung schon häufig gesagt ist, die Mittel manche Grenze ziehen, so wird dies auch hier mitunter unsere Wirk-

samkeit leider ebenso beschränken, als es zu unserem Bedauern auf andern Gebieten der Fall ist. Da wir indessen bei den Händlern in Fürth, welche den Goldschlägern das Pergament nach dem Gewichte liefern, auch nach dem Gewichte kaufen und je nach der Gattung des Pergaments 10–12 fl. per Pfund zu zahlen haben, so ist es immerhin möglich, auch Urkunden von geringerem historischen Werthe zu erhalten und so nicht blos das zu retten, was von hervorragend wichtiger historischer Bedeutung ist. Die Quellen fließen indessen nicht mehr so reichlich, da glücklicherweise allenthalben jetzt den Archiven eine größere Sorgfalt zugewendet wird, als dies vor einigen Jahrzehnten geschah; auch die Geschenke an vereinzelten, da und dort in Privatbesitz befindlichen Archivalien haben nicht mehr den Umfang, den sie in früheren Jahren hatten, weil die Mehrzahl der unserer Anstalt Befreundeten schon diese Stücke dem Museum übergeben hat.

Was die Bearbeitung des im Museum vorhandenen Urkundenmaterials betrifft, so muß diese nach der Meinung des Verfassers eine sehr einfache sein. Es kann sich nur darum handeln, eine gesuchte Urkunde leicht zu finden, sowie rasch und bequem nachschlagen zu können, was über irgend eine Person oder einen Ort vorhanden ist; daher unser Vorschlag: die Arbeit auf einen einfachen Blattkatalog, ein Orts- und Personenregister zu beschränken.

XXXIV.

Wir haben nunmehr sämmtliche Abtheilungen und Unterabtheilungen der Anstalt betrachtet, welche in ihrer Gesammtheit dazu dienen, jene Aufgabe zu erfüllen, die in den Satzungen vorgezeichnet ist, und deren Erfüllung die deutsche Nation von uns erwartet. Wir haben im Ganzen constatieren können, daß der Bestand ein erfreulicher ist; wir konnten auch bei manchem Einzelgebiet darauf aufmerksam machen, daß für dasselbe schon in entsprechender Weise gesorgt ist; ja, wir dürfen heute schon ohne Ueberhebung sagen, daß die Anstalt, welche der Patriotismus und die Opferwilligkeit so Vieler begründet hat und erhält, etwas Würdiges und Dauerndes geworden. Allein wir haben uns auch nicht verhehlen können, daß noch Vieles zu thun ist, daß da und dort nur erst Anfänge gegeben sind, auf denen noch weiter gebaut werden muß. Wir haben Vieles als dringend bezeichnen müssen, von dem selbst das Allerdringendste solche Mittel erfordert, daß wir nur relativ langsam damit vorwärts gehen können. Bei Bestimmung der Einzelaufgaben daher, wie sie zunächst in Angriff zu nehmen und der Reihe nach fortzusetzen sind, muß die Gesammtaufgabe und die gesammte Bedeutung der Anstalt in erster Linie in's Auge gefaßt werden. Wir dürfen nicht Dinge, die einen oder den andern Spezialisten besonders interessieren, nicht Dinge, die zu jeder Zeit geschehen können, sofort in Angriff nehmen, sondern vor Allem das, was für den Hauptzweck der Anstalt, die nur als einheitliches Ganzes ihre Bedeutung hat, am wichtigsten ist, das, was, wenn es jetzt versäumt wird, für immer versäumt ist, oder nur mit großen Kosten nachgeholt werden kann. Es müssen alle besonderen Liebhabereien und besonderen Rücksichten geopfert und nur das Interesse der ganzen großen Anstalt in's Auge gefaßt werden.

Wir haben in den Satzungen noch eine andere Aufgabe zugewiesen erhalten außer der der Anlage von Sammlungen, ihrer Katalogisierung und Repertorisierung, das ist die Veranstaltung von Publikationen. Wenn wir jedoch gerade eben sagen mußten, daß, so lange die Mittel beschränkt sind, nicht auf allen Gebieten zugleich in derselben Weise fortgearbeitet werden kann, so muß dies auch auf die Publikationen ausgedehnt werden. So vielseitig und reich auch das Gebiet ist, auf welchem unsere Publikationen sich bewegen könnten, so sehr wir dadurch eingeladen würden, ebenso wie es für die Sammlungen geschehen ist, ein großartiges Gesammtprogramm zu entwerfen und dessen systematische Ausführung nach und nach vorzuschlagen, so müssen wir denn doch darauf zunächst verzichten, weil sowohl unsere Statuten, als auch die Anschauungen des Publikums, denen wir als eine von diesem erhaltene Anstalt so viel Rechnung tragen müssen, zunächst von uns eine entsprechende Abrundung der Sammlungen verlangen.

Unsere Hauptaufgabe hinsichtlich der Publikationen wird daher noch lange in dem Erscheinen des Anzeigers für Kunde der deutschen Vorzeit beruhen. Der Anzeiger hat in den jetzt vorliegenden 16 Bänden eine Fülle interessanten kulturgeschichtlichen Materiales gebracht, und wie die Statuten unserer Anstalt in erster Linie die kunst- und kulturgeschichtlichen Sammlungen betonen, so wird auch die kulturgeschichtliche Seite des Anzeigers stets den Hauptinhalt bilden. Es wird vor allem die Veröffentlichung von Quellenmaterial in's Auge gefaßt werden müssen und hiebei diejenige der Schätze des Museums selbst in erste Linie zu stellen sein. Daß nicht alle diese Publikationen, deren kulturgeschichtlicher Charakter hier vorzugsweise betont wird, gerade an die kulturgeschichtlichen Sammlungen oder an sonstige greifbare Monumente anknüpfen müssen, daß auch die literarischen Schätze und selbst urkundliches Material für die Kulturgeschichte ausgebeutet werden kann, ist einleuchtend. Welche Fülle kulturgeschichtlichen Interesses knüpft sich nicht z. B. an Wattenbach's literaturgeschichtliche Aufsätze im Anzeiger. Neben der Publikation von Quellenmaterial wird auch dessen Verarbeitung und Würdigung eine Stelle finden müssen. Auch die zusammenstellenden Arbeiten, welche auf verschiedenen Gebieten für die Zwecke des Museums vorzunehmen sind, werden zu mancher Publikation im Anzeiger Veranlassung geben. Wenn nun so in erster Linie das Personal des Museums selbst für entsprechende Aufsätze zu sorgen hat, so ist es gewiß erfreulich, daß auch von so vielen auswärts stehenden Mitarbeitern Beiträge eingesendet werden. Wenn sich darunter auch Manches befindet, was wir nur mit Rücksicht auf die einsendende Person aufnehmen, wenn wir mitunter selbst bedauern, für näherliegende und wichtigere Mittheilungen den Raum entbehren zu müssen, so ist doch die große Mehrzahl der Einsender mit unter den Förderern unserer Zwecke zu nennen, und da wir aus dem Eingesendeten frei auswählen dürfen, so haben wir stets in Folge dieser Einsendungen über eine solche Fülle von Material zu verfügen, daß wir auf möglichste Abwechslung Bedacht nehmen können. Wenn dann einmal auch einige Aufsätze so lange liegen bleiben müssen, bis sie veraltet und deshalb nicht mehr druckfähig erscheinen, so verzeihen uns dies doch die verehrten Einsender gerne, da sie ja keine andere Absicht haben, als die Anstalt und speziell unseren Anzeiger zu fördern, und unseres Dankes ebenso gewiß sind, ob ihre Aufsätze abgedruckt werden oder nicht. Uebrigens sind dieselben auch im letzten Falle keine verlorene Arbeit, weil sie dann in den Faszikeln, welche bei der Bibliothek für historisches Material angelegt sind, aufbewahrt werden.

Vorzugsweise wäre für die Beilage unseres Anzeigers erwünscht, daß statt der vereinzelten literarischen Besprechungen förmliche Literatur-Uebersichten gegeben werden könnten, aus denen jeder rasch alles Neue erfährt, was auf den ihn interessierenden Gebieten erscheint. Auch diese Rücksicht wird als leitend in das Programm für den Anzeiger aufzunehmen sein.

Neben dem Anzeiger ist die Publikation von Katalogen und Uebersichten über die Sammlungen fortzusetzen. Wünschenswerth wäre es allerdings, daß das Museum wieder eine größere selbständige Publikation veranstalten könnte.

★

Die Leistungen, welche von dem Museum erwartet werden, haben stets freundliche Aufnahme und Beurtheilung erfahren. Je mehr sie in's Auge fielen, um so größer waren die Kreise, welche Interesse daran nahmen und in Folge dieses Interesses zu neuen Opfern bereit waren. So werden wir hoffentlich auch ferner bei dem steten Fortschreiten der Anstalt immer größere Kreise finden, welche zur Unterstützung geneigt sind. Möge auch der gegenwärtige Aufsatz dazu beitragen! Er zeigt, was wir wollen, er zeigt, was uns noch fehlt, und wenn einer oder der andere findet, daß das, was er für besonders nothwendig und wichtig hält, nicht gerade in die erste Reihe dessen gestellt ist, was wir erstreben, so mag er doch daraus ersehen, daß wir es nicht ganz vergessen haben; sollte er aber Wege finden, uns die Mittel zu verschaffen, und sie speziell dem Zwecke widmen so möge er überzeugt sein, daß Alles, was überhaupt in das Programm des Museums einschlägt, unter solchen Verhältnissen gerne auch früher vorgenommen wird, als wir es nach unserem Programme vorgeschlagen haben. Ueberhaupt möge zum Schlusse dieser Abhandlung noch die Bemerkung Platz finden, daß Vieles, was bereits durchgeführt ist, speziellen Stiftungen sein Entstehen und seine Pflege verdankt; daß Verwaltungsausschuß und Direktorium jede solche spezielle Stiftung freudig annehmen und zu ihrer Durchführung gerne die Hand bieten. Solche spezielle Stiftungen erleichtern ja, soferne sie in den Rahmen der Aufgabe fallen, der Verwaltung die Lösung der großen Gesammtaufgabe, und wenn die Verwaltung gern jeden guten Rath annimmt, jede wohlmeinende, ernste Kritik willkommen heißt, so ist sie gewiß auch gern bereit, zur Durchführung der großen Aufgabe andere Wege einzuschlagen, als in dem gegenwärtigen Programme vorgezeichnet sind, wenn die dazu nöthigen Mittel ihr freundlichst geboten werden. Darum seien alle solche Spezialstiftungen freudig willkommen. Möge aber auch im Allgemeinen die Theilnahme der Nation sich noch mehr erhöhen, mögen die Mittel der Anstalt sich in dem Maße mehren, daß die Durchführung aller Punkte des Programmes recht rasch vor sich gehen kann! Von diesem Wunsche durchdrungen, unterbreitet der Verfasser das Programm, wie es hier aufgestellt ist, nicht nur dem Verwaltungsausschusse mit der Bitte, dasselbe als Frucht reiflicher Erwägung und vielseitiger Erfahrung anzunehmen, sondern auch dem Publikum in der Hoffnung, sich bei Durchführung desselben kräftig untersützt zu sehen.

Die Pflegschaftsordnung von 1868

Mit einer Einleitung von Horst Pohl

Nach den Satzungen des Germanischen Nationalmuseums, die schon vor der Gründung des Instituts im August 1852 in Dresden ihre Konturen erhalten hatten, sollte dessen „Vermögen und Jahresrente" auf viererlei Weise erzielt werden, nämlich durch Aktien, von denen das Museum auf mindest zehn Jahre den Zinsgenuß haben sollte, durch feste jährliche Geldunterstützungen von Seiten der Staatsregierungen und Korporationen, durch milde Stiftungen und Schenkungen, durch Jahresbeiträge der Freunde und Förderer des Museums[1].

Vornehmlich zu dem Zwecke, zur Zeichnung von Aktien und Jahresbeiträgen einzuladen, Werbemittel zu verteilen, erzielte Gelder einzuziehen und über diese mit dem Museum abzurechnen, war Hans von und zu Aufseß bemüht, an möglichst vielen Orten Agenturen einzurichten. Die Aufgaben dieser Agenturen wurden bereits 1853 durch eine eigene Geschäftsordnung geregelt; eine Anzahl von Paragraphen ordnete das Verfahren beim Umgang mit einlaufenden Beiträgen bis hin zur Buchführung und zur Abrechnung mit dem Museum, die im Turnus von Viertel- oder Halbjahren geschehen sollte, wenn innerhalb dieser Frist zehn Gulden eingezahlt waren, sonst aber jährlich zu erfolgen hatte. In die Geschäftsordnung einführend stimulierte eine Vorbemerkung mit dem Hinweis auf die übernommenen Pflichten gegenüber der Nation zur Sorgfalt und zu korrektem Umgang mit den für das Museum bestimmten Mitteln: „In Voraussetzung, daß jeder der Herren Agenten des germanischen Nationalmuseums die Besorgung seiner Geschäfte mit Liebe und Eifer für die gute Sache des deutschen Vaterlandes und Volkes auf sich nimmt und betreibt, daß er von redlichem Streben beseelt, lieber selbst ein kleines Opfer bringen, als der vaterländischen Anstalt irgendwie einen Schaden zufügen würde, nimmt das Museum von jeder Art Cautionsleistung Umgang, glaubt aber umso mehr auf eine pünktliche Geschäftsführung der Herren Agenten rechnen zu können, um selbst in den Stand gesetzt zu seyn, dem deutschen Vaterlande stets rechtzeitig offene Rechnung über seine ausgebreitete Geschäftsführung ablegen und auf das Vertrauen der Theilnehmer im vollsten Maße Anspruch machen zu können"[2].

Die Konstruktion der Aktiengesellschaft, deren Bildung zusammen mit den Satzungen des Museums von der bayerischen Regierung am 18. Februar 1853 genehmigt wurde, ergibt sich im wesentlichen aus deren Statuten[3]; knapp umriß die in 2. Auflage Anfang 1854 in 50000 Abdrucken verbreitete „Einladung zur Zeichnung von jährlichen Geldbeiträgen und Actien zum Besten des germanischen Nationalmu-

seums"[4], daß die eingehenden Kapitalien – der festgelegte Mindestbetrag waren 100 Gulden – bei der Königlichen Bank zu Nürnberg als unantastbares Eigentum des Aktionärs deponiert wurden und ihm nach zehn Jahren, während denen das Museum den Zinsgenuß haben sollte, wieder voll zurückgestellt wurden. Aufseß hat offensichtlich die Möglichkeiten, dem Institut über die Aktiengesellschaft ein festes Fundament zu geben, als besonders verheißungsvoll angesehen. Schon vor der Gründung des Museums in Dresden wandte er sich im August 1852 mit einem Zirkular, dem die Einladung für die Versammlung deutscher Geschichts- und Altertumsforscher in Dresden sowie der Satzungsentwurf für das Germanische Museum beigeschlossen waren, an einzelne Bürger Nürnbergs um sie zur Subskription von Aktien zu veranlassen: „Ein unbefangener Blick in diese Beilagen wird die Überzeugung verschaffen, daß der Unterzeichnete von keinem anderen Interesse geleitet ist, als das Ergebniß seiner 20jährigen mit großen Opfern durchgeführten Forschungen als ein gemeinnütziges deutsches Gesammtgut in das Leben zu rufen, was jedoch nur durch rege Theilnahme an der guten Sache sichtbar werden kann. Da der Unterzeichnete an der Versammlung zu Dresden persönlichen Antheil nehmen und über die Art und Weise der Ausführungen des Ganzen Bericht erstatten wird, so ist es sehr wesentlich, daß er sogleich über den Bestand einer Aktiengesellschaft berichten kann, an die sich ohne Zweifel nicht nur die Mehrzahl der zu Dresden Anwesenden anschließen wird, sondern auch ein großer Theil deutschgesinnter Männer in allen deutschen Ländern"[5].

Solche Erwartungen erfüllten sich nicht, auch der Gründung des Museums fand die Gesellschaft, um die sich der

---

[1] Satzungen GNM, § 8 vgl. in diesem Bande S. 952.
[2] Geschäftsordnung für die Agenturen des germanischen Museums. Nürnberg, 1. December 1853. Drucksache 2 S. Vgl. auch Organismus GNM Abt. 1, S. 24–26 (Text ohne Einleitung).
[3] Satzungen der Aktiengesellschaft zur Unterstützung des germanischen Museums zu Nürnberg vom 1. August 1852, vgl. in diesem Band S. 952–953. – Vgl. Abb. 4.
[4] Einladung zur Zeichnung von jährlichen Geldbeiträgen und Actien zum Besten des germanischen Nationalmuseums. 2. Aufl. Nürnberg 1. Januar 1854. Drucksache 4 S.
[5] Circulare. Nürnberg im August 1852. Handschriftliche Ausfertigung mit Unterschrift von Aufseß. – Akten, die Actiengesellschaft des Museums betreffend. Archiv GNM, Altregistratur GNM, Kapsel 377 (2).

Handelsappellations-Gerichtsassessor und Großhändler Johann David Wiss, später seit 1858 der Fabrikbesitzer Johann Zeltner als erster Direktor, der Bergmeister Heinrich Kieser und seit 1854 der Stiftungsadministrator Friedrich Gottlieb Wilhelm von Ebner als zweiter Direktor Verdienste erwarben, nur begrenztes Interesse. Bis Ende August 1855 betrug das Kapital 4200 Gulden; man versprach sich damals indessen noch einiges von der „Admassierung eines Fonds", der bei einem besseren Kurs der Staatspapiere eine nennenswerte Unterstützung namentlich beim Ankauf von Sammlungsbeständen bieten könne[6]. In der Abrechnung über das Jahr 1858 nimmt sich unter den Einkünften der Zinsertrag von 194 Gulden für das auf 5280 Gulden angewachsene Aktienkapital im Vergleich zu anderen Posten kärglich aus[7]. Aktienbeträge waren vor allem von Nürnberger Bürgern wie von einigen Adeligen gezeichnet worden, so vom Gesamtgeschlecht der Grafen und Freiherrn Egloffstein in Gräfenberg, von Mitgliedern des dem Museum besonders verbundenen gräflichen Hauses Giech in Thurnau, von dem Präsidenten des preußischen Herrenhauses Prinz Adolf Hohenlohe-Ingelfingen, von Fürst Chlodwig Hohenlohe-Schillingsfürst, von Fürst Ludwig Oettingen-Wallerstein. In der Gesamtsumme sind Gelder aus öffentlichen Kassen, und zwar der Stadtmagistrate von Dresden, Leipzig, Stettin, der Stadtgemeinde Heilbronn, des Senats der freien und Hansestadt Hamburg, der allein 875 Gulden einbrachte, von beträchtlichem Gewicht[8]. Wesentliche Förderung erhielt das Museum durch die Aktienkapitalien erst, als nach der zehnjährigen Laufzeit Einzelpersonen und Korporationen auf die eingezahlten Gelder verzichteten, die, je nach Disposition des Geschenkgebers, dann zum Teil dem Fonds zugewiesen werden konnten, der einer Verminderung der dem Institut aus dem Ankauf der Sammlung von Aufseß im Schätzwert von 120000 Gulden erwachsenen Schuld, zum Teil aber auch zum Ausgleich der vom Ersten Sekretär Julius Richard Erbstein für den Erwerb der Modelle des kleinen Nürnberger Zeughauses aus dem 17. Jahrhundert vorgelegten Summe benutzt wurden[9]. Mit dem Verzicht des letzten Aktionärs auf sein Depositum 1881 war die Aktiengesellschaft erloschen[10].

Während die Aufstellungen über den Aktienbesitz darauf hindeuten, daß den Agenturen im Hinblick auf die Zeichnung von entsprechenden Beträgen keine nennenswerten Ergebnisse erreichten, erwies sich die weitere Aufgabe, die der Erzielung von Jahresbeiträgen, als weitaus vorteilhafter und auf die Dauer ertragreicher, auch wenn es in Abhängigkeit von den nach und nach erfolgenden Genehmigungen der Regierungen zur Sammlung von Geldern Verzögerungen gab. Im August 1854 bestanden immerhin Agenturen in Aub in Unterfranken, in Aschaffenburg, Kulmbach, Düsseldorf, Freising, Göttingen, Gräfenberg, Günzburg, Kitzingen, Königswinter, Landau, Marburg, Miltenberg am Main, Niederstetten in Württemberg, in Prag, Prödlitz in Mähren, Salzburg, Stadtsteinach, Stuttgart, Wallerstein, Wien, Würzburg[11].

Die in solcher Zusammenstellung sich abzeichnende Schwerpunktbildung des Agenturwesens in Bayern setzte sich auch bei einer Verdichtung des Netzes – 1857 bestanden 156, 1862 411 solcher Vertretungen des Museums[12] – fort. Besonders ertragreich war die Tätigkeit des Bevollmächtigten in München, wo zunächst der Hofmusikintendant Franz Graf von Pocci, anschließend zeitweise der Historien- und Schlachtenmaler Feodor Dietz und dann der Schriftsteller und Verwaltungsbeamte Eduard Fentsch zugunsten des Museums wirkten, daneben war die Zeichnung von Beiträgen in Nürnberg, wo die Fondsadministration des Germanischen Nationalmuseums die Geschäfte der Agentur besorgte, intensiv. Es scheint, als habe das Museum an seinem Sitze so recht erst mit Übernahme der Kartause Fuß gefaßt, jedenfalls wurden in den letzten Wochen des Jahres 1857 nicht weniger als 208 Jahresbeiträge von Nürnberger Bürgern zugesagt[13]. Weiterhin konnte bis 1859 besonders in Ansbach, Fürth, Nördlingen, Regensburg, Schweinfurt, Traunstein ein größerer Personenkreis für die Belange des Museums gewonnen werden. Dem gegenüber standen größere Orte in anderen Ländern nicht zurück; auch aus der österreichischen Monarchie sind stattliche Listen mit Jahresbeiträgen eingegangen, besonders hervorzuheben ist die Aktivität der dem Museum über die Mitgliedschaft in dessen Gelehrtenausschuß verbundenen Friedrich Schuler von Libloy in Hermannstadt, sowie Joseph Haltrich in Schäsburg und Sächsisch Regen (Siebenbürgen). Agenturen wurden auch in Nordamerika, in Rom und in Rußland gegründet.

Von vornherein war die Situation für das Museum in Berlin sehr günstig; neben der Agentur mit einer stattlichen Zahl von Beiträgen entstand hier im März 1857 ein Hilfsverein mit eigener Satzung und dem Kreisgerichtsdirektor K. Th. Odebrecht sowie dem Direktor der Kunstkammer Leopold Freiherr von Ledebur als Vorsitzenden[14]. Dieser

[6] Jahresbericht GNM 2 (für 1854/55), 1855, S. 6–7.
[7] Jahresbericht GNM 5 (für 1858), 1859, S. 36.
[8] Aufstellung der Aktienbeträge in den Jahresberichten, z. B. Jahresbericht GNM 4 (für 1856/57), 1858, S. 32; Jahresbericht GNM 12 (für 1865), 1866, S. 65. Über die Entwicklung unterrichten die bis 1878 laufenden Abrechnungen sowie das Grundbuch der Actiengesellschaft des germanischen Museums. Agentur Nürnberg. Archiv GNM, Altregistratur GNM, Kapsel 377, 377a.
[9] Verzichtleistungen auf Rückzahlungen der Kapitalien werden in der Chronik des germanischen Museums im Anzeiger GNM mit Angabe des Verwendungszweckes erwähnt. Vgl. die Aufstellung im Jahresbericht GNM 12 (für 1865), 1866, S. 3. Andere Aktionäre beließen damals dem Museum auf weitere zehn Jahre den Zinsgenuß.
[10] Chronik des germanischen Museums. In: Anzeiger GNM 1881, Sp. 49.
[11] Jahresbericht GNM 1 (für 1853/54), 1854, S. 6, 17.
[12] Jahresbericht GNM 4 (für 1856/57), 1858, S. 3. – Jahresbericht GNM 9 (für 1862), S. 4.
[13] Chronik des germanischen Museums. In: Anzeiger GNM 1857, Sp. 405.
[14] Jahresbericht GNM 4 (für 1856/57), 1858, S. 3.

Verein veranstaltete in den folgenden Jahren Vortragszyklen[15], deren Erträge dem Museum zugute kamen; hier sprachen z.B. der Kunsthistoriker Ernst Guhl über Albrecht Dürer, der Aufseß besonders gewogene Germanist Hans Ferdinand Maßmann über die Völker des Mittelmeers und der Ostsee als Träger der menschheitlichen Bildung, der Kunsthistoriker Gustav Friedrich Waagen über Miniaturen des Mittelalters, der Mythenforscher Wilhelm Mannhardt über heidnische Gebräuche in der Volkssitte der Gegenwart sowie über altnordische Poesie, der Rechtshistoriker Emil Friedberg über die Ehe und Eheschließung im Mittelalter, Theodor Fontane über Friedrich den Großen in Tamsel sowie über die Schlacht von Fehrbellin und den Prinzen von Hessen-Homburg. Ein Teil der Vorträge ist gedruckt worden, so daß das Museum zusätzlich zu dem Erlös aus den Eintrittskarten Gelder aus dem Verkauf der kleinen Bändchen bekam[16]. Das Institut konnte nicht zuletzt auch einige Ausführungen, die im Rahmen des Vereines ihm gewidmet worden sind, werbewirksam einsetzen, so etwa eine Darstellung über Zweck und Wesen des Museums durch Ledebur, der an die Bedeutung Nürnbergs für die Geschichte des preußischen Herrscherhauses und die Mark Brandenburg erinnerte: „Nürnberg, einst die Bewahrerin der Reichskleinodien deutscher Herrschermacht, – möge es fortan und für immer die Bewahrerin sein aller der Kleinodien, die von der gesammten deutschen Nation Herrlichkeit Zeugniss ablegen! Und sollten zur Erreichung dieses Zweckes wirklich nur die Häupter der Staaten Deutschlands beitragen, oder nicht vielmehr alle Glieder des großen herrlichen Volkes? Gebet dahin, von wo Ihr so viel empfangen habet, und reichlich zurückempfangen werdet von dem, was Ihr dorthin gebt; und bedenkt, es kommt allen Deutschen zu gute!"[17]. Wenig später bildete sich, angeregt durch die Aufstellung häuslicher Gerätschaften in der „Frauenhalle" des Nürnberger Museums zu Berlin ein „Frauenverein"[18], der in gleicher Weise wie der Hilfsverein auch publizistische Aktivitäten entfaltete, so erschien 1861 ein Bändchen mit Beiträgen deutscher Dichter und Dichterinnen „Germania", das Auguste Kurs herausgab[19].

Wie an der Tätigkeit des Berliner Vereins die Mitglieder des Verwaltungs- und Gelehrtenausschusses wesentlich beteiligt waren, verdankt auch der mit gleichen Statuten ausgestattete Hilfsverein in Mannheim, gegründet 1858, einem Ausschußmitglied, dem Lyzealprofessor Carl Alois Fickler seine Entstehung[20]. Auch hier wurde alsbald eine Veranstaltungsfolge organisiert; das Programm zeigt die Bemühungen, die Vereinigung im geselligen Leben der Stadt zu verankern, und begann mit einem Konzert; weitere Beiträge waren vor allem der Literatur und dem Theater gewidmet, besonders beachtet wurde eine dramatische Vorlesung des Schriftstellers und Theaterhistorikers Eduard Devrient von Shakespeares „Was Ihr wollt"[21].

Nicht allenthalben aber waren den Bestrebungen des Museums, Anteilnahme in finanzielle Ressourcen umzusetzen, günstige Ergebnisse beschieden; in den Akten ist mancher Mißerfolg registriert, so etwa erwies sich 1862 eine Agitation in vielerlei – genannt werden hundert – Zeitungen zur Übernahme einer Agentur mit 25 Meldungen als wenig ertragreich[22]. Auch waren die lokalen Verhältnisse nach Ansicht von Korrespondenten des Museums häufig wenig günstig, etwa schrieb der Apotheker einer württembergischen Stadt, daß bei der „Individualisierung" der Notabeln, alle Bemühungen Interesse zu wecken, vergebens sein würden[23]. Ausführlich schilderte der Pfarrer von Hindelang im Oberallgäu die Situation in seinem Seelsorgbezirk: „meine Pfarrei liegt einsam und zerstreut im Hochgebirge und enthält nur Viehzüchter, Alpensennen und Handwerker, lauter ganz einfache Gebirgsbewohner. Unter den Handwerkern befinden sich schon allein über 90 Nagelschmiedmeister und nahezu 500 Nagelschmiedsgesellen. Ich habe mich sorgsam unter diesen Gebirgsbewohnern umgesehen, aber keinen Einzigen gefunden, der für Geschichtsforschung und Alterthumskunde ein Interesse zeigt"[24].

Um die Wirksamkeit der Repräsentanten zu heben, wur-

[15] Programme der Vortragsfolgen sind veröffentlicht in der Chronik des germanischen Museums. In: Anzeiger GNM 1859, Sp. 97; 1859, Sp. 217; 1859, Sp. 457; 1861, Sp. 17; 1862, Sp. 49; 1863, Sp. 17.

[16] Vgl. die jeweils auf dem Titelblatt als Vorträge des Hilfsvereins ausgewiesenen Bändchen von Paulus Cassel: Rose und Nachtigall. Berlin o. J. (1860). – Otto Gabler: Nürnbergs Bedeutung für die politische und kulturgeschichtliche Entwickelung Deutschlands im 14. und 15. Jahrhundert. Berlin o. J. (1860). – Leopold v. Ledebur: Über die Frauen-Siegel des Deutschen Mittelalters. Berlin 1859. – K. Th. Odebrecht: Hans Sachs. Ein Mahner und Warner der Deutschen. Berlin 1860. – In Untertitel als Vortrag zugunsten des Museums gekennzeichnet ist Carl Ludwig Werther: Ueber die Grenze zwischen Romanismus und Germanismus. Berlin 1859. – Emil Friedberg hat seinen Vortrag mit einem anderen, nicht dem Museum gewidmeten Beitrag veröffentlicht: Emil Friedberg: Ehe und Eheschließung im deutschen Mittelalter. Eheschließung und Ehescheidung in England und Schottland. Zwei Vorträge. Berlin 1864.

[17] Chronik des germanischen Museums. In: Anzeiger GNM 1857, Sp. 122.

[18] Chronik des germanischen Museums. In: Anzeiger GNM 1858, Sp. 121. – Zur Frauenhalle vgl. Abb. 388.

[19] Germania. Beiträge deutscher Dichter und Dichterinnen. Hrsg. im Namen des Berliner Frauen-Vereins für das Germanische National-Museum zu Nürnberg von Auguste Kurs. Berlin 1861.

[20] Jahresbericht GNM 5 (für 1858), 1859, S. 2.

[21] Chronik des germanischen Museums. In: Anzeiger GNM 1861, Sp. 121.

[22] Anzeige betr. Übernahme einer Pflegschaft. P. M. Frhr. Roth von Schreckenstein. 7. 8. 1862. Akten Gründung der Pflegschaften 1853–1865, Bl. 263. Archiv GNM, Altregistratur GNM, Kapsel 412.

[23] Schreiben C. Becher, Heubach. 28. 8. 62. Akten Gründung der Pflegschaften 1853–1865, Bl. 266. Archiv GNM, Altregistratur GNM, Kapsel 412.

[24] Schreiben Pfarrer Joh. Georg Fetsch, Hindelang 14. 12. 1860. Akten Gründung der Pflegschaften 1853–1865, Bl. 181–182. Archiv GNM, Altregistratur GNM, Kapsel 412.

den anläßlich der Sitzung des Verwaltungsausschusses 1859 das Wort „Agentur" seines schlechten Klanges wegen durch „Pflegschaft", „Agent" durch „Pfleger" ersetzt[25]. Etwa ein Jahrzehnt später hatte sich, nicht zuletzt aufgrund der nicht immer guten Erfahrungen, die Ansicht mehr und mehr durchgesetzt, daß die Auswahl geeigneter Persönlichkeiten für die Vertretung des Museums von ausschlaggebender Bedeutung für die Resultate war. Damals entstand das Idealbild eines solchen Pflegers; es galt demnach Männer zu finden, „welche neben den moralischen und intelectuellen Eigenschaften, die dazu nöthig sind, ein hervorragendes Interesse am Museum und seinen Zwecken und thateifrige Liebe zu demselben haben, überdieß eine sociale Stellung besitzen, die den dazu gehörigen Einfluß verleiht, und all dieses verbürgt noch nicht den Erfolg einer solchen Wahl, es wird dazu auch noch erfordert, daß der Candidat durch seinen Beruf oder seine geselligen Gewohnheiten mit vielen Leuten seiner Gegend stets im Verkehr erhalten werde und sein Wesen und seine Umgangsformen diese auszubeuten geschickt seien"[26]. Diese Bemerkungen standen in direktem Zusammenhang mit der neuen, hier zum Abdruck gelangten Pflegschaftsordnung vom 29. September 1868, die auf die Initiative des neuen Ersten Direktors, August Essenwein, zurückgeht. Sie ist das Ergebnis von längeren Erörterungen, bei denen Essenwein seine Ansicht, durch Zentralisation sowie durch Tantiemen-Entschädigung für die Mühewaltung würden sich Erträge erheblich steigern lassen, zurücknehmen mußte[27]. Im Grunde hielt man damals ein allzu strenges Reglement für eine Tätigkeit, bei der die patriotische Gesinnung dominierte, für verfehlt.

Ohnehin hatten sich manche Pfleger keineswegs darauf beschränken wollen, in Übereinstimmung mit der Geschäftsordnung lediglich zur Finanzierung der von ihnen unterstützten Anstalt beizutragen, ihnen war vielmehr daran gelegen, im Sinne der Dokumentationsbestrebungen des Museums zu wirken. Beispielsweise übermittelte 1863 der Pfleger für Mariazell, Leopold Hundegger fünfzig Abschriften von alten Urkunden des dortigen Stiftes St. Lambrecht, 1864 der Pfleger für Rudolstadt, der Stadtschreiber Erbse, sämtliche schwarzburgischen Gemeindesiegel[28]. Allmählich erweiterte sich auch in der Auffassung des Museums der Pflichtenkatalog der Pfleger gegenüber der dürren Geschäftsordnung von 1853. 1866 wurde dargelegt, daß das Institut der Pflegschaften Zweck und Aufgabe habe, „zwischen dem germanischen Nationalmuseum und den in ihrem Bezirke wohnenden Freunden desselben, wie mit dem Publikum überhaupt, in jeglicher Hinsicht vermittelnd aufzutreten, über Wesen und Organisation unserer Anstalt und deren Leistungen aufzuklären, die dem germanischen Museum bestimmten Gelder, Kunstgegenstände und Alterthümer, wie sonstige Geschenke in Empfang zu nehmen und hierher zu befördern, auf vorkommende Funde und zu käuflicher Erwerbung von Alterthümern sich bietende Gelegenheiten uns aufmerksam zu machen und derartige Ankäufe eventuell zu vermitteln, wissenschaftliche Anfragen der Mit-

glieder an uns zu bringen . . .''[29]. Auf dieser Grundlage haben einzelne Vertretungen eigene Initiativen entfaltet. So bemühte sich seit Anfang der achtziger Jahre des 19. Jahrhunderts die Pflegschaft zu Leipzig mit gutem Erfolg, dem Museum Abgüsse sächsischer Skulpturen zu beschaffen[30]. Die 1878 neu formierte Berliner Pflegschaft konzentrierte in der Regel ihre Gelder auf ausgewählte Kunst- oder Ausstattungsgegenstände, die sie dem Museum stiftete. Sie übermittelte etwa 1884 einen rheinischen Stollenschrank, 1884/85 ein Fenster mit der Entwicklung Berlins als Pendant zu dem vom Fürsten Bismarck gestifteten Fenster, 1887 Gipsabgüsse großer Plastiken des Bamberger Doms, 1894 den Schmuck der märkischen Familie von Holtzendorff, der 1886 im Boden der Uckermark aufgefunden worden war, dann 1897 die Siegelstempelsammlung des Heraldikers und Genealogen Friedrich Warnecke mit über tausend Original-Siegelstempeln der Gotik und der Renaissance von Städten, Kirchen, Familien. Der beträchtliche Preis von 10000 Mark konnte erst in einer Frist von vier Jahren ausgeglichen werden; 1902 übernahm die Berliner Pflegschaft die Kosten des Transportes und des Wiederaufbaus des dem Museum von der Stadt Nürnberg als Geschenk übergebenen Chörleins des Pfarrhofes von St. Sebald, um 1370. Dem Interesse der Mitglieder ist es sicher förderlich gewesen, daß die Berliner Pflegschaft von vornherein Sorge trug, daß das Publikationsorgan des Museums, der Anzeiger allen Gönnern, welche sich zu einem Jahresbeitrage von 10 Mark verpflichteten, gratis und franko geliefert wurde, darüber hinaus erhielten die Mitglieder in der Regel Jahresprämien, darunter vor allem Abbildungen der Stücke, die mit ihrer Hilfe dem Museum zur

25 Stenographischer Bericht der Sitzung des Verwaltungsausschusses vom 27. Sept. 1859, Bl. 355 v. – 359 r. (357 v – 359 r). Sitzungsprotokolle und Akten des Verwaltungs- und Lokalausschusses 1859. Archiv GNM, Altregistratur GNM, Kapsel 730.
26 Gutachten Wilhelm Freiherr von Löffelholz, Wallerstein, 18.8.1868. Jahresconferenz 1868, Bl. 107 r – 110 r. Sitzungsprotokolle und Akten des Verwaltungs- und Lokalausschusses 1868. Archiv GNM, Altregistratur GNM, Kapsel 734.
27 Commissions-Protokoll die Pflegschafts-Ordnung betreffend 22. Juni 1868. Jahresconferenz 1868, Bl. 99–100. Sitzungsprotokolle und Akten des Verwaltungs- und Lokalausschusses 1868. Archiv GNM, Altregistratur GNM, Kapsel 734. Die damals erörterte, hier abgedruckte Ordnung wurde 1896 bei der Jahreskonferenz des Verwaltungsausschusses in leicht revidierter Fassung bestätigt. Damals entfielen die auf eine Zentralisation zielende Paragraphen 12, 13; in Anlehnung an die Vereinbarung mit der Pflegschaft zu Berlin erhält jede Pflegschaft, die mindestens zehn Mark abliefert, ein Exemplar des Anzeigers GNM zur Zirkulation bei den Mitgliedern nun auch satzungsmäßig zugesprochen.
28 Chronik des germanischen Museums. In: Anzeiger GNM 1863, Sp. 177; 1864, Sp. 17.
29 Jahresbericht GNM 12 (für 1865), 1866, S. 5.
30 Chronik des germanischen Museums. In: Anzeiger GNM 1883, Sp. 169.

Verfügung gestellt werden konnten[31]. Diese sporadischen Bemerkungen über den Beitrag der Pflegschaften zur Erweiterung der Sammlungen greifen den Entwicklungen voraus. 1864 bestanden etwa 450, 1890 386 Pflegschaften; mit absoluten Zahlen von Jahresbeiträgen lagen 1890 an der Spitze die Pflegschaften Ansbach, Berlin, Dresden, Erlangen, Frankfurt am Main, Fürth, Hannover, Kassel, Leipzig, München, Nürnberg und Zwickau[32]. An manchen Orten waren mehrere Pfleger tätig, die sich gemäß einem in die sechziger Jahre zurückreichenden Vorschlag zu Pflegerkollegien zusammenschlossen, gemeinsam planten, und sich in ihrer Arbeit gegenseitig unterstützten, so in Frankfurt/Main, Wiesbaden, Berlin, Leipzig, Fürth und Hannover. Von Seiten des Museums wurden bessere Verbindungen zu seinen Repräsentanten an den einzelnen Orten angestrebt, im Spätherbste 1882 fand zum Beispiel eine Versammlung der Pfleger im Königreiche Württemberg statt, auf der Essenwein über das Germanische Nationalmuseum von seiner Entstehung bis zur Gegenwart referierte und anhand von Bauplänen und Abbildungen interessanter Objekte der Sammlungen die Entwicklung der Anstalt sinnfällig demonstrierte. Ausführlich legte Essenwein auch die finanzielle Situation des Nürnberger Institutes dar und motivierte auf diese Weise die Anwesenden, sich darum zu bemühen, daß in allen Oberamtsstädten Pflegschaften eingerichtet würden. Wiederum war besonders daran gelegen, Männer zu gewinnen, die zu „bestimmten Kreisen der Gesellschaft" Zutritt hatten, oder, wie Ärzte, auf das Land kommen, um die Teilnahme von Gutsbesitzern, Geistlichen, Lehrern und Beamten zu wecken[33]. Besonders seitdem der Zweite Direktor Hans Bösch die Leitung der Finanzen verantwortlich übernommen hatte, wurden die Verbindungen der Zentrale zu den Repräsentanten gepflegt und auf zahlreichen Reisen und Besuchen der Kontakt mit guten Ergebnissen für die Kasse des Museums verstärkt[34]. Daneben erließen manche Pflegschaften und Freunde des Museums an den einzelnen Orten Aufrufe, um zu Spenden anzuregen, so in Karlsruhe, Freiburg, Pforzheim, Straßburg in den Jahren 1894 und 1895, in Halle und Leipzig 1896. Trotz aller Fortschritte zeigte sich aber auch wiederholt, daß die Entwicklungen in Nürnberg von manchen Pflegschaften mit kritischer Aufmerksamkeit begleitet wurden; zum Beispiel wurden nach dem Tode von Essenwein Gelder nur zweckbezogen zur Erweiterung der Sammlungen eingeliefert, weil der Eindruck entstanden war, die Kontinuität in der Fortführung des Instituts würde nicht gewahrt[35]. Um die Jahrhundertwende zeichnete sich dann ab, daß der Nürnberger Anstalt erhebliche Konkurrenzen entstanden waren. Man wies auf die Kolonial- und Flottenvereine, die Sammlungen für Heilstätten für Lungenkranke, besonders aber auf die vielen damals neu begründeten Lokalmuseen, die Anteilnahme, die vordem der Nationalanstalt zugewendet wurde, auf sich lenkten. 1905 trat erstmals ein Stillstand in der Entwicklung der bis dahin steigenden Beiträge ein, wobei wiederum die Lokalmuseen, daneben aber auch

die im Anschluß an das Jubiläumsjahr 1902 vernachlässigte Öffentlichkeitsarbeit als Ursachen genannt wurden[36]. Gelegentlich erforderten es die neuen Entwicklungen, die eigenen Aufgaben des Instituts zu formulieren; so wurde im Jahresbericht für 1913 angesichts der Dominanz „lokaler Interessen" die „Bedeutung einer Zusammenfassung und Vergleichung von Kultur und Kunst der deutschen Stämme in ihrer geschichtlichen Entwicklung" als Bestimmung des Zentralmuseums hervorgehoben[37]. Stets aber war die Leitung des Museums sich bewußt, daß sie nicht nur ihre finanzielle Leistungsfähigkeit, sondern auch den hohen Grad an Volkstümlichkeit den Pflegern verdankte: Schon 1889 wurde im Jahresbericht der Anstalt vermerkt, wie die Vielzahl der Beitragenden darauf hindeute, daß Interesse und Freude an der Anstalt „in alle Kreise des Volkes gedrungen ist und immer mehr eindringt". Hier ist besonders auch der Minderbemittelten gedacht, nicht zuletzt auch der Stände, die durch ihren „Beruf eher von den Idealen abgelenkt, als ihnen zugewendet werden"; eigens erwähnt wurde in diesem Zusammenhange der nicht mit Reichtümern gesegnete „Leh-

[31] Bericht über die fünfundzwanzigjährige Wirksamkeit der Berliner Pflegschaft des Germanischen National-Museums. 1878–1903. Berlin o. J. (1903). Zum Fenster mit der Entwicklung Berlins vgl. Abb. 243, zum Bismarck-Fenster Abb. 37, 242.

[32] Jahresbericht GNM 10 (für 1864), 1864, S. 1. – Verzeichnis der dem germanischen Nationalmuseum aus Privatmitteln gespendeten Jahresbeiträge. Stand vom 1. Januar 1891. Beilage zum Jahresbericht GNM 38 (für 1891), 1891.

[33] Bericht über die Versammlung württembergischer Pfleger des germanischen Museums 22. November 1882. Akte Pflegschaften im Allgemeinen 1872–87. Archiv GNM, Altregistratur GNM, Kapsel 407.

[34] Vgl. auch § 6 der Dienstordnung für das Direktorium des germanischen Museums, erlassen durch Schreiben des K. bayerischen Staatsministeriums des Innern für Kirchen- und Schulangelegenheiten: 2.8.1895. Demnach liegt es dem Zweiten Direktor ob, „das Institut der Pfleger und Pflegschaften zu erhalten und weiter auszubilden, neue Pflegschaften zu errichten und bestehende neu zu organisieren, die größeren Städte persönlich zu bereisen und persönliche Verbindungen mit Pflegern ... anzuknüpfen ...". Verwaltungsausschuß. Jahreskonferenz 1896, S. 90. Sitzungsprotokolle und Akten des Verwaltungs- und des Lokalausschusses 1896. Archiv GNM, Altregistratur GNM, Kapsel 748.

[35] Bericht über die Finanzen des germanischen Museums von Pfingsten 1892 bis Pfingsten 1893. Verwaltungsausschuß, Jahreskonferenz 1893. Bl. 166 r. Sitzungsprotokolle und Akten des Verwaltungs- und des Lokalausschusses 1893. Archiv GNM, Altregistratur GNM, Kapsel 746.

[36] Finanzbericht des germanischen Museums von Pfingsten 1899 – Pfingsten 1900. Verwaltungsausschuß, Jahreskonferenz 1900, Bl. 75 v. – Bericht über das Finanzwesen des germanischen Museums von Pfingsten 1904 bis Pfingsten 1905. Verwaltungsausschuß, Jahreskonferenz 1905, S. 173–174. Sitzungsprotokolle und Akten des Verwaltungs- und des Lokalausschusses 1900, 1905. Archiv GNM, Altregistratur GNM, Kapsel 750, 752.

[37] Jahresbericht GNM 60 (für 1913), 1913, S. 2.

rerstand"[38]. 1915 wurde nach mehrjähriger Erörterung eine von dem Professor der Kunstgewerbeschule zu Nürnberg, Karl Selzer, entworfene Adresse mit „Leitmotiven" aus den Sammlungen den „Ehrenpflegern" für 25-jähriges Wirken zugunsten der Anstalt gewidmet[39].

Als Folge des ersten Weltkrieges minderten sich die Einnahmen des Instituts erheblich. In der schwierigen Situation fühlte man sich den Mitgliedern, die zum großen Teil dem Museum die Treue hielten, und den Pflegern besonders verpflichtet[40]. Diese Verbundenheit fand besonders im Jahresbericht für 1924 nach der Inflation angesichts der Kapitalentwertung, des Zinsverlustes, des Fortfallens der Jahresbeiträge der regierenden Häuser, der Einbußen an Mitteln, die von öffentlichen Korporationen, vor allem von den Landgemeinden, kamen, des Ausbleibens von Beiträgen von wirtschaftlichen Vereinigungen, geselligen und wissenschaftlichen Vereinen, ihren Ausdruck: „Bei diesem unerfreulichen Rückblick erhebt sich als stolzes Mahnzeichen die segensreiche Einrichtung der Pflegschaften. In sorgenvoller Zeit haben es unsere verdienstvollen Pfleger verstanden, ihren Mitgliederkreis durch opferfreudige und unverdrossene Arbeit und allen schwierigen Verhältnissen zum Trotz zusammenzuhalten, die alten Mitglieder zum Ausharren anzueifern und die entstandenen Lücken in den Mitgliederreihen ungeachtet der wirtschaftlichen Notlage so gut als möglich wieder auszufüllen. Einzelne Pflegschaften haben hierin geradezu vorbildlich gewirkt und dadurch die Museumsleitung in ihrer oft schwankenden Hoffnung auf kraftvolle Weiterentwicklung neu bestärkt"[41].

Immer wieder wird deutlich, daß im Gesamthaushalt des Museums die Beiträge von Privatpersonen, die wesentlich mit Hilfe der Pflegschaften aufgebracht wurden, von erheblicher Bedeutung sind. So erhielt das Museum beispielsweise im Jahre 1859[42]:

von regierenden Häusern und
Staatskassen 7440 fl., 56 kr.
Von vormals reichsständischen
Häusern und anderen Fürsten 1016 fl., 20 kr.
Von politischen Corporationen,
Städten 810 fl., 36 kr.
Von militärischen Corporationen
und Anstalten 20 fl., 42 kr.
Von Corporationen und Anstalten
für Cultus und Unterricht 64 fl., 52 1/2 kr.
Von Gesellschaften und Anstalten
für Wissenschaft, Kunst und
Gewerbe 204 fl., 29 kr.
Von anderen Vereinen und
Gesellschaften 100 fl., 7 1/2 kr.
Durch Pfleger des Museums 6208 fl., 1/2 kr.
Durch Aktienzinsen 187 fl., 30 kr.

Im Jahre 1889 lautet die Jahresrechnung, Posten Einnahmen aus Jahresbeiträgen[43]:

Deutsches Reich 48000.— Mark
Staatskassen 13012.14 Mark
Politische Korporationen 12702.37 Mark
Wissenschaftliche Korporationen und
Vereine 877.28 Mark
Gesellige Vereine 539.10 Mark
Regierende Häuser 7223.80 Mark
Private 23359.49 Mark

Natürlich sind solche Einnahmen mit Blick auf die finanzielle Situation der Anstalt, vor allem auch auf die Ausführung der Bauten, wie die bis 1893 aus den verfügbaren Mitteln zu bestreitenden Personalkosten, zu bewerten. Lange Zeit war die Wirksamkeit des Instituts erheblich durch nicht ausgeglichene Verpflichtungen beeinträchtigt. 1859/60 betrugen die Schulden 131716.40 Mark, 1863/64 nach Erwerb der Sammlung von Aufseß 228141.16 Mark. Essenwein selbst hat es im Rückblick auf eine Amtszeit von zwei Jahrzehnten 1886 als ein Wagnis bezeichnet, die Leitung des Instituts zu übernehmen; seine zielstrebige Finanzplanung konnte indessen die Schulden bis zum Schluß des Rechnungsjahres 1885 auf 39042.83 Mark mindern[44].

Nach dem zweiten Weltkrieg galt die Sorge vornehmlich den früher ertragreichen Pflegschaften in den großen, zerstörten Städten: Köln, Kassel, Leipzig, Ludwigshafen, Frankfurt am Main, Bochum, Heilbronn a. N., Würzburg, Schweinfurt. Damals konnten in 24 der insgesamt 200 noch bestehenden Pflegschaften in kleineren, unversehrten Orten der Stand der Mitglieder erhöht werden, besonders aber ist damals auch der Beträge, die von Pflegschaften in Dresden, Darmstadt, Bremen, Hamburg, München, Stuttgart, Freiburg i. Br., Stendal eingingen, gedacht[45].

Allmählich aber suchte das Museum aufgrund sich ändernder Kommunikationsmöglichkeiten mehr und mehr die direkte Verbindung zu denjenigen, die zur Erweiterung seiner Sammlungen wesentlich beitrugen, so daß die Zahl der Pflegschaften zurückging; gegenwärtig sind noch fünf aktive Pfleger für die Anstalt werbend tätig. Offensichtlich sind auch von den Anfängen des Museums an nicht alle von Privaten an das Institut gezahlten Beiträge über die Pfleger vermittelt worden. Ältere Aufstellungen zeigen, daß auch Gel-

[38] Jahresbericht GNM 36 (für 1889), 1889, S. 1.
[39] Jahresbericht GNM 62 (für 1915), 1915, S. 3. – Vgl. die Abbildung Chronik des Germanischen Museums. In: Anzeiger GNM 1915, S. 26.
[40] Jahresbericht GNM 65 (für 1918), 1918, S. 2.
[41] Jahresbericht GNM 71 (für 1924), 1924, S. 1.
[42] Jahresbericht GNM 6 (für 1859), 1860, S. 41.
[43] Rechnungsergebnisse 1889. Verwaltungsausschuß Jahreskonferenz 1890, Bl. 55 r – 56 v. Sitzungsprotokolle und Akten des Verwaltungsausschusses und des Lokalausschusses 1890. Archiv GNM, Altregistratur GNM, Kapsel 743.
[44] August von Essenwein: Die Finanzen des germanischen Museums von seiner Begründung bis zum Schlusse des Jahres 1885. In: Anzeiger GNM 1886, S. 269–273, dazu 3 Übersichtstafeln über Einnahmen, Ausgaben, Schulden.
[45] Jahresbericht GNM 92 (für 1946/47), 1947, S. 23.

der eingingen, die unabhängig von der Einrichtung einer Vertretung von Privatpersonen regelmäßig gezahlt wurden. Indessen scheint sich erst relativ spät der Sprachgebrauch einer direkten „Mitgliedschaft" beim Germanischen Nationalmuseum eingebürgert zu haben, etwa wendet sich 1909 der Jahresbericht mit der Bitte um weitere Unterstützung an die verehrten Mitglieder[46]. Bekanntlich hat Aufseß die Möglichkeit einer direkten Mitgliedschaft beim Germanischen Nationalmuseum abgelehnt; nach seiner Auffassung war „im weiteren Sinne des Wortes jeder Deutsche" schon Mitglied[47].

Auszählungen der Jahresbeiträge von Privaten für 1861 ergeben, daß damals 4205 Personen – meist über die Pflegschaften – Gelder an das Museum entrichteten, daß also nach heutigem Sprachgebrauch, ein beträchtlicher Mitgliederkreis vorhanden war. An der Spitze liegt Nürnberg mit 512 Jahresbeiträgen, es folgen Berlin 197, Wien 143, München 101, Regensburg 90, Iserlohn 66, Darmstadt 65, Mannheim 61, Hermannstadt 59, Ansbach 56, Nördlingen und Gießen je 54, Fürth 50. Der prozentual oft höhere Anteil kleinerer Orte bleibt hierbei unerwähnt. Hierzu kamen 573 Jahresbeiträge von öffentlichen Korporationen, meist Städten, und von regierenden Häusern[48]. Noch ein zweites Mal gibt das

vorhandene Material Gelegenheit, durch Auszählung zu statistischen Aussagen zu gelangen. In der Zeit wirtschaftlicher Blüte, 1890, wurden von privater Seite 7499 Jahresbeiträge geleistet; man kann also für diese Zeit von 7499 „Mitgliedern" sprechen. (Nürnberg 581, Berlin 294, München 260, Fürth 256, Dresden 211, Leipzig 129, Kassel 112, Frankfurt/ M. 106, Zwickau 90, Erlangen 81, Hannover 80, Hersbruck 76, Bremen 75, Meiningen 74)[49]. Nach dem zweiten Weltkrieg 1949, betrug der Mitgliederstand 4505[50], gegenwärtig, Ende 1977, 8632, dazu kommen 243 Förderer.

[46] Jahresbericht GNM 56 (für 1909), S. 2.
[47] Jahresbericht GNM 5 (für 1858), 1859, Rückseite Titelblatt.
[48] Jahresbericht GNM 7 (für 1861) 1861. Extrabeilage Übersicht der im Jahre 1861 für das germ. Museum gezeichneten Jahresbeiträge.
[49] Verzeichniss der dem germanischen Nationalmuseum aus Privatmitteln gespendeten Jahresbeiträge. Stand vom 1. Januar 1891 (Anm. 32).
[50] Jahresbericht GNM 94 (für 1948/49), 1949, S. 95. Zur Entwicklung des Mitgliederstandes nach dem Kriege vgl. den Beitrag von Günther Schiedlausky in diesem Bande S. 263 ff.

Pflegschaftsordnung des germanischen Museums

§. 1.

Für den unmittelbaren Verkehr zwischen dem Volke und der Verwaltung des germanischen Museums bestehen dessen Pflegschaften als Ehrenämter, deren Wirkungskreis in nachstehender Weise geregelt wird.

§. 2.

Die Vorstandschaft des Museums bestellt die Pfleger für einzelne Städte oder Bezirke und Distrikte aller deutschen Länder, auch für einzelne Orte des Auslandes. Jeder Pfleger ist für einen bestimmten Bezirk aufgestellt. Sind für eine Stadt oder einen Bezirk mehrere Pfleger bestellt, so grenzen sie unter sich ihren Wirkungskreis ab und zeigen dieses der Vorstandschaft an.

§. 3.

Im Allgemeinen besteht die Aufgabe des Pflegers:
in Verbreitung richtiger Anschauungen über den Zweck und das Wirken des Museums,
in Förderung des finanziellen und geschäftlichen Nutzens desselben,
im Gewinnen einflußreicher Freunde und Stützen für dasselbe,
im Hinwirken auf Gründung von Hülfsvereinen desselben.

§. 4.

Im Besonderen besorgen die Pfleger:
die Einladungen zur Zeichnung der Geldbeiträge mit vorzugsweiser Bedachtnahme auf Korporations- und Vereinskassen jeder Art,
die Herstellung evidenter Einzeichnungs- oder Mitgliederlisten,
das Einziehen der Geldmittel,
deren Abrechnung und Ablieferung „an das germanische Museum".

§. 5.

Der Gleichmäßigkeit und Erleichterung wegen werden den Pflegern Formulare der Einladungen, Zeichnungslisten, Grundbücher, Einheberegister, Einnahme- und Ausgabegebücher und der Beitragsquittungen mitgetheilt.

§. 6.

Das Rechnungsjahr beginnt mit 1. Januar und endigt am 31. Dezember.
Die Geldbeiträge gelten mit dem Schlusse des Zeitraums als verfallen, in welchem oder für welchen sie gezeichnet wurden; sie sind an den gezeichneten Terminen einzuheben und zu verbuchen.

Der Verrechnung mehrerer Beiträge wird das Duplikat oder eine Abschrift des Einnahmetagebuches beigefügt.

§. 7.

Im Ausgabetagebuch werden auch die Regiebedürfnisse der Pflegschaft und die Kosten für Porti, Sammler und Inserate vorgetragen. Die Auslagen hiefür werden bei der Abrechnung an dem abzuliefernden Gelde sofort in Abzug gebracht. Andere Kosten werden nur nach vorgängigem Benehmen mit der Vorstandschaft berücksichtigt.

Auch das abquittierte Duplikat des Ausgabetagebuches bildet einen Beleg der Abrechnung.

§. 8.

Mindestens alljährlich, und zwar spätestens am Schlusse des November, findet die Abrechnung und Geldablieferung statt. Größere einzelne Beiträge, welche im Laufe des Jahres anfallen, werden sofort abgeliefert.

§. 9.

Die Pfleger erhalten gefertigte Legitimationsurkunden, auch wird ihre Bestellung in der Zeitschrift des Museums veröffentlicht. Sie haben freien Zutritt zu den Sammlungen. Sie erhalten alle nöthigen Pflegschaftsbehelfe als Inventarstücke. Ob und in welcher Art Einzelnes von diesen Schriftstücken mittelst der Ortspresse weiter verbreitet werde, ist in das Ermessen des Pflegers gelegt.

§. 10.

Der Austritt eines Pflegers kann in der Regel, dringende Umstände ausgenommen, nur am Schlusse des Rechnungsjahres erfolgen, ist aber, unter Rückgabe der Legitimationsurkunde, vier Wochen vorher der Vorstandschaft anzuzeigen.

§. 11.

Entstandene Irrungen oder Verwickelungen zwischen der Verwaltung des Museums und den Pflegern werden vor einem Schiedsgericht endgültig ausgetragen, wozu jeder Theil einen Schiedsmann, und die Schiedsmänner einen Dritten als Obmann wählen.

§. 12.

Weil die Bedürfnisse oder Verhältnisse einzelner kleinerer Staaten oder einzelner Provinzen größerer Staaten in der Regel eigen gestaltet sind, so werden Besprechungen oder Verhandlungen der Pfleger in denselben für das Beste des Museums am zuträglichsten wirken und sind deshalb mindestens alle drei Jahre zu veranstalten.

Weil bei den Verhältnissen des Museums weder Diäten noch Reisekosten den Pflegern vergütet werden können, so sind dieselben nicht verpflichtet, bei den Versammlungen zu erscheinen.

Die erste Versammlung beruft und eröffnet der im Amte Aelteste aus den Pflegern des Einzelstaates oder der Provinz. Die Versammlung wählt für ihre Leitung und für den dreijährigen Zwischenzeitraum einen Obmann aus ihrer Mitte, der den nächsten Zusammentritt bekannt macht und eröffnet. Sie bestimmt auch den Ort dazu.

§. 13.

Der Obmann vollzieht die Beschlüsse der Pflegeversammlung.

Derselbe vermittelt die von der Verwaltung des Museums an die Pfleger gerichteten Anfragen, Wünsche oder Anordnungen allgemeinen Belanges und umgekehrt derartige Anfragen und Anträge der Pfleger. Bei Besetzung der Pflegschaften seines Sprengels ist er das vermittelnde Organ, welches auch die Erledigung einer solchen anzeigt, oder das Bedürfniß einer neuen Pflegschaft anregt. In Fällen des §. 11 oben ist der Obmann der zur Vermittelung berufene Vertrauensmann.

§. 14.

Den Pflegern bleibt unbenommen, ihre Ansichten, Wünsche oder Anträge, auch ohne Vermittelung des Obmannes, schriftlich an die Verwaltung des Museums oder an den Verwaltungsausschuß zu richten und den Jahres-Generalkonferenzen anzuwohnen. Die Anträge zu den letztgenannten sind jedoch vier Wochen vor Beginn derselben einzureichen. Der Obmann ist sonst der natürliche Vertreter der Pfleger seines Sprengels bei diesen Konferenzen.

§. 15.

Die Bestimmungen des Organismus v. J. 1855 über die Agenten und die im März 1861 ausgeschriebene Pflegschaftsordnung sind vom 1. Januar 1869 an, wo diese, von der Siebener-Kommission des Verwaltungsausschusses heute beschlossene und von der Vorstandschaft unterm Heutigen auszuschreibende Ordnung in Geltung tritt, außer Wirksamkeit gesetzt.

Nürnberg, am 29. September 1868.

Die Mitglieder des Verwaltungsausschusses und des Verwaltungsrates

Unter Mitarbeit von Bernward Deneke, Rainer Kahsnitz und Horst Pohl,
zusammengestellt von Anna-Maria Kesting.
Mit einer Einleitung von Rainer Kahsnitz

I. Nach dem Willen des Museumsgründers Freiherrn Hans von und zu Aufseß war der Verwaltungsausschuß das „Beisitzercollegium des Vorstandes, das aus mindestens vierundzwanzig Männern der Wissenschaft und Kunst verschiedener deutscher Staaten" bestehen sollte. Dieses Kollegium bildete zusammen mit dem Vorstand die Gesamtvertretung des Museums (Organismus GNM § 24). Deshalb bestimmte die älteste Satzung des Museums von 1852 in § 7, Absatz 2: „Das Beisitzer-Collegium, bestehend aus 24 an verschiedenen Orten Deutschlands wohnenden Gelehrten derjenigen Zweige der Wissenschaft, welche im Museum vertreten sind, bildet sowohl den Rath als die Controlle des Vorstandes und tritt mit demselben alle Jahre einmal . . . zusammen zur Besprechung der Geschäfts- und literarischen Angelegenheiten, zur Erledigung des Rechnungswesens und Inspicierung der Sammlungen und Repertoiren". Der Vorstand des Museums leitete die Versammlungen des Verwaltungsausschusses (§ 28 des Organismus GNM). Aus dem Kreise des Verwaltungsausschusses bildeten die in Nürnberg wohnenden Mitglieder den sogenannten Lokalausschuß, der zur Beratung laufender Geschäfte monatlich, zeitweilig auch vierzehntätig tagte (§ 34 des Organismus GNM).

Die von Aufseß' Nachfolger August Essenwein konzipierte Satzung von 1869/70 bestimmte über den Verwaltungsausschuß in § 10: „An der Spitze der Anstalt steht der Verwaltungsausschuß, gebildet von 25–30 Männern der Wissenschaft und Kunst, insbesondere Fachmännern aus verschiedenen Theilen Deutschlands . . . Außer diesen sind als vollberechtigte, stimmfähige Mitglieder in den Ausschuß zu berufen: 1. ein Jurist als Rechtsconsulent, 2. ein Kaufmann oder Finanzmann als Kassen- und Rechnungskontrolleur. Beide müssen ihren Sitz in Nürnberg haben." Nach der älteren Regelung, wie sie im Organismus festgelegt war, zählten der Rechtsconsulent und der Fondsadministrator dagegen zu den Museumsbeamten, wenn sie auch ebenso wie der Vorstand stimmberechtigt an den Sitzungen des Verwaltungsrates teilnahmen. Den Vorsitz im Verwaltungsausschuß führte nach § 18 der neuen Satzung weiterhin das Direktorium des Museums, das aus dem Ersten und Zweiten Direktor bestand. Bei Verwaisung des Direktoriums sollte der Rechtsconsulent die Leitung der Anstalt übernehmen.

Eine Änderung in der Zusammensetzung des Verwaltungsausschusses ergab sich erst, als 1894 das Reich, das Land Bayern und die Stadt Nürnberg in wesentlichem Umfang die finanzielle Trägerschaft des Museums übernahmen. Entsprechend sah § 13 der neuen Satzung von 1894 vor, daß in Zukunft sieben der insgesamt 25 Mitglieder des Verwal-

tungsausschusses ernannt werden sollten, und zwar drei durch den Reichskanzler, später das Reichsamt des Innern, drei durch das Königlich bayerische Staatsministerium des Innern für Kirchen- und Schulangelegenheiten und ein Mitglied durch den Stadtmagistrat Nürnberg. Der Verwaltungsausschuß sollte wiederum einschließlich der sieben zu Ernennenden aus „25 Mitgliedern, zumeist Männern der Kunst und Wissenschaft" bestehen. Die Position des Rechtskonsulenten entfiel. Vorsitzender war weiterhin – jedoch jetzt ohne Stimmrecht – der Erste Direktor, soweit nicht der Verwaltungsausschuß in besonderen Fällen, wie z. B. bei eigener Beteiligung der Direktoren, die Wahl eines anderen Vorsitzenden aus seiner Mitte beschließen wollte (§ 14, Abs. 4). Eine Änderung in diesem Punkte brachte erst die Satzung von 1921, nach deren § 6 das jetzt „Verwaltungsrat" genannte Leitungsorgan des Museums aus seiner Mitte für jeweils drei Jahre einen Vorsitzenden, einen Schriftführer und je einen Stellvertreter wählen sollte. Die 25 Mitglieder sollten sich weiterhin aus sieben auf fünf Jahre ernannten und achtzehn auf neun Jahre „vornehmlich aus Kreisen der Wissenschaft und Kunst" gewählten Mitgliedern zusammensetzen. 1950 traten an die Stelle der vom Reich zu Ernennenden drei von den Bundesländern zu ernennende Mitglieder. Die übrigen Mitglieder waren „aus Kreisen der Wissenschaft und Kunst" zu wählen; die bisherige Einschränkung „vornehmlich" wurde getilgt (§ 5 der Satzung in der Fassung von 1950). Durch die 1957 verabschiedete Satzungsänderung, deren Genehmigung durch alle beteiligten Bundesländer sich jedoch bis 1960 hinzog, erhöhte sich die Zahl der Mitglieder des Verwaltungsrates auf 26 dadurch, daß fortan auch der Bundesregierung das Recht zur Ernennung eines Mitgliedes zugebilligt wurde. Die Gründe und die Entwicklung, die zur Einführung eines vom Bund zu ernennenden Mitgliedes führten, hat Peter Burian in seinem Beitrag oben S. 256–262 ausführlich dargestellt. Der Kreis der zu wählenden Mitglieder wurde gleichzeitig zum ersten Mal über die Männer der Wissenschaft und Kunst hinaus auf „Förderer des Museums" ausgedehnt.

II. Während bis auf die letzte alle früheren Satzungen bei den gewählten Mitgliedern in erster Linie oder sogar ausschließlich an Gelehrte dachten, umfaßte der Verwaltungsrat doch sehr oft auch Personen, die dem Museum aus anderen Gründen persönlich oder wegen ihrer Stellung verbunden waren oder als Vertreter bestimmter Kreise, auf deren Wohlwollen das Museum Wert legen mußte, gewählt worden waren, darunter einflußreiche Persönlichkeiten des öffentlichen

Lebens, Kunstsammler, Nürnberger Bürger, unter diesen auch Mitglieder des ehemals reichsstädtischen Patriziats, Vertreter der Kirchen und in den letzten Jahren zunehmend auch Persönlichkeiten aus Industrie und Wirtschaft.

Die stärkste Gruppe bildeten jedoch zu allen Zeiten Wissenschaftler. Neben Universitätslehrern wurden überwiegend Gelehrte gewählt, die zugleich Leiter eines der führenden deutschen oder österreichischen Kulturinstitute waren. In der Frühzeit, besonders unter Aufseß, verzeichneten die Mitgliederlisten des Verwaltungsausschusses – entsprechend der damaligen Situation und Konzeption des Museums – in großer Zahl Archivare und mehrfach Bibliothekare, später zunehmend Direktoren deutscher und österreichischer Museen. Während Archivare dem Verwaltungsausschuß nur noch selten angehörten, am ehesten dann, wenn sie zugleich als Historiker einen bedeutenden Ruf genossen (z. B. Carl Ludwig Grotefend, Hannover 1865–1874), wurden Bibliothekare in gewissem Umfang stets herangezogen, so zwanzig Jahre lang der Direktor der Erlanger Universitätsbibliothek Eugen Stollreither (1932–1950) und andere. Daneben war die Bibliothekswissenschaft seit 1894 unter den ernannten Mitgliedern in der Person des Direktors (Generaldirektors) der Bayerischen Staatsbibliothek in München beziehungsweise in neuester Zeit des Generaldirektors der Bayerischen Staatlichen Bibliotheken vertreten.

Unter den Museumsbeamten fällt vor allem der Anteil der Berliner Museen ins Auge. Bereits dem ersten Verwaltungsausschuß gehörten der Freiherr Leopold von Ledebur, Direktor der Berliner Kunstkammer, (1853–1877) und Gustav Waagen, Direktor der Berliner Gemäldegalerie, (1853–1868) an, in den Jahren 1882–1884 auch Generalleutnant Julius von Ising, Kommandeur des Zeughauses in Berlin. Fast zu allen Zeiten waren Mitglieder des Verwaltungsausschusses die Generaldirektoren der Berliner Museen, die als Berliner Museumsbeamte oft schon vor ihrer Ernennung zum Generaldirektor dem Verwaltungsrat angehört hatten und dies in der Regel auch nach ihrer Pensionierung neben ihren amtierenden Nachfolgern blieben: Wilhelm von Bode (1884–1929), Otto von Falke (1915–1942), Wilhelm Waetzoldt (1929–1933), Otto Kümmel (1935–1945), später wohl an Stelle eines Generaldirektors der Leiter des Berliner Kunstgutlagers in Celle Robert Schmidt (1948–1952, ab 1951 als ernanntes Mitglied), Leopold Reidemeister (1959–1972) und seit 1972 Stephan Waetzoldt. Ähnlich waren die Münchner Museumsleiter im Verwaltungsausschuß vertreten, allein fünfzig Jahre lang, von 1853–1903, Jakob Heinrich von Hefner-Alteneck, der Konservator der Vereinigten Bayerischen Sammlungen, und später – meist als ernannte – Mitglieder die Direktoren des Bayerischen Nationalmuseums Wilhelm Heinrich Riehl (1895–1897), Hugo Graf (1897–1906), Hans Stegmann (1913–1914), Philipp Maria Halm (1920–1931), Hans Buchheit (schon während seiner Tätigkeit als Direktor des Württembergischen Landesmuseums Stuttgart) (1929–1961), Theodor Müller (1948–1968) sowie seine Nachfolger

Hans Robert Weihrauch (1969–1974) und Lenz Kriss-Rettenbeck (seit 1974). Dasselbe galt von den Direktoren der Bayerischen Staatsgemäldesammlungen Franz von Reber (1877–1919), Hugo von Tschudi (1910–1911), Friedrich Dörnhöffer (1915–1933), Ernst Buchner (1936–1945), Kurt Martin (1948/57–1973) und Halldor Soehner (1967–1968). Seit Gründung des Museums fanden sich auch Dresdener Museumsbeamte Heinrich Wilhelm Schulz (1853–1855), Hermann Hettner (1864–1882), in diesem Jahrhundert noch Woldemar von Seidlitz (1902–1922) und Hans Posse (1932–1942), ähnlich Gelehrte der Wiener Museen wie Joseph von Bergmann (1853–1868), Eduard von Sacken (1868–1883), Quirin von Leitner (1883–1893) und in neuerer Zeit seit 1972 Walter Koschatzky. Dazu kamen, wenn auch stärker wechselnd, Direktoren anderer Museen in Stuttgart, Frankfurt, Karlsruhe, Bonn, Köln und Würzburg, besonders lange Ernst Wagner aus Karlsruhe (1884–1920) sowie aus Leipzig Richard Graul (1923–1944); Hamburgs bedeutende Museumsleiter Alfred Lichtwark (1895–1914), Justus Brinckmann (1909–1915) und nach dem Kriege Carl Georg Heise (1948–1954) und Erich Meyer (1952–1967) gehörten, zum Teil zeitweilig auch als ernannte Mitglieder, dem Verwaltungsrat an. Auch die Direktoren des Germanischen Nationalmuseums wurden nach ihrem Ausscheiden aus der aktiven Leitung des Hauses oft in den Verwaltungsausschuß gewählt: der Museumsgründer Hans von und zu Aufseß (1862–1872), der Zweite Vorstand Karl Heinrich Roth von Schreckenstein (1863–1864), Gustav von Bezold (1920–1932) und Ludwig Grote (1962–1972). Von den Direktoren des Römisch-Germanischen Zentralmuseums in Mainz sind zu nennen: von 1853–1893 Ludwig Lindenschmit d. Ä. und zur Zeit Kurt Böhner (seit 1969).

Daneben wurde darauf geachtet, daß im Verwaltungsrat jeweils namhafte Historiker vertreten waren, z. B. Carl Ludwig Grotefend (1865–1874), Theodor von Karajan (1868–1872), Wilhelm Wattenbach (1870–1897), Friedrich Wilhelm von Giesebrecht (1868–1889), Georg Waitz (1871–1885), Karl Friedrich Stumpf-Brentano (1877–1882), Karl Theodor von Heigel (1895–1915), Friedrich von Bezold (1903–1920), Oswald Redlich (1921–1928), Hermann Heimpel (1961–1974), öfter der Leiter der Monumenta Germaniae Historica, außer Waitz und Wattenbach Ernst Dümmler (1875–1902) oder zur Zeit Horst Fuhrmann (seit 1969). Unter den Universitätsgelehrten finden sich Rechtshistoriker wie Heinrich Zöpfl (1853–1855), Heinrich Gengler (1853–1895) und Johann Caspar Bluntschli (1855–1862), Kulturhistoriker wie Alwin Schultz (1870–1909), Germanisten wie Hans Ferdinand Massmann (1853–1874), Franz Pfeiffer (1853–1868), Rudolf von Raumer (1862–1876), Moriz Heyne (1883–1906) und Ernst Beutler (1946–1960), des öfteren historisch orientierte katholische Theologen wie der Kirchen- und Kunsthistoriker Franz Xaver Kraus, Freiburg im Breisgau (1885–1901), sein Nachfolger auf dem Freiburger Lehrstuhl Joseph Sauer (1920–1949) und der Kirchenhistoriker und Politiker Georg Schreiber, Münster (1921–1933/34), daneben Kunsthistoriker wie Wilhelm Lübke (1875–1893), Wilhelm Pinder (1936–1945), Hans Jantzen (1946–1962), Herbert von Einem (1962–1969) und seit 1973 Willibald Sauerländer, unter ihnen Pinder als von der Reichsregierung ernanntes Mitglied.

Seit der Zeit des Freiherrn von Aufseß waren, um dem Museum an der Stätte seines Sitzes, in Nürnberg, stärkeren Rückhalt zu sichern, auch Nürnberger Persönlichkeiten im Verwaltungsrat vertreten, etwa Karl Alexander Heideloff, der Konservator und Restaurator der Nürnberger Burg, (1853/54), der das Nürnberger Kunstleben des Historismus im ausgehenden 19. Jahrhundert weitgehend bestimmende Maler und Entwerfer Friedrich Wanderer (1886–1906) und lange Zeit der Nürnberger Stadtarchivar Ernst Mummenhoff (1891–1929). Aus Nürnberg berufen wurden in der Regel auch die Leiter der Nürnberger Kunstgewerbeschule, der späteren Staatsschule für angewandte Kunst, außer dem Professor Wanderer die Direktoren August von Kreling (1855–1876), Adolf Gnauth (1877–1884), Karl Hammer (1885–1897), Franz Brochier (1903–1920) und – wohl aus ähnlichen Erwägungen – der Direktor der Bayerischen Gewerbeanstalt Nürnberg Theodor von Kramer (1889–1919) und später sein Nachfolger Karl Hager (1919–1940). Nicht zu übersehen ist – vor allem im 19. Jahrhundert – die Anzahl angesehener Nürnberger Rechtsanwälte und anderer Juristen, die wohl vor allem bei der Abwicklung der laufenden Geschäfte des Museums in dem aus den Nürnberger Mitgliedern des Verwaltungsausschusses gebildeten Lokalausschuß dem Museum von Nutzen sein sollten. Der Rechtskonsulent des Museums und der Finanz- oder Kaufmann, der die Aufgaben des Rechnungskontrolleurs wahrnahm, mußten nach § 10 der Satzung von 1869/70 sogar aus Nürnberg stammen. Seit den dreißiger Jahren war regelmäßig auch ein Vertreter der Nürnberger evangelischen Geistlichkeit im Verwaltungsrat, der in der Nachkriegszeit dann auch einen Vertreter der katholischen Kirche nach sich zog. In diesem Rahmen wurden auch Mitglieder des ehemaligen stadt-nürnbergischen Patriziats traditionsgemäß Mitglieder des Verwaltungsausschusses, von denen vor allem der Rechtskonsulent der Essenwein-Zeit Georg Freiherr Kress von Kressenstein (1877–1911) und mehrere Mitglieder der Familie Tucher, unter ihnen der langjährige stellvertretende und spätere Vorsitzende Dr. Hans Christoph Freiherr von Tucher (1936–1968) zu nennen sind. Das gleiche gilt für die Familien Imhof, Welser, Grundherr, Fürer von Haimendorf und Löffelholz von Colberg.

In das leitende Organ des Germanischen Nationalmuseums wurden auch bedeutende Kunstsammler aufgenommen: Adalbert Ritter von Lanna, Prag (1883–1909), Senator Hermann Römer, Hildesheim (1875–1894), Bürgermeister Karl Ferdinand Thewalt, Köln (1902), Hans Graf Wilczek, Wien (1906–1921), James Simon, Berlin (1908–1922, als ernanntes Mitglied) und in neuerer Zeit Georg Schäfer,

Schweinfurt, (1966–1975) und Helfried Krug, Wuppertal (seit 1973). Als Freunde und Förderer der Kunst gelangten in den Verwaltungsrat Männer aus Industrie und Handel, bis zum letzten Kriege jedoch nur in wenigen Einzelfällen: so – wohl im wesentlichen in seiner Eigenschaft als langjähriger Direktor der Aktiengesellschaft zur Unterstützung des Germanischen Nationalmuseums – der Nürnberger Fabrikant Johannes Zeltner (1872–1882), 1915–1918 Eberhard Freiherr von Bodenhausen, Direktor bei der Firma Krupp in Essen, der jedoch im Jahresbericht des Museums auch wegen seiner kunsthistorischen Verdienste gerühmt wurde, der Generaldirektor der Siemens-Werke Oskar Ritter von Petri (1916–1944), der Generaldirektor der Maschinenfabrik Augsburg-Nürnberg Reichsrat Anton von Rieppel (1917–1921), der Kölner Bankier und Sammler Kurt Freiherr von Schröder (1936–1945) und der Generaldirektor der Gute-Hoffnungs-Hütte Paul Reusch (1921–1946). Seit der Neukonstituierung des Verwaltungsrates 1946 sind Industrielle und Bankiers häufiger Mitglied des Verwaltungsrates geworden: Generaldirektor Dr. Carl Härle von den Thyssen-Werken (1946–1950), der Direktor der Siemens AG Hans Hilpert, Nürnberg (1946–1972), Generaldirektor Otto Meyer, Vorstandsvorsitzender der Maschinenfabrik Augsburg-Nürnberg, (1946–1968), Generaldirektor Dr. Hermann Reusch, Vorstandsvorsitzender der Gute-Hoffnungs-Hütte in Oberhausen, (1950–1969), Rudolf August Oetker (seit 1952), Dr. Carl Wurster, Vorsitzender des Aufsichtsrates der Badischen Anilin- und Soda-Fabrik, Ludwigshafen (1957–1970), Dr. Ernst von Siemens (1963–1974) und der Frankfurter Bankier Dr. Klaus Dohrn (seit 1968). Daneben wurden angesehene Persönlichkeiten aus Politik und Diplomatie berufen, von denen nur Arthur Graf Posadowsky-Wehner, Naumburg (1911–1932), der österreichische Bundeskanzler Ignaz Seipel (1928–1932), der Reichsbank-Präsident Hans Luther (1929–1933) und Theodor Heuss (1948–1963) genannt sein sollen, zu denen als ernanntes Mitglied der Präsident des deutschen Städtetages Oskar Mulert (1929–1933) hinzukam.

III. Bei der Auswahl der ernannten Mitglieder, die seit 1894 von staatlichen Stellen und der Stadt Nürnberg bestimmt wurden, lassen sich ebenso gewisse länger festgehaltene Kriterien beobachten. Während das Reich in den ersten Jahren durchweg Persönlichkeiten ernannte, die in gewisser Unabhängigkeit von der Reichsverwaltung standen, Staatsminister a. D., preußische Oberpräsidenten (Gustav von Goßler, 1895–1902; Georg Freiherr von Rheinbaben, 1913–1920), ehemalige Diplomaten (Theodor von Holleben, 1903–1913), hohe pensionierte oder zur Disposition gestellte Beamte, als deren typische Vertreter Männer wie die „preußischen Exzellenzen" Theodor Lewald (1919–1937, bis 1921 freilich als Staatssekretär noch im aktiven Dienst) und Friedrich Schmidt-Ott (1920–1934) gelten können, daneben gelegentlich den Präsidenten des deutschen Städtetages, Mitglieder des Reichstages (Franz Prinz Arenberg, 1903; Clemens August Freiherr Heereman von Zuydwyk, 1895–1903), gelegentlich auch Sammler wie James Simon, Berlin (1908–1922), bedeutende Gelehrte wie Wilhelm Pinder oder hervorragende Museumsleute wie Alfred Lichtwark aus Hamburg, der von 1895 bis 1914 bereits zu den ersten drei vom Reich ernannten Vertretern gehörte, wurden später zunehmend leitende Ministerialbeamte als Vertreter in den Verwaltungsrat entsandt. Bayern ernannte, von vereinzelten Ausnahmen abgesehen, stets die Direktoren der Bayerischen Staatsbibliothek, des Bayerischen Nationalmuseums und der Staatsgemäldesammlungen, vereinzelt auch die Leiter der staatlichen Denkmalpflege, freilich später zunehmend Ministerialbeamte, zeitweilig nach dem letzten Kriege auch den Minister für Unterricht und Kultus persönlich. Die Bundesländer, die seit 1950 die drei früher vom Reich ernannten Mitglieder auswählten, entsandten zunächst Museumsdirektoren, die zum Teil bis zu diesem Zeitpunkt bereits gewählte Mitglieder waren, Robert Schmidt (1948/51–1952) und Kurt Martin (1948/51–1973), in letzter Zeit aber zunehmend Beamte aus den Ministerien einzelner Länder. Ähnlich entschied sich die Bundesregierung, die seit 1960 ein Mitglied zu ernennen hat. Die Stadt Nürnberg benannte von einer kurzen Zwischenzeit abgesehen stets ihren Ersten beziehungsweise Oberbürgermeister: Dr. Johann Georg von Schuh (1894–1913), Dr. Otto Gessler (1914–1919), Dr. Hermann Luppe (1920–1933), Willi Liebel (1933 bis Kriegsende), Hans Ziegler (1946–1948), kurzfristig den Stadtrat Dr. Wilhelm Korff (1948–1950), danach wieder die Oberbürgermeister Dr. Otto Ziebill (1950–1951), Dr. Otto Bärnreuther (1952–1957) und seit 1958 Dr. Andreas Urschlechter.

Neben diesen ernannten Mitgliedern nahmen an den Beratungen des Verwaltungsausschusses bzw. Verwaltungsrates regelmäßig als Vertreter des Reiches und Bayerns auch die ressortmäßig für die Förderung des Museums oder für die Rechtsaufsicht zuständigen Ministerialbeamten aus dem Reichsamt des Innern, später auch aus dem Ministerium für Erziehung, Wissenschaft und Volksbildung, nach dem letzten Kriege aus dem Bundesinnenministerium und in ähnlicher Weise die Referenten aus dem Bayerischen Ministerium für Unterricht und Kultus teil. Besonders bei langjährig gleichbleibender Ressortzuständigkeit und entsprechend häufiger Teilnahme an den Sitzungen scheint sich die Stellung dieser Beamten weitgehend der eines ordentlichen Verwaltungsratsmitgliedes angeglichen zu haben. Dies schlug sich nicht zuletzt darin nieder, daß ihre Namen zu gewissen Zeiten in die offiziellen Listen der Verwaltungsratsmitglieder aufgenommen wurden und lediglich bei der Berechnung der Anzahl der Mitglieder nicht mitgezählt wurden. In der Zeit nach dem zweiten Weltkrieg bürgerte sich zeitweilig der Sprachgebrauch „Verwaltungsratsmitglied mit beratender Stimme" ein, obwohl die Satzung zu keiner Zeit eine solche Funktion im Verwaltungsrat kannte; mehrfach wurden die

Behördenvertreter sogar zu Mitgliedern des Arbeitsausschusses, also eines Gremiums des Verwaltungsrates, gewählt. In die folgende Liste sind diese Vertreter des Reiches, des Bundes und Bayerns deshalb nicht aufgenommen worden, obwohl ihre Stellung im Aufsichtsgremium des Museums und ihr Einfluß auf die Willensbildung der Versammlung nicht selten von ausschlaggebender Bedeutung gewesen zu sein scheint. Zu nennen sind insbesondere als Vertreter des Reiches der damalige Unterstaatssekretär Theodor Lewald (vor seiner offiziellen Ernennung zum Verwaltungsratsmitglied im Jahre 1919) daneben gelegentlich der Geheime Regierungsrat Dr. Hugo Gallenkamp (geb. 9. 8. 1859), aus der Zeit zwischen dem ersten Weltkrieg und 1936 vor allem Ministerialrat Dr. Max Donnevert (19. 12. 1872–4. 2. 1936) sowie aus der nationalsozialistischen Zeit der Regierungs-, spätere Ministerialrat Dr. Hans Werner von Oppen (geb. 19. 8. 1902) aus dem Kunstreferat des Reichsministeriums für Erziehung, Wissenschaft und Volksbildung. Als Vertreter des Bayerischen Kultusministeriums nahm seit den zwanziger Jahren bis 1933 regelmäßig Ministerialdirektor Dr. Richard Hendschel (6. 9. 1868–18. 5. 1946), anschließend bis 1937 Ministerialdirektor Karl August Fischer (3. 5. 1885–16. 1. 1975) und danach Ministerialrat Walter Freiherr von Stengel (20. 7. 1879–19. 9. 1955) an den Sitzungen teil. Ihnen folgten nach dem zweiten Weltkrieg als Vertreter Bayerns Ministerialrat Christian Wallenreiter und Regierungsdirektor Dr. Ernst Schnerr. Als Vertreter des Bundesinnenministeriums sind in erster Linie aus dem Beginn der fünfziger Jahre Staatssekretär Dr. Erich Wende (geb. 14. 9. 1884) und aus der anschließenden Zeit der Ministerialrat, späterer Ministerialdirigent Dr. Carl Gussone zu nennen, der später – 1960/61 –, als der Bund aufgrund der Satzungsänderung von 1957 ein Mitglied des Verwaltungsrates ernennen konnte, auch als erster in diese Funktion berufen wurde.

IV. Den Vorsitz im Verwaltungsausschuß führte bis 1921 der Erste Direktor des Museums. Seit der Verwaltungsrat nach der neuen Satzung von 1921 aus seiner Mitte einen eigenen Vorsitzenden zu wählen hatte, entschied er sich stets für eine Persönlichkeit des öffentlichen Lebens oder aus Kreisen der Wirtschaft, niemals für einen Gelehrten oder den Leiter eines Museums, einer Bibliothek oder vergleichbaren Institution. Von 1921 bis 1928 war Vorsitzender, danach bis 1932 Ehrenvorsitzender der Staatsminister a. D. Arthur Graf Posadowsky-Wehner, Naumburg, anschließend bis 1933 der Staatssekretär a. D. Dr. Theodor Lewald. In nationalsozialistischer Zeit leiteten jeweils die vom Reich bestimmten und dann innerhalb des Verwaltungsrates zum Vorsitzenden gewählten Ministerialbeamten den Verwaltungsrat, zunächst Ministerialdirektor Dr. Rudolf Buttmann (1933–1935), anschließend Ministerialdirektor Dr. Wolf Meinhard von Staa (1936–1938); an seine Stelle trat 1938 der Reichserziehungsminister Bernhard Rust. In der Zeit nach dem Kriege war Vorsitzender zunächst der Nürnberger Bürgermeister Hans Ziegler und von 1948–1963 Theodor Heuss, der den Vorsitz auch während seiner Amtszeit als Bundespräsident beibehielt. Ihm folgten 1964–1968 der

ADAM, Philipp Ludwig Dr. phil. Ulm 11. 3. 1813–23. 3. 1893 München. Verlagsbuchhändler, Bankier. Stellvertretendes Mitglied der Frankfurter Nationalversammlung 1848–1849, Mitglied des württembergischen Landtags. Seit 1864 Stadtrat in Ulm; führender Vertreter des Münsterbaukomitees. – Im VwR¹ von 1864–1875.

ANKERSHOFEN, Gottlieb Freiherr von. Klagenfurt 22. 8. 1795–6. 3. 1860 Klagenfurt. Jurist, Historiker. Seit 1844 Leiter des Geschichtsvereins, nach 1853 Konservator für Kärnten. Begründer des Archivs für vaterländische Geschichte und Topographie, Mitglied der Akademie der Wissenschaften in Wien. – Im VwR von 1855–1858, Mitglied des GelA. – Gottlieb Freiherr v. Ankershofen. Biografische Skizze. Veröffentlicht von einem Kreise seiner Verehrer. Klagenfurt 1860 (mit Schriftenverz.). – Nachruf in: Archiv für vaterländische Geschichte und Topographie Jg. 6 (1861), S. 1–16 (Karlmann Flor). – Festschrift zum hundertjährigen Geburtstage Gottliebs Freiherrn von Ankershofen und zur fünfzigjährigen Jubelfeier des Geschichtsvereines für Kärnten. Klagenfurt 1896 (mit Würdigungen). – Wurzbach Biogr. Lexikon – ADB 1 (1875), S. 466–467 (Krones). – Österr. biogr. Lexikon.

ARENBERG, Franz v. Assisi Prinz von. Héverlé/Belgien 29. 9. 1849–25. 3. 1907 Schloß Pesch/Rheinl. Kgl. preußischer Major à la suite, kaiserl. Legationssekretär, Mitglied des Reichstags und des preußischen Abgeordnetenhauses. – 1903 ernanntes Mitglied des VwR. – Biogr. Jb. Bd. 12 (1907), Sp. 7*.

AUFSESS, Hans Freiherr von und zu. Schloß Oberaufseß 7. 9. 1801–6. 5. 1872 Münsterlingen. – Im VwR von 1862–1872. – S. Verzeichnis der Beamten, S. 1111–1112.

AUS'M WEERTH, Ernst. Dr. phil. Bonn 10. 4. 1829–23. 3. 1909 Kessenich. Archäologe, Kunsthistoriker, Professor der Universität Bonn. Mitherausgeber der Bonner Jahrbücher. Veröff. zur rheinischen Kunst und Denkmalpflege. – Im VwR von 1868–1883. – Kürschner Lit. 1886–1909. – Nachruf in : Kunstchronik NF Jg. 20 (1908/09), Sp. 361–363 (Paul Clemen). – Reinhard Fuchs: Zur Geschichte der Sammlungen des Rheinischen Landesmuseums Bonn. In: Rheinisches Landesmuseum Bonn. 150 Jahre Sammlungen, 1820–1970 (Kunst und Altertum am Rhein, 38). Düsseldorf 1971, S. 1–158 (99–117).

BÄRNREUTHER, Otto, Dr. h. c. Nürnberg 27. 8. 1908–21. 9. 1957 Nürnberg. Von 1952–1957 Oberbürgermeister der

langjährige stellvertretende Vorsitzende Dr. Hans Christoph Freiherr von Tucher, Nürnberg, und seit 1969 Dr. Klaus Dohrn, Frankfurt.

Stadt Nürnberg. – Von 1952–1957 ernanntes Mitglied des VwR.

BAIERLACHER, Eduard. Dr. med. Eichstätt 1. 9. 1825–24. 10. 1889 Nürnberg. Arzt, seit 1854 in Nürnberg tätig. 1862–1869 Direktor, 1888 Ehrenmitglied der Naturhistorischen Gesellschaft in Nürnberg. – Im VwR von 1859–1889. – Saecular-Feier der Naturhistorischen Gesellschaft in Nürnberg 1801–1901. Nürnberg 1901, S. XXIX–XXX, XXXV.

BAUER, Herbert. Geb. in Nürnberg 1. 7. 1925. Evangelischer Theologe, 1953 Pfarrer zu Pommersfelden, 1958 Leiter des Katechetischen Seminars Neuendettelsau. Seit 1972 Prodekan an St. Lorenz in Nürnberg. – Seit 1973 im VwR.

BAUR, Ludwig. Dr. jur., Geheimrat. Darmstadt 11. 4. 1811–25. 5. 1877 Darmstadt. Jurist, Archivar, Historiker. 1836 Archivgehilfe, 1838 Archivsekretär in Darmstadt, danach verschiedene Stellungen im hessischen Staatsdienst. 1854 Direktor des geheimen Haus- und Staatsarchivs in Darmstadt. 1876 in den Ruhestand versetzt. Zahlreiche Veröff. zur hessischen Geschichte. – Im VwR von 1853–1877, Mitglied des GelA. – Georg Fink: Geschichte des Hessischen Staatsarchivs zu Darmstadt. Darmstadt 1925, S. 169 u. ö. (Reg.). – Zu den Veröff. vgl. K. E. Demandt: Schrifttum zur Geschichte und geschichtlichen Landeskunde von Hessen. Wiesbaden 1965–68, Bd. 3, S. 417 (Reg.).

BECKER, Carl. Beylstein a. d. Mosel 18. 3. 1794–11. 3. 1859 Würzburg. Kgl. preußischer Steuerinspektor und Zollvereinskontrolleur, Kunsthistoriker. Verbindung zu Alexandre Lenoir während der Militärzeit in Paris, 1814. Seit 1845 in Würzburg ansässig. Veröff. über Jobst Amman, Tilman Riemenschneider. Mit Jakob Heinrich von Hefner-Alteneck Herausgeber des dreibändigen Werks „Kunstwerke und Geräthschaften des Mittelalters und der Renaissance". – Im VwR von 1853–1859, Mitglied des GelA.

BECKH, Hermann. Dr. h. c. Schwabach 13. 8. 1806–25. 8. 1886 Rathsberg. Gutsbesitzer, Jurist. Seit 1830 als Privatmann bei Erlangen lebend. Mitglied des Flottenbauvereins, Ehrendoktor der Universität Erlangen. – Im VwR von 1859–1886.

¹ Die Abkürzung VwR wird für den Verwaltungsausschuß (Bezeichnung von 1852–1920) und den Verwaltungsrat (Bezeichnung seit 1921) verwandt.

BERGMANN, Joseph von. Dr. phil. h. c., K. k. Hofrat. Hittisau 13. 11. 1796–29. 7. 1872 Graz. Jurist und Historiker. 1826 Professor am Gymnasium in Cilli, 1828 Kustos, später Direktor im Münz- und Antikenkabinett der Ambraser Sammlung. Ehrendoktor der Universität Wien, Mitglied der kaiserl. Akademie der Wissenschaften Wien. Veröff. über österreichische Medaillen und Münzen, ferner zur Geschichte Vorarlbergs. – Im VwR von 1853–1868, Mitglied des GelA. – Nachruf in: Almanach der kaiserlichen Akademie der Wissenschaften Jg. 23 (1873), S. 187–192. – Elmar Vonbank: Joseph Ritter von Bergmann (Ausstellungskatalog des Vorarlberger Landesmuseums, 55). Bregenz 1972. – Wurzbach Biogr. Lexikon – ADB 2 (1875), S. 392–395 (Kenner). – Österr. biogr. Lexikon.

BEUTLER, Ernst. Dr. phil. Reichenbach 12. 4. 1885–8. 11. 1960 Frankfurt a. M. Literarhistoriker. 1911 Bibliotheksrat in Hamburg, seit 1925 Direktor des Freien Deutschen Hochstifts und des Goethemuseums in Frankfurt am Main. Unter seiner Leitung Wiederaufbau von Goethehaus und -museum. Honorarprofessor der Universität Frankfurt am Main 1927–1937, ordentlicher Professor seit 1946. Mitglied des Ordens Pour le Mérite für Wissenschaften und Künste, Goethepreisträger der Stadt Frankfurt. Veröffentlichungen zur Goethebiographie, Herausgeber des Jahrbuchs des Freien Deutschen Hochstifts, der Artemis-Goethe-Ausgabe. – Im VwR von 1946–1960. – Emil Staiger, Ed. Spranger: Ernst Beutler. Gedenkreden. Zürich, Stuttgart 1962. – Emil Staiger: Ernst Beutler als Literarhistoriker. In: Jahrbuch des Freien Deutschen Hochstifts 1962, S. 1–8. – Festschrift: Weltbewohner und Weimaraner. Ernst Beutler zugedacht 1960. Hrsg. von Benno Reifenberg und Emil Staiger. Zürich, Stuttgart 1960. – Nachruf mit Teilbibliographie in: Mitteilungen des Deutschen Germanisten-Verbandes 8 (1961), Nr. 1, S. 2–5. – Kürschner 1925–1961.

BEZOLD, Friedrich von. Dr. phil., D. theol., Dr. rer. pol. h. c. München 26. 12. 1848–29. 4. 1928 Bonn. Historiker, 1884 ordentlicher Professor in Erlangen, 1896 in Bonn, 1921 emeritiert. Mitglied der Bayerischen und der Preußischen Akademie der Wissenschaften. Veröff. zur Geschichte der Renaissance und der Reformation in Deutschland. – Im VwR von 1903–1920. – Gisbert Beyerhaus: Friedrich von Bezolds innere Entwicklung. In: Rheinische Vierteljahrsblätter Jg. 1 (1931), S. 321–338 (mit Schriftenverzeichnis). – Walther Hubatsch: Friedrich von Bezold 1848–1928. In: Bonner Gelehrte. Beiträge zur Geschichte der Wissenschaften in Bonn. Geschichtswissenschaften (150 Jahre Rheinische Friedrich-Wilhelms-Universität zu Bonn 1818–1968). Bonn 1968, S. 284–292. – NDB 2 (1955), S. 211 (Gisbert Beyerhaus).

BEZOLD, Gustav von. Dr. phil. h. c. Geheimrat. Kleinsorheim b. Nördlingen 17. 7. 1848–22. 4. 1934 Frankfurt a. M. – Im VwR von 1920–1932. – S. Verz. der Beamten, S. 1114.

BLUNTSCHLI, Johann Caspar. Dr. jur. Zürich 7. 3. 1808–26. 10. 1881 Karlsruhe. Staatsrechtslehrer. 1833 Professor der Universität Zürich, 1848 in München, seit 1861 in Heidelberg. Veröffentlichungen zur schweizerischen Staats- und Rechtsgeschichte und zum allgemeinen Staats- sowie zum Völkerrecht. Hrsg. des Deutschen Staatswörterbuchs (1857–1870). – Im VwR von 1855–1862, Mitglied des GelA. – Johann Caspar Bluntschli: Denkwürdiges aus meinem Leben. Hrsg. v. Rud. Seyerlen. 3 Bde. Nördlingen 1884. – Friedrich Meili: J. C. Bluntschli und seine Bedeutung für die moderne Rechtswissenschaft. Ein Erinnerungsblatt zum 100. Geburtstage (7. III. 1908). Zürich 1908. – ADB 47 (1903), S. 29–39 (Meyer von Knonau). – NDB 2 (1955), S. 337–338 (Heinrich Mitteis). – Biographisches Wörterbuch zur deutschen Geschichte. 2. Aufl. Bd. 1. München 1973, Sp. 301/02.

BODE, Wilhelm von. Dr. phil. Wirklicher Geheimrat, Exzellenz. Calvörde 10. 12. 1845–1. 3. 1929 Berlin. Jurist, Kunsthistoriker. Seit 1872 für die Berliner Museen tätig, seit 1878 Geschäftsführung der Sammlung der Skulpturen und Abgüsse des Mittelalters und der Renaissance, 1883 Direktor der Renaissanceabteilung (Skulpturen und Abgüsse), 1890 Direktor der Gemäldegalerie, von 1905–1920 Generaldirektor. Begründete durch Ausbau der Gemälde- und Skulpturenabteilungen sowie der islamischen und ostasiatischen Sammlungen den heutigen Rang der Berliner Museen. Begründete m. a. das Kunsthistorische Institut Florenz. Zahlreiche Veröffentlichungen, vor allem über holländische Malerei, italienische und deutsche Bildhauer. – Im VwR von 1884–1929. – Wilhelm von Bode: Fünfzig Jahre Museumsarbeit. Bielefeld und Leipzig 1922. – Mein Leben. 2 Bde. Berlin 1930. – Nachruf in: Jahrbuch der Preußischen Kunstsammlungen Bd. 51 (1930), S. I–VIII (Theodor Demmler). – Friedrich Winkler: Zum Gedächtnis an Wilhelm von Bode 1845–1929. Berlin o. J. (1935). – J. Beth: Verzeichnis der Schriften von Wilhelm von Bode. Berlin-Steglitz 1915. – NDB 2 (1955), S. 347–348 (Ludwig Justi). – Ludwig Pallat: Richard Schöne. Generaldirektor der Königlichen Museen zu Berlin. Ein Beitrag zur Geschichte der preußischen Kunstverwaltung 1872–1905. Berlin 1959, S. 406 (Reg.).

BODENHAUSEN, gen. Degener, Eberhard Freiherr von. Dr. jur. Wiesbaden 12. 6. 1868–6. 5. 1918 Meineweh/Krs. Weißenfels. Zunächst als Jurist im preußischen Staatsdienst, später Studium der Kunstgeschichte. Verkaufsleiter der Troponwerke, dort beispielhafte Heranziehung von bekannten Malern und Graphikern für die Werbung, 1910 Direktor bei Krupp. Mitbegründer des Deutschen Künstlerbundes, Beteiligung bei der Gründung und Leitung der Zeitschrift „Pan", Freundschaft mit Henri van de Velde, Julius Meier-Graefe, Harry Graf Keßler, Hugo von Hofmannsthal. – Im VwR von 1915–1918. – Eberhard von Bodenhausen. Ein Leben für Kunst und Wirtschaft. Hrsg. v. Dora Freifrau von

Bodenhausen-Degener. Düsseldorf-Köln 1955. – NDB 2 (1955), S. 354 (Karl H. Salzmann). – Karl H. Salzmann: PAN – Geschichte einer Zeitschrift. In: Imprimatur Bd. 10 (1950/51), S. 163–185.

BÖHNER, Kurt. Dr. phil. Geb. in Halberstadt 29. 11. 1914. Archäologe, Prähistoriker. 1956 Direktor des Landesmuseums in Bonn, seit 1958 Geschäftsführender Direktor des Römisch-Germanischen Zentralmuseums in Mainz. Honorarprofessor der Universität Mainz. Veröff. v. a. zur Archäologie des Rheinlandes; Herausgeber des Jahrbuches des Römisch-Germanischen Zentralmuseums Mainz. – Seit 1969 im VwR. – Kürschner seit 1950.

BOTT, Gerhard. Dr. phil. Geb. in Hanau 14. 10. 1927. – Seit 1974 ernanntes Mitglied des VwR. – S. Verzeichnis der Beamten, S. 1115.

BRENDEL, Rudolf. Hasloch/Main 17. 4. 1864–13. 10. 1942 Nürnberg. Evangelischer Theologe. Pfarrer in Nürnberg. 1921 Kirchenrat und Prodekan. – Im VwR von 1932–1942.

BRINCKMANN, Justus. Dr. jur. Hamburg 23. 5. 1843–8. 2. 1915 Hamburg-Bergedorf. Nach juristischem und kunstgeschichtlichem Studium in Wien als Anwalt und Sachverständiger für das Gewerbewesen in Hamburg tätig. Kommissar für die Weltausstellung in Wien, 1873, Juror für die Weltausstellungen in Antwerpen 1885 und Paris 1900. Gründer und erster Direktor des Museums für Kunst und Gewerbe in Hamburg. Ankäufe von älterer deutscher, ostasiatischer und zeitgenössischer Kunst; Veröff. auf den gleichen Gebieten. – Im VwR von 1909–1915. – Alfred Lichtwark: Justus Brinckmann. In: Das Hamburgische Museum für Kunst und Gewerbe. Dargestellt zur Feier des 25jährigen Bestehens von Freunden und Schülern Justus Brinckmanns. Hamburg 1902, S. 1–67. – Dt. biogr. Jb., Bd. 1 (1914–1916), S. 116–119 (Gustav Pauli). – NDB 2 (1955), S. 614–615 (Carl Schellenberg). – Kürschner Lit. 1902–1905.

BROCHIER, Franz. München 16. 5. 1852–22. 9. 1926 Nürnberg. Architekt, Kunstgewerbler. 1897–1920 Direktor der Kunstgewerbeschule Nürnberg. 1902/03 Leitung des Ausbaues der Elisabethkirche in Nürnberg. Vorsitzender des Nürnberger Baukunstausschusses. – Im VwR von 1903–1920. – Eduard Brill: Die Geschichte der Staatsschule für angewandte Kunst in Nürnberg. Festrede zur Hundert-Jahr-Gedenkfeier am 15. Juli 1933. Nürnberg o. J. (1933), S. 30–34.

BUCHHEIT, Hans. Dr. phil. Zweibrücken 20. 7. 1878–30. 9. 1961 Hamburg. 1921–1932 Direktor des Württembergischen Landesmuseums, 1932–1948 Direktor des Bayerischen Nationalmuseums. Veröff. über Gemälde und Miniaturbilder im Bayerischen Nationalmuseum in München

und in der Residenz. – Von 1929–1932 gewähltes, ab 1932 ernanntes, von 1954–1961 wieder gewähltes Mitglied des VwR. – Nachrufe in: Die Weltkunst 31 (1961), 20, S. 13 (Th. Müller); Pfälzer Heimat Jg. 13 (1962), S. 32–33 (Werner Fleischhauer); Zeitschrift für bayerische Landesgeschichte Bd. 25 (1962), S. 840–843 (Fridolin Solleder). – Vgl. Abb. 74.

BUCHNER, Ernst. Dr. phil. München 20. 3. 1892–3. 6. 1962 München. 1923–1928 als Konservator an den Bayerischen Staatsgemäldesammlungen, 1928–1933 Direktor des Wallraf-Richartz-Museums in Köln, 1933–1945, 1953–1957 Generaldirektor der Staatsgemäldesammlungen in München. Honorarprofessor der Universität München. Mitglied der Bayerischen Akademie der Wissenschaften. Veröff. vor allem zur altdeutschen Malerei. – Von 1936–1945 ernanntes Mitglied des VwR. – Nachrufe in: Jahrbuch 1962 der Bayerischen Akademie der Wissenschaften, S. 185–189 (Theodor Müller); Pantheon Jg. 20 (1962), S. 255 (Peter Strieder). – Kürschner 1931–1961.

BURCKHARDT, Carl Jakob. Dr. phil., Dr. h. c. Basel 10. 9. 1891–4. 3. 1974 Genf. Historiker, Diplomat, Schriftsteller. 1929 Professor für Geschichte in Zürich, seit 1932 zugleich in Genf, 1937–1939 Hoher Kommissar des Völkerbundes in Danzig, 1944–1948 Präsident des Internationalen Roten Kreuzes, 1945–1950 schweizerischer Gesandter in Paris. 1954 Friedenspreis des deutschen Buchhandels. – Im VwR von 1964–1972, später Ehrenmitglied des GNM. Nachrufe in: Historische Zeitschrift Bd. 220 (1975), S. 255–258 (Theodor Schieder); Almanach der Österreichischen Akademie der Wissenschaften Jg. 124 (1974), S. 349–357 (Hans Thieme). – Kürschner 1935–1970. – Festschrift zum 70. Geburtstag: Dauer im Wandel. Hrsg. v. Hermann Rinn und Max Rychner. Mit Verzeichnis der Buchveröff. (S. 484). München 1961. – Biographisches Wörterbuch zur deutschen Geschichte 2. Aufl. Bd. 1. München 1973, Sp. 398–399.

BUTTMANN, Rudolf. Dr. rer. pol. Marktbreit a. M. 4. 7. 1885–25. 1. 1947 Stockdorf. Historiker, Bibliothekar des Bayerischen Landtages, seit 1924 Abgeordneter und Fraktionsführer der NSDAP im Bayerischen Landtag. 1933 Leiter der Kulturabteilung des Reichsministeriums des Innern, seit 1935 Generaldirektor der Staatlichen Bayerischen Bibliotheken. Mitherausgeber des Zentralblatts für Bibliothekswesen. – Veröff. u. a. zur nationalsozialistischen Politik, so „Nationalsozialistische Staatsauffassung" 1933. – Von 1933–1945 ernanntes Mitglied des VwR, von 1933–1935 Vorsitzender. – Reichshandbuch, Bd. 1, S. 254. – Kürschner 1940/41.

CAPPE, Heinrich Philipp. Geb. in Hildesheim, gest. 26. 4. 1862 in Dresden. Kaufmann, Numismatiker. Erstand 1833 Teile der Ampachschen Sammlung. Veröff. über deutsche

Münzen des Mittelalters, die ältesten böhmischen Münzen; ferner in drei Bänden: „Die Münzen der deutschen Kaiser und Könige des Mittelalters". – Im VwR von 1853–1862, Mitglied des GelA. – Kurzer Nachruf in: Berliner Blätter für Münz-, Siegel- und Wappenkunde 1 (1863), S. 216–217.

CHILLINGWORTH, Rudolph. Lebensdaten unbekannt. Kommerzienrat. Flugzeugkonstrukteur und Erfinder, Begründer der Fabrik Chillingworth in Nürnberg. Später in der Schweiz, danach in den Vereinigten Staaten. Besitzer einer Sammlung alter Meister, die 1922 versteigert wurde. – Im VwR 1918–1921.

COHAUSEN, Karl August von. Rom 17. 4. 1812–2. 12. 1894 Wiesbaden. Offizier, Altertumsforscher. Von 1831–1841 und von 1848–1872 im preußischen Militärdienst. Von 1841–1848 Leiter der Steingutfabrik Boch in Mettlach. Als Fachmann für Festungsbau auch an der Erforschung römischer Befestigungsanlagen beteiligt, 1868 mit der Bergung des Hildesheimer Silberfunds befaßt. Nach der Pensionierung als kgl. Konservator im Reg.-Bez. Wiesbaden tätig. – Im VwR von 1885–1894, Mitglied des GelA. – Lebenslauf und Schriftenverzeichnis von Max Jähns in: August von Cohausen: Die Befestigungsweisen der Vorzeit und des Mittelalters. Wiesbaden 1898, S. VII–XXXVIII. – Nassauische Lebensbilder Bd. 1, Wiesbaden 1940, S. 145–152 (Ferdinand Kutsch). – ADB 47 (1903), S. 502–503 (B. v. Poten). – NDB 3 (1957), S. 309–310 (Ferdinand Kutsch). – Kürschner Lit. 1891–1895.

DIETZ, Johann von. Dr. med., Hofrat. Nürnberg 23. 10. 1803–8. 7. 1877 Nürnberg. Chirurg und Augenarzt, seit 1828 als Arzt in Nürnberg praktizierend. Ordentlicher Professor der Universität Erlangen. Leiter der chirurgischen Abteilung des von ihm geförderten Nürnberger Krankenhauses. 1873 wegen seiner Verdienste geadelt. – Im VwR von 1853–1877. – Biographisches Lexikon der hervorragenden Ärzte aller Zeiten und Völker Bd. 6 (1888), S. 704.

DÖRNHÖFFER, Friedrich. Dr. phil., Geheimrat. Wien 23. 1. 1865–12. 1. 1934 München. Kunsthistoriker. 1898 Vorstand der Kupferstichsammlung der Hofbibliothek, 1909 Direktor der österreichischen Staatsgalerie in Wien. Seit 1914 Generaldirektor der Bayerischen Staatsgemäldesammlungen, am 1. 3. 1933 pensioniert. Veröff. zur altdeutschen Malerei. – Von 1915–1933 ernanntes Mitglied des VwR. – Kurzer Nachruf in: Kunst- und Antiquitäten-Rundschau Jg. 42 (1934), S. 62 (Kurt Pfister). – Reichshandbuch, Bd. 1, S. 341. – Österr. biogr. Lexikon.

DOHRN, Klaus. Dr. rer. pol. Geb. in Breslau 23. 5. 1905, lebt in Frankfurt a. M. Bankier, Geschäftsinhaber der Berliner Handelsgesellschaft. Senator der Max-Planck-Gesellschaft für Wissenschaft und Forschung. – Im VwR seit 1968, Vorsitzender seit 1969. – Vgl. Abb. 123.

DONNDORF, Wolf. Geb. in Stuttgart 28. 8. 1909, lebt in Stuttgart. Ministerialdirigent a. D. Kaufmännische Lehre und Studium der Kunstgeschichte. Seit 1952 Leiter der Abteilung Kunst im baden-württembergischen Kultusministerium, seit 1963 Vorsitzender des Kunstausschusses der Ständigen Konferenz der Kultusminister der Länder der Bundesrepublik Deutschland. Seit 1974 im Ruhestand. – Von 1962–1973 ernanntes, seit 1974 gewähltes Mitglied des VwR.

DRESSLER, Fridolin. Dr. phil. Geb. in Bamberg 5. 1. 1921. Seit 1954 an der Staatsbibliothek Bamberg, 1965 Bibliotheksdirektor. Seit 1972 Generaldirektor der Bayerischen Staatlichen Bibliotheken in München. Mitglied des Bibliotheksausschusses der Deutschen Forschungsgemeinschaft. Veröff. u. a. zur Handschriftenkunde, zum Buch- und Bibliothekswesen. – Im VwR seit 1972.

DÜMMLER, Ernst Ludwig. Dr. phil. Berlin 2. 1. 1830–11. 9. 1902 Friedrichroda. Historiker. 1854 Habilitation in Halle, 1858 dort außerordentlicher, 1866 ordentlicher Professor. 1876 Mitglied der Zentraldirektion der Monumenta Germaniae Historica in Berlin, seit 1888 deren Leiter. Veröff. vor allem über fränkische und deutsche Geschichte des Mittelalters, Untersuchungen und Editionen mittelalterlicher Geschichtsquellen. – Im VwR von 1875–1902, Mitglied des GelA. – Nachruf in: Neues Archiv der Gesellschaft für ältere deutsche Geschichtskunde Bd. 28 (1903), S. 521–530 (Harry Bresslau). – Mitteldeutsche Lebensbilder Bd. 5. Magdeburg 1930, S. 413–459 mit Schriftenverzeichnis (Robert Holtzmann). – NDB 4 (1959), S. 161 (Friedrich Baethgen). – Kürschner Lit. 1891–1902. – Harry Bresslau: Geschichte der Monumenta Germaniae historica = Neues Archiv der Gesellschaft für ältere deutsche Geschichtskunde Bd. 42 (1921), S. 755 (Reg.).

EICKEMEYER, Walter. Dr. jur. München 18. 1. 1886–10. 5. 1959 Prien. Seit 1920 berufsmäßiger Stadtrat in Nürnberg, von 1933–1945 Zweiter Bürgermeister. – Im VwR von 1936–1945. – Vgl. Abb. 74.

EINEM, Herbert von. Dr. phil. Geb. in Saarburg 16. 2. 1905, lebt in Göttingen. Kunsthistoriker. Ordentlicher Professor für Kunstgeschichte in Greifswald 1943, Frankfurt a. M. 1946, Bonn 1947. Mitglied der Akademie der Wissenschaften in Göttingen, der Akademie der Wissenschaften und der Literatur in Mainz, der Bayerischen und der kgl. Schwedischen Akademie. Veröff. zu Rembrandt, Michelangelo, zur Kunst des 19. Jahrhunderts, u. a. über C. D. Friedrich, zu Goethes Kunstauffassung. – Im VwR von 1962–1969. – Kürschner seit 1940/41. – Festschrift für Herbert von Einem zum 16. Februar 1965. Hrsg. v. Gert von der Osten und Georg Kauffmann. Mit Schriftenverzeichnis bis 1964 (S. 321–328). Berlin 1965.

FABER, Karl von. Stein b. Nürnberg 29.9.1849–15.12.1915 München. Fabrikant, seit 1899 als Privatier in München lebend, vorher in Nürnberg. Kunstförderer, errichtete u. a. aus Anlaß des 50jährigen Bestehens des GNM die „Carl und Louise Faber-Stiftung" von 500000 Mark zugunsten des Instituts. – Im VwR von 1902–1915.

FALKE, Otto von. Dr. phil., Geheimrat. Wien 29.4. 1862–15.8.1942 Schwäbisch Hall. Kunsthistoriker. Seit 1886 im Berliner Kunstgewerbemuseum tätig. 1895 Direktor des Kunstgewerbemuseums in Köln, 1908 in der gleichen Stellung in Berlin. Von 1920–1927 Generaldirektor der Berliner Museen. Grundlegende Veröff. über europäisches Kunstgewerbe (Majolika, Steinzeug, Goldschmiedearbeiten); Begründer und Herausgeber des „Pantheon". – Im VwR von 1915–1942. – Nachruf in: Jahrbuch der preußischen Kunstsammlungen Bd. 63 (1942), S. 127–132 (Robert Schmidt). – NDB 5 (1961), S. 8–9 (Erich Meyer). – Reichshandbuch Bd. 1, S. 416. – Kürschner Lit. 1909–1924, Kürschner 1925–1935. – Schriftenverzeichnis zusammengestellt von Charlotte Giese. München 1932. – Vgl. Abb. 74.

FICKLER, Carl Alois. Dr. phil. Konstanz 8.5.1809– 18.12.1871 Mannheim. Studierte in Freiburg Theologie und Philologie. Gymnasialprofessor in Donaueschingen, Rastatt und, bis zu seinem Tode, in Mannheim. Wurde 1849 mit der Verteidigung der festgesetzten badischen Revolutionäre beauftragt. Veröff. zur Geschichte Schwabens und der Ostschweiz. – Im VwR von 1859–1871, Mitglied des GelA. – Badische Biographien. 2. Ausg. T. 1, Karlsruhe 1881, S. 247–249 (A. Thorbecke). – ADB 6 (1877), S. 777–778.

FLEGLER, Alexander. Dr. phil. Genua 2.7.1803–12.12.1892 Bensheim. – Im VwR von 1854–1855. – S. Verzeichnis der Beamten, S. 1120.

FÖRINGER, Heinrich Konrad. Hofrat. München 14.8. 1802–9.2.1880 München. Zunächst Studium der Rechtswissenschaften, danach seit 1829 Bibliothekar der kgl. Hof- und Staatsbibliothek in München. Mitglied der Bayerischen Akademie der Wissenschaften. Veröff. zur Kunst- und Landesgeschichte Bayerns. – Im VwR von 1853–1880, Mitglied des GelA. – Chr. Haeutle: H. K. Föringer. Eine Lebensskizze. In: Jahresberichte des historischen Vereins von und für Oberbayern 42/43 (1879/1880), S. 127–212.

FÖRSTER, Ernst Joachim. Dr. phil., Hofrat. Münchengosserstätt 8.4.1800–29.4.1885 München. Kunst- und Literaturhistoriker, Historienmaler. Schüler von W. Schadow, Wach, Cornelius. Bei der Ausmalung des Neuen Königsbaus in

München und der Universität in Bonn beteiligt. Veröff. zur deutschen und italienischen Kunstgeschichte, auch von Reiseführern. Textausgaben zum Werk und Biographie seines Schwiegervaters, Jean Paul. – Im VwR von 1853–1885, Mitglied des GelA. – Autobiographie (bis 1826) „Aus der Jugendzeit". Stuttgart 1887. – ADB 48 (1904), S. 655–661 (Hyac. Holland). – Thieme-Becker Bd. 12 (1916), S. 135–136.

FRAAS, Oskar Friedrich von. Dr. phil. Lorch/Württ. 17.1. 1824–22.11.1897 Stuttgart. Studium der Theologie und Paläontologie. 1850 Pfarrer in Laufen a. d. Eyach, seit 1854 am kgl. Naturalienkabinett in Stuttgart, 1856 Konservator, 1891 Vorstand, 1856 Professorentitel, 1894 württembergischer Personaladel. Veröff. zur Geologie und Paläontologie Schwabens. – Im VwR von 1890–1897. – Schwäbische Lebensbilder Bd. 1, 1940, S. 179–192 (F. Berckhemer). – ADB 48 (1904), S. 671–674 (Viktor Hantzsch). – NDB 5 (1961), S. 308 (Werner Quenstedt). – Kürschner Lit. 1891–1895.

FREEDEN, Max Hermann von. Dr. phil. Geb. in Bremen 18.11.1913. Kunsthistoriker. Seit 1937 am Mainfränkischen Museum in Würzburg, 1949–1978 Direktor. Honorarprofessor für mainfränkische Kunstgeschichte und Museumswesen. Veröff. zur mainfränkischen Kunst, besonders zu Balthasar Neumann, Tilman Riemenschneider. Mitherausgeber des Mainfränkischen Jahrbuchs für Geschichte und Kunst. – Von 1969–1978 ernanntes Mitglied des VwR. – Kürschner seit 1954.

FÜRER VON HAIMENDORF, Friedrich Freiherr von. Nürnberg 17.11.1858–1.10.1948 Haimendorf. Generalmajor a. D., Ehrenkommendator des Johanniterordens, Ehrenbürger von Haimendorf. – Im VwR von 1935–1946.

FUHRMANN, Horst. Dr. phil. Geb. in Kreuzburg/Schlesien 22.6.1926. Historiker. Seit 1962 ordentlicher Professor für mittelalterliche und neuere Geschichte an der Universität Tübingen, seit 1971 in Regensburg. Seit Oktober 1971 Präsident der Monumenta Germaniae Historica in München. Mitglied der Bayerischen Akademie der Wissenschaften. Veröff. zur mittelalterlichen Geschichte. – Im VwR seit 1969. – Kürschner seit 1966.

GENGLER, Heinrich Gottfried. Dr. phil. et jur., Dr. phil. h. c., Geheimrat. Bamberg 25.7.1817–29.11.1901 Erlangen. Rechtshistoriker. 1843 in Erlangen habilitiert, dort auch bis zu seiner Emeritierung ordentlicher Professor. Veröff. über deutsche und bayerische Rechtsgeschichte, besonders über mittelalterliches Stadtrecht. – Im VwR von 1853–1895, Mitglied des GelA. – Nachruf in: Zeitschrift der Savigny-Stiftung für Rechtsgeschichte. Germ. Abt. Bd. 23 (1902), S. V–XIII (Emil Sehling). – Fränkische Lebensbilder Bd. 6,

Würzburg 1975, S. 223–240 (Friedrich Merzbacher). – NDB 6 (1964), S. 188–189 (Werner Schultheiß).

GERNGROS, Ludwig Ritter von. Geheimer Kommerzienrat. Baiersdorf 1.5.1839–3.10.1916 Nürnberg. Kaufmann. Förderer des Germanischen Nationalmuseums. Stifter der Kopie des alten Nürnberger Neptunbrunnens, hervorragender Anteil an der Finanzierung des Kaiser-Wilhelm-Denkmals am Egidienberg. Ehrenbürger der Stadt Nürnberg. – Im VwR von 1908–1916. – Arnd Müller: Geschichte der Juden in Nürnberg 1146–1945 (Beiträge zur Geschichte und Kultur der Stadt Nürnberg, Bd. 12). Nürnberg 1968, bes. S. 180f.

GESSLER, Otto. Dr. jur. Ludwigsburg 6.2.1875–24.3.1955 Lindenberg/Allgäu. Zunächst im bayerischen Justizdienst, seit 1910 Erster Bürgermeister von Regensburg, 1914–1919 Oberbürgermeister von Nürnberg. Mitbegründer der Deutschen Demokratischen Partei in Franken. 1920–1928 Reichswehrminister, 1944 von der Gestapo verschleppt. – Von 1914–1919 ernanntes Mitglied des VwR. – Otto Geßler: Auf dem Nürnberger Bürgermeisterstuhl im Weltkrieg 1914–1918. In: Festgabe für Seine Königliche Hoheit Kronprinz Rupprecht von Bayern. Hrsg. von Walter Goetz. München-Pasing 1953, S. 98–126. – Klaus-Dieter Schwarz: Weltkrieg und Revolution in Nürnberg. Ein Beitrag zur Geschichte der deutschen Arbeiterbewegung. (Kieler historische Studien, Bd. 13). Stuttgart 1971. – NDB 6 (1964), S. 350 (Thilo Vogelsang). – Biographisches Wörterbuch zur deutschen Geschichte. 2. Aufl. Bd. 1. München 1973, Sp. 889–890.

GHILLANY, Friedrich Wilhelm. Hofrat. Erlangen 16.4. 1807–25.6.1876 Schallek a. Starnberger See. Evangelischer Theologe, Historiker. Zunächst Vikar an St. Egidien in Nürnberg, danach Lehrer an der Kreisgewerbeschule, seit 1840 Stadtbibliothekar. 1856 Übersiedlung nach München, wo er schriftstellerisch tätig war. Veröffentlichte u. a. ein „Diplomatisches Handbuch", eine „Geschichte des Seefahrers Ritter Martin Behaim", des weiteren z. T. anonyme kirchenpolitische Streitschriften. – Im VwR von 1853–1855. – Gerhard Pfeiffer: Friedrich Wilhelm Ghillany. Ein Typus aus dem deutschen Bürgertum von 1848. In: Mitteilungen des Vereins für Geschichte der Stadt Nürnberg Bd. 41 (1950), S. 155–255. – Karlheinz Goldmann: Geschichte der Stadtbibliothek Nürnberg. Nürnberg 1957, S. 71–78. – ADB 9 (1879), S. 144–145 (Wegele).

GIESEBRECHT, Friedrich Wilhelm Benjamin von. Dr. phil. Berlin 5.3.1814–8.12.1889 München. Historiker. Seit 1840 Lehrer am Joachimsthaler Gymnasium in Berlin, gleichzeitig Studienreisen und wissenschaftliche Veröffentlichungen. 1857 ordentlicher Professor für Geschichte in Königsberg, seit 1862 in München. Mitglied der Bayerischen Akademie der Wissenschaften, Sekretär der Historischen Kommission.

Veröff. zur deutschen Geschichte des Mittelalters und zur Geschichte des Papsttums. – Im VwR von 1868–1889, Mitglied des GelA. – Walter Goetz: Die bairische Geschichtsforschung im 19. Jahrhundert. In: Historische Zeitschrift Bd. 138 (1928), S. 255–314 (bes. S. 297f. u. ö.); Wiederabdruck in: Walter Goetz: Historiker in meiner Zeit. Köln, Graz 1957, S. 112–174 (156f. u. ö.). – ADB 49 (1904), S. 341–349 (Sigmund Riezler). – NDB 6 (1964), S. 379–382 (Hermann Heimpel). – Biographisches Wörterbuch zur deutschen Geschichte. 2. Aufl. Bd. 1. München 1973, Sp. 891–892. – Weitere Lit. bei Dahlmann-Waitz, Bd. 1, 7, Nr. 620.

GLAX, Heinrich. Dr. phil. Wien 27.11.1808–28.1.1879 Graz. Historiker. Zunächst Verwaltungsbeamter und Journalist, 1848/49 Abgeordneter im Frankfurter Parlament. 1852–1870 Ordinarius für österreichische Geschichte an der Universität Innsbruck. – Im VwR von 1853–1855, Mitglied des GelA. – Österr. biogr. Lexikon.

GNAUTH, Adolf. Stuttgart 1.7.1840–19.11.1884 Nürnberg. Architekt, Kunstgewerbler, Absolvent des Stuttgarter Polytechnikums. Von 1861–1866 in Italien mit der Aufnahme von Renaissancebauten beauftragt, 1866–1876 als freier Architekt und Architekturlehrer in Stuttgart, seit 1877 Direktor der Kunstgewerbeschule in Nürnberg. Arbeiten in Stuttgart: Villa Siegle und Württembergische Vereinsbank; in Nürnberg: Restaurierung des Pellerhauses; Entwurf der Fassaden der Ausstellungsbauten bei der Bayerischen Landesausstellung 1882. In München: Umbau und Einrichtung Cramer-Klettsches Palais. Herausgeber von kunstgewerblichen Vorbildsammlungen. – Im VwR von 1877–1884. – Nachruf in: Kunst und Gewerbe Jg. 20 (1886), S. 1–6 (J. Stockbauer). – ADB 40 (1904), S. 401–403 (Max Bach). – Thieme-Becker Bd. 14 (1921), S. 275.

GOERGEN, Aloys. Dr. phil. Geb. 14.1.1911 in Saarlouis. Katholischer Theologe. Professor und Lehrbeauftragter für Philosophie und Ästhetik, seit 1969 Präsident der Akademie der Bildenden Künste in München. – Seit 1975 im VwR.

GOSSLER, Gustav von. Dr. jur. Naumburg 13.4. 1838–29.9.1902 Danzig. Seit 1859 im preußischen Staatsdienst, 1865 Landrat in Ostpreußen, 1877 Reichstagsabgeordneter, 1881 Reichstagspräsident. 1881 ebenfalls preußischer Unterrichtsminister, 1891 Oberpräsident von Westpreußen. Verdienste auf dem Gebiet der staatlichen Denkmalpflege (Trier; Marienburg in Westpreußen) und bei der Überwindung des Kulturkampfes. – Von 1895–1902 ernanntes Mitglied des VwR. – Altpreußische Biographie Bd. 1. Marburg/Lahn 1974, S. 223–224 (Schwarz). – Biogr. Jahrb. 7 (1902), S. 334–347 (Wilh. Schrader). – NDB 6 (1964), S. 650–651 (Stephan Skalweit). – Biographisches Wörterbuch zur deutschen Geschichte. 2. Aufl. Bd. 1. München 1973, Sp. 930.

GRAF, Hugo. Dr. phil. Nürnberg 25. 4. 1844–20. 3. 1914 Starnberg. Kunsthistoriker. 1883 Erster Konservator, 1897–1907 Direktor des Bayerischen Nationalmuseums u. Generalkonservator der bayer. Kunstdenkmäler u. Altertümer. Veröffentlichte 1890 einen Katalog der romanischen, 1896 (m. a.) einen Katalog der gotischen Altertümer des Bayerischen Nationalmuseums. – Von 1897–1906 ernanntes Mitglied des VwR.

GRAUL, Richard. Dr. phil. Leipzig 24. 6. 1862–25. 11. 1944 Leipzig. Kunsthistoriker, Professor. Nach Tätigkeit an den Berliner Museen 1896–1929 Direktor des Kunstgewerbemuseums, zeitweise auch des Museums für Bildende Künste in Leipzig. Veröffentlichungen zur Geschichte des Kunstgewerbes in Sachsen und Thüringen und zur europäischen Kunst allgemein. Herausgeber der Zeitschrift für Bildende Kunst und anderer Periodika. – Im VwR von 1923–1944. – Richard Graul zum 80. Geburtstage ... gewidmet von der Gesellschaft der Freunde des Kunstgewebe-Museums in Leipzig am 24. Juni 1942. Leipzig 1942 (Mit Würdigung u. a. v. Heinrich Wichmann; Schriftenverzeichnis). – Reichshandbuch Bd. 1, S. 585–586. – Kürschner 1925–1935. – Anneliese Hanisch: Zur Geschichte des Museums. In: Kunsthandwerk und Plastik aus Deutschland im Museum des Kunsthandwerks Leipzig. Leipzig 1961, S. 5–11 (S. 6–8). – Nachlaß im Archiv GNM. – Vgl. Abb. 74.

GROTE, Ludwig, Dr. phil. Halle a. d. Saale 8. 8. 1893–3. 3. 1974 Gauting. – Im VwR von 1962–1972. – S. Verzeichnis der Beamten, S. 1122.

GROTEFEND, Carl Ludwig. Dr. phil. Frankfurt a. M. 22. 12. 1807–27. 10. 1874 Hannover. Altphilologe und Historiker. Von 1829–1853 als Gymnasiallehrer in Hildesheim und Hannover, danach Archivar, später Archivdirektor des kgl. Archivs in Hannover. Bei der Herausgabe der Monumenta Germaniae Historica und der Verwaltung des Römisch-Germanischen Zentralmuseums in Mainz beteiligt, Mitbegründer des Gesamtvereins der deutschen Geschichts- und Altertumsvereine. – Im VwR von 1865–1874, Mitglied des GelA. – (K. Janicke): Zur Erinnerung an C. L. Grotefend. Hann. 1874. – ADB 9 (1879), S. 765–766 (H. Grotefend).

GRUNDHERR, Friedrich von. Kommerzienrat. Nürnberg 15. 3. 1818–28. 4. 1908 Nürnberg. Kaufmann, Mitinhaber der Fa. Grundherr u. Hertel. 1869 Marktvorsteher, 1878 Vorstand der Handels- und Gewerbekammer Mittelfranken. Aufsichtsratsmitglied der Vereinsbank. – Im VwR von 1875–1906. – Hirschmann, Patriziat, bes. S. 77–78.

GRUNDHERR, Werner von. Dr. jur. Nürnberg 22. 1. 1888–8. 11. 1962 Nürnberg. Diplomat. 1928 Gesandtschaftsrat in Helsingfors, später im Auswärtigen Amt in Berlin. 1950 deutscher Generalkonsul in Griechenland, danach Botschafter in Athen. – Im VwR von 1948–1962.

GUSSONE, Carl. Dr. jur. Geb. in Köln 17. 10. 1907, lebt in Bonn. Ministerialdirigent im Bundesministerium des Innern. – Von 1960/61–1972 ernanntes Mitglied des VwR.

HÄRLE, Carl. Dr. jur. Königseggwald 26. 8. 1879–26. 8. 1950 Mülheim/Ruhr. Generaldirektor bei den Thyssenwerken. 1899–1901 als Bankangestellter und Fremdsprachenkorrespondent in London, danach Studium der Rechtswissenschaft. Seit 1909 bei Thyssen in Mülheim/Ruhr, vor allem mit der Neuorganisation des Konzerns und der Durchführung sozialer Maßnahmen beauftragt. – Im VwR von 1946–1950. – NDB 7 (1966), S. 450 (Lutz Hatzfeld).

HAGER, Georg. Dr. phil. Nürnberg 20. 10. 1863–10. 8. 1941 München. Kunsthistoriker. Generalkonservator. Direktor des Bayerischen Landesamts für Denkmalpflege in München. 1887 am Bayerischen Nationalmuseum, seit 1894 Leitung der Inventarisierung der Kunstdenkmale Bayerns, nach 1908 als Generalkonservator Aufbau des jetzigen Landesamts für Denkmalpflege. – Von 1909–1928 ernanntes Mitglied des VwR. – Nachrufe in: Zeitschrift für bayerische Landesgeschichte Jg. 13 (1941/42), S. 375–376 (Schmuderer); Deutsche Kunst- und Denkmalpflege Jg. 1940/41, S. 168–170 (Georg Lill); Jahresbericht 1938–1951 des Bayerischen Landesamtes für Denkmalpflege (1951), S. 24–28 (Joseph Maria Ritz). – NDB 7 (1966), S. 489–490 (Luisa Hager). – Reichshandbuch Bd. 1, S. 637–638. – Kürschner 1925–1935.

HAGER, Karl. Mainz 17. 1. 1868–25. 12. 1946 Simbach am Inn. Universitätsprofessor, Stahlbetonspezialist. Direktor der Bayerischen Landesgewerbeanstalt in Nürnberg. Absolvent der Technischen Hochschule Dresden und München, 1897 Staatsbauassistent in Nürnberg, danach Beamter der bayerischen Staatsbahn. Entwürfe für den Nürnberger Hauptbahnhof. 1908 ordentlicher Professor der TH München, 1917/18 und 1918/19 deren Rektor. Seit 1919 Direktor der Landesgewerbeanstalt Nürnberg, 1930 pensioniert. – Im VwR von 1919–1940. – NDB 7 (1966), S. 491 (Otto Seifferth). – Reichshandbuch Bd. 1, S. 638. – Kürschner 1925–1935. – Vgl. Abb. 74.

HALM, Philipp Maria. Dr. phil., Geheimer Regierungsrat. Mainz 1. 10. 1866–1. 2. 1933 München. Seit 1903 am Bayerischen Nationalmuseum, dessen Direktor er 1916–1931 war. Gründer der „Neuen Sammlung" in München. Veröff. zur bayerischen und schwäbischen Kunst. – Im VwR von 1920–1931, seit 1929 ernanntes, vorher gewähltes Mitglied. – Philipp Maria Halm zu seinem 65. Geburtstag. Würdigung in: Museumskunde NF Bd. 3 (1931), S. 137–140 (Theodor Müller). – Nachrufe in: Zeitschrift für bayerische Landesgeschichte Jg. 6 (1933), S. 167–168 (Hans Rupé); Münchner Jahrbuch der Bildenden Kunst NF Bd. 10 (1933), S. 6–7 (Georg Lill); Bayerischer Heimatschutz Jg. 29 (1933), S. 85–86 (Joseph Maria Ritz). – NDB 7 (1966), S. 567–568

(Peter Halm). – Reichshandbuch, Bd. 1, S. 644–645. – Kürschner Lit. 1917–1924. – Kürschner 1925–1931.

HAMMER, Karl. Nürnberg 6. 3. 1845–16. 7. 1897 Nürnberg. Architekt, Kunstgewerbler. 1872 Kustos am Bayerischen Gewerbemuseum in Nürnberg, 1879 Professor an der Kunstgewerbeschule in Karlsruhe, 1885 Direktor der Kunstschule in Nürnberg. Vielseitig künstlerisch tätig: Architekturentwürfe, Innenausstattungen von profanen und kirchlichen Räumen, Glasmalereien. – Im VwR von 1885–1897. – Nachruf in: Kunst und Handwerk Jg. 47 (1897/98), S. 333–342 (Edmund Wilhelm Braun). – Badische Biographien T. 5, Bd. 1, Heidelberg 1906, S. 242–243. – Biogr. Jb. Bd. 2 (1898), S. 335. – Thieme-Becker, Bd. 15 (1922), S. 566.

HANFSTAENGL, Eberhard. Dr. phil. Saargemünd 10. 2. 1886–10. 1. 1973 München. Kunsthistoriker. Seit 1913 an den Bayerischen Staatsgemäldesammlungen und am Maximilianmuseum in Augsburg, 1925–1933 Direktor der städtischen Kunstsammlungen in München, seit 1934 Direktor der Berliner Nationalgalerie, 1937 aus dem Dienst entfernt. Von 1945–1953 Generaldirektor der Bayerischen Staatsgemäldesammlungen. Veröff. zur deutschen Kunst des Mittelalters und der Neuzeit und zur Kunst des 20. Jahrhunderts. – Von 1946–1965 ernanntes Mitglied des VwR, später Ehrenmitglied des GNM. – Würdigungen in der Festschrift Eberhard Hanfstaengl zum 75. Geburtstag. München 1961. S. IX – XL. – Nachruf in: Kunstchronik Bd. 26 (1973), S. 313–317 (Alfred Hentzen). – Reichshandbuch, Bd. 1, S. 652. – Kürschner 1925–1970.

HANIEL, Franz. Dr. jur. Düsseldorf 26. 6. 1883–4. 3. 1965 München. Industrieller, im Aufsichtsrat der Gutehoffnungshütte Oberhausen. – Im VwR von 1925–1946. – Reichshandbuch, Bd. 1, S. 652. – Erich Maschke: Es entsteht ein Konzern. Paul Reusch und die GHH. Tübingen 1969, S. 290 (Reg.).

HASSLER, Konrad Dietrich. Dr. phil. Altheim/Krs. Ulm 18. 5. 1803–17. 4. 1873 Ulm. Studium der Theologie und Orientalistik, von 1826–1856 als Gymnasialprofessor in Ulm. 1844–1848 im württembergischen Landtag, auch Mitglied des Frankfurter Parlaments. Nach dem Scheitern seiner politischen Pläne als Vorstand des Vereins für Kunst und Altertum in Ulm und Oberschwaben mit Quellenausgaben, Zeitschriftenaufsätzen und Restaurierungsproblemen des Ulmer Münsters betraut. 1858 Landeskonservator, 1867 Leiter der Staatssammlung für vaterländische Kunst- und Altertumsdenkmale in Stuttgart. Veröffentlichung von Inventaren der Oberämter Württembergs. – Im VwR von 1861–1873, Mitglied des GelA. – Dietrich Haßler: Dr. Konrad Dietrich Haßler, geschildert von seinem Sohne. In: Münster-Blätter H. 5 (1888), S. 1–25. – Lebensbilder aus Schwaben und Franken Bd. 10. Stuttgart 1966, S. 361–374 (Georg Schenk). – ADB 11 (1880), S. 15–20 (Veesenmeyer). – NDB 8 (1969), S. 51–52 (Max Huber). – Schriften zum Ulmer Münster vgl. Elmar Schmitt: Münsterbibliographie; Bernd Breitenbruch: Das Münster in Literatur und Buchillustration. Ulm 1977, Register. – Georg Himmelheber: Die geschichtlichen Voraussetzungen. In: Staatliche Denkmalpflege in Württemberg 1858–1958. Stuttgart, Tübingen 1960, S. 9–24 (12–13).

HAUCK, Hieronymus. Fürth 1825–20. 7. 1886 Nürnberg. Professor am Realgymnasium in Nürnberg. – Im VwR von 1864–1870.

HEEREMAN VON ZUYDWYK, Clemens August Freiherr von. Dr. jur. Surenburg/Westf. 16. 8. 1832–23. 3. 1903 Berlin. Kgl. preußischer Regierungsrat, Landwirt, Kunsthistoriker. Mitglied des Reichstags, Ehrenritter des Souveränen Malteserordens. – Veröff. u. a. zur mittelalterlichen Tafelmalerei in Westfalen. – Von 1895–1903 ernanntes Mitglied des VwR. – Kurzer Nachruf in: Zeitschrift für Christliche Kunst Jg. 16 (1903), Sp. 59–60 (Alexander Schnütgen). – Biogr. Jb. 8 (1903), Sp. 48*.

HEERWAGEN, Heinrich Wilhelm. Dr. phil. Bayreuth 4. 5. 1811–5. 12. 1888 Nürnberg. 1857–1884 Gymnasialdirektor zu Nürnberg, 1878 zum Ehrenbürger ernannt. Veröff. zur Geschichte des Bildungswesens in Nürnberg. Als Präses des Pegnesischen Blumenordens Mittelpunkt des literarischen Lebens in Nürnberg. – Im VwR von 1858–1860. – Nachruf in: Mitteilungen des Vereins für Geschichte der Stadt Nürnberg H. 8 (1889), S. 234–237. – Hugo Steiger: Das Melanchthongymnasium in Nürnberg (1526–1926). Ein Beitrag zur Geschichte des Humanismus. München, Berlin o. J. (1926), S. 156–161.

HEFNER-ALTENECK, Jakob Heinrich von. Dr. phil. Aschaffenburg 20. 5. 1811–19. 5. 1903 München. Altertumsforscher, Kunsthistoriker. Frühzeitige Beschäftigung mit bildender Kunst. 1833 Zeichenlehrer an der Gewerbeschule Aschaffenburg, nach 1852 im Dienst der kgl. Museen in München. 1868–1885 Direktor des Bayerischen Nationalmuseums und Generalkonservator der Kunstdenkmale und Altertümer Bayerns. Mitglied der Bayerischen Akademie der Wissenschaften. Zeichner und Herausgeber von „Mustersammlungen", Verfechter kunstpädagogischer Bestrebungen. Veröff. über Trachten und Gerätschaften des Mittelalters. – Im VwR von 1853–1903, Mitglied des GelA. – Lebens-Erinnerungen. München 1899. – Biogr. Jb. 8 (1903), S. 269–278 (Hyac. Holland). – NDB 8 (1969), S. 204–206 (Alexander Frhr. v. Reitzenstein).

HEGEL, Karl von. Dr. phil. et jur. Nürnberg 7. 6. 1813–6. 12. 1901 Erlangen. Historiker, ordentlicher Professor der Universität Erlangen. Veröff. zur Geschichte des Stadtrechts, Herausgeber der „Chroniken der deutschen Städte". – Im VwR von 1877–1901, Mitglied des GelA. – Leben und Erinnerungen. Leipzig 1900. – Nachruf in: Mitteilungen des Vereins für Geschichte der Stadt Nürnberg 15 (1902), S. 175–183 (Georg Freiherr von Kress). – Lebensläufe aus Franken Bd. 5. Erlangen 1936, S. 142–150 (Heinrich Dannenbauer). – F. Frensdorff: Karl Hegel und die Geschichte des deutschen Städtewesens. In: Hansische Geschichtsblätter Bd. 10 (1903), S. 139–160. – Franz Schnabel: Die Idee und die Erscheinung. In: Die Historische Kommission bei der Bayerischen Akademie der Wissenschaften 1858–1958. Göttingen 1958, S. 7–69 (bes. S. 40–41).

HEIDELOFF, Karl Alexander von. Stuttgart 2. 2. 1789–28. 9. 1865 Haßfurt. Architekt, Denkmalpfleger, zunächst Bühnenmaler. Seit 1820 als Leiter „des höheren Bauwesens" in Nürnberg. Restaurierung der mittelalterlichen Stadtkirchen, doch auch als freier Architekt tätig. 1837 kgl. Konservator für Nürnberg, 1856 für Franken. Zeigt sich in literarischen Äußerungen und eigenen Architekturentwürfen als Vertreter der romantisch inspirierten Neugotik. – Im VwR von 1853–1854, Mitglied des GelA. – Nürnberger Gestalten aus neun Jahrhunderten. Nürnberg 1950, S. 175–180 (Wilhelm Schwemmer). – Urs Boeck: Karl Alexander Heideloff. In: Mitteilungen des Vereins für Geschichte der Stadt Nürnberg Bd. 48 (1958), S. 314–390. – ADB 11 (1880), S. 299–300 (Wessely). – Thieme-Becker Bd. 16 (1923), S. 261–262. – NDB 8 (1969), S. 245 (Hans Reuther). – Nachlaß im GNM.

HEIGEL, Karl Theodor von. Dr. phil., Dr. jur. h. c., Geheimrat. München 23. 8. 1842–23. 3. 1915 München. Historiker. ordentlicher Professor der Universität München, Präsident der Bayerischen Akademie der Wissenschaften. Zahlreiche Veröffentlichungen zur deutschen Geschichte und zur Geschichte Bayerns. – Von 1895–1915 ernanntes Mitglied des VwR. – Walter Goetz: Die bairische Geschichtsforschung im 19. Jahrhundert. In: Historische Zeitschrift Bd. 138 (1928), S. 255–314 (bes. S. 303, 310–311); Wiederabdruck in: Walter Goetz: Historiker in meiner Zeit. Köln, Graz 1957, S. 112–174 (bes. S. 162, 169–171). – Dt. biogr. Jb. Bd. 1 (1914–1916), S. 134–138 (Erich Marcks). – Weitere Lit. bei Dahlmann-Waitz 7, Nr. 631–643. – Kürschner Lit. 1883–1913.

HEIMPEL, Hermann. Dr. phil. Geb. in München 19. 9. 1901, lebt in Göttingen. Historiker. Seit 1931 ordentlicher Professor der Universität Freiburg, seit 1934 in Leipzig, seit 1941 in Straßburg, seit 1946 der Universität Göttingen, 1966 emeritiert. Wissenschaftliches Mitglied der Max-Planck-Gesellschaft, Mitglied der Zentraldirektion der Monumenta Germaniae Historica, ehem. Vizepräsident der Deutschen Forschungsgemeinschaft, Direktor des Max-Planck-Instituts für Geschichte. Mitglied zahlreicher Akademien. Veröff. v. a. zur deutschen Geschichte des Mittelalters. – Im VwR von

1961–1974, 1977 Ehrenmitglied des GNM. – Kürschner seit 1928/29. – Schriftenverzeichnis in: Festschrift für Hermann Heimpel zum 70. Geburtstag am 19. September 1971. Hrsg. von den Mitarbeitern des Max-Planck-Instituts für Geschichte (Veröffentlichungen des Max-Planck-Instituts für Geschichte, Bde. 36/I–III). 3 Bde. Göttingen 1972, Bd. 3, S. 713–731.

HEISE, Carl Georg. Dr. phil. Geb. in Hamburg 28. 6. 1890, lebt in Hamburg. Kunsthistoriker, Honorarprofessor der Universität Hamburg. 1920–1933 Direktor des Museums für Kunst- und Kulturgeschichte in Lübeck, 1945–1955 Direktor der Hamburger Kunsthalle. Mitglied der schwedischen Akademie der Wissenschaften. Veröff. zur mittelalterlichen Kunst in Norddeutschland und zur Kunst des 20. Jahrhunderts. – Im VwR von 1948–1954, später Ehrenmitglied des GNM. – Carl Georg Heise: Der gegenwärtige Augenblick. Reden und Aufsätze aus vier Jahrzehnten. Berlin 1960 mit Würdigung von Harald Keller (S. VII–XII). – Würdigung aus Anlaß des 80. Geburtstages in: Jahrbuch der Hamburger Kunstsammlungen Bd. 14/15 (1970), S. 21–30 (Alfred Hentzen). – Kürschner seit 1926. – Vgl. Abb. 138.

HERMANN, Eugen. Dr. Geb. 1. 3. 1891. Ministerialrat, Abteilungsleiter und stellvertretender Amtschef im Amt für Volksbildung des Reichsministeriums für Wissenschaft, Erziehung und Volksbildung. – Von 1938–1942 ernanntes Mitglied des VwR.

HERWARTH VON BITTENFELD, Hans-Heinrich. Geb. in Berlin 14. 7. 1904, lebt in Bonn. Jurist, Diplomat. Seit 1927 im Staatsdienst in Paris, Moskau, München und Bonn. Von 1955–1961 Botschafter der Bundesrepublik Deutschland in London, bis 1965 Staatssekretär im Bundespräsidialamt, bis 1969 deutscher Botschafter in Italien. Präsident des Goethe-Instituts zur Pflege deutscher Sprache und Kultur. – Im VwR von 1971–1975.

HERZER, August. Langensalza 1. 8. 1821–22. 11. 1895 Nürnberg. Bankier, Direktor des Nürnberger Kreditvereins, 1887 in den Ruhestand getreten. – Im VwR von 1863–1886.

HETTNER, Hermann. Dr. phil. Niederleisersdorf/Schlesien 12. 3. 1821–29. 5. 1882 Dresden. Literatur- und Kunsthistoriker. Studium der Philosophie und Kunst. 1847 Habilitation in Heidelberg, 1851 als außerordentlicher Professor in Jena. 1855 Direktor der Antikensammlung in Dresden. Professor an der Akademie der bildenden Künste und am Polytechnikum. Veröff. zur Kunstgeschichte und Literaturgeschichte, v. a. „Literaturgeschichte des 18. Jahrhundert". – Im VwR von 1864–1882, Mitglied des GelA. – Adolf Stern: Hermann Hettner. Ein Lebensbild. Leipzig 1885. – Schlesische Lebensbilder Bd. 3. Breslau 1928, S. 294–304 (Rudolf Unger). – ADB 55 (1910), S. 776–782 (Wilhelm Creizenach).

– NDB 9 (1972), S. 32–33 (Heinz Otto Burger). – Schriftenverz. in: Hermann Hettner: Kleine Schriften. Nach dessen Tode hrsg. von A. Hettner. Braunschweig 1884. Ergänzungen dazu in: Archiv für Literaturgeschichte Bd. 12 (1884), S. 1–25 (B. Seuffert).

HEUSS, Theodor. Dr. rer. pol. Brackenheim 31. 1. 1884–12. 12. 1963 Stuttgart. Politiker, Honorarprofessor der Technischen Hochschule Stuttgart. Studium der Nationalökonomie, danach Journalist und Politiker. 1920–1933 Dozent an der Hochschule für Politik in Berlin, 1924–1928, 1930–1933 Reichstagsabgeordneter der Deutschen Demokratischen Partei. Nach 1933 historische und biographische Studien. 1945 Kultusminister von Württemberg-Baden. 1946 Mitbegründer und Vorsitzender der FDP, zunächst in der amerikanischen Besatzungszone. 1948 in den Westzonen. 1948 Honorarprofessor für Geschichte und politische Wissenschaft an der Technischen Hochschule Stuttgart. 1949 Abgeordneter im ersten deutschen Bundestag. Von 1949–1959 Präsident der Bundesrepublik Deutschland. Zahlreiche Reden, Essays, Biographien, ferner „Erinnerungen 1905–1933" (1963), „Aufzeichnungen 1945–1947" (1966). – Im VwR von 1948–1963, gleichzeitig Vorsitzender. – NDB 9 (1972), S. 52–56 (Eberhard Pikart). – Biographisches Wörterbuch zur deutschen Geschichte. 2. Aufl. Bd. 1. München 1973, Sp. 1148–1149. – Vgl. Abb. 95, 109, 131, 138, 139.

HEYDEN, August von. Breslau 13. 6. 1827–1. 6. 1897 Berlin. Zunächst Bergbeamter, danach als Historienmaler sehr erfolgreich. Von 1882–1893 Professor für Kostümkunde an der Berliner Kunstakademie. Veröffentlichungen zum gleichen Thema, Herausgeber der „Blätter für Kostümkunde". Sein Gemälde „Luther auf dem Reichstag zu Worms" im GNM. – Im VwR von 1875–1897. – Nachruf in: Kunstchronik NF Jg. 8 (1897), Sp. 513–519 (Adolf Rosenberg). – ADB 55 (1910), S. 782–783 (Karl Siebert). – Thieme-Becker Bd. 17 (1924), S. 20.

HEYNE, Moriz. Dr. phil., Geheimrat. Weißenfels 8. 6. 1837–1. 3. 1906 Göttingen. Germanist, Lexikograph. 1870 ordentlicher Professor in Basel, 1883 in Göttingen. Seit 1867 Mitarbeiter am Grimmschen Wörterbuch. Veröff. zur deutschen Philologie und zur Kulturgeschichte, u. a. Fünf Bücher deutscher Hausaltertümer (erschienene Bde.: 1–3, z. T. 4, 1899–1903, 1908). Konservator der Mittelalterlichen Sammlung in Basel 1869–1883. Gründer der Göttinger Altertümersammlung (heute Städtisches Museum). – Im VwR von 1883–1906, Mitglied des GelA. – Waldemar R. Röhrbein: Moriz Heyne 1837–1906 . . . In: Göttinger Jahrbuch 1975, S. 171–200. – Otto Lauffer: Moriz Heyne und die archäologischen Grundlagen der historischen Museen. In: Museumskunde Bd. 2 (1906), S. 153–162. – Franz Fuhse: Moriz Heynes Bedeutung für das Museumswesen. In: Museumskunde NF Bd. 9 (1937), S. 1–6. – Biogr. Jb. Bd. 11

(1906), S. 68–70 (Edward Schröder). – NDB 9 (1972), S. 95–96 (Gerhard Baader). – Kürschner Lit. 1891–1903. – Rudolf Meißner: Zur Geschichte des Grimmschen Wörterbuchs. In: Preußische Jahrbücher Bd. 142 (1910), S. 62–80 (68–69).

HILPERT, Hanns. Dipl. Ing. Nürnberg 2. 1. 1890–21. 8. 1973 Nürnberg. Regierungsbaumeister. 1924 Prokurist bei der Fa. Schuckert, 1928 stellvertretender Direktor; später Direktor der Siemens AG in Nürnberg, 1955 in den Ruhestand getreten. Ehrensenator der Universität Erlangen-Nürnberg. – Im VwR von 1946–1972.

HÖLDER, Egon. Dr. jur. Geb. 30. 5. 1927 in Pforzheim. Ministerialdirigent im Bundesministerium des Innern, Bonn. – Seit 1974 ernanntes Mitglied des VwR.

HOLLEBEN, Theodor von. Dr. jur. Stettin 16. 9. 1838–31. 1. 1913 Berlin-Charlottenburg. Jurist, Diplomat, Major a. D., Kgl. preußischer wirkl. Geheimer Rat, Mitglied des preußischen Herrenhauses auf Lebenszeit. Deutscher Botschafter in Washington. Ehrendoktor der Havard-Universität. – Von 1903–1913 ernanntes Mitglied des VwR. – Biogr. Jb. Bd. 18 (1913), Sp. 98*.

HOLZINGER, Ernst. Dr. phil. Ulm 5. 7. 1901–8. 9. 1972 Zaun/Schweiz. Kunsthistoriker. Zunächst Konservator an der Alten Pinakothek in München, seit 1938 Direktor des Städel'schen Kunstinstituts in Frankfurt a. M. Honorarprofessor der Universität Frankfurt. Zahlreiche Veröff. zur altdeutschen Kunst; Mitherausgeber der neuen Folge des Städel-Jahrbuchs. – Im VwR von 1948–1969. – Kürschner 1935–1970.

HOPF, Georg Wilhelm. Dr. phil. Obernzenn 5. 1. 1810–18. 8. 1883 Nürnberg. Philologe und evangelischer Theologe. Seit 1847 Rektor der Handelsgewerbeschule Nürnberg, vorher als Lehrer in Fürth, Ansbach und Schwabach. – Veröff. u. a. zur Geschichte des Schulwesens, zur Geographie, zur Sprache der Lutherbibel. – Im VwR von 1853–1859. – Heinrich Stoll: Geschichte der Wirtschaftsoberschule mit höherer Handelsschule für Jungen der Stadt Nürnberg 1834–1955 o. O. u. J. (Nürnberg 1955), S. 22–28.

HUBER, Ludwig. Dr. jur., Dr. h. c. Geb. in München 29. 12. 1928. Bayerischer Staatsminister der Finanzen. Seit 1953 im Staatsdienst, 1964 Staatsminister für Unterricht und Kultus, danach Finanzminister. Mitglied des Bayerischen Landtags. – Von 1964–1970 ernanntes Mitglied des VwR.

HÜBINGER, Paul Egon. Dr. phil. Geb. in Düsseldorf 4. 2. 1911. Historiker. Ordentlicher Professor für Geschichte und geschichtliche Hilfswissenschaften an den Universitäten Münster seit 1951 und Bonn seit 1959. Zeitweise Ministerialdirigent im Bundesministerium des Innern. Veröff. v. a. zur Geschichte des Mittelalters und zur Wissenschaftsgeschichte. – Im VwR von 1954–1959. – Kürschner seit 1950.

HUTZELMEIER, Johann Matthäus. Kaufmann in Nürnberg. Hatte im VwR das Amt eines Kassakontrolleurs, das 1894 wegfiel. – Im VwR von 1889–1894.

IMHOFF, Christoph Freiherr von. Dr. jur. Geb. in Nürnberg 11.4.1912, lebt in Nürnberg. Schriftsteller. Jurastudium, danach als Journalist in Düsseldorf, Köln, Stuttgart. Zahlreiche Studienreisen und Veröffentlichungen. Mitbegründer der Christlichen Presseakademie und der Deutsch-Israelischen Gesellschaft. Rechtsritter des Johanniter-Ordens. Veröff. u. a. zu politischen Zeitfragen, zu Willibald Pirkheimer. – Im VwR seit 1969.

IMHOFF, Hans Freiherr von. Nürnberg 6.5.1874–12.4.1953 Pommersfelden. Offizier in bayerischem Dienst. Oberstleutnant. Nach dem Ausscheiden aus dem Militärdienst, 1920, Tätigkeit als Landschaftsmaler, Heraldiker, Gebrauchsgraphiker. Senator der Universität Erlangen. – Im VwR von 1920–1950. – Reichshandbuch Bd. 1, S. 825–826. – Vgl. Abb. 74.

ISING, Julius von. Klein-Wasserburg in Brandenburg 31. 1. 1832–7.7. 1898 Berlin. Kgl. preußischer Generalleutnant, Kommandeur des Berliner Zeughauses. – Im VwR von 1882–1884.

JANTZEN, Hans. Dr. phil. Hamburg 24.4.1881– 15.2.1967 Freiburg im Breisgau. Kunsthistoriker. 1916 Ordinarius für Kunstgeschichte in Freiburg, seit 1931 in Frankfurt a. M., von 1935–1951 in München. Mitglied der Bayerischen Akademie der Wissenschaften. Zahlreiche Veröffentlichungen zur europäischen Kunstgeschichte, u. a. grundlegende Arbeiten zur deutschen mittelalterlichen Plastik, zur ottonischen und gotischen Kunst. – Im VwR von 1946–1962. – Erinnerung an Hans Jantzen. Wort der Freunde zum Freund in die Abgeschiedenheit. Freiburg i. Br. 1967 (Beiträge von Kurt Bauch, Hermann Korth, Martin Heidegger). – Nachrufe in: Jahrbuch 1967 der Bayerischen Akademie der Wissenschaften, S. 202–205 (Theodor Müller); Kunstchronik Bd. 20 (1967), S. 144–146 (Herbert von Einem). – NDB 10 (1974), S. 348–349 (Willibald Sauerländer). – Kürschner 1925–1966. – Bibliographie bis 1951 in: Zeitschrift für Kunstgeschichte Bd. 14 (1951), S. 184–186.

KARAJAN, Theodor Georg Ritter von. Dr. phil. h. c. Wien 22. 1. 1810–28.4. 1873 Wien. Literarhistoriker, Historiker. Zunächst beim k. k. Hofkriegsrat, seit 1841 Beamter der kaiserlichen Hofbibliothek. 1850 vorübergehend Professor für deutsche Sprache und Literatur an der Wiener Universität. Zahlreiche Veröff. vor allem zur österreichischen Geschich-

te. Herausgabe und Katalogisierung älterer Sprachdenkmäler. Zeitweilig Präsident der Akademie der Wissenschaften in Wien, Mitglied der Bayerischen und der Preußischen Akademie der Wissenschaften. 1848 Abgeordneter der Frankfurter Nationalversammlung. – Im VwR von 1868–1872, Mitglied des GelA. – Elfriede Nyewald: Theodor Georg von Karajan. Diss. maschr. Wien 1949. – Inge Schwarz: Theodor Georg von Karajan. Diss. maschr. Wien 1949. – Nachruf in: Almanach der Kaiserlichen Akademie der Wissenschaften Jg. 24 (1874), S. 195–214. – Wurzbach Biogr. Lexikon – ADB 15 (1882), S. 109–117 (Max R. von Karajan). – Österr. biogr. Lexikon.

KEIM, Walter. Dr. jur. et rer. pol. Geb. in Würzburg 29. 7. 1911, lebt in München. Ministerialdirigent im Bayerischen Staatsministerium für Unterricht und Kultus. Honorarprofessor. – Seit 1971 ernanntes Mitglied des VwR.

KIESER, Heinrich Ferdinand Eberhard. Leuchtenbergischer Bergmeister, zeitweilig 2. Direktor der Aktiengesellschaft GNM. – Im VwR von 1853–1855, Mitglied des GelA.

KORFF, Wilhelm. Dr. phil. Geb. 23.9.1901 in Worms. Zunächst Kaufmann, später Studium der Psychologie. 1945 kommissarischer Schulrat des Landkreises Lauf; zwischen 1948 und 1953 berufsmäßiger Stadtrat in Nürnberg. Landtagsabgeordneter der FDP, nach 1957 Hospitant der Bayernpartei. – Von 1948–1950 ernanntes Mitglied VwR.

KORTE, W. Advokat in Nürnberg. 1864 nach Verschuldung nach Ansbach verzogen. – Im VwR von 1853–1864.

KOSCHATZKY, Walter. Dr. phil., wirklicher Hofrat. Geb. in Graz 17.8.1921, lebt in Wien. Kunsthistoriker, Professor. 1958 Leiter der Neuen Galerie am Steiermärkischen Landesmuseum Joanneum, Graz; seit 1962 Direktor der Graphischen Sammlung Albertina in Wien. Veröff. zur deutschen, v. a. zur modernen Graphik. – Im VwR seit 1972.

KRAMER, Theodor von. Augsburg 10.2.1852–3.7.1927 Traunstein. Architekt, zunächst freischaffend. 1878 als Gewerbelehrer in Kaiserslautern, 1884 Direktor der Gewerbl. Zeichen- und Kunstgewerbeschule in Kassel, 1888–1919 Direktor des Bayerischen Gewerbemuseums (später Landesgewerbeanstalt) in Nürnberg. Organisation und Ausstattung kunstgewerblicher Landesausstellungen; nach seinen Plänen ebenfalls der Bau des Nürnberger Gewerbemuseums (Eröffnung 1897). Träger der goldenen Bürgermedaille der Stadt Nürnberg. – Im VwR von 1889–1919. – Würdigungen aus Anlaß des 25jährigen Dienstjubiläums bzw. aus Anlaß des Ausscheidens aus dem Dienst in: Bayerische Landesgewerbezeitung Jg. 5 (1913), S. 17–20; Jg. 11 (1919), S. 235–237. – Nachruf in: Mitteilungen der Bayer. Landesgewerbeanstalt Nürnberg 1927 (Nr. 7), S. 1–2. – Thieme-Becker Bd. 21

(1927), S. 418. – Theodor von Kramer: Die Bayerische Landes-Gewerbeanstalt (Bayer. Gewerbemuseum) Nürnberg 1869–1919. o. O. u. J. (Nürnberg 1919).

KRAUS, Franz Xaver. Dr. phil; Dr. theol. Trier 18. 9. 1840–28. 12. 1901 San Remo. Katholischer Kirchen- und Kunsthistoriker. Nach der Priesterweihe und philologischen Studien in Bonn 1872 Professor in Straßburg, 1878 in Freiburg im Breisgau. Veröff. zur altchristlichen Archäologie, zur Kunstgeschichte des Mittelalters, u. a. Herausgeber der „Realencyklopädie der christlichen Alterthümer" (1882–1886), Begründer eines vorbildlichen Schemas bei der Denkmälerinventarisierung, Herausgeber von „Kunst und Alterthum in Elsass-Lothringen" (1876–1892) und von Kunstinventaren des Großherzogtums Baden. – Im VwR von 1885–1901. – Franz Xaver Kraus: Tagebücher. Hrsg. v. Hubert Schiel. Köln 1957. Mit Schriftenverzeichnis (S. 765–779 und Verzeichnis der Schriften über Kraus (S. 780–787). – Zahlr. Nachrufe, z. B. in: Repertorium für Kunstwissenschaft Bd. 25 (1902), S. 1–8 (Max Wingenroth). – Alemannia NF Bd. 3 (1902), S. 1–7 (Heinrich Finke). – Kunstchronik N. F. Jg. 13 (1901/02), Sp. 225–233 (Josef Sauer). – Badische Biographien T. 5, Bd. 2. Heidelberg 1906, S. 424–442 (Heinrich Schrörs). – Biogr. Jb. Bd. 6 (1901), S. 51–63 (Ernst Hauviller).

KRELING, August von. Osnabrück 23. 5. 1818–23. 4. 1876 Nürnberg. Bildhauer, Maler, Kunstgewerbler. Zunächst Schüler Schwanthalers, dann Peter Cornelius'. 1853–1874 Direktor und Konservator der Kunstschule in Nürnberg. Arbeiten seit 1842, vor allem Historienbilder und Allegorien, ferner Entwürfe zu Glasfenstern, u. a. für das GNM, Möbeln, Denkmälern. Bei der Restaurierung der Nürnberger Burg beteiligt, 1870 Ehrendoktor der Universität Tübingen, Ehrenmitglied der Münchner Kunstakademie, Ehrenbürger der Stadt Nürnberg. – Im VwR von 1855–1876. – Ausstellungskatalog A. v. K., Kulturgeschichtliches Museum Osnabrück, 1976. – Nachrufe in: Kunst und Gewerbe Jg. 10 (1876), S. 161–163 (Otto von Schorn); Christliches Kunstblatt für Kirche, Schule und Haus Jg. 1877, S. 21–23 (E); Nordwest Jg. 6 (1883), Nr. 41 (Hermann von Eelking). – Lebensläufe aus Franken Bd. 4, Würzburg 1930, S. 259–267 (Th. Stettner). – ADB 17 (1883), S. 115–116 (Bergau). – Thieme-Becker, Bd. 21 (1927), S. 489–490.

KRESS VON KRESSENSTEIN, Georg Freiherr. Dr. phil. h. c. (Erlangen 1910). Nürnberg 20. 4. 1840–1. 3. 1911 Nürnberg. Jurist, kgl. Justizrat. Seit 1876 Rechtsanwalt in Nürnberg. Mitglied des Kollegiums der Gemeindebevollmächtigten, 1897 Vorsitzender der Nationalliberalen Partei in Bayern. 1878 Mitgründer und bis zum Tode Vorsitzender des Vereins für Geschichte der Stadt Nürnberg. – Im VwR von 1877–1911, von 1878–1894 als Rechtskonsulent. Während der Erkrankung und nach dem Tode von A. v. Essenwein seit 1889

zeitweise Leitung des GNM bzw. Vorsitzender des Verwaltungs- und Lokalausschusses. – Nachrufe in: Anzeiger GNM 1911, S. 3–4; Mitteilungen des Vereins für Geschichte der Stadt Nürnberg 20 (1913), S. 1–9 (E. Mummenhoff). – Lebensläufe aus Franken, Bd. 1, Würzburg 1919, S. 266–273 (Ludwig von Welser). – Karl Friedrich von Frank zu Döfering: Die Kressen. Eine Familiengeschichte. Schloß Senftenegg 1936, Sp. 1252–1254 (Schriftenverzeichnis). – Hirschmann, Patriziat, bes. S. 138–139.

KRISS-RETTENBECK, Lenz. Dr. phil. Geb. 1. 3. 1923 in Ganghofen. Volkskundler, Kunsthistoriker. 1958–1959 Bayerische Staatsgemäldesammlungen, 1960 Bayerisches Nationalmuseum, seit 1974 dort Generaldirektor. Veröff. zur europäischen Volkskunde und Ikonographie. – Seit 1974 ernanntes Mitglied des VwR. – Kürschner seit 1970.

KRUG, Helfried. Geb. 9. 2. 1913 in Metz, lebt in Baden-Baden. Industrieller. Stellvertretender Vorsitzender des Aufsichtsrats der Feldmühle A. G. Kunstsammler, Kunstförderer. – Im VwR seit 1973. – Brigitte Klesse: Glassammlung Helfried Krug. Beschreibender Katalog mit kunstgeschichtlicher Einführung. 2 Bde. München 1965, Bonn 1973.

KÜBEL, Gerhard. Geb. 9. 5. 1904 in Speyer, lebt in Bayreuth. Evangelischer Theologe. 1947 Pfarrer an St. Lorenz in Nürnberg, 1947 Kirchenrat. Von 1959 bis zur Pensionierung 1972 Dekan in Bayreuth. – Im VwR von 1952–1960.

KÜMMEL, Otto. Dr. phil. Blankenese 22. 8. 1874–8. 2. 1952 Mainz. Kunsthistoriker, Honorarprofessor. 1905 Konservator der Städtischen Sammlungen in Freiburg im Breisgau. Danach am Berliner Museum für Völkerkunde. Seit 1906 Begründung und Aufbau der Abteilung für ostasiatische Kunst. Direktor dieser Abteilung 1912, 1934 auch Generaldirektor der Staatlichen Museen, 1939 pensioniert. Veröff. zur Kunst Ostasiens. – Von 1935–1945 ernanntes Mitglied des VwR. – Nachruf in: Kunstchronik Jg. 5 (1952), S. 112–114 (Dietrich Seckel). – Reichshandbuch, Bd. 1, S. 1042. – Kürschner 1925–1950.

LAMPSON, Hermann. Kaufmann und Handelsrichter in Berlin. Leitete von 1874–1914 die Berliner Pflegschaft des GNM. – Im VwR von 1890–1914. Kurze Würdigung in Jahresbericht GNM 61 (1914), 1914, S. 7.

LANDAU, Johann Georg. Dr. phil. h. c. Kassel 20. 10. 1807–15. 2. 1865 Kassel. Archivar, Historiker. Verfaßte als Autodidakt das vierbändige Werk „Die hessischen Ritterburgen und ihre Besitzer" (1832–1839). Arbeitete im Hauptstaatsarchiv, wo er nach 1835 die Stelle eines Archivars einnahm. 1846 Ehrendoktor der Universität Marburg. Weitere Veröffentlichungen zur Geschichte und Kunstgeschichte

Hessens, auch über hessische Baudenkmäler. – Im VwR von 1853–1865, Mitglied des GelA. – Lebensbilder aus Kurhessen und Waldeck, 1830–1930, Bd. 6. Marburg a. L. 1958, S. 177–187 mit Schriftenverzeichnis (Wilhelm Niemeyer). – ADB 17 (1883), S. 584–586 (Wippermann).

LANDGRAF, Artur Michael. Dr. theol. et phil., Dr. phil. h. c., Exzl. Traunstein 27. 2. 1895–8. 9. 1958 Bamberg. Katholischer Theologe, seit 1943 Weihbischof der Diözese Bamberg. Mitglied der päpstlichen St.-Thomas-Akademie; 1924 Professor für Dogmatik. Veröffentlichungen zur Frühscholastik und Dogmengeschichte. – Im VwR von 1946–1958. – Kürschner 1926–1954.

LANNA, Adalbert Ritter von. Vierhöf 23. 4. 1836–31. 12. 1909 Meran. Industrieller, Mitglied des Herrenhauses des österreichischen Parlamentes, Ehrenbürger von Budweis. Kunstsammler und Kunstförderer. – Im VwR von 1883–1909. – Biogr. Jb. Bd. 14 (1909), 1912, Sp. 50* mit Lit. – Sammlung Lanna Prag. Das Kupferstichkabinet. Wissenschaftliches Verzeichnis von Hans Wolfgang Ringer, 2 Bde. Prag 1895. – Katalog der berühmten Sammlung von Kupferstichen . . . des Herrn Barons Adalbert von Lanna in Prag. (Auktionskatalog der Fa.) H. G. Gutekunst in Stuttgart, T. 1 und 2. Stuttgart 1909–1910. – Sammlung Lanna Prag, Bd. 1. Leipzig 1909. – Sammlung des Freiherrn Adalbert von Lanna Prag, T. 1–3. (Auktionskatalog der Fa.) Rudolph Lepke's Kunst-Auctions-Haus. Berlin 1909–1911. – Div. kleinere Auktionskataloge von Restbeständen der Sammlung, Wien 1910–1911.

LAUBMANN, Georg von. Dr. phil., Geheimrat. Hof 3. 10. 1843–5. 6. 1909 München. Philologe. Seit 1882 Direktor der Hof- und Staatsbibliothek in München. Veröffentlichungen auf dem Gebiet der klassischen und lateinischen Literatur. – Von 1895–1909 ernanntes Mitglied des VwR. – Nachruf in: Zentralblatt für Bibliothekswesen Jg. 26 (1909), S. 431–434 (H. Schnorr von Carolsfeld). – Lebensläufe aus Franken, Bd. 2. Würzburg 1922, S. 256–261 mit Schriftenverzeichnis (H. Schnorr von Carolsfeld). – Kürschner Lit. 1898–1909.

LEDEBUR, Leopold Karl Wilhelm August Freiherr von. Dr. phil. h. c. Berlin 2. 7. 1799–17. 11. 1877 Potsdam. Zunächst Offizier, 1828 als Hauptmann aus dem Dienst geschieden. Veröffentlichungen zur Geschichte Nordwestdeutschlands brachten ihm 1828 die Stellung eines Vorstehers der Unterabteilung für vaterländische Alterthümer an den Kgl. Museen Berlin, seit 1830 die Aufsicht über die Kgl. Kunstkammer und 1832 das Amt eines Direktors der Kgl. Kunstkammer in Berlin ein, 1875 Ruhestand. Begründer des „Allgemeinen Archivs für die Geschichtskunde des preußischen Staates"; Verfasser des „Adelslexikons der preußischen Monarchie". – Im VwR von 1853–1877, Mitglied des GelA. – Nachruf in: Zeitschrift für preußische Geschichte und Landeskunde Bd. 15 (1878), S. 55–58 (Bruno Reuter). – ADB 18 (1883), S. 113–114 (Ernst Friedlaender).

LEHNER, Friedrich August von. Dr. phil., Hofrat. Geislingen 10. 10. 1824–3. 6. 1895 Stuttgart. Archäologe. Kunsthistoriker. Nach dem Studium der Altphilologie als Erzieher tätig, später Hinwendung zur Kunstgeschichte. Seit 1864 Bearbeiter der Fürstlich hohenzollerischen Sammlungen in Sigmaringen, später deren Vorstand. Veröffentlichte Kataloge der Sigmaringer Sammlung und eine Geschichte der Marienverehrung. – Im VwR von 1882–1895, Mitglied des GelA. – Walter Kaufhold: Fürstenhaus und Kunstbesitz. Hundert Jahre Fürstlich Hohenzollernsches Museum. In: Zeitschrift für Hohenzollerische Geschichte Bd. 3 (1967), S. 135–184 (173–179); auch sep.

LEITNER, Quirin Ritter von. Hofrat. Klaj b. Niepołomice/Galizien 4. 6. 1834–23. 7. 1893 Wien. Offizier, seit 1866 im Rang eines Hauptmanns. 1865 mit der Neurordnung und Katalogisierung des Wiener Artillerie-Arsenal-Museums betraut, seit 1868 Hofbeamter und Vorstand des Hof-Waffenmuseums. Veröff. auf dem Gebiet der Waffenkunde; Mitbegründer des „Jahrbuchs der Kunsthistorischen Sammlungen des Allerhöchsten Kaiserhauses". – Im VwR von 1883–1893, Mitglied des GelA. – Nachruf in Jahrbuch der Kunsthistorischen Sammlungen des Allerhöchsten Kaiserhauses Bd. 15 (1894), S. 398–405 (H. Zimerman). – Österr. biogr. Lexikon.

LEWALD, Theodor. Dr. jur., Dr. med. h. c., Geheimrat, Exzl. Berlin 18. 8. 1860–17. 4. 1947 Berlin. Jurist. Seit 1891 im Reichsamt des Innern in Berlin, 1919–1921 Staatssekretär, seitdem zur Disposition gestellt und mit diplomatischen und kulturpolitischen Einzelaufträgen betraut. Reichskommissar für die internationalen Weltausstellungen in Paris und St. Louis, Präsident des Organisationskomitees für die Olympiade 1936 in Berlin. – Von 1919–1937 ernanntes Mitglied des VwR, 1928–1933 Vorsitzender, danach Ehrenvorsitzender. – Reichshandbuch, Bd. 2, S. 1111–1112. – Vgl. Abb. 74.

LICHTWARK, Alfred. Dr. phil. Hamburg 14. 11. 1852–14. 1. 1914 Hamburg. Kunsthistoriker. 1886 bis zum Tode Direktor der Kunsthalle Hamburg. Vertreter einer neuen Kunstpädagogik und Förderer zeitgenössischer Kunst. Veröffentlichungen zur mittelalterlichen und neueren deutschen Kunstgeschichte und zur Kunsterziehung, u. a. „Übungen in der Betrachtung von Kunstwerken". – Von 1895–1914 ernanntes Mitglied des VwR. – Alfred Lichtwark: Eine Auswahl seiner Schriften. Hrsg. von Wolf Mannhardt, 2 Bde. mit vollständigem Schriftenverzeichnis. Berlin 1917. – Mehrere posthume Briefausgaben. – Schriftenverzeichnis und Bibliographie von: Werner Kayser (mit einem Beitrag von Alfred Hentzen): Alfred Lichtwark (Hamburger Bibliographien, Bd. 19). Hamburg 1977. – Erich Marcks: Alfred

Lichtwark und sein Lebenswerk. Rede, gehalten bei der Gedenkfeier der Hamburger Kunsthalle am 13. März 1914. Leipzig 1914. – Anna von Zeromski: Alfred Lichtwark. Ein Führer zur deutschen Zukunft. Jena 1924. – Dt. Biogr. Jb. Bd. 1 (1914–1916), 1925, S. 64–67 mit Lit. (Gustav Pauli). – Kürschner Lit. 1885–1913.

LIEBEL, Willi. Nürnberg 31. 8. 1897–20. 4. 1945 Nürnberg. Besitzer einer Buchdruckerei in Nürnberg. Mitglied der NSDAP seit 1925, 1929 Stadtrat, seit 1933 Oberbürgermeister von Nürnberg. Von 1942–1945 auch im Reichsministerium Speer tätig. – Von 1933–1945 ernanntes Mitglied des VwR.

LILL, Georg. Dr. phil. Würzburg 9. 8. 1883–27. 7. 1951 München. Kunsthistoriker, Denkmalpfleger. Nach 1911 im Kunstauktionshaus Helbing sowie als Kunstkritiker in München tätig, seit 1919 Kustos am Bayerischen Nationalmuseum, von 1928–1949 Direktor des Landesamtes für Denkmalpflege. Autor und Herausgeber von Kunstinventaren, weitere Veröffentlichungen vor allem zur süddeutschen Kunst. – Im VwR von 1948–1951. – Lebensläufe aus Franken, Bd. 6. Würzburg 1960, S. 351–357 (Joseph Maria Ritz). – Bibliographie. In: Bericht des Bayerischen Landesamtes für Denkmalpflege Bd. 13 (1953/54), 1956, S. 65–121. – Reichshandbuch, Bd. 2, S. 1122. – Kürschner 1925–1950.

LINDENSCHMIT, Ludwig d. Ä. Dr. phil. Mainz 4. 9. 1809–14. 2. 1893 Mainz. Historienmaler, Altertumsforscher. Zunächst Studium der Malerei an der Münchner Akademie bei Cornelius, später Beschäftigung mit der Altertumswissenschaft. Gründer und Direktor des Römisch-Germanischen Zentralmuseums in Mainz, Verfasser des „Handbuchs der deutschen Alterthumskunde", Herausgeber der „Alterthümer unserer heidnischen Vorzeit" (1864–1911, 5 Bde.). Veröffentlichte gemeinsam mit seinem Bruder Wilhelm „Das germanische Todtenlager bei Selzen" (1848). – Im VwR von 1853–1893, Mitglied des GelA. – L(udwig) Lindenschmit (Sohn): Beiträge zur Geschichte des Römisch-Germanischen Centralmuseums in Mainz. In: Festschrift zur Feier des fünfzigjährigen Bestehens des Römisch-Germanischen Centralmuseums zu Mainz. Mainz 1902, S. 1–72. – K(arl) Schumacher: Ludwig Lindenschmit. In: Mainzer Zeitschrift Jg. 1 (1906), S. 38–41. – L(udwig) Lindenschmit (Sohn): Erinnerungen als Randverzierungen zum Charakterbild Ludwig Lindenschmits und zur Geschichte seines Lebenswerkes. In: Festschrift zur Feier des fünfundsiebzigjährigen Bestehens des Römisch-Germanischen Central-Museums zu Mainz 1927. Mainz 1927, S. 5–51. – ADB 51 (1906), S. 721–728 (Karl Schumacher). – Kürschner Lit. 1891–1893.

LOCHNER, Georg Wolfgang Karl. Dr. phil. Nürnberg 29. 8. 1798–3. 12. 1882 Nürnberg. Philologe, Historiker.

1826 Lehrer, später Rektor des Nürnberger Gymnasiums. Nach seiner Pensionierung von 1865–1882 Stadtarchivar in Nürnberg. Herausgeber von „Des Johann Neudörfer Nachrichten von Künstlern und Werkleuten" in Nürnberg; Veröff. zur Geschichte seiner Vaterstadt. – Im VwR von 1854–1855, Mitglied des GelA. – Nachruf in: Mitteilungen des Vereins für Geschichte der Stadt Nürnberg H. 5 (1884), S. 1–12 (E. Mummenhoff). – ADB 19 (1884), S. 65–67 (Ernst Mummenhoff). – Werner Schultheiß: Geschichte des Stadtarchivs Nürnberg 1865–1965. In: Stadtarchiv Nürnberg 1865–1965 (Quellen und Forschungen zur Geschichte der Stadt Nürnberg, Bd. 4). Nürnberg 1964, S. 15 u. ö.

LÖFFELHOLZ VON COLBERG, Wilhelm Freiherr. Dr. phil. Nürnberg 15. 8. 1809–13. 5. 1891 Wallerstein. Archivar. Fürstlich Öttingen-Wallersteinscher Dominial-Kanzleirat, Vorstand des Archivs und der Sammlungen des Hauses Öttingen-Wallerstein. – Im VwR von 1853–1891. – Friedrich Zoepfl: Hundert Jahre Maihingen. In: Rieser Heimatverein, e. V. Sitz Nördlingen. Jahrbuch Nr. 22 (1940/41), S. 63–89 (70–84). – Hirschmann, Patriziat, S. 140–141, 146 mit Lit.

LORSCH, Karl. Nürnberg 13. 6. 1816–20. 11. 1888 Nürnberg. Kaufmann, Marktadjunkt, Handelsappellationsgerichtsassessor. Mitglied des Pegnesischen Blumenordens. – Als Kassakontrolleur im VwR von 1886–1888.

LÜBKE, Wilhelm. Dr. phil. Dortmund 17. 1. 1826–5. 4. 1893 Karlsruhe. Kunsthistoriker. 1866–1885 Professor für Architekturgeschichte an der Technischen Hochschule Stuttgart, vorher in Berlin und Zürich. Seit 1885 Direktor der Karlsruher Kunsthalle und Professor an der dortigen Technischen Hochschule. Veröffentlichte zahlreiche Werke zum Kirchenbau des Mittelalters und der Renaissance, zur westfälischen Kunst, ferner allgemeine kunstgeschichtliche Darstellungen. Seine „Lebenserinnerungen" erschienen 1891. – Im VwR von 1875–1893, Mitglied des GelA. – Westfälische Lebensbilder, Hauptreihe, Bd. 6. Münster 1957, S. 146–165 (Ludwig Rohling). – ADB 52 (1906), S. 106–111 (Lemcke).

LUPPE, Hermann. Dr. jur. Kiel 6. 8. 1874–3. 4. 1945 Kiel. 1920–1933 Oberbürgermeister der Stadt Nürnberg, vorher Zweiter Bürgermeister in Frankfurt a. M. – Von 1920–1933 ernanntes Mitglied des VwR. – Hermann Luppe: Mein Leben. Erinnerungen. Hrsg. vom Stadtarchiv Nürnberg. Nürnberg 1977. – Hermann Hanschel: Oberbürgermeister Luppe. Nürnberger Kommunalpolitik in der Weimarer Zeit (Nürnberger Forschungen, Bd. 21). Nürnberg 1977. – Reichshandbuch, Bd. 2, S. 1167.

LUTHER, Hans. Dr. jur. Berlin 10. 3. 1879–11. 5. 1962 Düsseldorf. Politiker. 1922–1923 Reichsernährungs- und später Finanzminister, 1925–1926 als Parteiloser Reichskanzler, 1930 Reichsbankpräsident, 1933–1937 deutscher Botschafter in Washington. 1952 Professor an der Hochschule für politische Wissenschaften in München; Mitglied der Kgl. Schwedischen Akademie der Wissenschaften. Seine Erinnerungen erschienen 1960. – Im VwR von 1930–1935. – Reichshandbuch, Bd. 2, S. 1169–1170. – Biographisches Wörterbuch zur deutschen Geschichte. 2. Aufl. Bd. 2. München 1974, Sp. 1740/41 mit Lit.

LUTZE, Eberhard. Dr. phil. Samotschin/Posen 4. 2. 1908–8. 2. 1974 Bremen. – Von 1954–1974 ernanntes Mitglied des VwR. – S. Verzeichnis der Beamten, S. 1128.

MÄURER, Wilhelm. Geb. 8. 5. 1898 in Mönchengladbach, lebt in Düsseldorf. Ministerialdirigent im Kultusministerium Nordrhein-Westfalen; Vorsitzender des Kunstausschusses der Ständigen Konferenz der Kultusminister in Bonn, seit 31. 5. 1963 im Ruhestand. – Von 1954–1962 ernanntes Mitglied des VwR.

MAIER, Karl. Kgl. Justizrat. Notar in Nürnberg. – Im VwR von 1878–1893.

MARTIN, Kurt. Dr. phil. Zürich 31. 1. 1899–27. 1. 1975 München. Kunsthistoriker. Professor für Kunstgeschichte. 1927 Kustos am Landesmuseum in Karlsruhe, 1934–1956 Direktor der Staatlichen Kunsthalle Karlsruhe, 1956/57 der dortigen Kunstakademie, 1957–1964 Generaldirektor der Bayerischen Staatsgemäldesammlungen. Veröffentlichungen zur deutschen Kunst des Mittelalters und zur Kunst des 19. und 20. Jahrhunderts. – Von 1948–1973 Mitglied des VwR, seit 1951 als ernanntes Mitglied. – Nachruf in: Kunstchronik Bd. 28 (1975), S. 206–216 (Jan Lauts). – Kürschner 1935–1970.

MASSMANN, Hans Ferdinand. Dr. phil. Berlin 15. 8. 1797–3. 8. 1874 Muskau. Freiwilliger von 1815, Anhänger des Turnvaters Jahn, Germanist. Mitglied der Bayerischen Akademie der Wissenschaften. Nach Theologiestudium Wendung zur Philologie, 1821 kurzfristig als Lehrer in Nürnberg. 1842 mit der Organisation des Turnunterrichts in Preußen beauftragt; seit 1846 zugleich Extraordinarius für Germanistik in Berlin. – Im VwR von 1853–1874, Mitglied des GelA. – Nachruf in: Germania. Vierteljahrsschrift für deutsche Alterthumskunde Jg. 19, NF 7 (1874), S. 377–380 (Karl Bartsch). – ADB 20 (1884), S. 569–571 (Scherer). – Max Lenz: Geschichte der königlichen Friedrich-Wilhelms-Universität zu Berlin, vor allem Bd. 2, 2. H. Halle a. S. 1918 S. 146 und 454 (Reg.).

MAUNZ, Theodor. Dr. jur. utr. Geb. 1. 9. 1901 in Dachau, lebt in Gräfelfing. 1937 ordentlicher Professor für öffentliches Recht in Freiburg, 1952 in München, 1957–1964 bayerischer Staatsminister für Unterricht und Kultus. 1960–1961 Präsident der Ständigen Konferenz der Kultusminister der Länder. Verfasser eines Lehrbuchs über „Deutsches Staatsrecht"; Mitherausgeber eines großen Kommentars zum Grundgesetz. – Von 1958–1964 ernanntes Mitglied des VwR. – Festgabe für Theodor Maunz zum 70. Geburtstag am 1. September 1971. München 1971. – Kürschner seit 1940/41.

MERCK, Heinrich. Dr. jur. Nürnberg 20. 12. 1822–20. 7. 1907 bei Gmund/Tegernsee. Jurist, Kgl. Advokat. Zunächst als Rechtsanwalt in Landau/Pfalz und Fürth, danach in Nürnberg. Schriftführer in der Frankfurter Nationalversammlung 1848. 1863–1870 Mitglied, 1867 Vorstand des Gemeindekollegiums (Stadtrat) in Nürnberg. Später in München tätig als Bankier; Hauptbegründer und Aufsichtsratsvorsitzender des Bürgerlichen Brauhauses München. – Im VwR von 1856–1863, seit 1862 als Obmann des Lokalausschusses. – Biogr. Jb. Bd. 12 (1907), 1909, Sp. 57*.

MESTHALER, Johann. Nürnberg 7. 11. 1829–21. 12. 1909 Nürnberg. Kaufmann und Fabrikant, Kommerzienrat. Mitglied und Vorstand verschiedener gemeinnütziger Vereine. Stiftete 1885 dem Museum eine Büste Kaiser Wilhelms I. von Johannes Schilling. – Im VwR von 1886–1898.

MEYER, Erich. Dr. phil. Berlin 29. 10. 1897–4. 2. 1967 Hamburg. Kunsthistoriker. Zunächst Kustos und Professor am Schloßmuseum in Berlin, 1947–1961 Direktor des Museums für Kunst und Gewerbe in Hamburg. 1948 Honorarprofessor der Universität Hamburg. Zeitweise Herausgeber der Zeitschrift des Deutschen Vereins für Kunstwissenschaft. Mitherausgeber des Pantheon. Veröffentlichungen vor allem zur Geschichte des mittelalterlichen Kunsthandwerks. – Im VwR von 1952–1967. – Kürschner 1940/41–1966. – Nachrufe in: Kunstchronik Bd. 20 (1967), S. 168–171 (Rainer Rükkert) und: Jahrbuch der Hamburger Kunstsammlungen Bd. 13 (1968), S. 7–12 (Lise Lotte Möller).

MEYER, Georg Joachim. Dr. phil. Nürnberg (?) 1802–23. 1. 1865 Nürnberg. Philologe, als Gymnasialprofessor in Nürnberg. Arbeitete an einer kritischen Schiller-Ausgabe und veröffentlichte einige Schriften zu diesem Thema. – Im VwR von 1862–1864.

MEYER, Otto. Dr.-Ing. E. h. Regensburg 29. 8. 1882–25. 6. 1969 Augsburg. Industrieller, Generaldirektor. Von 1925–1954 im Vorstand der MAN in Augsburg. Ehrensenator der Technischen Hochschule München, Ehrenbürger der Stadt Augsburg. – Im VwR von 1948–1968. – Vgl. Abb. 138.

MEYER VON KNONAU, Gerold Ludwig. Zürich 2. 3. 1804–1. 11. 1858 Zürich. Geograph, Geschichtsforscher. Studium der Rechtswissenschaft, 1827 als Verwaltungsbeamter in Zürich. Veröffentlichungen zur Geographie der Schweiz. Seit 1837 Staatsarchivar. Arbeiten zur Archivkunde, zur Geschichte der Eidgenossenschaft, zur Numismatik. – Im VwR von 1855–1858, Mitglied des GelA. – ADB 21 (1885), S. 618–619 (Meyer von Knonau).

MÜLLER, Karl Theodor. Dr. phil. Geb. 19. 4. 1905 in Ingolstadt, lebt in München. Kunsthistoriker, Honorarprofessor für Mittlere und Neuere Kunstgeschichte an der Universität München. Seit 1928 am Bayerischen Nationalmuseum, zuletzt als Generaldirektor; seit 1968 im Ruhestand. Mitglied der Bayerischen Akademie der Wissenschaften, Herausgeber des Pantheon; zahlreiche Veröffentlichungen zur europäischen Plastik. – Von 1948–1968 ernanntes Mitglied des VwR; 1977 Ehrenmitglied des GNM. – Studien zur Geschichte der europäischen Plastik. Festschrift Theodor Müller zum 19. April 1965. München 1965 mit Schriftenverzeichnis S. 341–344. – Kürschner seit 1940/41.

MULERT, Oskar. Dr. jur. et phil. Kanditten in Ostpr. 29. 12. 1881–8. 11. 1951 Berlin. Jurist. Seit 1912 im preußischen Ministerium des Innern, von 1926–1933 Präsident des Deutschen Städtetags. Wegen hinhaltenden Widerstandes gegen die nationalsozialistischen Gleichschaltungsbemühungen 1933 aus seinem Amt entlassen, nach 1945 Präsidialmitglied des neugegründeten Städtetages. Zahlreiche Veröff. zu staatsrechtlichen und finanzwirtschaftlichen Fragen. Nachlaß im Geheimen Staatsarchiv Berlin. – Seine Sammlung von Kunsthandwerk und Skulpturen heute im Museum für Kunsthandwerk und im Liebig-Haus, Frankfurt am Main, die seiner reformationskundlichen Drucke in der Staats- und Universitätsbibliothek Göttingen. – Von 1929–1933 ernanntes Mitglied des VwR. – Reichshandbuch, Bd. 2, S. 1279–1280. – Altpreußische Biographie, Bd. 3. Marburg 1975, S. 1027–1028 mit Lit. (Herbert Obenaus).

MUMMENHOFF, Ernst. Dr. phil. h. c. Nordwalde/Westf. 22. 12. 1848–25. 4. 1931 Nürnberg. Historiker, 1873 Eintritt in das Bayerische Hauptstaatsarchiv in München, 1877 Kreisarchivsekretär in Nürnberg, 1883 Stadtarchivar. Leiter der Stadtbibliothek und des Stadtarchivs Nürnberg, 1920 als Archivdirektor pensioniert. Ehrendoktor der Universität Erlangen, Ehrenbürger der Stadt Nürnberg. Mitbegründer des Vereins für Geschichte der Stadt Nürnberg; zahlreiche Veröff. zur Geschichte Nürnbergs. – Im VwR von 1891–1929. – Nachruf in: Mitteilungen des Vereins für Geschichte der Stadt Nürnberg Bd. 31 (1933), S. 1–16 (Emil Reicke). – Lebensläufe aus Franken, Bd. 5. Erlangen 1936, S. 244–262 mit Schriftenverzeichnis (Emil Reicke). – Kürschner 1926–1931. – Werner Schultheiß: Geschichte des Stadtarchivs Nürnberg, 1865–1965. In: Stadtarchiv Nürnberg, 1865–1965 (Quellen und Forschungen zur Geschichte der Stadt Nürnberg, Bd. 4). Nürnberg 1964, S. 15 u. ö.

NEUMEYER, Fritz. Dr.-Ing. E. h., Geheimrat. Egloffstein 10. 9. 1875–10. 9. 1935 Nürnberg. Industrieller, Inhaber der

Fa. Fritz Neumeyer, der späteren Zündapp-Werke. 1928–1935 Präsident des Aufsichtsrates der Bayerischen Vereinsbank, München. – Von 1932–1935 Mitglied des VwR. – Joachim Wachtel: Fünfzig Jahre Zündapp, 1917–1967. Nürnberg 1967.

NIEDERMAIER, Friedrich. Dr. jur. Schloß Weißenstein bei Pommersfelden 3. 1. 1822–26. 12. 1877 Nürnberg. Jurist, zunächst in Rothenfels und Bamberg. Seit 1860 als Notar und Justizrat in Nürnberg. Seit 1870 Vorstand der altkatholischen Gemeinde in Nürnberg. Ehrenmitglied des Freien Deutschen Hochstifts in Frankfurt am Main. – Im VwR von 1864–1877 als Rechtskonsulat.

OEFTERING, Heinz Maria. Dr. jur., Dr.-Ing. E. h. Geb. 31. 8. 1903 in München, lebt in Frankfurt a. M. Honorarprofessor der Universität Mainz, a. o. Professor der Akademie für Verwaltungswissenschaften in Speyer. Seit 1932 Tätigkeit im Reichsfinanzhof und Reichsfinanzministerium, 1945–1950 Präsident des Rechnungshofes von Rheinland-Pfalz in Speyer, 1950–1957 Ministerialdirektor im Bundesfinanzministerium. Seit 1957 Erster Präsident und Vorsitzender des Vorstandes der Deutschen Bundesbahn, z. Zt. in Ruhe. Steuerrechtliche und verkehrswissenschaftliche Veröffentlichungen. – Im VwR seit 1970. – Kürschner seit 1950.

OETKER, Rudolf August. Geb. 20. 9. 1916 in Bielefeld, lebt in Bielefeld. Unternehmer, Inhaber und Leiter der Dr. August Oetker Nährmittelfabrik in Bielefeld, seit 1951 auch der Hamburg-Südamerika Dampfschiffahrts-Gesellschaft Eggert & Amsinck, Hamburg u. a. Reedereien. Kunstsammler und Kunstförderer. – Im VwR seit 1952.

OETTINGEN-WALLERSTEIN, Eugen Fürst zu Prag 22. 3. 1885–3. 10. 1969 Hohenaltheim. Legationssekretär a. D., Rittmeister a. D., lebte auf Schloß Wallerstein bei Nördlingen. – Im VwR von 1946–1968.

ORTLOPH, Ernst. München 14. 2. 1874–März 1952 Roth bei Nürnberg. Evangelischer Theologe. Nach 1898 Pfarrer in München und Bad Reichenhall, seit 1912 in Nürnberg. 1935 Prodekan, 1936 Kirchenrat, 1945 Ruhestand. – Im VwR von 1946–1952.

PETRI, Oskar Ritter von. Dr. phil. h. c., Dr.-Ing. E. h., Dr. rer. nat. h. c., Kommerzienrat. Elberfeld 24. 2. 1860–26. 5. 1944 Nürnberg. Ingenieur und Kaufmann. Nach Studium der Ingenieurwissenschaften technischer Attaché bei der deutschen Botschaft in Washington. Seit 1894 in Nürnberg als Direktor der damals von den Schuckert-Werken gegründeten Continentalen Gesellschaft für elektrische Unternehmungen, die er zu großer Bedeutung führte, seit 1902–1919 Vorstandsmitglied und zeitweise Generaldirektor der Siemens-Schuckert-Werke. Inhaber der Goethemedaille für

Kunst und Wissenschaft, Ehrenbürger der Stadt Nürnberg. – Im VwR von 1916–1944. – Reichshandbuch, Bd. 2, S. 1398–1399. – Vgl. Abb. 74.

PFEIFFER, Franz. Dr. phil. Bettlach bei Solothurn 27. 2. 1815–29. 5. 1868 Wien. Philologe. Studium der Philologie in München. Später als Privatgelehrter in Stuttgart, nach 1846 Professor und Bibliothekar an der dortigen kgl. Bibliothek. Seit 1857 ordentlicher Prof. an der Universität Wien. Mitglied der Wiener und der Bayerischen Akademie der Wissenschaften. Gründer und von 1856–1868 Herausgeber der Vierteljahresschrift „Germania"; zahlreiche Veröff. von alt- und mittelhochdeutschen Texten. – Im VwR von 1853–1868, Mitglied des GelA. – Nachruf von Karl Bartsch mit von Pfeifer selbstverfaßtem Lebenslauf und Schriftverzeichnis. In: Germania. Vierteljahrsschrift für Deutsche Alterthumskunde Bd. 13, NF Bd. 1 (1868), S. 250–256. – Wurzbach Biogr. Lexikon.

PFISTER, Albert von. Dr. phil., Exzl. Münster bei Mergentheim 6. 5. 1839–19. 10. 1907 Trossingen. Offizier, Schriftsteller. Nach Absolvierung der Kriegsschule in Ludwigsburg 1859 dort Lehrtätigkeit und aktiver Militärdienst, 1893 Generalmajor z. D. Vorsitzender des Gesamtvereins deutscher Geschichtsvereine. Historische Arbeiten und Veröff. aus dem militärischen Leben. – Im VwR von 1903–1907. – Biogr. Jb. Bd. 12 (1907), 1909, S. 61–67 mit Schriftenverzeichnis und Lit. (R. J. Hartmann). – Kürschner Lit. 1893–1907.

PINDER, Wilhelm. Dr. phil. Kassel 25. 6. 1878–13. 5. 1947 Berlin. Kunsthistoriker. Ordentlicher Professor für Kunstgeschichte in Darmstadt, Leipzig, München, Berlin. Mitglied der Sächsischen, Preußischen und Bayerischen Akademie der Wissenschaften. Zahlreiche Veröff. zur Kunstgeschichte, vor allem grundlegende Arbeiten zur deutschen Plastik des Mittelalters und zur Baukunst des Barock. – Von 1936–1945 ernanntes Mitglied des VwR. – Nachrufe in: Zeitschrift für Kunstwissenschaft Bd. 1 (1947), S. 73–76 (Hans Jantzen); in: Hamburger akademische Rundschau Bd. 3 (1948/49), S. 150–155 (Walter Boehlich) und in: Jahrbuch der Deutschen Akademie der Wissenschaften zu Berlin, Jg. 1946–1949, 1950, S. 213–216 (Richard Hamann). – Kürschner 1925–1940/41.

POCCI, Franz Graf von. Dr. phil. h. c., Exzl. München 7. 3. 1807–7. 5. 1876 München. Jurist, Maler, Illustrator und Komponist. Jugendfreund des Hans von Aufseß. Nach Jurastudium Zeremonienmeister am bayerischen Hof, seit 1864 Oberstkämmerer, gleichzeitig an verschiedenen Münchner musischen und wissenschaftlichen Gesellschaften beteiligt. 1854 Ehrendoktorat der Universität München. – Im VwR von 1859–1868. – Thieme-Becker, Bd. 27 (1933), S. 167–177 mit Lit.

PÖLNITZ, Sigmund Freiherr von. Dr. theol. et phil. München 28. 9. 1901–23. 4. 1978 Bamberg. Katholischer Theologe, Kirchenhistoriker. Zuerst Stadtpfarrer in Erlangen, danach Domkapitular in Bamberg. Direktor des Diözesanmuseums. Seit 1966 Honorarprofessor der philosophisch-theologischen Hochschule in Bamberg. Veröff. zur Kirchengeschichte Frankens. – Im VwR von 1959–1974. – Nachruf in: Bayerische Blätter für Volkskunde Jg. 5 (1978), S. 136–141 (Christoph Daxelmüller). – Kürschner 1970–1976.

POSADOWSKY-WEHNER, Arthur Graf von. Dr. jur., Dr. med. et theol. h. c., Exzl. Glogau 3. 6. 1845–23. 10. 1932 Naumburg a. d. Saale. 1885 Landeshauptmann der Provinz Posen, 1893–1897 Staatssekretär im Reichsschatzamt, von 1897–1907 Staatssekretär im Reichsamt des Innern und preußischer Staatsminister. 1907–1918 Mitglied des preußischen Herrenhauses. Seit 1907 Dechant des prot. Domkapitels in Naumburg. Von 1912–1918 Mitglied des Reichstags als Vertreter der „Deutschen Fraktion", 1919–1920 Fraktionsvorsitzender der Deutschnationalen in der Weimarer Nationalversammlung, 1928–1932 Abgeordneter der „Deutschen Fraktion" im preußischen Landtag. Verschiedene sozial- und wirtschaftspolitische Reformen gehen auf ihn zurück; Veröff. über die Altersversorgung der Arbeiter u. a. – Im VwR von 1911–1932, von 1921–1928 Vorsitzender, danach Ehrenvorsitzender. – Reichshandbuch, Bd. 2, S. 1436. – Biographisches Wörterbuch zur deutschen Geschichte. 2. Aufl. Bd. 2. München 1974, Sp. 2203/04 mit Lit. und Nachweis der Ausgaben seiner Reden und Aufsätze.

POSSE, Hans. Dr. phil. Dresden 6. 2. 1879–7. 12. 1942 Berlin. Kunsthistoriker. Nach Tätigkeit an den Berliner Museen seit 1910 bis zum Tode Direktor der Staatlichen Gemäldegalerie in Dresden, seit 1939 zugleich „Sonderauftrag" zum Aufbau der von Adolf Hitler geplanten Galerie in Linz. Veröff. vor allem zur italienischen Malerei; Kataloge der Gemäldegalerie Dresden und Katalog der Gemälde des Kaiser-Friedrich-Museums Berlin mit Farbbeschreibungen in 2 Bänden von 1909–1911. – Im VwR von 1932–1942. – Nachrufe in: Pantheon Bd. 31 (1943), S. 24 (E. Hanfstaengl); in: Neues Archiv für Sächsische Geschichte Bd. 63 (1942), 1943, S. 170–174 (Robert Oertel) und in: Oberdonau Bd. 3 (1943), S. 8–10 (Justus Schmidt, vor allem zum Sonderauftrag Linz). – Reichshandbuch, Bd. 2, S. 1436. – Kürschner 1926–1940/41. – Hildegard Brenner: Die Kunstpolitik des Nationalsozialismus. Hamburg 1963, S. 154–159. – Vgl. Abb. 74.

PRAUN, Walter von. Dr. jur. Nürnberg 19. 10. 1868–1. 3. 1944 München. Jurist, 1895 Rechtsanwalt zu Nürnberg, 1917 Justizrat, zeitweise kaiserlich russischer Vizekonsul, Aufsichtsratsvorsitzender der Nürnberger Bank, seit deren Übergang an die Bayerische Vereinsbank in deren Aufsichtsrat. – Im VwR von 1921–1935. – Hirschmann, Patriziat, S. 195 (Reg.).

PREMAUER, Werner. Dr. jur. Geb. 27. 7. 1912 in Berlin, lebt in München. Bankdirektor, Aufsichtsratsvorsitzender der Bayerischen Vereinsbank. Vorsitzender des Verbandes der privaten Kreditinstitute in Bayern, Vizepräsident (1961–1963 Präsident) der Industrie- und Handelskammer für München und Oberbayern. Ehrensenator der Universität Würzburg, Senator der Max-Planck-Gesellschaft zur Förderung der Wissenschaften. – Im VwR seit 1973.

RAUMER, Rudolf von. Dr. phil. Breslau 14. 4. 1815–30. 8. 1876 Erlangen. Philologe. Seit 1852 Universitätsprofessor für deutsche Sprache und Literatur in Erlangen, vorher Privatgelehrter. Veröffentlichte Arbeiten über Sprachentwicklung und Rechtschreibung, die Grundlage der nach 1879 eingeführten Einheitsrechtschreibung wurden. – Im VwR von 1862–1876, Mitglied des GelA. – Carl Heyder: Gedächtnissrede für Herrn Dr. Rudolph Raumer . . ., gehalten am 16. Dec. 1876. Erlangen 1877 mit Schriftenverzeichnis. – Hermann von Raumer: Die Geschichte der Familie von Raumer. Neustadt a. d. Aisch 1975, S. 145–149.

REBER, Franz von. Dr. phil., Dr.-Ing. E. h., Geheimrat. Cham 10. 11. 1834–4. 9. 1919 Pöcking. Kunsthistoriker. Ordentlicher Professor am kgl. Polytechnikum, der späteren Technischen Hochschule in München 1869–1907; 1875–1909 zugleich Direktor der Bayerischen Staatsgalerien. Veröff. zur antiken und mittelalterlichen Baukunst und zur deutschen Kunstgeschichte; Kataloge der Gemäldesammlungen in München, Augsburg, Aschaffenburg, Nürnberg etc. Zusammen mit Adolf Bayersdorfer Herausgeber des Klassischen Bilderschatzes, 1888–1900, und des Klassischen Skulpturenschatzes, 1896–1909. Mitglied der Bayerischen Akademie der Wissenschaften. – Im VwR von 1877–1919. – Nachrufe in: Jahrbuch der Bayerischen Akademie der Wissenschaften Jg. 1919, 1920, S. 89–90; Zentralblatt der Bauverwaltung Jg. 40 (1920), S. 93–94 (Paul Frankl). – Kurzer Nachruf in: Jahresbericht GNM 66 (für 1919), 1919, S. 7. – Schriftenverzeichnis in: Almanach der Kgl. Bayerischen Akademie der Wissenschaften zum 150. Stiftungsfest, Jg. 1909, München 1909, S. 368–370; vgl. auch Frankl. – Dt. biogr. Jb. Bd. 2 (1917–1920), 1928, S. 730. – Kürschner Lit. 1883–1917.

REDLICH, Oswald. Dr. phil., Dr. jur. h. c., Hofrat. Innsbruck 17. 9. 1858–20. 1. 1944 Wien. Historiker, ordentlicher Professor der Universität Wien. Von 1919–1938 Präsident der Wiener Akademie der Wissenschaften. Veröff. zur deutschen und österreichischen Geschichte. – Im VwR von 1921–1928. – Leo Santifaller: Oswald Redlich. Ein Nachruf, zugleich ein Beitrag zur Geschichte der Geschichtswissenschaft. In: Mitteilungen des Instituts für Österreichische Geschichtsforschung Bd. 56 (1948), S. 1–238 mit Schriftenverzeichnis. – Biographisches Wörterbuch zur deutschen Geschichte. 2. Aufl. Bd. 2. München 1974, Sp. 2278. –

Kürschner 1925–1940/41. – Weitere Lit. bei Dahlmann-Waitz 7/1449–1460.

REDSLOB, Edwin. Dr. phil. Weimar 22. 9. 1884–24. 1. 1973 Berlin. – Im VwR von 1920–1925. – S. Verzeichnis der Beamten, S. 1132.

REHM, Karl Wilhelm. Gest. Mai 1871 in Nürnberg. Bezirksgerichtsdirektor in Nürnberg. Veröffentlichte einen Aufsatz zur Rechtfertigung der neuen Satzung GNM von 1869 in: Deutsche Vierteljahrs-Schrift Jg. 33 (1870), H. 1, S. 299–316. – Im VwR von 1864–1871. – Kurzer Nachruf in: Anzeiger GNM 1871, Sp. 146.

REIDEMEISTER, Leopold. Dr. phil. Geb. 7. 4. 1900 in Braunschweig, lebt in Berlin. Kunsthistoriker. 1938 Kustos und Professor der ostasiatischen Abteilung der Staatlichen Berliner Museen. 1945–1957 Generaldirektor der Museen der Stadt Köln, 1957–1964 Generaldirektor der Staatlichen Museen und Direktor der Nationalgalerie in Berlin. Seit 1967 Leiter des Brücke-Museums. Mitglied der Akademie der Wissenschaften in Göttingen. Veröff. vor allem zur ostasiatischen Kunst, ferner Ausstellungskataloge. – Im VwR von 1959–1972, gewählt bereits 1957. – Kürschner seit 1940/41.

REISMÜLLER, Georg. Dr. phil. Ingolstadt 11. 5. 1882–12. 5. 1936 München. Philologe, Bibliothekar. 1910 Kustos, 1921 Direktor der Pfälzischen Landesbibliothek in Speyer. 1929–1935 Generaldirektor der Staatsbibliothek in München. – Von 1931–1934 ernanntes Mitglied des VwR. – Kürschner 1926–1935.

REUSCH, Hermann. Dr. phil., Dr.-Ing. E. h. Wittkowitz/Mähren 2. 8. 1896–17. 12. 1971 Schloß Katharinenhof/Württ. Sohn des Folgenden. Bergassessor a. D., 1945–1966 Generaldirektor der Gute-Hoffnungs-Hütte Oberhausen, Ehrensenator der Universität Tübingen, Senator der Max-Planck-Gesellschaft zur Förderung der Wissenschaften. – Im VwR von 1950–1969, später Ehrenmitglied des GNM.

REUSCH, Paul. Dr.-Ing. E. h., Dr. rer. nat. h. c., Kommerzienrat. Königsbronn 9. 2. 1868–21. 12. 1956 Schloß Katharinenhof/Württ. Nach Studium der Berg- und Hüttenkunde Tätigkeit in Tirol, Ungarn und Mähren. 1905 Vorstandsmitglied der Gute-Hoffnungs-Hütte in Oberhausen, seit 1908 Vorstandsvorsitzender und Generaldirektor, 1942 zum Rücktritt gezwungen. Kunstsammler und Kunstförderer. – Im VwR von 1921–1946. – Reichshandbuch, Bd. 2, S. 1515. – Biographisches Wörterbuch zur deutschen Geschichte. 2. Aufl. Bd. 2. München 1974, Sp. 2303. – Erich Maschke: Es entsteht ein Konzern. Paul Reusch und die GHH. Tübingen 1969, dort S. 275–285 Schriftenverzeichnis und Bibliographie.

RHEINBABEN, Georg Kreuzwendedich Freiherr von. Dr.-Ing. E. h., Dr. med. h. c., Exzl. Frankfurt a. d. O. 21. 8. 1855–28. 3. 1921 Düsseldorf. 1901–1910 preußischer Finanzminister, 1910–1918 Oberpräsident der Rheinprovinz in Koblenz; seit 1913 Präsident der Goethe-Gesellschaft. Domdechant von Merseburg. – 1913–1920 ernanntes Mitglied des VwR. – Deutsches Biogr. Jb. Bd. 3 (1921), 1927, S. 313 mit Lit.

RICHTER, Max. Dr. jur., Exzl., Geheimrat. Königsberg 26. 12. 1856–11. 5. 1921 Berlin. Reichskommissar der Weltausstellungen 1893/94 in Chicago und 1896–1900 in Paris. Nach 1905 Unterstaatssekretär im Reichsamt des Innern in Berlin. – Von 1914–1919 ernanntes Mitglied des VwR. – Dt. Biogr. Jb. Bd. 3 (1921), 1927, S. 313.

RIEHL, Wilhelm Heinrich. Dr. phil. Biebrich 6. 5. 1823–16. 11. 1897 München. Kulturhistoriker, 1859 ordentlicher Universitätsprofessor der Kulturgeschichte und Statistik in München. Von 1885–1897 Direktor des Bayerischen Nationalmuseums und Generalkonservator der Kunstdenkmale und Altertümer Bayerns. Während seiner Dienstzeit Neubau des Bayerischen Nationalmuseums. Zahlreiche literarische und kulturgeschichtliche Veröffentlichungen. – Von 1895–1897 ernanntes Mitglied des VwR, Mitglied des GelA. – Viktor von Geramb: Wilhelm Heinrich Riehl. Salzburg 1954. – ADB 53 (1907), S. 362–383 mit Lit. (H. Simonsfeld). – Biographisches Wörterbuch zur deutschen Geschichte. 2. Aufl. Bd. 2. München 1974, Sp. 2326–2327. – Weitere Lit. bei Dahlmann-Waitz 7/910–927.

RIEPPEL, Anton von. Dr.-Ing. E. h., Dr. phil. h. c. Hopfau 17. 4. 1852–31. 1. 1926 Nürnberg. Kgl. Baurat, Reichsrat. Bis 1920 Generaldirektor der Maschinenfabrik Augsburg-Nürnberg in Nürnberg. 1899–1922 Erster Vorsitzender des Verwaltungsrats der Bayerischen Landesgewerbeanstalt – Bayer. Gewerbemuseum – Nürnberg. – Im VwR von 1917–1921. – Festschrift zur 40. Hauptversammlung des Vereins deutscher Ingenieure in Nürnberg vom 11./15. Juni 1899. Nürnberg 1899, S. 394–400. – (Theodor von Kramer): Die Bayerische Landes-Gewerbeanstalt – Bayer. Gewerbemuseum – Nürnberg 1869–1919. Nürnberg 1919, S. 84–89.

RINTELEN, Anton von. Dr. jur. Graz 25. 11. 1876–28. 1. 1946 Graz. Politiker, Landeshauptmann von Steiermark. 1903 Professor in Prag, später in Graz. 1926 und 1932 Unterrichtsminister, 1933 Gesandter in Rom. 1934 wegen Beteiligung am Putsch gegen Dollfuß zu lebenslänglichem Kerker verurteilt, 1938 amnestiert. – Veröff.: Erinnerungen an Österreichs Weg. Versailles, Berchtesgaden, Großdeutschland. München 1941. – Seit 1932 im VwR; 1934/35 nicht mehr zu Sitzungen eingeladen, Sitz 1936 anderweitig besetzt.

RITGEN, Hugo von. Geheimrat. Stadtberge/Westf. 3. 3. 1811–31. 7. 1889 Gießen. Architekt. 1843 Professor für Architektur an der Universität Gießen. Neugotiker, Schüler von Moller, Hittdorf, Duban; bei der Wiederherstellung der Wartburg beteiligt. – Im VwR von 1853–1889, Mitglied des GelA. – Thieme-Becker, Bd. 28 (1934), S. 382.

ROEMER, Hermann. Dr. phil. h. c. Hildesheim 4. 1. 1816–24. 2. 1894 Hildesheim. Jurist, Politiker. Seit 1852 als rechtskundiger Senator in Hildesheim, von 1867–1890 Reichstagsabgeordneter. Gründer des „Museumsvereins", dessen Sammlung Grundlage des jetzigen „Roemer-Museums" wurde. Erwarb sich Verdienste bei der Kunst- und Denkmalpflege seiner Heimatstadt (Restaurierung von St. Michael, des Knochenhauer-Amtshauses, Bergung des „Hildesheimer Silberfundes"). – Wichtige geologische Veröff. und Karten; kunsthistorische und historische Publikationen. – Im VwR von 1875–1894. – Niedersächsische Lebensbilder, Bd. 3. Hildesheim 1957, S. 202–226 (Rudolf Zoder).

ROMIG, Johann Michael. Hallstadt bei Bamberg 13. 10. 1807–2. 11. 1868 Nürnberg. Mathematiker. Lehrer an den Gewerbeschulen in Bamberg, Passau, Augsburg, seit 1843 in Nürnberg, seit 1. 4. 1854 bis zum Tode Rektor der Polytechnischen Schule Nürnberg. – Im VwR von 1855–1859. – Ernst Deuerlein: Festschrift zur Hundertjahrfeier der staatlichen technischen Lehranstalten in Nürnberg, 1833–1933. Nürnberg o. J. (1933), S. 27–35.

ROTH VON SCHRECKENSTEIN, Karl Heinrich Freiherr. Donaueschingen 31. 10. 1823–19. 6. 1894 Karlsruhe. – Im VwR von 1863–1864. – S. Verzeichnis der Beamten, S. 1133.

RUCKER, August. Dipl.-Ing., Dr. h. c. München 14. 2. 1900–17. 5. 1978 Südfrankreich. Ingenieur, seit 1947 Professor der Technischen Hochschule München. Von 1954–1957 Staatsminister für Unterricht und Kultus in München. – Von 1955–1957 ernanntes Mitglied des VwR. – Kürschner seit 1950.

RUST, Bernhard. Hannover 30. 9. 1883–7./8. 5. 1945 Berne/Old. Zunächst Studienrat, seit 1934 Reichsminister für Wissenschaft, Erziehung und Volksbildung. – Von 1938–1945 ernanntes Mitglied des VwR, gleichzeitig Vorsitzender. – Biographisches Wörterbuch zur deutschen Geschichte. 2. Aufl. Bd. 2. München 1974, Sp. 2414–2416.

SACKEN, Eduard Freiherr von. Dr. phil. Wien 3. 3. 1825–20. 2. 1883 Wien. Archäologe, Kunsthistoriker. Seit 1845 im Münz- und Antikenkabinett in Wien tätig, 1854 dort Kustos, 1871 Direktor. Seit 1851 Privatdozent für Kunstarchaeologie des Mittelalters an der Universität Wien; 1865 akademischer Rat der Akademie der Bildenden Künste in Wien.

Veröff. zur Vorgeschichte Österreich-Ungarns, zur Kunst des Mittelalters und der Renaissance vor allem in Österreich; ferner Kataloge zum Münz- und Antikenkabinett und zur Ambraser Sammlung. – Im VwR von 1868–1883, Mitglied des GelA. – Wurzbach Biogr. Lexikon. – Nachrufe in: Mitteilungen der K. K. Central-Commission zur Erforschung und Erhaltung der Kunst- und Historischen Denkmale N. F. Jg. 9 (1883), S. 71–82 (Friedrich Kenner) und in: Jahrbuch der Kunsthistorischen Sammlungen des Allerhöchsten Kaiserhauses Bd. 2 (1884), S. 221–228 (Friedrich Kenner).

SATTLER, Carl. Florenz 6. 11. 1877–13. 1. 1966 München. Architekt. 1926–1933 und 1945–1946 ordentlicher Professor und Direktor der Akademie für angewandte Kunst in München, 1946–1948 Präsident der Hochschule für Bildende Künste. – Von 1946–1954 ernanntes Mitglied des VwR. – Thieme-Becker, Bd. 29 (1935), S. 486 mit Lit. – Hans Vollmer: Allgemeines Lexikon der Bildenden Künstler des XX. Jahrhunderts, Bd. 4. Leipzig 1958, S. 163.

SAUER, Joseph. Dr. theol. Unzhurst 7. 6. 1872–13. 4. 1949 Freiburg i. Breisgau. Kirchenhistoriker, Archäologe, Kunsthistoriker. Seit 1911 Direktor des von seinem Lehrer F. X. Kraus gegründeten Instituts für christliche Archäologie. Ordentlicher Professor der Universität Freiburg, Konservator der kirchlichen Baudenkmäler Badens. Veröff. zur Ikonographie der altchristlichen Kunst und zur Kunstgeschichte des Oberrheins; schloß die von Kraus begonnene „Geschichte der christlichen Kunst" ab. – Im VwR 1920–1949. – Nachrufe in: Freiburger Diözesan-Archiv Bd. 69 (1950), S. 7–14 (Arthur Allgeier) und in: Historisches Jahrbuch Bd. 62–69 (1949), S. 970–983 (Alfons Maria Schneider). – Verzeichnis der Schriften Joseph Sauers, dargeboten von der Theolog. Fakultät der Universität Freiburg i. Br. zu seinem 70. Geburtstag . . . Zusammengestellt von Ludwig Mohler. Freiburg i. Br. 1942. – Kürschner 1925–1940/41. – Lexikon für Theologie und Kirche, Bd. 9 (1964), Sp. 347 (J. Kollwitz). – Vgl. Abb. 74.

SAUERLÄNDER, Willibald. Dr. phil. Geb. 29. 2. 1924 in Waldsee/Württ. Kunsthistoriker. Seit 1966 ordentlicher Professor für Kunstgeschichte an der Universität Freiburg, danach in München. Seit 1970 Direktor des Zentralinstituts für Kunstgeschichte in München. Mitglied der Bayerischen Akademie der Wissenschaften. Veröff. zur mittelalterlichen Skulptur und Architektur. Mitherausgeber der Zeitschrift für Kunstgeschichte 1959–1969, seit 1973 der Revue de l'Art. – Im VwR seit 1973. – Kürschner seit 1966.

SCHÄFER, Georg. Dr. h. c. Schweinfurt 7. 9. 1896–21. 1. 1975 Schweinfurt. Industrieller. Kunstsammler und Kunstförderer. – Im VwR von 1966–1975. – Wulf Schadendorf: Sammler und Sammlung. In: Sammlung Georg Schäfer Schweinfurt. Deutsche Malerei im 19. Jahrhundert. (Ausstellungskatalog) Germanisches Nationalmuseum Nürnberg 1977. Schweinfurt 1977, S. 11–17. – Vgl. Abb. 118.

SCHEEL, Jürgen. Dr. jur. Geb. 30. 12. 1923 in Flensburg. Leitender Ministerialrat im Schleswig-Holsteinischen Kultusministerium, Kiel. Mitglied der Ständigen Konferenz der Kultusminister der Länder in Bonn, Vorsitzender des Ausschusses für Kunst und Erwachsenenbildung. – Ernanntes Mitglied des VwR seit 1974.

SCHMIDT, Robert. Dr. phil. Bad Oeynhausen 2. 12. 1878–6. 10. 1952 Mailand. Kunsthistoriker, Honorarprofessor. 1905 Assistent, später Kustos am Berliner Kunstgewerbemuseum. 1918 Direktor des Kunstgewerbemuseums in Frankfurt a. M., 1928 des Schloßmuseums in Berlin. Seit 1948 Leiter des Kunstgutlagers in Celle. Veröff. zum europäischen Kunstgewerbe. – Im VwR von 1948–1952, seit 1951 ernanntes Mitglied. – Nachruf in: Kunstchronik Bd. 5 (1952), S. 337–340 (Erich Meyer). – Kürschner 1925–1950.

SCHMIDT-OTT, Friedrich. Dr. jur., Exzl. Potsdam 4. 6. 1860–28. 4. 1956 Berlin. Seit 1888 Tätigkeit im preußischen Kultusministerium, wo er die Wissenschaftspolitik Friedrich Althoffs fortsetzte, zuletzt als Ministerialdirektor, 1917–1918 preußischer Kultusminister. 1920–1934 Präsident der Notgemeinschaft der Deutschen Wissenschaften. Ehrenmitglied der Berliner, Göttinger, Leipziger und Heidelberger Akademien der Wissenschaften sowie anderer wissenschaftlicher Institute; mehrere Ehrendoktorate, Ehrensenator der Kaiser-Wilhelm- und später der Max-Planck-Gesellschaft. Veröffentlichte Lebenserinnerungen: Erlebtes und Erstrebtes, 1860–1950. Wiesbaden 1952. – Von 1920–1934 ernanntes Mitglied des VwR. – Reichshandbuch, Bd. 2, S. 1665–1666. – Kürschner 1925–1954.

SCHMITZ, Joseph. Dr.-Ing. E. h. Aachen 8. 11. 1860–29. 3. 1936 Nürnberg. Baumeister, Honorarprofessor, Geheimer Baurat. Ausbildung in der Kölner Dombauhütte. Von 1882–1887 bei Hauberrisser in München, von dem er mit der Wiederherstellung der Nürnberger Sebalduskirche beauftragt wurde. Nach 1904 Restaurierung von weiteren Kirchen, gleichzeitig Kirchenneubauten. Hatte die Stellung eines Dombaumeisters verschiedener bayerischer Domkirchen, sein Amtssitz war Nürnberg. Ehrenmitglied der preußischen Akademie der Künste und der preußischen Akademie des Bauwesens. – Im VwR von 1925–1930, anschließend Ehrenmitglied des VwR. – Reichshandbuch, Bd. 2, S. 1672. – Thieme-Becker, Bd. 30 (1936), S. 177 mit Lit.

SCHNORR VON CAROLSFELD, Hans. Dr. phil. München 21. 8. 1862–16. 5. 1933 München. Philologe. Seit 1885 im Dienst der bayerischen Staatsbibliothek, danach der Universitätsbibliothek München. 1909–1929 Direktor (Generaldirektor) der Staatsbibliothek. Veröffentlichungen über

Sprachforschung und Bibliothekswissenschaft. – Von 1915–1929 ernanntes Mitglied des VwR. – Reichshandbuch, Bd. 2, S. 1685. – Kürschner 1925–1931.

SCHREIBER, Georg. Dr. theol., Dr. phil., päpstlicher Hausprälat. Rüdershausen/Hann. 5. 1. 1882–24. 2. 1963 Münster. Kirchenhistoriker, Zentrumspolitiker. Zunächst Professor in Regensburg, seit 1917 ordentlicher Professor für Kirchengeschichte in Münster, 1927 Gründer und erster Direktor des Deutschen Instituts für Auslandskunde e. V. in Münster, 1933 zwangsemeritiert, 1935–1936 o. Prof. in Braunsberg, 1945–1951 wiederum o. Prof. in Münster. 1920–1933 Mitglied des Reichstags. Mehrere Ehrendoktorate; Veröff. zur mittelalterlichen Kirchengeschichte, zur religiösen Volkskunde, zur Kulturpolitik. – Im VwR seit 1921, 1934 nicht mehr zur Sitzung geladen. Sitz 1936 anderweitig besetzt. – Nachruf in: Historisches Jahrbuch Bd. 83 (1964), S. 246–270 (Johannes Spörl und Eduard Hegel), dort weitere Nachrufe genannt. – Rudolf Morsey: Aus westfälischer Wissenschaft und Politik. Landschaftliches und Universales im Lebenswerk von Georg Schreiber. In: Westfälische Forschungen Bd. 10 (1957), S. 6–25. – Zwischen Wissenschaft und Politik. Festschrift Georg Schreiber. München und Freiburg i. Br. 1953 (teilweise identisch mit: Historisches Jahrbuch Bd. 72 [1953]), mit Schriftenverzeichnis S. 1*–84*. – Nachtrag zum Schriftenverzeichnis. Mschriftl. Münster 1955. – Reichshandbuch, Bd. 2, S. 1705. – Kürschner 1925–1961. – Lexikon für Theologie und Kirche, Bd. 9 (1964), Sp. 483–484 (E. Hegel). – Weitere Lit. bei Dahlmann-Waitz 7/1498. – Vgl. Abb. 74.

SCHRÖDER, Alfred. Dr. phil. Passau 4. 2. 1865–16. 3. 1935 Dillingen. Kunsthistoriker, Historiker. 1887 Priester, 1891 bischöflicher Archivar in Augsburg, 1898 Professor in Dillingen. Veröff. zur Geschichte und Kunstgeschichte des Bistums Augsburg und Schwabens; Herausgeber des „Archivs für die Geschichte des Hochstifts Augsburg". Setzte das Werk Anton von Steicheles „Das Bistum Augsburg, historisch und statistisch beschrieben". Augsburg 1861 ff. mit Bd. 5–8 fort (1895–1932). – Im VwR 1907–1920. – Lebensbild mit Schriftenverzeichnis bei: Steichele-Schröder: Bistum Augsburg, Bd. 9, 1934–39, S. 5*–19* (Friedrich Zoepfl). – Nachruf in: Zeitschrift für bayerische Landesgeschichte Bd. 8 (1935), S. 174–176 (Andreas Bigelmair). – Kürschner 1925–1935. – Lexikon für Theologie und Kirche, Bd. 9 (1964), Sp. 496–497 mit Lit. (F. Zoepfl).

SCHRÖDER, Kurt Freiherr von. Hamburg 24. 12. 1889–4. 11. 1966 Hohenstein bei Eckernförde. Bankier, seit 1921 Teilhaber des Bankhauses J. H. Stein in Köln, 1933 Präsident der Industrie- und Handelskammer Köln. – Im VwR von 1936–1945. – Reichshandbuch, Bd. 2, S. 1710–1711.

SCHUH, Johann Georg von. Dr. jur., Dr. med. h. c., Exzl.

Fürth 17. 11. 1846–2. 7. 1918 Starnberg. Jurist, von 1892–1913 Erster Bürgermeister der Stadt Nürnberg, vorher Rechtskundiger Bürgermeister in Erlangen. Ehrenbürger der Stadt Nürnberg. – Von 1894–1913 ernanntes Mitglied des VwR. – Lebensläufe aus Franken, Bd. 5. Erlangen 1936, S. 359–372 (Konrad Weiß).

SCHULTE-STRATHAUS, Ernst. Bövinghausen/Westf. 9. 7. 1881–10. 2. 1968 München. Literaturwissenschaftler, Germanist, Bibliograph. Zeitweise Reichsamtsleiter im Stabe des Stellvertreters des Führers im Braunen Haus in München. Herausgeber spätmittelalterlicher und neuerer Texte; Veröff. zur deutschen Literatur der Klassik. – Im VwR von 1936–1945. – Kürschner 1926–1966.

SCHULTZ, Alwin. Dr. phil. Muskau 6. 8. 1838–10. 3. 1909 München. Kunsthistoriker, Kulturgeschichtler. Zunächst Professor in Breslau, danach ordentlicher Professor in Prag. Zahlreiche Veröffentlichungen, vor allem zur Kunstgeschichte Schlesiens. – Im VwR von 1870–1909, Mitglied des GelA. – Kürschner Lit. 1885–1909. – Nachrufe in: Anzeiger GNM 1909, S. 3. und mit Schriftenverzeichnis in: Jahresbericht der Schlesischen Gesellschaft für vaterländische Cultur Bd. 87 (1910), 1910, Anhang: Nekrologe, S. 44–64 (Robert Becker). – Biogr. Jb. Bd. 14 (1909), 1912, Sp. 87* mit Lit. – Nachlaß in Archiv und Bibliothek GNM.

SCHULZ, Heinrich. Bremen 12. 9. 1872–4. 9. 1932 Berlin. Politiker (SPD), 1912–1930 Mitglied des Reichstags, 1919–1920 Vizepräsident der Weimarer Nationalversammlung. Von 1919–1927 Staatssekretär für Schul- und Bildungsfragen im Reichsministerium des Innern. Veröff.: „Schule und Sozialismus" (1907) und weitere Schriften zu Politik und Pädagogik. – Von 1923–1927 ernanntes Mitglied des VwR. – Heinrich Wulff: Heinrich Schulz. Ein Leben im Spannungsfelde zwischen Pädagogik und Politik. In: Bremisches Jahrbuch Bd. 48 (1962), S. 319–374. – Bremische Biographie 1912–1962. Bremen 1969, S. 473–474 mit Lit. (Heinrich Wulff).

SCHULZ, Heinrich Wilhelm. Dr. phil., Hofrat. 2. 12. 1808–15. 4. 1855 Dresden. Kunsthistoriker. 1843 Inspektor, 1845 Direktor des Kgl. Antiken- und Münzkabinetts in Dresden. Von 1845–1854 Dozent der Dresdner Akademie der bildenden Künste, 1843 Mitglied, seit 1849 Vorsitzender der Akademischen Rats der Akademie. Veröff. zur sächsischen Kunst. – Im VwR von 1853–1855, Mitglied des GelA.

SEIDLITZ, Woldemar von. Dr. phil., Geheimrat. St. Petersburg 1. 6. 1850–16. 1. 1922 Dresden. Kunsthistoriker. Zunächst Assistent am Kupferstichkabinett in Berlin, 1886–1919 Vortragender Rat in der Generaldirektion der Kgl. Sammlungen für Kunst und Wissenschaft in Dresden. Begründete zusammen mit Bode das Kunsthistorische Institut Florenz. Veröff. zur allgemeinen Kunstgeschichte, über Rembrandt-Graphik; Herausgeber einer Porträtsammlung historischer Personen in 12 Bde., 1884–1890. Mitherausgeber von „Pan". – Im VwR von 1902–1922. – Nachrufe in: Kunstchronik und Kunstmarkt Jg. 57, NF 33 (1921/22), S. 335–341 (Max Lehrs) und in: Neues Archiv für Sächsische Geschichte und Altertumskunde Bd. 43 (1922), S. 158–159 (Ermisch). – Dt. Biogr. Jb. 4 (1922), 1929, S. 370 mit Lit. – Kürschner Lit. 1885–1893. – Ludwig Pallat: Richard Schöne. Generaldirektor der Königlichen Museen zu Berlin. Berlin 1959, S. 413 (Reg).

SEILER, Christoph von. Nürnberg 29. 5. 1822–11. 10. 1904 Nürnberg. Jurist. 1852 Magistratsrat, 1861–1893 Zweiter Bürgermeister. Vorsitzender des Verschönerungsvereins, Vorstand des Albrecht-Dürer-Vereins; 1893 Ehrenbürger der Stadt Nürnberg. Bei der Planung der Marienvorstadt, der ersten modernen Stadterweiterung in Nürnberg, beteiligt. – Im VwR von 1856–1860. – Lebensläufe aus Franken, Bd. 2. Würzburg 1922, S. 406–417 (Ernst Mummenhoff).

SEIPEL, Ignaz. Dr. theol. Wien 19. 7. 1876–2. 8. 1932 Pernitz. Katholischer Moraltheologe, Politiker. 1909 Professor in Salzburg, 1917 in Wien. 1918 Mitglied des Nationalrats und Minister für soziale Fürsorge, 1921–1930 Obmann der Christlich-Sozialen Partei, zwischen 1922 und 1929 wiederholt österreichischer Bundeskanzler. Verdienste auf dem Gebiet der Sozialgesetzgebung und bei der wirtschaftlichen Konsolidierung des Staates. Veröff. zur Politik und Sozialpolitik, ferner von Tagebüchern und Reden. – Im VwR von 1928–1932. – Lexikon für Theologie und Kirche, Bd. 9 (1964), Sp. 610 mit Lit. (J. Lenzenweger). – Biographisches Wörterbuch zur deutschen Geschichte. 2. Aufl. Bd. 3. München 1975, Sp. 2617/19 mit Lit.

SIEMENS, Ernst Albrecht von. Dr.-Ing. E. h., Dr. phil. h. c. Geb. 9. 4. 1903 in Kingston, lebt in Eurasburg/Bayern. Industrieller, Mäzen. – Im VwR von 1963–1974.

SIMON, James. Dr. phil. h. c. Berlin 17. 9. 1851–23. 5. 1932 Berlin. Kaufmann, Inhaber der Fa. „Gebrüder Simon, Leinen- und Baumwollniederlage", Berlin. Kunstsammler und Mäzen; häufig als „größter Mäzen der Berliner Museen" bezeichnet; stiftete bedeutende Kunstwerke, finanzierte Ausgrabungen etc. Stifter und Mitglied zahlreicher karitativer und wissenschaftlicher Vereine, u. a. der Deutschen Orientgesellschaft und der Kaiser-Wilhelm-Gesellschaft zur Förderung der Wissenschaften. 1910 Ehrendoktor der Universität Berlin. Gründer und 1901–1932 erster Präsident des „Hilfsvereins der deutschen Juden". – Von 1908–1922 ernanntes Mitglied des VwR. – Hans-Georg Wormit: James Simon als Mäzen der Berliner Museen. In: Jahrbuch der Stiftung Preußischer Kulturbesitz Jg. 1963, 1964, S. 191–199. – Ulrich Steinmann: Gründer und Förderer des

Berliner Volkskunde-Museums. In: Forschungen und Berichte Bd. 9 (1967), S. 71–112 (93–112) mit Lebenslauf, Lit. und einem Verzeichnis seiner größeren Stiftungen. – Kgl. Museen zu Berlin: Sammlung von Renaissance-Kunstwerken, gestiftet von Herrn James Simon zum 18. Okt. 1904. Berlin 1904. – Dass. Mit einem Nachtrag. Berlin 1908. – Die zweite Sammlung Simon im Kaiser-Friedrich-Museum zu Berlin. Berlin 1920. – Collection Dr. James Simon de Berlin. Tableaux-Antiquités. (Auktionskatalog der Fa.) Ant. W. M. Mensing. Amsterdam 1927. – Nachlaß Dr. James Simon, Berlin. (Auktionskatalog der Fa.) Rudolph Lepke's Kunst-Auctionshaus. Berlin 1932.

SOEHNER, Halldor. Dr. phil. München 31. 10. 1919–23. 4. 1968 München. Kunsthistoriker. 1964–1968 Generaldirektor der Bayerischen Staatsgemäldesammlungen in München, vorher Konservator. Veröff. zur spanischen Kunst und Gesamtkatalog der spanischen Meister der Alten Pinakothek. – Von 1967–1968 ernanntes Mitglied des VwR. – Nachruf in: Pantheon Bd. 26 (1968), S. 303 (Ruhmer).

SOFSKY, Günter. Dr. jur. Geb. 21. 7. 1928 in Landau. Ministerialdirigent im Kultusministerium von Rheinland-Pfalz in Mainz. Mitglied der Ständigen Konferenz der Kultusminister. – Seit 1974 ernanntes Mitglied des VwR.

STAA, Wolf Meinhard von. Dr. jur. Elberfeld 3. 3. 1893–22. 4. 1969 Berlin. Jurist, Verwaltungsbeamter. Von 1927–1937 im Ministerium für Wissenschaft, Erziehung und Volksbildung, Ministerialdirektor, Chef des Amtes für Volksbildung. Seit 1938 tätig im Verlag de Gruyter. – Von 1935–1938 ernanntes Mitglied des VwR, von 1936–1938 Vorsitzender.

STECHE, Franz Richard. Dr. phil. Leipzig 17. 2. 1837–3. 1. 1893 Niederlößnitz bei Dresden. Architekt, Kunsthistoriker. Architekturstudium in Dresden und Berlin, danach freier Architekt in Dresden. Gleichzeitig Wendung zum Kunstgewerbe und zur Kunstgeschichte, Professor an der Technischen Hochschule Dresden. Veröffentlichte eine umfangreiche „Beschreibende Darstellung der Bau- und Kunstdenkmäler Sachsens". – Im VwR von 1882–1893. – Nachruf in: Neues Archiv für Sächsische Geschichte und Altertumskunde Bd. 14 (1893), S. 125–137 (H. A. Lier). – ADB 35 (1893), S. 537–539 (H. A. Lier). – Thieme-Becker, Bd. 31 (1937), S. 503–504 mit Lit.

STEGMANN, Hans. Dr. phil. Weimar 27. 4. 1862–15. 2. 1914 München. – Im VwR von 1913–1914. – S. Verzeichnis der Beamten, S. 1137.

STEIN, Hans Karl Freiherr von. Geheimrat, Exzl. Würzburg 28. 2. 1867–25. 9. 1942 Völkershausen. Seit 1905 als Vortragender Rat im Reichsamt des Innern, 1914 Unterstaatssekretär im Ministerium für Elsaß-Lothringen, 1917–November

1918 Staatssekretär im Reichswirtschaftsamt. Seitdem in Ruhe und mit der Verwaltung des Familienbesitzes befaßt. – Im VwR von 1925–1942. – Reichshandbuch, Bd. 2, S. 1832.

STOLLREITHER, Eugen. Dr. phil. München 25. 12. 1874–31. 3. 1956 München. Anglist und Romanist. 1897–1921 Beamter der Bayerischen Staatsbibliothek in München, 1924–1948 Direktor der Universitätsbibliothek Erlangen. Seit 1930 Honorarprofessor. 1948 Ruhestand. – Im VwR von 1932–1950. – Festschrift Eugen Stollreither zum 75. Geburtstage gewidmet. Hrsg. von Fritz Redenbacher. Erlangen 1950. – Reichshandbuch, Bd. 2, S. 1860. – Kürschner 1925–1954. – Vgl. Abb. 74.

STUMPF-BRENTANO, Karl Friedrich. Dr. phil. Wien 13. 8. 1829–12. 1. 1882 Innsbruck. Historiker, seit 1861 ordentlicher Professor für Geschichte an der Universität Innsbruck. Mitglied der Österreichischen und Bayerischen Akademie der Wissenschaften, Mitglied der Zentraldirektion der Monumenta Germaniae Historica. Veröff. zur deutschen Geschichte, sein Hauptwerk über die deutschen Reichskanzler des Mittelalters von J. Ficker abgeschlossen. – Im VwR von 1877–1882. – ADB 36 (1893), S. 757–758 (Wattenbach). – Wurzbach Biogr. Lexikon. – Harry Bresslau: Geschichte der Monumenta Germaniae historica = Neues Archiv der Gesellschaft für ältere deutsche Geschichtskunde Bd. 42 (1921), S. 763 (Reg.).

THEWALT, Karl Ferdinand. Aachen 12. 6. 1833–1. 8. 1902 Köln. Jurist. Bürgermeister der Stadt Köln, vorher von 1865–1901 Beigeordneter. Kunstsammler. – 1902 im VwR. – Katalog der reichhaltigen, nachgelassenen Kunst-Sammlung des Herrn Karl Thewalt in Köln. (Auktionskatalog der Fa.) Peter Hanstein (mit Einl. von Otto von Falke). Köln 1903.

TSCHUDI, Hugo von. Dr. phil. Jakobshof/Niederösterreich 7. 2. 1851–23. 11. 1911 Cannstatt. Kunsthistoriker, Honorarprofessor. Seit 1884 im Dienst der Berliner Museen, seit 1896 Direktor der Berliner Nationalgalerie, die er neu organisierte und neu aufstellte. 1906 veranstaltete er die sog. Jahrhundertausstellung deutscher Kunst der Zeit von 1775–1875. Seit 1909 bis zum Tode Direktor der Bayerischen Staatlichen Gemäldegalerien, München. Veröff. vorwiegend zur italienischen Kunst der Renaissance und zur Malerei des 19. Jahrhunderts. Herausgeber des Repertoriums für Kunstwissenschaft 1894–1911 (zusammen mit Henry Thode). – Von 1910–1911 ernanntes Mitglied des VwR. – Gesammelte Schriften zur neueren Kunst. Hrsg. von E. Schwedeler-Meyer. München 1912 mit biographischer Skizze und Schriftenverzeichnis, S. 9–30 und 241–245. – Nachrufe in: Jahrbuch der Königlich Preußischen Kunstsammlungen Bd. 33 (1912), S. I–IV (Wilhelm von Bode) und in: Repertorium für Kunstwissenschaft Bd. 34 (1911), S. 473–477 (Henry Thode). – Biogr. Jb. Bd. 16 (1911), 1914, Sp. 78* mit Lit.

– Kürschner Lit. 1907–1909. – Ludwig Pallat: Richard Schöne. Generaldirektor der Königlichen Museen zu Berlin. Berlin 1959, S. 251–253, 326–331 u. 413 (Reg.).

TUCHER, Christoph Freiherr von. Nürnberg 2. 5. 1841–24. 6. 1922 Nürnberg. Seit 1868 im bayerischen Verwaltungsdienst in Kitzingen, Nördlingen, Regensburg, Ingolstadt. Quittierte 1887 als Regierungsrat den Dienst. Ehrenritter des Johanniter-Ordens. – Im VwR von 1907–1921, anschließend Ehrenmitglied des VwR. – Hirschmann, Patriziat, S. 197 (Reg.).

TUCHER, Hans Christoph Freiherr von. Dr. jur. Lindau 24. 9. 1904–12. 8. 1968 München. Rechtsanwalt, Bankier. 1947 Mitglied des Vorstandes und Leiter der Bayerischen Vereinsbank Nürnberg. 1948–1950 Aufenthalt in Südafrika und USA, nach der Rückkehr als Vorstandsmitglied und seit 1959 als Sprecher der Bayerischen Vereinsbank in München tätig. Kunstförderer. – Im VwR von 1936–1968, Vorsitzender von 1964–1968. – Nachruf in: Anzeiger GNM 1969, S. 6–7. – Hirschmann, Patritziat, S. 197 (Reg.). – (Franz Steffan:) Bayerische Vereinsbank, 1869–1969. München 1969, S. 419–420 u. ö.

TUCHER, Heinrich Freiherr von. Exzl. Nürnberg 24. 3. 1853–20. 1. 1925 München. Staatsrat, Gesandter a. D. Zunächst in der militärischen, seit 1878 in der diplomatischen Karriere in Madrid, Wien, Berlin, Rom, Paris. 1896 bayerischer Gesandter am italienischen Hof, von 1903–1918 bayerischer Gesandter in Wien. Förderer von Kunst und Wissenschaft, Kunstsammler. – Im VwR von 1917–1925. – Hirschmann, Patriziat, S. 67–69, 149–150. – Die Sammlung Heinrich Freiherr von Tucher, eingeleitet und beschrieben von Otto von Falke. (Auktionskatalog der Fa.) Paul Cassirer und Hugo Helbing. (Berlin 1925).

TUCHER, Theodor Freiherr von. Leitheim bei Donauwörth 15. 9. 1838–5. 10. 1916 Leitheim. Gutsbesitzer, kgl. bayerischer Kammerherr, seit 1878 Mitglied des Ausschusses des Nürnberger Patriziats. – Im VwR von 1877–1916. – Hirschmann, Patriziat, S. 197 (Reg.).

URSCHLECHTER, Andreas. Dr. jur. Geb. 2. 3. 1919 in Nürnberg. Kommunalpolitiker. Seit 1946 Stadtrat in Nürnberg, insbesondere für Fragen des Wiederaufbaus. Seit 1957 Oberbürgermeister von Nürnberg. Veröff.: Das Baurecht der Stadt Nürnberg. Jur. Diss. Erlangen 1940. – Seit 1958 ernanntes Mitglied des VwR.

VIEBIG, Johannes. Geb. 26. 12. 1919 in Breslau. Evangelischer Theologe. 1960 Pfarrer an St. Lorenz in Nürnberg, 1970 Prodekan, Vizepräsident der Landessynode. Seit 1972 Direktor der Evangelischen Akademie Tutzing. – Im VwR von 1961–1972.

VOLLHARDT, Oskar. Justizrat. Heroldingen/Schwaben 29. 3. 1842–8. 11. 1924 Nürnberg. Seit 1878 kgl. Advokat in Nürnberg, Mitbegründer des Anwaltvereins Nürnberg. – Im VwR von 1911–1924.

WAAGEN, Gustav Friedrich. Dr. phil. Hamburg 11. 2. 1794–15. 7. 1868 Kopenhagen. Kunsthistoriker, Kunstschriftsteller. Preußischer Freiwilliger von 1813, nach 1815 Studium Breslau und Heidelberg. Seit 1823 für die Berliner Museen tätig, 1830 Direktor der Gemäldegalerie. Außerordentlicher Professor für Kunstgeschichte an der Berliner Universität. Ausgedehnte Kunstreisen nach England, Frankreich, Rußland, über die er in zahlreichen Veröff. berichtet. – Im VwR von 1853–1868, Mitglied des GelA. – ADB 40 (1896), S. 410–414 (H. A. Lier). – Wilhelm Waetzoldt: Deutsche Kunsthistoriker, Bd. 2. Leipzig 1924, S. 29–45.

WAETZOLDT, Stephan. Dr. phil. Geb. 18. 1. 1920 in Halle a. d. Saale. – Im VwR seit 1972. – S. Verzeichnis der Beamten, S. 1140.

WAETZOLDT, Wilhelm. Dr. phil., Dr. rer. pol. h. c. Geheimrat. Hamburg 21. 2. 1880–5. 1. 1945 Halle a. d. Saale. Kunsthistoriker. 1912 ordentlicher Professor der Universität Halle, 1920 Vortragender Rat im preußischen Kultusministerium, gleichzeitig Honorarprofessor der Universität Berlin. Von 1927–1933 Generaldirektor der Staatlichen Museen zu Berlin, danach wieder in Halle. Veröff. zur deutschen Kunst, auch Biographien deutscher Kunsthistoriker. – Im VwR von 1929–1933. – Reichshandbuch, Bd. 2, S. 1968. – Kürschner 1925–1940/41. – Deutschland–Italien. Beiträge zu den Kulturbeziehungen zwischen Norden und Süden. Festschrift für Wilhelm Waetzoldt zu seinem 60. Geburtstage, 21. Februar 1940. Berlin 1941 mit Schriftenverzeichnis S. XV–XLVIII (Friedel Scharioth).

WAGNER, Ernst. Dr. phil. Geheimrat, Exzl. Karlsruhe 5. 4. 1832–7. 3. 1920 Karlsruhe. Pädagoge und Archäologe. Oberschulrat 1875–1910, gleichzeitig bis 1919 Leiter der Großherzoglichen Staatssammlungen für Altertums- und Völkerkunde in Karlsruhe. Schriften zur Archäologie vor allem in Baden; zu seiner Museumstätigkeit zwei Vorträge: Über Museen und über die Großh. Staatssammlungen für Altertums- und Völkerkunde in Karlsruhe (Veröff. des Karlsruher Altertumsvereins). Karlsruhe 1906; außerdem Veröff. zum Erziehungswesen. – Im VwR von 1884–1920. – Nachruf in: Zeitschrift für die Geschichte des Oberrheins Bd. 74, NF 35 (1920), S. 446–448 (Albert Krieger). – Dt. Biogr. Jb. Bd. 2 (1917–1920), 1928, S. 763 mit Lit. – Kürschner Lit. 1895–1917.

WAITZ, Georg. Dr. phil. Flensburg 9. 10. 1813–24. 5. 1886 Berlin. Historiker. 1842 ordentlicher Professor für Geschichte in Kiel, 1847 in Göttingen, 1848/49 Abgeordneter der Frankfurter Nationalversammlung. 1875–86 Vorsitzen-

der der Zentraldirektion der Monumenta Germaniae Historica in Berlin. Ritter des Ordens Pour le mérite, verschiedene Ehrendoktorate. Zahlreiche grundlegende Veröff. zur deutschen Geschichte des Mittelalters und zur schleswig-holsteinischen Landesgeschichte. – Im VwR von 1871–1885, Mitglied des GelA. – ADB 40 (1896), S. 602–629 (F. Frensdorf). – Biographisches Wörterbuch zur deutschen Geschichte. 2. Aufl. Bd. 3. München 1975, Sp. 3015. – Ernst Steindorff: Bibliographische Übersicht über G. W.' Werke, Abhandlungen, Ausgaben, kleine kritische und publicistische Arbeiten. Göttingen 1886. – Harry Bresslau: Geschichte der Monumenta Germaniae historica = Neues Archiv der Gesellschaft für ältere deutsche Geschichtskunde Bd. 42 (1921), S. 522–618 und S. 764 (Reg.). – Weitere Lit. bei Dahlmann-Waitz 7/1015–1026.

WANDERER, Friedrich Wilhelm. München 10. 9. 1840–7. 10. 1910 München. Maler und Kunstgewerbler. Professor an der Kunstgewerbeschule in Nürnberg, aus der er auch hervorgegangen war. Seit 1863 Professor für kunstgewerbliches Zeichnen. Zahlreiche Entwürfe im Stil des Historismus für Glasfenster, u. a. für das GNM, Inneneinrichtungen, Denkmäler, Diplome; auch Porträts berühmter Nürnberger. 1888 Ehrenbürger der Stadt Nürnberg. Veröff. zur Nürnberger Kunstgeschichte (Adam Kraft, Neptun-Brunnen). – Im VwR von 1886–1906. – Thieme-Becker, Bd. 35 (1942), S. 142–144 mit Lit. (Franz Traugott Schulz).

WATTENBACH, Wilhelm. Dr. phil. et jur., Geheimrat. Rantzau 22. 9. 1819–21. 9. 1897 Frankfurt a. M. Historiker. Ordentlicher Professor für Geschichte an der Universität Berlin. Veröff. zur Geschichte des Mittelalters, u. a. zur Papstgeschichte. Seit 1874 Mitglied, 1886–1888 kommissarischer Leiter der Zentraldirektion der Monumenta Germaniae Historica. – Im VwR von 1870–1897, Mitglied des GelA. – Nachruf in: Historische Zeitschrift Bd. 80 (1898), S. 75–85 (Karl Zeumer). – ADB 44 (1898), S. 439–443 (C. Rodenberg). – Badische Biographien, T. 5, Bd. 2. Heidelberg 1906, S. 795–798 (S.). – Biographisches Wörterbuch zur deutschen Geschichte. 2. Aufl., Bd. 3. München 1975, Sp. 3046. – Kürschner Lit. 1885–1895. – Harry Bresslau: Geschichte der Monumenta Germaniae historica = Neues Archiv der Gesellschaft für ältere deutsche Geschichtskunde Bd. 42 (1921), S. 764/5 (Reg.). – Weitere Lit. bei Dahlmann-Waitz 7/1027.

WEIHRAUCH, Hans Robert. Dr. phil. Geb. 13. 2. 1909 in Metz, lebt in München. Kunsthistoriker. 1939 Museumsdirektor in Augsburg, seit 1946 Konservator, 1968 Generaldirektor des Bayerischen Nationalmuseums in München. 1974 Ruhestand. Veröff. zur Bronzeplastik der Renaissance. – Von 1969–1974 ernanntes Mitglied des VwR. – Kürschner seit 1950.

WELSER, Hubert Freiherr von. Geb. 31. 10. 1911 in München. Jurist. Rechtsanwalt in München. Veröff. zur Nürnberger Geschichte und zur Geschichte der Welser. – Im VwR seit 1950.

WELSER, Johann Michael Freiherr von. Bellenberg 12. 8. 1808–26. 3. 1875 Nürnberg. Jurist. Kgl. Bezirksgerichtsdirektor in Nürnberg. Verfasser eines zweibändigen Werkes: Die Welser. Des Freiherrn Johann Michael von Welser Nachrichten über die Familie, für den Druck bearbeitet (von Ludwig Freiherr von Welser). Nürnberg 1917. – Im VwR von 1871–1875. – Hirschmann, Patriziat, S. 139 u. ö., 197 (Reg.).

WILCZEK, Hans Graf von. Dr. jur. h. c. Wien 7. 12. 1837–27. 1. 1922 Wien. Mitglied des österreichischen Herrenhauses, Ehrenmitglied der Akademie der Wissenschaften in Wien, Ehrendoktor der Universität Berlin. Polarforscher, Kunstsammler und Kunstförderer. Erbauer von Burg Kreuzenstein. – Im VwR von 1906–1921, anschließend Ehrenmitglied des VwR. – Neue Österreichische Biographie 1815–1918. Abt. I, Bd. 3. Wien 1926, S. 119–129 (Seligmann). – Dt. Biogr. Jb. Bd. 4 (1922), 1929, S. 374 mit Lit. – Alfred Ritter von Walcher: Burg Kreuzenstein an der Donau. Wien 1914. – Hans Graf Wilczek: Erinnerungen eines Waffensammlers. Vortrag. Als Manuskript gedruckt Wien 1903. – Hans Wilczek erzählt seinen Enkeln Erinnerungen aus seinem Leben. Hrsg. von seiner Tochter Elisabeth Kinsky-Wilczek. Graz 1933. – Klaus Eggert: Hans Graf Wilczek und sein Werk. In: Alte und moderne Kunst Jg. 23 (1978), H. 156, S. 24–28.

WISSELL, Rudolf. Dr. rer. pol. h. c. Göttingen 8. 3. 1869–13. 12. 1962 Berlin. Maschinenbauer, Partei- und Sozialpolitiker. 1918 und 1920–1933 sozialdemokratischer Reichstagsabgeordneter, 1919 Wirtschafts-, 1928–1930 Reichsarbeitsminister. Veröff. zur Handwerksgeschichte und zum Handwerksrecht. – Im VwR von 1949–1956/57. – Reichshandbuch, Bd. 2, S. 2050. – Biographisches Wörterbuch zur deutschen Geschichte. 2. Aufl. Bd. 3. München 1975, Sp. 3199/3200.

WOLFF-METTERNICH, Franz Graf von. Dr. phil. Feldhausen/Westf. 31. 12. 1893–25. 5. 1978 Köln. Kunsthistoriker, Honorarprofessor der Universität Bonn. Seit 1924 beim Rheinischen Denkmalamt in Bonn, 1928–1950 Landeskonservator; von 1953–1962 Direktor der Bibliotheca Hertziana in Rom. Mitglied des Deutschen Archäologischen Instituts. Veröff. vor allem zur römischen Kunst und zur rheinischen Kunst- und Denkmalpflege. – Im VwR 1948–1954, von 1951 als ernanntes Mitglied. – Festschrift für Franz Graf Wolff-Metternich (Rheinischer Verein für Denkmalpflege und Landschaftsschutz, Jahrbuch 1974). Neuß 1973, mit Lebenslauf und Schriftenverzeichnis. – Kürschner seit 1935.

WURSTER, Carl. Dr.-Ing. Stuttgart 2. 12. 1900–14. 12. 1974 Frankenthal. Chemiker, Honorarprofessor der Universität Heidelberg. Seit 1924 für die Badische Anilin- und Sodafabrik, Ludwigshafen, tätig, zuletzt als Vorstandsvorsitzender; danach Vorsitzender des Aufsichtsrats der BASF. Mehrere Ehrendoktorate, Ehrensenator verschiedener deutscher Universitäten, Vizepräsident der Max-Planck-Gesellschaft zur Förderung der Wissenschaften, Mitglied des deutschen Wissenschaftsrats. – Im VwR von 1957–1970, später Ehrenmitglied des GNM.

ZEHLER, Friedrich. Dr. med. 25. 2. 1806–22. 2. 1891 Nürnberg. Prakt. Arzt und Fachschriftsteller in Nürnberg. – Im VwR von 1861–1886.

ZEITLER, Wilhelm. Dr. jur. Geb. 29. 12. 1924 in Bamberg. Bankkaufmann. Vorstandsmitglied und Direktor der Westfalenbank, Bochum, zuvor Vorstandsmitglied bei der Vereinsbank in Nürnberg. – Im VwR von 1972–1973.

ZELTNER, Johannes. Eschenbach bei Hersbruck 12. 4. 1805–4. 7. 1882 Nürnberg. Fabrikant in Nürnberg, Gründer der Nürnberger Ultramarinfabrik. Ehrenbürger der Stadt Wittenberg. Direktor der Aktiengesellschaft zur Unterstützung des GNM. – Im VwR von 1872–1882. – Lebensläufe aus Franken, Bd. 6. Würzburg 1960, S. 616–625 (Max Beckh).

ZIEBILL, Otto. Dr. jur. Geb. 7. 11. 1896 in Hamburg, lebt in Karlsruhe. Kommunalpolitiker. Von 1948–1951 Oberbürgermeister der Stadt Nürnberg, danach 1951–1963 Hauptgeschäftsführer des Deutschen Städtetages. – Von 1950–1951 ernanntes Mitglied des VwR.

ZIEGLER, Hans. Henfenfeld 9. 3. 1877–23. 6. 1956 Nürnberg. Bis 1933 Tätigkeit als Gewerkschaftssekretär, von 1946–1948 Oberbürgermeister der Stadt Nürnberg. – Von 1946–1948 ernanntes Mitglied des VwR, gleichzeitig Vorsitzender.

ZÖPFL, Heinrich. Dr. jur., Hofrat. Bamberg 6. 4. 1807–4. 7. 1877 Heidelberg. Rechtsgelehrter, Germanist. 1842 ordentlicher Professor für Staatsrecht in Heidelberg. Seit 1850 Vertreter der Universität Heidelberg in der Ersten Kammer der badischen Landstände. Veröff. zur deutschen Staats- und Rechtsgeschichte. – Im VwR von 1853–1855, Mitglied des GelA. – ADB 45 (1900), S. 432–434 (von Schulte). – Badische Biographien, T. 3. Karlsruhe 1881, S. 207–211 (H. Strauch). – Lebensläufe aus Franken, Bd. 1. München und Leipzig 1919, S. 550–553 mit Schriftenverzeichnis (Karl Riecker).

Die Mitglieder des Gelehrtenausschusses

Zusammengestellt und mit einer Einleitung versehen von Ursula Mende

Zu berichten ist hier von einer Institution des Museums, die gewaltig an Umfang und geistiger Potenz war, die wirklich bedeutend für das Haus aber eigentlich nicht geworden ist und auch nur innerhalb einer kurzen Zeitspanne, kaum über das erste Jahrzehnt hinaus, eine Rolle gespielt hat. Sie ist interessant vor allem als Idee und als Bestandteil der Aufseßschen Konzeption des Museums als einer nationalen Unternehmung.

Der Gelehrtenausschuß war das älteste Gremium des Germanischen Nationalmuseums, noch in Dresden 1852 entstanden, unmittelbar nach der von den dort tagenden Geschichtsvereinen beschlossenen Museumsgründung. „Schon Tags darauf, nachdem jener denkwürdige Beschluß gefaßt worden, war ein provisorischer Ausschuss von Gelehrten zur Berathung der Angelegenheiten und zur Vertretung der einzelnen Fächer dem Museum gewonnen, welcher Dr. Freiherrn von und zu Aufsess zu seinem Vorsitzenden erwählte."[1] Gründungsmitglieder waren Joseph von Arneth, Ludwig Baur, Julius Theodor Erbstein, Ernst Förster, Ernst Gotthelf Gersdorf, Jakob Heinrich von Hefner-Alteneck, Johann Michael Kratz, Friedrich Albert von Langenn, Johann Martin Lappenberg, Leopold von Ledebur, Karl Peter Lepsius, Friedrich Lisch, Hans Ferdinand Massmann, Ignaz Olfers, Ferdinand von Quast, Hugo von Ritgen, Heinrich Wilhelm Schulz, Gustav Friedrich Waagen und Friedrich Heinrich Wiggert. Durch Aufforderung zur Mitarbeit wurde der Kreis umgehend vergrößert, und er war auf bereits 55 Namen angewachsen, als er – als provisorischer Gelehrtenausschuß, zusammen mit dem provisorischen Vorstand – im September 1853 die erste Jahreskonferenz abhielt[2]. Hier erst entstand als neue Institution der Verwaltungsausschuß, dessen 24 Mitglieder der Gelehrtenausschuß aus seinen eigenen Reihen wählte[3].

Dieser selbst rückte aus seinem provisorischen nun in ein definitives Stadium auf, als ein ständiger wissenschaftlicher Beirat des Museums. Art und Tätigkeitsbereich sind kurz in den Berichten von dieser Jahrestagung[4], ausführlicher dann im „Organismus" von 1856 definiert[5]:

„§ 39. Der Gelehrtenausschuß des germanischen Museums besteht aus einer unbestimmten Zahl von Männern der Wissenschaft und Kunst, welche die Aufgabe haben, soweit es in ihrer Zeit und in ihren Kräften liegt, zur Förderung der wissenschaftlichen und artistischen Zwecke des Museums beizutragen. Die Mitglieder dieses Ausschuses müssen daher für irgend eines der verschiedenen Fächer der Wissenschaft oder Kunst des Museums ihre Mitwirkung zusagen, werden vom Verwaltungsausschusse gewählt und erhalten über ihre Aufnahme ein von den beiden Vorständen und dem I. Sekre-

tär des Museums ausgefertigtes Diplom.

§ 40. Als Mitglieder des Gelehrtenausschusses können nur Männer vorgeschlagen werden, welche sich in einem der wissenschaftlichen Zweige des Museums als gründliche Forscher und Fachmänner durch Vorträge, durch schriftliche oder künstlerische Arbeiten oder auch durch Sammlungen besonders ausgezeichnet und nützlich gemacht haben. Jedes Mitglied des Gelehrtenausschusses hat das Recht des Vorschlages neu aufzunehmender Mitglieder bei dem Vorstande des Museums, welcher diesen Vorschlag bei der Jahresversammlung zur Abstimmung des Verwaltungsausschusses zu bringen hat.

§ 41. Die Wirksamkeit des Gelehrtenausschusses ist keine corporative, wie die des Verwaltungsausschusses, sondern sie beschränkt sich theils auf die, einzelnen Mitgliedern desselben durch schriftliche Anfragen des Vorstandes des Museums übertragene Begutachtung und Aufklärung einzelner Punkte derjenigen Zweige der Wissenschaft, für welche das befragte Mitglied seine Mitwirkung zugesagt hat, theils auf die mündliche Berathung der wissenschaftlichen und artistischen Angelegenheiten und Arbeiten des Museums bei Gelegenheit der Jahresversammlungen."

Als wesentliche Aufgaben waren vorgesehen der Ausbau des von Hans von Aufseß entworfenen und für die Sammlungen, wie die Repertorien als Grundlage dienenden Systems der deutschen Geschichts- und Altertumskunde, die Mithilfe beim Aufbau der Sammlungen, Mitarbeit bei allen wissenschaftlichen Publikationen des Museums, insbesondere in Form von Beiträgen für den Anzeiger, und schließlich

---

[1] Jahresbericht GNM 1 (für 1853–1854), 1854, S. 3.
[2] Namensverzeichnis der Mitglieder des Gelehrtenausschusses des Germanischen Museums, mit Angabe der von ihnen vertretenen Fächer. Nürnberg 1853, 4 S.
[3] Die in Anm. 2 genannte Namensliste diente dabei als Wahlzettel. Bemerkung auf S. 4: „Der Gelehrten-Ausschuss erwählt aus seiner Mitte den Verwaltungsausschuss von 24 Mitgliedern und Letzterer wieder aus seiner Mitte die zur Prüfung der Sammlungen, der Arbeiten und Geschäftsführung, des Rechnungswesens nöthigen Commissionen." Die zeitliche Abfolge von Gelehrten- und Verwaltungsausschuß wird zumeist umgekehrt dargestellt, vgl. bereits Hektor, Festschrift, S. 15.
[4] Anzeiger GNM 1853, Sp. 83, 114–115. – Jahresbericht GNM 1 (für 1853–1854), 1854, S. 5.
[5] Organismus GNM 1. Abt. S. 15–16. Weiter zum Gelehrtenausschuß auch die §§ 42–46 (Organismus S. 16–17), insbesondere zur Geschäftsordnung der Jahreskonferenzen. Eine neue Geschäftsordnung als Einzelblatt gedruckt mit Datum 6. 10. 1870: Geschäftsordnung des Gelehrtenausschusses des germanischen Nationalmuseums. – Zu den Satzungen vgl. S. 951–952 in diesem Band.

die Erledigung von fachlichen Auskünften nach außen, sofern diese durch die wissenschaftlichen Beamten des Museums nicht zu bewältigen waren.

Es waren ausnahmslos Fachgelehrte von Rang, deren Mitarbeit das Museum erbat und zumeist auch zugesagt bekam, Universitätsprofessoren, Akademiemitglieder, Mitglieder der Historischen Kommission in München, Mitarbeiter der Monumenta Germaniae Historica und anderer Quellenpublikationen, leitende Beamte von Archiven und Bibliotheken, weiterhin Inhaber hoher Positionen in Verwaltung und Justiz, die entweder in Zusammenhang mit ihren Ämtern oder auch privat erfolgreich wissenschaftlich tätig waren, Sammler, Fachleute von verschiedenen, damals ebenfalls erst im Auf- und Ausbau befindlichen Museen und nicht zuletzt maßgebliche Vertreter der innerhalb der regionalen historischen Vereine tätigen Provinzialhistoriker.

Auf Grund ihrer bisherigen wissenschaftlichen Veröffentlichungen wurden diese Gelehrten entweder um Zuständigkeit für ein bestimmtes Spezialgebiet direkt gebeten, oder aber dessen Benennung wurde ihnen – innerhalb ihres jeweiligen größeren Forschungsbereichs – selbst überlassen. Das Spektrum der Spezialfächer entsprach dabei der thematischen Breite des Museums, und die Auffächerung im einzelnen geschah ganz offenbar unter Berücksichtigung des Aufseßschen Systems, das dem Museum als wissenschaftliches Gerüst diente. Diese Beziehung wird deutlich an einem durchschossenen Exemplar des Systems, in dem handschriftlich einzelnen Fachrichtungen bestimmte Namen zugeordnet worden sind[6]; auch die Mitgliederliste des Gelehrtenausschusses von 1856, die als einzige nach Fächern aufgegliedert ist, zeigt diese Nachbarschaft[7]. Sie ist zweigeteilt in die Bereiche Geschichte und Zustände, die Geschichte – hier unter dem erweiterten Titel: Geschichte und Topographie – ist nach Personen (Einzelne Stämme und Dynastien) und nach Räumen (Einzelne Länder und Gebiete) untergliedert, der Teilbereich Geschichtliche Zustände und deren Entwicklung umfaßt die Untergruppen Kultur und Sitte, Kirchenwesen, Staats- und Rechtswesen, Sprache und Literatur, Kunst.

Sollen Schwerpunkte genannt werden, so zuerst das Übergewicht der Historiker, die entweder den Gesamtbereich der Geschichte oder einzelne zeitliche und räumliche Abschnitte vertraten. Besonders illustre Namen darunter sind Friedrich Christoph Dahlmann, Johann Gustav Droysen, Leopold von Ranke, Heinrich von Sybel und Georg Waitz. Repräsentanten der Diplomatik waren unter vielen anderen Theodor von Sickel, Johann Friedrich Böhmer und Josef Chmel; Genealogie und Heraldik vertraten Karl Ludwig Grotefend, Ignaz Franz Keiblinger und Theodor Odebrecht, und in der großen Gruppe der Numismatiker befanden sich Hermann Dannenberg, Julius Friedländer und Heinrich Philipp Cappe. Die sehr zahlreichen Juristen waren insbesondere für Rechtsgeschichte, die Theologen für Kirchengeschichte benannt worden. Gut besetzt waren die Gebiete deutsche Sprache und Literatur – etwa mit Jacob Grimm, Karl Goedeke und Karl Simrock –, ergänzt durch Vertreter für Fremdsprachiges, Ro-

chus von Liliencron für den nordischen, Ernst Moritz Ludwig Ettmüller und William Bell für den angelsächsischen, Eduard Brinckmeier und Friedrich Diez für den romanischen, August Schleicher und Vinzenz Klun für den slavischen Bereich. Die deutsche Volkskunde repräsentierten unter anderen Karl Weinhold, Matthias Firmenich-Richartz, Karl Viktor Müllenhoff, August Stöber speziell für das Elsaß, Josef Haltrich speziell für Siebenbürgen, die Vorgeschichtsforschung Karl Wilhelmi und Eduard von Paulus, die Naturwissenschaften Hermann Kopp für Chemie, Rudolf Virchow, Ludwig Choulant und Heinrich Haeser für Medizin, Johann Karl Passavant und Josef Ennemoser für Magnetismus. Buch- und Bibliotheksfachleute waren Theodor Oswald Weigel, Julius Petzholdt, Johann Georg Theodor Graesse und Karl August Barack, Musikhistoriker Ludwig Erk, Karl Proske, Gottlieb von Tucher und Philipp Wackernagel. Der Bereich Kunst- und Kulturgeschichte bekam erst durch die 1867 und 1871 unter August von Essenwein als Vorstand neu hinzugewählten Mitglieder ein stärkeres Gewicht; früher schon waren als Kulturhistoriker Karl Friedrich Biedermann, als Kunsthistoriker Jacob Burckhardt, Franz Kugler, Karl Schnaase, Anton Springer, Johann David Passavant und Ralf von Retberg verpflichtet worden. Auffällig ist die unter Essenwein erfolgte Bevorzugung der Architekten: Vinzenz Statz, Heinrich von Ferstel, Konrad Wilhelm von Hase, Franz Joseph von Denzinger, Julius Raschdorff, Friedrich Schmidt, Richard Voigtel. Daß gerade Direktoren und Mitarbeiter anderer Museen unter die Spezialisten eingereiht wurden, ist verständlich; zu ihnen gehörten Ludwig Lindenschmit, Rudolf Eitelberger von Edelberg, Jakob Heinrich von Hefner-Alteneck, Johann David Passavant, Julius Hübner, Albert von Zahn, Eduard His-Heusler, Ignaz Olfers, Julius Dielitz und Alfred Darcel, als Graphik-Fachleute Friedrich von Bartsch und Heinrich Gustav Hotho, als Münz-Fachleute Friedrich von Kenner, Julius Friedländer und Franz Streber.

Nicht genannt bisher, innerhalb des Gelehrtenausschusses aber in großer Zahl vertreten, waren die Provinzial- und Lokalhistoriker, über die das Germanische Museum Verbindung zur Geschichts- und Altertumsforschung in allen deutschen Landesteilen und im deutschsprachigen Ausland suchte, vom Rheinland bis nach Ostpreußen, von Holstein bis nach Bayern, zu den deutschsprachigen Kantonen der Schweiz und zum Elsaß, zu den österreichischen Ländern und zu Südtirol, wie auch zu Siebenbürgen und den baltischen Ostseeprovinzen Rußlands. Vielfach als Leiter und maßgebliche Mitarbeiter der regionalen historischen Vereine, oftmals deren Initiatoren und Begründer, waren diese Mitglieder wichtige Kontaktpersonen des Museums zu den Ver-

---

[6] Zum System vgl. S. 974–992 in diesem Band. – Das durchschossene Exemplar in der Bibliothek des Germanischen Nationalmuseums, Signatur: 8°Jk NUR 50/30.

[7] Jahresbericht GNM 3 (für 1855–1856), 1856, S. 38–43: Beilage VII: Gelehrtenausschuß des germanischen Museums.

einen. In der Frühzeit des Museums hat der Plan bestanden, aus diesen Provinzialforschern einen gesonderten Ausschuß, neben dem eigentlichen Gelehrtenausschuß zu bilden[8]; in der Praxis hat es eine solche Zweiteilung jedoch nie gegeben.

Auch Geschichte, Kulturgeschichte und Altertumskunde des benachbarten fremdsprachigen Auslandes waren schließlich in dieser Gelehrtenversammlung berücksichtigt, mit Guillaume Groen van Prinsterer für Holland, Louis Prosper Gachard für Belgien, Antoine Namur für Luxemburg, Arcisse de Caumont für Frankreich, John Mitchell Kemble für England, Carl Christian Rafn für Dänemark, František Palacký und Johann Wocel für das tschechische Böhmen und Ladislaus von Szalay für Ungarn. Weitere ausländische Mitglieder für andere Fachgebiete, die den Statuten nach ebenso zugelassen waren wie deutsche Gelehrte, sind nicht sehr zahlreich: William Bell, César Daly, Alfred Darcel, Jean Louis Alphonse Huillard-Bréholles, Leonhardt Johannes Friedrich Janssen, Arnold Ipolyi-Stummer, Józef Łepkowski, Maurice-Joseph de Robiano, Mathias de Vries und James Weale.

Neben der ordentlichen gab es auch eine Ehrenmitgliedschaft, die auf der Jahreskonferenz von 1853 folgendermaßen beschlossen worden ist: „Als Ehrenmitglieder des Gelehrtenausschusses sollen nur Männer aufgenommen werden, welche ihrer besonderen Stellung nach nicht geeignet erscheinen als wissenschaftliche Mitarbeiter in Sache des Museums beigezogen zu werden, aber durch Förderung der wissenschaftlichen Zwecke des Museums oder überhaupt der deutsch-historischen Wissenschaften sich besonders verdient gemacht haben"[9]. Es waren dies, bis auf zwei Ausnahmen, Politiker, die auf Grund ihrer einflußreichen Stellungen in Bayern, Preußen, Österreich und beim Bundestag für die Belange des Germanischen Museums eintreten und damit insbesondere zur finanziellen Förderung beitragen konnten[10]. Die ersten vier 1854 gewählten Ehrenmitglieder waren Alexander von Humboldt – auch dieser nicht wegen seiner wissenschaftlichen Leistung, sondern wegen seiner Stellung am Berliner Hof hinzugezogen –, der österreichische Politiker Anton von Prokesch-Osten, der bayerische Minister für das Schulwesen Theodor von Zwehl und der bayerische Gesandte beim Bundestag Karl von Schrenck. Zehn weitere Ehrenmitglieder kamen erst 1858 hinzu, die bayerischen Politiker Karl von Giech, Chlodwig zu Hohenlohe-Schillingsfürst und Albert zu Pappenheim, Leo Graf Thun-Hohenstein als österreichischer Kultusminister und sein Bruder Franz Anton als Kunstreferent im Kultusministerium in Wien, aus Preußen der damalige Ministerpräsident Karl Anton von Hohenzollern-Sigmaringen, der Innenminister Heinrich von Flottwell und der Kultusminister Moritz August von Bethmann-Hollweg und schließlich Otto von Bismarck als preußischer und August Marschall von Bieberstein als badischer Bundestagsgesandter. Der einzige Künstler unter den Ehrenmitgliedern wurde 1859 Wilhelm von Kaulbach, Direktor der Kunstakademie in München, dessen besonderer Beitrag für das Museum das gerade fertiggestellte Fresko in der Kartäuserkirche war, und als letzter, 1860, wurde mit

August Böckh doch ein Fachwissenschaftler in dieses Gremium berufen[11].

Der in der Mitgliederzahl ohne Begrenzung nach oben geplante Gelehrtenausschuß wuchs rasch an. Aus den 55 Namen zum Zeitpunkt der ersten Jahreskonferenz 1853 wurden durch neu ernannte Mitglieder auf dieser Tagung bereits 120; nach der Jahreskonferenz 1854 waren es 157 ordentliche und 4 Ehrenmitglieder, das Verzeichnis im Organismus von 1856 zählt 262 Namen (258 ordentliche und 4 Ehrenmitglieder). Seine größte Ausdehnung erreichte der Gelehrtenausschuß nach der Jahrestagung von 1862 mit insgesamt 328 ordentlichen und 15 Ehrenmitgliedern[12]. In den Jahren 1863, 1866 und 1867 kamen nur wenige Wissenschaftler hinzu, während mehr durch den Tod ausschieden, und erst auf der Jahreskonferenz von 1871 gab es durch 62 neu hinzukommende Namen die nächste Verstärkung, die zugleich auch die letzte war.

Seit 1852 sind auf diese Weise insgesamt 491 Personen, abzüglich der 16 Ehrenmitglieder also 475 Männer der Wissenschaft und Kunst, mit der Zusage fachlicher Unterstützung dem Museum verbunden gewesen. Aufgelöst worden ist der Gelehrtenausschuß nie, so daß er erst mit dem Tode der jüngsten Vertreter nach 1910 aufgehört hatte zu bestehen. In der Neufassung der Satzung des Museums von 1894 ist er noch, ähnlich lautend wie in der Satzung von 1869, mit einem Paragraphen enthalten, eine Rolle spielte er damals schon nicht mehr[13].

Die Wahlen der Neumitglieder geschahen auf den Jahreskonferenzen, und zwar im ersten Jahrzehnt auf den Sitzun-

---

[8] Namensverzeichnis der Mitglieder (Anm. 2), S. 4: „Neben dem Ausschuss der Fachgelehrten wird bei nächster Zusammenkunft ein zweiter nicht minder zahlreicher Ausschuss von reinen Geschichtsforschern zu erwählen seyn, welche die Spezialgeschichte der einzelnen deutschen Gebiete und Städte zu vertreten haben."

[9] Anzeiger GNM 1853/1854, Sp. 83.

[10] Entsprechende Wirksamkeit einiger dann 1858 zu Ehrenmitgliedern ernannter Herren, des Fürsten von Hohenlohe-Schillingsfürst, der Grafen Giech und Pappenheim und des Herrn von Flottwell, ist dankbar vermerkt im Jahresbericht GNM 4 (für 1856–1857), 1858, S. 2–3.

[11] Auch eine Klasse korrespondierender Mitglieder war beabsichtigt, wurde aber nie eingeführt, s. Anzeiger GNM 1856, Sp. 282.

[12] Mitgliederverzeichnisse des Gelehrtenausschusses (vgl. auch Anm. 2 und 7): Jahresbericht GNM 1 (für 1853–1854), 1854, S. 13–15. – Jahresbericht GNM 2 (für 1854–1855, S. 25–27. – Organismus GNM 1. Abt., S. 86–89. – Jahresbericht GNM 5 (für 1858), 1859, S. 41–46. – Jahresbericht GNM 6 (für 1859), 1860, S. 46–51. – Jahresbericht GNM 9 (für 1862), 1863, S. 68–74. – Eine 1866 angekündigte Publikation über den Gelehrtenausschuß – vermutlich ebenfalls ein Mitgliederverzeichnis – ist nicht erschienen, s. Jahresbericht GNM 13 (für 1866), 1867, S. 2, Anm. – Matrikel des Gelehrten-Ausschusses. Handschrift. Geführt nur bis 1862, mit Ausstellungsdatum der Mitgliedsdiplome (Archiv GNM, Altregistratur, Kapsel 9, Nr. 1).

[13] Satzung von 1869, § 24, vgl. S. 956 in diesem Band. – Satzung von 1894, § 27, vgl. S. 959.

gen des Gelehrtenausschusses mit anschließender Bestätigung durch den Verwaltungsausschuß, später auf den Verwaltungsausschuß-Sitzungen selbst. Die Mitgliedschaft galt – falls nicht seitens des Mitgliedes der Austritt erklärt wurde, was selten geschah[14] – auf Lebenszeit[15]. Erst nach der Wahl wurden die betreffenden Herren vom Wunsch des Hauses, sie für eine Mitarbeit zu gewinnen, in Kenntnis gesetzt und um ihre Zustimmung gebeten. In den meisten Fällen wurde diese bereitwillig gewährt, oft mit der Versicherung, die Aufnahme als besonders ehrenvoll zu empfinden[16]. Nicht selten mischte sich darein die Sorge, bei den laufenden wissenschaftlichen und Dienstgeschäften angemessene Zeit für die Anliegen des Museums zu finden[17]. Es gab auch Ablehnungen, für die – oder für deren schriftliche Begründung zumindest – Arbeitsüberlastung maßgeblich war[18]. Andererseits gab es auch ehrgeizige Bemühungen um Aufnahme in den Gelehrtenausschuß. Aus Wien schrieb Jacob Falke in einem privaten Brief an seinen Bruder Johannes 1859: „Und hier giebt man etwas auf diese Mitgliedschaft. So ist neulich die von Baron Czörnig in der Central-Kommission mit großer Befriedigung verkündet worden"[19].

Hohe Mitgliederzahlen und potente Namen sind genannt worden; die Rede muß nun auf die Tätigkeit des Gelehrtenausschusses kommen und darauf, was er für das Museum eigentlich hat bewirken können. Das ist in jedem Falle sehr viel weniger, als in den Plänen des Initiators Hans von Aufseß vorgesehen war: „Es liegt in diesem großen, jetzt schon aus 258 der bedeutendsten Männer der Wissenschaft . . . bestehenden Rathe des germanischen Museums, wie in letzterem selbst, etwas so Nationales und organisch Zusammenwirkendes, das bei größerer Ausbildung seiner Grundidee eine Bedeutung erhalten dürfte, die für die deutsche Wissenschaft jetzt kaum noch geahnet wird. – Es ist jedenfalls der großartigste organisch gegliederte wissenschaftliche Körper, in dem Kräfte liegen, um gründlich und allseitig große Aufgaben im Gebiete deutscher Geschichtswissenschaft zu lösen, wenn ihm hiezu Anlaß und Mittel geboten sind."[20] Die Idee des Germanischen Museums als einer Art nationalen Kulminationspunktes der Geschichtswissenschaften, zu dem die Fäden von den wichtigsten Koryphäen auf allen einschlägigen Fachgebieten, aus allen deutschen Landesteilen, laufen, um hier den Aufbau und die Entwicklung des Hauses tätig mitzugestalten, und um von hier aus wieder Impulse nach außen zu senden, diese Idee war sicherlich großartig, aber auch utopisch. Vom Schreibtisch des Museumsvorstandes aus in ständigem schriftlichen und einmal jährlich auch persönlichen Kontakt mit all diesen Geistesgrößen – dem „wissenschaftliche(n) Gewissen des Vaterlandes"[21] – die Museumsgeschicke zu lenken, das war in der Praxis eben doch schwer möglich. Dazu war der Kreis der Beteiligten zu groß und damit unbeweglich; die Personen selbst waren – je berühmter, desto mehr – mit eigenen Arbeiten überbeschäftigt, um sich wirk-

[14] Sehr bald, bereits 1853, hat sich beispielsweise Friedrich

Lisch zurückgezogen, einer der Gründungsmitglieder von Dresden, der Zweifel am Gelingen des Museums hatte, wozu ihn allerdings auch seine starken Bindungen zum Museum in Mainz und zum Gesamtverein bestimmt haben mochten. Seine wichtigsten Bedenken: das fachliche Programm zu umfangreich, keine Institution oder Regierung als verantwortlicher Rückhalt; s. sein Briefwechsel mit Hans von Aufseß, Mai–Juni 1853 (Archiv GNM, Altregistratur, Kapsel 9, Nr. 2, fol. 76–77, 79–84, 93–94).

[15] Auch wer später in den Verwaltungsausschuß gewählt wurde, schied aus dem Gelehrtenausschuß nicht aus, ebenso nicht ein später zum wissenschaftlichen Beamten ernanntes Mitglied (Beeg, Flegler). Das Verhältnis zu den Beamten war zeitlich allerdings meist umgekehrt: der nach auswärts berufene Kollege blieb durch seine erst danach erfolgte Aufnahme in den Gelehrtenausschuß dem Haus verbunden.

[16] Abdruck einiger dieser Antwortschreiben an das Museum bei Hampe, Festschrift, S. 141–144.

[17] Ausnahmsweise wurde auch von vornherein eine Mitarbeit – trotz Annahme der Mitgliedschaft – versagt: „Bemerken muß ich jedoch, daß meine Zeit mir nicht erlauben wird, Arbeiten für den gelehrten Ausschuß zu übernehmen", in dem Antwortschreiben von Clemens Theodor Perthes, Berlin, 6. 12. 1855 (Archiv GNM, Altregistratur, Kapsel 10, Nr. 3, fol. 100).

[18] Wilhelm Grimm am 10. 1. 1854: „Die arbeit an dem deutschen wörterbuch nimmt meine zeit und kräfte so sehr in anspruch, daß es mir unmöglich ist an dem gelehrten ausschuß des germanischen Museums theil zu nehmen." (Archiv GNM, Altregistratur, Kapsel 9, Nr. 2, fol. 153) und nochmals am 21. 2. 1855: „die gründe, die mich schon früher bestimmten, den beitritt zu dem gelehrten ausschuß des germanischen museums abzulehnen, dauern fort und haben sich nur verstärkt, ich muß also dankend für die gütige gesinnung dabei beharren." (Altregistratur, Kapsel 10, Nr. 3, fol. 20). Ähnlich lautende Ablehnungen auch von Philipp Jaffé am 20. 12. 1858 (Altregistratur, Kapsel 10, Nr. 4, fol. 72) und Ludwig Uhland (Altregistratur, Kapsel 9, Nr. 2, fol. 149. Abgedruckt bei Hampe, Festschrift, S. 141). Aus Bescheidenheit, nicht wirklich den Gelehrten zugehörig zu sein, ließ der Nürnberger Antiquar Johann Andreas Börner seinen Namen vom Probedruck der Mitgliederliste von 1854 streichen, vgl. seinen Brief vom 17. 2. 1854 (Altregistratur, Kapsel 9, Nr. 2, fol. 176); s. a. die Nachricht von seinem Tod im Anzeiger GNM 1862, Sp. 122.

[19] Auszug aus einem Brief vom 4. 2. 1859 (Archiv GNM, Altregistratur, Kapsel 10, Nr. 4, fol. 170). Anlaß des Schreibens war die dringende Empfehlung, Gustav Heider in den Gelehrtenausschuß aufzunehmen, der bereits sehr gekränkt sei, weil andere österreichische Fachkollegen ihm bisher vorgezogen wordem seine. Heiders Name befindet sich dann tatsächlich unter den Neumitgliedern von 1859. – In zwei langen Schreiben von 1856 und 1859 empfahl sich – allerdings erfolglos – der Krainer Provinzialhistoriker, Jurist und Publizist Ethbin Heinrich Costa in Laibach für eine Mitgliedschaft und hoffte, anstelle des 1857 aus Laibach nach Wien umgesiedelten Vinzenz Klun im Ausschuß des Museums die Krain'sche Geschichte, zudem auch österreichische Rechtsgeschichte vertreten zu können (Altregistratur, Kapsel 10, Nr. 3, fol. 168–172 und Nr. 4, fol. 158–159).

[20] Jahresbericht GNM 5 (für 1858), 1859, S. 5.

[21] So sieht Hans Ferdinand Massmann, selbst Mitglied, diese gelehrte Vereinigung (Archiv GNM, Altregistratur, Kapsel 731, Generalconferenz 1862, fol. 113).

lich in Nürnberg engagieren zu können, und außerdem mag es in vielen Fällen überhaupt am echten Willen zu tätiger Mitarbeit gefehlt haben. Schließlich trifft auch Hans von Aufseß selbst ein Vorwurf, denn er hat nur beratende, nicht aber tatsächlich mitverantwortliche Mitarbeit gewollt und hat damit eine dauernde Aktivität nicht wirklich entfachen können. Überspitzt ausgedrückt, mag die wesentliche Bedeutung des Gelehrtenausschusses für die betroffenen Personen in der Ehre der Mitgliedschaft, für das Museum in der Zierde des dichtgeflochtenen Kranzes klangvoller Namen bestanden haben.

Anstelle einer gültigen Beurteilung der tatsächlichen Tätigkeit und Leistung des Gelehrtenausschusses, für die als Grundlage derzeit eine umfassende Aktenauswertung noch fehlt, sollen hier wenigstens Einzelheiten der Tätigkeit mitgeteilt werden. Ergiebig sind in dieser Hinsicht vor allem die vorbereitenden Papiere, die Protokolle und Berichte von den Jahreskonferenzen, auf denen das Erscheinen einer möglichst großen Anzahl von gelehrten Mitgliedern erwünscht war, die teilweise zusammen mit dem Verwaltungsausschuß, vor allem aber gesondert, und dann mitunter in Sektionen, tagten[22]. Vorbereitend dazu erhielten sie in den ersten Jahren in Rundschreiben oder durch Veröffentlichung im Anzeiger bestimmte Fragen vom Museumsvorstand vorgelegt. Die ersten Anliegen dieser Art, in einer Zirkularnote Hans von Aufseß' in Hinblick auf die erste Jahreskonferenz von 1853 enthalten[23], betrafen den Ausbau seines Systems der deutschen Geschichts- und Altertumskunde, die möglichst zweckgerechte Gestaltung der Formulare für das Generalrepertorium und den Anzeiger als periodische Veröffentlichung des Museums. Als weitere Verhandlungspunkte unter anderen kamen auf der Tagung selbst hinzu die Frage nach dem Verhältnis zum Gesamtverein der historischen Vereine wie zum Museum in Mainz und die Frage nach dem künftigen Standort des Museums in Nürnberg oder in Coburg[24]. Ein detaillierter Fragenkatalog für acht verschiedene Sektionen des Gelehrtenausschusses[25] war für die Konferenz von 1855 vorbereitet worden, der im wesentlichen die Abgrenzung der Aufgaben gegenüber denen des Römisch-Germanischen Museums in Mainz und die räumliche und zeitliche Festlegung des Zuständigkeitsbereichs aller Abteilungen des Nürnberger Museums behandelte[26]. Für die Beratungen im Jahre 1856 war – teils im Plenum, teils in den Sektionen – eine eingehende Beschäftigung mit dem System vorgesehen gewesen, verhandelt wurde dann auch über die Publikationstätigkeit des Museums[27]. 1857 ging es in der Sitzung der Sektion für Kunst, Technik, Lebensweise, Lebensbedarf und Kulturzustände unter anderem um die Frage, inwieweit für die Sammlungen des Museums Originale oder Kopien notwendig seien und ob man bestimmte Sachgebiete, etwa die Architektur, mit Hilfe von Fotografien anschaulich darstellen könne. Von der Sektion Geschichte wurde beschlossen, die historischen Quellen des fränkischen Kreises zu sammeln, um sie anschließend in vorbildhafter Weise zu publizieren[28]. Wiederum mit dem System und den Veröffentlichungen des Hauses, auch mit

einem Gutachten Johann Caspar Bluntschlis über die Repertorien und schließlich mit der Frage, ob das Kaulbach-Fresko besser durch Lithographie oder durch Foto reproduziert werden solle, befaßten sich die 1860 in Nürnberg versammelten Gelehrten[29], mit einer geplanten „Statistik der deutschen Denkmäler oder einer monumentalen Geographie", für die man die Mitarbeit der historischen Vereine gewinnen wollte, diejenigen des Jahres 1862[30].

Der Anzeiger war nach den Wünschen des Freiherrn von Aufseß als das besondere Wirkungsfeld des Gelehrtenaus-

[22] Zu Geschäftsordnungen vgl. Anm. 5. – Die Zahl der Anwesenden war immer sehr gering und stand in keiner Relation zur hohen Mitgliederzahl. Ausnahme bildete das Jahr 1853, in dem die gleichfalls in Nürnberg stattfindende Tagung der Geschichtsvereine viele Forscher anreisen ließ. Zwischen 1857 und 1862 trafen sich zu den Beratungen 10 bis höchstens 20 Personen, von denen die Hälfte zugleich Mitglied des Verwaltungsausschusses war.

[23] Archiv GNM, Altregistratur, Kapsel 9, Nr. 2, fol. 69–75.

[24] Über diese Konferenz: Anzeiger GNM 1853/1854, Sp. 81–86.

[25] Es handelt sich um dieselben im Organismus § 43 genannten acht Sektionen, s. Organismus, 1. Abt., S. 16.

[26] Gedrucktes Rundschreiben an die Mitglieder vom 19. 7. 1855; die Fragen auch abgedruckt in Anzeiger GNM 1855, Sp. 189–192. Bericht von dieser Tagung in Anzeiger GNM 1855, Sp. 235–238 und in Jahresbericht GNM 3 (für 1855–1856), 1856, S. 8.

[27] Gedrucktes Rundschreiben an die Mitglieder vom 16. 8. 1856: Prüfungs- und Berathungsgegenstände der beiden Ausschüsse des germanischen Museums bei der Jahresconferenz vom 11.–13. September 1856. – Die Einzelfächer waren diesmal zu nur fünf Sektionen zusammengefaßt worden. – Bericht von dieser Tagung: Jahresbericht GNM 3 (für 1855–1856), 1856, S. 8–9. – Anzeiger GNM 1856, Sp. 281–282.

[28] Protokolle der Jahreskonferenz in Archiv GNM, Altregistratur, Kapsel 729, Generalconferenz 1856–1858, fol. 116–126. Jahresbericht GNM 4 (für 1856–1857), 1858, S. 6.

[29] Archiv GNM, Altregistratur, Kapsel 731, Generalconferenz 1860, fol. 180–188.

[30] Anzeiger GNM 1862, Sp. 283, 329. – Jahresbericht GNM 9 (für 1862), 1863, S. 7.

[31] In der Zirkularnote von 1853 (vgl. Anm. 23), fol. 70b schlug er folgende Titelfassung vor: „Anzeiger für Kunde der deutschen Vorzeit. Neue Folge. Organ des germanischen Museums. Herausgegeben unter Mitwirkung des Gelehrtenausschusses des germanischen Museums von Dr. Frh. v. u. z. Aufseß . . . Dr. A. v. Eye . . .".

[32] Jahresbericht 4 (für 1856–1857), 1858, S. 5. – Jahresbericht 5 (für 1858), 1859, S. 4–5. – Jahresbericht 8 (für 1861), 1862, S. 2. – Jahresbericht 13 (für 1866), 1867, S. 2.

[33] Jahresbericht GNM 4 (für 1856–1857), 1858, S. 6.

[34] Anzeiger GNM 1857, Sp. 121–122. – Anzeiger GNM 1858, Sp. 305.

[35] Vgl. Seite 564–565.

[36] Anzeiger GNM 1861, Sp. 323.

[37] Archiv GNM, Altregistratur, Kapsel 731, Generalconferenz 1862, fol. 105–107, 111–114.

[38] Anzeiger GNM 1867, Sp. 306.

[39] Anzeiger GNM 1872, Sp. 19.

[40] August von Essenwein, in: Anzeiger GNM 1884/1886, S. 1–9.

[41] Hampe, Festschrift, S. 30–31.

schusses gedacht, dessen Name auch im Herausgebervermerk erscheinen sollte[31]. Mit Einlieferungen von Beiträgen haben viele der betreffenden Fachleute auch wirklich an dieser Zeitschrift mitgearbeitet; enttäuschte Erwartungen veranlaßten den Vorstand jedoch zweimal, 1855 und 1856, mit gedruckten Umlaufschreiben dringend um Zuschriften zu bitten. Wieweit einzelne Wissenschaftler bei der Erledigung von Anfragen an das Museum, für die es ein eigenes Anfragebüro gab, mit fachlichen Auskünften beteiligt waren, läßt sich nicht recht übersehen. In den Jahresberichten wird diese Unterstützung jedenfalls mehrfach erwähnt[32], ebenso wie man es an dieser Stelle auch mitteilenswert fand, daß Jakob Heinrich von Hefner-Alteneck in persönlicher Anwesenheit bei der Einrichtung der Ausstellungsräume in der neu bezogenen Kartause mitgewirkt hatte[33]. Besondere persönliche Dienste für das Haus, als solche allerdings nicht direkt mit der Mitgliedschaft in diesem Ausschuß verknüpft, sondern in ähnlicher Art von vielen anderen Personen ebenfalls geleistet, waren der Einsatz von Theodor Odebrecht und Leopold von Ledebur für die Gründung und Wirksamkeit des „Berliner Hülfsvereins"[34] und die Überlassung der beiden Gelehrtenbibliotheken Wilhelmi und Euler[35]. Da viele der Wissenschaftler ihre neu erschienenen Werke dem Museum einsandten, hat dessen Bibliothek von diesen Kontakten ständig profitiert.

Gegen Ende der Amtszeit des Freiherrn von Aufseß als Vorstand des Museums wollten die Mitglieder des Gelehrtenausschusses ihre Kompetenz hinsichtlich der wissenschaftlichen Arbeiten und Veröffentlichungen des Museums neu durchdacht wissen. Ein entsprechender Antrag auf der Jahreskonferenz von 1861[36] führte zu Verhandlungen darüber auf der Tagung des nächsten Jahres, die Veränderungen zwar nicht bewirkt, dafür aber die Unzufriedenheit vieler Mitglieder mit dem gegenwärtigen Zustand sichtbar gemacht hat[37]. Man forderte Möglichkeiten direkter Mitwirkung und

wollte sich mit dem Status, der eher einer korrespondierenden Mitgliedschaft entsprach, nicht bescheiden; zudem wurde die Beteiligung des Verwaltungsausschusses an der Wahl der Neumitglieder bemängelt, da einmal die ständig steigenden Mitgliederzahlen bedenklich und oftmals auch nicht die richtigen Männer aufgenommen worden seien. Hans von Aufseß indessen wies den Ausschuß auf seine nur konsultierende Rolle innerhalb des Museums hin und machte einige Vorschläge für die innere Organisation des Ausschusses – die Teilung in Sektionen, nach Sektionen getrennte Zusammenkünfte in Nürnberg, das Amt eines Präsidenten – die kein rechtes Echo fanden und zur Lösung des Konfliktes nicht beitrugen.

Dies war der letzte wirkliche Auftritt der gelehrten Vereinigung in Nürnberg. Gesonderte Sitzungen des Gelehrtenausschusses fanden zwar auf manchen Konferenzen der folgenden Jahre noch statt, doch die Teilnehmer waren bis auf wenige Ausnahmen solche mit Mitgliedschaft auch im Verwaltungsausschuß, die zu diesen Terminen ohnehin am Ort anwesend waren. Wesentliche Sachfragen wurden nicht mehr behandelt, und fast nur noch anläßlich der Wahlen neuer Mitglieder – ausschließlich innerhalb des Verwaltungsausschusses vorgeschlagen und beschlossen – war gelegentlich noch von diesem Gremium die Rede. Hoffnungen auf eine glänzendere Rolle in der Zukunft wurden allerdings mehrfach laut, so 1867 „daß dieser Ausschuß nach und nach alle im großen Vaterlande vereinen werde, die in wissenschaftlicher und künstlerischer Thätigkeit uns förderlich sein können und wollen"[38] und 1872, daß „sich ein stets regerer Verkehr der Anstalt mit dem Ausschusse entwickeln" werde[39]. Der Rückblick auf die Geschichte des Germanischen Museums von 1884 geht über die Existenz des Gelehrtenausschusses schweigend hinweg[40], der dem Namen nach sehr wohl noch, bis ins 20. Jahrhundert hinein, fortbestand[41].

Vorbemerkung: Der zeitliche Beginn der Zugehörigkeit zum Gelehrtenausschuß wurde möglichst mit der Jahreszahl des Diploms angegeben, wenn dessen Ausstellungsdatum nicht bekannt ist, mit dem Jahr der Wahl. Da die ersten Diplome erst im Februar 1854 ausgestellt worden sind, auch

für alle älteren Mitglieder, laufen hier unter der Jahreszahl 1854 auch die Mitglieder des Jahres 1853 und 1852. Nur die Gründungsmitglieder von 1852 sind entsprechend gekennzeichnet.

ADLER, Friedrich. D.h.c., Dr. ing.h.c., Prof. Berlin 15.10.1827–15.11.1908 Berlin. Architekt und Archäologe in Berlin, Professor für Baugeschichte. – Seit 1862 für die Fächer: Geschichte der Kunst, Kunst und Technik. – Lit.: Thieme-Becker. – Biogr. Jb. Bd. 13 (1908), Sp. 5.

AEGIDI, Ludwig Karl. Dr. jur., Prof. Tilsit 10.4.1825–20.11.1901 Berlin. Jurist, Publizist und Politiker. Professor der Rechte an den Universitäten Erlangen, Bonn und Berlin.

Ab 1871 Vortragender Rat und Leiter des Pressedezernats des Auswärtigen Amtes in Berlin. – Seit 1859 für die Fächer: Staatsrecht des deutschen Reiches, Rechtsgeschichte von Kirche und Staat. – Lit.: Biogr. Jb. Bd. 6 (1901), S. 264–272. – NDB. – Biogr. Wörterbuch zur deutschen Geschichte. – Universität Bonn Verzeichnis.

ALBRECHT, Josef Konrad. Schrozberg (Württemberg) 23.5.1803–30.1.1871. Numismatiker, Historiker. Fürstlich

Hohenlohescher Domänendirektor in Oehringen (Württemberg), Archivdirektor des Gesamt-Fürstenhauses Hohenlohe. Ehrenmitglied der Numismatischen Gesellschaft Berlin und verschiedener historischer Vereine. – Seit 1854 für die Fächer: Hohenlohesche Hausgeschichte und Münzkunde. – Lit.: Zeitschrift des Historischen Vereins für das württembergische Franken Bd. 9, H. 2 (1872), S. 332–339.

ALBRECHT, Wilhelm Eduard. Dr. jur., Dr. phil. h. c., Prof. Elbing 4. 3. 1800–22. 5. 1876 Leipzig. Jurist. Professor an den Universitäten Königsberg, Göttingen (zugehörig zu den Göttinger Sieben) und Leipzig. – Seit 1857 für das Fach: Deutsche Rechtsgeschichte. – Lit.: ADB Bd. 45, S. 743–750. – NDB.

ALZOG, Johann Baptist. Dr. theol., Prof. Ohlau (Schlesien) 29. 6. 1808–1. 3. 1878 Freiburg i. Br. Katholischer Theologe. Priester. Professor an den Priesterseminaren in Posen und Hildesheim, dann an der Universität Freiburg i. Br. – Seit 1859 für das Fach: Allgemeine und badische Kirchengeschichte. – Lit.: ADB Bd. 45, S. 759–761. – NDB.

ANKERSHOFEN, Gottlieb Freiherr von. Klagenfurt 22. 8. 1795–6. 3. 1860 Klagenfurt, s. Verzeichnis des VwR. – Seit 1855 für das Fach: Kärnten'sche Geschichte.

APELT, Ernst Friedrich. Dr. phil., Prof. Reichenau (Oberlausitz) 3. 3. 1812–27. 10. 1859 Oppelsdorf (Oberlausitz). Philosoph und Mathematiker. Professor an der Universität Jena. – Seit 1854 für das Fach: Geschichte der Astronomie. – Lit.: ADB. – NDB.

ARETIN, Karl Maria Freiherr von. Wetzlar 4. 7. 1796–29. 4. 1868 Berlin. Historiker. Bayerischer Offizier und Diplomat. Vorstand des Geh. Staatsarchivs in München. Initiator des Bayerischen Nationalmuseums. – Seit 1854 für das Fach: Bayerische Hausgeschichte. – Lit.: ADB. – NDB. – Thürauf. – Biogr. Wörterbuch zur deutschen Geschichte.

ARNETH, Joseph Calasanza Ritter von. Leopoldschlag (Oberösterreich) 12. 8. 1791–31. 10. 1863 Karlsbad. Historiker, Numismatiker und Archäologe. Direktor des Münz- und Antikenkabinetts in Wien. – Seit 1852 (Gründungsmitglied) für das Fach: Münz- und Altertumskunde. – Lit.: ADB. – NDB. – Österr. biogr. Lexikon. – Thürauf. – Amburger S. 125.

ARNOLD, Wilhelm Christoph Friedrich. Dr. jur., Dr. rer. pol. h. c., Prof. Borken (Hessen) 28. 10. 1826–2. 7. 1883 Marburg a. d. L. Rechts- und Kulturhistoriker. Professor an den Universitäten Basel und Marburg. – Seit 1855 für das Fach: Verfassungsgeschichte der deutschen Freistädte. – Lit.: ADB Bd. 46, S. 52–54. – NDB.

ARNSWALD, (Karl August) Bernhard von. Eisenach

1. 9. 1807–27. 9. 1877 Wartburg. Offizier, Maler und Radierer. Erster Kommandant der Wartburg. – Seit 1854 für das Fach: Geschichte der Bewaffnung. – Lit.: Thieme-Becker. – NDB.

ASCHBACH, Josef Ritter von. Dr. phil., Prof. Höchst 29. 4. 1801–25. 4. 1882 Wien. Historiker. Professor an den Universitäten Bonn und Wien. – Seit 1854 für das Fach: Deutsche Geschichte. – Lit.: ADB Bd. 46, S. 59–68. – Österr. biogr. Lexikon. – Universität Bonn Verzeichnis. – Universität Bonn Geschichtswiss., S. 104–114.

AUS'M WEERTH, Ernst. Dr. phil., Prof. Bonn 10. 4. 1829–23. 3. 1909 Kessenich, s. Verzeichnis des VwR. – Seit 1867 für die Fächer: Kunstgeschichte, kirchliche Altertümer.

BAADER, Joseph. Mittenwald 28. 10. 1812–6. 6. 1884 München. Historiker, Archivar. Vorstand des Kreisarchivs in Nürnberg, Archivrat im Allgemeinen Reichsarchiv in München. – Seit 1861 für das Fach: Geschichte der Reichsstadt Nürnberg und der fränkischen Fürstentümer Ansbach und Bayreuth. – Lit.: Georg Wolff: Bücherkunde zur fränkischen Geschichte. H. l. Würzburg 1937, S. 159. – Pius Wittmann: Joseph Baader. In: Jahresbericht des Historischen Vereines von Oberbayern Bd. 46/47 (1883/1884), S. 77–82 (mit Bibliographie).

BÄRSCH, Georg Friedrich. Dr. phil. Berlin 30. 9. 1778–7. 1. 1866 Koblenz. Preußischer Offizier und Verwaltungsbeamter in der Rheinprovinz. Historiker. Zuletzt Geh. Regierungsrat in Trier, nach seiner Pensionierung in Koblenz ansässig. – Seit 1859 für die Fächer: Geschichte und Topographie, insbesondere der preußischen Rheinprovinz. – Lit.: ADB. – NDB.

BARAK, Karl August. Dr. phil., Prof. Oberndorf a. N. 23. 10. 1827–12. 7. 1900 Straßburg, s. Verzeichnis der Beamten. – Seit 1866 für das Fach: Bibliothekswissenschaft.

BARTHOLD, Friedrich Wilhelm. Dr. phil., Prof. Berlin 4. 9. 1799–14. 1. 1858 Greifswald. Historiker. Professor an der Universität Greifswald. – Seit 1855 für die Fächer: Niederdeutsche Städtegeschichte; Geschichte des großen deutschen Krieges (= 30jähriger Krieg). – Lit.: ADB. – Brockhaus. – Oettinger T. 1, S. 60.

BARTSCH, Friedrich Josef Adam Ritter von. 12. 7. 1798–12. 5. 1873 Wien. Kustos an der Kupferstich-Sammlung der Hofbibliothek Wien. – Seit 1854 für das Fach: Handzeichnungs-, Kupferstich- und Holzschnittkunde. – Lit.: Wurzbach Biogr. Lexikon. – Österr. biogr. Lexikon.

BARTSCH, Karl Friedrich Adolf Konrad. Dr. phil., Prof. Sprottau am Bober 25. 2. 1832–19. 2. 1888 Heidelberg, s. Verzeichnis der Beamten. – Seit 1859 für das Fach: Geschichte der lateinischen Poesie im Mittelalter und die Beziehungen der deutschen zur provenzalischen und altfranzösischen Literatur.

BAUR, Ludwig. Darmstadt 11.4.1811–25.5.1877 Darmstadt, s. Verzeichnis des VwR. – Seit 1852 (Gründungsmitglied) für das Fach: Hessische Geschichte und Diplomatik.

BAYER, August von. Rorschach am Bodensee 3.5.1803–2.2.1875 Karlsruhe. Architekturmaler und Radierer in München, Baden-Baden und Karlsruhe, dort Hofmaler, Conservator der badischen Baudenkmale und Vorstand der Altertumssammlung. – Seit 1871 für das Fach: Kunst- und Kulturgeschichte. – Lit.: ADB Bd.2, S.186–187; Bd.46, S.277–278. – Thieme-Becker.

BECHSTEIN, Ludwig. Weimar 24.11.1801–14.5.1860 Meiningen. Dichter und Altertumsforscher. Bibliothekar an der herzoglichen Bibliothek und Archivar in Meiningen. Gründer, Direktor und Ehrenpräsident des Hennebergischen altertumsforschenden Vereins. – Seit 1854 für die Fächer: Thüringisch-fränkische Geschichte, Altertumskunde, Diplomatik und Sphragistik. – Lit.: ADB. – NDB. – Enzyklopädie des Märchens. Bd.2, Lieferung 1/2. Berlin, New York 1977, Sp.15–19.

BECKER, Carl. Beilstein a.d. Mosel 18.3.1794–11.3.1859 Würzburg, s. Verzeichnis des VwR. – Seit 1854 für das Fach: Kunst- und Kulturgeschichte (besonders kirchliches und häusliches Gerät).

BECKER, Karl Ferdinand. Leipzig 17.7.1804–26.10.1877 Plagwitz bei Leipzig. Musiker und Musikhistoriker. Organist und Lehrer am Konservatorium in Leipzig. Quellensammlung und -publikation. Mitbegründer und Vorstandsmitglied der Bach-Gesellschaft. – Seit 1854 für das Fach: Geschichte der Musik. – Lit.: ADB Bd. 46, S. 322–324. – NDB.

BEDEUS VON SCHARBERG, Josef Freiherr. Hermannstadt 2.2.1783–6.4.1858 Hermannstadt. Jurist, Historiker und Politiker. Siebenbürgischer Staatsbeamter verschiedener Ämter in Hermannstadt, Hofsekretär der siebenbürgischen Hofkanzlei in Wien. Vorsitzender des Vereins für siebenbürgische Landeskunde. – Seit 1855 für das Fach: Siebenbürgische Landeskunde. – Lit.: ADB. – NDB.

BEEG, Johann Caspar. Dr. phil. Nürnberg 4.10.1809–26.1.1867 Nürnberg, s. Verzeichnis der Beamten. – Seit 1854 für das Fach: Geschichte des Handels und der Gewerbe.

BELL, William. Dr. phil. Gest. 22.9.1868 Bonn. Literarhistoriker, Mythologe, Volkskundeforscher, Übersetzer in London. Sein Hauptwerk: Shakespeare's Puck and his folklore, illustrated from the superstitions of all nations, but more especially from the earliest religion and rites of northern Europe and the Wends, London 1852–1864. Weitere Veröff.:

Die deutsche Blumenlese: being a selection of pieces in prose and verse, London 1810; Ein Versuch, den Ort Schiringsheal … mit einer Stadt zu identifizieren, in der Lage, wo die vermeinte Veneta nahe an Rügen gelegen haben soll, London 1847. – Seit 1854 für das Fach: Britische Literärgeschichte. – Lit.: Anzeiger GNM 1868, Sp.331. – Oettinger T.7, S.20.

BENSEN, Heinrich Wilhelm. Erlangen 12.9.1798–10.1.1863. Historiker. Subrektor am Progymnasium in Rothenburg o.d.T. – Seit 1859 für das Fach: Altertumskunde und Geschichte von Ostfranken. – Lit.: ADB. – Thürauf.

BERGAU, Friedrich Julius Rudolf. Friedrichsruh bei Tapiau 6.1.1836–26.3.1905 Nürnberg. Architekt und Kunsthistoriker. Denkmalpflegearbeiten in Westpreußen, 1868–1872 Professor für Kunstgeschichte an der Kunstschule in Nürnberg, ab 1876 in Berlin als Conservator der Kunstdenkmäler im Preußischen Staate. – Seit 1867 für das Fach: Monumente der Ostseeländer. – Lit.: Altpreuß. Biogr.

BERGMANN, Frédéric-Guillaume. Dr. phil., Prof. Straßburg 9.2.1812–3.11.1887. Philosoph, Philologe. Professor an der Universität Straßburg. – Seit 1871 für das Fach: Nordische Mythologie. – Lit.: Sitzmann. – Dictionnaire de biographie française.

BERGMANN, Josef von. Dr. phil. Hittisau (Vorarlberg) 13.11.1796–29.7.1872 Graz, s. Verzeichnis des VwR. – Seit 1854 für das Fach: Medaillenkunde.

BERLICHINGEN, Friedrich Graf von. Mannheim 26.6.1826–23.5.1887 Heidelberg. Österreichischer Offizier. Historiker und Politiker in Mannheim und Karlsruhe. – Seit 1871 für das Fach: Geschichte. – Lit.: ADB Bd.46, S.389–390. – Brockhaus.

BESELER, Georg Karl Christoph. Dr. jur., Prof. Rödemis bei Husum 2.11.1809–28.8.1888 Bad Harzburg. Jurist und Politiker. Professor an den Universitäten Basel, Rostock, Greifswald und Berlin. – Seit 1857 für das Fach: Deutsche Rechtsgeschichte. – Lit.: ADB Bd.46, S.445–472. – NDB. – Biogr. Wörterbuch zur deutschen Geschichte.

BETHMANN, Ludwig Konrad. Helmstedt 23.6.1812–5.12.1867 Wolfenbüttel. Historiker. Mitarbeiter der Monumenta Germaniae Historica in Hannover und Berlin, ab 1854 Bibliothekar der herzoglichen Bibliothek Wolfenbüttel. – Seit 1857 für das Fach: Quellenkunde. – Lit.: ADB. – Lexikon des gesamten Buchwesens. – Amburger S.124. – Arnim.

BETHMANN-HOLLWEG, Moritz August Freiherr von. Dr. jur., Prof. Frankfurt a.M. 8.4.1795–14.7.1877 Schloß Rheineck bei Andernach. Jurist, preußischer Staatsmann. Professor an den Universitäten Berlin und Bonn. 1858–1862 preußischer Kultusminister. – Ehrenmitglied seit 1858. – Lit.: ADB. –

NDB. – Biogr. Wörterbuch zur deutschen Geschichte. – Amburger S. 101. – Universität Bonn Verzeichnis.

BEUST, Friedrich Constantin Freiherr von. Dresden 13.4.1806–22.3.1891 Torbole am Gardasee. Fachmann des Berg- und Hüttenwesens, Jurist. Oberberghauptmann in Freiberg (Sachsen), ab 1868 Generalinspektor des cisleithanischen Berg-, Hütten- und Salinenwesens in Wien. Mitbegründer des Bergmännischen Vereins, der Deutschen Geologischen Gesellschaft und des Freiberger Altertumsvereins. – Seit 1854 für das Fach: Geschichte des Berg- und Hüttenwesens. – Lit.: NDB.

BIEDERMANN, Karl Friedrich. Dr. phil., Prof. Leipzig 25.9.1812–5.3.1901 Leipzig. Philologe, Kulturhistoriker, Publizist und Politiker. Professor an der Universität Leipzig. – Seit 1857 für das Fach: Deutsche Kulturgeschichte, insbesondere seit der Reformation. – Lit.: Biogr. Jb.6 (1901), S.413–417. – NDB. – Winfried Schulze: Karl Friedrich Biedermann. In: Aus Theorie und Praxis der Geschichtswissenschaft. Festschrift für Hans Herzfeld... Berlin, New York 1972, S.299–326. – Biogr. Wörterbuch zur deutschen Geschichte.

BIRK, Ernst von. Dr. phil. h.c. Wien 15.12.1810–18.5.1891 Wien. Historiker. Vorstand der Hofbibliothek in Wien. Mitglied der Zentralkommission zur Erforschung und Erhaltung der Kunst- und historischen Denkmale, Vorstand des Wiener Altertumsvereins. – Seit 1855 für die Fächer: Österreichische Geschichte und Diplomatik, insbesondere des 14. und 15. Jahrhunderts; österreichische Altertumskunde. – Lit.: Wurzbach Biogr. Lexikon. – Österr. biogr. Lexikon. – Thürauf.

BISMARCK, Otto Eduard Leopold Fürst von. Schönhausen (Kreis Jerichow, Altmark) 1.4.1815–30.7.1898 Friedrichsruh (Sachsenwald). Preußischer Staatsmann. Gesandter ab 1851 am Bundestag in Frankfurt a.M., ab 1859 in St. Petersburg und Paris. 1862–1890 preußischer Ministerpräsident und Außenminister, ab 1880 auch Handelsminister. Reichskanzler. – Ehrenmitglied seit 1858. – Lit.: ADB Bd.46, S.571–775. – Biogr. Jb. Bd.3 (1898), S.1–42; Bd.5 (1900), Sp.10. – NDB. – Biogr. Wörterbuch zur deutschen Geschichte.

BLUHME, Friedrich. Dr. jur., Dr. phil. h.c.,D.h.c., Prof. Hamburg 29.6.1797–5.11.1874 Bonn. Jurist. Professor an den Universitäten Halle, Göttingen und Bonn. Richter am Oberappellationsgericht der vier Freien Städte in Lübeck. Quellen-Editionen. – Seit 1857 für das Fach: Quellenkunde des deutschen Rechts. – Lit.: ADB. – NDB. – Universität Bonn Verzeichnis.

BLUMER, Johann Jakob. Dr. jur. h.c. Glarus 29.8.1819–12.11.1875 Lausanne. Jurist, Historiker und Politiker. Präsident des Appellationsgerichts in Glarus und des schweizeri-

schen Bundesgerichts in Lausanne. Begründer und Präsident des Historischen Vereins des Kantons Glarus. – Seit 1859 für das Fach: Schweizerische Geschichte, insbesondere Rechtsgeschichte der demokratischen Kantone. – Lit.: ADB Bd.47, S.26–27. – NDB. – Ernst Zweifel: Johann Jakob Blumer und das Glarnerische Bürgerliche Gesetzbuch. Zürich 1966.

BLUNTSCHLI, Johann Caspar. Dr. jur. Zürich 7.3.1808–26.10.1881 Karlsruhe, s. Verzeichnis des VwR. – Seit 1854 für das Fach: Deutsches Staatsrecht.

BOCK, Franz. Burtscheid 3.5.1823–1.5.1899 Aachen. Priester und Kunsthistoriker in Aachen und Krefeld, Konservator am Erzbischöflichen Diözesanmuseum in Köln. Ehrenkanonikus am Münster in Aachen. – Seit 1855 für das Fach: Geschichte der liturgischen Gewänder und Gefäße des Mittelalters. – Lit.: Biogr. Jb. Bd.4 (1899), S.269–271.

BÖCKH, August. Dr. phil., Prof. Karlsruhe 24.11.1785–3.8.1867 Berlin. Altphilologe. Professor an den Universitäten Heidelberg und Berlin. – Ehrenmitglied seit 1860. – Lit.: ADB. – NDB. – Thürauf. – Amburger S.9, 24, 51. – Arnim.

BÖHM, (Josef) Daniel. Wallendorf (Zips) 15.3.1794–15.8.1865 Wien. Bildhauer und Medailleur. Direktor der Graveurakademie am Hauptmünzamt in Wien. Kunstsammler. – Seit 1855 für das Fach: Kunst-Altertümer des 16. und 17. Jahrhunderts. – Lit.: Wurzbach Biogr. Lexikon Bd.2, S.20–23; Bd.14, S.404; Bd.22, S.486; Bd.24, S.378. – ADB. – Thieme-Becker. – Österr. biogr. Lexikon.

BÖHMER, Johann Friedrich. Dr. jur. Frankfurt a.M. 22.4.1795–22.10.1863 Frankfurt a.M. Jurist und Historiker. Erster Stadtbibliothekar, Archivar in Frankfurt, 1822–1834 Mitadministrator des Städelschen Kunstinstituts. Ständiger Sekretär und zeitweise Leiter der Gesellschaft für ältere deutsche Geschichtskunde. Mitglied der Zentraldirektion der Monumenta Germaniae Historica. – Seit 1854 für das Fach: Urkundenwissenschaft der deutschen Kaisergeschichte. – Lit.: ADB. – NDB. – Biogr. Wörterbuch zur deutschen Geschichte. – Amburger S.92, 121. – Thürauf. – Arnim.

BOLZENTHAL, Heinrich. Bis 1870 Direktorial-Assistent an den Kgl. Museen in Berlin und Leiter der Sammlung mittelalterlicher und neuerer Münzen. Veröff. u.a.: Skizzen zur Kunstgeschichte der modernen Medaillen-Arbeit (1429–1840), Berlin 1840; Denkmünzen zur Geschichte des Königs Friedrich Wilhelm III. in Abbildungen, 2. Ausg., Berlin 1841; Leitfaden für die Sammlung des Mittelalters und der neueren Zeit, Berlin 1850. – Seit 1854 für das Fach: Bildwerke auf Medaillen. – Lit.: Berliner Blätter für Münz-, Siegel- und Wappenkunde Bd.5 (1870), S.109.

BONSTETTEN VON ROUGEMONT, Gustav Karl Ferdinand von. 19.4.1816–9.3.1892. Prähistoriker und Archäologe in der

Schweiz und in Südfrankreich. Sammler. Initiator des archäologischen Museums in Draguignan (Dep. Var). – Seit 1859 für das Fach: Altertümer der Schweiz. – Lit.: ADB Bd. 47, S. 110–111. – Historisch-biogr. Lexikon der Schweiz.

BRAUN, Johann Wilhelm Josef. Dr. phil. et theol., Dr. jur. h. c., Prof. Gronau bei Düren 5. 4. 1801–30. 9. 1863 Bonn. Katholischer Theologe, Archäologe und Kunsthistoriker. Professor für Theologie an der Universität Bonn. – Seit 1861 für das Fach: Rheinische Geschichte und Altertümer. – Lit.: ADB. – NDB. – Universität Bonn Verzeichnis.

BRINCKMEIER, (Johann Peter Ludwig) Eduard. Dr. phil. Wolfenbüttel 28. 4. 1811–13. 10. 1897 Braunschweig. Schriftsteller, Publizist, auch Philologe in Braunschweig. – Seit 1862 für die Fächer: Niedersächsische, besonders braunschweigische Landes- und Stadtgeschichte; provenzalische und spanische Literatur. – Lit.: ADB Bd. 47, S. 238–241.

BRÜCKNER, Georg. Oberneubrunn (Bezirk Eisfeld) 31. 10. 1800–1. 7. 1881 Meiningen. Landeshistoriker und Geograph. Rektor der Bürgerschule in Hildburghausen, Professor am Realgymnasium in Meiningen; dort auch Bibliothekar und Archivar des hennebergischen Gesamtarchivs. Sekretär, später Direktor und Ehrenmitglied des Hennebergischen altertumsforschenden Vereins. – Seit 1855 für das Fach: Fränkisch-thüringische Geschichte und Topographie. – Lit.: ADB Bd. 47, S. 278–283.

BUBE, Adolf August. Gotha 23. 9. 1802–17. 10. 1873 Gotha. Dichter und Kunsthistoriker. Archivar und Direktor des herzoglichen Kunstkabinetts in Gotha. Leiter des Kunstvereins. – Seit 1855 für die Fächer: Thüringische Geschichte und Altertümer; thüringische Literärgeschichte. – Lit.: ADB. – Brockhaus. – Goedeke Bd. 13, S. 180–184.

BUCHHOLTZ, August. Riga 29. 1. 1847–15. 7. 1882 Riga. Jurist und Bibliothekar. Archivnotar des Rates der Stadt Riga, Sekretär des Stadtamtes. Präsidiumsmitglied (Bibliothekar) und Präsident der Gesellschaft für Geschichte und Altertumskunde der Ostseeprovinzen Rußlands. Initiator des Dommuseums in Riga. Bibliothekar der Livländischen Ritterschaft. – Seit 1871 für das Fach: Geschichte. – Lit.: Deutschbaltisches biographisches Lexikon.

BÜDINGER, Max. Dr. phil., Prof. Kassel 1. 4. 1828–22. 2. 1902 Wien. Historiker. Professor an den Universitäten Zürich und Wien. – Seit 1859 für das Fach: Ältere österreichische und bayerische Geschichte. – Lit.: Wurzbach Biogr. Lexikon Bd. 26, S. 370–371. – Österr. biogr. Lexikon. – Thürauf. – Jeanjot. – Bernhard Christoph Müller: Max Büdinger, ein Universalhistoriker aus Rankes Schule. Phil. Diss. München 1964. München 1964.

BULMERINCQ, August Michael von. Dr. jur., Prof. Riga 31. 7. 1822–18. 8. 1890 Stuttgart. Professor für Staats- und Völkerrecht an den Universitäten Dorpat und Heidelberg (dort auch für Politik). Schatzmeister der Gesellschaft für Geschichte und Altertumskunde der Ostseeprovinzen Rußlands. – Seit 1857 für das Fach: Staatsrecht Liv-, Est- und Kurlands. – Lit.: ADB Bd. 47, S. 348–350. – Deutschbaltisches biographisches Lexikon.

BUNGE, Friedrich Georg von. Dr. jur., Prof. Kiev 1. 3. 1802–28. 3. 1897 Wiesbaden. Jurist. Professor für liv-, est- und kurländisches Provinzialrecht an der Universität Dorpat, Direktor der Universitätsbibliothek. Bürgermeister von Reval. Oberbeamter der Kaiserlichen Kanzlei in St. Petersburg. Mitbegründer, Mitdirektor und Ehrenmitglied der Gesellschaft für Geschichte und Altertumskunde der Ostseeprovinzen Rußlands. – Seit 1859 für die Fächer: Geschichte der deutschen Ostseeprovinzen Rußlands; Rechtsgeschichte des späteren deutschen Mittelalters. – Lit.: ADB Bd. 47, S. 364–368. – Deutschbaltisches biographisches Lexikon.

BURCKHARDT, Jacob Christoph. Dr. phil., Prof. Basel 25. 5. 1818–8. 8. 1897 Basel. Kunst- und Kulturhistoriker. Professor für Kunstgeschichte an der Eidgenössischen Technischen Hochschule in Zürich, für Geschichte und Kunstgeschichte an der Universität Basel. – Seit 1855 für das Fach: Kunstgeschichte. – Lit.: ADB Bd. 47, S. 381–391. – Waetzoldt Bd. 2, S. 172–209. – NDB. – Thürauf. – Arnim. – Biogr. Wörterbuch zur deutschen Geschichte.

CAMESINA, Albert Ritter von. Wien 13. 5. 1806–16. 6. 1881 Wien. Graphiker und Altertumsforscher. Mitbegründer des Wiener Altertumsvereins, Ausschuß-Mitglied des Vereins für Landeskunde von Niederösterreich. – Seit 1854 für das Fach: Österreichische Altertumskunde. – Lit.: Wurzbach Biogr. Lexikon Bd. 23, S. 369–370. – Thieme-Becker. – Österr. biogr. Lexikon.

CAPPE, Heinrich Philipp. Geb. Hildesheim, gest. 26. 4. 1862 Dresden, s. Verzeichnis des VwR. – Seit 1854 für das Fach: Münzkunde.

CASSEL, Paulus Stephanus. Großglogau (Schlesien) 27. 2. 1821–23. 12. 1892 Berlin. Bibliothekar, Publizist und Sekretär der Akademie in Erfurt; seit 1859 Gymnasiallehrer in Berlin, seit 1868 dort Prediger. – Seit 1860 für die Fächer: Sagen und Sittenkunde; christliche Symbolik; Zusammenhang des deutschen Altertums mit der Kirchengeschichte und der Geschichte der Juden. – Lit.: ADB Bd. 47, S. 465–466. – Brockhaus.

CAUMONT, Arcisse de. Bayeux 28. 8. 1801–16. 4. 1873 Caen. Altertumsforscher in Caen. Begründer der Société des antiquaires de Normandie und der Société française d'archéologie. – Seit 1854 für das Fach: Kunst- und Altertumskunde Frankreichs. – Lit.: Brockhaus. – Dictionnaire de biographie française. – Jeanjot.

CHLUMECKY, Peter Ritter von. Triest 30.3.1825–28.3.1863 Brünn. Historiker und Jurist. Direktor des Landesarchivs in Brünn. Begründer der Statistischen Sektion der k.k. mährisch-schlesischen Gesellschaft zur Beförderung des Ackerbaus, der Natur- und Landeskunde. Urkundensammlung und -veröffentlichung. – Seit 1859 für das Fach: Mährische Rechtsgeschichte und Diplomatik. – Lit.: Wurzbach Biogr. Lexikon Bd. 2, S. 349–350; Bd. 11, S. 379; Bd. 23, S. 374. – ADB Bd. 47, S. 477–478. – NDB. – Österr. biogr. Lexikon. – Amburger S. 127.

CHMEL, Josef. Olmütz 18.3.1798–28.11.1858 Wien. Historiker. Augustiner-Chorherr in St. Florian, Stiftsbibliothekar. Erster Archivar, ab 1846 Vizedirektor des Geh. Haus-, Hof- und Staatsarchivs in Wien. Initiator und Leiter der Historischen Kommission zur Erforschung der vaterländischen Geschichte bei der Akademie der Wissenschaften Wien. – Seit 1854 für die Fächer: Österreichische Geschichte und Diplomatik. – Lit.: Wurzbach Biogr. Lexikon Bd. 2, S. 351–353; Bd. 11, S. 379–380; Bd. 28, S. 328. – ADB. – NDB. – Österr. biogr. Lexikon. – Thürauf. – Amburger S. 122. – Arnim.

CHOULANT, (Johann) Ludwig. Dr. med., Prof. Dresden 12.11.1791–18.7.1861 Dresden. Arzt und Medizinhistoriker. Professor und Direktor an der medizinisch-chirurgischen Akademie in Dresden. Medizinalreferent im Ministerium des Innern. – Seit 1859 für das Fach: Geschichte und Bibliographie der Medizin. – Lit.: Johann Christian Poggendorff: Biographisch-literarisches Handwörterbuch zur Geschichte der exakten Wissenschaften. Bd. 1, Leipzig 1863. – ADB. – Brockhaus. – Lexikon des gesamten Buchwesens.

CLASSEN, Johannes. Dr. phil. Hamburg 21.11.1805–31.8.1891 Hamburg. Altphilologe und Pädagoge. Privatdozent an den Universitäten Bonn und Kiel. Gymnasialprofessor in Lübeck, Direktor des Gymnasiums in Frankfurt a.M. und des Johanneum in Hamburg. – Seit 1860 für das Fach: Geschichte des Schulwesens. – Lit.: ADB Bd. 47, S. 497–498. – NDB. – Universität Bonn Verzeichnis.

COHAUSEN, Karl August von. Rom 17.4.1812–2.12.1894 Wiesbaden, s. Verzeichnis des VwR. – Seit 1861 für das Fach: Geschichte der Kriegsbaukunst.

CONTZEN, Martin Heinrich Theodor. Dr. phil., Prof. Münster (Westfalen) 29.11.1807–4.1.1881 Würzburg. Professor an der Universität und Archivar in Würzburg. Direktor des Historischen Vereins von Unterfranken und Aschaffenburg. – Seit 1854 für das Fach: Bayerische und fränkische Geschichte. – Lit.: August Sperl: Geschichte des Königlichen Kreisarchivs Würzburg 1802–1912. In: Archivalische Zeitschrift N.F. Bd. 19 (1912), S. 48–58. – Thürauf.

CORNELIUS, Carl Adolf Wenzeslaus von. Dr. phil., Prof. Würzburg 12.3.1819–10.2.1903 München. Historiker. Professor an den Universitäten Münster, Bonn und München. Sekretär der Historischen Kommission München. – Seit 1859 für das Fach: Geschichte während der Reformationszeit. – Lit.: Biogr. Jb. Bd. 8 (1903), S. 15–25, Sp. 21. – NDB. – Thürauf. – Amburger S. 144. – Universität Bonn Verzeichnis.

CRAMER, Reinhold. Kriegsgerichtsdirektor in Bütow (Regierungsbezirk Köslin, Pommern). Veröff.: Geschichte des Landes Lauenburg und Bütow, Königsberg 1858; Über den Ursprung des Wortes Pomerellen und die pommerellische Handveste, in: Anzeiger GNM N.F. 8 (1861), Sp. 6–9. – Seit 1859 für das Fach: Geschichte vom Land und Volk der Cassuben und von Pomerellen.

CRULL, Friedrich. Dr. med. et phil. h.c., Prof. Wismar 19.10.1822–4.6.1911 Wismar. Altertumsforscher und Heraldiker in Wismar. – Seit 1871 für das Fach: Kunst- und Kulturgeschichte. – Lit.: Biogr. Jb. Bd. 16 (1911), Sp. 15. – Jahresbericht des Vereins für Mecklenburgische Geschichte und Altertumskunde 76 (1911), S. 1–2, 27–30.

CULEMANN, Friedrich. Hannover 22.8.1811–6.12.1886 Hannover. Unternehmer in Hannover, Besitzer und Leiter der Druckerei Culemann. Senator für das Schulwesen. Sammler mittelalterlicher Kunst. – Seit 1867 für das Fach: Mittelalterliche Kunst. – Lit.: Wilhelm Hartwieg, in: Niedersächsische Lebensbilder Bd. 8, Hildesheim 1973, S. 59–65.

CZOERNIG VON CZERNHAUSEN, Karl Freiherr. Dr. jur. h.c. Czernhausen (Böhmen) 5.5.1804–5.10.1889 Görz. Jurist, Statistiker, Handelspolitiker. Direktor des Statistischen Büros in Wien, Sektionschef im Handelsministerium, Präsident der statistischen Verwaltungskommission. Mitbegründung und Leitung der Zentralkommission zur Erhaltung der Kunst- und historischen Denkmale. – Seit 1859 für das Fach: Altertumskunde in Österreich. – Lit.: Wurzbach Biogr. Lexikon Bd. 3, S. 117–120; Bd. 24, S. 382. – Brockhaus. – Österr. biogr. Lexikon. – Jeanjot.

DAHLMANN, Friedrich Christoph. Dr. phil., Dr. jur. h.c., Prof. Wismar 13.5.1785–5.12.1860 Bonn. Historiker, Politiker. Professor an den Universitäten Kiel (Geschichte), Göttingen (Staatswissenschaften; Haupt der Göttinger Sieben) und Bonn (Geschichte und Staatswissenschaften). – Seit 1857 für das Fach: Deutsche Geschichte. – Lit.: ADB. – NDB. – Biogr. Wörterbuch zur deutschen Geschichte. – Amburger S. 121. – Arnim. – Universität Bonn Verzeichnis. – Universität Bonn Geschichtswiss., S. 115–128. – Universität Bonn Staatswiss., S. 13–17.

DAHN, (Julius Sophus) Felix. Dr. jur., Prof. Hamburg 9.2.1834–3.1.1912 Breslau. Rechtshistoriker, Dichter. Professor an den Universitäten Würzburg, Königsberg und Breslau. – Seit 1871 für das Fach: Geschichte. – Lit.: NDB. – Thürauf. – Biogr. Wörterbuch zur deutschen Geschichte.

DALY, César Denis. Verdun 19.7.1811–12.1.1893 Paris. Architekt. Diözesan-Architekt von Tarn-et-Garonne. Leiter der Restaurierung der Kathedrale von Albi. Begründer der Société d'artistes décorateurs. – Seit 1855 für das Fach: Architektur. – Lit.: Thieme-Becker. – Dictionnaire de biographie française. – Jeanjot.

DANIELS, Alexander von. Dr. jur., Prof. Düsseldorf 9.10.1800–4.3.1868 Berlin. Jurist, Politiker. Professor an der Universität Berlin. Mitglied des Obertribunals. – Seit 1859 für die Fächer: Genealogie, Rechtsgeschichte. – Lit.: ADB.

DANNENBERG, (Friedrich Emil) Hermann. Berlin 4.7.1824–14.6.1905 Bad Salzbrunn. Jurist, Numismatiker. Richter beim Berliner Stadtgericht; Stadtgerichtsrat, Landgerichtsrat. Mitglied der Sachverständigen-Kommission des Münzkabinetts der Kgl. Museen Berlin. Präsident der Berliner Numismatischen Gesellschaft. – Seit 1860 für das Fach: Münzkunde des deutschen Mittelalters. – Lit.: Brockhaus. – Biogr. Jb. Bd. 10 (1905), Sp. 156–157. – NDB.

DARCEL, Alfred. Rouen 4.6.1818–26.5.1893. Konservator für Mittelalter und Renaissance am Louvre in Paris, ab 1871 Administrator der Gobelin-Manufaktur, ab 1885 Direktor des Cluny-Museums. – Seit 1867 (ohne Angabe der Fachrichtung). – Lit.: Dictionnaire de biographie française.

DEHN, Siegfried Wilhelm. Prof. Altona 24.2.1799–12.4.1858 Berlin. Musiktheoretiker und Bibliothekar. Kustos der Musiksammlung an der kgl. Bibliothek in Berlin. – Seit 1854 für das Fach: Tonkunst. – Lit.: ADB. – NDB. – MGG.

DEHN-ROTHFELSER, Heinrich von. Prof. Hanau 6.8.1825–29.6.1885 Berlin. Architekt und Kunsthistoriker. Oberhofbaumeister in Kassel, Professor an der dortigen Akademie. Ab 1878 Regierungs- und Baurat in Potsdam, 1882 Konservator der Kunstdenkmäler in Preußen. – Seit 1871 für das Fach: Kunst- und Kulturgeschichte. – Lit.: Thieme-Becker. – Brockhaus.

DEMMIN, August Friedrich. Berlin 1.4.1817–17.6.1898 Wiesbaden. Kaufmann, Dichter, Kunsthistoriker, ansässig zumeist in Paris. Wissenschaftliche Veröff. insbesondere zur historischen Waffenkunde und Keramik. – Seit 1867 für die Fächer: Geschichte der Töpferarbeiten, Kunstgeschichte der Renaissance. – Lit.: Biogr. Jb. Bd. 5 (1900), Sp. 15. – Brockhaus.

DEMUTH, Karl Joseph von. Tabor (Böhmen) 11.3.1807–1889 Prag. Historiker und Rechtshistoriker. Direktor der Mährischen Landtafel in Brünn, dann des Vereinigten Land- und Lehen-, Staats- und Grundbuchamts in Prag. – Seit 1859 für das Fach: Ältere Geschichte, insbesondere Rechtsgeschichte, auch Statistik Mährens. – Lit.: Wurzbach Biogr. Lexikon. –

Biographisches Lexikon zur Geschichte der böhmischen Länder Bd. 1, Lfg. 3, Wien 1976.

DENZINGER, Franz Joseph Ritter von. Lüttich 26.2.1821–14.2.1894 Nürnberg. Architekt. Königlicher Baubeamter in Regensburg. Dombaumeister dort und in Frankfurt a.M. Kreisbaurat in Bayreuth. – Seit 1867 für das Fach: Geschichte der Bautechnik. – Lit.: ADB Bd. 47, S. 661–663. – Thieme-Becker.

DETHIER, Philipp Anton. 1803–3.3.1881 Konstantinopel. Direktor des Österreichischen Kollegs und des Osmanischen Museums zu Konstantinopel. Mitarbeiter der Monumenta Hungariae Historica. Veröff. u.a.: Epigraphik von Byzantion und Constantinopolis von den ältesten Zeiten bis zum Jahre Christi 1453 (Mitautor: Andreas David Mordtmann), Wien 1864; Nouvelles découvertes archéologiques faites à Constantinople, Constantinople 1867; Études archéologiques, Constantinople 1881. – Seit 1871 für das Fach: Kunst- und Kulturgeschichte. – Lit.: Almanach. Magyar Tudományos Akadémiai. 1882. Budapest 1882, S. 249. – Oettinger T. 9, S. 48.

DIEFENBACH, (Georg) Lorenz Anton. Ostheim (Hessen) 6.8.1806–28.3.1883 Darmstadt. Philologe und Ethnologe. Pfarrer. Bibliothekar der Grafen zu Solms-Laubach und der Stadtbibliothek Frankfurt a.M. – Seit 1862 für die Fächer: Deutsche Sprache und Stammesgeschichte. – Lit.: ADB Bd. 47, S. 677–679. – NDB. – Lexikon des gesamten Buchwesens. – Amburger S. 129.

DIELITZ, Julius. Gest. 1896 in Dresden. Kunst- und Kulturhistoriker. Generalsekretär der Kgl. Museen in Berlin. – Seit 1860 für die Fächer: Geschichte, Genealogie, Topographie, Numismatik, Heraldik, Spragistik. – Lit.: Biogr. Jb. Bd. 3 (1898), Sp. 155.

DIEMER, Josef. Dr. phil. h.c. Stainz (Steiermark) 16.3.1807–3.6.1869 Perchtoldsdorf bei Wien. Germanist. Bibliothekar, seit 1851 Direktor an der Universitätsbibliothek Wien. – Seit 1854 für das Fach: Altdeutsche Sprache und Literatur. – Lit.: ADB. – NDB. – Wurzbach Biogr. Lexikon. – Österr. biogr. Lexikon.

DIETRICH, Franz Eduard Christoph. Dr. phil., D. h. c., Prof. Strauch bei Großenhain (Sachsen) 2.7.1810–27.1.1883. Philologe. Professor an der Universität Marburg a. L. – Seit 1862 für die Fächer: Ältere deutsche, nordische und angelsächsische Sprache und Literatur. – Lit.: ADB Bd. 55, S. 733–734. – Brockhaus.

DIEZ, Friedrich Christian. Dr. phil., Prof. Gießen 15.3.1794–29.5.1876 Bonn. Romanist. Professor an der Universität Bonn. – Seit 1859 für das Fach: Romanische Sprache und Literatur in ihren Beziehungen zur deutschen. – Lit.:

ADB. – NDB. – Thürauf. – Amburger S. 92, 121. – Arnim. – Universität Bonn Verzeichnis. – Universität Bonn Sprachwiss., S. 171–180.

DÖLLINGER, (Johann Joseph) Ignaz von. Dr. theol., Prof. Bamberg 28. 2. 1799–10. 1. 1890 München. Katholischer Theologe, Kirchenhistoriker. Priester. Professor für Kirchenrecht und Kirchengeschichte am sog. Lyceum in Aschaffenburg und an der Universität München; dort auch Vorstand der Universitätsbibliothek. Stiftsprobst von St. Kajetan in München. Vizepräsident und Präsident der Bayerischen Akademie der Wissenschaften. – Seit 1859 für das Fach: Kirchengeschichte. – Lit.: ADB Bd. 48, S. 1–19. – NDB. – Lexikon des gesamten Buchwesens. – Thürauf. – Jeanjot. – Arnim. – Biogr. Wörterbuch zur deutschen Geschichte.

DÖNNIGES, (Franz Alexander Friedrich) Wilhelm Freiherr von. Dr. phil., Prof. Stettin 13. 1. 1814–4. 1. 1872 Rom. Historiker, bayerischer Staatsmann. Ao. Professor an der Universität Berlin; ab 1842 Ratgeber des bayerischen Kronprinzen und Königs Maximilian, Hofrat, Ministerialrat; bayerischer Diplomat in Turin, Nizza, Genf und Bern. – Seit 1855 für das Fach: Deutsche Staats- und Rechtsgeschichte. – Lit.: ADB. – NDB.

DROYSEN, (Johann) Gustav Bernhard. Dr. phil., Prof. Treptow a. d. Rega (Pommern) 6. 7. 1808–19. 6. 1884 Berlin. Historiker, Altphilologe, Politiker. Professor an den Universitäten Kiel, Jena und Berlin. – Seit 1857 für das Fach: Deutsche Geschichte des 15. und 16. Jahrhunderts. – ADB Bd. 48, S. 82–114. – NDB. – Biogr. Wörterbuch zur deutschen Geschichte. – Amburger S. 29. – Thürauf.

DUDIK, Beda Franz. Dr. phil., Prof. Kojetein (Mähren) 29. 1. 1815–18. 1. 1890 Stift Raigern bei Brünn. Historiker. Priester, Benediktiner-Pater in Raigern. Professor an der philosophischen Lehranstalt und am Obergymnasium in Brünn, Privatdozent für historische Quellenkunde an der Universität Wien. Einrichtung eines Zentralarchivs des Deutschen Ritterordens in Wien. Mährischer Landeshistoriograph. – Seit 1867 (ohne Angabe der Fachrichtung). – Lit.: Wurzbach Biogr. Lexikon Bd. 3, S. 385–387; Bd. 24, S. 394. – Österr. biogr. Lexikon. – Thürauf.

DÜMMLER, Ernst Ludwig. Dr. phil. Berlin 2. 1. 1830–11. 9. 1902 Friedrichroda, s. Verzeichnis des VwR. – Seit 1871 für das Fach: Geschichte.

EHMCK, Diedrich Rudolf. Dr. phil. Bremen 13. 1. 1836–17. 3. 1908 Bremen. Historiker. Senator für Kirchen- und Schulangelegenheiten in Bremen. Gründer und Vorsitzender des Vereins für Bremische Geschichte und Altertumskunde. – Seit 1871 für das Fach: Geschichte. – Wilhelm von Bippen: Senator Diedrich Ehmck. In: Bremisches Jahrbuch Bd. 22

(1909), S. 1–8. – Bremische Biographie des neunzehnten Jahrhunderts. Bremen 1912.

EICHHORN, Anton. Dr. phil., Prof. Pissau/Ostpreußen 26. 5. 1809–27. 2. 1869 Frauenburg. Priester, Kirchenhistoriker. Prof. an der Akademie in Braunsberg, Domkapitular in Frauenburg, Generalvikar. Präsident des Historischen Vereins von Ermland. – Seit 1860 für das Fach: Ermländische Geschichte und Altertumskunde. – Lit.: Kosch. – Lexikon für Theologie und Kirche. – Altpreuß. Biogr.

EITELBERGER VON EDELBERG, Rudolf von. Dr. phil. h. c., Prof. Olmütz 14. 4. 1817–18. 4. 1885 Wien. Kunsthistoriker. Professor für Kunstgeschichte an der Universität Wien. Initiator und Direktor des Österreichischen Museums für Kunst und Industrie in Wien und der Kunstgewerbeschule. Reorganisation der Akademie der bildenden Künste. Mitbegründer der Zentralkommission zur Erforschung und Erhaltung der Kunst- und historischen Denkmale. – Seit 1855 für das Fach: Geschichte der bildenden Künste. – Lit.: ADB Bd. 55, S. 734–738. – Österr. biogr. Lexikon.

ELTESTER, Leopold Otto Joseph von. Koblenz 25. 10. 1822–1. 3. 1879 Koblenz. Jurist, Historiker und Altertumsforscher. Richter, ab 1863 Staatsarchivar in Koblenz, Vorstand des Provinzialarchivs, Archivrat. Auswärtiger Sekretär des Vereins von Altertumsfreunden im Rheinland. – Seit 1871 für das Fach: Geschichte. – Lit.: Georg Irmer: Leopold von Eltester. In: Zeitschrift des Bergischen Geschichtsvereins Bd. 15 (1879), S. 247–251. – Mitteilungen der Westdeutschen Gesellschaft für Familienkunde e. V. Bd. 16 (1952–1954), S. 154. – Günter Binding: Rheinische Höhenburgen in Skizzen des 19. Jahrhunderts. Zeichnungen des Majors Theodor Schleppe und des Archivrats Leopold Eltester. Köln 1975.

ELVERT, Christian Ritter d'. Brünn 11. 4. 1803–28. 1. 1896 Brünn. Historiker und Politiker. Beamter des mährisch-schlesischen Gubernium und der Finanzdirektion, Oberfinanzrat, Bürgermeister von Brünn. Präsident der historisch-statistischen Sektion der k. k. mährischen Gesellschaft zur Beförderung des Ackerbaues, der Natur- und Landeskunde und Mitbegründer des Vereins für die Geschichte von Mähren und Schlesien. – Seit 1855 für das Fach: Mährisch-schlesische Geschichte und Topographie. – Lit.: Biogr. Jb. Bd. 1 (1897), S. 45–47; Bd. 3 (1898), Sp. 29. – ADB Bd. 47, S. 653–655. – Österr. biogr. Lexikon.

ENNEMOSER, Josef. Dr. med., Dr. phil. h. c., Prof. Schönau (Südtirol) 15. 11. 1787–19. 9. 1854 Egern a. Tegernsee. Mediziner und Schriftsteller. Professor an der Universität Bonn, Arzt in Innsbruck und München. – Seit 1854 für das Fach: Geschichte der Magie und des Magnetismus. – Lit.: ADB. – Wurzbach Biogr. Lexikon. – Österr. biogr. Lexikon. – Universität Bonn Verzeichnis.

ENNEN, (Friedrich Hubert) Leonhard. Dr. phil. Schleiden (Eifel) 5.3.1820–14.6.1880 Köln. Katholischer Theologe, Landeshistoriker. Priester. Stadtarchivar und Stadtbibliothekar in Köln. Gründer und Erster Sekretär des Historischen Vereins für den Niederrhein, Gründer des Vereins von Altertumsfreunden in Köln. – Seit 1859 für das Fach: Niederrheinische Geschichte. – Lit.: ADB Bd. 48, S. 380–382. – Brockhaus.

ERBSTEIN, Julius Theodor. Meissen 29.3.1803–4.10.1882. Jurist und Historiker. Erster Archivar am Hauptstaatsarchiv in Dresden und Vorstandsmitglied (Bibliothekar) des Kgl. Sächsischen Vereins für Erforschung und Erhaltung vaterländischer Altertümer. – Seit 1852 (Gründungsmitglied) für die Fächer: Münzkunde, sächsische Geschichte. – Lit.: Julius Theodor Erbstein. In: Blätter für Münzfreunde Bd. 5 (1881–1884), Sp. 929–932. – Wilhelm Haan: Sächsisches Schriftsteller-Lexikon. Leipzig 1875.

ERK, Ludwig Christian. Prof. Wetzlar 6.1.1807–25.11.1883 Berlin. Musiklehrer an den Seminaren von Moers und Berlin, Chorleiter. Musikdirektor. Initiator von Gesangvereinen und Musikfesten am Niederrhein und in Berlin. Sammlung und Ausgaben von Volksliedern. – Seit 1862 für das Fach: Deutsches Volks- und Kirchenlied, besonders in musikalischer Beziehung. – Lit.: ADB Bd. 48, S. 394–397. – MGG. – NDB. – Ernst Schade: Ludwig Erks kritische Liedersammlung und sein „Volkslied"-Begriff. Phil. Diss. Marburg 1971. Marburg 1971.

ESSELLEN, (Conrad) Moritz Friedrich Hermann. Dr. phil. h.c. Plettenberg (Kreis Altena, Westfalen) 1796–11.4.1882 Hamm (?). Lokalhistoriker und Altertumsforscher. Kassenrendant am Oberlandesgericht Hamm, kgl. preussischer Hofrat, Premier-Lieutenant a.D. Zeitweise verantwortlich für die Stadtchronik von Hamm. Mitbegründer des Wissenschaftlichen Vereins. – Seit 1859 für das Fach: Geschichte der Grafschaft Mark und des Herzogtums Cleve. – Lit.: Ilsemarie von Scheven: Hammer Autoren. Hamm 1973, S. 9–11.

ESTORFF, G.O. Carl Freiherr von. Barnstedt bei Uelzen 21.12.1811–8.10.1877 Bern. Prähistoriker in Uelzen, zeitweise lebend in Göttingen, auf Schloß Jägersburg bei Forchheim (Oberfranken) und in Lüneburg. Königlich niederländischer Kammerherr. Aktive Mitarbeit im Gesamtverein der deutschen Geschichts- und Altertumsvereine, mit folgenden Ämtern: Vorsitzender der archäologischen Kommission, Präsident der I. Sektion für Archäologie der heidnischen Vorzeit. – Seit 1854 für die Fächer: Altertumskunde, mittelalterliche Kunst. – Lit.: Friedrich Carl Bath: Kammerherr von Estorff. Uelzen 1959. – Thürauf.

ETTMÜLLER, Ernst Moritz Ludwig. Dr. phil., Prof. Gersdorf bei Löbau (Oberlausitz) 5.10.1802–15.4.1877 Unterstraß bei Zürich. Sprach- und Literaturwissenschaftler. Professor für deutsche Sprache und Literatur am Gymnasium und an der Universität Zürich. – Seit 1854 für das Fach: Angelsächsische und deutsche Literaturgeschichte. – Lit.: ADB. – Brockhaus.

EULER, Ludwig Heinrich. Dr. jur. Frankfurt a.M. 23.4.1813–17.11.1885 Frankfurt a.M. Jurist und Historiker. Anwalt und Notar in Frankfurt. Vorsitzender des Frankfurter Vereins für Geschichte und Altertumskunde. Mitglied der Zentraldirektion der Monumenta Germaniae Historica. – Seit 1859 für das Fach: Geschichte, namentlich Rechts- und Münzgeschichte Frankfurts. Seine Bibliothek wurde gegen geringes Entgelt vom Germanischen Nationalmuseum übernommen. – Lit.: ADB Bd. 48, S. 448. – NDB.

FAHNE, Anton. Münster (Westfalen) 28.2.1805–12.1.1883 Fahnenburg bei Düsseldorf. Jurist, Historiker, Genealoge. Friedensrichter in Jülich und Bensberg bei Köln. Kunst- und Archivaliensammler. – Seit 1859 für das Fach: Stadtkölnische Rechts-, Verfassungs-, Kultur- und Kunstgeschichte. – Lit.: ADB Bd. 48, S. 483–485. – Brockhaus. – Anna Dorothee von den Brincken: Die Sammlungen Lückger und Fahne im Stadtarchiv Köln. Köln 1965.

FALKE, Jacob Ritter von. Ratzeburg 21.6.1825–8.6.1897 Lovrano, s. Verzeichnis der Beamten. – Seit 1859 für das Fach: Kostümkunde.

FALKE, Johannes. Ratzeburg 10.4.1823–2.3.1876 Dresden, s. Verzeichnis der Beamten. – Seit 1866 für das Fach: Handelsgeschichte.

FEIL, Joseph. Wien 20.6.1811–29.10.1862 Wien. Jurist und Historiker. Beamter im Ministerium für Cultus und Unterricht (Ministerialkonzipist, Ministerialsekretär). Examinator für Geschichte bei der k.k. Staatsprüfungs-Kommission an der Universität Wien. Mitbegründer und Präsidial-Stellvertreter des Wiener Altertumsvereins. – Seit 1854 für das Fach: Österreichische Geschichtskunde. – Lit.: ADB. – Wurzbach Biogr. Lexikon Bd. 4, S. 162–164; Bd. 11, S. 404. – Österr. biogr. Lexikon.

FENTSCH, Eduard. München 1814–12.2.1877 Augsburg. Jurist, Dichter, Kulturhistoriker. Bayerischer Finanzbeamter, Oberrechnungsrat in München, ab 1876 Direktor der Regierungs-Finanzkammer in Augsburg. Vorstand der Münchner Liedertafel, Ehrenpräsident des Bayerischen Sängerbundes. – Seit 1871 für das Fach: Deutsche Sprache und Literatur. – Lit.: ADB. – Ludwig Steub: Eduard Fentsch. In: Allgemeine Zeitung 24.4.1877, Beilage, S. 1729–1730.

FERSTEL (FERSTL), (Johann) Heinrich Freiherr von. Prof. Wien 7.7.1828–14.7.1883 Wien. Architekt in Wien, u.a.

Schöpfer der Votivkirche. Oberbaurat. Professor am Wiener Polytechnischen Institut. – Seit 1871 für das Fach: Baukunst. – Lit.: Thieme-Becker. – Wurzbach Biogr. Lexikon Bd. 4, S. 201; Bd. 26, S. 377. – Österr. biogr. Lexikon. – NDB.

FICKER, (Johann Kaspar) Julius von. Dr. phil., Dr. jur. h. c., Prof. Paderborn 30. 4. 1826–10. 7. 1902 Innsbruck. Historiker, Rechtshistoriker. Professor an der Universität Innsbruck. – Seit 1854 für die Fächer: Deutsche Geschichte, Münzkunde. – Lit.: Österr. biogr. Lexikon. – NDB. – Thürauf. – Amburger S. 141. – Arnim. – Universität Bonn Verzeichnis.

FICKLER, Carl Alois. Dr. phil. Konstanz 8. 5. 1810–18. 12. 1871 Mannheim, s. Verzeichnis des VwR. – Seit 1859 für die Fächer: Alemannische Geschichte und Geschichte des Hauses Fürstenberg und seines Dienst- und Lehen-Adels.

FIDICIN, Ernst. Potsdam 27. 4. 1802–19. 12. 1883 Berlin. Aktuar beim Kammergericht und Stadtarchivar in Berlin. Ehrenpräsident des Vereins für die Geschichte Berlins. – Seit 1859 für das Fach: Brandenburgische, insbesondere berlinische Stadtgeschichte. – Lit.: Ferdinand Meyer: Ernst Fidicin. In: Der Bär Bd. 5 (1879), S. 198–200. – Der Bär Bd. 10 (1884), S. 240. – Mitteilungen des Vereins für die Geschichte Berlins Bd. 1 (1884), S. 8. – Zum 100jährigen Geburtstag von Ernst Fidicin. In: Mitteilungen des Vereins für die Geschichte Berlins Bd. 19 (1902), S. 55.

FIEDLER, Josef von. Wittingau (Böhmen) 17. 3. 1819– 30. 6. 1908 Baden bei Wien. Jurist, Historiker. Archivar im Haus-, Hof- und Staatsarchiv in Wien, seit 1880 Vizedirektor. – Seit 1860 für das Fach: Österreichische Geschichte und Diplomatik. – Lit.: Österr. biogr. Lexikon.

FIRMENICH-RICHARTZ, (Johann) Matthias. Dr. phil., Prof. Köln 5. 7. 1808–10. 5. 1889 Potsdam. Germanist und Dichter in Köln, Düsseldorf und Berlin. Sammlung deutscher mundartlicher Volkslieder, Märchen und Sagen. – Seit 1860 für die Fächer: Germanische Sprachen, Mundarten und Volkspoesie. – Lit.: ADB Bd. 48, S. 561–562. – Brockhaus.

FIRNHABER, Friedrich. Wien 15. 2. 1818–19. 9. 1860 Wien. Jurist und Historiker. Erster Archivar am Haus-, Hof- und Staatsarchiv in Wien. – Seit 1854 für das Fach: Österreichische Geschichte und Diplomatik. – Lit.: Wurzbach Biogr. Lexikon Bd. 4, S. 235–236; Bd. 11, S. 405. – Österr. biogr. Lexikon. – ADB.

FLEGLER, Alexander. Dr. phil. Genua 2. 7. 1803–12. 12. 1892 Bensheim (Hessen), s. Verzeichnis der Beamten. – Seit 1854 für das Fach: Verhältnis Deutschlands zu den magyarisch-slavischen Völkern.

FLOTO, Hartwig. Prof. Arendsee (Altmark) 1. 11. 1825–1881 Königsberg. Historiker. Professor an der Universität Basel. – Seit 1859 für das Fach: Deutsche Geschichte im 11. Jahrhundert. – Lit.: ADB Bd. 55, S. 476–477.

FLOTTWELL, Heinrich Eduard von. Insterburg 23. 7. 1786– 28. 5. 1865 Berlin. Jurist, preußischer Staatsmann. Regierungspräsident, ab 1830 Oberpräsident in Marienwerder, Posen, in den Provinzen Sachsen, Westfalen und in der Mark Brandenburg. Zwischenzeitlich 1844–1846 Finanzminister, 1858–1859 Minister des Innern. – Ehrenmitglied seit 1858. – Lit.: ADB. – NDB. – Altpreuß. Biogr. – Biogr. Wörterbuch zur deutschen Geschichte.

FÖRINGER, Heinrich Konrad. München 14. 8. 1802–9. 2. 1880 München, s. Verzeichnis des VwR. – Seit 1854 für das Fach: Bayerische Literärgeschichte.

FÖRSTEMANN, Ernst Wilhelm. Dr. phil., Prof. Danzig 18. 9. 1822–4. 11. 1906 Berlin. Philologe. Bibliothekar der Gräflich Stolbergschen Bibliothek in Wernigerode und in Dresden der Kgl. Öffentlichen Bibliothek, der königlichen Privatbibliothek und der Sekundogenitur-Bibliothek. Mitbegründer und Vorsitzender der Historischen Gesellschaft zu Dresden. – Seit 1861 für das Fach: Kunde deutscher Orts- und Personennamen. – Lit.: Biogr. Jb. Bd. 11 (1906), S. 177–182, Sp. 20. – NDB. – Lexikon des gesamten Buchwesens.

FÖRSTER, Ernst. Dr. phil. Münchengosserstädt 8. 4. 1800– 29. 4. 1885 München, s. Verzeichnis des VwR. – Seit 1852 (Gründungsmitglied) für das Fach: Deutsche Kunstgeschichte.

FOSS, Rudolf. Dr. phil., Prof. Danzig 1822–4. 1. 1904 Berlin. Historiker. Professor an der Universität Berlin. – Seit 1866 für das Fach: Preußische Geschichte. – Lit.: Biogr. Jb. Bd. 10 (1905), Sp. 31.

FRANCK, Alfred Ritter von. 1808–4. 12. 1884 Graz. Offizier und Altertumsforscher. Hauptmann an der Militäranstalt in Wiener Neustadt und Graz, Major. Ausschuß-Mitglied des Historischen Vereins für Steiermark. Grabungen und Fundveröffentlichung: Bericht über die Auffindung eines uralten Leichenfeldes bei Kettlach, unweit Gloggnitz, und über einige andere bemerkenswerte Fundstücke, in: Archiv für Kunde österreichischer Geschichtsquellen Bd. 12 (1854), S. 235–246 (auch selbständig erschienen: Wien 1854). – Seit 1855 für das Fach: Mittelalterliche Kunst.

FRIEDLÄNDER, (Eduard) Julius Theodor. Dr. phil. Berlin 26.8.1813–14.4.1884 Berlin. Numismatiker. Direktor des Münzkabinetts der Kgl. Museen in Berlin. – Seit 1859 für das Fach: Münzkunde. – Lit.: ADB Bd.48, S.780–785. – NDB. – Amburger S.30, 101.

FRIND, Anton Ludwig. Hainspach (Böhmen) 9.10.1823–28.10.1881 Leitmeritz. Kirchenhistoriker. Priester. Direktor der Gymnasien in Leitmeritz und Eger. 1869 Domkapitular in Prag, ab 1877 Bischof von Leitmeritz. – Seit 1860 für das Fach: Kirchengeschichte Böhmens im allgemeinen und in ihrer besonderen Beziehung auf die gegenwärtige Leitmeritzer Diözese. – Lit.: ADB Bd.49, S.148–149. – Österr. biogr. Lexikon.

GACHARD, Louis Prosper. Paris 12.3.1800–24.12.1885 Brüssel. Historiker in Brüssel. Generalarchivar des Königreichs Belgien. Präsident der Académie Royale de Belgique, Gründungsmitglied und Sekretär der Commission Royale d'Histoire. – Seit 1859 für das Fach: Geschichte Belgiens, seit dem burgundischen Hause. – Lit.: Almanach der Kaiserlichen Akademie der Wissenschaften Jg. 36 (1886), S.165–167. – Brockhaus. – Biographie nationale ... de Belgique Bd.29, Suppl. 1, Sp.585–608. – Jeanjot. – Thürauf. – Arnim.

GAR, Tommaso (auch: Thomas). Prof. Trient 22.2.1808–28.7.1871. Historiker. Professor und Bibliothekar der Universitäten Padua und Neapel, der Stadtbibliothek Trient. Ab 1867 Direktor des Generalarchivs in Venedig, 1868 dort Präsident der k. Gesellschaft der Wissenschaften. – Seit 1859 für die Fächer: Südtirolische Geschichte und geschichtlich-historische Verhältnisse Italiens zu Deutschland. – Lit.: Almanach der Kaiserlichen Akademie der Wissenschaften Jg. 4 (1854), S.293–294; Jg. 22 (1872), S.237–238. – Thürauf.

GAUPP, Ernst Theodor. Dr. jur., Prof. Kleingaffron bei Raudten (Schlesien) 31.5.1796–10.6.1859 Breslau. Jurist, Rechtshistoriker. Professor an der Universität Breslau. – Seit 1855 für die Fächer: Deutsche Rechtsgeschichte, Privat-, Lehn- und Staatsrecht. – Lit.: ADB. – Brockhaus. – Oettinger T.2, S.111.

GEFFCKEN, Johannes. Dr. phil., D.h.c. Hamburg 20.2.1803–2.10.1864 Hamburg. Theologe. Pastor an St.Michaelis in Hamburg. – Seit 1854 für die Fächer: Hanseatische Kunst- und Literärgeschichte. – Lit.: ADB.

GEMMING, Karl Emil von. Heilbronn 22.4.1794–29.1.1880 Nürnberg. Bayerischer Offizier, zuletzt Oberst und Platz-Stabsoffizier in Nürnberg; zwischenzeitlich 1836–1838 auf der Veste Rothenberg als deren letzter Kommandant. Münz- und Altertümer-Sammler. Mitbegründer des Vereins für Geschichte der Stadt Nürnberg. Ausschuß-Mitglied der Gesellschaft für Erhaltung der Denkmäler älterer deutscher Geschichte, Literatur und Kunst. – Seit 1854 für das Fach: Münzkunde. – Lit.: Karl Emil Gemming †. Nürnberg 1880. – Blätter für Münzfreunde Bd.4 (1877–1880), Sp.732.

GENGLER, Heinrich Gottfried. Dr. phil. et jur. Bamberg 25.7.1817–29.11.1901 Erlangen, s. Verzeichnis des VwR. – Seit 1854 für die Fächer: Deutsches Städtewesen und Privatrecht.

GERBER, Carl Friedrich Wilhelm von. Dr. jur., Prof. Eheleben bei Sondershausen 11.4.1823–23.12.1891 Dresden. Jurist, sächsischer Staatsmann. Professor an den Universitäten Erlangen, Tübingen, Jena und Leipzig. 1871 Kultusminister, 1891 Ministerpräsident Sachsens. – Seit 1854 für das Fach: Deutsches Privatrecht. – Lit.: ADB Bd.49, S.291–297. – NDB.

GERSDORF, Ernst Gotthelf. Tautendorf bei Stadtroda (Thüringen) 2.11.1804–5.1.1874 Leipzig. Bibliothekar, sächsischer Landeshistoriker. Sekretär an der Kgl. Bibliothek in Dresden, Oberbibliothekar und Leiter der Universitätsbibliothek Leipzig; Leiter des Münzkabinetts der Universität. Als Forscher für Landeskunde Vorsitzender der Deutschen Gesellschaft. – Seit 1852 (Gründungsmitglied) für die Fächer: Literärgeschichte, Bibliographie. – Lit.: ADB. – NDB.

GIECH, Franz Friedrich Carl Graf von. Thurnau (Oberfranken) 29.10.1795–2.2.1863 Nürnberg. Bayerischer Politiker. 1838–1840 Regierungspräsident von Mittelfranken. Haupt der fränkisch-protestantischen Opposition. Sammler, Mäzen, Förderer der fränkischen Vorgeschichtsforschung. – Ehrenmitglied seit 1858. – Lit.: NDB.

GIEFERS, Wilhelm Engelbert. Dr. phil., Prof. Brakel (Kreis Höxter, Westfalen) 6.11.1817–26.11.1880 Brakel. Historiker und Kunsthistoriker. Gymnasial-Professor in Paderborn. Direktor der Paderborner Abteilung des Vereins für Geschichte und Altertumkunde Westfalens, Direktor des Diözesan-Kunstvereins. – Seit 1860 für das Fach: Westfälische Landes- und Kunstgeschichte. – Lit.: Conr. Mertens: Wilhelm Engelbert Giefers. In: Zeitschrift für vaterländische Geschichte und Altertumkunde Bd.39, H. 2 (1881), S.181–191 (mit Schriftenverzeichnis). – Kosch.

GIESEBRECHT, Friedrich Wilhelm Benjamin von. Dr. phil. Berlin 5.3.1814–8.12.1889 München, s. Verzeichnis des VwR. – Seit 1855 für das Fach: Kaiser- und Reichsgeschichte vom 10. bis 13. Jahrhundert.

GLASER, Julius. Dr. phil. et jur., Prof. Postelberg (Böhmen) 19.3.1831–26.12.1855 Wien. Jurist, österreichischer Staatsmann. Professor für österreichisches Strafrecht an der Universität Wien. 1868–1870 Sektionschef im Unterrichtsministerium, ab 1871 Justizminister, ab 1879 General-Prokurator am Obersten Gerichts- und Kassationshof. – Seit 1855 für das Fach: Geschichte des Kriminalrechts. – Lit.: ADB Bd. 49, S. 372–380. – Wurzbach Biogr. Lexikon Bd. 26, S. 384. – Österr. biogr. Lexikon.

GLAX, Heinrich. Dr. phil. Wien 27. 11. 1808–28. 1. 1879 Graz, s. Verzeichnis des VwR. – Seit 1854 für das Fach: Österreichische Geschichte, Kunst und Literärgeschichte.

GOEDEKE, Karl Ludwig Friedrich. Dr. phil. h. c., Prof. Celle 15. 4. 1814–27. 10. 1887 Göttingen. Literarhistoriker, Bibliograph, Dichter und Publizist in Celle und Göttingen. Ao. Professor an der Universität Göttingen. – Seit 1857 für das Fach: Deutsche Literaturgeschichte. – Lit.: ADB Bd. 49, S. 422–430. – NDB. – Lexikon des gesamten Buchwesens.

GRAESSE, Johann Georg Theodor. Grimma (Sachsen) 31. 1. 1814–27. 8. 1885 Niederlößnitz bei Dresden. Philologe, Bibliothekar, Kulturhistoriker. Privatbibliothekar des Königs Friedrich August II. von Sachsen, Direktor der Kgl. Münz- und Porzellansammlung und des Grünen Gewölbes in Dresden. – Seit 1862 für die Fächer: Literatur, Sprache, Bibliographie, Kulturgeschichte. – Lit.: Wilhelm Haan: Sächsisches Schriftsteller-Lexikon. Leipzig 1875. – NDB. – Lexikon des gesamten Buchwesens.

GRIMM, Jacob Ludwig Karl. Prof. Hanau 4. 1. 1785–20. 9. 1863 Berlin. Germanist. Zweiter Bibliothekar der Landesbibliothek in Kassel, Professor und Bibliothekar an der Universität Göttingen (zugehörig zu den Göttinger Sieben), seit 1841 als Mitglied der Preußischen Akademie der Wissenschaften in Berlin lebend. – Seit 1855 für die Fächer: Deutsche Sprache, Rechtsaltertümer und Mythologie. – Lit.: ADB. – NDB. – Thürauf. – Amburger S. 27, 89, 112. – Arnim. – Jeanjot. – Biogr. Wörterbuch zur deutschen Geschichte.

GROEN VAN PRINSTERER, Guillaume. Dr. jur. et phil. Voorburg 21. 8. 1801–19. 5. 1876 Den Haag. Historiker, Politiker und Publizist in Den Haag, 1829–1833 Kabinettssekretär des Königs; Staatsrat. – Seit 1859 für das Fach: Geschichte der Vereinigten Provinzen und des Hauses Oranien. – Lit.: Meyer. – Tiemen de Vries: Mr. G. Groen van Prinsterer in zijne omgeving. Leiden 1908. – Nieuw nederlandsch woordenboek 2, Sp. 508–520. – Jeanjot.

GROTE, Hermann. Dr. jur. Hannover 28. 12. 1802–3. 3. 1895 Limmer bei Hannover. Numismatiker in Hannover. Sammler. Zeitweise Leitung der Kgl. Münzsammlung in Hannover. – Seit 1863 (ohne Angabe der Fachrichtung). – Lit.: ADB Bd. 49, S. 562. – Brockhaus.

GROTEFEND, Karl Ludwig. Dr. phil. Frankfurt a. M. 22. 12. 1807–27. 10. 1874 Hannover, s. Verzeichnis des VwR.

– Seit 1861 für das Fach: Genealogie, Heraldik und Numismatik Niedersachsens.

GUHL, Ernst Karl. Dr. phil., Prof. Berlin 20. 7. 1819–20. 8. 1862 Berlin. Kunsthistoriker. Professor an der Universität und an der Akademie der Künste in Berlin. – Seit 1859 für das Fach: Kunstgeschichte. – Lit.: ADB. – Brockhaus.

HABEL, Friedrich Gustav. Oranienstein (Nassau) 22. 2. 1792–1867. Jurist und Altertumsforscher. Archivar in Wiesbaden und Mainz. Direktor des Römisch-Germanischen Zentralmuseums in Mainz. Mitbegründer des Nassauischen Altertumsvereins, aktive Mitarbeit im Gesamtverein der deutschen Geschichts- und Altertumsvereine. – Seit 1854 für das Fach: Mittelrheinische Geschichte und Diplomatik. – Lit.: Festschrift zur Feier des fünfzigjährigen Bestehens des Römisch-Germanischen Centralmuseums zu Mainz. Mainz 1902, S. 19–20. – Friedrich Carl Bath: Kammerherr von Estorff. Uelzen 1959, S. 46, Anm. 63.

HÄNSELMANN, Ludwig. Dr. jur. h. c., Prof. Braunschweig 4. 3. 1834–22. 3. 1904 Braunschweig. Historiker. Stadtarchivar in Braunschweig, Aufbau und Leitung von Stadtbibliothek und Museum. – Seit 1871 für das Fach: Geschichte. – Lit.: Biogr. Jb. Bd. 9 (1904), S. 328–329; Bd. 10 (1905), Sp. 43. – Heinrich Mach: Ludwig Hänselmann †. In: Zeitschrift des Historischen Vereins für Niedersachsen (1904), S. 436–455. – Arnim.

HAESER, Heinrich. Dr. med., Prof. Rom 15. 10. 1811–13. 9. 1885 Breslau. Mediziner, Medizinhistoriker. Professor an den Universitäten Jena, Greifswald und Berlin. – Seit 1854 für das Fach: Geschichte der Heilkunde. – Lit.: ADB Bd. 50, S. 53–54. – NDB.

HÄUSSER, Ludwig. Dr. phil., Prof. Kleeburg (Unterelsaß) 26. 10. 1818–17. 3. 1867 Heidelberg. Historiker, Publizist, Politiker. Professor an der Universität Heidelberg. Mitglied der Historischen Kommission in München. – Seit 1855 für das Fach: Pfälzische Geschichte. – Lit.: ADB. – NDB. – Biogr. Wörterbuch zur deutschen Geschichte. – Thürauf. – Arnim.

HAGEN, Erhard Christian von. Bayreuth 17. 7. 1786–28. 10. 1867 Bayreuth. Jurist, Kameralist und Lokalhistoriker. 1818–1848 Oberbürgermeister von Bayreuth. Mitbegründer und Vorstand des Historischen Vereins für Oberfranken. – Seit 1854 für das Fach: Oberfränkische Geschichts- und Rechtskunde. – Lit.: Wilhelm Müller: Erhard Christian von Hagen. In: Archiv für Geschichte von Oberfranken Bd. 47 (1967), S. 379–394.

HAGEN, Friedrich Heinrich von der. Dr. phil., Prof. Schmiedeberg (Uckermark) 19. 2. 1780–11. 6. 1856 Berlin. Germanist, Jurist. Professor der deutschen Sprache und Literatur an den Universitäten Berlin und Breslau (dort auch Bibliothekar). – Seit 1854 für das Fach: Geschichte der deutschen Poesie. – Lit.: ADB. – NDB. – Thürauf. – Amburger S. 27.

HAGEN, Karl. Dr. phil., Prof. Dottenheim bei Windsheim (Franken) 10.10.1810–24.1.1868. Historiker. Professor an den Universitäten Heidelberg (ao.) und Bern. – Seit 1862 für das Fach: Geschichte der zweiten Hälfte des 16. und der ersten Hälfte des 17. Jahrhunderts. – Lit.: ADB.

HAGENBACH, Karl Rudolf. D. h. c., Prof. Basel 4.3.1801–7.6.1874 Basel. Theologe, Kirchenhistoriker. Professor an der Universität Basel. – Seit 1859 für das Fach: Kirchen- und Reformationsgeschichte. – Lit.: ADB. – NDB. – Historisch-biogr. Lexikon der Schweiz.

HALTRICH, Josef. Sächsisch-Regen (Siebenbürgen) 25.7.1822–17.5.1886 Schaas bei Schäßburg (Siebenbürgen). Volkskunde-Forscher, Theologe. Gymnasiallehrer und Rektor in Schäßburg, Pfarrer in Schaas. – Seit 1859 für das Fach: Sagenkunde, Sitten und Gebräuche in Siebenbürgen. – Lit.: ADB Bd. 49, S. 734–736. – Österr. biogr. Lexikon.

HANSSEN, Georg. Dr. phil., Prof. Hamburg 31.5.1809–19.12.1894 Göttingen. Agrarhistoriker und Nationalökonom. Professor an den Universitäten Kiel, Leipzig, Göttingen und Berlin. – Seit 1862 für das Fach: Geschichte des deutschen Agrarwesens. – Lit.: ADB Bd. 55, S. 771–773. – NDB. – Amburger S. 29, 101. – Arnim.

HASE, Karl August von. Dr. phil., D., Dr. jur. h. c., Prof. Niedersteinbach bei Penig (Sachsen) 25.8.1800–3.1.1890 Jena. Theologe, Kirchenhistoriker. Professor an der Universität Jena. – Seit 1855 für das Fach: Germanische Kirchengeschichte. – Lit.: ADB Bd. 50, S. 36–47. – NDB.

HASE, Konrad Wilhelm. Prof. Einbeck 2.10.1818–28.3.1902 Hannover. Architekt, Denkmalpfleger, Bauhistoriker. Lehrer für Baukunst und Kunstgeschichte am Polytechnikum Hannover, Regierungsbaurat, Konsistorialbaumeister. – Seit 1871 für das Fach: Baukunst. – Lit.: Thieme-Becker. – Biogr. Jb. Bd. 7 (1902), Sp. 43. – NDB.

HASSLER, Konrad Dietrich. Dr. phil. Altheim 18.5.1803–17.4.1873 Ulm, s. Verzeichnis des VwR. – Seit 1854 für das Fach: Oberschwäbische Kunst- und Literärgeschichte.

HAUPT, (Rudolph Friedrich) Moriz. Dr. phil., Prof. Zittau 27.7.1808–5.2.1874 Berlin. Germanist, Altphilologe. Professor an den Universitäten Leipzig und Berlin. – Seit 1854 für das Fach: Geschichte der deutschen Literatur und Sprache. –

Lit.: ADB. – NDB. – Thürauf. – Amburger S. 9, 28, 122. – Arnim.

HAUSCHILD, Ernst. Dr. phil. Altenburg 1816–29.7.1872. Philologe und Musikwissenschaftler. Dozent für Musik an der Universität Basel. – Seit 1862 für das Fach: Tonkunst, insbesondere die Theorie derselben. – Lit.: Hermann Mendel: Musikalisches Conversations-Lexikon Bd. 5, Berlin 1875.

HAUSER, Gustav Adolf. Prof. Gest. 17.5.1872 Nürnberg. 1866–1872 Professor für deutsche Sprache, Geschichte und Geographie am Realgymnasium in Nürnberg. – Seit 1867 für das Fach: Numismatik. – Lit.: Anzeiger GNM 1872, Sp. 194. – Theodor Bischoff: Das k. Realgymnasium zu Nürnberg, 1864–1896. Nürnberg 1896, S. 46, 68.

HAUSLAB, Franz Ritter von. Prof. Wien 1.2.1798–11.2.1883 Wien. Österreichischer Offizier, Kartograph und Maler. Feldmarschall-Lieutenant und General-Artillerie-Direktor. Professor für Situationszeichnen und Terrainlehre an der Ingenieur-Akademie in Wien. – Seit 1854 für das Fach: Geschichte des Kriegswesens. – Lit.: ADB Bd. 50, S. 81–83. – NDB. – Wurzbach Biogr. Lexikon. – Österr. biogr. Lexikon. – Thieme-Becker.

HAVEMANN, Wilhelm. Prof. Lüneburg 27.9.1800–23.8.1869 Göttingen. Historiker. Professor an der Universität Göttingen. – Seit 1855 für das Fach: Braunschweig-Lüneburgische Geschichte. – Lit.: ADB. – Brockhaus. – Arnim.

HEFELE, Karl Joseph von. Dr. theol., Dr. phil. h. c., Prof. Unterkochen (Württemberg) 15.3.1809–5.6.1893 Rottenburg a. Neckar. Theologe. Priester, Bischof von Rottenburg. Professor für Kirchengeschichte, Patrologie und christliche Archäologie an der Universität Tübingen. – Seit 1855 für die Fächer: Kirchengeschichte und kirchliche Archäologie. – Lit.: ADB Bd. 50, S. 109–115. – NDB. – RGG. – Lexikon für Theologie und Kirche. – Biogr. Wörterbuch zur deutschen Geschichte.

HEFNER-ALTENECK, Jakob Heinrich von. Aschaffenburg 20.5.1811–19.5.1903 München, s. Verzeichnis des VwR. – Seit 1852 (Gründungsmitglied) für das Fach: Geschichte der Trachten, Bewaffnung und Geräte.

HEGEL, Karl von. Dr. jur. et phil. Nürnberg 7.6.1813–6.12.1901 Erlangen, s. Verzeichnis des VwR. – Seit 1855 für das Fach: Geschichte der Städteverfassung in Italien.

HEIDELOFF, Karl Alexander von. Stuttgart 2.2.1789–28.9.1865 Haßfurt, s. Verzeichnis des VwR. – Seit 1854 für das Fach: Geschichte der Ornamentik des Mittelalters.

HEIDER, Gustav Adolph Freiherr von. Dr. phil. Wien 15.10.1819–15.3.1897 Wien. Jurist, Kunsthistoriker. Ministerialsekretär im Ministerium für Cultus und Unterricht in Wien. Präsident der Akademie der Künste. Mitbegründer der Zentralkommission zur Erforschung und Erhaltung der Kunst- und historischen Denkmale. – Seit 1859 für das Fach: Kunstgeschichte und Kunstarchäologie des Mittelalters. – Lit.: Biogr. Jb. Bd. 4 (1899), Sp. 107–108. – Wurzbach Biogr. Lexikon. – Österr. biogr. Lexikon.

HEINRICH, Franz. Dr. phil. Gräfenberg (Oberfranken?) 19.6.1827 (?)–20.10.1905 München. Archivar. 1869–1891 Vorstand des Kreisarchivs in Nürnberg, Reichsarchivrat. Mitbegründer und Vorstandsmitglied des Vereins für Geschichte der Stadt Nürnberg. – Seit 1871 für das Fach: Geschichte. – Lit.: Biogr. Jb. Bd. 10 (1905), Sp. 182. – Mitteilungen des Vereins für Geschichte der Stadt Nürnberg Bd. 16 (1904), S. 17, 22–23, 54.

HERBERGER, Theodor. Ottobeuren 14.2.1811–5.12.1870. Historiker. Stadtarchivar in Augsburg. Initiator des städtischen Museums. Ausschuß-Mitglied des Historischen Kreis-Vereins im Regierungsbezirk von Schwaben und Neuburg. – Seit 1855 für das Fach: Schwäbische Kunstgeschichte. – Lit.: ADB. – Jahresbericht des historischen Kreis-Vereins im Regierungsbezirk von Schwaben und Neuburg 35 (1869/1870), S. XXXV–XXXVII. – Thürauf.

HERING, Hermann Konrad Wilhelm. Dr. phil.h.c., Prof. Büche (Pommern) 5.11.1800–1.2.1886. Historiker, Philologe. Gymnasialprofessor in Stettin. Vorstandsmitglied der Gesellschaft für Pommersche Geschichte und Altertumskunde, deren Sammlungen er als Conservator betreute. – Seit 1854 für das Fach: Pommersche Geschichte und Altertumskunde. – Lit.: Baltische Studien Bd. 36 (1886), S. 381–384.

HESSE, Ludwig Friedrich. Dr. phil., Prof. Rudolstadt 2.9.1783–28.3.1867 Rudolstadt. Historiker. Gymnasial-Professor und -Direktor in Rudolstadt. Fürstlich Schwarzburgischer Archivar und Bibliothekar. – Seit 1859 für die Fächer: Thüringische Geschichte, insbesondere Diplomatik, Sphragistik und Münzkunde der thüringischen Länder. – Lit.: ADB.

HETTNER, Hermann. Dr. phil., Prof. Niederleisersdorf 12.3.1821–29.5.1882 Dresden, s. Verzeichnis des VwR. – Seit 1866 für das Fach: Kunst- und Literaturgeschichte.

HEUSLER, Andreas. Dr.jur., Dr.phil.h.c., Prof. Basel 8.3.1802–11.4.1868 Basel. Jurist, Historiker, Politiker. Professor für schweizerisches Staatsrecht, römisches Recht und Criminalrecht an der Universität Basel. Mitbegründer und zeitweiliger Vorstand der Baslerischen Historischen Gesellschaft und der Allgemeinen Geschichtsforschenden Gesellschaft der Schweiz. – Seit 1859 für das Fach: Das öffentliche Recht in der Schweiz, insbesondere im 17. Jahrhundert. – Lit.: ADB. – Brockhaus. – Historisch-biogr. Lexikon der Schweiz.

HEYNE, Moriz. Dr. phil. Weißenfels a. S. 8.6.1837–1.3.1906 Göttingen, s. Verzeichnis des VwR. – Seit 1871 für das Fach: Deutsche Sprache und Literatur.

HIRSCH, Theodor. Dr.phil. Altschottland bei Danzig 17.12.1806–17.2.1881 Greifswald. Historiker. Gymnasialprofessor und Stadtarchivar in Danzig, ab 1865 Professor und Oberbibliothekar an der Universität Greifswald. – Seit 1859 für das Fach: Geschichte der Provinz Preußen, insbesondere der preußischen Hansestädte. – Lit.: ADB Bd. 13, S. 506–509.

HIS-HEUSLER, Eduard. Dr.phil.h.c. Basel 12.9.1820–24.8.1905 Basel. Kaufmann und Kunsthistoriker. Ab 1853 Mitglied, ab 1866 Präsident der Kommission für die Öffentliche Kunstsammlung in Basel und damit Vorsteher der Kunstsammlung. – Seit 1871 für das Fach: Kunst- und Kulturgeschichte. – Lit.: Biogr. Jb. Bd. 10 (1905), Sp. 185. – Max Lehrs: Eduard His †. In: Kunstchronik N. F. 17 (1905/1906), Sp. 65–69. Historisch-biogr. Lexikon der Schweiz. – Eduard His: Chronik der Familie Ochs genannt His. Basel 1943, S. 261–276.

HÖFLER, (Karl Adolf) Konstantin Ritter von. Dr. phil., Prof. Memmingen 27.3.1811–29.11.1897 Prag. Historiker, Politiker. Professor an den Universitäten München und Prag, zwischenzeitlich 1847–1852 Kreisarchivar in Bamberg. Gründer des Vereins für Geschichte der Deutschen in Böhmen. – Seit 1854 für das Fach: Deutsche Geschichte.-Lit.: ADB Bd. 50, S. 428–433. – NDB. – Österr. biogr. Lexikon. – Thürauf. – Jeanjot. – Biogr. Wörterbuch zur deutschen Geschichte.

HOFFMANN VON FALLERSLEBEN, (August) Heinrich. Dr. phil., Prof. Fallersleben 2.4.1798–19.1.1874 Corvey. Dichter und Germanist. An der Universität Breslau Custos der Bibliothek und bis 1842 Professor. Ab 1860 Bibliothekar des Herzogs von Ratibor auf Schloß Corvey. – Seit 1871 für das Fach: Deutsche Sprache und Literatur. – Lit.: ADB. – NDB. – Goedeke Bd. 13, S. 329–394; Bd. 15, S. 828–853, 1153–1154. – Biogr. Wörterbuch zur deutschen Geschichte.

HOFMANN, (Alberich) Konrad. Dr. phil., Prof. Schloß Banz (Oberfranken) 14.11.1819–30.9.1890 Waging bei Traunstein. Germanist, Romanist. Beamter an der Staatsbibliothek München, Professor an der dortigen Universität. – Seit 1854 für die Fächer: Altdeutsche und französische Literatur. – Lit.: ADB Bd. 50, S. 436–438. – Brockhaus. – Thürauf.

HOHENLOHE-SCHILLINGSFÜRST, Chlodwig Karl Viktor Fürst zu; Prinz von Ratibor und Corvey. Dr. h. c. Rotenburg (Fulda) 31.3.1819–6.7.1901 Ragaz. Jurist, Staatsmann. Erbherr in Schillingsfürst (Mittelfranken). 1848–1849 Reichsgesandter in Athen, Florenz und London. 1866–1870 bayerischer Ministerpräsident und Minister des Auswärtigen. 1885 Statthalter von Elsaß-Lothringen. 1894 Reichskanzler und preußischer Ministerpräsident. – Ehrenmitglied seit 1858. – Lit.: Biogr. Jb. Bd. 6 (1901), Sp. 48; Bd. 7 (1902), S. 410–434. – NDB. – Biogr. Wörterbuch zur deutschen Geschichte. – Amburger S. 102.

HOHENLOHE-WALDENBURG-SCHILLINGSFÜRST, Friedrich Karl Joseph Fürst zu. Dr. phil. h. c. Stuttgart 5.5.1814–26.12.1884 Kupferzell (Oberamt Oehringen, Württemberg). Österreichischer Offizier und Diplomat, russischer Offizier. Ab 1839 ansässig auf Schloß Kupferzell. Forschungen zur mittelalterlichen Heraldik und Sphragistik. Ehrenmitgliedschaft und Ehrenvorstand zahlreicher historischer Vereine. – Seit 1826 für die Fächer: Sphragistik, Heraldik. – Lit.: ADB Bd. 50, S. 442–444. – NDB.

HOHENZOLLERN-SIGMARINGEN, Karl Anton Fürst von. Krauchenwies bei Sigmaringen 7.9.1811–2.6.1885 Sigmaringen. Preußischer Offizier und Diplomat, 1858–1862 Ministerpräsident. Kunstsammler. – Ehrenmitglied seit 1858. – Lit.: ADB Bd. 51, S. 44–52. – NDB. – Biogr. Wörterbuch zur deutschen Geschichte. – Walter Kaufhold: Fürstenhaus und Kunstbesitz. Hundert Jahre Fürstlich Hohenzollernsches Museum (= Zeitschrift für Hohenzollerische Geschichte Bd. 3–4 [1967–1968]). Sigmaringen 1969, S. 11–77.

HOLLAND, Wilhelm Ludwig. Dr. phil., Prof. Stuttgart 11.8.1822–23.8.1891 Tübingen. Germanist, Romanist. Ao. Professor für germanische und romanische Philologie an der Universität Tübingen. Ausschuß-Mitglied und Präsident des Literarischen Vereins in Tübingen. – Seit 1855 für das Fach: Literaturgeschichte. – Lit.: ADB Bd. 50, S. 448–450.

HOLTZMANN, Adolf. Dr. phil., Prof. Karlsruhe 2.5.1810–3.7.1870 Heidelberg. Linguist und Germanist. Professor für Sanskrit, deutsche Sprache und Literatur an der Universität Heidelberg. – Seit 1855 für das Fach: Deutsche Sprache und Literatur. – Lit.: ADB. – Brockhaus.

HOMEYER, Carl Gustav. Dr. jur., Dr. phil. h. c., Prof. Wolgast (Pommern) 13.8.1795–20.10.1874 Berlin. Jurist, Rechtshistoriker. Professor an der Universität Berlin, Mitglied des Obertribunals. – Seit 1855 für das Fach: Deutsche Rechtsgeschichte. – Lit.: ADB. – NDB. – Biogr. Wörterbuch zur deutschen Geschichte. – Amburger S. 27.

HOTHO, Heinrich Gustav. Dr. phil., Prof. Berlin 22.5.1802–24.12.1873 Berlin. Kunsthistoriker. Ao. Professor an der Universität Berlin, 1830 Assistent an der Gemäldegalerie, 1859 Direktor des Kupferstichkabinetts der Kgl. Museen Berlin. – Seit 1859 für das Fach: Geschichte der Malerei, der Holzschnitt- und Kupferstichkunst. – Lit.: ADB. – Brockhaus. – Waetzoldt Bd. 2, S. 53–70.

HÜBNER, (Rudolf) Julius Benno. Dr. phil. h. c., Prof. Oels (Schlesien) 27.1.1806–7.11.1882 Loschwitz bei Dresden. Historien- und Porträtmaler in Düsseldorf, Berlin und Dresden. Professor an der Akademie in Dresden und Mitglied der Galerie-Kommission, seit 1871 Direktor der kgl. Gemäldegalerie. – Seit 1871 für das Fach: Kunst- und Kulturgeschichte. – Lit.: ADB Bd. 50, S. 774–777. – Thieme-Becker.

HUILLARD-BRÉHOLLES, Jean Louis Alphons. Paris 8.2.1817–23.3.1871 Paris. Historiker in Paris. Lyzealprofessor. Sektionschef beim Staatsarchiv. – Seit 1859 für das Fach: Geschichte des schwäbischen Kaiserhauses von Friedrich I. bis zum Tode Konradins. – Lit.: Meyer, Erg.-Bd. – Thürauf. – Arnim.

HUMBOLDT, (Friedrich Wilhelm Heinrich) Alexander Freiherr von. Berlin 14.9.1769–6.5.1859 Berlin. Naturforscher, Forschungsreisender, ansässig in Paris und Berlin. Preußischer Kammerherr. – Ehrenmitglied seit 1854. – Lit.: ADB. – NDB. – Biogr. Wörterbuch zur deutschen Geschichte. – Amburger S. 22, 50. – Thürauf. – Jeanjot. – Arnim.

JACOBS, Eduard. Dr. phil., D. Krefeld 20.5.1833–25.10.1919 Wernigerode. Landeshistoriker, Theologe. Archivar am Staatsarchiv in Magdeburg und am Gräflich Stolbergischen Archiv in Wernigerode; dort auch Bibliothekar. Mitbegründer des Vereins für Geschichte und Altertumskunde des Erzstifts Magdeburg, Gründer und Schriftführer des Harz-Vereins für Geschichte und Altertumskunde. – Seit 1871 für das Fach: Geschichte und Kulturgeschichte. – Lit.: Deutsches biogr. Jb. Bd. 2 (1917/1920), S. 722. – NDB.

JÄGER, Albert. Prof. Schwaz (Tirol) 8.12.1801–10.12.1891 Innsbruck. Historiker. Benediktiner-Pater in Marienberg (Vinschgau). Professor an den Universitäten Innsbruck und Wien. Gründer und Direktor des Instituts für österreichische Geschichtsforschung. – Seit 1854 für das Fach: Tirolische Geschichte und Altertumskunde. – Lit.: ADB Bd. 50, S. 623–625. – NDB. – Wurzbach Biogr. Lexikon. – Österr. biogr. Lexikon. – Thürauf.

JAHN, (Heinrich) Albert. Dr. phil. h. c., Prof. Bern 9.10.1811–1900. Philologe, Historiker, schweizerischer Altertumsforscher. Lehrer in Bern, Gehilfe am Bundesarchiv, eidgenössischer Bibliothekar, Beamter des eidgenössischen Departement des Innern. Honorarprofessor an der Universität Bern. – Seit 1862 für die Fächer: Schweizerische Altertums- und Sagenkunde, Diplomatik, Geschichte, Topographie. – Lit.: Anzeiger für schweizerische Geschichte N.F. 9 (1902–1905), S. 99a–100a. – Biogr. Jb. Bd. 5 (1900), Sp. 97–98. – Historisch-biogr. Lexikon der Schweiz. – Thürauf.

JAKOB, Georg. Dr. theol. h. c. Straubing 16. 1. 1825–12. 7. 1903 Regensburg. Priester, Kirchen- und Kunsthistoriker. Domdekan in Regensburg, Professor für Kunstgeschichte am Klerikalseminar, Lehrer an der Kirchenmusikschule. – Seit 1871 für das Fach: Kunst- und Kulturgeschichte. – Lit.: Biogr. Jb. Bd. 8 (1903), S. 192–193, Sp. 55. – Alexander Schnütgen: Domdekan Dr. Georg Jakob. In: Zeitschrift für christliche Kunst Bd. 16 (1903), Sp. 224. – Kosch.

JANSSEN, Johannes. Dr. phil., Dr. theol. h. c., Prof. Xanten 10. 4. 1829–24. 12. 1891 Frankfurt a. M. Historiker, Theologe. Priester. Gymnasialprofessor für Geschichte in Frankfurt a. M. – Seit 1860 für das Fach: Deutsche Staats- und Kirchengeschichte. – Lit.: ADB Bd. 50, S. 733–741. – NDB. – Biogr. Wörterbuch zur deutschen Geschichte.

JANSSEN, Leonhardt Johannes Friedrich. Dr. phil. h. c. Herwen 23. 12. 1806–22. 7. 1869 Rotterdam. Theologe, Archäologe, Numismatiker. Ab 1835 Konservator am Museum van Oudheden in Leiden, ab 1863 zugleich Direktor des Münzkabinetts der Akademie. – Seit 1859 für das Fach: Heidnische Archäologie. – Lit.: Nieuw nederlandsch biografisch woordenboek Bd. 4, Sp. 811–812. – J. C. G. Boot: Levensbericht van L. J. F. Janssen. In: Jaarboek van het koninklijk-nederlandsche Akademie van Wetenschappen, Letterkunde en schone Kunsten (1869), S. 1–9.

JARWART, Sixtus Heinrich. Nürnberg 20. 1. 1813–22. 2. 1865 Bayreuth. Maler und Lithograph in Bayreuth, kgl. preußischer Hofmaler. – Seit 1854 für das Fach: Wappen- und Grabmälerkunde. – Lit.: Thieme-Becker.

IPOLYI-STUMMER, Arnold. Ipoly-Keszi 20. 10. 1823– 2. 12. 1886. Priester und Altertumsforscher. Domherr in Erlau, Bischof in Neusohl und Großwardein. Präsidiumsmitglied der Ungarischen Akademie der Wissenschaften. – Seit 1867 für das Fach: Mittelalterliche Baudenkmale Ungarns und ihr Verhältnis zu den deutschen und französischen. – Lit.: Magyar Tudomanyos Akadémiai Almanach. 1888. Pesth 1888, S. 335–339. – Wurzbach Biogr. Lexikon.

KÄMMEL, Heinrich Julius. Prof. Salendorf (Oberlausitz) 17. 2. 1813–24. 9. 1881 Zittau. Theologe, Pädagoge. Gymna-

sialprofessor und Direktor in Zittau. Vorsteher des Gewerbevereins. – Seit 1867 für das Fach: Geschichte des Schulwesens. – Lit.: ADB.

KALLENBACH, George Gottfried. Graudenz 18. 5. 1805– 1. 2. 1865 Bamberg. Architekturhistoriker. Anfertigung von Modellen, die er u. a. auf Vortragsreisen vorführte. – Seit 1855 für das Fach: Christliche Kirchenbaukunst. – Lit.: Meyer, Erg.-Bd. (Kaltenbach). – Altpreuss. Biogr.

KARABAČEK, Joseph Ritter von. Dr. phil., Prof. Graz 20. 9. 1845–9. 10. 1918 Wien. Orientalist und Bibliothekar. Professor an der Universität Wien. Direktor der Hofbibliothek. – Seit 1871 für das Fach: Kunst- und Kulturgeschichte. – Lit.: Deutsches biogr. Jb. Bd. 2 (1917–1920), S. 693. – Österr. biogr. Lexikon. – Lexikon des gesamten Buchwesens. – Thürauf. – Jeanjot.

KARAJAN, Theodor Georg Ritter von. Dr. phil. h. c. Wien 22. 1. 1810–28. 4. 1873 Wien, s. Verzeichnis des VwR. – Seit 1854 für das Fach: Österreichische Literärgeschichte und Altertumskunde.

KAUFMANN, Georg Heinrich. Dr. phil., Prof. Hannoversch-Münden 9. 9. 1842–28. 12. 1929 Breslau. Historiker. Gymnasiallehrer in Göttingen und Straßburg, Professor an den Universitäten Münster (1888) und Breslau (1891). – Seit 1867 für das Fach: Germanische Völkerwanderung. – Lit.: Deutsches Zeitgenossen-Lexikon. Leipzig 1905. – Deutsches biogr. Jb. Bd. 11 (1929), S. 356. – Thürauf.

KAULBACH, Wilhelm von. Arolsen 15. 10. 1805–7. 4. 1874 München. Porträt- und Historienmaler in München. Seit 1849 Direktor der Akademie der Künste. Hofmaler. – Ehrenmitglied seit 1859. Malte und stiftete dem Germanischen Nationalmuseum das Fresko in der Kartäuserkirche (Kunsthalle): Otto III. in der Gruft Karls des Großen, 1859. – Lit.: ADB. – Thieme-Becker. – Kindlers Malerei-Lexikon. Bd. 3. Zürich 1966. – Jeanjot.

KAUSLER, (Heinrich) Eduard von. Winnenden bei Waiblingen (Württemberg) 20. 8. 1801–27. 8. 1873 Stuttgart. Historiker, Germanist und Romanist. Vizedirektor des kgl. Haus- und Staatsarchivs in Stuttgart. Ausschuß-Mitglied des Literarischen Vereins in Stuttgart, später Tübingen. – Seit 1859 für die Fächer: Diplomatik und Rechtswesen des Mittelalters. – Lit.: ADB. – Thürauf.

KEIBLINGER, Ignaz Franz. Prof. Wien 20. 9. 1797–3. 7. 1869 Melk. Lokalhistoriker. Priester. Benediktiner-Pater in Melk. Professor am Stiftsgymnasium und an der theologischen Lehranstalt; Archivar und Bibliothekar. – Seit 1854 für das Fach: Österreichische Geschichtskunde, Diplomatik und

Genealogie. – Lit.: Wurzbach Biogr. Lexikon. – Österr. biogr. Lexikon. – ADB.

KEINZ, Friedrich. Passau 9.3.1833–28.10.1901 München. Germanist, Bibliothekar an der Hof- und Staatsbibliothek in München. – Seit 1871 für das Fach: Deutsche Sprache und Literatur. – Lit.: Biogr. Jb. Bd.6 (1901), S. 272–274, Sp. 54. – Lexikon des gesamten Buchwesens. – Thürauf.

KELLER, (Heinrich) Adelbert von. Prof. Pleidelsheim (Württemberg) 5.7.1812–13.3.1883 Tübingen. Deutscher und romanischer Literaturhistoriker. Professor an der Universität Tübingen, 1835–1850 auch Bibliothekar. Präsident des Literarischen Vereins in Stuttgart, später Tübingen. – Seit 1854 für das Fach: Deutsche Literaturgeschichte. – Lit.: ADB Bd. 17, S. 452–454. – Zischka. – Thürauf.

KELLER, Ferdinand. Dr. phil. h. c. Marthalen (Kanton Zürich) 24.12.1800–21.7.1881 Zürich. Prähistoriker, schweizerischer Altertumsforscher. Lehrer am Technischen Institut in Zürich. Aktuar der Naturforschenden Gesellschaft Zürich. Begründer, Präsident und Ehrenpräsident der Antiquarischen Gesellschaft Zürich; Aufbau von deren Sammlungen. – Seit 1863 für das Fach: Keltische und römische Altertümer. – Lit.: ADB. – Brockhaus. – Historisch-biogr. Lexikon der Schweiz. – Zischka. – Amburger S. 137.

KEMBLE, John Mitchell. London 2.4.1807–26.3.1857 Dublin. Philologe, Historiker und Altertumsforscher in London, zeitweise in Hannover ansässig. Mitbegründer der English Historical Society of Science, Vorstand der Archeological Society. – Seit 1854 für das Fach: Angelsächsische Altertumskunde und Geschichte. – Lit.: Dictionary of national biography. – Brockhaus. – Thürauf. – Amburger S. 121. – Arnim.

KENNER, Friedrich von. Dr. phil. Linz (Donau) 15.7.1834–28.11.1922 Wien. Archäologe, Numismatiker. Kustos, 1883–1899 Direktor des Münz- und Antikenkabinetts in Wien. – Seit 1871 für das Fach: Kunst- und Kulturgeschichte. – Lit.: Wurzbach Biogr. Lexikon. – Österr. biogr. Lexikon. – Deutsches biogr. Jb. Bd. 4 (1922), S. 360.

KERN, Theodor Ritter von. Dr. phil., Prof. Bruneck (Tirol) 5.5.1836–18.11.1873 Veytaux (Genfer See). Historiker. Als Mitarbeiter der deutschen Städtechroniken ab 1859 in Nürnberg tätig. 1866 Professor an der Universität Freiburg i. Br. Mitbegründer und Ausschuß-Mitglied (Redaktionskommission) der Historischen Gesellschaft für Beförderung der Geschichts-, Altertums- und Volkskunde von Freiburg, dem Breisgau und den angrenzenden Landschaften. – Seit 1871 für das Fach: Geschichte. – Lit.: ADB.

KIESER, Heinrich Ferdinand Eberhard, s. Verzeichnis des VwR. – Seit 1854 für das Fach: Geschichte des Bergbaues.

KINDSCHER, Franz. Dessau 19.1.1824–6.2.1905. Historiker, Altphilologe. Gymnasialprofessor in Zerbst, Vorstand des herzogl. Anhaltischen Haus- und Staatsarchivs. – Seit 1859 für das Fach: Anhaltische Geschichte. – Lit.: Biogr. Jb. Bd. 10 (1905), Sp. 195.

KLEIN, Karl. Prof. Weisenau bei Mainz 27.5.1806–21.11.1870. Philologe, Lokalhistoriker. Professor und Bibliothekar am Gynmasium in Mainz. Sekretär und Präsident des Mainzer Kunst- und Literaturvereins, auswärtiger Sekretär des Vereins von Altertumsfreunden im Rheinland. – Seit 1859 für das Fach: Heidnische Archäologie, insbesondere Inschriftenkunde. – Lit.: ADB.

KLEMM, Gustav Friedrich. Dr. phil. Chemnitz 12.11.1802–26.8.1867 Dresden. Historiker, Kulturhistoriker. Bibliothekar an der kgl. Bibliothek in Dresden. – Seit 1854 für das Fach: Allgemeine Kulturgeschichte. – Lit.: ADB. – Brockhaus.

KLOPP, Onno. Dr. phil. Leer (Ostfriesland) 9.10.1822–9.8.1903 Penzing bei Wien. Philologe, Historiker und Publizist. Gymnasiallehrer in Osnabrück, dann Archivrat für das Land Hannover, schließlich zum Gefolge König Georgs V. von Hannover gehörig in Hietzing und Penzing bei Wien. – Von 1859 bis 1870 für die Fächer: Geschichte Ostfrieslands; die erste Hälfte des Dreißigjährigen Krieges im nordwestlichen Deutschland. – Lit.: Brockhaus. – Biogr. Jb. Bd. 8 (1903), S. 117–123, Sp. 61. – Biogr. Wörterbuch zur deutschen Geschichte.

KLUCKHOHN, August von. Dr. phil., Prof. Bavenhausen (Lippe) 6.7.1832–19.5.1893 München. Historiker. In München Redakteur der Historischen Zeitschrift, Mitarbeiter der Historischen Kommission, 1865 ao. Professor an der Universität, 1869 o. Professor an der Technischen Hochschule. Ab 1883 Professor an der Universität Göttingen. – Seit 1871 für das Fach: Geschichte. – Lit.: ADB Bd. 51, S. 241–244. – Brockhaus. – Thürauf. – Arnim.

KLÜPFEL, Karl August. D. Darmsheim bei Leonberg 8.4.1810–11.4.1894 Tübingen. Theologe, Historiker und Bibliothekar. Zweiter, ab 1863 erster Universitätsbibliothekar in Tübingen. Ausschuß-Mitglied des Literarischen Vereins Stuttgart. – Seit 1859 für die Fächer: Literaturgeschichte und Bibliographie. – Lit.: ADB Bd. 51, S. 244–245.

KLUN, Vinzenz (Vinko) Ferrer. Dr. phil., Prof. Laibach 13.4.1823–15.7.1875 Karlsbad. Historiker, Geograph, Publizist. Zeitungsredakteur in Laibach. Geschäftsleiter und

Sekretär des Historischen Vereins für das Herzogtum Krain. Ab 1857 Professor für Geographie und Statistik an der Handelsakademie in Wien, ab 1862 Privatdozent für Geographie an der Universität. – Seit 1855 für die Fächer: Krain'sche Geschichte und Altertümer; Literärgeschichte der südslavischen Stämme. – Lit.: Wurzbach Biogr. Lexikon. – Österr. biogr. Lexikon.

KNOCHENHAUER, Theodor. Dr. phil. Meiningen 18. 8. 1842–12. 4. 1869 Meiningen. Historiker. Archivar des Fürstlich Schaumburg-Lippischen Hausarchivs in Bückeburg. – Seit 1867 für die Fächer: Deutsche Geschichte, thüringische Provinzialgeschichte, Archivwissenshaft. – Lit.: R. Usinger, in: Theodor Knochenhauer: Geschichte Thüringens zur Zeit des ersten Landgrafenhauses (1039–1247), Gotha 1871, S. VII–XIV. – Oettinger T. 7, S. 133.

KOBERSTEIN, August Karl. Dr. phil., Prof. Rügenwalde (Pommern) 10. 1. 1797–8. 3. 1870 Köln. Germanist. Professor an der Fürstenschule Schulpforta. – Seit 1861 für das Fach: Deutsche Literaturgeschichte und Sprachwissenschaft. – Lit.: ADB. – Brockhaus. – Zischka. – Koberstein.

KÖHLER, Karl Heinrich Gustav. Lübben (Lausitz) 1. 3. 1818–29. 9. 1896 Breslau. Preußischer Offizier, ab 1870 in Glogau, 1874 in Breslau, zuletzt Generalmajor und Generallieutenant. Kriegshistoriker. – Seit 1871 für das Fach: Kriegsgeschichte. – Lit.: ADB Bd. 51, S. 311–312.

KOEHNE, Bernhard Karl von. Dr. phil. Berlin 4. 7. 1817–5. 2. 1886 Würzburg. Numismatiker und Archäologe. Privatdozent für Numismatik und Archäologie an der Universität Berlin; ab 1845 in St. Petersburg, in den Sammlungen der Ermitage und im Heroldsamt tätig. Begründer der Numismatischen Gesellschaft Berlin. – Seit 1859 für die Fächer: Heraldik, Numismatik, Genealogie. – Lit.: ADB Bd. 51, S. 318–320. – Jeanjot.

KÖPKE, (Ernst) Rudolf Anastasius. Dr. phil., Prof. Königsberg (Ostpreußen) 23. 8. 1813–10. 6. 1870 Schöneberg bei Berlin. Historiker. Mitarbeiter der Monumenta Germaniae Historica in Berlin, Professor an der dortigen Universität. – Seit 1859 für das Fach: Ältere deutsche Geschichte. – Lit.: ADB. – Thürauf. – Arnim.

KOPP, Hermann Franz Joseph. Dr. rer. nat., Prof. Hanau 30. 10. 1817–20. 2. 1892 Heidelberg. Chemiker. Professor an den Universitäten Gießen und Heidelberg. – Seit 1854 für das Fach: Geschichte der Chemie. – Lit.: ADB Bd. 55, S. 820–826. – Zischka. – Thürauf. – Arnim.

KOPP, Joseph Eutychius. Beromünster (Kanton Luzern) 25. 4. 1793–25. 10. 1866 Luzern. Historiker, Altphilologe. Professor für klassische Philologie am Lyzeum in Luzern.

Präsident des schweizerischen Unterrichtsrates. Mitbegründer des Historischen Vereins der fünf Orte der Urschweiz. – Von 1855–1856 für das Fach: Reichs- und eidgenössische Geschichte des 13. und 14. Jahrhunderts. – Lit.: ADB. – Wurzbach Biogr. Lexikon. – Brockhaus. – Historisch-biogr. Lexikon der Schweiz. – Zischka. – Thürauf. – Amburger S. 122.

KOSEGARTEN, (Johann) Gottfried Ludwig. Prof. Altenkirchen (Rügen) 10. 9. 1792–18. 8. 1860 Greifswald. Orientalist, Theologe, pommerscher Landeshistoriker. Professor an den Universitäten Jena und Greifswald. Vorstand der Greifswalder Abteilung der Gesellschaft für Pommersche Geschichte und Alterthumskunde. – Seit 1859 für das Fach: Geschichte von Pommern. – Lit.: ADB. – Brockhaus. – Zischka. – Thürauf. – Amburger S. 113.

KRATZ, Johann Michael. Dr. phil. Moritzberg bei Hildesheim 8. 2. 1807–24. 7. 1885. Historiker. Privatgelehrter, zuletzt auch zweiter Bibliothekar an der Dombibliothek in Hildesheim. – Seit 1852 (Gründungsmitglied) für das Fach: Kirchliche Altertumskunde. Die Stelle eines Direktors des Germanischen Nationalmuseums lehnte er ab. – Lit.: Hermann Engfer, in: Niedersächsische Lebensbilder Bd. 3, Hildesheim 1957, S. 126–139.

KRAUT, Wilhelm Theodor. Dr. jur., Prof. Lüneburg 15. 3. 1800–1. 1. 1873 Göttingen. Jurist. Professor an der Universität Göttingen. – Seit 1859 für das Fach: Geschichte des Familienrechts. – Lit.: ADB.

KREUSER, Johann Peter Balthasar. Prof. Köln 4. 8. 1795–18. 10. 1870 Köln. Gymnasiallehrer, Schriftsteller, Kunsthistoriker in Köln. Vorstandsmitglied des Central-Dombauvereins. – Seit 1855 für das Fach: Geschichte der christlichen Kunst. – Lit.: ADB.

KRIEG VON HOCHFELDEN, Georg Heinrich. Karlsruhe 18. 2. 1798–11. 12. 1860 Baden-Baden. Badischer Offizier, Generalmajor. Erforschung, auch Wiederherstellung mittelalterlicher Burgen. – Seit 1854 für das Fach: Geschichte des Kriegsbauwesens. – Lit.: ADB.

KRUSE, Friedrich Karl Hermann. Dr. phil., Prof. Oldenburg 21. 7. 1790–23. 8. 1866 Gohlis bei Leipzig. Historiker. Professor an den Universitäten Halle und Dorpat, ab 1853 im Ruhestand in Leipzig lebend. – Seit 1860 für das Fach: Geschichte der deutsch-russischen Ostseeprovinzen. – Lit.: ADB.

KÜNSSBERG, Heinrich. Eben bei Kulmbach 21. 1. 1827–26. 2. 1862 Ansbach. Jurist und Politiker. Advokat in Ansbach. – Seit 1854 für das Fach: Deutsches Rechtswesen. – Lit.: Hermann Schreibmüller: Der Ansbacher Advokat und Geschichtsforscher Heinrich Künßberg, Mitglied des Frankfurter Parlaments. In: Jahresbericht des Historischen Vereins für Mittelfranken Bd. 66 (1930) = Festschrift des Historischen Vereins für Mittelfranken zur Jahrhundertfeier 1830/1930, S. 223–244.

KUGLER, Franz Theodor. Dr. phil., Prof. Stettin 18. 1. 1808–18. 3. 1858 Berlin. Kunsthistoriker, Historiker, Dichter. Privatdozent an der Universität Berlin, Professor an der Akademie der Künste, Kunstdezernent im preußischen Kultusministerium. – Seit 1854 für das Fach: Kunstgeschichte. – Lit.: ADB Bd. 17, S. 307–315; Bd. 28, S. 807. – Brockhaus. – Waetzoldt Bd. 2, S. 143–172. – Thieme-Becker. – Kurt Karl Eberlein: Franz Kugler. In: Pommersche Lebensbilder Bd. 1, Stettin 1934, S. 123–140. – Zischka. – Jeanjot.

KUHN, (Franz Felix) Adalbert. Dr. phil., Prof. Königsberg (Neumark) 19. 11. 1812–5. 5. 1881 Berlin. Indogermanistischer Sprachforscher. Professor und Direktor am Köllnischen Gymnasium in Berlin. – Seit 1857 für die Fächer: Deutsche Mythologie und Sagenkunde, auch deutsche Sprache. – Lit.: ADB. – Brockhaus. – Zischka. – Thürauf. – Amburger S. 30.

LACOMBLET, Theodor Joseph. Dr. jur. h. c., Dr. phil. h. c. Düsseldorf 15. 12. 1789–18. 3. 1866 Düsseldorf. Jurist, Historiker. Bibliothekar der großherzoglich bergischen Hofbibliothek in Düsseldorf und Archivar am Haupt- und späteren kgl. Provinzialarchiv. Geh. Archivrat. – Seit 1859 für das Fach: Deutsche, insbesondere fränkische Rechtsgeschichte. – Lit.: ADB. – Thürauf. – Oettinger T. 3, S. 88.

LANDAU, Johann Georg. Dr. phil. h. c. Kassel 20. 10. 1807–15. 2. 1865 Kassel, s. Verzeichnis des VwR. – Seit 1854 für das Fach: Hessische Geschichte und Topographie.

LANGE, (J.) Friedrich. Prof. Kassel 5. 4. 1811–1. 9. 1870 Marburg (Lahn). Architekt. Universitätsarchitekt und ao. Professor an der Universität Marburg. Restaurierung u. a. der Elisabethkirche Marburg. – Seit 1862 für das Fach: Kunstgeschichte und Technik, besonders Erforschung des Einflusses der aus dem altgermanischen Volksleben vorchristlicher Zeit lebendig gebliebenen Ideen und künstlerischen Elemente auf die spätere Kunstausübung des christlichen Mittelalters. – Lit.: ADB. – Thieme-Becker.

LANGENN, Friedrich Albert von. Dr. jur. Merseburg 26. 1. 1798–30. 12. 1868 Dresden. Jurist, Historiker. Präsident des Oberappellationsgerichts in Dresden. – Seit 1852 (Gründungsmitglied) für das Fach: Sächsische Hausgeschichte. – Lit.: ADB.

LANGETHAL, Christian Eduard. Dr. phil., Prof. Erfurt 6. 1. 1806–25. 7. 1878. Botaniker. Lehrer für Naturgeschichte

an der landwirtschaftlichen Akademie Eldena; ab 1839 Professor für Botanik an der Universität Jena, zeitweise auch Leiter der dortigen landwirtschaftlichen Lehranstalt. – Seit 1855 für das Fach: Geschichte der Landwirtschaft. – Lit.: ADB. – Brockhaus.

LANZ, Karl Friedrich Wilhelm. Dr. Wolfskehlen bei Darmstadt 1805–1874. Historiker. Professor am Gymnasium in Gießen, dann Privatgelehrter u. a. in München, Cannstadt und Stuttgart, schließlich ausgewandert nach Amerika (Argentinien?). – Seit 1855 für das Fach: Europäische Geschichte in der Reformationszeit. – Lit.: Almanach der Kaiserlichen Akademie der Wissenschaften Jg. 42 (1892), S. 235–236. – Thürauf.

LAPPENBERG, Johann Martin. Dr. jur. Hamburg 30. 7. 1794–28. 11. 1865 Hamburg. Jurist und Historiker. Archivar im Hamburger Senat. Erster Vorsteher des Vereins für hamburgische Geschichte. – Seit 1852 (Gründungsmitglied) für das Fach: Hamburgische Geschichte und Diplomatik. – Lit.: ADB. – Brockhaus. – Zischka. – Thürauf. – Amburger S. 92, 121. – Arnim. – Rainer Postel: Johann Martin Lappenberg. Lübeck, Hamburg 1972.

LASPEYRES, (Ernst) Adolf Theodor. Dr. jur., Prof. Berlin 9. 7. 1800–15. 2. 1869 Halle a. S. Jurist. Professor an den Universitäten Berlin und Erlangen, ab 1846 Gerichtsrat am Oberappellationsgericht der vier Freien Städte in Lübeck. – Seit 1855 für das Fach: Lehn- und Kirchenrecht. – Lit.: ADB.

LEDEBUR, Leopold Karl Wilhelm August Freiherr von. Dr. phil. h. c. Berlin 2. 7. 1799–17. 11. 1877 Potsdam, s. Verzeichnis des VwR. – Seit 1852 (Gründungsmitglied) für die Fächer: Wappenkunde, Topographie.

LEHNER, Friedrich August von. Dr. phil. Geislingen 10. 10. 1824–3. 6. 1895 Stuttgart, s. Verzeichnis des VwR. – Seit 1871 für das Fach: Kunst- und Kulturgeschichte.

LEITNER, Quirin Ritter von. Niepołomice (Galizien) 4. 6. 1834–23. 7. 1893 Wien, s. Verzeichnis des VwR. – Seit 1867 für das Fach: Geschichte der Bewaffnung.

LEITZMANN, Johann Jakob. Erfurt 24. 9. 1798–23. 10. 1877 Tunzenhausen (Thüringen). Evangelischer Theologe, Numismatiker, Münzsammler. Prediger, seit 1831 in Tunzenhausen. – Seit 1860 für das Fach: Münzkunde, vorzugsweise Mittelalter und neuere Zeit. – Lit.: Blätter für Münzfreunde Bd. 4 (1877–1880), Sp. 520, 750. – ADB Bd. 18, S. 232–233; Bd. 51, S. 639.

LEO, Heinrich. Dr. phil. Prof. Rudolstadt 19. 3. 1799–24. 4.

1878 Halle a. S. Historiker. Professor an den Universitäten Berlin und Halle. – Seit 1855 für das Fach: Geschichte des Mittelalters. – Lit.: ADB. – Brockhaus. – Zischka. – Biogr. Wörterbuch zur deutschen Geschichte.

ŁEPKOWSKI, Józef. Dr.phil., Prof. Krakau 4.7.1826–27.2.1894 Krakau. Archäologe und Kunsthistoriker. Professor an der Universität und an der Kunstgewerbeschule Krakau. Gründer der Sammlungen des archäologischen Kabinetts der Universität. – Seit 1866 für das Fach: Wechselbeziehungen zwischen deutscher und polnischer Kunst. – Lit.: Österr. biogr. Lexikon.

LEPSIUS, Karl Peter. Naumburg 25.6.1775–23.4.1853 Naumburg. Jurist und Lokalhistoriker. Anwalt, Stadtrichter und Bürgermeister in Naumburg. Direktor des Landratsamtes, Geh. Regierungsrat. Mitbegründer des Sächsisch-thüringischen Vereins für Erforschung des vaterländischen Altertums. – Seit 1852 (Gründungsmitglied) für das Fach: Siegelkunde. – Lit.: ADB. – Oettinger T. 3, S. 120.

LEXER, Matthias von. Dr.phil., Prof. Liesing (Kärnten) 18.10.1830–16.4.1892 Nürnberg. Germanist. Mitarbeiter an den deutschen Städtechroniken in Nürnberg, Professor an den Universitäten Freiburg i.Br. (ab 1863), Würzburg (1868) und München (1891). – Seit 1871 für das Fach: Deutsche Sprache und Literatur. – Lit.: ADB Bd. 51, S. 681–684. – Wurzbach Biogr. Lexikon. – Österr. biogr. Lexikon. – Zischka. – Thürauf.

LILIENCRON, Rochus Wilhelm Traugott Heinrich Ferdinand Freiherr von. Dr.phil., D.h.c. Plön (Holstein) 8.12.1820–5.3.1912 Koblenz. Germanist und Musikhistoriker. Professor für nordische Sprachen und Literatur an der Universität Kiel, für deutsche Sprache und Literatur an der Universität Jena. Ab 1855 herzogl. sächsischer Kammerherr und Kabinettsrat in Meiningen, als Intendant der Hofkapelle und Direktor der herzoglichen Bibliotheken. Ab 1869 als Herausgeber der ADB bei der Historischen Kommission in München. 1876 Prälat des Stifts St. Johannes, Schleswig. – Seit 1859 für das Fach: Nordische Literatur und Altertumskunde. – Lit.: Biogr. Jb. Bd. 17 (1912), S. 185–191. – Lexikon des gesamten Buchwesens. – MGG. – Zischka. – Thürauf. – Amburger S. 95, 102. – Arnim. – Universität Bonn Verzeichnis.

LIND, Karl Alois Wilhelm. Dr.jur. Wien 28.5.1831–30.8.1901 Wien. Jurist und Kunsthistoriker. Ab 1861 Beamter im österreichischen Handelsministerium, 1882 Referent für das kunstgewerbliche Fachschulwesen im Kultusministerium, Ministerialrat. Geschäftsleiter des Wiener Altertumsvereins. Generalreferent der Zentralkommission für Erforschung und Erhaltung der Kunst- und historischen Denkmale. – Seit 1871 für das Fach: Kunst- und Kulturgeschichte. –

Lit.: Biogr. Jb. Bd. 6 (1901), S. 153–155, Sp. 64. – Österr. biogr. Lexikon.

LINDENSCHMIT, Ludwig d. Ä. Dr.phil. Mainz 4.9.1809–14.2.1893 Mainz, s. Verzeichnis des VwR. – Seit 1854 für das Fach: Römisch-deutsche Altertumskunde.

LINDNER, Wilhelm Bruno. D., Prof. Leipzig 20.3.1814–1876. Theologe. Professor an der Universität Leipzig. – Von 1854 bis 1859 für das Fach: Kirchengeschichte. – Meyer. – Oettinger T. 3, S. 132.

LIPPERT VON GRANBERG, Josef Erwein. Arad (Banat) 1826–15.8.1902 Vorderbruck bei Gutenstein (N.Ö.). Architekt in Wien. Kirchenrestaurierungen (u.a. Dombaumeister in Preßburg) und Kirchenausstattung. – Seit 1871 für das Fach: Baukunst. – Lit.: Wurzbach Biogr. Lexikon. – Österr. biogr. Lexikon. – Thieme-Becker.

LISCH, (Georg Christian) Friedrich. Dr.phil.h.c. Altstrelitz 29.3.1801–22.9.1883 Schwerin. Prähistoriker, mecklenburgischer Altertumsforscher. Archivar in Schwerin, Geh. Archivrat. Konservator der geschichtlichen Kunstdenkmäler des Landes Mecklenburg-Schwerin, Direktor der großherzoglichen Altertümer- und Münzsammlungen. Begründer und Erster Sekretär des Vereins für mecklenburgische Geschichte und Altertumskunde, Aufbau von deren Sammlungen. Mitbegründer des Gesamtvereins der deutschen Geschichts- und Altertumsvereine. – Von 1852 (Gründungsmitglied) bis 1853 für das Fach: Heidnische Altertümer der Slaven; abgeändert auf eigenen Wunsch in: Heidnische Altertümer Norddeutschlands. – Lit.: ADB. – Brockhaus. – Heinrich Reifferscheid: Friedrich Lisch, Mecklenburgs Bahnbrecher deutscher Altertumskunde. In: Mecklenburgische Jahrbücher Jg. 99 (1935), S. 261–276. – Arnim.

LOCHNER, Georg Wolfgang Konrad. Dr.phil. Nürnberg 29.8.1798–3.12.1882 Nürnberg, s. Verzeichnis des VwR. – Seit 1854 für das Fach: Nürnbergische Geschichte und Topographie.

LÖBELL, Johann Wilhelm. Dr.phil., Prof. Berlin 15.9.1786–12.7.1863 Bonn. Historiker, Literarhistoriker. Professor an der Universität Bonn. – Seit 1857 für das Fach: Deutsche Kulturgeschichte. – Lit.: ADB. – Brockhaus. – Amburger S. 122. – Universität Bonn Verzeichnis. – Universität Bonn Geschichtswiss. S. 79–92.

LÖFFELHOLZ VON COLBERG, Wilhelm Freiherr. Dr. phil. Nürnberg 15.8.1809–13.5.1891 Wallerstein, s. Verzeichnis des VwR. – Seit 1854 für das Fach: Oettingen'sche Hausgeschichte.

LÖHER, Franz von. Dr.jur.h.c., Prof. Paderborn 15.10.

1818–1.3.1892 München. Jurist, Historiker, Archivar. Dozent an den Universitäten Göttingen und München (ab 1855), dort auch Literarischer Sekretär der Könige Maximilian II. und Ludwig II.; 1859 Professor, 1864 Direktor des Allgemeinen Reichsarchivs. – Seit 1859 für die Fächer: Deutsch-amerikanische und ältere holländische Geschichte. – Lit.: ADB Bd. 52, S. 56–62. – Brockhaus. – Thürauf. – Jeanjot. – Karl Hueser: Franz von Löher (1818–1892). Paderborn 1972.

LOHDE, Ludwig. Prof. Berlin 11.4.1806–25.9.1875 Berlin. Architekt und Architekturhistoriker. Zeichenlehrer, ab 1853 Professor am Gewerbeinstitut, der Ingenieurschule, dem Handwerkerverein und der Bauakademie in Berlin. – Seit 1866 für das Fach: Geschichte der Baukunst. – Lit.: Friedrich Fischbach: Ludwig Lohde. In: Kunstchronik Jg. 11 (1876), Sp. 512–514.

LORENZ, Ottokar. Dr. phil., Prof. Iglau (Mähren) 17.9.1832–13.5.1904 Jena. Historiker. Beamter am Haus-, Hof- und Staatsarchiv in Wien, Professor an der Universität dort und in Jena. – Seit 1860 für das Fach: Geschichte der deutsch-österreichischen Länder. – Lit.: Biogr. Jb. Bd. 9 (1904), S. 242–246; Bd. 10 (1905), Sp. 69. – Wurzbach Biogr. Lexikon. – Österr. biogr. Lexikon. – Thürauf.

LOTZ, Wilhelm. Dr. rer. nat., Prof. Kassel 26.11.1829–27.7.1879 Düsseldorf. Architekt und Kunsthistoriker, eigentlich Chemiker. Bearbeitung von Kunstdenkmäler-Inventaren des Regierungsbezirks Kassel und von Wiesbaden. Als Baumeister tätig in Marburg (Lahn). Ab 1872 Professor für Architektur und Sekretär an der Kunstakademie Düsseldorf. – Seit 1871 für das Fach: Kunst- und Kulturgeschichte. – Lit.: ADB.

LÜBKE, Wilhelm. Dr. phil., Prof. Dortmund 17.1.1826–5.4.1893 Karlsruhe, s. Verzeichnis des VwR. – Seit 1855 für das Fach: Kunstgeschichte.

LÜTZOW, Karl Friedrich Arnold von. Dr. phil., Prof. Göttingen 25.12.1832–22.4.1897 Wien. Kunsthistoriker und Archäologe. Privatdozent an den Universitäten München und Wien (ab 1863); 1867 Professor für Architekturgeschichte an der Technischen Hochschule Wien. – Seit 1871 für das Fach: Kunst- und Kulturgeschichte. – Lit.: ADB Bd. 52, S. 142–144. – Wurzbach Biogr. Lexikon. – Österr. biogr. Lexikon.

MAASSEN, Friedrich Bernhard. Dr. jur., Prof. Wismar 24.9.1823–9.4.1900 Wilten bei Innsbruck. Jurist, Kirchenrechtler. Professor an den Universitäten Pest (1855), Innsbruck (1855), Graz (1860) und Wien (1871). – Seit 1859 für das Fach: Geschichte des römischen und kanonischen Rechts

im Mittelalter. – Lit.: Biogr. Jb. Bd. 5 (1900), S. 242–244, Sp. 106. – Österr. biogr. Lexikon. – Lexikon für Theologie und Kirche. – Thürauf.

MÄRCKER, Karl Friedrich Traugott. Dr. phil. Meiningen 11.8.1811–17.5.1874 Bayreuth. Historiker, Archivar. Zunächst von Berlin aus mit Quellensammlung für die Herausgabe der Monumenta Zollerana beschäftigt, ab 1848 Archivar am dortigen königlichen Hausarchiv, Geh. Archivrat. – Seit 1854 für die Fächer: Königlich preußische Hausgeschichte, Archivkunde, Hofwesen. – Lit.: ADB.

MANNHARDT, (Johann) Wilhelm Emanuel. Dr. phil. Friedrichstadt a. d. Eider (Schleswig) 26.3.1831–25.12.1880 Danzig. Germanist, Mythologe. 1863–1873 Bibliothekar an der Stadtbibliothek in Danzig. Forschungen zur germanischen Mythologie und zu Volksbrauchtum und Aberglaube. – Seit 1866 für das Fach: Deutsche Mythologie. – Lit.: ADB. – Brockhaus. – Altpreuß. Biogr.

MARSCHALL VON BIEBERSTEIN, August Friedrich Freiherr. Karlsruhe 4.7.1804–18.11.1888 Freiburg i. Br. Jurist, badischer Diplomat und Staatsmann. 1845 Regierungsdirektor des Oberrheinkreises, zugleich (seit 1843) Ministerresident bei der Schweizerischen Eidgenossenschaft. 1851 badischer Gesandter am Deutschen Bundestag. Oberhofrichter des Obersten Gerichtshofes in Karlsruhe. Ab 1871 im Ruhestand in Freiburg i. Br. ansässig. – Ehrenmitglied seit 1858. – Lit.: Badische Biographien Bd. 4. Karlsruhe 1891, S. 264–267.

MARTIN, Ernst. Dr. phil., Prof. Jena 5.5.1841–13.8.1910 Straßburg. Germanist. Professor an den Universitäten Freiburg i. Br. (1868), Prag (1874) und Straßburg (1877). – Seit 1871 für das Fach: Deutsche Sprache und Literatur. – Lit.: Biogr. Jb. Bd. 15 (1910), S. 78–83, Sp. 59.

MASSMANN, Hans Ferdinand. Dr. phil. Berlin 15.8.1797–3.8.1874 Muskau, s. Verzeichnis der VwR. – Seit 1852 (Gründungsmitglied) für die Fächer: Geschichte der deutschen und gotischen Sprache und Literaturgeschichte.

MAURENBRECHER, (Karl Peter) Wilhelm. Dr. phil., Prof. Bonn 21.12.1838–6.11.1892 Leipzig. Historiker. Professor an den Universitäten Dorpat (1867), Königsberg (1869), Bonn (1877) und Leipzig (1884). – Seit 1871 für das Fach: Geschichte. – Lit.: ADB Bd. 52, S. 244–248. – Brockhaus. – Zischka. – Lexikon für Theologie und Kirche. – Universität Bonn Verzeichnis. – Universität Bonn Geschichtswiss. S. 155–161.

MAURER, Georg Ludwig Ritter von. Dr. jur., Prof. Erpolzheim (Pfalz) 2.11.1790–9.5.1872 München. Jurist und Politiker. 1826–1829 Professor an der Universität München. Dann als bayerischer Politiker Staats- und Reichsrat, Präsident des Oberbayerischen Landrats. 1832 Mitglied der Regentschaft für König Otto in Griechenland. 1847 vorübergehend bayerischer Außen- und Justizminister. – Seit 1855 für das Fach: Geschichte der Landesverfassung und des Gerichtswesens. – Lit.: ADB. – Thürauf. – Amburger S. 125. – Arnim. – Biogr. Wörterbuch zur deutschen Geschichte.

MAURER, Konrad von. Dr.jur.et.phil., Prof. Frankenthal (Rheinpfalz) 29.4.1823–16.9.1902 München. Rechtshistoriker und Germanist. Professor für deutsches Recht, Staatsrecht und nordisches Recht an der Universität München. – Seit 1855 für das Fach: Deutsche Rechtsgeschichte. – Lit.: Biogr. Jb. Bd.7 (1902), S.135–141, Sp.77. – Zischka. – Thürauf. – Amburger S. 140.

MAYENFISCH, Karl Baron von. Kaiserstuhl (Schweiz) 10.1.1803–4.2.1877 Sigmaringen. Hofkavalier am Hofe Fürst Karl Antons von Hohenzollern in Sigmaringen, Kunst- und Altertümersammler. Seit 1846 Oberaufsicht und Leitung der fürstlichen Sammlungen (mit Waffensammlung und Hofbibliothek). Gründungsmitglied und Vorsitzender, seit 1871 Ehrenmitglied des Vereins für Geschichte und Altertumskunde in Hohenzollern. – Seit 1854 für das Fach: Geschichte der Bewaffnung. – Lit.: Anton Pfeffer: Baron Karl v. Mayenfisch und das Sigmaringer Museum. In: Hohenzollerische Jahreshefte Bd. 10 (1950), S.123–131.

MAYER VON MAYERFELS, Karl Ritter. Dr.phil. München 18.11.1825–8.3.1883 München. Heraldiker, Waffensammler. Königlich bayerischer Kammerherr in München. – Seit 1871 für das Fach: Heraldik. – Lit.: ADB.

MEILLER, Andreas von. Dr. jur., Dr. phil. h. c. Wien 22. 11. 1812–30.6. 1871 Wien. Jurist, Historiker, Archivar. Beamter am Haus-, Hof- und Staatsarchiv in Wien, zuletzt Erster Archivar, k.k. Rat. Mitglied der Ständigen Historischen Kommission bei der Akademie der Wissenschaften in Wien. Ausschuß-Mitglied des Wiener Altertumsvereins und des Vereins für die Landeskunde von Niederösterreich. Ehrenmitglied zahlreicher historischer Vereine. – Seit 1854 für das Fach: Österreichische Geschichte und Diplomatik. – Lit.: ADB. – Wurzbach Biogr. Lexikon. – Österr. biogr. Lexikon.

MENZEL, Wolfgang. Waldenburg (Schlesien) 21.6.1798–23.4.1873 Stuttgart. Schriftsteller, Literaturkritiker, Politiker, seit 1825 in Stuttgart ansässig. – Seit 1854 für die Fächer: Deutsche Literaturgeschichte, Sagenkunde, christliche Symbolik. – Lit.: ADB. – Brockhaus. – Goedeke Bd. 11,1, S. 221–222; Bd. 13, S. 13–21. – Biogr. Wörterbuch zur deutschen Geschichte.

MERKEL, (Paul) Johannes. Dr. jur., Prof. Nürnberg 1. 8.

1819–19.12. 1861 Halle a.S. Rechtshistoriker. 1847 Mitarbeiter der Monumenta Germaniae Historica in Berlin. Professor an den Universitäten Königsberg (1851, ao.) und Halle (1852). – Seit 1855 für das Fach: Ältere deutsche Rechtsgeschichte. – Lit.: ADB. – Zischka. – Biogr. Wörterbuch zur deutschen Geschichte (in Artikel: Paul Wolfgang Merkel).

MEYER VON KNONAU, Gerold. Dr. phil., Dr. theol. h. c., Prof. Zürich 5.8.1843–16.3.1931. Historiker. Professor an der Universität Zürich. Seit 1871 Präsident der Antiquarischen Gesellschaft Zürich, seit 1894 der Allgemeinen Geschichtsforschenden Gesellschaft der Schweiz. – Seit 1871 für das Fach: Geschichte. – Lit.: Brockhaus. – Historisch-biogr. Lexikon der Schweiz. – Zischka. – Thürauf. – Arnim.

MEYER VON KNONAU, Gerold Ludwig. Zürich 2.3.1804–1.11.1858 Zürich, s. Verzeichnis des VwR. – Seit 1854 für die Fächer: Schweizerische Geschichte, Literärgeschichte und Münzkunde.

MICHELSEN, Andreas Ludwig Jakob. Dr.jur.et.phil., Prof. Satrup (Kreis Schleswig) 31.5.1801–11.2.1881 Schleswig, s. Verzeichnis der Beamten. – Seit 1855 für die Fächer: Deutsches Staats- und Privatrecht, schleswig-holsteinische Geschichte.

MILDE, (Karl) Julius. Hamburg 16.2.1803–19.11.1875. Maler, Glasmaler, Lithograph und Radierer in Hamburg und Lübeck (seit 1838). In Lübeck Zeichenlehrer am Katharineum, Konservator der Sammlungen der Gesellschaft zur Beförderung gemeinnütziger Tätigkeit, Beirat des Vorstandes der Marienkirche und damit maßgeblich beteiligt an ihrer Restaurierung. – Seit 1871 für das Fach: Kunst- und Kulturgeschichte. – Lit.: ADB. – Thieme-Becker. – Horst Weimann: J. Milde, der Restaurator St. Mariens. In: St. Marien. Jahrbuch des St.-Marien-Bauvereins Bd. 7 (1967), S. 98–108. – Harald Richert: Der Künstler und Kunsthistoriker Carl Julius Milde. In: Nordelbingen Bd. 46 (1977), S. 49–61.

MISCHLER, Peter. Dr.phil., Dr.jur.h.c., Prof. Heppenheim a.d. Bergstraße 17.2.1821–20.7.1864 Prag. Nationalökonom. Ab 1849 Dozent für Staatswissenschaften an der Universität Freiburg i.Br., 1852 Professor für politische Ökonomie an der Universität Prag. – Seit 1855 für die Fächer: Geschichte der Hüttenkunde, Geschichte der politischen Ökonomie. – Lit.: ADB.

MITTERMAIER, Karl Josef Anton. Dr.jur., Prof. München 5.8.1787–2.8.1867 Heidelberg. Jurist und Politiker. Professor an den Universitäten Landshut (1811), Bonn (1819) und Heidelberg (1821). – Seit 1860 für das Fach: Rechts- und Staatsgeschichte und vorzugsweise Zusammenhang des Rechts mit Sitten und Gewohnheiten der Völker. – Lit.: ADB. – Brockhaus. – Biogr. Wörterbuch zur deutschen Geschichte. – Jeanjot. – Universität Bonn Verzeichnis.

MOHR (Moor), (Peter) Konradin von. Chur 29.5.1819–25.6.1886. Historiker, Jurist. Anwalt in Chur. 1870 Präsident der Geschichtsforschenden Gesellschaft des Kantons Graubünden. – Seit 1859 für das Fach: Bündnerische Geschichte. – Lit.: Anzeiger für schweizerische Geschichte. N.F. Bd.5 (1886–1889), S.86 b. – Historisch-biogr. Lexikon der Schweiz.

MONE, Franz Josef. Dr.phil., Prof. Mingolsheim bei Bruchsal (Baden) 12.5.1796–12.3.1871 Karlsruhe. Historiker. An der Universität Heidelberg Professor und Leiter der Universitätbibliothek, 1827–1831 Professor an der Universität Löwen, ab 1835 Geh. Archivar und Direktor des General-Landesarchivs in Karlsruhe. – Seit 1854 für das Fach: Badische Geschichte und Literärgeschichte. – Lit.: ADB. – Brockhaus. – Kosch. – Lexikon des gesamten Buchwesens. – Zischka. – Thürauf. – Jeanjot.

MOOYER, Ernst Friedrich. Minden 6.8.1798–8.5.1861 Minden. Kaufmann und Historiker in Minden. Vorstandsmitglied (Bibliothekar) der Westfälischen Gesellschaft für vaterländische Kultur in Minden, Mitbegründer und Schriftführer ihrer Sektion für Geschichte und Altertumskunde. – Seit 1855 für das Fach: Geschichte der deutschen Bischöfe. – Lit.: ADB. – Westfälische Provinzial-Blätter Bd.1, H.2 (1828), S.7; H.3 (1828), S.5.

MOREL, Gall (wirkl. Name: Benedikt Morell). St.Fiden bei St.Gallen 24.3.1803–16.12.1872 Einsiedeln (Schweiz). Pädagoge und Dichter. Priester, Benediktiner-Pater im Stift Maria Einsiedeln. Lehrer und Rektor der Stiftsschule, Stiftsbibliothekar und -archivar. 1843–1852 Erziehungsrat des Kantons Schwyz. – Seit 1855 für das Fach: Ordensgeschichte und Literaturgeschichte der Schweiz. – Lit.: ADB. – Lexikon für Theologie und Kirche. – Historisch-biogr. Lexikon der Schweiz.

MÜLLENHOFF, Karl Victor. Dr.phil., Prof. Marne (Süddithmarschen) 8.9.1818–19.2.1884 Berlin. Germanist. Professor an den Universitäten Kiel und Berlin (ab 1858). – Seit 1854 für die Fächer: Deutsche und nordische Mythologie, Volkspoesie, Sagen- und Altertumskunde. – Lit.: ADB. – Brockhaus. – Zischka. – Arnim.

MÜLLER, Hermann Alexander. Dr.phil. Bremen 14.2.1814–27.5.1894 Bremen. Philologe und Kunsthistoriker. Hauptschul- und Gymnasiallehrer, ab 1846 in Bremen, Oberlehrer. Direktionsmitglied und Bibliothekar des Künstlervereins. – Seit 1867 für die Fächer: Kunstgeschichte, Archäologie des Mittelalters. – Lit.: Kürschner Lit. 1883–1893. – Bremische Biographie des neunzehnten Jahrhunderts. Bremen 1912.

MÜLLER, Johannes Heinrich. Dr.phil. Hildesheim 22.2.1828–31.5.1886 Hannover, s. Verzeichnis der Beamten. – Seit 1866 für das Fach: Altertümer des hannover'schen Landes.

MÜLLER, Ludwig. Dr., Prof. Lehrer und Stadtarchivar in Nördlingen. Veröff.: Beiträge zur Geschichte des Bauernkrieges im Riess und seinen Umlanden. In: Zeitschrift des Historischen Vereins für Schwaben und Neuburg Jg.16 (1889), S.23–160; Jg.17 (1890), S.1–152. Aus fünf Jahrhunderten. Beiträge zur Geschichte der jüdischen Gemeinden im Riess. In: Zeitschrift des Historischen Vereins . . . Neuburg Jg.25 (1898), S.1–124; Jg.26 (1899), S.81–182. – Seit 1867 für das Fach: Numismatik.

MÜLLER, Wilhelm Konrad Hermann. Dr.phil., Prof. Holzminden 27.5.1812–3.1.1890 Göttingen. Germanist. Professor an der Universität Göttingen. – Seit 1857 für das Fach: Geschichte der deutschen Sprache und Literatur, auch deutsche Mythologie. – Lit.: ADB Bd.52, S.530–537. – Zischka.

NAMUR, Antoine. Dr.phil. Luxemburg 12.3.1812–31.3.1869 Luxemburg. Philologe, Altertumsforscher, Numismatiker und Bibliograph. Professor am Athenäum in Luxemburg. Stadtbibliothekar. Mitbegründer und Sekretär der Société historique du Grand-Duché de Luxembourg. – Seit 1859 für die Fächer: Heidnische Archäologie und Numismatik, insbesondere des luxemburgischen Landes. – Lit.: Schoetter: Antoine Namur. In: Publications de la Société pour la recherche et la conservation des monuments historiques dans le Grand-Duché de Luxembourg Bd.24 (1869), S.VIII–IX. – Blätter für Münzfreunde Bd.2 (1869–1872), Sp.149. – Auguste Neyen: Biographie Luxembourgeoise. 3.Supplément. Luxembourg 1876, S.323–330. – Oettinger T.4, S.51. – Thürauf.

NAPIERSKY, Karl Eduard von. Dr.phil. h.c. Riga 21.5.1793–2.9.1864 Riga. Theologe, Pädagoge, Historiker. Pastor in Neu-Pebalg (Livland), 1829–1849 Gouvernements-Schuldirektor und Direktor der Gouvernements-Gymnasien in Riga, 1851 Mitglied des Zensurkomitees. Staatsrat. Mitbegründer und Präsident der Gesellschaft für Geschichte und Altertumskunde der Ostseeprovinzen Rußlands. Mitbegründer der Lettisch-Literarischen Gesellschaft. Ehrenmitglied zahlreicher historischer Vereine. – Seit 1859 für das Fach: Geschichte Liv-, Est- und Kurlands. – Lit.: ADB. – Lexikon des gesamten Buchwesens. – Deutschbaltisches biographisches Lexikon.

NAUMANN, (Emil Wilhelm) Robert. Dr.phil. Leipzig 3.12.1809–31.8.1880 Leipzig. Pädagoge und Bibliothekar. Oberlehrer am Nikolai-Gymnasium und Bibliothekar an der Stadtbibliothek Leipzig. – Seit 1859 für die Fächer: Bibliographie und Handschriftenkunde. – Lit.: Wilhelm Haan: Sächsisches Schriftsteller-Lexikon. Leipzig 1875. – Lexikon des gesamten Buchwesens.

NEUMANN, Karl Woldemar. Landau 9.9.1830–7.2.1888 Regensburg. Bayerischer Offizier, Lokalhistoriker, Lyriker. Hauptmann und Adjutant in Regensburg. – Seit 1871 für das Fach: Geschichte. – Lit.: Friedrich Teicher: Karl Woldemar Neumann . . . In: Verhandlungen des historischen Vereines von Oberpfalz und Regensburg Bd. 43 (1889), S. 221–228 (mit Bibliographie). – Kosch.

ODEBRECHT, (Carl) Theodor. Wolgast 5.7.1802 – 27.2.1866 Berlin. Jurist. Justizbeamter der Domänenämter Mühlenhof-Schönhausen, zuletzt als Kreisgerichtsdirektor und Geh. Justizrat. Mitbegründer und Vorstandsmitglied des Vereins für die Geschichte der Mark Brandenburg. Mitarbeiter der Gesellschaft für Deutsche Sprache. – Seit 1854 für das Fach: Deutsche Namens- und Geschlechterkunde. – Lit.: Märkische Forschungen Bd. 11 (1867), S. 280–284. – Oettinger T. 4, S. 71; T. 8, S. 83.

OERTEL, Friedrich Maximilian. Dr. phil. Seyda (Provinz Sachsen) 3.5.1795–21.6.1873 Dresden. Professor und Conrector an der Landesschule St. Afra in Meissen, nach seiner Pensionierung in Dresden lebend (s. Mitglieder-Verzeichnisse in: Mitteilungen des Kgl. Sächsischen Vereins für Erforschung und Erhaltung vaterländischer Alterthümer H. 3, 1846–H. 23, 1873). – Seit 1862 für die Fächer: Genealogie; Geschichte der deutschen Reichsverfassung; Geschichte des deutschen Schulwesens. – Lit.: Oettinger T. 4, S. 72; T. 8, S. 84.

OLFERS, Ignaz Franz Werner Maria von. Dr. med., Dr. phil. h. c. Münster (Westfalen) 30.8.1793–23.4.1872 Berlin. Preußischer Diplomat, Museumsmann, von Hause aus Naturwissenschaftler. In preußischem diplomatischen Dienst in Rio de Janeiro, Neapel und Bern, Geh. Legationsrat. Seit 1835 im Kultusministerium in Berlin tätig, seit 1839 dort Generaldirektor der Königlichen Museen. – Seit 1852 (Gründungsmitglied) für das Fach: Kunstgeschichte. – Lit.: ADB. – Paul Ortwin Rave: Ignaz von Olfers. In: Westfälische Lebensbilder Bd. 9, Münster 1962, S. 108–124. – Amburger S. 26, 112.

OSENBRÜGGEN, Eduard. Dr. phil., Prof. Uetersen (Holstein) 24.12.1809–9.6.1879 Zürich. Altphilologe, Jurist. Professor der Rechte an den Universitäten Dorpat (1843) und Zürich (1851). – Seit 1859 für das Fach: Geschichte des deutschen Strafrechts. – Lit.: ADB. – Brockhaus. – Historisch-biogr. Lexikon der Schweiz.

OTTE, Heinrich. Berlin 24.3.1808–12.8.1890 Merseburg. Pfarrer in Fröhden bei Jüterbog, Kunsthistoriker. – Seit 1855 für das Fach: Kirchliche Kunstgeschichte und Archäologie. – Lit.: Brockhaus. – Zischka.

PALACKÝ, František. Hodslavice (Mähren) 14.6.1798–26.5.1876 Prag. Historiker. Böhmischer Landeshistoriograph in Prag. – Seit 1855 für das Fach: Böhmische Geschichte. – Lit.: Brockhaus. – Thürauf. – Amburger S. 121. – Arnim. – Biogr. Wörterbuch zur deutschen Geschichte. – Vgl. S. 146.

PANGERL, Mathias. Dr. phil. h. c., Prof. Honetschlag (Böhmerwald) 10.3.1834–14.1.1879 Arco (Südtirol). Historiker, Archivar. Beamter am Joanneumsarchiv in Graz und am Fürstlich Schwarzenbergischen Zentralarchiv in Wien (ab 1866). 1875 ao. Professor für historische Hilfswissenschaften an der Universität Prag. Geschäftsleiter des Vereins für Geschichte der Deutschen in Prag. – Seit 1871 für das Fach: Geschichte. – Lit.: ADB Bd. 52, S. 746–749.

PAPPENHEIM, (Friedrich) Albert Graf zu. 18.7.1777–1.7.1860 Pappenheim. Bayerischer Offizier und Politiker. Standesherr und erblicher Reichsrat in Pappenheim (Mittelfranken). – Ehrenmitglied seit 1858. – Lit.: Gothaischer genealogischer Hofkalender 1834; 1938. – Oettinger T. 4, S. 93.

PASSAVANT, Johann David. Frankfurt a. M. 18.9.1787–12.8.1861 Frankfurt a. M. Maler, Kupferstecher und Kunsthistoriker in Frankfurt und Rom. Seit 1840 Inspektor des Städelschen Kunstinstituts in Frankfurt. – Seit 1854 für das Fach: Geschichte der Malerei und Kupferstecherkunst. – Lit.: ADB. – Waetzoldt Bd. 2, S. 14–29. – Thieme-Becker. – Zischka. – Jeanjot.

PASSAVANT, Johann Karl. Dr. med. Frankfurt a. M. 22.4.1790–14.4.1857 Frankfurt a. M. Arzt und Philosoph in Frankfurt. – Seit 1855 für die Fächer: Magnetismus, Psychologie mit Bezug auf Lebensmagnetismus und die verwandten Gegenstände. – Lit.: ADB.

PAULI, Karl Wilhelm. Dr. jur. Lübeck 18.12.1792–18.3.1879 Lübeck. Jurist, lübischer Rechtshistoriker. Seit 1820 Sekretär, seit 1843 Gerichtsrat am Oberappellationsgericht der vier Freien Städte in Lübeck. Sekretär der Gesellschaft zur Beförderung gemeinnütziger Tätigkeit. – Seit 1859 für das Fach: Deutsche Rechtsgeschichte, namentlich Geschichte des lübischen Rechts. – Lit.: ADB.

PAULUS, (Karl) Eduard von. Dr. phil. h. c. Berghausen bei Speyer 29.1.1803–16.6.1878 Stuttgart. Topograph, Geognost, Kartograph, Archäologe. Zeichner und Mitarbeiter der Württembergischen Landesvermessung und (seit 1824) des Statistisch-topographischen Bureaus, zuletzt Finanzrat. Mitbegründer und Leiter des Württembergischen Altertumsvereins. Mitarbeit im Gesamtverein der deutschen Geschichts- und Altertumsvereine. Auswärtiges Vorstandsmitglied des Römisch-Germanischen Zentralmuseums in Mainz. – Seit 1859 für das Fach: Archäologie und Topographie

Schwabens. – Lit.: ADB. – Oskar Paret: Eduard Paulus. In: Schwäbische Lebensbilder Bd. 4, Stuttgart 1948, S. 168–186.

PERTHES, Clemens Theodor. Dr. jur., Prof. Hamburg 2.3.1809–25.11.1867 Bonn. Jurist. Professor an der Universität Bonn. – Seit 1855 für das Fach: Staatsrecht. – Lit.: ADB Bd. 53, S. 12–17. – Biogr. Wörterbuch zur deutschen Geschichte (in Artikel: Johann Georg Justus Perthes). – Universität Bonn Verzeichnis.

PETERSEN, Christian. Dr. phil., Prof. Kiel 17.1.1802–15.1.1872. Philologe und Bibliothekar. Professor für klassische Philologie am akademischen Gymnasium und Stadtbibliothekar in Hamburg. – Seit 1866 für das Fach: Deutsche Mythologie und Altertümer der vorchristlichen Periode in Norddeutschland. – Lit.: ADB.

PETZHOLDT, Julius. Dr. phil. Dresden 25.11.1812–17.1.1891 Dresden. Philologe, Bibliograph und Bibliothekswissenschaftler. Bibliothekar der Privatbibliotheken der sächsischen Prinzen und späteren Könige Johann und Albert. – Seit 1859 für die Fächer: Bibliographie, Bibliothekswissenschaft. – Lit.: Wilhelm Haan: Sächsisches Schriftsteller-Lexikon. Leipzig 1875. – Brockhaus. – Lexikon des gesamten Buchwesens.

PEUCKER, Eduard von. Dr. phil. h.c. Schmiedeberg (Schlesien) 19.1.1791–10.2.1876 Berlin. Preußischer Offizier und Staatsmann, Altertumsforscher. 1848 preußischer Militärbevollmächtigter bei der Bundesversammlung, 1848–1849 Reichskriegsminister in Frankfurt a. M. Seit 1854 Generalinspekteur des preußischen Militärerziehungs- und -bildungswesens, seit 1858 General der Infanterie. – Seit 1860 für das Fach: Heidnische Archäologie, Rechts-, Staats- und Kriegswesen. – Lit.: ADB. – Brockhaus. – Biogr. Wörterbuch zur deutschen Geschichte.

PFEIFFER, Franz. Dr. phil. Bettlach bei Solothurn 27.2.1815–29.5.1868 Wien, s. Verzeichnis des VwR. – Seit 1854 für das Fach: Deutsche Literaturgeschichte und Sprache.

PHILLIPS, George (auch: Georg). Dr. jur., Prof. Königsberg 6.1.1804–6.9.1872 Aigen bei Salzburg. Rechtshistoriker, Kanonist. Professor an den Universitäten Berlin (ao.), München, Innsbruck und Wien (seit 1851). – Seit 1859 für das Fach: Kirchenrecht. – Lit.: Wurzbach Biogr. Lexikon. – ADB. – Kosch. – Lexikon für Theologie und Kirche. – RGG. – Altpreuß. Biogr. – Thürauf. – Jeanjot.

PIPER, Ferdinand Karl Wilhelm. Prof. Stralsund 17.5.1811–28.11.1889 Berlin. Theologe, christlicher Archäologe. Professor an der Universität Berlin. Begründer eines Christ-

lich-Archäologischen Museums der Universität. Vorsitzender des Wissenschaftlichen Kunstvereins in Berlin. – Seit 1859 für das Fach: Christliche Archäologie. – Lit.: ADB Bd. 53, S. 64–69.

POTT, August Friedrich. Dr. phil., Prof. Nettelrede (Hannover) 14.11.1802–5.7.1887 Halle a. d. S. Sprachwissenschaftler. Professor für allgemeine Sprachwissenschaft an der Universität Halle. – Seit 1857 für das Fach: Deutsche Sprache und Namenkunde. – Lit.: ADB. – Brockhaus. – Zischka. – Thürauf. – Amburger S. 93, 122. – Arnim.

PRATOBEVERA, Eduard. Biala (Galizien) 11.1.1811–18.12.1857 Graz. Offizier und Historiker. Hauptmann in Graz; nach seiner Pensionierung ab 1851 Leiter des Archivs und des Münz- und Antikenkabinetts am Joanneum. Ausschuß-Mitglied des Historischen Vereins für Steiermark. – Seit 1855 für das Fach: Österreichische Geschichte und Altertumskunde. – Lit.: Josef Scheiger: Eduard Pratobevera. In: Mitteilungen des historischen Vereines für Steiermark H. 8 (1858), S. 112–124. – Wurzbach Biogr. Lexikon.

PROKESCH VON OSTEN, Anton Graf. Graz 10.12.1795–26.10.1876 Wien. Österreichischer Offizier und Diplomat. Gesandter in Athen, Berlin, Konstantinopel; Internuntius. 1853 Bundespräsidialgesandter in Frankfurt a. M. Historiker und Numismatiker. – Ehrenmitglied seit 1854. – Lit.: ADB. – Biogr. Wörterbuch zur deutschen Geschichte. – Amburger S. 99.

PROSKE, Karl. Dr. med. Gröbning (Oberschlesien) 11.1.1794–20.12.1861 Regensburg. Arzt, katholischer Theologe, Musikhistoriker. Nach ärztlicher Tätigkeit in Oberschlesien seit 1826 Priester in Regensburg, Kanonikus und Pfarrvikar an der Alten Kapelle. Reformator der katholischen Kirchenmusik. – Seit 1854 für das Fach: Geschichte der geistlichen Musik. – Lit.: ADB. – Kosch. – MGG. – Lexikon für Theologie und Kirche.

PYL, (Karl) Theodor. Dr. phil., Prof. Greifswald 10.11.1825–13.12.1904 Greifswald. Pommerscher Historiker, Kunst- und Literaturforscher. Dozent für Mythologie, Kunstgeschichte, pommersche Geschichte und Altertumskunde an der Universität Greifswald; ao. Professor. Vorsteher der Universitätssammlung für vaterländische Altertümer. Vorsteher der Greifswalder (= Rügisch-Pommerschen) Abteilung der Gesellschaft für Pommersche Geschichte und Altertumskunde. – Seit 1871 für das Fach: Geschichte. – Lit.: Biogr. Jb. Bd. 10 (1905), Sp. 87. – M. Wehrmann: Karl Theodor Pyl. In: Pommersche Jahrbücher Bd. 6 (1905), S. 1–13.

QUAST, (Alexander) Ferdinand von. Radensleben (Grafschaft

Ruppin) 23.7.1807–11.3.1877 Radensleben. Architekt, Architekturhistoriker, Denkmalpfleger. Ab 1843 General-Konservator der Kunstdenkmäler des Preußischen Staates. Geh. Oberregierungs- und Baurat. – Seit 1852 (Gründungsmitglied) für das Fach: Geschichte der Baukunst. – Lit.: ADB. – Altpreuß. Biogr. – Zischka.

RAFN, Carl Christian. Dr. phil. h.c., Dr. jur. h.c., Prof. Brahesborg (Fünen) 16.1.1795–20.10.1864 Kopenhagen. Nordischer Sprach- und Altertumsforscher in Kopenhagen. Unterbibliothekar an der Universitätsbibliothek Kopenhagen. Gründer und Sekretär der Gesellschaft für nordische Altertumskunde. – Seit 1859 für das Fach: Nordische Altertümer. – Lit.: Brockhaus. – Dansk biografisk leksikon Bd. 19, København 1940. – Zischka. – Jeanjot. – Amburger S. 122.

RANKE, (Franz) Leopold von. Dr. phil., Prof. Wiehe a. d. Unstrut (Thüringen) 20.12.1795–23.5.1886 Berlin. Historiker. Professor an der Universität Berlin, Historiograph des preußischen Staates. – Präsident der Historischen Kommission München. – Seit 1854 für das Fach: Geschichte des 15. und 16. Jahrhunderts. – Lit.: ADB Bd. 27, S. 242–269; Bd. 55, S. 891–893. – Biogr. Wörterbuch zur deutschen Geschichte. – Martin Waehler: Leopold von Ranke. In: Mitteldeutsche Lebensbilder Bd. 2, Magdeburg 1927, S. 171–186. – Amburger S. 26. – Jeanjot. – Arnim.

RASCHDORFF, Julius. Dr. ing., Prof. Pleß (Schlesien) 2.7. 1823–13.8. 1914 Berlin. Architekt. Stadtbaumeister in Köln. Seit 1878 Professor an der Technischen Hochschule in Berlin, 1892 dort Dombaumeister. Senator der Akademie der Künste. Geh. Oberbaurat. – Seit 1871 für das Fach: Baukunst. – Lit.: Brockhaus. – Deutsches biogr. Jb. Bd. 1 (1914–1916), S. 305. – Thieme-Becker. – Jeanjot.

RAUMER, Friedrich Georg Ludwig von. Prof. Wörlitz (Sachsen-Anhalt) 14.5.1781–14.6.1873 Berlin. Historiker. 1811 Professor für Staatswissenschaften an der Universität Breslau, für Staatswissenschaften und Geschichte ab 1819 in Berlin. – Seit 1857 für das Fach: Deutsche Geschichte im Mittelalter. – Lit.: ADB. – Biogr. Wörterbuch zur deutschen Geschichte. – Thürauf. – Amburger S. 9, 25, 51.

RAUMER, Karl Georg von. Prof. Wörlitz (Sachsen-Anhalt) 9.4.1783–2.6.1865 Erlangen. Mineraloge und Pädagoge. Bergrat beim Oberbergamt und Professor an der Universität Breslau (1811) und Halle (1819–1823), seit 1827 Professor in Erlangen. Zwischenzeitlich 1823–1827 Lehrer und Vorsteher an einem Erziehungsinstitut in Nürnberg. – Seit 1854 für das Fach: Geschichte der Pädagogik und des Studienwesens. – Lit.: ADB. – Thürauf. – Biogr. Wörterbuch zur deutschen Geschichte.

RAUMER, Rudolph von. Dr. phil. Breslau 14.4.1815–30.8.1876 Erlangen, s. Verzeichnis des VwR. – Seit 1854 für das Fach: Geschichte der deutschen Sprache.

REHLEN, Karl Gottlob. Dr. phil. Nördlingen 9.7.1803–26.4.1857 Nürnberg. Theologe und Schriftsteller. Pfarrer in Kalchreuth (Kreis Erlangen), später als Schriftsteller in Nürnberg lebend. – Seit 1854 für das Fach: Geschichte der Gewerbe und technischen Einrichtungen. – Lit.: Hans Kirste: Dr. phil. Karl Gottlob Rehlen. In: Die Rehlen-Sippe. Familienberichte aus Vergangenheit und Gegenwart Nr. 24/25, Regensburg 1967, S. 178–181.

REICHENSPERGER, August. Koblenz 22.3.1808–16.7.1895 Köln. Jurist, Politiker, Kunsthistoriker. Appellationsgerichtsrat in Köln. Initiator und Mitarbeiter des Dombauvereins. – Seit 1859 für das Fach: Kunstgeschichte. – Lit.: ADB Bd. 53, S. 276–281. – Zischka. – Biogr. Wörterbuch zur deutschen Geschichte.

REICKE, Rudolf. Dr. phil., Prof. Memel 5.2.1825–16.10.1905 Königsberg. Ostpreußischer Historiker, Kant-Forscher. Oberbibliothekar an der Königlichen und Universitätsbibliothek in Königsberg. Ehrenmitglied des Vereins für die Geschichte von Ost- und Westpreußen. – Seit 1867 (ohne Angabe der Fachrichtung). – Lit.: Gottlieb Krause: Rudolf Reicke. In: Altpreußische Monatsschrift Bd. 42 (1905), S. I–XXVIII (mit Schriftenverzeichnis). – Biogr. Jb. Bd. 10 (1905), Sp. 232. – Lexikon des gesamten Buchwesens. – Altpreuß. Biogr.

RETBERG (RETTBERG), Ralf Leopold von. Lissabon 25.11. 1812–12.3.1885 München. Hannoverscher Offizier, Maler, seit 1846 als Kunsthistoriker ansässig in München. – Von 1854 bis 1865 für das Fach: Kunstgeschichte. – Lit. ADB. – Thieme-Becker.

REUMONT, Alfred von. Dr. phil. Aachen 15.8.1808–27.4.1887 Aachen. Diplomat und Historiker. In preußischem diplomatischen Dienst in Florenz, Rom und Neapel, Legationsrat. Seit 1843 zur nächsten Umgebung König Friedrich Wilhelms IV. gehörig. Ab 1868 in Bonn und Aachen ansässig. Begründer und Präsident des Aachener Geschichtsvereins. – Seit 1859 für das Fach: Italienische Geschichte und Kunst in Verbindung mit der deutschen. – Lit.: ADB. – Brockhaus. – Zischka. – Thürauf. – Amburger S. 125. – Jeanjot. – Ferdinand Siebert: Alfred von Reumont und Italien. Ein Beitrag zur Geschichte der geistigen Beziehungen zwischen Deutschland und Italien. Leipzig 1937.

RICHTER, Aemilius Ludwig. Dr. jur. h.c., Prof. Stolpen (Sachsen) 15.2.1808–8.5.1864 Berlin. Jurist, Kanonist. Professor an den Univeritäten Leipzig (ao. 1835), Marburg (1838) und Berlin (ab 1846). 1850 Oberkonsistorialrat im Evangelischen Oberkirchenrat, 1859 Geh. Oberregierungs- und Vortragender Rat im Kultusministerium. – Seit 1859 für das Fach: Kirchenrecht. – Lit.: ADB Bd. 53, S. 340–343. – Brockhaus. – Zischka.

RICHTHOFEN, Karl Otto Johannes Theresius Freiherr von. Dr. jur., Dr. phil. h. c., Prof. Damsdorf (Niederschlesien) 30. 5. 1811–6. 3. 1888 Damsdorf. Germanist, Rechtshistoriker. Professor an der Universität Berlin, ab 1860 als Gutsherr und Privatgelehrter in Damsdorf. – Seit 1855 für das Fach: Rechtsgeschichte. – Lit.: ADB Bd. 53, S. 346–353. – Brockhaus. – Zischka.

RIEDEL, Adolf Friedrich Johann. Dr. phil., Prof. Biendorf (Mecklenburg-Schwerin) 5. 12. 1809–8. 9. 1872 Berlin. Nationalökonom, Historiker. Ao. Professor für Staatswissenschaften an der Universität Berlin. 1833 Geh. Archivar; Schöpfer und Vorstand des Geheimen Ministerialarchivs. Mitbegründer, Generalsekretär und Vorsitzender des Vereins für Geschichte der Mark Brandenburg. – Seit 1859 für das Fach: Brandenburgische Geschichte. – Lit.: ADB. – Amburger S. 28.

RIEGER, Maximilian. Dr. theol. h. c. et phil. Darmstadt 8. 4. 1828–10. 11. 1909 Alsbach (Bergstraße). Germanist, Schriftsteller und Dichter. Privatdozent in Gießen und Basel, dann als Privatgelehrter in Darmstadt lebend. – Seit 1862 für das Fach: Deutsche Sprache und Literatur der älteren Zeit. – Lit.: Brockhaus. – Biogr. Jb. Bd. 14 (1909), S. 37–49, Sp. 76–77. – Arnim.

RIEHL, Wilhelm Heinrich von. Dr. phil. Biebrich 6. 5. 1823–16. 11. 1897 München, s. Verzeichnis des VwR. – Seit 1859 für das Fach: Kulturgeschichte.

RITGEN, Hugo von. Dr. phil. Stadtberge (Westfalen) 3. 3. 1811–31. 7. 1889 Gießen, s. Verzeichnis des VwR. – Seit 1852 (Gründungsmitglied) für das Fach: Geschichte des Burgenbaues.

RITSCHL, Friedrich Wilhelm. Dr. phil., Prof. Großvargula bei Erfurt 6. 4. 1806–9. 11. 1876 Leipzig. Altphilologe, Bibliothekar. Professor an den Universitäten Halle, Breslau, Bonn (ab 1839) und Leipzig (ab 1865). In Bonn zugleich 1854–1865 Vorstand der Universitätsbibliothek. Mitbegründer und Präsident des Vereins von Altertumsfreunden im Rheinlande. – Seit 1867 für das Fach: Epigraphik. – Lit.: ADB. – Lexikon des gesamten Buchwesens. – Zischka. – Amburger S. 122. – Thürauf. – Arnim. – Universität Bonn Verzeichnis. – Universität Bonn Philosophie, S. 130–137.

RITTER, (August) Heinrich. Dr. phil., Prof. Zerbst 21. 11. 1791–3. 2. 1869 Göttingen. Philosoph. Professor an den Universitäten Berlin, Kiel und Göttingen (ab 1837). – Seit 1859 für das Fach: Geschichte der Philosophie. – Lit.: ADB. – Brockhaus. – Amburger S. 26, 90. – Arnim.

RITTER, Joseph Ignaz. Dr. theol., Dr. jur. h. c., Prof. Schweinitz (Schlesien) 12. 4. 1787–5. 1. 1857 Breslau. Katholischer Theologe. Priester. Professor an den Universitäten Bonn (1823) und Breslau (1830). In Breslau auch Domherr, Kapitularvikar und Domdechant. – Seit 1855 für das Fach: Kirchengeschichte. – Lit.: ADB. – Lexikon für Theologie und Kirche. – Universität Bonn Verzeichnis.

ROBIANO, Maurice-Joseph Comte de. Brüssel 26. 9. 1815–17. 12. 1869 Brüssel. Numismatiker in Brüssel, Sammler. Mitbegründer und Vizepräsident der belgischen numismatischen Gesellschaft. – Seit 1854 für das Fach: Niederländische Münzkunde. – Lit.: Biographie nationale . . . de Belgique.

ROCHHOLZ, Ernst Ludwig. Dr. phil. h. c. Ansbach 4. 3. 1809–28./29. 11. 1892 Aarau. Germanist, Sagenforscher, Mythologe. Lehrer an der Kantonsschule in Aarau. Mitbegründer der Historischen Gesellschaft des Kantons Aarau. Konservator des kantonalen Antiquariums. – Seit 1859 für das Fach: Oberdeutsche Altertümer. – Lit.: ADB Bd. 53, S. 415–419. – Historisch-biogr. Lexikon der Schweiz.

ROCKINGER, Ludwig von. Dr. jur. et phil., Prof. Würzburg 29. 12. 1824–24. 12. 1914 München. Rechtshistoriker. Professor an der Universität München, Geheimer Haus-, Hof- und Staatsarchivar, Direktor des Allgemeinen Reichsarchivs. – Seit 1871 für das Fach: Rechtsgeschichte. – Lit.: Brockhaus Supplement-Band. – Deutsches biogr. Jb. Bd. 1 (1914–1916), S. 307. – Thürauf.

RÖMER, Rudolph Benno von. Dresden 15. 3. 1803–18. 11. 1871 Dresden. Gutsbesitzer auf Löthain und Neumark, ansässig in Dresden. Numismatiker. 1841–1844 Vorstandsmitglied des Kgl. Sächsischen Vereins für Erforschung und Erhaltung vaterländischer Alterthümer (s. Mitteilungen des Kgl. Sächsischen Vereins . . . H. 1. 1835–H. 21. 1871). – Seit 1855 für das Fach: Münzkunde. – Lit.: Blätter für Münzfreunde Bd. 2, 1869–1872, Sp. 228. – Oettinger T. 8, S. 157.

RÖMER-BÜCHNER, Jacob Benedict. Dr. jur. Frankfurt a. M. 5. 5. 1792–28. 4. 1863 Frankfurt a. M. Jurist und Historiker. Landamts- und Gerichtsschreiber in Frankfurt. – Seit 1855 für die Fächer: Geschichte Frankfurts und Siegelkunde. – Lit.: ADB.

RÖSSLER, Emil Franz. Dr. jur. Brüx (Böhmen) 5. 6. 1815–5. 12. 1863 Sigmaringen. Rechtshistoriker. Dozent an den Universitäten Prag, Wien und Göttingen, ab 1858 zweiter Bibliothekar der Universitätsbibliothek Erlangen, ab 1862 Bibliothekar des Fürsten von Hohenzollern in Sigmaringen;

Hofrat. – Seit 1854 für das Fach: Deutsches Gerichtswesen. – Lit.: Wurzbach Biogr. Lexikon. – ADB.

ROMMEL, Dietrich Christoph von. Dr. phil., Prof. Philologe, Historiker. Professor an den Universitäten Marburg 1804, Charkow (Ukraine) 1811 und wiederum Marburg ab 1815. 1820 Direktor des hessischen Hof- und Staatsarchivs in Kassel, 1829 auch der Landesbibliothek und des Museums. Hofhistoriograph des hessischen Hauses. – Seit 1855 für das Fach: Hessische Geschichte. – Lit.: ADB. – Wolfgang Lautemann: Dietrich Christoph von Rommel. In: Lebensbilder aus Kurhessen und Waldeck. Bd. 6. Marburg a. L. 1958, S. 294–309. – Zischka.

ROSCHER, Wilhelm Georg Friedrich. Dr. phil., Prof. Hannover 21. 10. 1817–4. 6. 1894 Leipzig. Nationalökonom. Professor an den Universitäten Göttingen (1843) und Leipzig (1848). – Seit 1861 für das Fach: Geschichte der Volkswirtschaft. – Lit.: ADB Bd. 53, S. 486–492. – Biographisches Wörterbuch zur deutschen Geschichte. – Thürauf. – Arnim.

ROSSEL, (J. H.) Karl L. Dr. phil. Wiesbaden 10. 12. 1815–30. 7. 1872 Wiesbaden. Historiker. Lehrer in Wiesbaden und Dillenburg. Ab 1851 in Wiesbaden Sekretär des Vereins für nassauische Altertumskunde und Geschichtsforschung, 1855 auch Leiter von dessen Museum. 1858 Sekretär der herzoglichen Landesbibliothek. 1866 Staatsarchivar in Idstein. – Seit 1859 für das Fach: Nassauische Geschichte und Topographie. – Lit.: ADB.

ROTH, Paul Rudolf von. Dr. jur., Prof. Nürnberg 11. 7. 1820–28. 3. 1892 München. Rechtshistoriker. Professor an den Universitäten Marburg (1850), Rostock (1853), Kiel (1857) und München (1863). In München auch Leiter der Universitätsbibliothek. – Seit 1855 für das Fach: Geschichte des Benefizialwesens. – Lit.: ADB Bd. 53, S. 538–549. – Georg Kleinfeller: Roth, Paul Rudolf von. In: Lebensläufe aus Franken. Bd. 2. Würzburg 1922, S. 355–358. – Zischka. – Thürauf.

ROTH VON SCHRECKENSTEIN, Karl Heinrich Freiherr von. Dr. phil. Donaueschingen 31. 10. 1823–19. 6. 1894 Karlsruhe, s. Verzeichnis der Beamten. – Seit 1871 für das Fach: Geschichte.

RUDHART, (Georg) Thomas von. Prof. Weismain bei Bamberg 27. 3. 1792–10. 11. 1860. Historiker. Professor ab 1827 am Lyzeum in Bamberg, ab 1847 an der Universität München; 1849 dort Vorstand des Allgemeinen Reichsarchivs. – Seit 1855 für das Fach: Bayerische Geschichte. – Lit.: ADB. – Thürauf.

RÜCKERT, (Karl Albrecht) Heinrich. Dr. phil., Prof. Coburg 14. 2. 1823–11. 9. 1875 Breslau. Historiker, Germanist. Dozent an der Universität Jena, Professor ab 1852 in Breslau. –

Seit 1855 für das Fach: Merowingische und karolingische Geschichte. – Lit.: ADB Bd. 29, S. 769–773. – Brockhaus. – Zischka.

RUSSWURM, Karl Friedrich Wilhelm. Ratzeburg 25. 11. 1812–5. 2. 1883 Reval. Baltischer Lokalhistoriker. Lehrer und Schulinspektor in Reval und Hapsal (Estland). In Reval ab 1877 auch Archivar der estländischen Ritterschaftskanzlei. Mitdirektor der Gesellschaft für Geschichte und Altertumskunde der Ostseeprovinzen Rußlands. – Seit 1860 für das Fach: Geschichte und Altertümer Estlands. – Lit.: ADB. – Deutschbaltisches biographisches Lexikon.

SACKEN, Eduard Freiherr von. Dr. phil. Wien 3. 3. 1825–20. 2. 1883 Wien, s. Verzeichnis des VwR. – Seit 1854 für das Fach: Österreichische Altertumskunde.

SAMWER, Karl Friedrich Lucian. Dr. jur. h. c., Prof. Eckernförde 16. 3. 1819–8. 12. 1882. Jurist, Politiker und Publizist. Anwalt, ao. Professor an der Universität Kiel, holsteinischer Politiker. Ab 1825 in Gotha im Dienst des Herzogs von Sachsen-Coburg-Gotha, zuerst Bibliothekar, ab 1854 in Staatsgeschäften, zuletzt Chef des Finanz- und Domänendepartements, Geh. Rat. – Seit 1855 für das Fach: Schleswigholsteinische Geschichte und Altertümer. – Lit.: ADB.

SAVA, Karl Freiherr von. Gest. 1. 6. 1864 Wien. Siegelforscher. Vize-Hofbuchhalter der Tabak- und Stempel-Buchhaltung in Wien. Rechnungsrat. – Seit 1854 für das Fach: Österreichische Siegelkunde. – Lit.: Wurzbach Biogr. Lexikon.

SCHAD, Christian Konrad. Schweinfurt 1. 7. 1821–1. 6. 1871 Kitzingen (Unterfranken). Germanist und Dichter. Professor und Rektor an der Lateinschule in Kitzingen. – Seit 1854 für das Fach: Geschichte der Poesie im 15. und 16. Jahrhundert. – Lit.: ADB.

SCHÄFER, Johann Wilhelm. Dr. phil., Prof. Seehausen bei Bremen 17. 9. 1809–2. 3. 1880 Bremen. Literarhistoriker. Lehrer und Professor an der Handelsschule in Bremen. – Seit 1861 für das Fach: Deutsche Literaturgeschichte. – Lit.: Brockhaus. – Bremische Biographie des neunzehnten Jahrhunderts. Bremen 1912. – Zischka.

SCHAUMANN, Adolf Friedrich Heinrich. Dr. jur., Dr. phil. h. c., Prof. Hannover 19. 2. 1809–10. 12. 1882 Hannover. Jurist und Historiker. Professor für Geschichte an den Universitäten Göttingen und Jena, seit 1851 Archivar, Oberbibliothekar und Historiograph des königlichen Hauses in Hannover. – Seit 1855 für das Fach: Niedersächsische Geschichte. – Lit.: ADB. – Amburger S. 129. – Arnim.

SCHEIGER, Josef Edler von. Wien 2.2.1801–6.5.1886 Graz. Jurist, Historiker, Altertumsforscher. Seit 1845 Oberpostverwalter, 1850 Postdirektor in Graz. Ausschuß-Mitglied des Historischen Vereins für Steiermark, Konservator für Steiermark der Zentralkommission zur Erhaltung und Erforschung der Kunst- und historischen Denkmale. Ehrenmitglied mehrerer historischer Vereine. – Seit 1866 für das Fach: Waffenkunde des 16. und 17. Jahrhunderts. – Lit.: Wurzbach Biogr. Lexikon. – ADB Bd. 53, S. 740–745.

SCHERER, Wilhelm. Dr. phil., Prof. Schönborn (Niederösterreich) 26.4.1841–6.8.1886 Berlin. Literarhistoriker. Professor an den Universitäten Wien (1864), Straßburg (1872) und Berlin (1877). – Seit 1871 für die Fächer: Deutsche Sprache und Literatur. – Lit.: Wurzbach Biogr. Lexikon. – ADB. – Zischka. – Thürauf. – Amburger S. 32, 135. – Peter Salm: Drei Richtungen der Literaturwissenschaft. Scherer, Walzel, Staiger. Tübingen 1970.

SCHILLER, Karl Georg Wilhelm. Dr. phil. Braunschweig 23.5.1807–28.6.1874 Braunschweig. Kunst- und Literarhistoriker. Privatgelehrter in Braunschweig. Mitbegründer und Leiter des Städtischen Museums. – Seit 1871 für das Fach: Kunst- und Kulturgeschichte. – Lit.: ADB. – Bert Bilzer und Gert Spies: Das Städtische Museum Braunschweig. Hamburg 1968, S. 5–9.

SCHINDLER, Heinrich Bruno. Dr. med. Lauban (Schlesien) 22.8.1797–27.10.1859. Arzt und Chirurg in Greiffenberg (Schlesien). – Vorgesehen für das Fach Magie und Aberglaube des Mittelalters, jedoch wenige Tage vor Ausstellung des Diploms (31.10.1859) bereits gestorben. – Lit.: ADB.

SCHIRREN, Karl. Dr. phil., Prof. Riga 20.11.1826–11.12. 1910 Kiel. Historiker und Publizist. Professor an den Universitäten Dorpat und Kiel. – Seit 1871 für das Fach: Geschichte. – Lit.: Brockhaus. – Biogr. Jb. Bd. 15 (1910), Sp. 75. – Zischka.

SCHIRRMACHER, Friedrich Wilhelm. Dr. phil., Prof. Danzig 28.4.1824–19.6.1904 Rostock. Historiker. Professor an der Ritterakademie Liegnitz, seit 1866 an der Universität Rostock; dort auch Oberbibliothekar der Universitätsbibliothek und Direktor des Münzkabinetts. – Seit 1871 für das Fach: Geschichte. – Lit.: Biogr. Jb. Bd. 9 (1904), S. 76–78; Bd. 10 (1905), Sp. 101. – Altpreuß. Biogr.

SCHLEICHER, August. Dr. phil., Prof. Meiningen 19.2. 1821–6.12.1868 Jena. Sprachwissenschaftler. Dozent an der Universität Bonn, Professor in Prag (1850) und Jena (1857). – Seit 1859 für das Fach: Slawische und litauische Sprache. – Lit.: ADB. – Brockhaus. – Zischka. – Thürauf. – Universität Bonn Verzeichnis.

SCHLICKEYSEN, Friedrich Wilhelm Adolf. Potsdam 12.5. 1795–5.9.1871 Bad Schandau. Numismatiker. Geheimer Rechnungsrat im Finanzministerium in Berlin. Schriftführer der Numismatischen Gesellschaft Berlin. – Seit 1859 für das Fach: Topographie und Münzkunde des preußischen Staates. – Lit.: Berliner Blätter für Münz-, Siegel- und Wappenkunde Bd. 6 (1873), S. 199–201. – Blätter für Münzfreunde Bd. 2 (1869–1872), Sp. 228.

SCHMID, Anton. Pihl bei Böhmisch-Leipa 30.1.1787–3.7. 1857 Salzburg. Musikhistoriker. Kustos an der Hofbibliothek Wien. – Seit 1854 für das Fach: Literärgeschichte, insbesondere der Musik. – Lit.: Wurzbach Biogr. Lexikon. – ADB. – MGG.

SCHMIDT, (Wilhelm) Adolf. Dr. phil., Prof. Berlin 26.9. 1812–10.4.1887 Jena. Historiker, Politiker. Professor an den Universitäten Berlin (ao.), Zürich (ab 1851) und Jena (ab 1860). – Seit 1859 für das Fach: Politische Geschichte. – Lit.: ADB. – Brockhaus. – Thürauf.

SCHMIDT, Christian Wilhelm. Dusemond (Mosel) 1805 (?) – 30.5.1883 Trier. Architekt und Architekturhistoriker in Trier. Veröff. u.a.: Römische, byzantinische und germanische Baudenkmale in Trier und seiner Umgebung, Trier 1836–1845; Die Grabmäler des Hauses Nassau-Saarbrücken zu St. Anual, Saarbrücken und Ottweiler, Trier 1846; Kirchenmöbel und Utensilien aus dem Mittelalter und der Renaissance in den Diözesen Cöln, Trier und Münster, Trier 1851–1862; Gutachten über die Wiederherstellung des Kaisersaales zu Aachen, in: Jahrbücher des Vereins von Altertumsfreunden im Rheinlande Bd. 11 (1847), S. 155–161. – Seit 1867 für die Fächer: Geschichte der antiken und mittelalterlichen Baudenkmale; Goldschmiedearbeiten der Moselgegend.

SCHMIDT, Friedrich Freiherr von. Prof. Frickenhofen (Jagstkreis, Württemberg) 22.10.1825–23.1.1891 Wien. Architekt. Werkmeister in der Dombauhütte in Köln, 1857 Professor für Architektur an der Akademie der bildenden Künste Mailand, 1859 Professor für mittelalterliche Kunst an der Architekturschule der Akademie in Wien; dort Dombaumeister von St. Stephan und Erbauer des Rathauses. – Seit 1867 für die Fächer: Geschichte der Technik; Verhältnis der Bauhütten zur Kunst und untereinander. – Lit.: Wurzbach Biogr. Lexikon. – ADB Bd. 55, S. 598–616. – Thieme-Becker. – Felix Czeike: Das Rathaus (Wiener Geschichtsbücher, Bd. 12). Wien, Hamburg 1972, S. 37–41.

SCHMIDT, Karl Wilhelm Adolf. D., Prof. Straßburg 20.6.1812–11.3.1895 Straßburg. Theologe. Professor an der Universität Straßburg. – Seit 1859 für das Fach: Mittelalterliche, insbesondere elsässische Kirchengeschichte. – Lit.: Sitzmann. – Brockhaus. – Thürauf.

SCHMIDT, Wilhelm. Paderborn 4.7.1805–9.1.1878 Arnsberg (Westfalen). Jurist, Rechts- und Lokalhistoriker. Richter am Land- und Stadtgericht Höxter (Westfalen), seit den vierziger Jahren am Appellationsgericht Arnsberg. Appellationsgerichtsrat, Geheimer Justizrat. – Seit 1860 für das Fach: Geschichte und frühes Rechtsleben Westfalens. – Lit.: Zentral-Volksblatt Arnsberg vom 17.1.1878.

SCHNAASE, Karl Julius Ferdinand. Danzig 7.9.1798–20.5.1875 Wiesbaden. Jurist und Kunsthistoriker. Justizbeamter in Danzig, Marienwerder, Königsberg, ab 1829 Düsseldorf, ab 1848 als Obertribunalrat in Berlin. Dort auch Leiter des Vereins der Kunstfreunde, Mitbegründer des Vereins für religiöse Kunst in der evangelischen Kirche, Mitglied der beratenden Museumskommission und Ehrenmitglied der Akademie der Künste. Seit 1867 in Wiesbaden ansässig. – Seit 1854 für die Fächer: Kunstgeschichte, Architektur, Geschichte der Skulptur. – Lit.: ADB. – Waetzoldt Bd. 2, S. 70–92. – Zischka. – Altpreuß. Biogr. – Jeanjot.

SCHNEEGANS, Ludwig. Dr. jur. Straßburg 21.8.1812–1.4.1858 Straßburg. Jurist, elsässischer Altertumsforscher. Unterbibliothekar an der Stadtbibliothek und Stadtarchivar in Straßburg. Forschungen zur Baugeschichte des Straßburger Münsters. – Seit 1855 für das Fach: Elsässische Kunst- und Künstlergeschichte. – Lit.: ADB. – Sitzmann. – Karl Walter: Ludwig Schneegans (1812–1858), der Straßburger Archivar, und der Dramatiker Ludwig Schneegans (1842–1922). Kolmar 1941.

SCHNEIDER, Friedrich. Dr. phil. Mainz 7.8.1836–21.9.1907 Mainz. Prälat, Domkapitular, geistlicher Rat, Kunsthistoriker in Mainz. – Seit 1866 für das Fach: Christliche Kunst. – Lit.: Studien aus Kunst und Geschichte. Friedrich Schneider zum siebzigsten Geburtstage gewidmet … Freiburg i. Br. 1906 (Bibliographie S. XI–XXVII). – Biogr. Jb. Bd. 12 (1907), Sp. 78. – Anton Ph. Brück: Friedrich Schneider (1836–1907). In: Archiv für mittelrheinische Kirchengeschichte Jg. 9 (1957), S. 166–192.

SCHNELL, Eugen Heinrich Maria. Sigmaringen 16.6.1818–17.11.1897 Sigmaringen. Kameralist, Fachmann des Berg- und Hüttenwesens, hohenzollerischer Landeshistoriker. Beamter der Hofkammer in Sigmaringen, seit 1855 im Landesarchiv tätig, 1865 Archivar, 1886 Archivrat. Gründungs- und Ausschuß-Mitglied des Vereins für Geschichte und Altertumskunde in Hohenzollern. – Seit 1871 für das Fach: Geschichte. – Lit.: Gedenkblatt zur 50jährigen Dienstfeier des Fürstlich Hohenzollernschen Archivrates Eugen Schnell in Sigmaringen am 8. November 1887. o. O. 1887 (mit Schriftenverzeichnis). – Herbert Natale: Hundert Jahre Staatsarchiv und Fürstliches Archiv Sigmaringen. In: Zeitschrift für Hohenzollerische Geschichte Bd. 1 (1965), S. 247–249, 251. – Walter Bernhardt und Rudolf Seigel: Bibliographie der Ho-

henzollerischen Geschichte. In: Zeitschrift für Hohenzollerische Geschichte Bd. 10/11 (1974–1975), Nr. 9750–9755.

SCHNELL, Johannes. Dr. jur., Prof. Basel 31.8.1812–16.10.1889 Bern. Jurist, Rechtshistoriker. Professor an der Universität Basel, Präsident des Zivilgerichts. – Seit 1859 für das Fach: Schweizerische Rechtsgeschichte. – Lit.: ADB. – Historisch-biogr. Lexikon der Schweiz.

SCHNELLER, Josef. Zürich 19.12.1801–19.12.1879 Luzern. Historiker. Stadtarchivar in Luzern. Präsident des Historischen Vereins der fünf Orte Luzern, Uri, Schwyz, Unterwalden und Zug. – Seit 1855 für das Fach: Kirchengeschichte der vier ältesten Orte der Eidgenossenschaft samt Zug. – Lit.: Der Geschichtsfreund Bd. 35 (1880), S. XIII–XV. – Historisch-biogr. Lexikon der Schweiz.

SCHÖNHUTH, Ottmar Friedrich Heinrich. Sindelfingen (Württemberg) 6.4.1806–6.2.1864 Edelfingen (Jagstkreis, Württemberg). Evangelischer Theologe, Historiker, Germanist, Schriftsteller. Pfarrer in den Gemeinden Dörzbach (1837), Wachbach (1842) und Edelfingen (1854). Mitbegründer und Vorstand des Historischen Vereins für das württembergische Franken. – Seit 1854 für das Fach: Geschichte des Deutschordens in Franken. – Lit.: ADB. – Otto Borst: Ottmar F. H. Schönhuth. In: Lebensbilder aus Schwaben und Franken. Bd. 7. Stuttgart 1960, S. 214–251.

SCHÖNLEIN, Johann Lukas. Dr. med., Prof. Bamberg 30.11.1793–23.1.1864 Bamberg. Arzt. Professor und Klinikdirektor in Würzburg, Professor in Zürich, ab 1839 in Berlin, gleichzeitig Leibarzt bei König Friedrich Wilhelm III. von Preußen, später bei Friedrich Wilhelm IV.; Vortragender Rat im Kultusministerium. Seit 1859 in Bamberg ansässig. – Seit 1859 für das Fach: Geschichte der Seuchen. – Lit.: ADB. – Zischka. – Friedrich von Müller: Schönlein, Johann Lukas, Professor der Medizin, 1793–1864. In: Lebensläufe aus Franken. Bd. 5. Erlangen 1936, S. 332–349.

SCHÖNWERTH, Franz Xaver von. Amberg (Oberpfalz) 10.7.1809–26.5.1886. Jurist, Germanist, Volkskundeforscher. Seit 1845 Sekretär beim Kronprinzen und später beim König Maximilian von Bayern, 1851 zum Regierungsrat, 1852 zum Ministerialrat und Generalsekretär im Finanzministerium ernannt. Vorstand des Historischen Vereins von Oberbayern. – Seit 1859 für das Fach: Oberpfälzische Sagen und Altertümer. – Lit.: ADB. – Roland Roehrich: Franz Xaver Schönwerth. Leben und Werk. Kallmünz 1975.

SCHREIBER, Johann Heinrich. Prof. Freiburg i. Br. 14.7.1793–29.11.1872 Freiburg i. Br. Katholischer Theologe, Landeshistoriker. Priester. Professor an Gymnasium und Universität Freiburg. Nach Exkommunikation ab 1846 im Ruhestand mit Forschungen zur Geschichte von Stadt und

Universität Freiburg beschäftigt. – Seit 1859 für das Fach: Geschichte des Breisgaus. – Lit.: ADB. – Robert Wilhelm Rieke: Heinrich Schreiber, 1793–1872. Freiburg i. Br. 1956.

SCHRENCK AUF NOTZING, Karl Freiherr von. Wetterfeld bei Cham (Oberpfalz) 17.8.1806–10.9.1884 Wetterfeld. Jurist, bayerischer Politiker. 1845 Regierungspräsident der Pfalz, 1846–1847 bayerischer Justizminister, 1847 Regierungspräsident der Oberpfalz, 1849 Regierungspräsident von Niederbayern, 1850 bayerischer Gesandter beim Bundestag in Frankfurt, 1859 bayerischer Innen-, Außen- und Handelsminister, 1864 wiederum Bundestagsgesandter, 1870–1871 Gesandter in Wien. Staatsrat und Mitglied des Reichsrats. – Ehrenmitglied seit 1854. – Lit.: ADB. – Brockhaus.

SCHRÖER, Karl Julius. Dr. phil., Prof. Preßburg (Ungarn) 11.1.1825–15.12.1900 Wien. Germanist, Volkskundeforscher, Dichter. Professor und Direktor an der Realschule Preßburg, 1861 Direktor der vereinigten evangelischen Schulen in Wien, 1867 Professor für deutsche Sprache und Literatur an der Technischen Hochschule Wien. Mitbegründer, Vorstandsmitglied und Ehrenmitglied des Wiener Goethe-Vereins. – Seit 1859 für das Fach: Deutsche Mundarten und deutsches Volkstum in Ungarn. – Lit.: Biogr. Jb. Bd. 5 (1900), S. 364–367, Sp. 117. – Brockhaus. – Zischka.

SCHUBERT, Friedrich Wilhelm. Dr. phil., Prof. Königsberg (Ostpreußen) 20.5.1799–21.7.1868 Königsberg. Statistiker, Historiker. Professor an der Universität Königsberg. – Seit 1854 für das Fach: Preußische Geschichte. – Lit.: ADB Bd. 54, S. 227–231. – Altpreuß. Biogr.

SCHULER VON LIBLOY, Friedrich. Dr. jur., Prof. Hermannstadt (Siebenbürgen) 13.1.1827–8.11.1900 Wien. Rechts- und Kulturhistoriker, Politiker. Professor und Bibliothekar an der Rechtsakademie Hermannstadt, ab 1875 an der Universität Czernowitz. Vorstand des Gewerbevereins in Hermannstadt. – Seit 1859 für das Fach: Siebenbürgische Rechts- und Kulturgeschichte. – Lit.: Wurzbach Biogr. Lexikon. – Biogr. Jb. Bd. 5 (1900), S. 178–179, Sp. 117.

SCHULLER, Johann Karl. Prof. Hermannstadt (Siebenbürgen) 16.3.1794–10.5.1865 Hermannstadt. Historiker, Germanist, Pädagoge. Professor und Rektor am Gymnasium in Hermannstadt, Referent und Sekretär für Schulangelegenheiten des Landes Siebenbürgen, 1855 Schulrat für die Schulen der evangelischen Kirche in Siebenbürgen. Mitbegründer und Ausschuß-Mitglied des Vereins für siebenbürgische Landeskunde. – Seit 1859 für das Fach: Geschichte der Sachsen in Siebenbürgen, ihrer Mythologie, Kultur und Sprache. – Lit.: Wurzbach Biogr. Lexikon. – ADB.

SCHULTZ, Alwin. Dr. phil. Muskau 6.8.1838–11.3.1909

München, s. Verzeichnis des VwR. – Seit 1871 für das Fach: Kunst- und Kulturgeschichte.

SCHULZ, Albert. Dr. phil. h. c. Schwedt (Oder) 18.5.1802–3.6.1893 Magdeburg. Jurist, Germanist, Dichter. Justiz- und Verwaltungsbeamter, 1833 Regierungsrat in Magdeburg, zwischenzeitlich 1837–1843 nach Bromberg versetzt. 1865 Geh. Regierungsrat. Wolfram-Forschung, Sagen-Forschung. – Seit 1855 für das Fach: Mittelhochdeutsche Poesie des Arthur-Sagenkreises. – Lit.: ADB Bd. 55, S. 194–197. – Brockhaus.

SCHULZ, Heinrich Wilhelm. Dr. phil. 2.12.1808–15.4.1855 Dresden, s. Verzeichnis des VwR. – Seit 1852 (Gründungsmitglied) für das Fach: Altertumskunde.

SCHWARZ, Franz Joseph. Dr. phil. Donzdorf (Württemberg) 30.8.1821–1.7.1885 Ellwangen. Katholischer Priester und Kunsthistoriker. Stadt- und Stiftspfarrer in Ellwangen, Dekan. Gründer und Vorstand des Rottenburger Diözesankunstvereins. – Seit 1862 für das Fach: Christliche Archäologie und Kunst, vorzugsweise Schwabens. – Lit.: ADB.

SEGESSER, Philipp Anton von. Dr. jur. h. c. Luzern 3.4.1817–30.6.1888 Luzern. Jurist, Historiker, Politiker, Publizist. 1841–1847 Ratsschreiber in Luzern, 1848–1888 Nationalrat, 1845–1860 und 1863–1888 Großrat, 1872, 1876 und 1884 Schultheiß des Kantons Luzern. – Seit 1859 für die Fächer: Schweizerisches Recht und schweizerische Geschichte im 15. Jahrhundert. – Lit.: ADB. – Brockhaus. – Historisch-biogr. Lexikon der Schweiz. – Zischka.

SEIBERTZ, Johann Suibert. Dr. jur. h. c., Dr. phil. h. c. Brilon (Westfalen) 27.11.1788–17.11.1871 Arnsberg (Westfalen). Jurist, westfälischer Landeshistoriker. Seit 1837 Land- und Stadtgerichtsrat in Arnsberg. Mitbegründer des Vereins für Geschichte und Altertumskunde Westfalens, Mitbegründer und Vorsitzender des Historischen Vereins zu Arnsberg. Ehrenmitglied mehrerer historischer Vereine. – Seit 1857 für das Fach: Westfälische Landes-, Rechts- und Kulturgeschichte. – Lit.: ADB. – Thürauf.

SICKEL, Theodor Ritter von. Dr. phil. et jur., Prof. Aken (Elbe) 18.12.1826–21.4.1908 Meran. Historiker. Professor an der Universität Wien. Direktor des Istituto Austriaco di studi storici in Rom. Leiter der Diplomata-Abteilung der Monumenta Germaniae Historica. – Seit 1860 für die Fächer: Geschichte der Niederlande, Paläographie und Diplomatik. – Lit.: Biogr. Jb. Bd. 13 (1908), S. 62–72, Sp. 88. – Brockhaus. – Biogr. Wörterbuch zur deutschen Geschichte. – Amburger S. 94, 136. – Thürauf. – Arnim.

SIEGEL, Heinrich. Dr. jur., Prof. Ladenburg (Baden) 13.4.1830–4.6.1899 Wien. Jurist. 1857 Professor an der Universität Wien. Generalsekretär und Vizepräsident der Akademie der Wissenschaften in Wien. – Seit 1861 für das Fach: Das deutsche Rechtsverfahren. – Lit.: Biogr. Jb. Bd. 4 (1899), S. 91–94. – Brockhaus. – Thürauf.

SIGHART, Joachim. Dr. phil., Prof. Neukolberg bei Altötting 16.1.1824–20.12.1867 Freising. Katholischer Theologe, Kunsthistoriker. Priester. Seit 1850 Professor am Klerikalseminar in Freising und Begründer von dessen Museum. Domkapitular in München. – Seit 1859 für die Fächer: Kunstgeschichte von Altbayern, auch kirchliche Symbolik, Paramentik und Gerätschaften. – Lit.: ADB. – Thürauf.

SIMOLIN, Alexander Baron von. Groß-Dselden (Kurland) 29.6.1800–25.9.1871 Wiesbaden. Lyrischer Dichter, Historiker. Herzoglicher Kammerherr in Dessau, königlich preußischer Kammerherr in Berlin. – Seit 1859 für die Fächer: Heraldik und Genealogie, Adelsgeschichte der deutsch-russischen Ostseeprovinzen. – Lit.: Meyer. Ergänzungsband. – Goedeke Bd. 15, S. 396–397, 1141.

SIMROCK, Karl Joseph. Prof. Bonn 28.8.1802–18.7.1876 Bonn. Jurist, Germanist, Dichter. Bis 1830 in preußischem Justizdienst in Berlin, dann als Dichter hier und in Bonn ansässig. 1850 ao. Professor für deutsche Sprache und Literatur, 1853 Ordinarius an der Universität Bonn. – Seit 1857 für die Fächer: Mythologie und deutsche Literaturgeschichte. – Lit.: ADB. – Goedeke Bd. 13, S. 553–577; Bd. 14, S. 769–772, 1021. – Universität Bonn Verzeichnis. – Universität Bonn Sprachwiss., S. 57–62. – Hugo Moser: Karl Simrock. Bonn 1976.

SÖLTL, Johann Michael von. Dr. phil., Prof. Neunburg v. W. 19.4.1797–14.4.1888 München. Historiker. 1848 Professor an der Universität München, 1855 Vorstand des Königlichen Hausarchivs, 1868 des Geheimen Staatsarchivs. – Seit 1859 für das Fach: Geschichte Bayerns, insbesondere seines Regentenhauses. – Lit.: ADB.

SOLDAN, Wilhelm Gottlieb. Gest. 16.1.1869 Gießen. Pädagoge und Historiker. Professor am Gymnasium in Gießen. Veröff. u.a.: Geschichte der Hexenprozesse, Stuttgart 1843 (2. Aufl. 1880). – Seit 1855 für das Fach: Geschichte der Magie. – Lit.: ADB. – Oettinger T. 5, S. 70.

SONNENSCHMIDT, Friedrich Hermann. Dr. jur. h.c. Greifswald 12.11.1801–10.11.1881 Berlin. Jurist. Ab 1837 Oberappellationsgerichtsrat in Greifswald, 1853 Obertribunalrat in Berlin. Mitbegründer des Kunstvereins für Neuvorpommern und Rügen. – Seit 1860 für das Fach: Pommersche Geschichte, insbesondere pommersche Rechtsgeschichte. – Lit.: ADB.

SOTZMANN, (Johann Daniel) Ferdinand. Berlin 11.1.1781–18.1.1866 Berlin. Geheimer Oberfinanzrat im Finanzministerium in Berlin. Veröff. u.a.: Über des Anton von Worms Abbildung der Stadt Köln aus dem Jahre 1531, Köln 1819; Hans Holbeins Altes Testament in fünfzig Holzschnitten ... Herausgegeben von Hugo Bürkner, mit einer Einleitung von D. F. Sotzmann, Leipzig 1850; Die xylographischen Bücher eines in Breslau befindlich gewesenen Bandes, jetzt in dem Königl. Kupferstich-Kabinet in Berlin, in: Serapeum Jg. 3 (1842), S. 177–190, 193–212; Älteste Geschichte der Xylographie und der Druckkunst überhaupt, besonders in der Anwendung auf den Bilddruck, in: Historisches Jahrbuch Jg. 8 (1837), S. 447–599; Gutenberg und seine Mitbewerber, oder die Briefdrucker und die Buchdrucker, in: Historisches Jahrbuch N.F. Jg. 2 (1841), S. 515–677. – Seit 1854 für das Fach: Geschichte der Holzschneidekunst. – Oettinger T. 5,

SPACH, Ludwig Adolf. Dr. phil. h.c., Prof. Straßburg 27.9.1800–16.10.1879 Straßburg. Schriftsteller, Historiker. Seit 1840 Archivar des Departements Bas-Rhin, auch Kabinettschef des Präfekten in Straßburg. 1872 Honorarprofessor an der Universität Straßburg. Mitbegründer und Präsident der Société pour la conservation des monuments historiques d'Alsace. – Seit 1871 für das Fach: Geschichte. – Lit.: ADB. – Sitzmann. – Goedeke Bd. 13, S. 85–95. – Thürauf.

SPRINGER, Anton Heinrich. Dr. phil., Prof. Prag 13.7.1825–31.5.1891 Leipzig. Kunsthistoriker. Professor an den Universitäten Bonn (1860; seit 1852 dort Dozent, 1858 ao. Prof.), Straßburg (1872) und Leipzig (1873). – Seit 1860 für das Fach: Skulptur und Malerei des Mittelalters. – Lit.: ADB. – Waetzoldt Bd. 2, S. 106–129. – Universität Bonn Verzeichnis. – Universität Bonn Geschichtswiss. S. 413–417.

SPRUNER VON MERZ, Karl. Stuttgart 15.11.1803–24.8.1892 München. Bayerischer Offizier, Historiker, Geograph. 1855 Flügeladjutant König Maximilians II., Generaladjutant Ludwigs II., 1883 General der Infanterie. Mitglied der Historischen Kommission in München. – Seit 1855 für das Fach: Topographie. – Lit.: ADB. – Brockhaus. – Zischka. – Thürauf.

STÄLIN, Christoph Friedrich von. Dr. jur. h.c. Calw 4.8.1805–12.8.1873 Stuttgart. Historiker. 1828 Bibliothekar, ab 1869 Direktor der königlichen öffentlichen Bibliothek in Stuttgart. Aufsicht über das Münz-, Medaillen- und Kunstkabinett. Mitglied der Historischen Kommission in München. Ehrenmitglied zahlreicher historischer Vereine. – Seit 1854 für das Fach: Schwäbische Geschichte und Altertumskunde. – Lit.: ADB. – Brockhaus. – Thürauf. – Amburger S. 122. – Arnim.

STATZ, Vinzenz. Köln 9.4.1819–21.8.1898 Köln. Architekt in Köln, Werkmeister am Kölner Dom, Diözesanbaumeister. – Seit 1871 für das Fach: Baukunst. – Lit.: Thieme-Becker. –

Hans Vogts: Vincenz Statz (1818–1898). Lebensbild und Lebenswerk eines Kölner Baumeisters. Mönchengladbach 1960.

STEUB, Ludwig. Aichach (Oberbayern) 20.2.1812–16.3.1888 München. Jurist, Philologe, Schriftsteller. Anwalt und Notar in München. Forschungen zur Namens- und Volkskunde. – Seit 1871 für das Fach: Deutsche Sprache und Literatur. – Lit.: ADB. – Brockhaus.

STILLFRIED-RATTONITZ, Graf von Alcántara, Rudolf Maria Bernhard von. Hirschberg (Schlesien) 14.8.1804–9.8.1882 Silbitz (Schlesien). Historiker. Zeremonienmeister, ab 1853 Oberzeremonienmeister König Friedrich Wilhelms IV. und Kaiser Wilhelms I. in Berlin. Leiter des königlichen Hausarchivs. – Seit 1854 für das Fach: Hohenzollerische Hausgeschichte. – Lit.: Wurzbach Biogr. Lexikon. – ADB. – Brockhaus. – Amburger S. 100.

STINTZING, (Johann August) Roderich von. Dr. jur., Prof. Altona 8.2.1825–13.9.1883 Oberstdorf. Jurist. Professor an den Universitäten Basel (1854), Erlangen (1857) und Bonn (ab 1870). – Seit 1859 für das Fach: Geschichte des römischen Rechts in Deutschland. – Lit.: ADB. – Brockhaus. – Zischka. – Universität Bonn Verzeichnis.

STOBBE, (Johann Ernst) Otto. Dr. jur., Prof. Königsberg (Ostpreußen) 28.6.1831–19.5.1887 Leipzig. Jurist. Professor an den Universitäten Königsberg, Breslau (1859) und Leipzig (1872). – Seit 1871 für das Fach: Rechtsgeschichte. – Lit.: ADB. – Altpreuß. Biogr. – Thürauf.

STÖBER, (Daniel) August Ehrenfried. Dr. phil. h. c., Prof. Straßburg 9.7.1808–9.3.1884 Mühlhausen. Dichter, elsässischer Literarhistoriker und Volkskundeforscher. Professor am Collegium in Mühlhausen, Stadtbibliothekar und Vorstand des Museums der Industriellen Gesellschaft. – Seit 1855 für das Fach: Geschichte, Literatur, Mundarten, Sagen und Sittenkunde des Elsaß. – Lit.: ADB. – Brockhaus. – Sitzmann.

STRAMBERG, (Johann) Christian von. Koblenz 13.10.1785–20.7.1868 Koblenz. Historiker. Privatgelehrter in Koblenz. – Seit 1859 für die Fächer: Genealogie, rheinländische Geschichte und Topographie, Heiligen- und Klostergeschichte. – Lit.: ADB Bd. 54, S. 607–608. – Karl Georg Faber: Christian von Stramberg. In: Rheinische Lebensbilder. Bd. 2. Düsseldorf 1966, S. 159–175.

STREBER, Franz. Dr. phil., Prof. Deutenkofen bei Landshut 26.2.1806–21.11.1864 München. Theologe, Archäologe, Numismatiker. 1830 Adjunkt, 1841 Konservator am Münzkabinett in München. 1835 Professor für Archäologie an der Universität. – Seit 1855 für das Fach: Deutsches Münzwesen. – Lit.: ADB. – Thürauf.

STÜLZ, Jodocus. Bezau (Bregenzerwald) 23.2.1799–28.6.1872 St. Florian (Oberösterreich). Katholischer Theologe, Historiker. Priester. Augustiner-Chorherr in St. Florian, 1859 Stiftspropst. Seit 1846 k. k. Reichshistoriograph. – Seit 1854 für das Fach: Österreichische Geschichte. – Lit.: Wurzbach Biogr. Lexikon. – ADB. – Thürauf.

STÜRLER, Moriz von Dr. phil. h. c. Bern 3.4.1807–25.5.1882. Historiker. Staatschreiber und Staatsarchivar in Bern. – Seit 1859 für das Fach: Ältere Geschichte und Diplomatik der Westschweiz. – Lit.: Anzeiger für schweizerische Geschichte (1882–1885), S. 95 (mit Bibliographie). – Historisch-biogr. Lexikon der Schweiz.

STÜVE, Karl Johann Bertram. Dr. jur. Osnabrück 4.3.1798–16.1.1872 Osnabrück. Jurist, Historiker, Politiker. Rechtsanwalt, Bürgermeister in Osnabrück. 1848–1850 hannoverscher Innenminister. – Seit 1855 für das Fach: Westfälische Geschichte. – Lit.: ADB. – Hermann Rothert: Karl Stüve. In: Westfälische Lebensbilder. Bd. 6. Münster 1957, S. 118–134. – Biogr. Wörterbuch zur deutschen Geschichte. – Thürauf. – Arnim. – Heinz-Günter Borck: Johann Carl Bertram Stüve und seine Zeit (1798–1872). Eine Ausstellung des Niedersächsischen Staatsarchivs in Osnabrück. Göttingen 1972.

SYBEL, Heinrich Karl Ludwig von. Dr. phil., Prof. Düsseldorf 2.12.1817–1.8.1895 Marburg a. L. Historiker. Professor an den Universitäten Bonn (Dozent 1840, ao. Prof. 1844), Marburg (1845), München (1856) und wiederum Bonn (ab 1861). Sekretär und Präsident der Historischen Kommission der Bayerischen Akademie in München. 1875 Generaldirektor der Preußischen Staatsarchive und des Geheimen Staatsarchivs in Berlin. – Seit 1855 für das Fach: Ältere deutsche Geschichte. – Lit.: ADB Bd. 54, S. 645–667. – Biogr. Wörterbuch zur deutschen Geschichte. – Universität Bonn Verzeichnis. – Universität Bonn Geschichtswiss. S. 93–103. – Thürauf. – Amburger S. 31, 128. – Jeanjot. – Arnim.

SZALAY, Ladislaus von. Ofen 18.4.1813–17.7.1864 Salzburg. Jurist und Historiker, ungarischer Gesandter in Frankfurt und London. Sekretär der Ungarischen Akademie der Wissenschaften. – Seit 1855 für das Fach: Ungarische Geschichte. – Lit.: Magyar Tudomanyos Akadémiai Almanach. 1864. Pest 1863, S. 137. – Brockhaus.

TEUTSCH, Georg Daniel. Dr. phil. h. c., D. h. c., Dr. jur. h. c. Schäßburg (Siebenbürgen) 12.12.1817–2.7.1893 Hermannstadt. Evangelischer Theologe, Historiker, Politiker. Lehrer, seit 1850 Rektor am Gymnasium in Schäßburg, 1863 Pfarrer und Dechant in Agnetheln, 1867 Bischof der evangelischen Kirche Siebenbürgens in Hermannstadt. Mitbegründer und Vorstand des Vereins für siebenbürgische Landeskunde. –

Seit 1855 für das Fach: Geschichte von Siebenbürgen. – Lit.: Wurzbach Biogr. Lexikon. – ADB. – Brockhaus. – RGG. – Thürauf.

THOMAS, Georg Martin. Dr. phil., Prof. Ansbach 12. 2. 1817–24. 3. 1887 München. Philologe und Historiker. Professor am Kadettencorps in München, Bibliothekar an der dortigen Hof- und Staatsbibliothek. – Seit 1861 für die Fächer: Handschriftenkunde, Kultur- und Handelsgeschichte des Mittelalters. – Lit.: ADB Bd. 54, S. 697–700. – Thürauf.

THUN-HOHENSTEIN, Franz Anton Graf. Prag 13.6.1809–22.11.1870 Prag. Kunstmäzen in Prag. 1850–1861 Kunstreferent und Ministerialrat im österreichischen Ministerium für Kultus und Unterricht in Wien. Vertreter des Ministeriums in der k. k. Zentralkommission zur Erhaltung und Erforschung der Kunst- und historischen Denkmale, 1862 Konservator der Zentralkommission für Böhmen. Initiator und Geschäftsleiter des Kunstvereins für Böhmen. Direktionsmitglied der Gesellschaft des vaterländischen Museums, des Vereins zur Beförderung der Tonkunst und des Gewerbevereins. Präsident des Prager Dombauvereins. – Ehrenmitglied seit 1858. – Lit.: Wurzbach Biogr. Lexikon.

THUN-HOHENSTEIN, (Leopold) Leo Graf. Tetschen (Böhmen) 7.4.1811–17.12.1888. Jurist, österreichischer Staatsmann. 1848 Gubernialpräsident für Böhmen in Prag. 1849–1860 Minister für Kultus und Unterricht in Wien. Ständiger Reichsrat, Mitglied des Herrenhauses und des böhmischen Landtags. Ehrenmitglied der Akademie der Wissenschaften in Wien. – Ehrenmitglied seit 1858. – Lit.: Wurzbach Biogr. Lexikon. – ADB. – Brockhaus.

TOLL, Ferdinand. 22. 1. 1809–2. 10. 1876 Metternich bei Koblenz. Preußischer Offizier. Major der Artillerie (1859 a. D.) in Koblenz. – Seit 1871 für das Fach: Kriegsgeschichte.

TOMASCHEK, Johann Adolf Edler von Stadowa. Dr. jur., Prof. Iglau (Mähren) 16. 5. 1822–9. 1. 1898 Wien. Rechtshistoriker. Gymnasialprofessor in Brünn und Iglau, ab 1857 Konzipist am Haus-, Hof- und Staatsarchiv in Wien, ab 1863 Professor an der dortigen Universität. – Seit 1860 für das Fach: Deutsche Rechtsgeschichte, insbesondere Rechtsgeschichte der österreichischen Länder. – Lit.: Wurzbach Biogr. Lexikon. – ADB Bd. 54, S. 705–706.

TUCHER VON SIMMELSDORF, (Christoph Karl) Gottlieb Sigismund Freiherr von. Nürnberg 19. 5. 1798–17. 2. 1877 München. Jurist, Kirchenmusik-Historiker. Justizbeamter in Nürnberg, Ansbach und Schweinfurt, 1849 Appellationsgerichtsrat in Neuburg a. D., 1856 Oberappellationsgerichtsrat in München. – Seit 1854 für das Fach: Geschichte der Musik. – Lit.: ADB. – RGG. – MGG.

ULLMANN, Karl. Dr. phil., Prof. Epfenbach (Pfalz) 15. 3. 1796–12. 1. 1865 Karlsruhe. Evangelischer Theologe. Seit 1821 Professor an der Universität Heidelberg, zwischendurch 1829–1836 Professor in Halle. 1853 evangelischer Prälat in Karlsruhe, 1856–1861 Direktor des Oberkirchenrats in Karlsruhe. – Seit 1859 für das Fach: Kirchengeschichte, insbesondere der badischen Landesteile. – Lit.: ADB. – RGG.

UNGER, Joseph. Dr. jur. et phil., Prof. Wien 2. 7. 1828–2. 5. 1913 Wien. Jurist und Politiker. Professor an den Universitäten Prag und Wien. Präsident des österreichischen Reichsgerichts. – Seit 1855 für das Fach: Deutsches Privatrecht. – Lit.: Brockhaus. – Biogr. Jb. Bd. 18 (1913), S. 187–215, Sp. 132–133.

VIRCHOW, Rudolf Ludwig Karl. Dr. med., Prof. Schivelbein (Pommern) 13. 10. 1821–5. 9. 1902 Berlin. Arzt, Pathologe, prähistorischer Anthropologe. 1847 Dozent und Prosektor an der Charité in Berlin, Professor für pathologische Anatomie 1849 in Würzburg, 1856 in Berlin. Gründer und Direktor des Pathologischen Instituts der Charité. Gründer und Vorsitzender der Anthropologischen Gesellschaft. – Seit 1862 für das Fach: Geschichte der Medizin und der Krankheiten in ihrer Besonderheit, wie in ihrem Zusammenhange mit der allgemeinen Kulturgeschichte. – Lit.: Biogr. Jb. Bd. 7 (1902), S. 352–361, Sp. 120. – Rudolf Beneke: Rudolf Virchow. In: Pommersche Lebensbilder. Bd. 2. Stettin 1936, S. 198–236. – N. B. Schmidt: Virchow, ... In: Fränkische Lebensbilder. Bd. 2. Würzburg 1922, S. 465–475. – Christian Andree: Rudolf Virchow als Prähistoriker. Bd. 1–2. Köln, Wien 1976. – Biogr. Wörterbuch zur deutschen Geschichte. – Thürauf. – Amburger S. 30, 178. – Jeanjot.

VISCHER, Wilhelm. Dr. phil., Prof. Basel 30. 5. 1808–5. 7. 1874 Basel. Graezist, Archäologe. Professor für griechische Sprache und Literatur an der Universität Basel. Ratsherr, Leiter des Erziehungswesens des Kantons Basel. Gründer und Vorstand der Antiquarischen Gesellschaft. – Seit 1862 für die Fächer: Heidnische Archäologie, Geschichte der Universitäten. – Lit.: ADB. – Historisch-biogr. Lexikon der Schweiz. – Amburger S. 134.

VOIGT, Johannes. Dr. phil., Prof. Bettenhausen (Thüringen) 27. 8. 1786–23. 9. 1863 Königsberg (Ostpreußen). Historiker. Professor für historische Hilfswissenschaften an der Universität Königsberg und Direktor des Geheimen Staatsarchivs. – Seit 1854 für das Fach: Preußische und Deutschordensgeschichte. – Lit.: ADB. – Altpreuß. Biogr. – Zischka. – Thürauf. – Amburger S. 123.

VOIGTEL, (Karl Eduard) Richard. Magdeburg 31. 5. 1829–28. 9. 1902 Köln. Architekt. Seit 1862 Dombaumeister in Köln; Geh. Regierungsrat. – Seit 1871 für das Fach: Baukunst. – Lit.: Biogr. Jb. Bd. 7 (1902), Sp. 121. – Thieme-Becker.

VOSSBERG, Friedrich August. Strzelno (Regierungsbezirk Bromberg) 31.10.1800–26.1.1870 Berlin. Verwaltungsfachmann in Posen und (seit 1826) Berlin; Geh. Registrator und Kanzleirat der Hauptbank in Berlin. Numismatiker, Sphragistiker. – Seit 1854 für das Fach: Siegelkunde. – Lit.: ADB. – Altpreuß. Biogr.

VRIES, Mathias de. Dr.phil., Prof. Haarlem 9.11.1820–9.8.1892 Leiden. Philologe. Professor für niederländische Sprache und Literatur an den Universitäten Groningen (1849) und Leiden (1853). Mitbegründer der Vereeniging ter Bevordering der oude Nederlandsche Letterkunde. – Seit 1866 für das Fach: Niederländische Sprache und Literatur. – Lit.: Nieuw nederlandsch biografisch woordenboek, Deel 1, Sp. 1525–1527. – Brockhaus. – Zischka. – Jeanjot. – Amburger S. 129. – Arnim.

WAAGEN, Gustav Friedrich. Dr.phil. Hamburg 11.2.1794–15.7.1868 Kopenhagen, s. Verzeichnis des VwR. – Seit 1852 (Gründungsmitglied) für das Fach: Geschichte der Malerei.

WACHSMUTH, (Ernst) Wilhelm Gottlieb. Dr.phil., Prof. Hildesheim 28.12.1787–23.1.1866 Leipzig. Philologe, Historiker. Professor 1820 für alte und neue Sprachen an der Universität Kiel, 1825 für Geschichte an der Universität Leipzig. – Seit 1855 für das Fach: Deutsche Kulturgeschichte. – Lit.: ADB. – Brockhaus. – Zischka.

WACKERNAGEL, Philipp Karl Eduard. Dr.phil., D.h.c., Prof. Berlin 28.6.1800–20.6.1877 Dresden. Mineraloge, Pädagoge, Hymnologe. Lehrer in Nürnberg, Berlin und Stetten, 1845 Gymnasialprofessor in Wiesbaden, 1850 Direktor der Real- und Gewerbeschule in Elberfeld. Ab 1861 im Ruhestand ansässig in Dresden. – Seit 1854 für das Fach: Geschichte des deutschen Kirchenliedes. – Lit.: ADB. – Brockhaus. – Zischka.

WACKERNAGEL, (Karl Heinrich) Wilhelm. Prof. Berlin 23.4.1806–21.12.1868 Basel. Germanist, Dichter. Professor an der Universität Basel. – Seit 1854 für das Fach: Deutsche Literaturgeschichte. – Lit.: ADB. – Historisch-biogr. Lexikon der Schweiz. – Goedeke Bd. 14, S. 815–836, 1022. – Zischka. – Amburger S. 124. – Arnim.

WÄCHTER, Karl (Joseph) Georg Sigismund von. Dr.jur., Prof. Marbach (Neckar) 24.12.1797–15.1.1880 Leipzig. Jurist. Professor an den Universitäten Tübingen und Leipzig (1833–1836, wieder ab 1852), 1839–1848 Kammerpräsident in Stuttgart, 1851–1852 Präsident des Oberappellationsgerichts der vier Freien Städte in Lübeck. – Seit 1855 für die Fächer: Deutsches Strafrecht und württembergisches Recht. – Lit.: ADB. – Brockhaus. – Herbert Dannenberg: Liberalismus und Strafrecht im 19. Jahrhundert, unter Zugrundelegung der Lehren K. G. v. Wächters. Berlin 1925.

WAITZ, Georg. Dr.phil. Flensburg 9.10.1813–24.5.1816 Berlin, s. Verzeichnis des VwR. – Seit 1855 für das Fach: Deutsche Geschichte.

WALTER, Ferdinand. Dr.jur., Prof. Wetzlar 30.11.1794–13.12.1879 Bonn. Jurist. Professor an der Universität Bonn. – Seit 1855 für das Fach: Kirchenrecht. – Lit.: ADB. – Brockhaus. – Lexikon für Theologie und Kirche. – Universität Bonn Verzeichnis.

WALTHER, Philipp Alexander Ferdinand. Dr. phil. h. c. Darmstadt 25.12.1812–26.5.1887 Darmstadt. Hessischer Landeshistoriker, Bibliothekar, Bibliograph. Beamter der Hofbibliothek Darmstadt, 1850 Hofbibliothekar, 1873 Direktor. Vorstand des Kabinettsmuseums, Vorstand und Gründer der Kabinettsbibliothek. – Seit 1859 für das Fach: Bibliographie der Geschichtsliteratur. – Lit.: ADB. – Hessische Biographien. Bd. 1. Darmstadt 1918, S. 271–278. – Lexikon des gesamten Buchwesens.

WARNKÖNIG, Leopold August. Dr.jur., Prof. Bruchsal 1.8.1794–19.8.1866 Stuttgart. Rechtshistoriker. Professor an den Universitäten Lüttich, Löwen, Gent, ab 1836 Freiburg i.Br., ab 1844 Tübingen. – Seit 1854 für das Fach: Rechtsgeschichte. – Lit.: ADB. – Zischka. – Thürauf. – Jeanjot. – Gisela Wild: Leopold August Warnkönig 1794–1866. Karlsruhe 1961.

WASSERSCHLEBEN, (Friedrich Wilhelm) Hermann. Dr.jur., Prof. Liegnitz 22.4.1812–28.6.1893 Gießen. Jurist. Professor an den Universitäten Breslau (1841, ao.), Halle (1850) und Gießen (1852). – Seit 1854 für die Fächer: Kirchenrecht, deutsche Staats- und Rechtsgeschichte. – Lit.: ADB. – Brockhaus. – Lexikon für Theologie und Kirche.

WATTENBACH, Wilhelm. Dr.phil. et jur. Rantzau 22.9.1819–21.9.1897 Frankfurt a.M., s. Verzeichnis des VwR. – Seit 1867 für das Fach: Geschichte des Mittelalters, speziell des deutschen.

WEALE, William Henry James. London 8.3.1832–26.4.1917 London. Kunsthistoriker in Brügge und London. Forschungen zur altniederländischen Malerei. 1890–1897 Bibliothekar am South Kensington Museum. – Seit 1871 für das Fach: Kunst- und Kulturgeschichte. – Lit.: Biographie nationale ... de Belgique, Bd. 30, Suppl. 2, Bruxelles 1959, Sp. 809–814. – Lexikon des gesamten Buchwesens. – Jeanjot.

WEBER, Karl von. Dr.jur. Dresden 1.1.1806–17./18.7.1879 Loschwitz bei Dresden. Jurist. Ministerialrat im Gesamtministerium in Dresden; seit 1849 Direktor des Hauptstaatsarchivs. – Seit 1859 für das Fach: Deutsche Kulturgeschichte. – Lit.: Wilhelm Haan: Sächsisches Schriftsteller-Lexikon. Leipzig 1875. – ADB.

WEECH, Friedrich von. Dr. phil. München 16. 10. 1837–17. 11. 1905 Karlsruhe. Historiker. Hofbibliothekar, dann Direktor des Generallandesarchivs in Karlsruhe. Ständiger Sekretär der Badischen Historischen Kommission. – Seit 1871 für das Fach: Geschichte. – Lit.: Brockhaus. – Biogr. Jb. Bd. 10 (1905), S. 246–253, Sp. 268. – Zischka. – Thürauf.

WEGELE, Franz Xaver von. Dr. phil., Prof. Landsberg (Lech) 29. 10. 1823–17. 10. 1897 Würzburg. Historiker. Professor an den Universitäten Jena und Würzburg (ab 1857). – Seit 1859 für das Fach: Fränkische und thüringische Geschichte. – Lit.: ADB Bd. 44, S. 443–448. – Brockhaus. – Zischka. – Thürauf.

WEGELER, Julius Stefan. Dr. med. Bonn 21. 2. 1807–28. 7. 1883 Koblenz. Arzt, Kommunalpolitiker, Lokalhistoriker und Altertumsforscher. Geheimer Medizinalrat in Koblenz. Ehrenamtlicher Bibliothekar der Stadtbücherei. – Seit 1860 für das Fach: Rheinische Geschichte und Topographie. – Lit.: Landeskundliche Vierteljahrsblätter, Sonderheft 1972: Kurzbiographien von Mittelrhein und Moselland, S. 366.

WEIGAND, (Friedrich Ludwig) Karl. Dr. phil., Prof. Unterflorstadt (Wetterau) 18. 11. 1804–30. 6. 1878 Gießen. Germanist, Lexikograph. Realschullehrer und -direktor in Gießen, Professor an der dortigen Universität (1851 ao., 1867 o. Prof.). – Seit 1863 für das Fach: Deutsche Sprache und Literatur. – Lit.: ADB Bd. 55, S. 360–363. – Brockhaus. – Zischka.

WEIGEL, Rudolf. Leipzig 19. 4. 1804–22. 8. 1867 Leipzig. Verleger und Kunsthändler in Leipzig. – Seit 1854 für das Fach: Handzeichnungs-, Kupferstich- und Holzschnittkunde. – Lit.: ADB. – Brockhaus. – Lexikon des gesamten Buchwesens. – Oettinger T. 5, S. 181.

WEIGEL, Theodor Oswald. Leipzig 5. 8. 1812–2. 7. 1881 Hosterwitz bei Pillnitz. Verleger, Buch- und Kunsthändler, Antiquar in Leipzig. – Seit 1854 für das Fach: Geschichte der Holzschneide- und Buchdruckerkunst. – Lit.: ADB. – Brockhaus. – Lexikon des gesamten Buchwesens.

WEINHOLD, Karl. Dr. phil. et jur., Prof. Reichenbach (Schlesien) 26. 10. 1823–15. 8. 1901 Bad Nauheim. Germanist. Professor an den Universitäten Breslau, Krakau, Graz, Kiel und Berlin. – Seit 1857 für das Fach: Deutsche Mundarten. – Lit.: Brockhaus. – Biogr. Jb. Bd. 6 (1901), S. 47–51, Sp. 114. – Zischka. – Thürauf. – Amburger S. 33.

WEISS, Hermann. Prof. Hamburg 2. 4. 1822–21. 4. 1897 Berlin. Maler, Stecher und Kulturhistoriker. Professor für Ko-

stümkunde an der Akademie der Künste in Berlin, Direktorialassistent und Direktor des Kupferstichkabinetts, technischer Direktor des Zeughauses. – Seit 1866 für das Fach: Kostümkunde. – Lit.: Thieme-Becker. – Biogr. Jb. Bd. 2 (1897), S. 108–109; Bd. 4 (1899), Sp. 109.

WEIZSÄCKER, Julius Ludwig Friedrich. Dr. phil., Prof. Oehringen (Württembergisch Franken) 13. 2. 1828–3. 9. 1889 Kissingen. Theologe, Historiker. 1860 Mitarbeiter der Historischen Kommission in München, Professor für Geschichte an den Universitäten Erlangen (1863), Tübingen (1867), Straßburg (1872), Göttingen (1876) und Berlin (1881). – Seit 1871 für das Fach: Geschichte. – Lit.: ADB. – Brockhaus. – Thürauf. – Amburger S. 32. – Arnim.

WIECHMANN, Karl Michael. Dr. phil. 1828–31. 12. 1883. Privatgelehrter, Gutsbesitzer in Kadow bei Dobbertin (Mecklenburg) und Rostock. Veröff. zur Geschichte, insbesondere jedoch zur Literatur- und Buchgeschichte Mecklenburgs (Wilhelm Heeß: Geschichtliche Bibliographie von Mecklenburg, Rostock 1952, Register). – Seit 1867 für die Fächer: Altniederdeutsche Literatur, plattdeutsche Drucke. – Lit.: Jahrbücher des Vereins für mecklenburgische Geschichte und Altertumskunde Bd. 49 (1884), Quartalbericht S. 2.

WIGAND, Paul. Dr. jur. h. c. Kassel 10. 8. 1786–4. 1. 1866 Wetzlar. Jurist, Historiker, Dichter. Richter in Höxter, seit 1833 Stadtgerichtsdirektor in Wetzlar. Mitbegründer des Vereins für vaterländische Geschichte und Altertumskunde Westfalens, Mitbegründer und Vorstand des Wetzlar'schen Vereins für Geschichte und Altertumskunde. Aufsicht über das Stifts- und Landesarchiv Corvey, das Stadtarchiv Höxter und weitere Archive der Umgegend. – Seit 1854 für das Fach: Westfälische Geschichte und Rechtswesen. – Lit.: ADB Bd. 55, S. 89–91. – Wilhelm Steffens: Paul Wigand. In: Lebensbilder aus Kurhessen und Waldeck. Bd. 3. Marburg a. L. 1942, S. 386–396. – Goedeke Bd. 7, S. 856; Bd. 11, 1, S. 284; Bd. 13, S. 314–318. – Thürauf. – Jürgen Ehrhardt: Paul Wigand als Jurist und Rechtshistoriker. Melsungen 1968.

WIGGERT, (Samuel) Friedrich Heinrich. Dr. phil., Prof. Mökkern (Provinz Sachsen) 29. 12. 1791–1. 12. 1871 Magdeburg. Pädagoge, Magdeburger Lokalhistoriker. Professor und Direktor (1849) am Domgymnasium in Magdeburg. Mitbegründer und Vorsitzender des Vereins für Geschichte und Altertumskunde des Herzogtums und Erzstifts Magdeburg. – Seit 1852 (Gründungsmitglied) für die Fächer: Magdeburgische Geschichts- und Altertumskunde, Münzwesen. – Lit.: ADB. – Geschichtsblätter für Stadt und Land Magdeburg Jg. 6 (1871), S. 612–613, 620–626.

WILDA, Wilhelm Eduard. Dr. jur., Prof. Altona 17. 8. 1800–9. 8. 1856 Kiel. Rechtshistoriker. Professor an den Universitäten Halle (1831), Breslau (1842) und Kiel (1854). – Seit 1854 für das Fach: Deutsches Strafrecht. – Lit.: ADB. – Brockhaus. – Zischka.

WILHELMI, (Johann David) Karl. Heidelberg 17.3.1786–8.4.1857 Sinsheim. Theologe und Prähistoriker. Evang. protestantischer Dekan und Stadtpfarrer in Sinsheim. Mitbegründer und Direktor der Sinsheimer Gesellschaft zur Erforschung der vaterländischen Denkmale der Vorzeit. – Seit 1854 für das Fach: Die süddeutschen heidnischen und ältesten christlichen Grabaltertümer. Vermachte 1857 testamentarisch seine Bibliothek dem Germanischen Nationalmuseums. – Lit.: Badische Biographien. Hrsg. von Friedrich von Weech. 2. Ausg. Bd. 2. Karlsruhe 1881, S. 487–488. – Ernst Wahle: Karl Wilhelmi (1785–1857) als Begründer der Altertumsforschung in Süddeutschland. In: Neue Heidelberger Jahrbücher N.F. 1933, S. 1–88.

WILL, Cornelius. Dr. phil. Großenlüder (Hessen) 23.4.1831–8.12.1905 Regensburg, s. Verzeichnis der Beamten. – Seit 1866 für das Fach: Geschichte der deutschen Bistümer.

WOCEL, Johann Erasmus. Dr. phil. h. c., Prof. Kuttenberg (Böhmen) 24.8.1803–16.9.1871 Prag. Tschechischer Dichter und Altertumsforscher in Wien und Prag. Ao. Professor für böhmische Altertumskunde an der Universität Prag. Sekretär des archäologischen Musealvereins, Mitglied der archäologischen Sektion des böhmischen Museums. – Seit 1859 für das Fach: Heidnische, insbesondere böhmische Altertumskunde. – Lit.: Wurzbach Biogr. Lexikon.

WOLF, Ferdinand Josef. Dr. phil. h. c. Wien 8.12.1796–18.2.1866 Wien. Romanist, Jurist. Beamter der Hofbibliothek Wien, 1853 Kustos und Vorstand der Handschriftenabteilung. Sekretär der Phil.-hist. Klasse der Akademie der Wissenschaften in Wien. – Seit 1859 für das Fach: Geschichte der romanischen Literatur. – Lit.: Wurzbach Biogr. Lexikon. – ADB. – Brockhaus. – Zischka. – Thürauf. – Amburger S. 128. – Arnim.

WOLFSKRON, Adolf Ritter von. Wien 10.2.1808–13.7.1863 Baden bei Wien. Jurist und Altertumsforscher. Beamter des Lottowesens in Wien, Bozen, Brünn und Lemberg, gleichzeitig mit historischen und kunsthistorischen Studien innerhalb seines jeweiligen Wohngebiets beschäftigt, fruchtbar insbesondere während seiner Brünner Zeit. – Seit 1854 für das Fach: Kunstgeschichte und kirchliche Archäologie. – Lit.: Wurzbach Biogr. Lexikon.

WÜRDINGER, Joseph. München 1822–25.11.1889. Offizier und Historiker. Major und Oberstleutnant in Augsburg und München. Konservator des Bayerischen Armee-Museums in München. – Seit 1871 für das Fach: Kriegsgeschichte. – Lit.:

Almanach der Königlich Bayerischen Akademie der Wissenschaften für das Jahr 1884. München 1884, S. 145, 406–409 (Schriftenverzeichnis). – Almanach . . . für das Jahr 1890. München 1890, S. 70. – Thürauf.

WÜRTTEMBERG, Wilhelm Graf von, Herzog von Urach. Dr. phil. h. c. Stuttgart 6.7.1810–16.7.1869 Lichtenstein. Württembergischer Offizier, Altertumsforscher. 1841 Generalmajor, 1855 Generallieutenant, 1857 Gouverneur von Ulm, 1867 General der Infanterie. Mitbegründer, Präsident und Ehrenpräsident des Württembergischen Altertumsvereins, Ehrenmitglied zahlreicher historischer Vereine. – Seit 1854 für das Fach: Römerstraßen und römische Befestigungen in Deutschland. – Lit.: ADB Bd. 39, S. 343–345. – Württembergischer Altertumsverein 1843–1893. Denkschrift zur Feier des fünfzigjährigen Bestehens des Vereins. Stuttgart 1893, S. 20. – Thürauf.

WURM, Christian Friedrich. Dr. phil., Prof. Blaubeuren 3.4.1803–2.2.1859 Reinbek (Holstein). Historiker, Publizist, Politiker. Seit 1833 Professor für Geschichte am akademischen Gymnasium in Hamburg. – Seit 1855 für das Fach: Hanseatische Geschichte. – Lit.: ADB.

WUTTKE, (Johann Karl) Heinrich. Dr. phil., Prof. Brieg (Schlesien) 12.2.1818–14.6.1876 Leipzig. Historiker, Publizist, Politiker. 1841 Privatdozent, 1848 Professor an der Universität Leipzig. – Seit 1855 für die Fächer: Handschriften- und Quellenkunde, mittelalterliche Landkarten, schlesische Geschichte. – Lit.: ADB Bd. 44, S. 569–572. – Brockhaus.

WYSS, Hans Georg von. Dr. phil. h. c., Prof. Zürich 31.3.1816–17.12.1893 Zürich. Historiker, Politiker. 1842–1847 Staatsschreiber in Zürich. Professor an der Universität Zürich (1858 ao., 1864 o. Prof.). Präsident der Allgemeinen Geschichtsforschenden Gesellschaft der Schweiz. Mitglied der Historischen Kommission München. – Seit 1861 für das Fach: Schweizerische Geschichte und Altertumskunde. – Lit.: ADB. – Brockhaus. – Historisch-biogr. Lexikon der Schweiz. – Zischka. – Thürauf. – Werner Koller: Georg von Wyss. Welt- und Geschichtsbild. Phil. Diss. Zürich 1958.

ZACHER, (Ernst) Julius August. Dr. phil., Prof. Obernigk (Kreis Trebnitz, Schlesien) 15.2.1816–23.3.1887 Halle a.S. Germanist, Bibliothekar. 1847 Kustos der Universitätsbibliothek Halle, 1856 und wieder ab 1863 dort Professor, 1859 bis 1863 Professor und Bibliotheksleiter der Universität Königsberg. 1847 Sekretär des Thüringisch-sächsischen Vereins zur Erforschung der vaterländischen Altertümer. – Seit 1860 für das Fach: Mythologie und Runenkunde. – Lit.: ADB. – Lexikon des gesamten Buchwesens. – Altpreuß. Biogr.

ZAHN, Albert von. Dr.phil. Leipzig 10.4.1836–16.6.1873 Marienbad. Kunsthistoriker. 1860 Kustos am Städtischen Museum Leipzig, ab 1866 Privatdozent an der dortigen Universität, 1868 Direktor des Großherzoglichen Museums in Weimar, 1870 Referent in der Generaldirektion der königlichen Sammlungen für Wissenschaften und Künste in Dresden, Hofrat, 1873 Direktor der königlichen Schule für Modellieren, Ornament- und Musterzeichnen. – Seit 1871 für das Fach: Kunst- und Kulturgeschichte. – Lit.: ADB. – Kunstchronik Jg. 8 (1873), Sp. 697–703. – Thieme-Becker.

ZAHN, Josef Georg von. Dr.phil.h.c., Prof. Groß-Enzersdorf (Niederösterreich) 22.10.1831–20.8.1916 Baden-Baden. Historiker. Professor für österreichische Geschichte an der Rechtsakademie Preßburg, Vorstand von Archiv, Münz- und Antikenkabinett des Joanneum in Graz, Initiator und Direktor des dortigen Steiermärkischen Landesarchivs, Konservator der k.k. Zentralkommission für Erforschung und Erhaltung der Kunst- und Geschichtsdenkmale. – Seit 1867 für die Fächer: Steierische Geschichte, steierisches Archivwesen. – Lit.: Wurzbach Biogr. Lexikon. – Hans Löschnigg: Dr. Josef von Zahn. In: Zeitschrift des Historischen Vereines für Steiermark Jg. 9 (1911), S. 283–296. – Deutsches biogr. Jb. Bd. 1 (1914–1916), S. 372. – August von Jaksch: Joseph von Zahn. In: Mitteilungen des Instituts für Österreichische Geschichtsforschung Bd. 37 (1917), S. 534–539.

ZARNCKE, Friedrich Karl Theodor. Dr.phil., Prof. Zahrenstorf (Mecklenburg-Schwerin) 7.7.1825–15.10.1891 Leipzig. Germanist. Professor an der Universität Leipzig (1854 ao., 1858 o. Prof.). – Seit 1857 für das Fach: Deutsche Heldensage. – Lit.: ADB. – Brockhaus. – Zischka. – Thürauf.

ZEIBIG, Hartmann Joseph. Dr.phil. Krasna (Mähren) 28.4.1817–3.12.1856 Haselbach bei Korneuburg (Niederösterreich). Priester und Historiker. Augustiner-Chorherr in Klosterneuburg, Professor für Religionslehre und höhere Pädagogik an der Universität Olmütz, ab 1855 Pfarrer in Haselbach. Urkundenveröffentlichungen, insbesondere aus dem Urkunden- und Handschriftenbestand des Stiftes Klosterneuburg. – Seit 1854 für das Fach: Österreichische Geschichtskunde. – Lit.: Wurzbach Biogr. Lexikon Bd. 59,

S. 273–275. – Berthold Otto Černik: Die Schriftsteller der noch bestehenden Augustiner-Chorherrenstifte Österreichs von 1600 bis auf den heutigen Tag. Wien 1905, S. 251–254.

ZEUSS, Johann Kaspar. Dr.phil.h.c., Prof. Vogtendorf (bei Kronach, Oberfranken) 22.7.1806–10.11.1856 Vogtendorf. Germanist, Sprachwissenschaftler, Historiker. Professor für Geschichte am Lyzeum in Speyer (1839), an der Universität München (1847) und am Lyzeum in Bamberg (1847). – Seit 1855 für das Fach: Geschichte der deutschen Stämme. – Lit.: ADB. – Brockhaus. – Zischka. – Thürauf. – Amburger S. 126. – Arnim.

ZINGERLE VON SUMMERSBERG, Ignaz Vinzenz Edler von. Dr.phil., Prof. Meran 6.6.1825–17.9.1892 Innsbruck. Germanist, Volkskundeforscher. Gymnasialprofessor in Innsbruck, 1858–1859 dort Leiter der Universitätsbibliothek, seit 1859 Professor für deutsche Sprache und Literatur. – Seit 1855 für die Fächer: Deutsche Mythologie, tirolische Sagenkunde, tirolische Literatur. – Lit.: Wurzbach Biogr. Lexikon. – ADB. – Brockhaus. – Zischka.

ZÖPFL, Heinrich. Dr. jur. Bamberg 6.4.1807–4.7.1877 Heidelberg, s. Verzeichnis des VwR. – Seit 1854 für das Fach: Deutsches Staatsrecht.

ZWEHL, Theodor Carl Nepomuk von. Vallendar bei Koblenz 7.2.1800–17.12.1875 München. Jurist, bayerischer Politiker. 1848 Regierungspräsident von Oberbayern, 1849 bayerischer Innenminister, 1852 Minister des Kirchen- und Schulwesens, 1864 Regierungspräsident von Oberfranken, 1868 von Schwaben und Neuburg, 1870 von Oberbayern. – Ehrenmitglied seit 1854. – Lit.: ADB. – Biogr. Wörterbuch zur deutschen Geschichte.

ZWIRNER, Ernst Friedrich. Jakobswalde (Oberschlesien) 28.2.1802–22.9.1861 Köln. Architekt. Seit 1833 Bauleitung am Kölner Dom, Schöpfer der Dombauhütte; Geh. Regierungsrat, Baurat. – Seit 1855 für das Fach: Geschichte der Baukunst. – Lit.: ADB Bd. 55, S. 426–427. – Thieme-Becker.

Die wissenschaftlichen Beamten

Unter Benutzung von Vorarbeiten von Ludwig Rothenfelder zusammengestellt von
den derzeit am Museum tätigen Beamten.
Mit einer Einleitung von Bernward Deneke

Anzahl, Stellung und Funktionen der wissenschaftlichen Bediensteten des Germanischen Nationalmuseums in den ersten Jahren des Bestehens der Anstalt sind für die breitere Öffentlichkeit knapp und in groben Umrissen in einem Ergebnisbericht über die Konferenz des Verwaltungsausschusses des Jahres 1853 behandelt[1] und in ihren mannigfachen Details im Rahmen des von Aufseß abgefaßten „Organismus des germanischen Museums" dargelegt[2]. Dieser Organismus, der durch den Beschluß einer Kommission des Verwaltungsausschusses am 28.1.1855 angenommen und in Vollzug gesetzt worden ist, stellt in einem einleitenden Abschnitt über die Beamten fest, daß die Anstellungen nur unstabile, damit widerrufliche sein müßten und nicht mit Pensionen verbunden seien, solange das Museum weder durch Kapitalfonds noch durch garantierte Staatsrenten für ewige Zeiten gesichert erscheine. Allgemein wird geschieden zwischen den Verwaltungsbeamten und den Beamten für die Sammlungen und Arbeiten des Museums; einem Teil der letzteren Gruppe widmet sich die folgende Skizze gemäß ihrem Charakter als knappe Einführung in das Verzeichnis der wissenschaftlichen Bediensteten. In dem erwähnten Organismus wird der Pflichtenkatalog der Beamten im Rahmen von Ausführungen über die Aufgaben der bestehenden drei Abteilungen und die deren Erfüllung dienenden Arbeitsabläufe festgelegt; die Leiter dieser selbständigen Abteilungen werden als Archivar, Bibliothekar, Vorstand der Kunst- und Altertumssammlungen bezeichnet; ihrer Unterstützung dient je ein Sekretär, ferner sind dem Archivar und dem Bibliothekar Hilfsarbeiter und Kopisten, deren Zahl dem wechselnden Bedarf angepaßt werden soll, zugewiesen.

Dem Vorstand der Kunst- und Altertumssammlungen, dem auch die artistische Anstalt untersteht, sind Konservatoren zugeordnet, zu deren Obliegenheiten zunächst die Anordnung, Aufbewahrung und Bearbeitung der Bestände gehört. Der Hang zu strenger Aufgliederung der Zuständigkeiten führt auf dieser Ebene zu einer Auffächerung der Sachbereiche, die insofern Aufmerksamkeit verdient, als sie verdeutlicht, wie Aufseß jenseits aller subtilen Trennungen seines Systems eine realienorientierte Scheidung zwischen Kunst- und Altertumssammlung traf. Nach dem Organismus ist der Konservator für die Kunstsammlungen zuständig für Gemälde, Malereien auf Pergament und Papier, für wesentliche Teile der Graphik inklusive der fliegenden Blätter mit bildlichen Darstellungen, die Architekturdarstellungen, Prospekte, Landkarten, historische Bilder und Porträts und die Kopien der Wandmalereien, die Glasmalereien in Original und

Kopie, dann – ungewöhnlich für die Auffassung der fünfziger Jahre – die Kunstwebereien und Stickereien, schließlich für die Skulpturen und Schnitzwerke aller Abmessung.

Das Tätigkeitsfeld des Konservators der Altertumssammlungen erstreckt sich auf die Gegenstände der Vorgeschichte inklusive der römischen Altertümer, auf Münzen, Siegel, Heraldik und Genealogie, auf die Grabmonumente, Denksteine, Gedächtnistafeln, Inschriften in Kopien, auf kirchliche Altertümer, Rechts-, Kriegs- und Jagdaltertümer, auf die Sammlungen, die der Kenntnis der häuslichen und persönlichen Lebensbedürfnisse, der geselligen Unterhaltungen und Spiele dienen, sowie auf die Dokumente der Ausübung der Künste, Gewerbe und des Handels. Schließlich fungieren in den Kunst- und Altertumssammlungen noch die Kustoden, die vor allem das Führungswesen besorgen.

Dem Kreis der Verwaltungsbeamten zugeordnet sind der Erste und Zweite Sekretär; von diesen wird der letztere als der eigentliche Geschäftsführer charakterisiert, während der Erste Sekretär dem wissenschaftlichen Dienst eng verbunden ist; er ist der Hauptreferent und Konzipient für die wissenschaftliche Korrespondenz der Anstalt. Nach der Beschreibung seiner Tätigkeitsmerkmale dürfte ihm ein wesentlicher Anteil bei der Durchführung der Rolle der Anstalt als Zentrale für wissenschaftliche Auskünfte zugefallen sein, auch wurde von ihm der Jahresbericht, den das Museum in Analogie zur periodischen Selbstdarstellung der Wirksamkeit der historischen Vereine und zur Unterrichtung der Geldgeber herausgab, bearbeitet.

Aus der Aufgliederung der Funktionen, die in den Jahresberichten veröffentlicht worden sind, ergibt sich, daß manchmal verschiedene Aufgaben des Stellenplanes gemeinsam einem Bediensteten übertragen waren, wie denn ohnehin die Beamten an Archiv, Bibliothek und den Kunst- und Altertumssammlungen durchgehend auf die Mitarbeit an den Repertorien verpflichtet wurden und diesbezügliche Anweisungen erhielten. Aus diesen Aufstellungen zum Personalstatus ergibt sich zugleich, daß die Dienstbezeichnungen nicht immer mit denen des „Organismus" identisch waren.

Im Tätigkeitsbericht für 1854/55, in dem die erstmalige Besetzung bzw. die Umbesetzung einer Anzahl von Stellen angezeigt werden konnte, setzte der Vorstand große Hoffnungen auf das damals gebildete Kollegium junger Gelehrter

---

[1] Chronik des germanischen Museums. In: Anzeiger GNM 1853, Sp. 113–115 (113–14).
[2] Organismus GNM, 1. Abt., S. 17–66.

und Künstler[3], doch zeigte sich alsbald, daß die Bediensteten trotz des ihnen unterstellten „deutschen Fleißes" nicht ausreichten, die anstehenden Aufgaben zu lösen; so suchte die Verwaltung des in der Frühzeit besonders geförderten Archivs 1857 im Anzeiger für Kunde der deutschen Vorzeit jüngere absolvierte Juristen und Philologen für interne und auswärtige, im Interesse der Zwecke des Germanischen Museums vorzunehmende Arbeiten und wies dabei auch auf Gesuche aus Kreisen von Standesherren, des Adels und der Kommunen um sachgerechte Einrichtung und Ordnung ihrer Archive hin[4].

Schon frühzeitig wurde auf die karge Besoldung der Bediensteten hingewiesen; diese wie vielleicht auch die eingangs erwähnte Unsicherheit des Beamtenstatus dürften Ursache für den häufigen Wechsel in der Zusammensetzung der Mitarbeiter gewesen sein; das Museum bot besonders in seinen Anfangsjahren Gelehrten, die an anderen Orten ihre Wirksamkeit in Lehre, in Wissenschaft oder in der Organisation wie Verwaltung kultureller Institutionen entfalten konnten, eine erste Stelle oder eine Durchgangsstation. Die Situation der Bediensteten veranlaßte Aufseß schon zu Ende der fünfziger Jahre einzelne freiwerdende Positionen nicht mehr zu besetzen, um durch Besserstellungen einen Teil des Stabes zu halten. „Wir müssen wiederholen, daß die Ausdehnung der mannigfaltigen gelehrten und administrativen Arbeiten des Museums eine größere Anzahl von Beamten sehr wünschenswerth machen würde, und daß gleichwohl eine Vermehrung des Personals in Rücksicht auf den Besoldungsétat unterblieb, ja, daß sogar eine Minderung eingetreten ist, insofern die erledigten Stellen vor der Hand nicht besetzt worden sind, um die Besoldungen aufzubessern und den Muth der Beamten, die sich ihrer Pflicht auf das Anerkennungswertheste hingeben, zu stählen"[5].

Das ungünstige Verhältnis von Aufwendungen für die Gehälter und für Ankäufe für die Sammlung wurde kritisiert und von Aufseß mit der Erläuterung der namentlich durch die Erstellung von Repertorien gegebene Gemeinnützigkeit der Zwecke der Anstalt, die über ein bloßes Sammeln von Altertümern hinausreichten, gerechtfertigt[6].

Der zweite Nachfolger von Aufseß, August von Essenwein, zog, zunächst ohne unmittelbaren Bezug zu seinem Reformkonzept, aus den Schwierigkeiten Konsequenzen. In einem an die Beamten gerichteten Schreiben vom 1. August 1866[7] legte er die Gefährdungen der Anstalt durch die vom deutsch-österreichischen Krieg ausgelösten politischen Entwicklungen dar und kündigte die Arbeitsverhältnisse für den Fall, daß der Mangel an Mitteln zu Entlassungen nötigen werde. In einer kurze Zeit später ausgefertigten Promemoria für den Verwaltungsausschuß[8] wurde ein revidierter Stellenplan, der teilweise lange Zeit bestimmend war, bekanntgegeben. Demnach widmet sich der Vorstand vor allem der auch in seiner Vorstellung übersetzten Administration. Die Vorstände von Archiv, Bibliothek wie Kunst- und Altertumssammlungen wurden als unkündbar beibehalten. Der

Archivar bedarf – entsprechend der veränderten Aufgabenstellung der Anstalt – keines Mitarbeiters mehr, der Bibliothek bleibt ein Gehilfe, den Sammlungen gleichfalls ein solcher und ein Zeichner. Die wissenschaftliche Tätigkeit des Museums soll sich auf wenige Gebiete und zwar zunächst vor allem auf das Literaturrepertorium konzentrieren; zu den dienstlichen Obliegenheiten gehört auch die literarische Tätigkeit für die Publikationen des Hauses, zunächst namentlich für den Anzeiger für Kunde der deutschen Vorzeit; wie aus den Tätigkeitsberichten der Direktion an den Lokalausschuß noch nach der Jahrhundertwende zu entnehmen ist, konnte die Dienstzeit für solche wissenschaftlichen Veröffentlichungsvorhaben in den Museumsorganen genutzt werden, doch hat sich Essenweins Ziel, daß die Direktion die Themen in größerem Umfange für den Anzeiger koordinierte, wohl kaum verwirklichen lassen. Wie schon Aufseß mit der Gründung der Anstalt die Anstellung eigener Fachgelehrter für jedes einzelne Gebiet der Sammlung und des Repertoriums vorsah[9], so schien es auch seinem Nachfolger trotz des reduzierten Stellenplanes angemessen, wenn Vertreter spezialisierter Wissenschaften – er nennt die Numismatik, die Sphragistik, die Kupferstichkunde, die Waffenkunde, die heidnische Altertumskunde – sukzessive befristet in den Dienst des Museums treten, um einzelne Abteilungen zu ordnen und zu bearbeiten. In der Auseinandersetzung mit Aufseß um das Gutachten von Moriz Haupt behandelte Essenwein, um seines Vorgängers Einwände zu widerlegen, zusätzlich zu seinen Ausführungen im Hinblick auf die finanzielle Leistungsfähigkeit der Anstalt gegenüber den Beamten die Frage nach Sinn und Effizienz der seitherigen Zielvorstellungen und Arbeitsweisen[10]. So konnte er anhand der Münzsammlung dartun, daß die Gelder für die im Vergleich zum

---

[3] Jahresbericht GNM 2 (für 1854–55), 1855, S. 8.
[4] Bekanntmachung das Archiv des german. Museums betreffend. In: Anzeiger GNM 1857, Sp. 103–104.
[5] Jahresbericht GNM 6 (für 1859), 1860, S. 6.
[6] Z. B. Hans von und zu Aufseß: An die Stadtverordneten zu Gotha. Extrabeilage zum Anzeiger GNM 1858, Nr. 8.
[7] Protokolle des Lokalausschusses 1866, Bl. 40–41. Sitzungsprotokolle und Akten des Verwaltungsausschusses und des Lokalausschusses. Archiv GNM, Altregistratur GNM, Kapsel 733.
[8] August von Essenwein: Promemoria über verschiedene für die Entwicklung des germanischen Nationalmuseums nothwendige Maßregeln. Verwaltungsausschuß Jahreskonferenz 1866. Sitzungsprotokolle und Akten des Verwaltungsausschusses und des Lokalausschusses. Archiv GNM, Altregistratur GNM, Kapsel 733.
[9] Chronik (Anm. 1), Sp. 114.
[10] August von Essenwein: Denkschrift an die vom Lokalausschusse des germanischen Museums zur Abgabe eines Gutachtens über den Antrag des I. Vorstandes auf Revision der Satzungen u. des Organismus berufene Commission . . . Nürnberg 1869. – Faszikel Differenzen mit Frhrn. v. Aufseß. Archiv GNM, Altregistratur GNM, T. 1, Abt. 4, Nr. 1, Kapsel 12.

Bestand bedeutenden Kosten des nur teilweise ausgeführten Kataloges der Münzen besser dazu verwendet worden wären, die entsprechenden Belegstücke anzuschaffen und eine möglichst umfangreiche, übersichtlich geordnete, einfach katalogisierte Sammlung von Münzen anzulegen. Drastischer noch ist die Stellungnahme zum Bilderrepertorium, weil hier schroff auch das Problem der Nutzung von Mitteln, die von der Allgemeinheit zur Verfügung gestellt waren, angesprochen ist: „Wenn ich aber die Durchführung dieses Gedankens, wie sie im Museum geschehen ist, betrachte, so muß ich erklären, daß mir eine unsinnigere Geldverschwendung, eine einsichtslosere Arbeit in den Tag hinein und ein geringeres Resultat im Verhältnisse zu den aufgewendeten Kosten bis jetzt noch nie und nirgends entgegengetreten ist. Die ganze Arbeit hat, so wie sie hier geschehen ist, keinen anderen positiven Nutzen gebracht, als daß die wenigen Beamten, welche mit der Zusammenstellung und Ordnung der Bilder beschäftigt waren, auf höchst kostspielige Weise über einzelne Sparten recht nützliche Privatstudien gemacht und sich darin Kenntnisse erworben haben, die allerdings so weit und so lange diese Beamten dem Museum erhalten waren, und zum Theile noch sind, auch dem Museum zu Gute kommen".

Im Verlaufe der Auseinandersetzungen um den Kurs des Museums verminderte sich die Zahl der Bediensteten, und als 1875 der langjährige Vorstand der kunst- und kulturgeschichtlichen Sammlungen ausschied[11], übernahm mit dem Ersten Direktor derjenige diese Funktion, der sie faktisch schon lange durch seine Aktivitäten besetzt hatte.

Etwa ein Jahrzehnt später, 1884, hat Essenwein in einer Denkschrift über die Sicherstellung der Zukunft des Museums die Frage eines der Geltung der Anstalt angemessenen Beamtenapparats erneut aufgegriffen und die Probleme der bestehenden Interdependenzen zwischen den mitarbeiterabhängigen Wirkungsmöglichkeiten des Instituts als Dienstleistungsbetrieb und dem Spendenaufkommen behandelt[12]; er sucht nach Lösungen, die dem Museum eine gesichertere Basis geben als die ihm zur Verfügung stehenden freiwilligen Beiträge und stellt in diesem Zusammenhange unter anderem für die Verwaltung bestimmte dauernde Zuschüsse oder auch eine vollständige Übernahme der Verwaltung durch die Stadt Nürnberg, den Staat Bayern oder das Deutsche Reich zur Diskussion. Wiederum wird deutlich, daß die notwendige Nutzung der Beiträge für die Verwaltung dem Ansehen des Museums abträglich schien. Zugleich ist auch gesagt, daß die Mitarbeit am Museum Nachteile mit sich bringen würde. Auf die in mancherlei Beziehungen fragwürdige Situation der Beamten ist Essenwein kurz nach 1890 nochmals zurückgekommen; damals hatte er zunächst zu Ausführungen des sozialdemokratischen Reichstagsabgeordneten Karl Grillenberger aus Nürnberg Stellung zu nehmen. Dieser hatte bei Beratungen über den Beitrag des Reiches für das Museum die Niedrigkeit der Gehälter, vor allem der Aufseher, bemängelt[13]. Vielleicht ist Essenwein durch diese von ihm als unberechtigt empfundene Kritik an den Verhältnissen im Germanischen

Nationalmuseum veranlaßt worden, im Sommer 1892 eine weitere Denkschrift zur Stabilität des Verwaltungsetats zu formulieren[14].

Indem hier von den Arbeitsleistungen der einzelnen Sektionen des Museums gehandelt wird, ist diese Denkschrift gründlicher als ihre Vorgängerin von 1884; sie führt auch über diese dadurch hinaus, daß sie wiederum Aufmerksamkeit auf das Erfordernis der Heranziehung von Spezialisten richtet; zunächst scheinen kompetente Sachbearbeiter für die Urgeschichte, gemeinsam für Malerei und Plastik, für das Waffenwesen, ein Numismatiker, je ein Beamter für das Kupferstichkabinett und Archiv, zwei solche für die Bibliothek wichtig, außerdem sind, wenn diese Abteilungen ausreichende Bedeutung erlangt haben, Referenten für die Musikabteilung (Musikalien und Instrumente), für die wissenschaftlichen Instrumente und die pharmazeutischen Sammlungen vorgesehen. Nach dieser Aufstellung soll sich die Beamtenschaft vorläufig zusammensetzen aus dem Ersten Direktor, der durch die Leitung des Instituts wie durch Repräsentationsaufgaben voll in Anspruch genommen ist, dem Zweiten Direktor, zwei Konservatoren, drei Assistenten, zwei Praktikanten. Den Bemühungen Essenweins um die Sicherung des Verwaltungsfonds war schließlich Erfolg beschieden: Die Reichsregierung, die Bayerische Staatsregierung und die Stadt Nürnberg einigten sich darauf, den Bedarf der Anstalt an Verwaltungskosten personeller und sachlicher Art aufzubringen[15]. Gleichzeitig konnte der vorgesehene Stellenschlüssel – nicht jedoch die Auffächerung der Museumsbestände auf Referate – realisiert werden. Mit dem 14. Januar 1895 werden zwei Konservatoren, darunter einer als Bibliothekar, und drei Assistenten, mit den Titeln Sekretär für den zweiten Sachbearbeiter in den kunst- und kulturgeschichtlichen Sammlungen, Archivar und Kustos für den zweiten Bibliotheksbeamten seitens des bayerischen Staatsministeriums des Innern für Kirchen- und Schulangelegenheiten ernannt. Hinzu kamen zwei Praktikanten[16].

Damit aber war längst nicht allen Ansprüchen Genüge getan; schon wenige Jahre später fühlten die Beamten sich gegenüber der Besoldung gleichwertiger Positionen im staat-

---

[11] Chronik des germanischen Museums. In: Anzeiger GNM 1875, Sp. 153–156 (153).
[12] August von Essenwein: Die Sicherstellung der Zukunft des germanischen Museums. Eine Denkschrift. Nürnberg 1884.
[13] August von Essenwein: Zur Beurteilung der äußeren Verhältnisse des germanischen Museums. In: Anzeiger GNM 1891, S. 13–18.
[14] Denkschrift des Geheimraths v. Essenwein, Sommer 1892. Verwaltungsausschuß Jahreskonferenz 1893, Bl. 1–18. Sitzungsprotokolle und Akten des Verwaltungsausschusses und des Lokalausschusses. Archiv GNM, Altregistratur GNM, Kapsel 746.
[15] Jahresbericht GNM 40 (für 1893), 1893. – Jahresbericht GNM 41 (für 1894), 1894. Vgl. dazu den Beitrag von Peter Burian, S. 215–217.
[16] Jahresbericht GNM 42 (für 1895), 1895.

lichen und kommunalen Dienst erheblich benachteiligt; sie fürchteten sich laufbahnmäßig in einer „Sackgasse" zu befinden, weil Verbindungen zu ähnlichen Instituten, die ein Aufrücken eventuell ermöglichen würden, nicht vorhanden seien und Mitarbeiter des Germanischen Nationalmuseums bei freien Bewerbungen gegenüber den staatlich empfohlenen Kandidaten zurückzustehen hätten. Ein Schreiben an den Verwaltungsausschuß, das diese Mängel festhält[17], vermochte indessen trotz der Hinweise, daß die Bediensteten gezwungen seien, durch journalistische Tätigkeiten und Privatunterricht ihre finanzielle Lage zu bessern, nicht voll zu überzeugen, während die Gehälter der übrigen Bediensteten, vor allem der Aufseher, die sich der Beschwerde angeschlossen hatten, für sofortiger Besserung bedürftig angesehen wurden.

Auch in den Folgejahren bezeugen die Verhandlungen des Lokalausschusses die Sorgen der Beamten um angemessene Berufschancen; sie fanden bei diesen Erörterungen vor allem Unterstützung durch den Nürnberger Archivar Ernst Mummenhoff, der gelegentlich ein Verzeichnis der recht zahlreichen Mitarbeiter vorlegte, die seit der Intensivierung der Neueinstellungen der Jahre um 1890 den Dienst wiederum aufgegeben hatten, wie Mummenhoff auch auf das elende Gehalt und die durchaus berechtigt erscheinende sonst ungewohnte Mißstimmung unter den Beamten hinwies[18]. Indessen läßt sich aus der Korrespondenz, die ein ausgeschiedener Mitarbeiter mit dem Hause führte, entnehmen, daß die Verhältnisse anderwärts kaum besser waren. Offensichtlich gestattete die Erhöhung der Zuschüsse zum Verwaltungsetat neue Überlegungen und eine Angleichung an die Besoldungspraxis der bayerischen Staatsdiener seit 1906. Die anläßlich der Konferenz des Verwaltungsausschusses im Jahre 1911 verabschiedete Gehaltsordnung für die Beamten des Germanischen Nationalmuseums kennzeichnet in ihrer Einleitung die Situation des Museums: „Da dieser Fond (der Verwaltungsfonds des Museums) auf freiwillige Beiträge des Deutschen Reiches, des Bayerischen Staates und der Stadt Nürnberg gegründet ist, haftet er für die Zahlung der Gehalte nur so weit und so lange, als diese Beiträge bewilligt werden. Darüber hinaus steht den Beamten kein Anspruch auf den Fortbezug ihrer Gehalte zu und ist jeder Rechtsanspruch für sie, sei es an andere Fonds des Museums, sei es an das Deutsche Reich, den Bayerischen Staat und die Stadt Nürnberg, ausgeschlossen"[18a].

Die Unzufriedenheit mit den damaligen Arbeitsmöglichkeiten, aber auch die kritische Einstellung zum Obrigkeitsstaat unmittelbar nach dem 1. Weltkrieg fanden ihren Ausdruck in den Leitsätzen[19] eines damals sich konstituierenden Beamtenbundes, deren Forderungen unter anderem das Vorschlags- und Vetorecht bei Neueinstellungen von wissenschaftlichen Bediensteten, die Anhörung bei Disziplinierungen, Fragen der Ausbildung, Studienurlaub, Befreiung von mechanischen Schreibarbeiten, Beteiligung an den Sitzungen von Lokal- und Verwaltungsausschuß betrafen. Besonders war auch an der Zuweisung von festen Ressorts gelegen.

Innerhalb seines Referats sollte der Beamte für die museologisch einwandfreie Anordnung, für die wissenschaftliche und museumspädagogische Auswertung verantwortlich sein. Die Direktion zeigte sich gegenüber dem letztgenannten Postulat zunächst aufgeschlossen, so konnte Walter Stengel, der als Sprecher des Beamtenbundes fungierte, die Hausgeräte einer Neuaufstellung unterziehen. Indessen wurde sein Konzept ebenso wie die Umordnung der Gemäldegalerie durch Fritz Traugott Schulz verworfen, wie denn eine Kommission des Verwaltungsausschusses die Vorschläge des Beamtenbundes durchweg zurückwies. Bezeichnenderweise ist der Passus im Verwaltungsbericht des Museums von 1918/19, der auf den eigenen „Verantwortungsbezirk" zielt, im Protokollband über eine Randbemerkung mit der Auflösung von Disziplin und Ordnung in Zusammenhang gebracht. Diese Differenzen wurden in Teilen an die Öffentlichkeit getragen . Stengel hat, nachdem er eigene Vorstellungen über eine klare Ressorteinteilung in der Fachzeitschrift Museumskunde erneuert hatte[20], seine Tätigkeit im Germanischen Nationalmuseum beendet. Der 1. Direktor Gustav von Bezold war genötigt, sich schützend vor seine Mitarbeiter zu stellen[21], deren mangelnde Qualifikation nicht nur durch die als mißlungen gewerteten Aufstellungsversuche sondern ebenso dadurch, daß in zurückliegenden Jahren von den Bediensteten niemand in der Lage gewesen sei, den Gemäldekatalog zu bearbeiten, offenkundig schien[22]. Bezold erinnert daran, daß bei dem

[17] Verwaltungsausschuß Jahreskonferenz 1897, bes. Bl. 180–192, der Brief Bl. 152–156. Sitzungsprotokolle und Akten des Verwaltungsausschusses und des Lokalausschusses. Archiv GNM, Altregistratur GNM, Kapsel 747.

[18] Protokolle des Lokalausschusses GNM 1905/06. Sitzungsprotokolle und Akten des Verwaltungsausschusses und des Lokalausschusses. Archiv GNM, Altregistratur GNM, Kapsel 753.

[18a] Gehalts-Ordnung für die Beamten des Germanischen Nationalmuseums. Entwurf. Gedruckter Schriftsatz als Anlage zum Protokoll der Jahreskonferenz des Verwaltungsausschusses 1911, S. 139–144, § 1. Archiv GNM, Altregistratur GNM, Kapsel 755.

[19] Die Leitsätze sind als Referat enthalten in dem Verwaltungsbericht für 1918–19. Verwaltungsausschuß Protokollband 1918–19, bes. S. 127–133. Sitzungsprotokolle und Akten des Verwaltungsausschusses und des Lokalausschusses. Archiv GNM, Altregistratur GNM, Kapsel 758.

[20] Walter Stengel: Vorarbeiten zur Reorganisation des Germanischen Museums. In: Museumskunde Bd. 15 (1920), S. 41–57 (57).

[21] Gustav von Bezold: Die Tätigkeit der Beamten des Germanischen Museums. In: Kunstchronik und Kunstmarkt Jg. 55 (1919/20), S. 303–04.

[22] Rudolf Oldenbourg: Das Germanische Museum. In: Kunstchronik und Kunstmarkt Jg. 55 (1919/20), S. 131–135. – Die dort angeführten Feststellungen über den Gemäldekatalog beziehen sich auf Franz von Reber, Heinz Braune: Katalog der Gemälde-Sammlung des Germanischen Nationalmuseums in Nürnberg. 4. Aufl. Nürnberg 1909.

ausgedehnten Programm der Anstalt von jedem Mitarbeiter eine große Vielseitigkeit, damit aber auch die zeitraubende und schwierige Einarbeitung in divergierende Sachgebiete erwartet werden müsse. Er sieht darin wie auch in der mit Rücksicht auf die fehlenden Unterbeamten unumgängliche Beauftragung des wissenschaftlichen Dienstes mit der Erledigung mechanischer Arbeiten ein erhebliches Hemmnis für eine förderliche Tätigkeit. Schließlich werden in Übereinstimmung mit den schon geläufigen älteren Feststellungen über die Arbeitskonditionen des Museums auch wiederum die schwierigen Verhältnisse der Anstalt und der dadurch bedingte erhebliche Wechsel der Beamten als Mängel hervorgehoben, durch welche die Leistungsfähigkeit des Museums beeinträchtigt werde. Immerhin konnte das Museum zu Gunsten der von ihm angebotenen Ausbildungsmöglichkeiten anführen, daß Beamte an andere Institute und dort auch in leitende Stellungen berufen worden seien. Damit wurden zugleich auch die Möglichkeiten, die das expandierende Museumswesen der Jahrzehnte vor und nach 1900 Mitarbeitern bestehender Anstalten bot, angesprochen.

Die damals angestrebte Ressorteinteilung, die im Hause einen Befürworter auch in dessen 2. Direktor fand[23], sollte erst nach dem 2. Weltkrieg, ohne daß dies besonders hervorgehoben wurde, als Selbstverständlichkeit in Ansätzen verwirklicht werden. Nachdem vorher in den Mitteilungen der Tätigkeitsberichte schon gelegentlich Zuständigkeiten genannt sind, bringt der Bericht von 1950 eine Aufstellung der gegenüber 1895 nur spärlich vermehrten Zahl von wissenschaftlichen Bediensteten in Zusammenhang mit den einzelnen Abteilungen des Museums, wobei indessen, wie noch heute, in den Tätigkeitsberichten die einzelnen Zuständigkeiten innerhalb der kunst- und kulturgeschichtlichen Sammlungen nicht angeführt sind[24].

Eine wesentliche Vorarbeit für das folgende Verzeichnis der wissenschaftlichen Bediensteten des Germanischen Na-

tionalmuseums ist auf eine Anregung von Heinrich Kohlhaußen hin geleistet worden. Dieser vermißte bei seiner Beschäftigung mit der Geschichte des Instituts eine Zusammenstellung der wissenschaftlichen Beamten und Angestellten seit der Gründung im Jahre 1852 und veranlaßte mit Schreiben vom 5. 11. 1940 den damaligen Bibliothekar Ludwig Rothenfelder, eine solche „Liste" zu erarbeiten. Rothenfelder hat diese Aufgabe im Juni des folgenden Jahres abgeschlossen und ein maschinenschriftliches Manuskript als Ergebnis seiner Nachforschungen vorgelegt[25]. Dieses bietet im wesentlichen Lebensdaten und Daten zum beruflichen Werdegang der behandelten Personen und basiert außer auf den im Hause verfügbaren Akten überwiegend auf der Benutzung einer relativ begrenzten Auswahl biographischer Nachschlagewerke. In manchen Fällen konnten nicht alle Angaben beschafft werden. Auf dieser Grundlage ist das folgende Verzeichnis entstanden. Bei seiner Vorbereitung waren diejenigen Beamten und Angestellten zu ermitteln, die seit 1942 beim Germanischen Nationalmuseum beschäftigt wurden. Auch für die neue Zusammenstellung haben sich nicht alle Lücken schließen lassen. Zu dem Verzeichnis haben alle wissenschaftlichen Mitarbeiter des Museums mit Texten beigetragen. Den Texten über die lebenden, nicht mehr beim Germanischen Nationalmuseum beschäftigten bzw. in Ruhestand befindlichen Beamten liegen deren Angaben zugrunde.

[23] Theodor Hampe: Die Zukunft des Germanischen Museums. Anregungen und Vorschläge. Nürnberg 1920, S. 8–10.
[24] Jahresbericht GNM 95 (für 1949/50), 1950, S. 134.
[25] Ludwig Rothenfelder: Die Wissenschaftlichen Beamten des Germanischen Nationalmuseums seit der Gründung. Im Auftrag des Direktoriums zusammengestellt. Mschr. Manuskript Juni 1941, Bibliothek GNM 8° Hs 139744. Das zugehörige wohl bis 1942 weitergeführte Konzept ohne Signatur.

✱

ANDRESEN, Andreas. Dr. phil., Kunsthistoriker. Loit (Schleswig) 14. 11. 1830–1. 5. 1871 Leipzig. Am GNM im Winter 1857 als unbezahlter Mitarbeiter, 1. 10. 1858–1. 9. 1862 zunächst Konservator der Bibliothek, seit 1859 Inspektor des Generalrepertoriums, seit 1861 Konservator der Kunstsammlung. Zuvor Studium in Kiel, Berlin, Bonn, München, Promotion in Tübingen. Später, seit 1862, in Leipzig Hauptleiter von Naumanns Archiv für die zeichnenden Künste. Bearbeitet die Auktionskataloge der Firma Rudolf Weigel, nach dessen Tod im August 1867 Leiter der Firma, am 1. 1. 1870 Eigentümer durch Kauf. Veröff.: Zahlreiche Publikationen, besonders zur Geschichte der Druckgraphik. Hauptwerke: Der deutsche Peintre-Graveur oder die deutschen Maler als Kupferstecher nach ihrem Leben und ihren Werken, von dem letzten Drittel des 16. Jahrhunderts bis zum Schluß des 18. Jahrhunderts (z. T. unter Mitwirkung von Rudolph Weigel), Bde. 1–5. Leipzig 1864–1878. – Die deutschen Maler-Radierer (peintres-graveurs)

des neunzehnten Jahrhunderts, nach ihren Leben und Werken (seit Bd. 5 fortgesetzt von Josef Eduard Wessely), Bde. 1–5. Leipzig 1866–1874. – Handbuch für Kupferstichsammler oder Lexicon der Kupferstecher, Maler-Radirer und Formschneider aller Länder und Schulen nach Maßgabe ihrer geschätztesten Blätter und Werke. Auf der Grundlage der zweiten Auflage von Heller's pract. Handbuch für Kupferstichsammler neu bearbeitet und um das Doppelte erweitert. Bd. 2 hrsg. v. J. E. Wessely. Leipzig 1870–1873.

Lit.: Nachruf in: Beiblatt zur Zeitschrift für bildende Kunst Jg. 6 (1871), S. 125. – Meyers Konversations-Lexikon. 3. Aufl., Bd. 1. Leipzig 1874, S. 614; 5. Aufl., Bd. 1. Leipzig-Wien 1897, S. 586.

AUFSESS, Hans Freiherr von und zu. Dr. jur., Dr. phil. h. c., kgl. bayerischer Kämmerer. Jurist und Historiker. Schloß Oberaufseß in der Fränkischen Schweiz 7. 9. 1801–6. 5. 1872 Münsterlingen am Bodensee. Gründer und, vom 18. 8./

16.9.1852–17.8.1862, Erster Vorstand des GNM, danach bis zum Tode Ehrenvorstand und Mitglied des Verwaltungsausschusses. Zuvor, 1817–22, Studium der Rechte in Erlangen, 1822–24 Tätigkeit als Rechtspraktikant an den bayerischen Landgerichten Gräfenberg und Bayreuth. Ab 1824–1852 (mit Unterbrechung 1832/34) als Privatgelehrter auf Schloß Aufseß. 1845 Promotion zum Dr. jur. in Erlangen, 1859 Ehrendoktorwürde der phil. Fakultät der Universität Leipzig. Seit 1833–1852 weitgehend mit der Agitation für die Gründung eines deutschen Nationalmuseums beschäftigt, nachdem er am 15.9.1830 durch König Ludwig I. von Bayern zur Gründung eines vaterländischen Museums aufgefordert worden war. 1832–34 vorübergehend in Nürnberg; Aufstellung seiner Sammlung im Scheurl-Haus in der Burgstraße. 1833 Initiator und Mitbegründer der Gesellschaft zur Erhaltung der Denkmäler älterer deutscher Geschichte, Literatur und Kunst. 1846 Sendschreiben an die erste allgemeine Versammlung deutscher Rechtsgelehrter, Geschichts- und Sprachforscher zu Frankfurt am Main. 1850 endgültige Übersiedlung nach Nürnberg und Aufstellung der Sammlungen im Pilatushaus und im Tiergärtnertorturm. In der Folgezeit verschiedene Denkschriften und öffentliche Aufrufe zur Gründung, nach der auf der Versammlung deutscher Geschichts- und Altertumsforscher in Dresden am 17.8.1852 erfolgten Gründung des Museums zahlreiche Aufrufe zur Unterstützung des Museums. 15.6.1853 Eröffnung des Museums, 1857/58 Übersiedlung in die Kartause in Nürnberg. 1853 Übergabe der eigenen Sammlung an das Museum als Leihgabe, zunächst für zehn Jahre, 1863/64 Verkauf an das GNM für 120000 Gulden. 17.8.1862 Rücktritt als Erster Vorstand des Museums und Übersiedlung nach Kreßborn am Bodensee. 1869 Auseinandersetzungen mit seinem Nachfolger August von Essenwein über die Aufgabe des Generalrepertoriums und 1871 über die Frage, ob das Museum eine Reichsanstalt werden solle. Tod am 6.5.1872 auf der Rückreise von der Gründungsfeier der Universität Straßburg. Veröff. u. a.: Das Lehnwesen in Beziehung auf die Anforderungen des Rechts und der Zeit. Mit besonderer Rücksicht auf das Königreich Bayern. Nürnberg 1828. – Geschichte des Hauses Aufseß. H. 1: Älteste Geschichte bis 1338 (Des ritterlichen freien Adels zu Franken Leben und Sitten in einzelnen historischen Abhandlungen und Erzählungen dargestellt, Bd. 1). Bayreuth 1838. – Rechtsverhältniß des Privat-Gottesdienstes und des öffentlichen Gottesdienstes, nachgewiesen an der Geschichte der Schloßkapelle des Capuziner- und Dominikaner-Hospizes zu Freyenfels. Mit einem Anhang über Privatschulwesen (Jur. Diss.). Erlangen 1845. – Zahlreiche Aufrufe zur Gründung und Unterstützung des Museums. – Das Germanische Nationalmuseum, Organismus und Sammlungen 1 und 2 (Denkschriften des GNM, Bd. 1), (darin u. a. Verzeichnis der eigenen Sammlung). Nürnberg 1856. – Herausgeber des Anzeigers für Kunde des deutschen Mittelalters Bd. 1–3 (1832–1834), (Bd. 3 bereits zusammen mit Franz Jos. Mone,

der die weiteren Bände betreute), und des Anzeigers für Kunde der deutschen Vorzeit NF. Organs des Germanischen Museums Bd. 1 (1853–1854) bis 9 (1862) (zusammen mit August von Eye, Georg Karl Frommann und zum Teil Karl Heinrich Freiherr Roth von Schreckenstein). – Nachlaß zum Teil im Archiv des GNM, zum Teil (u. a. Tagebücher) im Familienarchiv Schloß Unteraufseß. – Vgl. Abb. 2, 3, 20.

Lit.: Hektor, Festschrift GNM. – ADB Bd. 1 (1875), S. 655–658 (Lochner). – Hampe, Festschrift GNM, S. 3–68. – Gustav von Bezold: Aufseß, Freiherr von und zu, Altertumsforscher, Gründer des Germanischen Museums 1801–1872. In: Lebensläufe aus Franken, Bd. 1 (Veröff. der Gesellschaft für fränkische Geschichte, Reihe 7, Bd. 1). München und Leipzig 1919, S. 1–10. – Ernst Günter Troche: Hans Freiherr von Aufseß. In: Nürnberger Gestalten aus neun Jahrhunderten. Nürnberg 1950, S. 198–202. – Ludwig Grote: Der Gründer des Germanischen Nationalmuseums. In: Deutsche Kunst und Kultur im Germanischen Nationalmuseum. Nürnberg 1952, S. 5–15. – NDB Bd. 1 (1953), S. 444 (Heinz Gollwitzer). – Kat. Aufseß 1972 mit weiterer Lit. – Bernward Deneke: Das System zur deutschen Geschichts- und Altertumskunde des Hans von und zu Aufseß und die Historiographie im 19. Jahrhundert. In: Anzeiger GNM 1974, S. 144–158.

BAHNS, Jörn. Dr. phil., Kunsthistoriker. Geb. 6. 10. 1940 in Zielenzig in Brandenburg. Am GNM seit 1. 10. 1969, zunächst Volontär, dann wissenschaftlicher Angestellter und seit 1. 4. 1972 Konservator, seit 1. 4. 1977 Oberkonservator. Seit 1. 6. 1971 Mitarbeiter am Schrifttum zur Deutschen Kunst. Seit 1. 12. 1974 Referent für die Abteilung Kunst des 19. und 20. Jahrhunderts. Zusätzlich Pressereferat seit Oktober 1971. Veröff.: Johannes Otzen 1839–1911 (Materialien zur Kunst des 19. Jahrhunderts, Bd. 2). München 1971. – Schrifttum zur Deutschen Kunst Jg. 31 (1967). Berlin 1975. – Ausstellungskat. Deutsche Malerei im 19. Jahrhundert. Sammlung Georg Schäfer, Schweinfurt. GNM Nürnberg 1977. Schweinfurt 1977. – Aufsätze zur Kunst des 19. und frühen 20. Jahrhunderts.

BARACK, Karl August. Dr. phil., Prof., Germanist und Historiker. Oberndorf a. N. 23. 10. 1827–12. 7. 1900 Straßburg. Am GNM 1. 5. 1855–31. 12. 1859 als Konservator und Sekretär an der Bibliothek. Seit 1866 Mitglied des Gelehrtenausschusses des GNM. Zuvor 1854 Promotion in Tübingen. Später, seit 1860, als Nachfolger seines Vetters Viktor von Scheffel, Hofbibliothekar in Donaueschingen. Seit 1871 in Straßburg, seit 1872 Oberbibliothekar und o. Professor, seit 1894 Direktor der Universitätsbibliothek. Nach dem Brand von 1870 hat Barack die Straßburger Bibliothek wiederaufgebaut. Veröff.: Die Handschriften der Fürstlich-Fürstenbergischen Hofbibliothek zu Donaueschingen. Tübingen 1865. – Elsässische Büchermarken bis Anfang des 18. Jahrhunderts. Straßburg 1892 (zusammen mit P. Heitz). – Elsaß-lothringische Handschriften und Handzeichnungen (Katalog der Kaiserlichen Universitäts- und Landesbibliothek in Straßburg). Straßburg 1895. – Herausgeber von: Die Werke der Hrotsvitha. Nürnberg 1858. – Zimmerische Chronik. Stuttgart 1869. 2. Aufl. 1881/82.

Lit.: Lebensbilder aus Schwaben und Franken, Bd. 8. Stuttgart 1962, S. 294–304 (Erna Huber). – Biogr. Jahrbuch Bd. 5 (1900), S. 34f. (Rudolf Krauss). – NDB Bd. 1 (1953), Sp. 580 mit weiterer Lit. (Joseph L. Wohleb).

BARTSCH, Karl Friedrich Adolf Konrad. Dr. phil., Prof., Germanist und Romanist. Sprottau am Bober 25. 2. 1832–19. 2. 1888 Heidelberg. Am GNM von 1854–31. 12. 1857 als Kustos, Konservator an der Bibliothek, 1. Concipient am Repertorium der Literatur. Seit 1859 Mitglied des Gelehrtenausschusses des GNM. Zuvor Promotion in Halle 1853. Später, 1858–71, o. Prof. an der Universität Rostock, wo er das erste Germanistische Seminar an einer deutschen Universität begründete und zweimal Rektor war, seit 1871 o. Prof. an der Universität Heidelberg. Veröff.: Vornehmlich Untersuchungen zur mittelalterlichen Philologie auf dem Gebiete der Germanistik und Romanistik, namentlich auch der provençalischen Literatur, Textausgaben, Textkritik, Metrik. – Die Handschriftensammlung des germanischen Museums. In: Anzeiger GNM 1858, Sp. 176–179, 212–215, 253–254, 292–295. – Herausgeber von: Meisterlieder der Kolmarer Handschrift (Bibliothek des Litterarischen Vereins in Stuttgart, Bd. 68). Stuttgart 1862. – Untersuchungen über das Nibelungenlied. Wien 1865. – Herausgeber von: Kudrun (Deutsche Classiker des Mittelalters, Bd. 2). Leipzig 1865. – Herausgeber von: Das Nibelungenlied (Deutsche Classiker des Mittelalters, Bd. 3). Leipzig 1866. – Herausgeber von: Wolfram's von Eschenbach Parzival und Titurel (Deutsche Classiker des Mittelalters, Bd. 9–11). Leipzig 1870–71. – Herausgeber von: Der Nibelunge Not mit den Abweichungen von der Nibelunge Liet, den Lesarten sämmtlicher Handschriften und einem Wörterbuche. Leipzig 1870–80. – Gesammelte Vorträge und Aufsätze. Freiburg i. Br. 1883. – Herausgeber der Germania 1869–87.

Lit.: Karl Bartsch: Jugenderinnerungen. Hrsg. v. Hans-Joachim Koppitz (Beihefte zum Jahrbuch der schlesischen Friedrich-Wilhelms-Universität zu Breslau, 6). Würzburg 1966. – K. J. Schroeder: Erinnerungen an Karl Bartsch. – Reinhold Bechstein: Karl Bartsch. † 19. Februar 1888. – Gustav Ehrismann: Verzeichnis der selbständig erschienenen germanistischen Schriften Karl Bartschs. – Fr. Neumann: Karl Bartsch als Romanist. In: Germania Jg. 33 (1888), S. 59–107. (Auch separat unter dem Titel: Zur Erinnerung an Karl Bartsch. Wien 1888). – ADB 47 (1903), S. 749–52 (W. Golther). – NDB 1 (1953), S. 613 (Hans Eggers).

BECHSTEIN, Reinhold. Dr. phil., Prof., Germanist. Meinin-

gen 12. 10. 1833–5. 10. 1894 Rostock. Am GNM 1858 als Hilfsarbeiter am Archiv. Zuvor 1858 Promotion in Jena. Später Mitarbeiter seines Vaters, des Dichters und Altertumsforschers Ludwig Bechstein, Fortsetzer von dessen Deutschem Museum. Seit 1861 Vorbereitung auf die akademische Laufbahn, 1866 Habilitation in Jena, seit 1871 o. Prof. in Rostock. Veröff.: Tristan und Isolt in deutschen Dichtungen der Neuzeit. Leipzig 1876. – Die Alterthümlichkeiten in unserer heutigen Schriftsprache. Rostock 1878. – Herausgeber von mittelhochdeutschen Dichtungen.

Lit.: ADB 47 (1903), S. 752f. (W. Golther).

BEEG, Johann Caspar. Dr. phil., Technologe. Nürnberg 4. 10. 1809–26. 1. 1867 Nürnberg. Am GNM vom 16. 9. 1853–Anfang 1859 als 2. Vorstand. Seit 1854 Mitglied des Gelehrtenausschusses. Zuvor, ab 1826, Lehrerausbildung im Seminar Altdorf, 1830 Verwaltung der deutschen Schule in Nürnberg, anschließend Lehrer an der höheren Töchterschule in München. 1834 Schul- und Seminarinspektor in Griechenland, von dort Reisen durch die europäische und asiatische Türkei. 1835 Privatsekretär und Hauslehrer bei Graf Armansperg auf Schloß Egg bei Regensburg. Ab 1839 Studium an der Technischen Hochschule München. 1844 Promotion an der Universität Erlangen zum Dr. phil. mit der Diss. Abhandlung über Zahl, Zahlnamen, Zahlzeichen und Zahlsystem in Bezug auf den historischen Entwicklungsgang. 1840–44 Erzieher im Hause des Grafen Rechberg-Rothenlöwen in Donzdorf, Württemberg. 1844 Lehrerstelle, kurz darauf Rektorat an der Gewerbeschule in Fürth. 1850 Heirat mit Mathilde Josephine Franziska Luise Karoline, der ältesten Tochter des Freiherrn Hans von und zu Aufseß. 1851 Mitglied der technischen Commission der Industrie-(Welt-)ausstellung in London. 1854 Preisrichter und Platzzuteiler bei der deutschen Industrieausstellung München. 1855 bayerischer Commissär bei der Industrie-(Welt-)ausstellung Paris, 1858 kgl. Gewerbs-Commissär. Später 1862 bayerischer Commissär bei der Industrie-(Welt-) ausstellung in London. 1863 Gewerbs-Commissär der Stadt Nürnberg, dort auch Vorbereitungen zur Errichtung des Gewerbemuseums. Veröff.: Zahlreiche Abhandlungen technischen Inhalts, z. B. Die Reformfrage des Gewerbewesens in den sieben älteren Theilen des Königreichs Bayern. München 1860. – Gedenkbuch des in Nürnberg begangenen Sängerfestes. Nürnberg 1861. – Programm über die beabsichtigte Wirksamkeit des Gewerbekommissariats der Stadt Nürnberg. Fürth 1864. Seit 1858 Redaktion der (Fürther) Gewerbzeitung.

Lit.: Anonym: Skizzen aus dem Entwicklungsgang und den Erlebnissen Dr. Johann Caspar Beeg's kgl. Gewerbs-Commissär in Nürnberg. Nürnberg 1867. – ADB Bd. 2 (1875), S. 244–245 (Karl Karmarsch).

BEHLING, Lottlisa. Dr. phil., Prof., Kunsthistorikerin. Geb. 15. 7. 1909 in Neustettin/Pommern. Am GNM vom 1. 1.

1940–1.7.1941 als wissenschaftliche Angestellte. Zuvor Studium der Naturwissenschaften und Kunstgeschichte an den Universitäten zu Greifswald, Halle/S., München, Berlin. 1933 naturwissenschaftliches Staatsexamen an der Universität zu Halle/S. 1937 Promotion in Kunstgeschichte an der Universität Berlin. 1937–39 Volontärin und wissenschaftliche Mitarbeiterin am Kupferstichkabinett der Staatlichen Museen Berlin. Später, 1941–44, wissenschaftliche Assistentin am Stadtmuseum zu Danzig. Herbst 1944 bis einschließlich Januar 1945 wissenschaftliche Assistentin am Botanischen Institut der Technischen Hochschule zu Danzig (Penicillin-Versuche für den medizinischen Bereich). 1946 Lehrbeauftragte für Kunstgeschichte an der Universität Jena. 1948 Habilitation in Kunstgeschichte an der Humboldt-Universität Berlin. 1948 Dozentin in Jena. 1952 Professorin mit Lehrauftrag und Wahrnehmung des Lehrstuhls für Kunstgeschichte in Jena. 1958 bis Frühjahr 1960 Lehrauftrag an der Universität Erlangen, 1960 Umhabilitierung an die Universität München, dort 1963–1974 apl. Professorin für Kunstgeschichte. Seit Herbst 1974 in Ruhe. Veröff.: U.a. Das ungegenständliche Bauornament der Gotik. Versuch einer Geschichte des Maßwerks. Diss. Halle/S. 1937. – Der Danziger Dielenschrank und seine holländischen Vorläufer. Danzig 1942. – Gestalt und Geschichte des Maßwerks (Die Gestalt, H. 16). Halle/S. 1944. – Die Handzeichnungen des Mathis Gothart Nithart genannt Grünewald. Weimar 1955. – Die Pflanze in der mittelalterlichen Tafelmalerei. Weimar 1957, 2. Aufl. Köln 1967. – Die Pflanzenwelt der mittelalterlichen Kathedralen. Köln, Graz 1964. – Zur Morphologie und Sinndeutung kunstgeschichtlicher Phänomene. Köln, Wien 1975. – Zahl. Aufsätze in kunstgeschichtlichen Fachzeitschriften und Festschriften.
Lit.: Kürschner 1950–1966. – Wer ist Wer, seit 1958. – Répertoire international des Médiévistes. Poitiers 1971, S. 53, Nr. 260.

BENDINER, Max. Dr. phil., Historiker, Redakteur und Journalist. Dresden 25.7.1869–15.8.1924 (Berlin?). Am GNM 1.2.1889–Frühjahr 1890 als Hilfsarbeiter beim Archiv. Später als Redakteur und Journalist in Zürich, 1900–1909 in Straßburg, anschließend wiederum in Zürich, seit 1915 in Berlin, zuletzt als Regierungsrat. – Veröff.: Die Reichsgrafen, eine verfassungsgeschichtliche Studie. Diss. München 1888. – Straßburg im Elsaß und Umgebung (Beckmann-Führer). Stuttgart o. J. (1903), 3. Aufl. o. J. (1908) (mit Otto Winckelmann). – Das Straßburger Münster, seine Baugeschichte und Beschreibung. Stuttgart 1906.

BEZOLD, Gustav von. Dr. phil. h. c. (Universität Erlangen, 1902), Dr.-Ing. e. h. (Technische Hochschule München, 1919), Kgl. Bayerischer Geheimer Hofrat (1916), Kunsthistoriker und Architekt. Kleinsorheim b. Nördlingen 17.7.1848–22.4.1934 Frankfurt am Main. Am GNM 1.10.1894–1.10.1920 als 1. Direktor. 1920–32 Mitglied des Ver-

waltungsrates des GNM. Zuvor Studium der Architektur und Kunstgeschichte am Kgl. Polytechnikum in München. Seit 1.3.1873 Architekt und technischer Assistent bei der Generaldirektion der Kgl. Bayerischen Staatseisenbahnen, vom 12.11.1886–1.3.1887 Abteilungsingenieur. Am 8.4.1887 Habilitation an der Technischen Hochschule München, Privatdozent für Architektur und Kunstgeschichte (Dozentur ausgeübt bis 5.8.1894). Seit 16.6.1892 Konservator am Bayerischen Nationalmuseum in München. Gemeinsam mit Berthold Richl Inventarisation der Kunstdenkmäler in Oberbayern. Vorstandsmitglied des Pegnesischen Blumenordens, des Vereins für Geschichte der Stadt Nürnberg und Ehrenmitglied mehrerer gelehrter Gesellschaften. 1897–1902 entstand nach seinen Entwürfen der für Waffen und bäuerliche Altertümer bestimmte Südwestbau des GNM. Veröff.: Die kirchliche Baukunst des Abendlandes, historisch und systematisch dargestellt (zusammen mit Georg Dehio). Stuttgart 1884–1901. – Die Kunstdenkmale des Königreichs Bayern. 1. Bd. Reg.-Bez. Oberbayern, bearb. mit Berthold Riehl und Georg Hager. München 1895–1908. – Die Baukunst der Renaissance in Deutschland, Holland, Belgien und Dänemark (Handbuch der Architektur, 2. Teil, Bd. 7). Leipzig 1900 (2. Aufl. 1908). – Zahlreiche Aufsätze zu Einzelthemen der Bau- und Kunstgeschichte. – Vgl. Abb. 43, 53, 56, 61, 74.
Lit.: Nachrufe in: Anzeiger GNM 1934/1935, S. 5–18 mit Bild und Schriftenverzeichnis (Ludwig Rothenfelder). – Deutsche Kunst und Denkmalpflege, Jg. 1934, S. 92 und Zentralblatt der Bauverwaltung 54 (1934), S. 289. – NDB 2 (1955), S. 210–211 (Gisbert Beyerhaus). – Kürschner 1925–31. – Festschrift zum 70. Geburtstag mit Wiedergabe des Porträts von Georg Kellner (Mitteilungen GNM 1918–19). – Vgl. S. 864 (Forschungen zu wissenschaftlichen Instrumenten).

BOBERG, Jochen. Dr. phil., Kunsthistoriker. Geb. 20.6.1941 in Wesel. Am GNM vom 1.1.1974–31.8.1977 als fachwissenschaftlicher Leiter des Kunstpädagogischen Zentrums. Zuvor, 1972–1974, wiss. Redakteur beim Lexikon der christlichen Ikonographie für die Bände zur Ikonographie der Heiligen. Später, seit 1.9.1977, Referent für die Museen beim Senator für Bildung, Wissenschaft und Kunst, Bremen. Veröff.: Grundfragen der Vermittelbarkeit kunsthistorischer Objekte. Mschr. Diss. München 1974. – Aufsätze zur Museumspädagogik.

BÖHME, Horst Wolfgang. Dr. phil., Praehistoriker. Geb. 1.5.1940 in Stettin. Am GNM vom 1.2.1969–30.9.1969 als Volontär, vom 1.11.1970–31.3.1972 als wissenschaftlicher Angestellter. Referent für die vor- und frühgeschichtlichen Sammlungen. In der Zwischenzeit als Stipendiat des Deutschen Archäologischen Institutes Berlin auf einer Studienreise durch die Länder des Mittelmeeres. Zuvor, 1961–69, Studium der Fächer Vor- und Frühgeschichte, Provinzialrömische Archäologie, Volkskunde und Bayerische Landesgeschichte in Kiel, Mainz und München. Später, seit 1.4.1972, am Römisch-Germanischen Zentralmuseum Mainz als Assistent der Frühmittelalterlichen Abteilung, seit 1.10.1974 Direktorialassistent. Veröff.: Germanische Grabfunde des 4./5. Jahrhunderts zwischen unterer Elbe und Loire. Studien zur Chronologie und Bevölkerungsgeschichte (Münchner Beiträge zur Vor- und Frühgeschichte, Bd. 19). München 1974. – Aufsätze zu spätrömischen und frühmittelalterlichen Themen Mittel- und Westeuropas.

Bösch, Hans. Kulturhistoriker, Autodidakt. Ansbach 23. 6. 1849–12. 11. 1905 Nürnberg. Am GNM von 1867 bis zu seinem Tode, zuerst als Kanzlist, ab 1879 als Sekretär des Museums, ab 1889 zeitweilig Vertreter des 1. Direktors und ab 30. 5. 1890 2. Direktor. Ab 1892 gleichzeitig Leiter des Kupferstichkabinetts. Seit 1890 bis zu seinem Tode mit der selbständigen Leitung des Finanzwesens des GNM betraut, hat er überaus erfolgreich die Mittel für die Fortführung der Sammlungen und die Errichtung der Neubauten beschafft. Veröff.: Katalog der im germanischen Museum befindlichen Bronzeepitaphien des 15. bis 18. Jahrhunderts. Nürnberg 1891. – Katalog der im germanischen Museum vorhandenen zum Abdrucke bestimmten geschnittenen Holzstöcke vom 15. bis 18. Jahrhunderte. 2 Teile und Atlas. Nürnberg 1892–96. – Kinderleben in der deutschen Vergangenheit (Monographien zur deutschen Kulturgeschichte, Bd. 5). Leipzig 1900. – Mehrere Tafelwerke (überwiegend aus den Beständen des GNM), meist zusammen mit Adalbert Roeper: Sammlung von Öfen in allen Stilarten vom 16. bis Anfang des 19. Jahrhunderts. München 1895. (2. Aufl., vielm. Titelauflage, Leipzig o. J). – Geschmiedete Gitter des 16. bis 18. Jahrhunderts aus Süddeutschland. 1. Aufl. München 1895, 2. Aufl. Leipzig 1909. – Deutsche Schmiedearbeiten aus fünf Jahrhunderten. 1. Aufl. München 1896, 2. Aufl. Leipzig 1911. – Möbel aller Stilarten vom Ausgange des Mittelalters bis zum Ende des 18. Jahrhunderts. 1. Aufl. München 1897, 2. Aufl. Leipzig 1911, u. ä. Tafelwerke. – Zahlreiche Aufsätze zur Kulturgeschichte (unter besonderer Berücksichtigung der Sammlungen des GNM), häufig in Anzeiger und Mitteilungen GNM. – Vgl. Abb. 56.
Lit.: Nachrufe in: Anzeiger GNM 1905, S. 33–35 (Gustav von Bezold). – Mitteilungen des Vereins für Geschichte der Stadt Nürnberg Bd. 17 (1906), S. 281–86 (-ss).

Bott, Gerhard. Dr. phil., Kunsthistoriker. Geb. 14. 10. 1927 Hanau/Main. Am GNM 16. 10. 1950–30. 4. 1952 als Volontär, in letzter Zeit, seit 1. 10. 1951–31. 10. 1952, zugleich an der Bibliotheca Hertziana in Rom. Seit 1974 Mitglied des Verwaltungsrates. Wissenschaftlicher Angestellter und Kustos, ab 1. 2. 1956 Direktor des Historischen Museums Frankfurt/ Main. 1. 11. 1959 Direktor des Hessischen Landesmuseums Darmstadt. 1. 10. 1971–1. 2. 1973 Gast an der Bibliotheca Hertziana Rom. 1. 6. 1975 Direktor des Wallraf-Richartz-Museums und Generaldirektor der Museen der Stadt Köln.

Veröff.: Die Städte in der Wetterau und im Kinzigtal (Hanauer Geschichtsblätter Bd. 15). Hanau 1951. – Kunst und Altertum in Frankfurt am Main. Aus den Sammlungen des Historischen Museums. München 1955. – Kunsthandwerk um 1900. Darmstadt 1965 (unter Mitarbeit verschiedener Autoren). – Die Gemäldegalerie des Hessischen Landesmuseums in Darmstadt (Meisterwerke deutscher Museen). Hanau 1968. – Herausgeber von: Das Museum der Zukunft. Köln 1970. – Beiträge vor allem über deutsche Stillebenmalerei des 17. Jahrhunderts, Tiepolofresken in Würzburg, Jugendstil, Schmuckkunst; zahlreiche Museums- und Ausstellungskataloge, besonders auch zur zeitgenössischen Kunst.

Brachert, Thomas. Dr. phil., Kunsthistoriker und Restaurator. Geb. 18. 8. 1928 in Berlin. Am GNM seit 1. 11. 1974 als Oberkonservator. Leiter der Abteilung für Restaurierung und Materialforschung. Zuvor, nach abgeschlossener Ausbildung als Schreiner, Kunsterzieher und Werklehrer, Restaurator und Kunsthistoriker, tätig seit 1. 7. 1963 am Schweizerischen Institut für Kunstwissenschaft als Leiter der Abteilung für Technologie und Restaurierung. Veröff.: Zahlreiche Publikationen zu Fragen der Restaurierung und Kunsttechnologie, insbesondere zur Polychromie gefaßter Skulpturen und zur Maltechnik der Renaissance.

Braun, Edmund Wilhelm. Dr. phil., Prof., Kunsthistoriker. Epfenbach b. Freiburg i. Br. 23. 1. 1870–23. 9. 1957 Nürnberg. Tätig am GNM von 1895–1897 als Praktikant und von 1947–57 als wissenschaftlicher Berater. 1953 Ehrenmitglied des GNM. Von 1897–1945 Direktor des Kaiser-Franz-Joseph-Museums in Troppau, 1898 Ernennung durch die k. k. Zentralkommission für Kunst- und historische Denkmale zum Konservator und 1911 zum Mitglied des österreichischen Staatsdenkmalamtes. Um 1930 Professor an der deutschen Universität Prag. Von 1947–51 Lehrauftrag an der Universität Erlangen für Kunstgewerbe, speziell Keramik und Kleinplastik. Veröff.: Zahlreiche Veröffentlichungen zum Kunsthandwerk, besonders zur Keramik. Bearbeitung mehrerer Sammlungs- und Auktionskataloge. – Beiträge zur Geschichte der Trierer Buchmalerei im frühen Mittelalter. Trier 1895. – Katalog der Ausstellung von Alt-Wiener Porzellan (1718–1864) im Kaiser-Franz-Joseph-Museum zu Troppau. Troppau 1903. – Geschichte der k. k. Wiener Porzellanmanufaktur. Wien 1907 (mit Josef Folnesics). – Die Silberkammer eines Reichsfürsten (das Lobkowitz'sche Inventar). Werke deutscher Goldschmiedekunst der Spätgotik und Renaissance. Leipzig 1923. – Mitbegründer von Belvedere und Mitherausgeber, Bde. 1–9/10, 1922–1926. – Nachlaß im GNM. – Vgl. Abb. 395.
Lit.: Nachrufe: Kunstchronik Bd. 11 (1958), S. 79–82. Keramikfreunde der Schweiz, Mitteilungsblatt 41 (1958), S. 20–22. Keramos H. 1 (1958), S. 4f., mit Bild (alle Günther Schiedlausky). – Kürschner 1931–1954. – Wer ist's? 1914–1935. – Festschrift zum sechzigsten Geburtstage von

E. W. Braun (Anzeiger des Landesmuseums in Troppau Bd. 2). Augsburg 1931, mit Teilbibliographie bis 1929, S. 239–252 (W. Kudlich, K. Černohorský); Fortsetzungen der Bibliographie in dem E. W. Braun gewidmeten 95. Jahresbericht GNM (für 1949/1950), (1950), S. 4–6, mit Nachträgen; Keramos H. 8 (1960), S. 22–24 (mit Nachdruck der Teilbibliographie von 1950 und Nachträgen. Günther Schiedlausky).

BRÄUTIGAM, Günther. Dr. phil., Kunsthistoriker. Geb. in Berlin 6.7.1925. Am GNM seit 1.2.1964, zunächst als Stipendiat der Fritz Thyssen-Stiftung, ab 1966 als Museumsassessor und Konservator, ab 1970 als Oberkonservator. Im Rahmen der Bibliothek Bearbeiter des Schrifttums zur deutschen Kunst, seit 1.4.1976 Referent für die Skulpturenabteilung. Vom 1.1.1966 bis Frühjahr 1968 mit der Wahrnehmung des Wiederaufbaureferats beauftragt. Zuvor, seit 1946, Studium an der Technischen Hochschule Stuttgart und an der Universität Erlangen. Promotion 1953 in Erlangen. Vom 1.3.1954–31.1.1964 wissenschaftlicher Assistent am Kunstgeschichtlichen Seminar der Universität Erlangen. Veröff.: Die Darstellung des Verstorbenen in der figürlichen Grabplastik Frankens und Schwabens vom Ende des 13. Jahrhunderts bis um 1430. Mschr. Diss. Erlangen 1953. – Mitarbeit am Ausstellungskatalog Europäische Bildwerke von der Spätantike bis zum Rokoko. Aus den Beständen der Skulpturenabteilung der Ehem. Staatlichen Museen Berlin-Dahlem. München 1957. – Beiträge zur Nürnberger Kunst des Mittelalters und der Dürerzeit.

BREDT, Ernst Wilhelm. Dr. phil., Prof., Kunsthistoriker. Leipzig 4.5.1869–2.12.1938 Percha/Starnberger See. Am GNM von 1901–1904 Praktikant und Assistent, zuletzt am Kupferstichkabinett. Zuvor Studium in Freiburg/Schweiz und München, neuere Sprachen und Kunstgeschichte, Promotion 1899. Später, ab 1904, als Assistent, ab 1909 als Kustos, ab 1920 als Hauptkonservator an der Staatlichen Graphischen Sammlung, München. Seit 1934 im Ruhestand. 1906–17 Dozent für Kunstgeschichte an der Kunstgewerbeschule in München, 1913 Professor. Veröff.: z. B. Der Handschriftenschmuck Augsburgs im 15. Jahrhundert (Studien zur deutschen Kunstgeschichte, H. 25). Straßburg 1900. – Katalog der mittelalterlichen Miniaturen des Germanischen Nationalmuseums. Nürnberg 1903. – Sittliche oder unsittliche Kunst? Eine historische Revision. München 1909, 6. Aufl. 1910, erweitert München 1911 und 1913. – Die Alpen und ihre Maler. Leipzig 1910. – Das Plakat, seine Freunde und Feinde, sein Recht und Reich (Schriften über „Die Brücke", Bd. 29). München 1912. – Belgiens Volkscharakter, Belgiens Kunst. München 1915. – Alfred Kubin. München 1922. – Weitere populärwissenschaftliche Publikationen zu Albrecht Dürer, Albrecht Altdorfer, Ludwig Richter, Moritz von Schwind, Eugen Napoleon Neureuther, Daniel Chodowiecki, Adolf Menzel. – Vgl. Abb. 56.

Lit.: Reichshandbuch Bd. 1, S. 209. – Kürschner 1925–1931. – Jahrbuch der deutschen Museen Bd. 5 (1932), S. 274–75. – Wer ist's? 1922–1935.

BREITENBACH, Edgar. Dr. phil., Kunsthistoriker. Geb. in Hamburg 26.6.1903. Am GNM Sommer bis Herbst 1956 als Hauptkonservator, Leiter der Bibliothek. Beauftragt mit der Neuordnung der Bibliothek. Zuvor, 1921–27, Studium der Kunstgeschichte und Germanistik bei Erwin Panofsky, Fritz Saxl und Aby Warburg in München und Hamburg. 1928–29 Bibliotheksausbildung in Göttingen und Berlin. 1929–33 Bibliotheksrat in Frankfurt/Main. 1933–34 Assistent am Archiv für schweizerische Kunstgeschichte in Basel. 1937–41 Dozent und Bibliothekar am Mills College in Oakland/California. 1941–42 Dozent und Bibliothekar am Greys Habor J. College in Aberdeen/Washington. 1942–43 wissenschaftlicher Hilfsarbeiter am Taylor Museum in Colorado Springs. 1943–55 im amerikanischen Staatsdienst tätig, u. a. als Vertreter der Library of Congress beim Senat Berlin für den Aufbau der Amerika-Gedenkbibliothek – Berliner Stadtbibliothek. Später, 1956–72, Leiter der graphischen, photographischen und cinematographischen Sammlungen der Library of Congress, Washington D. C. (Prints & Photographs Division). Veröff.: Speculum humanae salvationis. Eine typengeschichtliche Untersuchung. Diss. Hamburg 1930 (Studien zur deutschen Kunstgeschichte, H. 272). Straßburg 1930. – Santos, the Religious Folk Art of New Mexico. Colorado Springs 1943. – The American Poster. Ausstellungs-Katalog, in Zusammenarbeit mit Margaret Eogswell. New York 1967. – Zahlreiche Aufsätze über kunst- und bibliothekswissenschaftliche Themen.

BURKHARDT, Karl August Hugo. Dr. phil., Historiker, Goetheforscher, Geheimer Hofrat. Jena 6.6.1830–9.5.1910 Jena. Am GNM vom 1.11.1856–Ende 1858. Sekretär (zweiter Konservator) am Archiv; mit der Ordnung des Adelsarchivs der Giechs von Thurnau betraut. Seit 1859 in Weimar mit Ordnungsarbeiten an den Archiven beschäftigt, später Archivar und Direktor am Großherzoglich Sächsischen Geheimen Haupt- und Staatsarchiv in Weimar. Veröff.: U. a. Correcturen und Zusätze zu Quellenschriften für Hohenzollrische Geschichte. Tl. 1. Jena 1861. – Die Gefangenschaft Johann Friedrichs des Großmüthigen und das Schloß zur „Fröhlichen Wiederkunft" . . . Weimar 1863. – Der historische Hans Kohlhase und Heinrich von Kleist's Michael Kohlhaas. Leipzig 1864. – Hrsg. v. Dr. Martin Luther's Briefwechsel. Leipzig 1866. – Hrsg. v. Goethes Unterhaltungen mit dem Kanzler Friedrich v. Müller. Stuttgart 1870. – Hand- und Adreßbuch der deutschen Archive im Gebiete des deutschen Reiches, der österreichisch-ungarischen Monarchie, der russischen Ostseeprovinzen und der deutschen Schweiz. Leipzig 1875. 2. Aufl. 1887. – Goethe und der Komponist Ph. Chr. Kayser. Leipzig 1879. – Geschichte der deutschen Kirchen- und Schulvisitationen im Zeitalter der Reformation (Bd. 1:) Geschichte der sächsischen Kirchen- und Schulvisitationen von 1524 bis 1545. Leipzig 1879. – Hrsg. v. Urkundenbuch der Stadt Arnstadt 704–1495 (Thüringische Geschichtsquellen, Bd. 4). Jena 1883. – Das Repertoire des Weimarischen Theaters unter Goethes Leitung 1791–1817 (Theatergeschichtliche Forschungen, Bd. 1). Hamburg, Leipzig 1891. – Hrsg. v. Ernestinische Landtagsakten. Bd. 1: Die Landtage von 1487–1532 (Thüringische Geschichtsquellen, Bd. 8). Jena 1902.

Lit.: Freundesgaben für Carl August Hugo Burkhardt zum 70. Geburtstag. 6. Juli 1900. Weimar 1900 (mit Bibliographie, S. 197–207). – Biographisches Jahrbuch und deutscher Nekrolog, Bd. 15 (1910), Sp. 17*.

DECKER, Walther. Dr. phil., Historiker. München 11. 2. 1905–13. 6. 1968 Hochaltingen. Am GNM 1940–1943 als wissenschaftlicher Hilfsarbeiter an den Sammlungen und am Archiv. Beteiligt an der Bergung des Museumsgutes. Später, von Mai bis Oktober 1943, an der Universität Erlangen als Kriegsaushilfe in der Katalogabteilung der Bibliothek. Danach führte er mehrere Jahre Ordnungs- und Katalogisierungsarbeiten im Stadtarchiv und in der Stadtbibliothek Weißenburg/Bay. durch. Veröff.: Die wirtschaftliche und soziale Lage des oberpfälzischen Landsassenadels insbesondere der Notthafft nach dem 30-jährigen Kriege. Diss. München 1930. Oberviechtach 1931.

DENEKE, Bernward. Dr. phil., Kulturhistoriker. Geb. 17. 11. 1928 in Düren (Rhld.). Am GNM seit 1. 3. 1965, derzeit als Hauptkonservator. Referent für die Volkskundlichen Sammlungen, die Judaica-Sammlung. Zuvor, 1955–58, wissenschaftlicher Assistent am Freilichtmuseum Cloppenburg (Oldb.), 1959–60 Volontär am Historischen Museum Frankfurt am Main und am Hessischen Landesmuseum, Darmstadt. 1960–65 wissenschaftlicher Angestellter am Historischen Museum Frankfurt am Main. Veröff.: Bauernmöbel. München 1969. – Hochzeit (Bibliothek des GNM, Bd. 31). München 1971. – Beiträge in Zeitschriften und Sammelwerken, schwerpunktmäßig zur Geschichte der Kleidung, zu Erscheinungsformen des Historismus, zur Entwicklung der Museologie, zu Wandlungen im Handwerk im 19. Jahrhundert, zur Volkssage. Ausstellungskataloge und Beiträge zu solchen.

DIETERICH, Julius Reinhard. Dr. phil., Prof., Historiker. Holzhausen b. Gladenbach (Kr. Biedenkopf) 9. 7. 1864– 6. 3. 1952 Marburg/Lahn. Am GNM 1. 5. 1891 bis Ende März 1892 als Mitarbeiter im Archiv. Zuvor Promotion. Später, bis 1895, wissenschaftlicher Hilfsarbeiter bei der Zentraldirektion der Monumenta Germaniae in Berlin. Seit 1896 Privatdozent für mittelalterliche Geschichte und geschichtliche Hilfswissenschaften an der Universität Gießen. Seit 1900 Haus- und Staatsarchivar in Darmstadt; 1911–1929 Direktor des Hessischen Staatsarchivs in Darmstadt. 1929 Ernennung

zum Honorarprofessor an der Universität Gießen. Veröff.: Die Taktik in den Lombardenkriegen der Staufer. Diss. Marburg 1892. – Die Polenkriege Konrads II. und der Friede von Merseburg. Habilitationsschrift Gießen 1895. – Die Geschichtsquellen des Klosters Reichenau bis zur Mitte des 11. Jahrhunderts. Gießen 1897. – Streitfragen der Schrift- und Quellenkunde des deutschen Mittelalters. Marburg 1900. – Weitere Beiträge zur Historiographie, u. a. zur hessischen Landesgeschichte, Studien zur Heldensage.

Lit.: Nachruf in: Der Archivar 5 (1952), Sp. 154–160 (L. Clemm). – Kürschner 1925–1935. – Wer ist's? 1905–1935.

DIRSKA, Gisela. Dr. phil., Kunsthistorikerin. Geb. 1. 5. 1924 in Breslau. Am GNM 1. 2. 1952–30. 9. 1952 als Volontärin. Vorher Studium und, 1951, Promotion in Erlangen. Später tätig im Schuldienst, gegenwärtig in Waldsassen (Oberpfalz). Veröff.: Über den typischen Verlauf in der Entwicklung des Persönlichkeitsstils. Mschr. Diss. Erlangen 1951.

DITFURTH, Franz Wilhelm von. Volksliedersammler und -forscher. Dankersen bei Rinteln 7. 10. 1801–25. 5. 1880 Nürnberg. Am GNM 1859 als Mitarbeiter am Musikrepertorium. Zuvor Studium der Rechtswissenschaft in Marburg/Lahn, anschließend private Studien und Forschungen. Sein Verdienst sind die Sammlungen des fränkischen Volksliedes und der historischen Volkslieder in Deutschland und Österreich zwischen 1618 und 1871. Veröff.: U. a. Hrsg. v. Fränkische Volkslieder mit ihren zweistimmigen Weisen, wie sie vom Volke gesungen werden . . . Leipzig 1855. – Einhundert historische Volkslieder des preußischen Heeres von 1675 bis 1866. Berlin 1869. – Die Historischen Volkslieder des siebenjährigen Krieges, nebst geschichtlichen und sonstigen Erläuterungen . . . Berlin 1871. – Historische Volkslieder der Zeit von 1756–1871. 2 Bde. Berlin 1871–72. – Deutsche Volks- und Gesellschaftslieder des 17. und 18. Jahrhunderts. Nördlingen 1872. – Zweiundfünfzig ungedruckte Balladen des 16., 17. und 18. Jahrhunderts. Stuttgart 1874. – Einhundertzehn Volks- und Gesellschaftslieder des 16., 17. und 18. Jahrhunderts wie sie vom Volke gesungen werden . . . Stuttgart 1875. – Fünfzig ungedruckte Balladen und Liebeslieder des 16. Jahrhunderts mit den alten Singweisen. Heilbronn 1877. – Die Historischen Volkslieder vom Ende des dreißigjährigen Krieges, 1648 bis zum Beginn des siebenjährigen, 1756. Heilbronn 1877. Nachlaß in der Universitätsbibliothek Würzburg.

Lit.: Autobiographie, in: Das deutsche Volkslied 3, 1901, S. 9. – ADB 47 (1903), S. 726–728 (Franz Brümmer). – NDB 3 (1957), S. 745–746 (Walter Salmen). – Theodor von Ditfurth: Geschichte des Geschlechts von Ditfurth, T. 3. Quedlinburg 1894. – L. von Ditfurth: Zur Lebensgeschichte des Volksliederforschers Franz Wilhelm von Ditfurth. In: Das deutsche Volkslied 2, 1900, S. 101 f. – Lebensbilder aus Kurhessen und Waldeck 1830–1930, Bd. 5 (1955), S. 43–49 (mit

Schriftenverzeichnis und Literaturangaben), (Walter Salmen). – Die Musik in Geschichte und Gegenwart, Bd. 3
(1954), Sp. 586f. (mit Schriftenverzeichnis), (Walter Salmen). – Fränkische Lebensbilder, Bd. 1 (1967), S. 358–369
mit Bild (Josef Dünninger).

DÜLL, F. Wilhelm. Historiker. Lebensdaten unbekannt. Am
GNM von 1854–1861 als Sekretär, später als Konservator am
Archiv. Zuvor als Konrektor tätig in Neustadt a. d. Aisch.

EBERHARDT, Johann Jakob. Historien- und Genremaler,
später Fotograf. Rodt in der Rheinpfalz 1.7.1820–6.7.1889
Nürnberg. Am GNM 1.4.1859–1.10.1867 als Inspektor der
Artistischen Anstalt, vor allem als Fotograf. Zuvor als freier
Maler in München. Später, 1867–1878, als Lehrer, ab 1868
als Professor für Fotografie an der Nürnberger Kunstgewer-
beschule.
Lit.: Friedrich von Boetticher: Malerwerke des 19. Jahrhun-
derts, Bd. 1. Dresden 1891–1901, S. 247. – Thieme-Becker,
Bd. 10 (1914), S. 297. – Eduard Brill: Die Geschichte der
Staatsschule für angewandte Kunst in Nürnberg. Festrede
zur Hundertjahrfeier. Nürnberg 1933, S. 25 und 41.

ERBSTEIN, Heinrich Albert. Dr. jur., Numismatiker, Kgl.
Sächsischer Hofrat seit 1890. Bruder des Folgenden. Dresden 3.7.1840–25.6.1890 Dresden-Blasewitz. Am GNM von
Anfang 1862–1866 als Konservator der Kunst- und Altertumssammlungen, tätig besonders an der Münz- und Siegelsammlung, sowie für das Bilderrepertorium. Später seit 1866
v. a. am Kgl. Münzkabinett, Dresden tätig, 1882 Direktor
des Münzkabinetts, seit 1885 auch Direktor des Historischen Museums, der Gewehrgalerie, der Porzellan- und Ge-
fäßsammlung in Dresden. Seine Arbeiten galten wie die seines Großvaters, seines Vaters und seines Bruders Julius
Richard Erbstein, vor allem der Numismatik, für die er am
GNM den Grund legte. Veröff.: Der Münzfund von Trebitz
bei Wittenberg. Ein Beitrag zur Geschichte des deutschen
Münzwesens im 12. und 13. Jahrhundert. Nürnberg 1865. –
Publikationen zusammen mit seinem Bruder (vgl. dort) zur
Numismatik. – Mitherausgeber der Blätter für Münzfreunde
(mit seinem Bruder).
Lit.: Nachruf in: Blätter für Münzfreunde Jg. 26 (1890),
Sp. 1566–1571 (A. Nagel). – Bild ebenda Jg. 29 (1893), nach
Sp. 1837. – ADB 48 (1904), S. 389 (Dannenberg).

ERBSTEIN, Julius Richard. Dr. jur., Numismatiker, Kgl.
Sächs. Geheimer Hofrat. Bruder des Vorhergehenden. Dresden 30.6.1838–17.10.1907 Dresden. Am GNM Anfang
1862–1866 als 1. Sekretär. Er erwarb 1863 für das GNM auf
eigene Kosten für 705 fl. 36 kr. 170 Modelle von Kriegs-
werkzeugen aus dem ehemaligen Nürnberger Zeughaus auf
der Auktion der Hertel'schen Sammlung. Seit 1866 vorübergehend in Zürich, dann in Dresden v. a. am Münzkabinett

tätig. 1882 Direktor des Kgl. Grünen Gewölbes, 1890 übernahm er nach dem Tode seines Bruders Heinrich Albert
Erbstein auch das Kgl. Münzkabinett und die Porzellansammlung. Seit 1. 10. 1907 im Ruhestand. Veröff.: (zumeist
mit seinem Bruder Heinrich Albert Erbstein). Das der Stadt
Nürnberg gehörige Isaak von Peyer'sche Münz- und Me-
daillen-Cabinet. Nürnberg 1863. – Die Ritter von Schul-
thess-Rechberg'sche Münz- und Medaillen-Sammlung.
Abt. 1, 2. Dresden 1868–69. – Ein vergessenes Denkmal Peter des Großen. Lösung eines numismatischen Räthsels.
Dresden 1873. – Des königl. Münz-Cabinets zu Dresden
Doubletten an Münzen, Medaillen und Büchern. Dresden
1875. – Zur mittelalterlichen Münzgeschichte der Grafen
von Mansfeld und der Edlen Herren von Querfurt, sowie
deren Nachbarschaft, insbesondere auch des Stiftes Quedlinburg. Eine durch den Gerbstedter Bracteatenfund veranlaßte numismatische Skizze. Dresden 1876. – Die Sammlung
Hohenlohischer Münzen und Medaillen des fürstlichen
Hauses Hohenlohe-Waldenburg. Dresden 1880. – Erörterungen auf dem Gebiete der sächsischen Münz- und Medail-
len-Geschichte. Bei Verzeichnung der Hofrath Engelhardt'-
schen Sammlung veröffentlicht. Abt. 1, 2. Dresden 1888–90.
– Zahlreiche Aufsätze numismatischen Inhalts. – Mitherausgeber der Blätter für Münzfreunde (zunächst mit seinem
Bruder, später, bis 1897, alleine).
Lit.: Nachrufe mit Bild in: Blätter für Münzfreunde Jg. 42
(1907), Sp. 3755f. – Illustrierte Zeitung 24. 10. 1907, S. 697f.
(W. Dgs.).

ESSENWEIN, August Ottmar (Ritter von). Dr. phil. h. c.
(Universität Erlangen, 1872), Prof., Geheimrat, 1889 persönlicher Adel und Ehrenbürger der Stadt Nürnberg, Mitglied zahlreicher gelehrter Gesellschaften, Architekt und
Bauhistoriker. Karlsruhe 2. 11. 1831–13. 10. 1892 Nürnberg.
Am GNM 1. 3. 1866–13. 10. 1892 als Vorstand (Erster Direktor). Zuvor tätig als Architekt: 1853–54 in Karlsruhe, danach
in Wien, 1855–56 Reisen (Köln, Holland, Belgien, Nord-
frankreich), danach 1856 bei Heinrich von Ferstel in Wien;
seit 1857 Architekt der österreichischen Staatseisenbahnge-
sellschaft. 1864 Stadtbaurat in Graz. 1865 Professor für
Hochbau an der dortigen Technischen Hochschule. Reorga-
nisator des GNM, der das Aufseß'sche Quellenrepertorium
zugunsten der kunst- und kulturgeschichtlichen Sammlungen zurücktreten ließ. Zugleich bedeutender Bauhistoriker,
Architekt, Denkmalpfleger und Entwerfer für Kunsthandwerk: Konkurrenzprojekt für die Kathedrale in Lille,
1855–56, Neubauten des GNM, Restaurierung der Nürnberger Frauenkirche seit 1878, des Münsters zu Konstanz 1879,
des Domes zu Braunschweig 1881 und der St. Gereonskir-
che in Köln, Erweiterungsbau des Nürnberger Rathauses
1884–89, zahlreiche kleinere Bauten, vor allem in Öster-
reich-Ungarn. Veröff. u. a.: Norddeutschlands Back-Stein-
bau im Mittelalter. Karlsruhe o. J. (1855). – Die Entwicklung
des Pfeiler- und Gewölbe-Systemes in der kirchlichen Bau-

kunst vom Beginne des Mittelalters bis zum Schlusse des XIII. Jahrhunderts. Wien 1858. – Die innere Ausschmückung der Kirche Gross-St.-Martin in Köln. Entworfen von A. Essenwein. Köln 1866. – Die mittelalterlichen Kunstdenkmale der Stadt Krakau. Graz 1866. – Katalog der im germanischen Museum befindlichen Bautheile und Baumaterialien aus älterer Zeit. Nürnberg 1868. – Katalog der im germanischen Museum befindlichen Gewebe und Stickereien, Nadelarbeiten und Spitzen aus älterer Zeit. Nürnberg 1869. – Katalog der im germanischen Museum befindlichen Kirchlichen Einrichtungsgegenstände und Geräthschaften. Nürnberg 1871. – Quellen zur Geschichte der Feuerwaffen. Leipzig 1872–77. – Die Holzschnitte des 14. und 15. Jahrhunderts im germanischen Museum. Nürnberg 1874. – Kunst- und kulturgeschichtliche Denkmale des Germanischen National-Museums. Leipzig 1877. – Der Bildschmuck der Liebfrauenkirche zu Nürnberg. Nürnberg 1881. – Katalog der im germanischen Museum befindlichen Gemälde. Zusammen mit Franz von Reber und Adolf Bayersdorfer. Nürnberg 1882, 2. Aufl. 1885. – Kulturhistorischer Bilderatlas, Bd. 2: Mittelalter. Leipzig 1883. – Katalog der im germanischen Museum befindlichen Kartenspiele und Spielkarten. Nürnberg 1886. – Herausgeber: Anzeiger GNM (seit 1866). – Katalog der im germanischen Museum befindlichen Glasgemälde aus älterer Zeit. Nürnberg 1884, 2. Aufl. 1898. – Zahlreiche Aufsätze zur Bau- und Kunstgeschichte und zum zeitgenössischen Kunsthandwerk. Nachlaß im GNM. – Vgl. Abb. 22, 42.

Lit.: Nachruf in: Anzeiger GNM 1892, S. 69–78 (Hans Bösch). – Hampe, Festschrift GNM, S. 85–88 und passim, mit Bildtafel XI. – Georg v. Kreß: Erinnerungen an Geheimrat August von Essenwein. In: Mitteilungen des Vereins für Geschichte der Stadt Nürnberg Bd. 15 (1902), S. 133–167. – ADB Bd. 48 (1904), S. 432–33 (Hans Bösch). – NDB Bd. 4 (1959), S. 657 mit Literatur (Günther Schiedlausky). – Vgl. S. 836–837 (über Essenwein und die historische Waffenkunde) und S. 374–444 (zu den Bauten für das GNM).

EYE, Johann Ludolf August von. Dr. phil., Kulturhistoriker, philos. Schriftsteller, Erzähler und Dramatiker, Maler. Fürstenau bei Osnabrück 24. 5. 1825–10. 1. 1896 Nordhausen. Am GNM von 1853–1875 als Vorstand der Kunst- und Altertumssammlungen, Inspektor des Generalrepertoriums. Zuvor tätig als Hofmeister. Später, 1876 – um 1880, Custos und Bibliothekar an Kunstgewerbeschule und Kunstgewerbemuseum in Dresden. 1881–1888 Aufenthalt in Brasilien. Seit 1889 Sprecher der Freien Gemeinde Nordhausen. Veröff.: U. a. Das germanische Museum. Wegweiser durch dasselbe für die Besuchenden. 2 Tle. Nürnberg 1853. – Herausgeber mehrerer Tafelwerke: Kunst und Leben der Vorzeit vom Beginn des Mittelalters bis zu Anfang des 19. Jahrhunderts in Skizzen nach Originaldenkmälern. 2 Bde. Nürnberg 1855–58, 2. Ausg. in 3 Bdn. 1859–65, 3. Aufl. in 3 Bdn. 1868–69 (gemeinsam mit Jakob Falke). – Deutschland vor

dreihundert Jahren in Leben und Kunst aus seinen eigenen Bildern dargestellt. Lief. 1–2. Leipzig 1857. – Leben und Wirken Albrecht Dürer's. Nördlingen 1860, 2. Auflage 1869. – (Versteigerungskatalog) Katalog der rühmlichst bekannten Sammlungen des verstorb. Assessors des Handels-Appellationsgerichts zu Nürnberg, Jakob Hertel . . . Nürnberg o. J. (1864). – Culturgeschichte (Bilder-Atlas. Ikonographische Encyklopädie der Wissenschaften und Künste. 2. Aufl., Bd. 6). Leipzig 1875. – Die Kunstsammlung von Eugen Felix in Leipzig. Katalog. Leipzig 1880, 2. Ausg. 1885 (mit P. E. Börner). – Albrecht Dürer's Leben und künstlerische Thätigkeit in ihrer Bedeutung für seine Zeit und die Gegenwart. Wandsbeck 1892. – Philosophische Schrift: Wesen und Werth des Daseins. Untersuchungen zur Feststellung eines Gesammtbewußtseins der Menschheit. Berlin 1872, 2. Aufl. 1886. – Dichtung: Eine Menschenseele. Spiegelbild aus dem 18. Jahrhundert. Nördlingen 1863. – Außerdem mehrere Dramen und Trauerspiele. – Als Maler der Düsseldorfer Schule verpflichtet.

Lit.: ADB Bd. 48 (1904), S. 460–62 (Franz Brümmer). – Biogr. Jahrbuch Bd. 1 (1897), S. 254f. (Franz Brümmer). – Deutsches Literatur-Lexikon 3. Aufl. Bern, München. Bd. 4 (1972), Sp. 629f.

FALKE, Jacob Ritter von. Hofrat, Historiker und Philologe, Kunsthistoriker. Ratzeburg 21. 6. 1825–8. 6. 1897 Lovrano bei Abbazzia. 1873 geadelt. Bruder des Folgenden. Am GNM 1. 5. 1855–Sept. 1858 als Kustos der kunst- und kulturgeschichtlichen Sammlungen. Zuvor, nach Studium in Erlangen und Göttingen, Prinzenerzieher im fürstlichen Haus Solms-Braunfels in Düsseldorf. Seit 1859 Mitglied des Gelehrtenausschusses des GNM. Später, ab 1858 Bibliothekar und ab 1869 Galeriedirektor beim Fürsten Lichtenstein in Wien. Mitbeteiligt an der Gründung des Österreichischen Museums für Kunst und Industrie, ab 30. 3. 1864 dort Kustos und Stellvertreter des Direktors Rudolf von Eitelberger unter Beibehaltung seiner Lichtensteinischen Stellung; 3. 12. 1885–23. 1. 1895 Direktor dieses Museums. Maßgebend beteiligt an der Wiener Weltausstellung 1873; Veranstalter zahlreicher Kunstgewerbeausstellungen im Österreichischen Museum. Veröff.: Kunst und Leben der Vorzeit vom Beginn des Mittelalters bis zum Anfang des 17. Jahrhunderts (zusammen mit August v. Eye), 2 Bde. Nürnberg 1855–59, 3. Aufl. 3 Bde. Nürnberg 1868. – Die deutsche Trachten- und Modenwelt. Ein Beitrag zur deutschen Culturgeschichte, Bd. 1 u. 2. Leipzig 1858. – Weitere Buch-, Zeitschriften- und Zeitungsveröffentlichungen zu Tracht und Mode und vorwiegend zum Kunstgewerbe und zur Geschichte des Geschmacks, darunter auch populäre Anleitungsbücher, u. a.: Geschichte des modernen Geschmacks. Leipzig, 1. Aufl. 1866, 2. Aufl. 1880. – Die Kunst im Hause. Geschichtliche und kritisch-ästhetische Studien über die Decoration und Ausstattung der Wohnung. Wien, 1.–6. Aufl. 1871–1897, davon 4. Aufl. reich illustriert. – Ästhetik des

Kunstgewerbes. Ein Handbuch für Haus, Schule und Werkstätte. Stuttgart (1883). – Aus dem weiten Reiche der Kunst. Auserwählte Aufsätze. Berlin, 1. u. 2. Aufl. 1889. – Aus alter und neuer Zeit. Neue Studien zu Kultur und Kunst. Berlin 1895. – Weitere einflußreiche Berichte über das Kunstgewerbe auf verschiedenen Weltausstellungen: Die Kunstindustrie auf der Ausstellung zu Dublin. Wien 1865. – Die Kunstindustrie der Gegenwart: Studien auf der Pariser Weltausstellung im Jahre 1867. Leipzig 1868. – Die Kunstindustrie auf der Wiener Weltausstellung 1873. Wien 1873.
Lit.: Jacob von Falke: Lebenserinnerungen. Leipzig 1897. – Schriftenverzeichnis in: Nachrichten aus dem Buchhandel 1895, Nr. 36, 12. Febr. 1895, S. 308/09. – Personalnachrichten. In: Mittheilungen des K. K. Österr. Museums für Kunst und Industrie, N. F. Bd. 5 (1894/95), S. 324/25 und Nachruf (B. Bucher) ebenda N. F. Bd. 6 (1896/97), S. 409–11. – ADB Bd. 55, (1910), S. 753–56 (J. Folnesics).

FALKE, Johannes Friedrich Gottlieb. Historiker, vor allem Wirtschaftshistoriker. Ratzeburg 10.4.1823–2.3.1876 Dresden. Bruder des Vorigen. Am GNM seit 20.9.1855 als Erster Sekretär des Museums, seit 1.1.1859–30.4.1862 als Konservator an der Bibliothek, besonders mit der Repertorisierung der Handschriftensammlung befaßt. Seit 1866 Mitglied des Gelehrtenausschusses des GNM. Zuvor, nach Studium in Erlangen (ab 1842), von 1848–54 als Hofmeister in München im Hause von Martius. Von 1862–75 am Staatsarchiv Dresden, zuletzt als dessen Erster Archivar. Veröff.: Das Germanische Nationalmuseum. In: Weimarisches Jahrbuch für deutsche Sprache, Litteratur und Kunst Bd. 5 (1856), S. 81–106. – Die Geschichte des deutschen Handels, Bd. 1 und 2 (Deutsches Leben, Bd. 3). Leipzig 1859–60. – Die Geschichte des Kurfürsten August von Sachsen in volkswirthschaftlicher Beziehung (Preisschriften gekrönt und herausgegeben von der Fürstlich-Jablonowski'schen Gesellschaft zu Leipzig, Bd. 13). Leipzig 1868 und andere Studien, vorwiegend zur Wirtschaftsgeschichte. – Mitbegründer und Herausgeber der Zeitschrift für deutsche Kulturgeschichte Bde. 1–4 (1856–59), (mit Johannes Heinrich Müller).
Lit.: Walter-Wilh. Busam: Johannes Falke. Sein Leben und seine Schriften, gedruckt als Festschrift für Otto von Falke. München 1975, mit Schriftenverzeichnis. – ADB 6 (1877), S. 552 (Johannes Heinrich Müller).

FLEGLER, Alexander. Dr. phil., Historiker. Genua 2.7.1803–12.12.1892 Bensheim (Hessen). Am GNM vom 1.4.1864–1881 als Vorstand des Archivs. Seit 1854 Mitglied des Gelehrtenausschusses, 1854/55 auch des Verwaltungsausschusses des GNM. Zuvor, um 1831, tätig als Dozent an der Akademie in Bern, 1848–1854 als Privatdozent an der Hochschule in Zürich. Ehrenpromotion 1852. 1849–1853 Lehrer der Geschichte an der Industrieschule in Zürich. Anschließend Professor an der Kreisgewerbeschule in Nürnberg. Förderer der Gründung des Nürnberger Geschichtsvereins. Veröff.: Über das Wesen der Historie und die Behandlung derselben. Zwei Vorlesungen . . ., gehalten bei Eröffnung

seiner Vorträge über die Geschichte des Alterthums an der Akademie zu Bern. Bern 1831. – Geschichte des Alterthums (Neue Encyklopädie der Wissenschaften und Künste, Bd. 7). Stuttgart 1849. – Das Königreich der Langobarden in Italien. Leipzig 1851. – Zur Geschichte der Posten. Nürnberg 1858. – (Unter Pseudonym V. S.) Deutschland und die orientalische Frage. Nürnberg 1855. – (Anonym) Die Industrie Nürnbergs mit Rücksicht auf die polytechnische Schule. Nürnberg 1861. – Erinnerungen an Ladislaus von Szalay und seine Geschichte des ungarischen Reichs. Leipzig 1866. – Geschichte der Demokratie, Bd. 1, Altertum. Nürnberg 1880.
Lit.: Kurzer Nachruf in: Anzeiger GNM 1892, S. 107. – Historisch-biographisches Lexikon der Schweiz, Bd. 3 (1926), S. 172. – Georg von Wyss: Die Hochschule Zürich in den Jahren 1833–1883. Festschrift zur fünfzigsten Jahresfeier ihrer Stiftung. Zürich 1883, S. 63, 99. – Verzeichnis der Buchpublikationen in: A. Flegler: Geschichte der Demokratie. Bd. 1, 1880, nach S. 644.

FRANCK, gen. Franck-Oberaspach, Karl. Dr. phil., Regierungsbauführer, Kunsthistoriker. Geb. 27.4.1872 in Oberaspach (Kr. Schwäbisch-Hall). Am GNM 8.4.1898–August 1898, zunächst als Volontär, seit 1.5. als Praktikant. Zuvor Studium der Architektur und Kunstgeschichte an der Technischen Hochschule in Stuttgart mit Abschluß 1. Staatsexamen im Hochbaufach und in Straßburg mit Promotion bei Ludwig Dehio 1900. Später, 1.5.1900–1.6.1902, Assistent bei der Kommission für die Denkmälerstatistik der Rheinprovinz. Über den späteren Lebenslauf waren keine Angaben zu ermitteln, nach einer Mitteilung der Stadtverwaltung Ilshofen ist er vermutlich in Palästina gestorben. Veröff.: Der Meister der Ecclesia und Synagoge am Straßburger Münster. Diss. Straßburg 1900, Düsseldorf 1901, erweitert: Der Meister der Ecclesia und Synagoge am Straßburger Münster. Beiträge zur Geschichte der Bildhauerkunst des 13. Jahrhunderts in Deutschland mit besonderer Berücksichtigung ihres Verhältnisses zur gleichzeitigen französischen Kunst. Düsseldorf 1903. – Die Kunstdenkmäler des Kreises Jülich. Die Kunstdenkmäler des Kreises Heinsberg (Die Kunstdenkmäler der Rheinprovinz, Bde. 8,1; 8,3). Düsseldorf 1902, 1906 (mit Edmund Renard).

FRÄNKEL, Ludwig. Dr. phil., Literarhistoriker. Leipzig 24.1.1868–10.7.1922 Ort unbestimmt (Auskunft Stadtarchiv Mannheim). Am GNM von Oktober 1892–31.3.1893 als Assistent an den kunst- und kulturgeschichtlichen Sammlungen. Zuvor nach Studium und Promotion 1889 in Leipzig beschäftigt bei der Zentralleitung des Konversationslexikons von Brockhaus in Leipzig. Später tätig im Lehramt in München und bis 14.11.1921 an der Oberrealschule (jetzt Carl-Bosch-Gymnasium) in Ludwigshafen. Zuletzt ansässig in Mannheim. Veröff.: Untersuchungen zur Stoff- und Quellenkunde von Shakespeares „Romeo and Juliet". Diss. Leipzig 1890. Berlin 1889. – Shakespeare und das Tagelied. Ein

Beitrag zur vergleichenden Litteraturgeschichte der germanischen Völker. Hannover 1893. – Ludwig Uhland. Leben und Werk (Meyers Volksbücher). Leipzig 1894. – Aufsätze zur Literaturgeschichte und Editionen literarischer Texte, u. a. Uhland, Werke, 2 Bde. Leipzig, Wien o. J. (1893).

Lit.: Kürschner Literaturkalender 1891–1924.

FRIES, Walter. Dr. phil., Kunsthistoriker. Augsburg 23. 9. 1890–10. 7. 1934 Nürnberg. Am GNM vom 15. 9. 1919 bis zum Tode. Zunächst als Volontär, Museumsassessor, seit 1921 Konservator, seit 1928 Hauptkonservator. Zuvor Studium der Kunstgeschichte in München, Berlin und Freiburg i. Br. Promotion in Freiburg i. Br. 1922. Wissenschaftliche Bearbeitung der Albrecht-Dürer-Ausstellung im GNM 1928 und Teilbearbeitung der Ausstellung Nürnberger Malerei 1350–1450 im GNM 1931. Veröff.: Hans Daucher. Mschr. Diss. Freiburg i. Br. 1922. – Ausst.-Kat. Albrecht Dürer Ausstellung im Germanischen Museum, Nürnberg, April–September 1928. Nürnberg 1928. – Ausst.-Kat. Nürnberger Malerei 1350–1450 im Germanischen Museum Nürnberg, Juni–August 1931. Nürnberg 1931 (mit Eberhard Lutze, Vorrede Ernst Heinrich Zimmermann). – Zahlreiche Aufsätze über Sammlungsbestände des GNM. – Vgl. Abb. 66.

Lit.: Nachruf mit Bild und Schriftenverzeichnis in Anzeiger GNM 1934, S. 39–44 (Friedrich Bock und Eberhard Lutze).

FROMMANN, Georg Karl. Dr. phil., Dr. theol. h. c. (Erlangen 1883), Germanist. Coburg 31. 12. 1814–6. 1. 1887 Nürnberg. Am GNM 1. 11. 1853 bis zum Tode als Vorstand der Bibliothek und bis 1859 des Archivs, Redakteur des Anzeigers für Kunde der deutschen Vorzeit. Seit 1865 Zweiter Direktor. Zuvor Studium, seit Mai 1835 in Heidelberg neuere Sprachen und altdeutsche Literatur bei Georg Gottfried Gervinus, mit diesem seit Ostern 1836 in Göttingen, u. a. bei Georg Friedrich Benecke und den Brüdern Grimm, Freundschaft mit Jacob Grimm. 1837 Promotion in Heidelberg, 1840–41 Studien- und Bibliotheksreisen nach Würzburg, Wien, Italien, St. Gallen. Die starken pädagogischen und vor allem volksbildnerischen Interessen führten zu Lehrtätigkeiten an Schulen und in Vereinen und seit 1842 zu Versuchen von Schulgründungen in Coburg. In Nürnberg gab Frommann 26 Jahre lang an der kgl. Bayer. Gymnasialanstalt, dem heutigen Melanchthongymnasium, Unterricht im Mittelhochdeutschen, hielt Vorträge, arbeitete an Zeitungen mit und war Redakteur der Mitteilungen des Vereins für die Geschichte der Stadt Nürnberg. Ehrenmitgliedschaften verschiedener wissenschaftlicher Vereine des In- und Auslandes kennzeichnen seine Geltung. Veröff.: Zumeist Texteditionen. Hrsg. v. Herbort's von Fritslar liet von Troye (Bibliothek der gesammten deutschen National-Literatur, 1. Abt., Bd. 5). Quedlinburg, Leipzig 1837. – Altdeutsches Lesebuch von IV. bis zum XV. Jahrhundert (Lesebuch der poetischen National-Literatur der Deutschen von der ältesten bis auf die neueste Zeit, T. 1). Heidelberg, Leipzig 1845. –

Hrsg. v. Grübel's Sämmtliche Werke, 3 Teile. Nürnberg 1857. – Hrsg. der Zeitschrift Die deutschen Mundarten Bd. 1–7 (1854–1859, 1877). – Bearbeitung des Bayerischen Wörterbuches von J. Andreas Schmeller, 2 Bde. München 1872–77. – Revision der Lutherischen Bibelübersetzung (1883 Vollendung der Probebibel). – Dazu zahlreiche Veröffentlichungen zur Germanistik und Literaturgeschichte. – Nachlaß in der Bibliothek des GNM. – Vgl. Abb. 331.

Lit.: Nachrufe in Anzeiger GNM 1887, S. 1–3 (anonym). – Mitteilungen des Vereins für Geschichte der Stadt Nürnberg Bd. 7 (1888), S. 1–18 (Wilhelm Vogt). – ADB Bd. 49 (1904), S. 179–184 (anonym).

FRONING, Hubertus. Dr. phil., Kunsthistoriker. Geb. 23. 3. 1942 in Krefeld. Am GNM 1. 1. 1972–30. 4. 1974 als Volontär. Zuvor Studium der Kunstgeschichte, Archäologie, Paläographie. Später, seit 1. 5. 1974, als wissenschaftlicher Referent am Wallraf-Richartz-Museum, Köln. Veröff.: Die Entstehung und Entwicklung des stehenden Ganzfigurenportraits in der Tafelmalerei des 16. Jahrhunderts. Eine formalgeschichtliche Untersuchung. Diss. Würzburg 1971 (1973).

FUCHS, Carl Ludwig. Dr. phil., Kunsthistoriker. Geb. am 2. 10. 1945 in Aken/Elbe. Am GNM 1. 8. 1976–31. 12. 1977 als Volontär. Zuvor Studium in Marburg, Wien, Hamburg und Heidelberg. Später wissenschaftlicher Mitarbeiter am Kurpfälzischen Museum Heidelberg. Veröff.: Die Innenausstattung und Möblierung des Schwetzinger Lustschlosses im 18. und 19. Jahrhundert. Mschr. Diss. Heidelberg 1976.

FUHSE, Franz. Dr. phil., Prof., Kulturhistoriker. Lutter am Barenberge 21. 11. 1865–2. 11. 1937 Braunschweig. Am GNM 1891–31. 3. 1898. 1891 Hilfsarbeiter der Bibliothek, 1892 am Archiv. 1. 10. 1892–31. 3. 1898 Vorstand der Bibliothek. Zuvor Promotion 1891 (bei Moriz Heyne, Göttingen). Später, 1. 4. 1898–31. 3. 1932, Direktor am Städtischen Museum, Braunschweig. Verleihung des Professorentitels 1910. Veröff.: U. a. Sitten und Gebräuche der Deutschen beim Essen und Trinken von den ältesten Zeiten bis zum Schlusse des XI. Jahrhunderts. Eine germanistisch-antiquarische Abhandlung. Diss. Göttingen 1891. – Bearbeitung von Katalog der im germanischen Museum befindlichen Kunstdrechslerarbeiten des 16.–18. Jahrhunderts aus Elfenbein und Holz. Nürnberg 1891. – (Hrsg. mit Konrad Lange) Dürers schriftlicher Nachlaß auf Grund der Originalhandschriften und theilweise neu entdeckter alter Abschriften. Halle 1893. – Die deutschen Altertümer (Sammlung Göschen, Nr. 124). Leipzig 1900, 2. Aufl. 1904. – Vom Braunschweiger Tischlerhandwerk. Stobwasserarbeiten (Werkstücke aus Museum, Archiv und Bibliothek der Stadt Braunschweig, Bd. 1). Braunschweig 1925. – Schmiede und verwandte Gewerke in der Stadt Braunschweig. Ein Beitrag zur Geschichte des Handwerks und zur Familienkunde (Werkstücke aus Museum, Archiv und Bibliothek der Stadt Braunschweig, Bd. 5; zugl. Parallelausg. als Sonderveröffentlichung der Ostfälischen Familienkundlichen Kommission, Bd. 4). Braunschweig bzw. Leipzig 1930. – Handwerksaltertümer (Werkstücke aus Museum, Archiv und Bibliothek der Stadt Braunschweig, Bd. 7). Braunschweig 1935. – Das Braunschweiger Bäckerhandwerk. Auf Grund des hinterlassenen Materials bearb. v. Wilhelm Jesse. Braunschweig 1940.

Lit.: Bert Bilzer: Franz Fuhse (1865–1937). Und Irene Berg: Prof. Dr. Franz Fuhse. Schriftenverzeichnis. In: Braunschweigisches Jahrbuch Bd. 46 (1965), S. 7–16, S. 17–23 (auch als Separatdruck). – Bert Bilzer, Gerd Spies: Das Städtische Museum Braunschweig (Kulturgeschichtliche Museen in Deutschland, Bd. 6). Hamburg 1968, S. 10–14. – Reichshandbuch, Bd. 1, S. 507. – Kürschner 1925–1931 (1935). – Jahrbuch der deutschen Museen Bd. 5 (1932), S. 288/89. – Wer ist's? 1906–1935.

GASNER, Ernst. Dr. phil., Neuphilologe und Historiker. Geb. 2. 10. 1865 in Stade. Am GNM Frühjahr 1890 –1. 10. 1892 als Assistent an den kunst- und kulturgeschichtlichen Sammlungen. Zuvor Studium in Göttingen, Promotion 1890. Über den späteren Lebenslauf von Gasner ließen sich keine Angaben ermitteln. Veröff.: Beiträge zum Entwicklungsgang der neuenglischen Schriftsprache auf Grund der mittelenglischen Bibelversionen, wie sie auf Wyclif und Purvey zurückgehen sollen. Diss. Göttingen 1890. Nürnberg 1891. – Zum deutschen Straßenwesen von der ältesten Zeit bis zur Mitte des 17. Jahrhunderts. Eine germanistisch-antiquarische Studie. Leipzig 1889.

GROTE, Ludwig. Dr. phil., Prof., Ehrenmitglied der Akademie der Bildenden Künste Nürnberg (seit 1962), Kulturpreis der Stadt Nürnberg 1957, Ehrenmitglied des GNM seit 1972. Halle/Saale 8. 8. 1893–3. 3. 1974 Gauting bei München. Am GNM seit 5. 11. 1951–31. 10. 1962 als Erster Direktor, seit August 1958 mit der Dienstbezeichnung Generaldirektor. 1962–72 Mitglied des Verwaltungsrates. Zuvor tätig 1924–1933 als Landeskonservator von Sachsen-Anhalt, Galeriedirektor in Dessau mit engen Kontakten zum Bauhaus. Seit 1934 freiberuflich tätig in Berlin und München für wissenschaftliche Veröffentlichungen und Ausstellungen, darunter nach dem Krieg unter anderem Der Blaue Reiter, zu Kirchner, Beckmann, Kokoschka, Toulouse-Lautrec. Nach der Pensionierung maßgebliche Mitarbeit an der Ausstellung „50 Jahre Bauhaus", Stuttgart 1968. Honorarprofessor mit Lehrauftrag Musealkunde an der Universität Erlangen seit 1956. Veröff.: Zahlreiche Veröff. vor allem über Dürer, zur Kunst der Renaissance, der Romantik und des 20. Jahrhunderts. Buchveröff. u. a.: Georg Lemberger (Aus Leipzigs Vergangenheit, Bd. 2). Leipzig 1933. – Die Brüder Olivier und die deutsche Romantik (Forschungen zur deutschen Kunstgeschichte, Bd. 31). Berlin 1938. – „Hier bin ich ein Herr". Dürer in Venedig (Bibliothek des GNM, Bd. 2/3).

München 1956. – Die Tucher. Bildnis einer Patrizierfamilie (Bibliothek des GNM, Bd. 15/16). München 1961. – Die romantische Entdeckung Nürnbergs (Bibliothek des GNM, Bd. 28). München 1967. – Joseph Sutter und der nazarenische Gedanke (Studien zur Kunst des neunzehnten Jahrhunderts, Bd. 14). München 1972. – Auswahl aus den Veröff. Ludwig Grote: Von Dürer bis Gropius. Aufsätze zur deutschen Kunst. Zusammengestellt von Wulf Schadendorf (Bibliothek des GNM, Bd. 35). München 1975. – Hrsg. u. a. Bibliothek des GNM zur deutschen Kunst- und Kulturgeschichte, Bde. 1–34, 1956–1974. – Leitende Mitarbeit im Arbeitskreis Kunstgeschichte. Forschungsunternehmen der Fritz Thyssen Stiftung. – Nachlaß im GNM. – Vgl. Abb. 99, 107, 109, 139, 144, 373.

Lit.: Nachrufe in: Anzeiger GNM 1974, S. 6–7 (Wulf Schadendorf); Kunstchronik 27 (1974), S. 231–237 (Gert von der Osten). – Beiträge zur Rezeption der Kunst des 19. und 20. Jahrhunderts. Hrsg. von Wulf Schadendorf (Studien zur Kunst des neunzehnten Jahrhunderts, Bd. 29). München 1975 (mit Würdigungen durch Christoph Bernoulli, Stephan Waetzoldt, J. A. Schmoll gen. Eisenwerth, S. 7–12). – Kürschner 1954–1961 (1970). – Wer ist Wer, 1958–1967. Who is Who in Germany 1972. – Festschrift zum 70. Geburtstag mit Schriftenverz. bis 1962 = Anzeiger des Germanischen Nationalmuseums 1963. – Vgl. S. 282–312.

GRUNDMANN, Richard. Dr. phil., Kunsthistoriker, Thorn 30. 9. 1870–12. 12. 1939 München. Am GNM 1. 10. 1900–1. 4. 1901 als Assistent am Kupferstichkabinett. Zuvor Studium in Königsberg und Leipzig. Promotion 1893, anschließend Vorbereitung auf die philologische Staatsprüfung in München. Um 1898 dort Assistent an der Luitpoldkreisrealschule. Später, 1901–1902, Bibliothekar an der kgl. Zeichenakademie in Hanau; anschließend zeitweise in Berlin tätig. Veröff.: Die Entwicklung der Aesthetik Kants. Mit besonderer Rücksicht auf einige bisher unbeachtete Quellen. Diss. Leipzig. München 1893.

HAGELSTANGE, Alfred. Dr. phil., Historiker und Kunsthistoriker. Erfurt 5. 9. 1874–2. 12. 1914 Köln. Am GNM 2. 4. 1898–1. 3. 1900 als Volontär und Praktikant, vom 18. 5. 1903–1. 10. 1905 als Praktikant am Kupferstichkabinett und der Bibliothek. Dazwischen Assistent am Städel'schen Kunstinstitut in Frankfurt a. M. Zuvor Studium der Geschichte an den Universitäten Freiburg, Leipzig und Göttingen, anschließend der Kunstgeschichte in Straßburg. Später tätig vom 1. 10. 1905–1. 9. 1908 als Direktorialassistent und Bibliothekar am Städtischen Kaiser-Friedrich-Museum in Magdeburg, anschließend bis zum Tode als 1. Direktor des Wallraf-Richartz-Museums in Köln. Sein besonderes Verdienst liegt in der Reorganisation des Wallraf-Richartz-Museums und seinem Eintreten für die neuere Kunst bis zum Expressionismus. Veröff.: Süddeutsches Bauernleben im Mittelalter. Leipzig 1898. – Aufsätze zur Graphik Dürers.

Lit.: Ursula Binder-Hagelstange: In memoriam Alfred Hagelstange. In: Wallraf-Richartz-Jahrbuch Bd. 29 (1967), S. 309–315 (mit Bild). – Magdeburger Kunstwart 1908, Nr. 22, S. 342–344 (mit Bild). – Nachrufe: Cicerone Bd. 6 (1914), S. 635 (Georg Biermann); Deutsche Kunst und Dekoration Heft 36 (1914), S. 322 (G. E. Lüthgen); Sammlung von Nachrufen der Kölner Zeitungen, Bibliothek des GNM Bg 4306ᵗᵃ. – Deutsches Biographisches Jahrbuch, Überleitungsband 1 (1914–16), Berlin, Leipzig 1925, S. 285; dort weitere Erwähnungen genannt. – Wer ist's? 1911–14.

HAMPE, Theodor Eduard. Dr. phil., Geheimer Regierungsrat, Germanist, Historiker und Kulturhistoriker. Bremen 28. 1. 1866–30. 7. 1933 Nürnberg. Am GNM 1. 4. 1893–1. 5. 1931, zunächst als Assistent der kunst- und kulturgeschichtlichen Sammlungen, seit 1. 4. 1898 als Konservator und Leiter der Bibliothek, seit 1. 7. 1909 als Zweiter Direktor. Zuvor seit 1886 Studium der Geschichte und deutschen Literatur in Marburg und Bonn. Staatsexamen für das Lehramt an höheren Schulen in Deutsch und Geschichte. Seit 1908 zweiter Schriftführer, seit 1911 zweiter Vorstand des Vereins für Geschichte der Stadt Nürnberg. Veröff.: Zahlreiche Veröffentlichungen zur Nürnbergischen Literatur- und Kulturgeschichte, Quellen- und Urkundenforschungen zur Kunstgeschichte, dazu zahlreiche Artikel über Nürnberger Künstler in Thieme-Becker: Allgemeines Lexikon der bildenden Künstler. – U. a. Über die Quellen der Straßburger Fortsetzung von Lamprechts Alexanderlied und deren Benutzung . . . Diss. Bonn. Bremen 1890. – Festschrift GNM 1902. – Nürnberger Ratsverlässe über Kunst und Künstler im Zeitalter der Spätgotik und Renaissance (1449) 1474–1618(1633). 3 Bde. (Quellenschriften für Kunstgeschichte und Kunsttechnik des Mittelalters und der Neuzeit, N. F. Bde. 11–13). Wien, Leipzig 1904. – Der Zinnsoldat. Ein deutsches Spielzeug (Kleine volkskundliche Bücherei, Bd. 1). Berlin 1924. – Sieben Bücher vom idealen Egoismus. Grundlinien einer optimistisch skeptischen Weltanschauung. Weimar 1926. – Nachlaß in der Bibliothek des GNM. – Vgl. Abb. 56, 66.
Lit.: Nachruf in: Mitteilungen des Vereins für Geschichte der Stadt Nürnberg 31 (1933), S. 126–132 (Emil Reicke). – Lebensläufe aus Franken 5 (1936), S. 133–142 (Karl Hampe †). – NDB 7 (1966), S. 599f. (Wulf Schadendorf). – Karl Hampe: Das Schriftwerk Theodor Hampes (1866–1933). In: Anzeiger GNM 1934/35, S. 19–38 (mit Bild). – Festschrift zum 60. Geburtstag von Dr. Theodor Hampe. II. Direktor des Germanischen Nationalmuseums = Anzeiger GNM 1924/25 (1926). – Kürschner 1925–1931. – Jahrbuch der deutschen Museen 5 (1932), S. 300. – Reichshandbuch Bd. 1, S. 651.

HARLESS, Woldemar. Dr. phil., Historiker. Bonn 27. 3. 1828–4. 6. 1902 Düsseldorf. Am GNM 1. 5. 1854–30. 9. 1854 als Erster Sekretär. Zuvor Studium der Philologie und Geschichte in Bonn seit 1847, u. a. bei Friedrich Wilhelm Ritschl, Ernst Moritz Arndt, Ludwig Schopen, Friedrich Christoph Dahlmann, Johann Wilhelm Loebell; 1853 Promotion über das Thema De Fabiis et Aufidiis rerum Romanorum scriptoribus. Später, 1854–55, Studium für das Lehramt, Prüfung im März 1855, Privatlehrer. Seit 20. 8. 1855 am Staatsarchiv in Düsseldorf, Herbst 1856 außerdem ständischer Registrator und Kanzleiinspektor des Provinziallandtages. 1. 1. 1862 Archivsekretär, 30. 4. 1866–1900 Provinzialarchivar und Direktor. Dazu Leitung der Landesbibliothek, Funktion in der evangelischen Gemeinde und im Kuratorium des Historischen Museums. 1863 Mitbegründer des Bergischen Geschichtsvereins. 1880–81 Mitbegründer der Gesellschaft für Rheinische Geschichtskunde. Veröff.: Beiträge zur Kenntnis der Vergangenheit des Bergischen Landes in Skizzen zur Geschichte von Amt und Freiheit Hückeswagen. Mit zwölf archivalischen Beigaben. Düsseldorf 1890. – Zahlreiche Veröffentlichungen zur rheinischen Landesgeschichte. – Hrsg. der Zeitschrift des Bergischen Geschichtsvereins 1876–1901 (zunächst mit Wilhelm Crecelius).
Lit.: Nachruf in der Zeitschrift des Bergischen Geschichtsvereins Bd. 36 (1902/03), S. 1–13 (Otto R. Redlich).

HEERWAGEN, Heinrich. Dr. phil., Prof., Kulturhistoriker. Wunsiedel 10. 7. 1874–5. 12. 1942 Kirchberg a. d. Jagst. Am GNM 1. 6. 1900–31. 7. 1939, zunächst als Praktikant an Bibliothek und Archiv, seit 1. 1. 1902 Assistent am Archiv, seit 1. 11. 1909 Konservator an der Bibliothek, 1. 4. 1920 Hauptkonservator, 1. 10. 1934 Abteilungsdirektor. Zuletzt Leiter der Bibliothek. Zuvor Studium der Germanistik, der Kultur-, Rechts- und Verfassungsgeschichte u. a. bei Wilhelm Heinrich Riehl, 1899 Promotion in Heidelberg. Seit 1911 Ausschußmitglied des Vereins für Geschichte der Stadt Nürnberg. 1928 Verleihung des Professorentitels. Veröff.: Die Lage der Bauern zur Zeit des Bauernkrieges in den Taubergegenden. Diss. Heidelberg. Nürnberg 1899. – Die Kartause in Nürnberg 1380–1525. In: Mitteilungen des Vereins für Geschichte der Stadt Nürnberg 15 (1902), S. 88–132. – Beckmann's Führer durch Nürnberg und Umgebung. Stuttgart o. J. (1905), 5. verb. Aufl. ebd. (1914). – Bibliographie zur Geschichte der Stadt Nürnberg und ihres ehemaligen Gebietes 1911–1917, 1918, 1919–1925. In: Mitteilungen des Vereins für Geschichte der Stadt Nürnberg 22 (1918), S. 306–363; 23 (1919), S. 118–143; 27 (1928), S. 343–429 (zuletzt mit Friedrich Bock). – Aufsätze u. a. auch zur Volkskunde, Anlage umfangreicher Sammlungen. – Vgl. Abb. 56.
Lit.: Nachrufe in: Oberdeutsche Zeitschrift für Volkskunde 17 (1943), S. 156–160 mit Teilbibliographie (Hermann Schreibmüller); Mitteilungen des Vereins für Geschichte der Stadt Nürnberg 39 (1944), S. 1–4 mit Bild (Hans Kirste). – Jahrbuch der deutschen Museen Bd. 5 (1932), S. 303. – Kürschner 1925–1935.

HEFFELS, Monika. Dr. phil., Kunsthistorikerin. Geb. 12. 2. 1917 in Wittlich. Am GNM ab 1. 8. 1965, bis 31. 7. 1969 als Stipendiatin der Fritz Thyssen-Stiftung, ab 1. 5. 1970 als

Kuratorin am Kupferstichkabinett. Zuvor, nach Studium an den Universitäten Köln, Freiburg i. Br. und Bonn (Kunstgeschichte, Germanistik und Italienisch) und Promotion 1952, tätig im graphischen Kunstantiquariat C. G. Boerner in Düsseldorf (1952–1965). Veröff.: Die Buchillustrationen von Max Slevogt (Kurzfassung der Diss. Bonn 1952). In: Archiv für Geschichte des Buchwesens Bd. 18, Börsenblatt für den Deutschen Buchhandel, Frankfurter Ausgabe B, Jg. 16 (1960), S. 219–236. – Mitarbeit an den Boerner-Katalogen „Neue Lagerliste" 7–39. Düsseldorf 1953–64. – Die Handzeichnungen des 18. Jahrhunderts (Kataloge des Germanischen Nationalmuseums Nürnberg. Die deutschen Handzeichnungen, Bd. 4). Nürnberg 1969.

AN DER HEIDEN, Rüdiger. Dr. phil., Kunsthistoriker. Geb. 25. 2. 1937 in Würzburg. Am GNM 1. 5. 1969–31. 12. 1971 als Volontär. Später als Konservator an den Bayerischen Staatsgemäldesammlungen München. Veröff.: Studien zu Hans von Aachen. Seine Porträts. Diss. Würzburg 1969; vgl. Die Porträtmalerei des Hans von Aachen. In: Jahrbuch der Kunsthistorischen Sammlungen in Wien Bd. 66 (1970), S. 135–226. – Beiträge zur Malerei der Dürer-Zeit, des Spätmanierismus und der Moderne.

HEIKAMP, Detlef. Dr. phil., Prof., Kunsthistoriker. Geb. 10. 11. 1927 in Bremen. Am GNM 1. 6. 1959–30. 4. 1960 als Volontär. Zuvor Stipendiat der Deutschen Forschungsgemeinschaft am Kunsthistorischen Institut zu Florenz. Später, vom 2. 5. 1960–5. 2. 1961, Harvard University, Instructor of Fine Arts. 6. 2. 1961–30. 6. 1965 Assistant Professor of Fine Arts daselbst. 22. 2. 1967–22. 4. 1969 Privat- und Universitätsdozent, Universität Würzburg. Seit dem 23. 10. 1969 Technische Universität Berlin, ordentlicher Professor. Veröff.: Provincia di Firenze, Museo Mediceo: Il Tesoro di Lorenzo il Magnifico. Vol 2: I vasi. Catalogo della Mostra Palazzo Medici Riccardi Firenze 1972. Florenz 1975 (mit Andreas Grote). – Zahlreiche Aufsätze zur Florentiner Kunst- und Kulturgeschichte in in- und ausländischen Zeitschriften.

Lit.: Kürschner seit 1970

HEKTOR, Enno Wilhelm. Dichter und Philologe. Dornum (Ostfriesland) 21. 11. 1820–31. 1. 1874 Nürnberg. Am GNM 1857 – zum Tode zunächst als Zweiter, seit 1859 als Erster Sekretär, seit 1861 als Bibliothekssekretär, später als Sekretär. Vorher in Ostfriesland als Schreiber, 1849/50 in Bonn und der Eifel, nach Vorbereitungszeit in Nürnberg Studium in München 1852–57. Veröff.: Schauspiele (u. a.: Harm up Ball, Harm Düllwuttel) und Gedichte, meist in ostfriesischer Mundart. – Hrsg. der satirischen Monatsschrift „Vagabund" 1848. – Geschichte des germanischen Museums von seinem Ursprunge bis zum Jahre 1862. Nürnberg 1863.

Lit.: Fr. von Harslo: Enno Hektor, ein Lebensbild. In: F. W. van Ness (hrsg.): Enno Hektor: Harm Düllwuttel un all, wat mehr is. Emden 1905, S. 1–32.

HELLWIG, geb. Plate, Barbara. Dr. phil., Kunsthistorikerin. Geb. 15. 6. 1935 in Hamburg. Am GNM 1. 3. 1966–28. 2. 1967 als Volontärin, vom 1. 5. 1967–31. 8. 1976 (halbtags) als wissenschaftliche Mitarbeiterin; vom 1. 5. 1967–31. 1. 1970 als Stipendiatin der Deutschen Forschungsgemeinschaft zur Bearbeitung des Inkunabelkataloges des GNM; vom 1. 2. 1970–31. 8. 1971 als Sachbearbeiterin bei der Vorbereitung des Kataloges und der organisatorischen Durchführung der Ausstellung „1471 Albrecht Dürer 1971"; vom 1. 9. 1971–31. 8. 1976 als Stipendiatin der Deutschen Forschungsgemeinschaft Bearbeitung des Kataloges der mittelalterlichen illuminierten Handschriften im GNM. Zuvor, März 1965–Februar 1966, Volontärin am Museum für Kunst und Gewerbe in Hamburg. Veröff.: Ghert Klinghe. Ein norddeutscher Erzgießer des 15. Jahrhunderts. Diss. Göttingen 1965 (Quellen und Darstellungen zur Geschichte Niedersachsens, Bd. 69). Hildesheim 1967. – Inkunabelkatalog des Germanischen Nationalmuseums Nürnberg, nach einem Verzeichnis von Walter Matthey † (Inkunabelkataloge bayerischer Bibliotheken). Wiesbaden 1970. – In Vorbereitung: Katalog der mittelalterlichen illuminierten Handschriften des Germanischen Nationalmuseums (erscheint voraussichtlich 1979).

HELM, Rudolf. Dr. phil., Kunst- und Kulturhistoriker. Geb. 22. 8. 1899 in Gießen. Am GNM 1. 4. 1929–30. 9. 1938, zuletzt als Konservator. Vor allem zuständig für die Volkskundlichen Sammlungen. Zuvor, von August 1927–September 1929, am Hessischen Landesmuseum zu Kassel als Volontär. Später, 1. 10. 1938–31. 8. 1964, als Kustos am Hessischen Landesmuseum zu Kassel. Lebt in Vorra/Mfr. Veröff.: Skelett- und Todesdarstellungen bis zum Auftreten der Totentänze (Studien zur deutschen Kunstgeschichte, Bd. 255). Straßburg 1928. – Die hessischen Trachtenbilder von Ferdinand Justi aus dem Besitz der Familie (Kasseler Museumsverein, Veröffentlichungen, H. 3). Kassel 1929. – Die bäuerlichen Männertrachten im Germanischen Nationalmuseum zu Nürnberg. Heidelberg 1932. – Deutsche Volkstrachten aus der Sammlung des Germanischen Museums in Nürnberg. München 1932. – Hessische Trachten. Verbreitungsgebiete, Entwicklung und gegenwärtiger Bestand. Heidelberg 1932, Kassel 1934. – Germanischer Schmuck (Bilderbücher des Germanischen Nationalmuseums, H. 1). Nürnberg 1934. – Deutsche Bauerntrachten. Berlin 1934 (mit Hans Retzlaff). – Das Bauernhaus in Franken. Beispiele und Richtlinien (Veröffentlichungen der Gesellschaft für Fränkische Geschichte). Erlangen 1937. – Das Bauernhaus im Gebiet der freien Reichsstadt Nürnberg (Veröffentlichungen der Gesellschaft für fränkische Geschichte, R. 12,1). Berlin 1940. – Hessische Bauerntrachten. Marburg o. J. (1949) (mit Hans Retzlaff). – Das Bürgerhaus in Nordhessen (Das deutsche Bürgerhaus, Bd. 9). Tübingen 1967. – Aufsätze u. a. zum Bauern- und Bürgerhaus, Beiträge zur Trachtenforschung. – Vgl. Abb. 74.

Lit.: Jahrbuch der deutschen Museen Bd. 6 (1934), S. 333;

Bd. 7 (1935), S. 332; Bd. 8 (1938), S. 398. – Vgl. auch S. 932–933 (betr. Forschungen zur Volkskunde).

HENNIG, Lothar. Diplomarchitekt. Geb. 20. 7. 1934 in Johannisburg/Ostpreußen. Am GNM tätig ab 1. 3. 1968 für die Planung der Neubauten, Gestaltung und Einrichtung der Sammlungen und Sonderausstellungen, Gestaltung von Werbematerial und Katalogen. Zuvor Meisterschüler bei Prof. Sep Ruf, Akademie der bildenden Künste, München. Gestaltung und Einrichtungen der Ausstellungen des GNM „1471 Albrecht Dürer 1971", 1971; „Dürerstudio", 1971; „Die Bilderfabrik", 1973; Ausstellungen der Albrecht-Dürer-Gesellschaft im GNM. Ausstellungen des Schnütgenmuseums, Köln: in der Kunsthalle Köln „Rhein und Maas, Kunst und Kultur 800–1400", 1972; „Monumenta Annonis", 1974. – Vgl. Abb. 111.

HÖHN, Heinrich. Dr. phil., Kunsthistoriker. Eisenach 8. 4. 1881–12. 6. 1942 Nürnberg. Am GNM 1. 7. 1909 – zum Tode. 1909 Volontär, dann Praktikant, ab 1919 Assistent und Konservator, ab 1934 als Hauptkonservator tätig am Kupferstichkabinett. Nach Studium der Kunstgeschichte und Archäologie in Berlin und München, Promotion 1908 in München über Georg Dillis. 1930/31 auch vorübergehende Lehrtätigkeit in Kunstgeschichte und Stillehre an der Staatsschule für angewandte Kunst in Nürnberg. Wissenschaftlicher Aufbau des Kupferstichkabinetts. Veröff.: Studien zur Entwickelung der Münchener Landschaftsmalerei vom Ende des 18. und vom Anfang des 19. Jahrhunderts (Studien zur deutschen Kunstgeschichte, Bd. 108). Straßburg 1909. – Johann Adam Klein als Zeichner und Radierer. In: Mitteilungen GNM 1911, S. 150–188. – Nürnberger Gotische Plastik. Nürnberg 1922. – Nürnberger Renaissanceplastik. Nürnberg 1924. – Albrecht Dürer und seine fränkische Heimat. Nürnberg 1928. – Die Handzeichnungen des Bildhauers Franz Ignaz Günther. In: Anzeiger GNM 1932/33, S. 162–203. – Die graphische Sammlung des Germanischen Nationalmuseums. Wesen und Aufgabe (Bilderbücher des Germanischen Nationalmuseums, H. 5). Nürnberg 1938. – Zeichenkunst des Barock. Deutsche Handzeichnungen des 17. Jahrhunderts in der graphischen Sammlung des GNM. In: Anzeiger GNM 1936–1939, S. 160–174. – Weitere Veröffentlichungen u. a. über das Dürerhaus in Nürnberg. – Verfasser eines Festspiels zur Feier des 75jährigen Bestehens des GNM „Sieg des Genius". Jena 1928.

Lit.: Kürschner 1931. – Jahrbuch der deutschen Museen Bd. 5 (1932), S. 308; Bd. 7 (1936), S. 334; Bd. 8 (1938), S. 400.

JANECK, Axel Herbert. Dr. phil., Kunsthistoriker. Geb. 11. 2. 1937 in Hirschberg/Riesengebirge. Am GNM seit 1. 1. 1969, derzeit als Oberkonservator. Referent in der Bibliothek für Sacherschließung der Neuzugänge, Betreuung der Systematik, Handschriften, Vertretung des Bibliotheksleiters. Zuvor, 1958–66, Studium der Kunstgeschichte, der klassischen Archäologie und der geschichtlichen Hilfswis-

senschaften in Würzburg, Wien und Padua. 1966–68 Volontär an der Städtischen Galerie im Städel'schen Kunstinstitut und am Liebieghaus, Frankfurt am Main. Veröff.: Untersuchungen über den holländischen Maler Pieter van Laer, genannt Bamboccio. Diss. Würzburg 1968. – Kleinere Publikationen zur Kunstgeschichte.

JOSEPHI, Walter. Dr. phil., Prof., Kunsthistoriker. Rostock 22. 2. 1874–17. 6. 1945 München. Am GNM 8. 11. 1902–15. 8. 1911. Zunächst Praktikant. Seit 1. 11. 1904 Assistent, zuletzt Kustos an den kunst- und kulturgeschichtlichen Sammlungen. Später, 1911–1939, Direktor des Großherzoglichen Museums und der Großherzoglichen Kunstsammlungen Schwerin, des späteren Landesmuseums Schwerin. Aufbau des Schloßmuseums Schwerin seit 1920. Veröff.: Die gotische Steinplastik Augsburgs. Diss. München 1902. – Aufsätze vor allem zur Skulptur in Mitteilungen GNM 1903–1910. – Geschichte der Baukunst (Herm. Hillger's illustrierte Volksbücher, Bd. 23). Berlin o. J. (1905). – Geschichte der Bildhauerkunst (Herm. Hillger's illustrierte Volksbücher, Bd. 95). Berlin o. J. (1908). – Die Werke plastischer Kunst (Kataloge des Germanischen Nationalmuseums). Nürnberg 1910. – Seit 1911 Beiträge zur Kunstgeschichte von Mecklenburg, u. a. Die Prunkräume und die Sammlungen im Hauptgeschoß des Schloßmuseums. Führer durch das Mecklenburgische Landesmuseum in Schwerin, 2. Aufl. 1922, 3. erw. Aufl. 1925. – Das Schweriner Schloß (Mecklenb. Bilderhefte, H. 2). Rostock o. J. (1924). – Adolf Friedrich von Schack und Anselm Feuerbach. Originalbriefe des Künstlers und seiner Mutter im Mecklenburgischen Geheimen und Hauptarchiv zu Schwerin. In: Mecklenb. Jahrbücher Jg. 103 (1939), S. 85–166.

Lit.: Heinrich Reifferscheid: Walter Josephi 25 Jahre Museumsdirektor. In: Museumskunde N. F. Bd. 8 (1936), S. 94–96. – Kunst-Rundschau 50 (1942), S. 137. – Edith Fründt: Bibliographie zur Kunstgeschichte von Mecklenburg und Vorpommern (Schriften zur Kunstgeschichte, Bd. 8. Berlin 1962, S. 108 u. 116 (Reg.). – Kürschner 1925–1935. – Jahrbuch der deutschen Museen 5 (1932), S. 314; 6 (1934), S. 336; 7 (1936), S. 336; 8 (1938), S. 402. – Wer ist's? 1935.

KAHSNITZ, Rainer. Dr. phil., Kunsthistoriker und Jurist. Geb. 5. 9. 1936 in Schneidemühl. Am GNM seit 1. 6. 1971 als wiss. Angestellter, derzeit als Oberkonservator. Referent für mittelalterl. Kunsthandwerk, Glasmalerei und Bauteile. Zuvor Studium der Rechte und Erstes und Zweites juristisches Staatsexamen in Köln und Düsseldorf, der Kunstgeschichte und Archäologie vor allem in Bonn bei Herbert von Einem und Hermann Schnitzler. Veröff.: Typare und Wachssiegel im Rheinischen Landesmuseum Bonn (Kunst und Altertum am Rhein, Nr. 26). Düsseldorf 1970. – Der Werdener Psalter in Berlin Ms. theol. lat. fol. 358. Ein Beitrag zu Problemen mittelalterlicher Psalterillustration. Mschr. Diss. Bonn 1971. – Arbeiten zur Kunst der mittelalterlichen Kirchenschätze, zu ikonographischen Fragen mittelalterlicher Kunst und kunsthistorischen Problemen mittelalterlicher Siegel. – Ausstellungskataloge zu mittelalterlicher Glasmalerei.

KESTING, Annamaria. Dr. phil., Kunsthistorikerin. Geb. 28. 5. 1929 in Lüdinghausen/Westf. Für das GNM tätig vom 1. 1. 1968–31. 7. 1971 und vom 1. 3. 1973–30. 11. 1974 als Stipendiatin der Fritz Thyssen-Stiftung im Archiv für Bildende Kunst, seit dem 1. 12. 1974 als wissenschaftliche Angestellte mit den Arbeitsgebieten „Schrifttum zur deutschen Kunst" und bibliothekarische Sacherschließung. – Zuvor, vom 1. 1. 1963–31. 12. 1967, zuerst als Volontärin, später als Stipendiatin am Wallraf-Richartz-Museum, Köln. – Veröff.: Anton Eisenhoit, ein westfälischer Kupferstecher und Goldschmied (Westfalen, Sonderh. 16). Münster 1964. – Katalog der niederländischen Gemälde von 1550–1800 im Wallraf-Richartz-Museum und im öffentlichen Besitz der Stadt Köln mit Ausnahme des Kölnischen Stadtmuseums (Kataloge d. Wallraf-Richartz-Museums, Bd. 3). Köln 1967 (mit Horst Vey).

KIRSCH, Johannes. Dr. phil., Historiker und Verleger. Upsprunge/Westfalen 2. 5. 1880–29. 4. 1950 Aschaffenburg. Tätig am GNM 1. 2.–31. 8. 1906 als Praktikant an den Kunstsammlungen. Zuvor, nach Studium der Geschichte und Kunstgeschichte in München, Promotion 1904 und Tätigkeit im staatlichen Archivdienst in München. Anschließend Redakteur der „Tremonia", Dortmund und des „Bayerischen Kurier", München. 1910 Erwerb des Otto-Verlags, Bamberg, und Herausgeber des „Bamberger Volksblatt". 1913 Gründung des Görresverlags. 1924 Erwerb von Druckerei und Zeitungsverlag des „Beobachter am Main", Aschaffenburg. Seit 1925 Herausgeber der „Aschaffenburger Geschichtsblätter", 1927–33 Mitherausgeber der „Allgemeinen Rundschau", um 1933 Übernahme der Zeitschrift „Der Katholik". Als prononciert katholischer Verleger seit 1935 schrittweise mit Berufsverbot belegt, was 1939 zum wirtschaftlichen Zusammenbruch führte. Wiederaufnahme von Verlag und Druckereibetrieb in Aschaffenburg 1950. Veröff.: Beiträge zur Geschichte des hl. Benno, Bischofs von Meissen (1066–1106). Diss. München 1904. Bamberg o. J. (um 1911).
Lit.: Katholischer Literaturkalender 10 (1910), S. 217; 15, (1926), S. 179 – Aschaffenburger Jahrbuch 1 (1952), S. 282–284 (Otto Fecher).

KNÖPFLER, Josef Franz. Dr. phil., Historiker. Freistadt/Oberösterreich 13. 2. 1877–6. 2. 1963 Oberaudorf. Am GNM 1. 3. bis Mitte April 1901 als Praktikant am Archiv. Zuvor, Anfang 1901, Promotion in München. Später, seit Sommer 1901, im bayerischen Archivdienst, u. a. Kreisarchiv-Assessor und Stadtarchivar in Amberg, in den zwanziger Jahren Staatsoberarchivar und Vorsteher des Staatsarchives Landshut, danach Abteilungsleiter am Bayerischen Hauptstaatsarchiv München. Am 1. 8. 1936 Direktor der Staatlichen Archive Bayerns und Stellvertreter des Generaldirektors. November 1937 Übernahme der Leitung der Staatlichen Archive, aber erst seit 1. 2. 1943 mit dem Titel Generaldirektor; zugleich Vorstand des Bayerischen Hauptstaatsarchivs München. Seit 31. 8. 1944 im Ruhestand. Veröff.: Die Reichsstädtesteuer in Schwaben, Elsass und am Oberrhein zur Zeit Kaiser Ludwig des Bayern. Stuttgart 1902. – Weitere Publikationen zur deutschen und bayerischen Geschichte des Mittelalters.

Lit.: Kürschner 1925–1940/41. – Wer ist's? 1914–1935.

KÖNIGER, Ernst. Dr. phil., Kunsthistoriker. Geb. 4. 2. 1909 in Hindenburg/Oberschlesien. Am GNM 1946–1975, zuletzt als Curator, Referent für die Waffen- und Jagdsammlung, Sammlung der wissenschaftlichen Instrumente, Glasgemäldesammlung, Presse- und Öffentlichkeitsarbeit bis 1970, Erwachsenen- und Jugendbildung bis 1969. 1959–64 Lehrbeauftragter für Kunstgeschichte an der Philosophisch-Theologischen Hochschule Bamberg. Zuvor, 1927–28, Studium der Malerei an der Staatlichen Akademie für Kunst und Kunstgewerbe Breslau bei Konrad von Kardorff, Otto Müller und Alexander Kanoldt. 1928–34 Studium der Kunstgeschichte an der Universität Breslau bei Dagobert Frey. Mitarbeit bei der Bestandsaufnahme der Kunstdenkmäler der Stadt Breslau für die Neuausgabe des Inventarwerkes der Schlesischen Kunstdenkmäler durch den Provinzialkonservator von Schlesien. 1936 Forschungsauftrag des Oberpräsidenten der Provinz Schlesien für eine Publikation über „Kunst in Oberschlesien"; 1938 Forschungsauftrag derselben Stelle zu einem 2. Bd., dessen Manuskript durch die Kriegsfolgen verloren ging. 1939–45 Leitung der kunst- und kulturgeschichtlichen Sammlungen am Oberschlesischen Landesmuseum Beuthen, daneben seit 1941 Aufbau der neugegründeten Oberschlesischen Gemäldegalerie Beuthen. Lebt in Nürnberg. Veröff.: Kunst in Oberschlesien. Breslau 1938. – Aus der Geschichte der Heilkunst. Von Ärzten, Badern und Chirurgen (Bibliothek des GNM, Bd. 10). München 1958. – Nürnberger Madonnen. Marienbilder aus drei Jahrhunderten. Nürnberg 1965. – Das Kleine Nürnberger Zeughaus (Bilderhefte des Germanischen Nationalmuseums, 3). Nürnberg 1967. – Zur Wiedereröffnung der Waffen- und Jagdsammlung im Germanischen Nationalmuseum Nürnberg. In: Waffen- und Kostümkunde Bd. 19 (1977), S. 25–44. – Aufsätze zur oberschlesischen Kunstgeschichte, zur Waffengeschichte, zur Ikonographie. – Ausstellungskataloge.

KOHLHAUSSEN, Heinrich. Dr. phil., Kunsthistoriker. Rauischholzhausen, Kreis Marburg/Lahn 29. 5. 1894–25. 7. 1970 Lorsch. Am GNM 1. 1. 1937–1945 als Erster Direktor. (Außerdienststellung 14. 8. 1945). Zuvor, 1914 und 1918–21, Studium der Kunstgeschichte in Marburg/Lahn und Berlin. 1921 Promotion bei Richard Hamann in Marburg mit einer Arbeit über den Elisabethschrein. 1921 Privatassistent von Marc Rosenberg. Ab 1922 wissenschaftlicher Hilfsarbeiter, dann Assistent am Museum für Kunst und Gewerbe, Hamburg unter Max Sauerlandt. 1933–36 Direktor der Kunstsammlungen der Stadt Breslau. Später, 1950–59, Direktor der Kunstsammlungen der Veste Coburg. Nach der Pensionierung bis zu seinem Tode in Nürnberg. Einer der besten Kenner des europäischen Kunsthandwerks. Seine musealen Neuaufstellungen in Breslau, Nürnberg und Coburg waren jeweils beispielhaft für ihre Zeit. Die Rettung der Bestände des GNM einschließlich der Bibliothek im Zweiten Weltkrieg ist weitgehend sein Verdienst. Veröff.: Zahlreiche Aufsätze, meist aus der musealen Praxis entstanden, überwiegend zu Fragen des Kunsthandwerks. – Minnekästchen im Mittelalter. Berlin 1928. – Geschichte des deutschen Kunsthandwerks (Deutsche Kunstgeschichte, Bd. 5). München 1955. – Nürnberger Goldschmiedekunst des Mittelalters und der Dürerzeit 1240–1540. Berlin 1968. – Europäisches Kunsthandwerk (Monumente des Abendlandes). 3 Bde. Frankfurt am Main 1969–72. – Nachlaß im GNM, kleinere Reste bei Paula Kohlhaußen in Lorsch. – Vgl. Abb. 76, 333.

Lit.: Nachrufe in: Museumskunde 3. F. Bd. 11 (1970), S. 172–73 (Heinz Stafski). – Jahrbuch der Coburger Landesstiftung Bd. 15 (1970), vor S. 379 (Heino Maedebach). – Mitteilungen des Vereins für Geschichte der Stadt Nürnberg Bd. 58 (1971), S. 337–38 (Matthias Mende). – Anzeiger GNM 1971/72, S. 7. – Schriftenverzeichnis bis 1963 in: Anzeiger GNM 1964, S. 156–60 (Ernst Königer). – Kürschner 1931–70. – Jahrbuch der deutschen Museen 5 (1932), S. 320, 7 (1936), S. 338; 8 (1938), S. 405.

KUNDEGRABER, Maria. Dr. phil., Volkskundlerin. Geb. 28. 4. 1924 in Graz. Am GNM 1. 1. 1954–31. 8. 1954 mit Werkvertrag an der volkskundlichen Sammlung zur Mithilfe bei der Neuaufstellung. Zuvor Studium in Graz bei Viktor von Geramb und Hanns Koren und wissenschaftliche Hilfskraft am Institut für Volkskunde der Universität Graz. Später, 1. 1. 1955–31. 8. 1970, Kustos am Österreichischen Museum für Volkskunde, seit September 1970 Leiterin der Außenstelle Stainz des Steiermärkischen Landesmuseums Joanneum, Graz. Veröff.: Beiträge zu volkskundlichen Themen in Zeitschriften und Sammelbänden; Ausstellungskataloge.

Lit.: Die hauptamtlichen Museumsbeamten Österreichs im wissenschaftlichen Dienst, hrsg. von Adolf Mais (Mitteilungsblatt der Museen Österreichs, Erg.-H. 8). Wien 1965, S. 127–29, mit Schriftenverzeichnis.

KURRAS, Lotte. Dr. phil., Historikerin. Geb. 7. 4. 1934 in Duisburg. Am GNM seit 1. 4. 1967 als Handschriftenbearbeiterin im Rahmen des DFG-Programmes „Katalogisierung abendländischer Handschriften". Zuvor, seit 1. 1. 1964, in gleicher Funktion an der Württembergischen Landesbibliothek Stuttgart. Veröff.: Das Kronenkreuz im Krakauer Domschatz. Nürnberg 1963. – Die Handschriften der Württ. Landesbibliothek Stuttgart, 2. Reihe, Bd. IV, 2. Wiesbaden 1969 (mit Maria Sophia Buhl). – Die Hand-

schriften des Germanischen Nationalmuseums Nürnberg, Bd. I, 1. Wiesbaden 1974.

LAUFFER, Otto. Dr. phil., Prof., Kulturhistoriker. Weende/Kreis Göttingen 20. 2. 1874–8. 8. 1949 Hamburg. Am GNM 1897–31. 10. 1902. 1897 Volontär in der Bibliothek, 1898 Praktikant, Assistent, 1900 Übernahme der Sekretariatsgeschäfte nebst Versetzung in die kunst- und kulturgeschichtlichen Sammlungen. Zuvor, 1896, Promotion bei Moriz Heyne, Göttingen, und Volontär Universitätsbibliothek Göttingen. Später, seit 1902, Direktorialassistent, Direktor am Historischen Museum Frankfurt/Main bis Oktober 1907; 1. 2. 1908–31. 1. 1946 Direktor am Museum für Hamburgische Geschichte, Hamburg. 1919–1946 (emeritiert 1939) a. o., später o. Universitätsprofessor für deutsche Altertums- und Volkskunde, Universität Hamburg; 1922/23 Rektor. Mitglied der Akademie gemeinnütziger Wissenschaften Erfurt seit 1925, Mitglied der Akademie zur wissenschaftlichen Erforschung und Pflege des Deutschtums – Deutsche Akademie, München, seit 1926. Vorsitzender des Niederdeutschen Verbandes für Volks- und Heimatkunde seit der Gründung, 1922–1949. Veröff.: Zahlreiche Publikationen auf allen Gebieten der Altertumskunde. Wichtige Aufsätze zur Aufgabenstellung des historischen Museums. Buchveröff. u. a.: Das Landschaftsbild Deutschlands im Zeitalter der Karolinger. Nach gleichzeitigen lit. Quellen. Eine germanistische Studie. Diss. Göttingen 1896. – Deutsche Altertümer im Rahmen deutscher Sitte. Eine Einführung in die deutsche Altertumswissenschaft (Wissenschaft und Bildung, Bd. 148). Leipzig 1918. – Land und Leute in Niederdeutschland. Berlin, Leipzig 1934. – Dorf und Stadt in Niederdeutschland. Berlin, Leipzig 1934. – Die Begriffe „Mittelalter" und „Neuzeit" im Verhältnis zur deutschen Altertumskunde. Berlin 1936. – (Hrsg.) Ehrengabe des Museums für Hamburgische Geschichte zur Feier seines hundertjährigen Bestehens. Hamburg 1939. – Volkskunde. Quellen und Forschungen seit 1930 (Wissenschaftliche Forschungsberichte. Geisteswissenschaftliche Reihe, Bd. 14). Bern 1951 (mit Will-Erich Peuckert). Nachlaß, darunter Lebenserinnerungen, im Museum für Hamburgische Geschichte, Hamburg. – Vgl. Abb. 56.

Lit.: Nachrufe in: Zeitschrift der Gesellschaft für Schleswig-Holsteinische Geschichte Bd. 74/75 (1951), S. XI–XIV (Alfred Kamphausen). – Blätter für deutsche Landesgeschichte Bd. 88 (1951), S. 272 (Otto Distelkamp). – Zeitschrift für Volkskunde Bd. 51 (1954), S. 261–64 (Herbert Freudenthal). – Kürschner 1925–50. – Reichshandbuch, Bd. 2, S. 1081. – Jahrbuch der deutschen Museen Bd. 5 (1932), S. 325/6; Bd. 6 (1934), S. 340; Bd. 7 (1936), S. 341; Bd. 8 (1938), S. 408. – Festschrift Volkskunde-Arbeit, Zielsetzungen und Gehalte, Hrsg. von Ernst Bargheer, Herbert Freudenthal. Berlin, Leipzig 1934, mit Schriftenverz. S. 293–303 (Dora Lühr).

LEITSCHUH, Franz Friedrich. Dr. phil., Prof., Kunsthistoriker. Würzburg 19. 10. 1865–28. 1. 1924 Freiburg in der Schweiz. Am GNM 1. 10. 1888–1890 als Direktorial-Assistent an den kunst- und kulturhistorischen Sammlungen. Später, 1891, Privatdozent für mittelalterliche und neuere Kunstgeschichte an der Universität Straßburg, 1891 Kustos und Vorstand des Nordböhmischen Gewerbemuseums in Reichenberg. 1892 Lehrer an der Kunstgewerbeschule in Straßburg und Dozent, später a. o. Prof. an der Universität dort, ab 1904 o. Prof. der Kunstgeschichte an der Universität Freiburg in der Schweiz. Veröff.: Das Germanische National-museum in Nürnberg (Bayerische Bibliothek, Bd. 9). Bamberg 1890. – Geschichte der karolingischen Malerei. Ihr Bilderkreis und seine Quellen. Berlin 1894. – Zusammen mit Ad. Seyboth u. S. Hausmann: Elsässische Kunstdenkmäler (Elsässische und Lothringische Kunstdenkmäler, Bd. 1). Straßburg (1901). – Flötnerstudien 1. Straßburg 1904. – Studien und Quellen zur deutschen Kunstgeschichte des 15.–16. Jahrhunderts (Collectanea Friburgensia, NF. 14). Freiburg i. d. Schweiz 1912. – Zahlreiche andere Arbeiten, besonders zur elsässischen Kunstgeschichte. – Zusammen mit Anton Seder Herausgeber der Monatsschrift: Das Kunstgewerbe in Elsaß-Lothringen Bd. 1–6 (1900–1906).

Lit.: Nachruf in: Archiv für Elsäßische Kirchengeschichte Bd. 1 (1926), S. 415/16 (Jos. Brauner). – Wilhelm Kosch: Das Katholische Deutschland, Bd. 2. Augsburg o. J., Sp. 2550. – Wer ist's? 1906–1922. – Alfred A. Schmid: Der Lehrstuhl für Kunstgeschichte an der Universität Freiburg. In: Kunstwissenschaft an Schweizer Hochschulen 1 (Beiträge zur Geschichte der Kunstwissenschaft in der Schweiz, 3). Zürich 1976, S. 59–69 (65–66).

LUTZE, Eberhard. Dr. phil., Kunsthistoriker. Samotschin (Posen) 4. 2. 1908–8. 2. 1974 Bremen. Am GNM 1. 4. 1931–31. 12. 1940. Zunächst Volontär, wiss. Hilfsarbeiter; 1. 10. 1935–31. 12. 1940 als Konservator der kunst- und kulturgeschichtlichen Sammlungen. 1954–74 Mitglied des Verwaltungsrates des GNM. Zuvor, seit 1926, Studium der Kunstgeschichte, Philosophie und Geschichte in Heidelberg, München, Wien, Halle; 1931 Promotion in Halle-Wittenberg. Seit 1. 11. 1933 und seit 1. 4. 1940 Lehraufträge für Kunstgeschichte und Stillehre an der Staatsschule für angewandte Kunst in Nürnberg. Später, 1. 1. 1941–1945, Direktor der Städtischen Kunstsammlungen in Nürnberg. Seit 1947 im Kunsthandel und frei wissenschaftlich tätig. Seit 1950 Oberregierungsrat, seit 1958 leitender Regierungsdirektor beim Senator für das Bildungswesen in Bremen (Leiter der Abteilung Kunst und Wissenschaft). Veröff.: Zahlreiche Publikationen zur Kunstgeschichte, vor allem auch zur nürnbergischen, dazu Veröffentlichungen im Rahmen des GNM, u. a.: Studien zur fränkischen Buchmalerei im 12. und 13. Jahrhundert. Diss. Halle-Wittenberg. Gießen 1931. – Ausst.-Kat. Nürnberger Malerei 1350–1450 im Germanischen Museum Nürnberg. Juni–August 1931. Nürnberg 1931 (mit Walter Fries, Vorrede Ernst Heinrich Zimmermann).

Im Zusammenhang mit dieser Ausstellung: Nürnberger Malerei 1350–1450. A. Die Buchmalerei. In: Anzeiger GNM 1930/31, S. 7–21. – Katalog der Veit Stoß-Ausstellung im Germanischen Museum. Nürnberg Juni-August 1933. Nürnberg 1933. – Katalog der Gemälde des 17. und 18. Jahrhunderts im Germanischen Nationalmuseum zu Nürnberg. Nürnberg 1934. – Malerei des deutschen Barock und Rokoko (Bilderbücher des Germanischen Nationalmuseums, H. 2). Nürnberg 1934. – Die Bilderhandschriften der Universitätsbibliothek Erlangen (Katalog der Handschriften der Universitätsbibliothek Erlangen, Bd. 6). Erlangen 1936. – Die Gemälde des 13. bis 16. Jahrhunderts (Kataloge des Germanischen Nationalmuseums zu Nürnberg). Bd. 1 Nürnberg 1936, Titelauflage Leipzig 1937; Bd. 2 Leipzig 1937 (mit Eberhard Wiegand). – Veit Stoß (Deutsche Lande, deutsche Kunst). Berlin 1938, 4. Aufl. München, Berlin 1968. – Der Krakauer Marienaltar des Veit Stoß. Bremen 1940. – Hrsg. und Einleitung zu Pierre Daye: Peter Paul Rubens. Nürnberg 1943. – Vgl. Abb. 74.

Lit.: Jahrbuch der deutschen Museen Bd. 6 (1934), S. 342; Bd. 7 (1936), S. 342; Bd. 8 (1938), S. 410. – Kürschner 1935–1970. – Wer ist wer? 1958–1970.

LÜTZELBERGER, Ernst Carl Julius. Evangel. Theologe. Ditterswind/Ufr. 19. 10. 1802–17. 7. 1877 Nürnberg. Am GNM Herbst 1854–Herbst 1856 als Zweiter Sekretär und Regieverwalter. Zuvor, 1834–38, Pfarrer an St. Jobst; legte sein Amt aus Gewissensgründen nieder. Später Stadtbibliothekar in Nürnberg. Veröff.: Theologische Arbeiten, Bestandskataloge der Stadtbibliothek, Bearbeitung der Stadtchronik seiner Zeit.

Lit.: Fritz Strachotta: E. C. J. Lützelberger. Pfarrer und Stadtbibliothekar in Nürnberg (Einzelarbeiten aus der Kirchengeschichte Bayerns, Bd. 26). Nürnberg 1952. – Karlheinz Goldmann: Geschichte der Stadtbibliothek Nürnberg. Nürnberg 1957, S. 78–85. – Christian-Hartwig Wilke: Geistiges Leben vom Rationalismus zur Romantik. In: Nürnberg – Geschichte einer europäischen Stadt. Hrsg. v. Gerhard Pfeiffer. München 1971, S. 418.

MATTHEY, Walther. Dr. phil., Historiker und Literaturwissenschaftler. Berlin 1. 12. 1895–14. 5. 1961 Nürnberg. Am GNM 2. 1. 1946–31. 3. 1961 als wissenschaftlicher Bibliothekar: 1947–1953 als wissenschaftlicher Hilfsarbeiter in der Bibliothek, daneben Studium der Bibliothekswissenschaft in Erlangen, seit 1954 zweiter Bibliothekar. Zuvor, seit 1919, Studium in Berlin: Geschichte, Germanistik, Pädagogik. 1923 phil. Staatsexamen. Infolge Krankheit Berufswechsel: Buchhändler in Berlin. 1928 Promotion in Tübingen. Seit Ende 1931 Bibliothekssekretär an der Berliner Staatsbibliothek, 1932–Anfang 1936 Verlagsschriftleiter in Berlin. 1936–1945 als Offizier bei der Luftwaffe. Veröff.: Die historischen Romane des Carl Franz van der Velde (Diss. Tübingen). (Tübinger germanistische Arbeiten, Bd. 4). Stuttgart 1928. – Verzeichnis der historischen, volks- und heimatkundlichen Zeitschriftenbestände in der Bibliothek des Germanischen Nationalmuseums. Nürnberg 1951.

MAUÉ, Hermann. Dr. phil., Kunsthistoriker. Geb. 11. 4. 1943 in Münster i. W. Am GNM vom 1. 7. 1974–30. 4. 1976 als Volontär. Zuvor Studium in Münster i. W. Später als wissenschaftlicher Assistent am Erzbischöflichen Diözesanmuseum Paderborn. Veröff.: Rheinisch-staufische Bauformen und Bauornamentik in der Architektur Westfalens (Diss. Münster). (Veröffentlichung 7 der Abteilung Architektur des Kunsthistorischen Instituts der Universität Köln). Köln 1975.

VAN DER MEER, John Henry. Dr. phil., Musikwissenschaftler. Korrespondierendes Mitglied der Königlich niederländischen Akademie der Wissenschaften. Geb. 9. 2. 1920 in Den Haag, Niederlande. Am GNM seit 1. 1. 1963, zuletzt als Landeskonservator. Referent der Sammlung historischer Musikinstrumente. Zuvor, nach Studium der Rechte, später der Musikwissenschaft an der Reichsuniversität von Utrecht bei Albert Smijers und Eduard Reeser, von 1946–1954 Hauptlehrer für Musiktheorie und Musikgeschichte am Konservatorium Utrecht, 1949–1955 Hauptlehrer für Musikgeschichte am Königlichen Konservatorium in Den Haag und 1954–1962 Leiter der Musikabteilung des Gemeentemuseums in Den Haag. Veröff.: Johann Josef Fux als Opernkomponist. Bilthoven 1971. – The Carel van Leeuwen Boomkamp Collection of Musical Instruments. Amsterdam 1971. – Zahlreiche Veröffentlichungen zur Instrumentenkunde.

MENDE, Matthias. Kunsthistoriker. Geb. 15. 12. 1937 in Berlin. Am GNM von 1965–1970 als Stipendiat der Fritz Thyssen Stiftung und der Deutschen Forschungsgemeinschaft zur Mitarbeit am „Schrifttum zur deutschen Kunst" und Erarbeitung der Dürer-Bibliographie. Zuvor, 1956–1965, Studium in Leipzig, Erlangen und Köln. Seit 1971 wiss. Angestellter bei den Stadtgeschichtlichen Museen Nürnberg. Veröff.: Dürer-Bibliographie (Teilauflage als: Bibliographie der Kunst in Bayern, Sonderband). Wiesbaden 1971. – Aufsätze und Ausstellungskataloge zur Kunst des 19. Jahrhunderts und vor allem zum Nachleben Dürers.

MENDE, Ursula, geb. Matzner. Dr. phil., Kunsthistorikerin. Geb. 10. 2. 1938 in Berlin. Am GNM Februar 1963–Juli 1968, zeitweise als Stipendiatin der Fritz Thyssen Stiftung zur Mitarbeit am „Schrifttum zur deutschen Kunst", von 1965 bis 1967 als Volontärin; seit 1. Juli 1976 als Bibliotheksrätin. Dazwischen als DFG-Stipendiatin zur Mitarbeit am Korpus „Bronzegeräte des Mittelalters": Bearbeitung von Bd. 2: Türzieher (im Druck).

MENGHIN, Wilfried. Dr. phil., Praehistoriker. Geb. 8. 4. 1942 in München. Am GNM seit 1. 8. 1972 als wissenschaftlicher Angestellter, derzeit als Oberkonservator. Referent der vor- und frühgeschichtlichen Sammlungen. Zuvor, vom 1. 7. 1971–31. 7. 1972, Assistent am Lehrstuhl für Vor- und Früh-

geschichte der Universität Regensburg. Veröff.: Zweischneidige Langschwerter aus germanischen Gräbern des 5. bis 7. Jahrhunderts. Mschr. Diss. München 1971. – Magisches Gold. Kultgerät der späten Bronzezeit. Ausstellungskatalog GNM 1977 (zusammen mit Peter Schauer). – Aufsätze zur Archäologie der Merowingerzeit.

MERZ, Hilde. Dr. phil., Kunsthistorikerin und Restauratorin für Gemälde und Skulpturen. Geb. 27. 6. 1932 in Lübeck. Am GNM vom 1. 8. 1967–30. 9. 1974 als Volontärin, zunächst in den kunst- und kulturgeschichtlichen Sammlungen, seit 1. 8. 1969 in der Restaurierungsabteilung. Zuvor, vom 1. 5. 1966–31. 7. 1967, Stipendiatin am Zentralinstitut für Kunstgeschichte, München. Später, seit 1. 10. 1974, als freiberufliche Restauratorin tätig, seit 1. 9. 1977 Direktorin des Reichsstadt-Museums in Rothenburg o. d. T. Veröff.: Das monumentale Wandgrabmal in Italien. Versuch einer Typologie. Diss. München 1965.

METZ, Peter. Dr. phil., Prof., Kunsthistoriker. Ehrenmitglied der Historischen Sektion des Großherzoglichen Instituts Luxemburg. Geb. 26. 9. 1901 in Mainz. Am GNM 1. 10. 1950–31. 12. 1954 als Konservator. Referent für Kunstgewerbe und Bibliothek. Zuvor, vom 1. 11. 1945–30. 9. 1950, bei den Ehemaligen Staatlichen Museen Ost-Berlin als Kustos und Direktor der Skulpturenabteilung und Dozent an der Universität Berlin. Habilitation 1947. Später, vom 1. 1. 1955 bis 30. 9. 1966, Direktor der Skulpturenabteilung der Staatlichen Museen Berlin-Dahlem, Preuß. Kulturbesitz. Seit 1960 apl. Univ.-Prof. in Erlangen. Seit 1966 in Ruhe, lebt in Berlin. Veröff.: Das Goldene Evangelienbuch von Echternach im Germanischen National-Museum zu Nürnberg. München 1956. – Arbeiten zur Skulptur des Mittelalters und Barocks, mehrfach zur mittelrheinischen Kunst. Lit.: Kürschner seit 1950. – Répertoire international des médiévistes. Poitiers, seit 1970. – Wer ist Wer?, seit 1958. – Festschrift für Peter Metz. Hrsg. von Ursula Schlegel, Claus Zoege von Manteuffel. Berlin 1965, mit Schriftenverzeichnis (S. 412–416).

MEYER-HEISIG, Erich. Dr. phil., Kunst- und Kulturhistoriker. Breslau 28. 4. 1907–2. 3. 1964 Schwabach (Mittelfranken). Am GNM vom 1. 10. 1945 bis zum Tode: 1945 Lohnfacharbeiter, 1946 wissenschaftlicher Angestellter, 1949 Konservator, 1959 Oberkonservator, 1960 Landeskonservator. Referent für die Volkskundlichen Sammlungen, für Gläser, Kostüme und das Bauwesen. SS 1959–WS 1963/64 Lehrauftrag für Deutsche Volkskunde an der Universität Erlangen. Zuvor, 1932 bis Kriegsende, tätig an den Städtischen Kunstsammlungen in Breslau, zuletzt als Kustos. Veröff.: Michael Klahr der Ältere. Sein Leben und Werk. Ein Beitrag zur schlesischen Kunstgeschichte des 18. Jahrhunderts. Diss. Breslau 1931. – Die deutsche Bauernstube. Art und Entwicklung der Stube im deutschen Bauernhaus nebst einem Anhang mit Beispielen heutiger Stubengestaltungen. Nürnberg 1952. – Deutsche Volkskunst. Mit einem Geleitwort von Ludwig Grote. München 1954. – Deutsche Bauerntöpferei. Geschichte und landschaftliche Gliederung. München 1955. – Weberei, Nadelwerk, Zeugdruck. Zur deutschen volkstümlichen Textilkunst. München 1956. – Der Nürnberger Glasschnitt des 17. Jahrhunderts. Nürnberg 1963. – Aufsätze u. a. zur Kunstgeschichte und Volkskunde Schlesiens, über Gläser, ländliche Keramik, ländliche Textilien, zur Ikonographie in der Volkskunst.

Lit.: Nachrufe in: Tätigkeitsbericht GNM 1964, S. 1 (Erich Steingräber), Bayerisches Jahrbuch für Volkskunde 1964/65, S. 113 f. (Torsten Gebhard) und Hessische Blätter für Volkskunde Bd. 57 (1966), S. 253–55 (Ernst Schlee). – Kürschner 1954–1961. – Vgl. auch S. 937 ff.

MICHELSEN, Andreas Ludwig Jakob. Dr. jur. et phil., Prof., Geheimer Justizrat. Jurist, Historiker, Politiker. Satrup/Kr. Schleswig 31. 5. 1801–11. 2. 1881 Schleswig. Am GNM Mitte Januar 1863 (gewählt am 27. Okt. 1862)–26. 8. 1864 als I. Vorstand, Nachfolger des Freiherrn von Aufseß. Seit 1855 Mitglied des Gelehrtenausschusses des GNM. Zuvor Universitätsprofessor: 1829 für Staatsgeschichte, Staats- und Völkerrecht in Kiel, seit 1842 für deutsches Staats- und Privatrecht sowie für schleswig-holsteinische Geschichte in Jena, dort seit 1854 auch Justiz- und Oberappellationsgerichtsrat. Später tätig für Herzog Friedrich von Schleswig-Holstein-Sonderburg-Augustenburg. Seit 1867 Privatgelehrter in Schleswig. 1848 Mitglied der provisorischen Regierung von Schleswig-Holstein und Abgeordneter für die deutsche Nationalversammlung in Frankfurt a. M., seit 1864 wiederum für die Sache Schleswig-Holsteins politisch tätig. Zahlreiche Veröffentlichungen zur Geschichte und Rechtsgeschichte Schleswig-Holsteins und Thüringens sowie zur Politik seines Heimatlandes. Nachlaß im Landesarchiv Schleswig und im Bundesarchiv, Abteilung Frankfurt. – Vgl. Abb. 21.

Lit.: Nachruf in: Zeitschrift für Museologie und Antiquitätenkunde Bd. 4, 1881, S. 36–37 (J. u. A. Erbstein). – ADB 21 (1885), S. 695–698 mit weiterer Literatur (Maria Michelsen). – Volquart Pauls: Hundert Jahre Gesellschaft für Schleswig-Holsteinische Geschichte, 1833–13. März 1933. Neumünster i. H. 1933, S. 28–67. – Hampe, Festschrift GNM, S. 71–75. – Schriftenverzeichnis (bis 1867) in: E. Alberti: Lexikon der Schleswig-Holstein-Lauenburgischen und Eutinischen Schriftsteller von 1829 bis Mitte 1866, Bd. 2. Kiel 1868, S. 57. – Juristische Schriften in: Franz von Holtzendorf: Encyclopädie der Rechtswissenschaft, T. 2: Rechtslexikon. 3. Aufl. Bd. 3, 2. Leipzig 1881, S. 1523/24.

MÖSSNER, Wolfgang. Dr. phil., Kunsthistoriker. Geb. 20. 1. 1945 in Potsdam. Am GNM seit 1. 5. 1975 als Volontär. Zuvor Studium der Kunstgeschichte, Archäologie und Vor- u. Frühgeschichte in Würzburg und Berlin. Promotion 1975 bei Heinz Roosen-Runge. Veröff.: Studien zur Farbe bei P. Brueghel d. Ä. Diss. Würzburg 1977.

MÜLLER, Johannes Heinrich. Dr. phil., Historiker, vor allem Praehistoriker, 1865 Titel Studienrat. Korrespondent bei der Gesellschaft der Wissenschaften in Göttingen. Hildesheim 22. 2. 1828–31. 5. 1886 Hannover. Am GNM Nov. 1854–Nov. 1861 als Sekretär, Konservator der Kunst- und Altertumssammlungen und Concipient der Altertumsdenkmale. Ab 1866 Mitglied des Gelehrtenausschusses des GNM. Zuvor tätig als Hauslehrer. Später, 1861–1866, Konservator des Welfenmuseums in Hannover und des Historischen Vereins dort, seit 1864 zugleich Konservator der vaterländischen Altertümer im Königreich Hannover, 1866 bis zum Tode Konservator der Landesaltertümer der Provinz Hannover. Ab 1877 zugleich Privatdozent für Kunstgeschichte an der Universität Hannover. Veröff.: Deutsche Münzgeschichte in drei Teilen. Leipzig 1860 (nur Teil 1 erschienen). – (Anonym): Das Staatsbudget und das Bedürfnis für Kunst und Wissenschaft im Königreich Hannover. Hannover 1866. – Vor- und frühgeschichtliche Alterthümer der Provinz Hannover. Hrsg. von Jakobus Reimers. Hannover 1893. – Mitbegründer und Herausgeber der Zeitschrift für Deutsche Kulturgeschichte Bd. 1–4 (1856–1859) und der 2. Folge, Bd. 1–4 (1872–75). – Nachlaß im Besitz der Nachkommen (1939).

Lit.: Wilhelm Rothert: Allgemeine Hannoversche Biographie, Bd. 1. Hannover 1912, S. 358. – Otto Philipps: Studienrat Dr. Johannes Heinrich Müller. Ein Leben im Dienste niedersächsischer Vorzeitforschung. In: Niedersächsisches Jahrbuch für Landesgeschichte Bd. 13 (1936), S. 96–130. – Gerhard Körner: Der Urnenfriedhof von Rebenstorf im Amte Lüchow. Johannes Heinrich Müller zum Gedächtnis (Die Urnenfriedhöfe in Niedersachsen. Hrsg. von C. Schuchard, Bd. II, 3, 4). Hildesheim und Leipzig 1939, S. 1 f. (mit Photographie Müllers).

MÜLLER, Severin. Am GNM 1858 als Konservator am Archiv. Im Nürnberger Adreßbuch von 1857, S. 182 als Assistent aufgeführt. Keine weitere Information erhältlich.

MÜLLER-MEININGENN, Johanna. Dr. phil., Kunsthistorikerin. Geb. 8. 6. 1937 in München. Am GNM 1. 10. 1971–31. 8. 1973 als Volontärin. Zuvor nach Schreinerlehre und Gesellenprüfung Studium und Promotion 1970 bei Norbert Lieb in München. Später am Stadtmuseum München. Veröff.: Studien zum Frühwerk des Bildhauers Erasmus Grasser. Die Arbeiten für das Münchner Rathaus und Altarskulptur. Diss. München 1970.

NEUHAUS, Johann Theodor August. Dr. phil., Prof., Historiker. Trappenmühle bei Geseke (Westfalen) 18. 6. 1881–15. 10. 1952 Nürnberg. Am GNM 1. 10. 1908–1. 3. 1948 (1916–18 Kriegsdienst). 1908 Volontär, 1909 Assistent am Archiv und Kustos. Ab 1921 Hauptkonservator, zuletzt ab 1944 Abteilungsdirektor. Referent für Archiv, Münzkabinett und Waffensammlung. 1928 Verleihung des Professorentitels. Zuvor, nach Studium in Münster und München,

Promotion 1908 in München. Veröff.: Otto von Wittelsbach, Markgraf von Brandenburg. Diss. München 1909. – Zeitschriften- und Zeitungs-Aufsätze. – Nachlaß im GNM. – Vgl. Abb. 66.

Lit.: Nachruf mit Schriftenverzeichnis in: Jahresbericht GNM 97 für 1951–1954 (1955), S. 52–55 (Ernst Königer). – Reichshandbuch, Bd. 2, S. 1316–1317. – Vgl. auch S. 846.

NEUMANN, Karl Gotthelf Theodor. Dr. phil., Historiker. Görlitz 7. 5. 1823–12. 8. 1856 Görlitz. Am GNM 15. 1.–April 1854. Zuvor, ab 1843, Studium der Geschichte in Breslau und 1845–1847 in Berlin bei Leopold von Ranke, Promotion Berlin 1847. Teilnahme an der Revolution 1848, Haftstrafe und Entziehung der bürgerlichen Ehrenrechte (Wiederverleihung erst kurz vor dem Tod). 1851 und später bis zu seinem Tod Sekretär der Oberlausitzischen Gesellschaft der Wissenschaften in Görlitz. Veröff.: De imperatore Carole IV. scriptore. Diss. Berlin 1847. – Herausgeber der Zeitschrift „Neues Lausitzisches Magazin", Görlitz, Bd. 29–33 (1851–1856). Darin zahlreiche Beiträge zur Lausitzer Geschichte. – Geschichte von Görlitz in 4 Büchern, nebst einem Wegweiser durch Görlitz. Görlitz 1850. – Hrsg.: Magdeburger Weisthümer aus den Originalen des Görlitzer Rathsarchives. Görlitz 1852. – Bericht über die Versammlung deutscher Geschichts- und Alterthumsforscher, sowie der durch sie theilweise vertretenen Vereine zu Dresden, vom 16.–18. August d. J. (1852). In: Neues Lausitzisches Magazin Bd. 29 (1852), (Anhang:) Nachrichten aus der Lausitz, S. 84–91 (Bericht über Gründung des GNM).

Lit.: Nachruf in: Neues Lausitzisches Magazin Bd. 34 (1858), S. 12–14 (Gustav Köhler).

PAULUS, Herbert. Dr. phil., Dr. theol., Kunsthistoriker, ev. Theologe und Erwachsenenbildner. Geb. 23. 4. 1913 in Starnberg/Obb. Am GNM August 1944–September 1945 als wissenschaftlicher Hilfsarbeiter. Später im kirchlichen Dienst, als Stipendiat mit Erforschung karolingischer Kunst beauftragt, u. a. Ausgrabungen (z. B. Taufgrube unter St. Martin in Forchheim/Ofr.). Seit 1956 Direktor der kommunalen Volkshochschule Erlangen. 1956–1972 Stadtrat in Erlangen. Veröff.: Studien theologischen und kunsthistorischen Inhalts, z. B.: Der Gesinnungscharakter des Merowingisch-Westfränkischen Basilikenbaues. Diss. Erlangen. Würzburg 1944.

PECHSTEIN, Klaus. Dr. phil., Kunsthistoriker. Geb. 1. 10. 1934 in Dresden. Am GNM seit 1. 5. 1971 als Konservator, seit 1972 als Oberkonservator. Referent für Kunsthandwerk des 16.–18. Jahrhunderts. Zuvor Studium an den Universitäten Berlin, München u. Wien. Promotion bei Edwin Redslob in Berlin. 1962–1963 Stipendiat am Kunsthistorischen Institut Florenz. 1964 Volontär bei den Bayer. Staatsgemäldesammlungen München. 1964–66 Volontärassistent an Kunstgewerbemuseum und Skulpturenabteilung der

Staatlichen Museen Preußischer Kulturbesitz Berlin. 1966–71 Assistent und Kustos am Kunstgewerbemuseum Berlin. Veröff.: Beiträge zur Geschichte der Vischerhütte in Nürnberg. Diss. Berlin 1962. – Bronzen und Plaketten (Kataloge des Kunstgewerbemuseums Berlin, Bd. 3). Berlin 1968. – Goldschmiedewerke der Renaissance (Kataloge des Kunstgewerbemuseums Berlin, Bd. 5). Berlin 1971. – (Zusammen mit John H. Leopold:) Der kleine Himmelsglobus 1594 von Jost Bürgi. Luzern 1977. – Weitere Arbeiten zur deutschen Goldschmiedekunst und Plastik der Renaissance sowie zu Nürnberger Künstlern des 16.–18. Jahrhunderts.

PELKA, Otto. Dr. phil., Kunsthistoriker. Berlin 3. 2. 1875– vor 14. 2. 1944 (s. Kürschner 1950, Sp. 2414). Am GNM 1. 1. 1905–31. 3. 1907 als Volontär und Praktikant. Anschließend bis Ende 1917 Direktorialassistent am Städtischen Kunstgewerbemuseum Leipzig. Nach freiberuflicher Tätigkeit etwa ab 1938 wissenschaftlicher Hilfsarbeiter am Städtischen Kunstgewerbemuseum Leipzig. Zahlreiche Veröff. zum Kunstgewerbe, u. a.: Altchristliche Ehedenkmäler (Diss. Erlangen 1900). (Zur Kunstgeschichte des Auslands, Bd. 5). Straßburg 1901. – Koptische Altertümer im Germanischen Nationalmuseum. In: Mitteilungen GNM 1906, S. 3–42. – Deutsche Hausmöbel bis zum Anfang des 19. Jahrhunderts (Voigtländer's Quellenbücher, Bd. 8). Leipzig 1912. 2. Aufl. Leipzig 1918. – Chinesisches Porzellan. Leipzig 1914. 2. Aufl. Leipzig 1921. – Die Meister der Bernsteinkunst. In: Mitteilungen GNM 1916, S. 75–120 (auch separat: Leipzig 1918). – Elfenbein (Bibliothek für Kunst- und Antiquitätensammler, Bd. 17). Berlin 1920. 2. Aufl. Berlin 1923. – Bernstein (Bibliothek für Kunst- und Antiquitätensammler, Bd. 18). Berlin 1920. – Keramik der Neuzeit (Monographien des Kunstgewerbes, Bd. 17/18). Leipzig 1924. – Deutsche Keramik der Gegenwart (Welt und Zeit, Bd. 11). Reutlingen 1925. – Johannes Butzbach: Von den berühmten Malern, 1505. Mit der Urschrift in Nachbildung hrsg. und übersetzt. Heidelberg 1925.

Lit.: Kürschner Literaturkalender 1907–28. – Kürschner 1935–1940/41.

PILZ, Kurt. Dr. phil., Kunsthistoriker. Geb. 5. 1. 1905 in Uffenheim (Lkr. Neustadt a. d. Aisch-Bad Windsheim). Am GNM 1. 12. 1937–30. 6. 1945 als von der Stadt abgeordneter Konservator zur Betreuung der städtischen Leihgaben, zugleich mit der Bergung der Kunstwerke 1942–44 beauftragt. Zuvor, 1931, Promotion bei Wilhelm Pinder in Berlin. Jan. 1931–Okt. 1935 Konservator an den Städtischen Kunstsammlungen, 1935–1937 an der Stadtbibliothek Nürnberg. Später wieder an den Städtischen Kunstsammlungen Nürnberg. Seit März 1967 in Ruhe, lebt in Nürnberg. Veröff. zur Nürnberger Kunst, zu Handwerks- und Kulturgeschichte.

Lit.: Jahrbuch der deutschen Museen Bd. 6 (1934), S. 345; Bd. 8 (1938), S. 417. – Kürschner seit 1935.

POHL, Horst. Dr. phil., Historiker. Geb. 7. 9. 1916 in Leipzig. Am GNM seit 1959 am Archiv, besonders am Archiv für Bildende Kunst, zunächst als Stipendiat, seit 1. 1. 1965 als wissenschaftlicher Angestellter, seit 1972 mit dem Titel Curator. Zuvor, 1948–1950, Kustos am Museum für Stadtgeschichte in Leipzig. 1950–1955 Studienreisen in Südeuropa und im vorderen Orient. 1955–1959 Ordnung des Archivs der Freiherren Haller von Hallerstein, Schloß Gründlach bei Nürnberg. Veröff.: Die Bergstadt Platten, ihre auswärtigen Beziehungen und ihre Heiratskreise. Ein Beitrag zur Bevölkerungs- und Raumgeschichte. Mschr. Diss. Leipzig 1944. – Archiv Henfenfeld. In: Archive der Freiherren Haller von Hallerstein in Schloß Gründlach (Bayerische Archivinventare 26). München 1965. – Zu Dürers Bildformat. In: Zeitschrift des Deutschen Vereins für Kunstwissenschaft Bd. 25 (1971), S. 37–44. – Weitere historische und kunsthistorische Aufsätze.

Lit.: Kürschner 1976.

RASCHKE, Georg. Dr. phil., Praehistoriker. Kreuzburg 13. 2. 1903–19. 7. 1973 Erlangen. Am GNM 6. 10. 1947–29. 2. 1968, zunächst als wissenschaftlicher Hilfsarbeiter, ab 1949 als Konservator. Referent der Vor- und Frühgeschichtlichen Sammlungen. Zuvor, von 1929 Leiter, 1934–1945 Direktor des Landesamtes für Vorgeschichte Oberschlesiens in Ratibor. Zugleich Geschäftsführer des Museumsverbandes für die Provinz Oberschlesien. Von 1943–1946 Kriegsdienst und Gefangenschaft. Studium der Vorgeschichte, klassischen Archäologie, Geologie und Geographie in Breslau. Promotion Breslau 1928. Aufbau des Landesamtes für Vorgeschichte Oberschlesiens, Organisation der Bodendenkmalpflege in der Provinz Oberschlesien. Veröff.: Zahlreiche Aufsätze und Zeitungsartikel zur Vorgeschichte Oberschlesiens und Frankens. Nachlaß im Besitz der Witwe in Erlangen. – Vgl. Abb. 373.

Lit.: Nachrufe in: Schlesien. Eine Vierteljahresschrift für Kunst, Wissenschaft und Volkstum, Bd. 18 (1973), S. 255–256 (Karl Schodrock). – Mit Schriftenverzeichnis in: Anzeiger GNM 1974, S. 159–164 (Wilfried Menghin). – Bayerische Vorgeschichtsblätter Bd. 39 (1974), S. 192–193 (Wilfried Menghin). – Mit Schriftenverzeichnis in: Bonner Hefte zur Vorgeschichte Bd. 11 (1976), S. 27–30 (Johannes Bischof und Gertrude Raschke).

REDSLOB, Edwin. Dr. phil., Prof., Kunsthistoriker. Weimar 22. 9. 1884–24. 1. 1973 Berlin. Am GNM 1. 4. 1907–1. 4. 1909 als Praktikant. 1920–1925 Mitglied des Verwaltungsrates des GNM. 1909–1911 Direktorialassistent in Aachen. 1911–1912 Leiter des Gewerbemuseums in Bremen. 1912–1919 Direktor der städtischen Sammlungen in Erfurt. 1919–1920 Direktor der Staatlichen Kunstsammlungen von Württemberg in Stuttgart. Ab 1. 7. 1920 Reichskunstwart im Ministerium des Innern; Entlassung Februar 1933. Freier Schriftsteller. Kontakte zum Widerstandskreis um Helmut James Graf Moltke.

1945 Hon.-Prof. der Kunstgeschichte an der Technischen Hochschule in Berlin-Charlottenburg. Mitbegründer der Berliner Tageszeitung „Der Tagesspiegel". Gründungsrektor der Freien Universität Berlin 1948 und o. Prof. für Kunst- und Kulturgeschichte an der Freien Universität Berlin. Mit Ernst Kühnel und Friedrich Winkler langjährig Vorsitzender der Kunsthistorischen Gesellschaft Berlin. Initiator des Berlin-Museums. Nach 1945 Vorstandsmitglied des Deutschen Werkbundes und des Deutschen Künstlerbundes. Veröff.: Die fränkischen Epitaphien im vierzehnten und fünfzehnten Jahrhundert (Diss. Heidelberg bei Henry Thode). In: Mitteilungen GNM 1907, S. 3–30, 53–76. – Deutsche Goldschmiedeplastik. München 1922. – Die Welt vor hundert Jahren. Leipzig 1940, 3. Aufl. Leipzig 1943. – Barock und Rokoko in den Schlössern von Berlin und Potsdam. Berlin 1954. – Bekenntnis zu Berlin. Reden und Aufsätze. Berlin 1964. – Über 300 Bücher, Aufsätze, Zeitungsartikel, daneben Romane, Dichtungen und Übertragungen. Herausgeber des mehrbändigen Werkes „Deutsche Volkskunst", Bd. 1–12, 1923–1931. – Teile des Nachlasses im Archiv des GNM.

Lit.: Edwin Redslob: Von Weimar nach Europa. Erlebtes und Durchdachtes. Berlin 1972. – Kürschner 1926–1970. – Reichshandbuch, Bd. 2, S. 1487 mit Bild. – Edwin Redslob zum 70. Geburtstag. Eine Festgabe. Berlin 1954, dort S. 380–402 Schriftenverzeichnis mit Angaben zum Lebenslauf. – Edwin Redslob. Verzeichnis der Schriften. Festgabe seiner Schüler zum 80. Geburtstag 1964 (Privatdruck). O. O., o. J. (Berlin 1964).

RÉE, Paul Johannes. Dr. phil., Prof., Kunsthistoriker. Hamburg 13. 3. 1858–24. 11. 1918 Nürnberg. Am GNM Mai 1885 –30. Juni 1888 als Assistent an den kunst- und kulturgeschichtlichen Sammlungen. Anschließend bis zu seinem Tode Sekretär und Bibliothekar am Bayerischen Gewerbemuseum in Nürnberg. 1886–1902 Dozent für Kunstgeschichte und Geschichte der technischen Künste an der Kgl. Kunstgewerbeschule in Nürnberg. Künstlerischer Beirat der Verwaltung des protestantischen Kirchenvermögens in Nürnberg. Veröff.: Peter Candid. Sein Leben und seine bis zum Anfange des 17. Jahrhunderts geschaffenen Werke. (Diss.) (Beiträge zur Kunstgeschichte, NF Bd. II). Leipzig 1885. – Wanderungen durch das alte Nürnberg. Nürnberg 1889 (2. Aufl. 1890). – Bayerisches Gewerbemuseum. Katalog der Bibliothek. Bücherverzeichnis und Schlagwortkatalog. Nürnberg 1897. – Nürnberg (Berühmte Kunststätten, Bd. 5). Leipzig 1900 (4., verb. Aufl. 1918). – Bayerische Jubiläums-, Landes-, Industrie-, Gewerbe- und Kunstausstellung. Offizieller Führer. Nürnberg 1906; Offizieller Bericht. Nürnberg 1907. – Habe ich den rechten Geschmack? Ein Beitrag zur Ästhetik des täglichen Lebens (Flugblätter für künstlerische Kultur, Bd. I, H. 1). Stuttgart 1906.

Lit.: Nachruf in: Kunstchronik und Kunstmarkt Bd. 54, NF 30 (1918/19), S. 202–203 (Theodor Hampe). – Kürschner

Literaturkalender 1892–1917. – Die Bayerische Landes-Ge-werbeanstalt (Bayer. Gewerbemuseum) Nürnberg 1869–1919. Nürnberg o. J., bes. S. 91–92 (mit Bild).

REIFFERSCHEID, Heinrich. Dr. phil., Kunsthistoriker. Greifswald 20. 8. 1884–Herbst 1945 bei Lübeck. Am GNM 1. 4. 1909–31. 12. 1913 als Praktikant. Zuvor Studium in Straßburg und Greifswald. Promotion in Straßburg 1909 bei Georg Dehio. Später Konservator am Großherzoglichen Museum in Schwerin, stellvertretender Direktor und Abtei-lungsvorstand an den mecklenburgischen Staatsmuseen Schwerin und ab 1935 Leiter der Verwaltung der Strelitzer Schlösser und der Landesbibliothek in Neustrelitz. Veröff.: Der Kirchenbau in Mecklenburg und Neuvorpommern zur Zeit der deutschen Kolonisation. Diss. Straßburg 1909, auch als: Pommersche Jahrbücher, Erg.-Bd. 2. Greifswald 1910. – Über figürliche Gießgefäße des Mittelalters. In: Mitteilun-gen GNM 1912, S. 1–93, auch separat Nürnberg 1913. – Der Tempziner Altar (Mecklenburgische Bilderhefte IV). Ro-stock 1925.
Lit.: Kürschner 1926–1940/41. – Jahrbuch der deutschen Museen Bd. 5 (1932), S. 354; 7 (1936), S. 350; 8 (1938), S. 419. – Vgl. auch Wilhelm Heeß: Geschichtliche Bibliogra-phie von Mecklenburg, T. 3. Rostock o. J. (1952), S. 190 (Reg).

REIMOLD, Fritz. Restaurator für Gemälde und Skulpturen. Geb. 13. 6. 1911 in Basel. Am GNM 1. 4. 1966–30. 9. 1974 zuletzt als Oberkonservator, Leiter der Restaurierungsabtei-lung. Aufbau der Restaurierungswerkstätten im GNM für zehn Fachgebiete. Zuvor, seit 1. 11. 1953, Oberrestaurator am Niedersächsischen Landesmuseum Hannover. Mitbe-gründer des Verbandes Deutscher Gemälderestauratoren (1957), dessen erster Vorsitzender 1957/58. Seit 1. 10. 1974 in Ruhe, lebt in Nürnberg.

RÖTHEL, Hans Konrad. Dr. phil., Kunsthistoriker. Geb. 12. 7. 1909 in Hamburg. Am GNM 15. 6. 1941–28. 2. 1947, unterbrochen vom Kriegsdienst, als Konservator an den Kunstsammlungen. Zuvor nach Studium in Hamburg, Ber-lin, München, London seit Juli 1937 am Museum der Hanse-stadt Lübeck. Später, ab 1. 3. 1947, Konservator bei den Bayerischen Staatsgemäldesammlungen in München. Vom 17. 12. 1956 bis 31. 7. 1971 Direktor der Städtischen Galerie im Lenbachhaus, München. Seitdem in Ruhe. 1. Vorsitzen-der der Gabriele-Münter- und Johannes-Eichner-Stiftung; Mitglied des Blue Rider Research Trust, Princeton, N. J. – Veröff.: Kandinsky. Das graphische Werk. Köln 1970. – Paul Klee in München. Bern 1971. – Sammlungs- und Aus-stellungskataloge der Städt. Galerie im Lenbachhaus zur Malerei des 20. Jahrhunderts, u. a.: Wassily Kandinsky, Ga-briele-Münter-Stiftung und Gabriele Münter, Werke aus fünf Jahrzehnten. München 1957. – Lovis Corinth. Mün-chen 1958. – August Macke. München 1962. – Alexej von Jawlensky. München 1964. – Der Blaue Reiter in der Städti-schen Galerie im Lenbachhaus München. München 1963; 3. Aufl. München 1970.

RÖTTGEN, Herwarth. Dr. phil., Prof., Kunsthistoriker. Geb. 30. 11. 1931 in Weimar. Am GNM 16. 8. 1958–30. 4. 1962 als Volontär. Zuvor Studium in München und Mar-burg. Promotion 1958 bei Karl Hermann Usener in Marburg. Später Assistent an der Technischen Hochschule Karlsruhe, Stipendiat der Deutschen Forschungsgemein-schaft und des Hessischen Kultusministeriums in Rom, As-sistent an der Technischen Hochschule Darmstadt, wiss. Mitarbeiter an der Bibliotheca Hertziana Rom. Seit 1. 1. 1974 an der Universität Göttingen, seit 26. 6. 1974 als wiss. Rat und Prof.; seit Okt. 1977 o. Prof. für Kunstge-schichte an der Universität Stuttgart. Veröff. zur deutschen Kunst der Spätgotik und zur italienischen Kunst der Renais-sance und des Barock, u. a.: Das Ambraser Hofjagdspiel. Leipzig 1969. – Il Cavalier d'Arpino. Catalogo della Mostra. Roma 1973. – Il Caravaggio. Ricerche e interpretazioni. Ro-ma 1974.

ROTH VON SCHRECKENSTEIN, Karl Heinrich Freiherr. Dr. phil., Großbadischer Kammerherr. Historiker und Ar-chivar. Donaueschingen 31. 10. 1823–19. 6. 1894 Karlsruhe. Am GNM 15. 10. 1859–27. 10. 1862 als Zweiter Vorstand und Vorstand des Archivs; 1863–1864 Mitglied des Verwaltungs-ausschusses, ab 1871 des Gelehrtenausschusses des GNM. Zu-vor, nach Studium von Geschichte und Rechtswissenschaft an den Universitäten Heidelberg und Tübingen, 1844–1858 militärische Laufbahn in Württemberg (zuletzt Rittmeister) und 1858/59 Studien in Ulm. Später, von 1863–1868, Vor-stand des Fürstlich Fürstenbergischen Hauptarchivs in Do-naueschingen, 1868–1885 Direktor des Großherzoglichen General-Landesarchivs in Karlsruhe. Veröff.: Publikationen zur Geschichte der Reichsstädte und zum Ritterstand, u. a.: Das Patriziat in den deutschen Städten, besonders Reichs-städten. Tübingen 1856. – Geschichte der ehemaligen freien Reichsritterschaft in Schwaben, Franken und am Rheinstro-me. 2 Bde. Tübingen 1859–71. – Die Ritterwürde und der Ritterstand. Freiburg i. Br. 1886. – Schriftwechsel mit Fried-rich von Weech im Badischen Generallandesarchiv, Karls-ruhe.
Lit.: Badische Biographien, Teil 5, Bd. 2. Heidelberg 1906, S. 706–709 (Friedrich von Weech). – ADB 54 (1908), S. 184/85 (Frankhauser).

ROTHENFELDER, Ludwig. Dr. phil., Historiker. Landshut 7. 7. 1884–13. 7. 1967 Nürnberg. Am GNM 1. 6. 1913–31. 7. 1950 als wissenschaftlicher Bibliothekar, zunächst als Volontär, Praktikant, Museumsassessor, seit 1921 als Kon-servator, seit 1928 als Hauptkonservator (Titel), seit 1. 7. 1948 als Abteilungsdirektor. Zuvor, seit 1904, Studium der deutschen und bayerischen Geschichte, Kunstgeschich-te, historischen Hilfswissenschaften in München, 1910–1913 wiss. Mitarbeiter an der Bayer. Staatsbibliothek u. an der Universitätsbibliothek München. Veröff.: Die Wittelsbacher als Städtegründer in Bayern von Otto I. dem Großen bis auf Ludwig IV. den Bayern (1180–1347). Diss. München. Landshut 1911. – Hrsg.: J. Siebmacher's großes und allgemeines Wappenbuch, Bd. 5. NF, Abt. 2, H. 4–7 und Abt. 3, H. 1. Nürnberg 1961 u. 1967. – Veröffentlichungen zur Genealogie, Heraldik und über Stammbücher des GNM, u. a.: Namensverzeichnis zu drei Nürnberger Wappen- und Geschlechterbüchern des Germanischen Nationalmuseums. In: Blätter für fränkische Familienkunde Jg. 10 (1935), S. 1–38. – Verschiedene mschr. Register zu Stammbüchern, Urkunden und dgl. in der Bibliothek des GNM.

Lit.: Jahrbuch der deutschen Museen Bd. 5 (1932), S. 357; Bd. 7 (1936), S. 352; Bd. 8 (1938), S. 421.

RÜCK, Andreas. Schriftsteller, Autodidakt. Nürnberg 26. 3. 1830–19. 1. 1898 Ansbach. Am GNM 1857–1866 als Kustos und wissenschaftlicher Hilfsarbeiter in verschiedenen Zweigen der Verwaltung, in Münz- und Siegelsammlung, insbesondere beim Wappenlexikon. Zuvor Schriftsetzer in Nürnberg und München. Später Redakteur der „Fränkischen Zeitung" in Ansbach. Veröff.: mehrere Theaterstücke.

Lit.: Franz Brümmer: Lexikon der deutschen Dichter und Prosaiker vom Beginn des 19. Jahrhunderts bis zur Gegenwart, Bd. 6. 6. Auflage, Leipzig o. J. (1913), S. 71.

RÜCKER, Elisabeth. Dr. phil., Kunsthistorikerin. Geb. 29. 4. 1923 in Zittau. Am GNM seit 1. 4. 1961 als wissenschaftliche Bibliothekarin: Kommissarische Leitung der Bibliothek 1. 7. 1961–31. 3. 1962, hauptamtliche Leitung seit 15. 7. 1963, seit 1970 Bibliotheks-Direktorin. Zuvor Studium in München und Prag und Promotion 1945 in Prag bei Karl Maria Swoboda. 1954–1955 als wissenschaftliche Angestellte an der Gemäldegalerie der Ehemals Staatlichen Museen Berlin. Bearbeiterin des „Schrifttums zur deutschen Kunst" als Angestellte des Deutschen Vereins für Kunstwissenschaft e. V., getragen durch die Deutsche Forschungsgemeinschaft 1955–59. Veröff.: Bonifaz Wolmuth. Ein Prager Baumeister des 16. Jahrhunderts. Mschr. Diss. Prag 1945. – Schrifttum zur deutschen Kunst (gemeinsam mit Eberhard Marx), Bd. 14–19. Berlin 1957–59. – Die Schedelsche Weltchronik (Bibliothek des GNM, Bd. 33). München 1973. – Karl Rössing, Werkverzeichnis. Wien 1973. – Ausstellungskataloge mit Werkverzeichnissen zu Künstlern der Gegenwart; Aufsätze und Mitarbeit an Katalogen zur deutschen Druckgraphik des 15./16. Jahrhunderts.

SCHADENDORF, Wulf. Dr. phil., Kunsthistoriker. Geb. 28. 11. 1926 in Dresden. Am GNM 1. 12. 1954–31. 10. 1957 als Volontär, 1. 4. 1962–30. 8. 1974 zunächst als Konservator an der Bibliothek, seit 1968 als musealer Leiter des Kunstpädagogischen Zentrums, zugleich Referent für das

19. und 20. Jahrhundert. Zuvor 1954 Stipendiat am Johann-Gottfried-Herder-Institut Marburg/Lahn, 1957–1960 wissenschaftlicher Mitarbeiter am Museum für Kunst und Gewerbe Hamburg und 1960–1962 wissenschaftlicher Mitarbeiter am Herder-Institut Marburg/Lahn. Später, seit 1974, Direktor der Museen für Kunst und Kulturgeschichte der Hansestadt Lübeck. Veröff.: Zur Sammlungsgeschichte des Germanischen Nationalmuseums und der Städtischen Galerie Nürnberg. Das erweiterte Sammlungsprogramm des Germanischen Nationalmuseums. In: Anzeiger GNM 1966, S. 142–172. – Arbeiten zur mittelalterlichen Plastik und Architektur, zur Kulturgeschichte, zur Eisenbahngeschichte, zur mitteldeutschen und schlesischen Kunstgeschichte, zur Museumspädagogik und Museumskunde. – Vgl. Abb. 116.

SCHÄFER, Karl. Dr. phil., Prof., Kunsthistoriker. Mannheim 3. 3. 1870–16. 12. 1942 München. Am GNM 1. 1. 1895–31. 12. 1897 als Praktikant. Zuvor altphilologisches Staatsexamen 1893 und kunsthistorische Promotion 1894 bei Henry Thode in Heidelberg. Später, 1898, Assistent, 1905 Konservator am Gewerbemuseum in Bremen, 1911 Direktor des Museums für Kunst- und Kulturgeschichte in Lübeck. Seit 1. 4. 1920–Sept. 1928 Direktor des Kunstgewerbemuseums Köln, gleichzeitig kurzfristig Leiter, dann Kustos am Wallraf-Richartz-Museum Köln. Seit 1928 in Ruhe. Veröff.: Die älteste Bauperiode des Münsters zu Freiburg im Breisgau. (Diss. Heidelberg). Freiburg 1894. – Das alte Freiburg. Freiburg 1895. – Meisterwerke deutscher Bildschnitzerkunst im GNM. Vorwort und erläuternder Text. 6 Lief. Photographien von Rudolf Albrecht. Nürnberg 1896–97. – Aus den Sammlungen des Gewerbemuseums in Bremen. Bremen 1905. – Führer durch das Museum für Kunst- u. Kulturgeschichte zu Lübeck 1915. – Geschichte der Kölner Malerschule. Lübeck 1923.

Lit.: Kürschner 1925–1931. – Wer ist's? 1922–1935. – Peter Volk: Die Geschichte des Kunstgewerbemuseums der Stadt Köln. In: Das Kunstgewerbemuseum der Stadt Köln. Köln 1971, S. 59–61.

SCHIEDLAUSKY, Günther. Dr. phil., Kunsthistoriker. Geb. 28. 11. 1907 in Berlin. Am GNM 14. 3. 1955–31. 3. 1970, zuletzt als Landeskonservator. Referent für mittelalterliches und neuzeitliches Kunsthandwerk, Zunftaltertümer, Judaica, Betreuung von Schloß Neunhof. Zuvor, Februar 1935–Februar 1936, freiwilliger wissenschaftlicher Hilfsarbeiter (Volontär) in der Abteilung Christlicher Bildwerke (der späteren Skulpturenabteilung) der Staatlichen Museen Berlin. 20. 2. 1936–8. 8. 1936 Tätigkeit bei der Inventarisierung der Bau- und Kunstdenkmäler in Oppeln. 1. 9. 1936–31. 7. 1937 Stipendiat am Kunsthistorischen Institut Florenz. 1. 9. 1937–28. 2. 1938 freiwilliger wissenschaftlicher Hilfsarbeiter (Volontär) am Kupferstichkabinett der Staatlichen Museen Berlin. 1. 3. 1938–31. 5. 1940 wissenschaftlicher Hilfsarbeiter mit Werkvertrag an der Skulpturenabteilung der Staatlichen Museen Berlin. Seit 6. 6. 1940–1946 Kriegsdienst und Gefangenschaft, davon 9. 10. 1940–10. 12. 1941 als Kriegsverwaltungsassessor beim Kunstschutz des Militärbefehlshabers in Frankreich. Später Tätigkeit in der Industrie und 1. 7. 1953–15. 3. 1955 wissenschaftlicher Mitarbeiter beim Bergbaumuseum Bochum. Seit 1970 in Ruhe, lebt in Nürnberg. Veröff. zu Barockarchitektur und Kunsthandwerk, vor allem Silber und Keramik, u. a.: Martin Grünberg. Ein märkischer Baumeister an der Wende vom 17. zum 18. Jahrhundert (Beiträge zur Kunstgeschichte, Bd. 7). Burg b. M. 1942. – Essen und Trinken. Tafelsitten bis zum Ausgang des Mittelalters (Bibliothek des GNM, Bd. 4). München 1956. 2. Aufl. München 1959. – Tee, Kaffee, Schokolade. Ihr Eintritt in die europäische Gesellschaft (Bibliothek des GNM, Bd. 17). München 1961. – Vgl. Abb. 111.

Lit.: Kürschner seit 1961. – Schriftenverzeichnis bis 1972 in: Anzeiger GNM 1973, S. 169–172.

SCHLEPPS, Irmgard. Dr. phil., Kunsthistorikerin. Geb. 26. 7. 1915 in Wiesbaden. Am GNM 1. 10. 1955–31. 12. 1962 als freie Mitarbeiterin mit dem Auftrag zur karteimäßigen Erfassung ostdeutschen Kulturgutes in westdeutschen Museen. Zuvor wissenschaftliche Angestellte am Schleswig-Holsteinischen Landesmuseum Schloß Gottorf. Später in der Redaktion der Römisch-Germanischen Kommission des Deutschen Archäologischen Instituts in Frankfurt. Seit 1. 1. 1966 Leitung der Landesgeschichtlichen Sammlung der Schleswig-Holsteinischen Landesbibliothek in Kiel. Veröff.: Stuckornamentik und Raumgestaltung in Schleswig-Holstein vom Ausgang des 16. Jahrhunderts bis ca. 1815. Mschr. Diss. Kiel 1945. – Aufsätze zur Portraitmalerei des 18. Jahrhunderts, zur Landesgeschichtlichen Sammlung und zu Künstlern der Gegenwart in: Schleswig-Holstein. Monatshefte für Heimat und Volkstum.

SCHMIDT, Rudolf. Dr. phil., Historiker. Geb. in Sülze/Mecklenburg. Am GNM 14. 1. 1892–1. 6. 1901 als Assistent am Archiv, seit 14. 1. 1895 mit dem Titel Archivar. 1901 am 7. 3. wegen Krankheit beurlaubt, am 1. 7. unter Gewährung einer Pension entlassen. Promotion wahrscheinlich vor 1885. Seit 1901 in Mecklenburg lebend, vor allem in Rostock. Letzte feststellbare Pensionszahlung März 1928, damals in Sachsenberg bei Schwerin. Keine weitere Information erhältlich. – Veröff.: Die Briefbücher der Grafen Hans und Franz Christoph Khevenhüller, österreichischer Gesandten am spanischen Hofe. In: Mitteilungen GNM 1893, S. 57–95. Weitere Aufsätze zur deutschen Geschichte an Hand von Archivalien des GNM im Anzeiger GNM.

SCHÖNBERGER, Arno. Dr. phil., Kunsthistoriker. Geb. 19. 11. 1915 in Schönberg in Bayern. Am GNM seit 1. 6. 1969 als Generaldirektor. Zuvor, nach Studium in München und

Promotion 1943 bei Hans Jantzen in München, Oktober 1945–April 1948 Referent am Bayerischen Landesamt für Denkmalpflege; Mai 1948–September 1959 Konservator und Hauptkonservator am Bayer. Nationalmuseum. September 1959–31. Mai 1969 Direktor des Kunstgewerbemuseums und Professor der Staatlichen Museen Preußischer Kulturbesitz Berlin. Mitarbeit an bedeutenden Ausstellungen: „Ignaz Günther", München 1953, „Rococo Art from Bavaria", London 1954, „Europäisches Rokoko", Ausstellung des Europarates, München 1958; institutioneller Wiederaufbau des Kunstgewerbemuseums Berlin. Vorstandsmitglied des Deutschen Vereins für Kunstwissenschaft. Veröff.: Deutsches Porzellan. München 1949. – Ignaz Günther. München 1954. – Die Welt des Rokoko (mit Halldor Söhner). München 1959. – Weitere Veröffentlichungen über Plastik, Kunsthandwerk und Kunstgewerbe, besonders des 18. Jahrhunderts. – Vgl. Abb. 122, 130.

Lit.: Wer ist wer? seit 1967. – Who's who in Germany 1972. – Festschrift zum 60. Geburtstag (Anzeiger GNM 1976).

SCHUDT, Ludwig. Dr. phil., Kunsthistoriker. Friedberg in Hessen 9. 8. 1893–12. 8. 1961 Wiesbaden. Am GNM 16. 3. 1950–30. 6. 1953 als Hauptkonservator. Leiter der Bibliothek. Zuvor, nach Studium in München und Berlin, seit 15. 10. 1920 Assistent an der Bibliotheca Hertziana in Rom. 1922 Promotion in Berlin bei Adolph Goldschmidt. 1925 Reisestipendium der Deutschen Notgemeinschaft nach London. Seit 1. 10. 1926 Leiter der Bibliothek der Bibliotheca Hertziana in Rom. Nach November 1943 in Wiesbaden als Beauftragter zur Interessenwahrung der Kaiser-Wilhelm-Gesellschaft, Trägerin der Bibliotheca Hertziana. Später, 1. 7. 1953 bis zum Tode, Bibliotheksleiter der Bibliotheca Hertziana in Rom. Veröff.: Giulio Mancini. Viaggio per Roma (Diss. Berlin). Leipzig 1923. – Le Guide di Roma. Materialien zu einer Geschichte der römischen Topographie. Wien und Augsburg 1930 (Reprint: Farnborough 1971). – Italienreisen im 17. und 18. Jahrhundert. Wien und München 1959. – U. a. Publikationen zur römischen Kunstgeschichte.

Lit.: Nachruf mit Schriftenverzeichnis in: Römisches Jahrbuch für Kunstgeschichte Bd. 9/10 (1961/62), S. 7–11 (Franz Graf Wolff Metternich); gekürzt auch in: Kunstchronik Bd. 15 (1962), S. 137–139. – Kürschner 1940/41–1961. – Ernst Guldan: Die Bibliotheca Hertziana Rom. In: Deutsche Kunstbibliotheken – Berlin, Florenz, Köln, München, Nürnberg, Rom. München 1975, S. 81–94 (86–89).

SCHULZ, Fritz Traugott. Dr. phil., Prof., Kunsthistoriker. Dahlhausen an der Ruhr 6. 8. 1875–31. 5. 1951 Nürnberg. Am GNM 1. 8. 1901–31. 7. 1928, zunächst als Assistent, ab 1906 als Konservator, ab 1920 als Hauptkonservator an den kunst- und kulturgeschichtlichen Sammlungen. Zuvor, 10. 5. 1898–31. 3. 1899, Hilfsassistent an der Gemälde- und

Kupferstichsammlung in Göttingen, 7. 5. 1899–30. 9. 1899 Volontär und Praktikant am Provinzialmuseum in Hannover und 1. 10. 1900–31. 7. 1901 Hilfsarbeiter bei der Kunstdenkmälerinventarisation der Provinz Hannover. Später, ab 1. 8. 1928, hauptamtlicher Direktor der Städtischen Kunstsammlungen Nürnberg, die er bereits seit 1910 betreut und später nebenamtlich geleitet hatte. 1933 zunächst amtsenthoben und anschließend zwangsweise in den Ruhestand versetzt, erhielt er seit 7. 4. 1948 die ehrenamtliche Betreuung der Städtischen Kunstsammlungen übertragen, die er bis zum 30. 9. 1950 wahrnahm. Mitorganisator der historischen Ausstellung der Stadt Nürnberg auf der Jubiläums-Landesausstellung Nürnberg 1906; Mitglied im Ausschuß des Vereins für Geschichte der Stadt Nürnberg und Geschäftsführer des Albrecht-Dürer-Vereins. – Veröff.: Typisches der großen Heidelberger Liederhandschrift und verwandter Handschriften nach Wort und Bild. Diss. Göttingen 1899. – Die Kunstdenkmäler der Provinz Hannover. III. Reg.-Bez. Lüneburg. 1. Kreise Burgdorf und Fallingbostel (gemeinsam mit Heinrich Fischer). Hannover 1902. – Nürnbergs Bürgerhäuser und ihre Ausstattung. Bd. 1: Das Milchmarktviertel. Leipzig und Wien 1909–1933. – Festschrift GNM 1927 (Anzeiger GNM 1926/27). – Führer durch die kunst- und kulturgeschichtlichen Sammlungen des Germanischen Museums. Ausgaben 1924/25 und 1928. – Aufsätze zur Nürnberger Kunst, Ausstellungskataloge.

Lit.: Kürschner Literaturkalender 1907–34. – Kürschner 1925–1940/41. – Jahrbuch der deutschen Museen Bd. 5 (1932), S. 369. – Reichshandbuch, Bd. 2, S. 1726.

SCHWARZ, Michael. Dr. phil., Kunsthistoriker. Geb. 14. 1. 1940 in Greifswald. Am GNM 1. 4. 1967–30. 9. 1968 als Volontär. Später, 1. 10. 1968–15. 4. 1974, wiss. Assistent an der Hamburger Kunsthalle. Ab 1. 5. 1974 Geschäftsführer des Badischen Kunstvereins in Karlsruhe. Veröff.: Georg Raphael Donner. Kategorien der Plastik. München 1968. – Zahlreiche Aufsätze und Katalogbeiträge zur zeitgenössischen Kunst.

SCHWEMMER, Wilhelm. Dr. phil., Kunsthistoriker. Geb. 20. 11. 1901 in Nürnberg. Am GNM 1931–1932 als Volontär und 15. 10. 1945–30. 6. 1948 als wissenschaftliche Hilfskraft an Kupferstichkabinett, Archiv und Münzsammlung, zugleich mit der Aufgabe der Rückführung des Bergungsguts des GNM und der städtischen Kunstsammlungen nach dem 2. Weltkrieg. Seit 1938 an den Städtischen Kunstsammlungen in Nürnberg, zuletzt, bis 1966, als Direktor. Veröff.: Aus der Geschichte der Kunstsammlungen der Stadt Nürnberg. In: Mitteilungen des Vereins für Geschichte der Stadt Nürnberg Bd. 40 (1949), S. 97–206. – Adam Kraft. Nürnberg 1958. – Die Kunstdenkmäler von Mittelfranken, Bd. 10: Landkreis Hersbruck (Die Kunstdenkmäler von Bayern). München 1959. – Die Bürgerhäuser der Nürnberger Altstadt aus reichsstädtischer Zeit. Erhaltener Bestand,

2 Bde. (Nürnberger Forschungen, Bd. 6 u. 14). Nürnberg 1961 und 1970. – Das Bürgerhaus in Nürnberg (Das deutsche Bürgerhaus, Bd. 16). Tübingen 1972. – U. a. Veröff. zur Nürnberger Kunst des 15.–19. Jahrhunderts.

Lit.: Würdigung in: Frankenland Bd. 24 (1972), S. 26 (Günther Binding) und in: Mitteilungen der Altnürnberger Landschaft Bd. 20 (1971), S. 62–63 (Anton Ress).

SEYLER, Alfred. Dr. phil., Kunsthistoriker. Aachen 28. 6. 1880–1. 3. 1950 München. Am GNM 1905 als Volontär und Praktikant. Später, seit 1906, an der Staatlichen Graphischen Sammlung in München Assistent, 1939 Professor und Hauptkonservator, 1. 11. 1940–31. 3. 1948 Direktor. Veröff.: Die mittelalterliche Plastik Regensburgs. Diss. München 1905.

Lit.: Kürschner 1940/41. – Jahrbuch der deutschen Museen Bd. 5 (1932), S. 371; Bd. 8 (1938), S. 426. – Nachruf in: Kunstchronik Bd. 3 (1950), S. 71–73 (Engelbert Baumeister).

SIMON, Karl. Dr. phil., Kunsthistoriker. Teicha bei Halle an der Saale 14. 9. 1875–13. 1. 1948 Frankfurt am Main. Am GNM 7. 1. 1899–1. 9. 1900 als Volontär und Praktikant. 1902 am Kaiser-Friedrich-Museum in Posen, 1908 am Historischen Museum Frankfurt am Main, später dort Kustos; seit 1924 in Ruhe. Veröff.: Studien zum romanischen Wohnbau in Deutschland (Diss. Leipzig). (Studien zur Deutschen Kunstgeschichte, Bd. 36). Straßburg 1902. – Gottlieb Schick. Ein Beitrag zur Geschichte der deutschen Malerei um 1800. Leipzig 1914. – Figürliches Kunstgerät aus deutscher Vergangenheit. Königstein i. T. 1926. – Wilhelm Altheim, sein Leben und Werk. Frankfurt am Main 1927. – Abendländische Gerechtigkeitsbilder. Frankfurt am Main 1948.

Lit.: Kürschner 1925–1935. – Kurzer Lebenslauf in Simon: Abendländische Gerechtigkeitsbilder, S. 111.

SPRINGER, Louis Adalbert. Dr. phil., Kunsthistoriker. Nürnberg 26. 11. 1911–29. 11. 1942 Linz. Am GNM 1. 5. 1935–15. 9. 1936 als Volontär an den kunst- und kulturgeschichtlichen Sammlungen. Neuaufstellung der vorgeschichtlichen Sammlung. Zuvor Studium der Kunstgeschichte, klassischen Archäologie und Vorgeschichte in Würzburg und Leipzig. Promotion Leipzig 1935. Spätere Tätigkeit unbekannt. Zuletzt im Kriegsdienst. Veröff.: Die bayrisch-österreichische Steingußplastik der Wende vom 14. zum 15. Jahrhundert. Diss. Leipzig. Würzburg 1936. – Die Neuaufstellung der vorgeschichtlichen Sammlungen des Germanischen Nationalmuseums Nürnberg. In: Nachrichtenblatt für Deutsche Vorzeit Bd. 11 (1935), S. 199–204.

Lit.: Jahrbuch der deutschen Museen Bd. 7 (1936), S. 357. – Vgl. auch S. 683.

STAFSKI, Heinz. Dr. phil., Kunsthistoriker. Geb. 27. 3. 1911 in Köln. Am GNM vom 9. 3. 1937–31. 3. 1976 (1940–1945 im Kriegsdienst), zuletzt als Landeskonservator. Referent für die Skulpturenabteilung (ab 1945), für Bauteile und Pharmazeutisches Museum. Seit 1976 in Ruhe, lebt in Nürnberg. Zuvor, nach Studium an der Kunstgewerbeschule Köln, den Universitäten Köln und Erlangen, 1937 Promotion bei Rudolf Kömstedt in Erlangen. Veröff.: Bewegungsdarstellung und Bildaufbau in der Malerei um 1500. Diss. Erlangen. Würzburg 1937. – Aus alten Apotheken (Bibliothek des GNM, Bd. 1). 1.–4. Auflage München 1956–1967. – Der jüngere Peter Vischer. Nürnberg 1962. – Die mittelalterlichen Bildwerke, Bd. 1 (Kataloge des Germanischen Nationalmuseums Nürnberg). Nürnberg 1965. – Aufsätze zur Geschichte der Skulptur, besonders zum Problem der Vischerwerkstatt und zum Werk des Veit Stoß. – Vgl. Abb. 98, 111.

STEGMANN, Hans. Dr. phil., Kunsthistoriker. Weimar 27. 4. 1862–15. 2. 1914 München. Am GNM 14. 1. 1895–16. 1. 1909, zunächst als Konservator, seit Juli 1906 als Zweiter Direktor. Mitglied des Verwaltungsausschusses des GNM seit 19. 5. 1913 bis zum Tode. Zuvor, 1888–1894, als Privatdozent für neuere Kunstgeschichte an der Universität München. Seit Januar 1909 Direktor des Kgl. Bayerischen Nationalmuseums in München. Veröff.: Die Rochuskapelle zu Nürnberg und ihr künstlerischer Schmuck. München 1885. – Michelozzo di Bartolommeo. Eine kunstgeschichtliche Studie. Habil. Schrift. München 1888. – Das Germanische Nationalmuseum zu Nürnberg in seinen Räumen und Gebäulichkeiten. Nürnberg 1896. – Katalog der Gewebesammlung des GNM, Teil 2: Stickereien, Spitzen und Posamentierarbeiten. Nürnberg 1901. – Die Holzmöbel des Germanischen Museums. In: Mitteilungen GNM 1902, S. 62–70, 98–113, 142–158; 1903, S. 65–91, 105–130; 1904, S. 45–70, 101–120; 1905, S. 18–38, 63–75; 1907, S. 102–123; 1909, S. 25–58; 1910, S. 36–88. – Meisterwerke der Kunst und des Kunstgewerbes vom Mittelalter bis zur Zeit des Rococo (Tafelwerk). Lübeck 1905. – Die Holzmöbel der Sammlung Figdor. In: Kunst und Kunsthandwerk Bd. 10 (1907), S. 121–170, 559–630. – Vgl. Abb. 56.

Lit.: Nachruf in Jahresbericht GNM 61 (für 1914), 1914, S. 7 und in: Münchner Jahrbuch der bildenden Kunst Bd. 8 (1913), S. VII–X (Ph. M. Halm).

STEINGRÄBER, Erich. Dr. phil., Prof., Kunsthistoriker. Geb. 12. 2. 1922 in Danzig-Neuteich. Am GNM 1. 11. 1962–31. 5. 1969 als Generaldirektor. Zuvor, nach Promotion bei Hans Jantzen 1950 in München, als Stipendiat am Kunsthistorischen Institut in Florenz, 1954–1962 als Konservator und Oberkonservator am Bayerischen Nationalmuseum in München. Später, ab 1969, Generaldirektor der Bayerischen Staatsgemäldesammlungen, München. Honorarprofessor an der Universität München. Seit 1973 Chefredakteur der Zeitschrift Pantheon. Veröff.: Die kirchliche Buchmalerei Augsburgs um 1500 (Diss. München 1950). (Abh. zur Geschichte

der Stadt Augsburg, Bd. 8). Augsburg u. Basel 1956. – Alter Schmuck. München 1956. – Der Goldschmied (Bibliothek des GNM, Bd. 27). München 1966. – Weitere Arbeiten zur Geschichte der deutschen, italienischen und französischen Kunst des Mittelalters und der Renaissance, besonders zur gotischen Goldschmiedekunst. – Vgl. Abb. 111, 116, 121.

Lit.: Kürschner seit 1961. – Wer ist wer? seit 1967. – Who's who in Germany 1972. – Who's who in Europe 1966/67. – Who's who in the arts, seit 1975.

STEMMLER, Dierk. Dr. phil., Kunsthistoriker. Geb. 29. 6. 1935 in Berlin. Am GNM 15. 9. 1962–30. 8. 1963 als Volontär. Zuvor, 1962, Promotion an der Freien Universität Berlin. Später, 1. 9. 1963–30. 9. 1964, Volontärassistent an der Nationalgalerie und am Kupferstichkabinett der Staatlichen Museen, Stiftung Preußischer Kulturbesitz, Berlin. 1. 10. 1964–31. 1. 1966 Mitarbeit an UNESCO-Ausstellung „Bewahren und Gestalten" im Auftrage der Vereinigung der Landesdenkmalpfleger in der Bundesrepublik Deutschland. Ab 1. 3. 1966 tätig als Assistent, Kustos, Oberkustos, seit 1. 3. 1976 als kommissarischer Leiter des Städtischen Kunstmuseums Bonn. Veröff.: Zahlreiche Kataloge und Aufsätze zur Kunst des 20. Jahrhunderts.

STENGEL, Walter. Dr. phil., Kunst- und Kulturhistoriker. Berlin 24. 8. 1882–11. 8. 1960 Berlin (West). Am GNM 1. 2. 1907–1. 11. 1919 als Praktikant an den Kunstsammlungen, seit 1907 als Assistent und Kustos am Kupferstichkabinett. Scheidet am 1. 11. 1919 aus, nachdem er seine Vorarbeiten zur Reorganisation des Germanischen Nationalmuseums in der Museumskunde Bd. 15 (1919), S. 41–57, dargelegt hatte. Seit Sommer 1910 Neuaufstellung der Mustersammlung der Bayerischen Landesgewerbeanstalt Nürnberg, vgl. dazu den Bericht Museumskunde Bd. 7 (1911), S. 73–84. Zuvor, nach Promotion 1903 bei Heinrich Wölfflin in Berlin, Volontär an der Nationalgalerie, Berlin, und bei der Redaktion des „Thieme-Becker". Mitarbeit an der Ausstellung „Deutsche Kunst aus der Zeit von 1775–1875". Tätig am Museum für Kunst und Gewerbe Hamburg und am Historischen Museum Dresden. Später, 1919–1925 ohne Amt, 4. 2. 1925–1953 Direktor des Märkischen Museums Berlin. Veröff.: Kunsthistorische Bemerkungen zur Ikonographie der Taube des Hl. Geistes. Diss. Berlin. Straßburg 1903. Erweitert auch in der Reihe: Zur Kunstgeschichte des Auslandes, Bd. 18. Straßburg 1904. – Erster Bericht über die Neuerwerbungen des Kupferstichkabinetts Pfingsten 1911–Pfingsten 1913. Nürnberg 1913. – Holzschnitte im Kupferstichkabinett des Germanischen National-Museums zu Nürnberg (Graphische Gesellschaft. 3. Außerordentliche Veröff.). Berlin 1913. – Märkisches Museum. Quellen-Studien zur Berliner Kulturgeschichte, 13 Hefte. Berlin (1950)–1952. – Auf dieser Grundlage weitere Schriften zur Berliner Kulturgeschichte, so: Alte Wohnkultur in Berlin und in der Mark im Spiegel der Quellen des 16.–19. Jahrhunderts. Berlin 1958. – Größere Aufsätze über Keramik, Reichsadlergläser, Nürnberger Messinggerät und Rotschmiede in der Zeit der Nürnberger Tätigkeit, später u. a. auch Berichte über Neuerwerbungen und Ausstellungskataloge des Märkischen Museums Berlin. – Erstveröffentlichung eines vermeintlichen Grünewald-Fundes (1952). – Chronik des Märkischen Museums der Stadt Berlin, 1953 (Manuskript im Märkischen Museum). – Nachlaß im Archiv für Bildende Kunst des GNM, dabei selbstverfaßter Lebenslauf vom 19. 5. 1946.

Lit.: Nachrufe in: Kunstgeschichtliche Gesellschaft zu Berlin. Sitzungsberichte N. F. 9. Okt. 1960–Mai 1961, S. 3f. (Paul Ortwin Rave) und in: W. Stengel, Guckkasten. Altberliner Curiosa. Berlin 1962, S. V–IX (Edwin Redslob). – Jahrbuch der deutschen Museen Bd. 5 (1932), S. 374/5. – Kürschner 1950–1961. – Herbert Hampe: Das Märkische Museum. 2. Aufl. Berlin 1964, S. 18–29. – Vgl. auch S. 644, 745 mit Anm. 247.

STIERLING, Hubert. Dr. phil., Kunsthistoriker. Hamburg 8. 7. 1882–20. 7. 1950 Hamburg. Am GNM 1. 4. 1907–15. 4. 1909 als Volontär und Praktikant an den kunst- und kulturgeschichtlichen Sammlungen. Zuvor Studium der Kunstgeschichte, Germanistik und mittellateinischen Philologie in Göttingen, Freiburg i. B., Berlin und Leipzig und Promotion in Göttingen 1908. Später, von 1909–1914, am Museum für Hamburgische Geschichte und anschließend am Altonaer Museum, zunächst als Direktorialassistent, von 1932–1949 als Direktor. Veröff.: Der Silberschmuck der Nordseeküste hauptsächlich in Schleswig-Holstein, Bd. 1: Geschichtliche Entwicklung seit dem Mittelalter. Bd. 2: (Hrsg. von Wolfgang Scheffler) Goldschmiedezeichen von Altona bis Tondern. Neumünster in Holstein 1935 und 1955. – Zahlreiche Aufsätze zur Werkstatt Peter Vischers d. Ä. – Nachlaß im Archiv für Bildende Kunst des GNM.

Lit.: Nachruf mit Schriftenverzeichnis und Bild in: Nordelbingen Bd. 21 (1953), S. 7–12 (Harry Schmidt). – Jahrbuch der deutschen Museen Bd. 5 (1932), S. 375; 7 (1936), S. 358; 8 (1938), S. 427. – Kürschner 1940/41. – Gerhard Wietek: Das Altonaer Museum in Hamburg. Zum 100-jährigen Bestehen des Museums (Kulturgeschichtliche Museen in Deutschland, Bd. 1). Hamburg 1963, S. 16–18.

STRENGER, Reinhold. Dr. phil., Archäologe. Geb. 15. 1. 1903 in Schwäbisch Hall. Am GNM 26. 1.–30. 6. 1949 als vom Bayerischen Staatsministerium für Unterricht und Kultus zugewiesene Geschäftsaushilfe. Zuvor nach Studium und Promotion 1936 Reisen u. a. aufgrund des archäologischen Reisestipendiums, dabei tätig als Assistent bei Ausgrabungen in Griechenland. 1940–1942 bei der Abteilung Kunstschutz des Oberkommandos des Heeres (OKH) in Frankreich und (als Sonderbeauftragter) in Rußland. Seit 1942 Militärdienst, seit 1946 tätig in verschiedenen bayerischen Mi-

nisterien, September 1946–1948 beim Bayerischen Staatsministerium für Unterricht und Kultus als Landesbeauftragter für die Durchführung der Kontrollratsdirektive Nr. 30 „Beseitigung deutscher Denkmäler militärischen und nationalsozialistischen Charakters". Später, seit 1950, in der südbayerischen Arbeitsverwaltung tätig, zuletzt, 1959–1968, als Direktor des Arbeitsamtes Freising.

STRIEDER, Peter. Dr. phil., Kunsthistoriker. Geb. am 4. 7. 1913 in Leipzig. Am GNM seit 16. 10. 1949 als Hauptkonservator, ab 1. 10. 1950 als Abteilungsdirektor, seit 1. 4. 1953 als Zweiter Direktor. Referent der Gemäldesammlung. Wissenschaftliche und organisatorische Leitung der Ausstellungen „Meister um Albrecht Dürer", 1961 und „Albrecht Dürer 1471–1971", 1971. Zuvor, nach Studium in München und Promotion 1937 bei Hans Jantzen in München, Volontär und wissenschaftlicher Hilfsarbeiter an den Bayerischen Staatlichen Sammlungen und Stipendiat am Württembergischen Landesamt für Denkmalpflege, vom 1. 11. 1945 bis 15. 10. 1949 Konservator am Bayerischen Landesamt für Denkmalpflege. Veröff.: Deutsche Malerei der Renaissance. Königstein/Ts. 1966. – Albrecht Dürer. Wiesbaden 1977; auch ital.: Dürer. Mailand 1976. – U. a. Beiträge zur deutschen Malerei des Mittelalters und der Renaissance. – Vgl. Abb. 111,116.

Lit.: Kürschner seit 1954. – Who's who in Germany 1972.

TOD, Heinrich. Dr. Lebensdaten nicht feststellbar. Stammte aus Oldisleben/Thüringen. Enkel Heinrich Ludens. Am GNM Juni 1856–24. 2. 1858 als Inspektor am Generalrepertorium und Konservator am Archiv.

Lit.: Hampe, Festschrift GNM, S. 63.

TRÄGER, Eugen. Dr. phil., Geograph und Historiker. Grunau (Kr. Fraustadt, Prov. Posen) 12. 4. 1855–12. 11. 1901 Frankfurt/Main. Am GNM Frühjahr 1892–1. 3. 1898 als Hilfsarbeiter, später als Kustos an der Bibliothek. Zuvor nach der Promotion, 1887, provisorische Beschäftigung am Statistischen Büro, Berlin, und an der Stadtbibliothek Breslau. Später seit 1898 zunächst vorübergehende Tätigkeit als erster Sekretär der Zentralstelle für Vorbereitung von Handelsverträgen, Berlin und als Hilfsarbeiter an der Handelskammer von Potsdam, anschließend Sekretär der Handelskammer in Offenbach/Main. Leiter der Bibliothek und des Handelsmuseums der Handelskammer Frankfurt/Main. Halligforscher und unermüdlicher Agitator für die Erhaltung und Rettung der Halligen. Veröff.: Die Volksdichtigkeit Niederschlesiens. Diss. Kiel 1887. Weimar 1888. – Herausgeber von: Breslauisches Tagebuch von Johann Georg Steinberger. 1740–1742. Breslau 1891. – Die Halligen der Nordsee (Forschungen zur deutschen Landes- und Volkskunde, Bd. 3). Stuttgart 1892. – Im Banne der Nordsee. Kiel 1895, 2. Aufl. Kiel 1897. – Friesische Häuser auf den Halligen. In: Mitteilungen GNM 1896, S. 112–119. – Geschnitzte friesische Thüren im germanischen Museum. In: Mitteilungen GNM 1896, S. 130–134. – Die Rettung der Halligen und die Zukunft der schleswig-holsteinischen Nordseewatten. Stuttgart 1900.

Lit.: Nachrufe in: Geographisches Jahrbuch Bd. 24 (1901), S. 393f. (W. Wolkenhauer); Die Heimat Bd. 12 (Kiel 1902), S. 49–51 mit Photographie (Hansen). – Biogr. Jahrbuch, Bd. 6 (1901), S. 321 (W. Wolkenhauer).

TROCHE, Ernst Günter. Dr. phil., Kunsthistoriker. Stettin 26. 9. 1909–30. 10. 1971 Stockholm (auf einer Studienreise). Am GNM 1. 11. 1938–25. 5. 1951, zunächst als wissenschaftlicher Hilfsarbeiter und Konservator, vom 15. 8. 1945–25. 5. 1951 als Erster Direktor; die zunächst vorläufige Ernennung durch den Nürnberger Oberbürgermeister vom 15. 8. 1945 wurde am 22. 5. 1946 endgültig durch den Verwaltungsrat des GNM bestätigt. Als erstem Nachkriegsdirektor oblag ihm die Sicherung der weiteren Existenz des GNM und der Wiederaufbau der fast völlig zerstörten Museumsgebäude. Zuvor, nach Studium an den Universitäten München und Wien, von 1932–1936 Volontär an den Staatlichen Museen Berlin, von 1936–1938 wissenschaftlicher Hilfsarbeiter an den Städtischen Kunstsammlungen Breslau. Später, nach Tätigkeit im amerikanischen Kunsthandel, Leiter der Achenbach Foundation for Graphic Arts in San Francisco. Veröff.: Niederländische Malerei des 15. und 16. Jahrhunderts. Berlin 1935. – Das 15. und 16. Jahrhundert in der deutschen Malerei. Schaffhausen 1947. – Weitere Arbeiten zur deutschen, niederländischen und italienischen Malerei. – Kataloge der Achenbach Foundation. – Vgl. Abb. 92, 94, 98, 131, 138.

Lit.: Nachruf im Anzeiger GNM 1971/72, S. 7. – Vgl. auch S. 263–282.

TUNK, Walter. Dr. phil., Kunsthistoriker, Bibliothekar. Geb. 27. 7. 1907 in Beuthen (Oberschlesien). Am GNM 1. 11. 1939–30. 4. 1948 als Konservator an der Bibliothek. Zuvor, nach kath.-theol. Staatsexamen 1932/33 Studium der Kunstgeschichte und Promotion 1935 bei Dagobert Frey in Breslau und bibliothekswissenschaftlicher Fachprüfung 1936 in Berlin, 1937–39 wissenschaftlicher Hilfsarbeiter und Assistent am Wallraf-Richartz-Museum und Schnütgen-Museum Köln. Später Hauptkonservator bei den Bayerischen Staatsgemäldesammlungen München und 1959–1971 bei der Bayerischen Verwaltung der staatlichen Schlösser, Gärten und Seen, zuletzt als Museumsdirektor und Landeskonservator. Seit 1. 1. 1971 in Ruhe, lebt in München. Veröff.: Der deutsche Haubenturm. Diss. Breslau 1935. – Der Nürnberger Rathausbau des Jakob Wolff d. J. In: Zeitschrift des deutschen Vereins für Kunstwissenschaft Bd. 9 (1942), S. 53–90. – Weitere Beiträge zur deutschen Baugeschichte und Buchmalerei, vor allem Bambergs und des übrigen Franken.

UHDE-BERNAYS, Hermann. Dr. phil., Prof., Kunst- und Literarhistoriker. Weimar 31. 10. 1873–7. 6. 1965 Starnberg. Am GNM 10. 10. 1901–30. 4. 1903 als Volontär und Praktikant. Zuvor Studium an den Universitäten München, Berlin und Heidelberg, dort 1900 Promotion. Später freier Schriftsteller. 1937 Schreibverbot. Ab 1946 Honorarprofessor für neuere deutsche Literaturgeschichte in München. Zahlreiche Veröff. besonders zur Kunst des 19. Jahrhunderts: Feuerbach. Des Meisters Gemälde in 200 Abb. (Klassiker der Kunst, Bd. 23). Stuttgart und Berlin 1913. – Carl Spitzweg. Des Meisters Leben und Werk. München 1913. 10. verm. Aufl. München 1935. – Die gute alte Zeit. Zeichnungen von Carl Spitzweg. München 1913. – Münchner Landschafter im 19. Jahrhundert. München 1921. – Feuerbach. Beschreibender Katalog seiner sämtlichen Gemälde. München 1929. – Mittler und Meister. Aufsätze und Studien. München 1948. – Corot. Bern 1948. – Aristide Maillol. Dresden 1957. – Herausgeber von: Anselm Feuerbachs Briefe an seine Mutter. Berlin 1911 (zus. mit G. J. Kern). – J. J. Winckelmanns kleine Schriften und Briefe. 2 Bde. Leipzig 1925. – Künstlerbriefe über Kunst. Bekenntnisse von Malern, Architekten und Bildhauern aus fünf Jahrhunderten. Dresden 1926, 2. veränd. u. erg. Aufl. Dresden und München 1956. – Vgl. Abb. 56.

Lit.: Im Lichte der Freiheit. Erinnerungen aus den Jahren 1880–1914. Wiesbaden 1947. 2. überarb. Aufl. München 1963. – Wer ist's? 1935–1958. – Kürschner 1925–1966. – Nachruf in: Die Weltkunst Bd. 35 (1965), S. 578.

VEIT, Ludwig. Dr. phil., Historiker. Geb. 22. 12. 1920 in Kramersdorf bei Passau. Am GNM seit 1. 1. 1958 als Leiter des Archivs und des Münzkabinetts. Initiator des Archivs für Bildende Kunst. Zuvor, nach Studium und Archivausbildung 1947–1953 am Staatsarchiv Nürnberg, 1953–1956 an der Bayerischen Archivschule München und Zweiter Staatsprüfung für den höheren Archivdienst 1956, in den Jahren 1956–1957 bei der Kommission für Bayerische Landesgeschichte. Veröff.: Nürnberg und die Feme. Der Kampf einer Reichsstadt gegen den Jurisdiktionsanspruch der Westfälischen Gerichte (Diss. Erlangen). (Nürnberger Forschungen, Bd. 2). Nürnberg 1955. – Handel und Wandel mit aller Welt (Bibliothek des GNM, Bd. 14). München 1960. – Das liebe Geld (Bibliothek des GNM, Bd. 30). München 1969. – Kat. Aufseß 1972. – Historischer Atlas von Bayern. Band Passau I: Hochstift Passau. München 1978. – Weitere Veröff. zur Geschichte Nürnbergs, zur bayerischen Landesgeschichte, zur Numismatik und zum Archivwesen.

VERHEYEN, Egon. Dr. phil., Prof., Kunsthistoriker. Geb. 13. 4. 1936 in Duisburg. Am GNM August 1961–August 1962 und Mai 1963–August 1963 als Volontär, dazwischen Studienurlaub am Institute for Advanced Study Princeton. Später, 1963–1965, als Stipendiat an der Bibliotheca Hertziana in Rom, 1965–1966 als wissenschaftlicher Mitarbeiter an den Bayerischen Staatsgemäldesammlungen. 1966–1967 als Professor für Kunstgeschichte an der University of Massachusetts, 1967–1972 an der University of Michigan, seit 1972 an der John Hopkins University in Baltimore. Veröff.: Das Goldene Evangelienbuch von Echternach (Bibliothek des GNM, Bd. 22). München 1963. – The paintings in the Studiolo of Isabella d'Este at Mantua. New York 1971. – Mehrere Arbeiten über den Palazzo del Te in Mantua und Aufsätze zur italienischen Kunst des 16. Jahrhunderts.

VOLBEHR, Theodor. Dr. phil., Prof., Kunsthistoriker. Rendsburg 6. 11. 1862–7. 8. 1931 München. Am GNM 1. 1. 1888–1. 9. 1892 als wissenschaftlicher Bibliothekar: Neuordnung der bis dahin nach Eingang aufgestellten Bibliothek nach einer systematischen Ordnung. Später, ab 1892, Vorstand der Sammlungen des Kunstgewerbevereins Magdeburg, 1895 Direktor des Städtischen Museums Magdeburg. 1906–1922/23 Direktor des Kaiser-Friedrich-Museums in Magdeburg. Veröff.: Antoine Watteau. Diss. München 1885. – Lucas van Leyden. Verzeichniss seiner Kupferstiche, Radirungen und Holzschnitte. Hamburg 1888. – Führer durch die Sammlungen des Kaiser-Friedrich-Museums der Stadt Magdeburg. Mehrere Aufl. 1906–1920. – Zahlreiche Museumshefte des Kaiser-Friedrich-Museums zu Magdeburg. – Die Zukunft der deutschen Museen (Kunst und Kultur, Bd. 5). Stuttgart 1909.

Lit.: Nachruf in: Museumskunde N. F. Bd. 4 (1932), S. 101–02 (Walter Greischel). – Kürschner 1925–1931. – Wer ist's? 1922.

WAETZOLDT, Stephan. Dr. phil., Prof., Kunsthistoriker. Geb. 18. 1. 1920 in Halle/Saale. Am GNM 1. 9. 1956–30. 6. 1961 als Konservator und Oberkonservator. Leiter der Bibliothek. Seit 1972 Mitglied des Verwaltungsrats des GNM. Zuvor als wissenschaftlicher Assistent an der Bibliotheca Hertziana Rom. Später, seit 1961, Direktor der Kunstbibliothek Berlin, seit 1965 zugleich Generaldirektor der Staatlichen Museen Preußischer Kulturbesitz. Honorarprofessor an der Freien Universität Berlin. 1962–1978 Vorsitzender des Deutschen Vereins für Kunstwissenschaft e. V. Veröff.: Die Kopien des 17. Jahrhunderts nach Mosaiken und Wandmalereien in Rom (Römische Forschungen der Bibliotheca Hertziana, Bd. XVIII). Wien und München 1964. – Aufsätze zu quellenkundlichen Fragen, zur Buchillustration, zu Runge und zur Museumskunde.

Lit.: Kürschner seit 1970. – Wer ist Wer? seit 1967.

WAGNER, Erna. Dr. phil., Kunsthistorikerin. Geb. 4. 5. 1936 in München. Am GNM 1. 7. 1968–31. 8. 1970 als wissenschaftliche Angestellte mit Werkvertrag zur Mitarbeit am „Schrifttum zur Deutschen Kunst". Zuvor Studium der Kunstgeschichte an den Universitäten München und Würzburg. Promotion 1965. 1. 12. 1967–30. 4. 1968 wissenschaftli-

che Mitarbeiterin beim Zentralinstitut für Kunstgeschichte, München (DFG). Später Studium der Pädagogik. Veröff.: Die Gnadenpforte am Dom zu Bamberg. Diss. Würzburg 1965.

WEBER, Ingrid, verehelichte Szeiklies-Weber. Dr. phil., Kunsthistorikerin. Geb. 13. 4. 1932 in Gera. Am GNM 1. 4. 1964–31. 1. 1966 als Volontärin. Später, 1966–1969, Thyssen-Stipendiatin am Bayerischen Nationalmuseum, seit 1969 Konservatorin an der Staatlichen Münzsammlung, München. Veröff.: (Zusammen mit Harald Küthmann, Bernhard Overbeck und Dirk Steinhilber) Bauten Roms auf Münzen und Medaillen (Ausstellungskatalog des Münzkabinetts). München 1973. – Deutsche, niederländische und französische Renaissanceplaketten, 2 Bde. München 1975. – Aufsätze zur Goldschmiedekunst des Mittelalters und der Renaissance sowie zur Medaillen- und Plakettenkunde.

WEISSENBACH, Hans (Hanns) Adolf Freiherr von. Dr. jur., Prof., Privatgelehrter (?). Dresden 24. 5. 1847–30. 11. 1912 Wiesbaden. Am GNM von 1876–1879 an Bibliothek und Kupferstichkabinett. Später Herzogl. Sachsen-Altenburgischer Professor, Wohnsitz Leipzig. Veröff.: Publikationen, meist zum Kunstgewerbe: Die Stilgesetze der Glasmalerei. Ein Vortrag. Nürnberg 1877. – Kunstästhetische Sünden: Über moderne Kunstkritik. Die Verdienste der Vandalen in der Kunst. 2 Vorträge. Leipzig 1888 (unter dem Pseudonym Dirk van Walterloo). – Humoristische Flachornamente für Intarsia, Holzbrand, Holzmalerei, Metallätzung usw. Leipzig 1896. – Japanische Figuren im Stile Toyo-Kunis u. a. Vorlagen f. Malerei, Brennerei, Sägerei usw. Leipzig 1898. – Möbelfüllungen für Intarsia, Holzmalerei und Holzbrand. Leipzig 1898. – Theorie und Praxis der neudeutschen Stickerei. Leipzig 1903, 3. Aufl. 1908.

Lit.: Kürschner Literaturkalender 1907–1912. – Gothaisches Genealogisches Taschenbuch der Freiherrl. Häuser, Teil A, 88. Jg. Gotha 1938, S. 621.

WENDT, Heinrich. Dr. phil., Dr. jur. h. c., Prof., Historiker, besonders Wirtschaftshistoriker. Philadelphia, U. S. A. 27. 9. 1866–26. 3. 1946 Wernigerode. Am GNM 1890–1891 am Archiv. Zuvor, nach Studium 1884–89 an den Universitäten Breslau und Halle und Promotion 1889 in Breslau, tätig an der Schlesischen Zeitung, Breslau. Später, 1891–1906, Kustos, bzw. Bibliothekar an der Stadtbibliothek Breslau. 1906–1. April 1932 Direktor des Stadtarchives Breslau. Ehrendoktorwürde der juristischen Fakultät der Universität Breslau. Vorsitzender des Vereins für Geschichte Schlesiens seit 1929/30. Veröff. vor allem zur schlesischen, besonders zur Breslauer Geschichte: Politische Correspondenz Breslaus im Zeitalter des Königs Matthias Corvinus 1469–90, hrsg. zusammen mit Bertold Kronthal (Scriptores rerum Silesiacarum, Bd. 13, 14). Breslau 1893/94. – Die Breslauer Stadt- und Hospitallandgüter, 1. Teil: Amt Ransern (Mitt. aus dem Stadtarchiv und der Stadtbibliothek zu Breslau,

H. 4). Breslau 1899. – Die Steinsche Städteordnung in Breslau. Denkschrift der Stadt Breslau zur Jahrhundertfeier der Selbstverwaltung. Bd. 1: Darstellung, Bd. 2: Quellen (Mitt. aus dem Stadtarchiv und der Stadtbibliothek zu Breslau, H. 9–10). Breslau 1909. – Schlesien und der Orient (Darstellungen und Quellen zur schlesischen Geschichte, Bd. 21). Breslau 1916. – Schlesien und der Weltfrieden. Denkschrift des Vereins für Geschichte Schlesiens. Breslau 1919. – Quellen zur schlesischen Handelsgeschichte bis 1526 (zusammen mit Marie Scholz-Babisch). Bd. 1. Breslau 1940. – Zahlreiche weitere Veröff. in Zeitschriften und Zeitungen, meist zu schlesischen Themen, aber auch: Die Kaiserurkunden des germanischen Nationalmuseums III u. IV. In: Mitteilungen GNM 1890, S. 73–117.

Lit.: Nachruf in: Der Archivar Bd. 3 (1950), S. 47 (Gerhard Pfeiffer). – Kürschner 1925–1935. – Reichshandbuch, Bd. 2, S. 2015–2016. – Wer ist's? 1905–1935. – (Festschrift für) Heinrich Wendt zum 70. Geburtstage: Zeitschrift des Vereins für Geschichte Schlesiens Bd. 70 (1936), mit Bild und Schriftenverzeichnis S. 331–44.

WENKE, Friedrich Wilhelm. Dr. phil., Kunsthistoriker. Herne/Westf. 17.9.1878–17.10.1951 Ludwigshöhe bei Nürnberg. Am GNM 16.11.1911–1.8.1944 als Kustos, ab 1927 als Hauptkonservator, u.a. Referent für Kunsthandwerk. Zuvor, 1908–1910, als wiss. Hilfsarbeiter und Kustos am Landesmuseum Münster i. Westf. Veröff.: Die Prinzipien des modernen Kunstgewerbes. Diss. Erlangen 1908. – Graf Heinrich der Große von Sayn und sein Denkmal im Germanischen Nationalmuseum. In: Mitteilungen GNM 1920/21, S. 103–133. – Katalog der Goldschmiedearbeiten im GNM (Mschr. 1936).

WIEGAND, Eberhard. Dr. phil., Kunsthistoriker. Greifswald 11.10.1908–17.7.1944 Arrezo/Italien (gef.). Am GNM von 1936 bis zum Tode, zunächst als Volontär und wissenschaftl. Hilfsarbeiter, ab 1940 als Konservator an den kunst- und kulturgeschichtlichen Sammlungen. Seit 1939 im Kriegsdienst. Studienurlaub 1943 zur Leitung der fotografischen Aufnahmen der aus den Nürnberger Kirchen geborgenen Glasgemälde. Zuvor Studium der Kunstgeschichte, Archäologie und Geschichte in Berlin, München und Göttingen. Veröff.: Die böhmischen Gnadenbilder. (Diss. Göttingen 1934). Würzburg 1936. – (Zusammen mit Eberhard Lutze:) Die Gemälde des 13. bis 16. Jahrhunderts (Kataloge des Germanischen Nationalmuseums zu Nürnberg). Bd. 1 Nürnberg 1936, Bde. 1 (Titelauflage), 2 Leipzig 1937. – Aufsätze zur Kunst in Franken.

Lit.: Nachruf in Jahresbericht GNM 91, 1944–46 (1946), S. 37–38 (Ernst Günter Troche).

WIETEK, Gerhard. Dr. phil., Prof., Kunsthistoriker. Mitglied der Freien Akademie der Künste in Hamburg. Geb. 23.6. 1923 in Grenzeck in Schlesien. Am GNM 1.4.1954–15.5. 1955 zur Inventarisation ostdeutschen Kulturgutes in der Bundesrepublik. Zuvor, nach Studium der Kunstgeschichte, Neueren Literatur, Geschichte und Philosophie, am Schleswig-Holsteinischen Landesmuseum in Schleswig. Später, bis 1959, am Landesmuseum für Kunst und Kulturgeschichte in Oldenburg (Old.), danach Direktor des Altonaer Museums, Norddeutsches Landesmuseum in Hamburg, dessen Wiederaufbau und Erweiterung damals vollendet wurden, seit 1.1.1978 Landes-Museumsdirektor in Schleswig. Veröff.: Untersuchungen über Goethes Verhältnis zur Architektur. Mschr. Diss. Kiel 1951. – Schmidt-Rottluff Graphik. München 1971. – Deutsche Künstlerkolonien und Künstlerorte (Hrsg.). München 1976. – Weitere Arbeiten zur deutschen Kunst des 19. und 20. Jahrhunderts. – Herausgeber der Monographien „Kulturgeschichtliche Museen in Deutschland". Hamburg/Berlin 1963ff. und des Jahrbuchs des Altonaer Museums, Hamburg seit 1963.

WILCKENS, Leonie von. Dr. phil., Kunsthistorikerin. Geb. 3.6.1921 in Sypniewo in Polen. Am GNM seit 1.1.1952, zunächst als wissenschaftliche Angestellte, 1961 Konservatorin, 1966 Oberkonservatorin, 1972 Landeskonservatorin. Referentin für Textilien (Gewebesammlung seit 1954, bürgerliche Kostüme seit 1963), Möbel und Spielzeug; Redaktion des Anzeigers und anderer wissenschaftlicher Publikationen seit 1962. Zuvor, nach Studium seit 1938 in Bonn, Berlin, München, Italien und Promotion 1943 bei Hans Jantzen, 1944–1948 am Bayerischen Nationalmuseum in München und 1949–1951 in München mit modernen Kunstausstellungen befaßt. Veröff.: Studien zum Frühwerk von Mantegna. Mschr. Diss. München 1943. – Tageslauf im Puppenhaus. Bürgerliches Leben vor dreihundert Jahren (Bibliothek des GNM, Bd. 5). München 1956. – Alte deutsche Innenräume vom Mittelalter bis zum 17. Jahrhundert. Königstein/Ts. 1959. – Fest- und Wohnräume vom Barock bis zum Klassizismus. Königstein/Ts. 1963. – Grundriß der abendländischen Kunstgeschichte. Stuttgart 1967. – Aufsätze zur Kunst der Textilien und zur deutschen Buchmalerei des 14./15. Jahrhunderts.

WILL, Cornelius. Dr. phil., Historiker. Großenlüder (Hessen) 23.4.1831–8.12.1905 Regensburg. Am GNM 1.1. 1862–gegen Ende 1866 als Konservator am Archiv. Ab 1886 Mitglied des Gelehrtenausschusses des GNM. Zuvor, nach Studium der neueren Sprachen und der Geschichte in Marburg (Lehrer u.a. Heinrich von Sybel) und Promotion 1856 ebendort, bis 1861 zeitweilig in Paris, seit 1861 in Frankfurt/Main tätig im Kreis der Regestenforscher um Johann Friedrich Böhmer. Später, seit Anfang 1867, Vorstand des Fürstlich Thurn und Taxis'schen Central-Archivs in Regensburg, später auch der Hofbibliothek. 1872 Fürstlicher Wirklicher Rat. Seit 29.4.1882 Vorstand des Historischen Vereins von Oberpfalz und Regensburg. Veröff.: Zahlreiche Publikationen zur Geschichte, vor allem Regestenwerke. – Benzo's Panegyrikus auf Heinrich IV. mit besonderer Rücksicht auf den Kirchenstreit zwischen Alexander II. und Honorius II. und das Concil zu Mantua. (Diss.) Marburg 1856. – Hauptwerke: Die Anfänge der Restauration der Kirche im elften Jahrhundert. Nach den Quellen kritisch untersucht. Marburg 1859–1864. – Regesta archiepiscoporum Moguntinensium, Bd. 1 und 2. Innsbruck 1877 und 1886.

Lit.: Nachruf in: Verhandlungen des historischen Vereines von Oberpfalz und Regensburg, Bd. 57 (1905), S. 271–313 (Ludwigs). – Biogr. Jahrbuch 10 (1905), Sp. 273*.

WILLERS, Johannes Karl Wilhelm. Dr. phil., Historiker. Geb. 2.9.1945 in Bamberg. Am GNM seit 1.10.1973 als wissenschaftlicher Volontär und Konservator, ab 1.4.1976 als Referent der Sammlungen alter Waffen, Jagdaltertümer und wissenschaftlicher Instrumente. Zuvor, nach Studium und Promotion 1973 in Erlangen, tätig als wissenschaftliche Hilfskraft am Archiv der Universität Erlangen-Nürnberg. Veröff.: Die Nürnberger Handfeuerwaffe bis zur Mitte des 16. Jahrhunderts. Entwicklung, Herstellung und Absatz nach archivalischen Quellen (Nürnberger Werkstücke zur Stadt- und Landesgeschichte, Bd. 11). Nürnberg 1973.

WINGENROTH, Max. Dr. phil., Prof., Kunsthistoriker. Mannheim 13.5.1872–15.6.1922 Freiburg i. Br. Am GNM 7.1.1898–30.4.1900 als Volontär und Praktikant, ab 1898 als Assistent an den Kunstsammlungen. Zuvor Studium bei Franz Xaver Kraus in Freiburg i. Br. und Henry Thode in Heidelberg. Später für die Badische Kunstdenkmälerinventarisation tätig und Direktionsassistent bei den Großherzoglichen Sammlungen für Altertums- und Völkerkunde in Karlsruhe. 1909–1922 Städtischer Konservator und Leiter der Vereinigten Sammlungen der Stadt Freiburg i. Br. Geschäftsführer und treibende Kraft des Vereins „Badische Heimat“. Veröff. u. a.: Die Jugendwerke des Benozzo Gozzoli. Diss. Heidelberg 1897. – Kachelöfen und Ofenkacheln des 16., 17. und 18. Jahrhunderts im Germanischen Museum, auf der Burg und in der Stadt Nürnberg. In: Mitteilungen GNM 1899, S. 47–61, 87–104; 1900, S. 57–77; 1902, S. 3–24. – Die Kunstdenkmäler des Kreises Offenburg (Die Kunstdenkmäler des Großherzogtums Baden, Bd. 7). Tübingen 1908. – Die städtischen Sammlungen in Freiburg i. Br. Ihre Ausgestaltung und ihre Ziele. In: Badische Heimat 2 (1915), S. 17–70. – Schwarzwälder Maler (Vom Bodensee zum Main, Bd. 19). Karlsruhe 1922. – Herausgeber mehrerer badischer Heimatzeitschriften.

Lit.: Nachrufe in: Mein Heimatland. Badische Blätter für Volkskunde ... Jg. 9 (1922), S. 51–53 mit Bild (Eugen Fischer) und in: Kunstchronik und Kunstmarkt 58, N. F. 34 (1922/23), S. 72–73 (Joseph Sauer). – Deutsches Biogr. Jahrbuch Bd. 4 (1922), Berlin, Leipzig 1929, S. 374. – Eugen Fischer: Fünfzig Jahre Landesverein Badische Heimat. In: Badische Heimat 39 (1959), S. 98–110 (101–103 mit Bild).

ZIMMERMANN, Ernst Heinrich. Dr. phil., Geheimrat, Neffe Wilhelm von Bodes, Kunsthistoriker. Wolfenbüttel 22.9.

1886–28.2.1971 Tutzing. Am GNM 1.10.1920–30.9.1936 als Erster Direktor. Förderung der kunsthistorischen Sammlungen der Gemäldegalerie und der Skulpturensammlung, bedeutende Erwerbungen zur Kunst des 16. und vor allem des 18. Jahrhunderts. Veranstaltung und Leitung der Ausstellungen: Albrecht Dürer, 1928; Nürnberger Malerei 1350–1450, 1931 und Veit Stoß, 1933. Zuvor, nach Studium an den Universitäten Halle, Braunschweig, Wien, Berlin, 1910–1915 Bearbeitung vorkarolingischer Miniaturen, 1915–1918 Assistent an der Österreichischen Staatsgalerie Wien, 1919–1920 Assistent am Kunstgewerbemuseum Berlin. Später, seit 1936, Direktor der Gemäldegalerie der Staatlichen Museen Berlin, 1948–1957 Generaldirektor der Ehemals Staatlichen Museen in Berlin (West). Veröff.: Die Fuldaer Buchmalerei in karolingischer und ottonischer Zeit (Diss.). In: Kunstgeschichtliches Jahrbuch der K. K. Zentralkommission für Erforschung und Erhaltung der Kunst- und historischen Denkmale. F. 3, Bd. 4 (1910), S. 1–104. – Watteau (Klassiker der Kunst, Bd. 21). Stuttgart, Leipzig 1912. – Vorkarolingische Miniaturen, 5 Bde. Berlin 1916. – Kunstgewerbe des frühen Mittelalters auf Grundlage des nachgelassenen Materials Alois Riegls (Alois Riegl: Die spätrömische Kunstindustrie, Teil 2). Wien 1923. – Vgl. Abb. 63, 66, 74.

Lit.: Nachruf im Anzeiger GNM 1971/72, S. 7. – Reichshandbuch, Bd. 2, S. 2091. – Jahrbuch der deutschen Museen Bd. 5 (1932), S. 392/93 und spätere Bände. – Schulz, Festschrift GNM, S. 62 ff. – Peter Strieder: Wandlungen und Probleme einer kulturhistorischen Sammlung. In: Museumskunde Bd. 33 (1964), S. 69–76 (73).

ZINK, Fritz. Dr. phil., Kunsthistoriker. Geb. 25.3.1914 in Kempten/Allgäu. Am GNM 6.5.1946–31.3.1978: seit 1953 Konservator, 1964 Oberkonservator, 1971 Landeskonservator. 1948 bis zur Pensionierung Leiter des Kupferstichkabinetts, bis 1957 zugleich des Archivs und des Münzkabinetts. Zuvor Studium der Kunstgeschichte, Geschichte und Archäologie in Erlangen, München und Würzburg und Promotion 1940 in Würzburg bei Kurt Gerstenberg über die „Passions-Landschaft“. 1940–41 Volontär bei den Staatlichen Museen München. 1941–46 Militärdienst und Kriegsgefangenschaft. Veröff.: Die Handzeichnungen bis zur Mitte des 16. Jahrhunderts (Kataloge des GNM Nürnberg. Die deutschen Handzeichnungen, Bd. 1). Nürnberg 1968. – Aufsätze, insbesondere zu topographischen Fragen.

Lit.: Kürschner seit 1954.

ZOEGE VON MANTEUFFEL, Claus. Dr. phil., Prof., Kunsthistoriker. Geb. 6.5.1926 in Dresden. Am GNM 1.6.1952–28.2.1954 als Volontär und anschließend bis 30.11.1955 zur katalogmäßigen Erfassung des ostdeutschen Kulturgutes in der Bundesrepublik Deutschland. Danach, bis 1957, am Städt. Kunstmuseum Düsseldorf, bis 1968 an der Skulpturenabteilung der Staatlichen Museen Berlin. 1967 Habilitation, seit 1968 Prof. für Kunstgeschichte an der Technischen Universität, Berlin. Veröff.: Die Baukunst Gottfried Sempers (1803–1879). Mschr. Diss. Freiburg i. Br. 1952. – Die Bildhauerfamilie Zürn 1606–1666. 2 Bde. Weissenhorn 1969. – Aufsätze zur Museumskunde und zur deutschen Kunst des 17., 19. und 20. Jahrhunderts.

Lit.: Kürschner seit 1970. – Who's who in Art and Antiques 1972.

Die Sonderausstellungen
Zusammengestellt von Axel Janeck

1860
Schiller-Ausstellung. Anläßlich der Schiller-Jubiläumsfeier (100. Geburtstag): Autographen und Portraits.

1871
Dürer-Ausstellung. 21. 5.–18. 6. Werke Dürers und seiner Zeit in Originalen und Fotos; mit Leihgaben. – Kat.: Die zur Feier des 400jährigen Geburtstages Albrecht Dürers im germanischen Museum veranstaltete Ausstellung. Nürnberg 1871. 28 S. 8° – Umschlagtitel: Germanisches Museum. Dürer-Ausstellung. 1871.
Verbunden mit: Kunsthandwerk der Dürerzeit. 21. 5.– Ende Juni. Ca. 60 interessante und kostbare Gegenstände, insbesondere Goldschmiedearbeiten; Leihgaben aus Nürnberger Privatbesitz. – Kat.: s. oben, S. 17–28. – Vgl. auch die Besprechung in: Kunst und Gewerbe Jg. 5 (1871), S. 187–188 (R. Bergau).

1872
Zweite Kunstgewerbe-Ausstellung. 12. 5.–16. 6. Goldschmiedearbeiten, Waffen, Bücher und Miniaturen; mit Leihgaben; 166 Nummern. – Kat.: Katalog der zweiten im germanischen Museum veranstalteten Ausstellung hervorragender kunstgewerblicher Erzeugnisse älterer Zeit. Mai bis Juni 1872. Nürnberg 1872. 16 S. 8°. – Vgl. auch die Besprechung in: Kunst und Gewerbe Jg. 6 (1872), S. 273–277, 287–293.

1873
Kunstgewerbe-Ausstellung. Juni–Juli. Hervorragende ältere kunstgewerbliche Erzeugnisse; kleine Ausstellung; mit Leihgaben. – Vgl. Otto von Schorn: Die diesjährige Ausstellung hervorragender kunstgewerblicher Erzeugnisse älterer Zeit im germanischen Museum zu Nürnberg. In: Kunst und Gewerbe Jg. 7 (1873), S. 233–236.

1883
Kupferstiche von Friedrich Fleischmann. Ab 9. 12. Aus dem Besitz der Städtischen Sammlungen.

1893
Kunstaltertümer aus Nürnberger Privatbesitz. 25.–27. 9. Anläßlich des kunsthistorischen Kongresses im GNM; 130 Nummern. – Kat.: Kunsthistorischer Kongreß. Katalog der Ausstellung von Kunstaltertümern aus Nürnberger Privatbesitz im Germanischen Museum. (Verf.: Hans Bösch und Theodor Hampe). Nürnberg 1893. 15 S. 8°

1917
Luthers Zeit. 31. 10.–11. 11. Anläßlich der 400jährigen Reformationsfeier; Schriften und Bilder aus Archiv, Bibliothek, Kupferstichkabinett. – Kat.: Luthers Zeit. Oktober-Ausstellung im Germanischen Museum Nürnberg 1917. (Verf.: Helmut Plessner). Nürnberg 1917. 8 S. 8° (Umschlagtitel).

1928
Albrecht-Dürer-Ausstellung. 11. 4.–16. 9. Anläßlich des 400. Todestages; 392 Nummern; mit Leihgaben. – Kat.: Albrecht-Dürer-Ausstellung im Germanischen Museum. Nürnberg April bis September 1928. (Verf.: Walther Fries). Nürnberg 1928. 117 S., 30 Taf. 8° (1. Aufl.). – 120 S., 30 Taf. 8° (2. Aufl.). – 124, 8 S., 30 Taf. 8° (3. Aufl.). – Vgl. auch die Besprechungen in: Pantheon Bd. 1 (1928), S. 284–290 (Ernst Buchner); in: Der Kunstwanderer 9 (1927/28), S. 371–372, 420–425 (Hans Tietze); in: Die Neue Rundschau Jg. 39 (1928), Bd. 2, S. 174–190 (Wilhelm Hausenstein); in: Zeitschrift für bildende Kunst Jg. 62 (1928/29), S. 49–54 (Ernst Heinrich Zimmermann); in: Albrecht Dürer. Festschrift der internationalen Dürer-Forschung. Hrsg. v. Georg Biermann. Leipzig, Berlin 1928, S. 5–14 (über die Gemälde; Max J. Friedländer) sowie weitere Besprechungen, verzeichnet in: Matthias Mende: Dürer-Bibliographie (Sonderband der Bibliographie der Kunst in Bayern). Wiesbaden 1971, Nrn. 1766–1777.

1929
Ausstellungen des Kupferstichkabinetts: 1. Holzschnitte deutscher Meister der Dürerzeit. Ab März. – 2. Handzeichnungen vom Ende des 16. bis zum 18. Jahrhundert. Ab Mai. – 3. Ältere Ansichten deutscher Städte. Ab September. Ansichten nord- und mitteldeutscher Städte vom 15.–18. Jahrhundert.

1930
Zum Gedächtnis der Reformation und der Augsburgischen Konfession. Ab Ende Juni. Zeitgenössische Bildnisse Luthers, seiner Anhänger und Gegner, Flugblätter, Stadtansichten, Schriften der Reformatoren, von Hans Sachs. Druckgraphik von Dürer, Cranach, Baldung.

Johannes Kepler-Ausstellung. November. Anläßlich des 300. Todestages; im Kupferstichkabinett; astronomische Instrumente und graphische Blätter. Leihgaben von Urkunden und Publikationen aus dem Besitz der Stadt Regensburg sowie von Publikationen aus der Bayerischen Staatsbibliothek und der Universitätsbibliothek in München.

Ausstellungen des Kupferstichkabinetts: 1. Zeichnungen des

Barock und Rokoko. Ab Ende August. – 2. Fränkische und schwäbische Buchgraphik vom Ende des 15. Jahrhunderts (Sammlung Julius Sander, Berlin). Ab September. Holzschnitte für den Nürnberger Verleger Anton Koberger als Kern der Ausstellung. – 3. Deutsche Landschaftskunst. Ab Dezember. Handzeichnungen, Druckgraphik vom 15.–18. Jahrhundert.

1931

Kunsthandwerkliche und ornamentale Zeichnungen, vom 15. bis zum 18. Jahrhundert. Ab März. Vorlagen für Goldschmiede, Glasmaler, Schreiner, für Ornamente, Altäre, Kanzeln, Brunnen und dekorative Architekturen. Ausstellung des Kupferstichkabinetts.

Das deutsche Handwerk. Ab April. Anläßlich der Reichshandwerkswoche. Geschichte des deutschen Handwerks vom 15. bis zum Beginn des 19. Jahrhunderts; Holzschnitte und Stiche; Handwerkerdarstellungen, Umzüge, Flugblätter, Lobgedichte, Verordnungen, Gesellen- und Lehrbriefe.

Nürnberger Malerei 1350–1450. Juni–August. Zur Erforschung der deutschen Malerei vor Dürer; auch Graphik, Miniaturen und Plastiken; 97 Nummern; mit Leihgaben. – Kat.: Katalog der Ausstellung Nürnberger Malerei 1350–1450 im Germanischen Museum Nürnberg. Juni bis August 1931. (Verf.: Walther Fries, Eberhard Lutze, Vorrede: Heinrich Zimmermann). Nürnberg 1931. 60 S., 16 Taf. 8° – Als Ergänzung erschien: Nürnberger Malerei 1350–1450 (Anzeiger GNM 1930/31). Nürnberg 1932. 255 S., mit 195 Taf. Mit Beiträgen von Eberhard Lutze: Die Buchmalerei; E. Heinrich Zimmermann: Die Tafelmalerei. – Vgl. auch die Besprechungen in: Kunst und Künstler Jg. 29 (1930/31), S. 431–432 (Karl Koch); in: Der Kunstwanderer Jg. 13 (1931), S. 317–322 (Hans Tietze); in: Zeitschrift für bildende Kunst Jg. 65 (1931/32), S. 76–84 (Eberhard Lutze).

Bildende Kunst und Familienforschung. 7. 10.–15. 12. Portraits, Stamm- und Wappenbücher, Gesellen- und Adelsbriefe, künstlerisch gestaltete Stammbäume; mit Leihgaben. – Vgl. Ludwig Rothenfelder: Die Ausstellung für Familienforschung im Germanischen Nationalmuseum Nürnberg. In: Das Bayerland Jg. 42 (1931), S. 715–721.

Essenwein-Ausstellung. November. Zum 100. Geburtstag (2. 11. 1831) von August Ottmar von Essenwein; größere Anzahl von Skizzen und Entwürfen zu Bauten und kunstgewerblichen Arbeiten; mit Leihgaben, meist aus Familienbesitz.

1932

Gustav-Adolf-Ausstellung. 2. 7.–11. 9. Anläßlich des Gustav-Adolf-Jahres; Kupferstichkabinett und anstoßende Säle; kulturhistorischer Überblick; mit Leihgaben.

1933

Veit-Stoss-Ausstellung. 27. Mai–Anfang September. Anläß-

lich des 400. Todestages; die meisten der Werke von Stoss; 72 Nummern; mit Leihgaben. – Kat.: Katalog der Veit Stoss-Ausstellung im Germanischen Museum. Nürnberg Juni bis August 1933. (Verf.: Eberhard Lutze). Nürnberg 1933. 59 S., 15 Taf. 8° (1. Aufl.). – 60 S., 15 Taf. 8° (2. Aufl.). – Vgl. auch die Besprechungen in: Pantheon Bd. 12 (1933), S. 201–210 (Hubert Wilm); in: Kunst- und Antiquäten-Rundschau Jg. 41 (1933), S. 245–248 (Hubert Wilm); in: Burlington Magazine 63 (1933), S. 41–42 (S. W.); in: Das Bayerland Jg. 44 (1933), S. 399–409 (Heinrich Höhn) sowie weitere Besprechungen, verzeichnet in: Bibliographie der Kunst in Bayern. Bearb. v. Hans Wichmann Bd. 3 (1967), Nrn. 47553–47561.

Deutsches Handwerk. Ab Oktober. Anläßlich der Reichshandwerkerwoche; Gesellenbriefe, Handwerksordnungen, Innungsbücher, Darstellungen der Gewerbe; aus Beständen von Archiv, Bibliothek, Kupferstichkabinett.

Der Nürnberger Adolf Hitlerplatz (Hauptmarkt) in seiner künstlerischen Entwicklung. November 1933 – Februar 1934. Anläßlich eines Preisausschreibens der Stadt zur Bemalung einzelner Häuser; mit Leihgaben.

Ausstellungen des Kupferstichkabinetts: 1. Das graphische Werk Rembrandts und Zeichnungen niederländischer Künstler. Februar. – 2. Ornamentale Gebrauchsgraphik des 15. und 16. Jahrhunderts. Ab Mai. U. a. Kartenspiele, Initialen, Exlibris. – 3. Kupferstiche und Holzschnitte Albrecht Dürers. Ab Juli.

1934

Ausstellungen des Kupferstichkabinetts: 1. Kupferstiche, Holzschnitte, Handzeichnungen der Nürnberger Kleinmeister der ersten Hälfte des 16. Jahrhunderts. Ab März. Überblick über das graphische Werk der Brüder Beham, von Georg Pencz, des Meisters IB. – 2. Zum Gedächtnis des Malers Michael Wolgemut (geb. 1434). Ab 6. 7. Aus Anlaß des 500. Todestages. Druckgraphik, Ergänzung durch Fotomaterial. – 3. Handzeichnungen des Barock und Rokoko. Vielfach Neuerwerbungen.

Korbflechtarbeiten aus Franken und der Oberpfalz. Beiderwandstoffe aus Schleswig-Holstein. 9. 12.–6. 1. 1935.

1935

Deutsche Wohnkultur 1815–1870. 14. 4.–August. Gemälde, Aquarelle. Leihgaben. – Vgl. Eberhard Wiegand: Deutsche Wohnkultur 1815–1870. In: Kunst- und Antiquäten-Rundschau Jg. 43 (1935), S. 149–152.

Das graphische Werk Albrecht Dürers. Ab 7. 9. Anläßlich des Reichsparteitages; nahezu vollständige Übersicht über die Holzschnitte und Kupferstiche; außerdem unter Einbeziehung von Leihgaben der Universitätsbibliothek Erlangen und der Stadtbibliothek Nürnberg Zeichnungen, theoretische Werke.

Ausstellungen des Kupferstichkabinetts: 1. Die Passion Christi. Kupferstiche und Holzschnitte des 15. und 16. Jahrhunderts. Ab Januar. – 2. Nürnberg von einst. Ab November. Graphik vom 16.–19. Jahrhundert.

Nürnberger Weihnachtsgebäck. Dezember. Volkstümliche Schau von Eierzuckerausformungen alter Backmodel; die Ausformungen konnten gekauft werden.

1936

Das Politische Deutschland. Anläßlich des Reichsparteitages; umfassende historische Schau mit Weiheraum „Ewiges Deutschland"; mit Leihgaben. – Kat.: Das Politische Deutschland, der Schicksalsweg des deutschen Volkes. Funde, Urkunden und Schriften aus 3 Jahrtausenden. Reichsparteitag 1936. (Hrsg.:) Amt Schrifttumspflege (Reichsstelle zur Förderung des deutschen Schrifttums) bei dem Beauftragten des Führers für die gesamte geistige und weltanschauliche Erziehung der NSDAP unter Mitwirkung der Preußischen Staatsbibliothek, des Germanischen Museums und der Bayerischen Staatsbibliothek. Berlin 1936. 109 S. mit 3 Taf. 8°.

Ausstellungen des Kupferstichkabinetts: 1. Deutsche Holz- und Metallschnitte des 15. Jahrhunderts. Ab Februar. Angegliedert eine Auswahl von Holzschnitten aus der Schedelschen Weltchronik. – 2. Deutsche Handzeichnungen von der Gotik bis zum Barock. Ab Oktober. – 3. Handzeichnungen von Johann Adam Klein.

Ausstellung von alten Feuerwehrgeräten. 18.–31. 10. Anläßlich des Mittelfränkischen Kreisfeuerwehr-Appelles am 24./25. 10.; dazu graphische Darstellungen von Bränden, Löscharbeiten, Beschießungen.

1937

Nürnberg, die deutsche Stadt. Ab 7. 9. Anläßlich des Reichsparteitages; mit Leihgaben. – Kat.: Nürnberg, die deutsche Stadt. Von der Stadt der Reichstage zur Stadt der Reichsparteitage. Eine Schau in Schriften, Urkunden, Bildern und Kunstwerken. Reichsparteitag 1937. (Hrsg.:) Amt Schrifttumspflege (Reichsstelle zur Förderung des deutschen Schrifttums) bei dem Beauftragten des Führers für die gesamte geistige und weltanschauliche Erziehung der NSDAP, in Verbindung mit der Stadt Nürnberg und dem Germanischen Nationalmuseum. Berlin 1937. 96 S. mit Abb. 8°

Deutsches Winterbrauchtum. Weihnachtsausstellung. Gegenstände aus allen Abteilungen des Museums.

1939

Meisterwerke der Textilkunst. Ab 23. 4. Mit Gemälden zur Veranschaulichung; bis auf 12 Leihgaben nur eigene Bestände.

700 Jahre Deutschtum im Weichselbogen. Ab 20. 10. Anläßlich der Eroberung Polens; nur eigene Bestände. – Vgl.

Heinrich Kohlhaußen: 700 Jahre Deutschtum im Weichselbogen. In: Schlesische Stimme (Der Oberschlesier), Jg. 22 (1940), H. 1, S. 5–12.

Gaben für 1939. Ab 12. 12. Neuerwerbungen des Jahres (u. a. Graphik-Sammlung Pachinger).

1940

Die Schrift als deutsche Kunst. Anläßlich des Gedenkjahres Gutenbergs; Entwicklung der Schrift vom 7. bis zum 20. Jahrhundert; nur eigene Bestände. – Kat.: Die Schrift als deutsche Kunst. Ausstellung im Gutenbergjahr 1940. Germanisches Nationalmuseum Nürnberg. (Verf.: Walter Tunk und Ernst Günter Troche). Nürnberg 1940. 19 ungez. Bl., 24 Taf. 8°

Deutsche Kunst im Osten und Südosten des Reiches. Wander-Ausstellung der Deutschen Akademie; Großfotos; für jede Landschaft ein Kunstwerk aus eigenen Beständen.

Niederländisch-deutsche Kulturbeziehungen. Anläßlich der Besetzung der Niederlande; Objekte aus allen Bereichen. – Vgl. Heinrich Kohlhaußen: Niederländisch-deutsche, insbesondere Nürnberger Kulturbindungen. In: Das Bayerland Jg. 51 (1940), S. 234–244.

Deutsche Bauernmalerei. Herbst. Malereien aus allen Gebieten der deutschen Volkskunst. – Vgl. Liselotte Engelhardt: Eindrücke von der Ausstellung „Deutsche Bauernmalerei" im Germanischen Nationalmuseum. In: Nürnberger Schau Jg. 1941, H. 3, S. 77–79.

1941

Krieg in Buch und Bild. 1. 3.–30. 4. Anteil des GNM an der Ausstellung der Fränkischen Galerie: Geschichte des deutschen Kriegswesens vom frühen Mittelalter bis um 1700 anhand von Waffen und Darstellungen aus den Beständen des Museums. Katalog-Verf. dieser Teile: August Neuhaus und Walter Tunk. – Kat.: Ausstellung Krieg in Buch und Bild. Veranstaltet vom Wehrkreiskommando XIII in Zusammenarbeit mit der Gaupropagandaleitung Franken und der Stadt der Reichsparteitage Nürnberg vom 1. März–30. April 1941. (Umschlagtitel ergänzt durch: . . . in der Fränkischen Galerie am Marientor). Nürnberg 1941. 95 S. 8°

Stiftung Guido von Volckamer. Anläßlich der Übergabe der Stiftung an das Museum.

Weihnacht – Rauhnacht. Weihnachtsausstellung. Gegenstände weihnachtlichen Brauchtums. – Vgl. Heinrich Kohlhaußen: Weihnacht – Rauhnacht. In: Nürnberger Schau Jg. 1941, H. 12, S. 269.

1942

Europa sieht Ostasien. Ab 29. 3. Anläßlich der Ostasienwoche der Stadt Nürnberg; Kunst- und Kultureinflüsse dargestellt aus eigenen Beständen.

Baum und Blüte im Bereich der Kunst. 14. 6.–9. 8. Vom Mittelalter bis zur Gegenwart; aus allen Gebieten der Kunst.

1945

Weihnachtliche Kostbarkeiten aus dem Germanischen Nationalmuseum. 15. 12. 1945–6. 1. 1946. In der Fränkischen Galerie am Marientor; Spielzeug, Graphik, Plastik und Malerei. Erste Nachkriegs-Ausstellung.

1946

Die Ausgestoßenen. 11. 1.–10. 2. Auf Wunsch der Militärregierung und der Stadt Nürnberg; in der Fränkischen Galerie; Lithographien und Statistiken des Künstlers Richard Grune aus Flensburg über dessen achteinhalbjährige Haft im Konzentrationslager.

Peter Flötner und die Renaissance in Deutschland. 14. 12. 1946–28. 2. 1947. Werke des Künstlers und seiner Zeitgenossen; 477 Nummern. – Kat.: Peter Flötner und die Renaissance in Deutschland. Ausstellung anläßlich des 400. Todestages Peter Flötners. Veranst. von der Stadt Nürnberg und dem Germanischen National-Museum in der Fränkischen Galerie am Marientor. 14. Dez. 1946–28. Febr. 1947. (Einl.: Ernst Günter Troche). Nürnberg 1946. 79 S., 8 Taf. 8°

1947

Kunst mit neuen Augen. 29. 3.–26. 5. Veranstaltet von den vom GNM mitverwalteten Städtischen Kunstsammlungen Nürnberg; 146 Gemälde und Plastiken der modernen Kunst von Franz Marc u. a.; anschließend von den Kunstvereinen Bamberg und Regensburg übernommen. – Kat.: Kunst mit neuen Augen. In der Fränkischen Galerie am Marientor. Städtische Kunstsammlungen Nürnberg. Dauer der Ausstellung Ende März bis Mitte Mai 1947. Nürnberg 1947. 12 S. 8°

Barocke Kunst aus dem Germanischen Nationalmuseum. 17. 5. 1947–12. 9. 1948. Ausstellung barocker Werke des GNM in der Residenz Bamberg. Ab 12. 9. 1948 in neuen Räumen der Residenz und mit neuer Aufstellung.

Gemälde des 19. Jahrhunderts aus städtischem Besitz. 14. 6.–10. 7. Hundert Gemälde, gereinigt und gesichert; in der Fränkischen Galerie am Marientor, die vom GNM mitverwaltet wurde.

Extreme Malerei. November. Übernommen vom Schaezlerpalais in Augsburg; veranstaltet von den Städtischen Kunstsammlungen Nürnberg in der Fränkischen Galerie am Marientor; 139 Nummern. – Kat.: Extreme Malerei. 6. Kunstausstellung im Schaezlerpalais Augsburg. Februar 1947 (Maler der Gegenwart, 3). Augsburg 1947. 11 Bl., 7 Taf. 8°

Spielzeugschau. Weihnachten. Aus eigenen Beständen des 17. bis 19. Jahrhunderts.

1948

Fränkische Bildteppiche aus alter und neuer Zeit. 20. 3.–Juni. Eigener Besitz und Leihgaben; 37 Nummern. – Kat.: Germanisches National-Museum, Nürnberg. Fränkische Bildteppiche aus alter und neuer Zeit. Ausstellung März–Mai 1948. (Verf.: Heinz Stafski und Ernst Königer. Vorr.: Ernst Günter Troche). Nürnberg 1948. 28 S., davon S. 17–28 Abb. 8°

Die deutsche Freiheitsbewegung von 1848. 5. 6.–13. 9. Anläßlich des 100jährigen Gedenkens; gemeinsam mit der Stadt Nürnberg; vorwiegend graphische Blätter, Aufrufe, Broschüren, Bücher, Urkunden; überwiegend aus eigenen Beständen, mit Leihgaben. Themen: Die Revolution in Nürnberg und Franken, die Revolution in den deutschen Ländern, die Nationalversammlung in Frankfurt. Materialzusammenstellung: Wilhelm Schwemmer.

Alte Fayencen und Porzellane. 16. 10. 1948–26. 6. 1949. Dazu Möbel, Gemälde, graphische Blätter zur kulturgeschichtlichen Abrundung; eigene Bestände und Leihgaben.

Aus der Weihnachtswelt. 1. 12. 1948–28. 2. 1949. Gemälde, Spielzeug; 5 Weihnachtsbäume (Wettbewerb im Schmücken für Volksschulen).

1949

Chinesische Kunst. 30. 7.–30. 10. Übernommen vom Staatlichen Museum für Völkerkunde in München; in Nürnberg um bedeutende Stücke vermehrt; im letzten Raum nur Objekte des GNM: Wirkungen der chinesischen Kunst auf Europa; Organisation: Max Loehr.

Aus Goethes Tagen. 13. 8.–6. 11. Anläßlich des 200. Geburtstages; überwiegend eigene Bestände, mit Leihgaben. Themen: Jugend 1749–1769, Nürnberg wie es Goethe sah, Sturm und Drang 1770–1786, klassisches Weimar 1786–1804, Romantik 1806–1832.

Kunstwerke aus den Kirchen Nürnbergs. Ab 22. 10. 1949. Ausstellung von Kunstwerken aus den zerstörten Nürnberger Kirchen. Sicherung bis zur Wiederherstellung der Gotteshäuser. – Vgl. Ernst Eichhorn: Kunstwerke aus zerstörten und schwer beschädigten Nürnberger Kirchen. Sonderausstellung im Germanischen Nationalmuseum. In: Kunstchronik Jg. 2 (1949), S. 251–252.

Das Handwerk und seine Meister. 3. 12. 1949–10. 4. 1950. Zur Anregung und Geschmacksbildung des Handwerkernachwuchses; jeder Raum einer Handwerksgruppe gewidmet; ausführliche Erklärungen der alten Techniken. – Vgl. Ernst Königer: Handwerkskultur und Hausrat. In: Frankenspiegel Jg. 1 (1950), H. 3, S. 8–12.

1950

Meisterwerke deutscher Kunst und deutschen Handwerks aus dem Germanischen National-Museum Nürnberg.

26. 3.–23. 4. Kunsthalle Bremen. 6. 5.–11. 6. Kunsthalle Hamburg. – Kat.: Meisterwerke deutscher Kunst und deutschen Handwerks aus dem Germanischen Nationalmuseum Nürnberg. Ausstellung Kunsthalle Bremen 26. 3.–23. 4. 1950. 6 Bl., Abb.

Die frühesten deutschen Kupferstiche. 22. 4.–Mitte Juli. Erste Ausstellung in der neueröffneten Graphikgalerie.

900 Jahre Nürnberg. 14.–30. 7. Für den historischen Teil stellte das GNM aus sämtlichen Abteilungen nahezu 1000 Objekte zur Verfügung. Wissenschaftliche Vorbereitung: Ernst Günter Troche. – Kat.: Jubiläumshandbuch 900 Jahre Nürnberg. Mit Leistungsschau der Fränkischen Wirtschaft. 14.–30. Juli 1950. Ausstellungsgelände am Dutzendteich. Im Auftrag des Stadtrates zu Nürnberg. Amtlicher Katalog. Nürnberg (1950). 63 ungez. Bl. m. Abb. 8°

Nürnbergs Große Kunst. 15. 7.–1. 10. Anläßlich des 900jährigen Bestehens von Nürnberg; Kunst Dürers und seiner Zeit; mit Leihgaben.

Frühe Kunst Amerikas. 16. 9.–5. 11. Übernommen vom Staatlichen Museum für Völkerkunde in München; 550 Nummern. – Kat.: Frühe Kunst Amerikas aus den Sammlungen des staatlichen Museums für Völkerkunde München und Privatbesitz. Ed. by Stefan P. Munsing. Ausstellung im Amerika-Haus München. Diessen vor München 1950. 35 ungez. Bl. m. Abb. 8°

Schöne Zeichnungen des deutschen Barock. 7. 10.–26. 11. Ausstellung des Kupferstichkabinetts.

Weihnachtliche Graphik. 2. 12. 1950–18. 2. 1951. Ausstellung des Kupferstichkabinetts.

Neue Welten. 16. 12. 1950–13. 1. 1952. Anläßlich des Heiligen Jahres 1950 und des 500. Geburtstages von Kolumbus 1951; Kulturdokumente aus der Zeit der Pilgerfahrten und Entdeckungsreisen; der deutsche Anteil an der Bereisung und Erschließung der Alten und Neuen Welt; Rückwirkungen auf die deutsche Kunst; mit Leihgaben. – Vgl. die Besprechung in: Weltkunst Jg. 21 (1951), H. 20, S. 3 (H. D. Disselhoff).

1951

Aquarelle aus dem Turner-Nachlaß im Britischen Museum. 24. 2.–26. 3. Wanderausstellung des British Council; 37 Aquarelle. – Kat.: Aquarelle aus dem Turner-Nachlaß im Britischen Museum. Veranstaltet vom British Council. Deutschland, 1950. Einl.: J. Isaacs. Umschlagtitel: Turner, 1775–1851, Aquarelle. Deutschland, 1950–1951. London 1950. 15 S., 12 Taf. 8°

Deutsche Zeichnungen der Klassik und Romantik. 31. 3.–30. 6. Ausstellung des Kupferstichkabinetts.

Alte Gartenkunst. 29. 6.–8. 10. Anläßlich des 100jährigen Bestehens der Fränkischen Gartenbaugesellschaft Nürnberg.

Deutsche Kultur von der Spätgotik bis zum Rokoko. Juli–Oktober. Ausstellung in Schloß Cappenberg; 596 Objekte aus allen Gebieten der Kultur- und Kunstgeschichte. – Kat.: Das Germanische Nationalmuseum Nürnberg zeigt: Deutsche Kultur von der Spätgotik bis zum Rokoko. Ausstellung im Museum für Kunst und Kulturgeschichte der Stadt Dortmund, Schloß Cappenberg. Juli bis Oktober 1951 (Verf.: Peter Metz; Mitarbeit Gerhard Bott). Dortmund 1951. 39 S., 16 Taf. 8°

Die Kunst der Radierung. 7. 7.–28. 10. Ausstellung des Kupferstichkabinetts.

Der römische Schatzfund von Straubing. 20. 10. 1951–3. 6. 1952. Übernommen von der Bayerischen Prähistorischen Staatssammlung München.

Das deutsche Bürger- und Patrizierhaus. 1. 11. 1951–1. 2. 1952. Ausstellung des Kupferstichkabinetts.

Seltene deutsche Fayencen aus Privatbesitz. 18. 11. 1951–3. 6. 1952.

Ewige Märchenwelt. 1. 12. 1951–31. 1. 1952. Weihnachtsausstellung.

1952

Das deutsche Bildnis. 1. 2.–31. 3. Ausstellung des Kupferstichkabinetts.

Aufgang der Neuzeit. 15. 7.–15. 10. Anläßlich des hundertjährigen Bestehens des GNM; mit Leihgaben. – Kat.: Germanisches National-Museum, Nürnberg. Aufgang der Neuzeit. Deutsche Kunst und Kultur von Dürers Tod bis zum Dreißigjährigen Kriege, 1530–1650. 15. Juli–15. Oktober 1952. (Verf.: Leonie von Wilckens. Vorr.: Ludwig Grote). Bielefeld 1952. 221 S. mit Taf. 8° – Vgl. auch die Besprechungen in: Kunstchronik Jg. 5 (1952), S. 320–324 (Wolfgang J. Müller) und in: Die Kunst und das schöne Heim Jg. 51 (1953), S. 41–47 (Peter Strieder).

Bilderschmuck der Frühdrucke. 30. 11. 1952–30. 4. 1953. Ausstellung der Bibliothek.

Kulturdokumente der Bodenseegebiete aus dem Germanischen National-Museum. 30. 11. 1952–10. 4. 1953. Aus den Beständen von Kupferstichkabinett, Archiv und Münzkabinett. – 18. 4.–15. 6. 1953 in Konstanz. – Kat.: Wessenberg-Galerie Konstanz. Kulturdokumente der Bodenseegebiete aus dem Germanischen National-Museum Nürnberg. (Verf.: Fritz Zink). Konstanz 1953. 19 S. 8°

Weihnachten im alten Kartäuserkloster 7. 12. 1952–11. 1. 1953.

1953

Kulturdokumente aus Oberpfalz und Niederbayern. 10. 5.–4. 9. Ausstellung von Kupferstichkabinett, Archiv und Münzkabinett. – Vgl. Fritz Zink: Aus Oberpfalz und

Niederbayern. Zur Sonderausstellung im Germanischen National-Museum Nürnberg. In: Die Oberpfalz Bd. 41 (1953), S. 177–179.

Schlesien-Ausstellung. 28.–29. 5. Anläßlich des 2. Mittelfränkischen Schlesiertreffens in Nürnberg.

Meisterwerke deutscher Kunst des 20. Jahrhunderts. 3.–9. 6. Eine Auswahl der für eine Ausstellung in Luzern (4. 7.–2. 10.) bestimmten Kunstwerke.

Oberschlesien-Ausstellung. 26.–28. 6. Anläßlich des Bundestreffens der Oberschlesischen Landsmannschaften.

Werke von Paul Klee, 11.–20. 9. Bilder aus der Klee-Stiftung und dem Nachlaß des Künstlers in Bern, die für die deutsche Abteilung der 2. Biennale in São Paulo bestimmt waren; 65 Nummern. – Kat.: Paul Klee, 1879–1940. (Catalogo. II Bienal de São Paulo. Alemanha.) Munique 1953. 4 ungez. Bl., 65 Taf. 8°

Kulturdokumente Frankens, 25. 10. 1953–14. 3. 1954. Ausstellung von Kupferstichkabinett, Archiv und Münzkabinett. – Wiederholt 1961 in Bamberg.

Der Goldfund von Ezelsdorf. 25. 10. 1953–30. 4. 1955.

Advent, Advent . . . 29. 11. 1953–31. 1. 1954.

1954
Flüsse, Seen und Brunnen in der Graphik. 17. 4.–30. 8. Ausstellung des Kupferstichkabinetts.

Mit Drehscheibe und Malhorn. 2. 7.–15. 10. 533 Nummern; mit Leihgaben. – Kat.: Mit Drehscheibe und Malhorn. Ausstellung volkstümlicher Töpferarbeiten aus drei Jahrhunderten. 2. Juli–15. Oktober 1954. Nürnberg Germanisches Nationalmuseum. (Verf.: Erich Meyer-Heisig). Nürnberg 1954. 118 S., 27 Abb. auf Taf. 8°

Aus der Frühzeit der Germanistik, Quellen und Forschungen. 26. 9.–12. 12. Anläßlich der deutschen Germanistentagung in Nürnberg; Ausstellung der Bibliothek; Handschriften und Drucke vom Humanismus bis zum „Deutschen Wörterbuch" der Brüder Grimm (1852); 269 Nummern. – Kat.: Germanisches National-Museum Nürnberg. Aus der Frühzeit der Germanistik. Quellen und Forschungen. Sonderausstellung 1954. (Verf.: Walther Matthey). Nürnberg 1954. 15 S. 8°

Zeugnisse alter Fechtkunst. 21.–24. 10. Anläßlich der deutschen Meisterschaften im Mannschaftsfechten; in der Messehalle Nürnberg.

Das Weihnachtszimmer, 3. 12. 1954–6. 1. 1955.

Kulturdokumente aus Bayrisch-Schwaben. 18. 12. 1954–30. 4. 1955. Ausstellung aus Kupferstichkabinett, Archiv und Münzkabinett.

1955
Wertvolle Drucke. Die Entwicklung des Buchdrucks und der graphischen Techniken. 6. 5.–15. 7. Anläßlich der 9. Ordentlichen Hauptversammlung des Verbandes der graphischen Betriebe in Bayern e. V.

Kunst und Kultur in Böhmen, Mähren und Schlesien. 22. 5.–3. 11. Anläßlich des Sudetendeutschen Tages in Nürnberg; in Verbindung mit dem Adalbert-Stifter-Verein; mit Leihgaben. – Kat.: Kunst und Kultur in Böhmen, Mähren und Schlesien. Ausstellung im Germanischen National-Museum zu Nürnberg, vom 22. Mai bis September 1955. (Verf.: Edmund Wilhelm Braun, Claus Zoege von Manteuffel. Textbeiträge von den Genannten und von Ludwig Grote, Erich Meyer-Heisig, Wulf Schadendorf). Nürnberg 1955. 132 S. mit Abb., 38 Taf. 8°

Hochkultur der Bronzezeit. Schatzfunde aus Mitteleuropa 1400 bis 800 v. Chr. 16. 6.–31. 10.

Mittelalterliche Glasmalereien aus dem Ostchor der Sebalduskirche zu Nürnberg. Ab 16. 6.

Kulturdokumente aus Oberbayern und Tirol. 12. 11. 1955–22. 5. 1956. Ausstellung aus Kupferstichkabinett, Archiv und Münzkabinett. – Vgl. Fritz Zink: Aus Oberbayern und Tirol. In: Der Schlern Jg. 30 (1956), S. 139–141.

Aus alten Weihnachtstagen. 4. 12. 1955–8. 1. 1956.

1956
Alte Musik und ihre Instrumente. 16. 6.–28. 11. Anläßlich der 5. Internationalen Orgelwoche in Nürnberg.

Weberei, Nadelwerk und Zeugdruck. Deutsche textile Volkskunst. 2. 7.–30. 10.

Deutsche Spielkarten und magische Literatur vom 15. bis 19. Jahrhundert. 30. 8.–15. 9. Anläßlich des Internationalen Kongresses des Magischen Zirkels.

Kulturdokumente der Oberrhein- und Neckargebiete. 15. 9.–14. 10. Im Stadtmuseum Ludwigshafen. Objekte aus Kupferstichkabinett, Archiv und Münzkabinett; 442 Nummern. – Ausstellung im GNM: 23. 1.–17. 3. 1957. – Kat.: Kulturdokumente der Oberrhein- und Neckargebiete. Aus dem Germanischen Nationalmuseum Nürnberg. Ausstellung im Stadtmuseum Ludwigshafen am Rhein. Vom 15. September mit 14. Oktober 1956. (Verf.: Fritz Zink). Ludwigshafen 1956. 55 S., 14 Taf. 8°

Schuhwerk und Orthopädie vergangener Tage. Aus der Geschichte der Medizin. 19. 9.–21. 10. Anläßlich der 44. Jahrestagung der Deutschen Orthopädischen Gesellschaft.

Die Nürnberger Patrizierfamilie von Imhoff. Geschichte und Kunst. 31. 10.–22. 11. Anläßlich des Imhoff'schen Familientages.

Weihnachtsbaum und Schlittenfahrt. 2. 12. 1956–6. 1. 1957.

Deutsche Zeichnungen von 1400–1900. 2. 12. 1956–13. 1.

1957. (Wanderausstellung durch 6 Städte der USA, München, Berlin, Hamburg). – Kat.: Deutsche Zeichnungen 1400–1900. Ausstellung Juli–Nov. 1956. Staatl. Graph. Sammlung München im Haus d. Kunst, Kupferstichkabinett d. ehem. Staatl. Museen Berlin im Museum Dahlem, Kunsthalle Hamburg. (Vorr.: Peter Halm). München 1956. 63 S., 64 Taf. 8°

1957

Kulturdokumente Norddeutschlands. 31. 3.–27. 9. im GNM. Danach im Karl-Ernst-Osthaus-Museum Hagen; Objekte aus Kupferstichkabinett, Archiv und Münzkabinett; 526 Nummern. – Kat.: Kulturdokumente Norddeutschlands, unter besonderer Berücksichtigung Westfalens. Leihgaben des Germanischen National-Museums in Nürnberg. Karl-Ernst-Osthaus-Museum Hagen. 13. Oktober bis 24. November 1957. (Verf.: Fritz Zink). Hagen 1957. 59 S. mit Abb. 8°

Dokumente der Musica Sacra in Nürnberg. 29. 6.–14. 7. Anläßlich der 6. Internationalen Orgelwoche in Nürnberg.

Martin Behaim und die Nürnberger Kosmographen. 13. 7.–30. 9. Anläßlich des 450. Todestages von Martin Behaim; mit Leihgaben. – Kat.: Martin Behaim und die Nürnberger Kosmographen. Ausstellung anläßlich des 450. Todestages von Martin Behaim im Germanischen National-Museum Nürnberg. Juli bis September 1957. (Verf.: Werner Schultheiß, Ernst Königer, Walther Matthey, Stephan Waetzoldt). Nürnberg 1957. 24 S., 4 Taf. 8°

Dürer und das Buch. 12. 10.–31. 12. Anläßlich der Tagung Fränkischer Bibliophilen; Bücher und einzelne Blätter aus Bibliothek und Kupferstichkabinett; mit Leihgaben; 63 Nummern. – Kat.: Dürer und das Buch. Ausstellung im Germanischen National-Museum. Oktober und November 1957. Nürnberg 1957. 12 ungez. Bl. 4° (Maschinenschrift).

Kulturdokumente Österreichs. 26. 10. 1957–2. 2. 1958. Ausstellung aus Kupferstichkabinett, Archiv und Münzkabinett; 555 Nummern; in Konstanz 26. 4.–8. 6. 1958; in Linz 30. 8.–28. 9. 1958. – Kat.: Kulturdokumente Österreichs aus dem Germanischen National-Museum in Nürnberg. Konstanz Wessenberg-Galerie, 26. April bis 8. Juni 1958. (Verf.: Fritz Zink). Konstanz 1958. 50 S., 4 Taf. 8° – Kulturdokumente Österreichs aus dem Germanischen National-Museum in Nürnberg. Schrifttumsnachweis zum Katalog von Dr. Fritz Zink. Neue Galerie der Stadt Linz Wolfgang Gurlitt Museum 1959 (vielm. 1958). 21 S. 8°

Deutsche Bibeldrucke aus sechs Jahrhunderten. 17. 11. 1957–15. 1. 1958. Ausstellung der Bibliothek; mit Leihgaben; 89 Nummern. – Kat.: Deutsche Bibeldrucke aus sechs Jahrhunderten. Ausstellung des Germanischen National-Museums anläßlich der Evangelischen Bibelwoche. 17. November bis 15. Dezember 1957. Nürnberg 1957. 9 Bl. 4° (Maschinenschrift).

Weihnachtsausstellung. 1. 12. 1957–5. 1. 1958.

1958

Kulturdokumente aus Hessen – Thüringen und Sachsen. 29. 3.–6. 7. Ausstellung aus Kupferstichkabinett, Archiv und Münzkabinett.

Die Orgel und die Orgelmusik. 31. 5.–30. 6. Anläßlich der 7. Internationalen Orgelwoche in Nürnberg.

Aus dem Danziger Paramentenschatz. 7. 9. 1958–30. 3. 1959. 103 Nummern. – Gleichzeitig: Der Schatz der Schwarzhäupter zu Riga. 7. 9.–30. 10. 1958. 11 Nummern. – Kat.: Aus dem Danziger Paramentenschatz und dem Schatz der Schwarzhäupter zu Riga. Ausstellung zur Eröffnung des Theodor-Heuss-Baues 1958. Germanisches Nationalmuseum Nürnberg. (Verf.: Leonie von Wilckens, Günther Schiedlausky). Nürnberg 1958. 47 S., 24 Taf. 8°

Weihnachtsausstellung. Ab 30. 11.

1959

Der deutsche Holzschnitt 1420–1570. 13. 2.–15. 3. Auf Einladung der Universität Tübingen; von der Stadt Ravensburg (4. 4.–3. 5.) übernommen; danach (24. 10. 1959–21. 2. 1960) im GNM gezeigt. – Kat.: Universitätsstadt Tübingen. Der deutsche Holzschnitt 1420–1570. 100 Einblattholzschnitte aus dem Besitz des Germanischen National-Museums in Nürnberg. Eine Ausstellung im Februar 1959. (Verf.: Ludwig Grote, Fritz Zink, Rudolf Huber). (Tübinger Kataloge, Nr. 2). Tübingen 1959. 59 S. mit Abb., 4 Taf. 8°

Kaiser Maximilian I. (1459–1519) und die Reichsstadt Nürnberg. 8. 4.–31. 5. Anläßlich des 500. Geburtstages Maximilians I.; 137 Nummern. – Kat.: Kaiser Maximilian I. (1459–1519) und die Reichsstadt Nürnberg. Ausstellung des Germanischen National-Museums in Verbindung mit dem Staatsarchiv Nürnberg zum 500. Geburtstag Maximilians. (Verf.: Peter Strieder, Ludwig Veit). Nürnberg 1959. 31 S. 8°

Altdeutsche Zeichnungen aus der Kunsthalle Karlsruhe 12. 6.–15. 9.

Bayerische Denkmalpflege. 10. 4.–3. 5. Wanderausstellung des Bayerischen Landesamtes für Denkmalpflege.

Deutsche Zeichenkunst der Goethezeit. 6. 6.–29. 7. 175 u. VII Nummern. – Kat.: Deutsche Zeichenkunst der Goethezeit. Handzeichnungen und Aquarelle aus der Sammlung Winterstein, München. Nebst Ergänzung. Ausstellung in der Staatlichen Graphischen Sammlung München, im Germanischen National-Museum Nürnberg, in der Kunsthalle Hamburg, im Kurpfälzischen Museum Heidelberg. April bis November 1958. (Verf. Peter Halm). München 1958. 59 S., 48 + 7 ungez. Abb. 8°

Liturgisches Gerät der Gegenwart. 20.–28. 6. Anläßlich der 8. Internationalen Orgelwoche Nürnberg; gestaltet durch die Bayerische Landesgewerbeanstalt.

Aus der Frühzeit der evangelischen Kirche. September. Anläßlich des Deutschen Evangelischen Kirchentages in München, danach im GNM gezeigt; 220 Nummern; mit Leihgaben. – Kat.: Aus der Frühzeit der evangelischen Kirche. Ausstellung des Germanischen Nationalmuseums zum Deutschen Evangelischen Kirchentag, München 1959. (Verf.: Herwarth Röttgen). Nürnberg 1959. 28 S., 24 Abb. 8°

Joachim Utech. Steinbildwerke und Fotografien von Plastiken. 6.–29. 11. Ausstellung veranstaltet vom Ostdeutschen Kulturrat, Bonn, unter Mitwirkung der Künstlergilde, Esslingen. – Kat.: Joachim Utech. Steinbildwerke und Fotografien von Plastiken. Eine Ausstellung anläßlich der Sechsten Ostdeutschen Kulturtage des Ostdeutschen Kulturrats. Nürnberg, Germanisches Nationalmuseum, 6.–29. November 1959. 4 ungez. Bl., 14 Taf. 8°

In Bethlehems Stall. 29. 11. 1959–31. 1. 1960. Krippen-Ausstellung; mit Leihgaben aus Altona, Innsbruck, München, Salzburg, Stuttgart.

1960
Die Entdeckung des Pegnitztales. 9. 1.–17. 1. Ausstellung des Kupferstichkabinetts.

Handel und Wandel mit aller Welt. 11. 4.–31. 5. Anläßlich der 400-Jahrfeier der Nürnberger Industrie- und Handelskammer; 250 Nummern; mit Leihgaben. – Kat.: Handel und Wandel mit aller Welt. Aus Nürnbergs großer Zeit. Ausstellung im Germanischen National-Museum Nürnberg 1960. (Verf.: Ludwig Veit). Nürnberg 1960. 20 S. mit Titelholzschnitt. 8°

Deutsche Druckgraphik der ersten Hälfte des 19. Jahrhunderts. 7. 9.–31. 10. – Wiederholt 1964 in Ludwigshafen.

Das Musikinstrumentarium des 14. bis frühen 16. Jahrhunderts. Anläßlich der 9. Internationalen Orgelwoche Nürnberg; Großfotos.

Altes Spielzeug. 3. 12. 1960–5. 2. 1961.

1961
Kulturdokumente Frankens aus dem Germanischen National-Museum. 8. 4.–18. 6. Ausstellung von Kupferstichkabinett, Archiv, Münzkabinett; in der Neuen Residenz in Bamberg; 437 Nummern. – Kat.: Kulturdokumente Frankens aus dem Germanischen National-Museum. Ausstellung Neue Residenz Bamberg 8. April bis 18. Juni 1961. (Verf.: Fritz Zink). Bamberg 1961. 88 S., 16 Taf. 8°

Meister um Albrecht Dürer. 4. 7.–17. 9. 404 Nummern; mit Leihgaben. – Kat.: Meister um Albrecht Dürer. Ausstellung im Germanischen National-Museum vom 4. Juli bis 17. September. (Verf.: Peter Strieder u. a.). (Anzeiger GNM 1960/61). Nürnberg 1961. 230 S. mit Abb., 72 Taf. 4°. – Vgl. auch die Besprechungen der Ausstellung in: Kunstchronik Bd. 14

(1961), S. 265–272 (Friedrich Winkler); in: Zeitschrift für Kunstgeschichte Bd. 24 (1961), S. 250–260 (Karl-Adolf Knappe) und in: Pantheon Jg. 19 (1961), S. LXXVIII–LXXX (Eberhard Ruhmer).

Barockmaler in Böhmen. 10. 10.–26. 11. – Kat.: Barockmaler in Böhmen. Ausstellung des Adalbert Stifter Vereins. Mai bis November 1961. Köln, Wallraf-Richartz-Museum, München, Prinz-Carl-Palais, Nürnberg, Germanisches Nationalmuseum. München 1961. 36 S. mit Abb., 16 Taf. 4°

Vier Jahrhunderte Kinderbuch. 10. 12. 1961–3. 5. 1962. Zumeist eigene Bestände.

1962
Barock in Nürnberg. 20. 6.–16. 9. Im Mittelpunkt Werke des Akademiegründers Joachim von Sandrart; sämtliche Kunstgattungen vertreten; mit Leihgaben. – Kat.: Barock in Nürnberg. 1600–1750. Aus Anlaß der Dreihundertjahrfeier der Akademie der bildenden Künste. Ausstellung im Germanischen National-Museum vom 20. Juni bis 16. September. (Anzeiger GNM 1962). Nürnberg 1962. 207 S. mit Abb., 68 Abb. auf Taf. 4°

Bismarck im Spiegel seiner Zeit. Karikaturen aus der internationalen satirischen Presse. 21. 10. 1962–31. 1. 1963. Aus den Beständen des Archivs. In erweiterter Form gezeigt in Berlin. – Kat.: Bismarck in der Karikatur. Eine Ausstellung des Germanischen Nationalmuseums Nürnberg und des Geheimen Staatsarchivs Berlin-Dahlem. Katalog. Ausstellung im Geheimen Staatsarchiv 1 Berlin 33 (Dahlem), Archivstraße 12–14 vom 3. Oktober 1968 bis 31. Januar 1969. (Verf.: Cécile Hensel). Berlin 1968. 96 S. mit Abb., 6 Taf. 8°

Spielzeug und Hausgerät. Adventszeit. In Form eines Christkindlesmarktes; mit Leihgabe einer Krippe aus dem Bayerischen Nationalmuseum München.

1963
Neuerwerbungen des Jahres 1962. U. a. Musikinstrumente der Sammlung Dr. Dr. h. c. Rück. 8. 2.–9. 3.

Münze und Medaille in Franken. 31. 3.–15. 6. Mit Leihgaben. – Kat.: Münze und Medaille in Franken. Ausstellung im Germanischen Nationalmuseum Nürnberg vom 31. März bis 15. Juni 1963. Zum 80jährigen Jubiläum des Vereins für Münzkunde Nürnberg. (Verf.: Ludwig Veit; Mitarbeiter: Hansheiner Eichhorn, Konrad Lengenfelder, Horst Pohl). Nürnberg 1963. 48 S., 15 Taf. 8°

Zum Gedenken an die Brüder Grimm. Frühjahr. Anläßlich des 100. Todestages von Jacob Grimm und von Ludwig Emil Grimm; Werke, Archivalien, Autographen, Arbeitstische, Zeichnungen und Druckgraphiken.

Altdeutsche und altniederländische Gemälde aus der Sammlung Heinz Kisters. 25. 6.–15. 9. Im Oktober und November vom Westfälischen Landesmuseum Münster übernommen. –

Kat.: Sammlung Heinz Kisters. Altdeutsche und altniederländische Gemälde. Ausstellung im Germanischen Nationalmuseum Nürnberg vom 25. Juni bis 15. September 1963. (Verf.: Peter Strieder). Nürnberg 1963. 16 S., 101 Taf. 4°. Erweiterte Ausgabe: 18 S., 112 Taf. 4°. – Vgl. auch die Besprechungen der Ausstellung in: Kunstchronik Bd. 16 (1963), S. 205–209 (Paul Pieper) und in: Pantheon Jg. 21 (1963), S. 396–398 (Kurt Löcher).

Mein Lieblingswerk im Germanischen Museum. 1. 12. 1963–2. 2. 1964. In Zusammenarbeit mit dem Städtischen Schulamt; Ergebnis eines Wettbewerbs von neun- bis zwölfjährigen Schülern; Zeichnungen.

1964

Mittelalterliche Keramik aus London und Nürnberg. 26. 3.–26. 4. In Zusammenarbeit mit dem British Council. – Kat.: Medieval English Pottery from the Guildhall Museum, London. An Exhibition organized by the British Council 1962–63. (Ausw. u. Einf.: Norman Cook, Bernard Leach). London 1962. 4 Bl., 4 Taf. 8°. – Nebst Beilage: British Council – Germanisches Nationalmuseum. Mittelalterliche Keramik aus London und Nürnberg. 26. 3.–26. 4. 1964. 6 S. masch.-schr. vervielf. 4°

Venezianische Veduten des 18. Jahrhunderts. 2. 6.–16. 8. 127 Nummern; anschließend in der Kunsthalle Kiel und im Italienischen Kulturinstitut München gezeigt. – Kat.: Venezianische Veduten des 18. Jahrhunderts. Radierungen aus dem Museo Correr, Venedig. Ausstellung im Germanischen Nationalmuseum Nürnberg, 1. Juni bis 16. August 1964. (Verf.: Terisio Pignatti). Nürnberg 1964. 15 ungez. Bl., 32 Taf. quer-8°

Grafica Tedesca nel Tempo di Albrecht Dürer. 1. 9.–18. 10. Ausstellung im Museo Correr Venedig; 102 Holzschnitte, Kupferstiche, Radierungen, 16 illustrierte Bücher aus Beständen des GNM. – Kat.: Grafica Tedesca nel tempo di Albrecht Dürer dal Germanisches Nationalmuseum di Norimberga. Esposizione al Museo Correr Venezia. Settembre-Ottobre 1964. (Verf.: Fritz Zink, Elisabeth Rücker). Venezia 1964. 16 Bl., 33 Abb. auf Taf. 8°. – Anschließend auch in den Uffizien Florenz. 17. 12. 1964–25. 1. 1965. – Kat.: Titel wie oben. Esposizione al Gabinetto Disegni e Stampe degli Uffizi Firenze. Dicembre 1964 – Gennaio 1965.

Fünf Jahrhunderte deutscher Kulturgeschichte – Kostbarkeiten aus der Bibliothek Neufforge. 1. 9.–22. 11. Anläßlich der Erwerbung (1961) der Bibliothek des Baron Ferdinand Neufforge.

Deutsche Druckgraphik der ersten Hälfte des 19. Jahrhunderts. 19. 9.–1. 11. im Stadtmuseum Ludwigshafen. Alle Techniken; 223 Nummern. – Kat.: Deutsche Druckgraphik der ersten Hälfte des 19. Jahrhunderts. Aus dem Germanischen Nationalmuseum in Nürnberg. Ausstellung im Stadtmuseum Ludwigshafen am Rhein vom 19. September mit 1.

November 1964. (Verf.: Fritz Zink). Ludwigshafen 1964. 39 S., 16 Taf. 8°

Altes Spielzeug. 5. 12. 1964–28. 3. 1965.

1965

Buntpapier. 10. 6.–1. 8. In Zusammenarbeit mit dem Bayerischen Nationalmuseum München; vom Mittelalter bis zur Moderne; Leihgaben; zuvor in der Neuen Sammlung in München, danach in der Kunstbibliothek Berlin gezeigt. – Veröff.: Buntpapier. Germanisches Nationalmuseum Nürnberg. 10. Juni–1. August 1965. (Verf.: Albert Hämmerle). Nürnberg 1965. 1 Faltblatt. 8° (Kopftitel).

Deutsche Malerei des 19. Jahrhunderts. Ab 5. 7. für mehrere Jahre. Mit Dauerleihgaben der Stadt Nürnberg und Leihgaben der Bayerischen Staatsgemäldesammlungen München, der Nationalgalerie Stiftung Preußischer Kulturbesitz Berlin, des Wallraf-Richartz-Museums Köln und der Sammlung Dr. Georg Schäfer Schweinfurt. – Veröff.: Germanisches Nationalmuseum. Deutsche Malerei des 19. Jahrhunderts. Verzeichnis der ausgestellten Werke. Stand: Juli 1965. (Faltblatt). 4 ungez. S. 8°

Das graphische Werk Félix Vallottons (1865–1925). 12. 8.–3. 10. Anläßlich des 100. Geburtstages; Leihgaben aus Schweizer Privatbesitz.

Zeugnisse religiösen Volksglaubens im Germanischen Nationalmuseum. 11. 12. 1965–27. 2. 1966. Die 1965 erworbene Sammlung Erwin Richter, Wasserburg, Slg. Pachinger (Kupferstichkabinett) und alter Besitz des GNM – Begleitende Publikation: Zeugnisse religiösen Volksglaubens. Aus der Sammlung Erwin Richter. (Verf.: Bernward Deneke). (Bilderhefte des Germanischen Nationalmuseums, 2). Nürnberg 1965. 8 Bl., 63 Abb. auf Taf. quer-8°

1966

Klassizismus und Romantik in Deutschland. 30. 6.–2. 10. 199 Nummern. – Kat.: Klassizismus und Romantik in Deutschland. Gemälde und Zeichnungen aus der Sammlung Georg Schäfer, Schweinfurt. Ausstellung im Germanischen Nationalmuseum Nürnberg. 1. Juli – 2. Oktober 1966. (Verf.: Konrad Kaiser). Nürnberg 1966. 303 S., davon S. 101–277 Abb. auf Taf., 4 Bl. 4°. – Vgl. auch Besprechung in: The Burlington Magazine Bd. 109 (1967), S. 479 (John Gage).

Münzen und Medaillen. 23.–25. 9. Anläßlich eines überregionalen Münzsammlertreffens.

Münze und Medaille in Franken. 14. 10.–14. 12. Wanderausstellung in Filialen der Bayerischen Vereinsbank in: Bamberg, Lichtenfels, Kulmbach, Münchberg, Hof.

Weihnachtliches im Großen Kreuzgang. 26. 11. 1966–6. 1. 1967. Geschenke aus alter Zeit in Christkindlesmarktbuden.

Ex voto allemands. 17. 2.–10. 3. – Kat.: Ex-Voto, Témoignages de l'art religieux populaire en Allemagne du Sud du XVIIᵉ au XIXᵉ siècle, une des sources de l'expressionisme allemand. Une collection du „Germanisches Nationalmuseum" à Nuremberg. Collection d'Erwin Richter. Centre Culturel Allemand, Goethe-Institut, Paris. Exposition du 15 Février au 10 Mars 1967. (Verf.: Bernward Deneke). Paris 1967. 10 Bl. mit 20 Abb. 8° (Umschlagt.:) Ex-Voto allemands.

Maria Sibylla Merian. 12. 4.–4. 6. Anläßlich des 250. Todestages; 103 Nummern. – Kat.: Maria Sibylla Merian. 1647–1717. Germanisches Nationalmuseum Nürnberg. Ausstellung vom 12. April bis 4. Juni 1967. (Verf.: Elisabeth Rücker). Nürnberg 1967. 60 S. mit Abb., 34 Taf. 8°

Koch-Bücher, Koch-Geräte, Trink-Gefäße. 6. 5. Anläßlich der Tagung des internationalen Clubs der Amateurköche. 58 Nummern. – Kat.: Das Germanische Nationalmuseum zeigt am Samstag – 6. Mai 1967 – im großen Konferenz-Raum der Meistersingerhalle: Koch-Bücher, Koch-Geräte, Trink-Gefäße aus dem Mittelalter. (Verf.: Elisabeth Rücker, Günther Schiedlausky). Nürnberg 1967. 13 Bl. masch.-schr. vervielf. 8°

Zeichnungen aus den Skizzenbüchern von Theodor Heuss. Juni–Juli. 50 Zeichnungen der Reisen aus dem Besitz der Familie und des Theodor-Heuss-Archivs in Stuttgart.

Der frühe Realismus in Deutschland, 1800–1850. 22. 6.– 1. 10. 288 Nummern. – Kat.: Der frühe Realismus in Deutschland. 1800–1850. Gemälde und Zeichnungen aus der Sammlung Georg Schäfer, Schweinfurt. Ausstellung im Germanischen Nationalmuseum Nürnberg. 23. Juni–1. Oktober 1967. (Verf. Konrad Kaiser). Nürnberg 1967. 463 S., ber 1967. (Verf.: Konrad Kaiser). Nürnberg 1967. 463 S., davon S. 217–442 Taf., teils farbig. 4°. – Vgl. auch Besprechung in: Pantheon Bd. 25 (1967), S. 466–468 (Kurt Löcher).

Bibel und Gesangbuch im Zeitalter der Reformation. 8. 7.–27. 8. – Kat.: Germanisches Nationalmuseum Nürnberg. Bibel und Gesangbuch im Zeitalter der Reformation. Ausstellung zur Erinnerung an die 95 Thesen Martin Luthers vom Jahre 1517. Nürnberg, 7. Juli–27. August 1967. (Verf.: Elisabeth Rücker, Wulf Schadendorf). Nürnberg 1967. 99 S. mit Abb. und 2 Farbtaf. 8°

Zunftaltertümer der Hafner. 19.–24. 7. Nur eigener Besitz; anläßlich der Jahrestagung der Kachelofen- und Luftheizungsbauer-Innung Nürnberg.

Aus der Geschichte der Heilkunst. September. Anläßlich der 50. Jahrestagung der Deutschen Gesellschaft für Geschichte der Medizin, Naturwissenschaft und Technik e. V. und des Vereins deutscher Ingenieure, Hauptgruppe Technikgeschichte.

Das Rieter-Fenster aus der St. Lorenz-Kirche in Nürnberg. 14. 12. 1967–29. 2. 1968. Anläßlich der Restaurierung. – Veröff.: Das Rieter-Fenster aus der St.-Lorenz-Kirche in Nürn-

berg. Ausstellung im Germanischen Nationalmuseum, Nürnberg, vom 14. Dezember 1967 bis 29. Februar 1968. (Verf.: Gottfried Frenzel). Nürnberg 1967. 3 Bl. mit Abb. 8° (Umschlagtitel).

Münze und Medaille im Bereich des Markgraftums Ansbach und des Hochstifts Würzburg. 28. 3.–20. 5. – Kat.: Münze und Medaille im Bereich des Markgraftums Ansbach und des Hochstifts Würzburg. Ausstellung des Germanischen Nationalmuseums Nürnberg in den Filialen der Bayerischen Vereinsbank Schweinfurt, Ansbach, Ochsenfurt, Bad Kissingen. (Verf.: Ludwig Veit auf der Grundlage des Katalogs „Münze und Medaille in Franken", Ausstellung im Germanischen Nationalmuseum 1963). Nürnberg 1968. 31 S. 8°

Geld und Münze im Bereich des Hochstifts Würzburg und des Kurmainzischen Oberstifts (Aschaffenburg). 22. 5.–10. 6. Ausstellung des Archivs und des Münzkabinetts; wanderte danach in den Filialen in Schweinfurt, Ansbach, Ochsenfurt, Bad Kissingen, Aschaffenburg, Rothenburg o. T., Gunzenhausen, Fürth, Erlangen, Röthenbach/ Pegn. – Kat.: Geld und Münze im Bereich des Hochstifts Würzburg und des Kurmainzischen Oberstifts (Aschaffenburg). Anhang: Die Entwicklung der deutschen Medaille. Ausstellung des Germanischen Nationalmuseums Nürnberg in der Filiale der Bayerischen Vereinsbank Aschaffenburg 22. 5.–10. 6. 1968. (Verf.: Ludwig Veit auf der Grundlage des Katalogs „Münze und Medaille in Franken", Ausstellung im Germanischen Nationalmuseum Nürnberg 1963). Nürnberg 1968. 31 S. 8°

Der Himmel über Nürnberg. 20. 9.–15. 10. Anläßlich der 50. Tagung der Astronomischen Gesellschaft in Nürnberg; unter Einbeziehung der neuaufgestellten Sammlung wissenschaftlicher Instrumente des GNM. – Kat.: Der Himmel über Nürnberg. Astronomische Instrumente, Karten, Handschriften, Bücher und grafische Darstellungen, 15.–18. Jahrh. Ausstellung im Germanischen Nationalmuseum Nürnberg vom 20. 9.–15. 10. 1968. Veranstaltet von der Kunsthalle Nürnberg, der Stadtbibliothek Nürnberg und der Sternwarte Nürnberg. (Verf.: Kurt Pilz). Nürnberg 1968. 4 Bl. mit Abb. 2° (Umschlagtitel).

Humanistenveröffentlichungen deutscher Drucker bis 1530. 11.–24. 3. Anläßlich der Tagung der Arbeitsgruppe „Humanismus" der Deutschen Forschungsgemeinschaft im GNM.

Geld und Münze im Bereich des Markgraftums Ansbach-Bayreuth und der Reichsstadt Nürnberg. 12.–28. 3. – Kat.: Geld und Münze im Bereich des Markgraftums Ansbach-Bayreuth und der Reichsstadt Nürnberg. Anhang: Die Entwicklung der deutschen Medaille. Ausstellung des Germanischen Nationalmuseums Nürnberg in den Filialen der Bayerischen Vereinsbank. (Verf.: Ludwig Veit auf der Grundlage des Katalogs „Münze und Medaille in Franken", Ausstellung im Germanischen Nationalmuseum Nürnberg 1963). Nürnberg 1969. 32 S. 8°

Der Flohpelz. 1. 4.–15. 7. Bergkristallkopf eines Flohpelzes (Leihgabe); mit zeitgenössischen Stichen und Abbildungen.

Andreas Moritz, Silber- und Goldschmiedearbeiten 1925–1969. 18. 5.–20. 7. 194 Nummern. – Kat.: Andreas Moritz. Silber- und Goldschmiedearbeiten 1925–1969. Ausstellung der Albrecht-Dürer-Gesellschaft im Germanischen Nationalmuseum Nürnberg vom 18. Mai bis 13. Juli 1969. (Verf.: Elisabeth Rücker, Einführung: Günther Schiedlausky). (Albrecht-Dürer-Gesellschaft, Kat. 12). Nürnberg 1969. 21 gez. Bl., 25 Taf. 8°

Zimelien aus der Bibliothek Neufforge. 6.–15. 7. – Kat.: Zimelien aus der Bibliothek Neufforge. Ausstellung des Germanischen Nationalmuseums anläßlich der 70. Jahrestagung der Gesellschaft der Bibliophilen vom 6. bis 9. Juni 1969 in Nürnberg. (Verf.: Elisabeth Rücker). Nürnberg 1969. 12 ungez. Bl., 4° (Umschlagtitel).

1970
Herbert Bayer – Wandteppiche und Entwürfe. 10. 5.–28. 6. 43 Nummern. – Kat.: Herbert Bayer. 9 Wandteppiche und 34 Entwürfe. Ausstellung der Albrecht-Dürer-Gesellschaft im Germanischen Nationalmuseum Nürnberg, 10. Mai bis 28. Juni 1970. (Verf.: Wulf Schadendorf). (Albrecht-Dürer-Gesellschaft, Kat. 15). Nürnberg 1970. 12 ungez. Bl., 1 Faltbl. mit farb. Abb. 8°

Die Familien Imhoff und Pirckheimer. Ab 24. 10. Anläßlich des Familientages der Frhrn. v. Imhoff in der Rochuskapelle, danach einige Wochen lang im GNM.

1971
Kostbare Waffen und Jagdgeräte. 7. 5.–31. 10. Nach Abschluß des Wiederaufbaus der Nürnberger Burg in 3 Geschossen des Kemenatenbaues der Burg. – Vgl. die Besprechungen in: Waffen- und Kostümkunde Jg. 1971, S. 150 (E. Schalkhaußer) und in: Neue Züricher Zeitung Jg. 1971, Nr. 350 vom 30. 7. 1971 (Hugo Schneider).

Albrecht Dürer 1471–1971. 21. 5.–1. 8. Anläßlich des 500. Geburtstages; umfassende Ausstellung über Dürer und die geistigen und künstlerischen Bewegungen seiner Zeit mit 732 Nummern; mit Leihgaben aus 14 Ländern. – Kat.: Albrecht Dürer. 1471–1971. Ausstellung des Germanischen Nationalmuseums. Nürnberg 21. Mai bis 1. August 1971. (Katalog: Peter Strieder u. a.). München 1971. 414 S. mit Abb., 16 Farbtaf. 8° (3 Auflagen). – Vgl. auch die Besprechungen in: Kunstchronik Bd. 24 (1971), S. 281–292 (Karl Arndt); in: Das Münster Bd. 24 (1971), S. 254–255 (Dieter Kuhrmann); in: Pantheon Jg. 29 (1971), S. 336–339 (Gisela Goldberg); in: The Burlington Magazine Bd. 113 (1971), S. 484, 487–488 (Michael Levey, Christopher White); in:

The Art Quarterly Bd. 35 (1972), S. 305–310 (Donald Louis Ehresmann); in: Master Drawings Bd. 10 (1972), S. 382–385 (John Rowlands) und in: Commentari Bd. 22 (1971), S. 289–304 (Roberto Salvini). – Weitere Veröff.: Germanisches Nationalmuseum Nürnberg. Kurzführer durch die Ausstellung 1471 – Albrecht Dürer – 1971. 21. Mai bis 1. Aug. 1971. (Für den Inhalt verantwortlich: Rüdiger an der Heiden, Wulf Schadendorf, Peter Strieder). (Nürnberg 1971). 31 S. 8° (Umschlagtitel:) Kurzführer: 1471 – Albrecht Dürer – 1971. Auch englische und französische Ausgaben.

Dürer-Studio. 21. 5.–5. 9. Auf Anregung des Kulturreferats der Stadt Nürnberg; didaktische Einführungsschau zur Dürer-Ausstellung. Einrichtung: Jürgen Rohmeder; 12. 10.–19. 12. von der Graphischen Sammlung Albertina in Wien für ihre Dürer-Ausstellung übernommen. – Veröff.: Dürer-Studio. Sehen, Verstehen, Erleben. (Germanisches Nationalmuseum Nürnberg, 1971). (Prospekt der Ausstellung). (Nürnberg 1971). 2 ungez. Bl. 8° (Kopftitel). – Weitere Veröff.: Jürgen Rohmeder, Lothar Hennig u. a.: Zum Beispiel Dürer-Studio. Dokumentation und Kritik eines ausstellungsdidaktischen Experiments. Hrsg. vom Kunstpädagogischen Zentrum im Germanischen Nationalmuseum. Ravensburg 1972. 179 S. m. 27 Abb. 8°

Albrecht Dürer zu Ehren. 23. 5.–29. 8. – Kat.: Albrecht Dürer zu Ehren. Ausstellung der Albrecht-Dürer-Gesellschaft im Germanischen Nationalmuseum Nürnberg, 23. 5. –29. 8. 1971. (Verf.: Michael Mathias Prechtl). (Albrecht-Dürer-Gesellschaft, Kat. 18). Nürnberg 1971. 94 ungez. Bl. mit Abb., teils farbig. 8°

Malerei und Graphik der Dürerzeit. 27. 8.–31. 12. Aus eigenen Beständen. – Kat.: Malerei und Graphik der Dürerzeit. 27. Aug. bis 31. Dez. 1971. Germanisches Nationalmuseum, Nürnberg. (Für den Inhalt verantwortlich: Monika Heffels, Wulf Schadendorf, Peter Strieder, Fritz Zink). (Nürnberg 1971). 32 S. mit Abb. 8°

Mit Dürer unterwegs. 12. 9.–28. 11. – Kat.: Mit Dürer unterwegs. Die Faber-Castell-Künstler-Reisen von Peter Ackermann, Manfred Bluth, Siegbert Jatzko, Carl-Heinz Kliemann, Anton Lehmden, Michael Mathias Prechtl. Ausstellung der Albrecht-Dürer-Gesellschaft und der Stadt Nürnberg im Germanischen Nationalmuseum, 12. 9.–28. 11. 1971. (Verf.: Matthias Mende). Nürnberg 1971. 132 S. mit Abb., davon S. 37–120 Taf. quer-8°

1972
Zum Familientag der Familie Merkel. 25. 3.–12. 5. Bilder, Graphiken, Medaillen, Urkunden, Bücher aus den Deposita der Paul-Wolfgang-Merkelschen-Familienstiftung im GNM und aus Merkelschem Privatbesitz.

Die Kunst der japanischen Holzschnittmeister. 16. 6.–10. 9. – Kat.: Die Kunst der japanischen Holzschnittmeister. Sammlung Winzinger. Ausstellung der Albrecht-Dürer-

Gesellschaft im Germanischen Nationalmuseum 16. 7.–10. 9. 72. (Verf.: Franz Winzinger). (Albrecht-Dürer-Gesellschaft, Kat. 21). Nürnberg 1972. 27 ungez. Bl., 44 Taf., teils farbig. 8°

Wechselausstellungen des Kupferstichkabinetts: 1. Deutsche Handzeichnungen der Gotik und Renaissance. 30. 6.–1. 10.; 2. An der Sulzbacher Straße in Nürnberg. 15. 10.–19. 11.; 3. Das Heilige im Barock (Handzeichnungen). 29. 11. 1972–25. 2. 1973. – Veröff.: Wechselausstellung des Kupferstichkabinetts des Germanischen Nationalmuseums. (Führungsblätter). Zu 1. (Verf.: Fritz Zink). 3 S. 4°; zu 2. (Verf.: Fritz Zink) 4 S. 4°; zu 3. (Verf.: Monika Heffels). 2 ungez. Bl. 4°. – Vgl. auch: Fritz Zink: Deutsche Handzeichnungen der Gotik und Renaissance. Und: An der Sulzbacher Straße in Nürnberg (Ausstellungen des Germanischen Nationalmuseums in Nürnberg 1972/73). In: Jahrbuch des Historischen Vereins für Mittelfranken Bd. 87 (1973/1974), S. 218–222.

Hans Freiherr von und zu Aufseß und die Anfänge des Germanischen Nationalmuseums. 1. 7.–1. 10. – Kat.: Hans Freiherr von und zu Aufseß und die Anfänge des Germanischen Nationalmuseums. Ausstellung im Germanischen Nationalmuseum zum 100. Todestag seines Gründers am 6. Mai 1972. 1. Juli bis 1. Oktober 1972. (Verf.: Ludwig Veit). Nürnberg 1972. 25 ungez. Bl. mit Abb., 6 Taf. 8°

Patriziat und Nürnberger Rat. 24.–27. 9. Ausstellung des Archivs. Anläßlich der Tagung der deutschen Rechtshistoriker in Nürnberg.

Zur Geschichte des Bergbaues. 14.–15. 10. Anläßlich der Tagung des Geschichtsausschusses der Gesellschaft deutscher Metallhütten- und Bergleute; Ausstellung des Archivs.

Hermann Wilhelm, 1897–1970. 20. 10.–30. 11. – Kat.: Akademie der Bildenden Künste in Nürnberg. Hermann Wilhelm, 1897–1970. Ausstellung im Germanischen Nationalmuseum Nürnberg vom 20. Oktober bis 30. November 1972. Nürnberg 1972. 6 ungez. Bl., 13 Taf. 8°

Rund um das Geld. 25. 11. 1972–31. 1. 1973. Anläßlich des neunzigjährigen Bestehens des Vereins für Münzkunde in Nürnberg; 1973 in reduzierter Form in 10 Filialen der Bayerischen Vereinsbank in Bayern und Rheinland-Pfalz gezeigt. – Kat.: Rund um das Geld. Vom Spartopf zum Bankkonto. (Verf.: Ludwig Veit). (München 1973). 54 S. mit Abb. 8°. – Vgl. auch: Ludwig Veit: Rund um das Geld. Vom Spartopf zum Bankkonto (Ausstellungen des Germanischen Nationalmuseums in Nürnberg 1972/73). In: Jahrbuch des Historischen Vereins für Mittelfranken Bd. 87 (1973/74), S. 229–231.

Geld und Münze im Wandel der Zeiten. 5.–20. 12. – Kat.: Geld und Münze im Wandel der Zeiten. Sonderausstellung des Germanischen Nationalmuseums im Bankhaus Max Flessa & Co., Erlangen, vom 6. Dezember 1972 bis 20. De-

zember 1972. (Verf.: Ludwig Veit). Nürnberg 1972. 12 S. 8° (Umschlagtitel)

1973

Geld und Münze im Wandel der Zeiten. 18. 1.–5. 2. Ausstellung des Münzkabinetts in der Stadtsparkasse Passau.

Karl Rössing. 21. 1.–1. 4. – Kat.: Karl Rössing. Linolschnitte 1949–1972. Werkverzeichnis. Beispiele aus dem Holzstichwerk 1917–1950. Ausstellung der Albrecht-Dürer-Gesellschaft im Germanischen Nationalmuseum Nürnberg vom 21. Januar bis 1. April 1973. (Verf.: Elisabeth Rücker). (Albrecht-Dürer-Gesellschaft, Kat. 23). Nürnberg 1973. 28 ungez. Bl. mit Abb. u. 1 Taf., 1, 19 Taf., teils farbig. 8°

Wechselausstellungen des Kupferstichkabinetts: 4. Meister der Radierung. 4. 3.–13. 5.; 5. Der Sommer in Zeichnung und Graphik. 23. 6.–11. 11.; 6. Mit Messer und Schere. Spitzenbilder und Scherenschnitte. 25. 11. 1973–15. 4. 1974. – Veröff.: Wechselausstellung des Kupferstichkabinetts des Germanischen Nationalmuseums. (Führungsblätter). Zu 4. (Verf.: Monika Heffels). 4 S. 4°; zu 5. (Verf.: Fritz Zink). 4 S. 4°; zu 6. (Verf.: Monika Heffels). 4 S. 4°. –Vgl. auch: Monika Heffels: Meister der Radierung. Und: Fritz Zink: Der Sommer in Zeichnung und Graphik (Ausstellungen des Germanischen Nationalmuseums in Nürnberg 1972/73). In: Jahrbuch des Historischen Vereins für Mittelfranken Bd. 87 (1973/1974), S. 222–229.

Löffelholz'scher Familientag. 2.–3. 6. Ausstellung des Archivs und der Bibliothek.

Die Bilderfabrik. 8. 6.–9. 9. – Kat.: Die Bilderfabrik. Dokumentation zur Kunst- und Sozialgeschichte der industriellen Wandschmuckherstellung zwischen 1845 und 1973 am Beispiel eines Großunternehmens. Veranstaltet vom Institut für Volkskunde der Universität Frankfurt am Main und dem Historischen Museum Frankfurt am Main unter Mitwirkung von Christa Pieske, Lübeck, durch Wolfgang Brückner, Universität Frankfurt am Main. Nürnberg, Germanisches Nationalmuseum 8. 6. 73–9. 9. 73. (Verf.: Wolfgang Brückner). Frankfurt am Main 1973. 139 S. mit 200 Abb., teils farbig. 8°

Musikinstrumente aus der Zeit um Bach. 24. 7.–12. 8. im Steinsaal des Schlosses in Ansbach. Ausstellung der Bayerischen Vereinsbank in Zusammenarbeit mit dem GNM, das auch die meisten Exponate stellte. – Veröff.: Musikinstrumente aus der Zeit um Bach. Ausstellung 24. 7. bis 12. 8. 1973 anläßlich 25 Jahre Bachwoche Ansbach 1973, Ansbach – Schloß, Vorhalle des Prunksaals (Steinsaal). Bayerische Vereinsbank. Ansbach 1973. 8° (Faltblatt)

Das Germanische Nationalmuseum Nürnberg stellt sich vor. 27. 10.–4. 11. Werbeausstellung bei der Verbrauchermesse Consumenta 73 im Messezentrum Nürnberg mit Originalen und Großfotos, Dia-Vortrag, alter Musik und einer Restaurierungs-Vorführung.

Essen stellt sich vor. 4. 10.–11. 11. – Kat.: Essen stellt sich vor. Geschichte, Kunst, Kultur, Stadtbild. Germanisches Nationalmuseum Nürnberg, 4. Okt.–11. Nov. 1973. (Verf.: Manfred Röckener). Essen 1973. 122 S. mit Abb., 28 ungez. Bl. mit farb. Abb. 8° (Umschlagtitel)

1974

Max Ernst. 27. 1.–24. 3. – Kat.: Max Ernst. Druckgraphik. Ausstellung der Albrecht-Dürer-Gesellschaft im Germanischen Nationalmuseum Nürnberg vom 3. 2.–31. 3. 1974. (Verf.: Gerhard Mammel). (Albrecht-Dürer-Gesellschaft, Kat. 26). Nürnberg 1974. 32 ungez. Bl. u. Taf., teils farbig. 8°

Wechselausstellungen des Kupferstichkabinetts: 7. Idealistische und realistische Landschaft. Zeichnungen des 19. Jahrhunderts. 20. 4.–27. 7.; 8. Von Salzburg bis zum Gardasee. 3. 8.–1. 12.; 9. Der Mensch und sein Zuhause (Zeichnungen und Druckgraphik). 7. 12. 1974–31. 3. 1975. – Veröff.: Wechselausstellung des Kupferstichkabinetts des Germanischen Nationalmuseums. (Führungsblätter). Zu 7. (Verf.: Monika Heffels). 4 S. 4°; zu 8. (Verf.: Fritz Zink). 4 S. 4°; zu 9. (Verf.: Monika Heffels). 4 S. 4°. – Vgl. auch: Fritz Zink: Von Salzburg bis zum Gardasee. 8. Wechselausstellung des Kupferstichkabinetts des Germanischen Nationalmuseums in Nürnberg. In: Der Schlern Bd. 48 (1974), S. 544–545. – Bernward Deneke: Der Mensch und sein Zuhause (Ausstellungsbericht). In: Bayerische Blätter für Volkskunde Bd. 1 (1974), S. 130–131.

Alexanderschlacht. 3. 5.–16. 6. Didaktische Ausstellung des Kunstpädagogischen Zentrums zu dem Gemälde von Albrecht Altdorfer; übernommen von der Münchener „Freien Gruppe", jedoch in eigener neuer Konzeption zur Erprobung von Möglichkeiten einer Ausstellungsdidaktik vorgeführt.

Das Germanische Nationalmuseum Nürnberg stellt sich vor. 13. 5.–9. 6. Die Werbeausstellung der Consumenta 1973 in den Räumen der Deutschen Bank in Ansbach wiederholt.

Musikinstrumente aus der Zeit um Mozart. 12.–30. 6. Ausstellung der Bayerischen Vereinsbank in Zusammenarbeit mit dem GNM. – Veröff.: Musikinstrumente aus der Zeit um Mozart. Ausstellung 12. bis 30. Juni 1974 anläßlich des Mozartfestes 1974. Würzburg, Residenz. Bayerische Vereinsbank. 1974. 8° (Faltblatt)

Meckseper im Museum. 28. 7.–29. 9. – Kat.: Albrecht-Dürer-Gesellschaft. Meckseper im Museum. Radierungen von Friedrich Meckseper, Instrumente und Geräte des Germanischen Nationalmuseums. Ausstellung im Germanischen Nationalmuseum Nürnberg vom 28. Juli bis 29. September 1974. (Verf.: Michael Mathias Prechtl). (Albrecht-Dürer-Gesellschaft, Kat. 28). Nürnberg 1974. 5 ungez. Bl., 42 Taf., teils farb. quer-8°

Alamannische Funde aus Herbrechtingen. 9.–15. 9. Anläß-lich der 1200-Jahrfeier der Stadt Herbrechtingen; im dortigen Rathaus; Einrichtung zusammen mit dem Württembergischen Landesmuseum Stuttgart.

Nürnberg und sein Umland vor der Geschichte. 11. 11. 1974–1. 6. 1975. Anläßlich des europäischen Denkmalschutzjahres; in Zusammenarbeit mit der Naturhistorischen Gesellschaft Nürnberg in deren Räumen.

Mainfränkische Glasmalerei um 1420. 6. 12. 1974–16. 2. 1975. Nach der Restaurierung in der Werkstatt für Glasgemälderestaurierung von Gottfried Frenzel Nürnberg im GNM gezeigt. – Kat.: Mainfränkische Glasmalerei um 1420. Fenster aus den Kirchen in Münnerstadt und Iphofen. Ausstellung im Germanischen Nationalmuseum Nürnberg. 7. Dezember 1974 bis 27. Januar 1975. (Verf.: Rainer Kahsnitz und Hermann Maué). (Farbige Fenster aus deutschen Kirchen des Mittelalters, 1). Nürnberg 1974. 83 S. mit Abb., 3 Erl.-Bl., 22 Taf., teils farb. 8°

Chinesische Farbdrucke und Malereien aus der Sammlung Winzinger. 15. 12. 1974–16. 2. 1975. – Kat.: Chinesische Farbdrucke und Malereien aus der Sammlung Winzinger. Ausstellung der Albrecht-Dürer-Gesellschaft im Germanischen Nationalmuseum Nürnberg vom 15. Dezember 1974 bis 16. Februar 1975. (Verf.: Franz Winzinger). (Albrecht-Dürer-Gesellschaft, Kat. 29). Nürnberg 1974. 15 ungez. Bl. mit Abb., 27 Taf., teils farb. 8°

1975

Gestalten der Fastnacht. 29. 1.–21. 2. Ausstellung der volkskundlichen Sammlungen in der Nürnberger Hauptstelle der Dresdner Bank; einzelne Motive aus der Geschichte des Maskenwesens in Mittelfranken, den Alpenländern und in Südwestdeutschland.

Aus der Arbeit der Werkstätten des Germanischen Nationalmuseums Nürnberg: (1.) Eine intarsierte Tür des 16. Jahrhunderts aus Nürnberg. 20. 2.–6. 4.; (2.) Ein großer Sandsteinputto von Ferdinand Dietz vor dem Abschluß der Restaurierung. Mai; (3.) Das Rationale des Eichstätter Bischofs Johann von Eich (1445–1464). 4. 7.–31. 8.; (4.) Zwei karolingische Inschriftenschwerter. 5. 12. 1975–21. 3. 1976. – Veröff.: Aus der Arbeit der Werkstätten des Germanischen Nationalmuseums Nürnberg. (Führungsblätter). Zu (1.) (Verf.: Hermann Maué). 1 Bl. 4°; zu (3.) (Verf.: Leonie von Wilckens und Hannelore Herrmann). 3 S. 4°; zu (4.) (Verf.: Wilfried Menghin). 4 S. 4°

Romanische Glasfenster aus der Marktkirche in Goslar. 22. 3.–20. 5. – Kat.: Romanische Glasfenster aus der Marktkirche in Goslar. Ausstellung im Germanischen Nationalmuseum Nürnberg, 22. März bis 4. Mai 1975. (Verf.: Rainer Kahsnitz). (Farbige Fenster aus deutschen Kirchen des Mittelalters, 2). Nürnberg 1975. 92 S. mit 20 Taf. 8° (Erschienen auch unter dem Titel: Rainer Kahsnitz: Romanische Glasfenster aus der Marktkirche in Goslar. Nürnberg 1975).

Wechselausstellungen des Kupferstichkabinetts: 10. Der Holzschnitt. Entwicklung einer graphischen Technik. 5. 4.–27. 7.; 11. Der Herbst in Zeichnung und Graphik. 2. 8.–23. 11.; 12. Das Tier. Zeichnungen und Druckgraphik. 2. 12. 1975–4. 4. 1976. – Veröff.: Wechselausstellung des Kupferstichkabinetts des Germanischen Nationalmuseums in Nürnberg. (Führungsblätter). Zu 10. (Verf.: Monika Heffels). 4 S. 4°; zu 11. (Verf.: Fritz Zink). 4 S. 4°; zu 12. (Verf.: Monika Heffels). 4 S. 4°. – Vgl. auch: Fritz Zink: Der Herbst in Zeichnung und Graphik. In: Die Weltkunst Bd. 45 (1975), S. 1292. – Monika Heffels: Das Tier. Zeichnungen und Druckgraphik. In: Die Weltkunst Bd. 46 (1976), S. 195.

Materialien zur Drucklegung der Schedelschen Weltchronik. 3.–6. 10. Anläßlich der Jahrestagung der Fränkischen Bibliophilengesellschaft; mit Leihgaben der Stadtbibliothek Nürnberg.

Volkskunst aus Franken. 7. 11. 1975–11. 1. 1976. – Kat.: Volkskunst aus Franken. Ausstellung aus Beständen des Germanischen Nationalmuseums Nürnberg, veranstaltet in den Räumen der Dresdner Bank AG in Nürnberg, Bischof-Meiser-Straße 2. 7. November 1975–11. Januar 1976. (Verf.: Bernward Deneke u. Hermann Maué). Nürnberg 1975. 40 S. mit 22 Abb. 4° (Erschienen auch unter dem Titel: Volkskunst aus Franken. Eine Auswahl aus den Beständen des Germanischen Nationalmuseums Nürnberg).

1976

Aus der Arbeit der Werkstätten des Germanischen Nationalmuseums in Nürnberg: (5.) Volkstümliche Uhren. Technik, Dekoration, Restaurierung. 2. 4.–5. 8.; (6.) Ein Cembalo des 17. Jahrhunderts klingt wieder. 10. 12. 1976–27. 3. 1977. – Veröff.: Aus der Arbeit der Restaurierungswerkstätten. (Einführende Broschüren mit den Titeln der Ausstellungen). Zu (5.) (Verf.: Bernward Deneke). 6 ungez. Bl. m. Abb. 8°; zu (6.) (Verf.: Friedemann Hellwig). 12 S. mit Abb. 8°

Zum Merkelschen Familientag. 3. 4.–4. 5. Ausstellung von Goldschmiedearbeiten, Handschriften, Büchern und graphischen Blättern aus dem Depositum der Paul-Wolfgang-Merkelschen Familienstiftung im GNM.

Wechselausstellungen des Kupferstichkabinetts: 13. Inkunabeln der Lithographie. 24. 4.–1. 8.; 14. Städtebilder von Rhein, Main und Donau. 7. 8.–28. 11.; 15. Von Brueghel bis Rembrandt. Niederländische Graphik. 4. 12. 1976–11. 4. 1977. – Veröff.: Wechselausstellung des Kupferstichkabinetts des Germanischen Nationalmuseums in Nürnberg. (Führungsblätter). Zu 13. (Verf.: Monika Heffels). 4 S. 4°; zu 14. (Verf.: Fritz Zink). 5 S. 4°; zu 15. (Verf.: Monika Heffels). 4 S. 4°. – Vgl. auch: Monika Heffels: Inkunabeln der Lithographie. In: Die Weltkunst Bd. 46 (1976), S. 1000–1001. – Fritz Zink: Städtebilder von Rhein, Main und Donau. In: Die Weltkunst Bd. 46 (1976), S. 1643. – Mo-

nika Heffels: Von Brueghel bis Rembrandt. In: Die Weltkunst Bd. 47 (1977), S. 70–72.

Italienische Druckgraphik der Gegenwart. 9. 5.–27. 6. – Kat.: Italienische Druckgraphik der Gegenwart. Ausstellung der Albrecht-Dürer-Gesellschaft im Germanischen Nationalmuseum Nürnberg vom 9. 5. bis 27. 6. 1976. (Verf.: Michael Mathias Prechtl). (Albrecht-Dürer-Gesellschaft, Kat. 32). Nürnberg 1976. 66 ungez. Bl. mit Abb., teils farbig. quer-8°

Aus der medizinhistorischen Sammlung des Germanischen Nationalmuseums. 19.–24. 5. Anläßlich der Tagung der Deutschen Gesellschaft für Krankenhausgeschichte; die wichtigsten Objekte der Sammlung.

Charles Crodel, 1894–1973. Materialien zu Leben und Werk. 4. 6.–31. 8. Ausstellung des Archivs für Bildende Kunst, Nr. 1. – Kat.: Germanisches Nationalmuseum Nürnberg. Archiv für Bildende Kunst. Materialien 1, Dokumente zu Leben und Werk. Charles Crodel 1894–1973. Katalog zur Ausstellung 4. 6.–18. 7. 76. (Verf.: Jörn Bahns und Horst Pohl). 16 ungez. Bl. mit Abb. 8°

Das Porträt. Vom Kaiserbild zum Wahlplakat. Eine Ausstellung des Kunstpädagogischen Zentrums im Germanischen Nationalmuseum Nürnberg. 27. 6.–7. 8. in der Johanniterhalle Schwäbisch-Hall, 19. 9.–10. 10. im Kunstverein Ingolstadt, 16. 11.–25. 1. 1977 im „Haus Deutscher Ring" Hamburg, 12. 2.–3. 3. 1977 im Palais Sutterheim Erlangen, 1. 4.–29. 5. 1977 in der Norishalle Nürnberg, 23. 6.–24. 7. 1977 in der Hugenottenhalle Neu-Isenburg, 7. 8.–19. 9. 1977 in der Städt. Galerie Wolfsburg. – Kat.: Das Porträt. Vom Kaiserbild zum Wahlplakat. Eine Ausstellung des Kunstpädagogischen Zentrums im Germanischen Nationalmuseum Nürnberg. (Verf.: Günter Hoppe, Karl Georg Kaster u. a.). (Schriften des Kunstpädagogischen Zentrums im Germanischen Nationalmuseum Nürnberg, Bd. 1). Nürnberg 1977. Loseblatt-Sammlung, nach Abschnitten getrennte Zählung, mit Abb. u. 3 Falttaf. 4°

Das alamannische Gräberfeld von Pfahlheim. 20. 8.–28. 11. Ausstellung aus den Beständen des GNM mit Leihgaben des Württembergischen Landesmuseums Stuttgart; zuvor vom 16.–22. 6. in der Kastellhalle Pfahlheim. – Kat.: Wilfried Menghin: Das alamannische Gräberfeld von Pfahlheim. Hrsg. vom Liederkreis 1876 e. V. Pfahlheim. Pfahlheim 1976. 35 S. mit Abb. 8°

Bild Text, Text Bild. 9. 7.–26. 9. – Kat.: Bild Text, Text Bild. Ausstellung der Albrecht-Dürer-Gesellschaft Hans Sachs zum Gedenken. Vom 9. Juli bis 26. September 1976 im Germanischen Nationalmuseum Nürnberg. (Verf.: Hildegund Kreß und Michael Mathias Prechtl). (Albrecht-Dürer-Gesellschaft, Kat. 33). Nürnberg 1976. 53 ungez. Bl. mit Abb., teils farbig. quer-8°

500 Jahre Regiomontan – 500 Jahre Astronomie. 2. 10.

1976–2. 1. 1977. In reduzierter Form anschließend im Museum Joanneum Graz gezeigt. – Kat.: 500 Jahre Regiomontan – 500 Jahre Astronomie. Ausstellung der Stadt Nürnberg und des Kuratoriums „Der Mensch und der Weltraum e. V." in Zusammenarbeit mit dem Germanischen Nationalmuseum Nürnberg 2. 10. 1976–2. 1. 1977. (Verf.: Günther Hamann, Rudolf Mett, Felix Schmeidler, Wolfgang von Stromer, Johannes Willers). Nürnberg 1976. 106 S. mit Abb., teils farbig. 8°

Simplicius Simplicissimus – Grimmelshausen und seine Zeit. 7. 11. 1976–2. 1. 1977. Anläßlich des 300. Todestages von Grimmelshausen; aus Münster reduziert übernommene Wanderausstellung. – Kat.: Simplicius Simplicissimus – Grimmelshausen und seine Zeit. Westfälisches Landesmuseum für Kunst und Kulturgeschichte Münster in Zusammenarbeit mit dem Germanistischen Institut der Westfälischen Wilhelms-Universität. Landschaftsverband Westfalen-Lippe. (Verf.: Peter Berghaus und Günther Weydt). Münster 1976. 312 S. mit Abb. 4°

Englische Bücher im Germanischen Nationalmuseum. 7. 12. 1976–17. 1. 1977. Ausstellung der Bibliothek in Zusammenarbeit mit dem British Council. Auswahl aus der englischen Buchproduktion 1975 und aus den von der National Book League prämiierten schönsten Büchern der Jahre 1972 bis 1974. – 1. Kat.: Frankfurter Buchmesse. Englische Bücher 1975. Seit der letzten Buchmesse veröffentlichte Neuerscheinungen und Neuauflagen, herausgegeben vom British Council. London, o. J. 120 S. 4°; 2. Kat.: British Book Design and Production 1973. Catalogue of an Exhibition of Books published in 1972, selected by Kenneth Thompson, John Trevitt and James Wood, including fifty books shown at Frankfurt. National Book League, London, 3–26 october 1973. London 1973. 78 S. 8°; 3. Kat.: British Book Design and Production 1974. National Book League, London 11–28 September 1974. Catalogue of an Exhibition of Books published in 1973, held at the National Book League, London, and in Frankfurt, selected by Timothy Chester, Gerald Cinamon, and Stephen Easton. London 1974. 83 S. 8°

1977
Otto Dix. 1891–1969. 12. 2.–31. 3. – Kat.: Dokumente zu Leben und Werk des Malers Otto Dix, 1891–1969. Mit Werken aus den verschiedenen Schaffensperioden. Im Anhang: Goldschmiedearbeiten des Sohnes Jan Dix. 2. Sonderausstellung des Archivs für Bildende Kunst im Germanischen Nationalmuseum Nürnberg. 12. Febr.–31. März 1977. (Verf.: Ludwig Veit, Irene Brütting u. a.). Nürnberg 1977. 80 S. mit 33 Abb. 8°

Entwicklung von Geld und Münze im Wandel der Zeiten. April in der Hypo-Bank-Filiale in Würzburg.

Hans Wimmer. 12. 5.–28. 6. – Kat.: Hans Wimmer. Zum

70. Geburtstag. Staatsgalerie moderner Kunst München im Haus der Kunst 18. März bis 30. April 1977 und Albrecht Dürer Gesellschaft und Akademie der Bildenden Künste im Germanischen Nationalmuseum Nürnberg, 12. Mai bis 28. Juni 1977. (Verf.: Erich Franz, Herbert Pée u. a.). München 1977. 108 S. mit 78 Abb. 4°

Wechselausstellungen des Kupferstichkabinetts: 16. Meisterwerke aus dem Kupferstichkabinett. 21. 5.–2. 10. – Kat.: Meisterwerke aus dem Kupferstichkabinett. 16. Wechselausstellung des Kupferstichkabinetts des Germanischen Nationalmuseums Nürnberg, 21. 5.–2. 10. 1977. (Umschlagtitel:) 125 Jahre Germanisches Nationalmuseum Nürnberg, 1852–1977. Meisterwerke . . . (Verf.: Monika Heffels und Fritz Zink). Nürnberg 1977. 45 S. mit 13 Abb. 8°. – 17. Der Winter in Zeichnung und Graphik. 8. 10.–19. 2. 1978. – Veröff.: Wechselausstellung des Kupferstichkabinetts des Germanischen Nationalmuseums in Nürnberg 17. (Führungsblatt). (Verf.: Fritz Zink). 5 S. 4°

Hans Erni. 22. 5.–28. 8. – Kat.: Hans Erni. Ausstellung der Albrecht Dürer Gesellschaft im Germanischen Nationalmuseum Nürnberg. (Albrecht Dürer Gesellschaft, Katalog-Edition 35). Nürnberg 1977. 44 ungez. Bl. mit Abb. 8°

Magisches Gold. 26. 5.–31. 7. Mit Leihgaben; aus Anlaß der Restaurierung des Ezelsdorfer Goldkegels. – Kat.: Magisches Gold. Kultgerät der späten Bronzezeit. Ausstellung des Germanischen Nationalmuseums Nürnberg in Zusammenarbeit mit dem Römisch-Germanischen Zentralmuseum Mainz. 26. 5.–31. 7. 1977. (Verf.: Wilfried Menghin und Peter Schauer). Nürnberg 1977. 114 S. mit 67 Abb., teils farbig. 8°

Deutsche Malerei im 19. Jahrhundert. Sammlung Georg Schäfer. Ab 2. 6. für längere Zeit. – Kat.: Deutsche Malerei im 19. Jahrhundert. Sammlung Georg Schäfer, Schweinfurt. (Ausstellung im Germanischen Nationalmuseum Nürnberg ab 2. Juni 1977). (Verf.: Jörn Bahns mit Beiträgen von Wulf Schadendorf und Jens Christian Jensen. Hrsg.: Peter Schäfer). Schweinfurt 1977. 178 S. mit 237 Abb. und 32 Farbtaf. 4°

1477–1977. Ausstellung zur Fünfhundert-Jahr-Feier der Chorweihe der Nürnberger Lorenzkirche. 2. 6.–2. 10. Ein Raum: 5 gotische Wandteppiche, 1 Tafelbild, 2 Kelche aus der Lorenzkirche. – Veröff.: Führungsblatt des Germanischen Nationalmuseums: 1477–1977. Ausstellung zur Fünfhundert-Jahr-Feier der Chorweihe der Nürnberger Lorenzkirche. (Verf.: Leonie von Wilckens und Peter Strieder). 3 S. 4°

Eine romanische Kirchentür aus Bensheim-Auerbach. 26. 9.–30. 11. – Veröff.: Führungsblätter des Germanischen Nationalmuseums. Eine romanische Kirchentür aus Bensheim-Auerbach. (Verf.: Rainer Kahsnitz). 3 S. 4°

Die deutsche Schaumünze von der Renaissance bis zur Gegenwart, dargestellt an der Entwicklung der Medaille in Franken. 7. 11.–18. 11. in der Grundig Bank, Fürth. – Veröff.: Die deutsche Schaumünze von der Renaissance bis zur Gegenwart, dargestellt an der Entwicklung der Medaille in Franken. Sonderausstellung des Germanischen Nationalmuseums Nürnberg in der Grundig Bank Fürth vom 7.–18. November 1977, hektographierte Einführung mit Lit. und Abb. auf dem Umschlag. (Verf.: Ludwig Veit). 10 Bl., 3 ungez. Bl., 21 Abb. auf dem Umschlag. 4°

Das Tier in der Kunst. Druckgraphik, Kleinplastik und Kunsthandwerk aus sechs Jahrhunderten. Ausstellung anläßlich einer weltweiten Aktion der World Wildlife Fund International. 15. 11. 1977–15. 1. 1978. – Veröff.: Das Tier in der Kunst . . . (Führungsblatt). (Verf.: Monika Heffels und Carl Ludwig Fuchs). 4 S. 4°

Waffen des Dreißigjährigen Krieges. 21. 11.–2. 12. in der Hypo-Bank-Filiale Würzburg.

Samuel Bak. 27. 11. 1977–29. 1. 1978. – Kat.: Samuel Bak. Ausstellung der Albrecht Dürer Gesellschaft im Germanischen Nationalmuseum (Albrecht Dürer Gesellschaft, Katalog-Edition 37). Nürnberg 1977. 42 ungez. Bl. mit Taf. quer-8°

Bibliographie

Unter Mitarbeit von Renate Gründler zusammengestellt von Axel Janeck

I. Programmschriften

Aufseß, Hans von und zu: Vorwort des Herausgebers. In: Anzeiger für Kunde des deutschen Mittelalters Jg. 1 (1832), Sp. 1–6.
Kennzeichnend für die Zielvorstellungen des Museumsgründers.

Aufseß, Hans von und zu: Bestrebungen und Arbeiten. In: Anzeiger für Kunde des deutschen Mittelalters Jg. 2 (1833), Sp. 44–46.
Betr.: Gründung einer Gesellschaft für Erhaltung der Denkmäler älterer deutscher Geschichte, Literatur und Kunst.

Aufseß, Hans von und zu: Gesellschaft für Erhaltung deutscher Denkmäler 1–4. In: Anzeiger für Kunde des deutschen Mittelalters Jg. 2 (1833), Sp. 81–84, 135–142, 167–168, 203–207 nebst: Bericht über die vom 24.–28. Sept. 1833 in Nürnberg abgehaltene General-Versammlung der Gesellschaft zur Untersuchung, Erhaltung und Bekanntmachung der Denkmäler älterer, insbesondere deutscher Geschichte, Literatur und Kunst in Nürnberg (Beilage zur Mitteilung auf Sp. 203).

Tucher, Gottlieb von: Über die Sammlung von Musikalien. In: Anzeiger für Kunde des deutschen Mittelalters Jg. 2 (1833), Sp. 84–88.
Ergänzung zu Aufsess, Gesellschaft . . . 1.

Lang, Karl Heinrich von: Der historische Riesenverein in Nürnberg. In: Blätter für literarische Unterhaltung Jg. 1833, Nr. 175 vom 24. Juni, S. 724.

Aufseß, Hans von und zu: Sendschreiben an die erste allgemeine Versammlung deutscher Rechtsgelehrten, Geschichts- und Sprachforscher zu Frankfurt am Main. Nürnberg 1846. 30 S. 8°

Aufseß, Hans von und zu: Verhältniss der historischen Vereine zum germanischen Museum. Rede, gehalten auf der Generalversammlung der beiden oberfränkischen Vereine in Culmbach am 6. Juli 1853. Bayreuth 1853. 8 S. 8°

Denkschrift für die hohen deutschen Staatsregierungen das germanische Museum zu Nürnberg betreffend. Nürnberg 1853. 24 S. 4°
Textgleich mit: Denkschrift . . . Bundesversammlung.

Denkschrift für die hohe deutsche Bundesversammlung das germanische Museum zu Nürnberg betreffend, 1853. Nürnberg 1853. 24 S. 4°
Textgleich mit: Denkschrift . . . Staatsregierungen.

Aufseß, Hans von und zu: System der deutschen Geschichts- und Alterthumskunde, entworfen zum Zwecke der Anordnung der Sammlungen des Germanischen Museums. Nürnberg 1853. 18 S. 8° – *Faksimile in diesem Band S. 974–992.* – abgedruckt auch in: Organismus GNM. 2. Abt. (vgl. folgenden Titel), S. IX–XV. Verkürzt auch unter dem Titel: Hauptübersicht des Systems der Geschichts- und Alterthumskunde, welches sowohl den Sammlungen des germanischen Museums als dieser Zeitschrift zur Grundlage und Anordnung des Materials dient. In: Anzeiger GNM N.F. Bd. 1 (1853–54), Nr. 1, Sp. 1–6. – Diese Fassung auch abgedruckt in: Organismus GNM, Abt. 1 (vgl. folgenden Titel), S. 90–91. – Auch als Leporello-Ausgabe o. J. (1854); *Faksimile: Anzeiger GNM 1974 nach S. 144.*

Das Germanische Nationalmuseum. Organismus und Sammlungen. Abtheilung 1.2. (Denkschriften des Germanischen Nationalmuseums, Bd. 1). Nürnberg, Leipzig 1856. 8°
1. Organismus und literarische Sammlungen. XIV, 483 S. mit Abb.
2. Kunst- und Alterthums-Sammlungen. XV, 382 S. mit Abb.

Bericht über das Verhältnis des germanischen Museums zu dem römisch-germanischen Museum in Mainz. Nürnberg 1856. 7 S. 8°

Zweite Denkschrift für die höchsten und hohen deutschen Regierungen das germanische Nationalmuseum in Nürnberg betreffend. Nürnberg 1861. 21 S., 1 Grundriß der Kartause zu Nürnberg. 4°

Aufseß, Hans von und zu: Eine Beantwortung der Fragen über das Archiv des germanischen Museums. Constanz 1869. 2 Bl.

Aufseß, Hans von und zu: Das germanische Museum und seine nationalen Ziele. Denkschrift zur Erläuterung des dem norddeutschen Bundesrath vorliegenden Haupt'schen Gutachtens über dieses Museum. Lindau 1869. 18 S. 8°

Essenwein, August von: Das germanische Nationalmuseum zu Nürnberg. Bericht über den gegenwärtigen Stand der Sammlungen und Arbeiten, sowie die nächsten daraus erwachsenden Aufgaben, an den Verwaltungsausschuß erstattet. Nürnberg 1870. 28 S. 4°. *Vgl. den Abdruck in diesem Band S. 993–1026.*

Essenwein, August von und Georg Karl Frommann: Die Aufgaben und die Mittel des germanischen Museums. Eine Denkschrift. Nürnberg 1872. 16 S. 8°

Essenwein, August von: Die Sicherstellung der Zukunft des germanischen Museums. Eine Denkschrift. Nürnberg 1884. 8 S.

Essenwein, August von: Das germanische Nationalmu-

seum, dessen Sammlungen, sowie der Bedarf zur programmgemäßen Abrundung derselben. Nürnberg 1884. IV, 62 S.,
3 Taf. 8° – Erschienen ohne Vorwort, um Abb. vermehrt. In:
Anzeiger GNM 1884–1886, S. 1–9, 29–35, 41–52, 57–63,
73–87, 97–101, 113–125, 133–139.

Essenwein, August von: Zur Beurteilung der äußeren Verhältnisse des germanischen Museums. In: Anzeiger GNM
1891, S. 13–18.

Bezold, Gustav von: Erläuterungen zu dem Entwurf der
Erweiterung des Germanischen Museums. Nürnberg 1913.
6 S., 5 Taf. 4°

Bezold, Gustav von und Friedrich von Thiersch: Bericht zu
dem Erweiterungsprojekt für das Germanische National-
Museum in Nürnberg vom Mai 1913. Nürnberg 1913. 1 Bl.,
6 Bl. Abb. 4°

Bezold, Gustav von: Die Neuordnung der Sammlungen des
Germanischen Museums. Nürnberg 1920. 13 S., 2 Pläne 4°

Stengel, Walter: Vorarbeiten zur Reorganisation des Germanischen Museums. In: Museumskunde Bd. 15 (1920),
S. 41–57.

Hampe, Theodor: Die Zukunft des Germanischen Museums. Anregungen und Vorschläge. Als Ms. gedruckt.
Nürnberg 1920. 16 S. 4°

Der Erweiterungsbau des Germanischen Nationalmu-
seums in Nürnberg. In: Bauamt und Gemeindebau Jg. 1921,
H. 19/20, S. 96–97 mit Abb.–Zugl. In: Deutsche Bauhütte
Jg. 25 (1921), Nr. 35/36, S. 179 mit Abb.

Bezold, Gustav von: Erweiterungsbau des Germanischen
Museums in Nürnberg. Architekt: German Bestelmeyer. In:
Deutsche Bauzeitung Jg. 60 (1926), Nr. 38, S. 313–320 mit 17
Abb.

Kohlhaußen, Heinrich: Die vaterländische Sendung des
Germanischen Nationalmuseums. In: Jahresbericht GNM 88
(für 1941), 1942, S. 3–13.

Troche, Ernst Günter: Gegenwart und Aufgabe. In: Jahresbericht GNM 91 (für 1944/46), 1946, S. 3–8.

Troche, Ernst Günter: Das Germanische National-Museum und Nürnberg. In: Jahresbericht GNM 92 (für 1946/
47), 1947, S. 3–22.

Grote, Ludwig: Die museale Aufgabe des Theodor-Heuss-
Baues. In: Baukunst und Werkform Bd. 12 (1959), S. 66–67.

Steingräber, Erich: Das Germanische Nationalmuseum –
Seine geistigen Grundlagen und sein Auftrag in unserer Zeit.
In: Bayerland Jg. 65 (1963), S. 362–373.

Meer, John Henry van der: Gedanken zur Darbietung einer
Musikinstrumentensammlung. In: Museumskunde Bd. 33
(1964), S. 152–164.

Steingräber, Erich: Das Germanische Nationalmuseum.
Erziehungs- und Forschungsstätte. Nürnberg 1968, 7, 2 S. 4°
Mschr. vervielfältigt.

Schadendorf, Wulf: Museumspädagogik. Schulunterricht
im kulturgeschichtlichen und im Kunst-Museum. In: Jugend und Kunst. Beispiele und Beiträge zur ästhetischen Erziehung (Nürnberger pädagogische Modelle, Bd. 4). Freiburg im Breisgau 1969. S. 61–76.

II. Schriften über das GNM

Schulz, Heinrich Wilhelm: Bericht über die unter dem Vorsitz S. K. Hoheit des Prinzen Johann, Herzogs zu Sachsen,
vom 16. bis 19. August 1852 zu Dresden abgehaltene Versammlung deutscher Geschichts- und Alterthumsforscher.
In: Mittheilungen des Königl. Sächs. Vereins für Erforschung und Erhaltung vaterländischer Alterthümer H. 6
(1852), S. 109–155.
Darin: Sitzungs-Protokoll zur Prüfung des v. Aufsess'schen
Vorschlages der Bildung eines allgemeinen deutschen Mu-
seums (S. 118–121) und Satzungsentwurf (S. 151–155).

Schulz, Heinrich Wilhelm: Bericht über die allgemeinen
Versammlungen zu Dresden und Mainz im Sommer 1852.
In: Correspondenz-Blatt des Gesammtvereins der deutschen
Geschichts- und Alterthums-Vereine Jg. 1 (1853), S. 3–8.

Aufseß, Hans von und zu: Die Eröffnung des germanischen
Nationalmuseums in Nürnberg. In: Illustrirte Zeitung
Bd. 20 (1853), N. F. 8, Nr. 521 vom 25. Juni, S. 403–407.

Das germanische Museum und die Veste Coburg. In: Die
Grenzboten Jg. 12 (1853), Bd. 3, S. 54–61.

Das Germanische National-Museum in Nürnberg. In:
Intelligenz-Blatt zum Serapeum Jg. 15 (1854), S. 121–125:

A. Über Zweck und Mittel des National-Museums. – S. 129–
131: I. Gelehrten-Ausschuß des germanischen Museums. –
S. 131: II. Buchhandlungen. – S. 132: III. Akademieen und
gelehrte Gesellschaften. – S. 132–133: IV. Personalstatus des
germanischen Museums. – S. 137–140: B. System der deutschen Geschichts- und Alterthumskunde, entworfen zum
Zwecke der Anordnung der Sammlungen des germanischen
Museums. Von H. v. u. z. Aufseß. – S. 140–141, 145–146:
Hauptübersicht des Systems. – S. 146–148, 153–157,
161–164, 169–173, 177–180: System.

Diezfelwinger, Wilhelm: Das germanische Museum als
National-Denkmal deutscher Geschichte, Wissenschaft und
Kunst in 3 Abtheilungen poetisch beschrieben. Nürnberg
1856. V, 19 S. 8°

Falke, Johannes: Das Germanische Nationalmuseum. In:
Weimarisches Jahrbuch für deutsche Sprache, Litteratur und
Kunst Bd. 5 (1856), H. 1, S. 81–106.
Auch als Sonderdruck mit eigener Paginierung, 8°

Das Germanische Nationalmuseum in Nürnberg. In:
Neuer Anzeiger für Bibliographie und Bibliothekswissenschaft Jg. 1856, S. 42–47.
Zusammenstellung der bis 1856 erschienenen Publikationen
und Aufrufe des Museums, dazu kurzer Text.

Das germanische Museum in Nürnberg. In: Die Grenzboten Jg. 16. (1857), Bd. 3, S. 352–357.

Das germanische Museum in der Karthause zu Nürnberg nach seiner neuen Einrichtung. In: Illustrirte Zeitung Bd. 30 (1858), Nr. 766 vom 6. März, S. 151–154, 4 Illustrationen.

Bulmerincq, August von: Das germanische Nationalmuseum und unsere historische Arbeit. In: Baltische Monatsschrift Bd. 3 (1861), S. 204–231.

Ziegler, Alexander: Das Germanische Museum in Nürnberg. Ein deutsches National-Unternehmen. In: Alexander Ziegler: Geschichte Deutscher National-Unternehmungen. 6., vermehrte und verbesserte Aufl. Dresden 1862; 7., vermehrte und verbesserte Aufl. Dresden 1863, S. 35–52. 8°

Hektor, Enno: Geschichte des germanischen Museums von seinem Ursprunge bis zum Jahre 1862. Festschrift zur Feier seines zehnjährigen Bestehens. Nürnberg 1863, 58 S. 8°

Hoffinger, Johann Bapt. von: Das germanische Museum in Nürnberg. In: Abendstunden Jg. 1863, H. 2, S. 1–14.

Essenwein, August von: Die Sammlungen des germanischen Museums. In: Mittheilungen der K. K. Central-Commission zur Erforschung und Erhaltung der Baudenkmale Jg. 13 (1868), S. 83–104.

Das Germanische Museum zu Nürnberg. T. 1. 2. In: Allgemeine Zeitung Jg. 1866, S. 4349–4350, 4481–4482, Beilage.

König Ludwig I. von Bayern und das Germanische Museum zu Nürnberg. In: Allgemeine Zeitung Jg. 1868, Nr. 170 vom 18. Juni, Beilage.

A.: Das Germanische Museum und die deutsche Geschichtswissenschaft. In: Allgemeine Zeitung Jg. 1868, Nr. 259 vom 15. Sept., Beilage.

Rehm, Karl: Das germanische Museum zu Nürnberg im Jahre 1869. In: Deutsche Vierteljahrsschrift Jg. 33 (1870), H. 1, S. 299–316.

Das Germanische Museum zu Nürnberg. Gedruckt für die hiesigen Beförderer des Germanischen Museums. Hamburg 1871. 30 S. 8°

Bergau, Rudolf: Das Germanische Museum zu Nürnberg. In: Deutsche Bauzeitung Jg. 11 (1877). S. 485–487; 495–497.

Schorn, Otto von: Das Jubiläum des Germanischen Museums. In: Zeitschrift für Bildende Kunst 13 (1878), S. 19–23.

Die Stammwappen der deutschen Standesherren nach dem Wappenfries im germanischen Museum zu Nürnberg nebst einer Beschreibung ihrer vollständigen Wappen. Tübingen 1882. IV, 100 S., 57 Taf. 8°

Bösch, Hans: Das Germanische Nationalmuseum in Nürnberg. In: Über Land und Meer. Allgemeine Illustrierte Zeitung Bd. 52 (1883–1884), Nr. 49, S. 983–985.

Aufseß, Otto von und zu: Geschichte des uradeligen Aufsess'schen Geschlechtes in Franken. Berlin 1888. Darin: Das Germanische Nationalmuseum zu Nürnberg. S. 441–445. 8°

Leitschuh, Franz Friedrich: Das Germanische Nationalmuseum in Nürnberg (Bayerische Bibliothek, Bd. 9). Bamberg 1890. 98 S. mit Abb. 8°

Bösch, Hans: Germanisches Nationalmuseum. In: Nürnberg. Festschrift dargeboten den Mitgliedern und Teilnehmern der 65. Versammlung der Gesellschaft deutscher Naturforscher und Ärzte vom Stadtmagistrate Nürnberg. Nürnberg 1892, S. 441–448.

Stegmann, Hans: Das Germanische National-Museum zu Nürnberg in seinen Räumen und Gebäulichkeiten. Nach 50 Originalaufnahmen von Rudolf Albrecht. Nürnberg (1896). 6 ungez. Bl., 50 Taf. 2°

Göpp, Theodor: Zur hundertjährigen Geburtstagsfeier des Gründers des Germanischen Museums Dr. Hans Freiherr von und zu Aufseß. In: Das Bayerland Jg. 12 (1901), S. 532–535.

Rehm, Hermann Siegfried: Das germanische Museum in Nürnberg. In: Das neue Jahrhundert Jg. 3 (1901), vom 6. Februar, S. 480–483.

Heyck, Eduard: Das Germanische Museum. In: Velhagen u. Klasings Monatshefte Jg. 16 (1901/1902), Bd. 2, S. 371–384.

Tille, Armin: Das Germanische Museum. In: Deutsche Geschichtsblätter Bd. 3 (1901/1902), S. 261–271.

Germanisches Museum zu Nürnberg. Nürnberg (1902). 25 Taf. quer-4°
Auswahl aus dem Tafelwerk von Stegmann von 1896.

Hampe, Theodor: Das Germanische Nationalmuseum von 1852 bis 1902. Festschrift zur Feier seines fünfzigjährigen Bestehens im Auftrag des Direktoriums verfaßt. Leipzig (1902), 150 S. mit Abb., 24 Taf. 4°

Hampe, Theodor: Zum 50jährigen Bestehen des Germanischen Nationalmuseums in Nürnberg. In: Illustrierte Zeitung Bd. 118 (1902), Nr. 3076 vom 12. Juni, S. 896–908.

Semerau, Alfred: Das Germanische Nationalmuseum in Nürnberg. In: Leipziger Zeitung, wissenschaftliche Beilage 1902, Nr. 71 vom 12. Juni, S. 281–283.

Uhde-Bernays, Hermann: Das Germanische Nationalmuseum. In: Der Tag. Illustrierte Unterhaltungs-Beilage 1902, Nr. 269 vom 12. Juni, Nr. 271 vom 13. Juni.

Bulle, Oskar: Das fünfzigjährige Jubelfest des Germanischen Museums. In: Allgemeine Zeitung Jg. 1902, Beilage Nr. 135 vom 14. Juni, S. 489–491.

Simon, Karl: Das Germanische Nationalmuseum. In: Die Woche Jg. 4 (1902) vom 14. Juni, S. 1102–1105.

Boesch, Hans: Das Germanische Museum. In: Die Gartenlaube Jg. 50 (1902), S. 390–394.

Die Feier des fünfzigjährigen Bestehens des Germanischen Nationalmuseums. In: Anzeiger GNM 1902, S. XIX–LII.

Lichtwark, Alfred: Festrede, gehalten in Nürnberg bei der Jubelfeier des Germanischen Nationalmuseums. In: Der

Kunstwart Jg. 15,2 (1902), S. 527–535. Wiederabgedruckt unter dem Titel: Meister Bertram. Festrede bei der Jubelfeier des Germanischen Museums 1902. In: Alfred Lichtwark: Der Deutsche der Zukunft. Berlin 1905, S. 65–87. 8° In leicht geänderter Version unter dem Titel: Festrede. In: Mitteilungen GNM 1902, S. 45–54.

Das fünfzigjährige Jubiläum des Germanischen Museums. In: Das Bayerland Jg. 13 (1902), S. 496–498. *Mit Bildnissen der Mitglieder des Verwaltungsausschusses von 1902 auf S. 510–511, 522–523.*

Proelß, Johannes: Das Germanische Museum in Nürnberg. Ein Jubiläumsrückblick. In: Bibliothek der Unterhaltung und des Wissens Jg. 1902 (Bd. 10), S. 103–125.

Ermisch, Hubert Max: Das Jubiläum des Germanischen Nationalmuseums am 15. und 16. Juni. In: Leipziger Zeitung, wissenschaftliche Beilage 1902, Nr. 76 vom 26. Juni, S. 302–304.

Festgabe des Vereins für Geschichte der Stadt Nürnberg zur Feier des fünfzigjährigen Bestehens des Germanischen Nationalmuseums in Nürnberg. Nürnberg 1902. 167 S. mit 3 Taf. 8° (= Mitteilungen des Vereins für Geschichte der Stadt Nürnberg H. 15 [1902], S. 1–167).

Kress, Georg von: Erinnerungen an Geheimrat August von Essenwein. In: Mitteilungen des Vereins für Geschichte der Stadt Nürnberg H. 15 (1902), S. 133–167; vgl. auch Vortitel.

Bredt, Ernst Wilhelm: Das Germanische Nationalmuseum und der Bayer. Kunstgewerbeverein. In: Gemeinnützige polytechnische Monatsschrift Jg. 52 (1902), S. 101–105.

Bredt, Ernst Wilhelm: Das Germanische Nationalmuseum und der Bayerische Kunstgewerbe-Verein. In: Kunst und Handwerk Jg. 52 (1901/02), S. 254–259.

Grupp, Georg: Das Germanische Nationalmuseum zu Nürnberg. In: Historisch-politische Blätter für das katholische Deutschland Bd. 130 (1902), S. 419–428.

Apollinaire, Guillaume (das ist Guillaume Apollinaire Albert Kostrowicki): Le Musée Germanique de Nuremberg. In: L'Européen 1902, Nr. 54 vom 13. Dezember. *Wiedergedruckt in: L. C. Breunig: Les Chroniques d'Art d'Apollinaire. Paris 1960, S. 21–23. Ebenso: Übersetzt und kommentiert von Günther Schiedlausky. In: Anzeiger GNM 1970, S. 143–146.*

Bericht über die fünfundzwanzigjährige Wirksamkeit der Berliner Pflegschaft des Germanischen National-Museums, 1878–1903. In: Anzeiger GNM 1903, S. LXXXVI–LXXXXI. *Auch separat erschienen. Berlin o. J. (1903). 20 S. 8°*

Bezold, Gustav von: Das Germanische Nationalmuseum. Kulturgeschichtliche Betrachtungen. In: Festzeitung für das 10. Deutsche Turnfest zu Nürnberg 1903. 1903, Nr. 4 vom 1. Juli, S. 62–67.

Detzel: Das Germanische Museum zu Nürnberg von 1852–1902. In: Archiv für christliche Kunst Jg. 21 (1903), S. 51–52, 62–64, 72–75, 84–87, 96–100.

Dembski, Max: Zur Geschichte des Germanischen Museums in Nürnberg. In: Fränkischer Kurier Jg. 72 (1904), Nr. 396 vom 4. August. S. 1–2.

Peters, Hermann: Zur Wanderung durchs Germanische Museum. In: Der Drogenhändler Jg. 6 (1906), Nr. 22, S. 181–188.

Sammlungen: (Über den Austausch von Gemälden zwischen der Alten Pinakothek in München und dem Germanischen Nationalmuseum in Nürnberg). In: Kunstchronik N. F. Jg. 21 (1909/10), Sp. 391–393.

Bezold, Gustav von: Das Germanische Museum. In: Fränkischer Kurier Jg. 80 (1912), Industrie-Nummer von Anfang Juli, S. 3.

Die Zukunft des Germanischen Museums. Eine Rundfrage des „Fränkischen Kuriers". In: Fränkischer Kurier Jg. 84 (1916), Nr. 51 vom 29. Januar, S. 3–4: I. Gustav von Bezold: Zukunftsaufgaben des Germanischen Museums. Die Organisation und die dermalige Lage des Germanischen Museums. – Nr. 60 vom 3. Februar, S. 4: II. Fritz Stahl, Feuilleton-Redakteur des „Berliner Tageblatt": (Zuschrift); Woldemar von Seidlitz, Kgl. Kunstslgen in Dresden: (Zuschrift). – Nr. 61 vom 3. Februar, S. 3: III. Theodor Volbehr, Direktor des Kaiser-Friedrich-Museums der Stadt Magdeburg: (Zuschrift). – Nr. 72 vom 9. Februar, S. 3: IV. Johannes Seiler, Nürnberger Bildhauer und Maler: (Zuschrift); Max Versen, Magistratsrat für Kunst und Wissenschaft: (Zuschrift). – Nr. 106 vom 28. Februar, S. 4: V. Wilhelm Bode, Generaldirektor d. kgl. Museen, Berlin: (Zuschrift). – Nr. 195 vom 15. April, S. 3: Ernst Mummenhoff: Die Zukunftsaufgaben des Germanischen Museums.

Notizen: (Die Neuordnung der Gemäldesammlung des Germanischen Nationalmuseums in Nürnberg). In: Kunstchronik und Kunstmarkt Jg. 54 = N. F. Jg. 30 (1918/1919), S. 845–846.

Bezold, Gustav von: Aufseß, Hans Freiherr von und zu, Altertumsforscher, Gründer des Germanischen Museums, 1801–1872. In: Lebensläufe aus Franken, Bd. 1 (Veröffentlichungen der Gesellschaft für Fränkische Geschichte, Reihe 7). München und Leipzig 1919, S. 1–10. 8°

Seiler, Johannes: Der ideelle Kampf um das Germanische Nationalmuseum. In: Fränkischer Kurier Jg. 87 (1919), Nr. 553 vom 29. November, S. 5.

Oldenbourg, Rudolf: Das Germanische Museum. In: Kunstchronik und Kunstmarkt Jg. 55 = N. F. 31 (1919/20), S. 131–135.

Bezold, Gustav von: Die Tätigkeit der Beamten des Germanischen Museums. In: Kunstchronik und Kunstmarkt. Jg. 55 = N. F. 31 (1919/20), S. 303–304.

Bezold, Gustav von: Die Kritik an den Verhältnissen im Germanischen Museum. In: Fränkischer Kurier Jg. 88 (1920), Nr. 6 vom 5. Januar, S. 2.

Bode, Wilhelm von: Der Streit um das Germanische Museum. Die Neubesetzung des Direktorpostens. In: Vossische Zeitung Jg. 1920, Nr. 77 vom 11. Febr.

Lauffer, Otto: Schicksalsfragen des Germanischen Nationalmuseums. In: Der Tag Jg. 20 (1920), Nr. 59 vom 10. März.

Verschiedenes: (Die Frage des Nürnberger Germanischen Museums). In: Kunstchronik und Kunstmarkt Jg. 55 = N. F. 31 (1919/20), S. 431–434.

Schulz, Fritz Traugott: Das Germanische Museum im Jahre 1920. In: Fränkischer Kurier Jg. 89 (1921), Nr. 100 vom 11. März, S. 2.

Weiterentwicklung des Museums. In: Anzeiger GNM 1920, Nr. 1–4, S. 3–9.
Enthält einen Bericht über die Eröffnung des Bestelmeyer-Neubaues am Kornmarkt.

Die Neuordnung des Germanischen Museums. In: Kunstchronik und Kunstmarkt Jg. 56 = N. F. 32 (1920/1921), S. 151.

Lill, Georg: Die Neuaufstellung des Germanischen Museums. In: Kunstchronik und Kunstmarkt Jg. 56 = N. F. 32 (1920/21), S. 719–722.

Zimmermann, Ernst Heinrich: Eröffnung der Kunstabteilung des Germanischen Nationalmuseums. In: Der Aufstieg Jg. 1 (1921), S. 7–10.

Schulz, Fritz Traugott: Das neue Lapidarium des Germanischen Museums. In: Anzeiger GNM 1921, S. 8–23.

Neuhaus, August: Die Neuaufstellung der Waffensammlung. In: Anzeiger GNM 1921, S. 23–25.

Harzmann, Friedrich: Hans Freiherr von und zu Aufseß. In: Haupt, Hermann und Paul Wentzcke: Hundert Jahre Deutscher Burschenschaft. Burschenschaftliche Lebensläufe (Quellen und Darstellungen zur Geschichte der Burschenschaft und der deutschen Einheitsbewegung, Bd. 7). Heidelberg 1921, S. 65–74. 8°

Schulz, Fritz Traugott: Der Neubau des Germanischen Museums. In: Der Kunstwanderer Jg. 2 (1920/21), S. 133–136.

Fries, Walter: Der Neubau des germanischen National-Museums und seine Einrichtung. In: Museumskunde Bd. 16 (1922), S. 153–190.

Wilm, Hubert: Die Neuordnung des Germanischen Museums in Nürnberg. In: Die Kunst für Alle Bd. 37 (1922), S. 310–328.

Düsel, Friedrich: Das Germanische Museum in Nürnberg nach seiner Neuordnung. In: Westermanns Monatshefte Jg. 67 (1922/1923), S. 484–487.

Schulz, Fritz Traugott: Das Germanische Museum in Nürnberg. Ein Kleinod deutscher Art. München 1923. 32 S. mit Abb., 6 Taf. 2°

Hausmann, Sebastian: Der Fall Aufseß. In: Heimat und Welt. Beilage der „Nürnberg-Fürther Morgenpresse" für Unterhaltung und Wissen 1925, Nr. 11 vom 26. April.

Langer, Kurt: Das Germanische Nationalmuseum in Nürnberg. In: Ostdeutsche Bauzeitung Jg. 25 (1925), S. 21–25.

Sieghardt, August: Victor von Scheffel und das Germanische Museum. In: Fränkische Heimat Jg. 4 (1925), S. 15–7.

Sieghardt, August: Scheffel und das Germanische Museum. In: Die Fränkische Schweiz Jg. 3 (1926), S. 29–30.

Schulz, Fritz Traugott: Das Germanische Museum in Nürnberg. Ein geschichtlicher Rückblick anläßlich der bevorstehenden Feier seines 75jährigen Jubiläums. In: Das Bayerland Jg. 38 (1927), S. 457–465.

Schulz, Fritz Traugott: Das Germanische Museum von 1902–1927. Festschrift zur Feier seines 75jährigen Bestehens (= Anzeiger GNM 1926/27). Nürnberg 1927. 97 S. mit Abb. 4°

Zimmermann, Ernst Heinrich: Das Germanische National-Museum. In: Nürnberg (Monographien deutscher Städte, Bd. 23). Berlin 1927, S. 84–87. 4°

Zimmermann, Ernst Heinrich: Das Germanische National-Museum. In: Franken, seine Entwicklung und seine Zukunft. Hrsg.: Erich Köhrer (Deutsche Stadt – Deutsches Land, Bd. 15). Berlin 1927, S. 25–29. 4°

Hampe, Theodor: Vom Jubiläum des Germanischen Museums. Ein Rückblick. In: Minerva-Zeitschrift Jg. 3 (1927), S. 273–275.

Paust, Albert: Aus den Kantatetagen des Jahres 1853. In: Börsenblatt für den Deutschen Buchhandel Jg. 3 (1927), Nr. 190 vom 16. August, S. 1008–1010.

Rösermüller, Rudolf: Das Germanische Museum, sein Werden und unsere Zeit. Rückschau und Ausblick zum 75jährigen Jubiläum. In: Fränkische Heimat Jg. 6 (1927), S. 278–280.

Hampe, Theodor: Fünfundsiebzig Jahre Germanisches Museum. In: Zeitschrift für Bildende Kunst Jg. 61 (1927/28), S. 97–105.

Schardt, Oskar Franz: Die Gründung des Germanischen Museums. Festspiel anläßlich seines 75jährigen Bestehens. Nürnberg 1927. 20 S. 8°

Höhn, Heinrich: Sieg des Genius. Ein Festspiel. Dem Germanischen Nationalmuseum zu Nürnberg zur Feier seines 75jährigen Bestehens. Jena 1928. 71 S. 8°

100 Abbildungen von Kunstwerken und Innenräumen des Germanischen National-Museums. Nürnberg 1930. 100 S. Abb. 8°

Eberlein, Kurt Karl: Idee und Entstehung der deutschen National-Museen. In: Wallraf-Richartz-Jahrbuch N. F. Bd. 1 (1930), S. 269–281.

Lutze, Eberhard: Erweiterungspläne des Germanischen Nationalmuseums. In: Kunst- und Antiquitätenrundschau Jg. 42 (1934), S. 53–54.

Lutze, Eberhard: Die neue Barockgalerie im Germanischen Nationalmuseum. In: Pantheon Bd. 14 (1934), S. 286–287.

Pfisterer: Die neueröffnete Barockgalerie des Germanischen Nationalmuseums. In: Kunst- und Antiquitätenrundschau Jg. 42 (1934), S. 390–394.

Walter, Karl: August Stöber und das Germanische Nationalmuseum in Nürnberg. In: Elsass-Lothringisches Jahrbuch Bd. 13 (1934), S. 223–243.

Zimmermann, Ernst Heinrich: Das Germanische Nationalmuseum. In: Das Bayerland Jg. 46 (1935), S. 277–284.

Stafski, Heinz: Umgestaltung des Germanischen Nationalmuseums in Nürnberg. In: Die Weltkunst Jg. 12 (1938), H. 3, S. 1–2.

Kohlhaußen, Heinrich: Das Germanische Nationalmuseum. In: Kunst dem Volk. Sonderausgabe für die Stadt der Reichsparteitage Nürnberg. Wien 1939, Sept., S. 6–13, m. 8 Abb.

Neues im Germanischen National-Museum. In: Die Weltkunst Jg. 18 (1944), Nr. 8 vom 15. August, S. 1.

Troche, Ernst Günter: Das Germanische Museum. In: Die Gegenwart Jg. 2 (1947), Nr. 26/27 vom 31. Januar, S. 18–20.

Schwemmer, Wilhelm: Aus der Geschichte der Kunstsammlungen der Stadt Nürnberg. In: Mitteilungen des Vereins für Geschichte der Stadt Nürnberg Bd. 40 (1949), S. 97–206.
Zur älteren Geschichte der später teilweise als Leihgaben im GNM *befindlichen Sammlungen.*

Lutze, Eberhard: Museum der Nation. In: Merian Jg. 2 (1950), H. 10, S. 20–25.

Strieder, Peter: Zur Wiedereröffnung des Galeriebaues des Germanischen National-Museums. In: Kunstchronik Jg. 3 (1950), S. 241–243.

Hundert Jahre Germanisches National-Museum, 1852–1952. (Nürnberg 1952). 8 S, 8 ungez. S. 8°
Verzeichnisse der ehemaligen Direktoren, des Verwaltungsrates, des wissenschaftlichen Personals 1952, des Festausschusses, der Spender zum Jubiläum.

Germanisches Nationalmuseum, 1852–1952. In: Nürnberger Zeitung 1952, Nr. 123 vom 9. August. Sonderausgabe anläßlich der Hundertjahrfeier des Germanischen National-Museums, S. 17–21. Enthält unter anderem: Ludwig Grote: Stätte gesamtdeutscher Sendung, S. 17. – Ernst Königer: Eine Schatzkammer alter Kultur, S. 17–18. – Kurt Pilz: Eigentum des deutschen Volkes, S. 18. – Heinrich Kohlhaußen: Das Germanische Museum im letzten Kriege, S. 19–20. – August Sieghardt: Hans Freiherr von und zu Aufseß, S. 20. – Geodor: Der fruchtbare Irrtum des Martin Behaim, S. 21. – Erich Meyer-Heisig: Geistige Heimat der Vertriebenen, S. 21. – Erich Meyer-Heisig: Trachtengruppen zeigen lebendiges Brauchtum, S. 21.

Heuss, Theodor: Sichtbare Geschichte. Gedenkrede zur Hunderjahrfeier des Germanischen National-Museums. Nürnberg 1952. 33 S. 8° – Wiederabgedruckt unter dem Titel: Theodor Heuss: Das Germanische National-Museum. Und: Carl J. Burckhardt: Städtegeist. In: Noris. Zwei Reden. Berlin 1953, S. 7–25.

Die beiden Reden wurden bei der Hundertjahrfeier des Germanischen Nationalmuseums am 9. und 10. August 1952 in Nürnberg gehalten.

Hundertjahrfeier des Germanischen Nationalmuseums am 9. und 10. August 1952. Bericht an unsere Mitglieder. Texte Ludwig Grote, Erich Meyer-Heisig. Nürnberg 1952. 10 ungez. Bl. mit Abb. 8°

Müller, Theodor: Hundert Jahre Germanisches Nationalmuseum. In: Kunstchronik Jg. 5 (1952), S. 199–204.

Wühr, Hans: Treuhänder unserer Volkskunst. In: Südost-Echo Jg. 1 (1952), Nr. 2, S. 3.

Wirsing, Giselher: Gesamtschau der deutschen Geschichte. Das Germanische National-Museum in Nürnberg – die Schatzkammer der Nation. In: Christ und Welt Jg. 5 (1952), Nr. 38 vom 18. September, S. 8.

Koch, Friedrich: Das Germanische Nationalmuseum in Nürnberg im Geschichtsunterricht. Erlangen 1952. 30, IV Bl., 22 Abb. auf Taf. 4° (Mschr.) Nürnberg, Staatl. Studienseminar für das Lehramt an höheren Schulen, Zulassungsarbeit vom 30. 4. 1952.

Fischer, H.: Germanisches Nationalmuseum 100 Jahre alt. In: Unterfränkisches Heimatblatt. Heimatkundliche Beilage des „Volkswille" für Main, Rhön, Steigerwald, Hassgau und Grabfeld Jg. 4 (1952), Nr. 15, 16, 17.

Holst, Niels von: Zeugen deutscher Vergangenheit. Hundert Jahre Germanisches Nationalmuseum. In: Deutsche Zeitung und Wirtschaftszeitung Jg. 7 (1952), Nr. 64.

Grote, Ludwig: Der Gründer des Germanischen National-Museums. In: Deutsche Kunst und Kultur im Germanischen National-Museum. Nürnberg 1952, 2. erw. Aufl. Nürnberg 1960 (Bildband), S. 5–15.

Meyer-Heisig, Erich: Germanisches Museum – Eigentum der deutschen Nation. In: Bayerland Jg. 55 (1953), S. 105–114.

Dalquen, Franz Josef: Die Auswertung der Sammlungen des Germanischen National-Museums in Nürnberg für den Geschichtsunterricht der höheren Schule. Nürnberg 1953. 38 Bl. 4° (Mschr.) Nürnberg, Staatl. Studienseminar für das Lehramt an höheren Schulen. Seminararbeit vom 1. 5. 1953.

Emmerling, Erich: Das Germanische National-Museum in Nürnberg. In: Urania-Universum Bd. 2 (1956), S. 121–126.

Theodor-Heuss-Bau des Germanischen National-Museums, Nürnberg 1958. Nürnberg 1958, 10 ungez. Bl. mit Abb. 4° – Enthält: Hans-Christoph von Tucher: Ein Monument der Dankbarkeit. – Theodor Heuss: Keine gotische Ersatzkathedrale. – Ludwig Grote: Die museale Aufgabe des Theodor-Heuss-Baues. – Eduard Trier: Für ein lebendiges Museum. – Sep Ruf und Harald Roth: Zu diesem Neubau gesagt . . . Wiederabdruck der Aufsätze mit Ausnahme Tuchers in: Baukunst und Werkform Jg. 12 (1959), H. 2, S. 65–77.

Deuren, G. van: De Theodor-Heuss-Bau van het Germanisches National-Museum te Nurnberg. In: Bibliotheek Gids Jg. 37 (1961), Nr. 6, S. 126–130.

Bibliographie der Kunst in Bayern. Bearbeitet von Hans Wichmann. Bd. 1 (Bibliographien herausgegeben von der Kommission für bayerische Landesgeschichte bei der Bayerischen Akademie der Wissenschaften, Bd. 1–4). Wiesbaden 1961, S. 236–246 u. ö.

Neuer Hausherr im Germanischen Museum. Der Generalbebauungsplan für die Wiederherstellung liegt jetzt vor. In: Unser Bayern Jg. 11 (1962), Nr. 11, S. 83–84.

Strieder, Peter: Wandlungen und Probleme einer kulturhistorischen Sammlung. Vortrag auf der Tagung der kulturgeschichtlichen und Kunst-Museen des Deutschen Museumsbundes am 2. September 1963, Schleswig, Schloß Gottorf. In: Museumskunde Bd. 33 (1964), S. 69–76.

Germanisches Nationalmuseum Nürnberg. Bibliothek, Direktion und Verwaltung. In: Baumeister Jg. 61 (1964), S. 1257–1264.

Schiedlausky, Günther: Probleme und Ergebnisse einer Besucherbefragung im Germanischen Nationalmuseum. In: Museumskunde Bd. 34 (1965), S. 97–103.

Schadendorf, Wulf: Zur Sammlungsgeschichte des Germanischen Nationalmuseums und der Städtischen Galerie Nürnberg. Das erweiterte Sammlungsprogramm des Germanischen Nationalmuseums. In: Anzeiger GNM 1966, S. 142–172.

Steingräber, Erich: Ein Kind der Romantik: Das Germanische Nationalmuseum. In: Merian 19 (1966), H. 8, S. 31–33, 106–107. Wiederholt in: Cassella-Riedel Archiv Jg. 53 (1970), H. 5, S. 19–24.

Rücker, Elisabeth: Bibliothek des Germanischen Nationalmuseums, Nürnberg. In: Bibliotheksneubauten in der Bundesrepublik Deutschland (Zeitschrift für Bibliothekswesen und Bibliographie, Sonderh. 9). Frankfurt am Main 1968, S. 283–290.

Warnier, Raymond: Guillaume Apollinaire im Germanischen Museum. Übersetzt von Evelyn Wundram und mit Anm. versehen von Wulf Schadendorf. In: Anzeiger GNM 1970, S. 135–142.

Fränkische Bibliographie. Bd. 2, 2: Nürnberg (Veröffentlichungen der Gesellschaft für Fränkische Geschichte, Reihe 11, Abt. III). Würzburg 1970, S. 52–56 und anderenorts.

Aufseß, Hans Max von und zu: Des Reiches erster Konservator. Hans von Aufseß, der Gründer des Germanischen Nationalmuseums, 7.9.1801–6.5.1872. (Fränkische Bibliophilengesellschaft, Jahresgabe 1971). (Erlangen) 1971. 41 S. mit Abb. 8°

Veit, Ludwig: Hans Freiherr von und zu Aufseß und die Anfänge des Germanischen Nationalmuseums. Ausstellung im Germanischen Nationalmuseum zum 100. Todestag seines Gründers am 6. Mai 1972, 1. Juli – 1. Okt. 1972. Mit einem Beitrag von Bernward Deneke. (Ausstellungskatalog). Nürnberg 1972. 25 ungez. Bl. mit Abb., 6 Taf. 8°

Neumann, Maria: Die Geschichte des Germanischen Nationalmuseums in Nürnberg, ein Spiegelbild deutscher Geschichte des 19. und 20. Jahrhunderts. Hannover 1972. 4° (Mschr.) Hannover, Schriftliche Hausarbeit im Fach Geschichte, fachwissenschaftliche Prüfung für das Lehramt an Realschulen, 1972.

Deneke, Bernward: Das System der deutschen Geschichts- und Altertumskunde des Hans von und zu Aufseß und die Historiographie im 19. Jahrhundert. In: Anzeiger GNM 1974, S. 144–158.

Sack, Manfred: Uhren, Trachten und Madonnen. Das Germanische Nationalmuseum in Nürnberg ist Deutschlands größtes Heimatmuseum. In: Die Zeit Jg. 31 (1976), Nr. 49 vom 26. Nov., S. 47–48.

Hubert Freiherr von Welser: Die Stiftung „Germanisches Nationalmuseum" in Nürnberg. In: Arbeitsgemeinschaft Deutscher Stiftungen und Verband Deutscher Wohltätigkeits-Stiftungen e. V. Protokoll der 33. Tagung vom 11. bis 13. Mai 1977 in Nürnberg. o. O. (1977), S. 158–178.

Schönberger, Arno und Lothar Hennig: Das Germanische Nationalmuseum Nürnberg. Ein Bildband zum Wiederaufbau, 1945–1977. Nürnberg 1977. 5 ungez. S. Text, 55 ungez. S. Abb. 8°

125 Jahre Germanisches Nationalmuseum. Ansprache des Bundespräsidenten in Nürnberg. Grußwort des Bundeskanzlers. In: Bulletin des Presse- und Informationsamtes der Bundesregierung, 7. Juni 1977 (Nr. 60) S. 557–559.
Ansprache des Bundespräsidenten Walter Scheel bei der Festakademie im Opernhaus zu Nürnberg am 2. Juni 1977.

Mayer, Hans: Das deutsche Selbstempfinden. Gedanken zum 125jährigen Bestehen des Germanischen Nationalmuseums in Nürnberg. In: Hans Mayer: Nach Jahr und Tag. Reden 1945–1977. Frankfurt am Main 1978, S. 225–243.
Rede bei der Festakademie im Opernhaus zu Nürnberg am 2. Juni 1977.

III. Kataloge und Bestandsübersichten

Ausstellungskataloge (auch aus eignen Beständen) s. unter Verzeichnis der Sonderausstellungen S. 1144–1159

☐ 1. Gesamtkataloge

Das Germanische Nationalmuseum. Organismus und Sammlungen. Abtheilung 1 und 2. (Denkschriften des Germanischen Nationalmuseums, Bd. 1). Nürnberg, Leipzig 1856. 8°

1. Literarische Sammlungen. In: Organismus und Literarische Sammlungen (1. Teilband), S. 97–483. Enthält: Archiv, S. 97–170. – Bibliothek, S. 173–483.
Verzeichnis der Urkunden, Urkundenabschriften-Bücher

und Sammlungen, Bücher, Akten und Rechnungen (des Archivs), der Handschriften, Druckschriften, Einblattdrucke (der Bibliothek).

2. Kunst- und Alterthums-Sammlungen (2. Teilband) XV, 382 S. mit Abb. Enthält: A. Geschichte, S.3–60. – A. I. Geschichte nach Örtlichkeiten, S.3. – A. II. Geschichte nach Persönlichkeiten, S.4–44. – A. III. Besondere Begebenheiten, S.45–60. – B. Zustände, S.65–378. – B. I. Allgemeine Cultur- und sociale Zustände, S.65–357. – B. II. Besondere Anstalten für allgemeines Wohl, S.358–378.
Listenartiges Inventar der Sammlungsbestände und entsprechender Bildquellen.

Essenwein, August von: Kunst- und kulturgeschichtliche Denkmale des Germanischen National-Museums. Eine Sammlung von Abbildungen hervorragender Werke aus sämtlichen Gebieten der Kultur. Leipzig 1877. 4 ungez.Bl., 120 Taf. 4°
Tafelwerk.

Die kunst- und kulturgeschichtlichen Denkmale des Germanischen National-Museums in Nürnberg. Eine Sammlung von Originalabbildungen aus den verschiedenen Gebieten der Kultur. Abth. 1–6. Nürnberg (1896). 90 Taf. mit Text, 4 Mappen. 2°
Tafelwerk.

Neuerwerbungen des Germanischen Museums 1921–1924. Hrsg. von der Direktion. Nürnberg 1925. 128 Taf. 4°
Bildband.

Neuerwerbungen des Germanischen Museums 1925–1929. Hrsg. von der Direktion. Nürnberg 1930. 209 S. mit 203 Taf. 4°
Bildband.

100 Abbildungen von Kunstwerken und Innenräumen des Germanischen National-Museums. Nürnberg 1930. 100 Taf. 8°
Bildband.

Deutsche Kunst und Kultur im Germanischen National-Museum. Vorwort von Ludwig Grote. Nürnberg 1952. 240 S. mit Abb. im Text und auf Taf. – 2., erw. Aufl. Nürnberg 1960. 262 S. mit Abb. im Text und auf Taf. 8°
Bildband.

Neuerwerbungen des Germanischen Nationalmuseums 1962 ff. In: Anzeiger GNM 1963 ff.
Katalogartige Verzeichnisse, meist mit Abbildungen.

Germanisches Nationalmuseum. – Ausgewählte Werke (Vorrede:) Arno Schönberger. Nürnberg 1971. 12 S., 176 Taf., 8 Farbtaf. 8°
Bildband.

□ 2. Historisches Archiv und Archiv für Bildende Kunst

Archiv des germanischen Nationalmuseums zu Nürnberg. Nürnberg, Leipzig 1855. 74 S. 8°. Vorabdruck aus: Das germanische Nationalmuseum. Organismus und Sammlungen.

Abtheilung 1 (Denkschriften des Germanischen Nationalmuseums, Bd. 1). Nürnberg, Leipzig 1856, S.99–170.
Listenartiges Inventar.

Die Siegelsammlung im germanischen Museum. In: Anzeiger GNM 1856, Sp.204–206.
Allgemeine Übersicht. – Siegel siehe auch Münzkabinett.

Sammlung von Hausmarken auf Siegeln an Archivurkunden des germanischen Museums. In: Anzeiger GNM 1864, Sp.161–163.
Allgemeine Übersicht mit listenartigem Inventar. Mit Illustrationen.

Bendiner, M(ax): Die Kaiserurkunden des germanischen Nationalmuseums. In: Mitteilungen GNM 1890, S.3–14, 30–40.
Mit Abdruck der Urkundentexte. Fortsetzung siehe Wendt.

Wendt, Heinrich: Die Kaiserurkunden des germanischen Nationalmuseums. In: Mitteilungen GNM 1890, S.73–96, 97–117.
Mit Abdruck der Urkundentexte.

Schmidt, Rudolf: Einige Kaiserurkunden des germanischen Museums. In: Mitteilungen GNM 1898, S.21–36.
Ergänzung des Aufsatzes Bendiner-Wendt. Mit Teilabdruck der hinzugekommenen Urkunden.

Knöpfler, Josef: Papsturkunden des 12., 13., und 14. Jahrhunderts aus dem Germanischen Nationalmuseum in Nürnberg mit einer historischen Skizze des venetianischen Klosters Brondolo. In: Historisches Jahrbuch Jg.24 (1903), S.307–318, 763–785.

Heerwagen, Heinrich: Mulhusina im Archiv des Germanischen Nationalmuseums zu Nürnberg. In: Mühlhäuser Geschichtsblätter Jg.7 (1906/07), S.75–83.
Listenartiges Inventar.

Verzeichnis der Friedberger Archivalien im Germanischen Nationalmuseum zu Nürnberg. In: Friedberger Geschichtsblätter H.2 (1910), S.41–44.
Listenartiges Inventar.

Veit, Ludwig: Das Archiv des Germanischen National-Museums. Eine Übersicht über seine Bestände. In: Anzeiger GNM 1954 bis 1959, S.248–255.

Veit, Ludwig: Das Archiv für bildende Kunst am Germanischen Nationalmuseum in Nürnberg. In: Anzeiger GNM 1966, S.173–179.

Mathy, Helmut: Moguntina im Germanischen Nationalmuseum zu Nürnberg. In: Mitteilungsblatt zur rheinhessischen Landeskunde Jg.15 (1966), S.249–252.

Natale, Herbert: Die südwürttembergischen Archivalien im Germanischen Nationalmuseum in Nürnberg. Ihre Herkunft und ihre Bedeutung. In: Zeitschrift für Württembergische Landesgeschichte Jg.26 (1967), S.79–88.

Pohl, Horst: Ordnungsmethoden im Archiv für bildende Kunst. In: Der Archivar Jg.22 (1969), Sp.385–396.

Veit, Ludwig: Adelsarchive im Germanischen Nationalmuseum zu Nürnberg. In: Mitteilungen für die Archivpflege in Bayern Jg. 17 (1971), S. 32–34.

Pohl, Horst: Das Archiv für Bildende Kunst in Nürnberg. In: Kunstchronik Jg. 25 (1972), S. 157–159.

☐ 3. Bibliothek

Bibliothek. In: Das Germanische Nationalmuseum. Organismus und Sammlungen. Abtheilung 1 (Denkschriften des Germanischen Nationalmuseums, Bd. 1). Nürnberg, Leipzig 1856, S. 173–483.
Vorabdruck unter dem Titel: Bibliothek des germanischen Nationalmuseums zu Nürnberg. Nürnberg, Leipzig 1855. VI, 307 S. 8°

Die Miniaturen in der Bibliothek des german. Museums. In: Anzeiger GNM 1856, Sp. 308–311.

Die Handzeichnungen in der Bibliothek des german. Museums. In: Anzeiger GNM 1856, Sp. 333–335.

Bartsch, Karl: Die Handschriftensammlung des germanischen Museums. In: Anzeiger GNM 1858, Sp. 176–177, 212–215, 253–254, 292–295.

Essenwein, August von: Aelteste Druckerzeugnisse im germanischen Museum. In: Anzeiger GNM 1872, Sp. 241–248, 273–281, 305–310.

Stockbauer, Jakob: Die Bücher der Schreibmeister des 16.–18. Jahrhunderts im germanischen Museum. In: Mitteilungen GNM 1884–86, S. 77–102.
Überblick mit Illustrationen.

Partikularrechte der „Eulerschen Bibliothek". In: Anzeiger GNM 1888, S. 141–142.

Fuhse, Franz: Trincierbücher des 17. Jahrhunderts. In: Mitteilungen GNM 1892, S. 3–17.
Überblick mit Illustrationen.

Katalog der im germanischen Museum vorhandenen interessanten Bucheinbände und Teile von solchen. Mitarb.: A(ugust von) Essenwein (u. a.) Nürnberg 1889, 102 S. mit Abb., V Taf. 4°
Listenartiges Inventar.

Bredt, Ernst Wilhelm: Katalog der mittelalterlichen Miniaturen des Germanischen Nationalmuseums. Nürnberg 1903. 150 S. mit 16 Abb., 16 Taf. 8°
Wissenschaftlicher Katalog, verzeichnet Handschriften und Einzelblätter.

Höhn, Heinrich: Alte Stammbücher im Besitz des Germanischen Nationalmuseums zu Nürnberg. In: Zeitschrift für Bücherfreunde N. F. Jg. 5, 1 (1913), H. 1–3, S. 1–11, 31–48, 75–85.
Beschreibender Überblick mit Illustrationen.

Schelling, Friedrich: Die Bücherei des „Pegnesischen Blumenordens". In: Fränkischer Kurier Jg. 88 (1920), Nr. 572 vom 14. Dez., S. 5.

Rothenfelder, Ludwig: Die Hilfsmittel zur Familienforschung im Germanischen Nationalmuseum. In: Blätter des

Bayerischen Landesvereins für Familienkunde Jg. 2 (1924), Nr. 1/2, S. 1–11.

Zirnbauer, Heinz: Beschreibendes Verzeichnis der Miniaturhandschriften vom 10. bis zum Beginne des 16. Jahrhunderts im Germanischen Museum zu Nürnberg. Nürnberg 1927. 107 Bl. (Mschr.), 33 Bl. Photographien. 4°

Rothenfelder, Ludwig: Namensverzeichnis zu drei Nürnberger Wappen- und Geschlechterbüchern des Germanischen Nationalmuseums. In: Blätter für Fränkische Familienkunde Jg. 10 (1935), S. 1–38.

Lutze, Eberhard: Die Bibliothek des Germanischen Nationalmuseums in Nürnberg. In: Börsenblatt für den deutschen Buchhandel Jg. 105 (1938), Nr. 60 vom 12. März, S. 209–210.

Neufforge, Ferdinand von: Über den Versuch einer deutschen Bibliothek als Spiegel deutscher Kulturentwicklung. Berlin (1940). 612 S. 8°
Die Bibliothek Neufforge wurde später vom Museum erworben.

Verzeichnis der historischen, volks- und heimatkundlichen Zeitschriftenbestände in der Bibliothek des Germanischen National-Museums. Vorwort: Walther Matthey. Nürnberg 1951. 24 S. 8°

Rothenfelder, Ludwig: Die Stammbücher des Germanischen Nationalmuseums in Nürnberg. In: Der Familienforscher in Bayern, Franken und Schwaben Bd. 1 (1954), Beilage: Volksgenealogische Beiträge, S. 138–153.

Rothenfelder, Ludwig: Das Wappenrepertorium des Germanischen National-Museums Nürnberg. In: Deutsche Wappensammlungen und Wappenrepertorien (Praktikum für Familienforscher, H. 34). Neustadt an der Aisch 1960, S. 25–30.

Rücker, Elisabeth: Die Bibliothek Neufforge. Ihr derzeitiger Umfang im Germanischen Nationalmuseum Nürnberg. In: Zeitschrift für Bibliothekswesen und Bibliographie Jg. 10 (1963), S. 222–225.

Hellwig, Barbara: Inkunabelkatalog des Germanischen Nationalmuseums Nürnberg. Bearbeitet von Barbara Hellwig nach einem Verzeichnis von Walter Matthey (Kataloge des Germanischen Nationalmuseums. – Inkunabelkataloge bayerischer Bibliotheken). Wiesbaden 1970. XXIV, 331 S. 8°
Wissenschaftlicher Katalog.

Kurras, Lotte: Die deutschen mittelalterlichen Handschriften. T. 1. (Die Handschriften des Germanischen Nationalmuseums Nürnberg, Bd. 1. – Kataloge des Germanischen Nationalmuseums Nürnberg). Wiesbaden 1974. 1. Die literarischen und religiösen Handschriften. Anhang: Die Hardenbergschen Fragmente. XXIII, 214 S. 4°
Wissenschaftlicher Katalog.

Rücker, Elisabeth: Die Bibliothek des Germanischen Nationalmuseums Nürnberg. In: Deutsche Kunstbibliotheken. German Art Libraries. Arbeitsgemeinschaft der Kunstbi-

bliotheken. The association of art libraries. München 1975, S. 69–80.
Überblick über Geschichte und Ziele der Bibliothek.

☐ 4. Kupferstichkabinett
Die Kupferstichsammlung im germanischen Museum. In: Anzeiger GNM 1855, Sp. 65–67.

Falke, Jakob von: Die Handzeichnungen des germanischen Museums. In: Anzeiger GNM 1855, Sp. 144–147.

Die Sammlung illustrierter fliegender Blätter im germanischen Museum. In: Anzeiger GNM 1856, Sp. 35–40.

Die Sammlung der Miniaturen im germanischen Museum. In: Anzeiger GNM 1856, Sp. 73–76.

Die Holzschnittsammlung im germanischen Museum. In: Anzeiger GNM 1856, Sp. 105–108.

Eye, August von: Spielkarten vom 15. und 16. Jahrhundert. In: Anzeiger GNM 1858, Sp. 183–184, mit einer Beilage.

Essenwein, August von: Aus der Sammlung der Initialen und Druckverzierungen des germanischen Museums. In: Anzeiger GNM 1878, Sp. 33–42, 68–76, 132–135, 214, 239–245, 324–327.
Überblick, betrifft auch Bibliothek. Mit Illustrationen.

Essenwein, August von: Die Holzschnitte des 14. und 15. Jahrhunderts im germanischen Museum. Nürnberg 1874. 4, 16 S., 164 Taf. 4°

Essenwein, August von: Der kultur- und kunstgeschichtliche Inhalt der Darstellungen in Miniaturen, Handzeichnungen, Gemälden, Holzschnitten usw. in den Sammlungen des germanischen Museums. In: Anzeiger GNM 1879, Sp. 262–269.

Bösch, Hans: Alte Buntpapiere in den Sammlungen des germanischen Nationalmuseums. In: Mitteilungen GNM 1884–1886, S. 121–136.
Überblick mit Illustrationen.

Essenwein, August von: Katalog der im germanischen Museum befindlichen Kartenspiele und Spielkarten. Nürnberg 1886. 35 S., 40 Taf. 4°
Beschreibendes Inventar.

Lehrs, Max: Katalog der im germanischen Museum befindlichen deutschen Kupferstiche des XV. Jahrhunderts. Mit 10 Taf. von 9 Lichtdruckkupferplatten und einer alten Originalplatte. Nürnberg 1887. 64 S., 10 Taf. 4°

Bösch, Hans: Katalog der im germanischen Museum vorhandenen, zum Abdrucke bestimmten geschnittenen Holzstöcke vom XV.–XVIII. Jahrhunderte. Mit Abdrücken von solchen. T. 1. 2. (nebst) Atlas. Nürnberg 1892–1896. 4°, Atlas: gr. 2°. – Band 1: XV. u. XVI. Jahrhundert. Vorr.: A(ugust) von Essenwein. 1892. 139 S. m. Abb. – Band 2: XVII. u. XVIII. Jahrh. 1894. 152 S. m. Abb. – Atlas. 1896. XII Taf.
Beschreibendes Inventar.

Schaefer, Karl: Stadtpläne und Prospekte vom 15. bis zum 18. Jahrhundert. In: Mitteilungen GNM 1895, S. 57–64.
Überblick.

Bredt, Ernst Wilhelm: Katalog der mittelalterlichen Miniaturen des Germanischen Nationalmuseums. Nürnberg 1903. 150 S. mit 16 Abb., 16 Taf. 4°
Wissenschaftlicher Katalog, verzeichnet Handschriften und Einzelblätter.

Kristeller, Paul: Eine Folge venezianischer Holzschnitte aus dem XV. Jahrhundert im Besitze der Stadt Nürnberg (Graphische Gesellschaft, Veröffentlichung 9). Berlin 1909. 9 S., 16 Bl. Abb., 2 Taf. 2°
Tafelwerk.

Schulz, Fritz Traugott: Die Schrothblätter des Germanischen Nationalmuseums zu Nürnberg. Straßburg 1908. 32 S., 31 Taf. 4°
Tafelwerk mit Katalog.

Stengel, Walter: Holzschnitte im Kupferstichkabinett des Germanischen National-Museums zu Nürnberg. 32 Holzschnitte auf 29 Taf., 11 davon in Farbe (Graphische Gesellschaft, Außerordentliche Veröffentlichung 3). Berlin 1913. 4 ungez. Bl., 32 Abb. auf Taf., teils farbig. 2°
Tafelwerk.

Stengel, Walter: Unedierte Holzschnitte im Nürnberger Kupferstichkabinett. Mit 62 Abb., wovon 4 handkoloriert (Einblattdrucke des fünfzehnten Jahrhunderts, Bd. 37). Straßburg 1913. 4 ungez. Bl., 29 Taf. 2°
Tafelwerk.

Erster Bericht über die Neuerwerbungen des Kupferstichkabinetts. Pfingsten 1911 – Pfingsten 1913. Hrsg.: W(alter) Stengel. Nürnberg 1913. 32 S. mit 41 Abb. auf Taf. 8°
Mehr nicht erschienen.

Höhn, Heinrich: Vom Wesen der deutschen Handzeichnung in der ersten Hälfte des 19. Jahrhunderts. (Mit Beispielen aus der graphischen Sammlung des Germanischen Museums.) In: Die Graphischen Künste Jg. 44 (1921), S. 104–120.

Weinberger, Martin: Die Formschnitte des Katharinenklosters zu Nürnberg. Ein Versuch über die Geschichte des frühesten Nürnberger Holzschnittes. Mit 25 Holzschnitten u. Teigdrucken aus dem Besitz der Stadtbibliothek und des Germanischen Museums in Nürnberg. München 1925. 53 S. mit Abb., 14 Taf. 2°

Höhn, Heinrich: Die Handzeichnungen des Bildhauers Franz Ignaz Günther. In: Anzeiger GNM 1932/1933, S. 162–203.

Höhn, Heinrich: Zeichenkunst des Barock. Deutsche Handzeichnungen des 17. Jahrhunderts in der graphischen Sammlung des Germanischen Nationalmuseums. In: Anzeiger GNM 1936/39, S. 160–174.

Schneider, Ernst: Die Zeichnungen Paul Deckers d. Ä. im Germanischen Nationalmuseum. In: Anzeiger GNM 1936/

39, S. 175–187.

Höhn, Heinrich: Die graphische Sammlung des Germanischen Nationalmuseums. Wesen und Aufgabe (Bilderbücher des Germanischen Nationalmuseums, H. 5). Nürnberg 1938. 50 S., 36 Taf. 8°

Link, Hans: Zusammenstellung der im Kupferstichkabinett des Germanischen National-Museums befindlichen kulturhistorischen Blätter aus der Merkelschen Familienstiftung. Nürnberg 1959. 90 S. (Mschr.) 4°

Zink, Fritz: Die Handzeichnungen bis zur Mitte des 16. Jahrhunderts (Die deutschen Handzeichnungen, Bd. 1. – Kataloge des Germanischen Nationalmuseums Nürnberg). Nürnberg 1968. 233 S. mit Abb., 4 Farbtaf. 4°
Wissenschaftlicher Katalog.

Heffels, Monika: Die Handzeichnungen des 18. Jahrhunderts (Die deutschen Handzeichnungen, Bd. 4. – Kataloge des Germanischen Nationalmuseums Nürnberg). Nürnberg 1969. 396 S. mit Abb., 6 Farbtaf. 4°
Wissenschaftlicher Katalog.

Heffels, Monika und Fritz Zink: Meisterwerke aus dem Kupferstichkabinett (Ausstellungskatalog GNM). Nürnberg 1977. 45 S. mit 13 Abb. 8°

□ 5. Münzkabinett

Dilherr, Johann Michael: Sylloge numismatum aureorum, argenteorum, aereorum, quae antistes beatissimus Jo. Mich. Dilherrus, collegio Sebaldino lubens testamento reliquit. (Verfasser:) Christoph Arnold. o. O. u. J. (um 1669). 16 S. 8°
Sammlung später als Leihgabe im Museum.

Imhof, Christoph Andreas: Sammlung eines Nürnbergischen Münz-Cabinets. T. 1, Abt. 1, 2. Nürnberg 1780 u. 1782. 2 Bde. 670 und 1020 S. 8°
Beschreibung des Kress'schen Münzkabinetts (später als Leihgabe im Museum).

Praun, Paul von: Description du cabinet de monsieur Paul de Praun a Nuremberg. Par Christophe Theophile de Murr (das ist Christoph Gottlieb von Murr). Nuremberg 1797. XXXII, 511 S. mit Abb. u. Tab., 2 Taf. 8°
Teile der Münzsammlung später als Leihgabe im Museum.

Colmar, Johann Albert: Verzeichniss der, von dem . . . Königl. bayerischen Kreis- und Stadtgerichtsrath . . . Johann Albert Colmar zu Nürnberg hinterlassenen Sammlung von antiken und modernen Münzen und Medaillen, geschnittenen Steinen, Siegeln, Alterthümern, Curiositäten, Naturprodukten, in Wachs bossirten und andern plastischen Arbeiten, Gläsern, alten Waffen, Kupferstichen und Holzschnitten, kalligraphischen Arbeiten, Handzeichnungen, Wasser-Glas und Oehlmalereien, welche nebst Original-Manuscripten von Alb. Dürer am 31. August 1835 . . . zu Nürnberg in dem Hause Lit. Nr. 18 durch . . . Auctionator J. A. Börner . . . versteigert werden soll. Nürnberg 1835. 76 S. 8°
Münzsammlung später als Leihgabe im Museum.

Münzsammlung des germanischen Nationalmuseums zu Nürnberg. Katalog. Nürnberg 1856, 90 S. 8° Abgedruckt aus: Das germanische Nationalmuseum. Organismus und Sammlungen. Abtheilung 2 (Denkschriften des Germanischen Nationalmuseums, Bd. 1). Nürnberg, Leipzig 1856, S. 183–265.

M(üller), J(ohann): Die Medaillensammlung des germanischen Museums. In: Anzeiger GNM 1856, Sp. 14–16.

Friedländer, Eduard Julius Theodor: Medaillenmodelle des 16. Jahrhunderts aus Solnhofener Stein im germanischen Museum. In: Mitteilungen GNM 1884/86, S. 19–22.
Beschreibendes Verzeichnis.

Schaefer, Karl: Das Nürnberger Münz-Kabinet des Freiherrn Joh. Christ. Sigm. von Kress. In: Mitteilungen GNM 1896, S. 108–112.

Die Siegelstempelsammlung des † Geheimrats F. Warnecke zu Berlin. Stiftung der Pflegschaft Berlin. In: Anzeiger GNM 1897, Nr. 3, S. 42–44.

Die Sammlung Regensburger Münzen und Medaillen des † Regierungsregistrators Schratz zu Regensburg. In: Anzeiger GNM 1897, S. 55–56.

Stengel, Walter: Handwerkssiegel im Germanischen Museum. In: Mitteilungen GNM 1910, S. 15–35.
Überblick mit Illustrationen.

□ 6. Gemälde und Glasgemälde

Die Gemäldesammlung im germanischen Museum. In: Anzeiger GNM 1855, Nr. 2, Sp. 36–38.

Seidlitz, Woldemar von: Nürnberg. Germanisches Museum. Gemäldegalerie. In: Repertorium für Kunstwissenschaft Jg. 6 (1883), S. 68–72.
Überblick mit Hervorhebung der Bedeutung der Galerie des GNM für das Studium der „oberdeutschen Schulen".

Essenwein, August von, F(ranz) von Reber und A(dolf) Bayersdorfer: Katalog der im germanischen Museum befindlichen Gemälde. Nürnberg 1882. 46 S. 4° – (2. Aufl.) Nürnberg 1885. 68 S. – 3. Aufl. Vorrede: Hans Bösch. Nürnberg 1893. 88 S., 10 Taf. – 4. Aufl. s. Reber, Franz von: Katalog der Gemälde-Sammlung des Germanischen Nationalmuseums in Nürnberg, 1909.
1.–2. Aufl.: Listenartiges Inventar; 3. Aufl. mit z. T. erweiterten Beschreibungen.

Essenwein, August von: Katalog der im germanischen Museum befindlichen Glasgemälde aus älterer Zeit. Mit Abb. Nürnberg 1884. 54 S. mit Abb., 14 Taf. 4° – 2. Aufl. Nürnberg 1898. 80 S. mit Abb., 18 Taf. 4°
Listenartiges Inventar.

Verzeichnis der aus der Sulkowskischen Sammlung erworbenen Stücke. IV. Glasgemälde. Und: V. Gemälde. In: Anzeiger GNM 1889, S. 255–258.

Thode, Henry: Die Malerschule von Nürnberg im 14. und 15. Jahrhundert. Frankfurt a. M. 1891. 332 S., 1 Taf. 8°

Enthält: Verzeichnis der Gemälde, geordnet nach den Orten der Aufbewahrung. S. 288–295.

Höfle, Friedrich und Theodor Hampe: Die Gemälde-Sammlung des Germanischen Museums in Nürnberg. In Original-Photographien hrsg. von Friedrich Höfle. Mit einem Vorwort von Theodor Hampe. Nürnberg (1896). 8 S., 197 Taf. 2°
Tafelwerk.

Stegmann, Hans: Aus der Glasgemäldesammlung des germanischen Museums. In: Mitteilungen GNM 1898, S. 113–125: I. Die Arbeiten Schweizer Glasmaler für Nürnberg und ihr Einfluß. – II. Die sechs Scheiben des Jörg Tratz.

Reber, Franz von und Heinz Braune: Katalog der Gemälde-Sammlung des Germanischen Nationalmuseums in Nürnberg. 4. Aufl. Vorrede: Gustav v. Bezold. Nürnberg 1909. 192 S. 8°
Beschreibendes Inventar.

Lutze, Eberhard: Katalog der Gemälde des 17. und 18. Jahrhunderts im Germanischen Nationalmuseum zu Nürnberg. Nürnberg 1934. 84 S. 8°
Wissenschaftlicher Katalog, ohne Abb.

Lutze, Eberhard: Malerei des deutschen Barock und Rokoko (Bilderbücher des germanischen Nationalmuseums, H. 2). Nürnberg 1934. 16 S., 106 Taf. 8°

Wiegand, Eberhard: Deutsche Barockmalerei im Germanischen Nationalmuseum in Nürnberg. In: Das Bayerland Jg. 46 (1935), S. 51–57.

Lutze, Eberhard und Eberhard Wiegand: Die Gemälde des 13. bis 16. Jahrhunderts (Kataloge des Germanischen Nationalmuseums zu Nürnberg). 8°: (1.) Beschreibender Text. Nürnberg 1936; Titelauflage Leipzig 1937. 207 S. – (2.) Bilderband. Leipzig 1937. 407 Abb. auf Taf., 15 ungez. Bl.
Wissenschaftlicher Katalog.

□ 7. Skulpturen

Die Holzschnitzwerke im germanischen Museum. In: Anzeiger GNM 1855, Sp. 80–82.

Essenwein, August von: Die Skulpturensammlung des Germanischen Nationalmuseums und ihre Berücksichtigung in W. Bode's Geschichte der deutschen Plastik. In: Mitteilungen GNM 1887–1889, S. 54–62 mit Nachtrag S. 72.

Verzeichnis der aus der Sulkowskischen Sammlung erworbenen Stücke: II. Plastische Kunstgegenstände. In: Anzeiger GNM 1889, S. 251.

Katalog der im germanischen Museum befindlichen Originalskulpturen. Mitarbeiter: A(ugust) von Eye, A(ugust) v. Essenwein u. a. Vorwort: Hans Bösch. Mit Abb. Nürnberg 1890. 92 S. mit Abb., 16 Taf. 4°
Teils beschreibendes, teils listenartiges Inventar.

Beck: Die schwäbische Skulpturschule im germanischen Museum zu Nürnberg. In: Archiv für christliche Kunst Jg. 11 (1893), S. 102–104, 110–112.

Fuhse, Franz: Aus der Plakettensammlung des germanischen Nationalmuseums. In: Mitteilungen GNM 1896, S. 15–23, 97–108.
Überblick mit Illustrationen.

Albrecht, Rudolf: Meisterwerke deutscher Bildschnitzerkunst im Germanischen National-Museum zu Nürnberg. Photographische Original-Aufnahmen nach der Natur in Lichtdruck von Rud. Albrecht. Mit einem Vorwort und erläuterndem Text von K(arl) Schäfer. Nürnberg 1896 (–1897). 4 ungez. Bl., 63 Taf. 4° (Mappe).

Josephi, Walther: Die Frühwerke der Holzplastik im Germanischen Nationalmuseum. In: Mitteilungen GNM 1905, S. 89–144.

Josephi, Walther: Über einige Neuerwerbungen der Skulpturensammlung des Germanischen Museums. In: Mitteilungen GNM 1906, S. 117–140.

Josephi, Walther: Die Werke plastischer Kunst. Mit 64 Taf. und 160 Textabb. (Kataloge des Germanischen Nationalmuseums). Nürnberg 1910. X, 399 S. mit Abb., 64 Taf. 4°
Wissenschaftlicher Katalog.

Höhn, Heinrich: Gotische Holzplastik im Germanischen National Museum Nürnberg. In: Kunst und Künstler Jg. 20 (1920/21), S. 51–60.

Wilm, Hubert: Mittelalterliche Plastik im Germanischen Nationalmuseum zu Nürnberg. Mit 112 Bildtaf. München 1922. 46 S., 112 Taf. 8°
Bildband mit Einleitung und kurzem Verzeichnis.

Fries, Walter: Eine Gruppe von Barockskulpturen aus Augsburg und ihr Meister. In: Anzeiger GNM 1922/23, S. 8–24.

Fries, Walter: Aus der Skulpturensammlung des Germanischen Museums. In: Das Bayerland Jg. 38 (1927), S. 466–467.

Lutze, Eberhard: Barockplastik im Germanischen Nationalmuseum zu Nürnberg. In: Pantheon Bd. 15 (1935), S. 83–91.

Stafski, Heinz: Die Bildwerke in Stein, Holz, Ton und Elfenbein bis um 1450. (Die mittelalterlichen Bildwerke, Bd. 1. – Kataloge des Germanischen Nationalmuseums Nürnberg). Nürnberg 1965. 263 S. mit 233, 8 Abb. 4°
Wissenschaftlicher Katalog.

□ 8. Kunsthandwerk und Kunstgewerbe
(einschließlich Spielzeug, Textilien, Bauteile)

Ein Fund von Thonfiguren aus dem 14. Jahrhundert. In: Anzeiger GNM 1859, Sp. 210–211.
Betrifft: Spielzeug

Essenwein, August von: Einige Leuchter für kirchlichen Gebrauch aus den Sammlungen des germanischen Museums. In: Anzeiger GNM 1867, Sp. 367–373.
Überblick mit Illustrationen.

Essenwein, August von: Einige Leuchter für den Profange-

brauch, in den Sammlungen des germanischen Museums. In: Anzeiger GNM 1868, Sp. 119–128.
Überblick mit Illustrationen.

Eye, August von: Die Sammlung von Crucifixen im germanischen Museum. In: Anzeiger GNM 1868, Sp. 153–163.
Überblick mit Illustrationen.

Essenwein, August von: Die Reliquienbehälter in der Sammlung kirchlicher Alterthümer im germanischen Museum. In: Anzeiger GNM 1868, Sp. 309–315, 350–354.
Überblick mit Illustrationen.

Essenwein, August von: Katalog der im germanischen Museum befindlichen Bautheile und Baumaterialien aus älterer Zeit. Mit Abb. Nürnberg 1868. 38 S., 20 Taf. 8°
Listenartiges Inventar.

Essenwein, August von: Katalog der im germanischen Museum befindlichen Gewebe und Stickereien, Nadelarbeiten und Spitzen aus älterer Zeit. Mit Abb. Nürnberg 1869. 38 S., 20 Taf. 8°
Listenartiges Inventar.

Essenwein, August von: Die Sammlung von Geweben im germanischen Museum. In: Anzeiger GNM 1869, Sp. 1–8.
Beispiele mit Illustrationen.

Essenwein, August von: Einige kirchliche Gefässe in der Sammlung des germanischen Museums. In: Anzeiger GNM 1869, Sp. 61–67.
Überblick mit Illustrationen.

Essenwein, August von: Einige Ciborien in der Sammlung kirchlicher Geräthe im germanischen Museum. In: Anzeiger GNM 1869, Sp. 130–135.
Überblick mit Illustrationen.

Essenwein, August von: Katalog der im germanischen Museum befindlichen kirchlichen Einrichtungsgegenstände und Geräthschaften. Originale. Mit Abb. Nürnberg 1871. 20 S., 26 Taf. 8°
Listenartiges Inventar.

Die Sammlung von Bautheilen im germanischen Museum. In: Kunst und Gewerbe Jg. 6 (1872), S. 136–139.

Essenwein, August von: Buntglasierte Thonwaaren des 15.–18. Jahrhunderts im germanischen Museum. In: Anzeiger GNM 1873, Sp. 121–127, 185–186, 222–226, 281–284, 321–324. – 1874, Sp. 1–5, 143–145, 329–334. – 1875, Sp. 33–37, 65–72, 137–141, 169–173, 233–239, 265–270. – 1876, Sp. 65–70, 257–259. – 1877, Sp. 33–39, 65–68, 237–242.
U. a. über Fayencen, italienische Majoliken, Steinzeug, Kachelöfen etc. Überblick mit Illustrationen.

Essenwein, August von: Romanische Kirchengeräthe im germanischen Museum. In: Anzeiger GNM 1875, Sp. 338–340.
Beispiele mit Illustrationen.

Eye, August von: Wismuthmalereien im germanischen Museum. In: Anzeiger GNM 1876, Sp. 1–6.
Überblick mit Illustrationen.

Eye, August von: Venetianische Humpen im germanischen Museum. In: Anzeiger GNM 1876, Sp. 161–168.
Überblick mit Illustrationen.

Essenwein, August von: Venetianer Gläser im germanischen Museum. In: Anzeiger GNM 1877, Sp. 289–293, 335–337, 367–369.
Überblick mit Illustrationen.

Essenwein, August von: Deutsche Gläser im germanischen Museum. In: Anzeiger GNM 1879, Sp. 33–37.
Beispiele mit Illustrationen.

Essenwein, August von: Emaillierte Gläser im germanischen Museum. In: Anzeiger GNM 1879, Sp. 64–70.
Beispiele mit Illustrationen.

Essenwein, August von: Einige Venetianer Gläser im germanischen Museum. In: Anzeiger GNM 1879, Sp. 134–139.
Beispiele mit Illustrationen.

Essenwein, August von: Geschliffene Glaspokale im germanischen Museum. In: Anzeiger GNM 1879, Sp. 204–205.
Beispiele mit Illustrationen.

Bösch, Hans: Die Puppenhäuser im germanischen Museum. In: Anzeiger GNM 1879, Sp. 229–238.
Überblick mit Inventar des Stromerschen Puppenhauses.

Essenwein, August von: Bronzeepitaphien von Handwerkern im germanischen Museum. In: Mitteilungen GNM 1884–1886, S. 185–190.
Beispiele mit Illustrationen.

Essenwein, August von: Fingerringe im germanischen Museum. In: Mitteilungen GNM 1884–1886, S. 214–216.
Überblick mit Illustrationen.

Essenwein, August von: Wappenepitaphien des 16. Jahrh. im germanischen Museum. In: Mitteilungen GNM 1884–1886, S. 217–223.

Essenwein, August von: Spätklassische Seidengewebe. In: Mitteilungen GNM 1887–1889, S. 89–96, 112–116, 170–174.
Aufgrund der Bestände des GNM. Mit Illustrationen.

Bösch, Hans: Die Sammlung von hölzernen Kuchenformen im germanischen Museum. In: Mitteilungen GNM 1887–1889, S. 257–264.
Überblick und Verzeichnis von Initialen auf Modeln.

Verzeichnis der aus der Sulkowskischen Sammlung erworbenen Stücke. III. Hausgeräte und Verwandtes. In: Anzeiger GNM 1889, S. 252–255.

Bösch, Hans: Mit Holzschnitten beklebte Schachteln und Kästchen im germanischen Museum. In: Mitteilungen GNM 1890, S. 60–64.
Überblick.

Bösch, Hans: Katalog der im germanischen Museum befindlichen Bronzeepitaphien des 15.–18. Jahrhunderts. Vorwort: A(ugust) v. Essenwein. Mit Abb. Nürnberg 1891. 50 S. mit Abb. 4°
Beschreibendes Inventar.

Essenwein, August von: Über ältere Dachziegeleindeckun-

gen nach den Mustern in der Sammlung von Bauteilen des germanischen Museums. In: Mitteilungen GNM 1891, S. 25–32.
Mit Illustrationen.

Katalog der im germanischen Museum befindlichen Kunstdrechselarbeiten des 16.–18. Jahrhunderts aus Elfenbein und Holz. Mit Abb. Mitarbeiter: A(ugust) von Essenwein (Vorwort). Einleitung und Katalog: (Franz) Fuhse. Nürnberg 1891. 23 S. mit Abb., 2 Taf. 4°
Listenartiges Inventar mit interessanter Einleitung. Sammlung wurde im 2. Weltkrieg zerstört.

Roeper, Adalbert: Sammlung von Öfen in allen Stilarten vom XVI. bis Anfang des XIX. Jahrhunderts. Unter Mitwirkung und mit einem Vorwort von Hans Bösch. Leipzig 1895; 2. Aufl. Leipzig (um 1895). 4 ungez. Bl., 60 Taf. 2° (Mappe).
Enthält überwiegend Stücke des GNM.

Roeper, Adalbert: Geschmiedete Gitter des XVI.–XVIII. Jahrhunderts aus Süddeutschland. Mit einem Vorwort von Hans Bösch 1895. 3 ungez. Bl., 50 Taf. 2° (Mappe).
Enthält überwiegend Stücke des GNM.

Roeper, Adalbert: Deutsche Schmiedearbeiten aus fünf Jahrhunderten. Mit einem Vorwort versehen von Hans Bösch. München (1896); 2. Aufl. Leipzig (um 1896). 5 ungez. Bl., 50 Taf. 2° (Mappe).
Enthält überwiegend Stücke des GNM.

Hampe, Theodor und Hans Stegmann: Katalog der Gewebesammlung des Germanischen Nationalmuseums. T. 1.2. Nürnberg 1896–1901. 4°. – 1. Hampe, Theodor: Gewebe und Wirkereien, Zeugdrucke. Mit Abb. 1896. 182 S. mit Abb., 14 Taf. – 2. Stegmann, Hans: Stickereien, Spitzen und Posamentierarbeiten. 1901. 80 S. mit 3 Abb., 17 Taf.
Knappes Inventar, nur z. T. ausführliche Beschreibungen.

Roeper, Adalbert: Möbel aller Stilarten vom Ausgange des Mittelalters bis zum Ende des XVIII. Jahrhunderts. Unter Mitwirkung und mit einem Vorwort von Hans Bösch. München o. J. (1897). – 2., neu durchgesehene Aufl. Leipzig o. J. 3 ungez. Bl., 50 Taf. 2° (Mappe).
Enthält überwiegend Stücke des GNM.

Roeper, Adalbert: Ausgewählte Ornamentschnitzwerke des XV.–XVIII. Jahrhunderts. Unter Mitwirkung und mit einem Vorwort von Hans Bösch. München 1897. 2 ungez. Bl., 50 Taf. 2° (Mappe).
Enthält überwiegend Stücke des GNM.

Roeper, Adalbert: Bilder- und Spiegelrahmen vorzugsweise in Schnitzarbeit von Albrecht Dürer bis zum Rococo. Unter Mitwirkung und mit einem Vorwort von Hans Bösch. München 1897. 2 ungez. Bl., 30 Taf. 2° (Mappe).
Enthält überwiegend Stücke des GNM.

Lochner, Anton: Germanische Moebel, eine Sammlung kunstgewerblicher Vorbilder aus dem Mittelalter von 1450 bis 1800, meist' aus den Museen Nürnbergs, in 100 Tafeln nach der Natur aufgenommen, in Feder gezeichnet und hrsg. von Anton Lochner. Stuttgart 1898. 100 Taf. gr. 2° (Mappe).

Stegmann, Hans: Über eine Anzahl mittelalterlicher, zu Konstanz gefundener Bodenfliesen. In: Mitteilungen GNM 1899, S. 30–32.

Hampe, Theodor: Goldschmiedearbeiten im Germanischen Museum. In: Mitteilungen GNM 1899, S. 33–46: I. Ostgotischer Frauenschmuck aus dem 5.–6. Jahrhundert. – 1900, S. 27–38, 92–96: II. Langobardische Votivkreuze aus dem VI.–VIII. Jahrhundert. – S. 97–98: III. Ein langobardischer Schaftbeschlag aus dem VII./VIII. Jahrhundert. – S. 98–106: IV. Ein Vortragskreuz aus dem X. Jahrhundert.

Wingenroth, Max: Kachelöfen und Ofenkacheln des 16., 17. und 18. Jahrhunderts im Germanischen Museum, auf der Burg und in der Stadt Nürnberg. In: Mitteilungen GNM 1899, S. 47–61, 87–104. – 1900, S. 57–77. – 1902, S. 3–24.
Ausführlicher Überblick mit Illustrationen.

Simon, Karl: Anhänger im Germanischen Museum. In: Mitteilungen GNM 1900, S. 118–128.
Überblick bis etwa 1600. Mit Illustrationen.

Stegmann, Hans: Die Holzmöbel des Germanischen Museums. In: Mitteilungen GNM 1902, S. 62–70, 98–113, 142–158. – 1903, S. 65–91, 105–130. – 1904, S. 45–70, 101–120. – 1905, S. 18–38, 63–75. – 1907, S. 102–123. – 1909, S. 25–58. – 1910, S. 36–88.
Ausführlicher Überblick mit Illustrationen.

Stengel, Walter: Deutsche Keramik im Germanischen Museum. In: Mitteilungen GNM 1908, S. 22–43, 62–77.
Überblick mit Illustrationen.

Stengel, Walter: Studien zur Geschichte der Deutschen Renaissance-Fayencen. In: Mitteilungen GNM 1911, S. 20–105.
Ausführlich zu Stücken des GNM.

Reifferscheid, Heinrich: Über figürliche Gießgefäße des Mittelalters. In: Mitteilungen GNM 1912, S. 3–93. – Auch separat Nürnberg 1913.
Mit Katalog der Stücke des GNM.

Stengel, Walter: Nürnberger Messinggerät. In: Kunst- und Kunsthandwerk Jg. 21 (1918), S. 213–265.
Grundlegender Überblick.

Siepen, Bernhard: Deutsche Töpferkunst im Germanischen Museum. In: Kunst und Kunstgewerbe Jg. 1 (1921), Nr. 7, S. 1–5.
Knapper Überblick über alle Arten von Keramik.

Fries, Walter: Kachelmodel aus den Werkstätten „Vest" und „Leupold" im Germanischen Nationalmuseum, Nürnberg. In: Der Cicerone Jg. 15 (1923), S. 101–107.
Ausführlicher Überblick über die Sammlung des GNM.

Fries, Walter: Die Kostümsammlung des Germanischen Nationalmuseums zu Nürnberg. In: Anzeiger GNM 1924/1925, S. 3–65.
Grundlegender Überblick über Kleidung des 16.–18. Jahrhunderts.

Fries, Walter: Fränkische Bildteppiche im Germanischen Nationalmuseum zu Nürnberg. In: Zeitschrift für Bildende Kunst Jg. 60 (1926/27), S. 125–132.
Überblick aus Anlaß der Ausstellung des als Leihgaben übernommenen Besitzes von St. Sebald und St. Lorenz.

Fries, Walter: Der Saal der fränkischen Bildteppiche. In: Das Bayerland Jg. 38 (1927), S. 467–470.

Helm, Rudolf: Nürnberger Zinnfiguren. Neuerwerbungen 1929–1935. In: Anzeiger GNM 1934/1935, S. 105–113.

Pilz, Kurt: Das Kinderspielzeug im Germanischen Nationalmuseum. In: Nürnberger Schau 1940, H. 1/2, S. 231–237.

Schiedlausky, Günther: Die Neuaufstellung der Keramik im Germanischen National-Museum. In: Euro-Ceramic Jg. 10 (1960), S. 3–5.

Schiedlausky, Günther: Die ältesten deutschen Fayence-Gefäße im Germanischen Museum. In: Euro-Ceramic Jg. 10 (1960), S. 87–90.

Funk, Rainer R.: Schmuck- und Sonnenziegel aus Nürnberg und Franken. In: Mitteilungen des Vereins für Geschichte der Stadt Nürnberg Bd. 52 (1963/64), S. 532–550.
Bes. S. 546 ff. zu Dachziegeln im GNM.

Wilckens, Leonie von: Nürnberger Wirkteppiche des Mittelalters (Bilderhefte des Germanischen Nationalmuseums, H. 1). Nürnberg 1965. 4 Bl., 16 teils farbige Taf. quer-8°

□ 9. Historische Waffen und Jagdaltertümer

Die Waffensammlung im germanischen Museum. In: Anzeiger GNM 1856, Sp. 277–280.

Essenwein, August von: Einige Feuerwaffen des 15. Jahrh. im germ. Museum. In: Anzeiger GNM 1870, Sp. 145–152.
Mit Illustrationen.

Stücke zum „Geschwindschiessen" in der Sammlung des germanischen Museums. In: Anzeiger GNM 1872, Sp. 369–376.

Essenwein, August von: Einige mittelalterliche Feuerwaffen im germanischen Museum. In: Anzeiger GNM 1877, Sp. 9–13.
Mit Illustrationen.

Essenwein, August von: Beiträge aus dem germanischen Museum zur Geschichte der Bewaffnung im Mittelalter. In: Anzeiger GNM 1880, Sp. 205–208, 236–242, 269–279, 325–330. – 1881, Sp. 1–8, 129–140, 225–233, 257–263, 289–295, 321–324, 345–349. – 1882, Sp. 1–6, 97–100, 101–122, 149–162, 232–238, 257–262.
Unter Einbeziehung von Bildquellen. Mit Illustrationen.

Essenwein, August von: Trabantenwaffen des 16.–18. Jahrhunderts. In: Anzeiger GNM 1883, Nr. 1, Sp. 1–6.

Verzeichnis der aus der Sulkowskischen Sammlung erworbenen Stücke: I. Waffen. In: Anzeiger GNM 1889, S. 241–251.

Essenwein, August von: Die Helme aus der Zeit vom 12. bis zum Beginne des 16. Jahrhunderts im germanischen Mu-

seum. In: Mitteilungen GNM 1892, S. 25–86. – Zugl. als Sonderdruck Nürnberg 1892, 62 S. mit Abb. 8°
Beschreibende Untersuchung unter Einbeziehung von Bildquellen. Mit Illustrationen.

Neuhaus, August: Die Neuaufstellung der Waffensammlung. In: Anzeiger GNM 1921, S. 23–25.

Neuhaus, August: Die Waffensammlung des Germanischen Museums. In: Das Bayerland Jg. 38 (1927), S. 470–476.

Neuhaus, August: Deutsche Jagd-Altertümer (Bilderbücher des Germanischen Nationalmuseums, H. 3). Nürnberg 1935. 19 S., 32 Taf. 8°

Königer, Ernst: Das kleine Nürnberger Zeughaus (Bilderhefte des Germanischen Nationalmuseums, H. 3). Nürnberg 1967. 6 ungez. Bl. mit Abb., 20 Taf. quer-8°

Königer, Ernst: Zur Wiedereröffnung der Waffen- und Jagdsammlung im Germanischen Nationalmuseum Nürnberg. In: Waffen- und Kostümkunde Bd. 19 (1977), S. 25–44.

□ 10. Apotheken- und medizinhistorische Altertümer

Essenwein, August von: Das mit dem germanischen Nationalmuseum verbundene historisch-pharmazeutische Centralmuseum. In: Anzeiger GNM 1887, S. 23–25, 33–36, 49–52.

Peters, Hermann: Das historisch-pharmazeutische Zentralmuseum zu Nürnberg. In: Anzeiger GNM 1896/98 S. 11–14.

Hirsch, Max: Das medico-historische Kabinett im germanischen Nationalmuseum zu Nürnberg. In: Die Gesundheit in Wort und Bild Jg. 2 (1905), Nr. 9, Sp. 513–532.

Peters, Hermann: Die historisch-pharmazeutische und chemische Sammlung des Germanischen Nationalmuseums. In: Mitteilungen GNM 1913, S. 33–95. – Zugl. als Sonderdruck Nürnberg 1913, 53 S. mit 39 Abb. 4°

Ferchl, Fritz: Deutsche Apotheken-Altertümer (Bilderbücher des Germanischen Nationalmuseums, H. 4). Nürnberg 1936. 16 S., 24 Taf. 8°

Behling, Lottlisa: Die Rolle Nürnbergs in der deutschen Pharmazie. In: Nürnberger Schau (1940), H. 1/2, S. 163–168.

Kohlhaußen, Heinrich, Günther Schiedlausky und Heinz Stafski: Alte Apothekengefäße. Mit 35 Abb. Biberach an der Riss 1960. 51 S. mit teils farb. Abb., 2 Taf. 8°
Bezogen auf Bestände des GNM.

Schneider, Wolfgang: Gründung und Aufbau des pharmaziegeschichtlichen Museums in Nürnberg durch Hermann Peters. In: Festschrift zum 65. Geburtstag von Georg Edmund Dann am 22. Juli 1963 (Veröffentlichungen der Internationalen Gesellschaft für Geschichte der Pharmazie e. V. N. F., Bd. 22). Stuttgart 1963, S. 133–151. 8°

Heller, Florian: Medizinische Siegelerden aus den Sammlungen des Germanischen National-Museums Nürnberg. In: Pharmazeutische Zeitung Jg. 109 (1964), Nr. 40.

11. Wissenschaftliche Instrumente

Günther, Siegmund: Die mathematische Sammlung des Germanischen Museums. In: Leopoldina. Amtliches Organ der Kaiserlich Leopoldinisch-Carolinisch Deutschen Akademie der Naturforscher Jg. 14 (1878), Nr. 11/12, 13/14, S. 93–96, 108–110.

Bezold, Gustav von: Wissenschaftliche Instrumente im germanischen Museum. In: Mitteilungen GNM 1897, S. 3–14, 26–39, 55–62, 81–91. – 1898, S. 6–12, 100–110. – 1899, S. 65–74.
Überblick mit Illustrationen.

Bezold, Gustav von: Wissenschaftliche Instrumente im Germanischen Museum. In: Abhandlungen der Naturhistorischen Gesellschaft zu Nürnberg Bd. 17 (1907), S. 21–40.
Überblick anläßlich der Ausstellung zum Deutschen Geographentag.

12. Historische Musikinstrumente

Die Sammlung musikalischer Instrumente im germanischen Museum. In: Anzeiger GNM 1860, Sp. 6–8, 44–46.

Hampe, Theodor: Das Germanische Museum und seine musikhistorische Sammlung. In: Nordbayerische Zeitung Jg. 20 (1912), Nr. 175 vom 27. Juli, S. 16–17.

Jahn, Fritz: Das Germanische Museum zu Nürnberg und seine Musikinstrumenten-Sammlung. In: Zeitschrift für Musikwissenschaft Jg. 10 (1927–28), S. 109–111.

Neupert, Reinhold: Das Musikhistorische Museum Neupert zu Nürnberg. In: Das Bayerland Jg. 46 (1935), S. 292–293.

Führer durch die Ausstellung historischer Musikinstrumente und graphischer Musikdarstellungen in Bamberg, Neue Residenz, 15. Juli mit 16. August 1953. Aus Anlaß des Internationalen Musikwissenschaftlichen Kongresses der Gesellschaft für Musikforschung. Bamberg 1953. 24 S. 8°

Berner, Alfred: Gutachten über die Musikinstrumenten-Sammlung von Dr. h. c. Ulrich Rück, Nürnberg. Im Hinblick auf d. beabs. Übergabe an d. German. National-Museum. Siegburg/Rhld. 1963. In: Instrumentenbau-Zeitschrift Jg. 17 (1962/63), S. 290–291.

Meer, John Henry van der: Die Klavierhistorische Sammlung Neupert. In: Anzeiger GNM 1969, S. 255–266.

Talsma, Willem Retze: De Muziekinstrumentenverzameling te Neurenberg. In: Mens en melodie Jg. 24 (1969), Nr. 9, S. 264–267.

Hellwig, Friedemann: Die Sammlungen historischer Musikinstrumente im Germanischen Nationalmuseum Nürnberg. In: Musica Jg. 26 (1972), S. 123–125.

Meer, John Henry van der: Germanisches Nationalmuseum Nürnberg. Wegweiser durch die Sammlung historischer Musikinstrumente. Nürnberg (1971), 83 S. mit Abb. – 2. erw. Aufl. Nürnberg 1976, 96 S. mit Abb. 8°

Meer, John Henry van der: Der „alte" Musikinstrumentenbestand des Germanischen Nationalmuseums. Nürnberg 1972. 26 S. 4°
Liste, als Manuskript vervielfältigt.

13. Vor- und frühgeschichtliche Altertümer

Die Sammlung urgeschichtlicher Alterthümer im germanischen Museum. In: Anzeiger GNM 1856, Sp. 165–168.

Essenwein, August von: Waffen aus dem 4. bis 9. Jahrhunderte. In: Mitteilungen GNM 1884–86, S. 60–68, 105–109, S. 176–179.

Essenwein, August von: Karolingische Goldschmiedearbeiten. In: Mitteilungen GNM 1884–86, S. 137–146.
Überblick über Fundstücke aus Mertloch b. Polch (Rheinprovinz).

Kurtz, K. M.: Die alemannischen Gräberfunde von Pfahlheim im germanischen Nationalmuseum. In: Mitteilungen GNM 1884–86, S. 169–174.

Mestorf, Johanna: Katalog der im germanischen Museum befindlichen vorgeschichtlichen Denkmäler. (Rosenberg'sche Sammlung). Vorrede: A(ugust von) Essenwein. Nürnberg 1886. 147 S. mit Abb. 4°
Beschreibendes Inventar.

Gasner, Ernst: Über einige römische Gläser im germanischen Nationalmuseum. In: Mitteilungen GNM 1890, S. 65–70.

Bösch, Hans: Fundstücke aus dem 6.–8. Jahrhunderte vom Reihengräberfeld bei Pfahlheim. In: Mitteilungen GNM 1894, S. 81–101.

Hampe, Theodor: Goldschmiedearbeiten im Germanischen Museum. In: Mitteilungen GNM 1899, S. 33–46: I. Ostgotischer Frauenschmuck aus dem 5. bis 6. Jahrhundert. – 1900, S. 27–38, 92–96: II. Langobardische Votivkreuze aus dem VI.–VIII. Jahrhundert. – S. 97–98: III. Ein langobardischer Schaftbeschlag aus dem VII./VIII. Jahrhundert.

Pelka, Otto: Koptische Altertümer im Germanischen Nationalmuseum. In: Mitteilungen GNM 1906, S. 3–42.

Hock, Georg: Helme der frühen Hallstattzeit. In: Mitteilungen GNM 1911, S. 3–10.

Helm, Rudolf: Germanischer Schmuck (Bilderbücher des Germanischen Nationalmuseums, H. 1). Nürnberg 1934. 16 S., 24 Taf. 8°

Springer, Louis Adalbert: Die Neuaufstellung der vorgeschichtlichen Sammlungen des Germanischen Nationalmuseums Nürnberg. In: Nachrichtenblatt für Deutsche Vorzeit Jg. 2 (1935), S. 199–204.

Raschke, Georg: Die vorgeschichtliche Sammlung im Germanischen Nationalmuseum. In: Anzeiger GNM 1963, S. 9–12.

Bierbrauer, Volker: Die ostgotischen Funde von Domagnano, Republik San Marino (Italien). In: Germania 51,2 (1973), S. 499–523.

Menghin, Wilfried: Il materiale gotico e longobardo del

Museo Nazionale Germanico di Norimberga proveniente dall' Italia (Ricerche di archeologia altomedievale e medievale, 1). Florenz 1977. 40 S., 20 Taf. 4°

□ 14. Volkskundliche Altertümer

Schaefer, Karl: Deutsche Bauernstühle. In: Mitteilungen GNM 1897, S. 74–79.

Lauffer, Otto: Herd und Herdgeräte in den Nürnbergischen Küchen der Vorzeit. In: Mitteilungen GNM 1900, S. 129–137, 165–184. – 1901, S. 10–29, 65–77, 93–122.

Lauffer, Otto: Die Bauernstuben des Germanischen Museums. In: Mitteilungen GNM 1903, S. 3–55. – 1904, S. 3–37, 143–195.

Hampe, Theodor: Volkskundliche und kulturgeschichtliche Sammlungen im Germanischen Museum. In: Das Bayerland Jg. 38 (1927), S. 476–486 (Abb. bis S. 488). Die Sammlung von Bauernstuben, S. 476–478; Altes Kinderspielzeug im Germanischen Museum, S. 478–482; Von Puppenhäusern und Puppenstuben, S. 482–486.

Helm, Rudolf: Deutsche Volkstrachten aus der Sammlung des Germanischen Museums in Nürnberg. München 1932. 20 S., 56 Taf. 8°
Bildheft.

Helm, Rudolf: Die bäuerlichen Männertrachten im Germanischen Nationalmuseum zu Nürnberg. Heidelberg 1932. 163 S. mit Abb. Mit 48 Taf. u. 13 Schnittzeichnungen. 4°

Meyer-Heisig, Erich: Deutsche Volkskunst. Mit einem Geleitwort von Ludwig Grote. München 1954. 47 S. mit 4 Farbtaf., 102 Abb. auf Taf. 8°
Bildband.

Meyer-Heisig, Erich: Die Sammlung zur deutschen Volkskunst im Germanischen Nationalmuseum. In: Zeitschrift für Volkskunde Jg. 55 (1959), Beih.: Volkskunde-Kongreß Nürnberg 1958. Vorträge und Berichte, S. 27–39.

Deneke, Bernward: Zeugnisse religiösen Volksglaubens. Aus der Sammlung Erwin Richter (Bilderhefte des Germanischen Nationalmuseums, H. 2). Nürnberg 1965, 8 ungz. Bl., 63 Abb. auf Taf. quer-8°

Höck, Alfred: Neuaufstellung der volkskundlichen Sammlungen des Germanischen Nationalmuseums in Nürnberg 1969. In: Hessische Blätter für Volkskunde Bd. 60 (1969), S. 254–256.

Deneke, Bernward: Eine Sammlung bäuerlicher Altertümer aus dem südlichen Oldenburg im Germanischen Nationalmuseum: In: Jahrbuch für das Oldenburger Münsterland 1973, S. 151–164.

Deneke, Bernward: Die Egerländer Stube im Germanischen Nationalmuseum Nürnberg. Zur Geschichte musealen Sammelns und Darbietens ländlicher Altertümer: In: Jahrbuch für ostdeutsche Volkskunde Bd. 16 (1973), S. 254–277.

Deneke, Bernward: Franz Zell als Sammler ländlicher Altertümer. In: Bayerisches Jahrbuch für Volkskunde 1972–1974, S. 116–125.
Über ländliche Altertümer der sog. „Miesbacher Stube".

Deneke, Bernward und Hermann Maué: Volkskunst aus Franken. Eine Auswahl aus den Beständen des Germanischen Nationalmuseums. Nürnberg 1975, 40 S. mit 22 Abb. 4°

□ 15. Sonstiges

Die Sammlung biographischer Kunstdenkmäler im germanischen Museum. In: Anzeiger GNM 1856, Sp. 129–134.

Eye, August von: Die Sammlung von Gerichts- und Strafwerkzeugen im germanischen Museum. In: Anzeiger GNM 1871, Sp. 329–336.

Bösch, Hans: Die Haushaltungstafeln im Germanischen Museum. In: Mitteilungen GNM 1899, S. 3–11.

Neuberger, Heinz: Fünfzig Jahre Deutsches Handelsmuseum. Zum 23. Januar 1929. In: Hamburgischer Correspondent (1929), Abendausgabe vom 23. Januar.

Pilz, Kurt: Der Totenschild in Nürnberg und seine deutschen Vorstufen. In: Anzeiger GNM 1936/39, S. 57–112.
Erfaßt große Bestände der Sammlung des GNM.

Die Foltergewölbe und Hochgerichte der Vorzeit. Geschichtliche Darstellung u. Abbildung der verschiedenen Folterinstrumente, Leibes- u. Lebensstrafen der früheren Jahrhunderte, mit vielen Holzschnitten nach den Sammlungen des Germanischen Museums und des Hrn. Geuder auf der k. Burg in Nürnberg aufbewahrten Originalen. Neu hrsg. u. durch einen umfangreichen Bildteil ergänzt durch Karl R. Pawlas. Nürnberg 1963, 26 S. mit Abb., 103 Taf. 8°

Mende, Ursula: Zunftaltertümer der Nürnberger Brillenmacher im Germanischen Nationalmuseum in Nürnberg. In: NOFA. Nordbayerische Fachtagung der Augen-Optiker. Nürnberg 15./16. April 1967, S. 94–110.

IV. Wegweiser

Das germanische Museum. Wegweiser durch dasselbe für die Besuchenden von A(ugust) v(on) Eye. – Theil 1: Literatur und Kunst. Haus am Paniersberge. 47 S., 1 Holzschnitt. – Theil 2: Kunst und Alterthum. Thurm am Thiergärtner-Thor. 19 S., 4 Holzschnitte. – Leipzig und Nürnberg 1853. 8°

Das germanische Nationalmuseum und seine Sammlungen. Wegweiser für die Besuchenden. Aufl. [1]–3. Nürnberg 1860–1865. 8°
1. [1. Aufl.] 1860. IV, 81 S. mit X Plänen, 57 Abb. u. 12 Beilagen, 1 Faltblatt (Schema der deutschen Geschichts- und Alterthumskunde, nach welchem die Sammlungen des germanischen Museums geordnet sind).

2. 2., verb. Aufl. 1861. V, 82 S. mit 57 Abb. und XI Plänen, 21 Beilagen u. 2 Faltblättern (Grundriß der Kartause und Schema ...).

3. 3., umgearb. Aufl. 1865. VIII, 70 S. mit 62 Abb.

Die Sammlungen des germanischen Museums. Wegweiser für die Besuchenden. Mit Abb. u. Plänen. Nürnberg 1868. 123 S. mit 112 Abb., 10 Taf. 8°

Die kunst- und kulturgeschichtlichen Sammlungen des germanischen Museums. Wegweiser für die Besuchenden (seit 1896: Besucher). Nürnberg 1872–1917/18.
In der Regel jährliche Neuauflagen; jedoch ohne Auflagenzählung; häufig nur Titelauflagen oder geringfügige Erweiterungen unter Wiederverwendung des stehengebliebenen Satzes (vgl. Vorwort der Aufl. 1882). Völlige Neufassung des Textes 1896; seitdem kleineres Format.
1872. 64 S. 8°
1873. 56 S. 8°. – Englische Ausgabe: The Art and culture-historical Collections of the Germanic Museum. Guide for visitors.
1874. 64 S. 8°. – *Unverändert. Titelblatt mit neuer Jahreszahl.*
1875. 67 S. 8°. – *Erweitert.*
1876. 71 S. 8°. – *Erweitert.*
1877. – *Umfang nicht zu ermitteln.*
1878. – *Umfang nicht zu ermitteln.*
1879. 80 S., 1 Pl. 8°. – *Erweitert.*
1880. 92 S. 8°. – *Erweitert.*
1881. 92 S., 1 Pl. 8°. – *Unverändert, Umschlagtitel mit Jahreszahl 1881, Innentitel mit Jahreszahl 1880.*
1882. 96 S., 1 Pl. 8°. – *Erweitert.* Verfasser: August Essenwein *(hatte den Wegweiser seit 15 Jahren redigiert).* Vorwort: März 1882.
1884. 94 S. 8°. – Verfasser: August Essenwein. Vorwort: Oktober 1883; *Ausg. schließt an 1882 an.*
1885. 104 S. 8°. – *Erweitert.* Verfasser: August Essenwein. Erscheinungsjahr 1884, mit Vermerk auf Titel: Ausgabe für 1885. Vorwort: Herbst 1884.
1886. – *Nur zu ermitteln aus Vorwort 1886 (Herbst 1885), abgedruckt in Ausgabe für 1888 (1887).* Verfasser: August Essenwein.
1887. – *Nach dem Vorwort der Ausgabe für 1888 Abdruck vom unveränderten Satz der Ausg. für 1886.* Verfasser: August Essenwein.
1888. 132 S. 8°. – Verfasser: August Essenwein. Vorwort Herbst 1887. – *Gegenüber Ausgabe 1887 einzelne Änderungen.* Erschienen auch unter dem Titel: Die kunst- und kulturgeschichtlichen Sammlungen des germanischen Museums. Von Dr. A. Essenwein. Nürnberg (1887). 132 S., XX Taf. 4°
1889. 132 S. 8°. – *Unverändert, Titelblatt mit neuer Jahreszahl.* Verfasser: August Essenwein.
1890. 139 S. 8°. – *Erweitert um Hinweise auf die Erwerbungen aus der Sulkowskischen Sammlung, S. 47ff.* Verfasser: August Essenwein. Vorwort: Frühjahr 1890.

1891. 139 S. 8°. – *Unverändert.* Verfasser: August Essenwein. Vorwort: Frühjahr 1890. Beigelegt: 1. Nachdem die Einreihung der Sulkowskischen Sammlung stattgefunden hat . . . 6 S.; 2. Saal LIII die Stiftung der deutschen Standesherren, . . . 4 S. (zur Ergänzung entsprechender Stellen im Heft).

1893. 143 S. 8°. – *Erweitert.* Vorwort: Hans Bösch.
1894. 143 S. 8°. – *Unverändert. Titel mit neuer Jahreszahl.*
1895. 142 S. 8°. – Vorwort: Gustav von Bezold. *Letzte Ausgabe in der bisherigen Gestalt.*
1896. 199 S. 2 Pl. 8°. – *Seit dieser Ausgabe kleineres Format. Neue Bearbeitung der Texte.*
1897. 200 S., 2 Pl. 8°. – *Erweitert.*
1898. 203 S., 2 Pl. 8°. – *Erweitert.*
1899. 208 S., 2 Pl. 8°. – *Erweitert.*
1900. 208 S., 2 Pl. 8°. – *Unverändert.*
1901. 208 S., 2 Pl. 8°. – *Unverändert.*
1902. 212 S., 2 Pl. 8°. – *Erweitert.*
1903. 223 S., 2 Pl. 8°. – *Erweitert infolge Vermehrung der Räume und Neunumerierung fast aller Räume.*
1903/04. 223 S., 2 Pl. 8°. – *Außentitel mit Jahreszahl 1903, Innentitel mit Jahreszahl 1904.*
1904. 229 S., 2 Pl. 8°. – *Erweitert.*
1905. 234 S., 2 Pl. 8°. – *Erweitert.*
1906. 235 S., 2 Pl. 8°. – *Erweitert.*
1907. 235 S., 2 Pl. 8°. – *Unverändert.*
1908/09. (1908) 232 S., 1 Pl. 8°
1909/10. (1909) 227 S., 2 Pl. 8°
1910/11. (1910) 220 S., 2 Pl. 8°
1911/12. (1911) 226 S., 2 Pl. 8°
1912/13. (1912) 226 S., 2 Pl. 8°. – *Unverändert.*
1913/14. (1913) 224 S., 2 Pl. 8°
1914/15. (1914) 224 S., 2 Pl. 8°. – *Unverändert.*
1917/18. 222 S., 2 Pl. 8°

Führer durch das Germanische Museum. Nürnberg 1919/20. 62 S., 2 Pl. 8° [Umschlagtitel]. Bearbeiter: Fritz Traugott Schulz, Theodor Hampe, Walter Stengel, August Neuhaus.

Germanisches Museum. Führer 1920/21. Nürnberg 1920/21. 64 S., 2 Pl. 8° [Umschlagtitel]. *Gleiche Bearbeiter wie zuvor. Erweitert.* Vorwort: 15. Mai 1920.

Wegweiser durch die Sammlungen des Germanischen Museums im Obergeschoß des Neubaues am Kornmarkt. Nürnberg 1921. 20 S., 1 Pl. 8° [Umschlagtitel:] Germanisches Museum. Wegweiser durch die Sammlungen im Obergeschoß des Neubaues am Kornmarkt.

Wegweiser durch die Sammlungen des Germanischen Museums im Neubau am Kornmarkt. Nürnberg 1921. 67 S., 2 Pläne. 8° [Umschlagtitel:] Germanisches Museum. Wegweiser durch die Sammlungen im Neubau am Kornmarkt.

Wegweiser durch die Sammlungen des Germanischen Museums im Neubau am Kornmarkt. Nürnberg 1922. 67 S., 2 Pläne. 8° [Umschlagtitel:] Germanisches Museum. Wegweiser durch die Sammlungen im Neubau am Kornmarkt.
Unveränderter Abdruck der Ausgabe 1921.

Wegweiser durch die Sammlungen des Germanischen Museums im alten Bau. Nürnberg 1922/23. 108 S., 2 Pläne. 8° [Umschlagtitel:] Germanisches Museum. Wegweiser durch die Sammlungen im alten Museum.

Führer durch die kunst- und kulturgeschichtlichen Sammlungen des Germanischen Museums. Ausg. 1924/25. Verfasser: Fritz Traugott Schulz. Nürnberg 1924/25. 219 S., 10 Abb., 2 Pläne. 8°
Ersetzt die getrennten Wegweiser von 1921/22 u. 1922/23.

Führer durch die kunst- und kulturgeschichtlichen Sammlungen des Germanischen Museums. Ausg. 1928. Verfasser: Fritz Traugott Schulz. Nürnberg 1928. 192 S., 2 Pläne und 10 Abb. 8°

Germanisches Museum. Führer durch die Kunstgeschichtlichen Sammlungen im Obergeschoß des Galerieneubaues. Ausgabe 1928/29. Verfasser: Wilhelm Wenke. Nürnberg 1928/29. 54 S. 8°
Nachtrag zum Wegweiser von 1928.

Germanisches Nationalmuseum. Führer durch die Sammlungen. Nürnberg 1930. 338 S., 2 Pl. 8°

Führer durch die Sammlungen des Germanischen Nationalmuseums zu Nürnberg. Nürnberg 1935. 151 S., 2 Pl. 8°

Wegweiser durch das Germanische Nationalmuseum in Nürnberg.
[1. Aufl.] 1956/57. Bearb. von Wulf Schadendorf. 48 ungez. Bl., 8 Taf. 8°
2., durchges. Aufl. 1956/57. Bearb. v. Wulf Schadendorf. 48 ungez. Bl., 8 Taf. 8°
3., durchges. Aufl. 1957/1958. Bearb. v. Wulf Schadendorf, 52 ungez. Bl., 8 Taf. 8°
4., durchges. Aufl. 1958. 52 ungez. Bl., 8 Taf. 8°
5., umgearb. Aufl. 1959. 127 S., 8 Taf. 8°
6., umgearb. Aufl. 1960. 127 S., 8 Taf. 8°
7., umgearb. Aufl. 1961. 127 S., 8 Taf. 8°
8., umgearb. Aufl. 1962. 127 S., 8 Taf. 8°
9., umgearb. Aufl. 1963/64. 111 S., 8 Taf. 8°
10., umgearb. Aufl. 1965. 105 S., 8 Taf. 8°
11., umgearb. Aufl. 1966. 112 S., 8 Taf. 8°
12., umgearb. Aufl. 1967. 110 S., 8 Taf. 8°

Germanisches Nationalmuseum Nürnberg. Führer durch die Sammlungen. Redaktion: Peter Strieder und Leonie von Wilckens. München 1977. 280 S. mit 670 Abb. 8°

V. Periodica und sonstige Publikationen

☐ 1. Periodica

Anzeiger für Kunde des deutschen Mittelalters. Jg. 1–8. Nürnberg, ab Jg. 4 Karlsruhe 1832–1839. 4°
Jg. 1. 1832. Hrsg. unter freier allgemeiner Mitwirkung von H(ans) von Aufseß.
Jg. 2. 1833. (Hrsg. von Hans von Aufseß).
Jg. 3. 1834. Hrsg. ... von H(ans) von und zu Aufseß und (Franz Joseph) Mone.
Jg. 4. 1835. Ab jetzt unter dem Titel: Anzeiger für Kunde der deutschen Vorzeit. Unter freier Mitwirkung hrsg. von Franz Joseph Mone.
Jg. 5. 1836 – Jg. 8. 1839. Hrsg. von Franz Joseph Mone.

Anzeiger für Kunde der deutschen Vorzeit. Neue Folge. Organ des germanischen Museums. Bd. 1–30. Nürnberg, Leipzig 1853–1883. 4°
Bd. 1. 1853/1854, Bd. 2. 1855–Bd. 6. 1859. Verantwortliche Redaktion: H(ans) von und zu Aufseß, Aug(ust) von Eye, G(eorg) K(arl) Frommann.
Bd. 7. 1860–Bd. 9. 1862. Verantwortliche Redaktion: H(ans) von und zu Aufseß, A(ugust) von Eye, G(eorg) K(arl) Frommann, (Karl Heinrich) Roth von Schreckenstein.
Bd. 10. 1863 – Bd. 11. 1864. Verantwortliche Redaktion: A(ndreas) L(udwig) J(akob) Michelsen, G(eorg) K(arl) Frommann, A(ugust) von Eye.

Bd. 12. 1865. Verantwortliche Redaktion: G(eorg) K(arl) Frommann, A(ugust) von Eye.
Bd. 13. 1866–Bd. 22. 1875. Verantwortliche Redaktion: A(ugust) Essenwein, G(eorg) K(arl) Frommann, A(ugust) von Eye.
Bd. 23. 1876–Bd. 27. 1880. Verantwortliche Redaktion: A(ugust) von Essenwein, G(eorg) K(arl) Frommann.
Bd. 28. 1881–Bd. 30. 1883. Herausgeber: A(ugust) von Essenwein, G(eorg) K(arl) Frommann. Verantwortlicher Redakteur: A(ugust) von Essenwein.
Generalregister zu Band 1–30 der neuen Folge des Anzeigers für Kunde der deutschen Vorzeit [1884].

Anzeiger des germanischen Nationalmuseums. Bd. 1 ff. Nürnberg, Leipzig (ab Jg. 1890 Nürnberg, Jg. 1953–1959 Berlin) 1884 ff. 4°
Von 1884 bis 1920/1921 enthielten die Bände im wesentlichen nur die Chronik des Museums und bis einschließlich Jg. 1895 die Fundchronik, zumeist Mitteilungen über Bodenfunde; wissenschaftliche Abhandlungen erschienen in den Mitteilungen.
Bd. 1. 1884/1886. Hrsg. vom Direktorium des germanischen Museums (August Essenwein und Georg Karl Frommann). Verantwortlicher Redakteur: A(ugust) Essenwein.
Bd. 2. 1887/1889–Jg. 1890. Hrsg. vom Direktorium des germanischen Museums. Verantwortlicher Redakteur: A(ugust) von Essenwein.

Jg. 1891–Jg. 1894. Hrsg. vom Direktorium . . . Verantwortlicher Redakteur: Hans Bösch.

Jg. 1895–Jg. 1908. Hrsg. vom Direktorium . . . Verantwortlicher Redakteur: Gustav von Bezold.

Jg. 1909–Jg. 1919. Hrsg. vom Direktorium . . . Für die Schriftleitung verantwortlich: Theodor Hampe.

Jg. 1920. Hrsg. von der Direktion.

Jg. 1921. Hrsg. im Auftrag der Direktion von Fritz Traugott Schulz.

Jg. 1922/1923. Hrsg. von der Direktion. Schriftleiter: Fritz Traugott Schulz.

Jg. 1924/1925. Festschrift zum 60. Geburtstag von Dr. Theodor Hampe. Hrsg. von der Direktion. Schriftleiter: Fritz Traugott Schulz.

Jg. 1926/1927. Das Germanische Museum von 1902–1927. Festschrift zur Feier seines 75jährigen Bestehens. Im Auftrag der Direktion verfaßt von Fritz Traugott Schulz.

Jg. 1928/1929.

Jg. 1930/1931. Nürnberger Malerei, 1350–1450. *Enthält Abb. und 2 Aufsätze zur gleichnamigen Ausstellung von 1931.*

Jg. 1932/1933, Jg. 1934/1935, Jg. 1936/1939.

Jg. 1940/1953. Vom Nachleben Dürers. Beiträge zur Kunst der Epoche von 1530 bis 1630.

Jg. 1954/1959.

Jg. 1960/1961. Meister um Albrecht Dürer. Ausstellung im Germanischen National-Museum vom 4. Juli bis 17. September (1961). Bearbeiter des Kataloges: Peter Strieder (u.a.). Vorrede: Ludwig Grote.

Jg. 1962. Barock in Nürnberg, 1600–1750. Aus Anlaß der Dreihundertjahrfeier der Akademie der bildenden Künste. Ausstellung im Germanischen Nationalmuseum vom 20. Juni bis 16. September. Bearbeiter des Kataloges: Herwarth Röttgen (u.a.). Vorrede: Ludwig Grote. Redaktion: Leonie von Wilckens.

Jg. 1963. Ludwig Grote zum 70. Geburtstag am 8. August 1963. Redaktion: Leonie von Wilckens.

Jg. 1964. Redaktion: Erich Steingräber, Leonie von Wilckens.

Jg. 1965–Jg. 1969. Hrsg. von Erich Steingräber unter Mitwirkung von Peter Bloch, Wolfgang Brückner, Erich Hubala, Klaus Lankheit, Emil Ploss, Alfred Schädler. Redaktion: Leonie von Wilckens.

Jg. 1970–Jg. 1973. Hrsg. von Arno Schönberger unter Mitwirkung von Peter Bloch, Wolfgang Brückner, Erich Hubala, Klaus Lankheit, Emil Ploss, Alfred Schädler und Peter Strieder. Redaktion: Leonie von Wilckens.

Jg. 1974–Jg. 1975. Hrsg. von Arno Schönberger unter Mitwirkung von Peter Bloch, Wolfgang Brückner, Erich Hubala, Klaus Lankheit, Alfred Schädler und Peter Strieder. Redaktion: Leonie von Wilckens.

Jg. 1976. Arno Schönberger zu seinem 60. Geburtstage am 19. November 1975 gewidmet. Redaktion: Leonie von Wilckens.

Mitteilungen aus dem germanischen Nationalmuseum. Hrsg. vom Direktorium. Bd. 1. 1884/1886–Jg. 1920/921. Nürnberg, Leipzig (ab 1891 Nürnberg) 1886–1921. 4°

Bd. 1. 1884/1886.

Bd. 2. 1887/1889.

Jg. 1890–Jg. 1908.

Jg. 1909. Dem unermüdlichen Förderer historischer Forschung . . . Georg Freiherrn Kress von Kressenstein zu seinem 70. Geburtstage am 20. April 1910 . . . dargebracht.

Jg. 1910–Jg. 1913, Jg. 1914/1915, Jg. 1916. Für die Schriftleitung verantwortlich: Theodor Hampe.

Jg. 1917.

Jg. 1918/1919. Festschrift für Gustav von Bezold . . . zu seinem 70. Geburtstage (17. Juli 1918) dargebracht . . .

Jg. 1920/1921.

Jahresbericht des germanischen Nationalmuseums zu Nürnberg. 1. 1853/54—97. 1951/54. Nürnberg 1854–1955. 4°, 8°

62. 1915 (Beilage:) Kriegsgabe, allen Mitgliedern des Germanischen Museums mit dem Jahresbericht für 1915 dargeboten vom Direktorium.

95. 1949/50. Edmund Wilhelm Braun, dem Erforscher und Kenner des deutschen Kunsthandwerks zum 80. Geburtstag.

Germanisches Nationalmuseum. Tätigkeitsbericht. 1959ff. Nürnberg 1959ff. 8°

1959 (unter dem Titel:) Das Germanische National-Museum im Jahre 1959.

1960 (unter dem Titel:) An die Mitglieder des Germanischen National-Museums.

1961 (unter dem Titel:) Tätigkeitsbericht für 1961. An die Mitglieder des Germanischen National-Museums.

Jahresbericht des Deutschen Handelsmuseums H. 1–3/4. Nürnberg 1880–1883. Jeweils 2 ungez. Bl. 8°

Schrifttum zur deutschen Kunst. Hrsg. vom Deutschen Verein für Kunstwissenschaft. Zusammengestellt von der Bibliothek des Germanischen Nationalmuseums. H. 25. 1961ff. Berlin 1962ff. 4°

H. 25. 1961. Bearbeiter: Egon Verheyen (u.a.). Redaktion: Elisabeth Rücker. Berlin 1962.

H. 26. 1962. Bearbeiter: Ursula Mende, geb. Matzner, Wulf Schadendorf. Berlin 1963.

H. 27. 1963. Bearbeiter: Günther Bräutigam (u.a.). Redaktion: Wulf Schadendorf. Berlin 1965.

H. 28. 1964. Bearbeiter: Günther Bräutigam, Matthias Mende. Berlin 1969.

H. 29. 1965. Bearbeiter: Günther Bräutigam, Matthias Mende, Ursula Mende. Berlin 1971.

H. 30. 1966. Bearbeiter: Günther Bräutigam, Erna Wagner. Berlin 1977.

H. 31. 1967. Bearbeiter: Jörn Bahns (u.a.). Redaktion: Jörn Bahns. Berlin 1975.

□ 2. Einzelschriften

Photographien aus dem germanischen Museum. Nürnberg 1865–66. 4 Hefte mit je 12 Serien à 3 Blättern.
Veröffentlichung auch von außerhalb des Germanischen Nationalmuseums befindlichen kunstgewerblichen Gegenständen. Programm und allgemeine Inhaltsübersicht: Anzeiger GNM 1865, Sp. 131–134; Inhalt für Lieferung 1: Anzeiger GNM 1865 Sp. 135–136; Lieferung 2: Anzeiger GNM 1865 Sp. 295–296; Lieferung 3: Anzeiger GNM 1865 Sp. 455–456; Lieferung 4: Anzeiger GNM 1866 Sp. 231–232.

Mittelalterliches Hausbuch. Bilderhandschrift des 15. Jahrhunderts mit vollständigem Text und facsimilierten Abb. Hrsg. vom Germanischen Museum. Leipzig 1866. VIII, 53 S., 31 Taf., 1 Falttaf. 4°

Gedenkbuch des Krieges 1870–71 und der Aufrichtung des deutschen Reiches. Facsimiles der Denksprüche und Original-Handschriften der deutschen Fürsten, Feldherren und Staatsmänner im Germanischen Nationalmuseum zu Nürnberg. Abtheilung I (mehr nicht erschienen). Nürnberg 1873. 100 gez. Bl. 4°

Essenwein, August von: Quellen zur Geschichte der Feuerwaffen. Facsimilierte Nachbildungen alter Originalzeichnungen, Miniaturen, Holzschnitte und Kupferstiche, nebst Aufnahmen alter Originalwaffen und Modelle. Hrsg. vom Germanischen Museum. Leipzig 1877. 178 S. mit Abb., 160, 37 Taf. 4°

Essenwein, August von: Über die Herausgabe eines umfassenden Quellenwerkes für die Kulturgeschichte des Mittelalters, bestehend aus zwei Hauptabteilungen: Monumenta iconographica medii aevi und Reliquiae medii aevi. Nürnberg 1884. IV, 19 S., 1 Faltbl. 8°

Metz, Peter: Das Goldene Evangelienbuch von Echternach im Germanischen National-Museum zu Nürnberg. München 1956; (2. Aufl.) München 1964. 112 S., 12 Farbtaf., 94 Taf. 4°

Meilensteine europäischer Kunst. Hrsg. von Erich Steingräber. München 1965. 444 S. m. Abb. u. Taf. 8°
Vorträge des GNM im Winter 1963/64.

Mende, Matthias: Dürer-Bibliographie. Germanisches Nationalmuseum Nürnberg. Zur fünfhundertsten Wiederkehr des Geburtstages von Albrecht Dürer. Teilauflage als Sonderband zur „Bibliographie der Kunst in Bayern". Wiesbaden 1971. XLIV, 707 S., 1, 24 Taf. 8°

Studia musico-museologica. Bericht über das Symposium (vom 6.–8. Mai 1969:) Die Bedeutung, die optische und akustische Darbietung und die Aufgaben einer Musikinstrumentensammlung. (Mitarb.: John Henry van der Meer, Friedemann Hellwig u.a.) Nürnberg, Stockholm (1970). Mschr. vervielfältigt. 126 Bl. 4°

Das kunst- und kulturgeschichtliche Museum im 19. Jahrhundert. Beiträge des Symposions im Germanischen Nationalmuseum. Hrsg. von Bernward Deneke und Rainer Kahsnitz (Studien zur Kunst des 19. Jahrhunderts, Bd. 39.

Forschungsunternehmen der Fritz-Thyssen-Stiftung, Arbeitskreis Kunstgeschichte). München 1977. 218 S., 135 Abb.

□ 3. Schriftenreihe

Bibliothek des Germanischen National-Museums Nürnberg zur deutschen Kunst- und Kulturgeschichte. Hrsg. von Ludwig Grote. Bd. 1–34, Bd. 35 von Arno Schönberger. München 1956ff. 8° (Nebentitel:) Bilder aus deutscher Vergangenheit.

1. Stafski, Heinz: Aus alten Apotheken. 1956; 2. Aufl. (um 1958); 3. Aufl. 1961; 4. Aufl. 1967. 47 S. mit Abb. und 4 Farbtaf., 48 Taf.

2/3. Grote, Ludwig: „Hier bin ich ein Herr". Dürer in Venedig. 1956. 83 S. mit Abb. und 4 Farbtaf., 84 Taf.

4. Schiedlausky, Günther: Essen und Trinken. Tafelsitten bis zum Ausgang des Mittelalters. 59 S. mit Abb. und 4 Farbtaf., 48 Taf.

5. Wilckens, Leonie von: Tageslauf im Puppenhaus. Bürgerliches Leben vor dreihundert Jahren. 1956. 46 S. mit Abb. und 5 Farbtaf., 48 Taf.

6. Doede, Werner: Schön schreiben, eine Kunst. Johann Neudörffer und seine Schule im 16. und 17. Jahrhundert. 1957; 2. Aufl. 1966. 95 S. mit 70 Abb.

7. Grotemeyer, Paul: „Da ich het die gestalt". Deutsche Bildnismedaillen des 16. Jahrhunderts. 1957. 56 S. mit Abb. und 8 Taf., 72 Abb. auf Taf.

8. Waldburg-Wolfegg, Johannes: Das mittelalterliche Hausbuch. Betrachtungen vor einer Bilderhandschrift. 1957. 49 S. mit Abb., 1 Taf. und 2 Farbtaf., 48 Taf.

9. Liermann, Hans: Richter, Schreiber, Advokaten. 1957. 51 S. mit Abb. und 2 Farbtaf., 52 Abb. auf Taf.

10. Königer, Ernst: Aus der Geschichte der Heilkunst. Von Ärzten, Badern und Chirurgen. 1958; 2. Aufl. 1966. 47 S. mit Abb. und 4 Farbtaf., 50 Taf.

11. Schadendorf, Wulf: Zu Pferde, im Wagen, zu Fuß. Tausend Jahre Reisen. 1959; 2. Aufl. 1961. 54 S. mit Abb. und 4 Farbtaf., 42 Abb. auf Taf.

12. Hartlaub, G(ustav) F(riedrich): Der Stein der Weisen. Wesen und Bildwelt der Alchemie. 1959. 52 S. mit Abb. und 4 Farbtaf., 55 Abb. auf Taf.

13. Grote, Andreas: Der vollkommen Architectus. Baumeister und Baubetrieb bis zum Anfang der Neuzeit. 1959; 2. Aufl. 1966. 80 S. mit Abb. und 4 Farbtaf., 17 Abb. auf Taf.

14. Veit, Ludwig: Handel und Wandel mit aller Welt. Aus Nürnbergs großer Zeit. 1960. 51 S. mit Abb., 2 Taf. und 4 Farbtaf., 59 Abb. auf Taf.

15/16. Grote, Ludwig: Die Tucher. Bildnis einer Patrizierfamilie. 1961. 95 S. mit Abb. und 6 Farbtaf., 105 Abb. auf Taf.

17. Schiedlausky, Günther: Tee, Kaffee, Schokolade. Ihr

Eintritt in die Europäische Gesellschaft. 1961. 44 S. mit Abb. und 4 Farbtaf., 54 Abb. auf Taf.

18/19. Ott, Alfons: Tausend Jahre Musikleben, 800–1800. 1961; 2. Aufl. (um 1965); 3. durchgesehene Aufl. 1968. 80 S. mit Abb. und 6 Farbtaf., 92 Abb. auf Taf.

20/21. Schöne, Günter: Tausend Jahre deutsches Theater, 914–1914. 1962. 176 S. mit Abb., 6 Farbtaf. und 49 Abb. auf Taf.

22. Verheyen, Egon: Das Goldene Evangelienbuch von Echternach. 1963. 95 S. mit Abb. auf Taf. und 7 Farbtaf.

23. Reitzenstein, Alexander von: Der Waffenschmied. Vom Handwerk der Schwertschmiede, Plattner und Büchsenmacher. 1964. 88 S. mit Abb. im Text, 57 Abb. auf Taf. und 4 Farbtaf.

24. Schadendorf, Wulf: Das Jahrhundert der Eisenbahn. 1965. 95 S. mit 145 Abb. und 4 Farbtaf.

25/26. Wirth, Irmgard: Mit Adolph Menzel in Berlin. 1965. 149 S. mit Abb. im Text und 6, 47 Abb. auf Taf., teils farbig.

27. Steingräber, Erich: Der Goldschmied. Vom alten Handwerk der Gold- und Silberarbeiter. 1966. 94 S. mit Abb. im Text und 4, 74 Abb. auf Taf., teils farbig.

28. Grote, Ludwig: Die romantische Entdeckung Nürnbergs. 1967. 96 S. mit Abb. im Text und 4, 29 Abb. auf Taf., teils farbig.

29. Maurice, Klaus: Von Uhren und Automaten. Das Messen der Zeit. 1968. 95 S. mit Abb. im Text und 4, 69 Abb. auf Taf., teils farbig.

30. Veit, Ludwig: Das liebe Geld. Zwei Jahrtausende Geld- und Münzgeschichte. 1969. 143 S. mit 133 Abb. und 6 Farbtaf.

31. Deneke, Bernward: Hochzeit. 1971. 139 S. mit 127 Abb., 5 Farbtaf.

32. Reitzenstein, Alexander von: Rittertum und Ritterschaft. 1972. 144 S. mit 108 Abb., 6 Farbtaf.

33. Rücker, Elisabeth: Die Schedelsche Weltchronik. Das größte Buchunternehmen der Dürer-Zeit. Mit einem Katalog der Städteansichten. 1973. 143 S. mit 64, 53 Abb. und Tab., 2 farbige Falttaf.

34. Wirth, Irmgard: Mit Menzel in Bayern und Österreich. 1974. 144 S. mit 128 Abb., 6 Farbtaf.

35. Grote, Ludwig: Von Dürer bis Gropius. Aufsätze zur deutschen Kunst zusammengestellt von Wulf Schadendorf. 1975. 139 S. mit 104 Abb., 11 Farbtaf.

Nachwort der Herausgeber

Die Geschichte des Germanischen Nationalmuseums ist bereits verschiedentlich behandelt worden[1]. Spezielle, diesem Thema gewidmete Veröffentlichungen entstanden 1862 bei seinem zehnjährigen Bestehen durch Enno Wilhelm Hektor als Rechenschaftsbericht über die mit dem Ausscheiden seines Gründers, des Freiherrn Hans von und zu Aufseß, abgeschlossene Gründungsphase sowie, von Theodor Hampe verfaßt, als repräsentative Festgabe anläßlich des von dem Interesse einer breiten Öffentlichkeit begleiteten fünfzigjährigen Jubiläums im Jahre 1902. Diese Veröffentlichungen setzte später in einer dritten der Entwicklung der Anstalt gewidmeten Schrift Fritz Traugott Schulz bis zum Jahre 1927 fort. Bezogen auf diese Darstellungen stand im Hinblick auf das Jahr 1977 zur Erwägung, in welcher Form diese gewissermaßen zur Tradition gewordenen Bemühungen um Vertiefung der Kenntnisse über Situation und Entwicklung des Germanischen Nationalmuseums – sie hatten aus begreiflichen Gründen 1952 eine Unterbrechung erfahren – aufgenommen und erneuert werden konnten. Bei den bis in das Jahr 1973 zurückreichenden Planungen des vorliegenden Bandes richteten sich von den angedeuteten Voraussetzungen her Überlegungen auf Möglichkeiten einer Darstellung des Zeitabschnittes seit 1927 mit den folgenreichen Einschnitten der Zerstörung weiter Baukomplexe, der Phase der Wiederherstellung älterer Gebäude wie der Errichtung großer Neubauten, der anschließenden Umorganisation der Bestände, der Modernisierung ihrer Darbietung sowie der Verkürzung und Erweiterung der Sammlungsbereiche. Darüber hinaus waren insbesondere die Einwirkungen der wechselnden politischen Konstellationen, des sich wandelnden Geschichtsbewußtseins wie im speziellen auch der Veränderungen in den musealen Konzeptionen auf die Nationalanstalt zu klären.

Für einen grundlegenden Beitrag über das Verhältnis des Museums zur deutschen Nation, deren Geschichte und Kultur nicht nur Thema seiner musealen Bemühungen sein sollte, sondern die zugleich auch als Träger der Institution in Anspruch genommen werden mußte, konnte mit Peter Burian von der Universität Köln ein Autor aus dem Kreis der Neuhistoriker gewonnen werden, die sich seit Jahren Problemen der Nationalismusforschung und der Geschichte nationaler Institutionen und Bestrebungen im 19. Jahrhundert verschrieben haben. Die schwierigen Versuche des Museums in seiner Gründungsphase, die zunächst staatlich nicht verfaßte – oder im Deutschen Bund allenfalls in mehr völker- als staatsrechtlichen Formen verfaßte – Nation gleichwohl als Garant des Instituts zu gewinnen, die Anpassung an die sich wandelnde Staatlichkeit nach der Reichsgründung, aber auch eine zu beobachtende, mit zunehmender Konsolidierung des Museums wachsende Unabhängigkeit von Problemen wie Staatsform und ihren Wandlungen – bis hin zu der Phase endgültiger Etablierung, in der die Beziehungen zu Nation und Staat im wesentlichen zu einem Problem der Geldbeschaffung herabsanken – fanden in dem den Band einleitenden Aufsatz eine sich nicht selten zu einer Gesamtgeschichte des Germanischen Nationalmuseums ausweitende Darstellung.

Die Aufgabe einer Weiterführung der bewährten monographischen Behandlung einzelner Entwicklungsphasen des Museums ließ sich nur partiell mit einem Beitrag über die Zeit des Wiederaufbaus während der Tätigkeit der Direktoren Ernst Günter Troche und Ludwig Grote verwirklichen.

---

[1] Enno Hektor: Geschichte des Germanischen Museums von seinem Ursprunge bis zum Jahre 1862. Festschrift zur Feier seines zehnjährigen Bestehens. Nürnberg 1863. – Theodor Hampe: Das Germanische Nationalmuseum von 1852–1902. Festschrift zur Feier seines fünfzigjährigen Bestehens. Leipzig o. J. (1902). – Fritz Traugott Schulz: Das Germanische Museum von 1902–1927. Festschrift zur Feier seines 75jährigen Bestehens = Anzeiger GNM 1926/1927.

Eine entsprechende Untersuchung des Wirkens Ernst Heinrich Zimmermanns und Heinrich Kohlhaußens konnte aus äußeren Gründen nicht vorausgestellt werden. Beeindruckt gerade für das vorige Jahrhundert im Museum das ausgeprägte Bewußtsein der Geschichtlichkeit des eigenen Tuns, wie es sich in den Publikationen des Hauses neben den genannten „Festschriften" vor allem in den ausführlichen Jahresberichten und der monatlich, später in etwas größerem Turnus im Anzeiger erscheinenden „Chronik des Museums" niedergeschlagen hat, so war spätestens mit dem Dienstantritt Zimmermanns hierin ein deutlicher Wandel eingetreten. Außer der vom Niveau der Hampeschen Darstellung weit entfernten kurzen Beschreibung der Zeit von 1902 bis 1927 durch Fritz Traugott Schulz gibt es über die Entwicklung des Hauses aus dieser Zeit kaum Nachrichten, zumal nach Aufgabe der Chronik des Museums die kärglichen Jahresberichte sich fast ganz auf Berichte über Neuerwerbungen und gelegentliche Baumaßnahmen beschränkten.

Zwar wuchsen sich unter Heinrich Kohlhaußen seit 1937 die Jahresberichte wieder zu umfassenden, oft mit programmatischen Überlegungen durchsetzten Rechenschaftsberichten aus. Doch ist für diese nicht zuletzt unter politischen Gesichtspunkten besonders interessierende Zeit der dreißiger und frühen vierziger Jahre die Quellenlage ansonsten noch ungünstiger, als mit der Zerstörung des Dienstzimmers des Ersten Direktors bei einem Bombenangriff am 16. März 1945 die dort liegenden naturgemäß in erster Linie in Betracht kommenden Akten vernichtet wurden. Während Akten aus älterer Zeit so gut wie vollständig erhalten sind – lediglich um 1900 muß nach Aussonderung der für die Geschichte des Museums für wichtig gehaltenen Akten eine Kassation gewisser Bestände erfolgt sein –, fehlt dieser wichtigste Quellenbestand für die nationalsozialistische Zeit. Diese Lücke konnte durch andere Bestände, etwa den inzwischen in das Archiv des Museums übergegangenen persönlichen schriftlichen Nachlaß Kohlhaußens, aus naheliegenden Gründen nicht geschlossen werden. Auch das im Bundesarchiv unter den Aktenresten der Reichskanzlei vorhandene Material erwies sich als wenig ergiebig. Daß aus diesen und anderen Gründen ein ursprünglich geplanter Aufsatz über „Das Museum im Dritten Reich" von dem vorgesehenen Autor zu einem Zeitpunkt als unausführbar abgebrochen wurde, als eine Ersatzlösung nicht mehr möglich war, betrachten die Herausgeber als schwerwiegenden Mangel des Bandes. Die Untersuchung der Rolle des Germanischen Nationalmuseums in der Kulturpolitik des Dritten Reiches und der nationalsozialistischen Partei hätte nicht zuletzt in Anbetracht seines Sitzes in Nürnberg als der Stadt der Reichsparteitage darüber Aufschluß geben sollen, ob das Haus wirklich, wie die wenigen bisher bekannt gewordenen Quellen suggerieren, weitgehend unberührt durch die Verstrickungen der nationalsozialistischen Zeit gegangen sein kann. Doch sollte dabei nicht übersehen werden, daß Stellung und Verhalten der deutschen Museen im Dritten Reich, abgesehen von gelegentlichen Äußerungen zum nationalsozialistischen Kunstraub und Arbeiten zu der das Nürnberger Museum nicht berührenden Aktion „Entartete Kunst", auch sonst nicht untersucht sind. Die wenigen im hiesigen Quellenmaterial vorhandenen Hinweise konnten nur noch durch Aufnahme in die Chronik veröffentlicht werden.

Bei der Heranführung der Historie des Museums an die Gegenwart erschien es von vornherein unerläßlich, auch die vor 1927 liegenden Entwicklungen in neue Versuche der Beschäftigung mit der Geschichte des Instituts einzubeziehen. Es konnte dabei weniger darauf ankommen, die älteren Darstellungen, die eines wissenschaftlichen Apparates entraten, zu ersetzen. Rechnung zu tragen war vielmehr dem allgemeinen Interesse, das sich den Wissenschaften, speziell der Historiographie sowie der Kunst und Kultur des 19. und des beginnenden 20. Jahrhunderts zugewandt hat. Darüber hinaus war zu prüfen, wieweit neue Perspektiven und Einsichten der Forschung Aufschlüsse über die Entwicklung des Instituts anbieten. Mannigfache Indizien sprachen dafür, daß im Zusammenhang der nicht zuletzt durch Prozesse der Historisierung ausgelösten Darstellungen zum 19. und

20. Jahrhundert auch eine neue Aufarbeitung die Geschichte des Germanischen Nationalmuseums erwartet wurde. Dies galt um so mehr, als seiner Einrichtung im Jahre 1852 die Gründung einer Vielzahl von regionalen und lokalen Museen gefolgt war, so daß Wilhelm von Bode in einem 1889 publizierten Beitrag über die Entwicklung der öffentlichen Sammlungen des Mittelalters und der Renaissance in Deutschland ausdrücklich auf die Impulse, die von Nürnberg für andere kunstgewerbliche und kulturgeschichtliche Anstalten ausgegangen seien, hatte hinweisen können[2].

Das verstärkte wissenschaftliche Interesse am 19. Jahrhundert forderte vor allem eine Aufarbeitung der bedeutsamen Architekturkomplexe, die, dem Wachstum der Sammlungen im letzten Drittel des vorigen Jahrhunderts folgend, in Nürnberg errichtet worden waren und das Erscheinungsbild des Germanischen Nationalmuseums im Bewußtsein der interessierten Öffentlichkeit gelegentlich nicht weniger, vielleicht sogar stärker bestimmt haben dürften als die hier vorhandenen kunst- und kulturhistorischen Sammlungen. Diese Aufgabe war umso dringender, als diese Architektur bis auf den vergleichsweise geringen Rest des zudem inzwischen noch stark vereinfachten Südwestbaus Gustav von Bezolds aus den Jahren 1898–1902 im Zweiten Weltkrieg weitgehend zerstört und ihre Ruinen im Zuge der Errichtung der Neubauten im Laufe der sechziger Jahre restlos beseitigt wurden, wie dies in der Chronik dargestellt ist. Waren diese Abbruchmaßnahmen – die letzten noch 1968 –, bei denen auch die in die Bauten des 19. Jahrhunderts integrierten nicht unbeträchtlichen Reste spätgotischer Architektur des Nürnberger Augustinerklosters geopfert wurden, auch durch ältere, bis in die frühe Nachkriegszeit zurückreichende Planungen bedingt und schließlich unvermeidlich geworden, so beunruhigt doch der schnelle offenbar grundlegende Umschwung in der Beurteilung der Qualitäten der historistischen Architektur des späten 19. Jahrhunderts, wie er sich – insbesondere auf dem Hintergrund der Entwicklung der zeitgenössischen Architektur – gerade in den letzten Jahren beobachten läßt. Man kann nicht umhin, an die bekannte Tatsache der dicht aufeinander folgenden Veränderungen im Bewußtsein des 19. Jahrhunderts selbst zu erinnern, als nicht selten im selben Jahrzehnt mit allgemeiner Billigung, oft mit großer Erleichterung die Stadtmauern geschleift und bereits die ersten Stadttore wieder rekonstruiert oder in historisierender Form neu errichtet wurden. Als eines der wichtigsten Themen des vorgelegten Bandes war deshalb die Geschichte der Architektur des Germanischen Nationalmuseums vorgegeben, zumal sie über die rein architekturgeschichtlichen Interessen hinaus Aufschlüsse zum Selbstverständnis des Hauses und in Anbetracht ihrer oft genannten Vorbildfunktion zum Verständnis des Instituts „Museum" im ausgehenden 19. Jahrhundert zu geben versprach. Die ältere museumseigene Literatur bot in dieser Hinsicht kaum Hilfe, da sie infolge der großen Nähe zu dem zu behandelnden Zeitabschnitt die Bautätigkeit des Hauses im Grunde nur unter organisatorischen und finanziellen Aspekten gesehen hatte[3].

Nachdem der Großteil der Bauten selbst zerstört war, war vorrangig vor allem die Rekonstruktion der äußeren Gestalt anhand vorhandener Pläne, Bauakten, Abbildungen und Beschreibungen. Dies scheint nach Maßgabe der noch bestehenden Möglichkeiten geleistet und so die Grundlage für weiterführende Einordnung in die Geschichte der Architektur des ausgehenden 19. Jahrhunderts, die Geschichte des Bautyps „Museum" und vielleicht auch in die Bautätigkeit ihres Entwerfers August Essenweins geschaffen, dessen künstlerisches Werk, in erster Linie seine Entwürfe für Kirchenausstattungen und die Fußbodenmosaiken des Kölner Domchores, derzeit auch anderenorts

[2] Wilhelm Bode: Die Entwicklung der öffentlichen Sammlungen der Kunst des Mittelalters und der Renaissance in Deutschland seit dem Kriege 1870–71. In: Deutsche Rundschau Bd. 60 (1889), S. 129–138 (134).
[3] Hierin dürfte auch die Ursache dafür zu suchen sein, daß in der wichtigsten modernen Arbeit zur Museumsarchitektur des 19. Jahrhunderts von Nikolaus Pevsner: A History of Building Types. London 1976 das Germanische Nationalmuseum im Kapitel über die Museumsbauten (S. 111–138 [137]) nur kursorisch erwähnt wird.

Interesse findet[4] und dem als mindestens gleich bedeutsame Leistungen seine historisierenden Restaurierungen verschiedener großer Sakralbauten zuzurechnen sind. Unter dem Gesichtspunkt der Bereitstellung der Quellen dürfte der breite Raum, den die Dokumentation der einzelnen Planungen und des Bauablaufes in der gegebenen Darstellung einnimmt, als gerechtfertigt anzusehen sein. Demgegenüber konnte die Ausstattung der Bauten mit Wandmalereien und den vor allem für das Nürnberger Haus bezeichnenden farbigen Glasfenstern und Fensterzyklen nicht im gleichen Umfang dargestellt werden, da die bildliche Überlieferung in dieser Hinsicht überaus unzureichend ist, so daß etwa die Deckenfresken des Victoriabaus nur in schlechten Abbildungen ausschnitthaft gezeigt werden können. Glücklicherweise ist ein großer Teil der Glasfenster, der in den zwanziger oder dreißiger Jahren dieses Jahrhunderts als Folge ihrer ästhetischen Abwertung ausgebaut wurde, im Museum erhalten, konnte jedoch wegen ihres gefährdeten Zustands parallel zur Erarbeitung des Bandes noch nicht photographisch erschlossen und so in den Band eingebracht werden. In diesem Zusammenhang muß freilich auch mitgeteilt werden, daß das bedeutendste und größte dieser Fenster mit der Darstellung der Gründung der Kartause, das König Wilhelm der I. von Preußen 1861 zunächst für den Chor der Kartäuserkirche gestiftet hatte, das dann aber in der 1869 eigens errichteten Wilhelmshalle eingebaut worden war, im Kriege zerstört worden ist, ohne daß offenbar jemals eine photographische oder sonstige Aufnahme angefertigt worden ist.

In Anbetracht der beherrschenden Stellung der Gebäude der mittelalterlichen Kartause im Gesamtkomplex des Museums sowohl des 19. Jahrhunderts wie der modernen nach dem Zweiten Weltkrieg errichteten Bauten war die Beschreibung der Museumsarchitektur mit einer Baugeschichte von Kirche und Kloster zu beginnen, auch wenn damit um Jahrhunderte vor die Museumsgründung zurückgegriffen werden mußte, zumal die einzigen älteren Darstellungen von Johann Ferdinand Roth und Heinrich Heerwagen sich auf die Geschichte des Kartäuserklosters beschränkt und weder eine bau- noch eine architekturgeschichtliche Untersuchung beabsichtigt hatten. Die Erkenntnisse zur Bauabfolge für wesentliche Teile der Klosteranlage und die Präzisierung überlieferter Baudaten dürften dem Verständnis dieser Architektur ebenso förderlich sein wie der Beitrag zur Wiedergewinnung des ursprünglichen Aussehens der Kirche durch die Rekonstruktion des Lettners, wenn von ihm wie von der gesamten übrigen Ausstattung der Kirche auch nichts bis in die Museumszeit gerettet werden konnte. Demgegenüber bleibt eine kunsthistorische Untersuchung der figürlichen Bauskulptur, die hier erstmals veröffentlicht wird, weiterhin zu leisten.

Die Errichtung der großen Neubauten nach dem Zweiten Weltkrieg durch Sep Ruf, der bei den ersten Bauten mit Harald Roth zusammenarbeitete, und die anschließende Einrichtung dieser Räume war naturgemäß die wichtigste Aufgabe, die das Museum von den fünfziger bis zu den siebziger Jahren dieses Jahrhunderts in Anspruch nahm, hinter der auch die Aufgabe der Mehrung der Sammlungen weitgehend zurücktreten mußte. Bei dem fehlenden historischen Abstand und der unmittelbaren Beteiligung der Generation von Museumsbeamten, die diesen Band erarbeitet haben und die mit und in diesen Bauten arbeiten, war es von vornherein klar, daß weder eine architekturhistorische Bearbeitung im eigentlichen Sinne noch eine architekturkritische Würdigung unter bauästhetischen oder auch nur museumstechnischen Gesichtspunkten in Betracht kommen konnte. Eine Dokumentation des Bauverlaufes und eine Darlegung der wesentlichen Gesichtspunkte, die bei der Planung als maßgebend erachtet worden waren, durch einen Autor, der als Schüler und Mitarbeiter des entwerfenden Architekten diesem eng verbunden ist und der an der Einrichtung selbst weitgehend mitbeteiligt war, schien daher im Rahmen einer Gesamt-Architekturgeschichte der 125 Jahre des Germanischen Nationalmuseums die gebotene Lösung.

[4] Eine größere Publikation plant die Kölner Dombauhütte mit einem wissenschaftlichen Text von Peter Springer.

Spezialisierungen innerhalb der im Museum vertretenen Wissenschaften und die zunehmende ressortmäßige Aufteilung der Zuständigkeiten auf einzelne Referenten legten es nahe, die Sammlungsgeschichte nach Fachbereichen gegliedert vorzustellen und die jeweils zuständigen Referenten um die Erarbeitung eines entsprechenden Beitrages über das von ihnen betreute Sachgebiet zu bitten; die Auswahl der Abbildungen und die Abfassung der Bildtitel oblag der Redaktion, soweit nicht wie bei den architekturgeschichtlichen Beiträgen von Maué und Bahns die Autoren selbst diese Aufgaben wahrgenommen haben. Unter den Sammlungsgeschichten konnten nicht alle seit den Anfängen des Instituts eingerichteten Abteilungen monographisch behandelt werden. Manche dieser Abteilungen sind ohnehin in der ursprünglich konzipierten Gestalt nicht mehr vorhanden, so das 1879 begründete, dem Museum als selbständige Stiftung verbundene Handelsmuseum, dessen umfangreicher Buchbesitz zum wesentlichen in eine eigene, dem Handel gewidmete Abteilung der Bibliothek einging, die Studentenabteilung, über die als Burschenschaftsmuseum zuerst 1893 verhandelt wurde, und die 1896 errichtete deutsche Brauerstiftung[5]. Ähnlich ist der zahlenmäßig kleine Bestand der Strafrechtsaltertümer weitgehend in den Hintergrund getreten. Durch Kriegsereignisse ging die beträchtliche Sammlung technischer Modelle verloren, die durch die Überlassung eines Fundus von Nachbildungen von „Wägen, Schiffen, landwirthschaftlichen Geräthen und technischen Anlagen verschiedenster Art" durch das Polytechnikum in München 1873 wesentlich gefördert worden war[6]. Die zeitweilig zum Handelsmuseum gerechneten 28 historischen Schiffsmodelle wurden nach dem Zweiten Weltkrieg als Dauerleihgabe an das Altonaer Museum abgegeben[7].

Erheblich dezimiert wurde in der Kriegs- und Nachkriegszeit auch die Sammlung von Abgüssen, deren Anlage den Dokumentationsbestrebungen des Museums – in der Reihe der Grabdenkmäler nicht zuletzt auch im Sinne einer personenbezogenen Geschichtskunde – eng verbunden war und später in den musealen Konzeptionen einer sachbezogenen Systematisierung und Reihung der Kunstwerke und Altertümer August Essenweins eine wesentliche Rolle spielte. Neben der Abteilung der Skulptur, der von dieser getrennten der Grabdenkmäler und des kirchlichen Gerätes – hier besonders der Bronzegeräte, etwa der Aquamanilien – bereicherten Gipsabgüssen vor allem die in diesem Band nicht gesondert behandelte Sammlung der Bauteile. Kapitelle und sonstige Beispiele ornamentaler Bauplastik aus den wichtigsten deutschen Kirchen und Pfalzen des Mittelalters konnten, wie Essenwein, der diese Abteilung im Hinblick auf eigene architektonische Interessen stets besonders förderte, feststellte, naturgemäß nicht im Original gesammelt werden, wie denn umfangreiche architektonischen Fragmente von abgetragenen Gebäuden im wesentlichen nur aus der Nähe aufgenommen werden sollten. Da es an sich schon betrüblich sei, wenn alte Bauwerke abgerissen werden müßten und solche architektonischen Überreste von den lokalen Museen aufzunehmen seien, wolle das Nationalmuseum hier ganz auf die Stufe der lokalen Museen treten und nur die Trümmer sammeln und aufnehmen, die in Nürnberg sich fänden[8]. Auch Bezold vertrat später sehr dezidiert die Ansicht, Bauteile, darunter auch Wandvertäfelungen, sollten in erster Linie am Ort bleiben und von dem Nürnberger Institut nur erworben werden, wenn sie am Orte nicht erhalten werden könnten[9]. Außer dem romanischen Heilsbronner Portal, dem Chörlein des Sebalder Pfarr-

5 Faszikel „Gründung einer Sammlungsabteilung der Burschenschaften 1893". Archiv GNM, Altregistratur GNM, Karton 27, Nr. 10. – Zur Gründung der Stiftung, die die Denkmale des deutschen Brauwesens umfassen sollte, vgl. Jahresbericht GNM 43 (für 1896), 1896, S. 1.

6 Chronik des Germanischen Museums. In: Anzeiger GNM 1873, Sp. 137–142 (137). – Das handschriftliche Inventar der Abteilung – Inv.-Nr. TM – ist erhalten.

7 Neuerwerbungen: Schiffahrt und Fischerei. In: Altonaer Museum in Hamburg, Jahrbuch Bd. 5 (1967), S. 177–216 (206–215, Meyer).

8 Essenwein, Bericht 1870, S. 5; in diesem Band S. 999. – Essenwein, Bericht 1884. In: Anzeiger GNM 1884, S. 34.

9 Gustav von Bezold in einem Diskussionsbeitrag, gedruckt in: Vierter Tag der Denkmalpflege, Erfurt 25. und 26. Sept. 1903. Stenographischer Bericht. Berlin (1903), S. 39–40.

hofes und dem Schönen Brunnen besaß das Museum denn an originalen Architekturfragmenten auch nur einige wenige Säulen, Kapitelle, Baureliefs und Gewändesteine. Die „Sammlung der Bautheile und Baumaterialien aus älterer Zeit", der Essenwein 1868 den ersten seiner gedruckten Kataloge widmete[10], umfaßte jedoch darüber hinaus alles das, was – im Gegensatz zu den beweglichen häuslichen und kirchlichen Geräten – einmal in Häusern oder Kirchen fest eingebaut war: Fußbodenfliesen und Belege anderer Fußbodenarten, Dachziegel und Ziegelsteine, Kachelöfen und Ofenkacheln, eiserne Öfen und Ofenplatten, Türschlösser und Schlüssel wie Eisengitter, woran sich im Laufe der Zeit das gesamte Schmiedeeisen anschloß, Wandvertäfelungen und Teile davon, vor allem Türen, sowie Tapeten. Eine Sammlung architektonischer Modelle nach Art der älteren Sammlungen zum Beispiel aus Kork in Darmstadt und anderenorts, der „phelloplastischen Nachbildungen" in den Vereinigten Sammlungen in München oder der vielgerühmten Kallenbachschen Baumodelle der Berliner Kunstkammer[11] konnte sich in Nürnberg dagegen trotz anfänglicher Absichten Essenweins nicht entsprechend entwickeln. Lediglich einige wenige ältere Originalmodelle, interessant vor allem die für Dachkonstruktionen des 16. und 17. Jahrhunderts, die 1968 freilich an die Architekturgeschichtliche Sammlung der Technischen Hochschule in München abgegeben wurden, waren vorhanden.

So bezeichnend für Essenweins Denken die Konstruktion dieser Sammlungsabteilung war, so hätten auch seine Pläne zur monumentalen Malerei, von der sich bis heute mit der die Herkunft tradierenden Abteilungssignatur MM nur die Glasmalerei erhalten hat, eine Darstellung verdient. Einzelne mittelalterliche Glasfenster hatte – es versteht sich fast von selbst – schon Aufseß besessen, wie denn Werke der mittelalterlichen Glasmalerei zu den Kunstwerken gehörten, die offenbar als erste und in besonderer Weise Gegenstand früher Mittelalter-Verehrung waren – es sei nur an die ältesten teilweise noch ins 18. Jahrhundert zurückreichenden Sammlungen der württembergischen Herzöge oder der Schlösser Löwenburg in Kassel, Wörlitz, Laxenburg und anderenorts, vor allem in Darmstadt verwiesen[12]. Wie Essenwein die Architektur an den Anfang seiner Überlegungen und die Architektur-Plastik der übrigen voranstellte, so wollte er auch bei der Sammlung der Werke der Malerei von den Zweigen ausgehen, die mit der Architektur verbunden seien: Mosaik, Wand- und Glasmalerei. Dabei dachte er bei den beiden ersten neben ganz gelegentlich zu erhaltenden kleinen Proben von vornherein nur an original-große Kopien auf Papier und Leinen und nur bei der Glasmalerei an Kartons und an Originale[13]. Die weitgehend verlorene Sammlung solcher Kopien nach Wand- und vor allem nach Glasmalereien muß in den siebziger und achtziger Jahren des vorigen Jahrhunderts einen gewissen Umfang gehabt haben, verschwand dann aber weitgehend aus dem Gesichtskreis des Museums. Zu der Sammlung der originalen Fenster gehörten bald auch zahlreiche kleine Schweizer und Nürnberger Kabinettscheiben späterer Jahrhunderte; doch standen

[10] (August Essenwein:) Katalog der im germanischen Museum befindlichen Bautheile und Baumaterialien aus älterer Zeit. Nürnberg 1868.

[11] Zu Korkmodellen in Darmstadt und anderenorts Anita Büttner: Korkmodelle von Antonio Chichi, Entstehung und Nachfolge. In: Kunst in Hessen und am Mittelrhein, Beiheft 9 (1969), S. 2–35. – Zu München: Valentin Scherer: Deutsche Museen. Entstehung und kulturgeschichtliche Bedeutung unserer öffentlichen Kunstsammlungen. Jena 1913, S. 156; vgl. dort auch S. 175. – Zu älteren Modellen mittelalterlicher Bauten aus Kork und Papiermaché in der Berliner Kunstkammer (Leopold von Ledebur) Leitfaden für die Königliche Kunstkammer und das Ethnographische Cabinet zu Berlin. Berlin 1844, S. 66–67 und Leopold von Ledebur: Koenigliche Museen. Abtheilung der Kunstkammer. Berlin 1871, S. 38–41. – Zu Kallenbachs Modellen vgl. auch S. 999 mit Anm. 4.

[12] Über das Sammeln gotischer Glasgemälde als frühe Stufe neugotisch-romantischer Bewegung einige Hinweise bei Gudrun Calov: Museen und Sammler des 19. Jahrhunderts in Deutschland. In: Museumskunde Bd. 38 (1969), S. 1–196 (84, 88, 91, 92, 104–107). – Eine Untersuchung des interessanten Phänomens fehlt; vgl. vorläufig nur Jean Lafond: Le commerce des vitraux etrangers anciens en Angleterre au XVIIIᵉ et au XIXᵉ siècles. In: Revue des Sociétés Savantes de Haute Normandie, Histoire de l'Art Bd. 20 (1960), S. 5–15.

[13] Essenwein, Bericht 1870, S. 9; in diesem Band S. 1003–1004; dort Anm. 10 zur Kopiensammlung.

die Fragmente der monumentalen mittelalterlichen Glasmalerei naturgemäß im Vordergrund des Interesses. „So reichhaltig", schrieb Essenwein in dem Katalog von 1883, „auch die Sammlung ist, hat sie doch eigentlich keine besonders interessante Geschichte. Sie wurde nach und nach zusammengetragen"[14]. Sie wurde auch später stetig, vor allem durch die bedeutenden Ankäufe österreichischer Scheiben des 14. Jahrhunderts in den zwanziger und sechziger Jahren, die die bereits vorhandenen rheinischen und mitteldeutschen Scheiben vorzüglich ergänzten, vermehrt, so daß im Gegensatz zu der für die meisten übrigen Sammlungen des Hauses typischen räumlichen und zeitlichen Unausgewogenheit und dem Übergewicht Nürnberger Kunst hier eine geschlossene Folge künstlerisch bedeutsamer, wenn auch meist kleiner Werke aus allen deutschen Kunstlandschaften und allen Phasen der gotischen Zeit zusammenkam, der nach dem Verlust der Glasmalerei-Sammlung des Berliner Kunstgewerbemuseums im letzten Weltkrieg neben der Darmstädter im Kreis der Sammlungen der deutschen Museen ein besonderer Rang zukommt.

Zu erwähnen ist auch die kleine Judaica-Sammlung. Ihre nur sehr sporadische Förderung dürfte mitbestimmt worden sein von dem um die Jahrhundertwende wachsenden Interesse für jüdische Altertümer, wie es damals auch in Zeitschriftengründungen seinen Ausdruck fand. Weiterreichende Initiativen gingen von angesehenen jüdischen Bürgern Nürnbergs aus, die im Dezember 1912 in einem im Zusammenwirken mit der Museumsleitung formulierten Aufruf an die seit ältester Zeit „zwischen christlichen und jüdischen Deutschen" bestehende Beziehung, den Anteil der Juden an der deutschen Kulturentwicklung erinnerten und für die Einrichtung eines „Deutsch-jüdischen Museums" im Zusammenhang der Nationalanstalt warben. Dies Projekt fand indessen nicht allenthalben Zustimmung. Das Archiv des Museums bewahrt einige bezeichnende Zeugnisse für nationalistische und rassistische Mentalität, zum Beispiel einen Zeitungsartikel unter der Überschrift „Jüdisch-germanische Museumskultur"[15]. Eine nähere Betrachtung dieser Bekundungen dürfte in Ergänzung zu dem Beitrag von Peter Burian etwas von dem Stellenwert sichtbar machen, den das Museum in bestimmten Bevölkerungskreisen hatte. Bezold ist, soweit zu sehen, dieser Kritik nicht ausgewichen; er konnte entgegnen, daß die satzungsmäßig gegebenen Aufgaben des Instituts unabhängig von Sympathie und Antipathie nach wissenschaftlichen Grundsätzen wahrzunehmen seien. Er gedachte auch der tatkräftigen Hilfe, die dem Museum von Juden zuteil wurde, zugleich aber relativierte er seinen Standpunkt und wies auf die Entlastung des Anschaffungsfonds durch die für die Abteilung zu erwartenden Spenden sowie seine Intentionen, eine besondere Hervorhebung jüdischer Altertümer im Sinne des vornehmlich zu Werbzwecken verwandten Ausdrucks eines „Deutsch-jüdischen Museums" nicht zuzulassen.

In den Sammlungsgeschichten spiegeln sich je nach individueller Disposition ihrer Verfasser, ihres Engagements für die übernommene Aufgabe, besonders auch nach der recht diffusen Quellenlage die Entwicklungen der einzelnen Abteilungen in unterschiedlicher Intensität und Gewichtung der Einzelaspekte. So ließ sich das angestrebte Ziel einer Einbindung der Abteilung in die Geschichte des Sammelns und der Erforschung der einzelnen Sachgebiete nicht immer in gleicher Weise realisieren. Die vorhandenen Voraussetzungen waren ohnehin divergierend; in manchen Fällen ließen sich Beziehungen zu Disziplinen oder Fachbereichen mit einer mehr oder minder ausgeprägten Forschungstradition mit wechselnden Präferenzen der Methoden und Auffassungen nicht herstellen.

Ausgehend von der von Aufseß festgelegten (aber keineswegs absolut genommenen) Begrenzung des Germanischen Nationalmuseums auf die Zeit vor 1650 schien es wiederholt wichtig, die Heran-

---

[14] (August Essenwein:) Katalog der im germanischen Museum befindlichen Glasgemälde aus älterer Zeit. Nürnberg 1884, S. 3. – Eine zweite Auflage des Kataloges erschien Nürnberg 1898.
[15] Faszikel Deutsch-jüdische Abteilung. Archiv GNM, Altregistratur GNM, Karton 102.

führung der Sammlungen an eine nähere Vergangenheit zu behandeln. Dieser Aspekt ist gelegentlich auch programmatisch formuliert worden, so von Bezold, der in seiner Antrittsrede von 1895[16] wohl unter dem Einfluß der zeitgenössischen Wertschätzung des Empire- und Biedermeierstils die Ausdehnung der Sammlungen auf die Zeit des Wiener Kongresses plante und auch später vermerkte, daß die Anfänge des 19. Jahrhunderts mehr und mehr als historische Vergangenheit zu betrachten seien[17]. Damals war das 18. Jahrhundert bereits weitgehend in den Aufgabenkreis des Museums einbezogen. Auch wenn die Hinterlassenschaft des späteren 17. und des 18. Jahrhunderts in dem in diesem Bande abgedruckten Bericht von 1870 nicht gänzlich ausgeklammert ist, bietet doch erst der zweite, 1884 vorgelegte Bericht[18] weitergehende konkrete Hinweise, so wenn Essenwein eine Veranschaulichung des Wohnungswesens durch ein norddeutsches Bürgerzimmer des 18. Jahrhunderts sowie durch ein Kabinett oder Boudoir des Rokoko abgerundet sehen möchte oder das völlige Fehlen einer Porzellansammlung registriert. Schwerpunktbildungen in der Planung oder in der Erwerbung entsprechender dinglicher Zeugnisse dürften sich gelegentlich detaillierter wohl nur auf der Grundlage einer auch die Entwicklung der Bestände berücksichtigenden Geschichte der Kunstgewerbemuseen sowie einer Sichtung der von dort getragenen Publikationsfolgen erzielen lassen[19].

Auch angesichts des von allgemein museologischen Erwägungen bestimmten kritischen Rückblicks Otto Lauffers zur Entwicklung des Germanischen Nationalmuseums[20], namentlich seiner Ausführungen über dessen Entfernung von den altertumskundlichen Grundlagen, bedarf es weiterer Klärung, wieweit die Anstalt tatsächlich in den Bannkreis der Kunstgewerbemuseen geraten war. Diesbezügliche Aktivitäten setzten 1865, also vor der Tätigkeit Essenweins, mit der Publizierung von Photoserien nach Gegenständen des Kunstgewerbes ein, die unter anderem auch als Vorlagen für die Gewerbe gedacht waren. Essenwein hat solches Beginnen, wie sich aus seinen unter dem Stichwort eines „Nutzens des germanischen Museums für die kunstindustrielle Thätigkeit unserer Zeit" unterbreiteten Vorschlägen einer Zusammenarbeit mit dem Gewerbeverein in Fürth ergibt[21], weitergeführt. Besonders die von ihm veranstalteten kunstgewerblichen Ausstellungen der Jahre 1871 bis 1873 dürften allgemeiner als Einrichtungen zur Bildung des Geschmacks der Gewerbetreibenden und des Publikums aufgefaßt worden sein. Schwer zu übersehen und deshalb nur in wenigen Beiträgen angesprochen ist die Wirkung der von verschiedenen Firmen hergestellten Nachbildungen vor allem von den im Museum gesammelten Einrichtungsgegenständen, in erster Linie Möbeln, Öfen und sonstigem Hausgerät, wodurch teilweise bis in die zwanziger Jahre unseres Jahrhunderts einzelnen Stücken zu einem außerordentlichen Bekanntheitsgrad verholfen wurde. Museumseigene Initiativen der Einflußnahme auf die Geschmacksbildung scheinen bald nach den siebziger Jahren zurückzutreten, so daß zu prüfen wäre, wie weit der umschriebene Aufgabenbereich für den lokalen und regionalen Umkreis von dem 1869 in Nürnberg gegründeten Bayerischen Gewerbemuseum,

---

[16] Protokollband des Verwaltungsausschusses. Jahreskonferenz 1895, fol. 176 r. Archiv GNM, Altregistratur GNM, Karton 748.

[17] Weitere Bestrebungen zur Einbeziehung des 19. Jahrhunderts in die Sammlungen des Germanischen Nationalmuseums sind in diesem Band zusammenfassend nicht behandelt, weil diese Fragen bereits ausführlich untersucht sind in dem grundlegenden Aufsatz von Wulf Schadendorf: Zur Sammlungsgeschichte des Germanischen Nationalmuseums und der Städtischen Galerie Nürnberg. Das erweiterte Sammlungsprogramm des Germanischen Nationalmuseums. In: Anzeiger GNM 1966, S. 142–172.

[18] August von Essenwein: Die Sammlungen des germanischen Nationalmuseums. In: Anzeiger GNM 1884, S. 29–35, 41–52, 57–63, 73–87, 97–101, 113–125, 133–139 (117–118).

[19] Die grundlegende Veröffentlichung von Barbara Mundt: Die deutschen Kunstgewerbemuseen im 19. Jahrhundert (Studien zur Kunst des neunzehnten Jahrhunderts, Bd. 22). München 1974 leistet eben dies nicht.

[20] Otto Lauffer: Moriz Heyne und die archäologischen Grundlagen der historischen Museen. In: Museumskunde Bd. 2 (1906), S. 153–162 (157).

[21] August Essenwein: Der Nutzen des germanischen Museums für die kunstindustrielle Thätigkeit unserer Zeit. In: Anzeiger GNM 1866, Sp. 199–200.

der späteren Landesgewerbeanstalt, übernommen worden ist. Ohnehin sind Essenweins Anschauungen differenzierter zu würdigen, was sich besonders aus Erörterungen um eine der erwähnten Ausstellungen ergibt. Damals hatte eine der ihnen gewidmeten Besprechungen es vom Nützlichkeitsstandpunkt her als besonders anerkennenswert angesehen, daß im Museum auch ausländische Erzeugnisse – venezianische Gläser, italienische Majoliken, französische Fayencen – gezeigt wurden. Dies veranlaßte Essenwein zu einer Entgegnung, in der er auch den Belangen der Kulturgeschichte Rechnung trug und darauf deutete, daß es zum Verständnis von „Geist und Form deutschen Lebens" unumgänglich sei, auch solche Gegenstände zur Darstellung zu bringen, die für die höheren und mittleren Bevölkerungsschichten von außerhalb importiert wurden, weil sie im Lande nicht gefertigt wurden. Darüber hinaus schien es ihm wichtig, auch die politische Grenzen übergreifenden Kulturverflechtungen zu illustrieren: „Wer wollte sich einbilden, z. B. die deutsche Poesie des Mittelalters zu kennen, wenn er nicht die verwandte französische kennt? Wer wollte den Cölner Dom verstehen, wenn er nicht die französischen Cathedralen studiert hat, die seine Vorgänger sind, und an denen der Meister des Cölner Domes selbst studiert hat? So ist's auf so vielen Gebieten"[22].

Bei dem umgreifenden Sammelgebiet des Germanischen Nationalmuseums läßt sich die oben erörterte Frage der Annäherung der Museumsbestände an die Gegenwart häufig nicht allgemein, sondern eher bezogen auf die einzelnen Sammlungsabschnitte beantworten. Es mag hier besonders an die bedeutenden, dem Museum ein neues Sachgebiet erschließenden Erwerbungen von Gemälden und Skulpturen des Barock und Rokoko erinnert werden, über die – Vorausgehendes resümierend – 1932 berichtet wurde[23]. Weiter mag der Einschnitt, den die Einbeziehung des späteren 19. Jahrhunderts seit den sechziger Jahren, auch in ihrer den übrigen Sammlungsabteilungen inadäquaten Konzentration auf Gemälde[24], bildet, Erwähnung finden.

Wiederholt war das besondere Gewicht, das Schenkung oder Ankauf von Privatsammlungen für das Germanische Nationalmuseum hatten, hervorzuheben. Solche Feststellung lenkt den Blick auf die häufig nur schwer erkennbaren Voraussetzungen, Möglichkeiten und Präferenzen privaten Sammelns als Gesichtspunkte, die Bedeutung auch für die Museumsbestände erlangten. Wünschenswert wäre in diesem Zusammenhang, die zu den Grundlagen des Instituts gehörende Sammlung von Aufseß nach ihrem Umfang, ihrem Zustandekommen, ihren Provenienzen wie ihrem Stellenwert innerhalb der zeitgenössischen privaten Sammlungsaktivitäten zu untersuchen. Ähnliches gilt etwa für die Berliner Sammlung Rosenberg, deren Schenkung 1881 die prähistorische Sammlung des Museums im eigentlichen Sinne begründete, oder im Bereich der Hausgeräte die den Bestand von Keramik, Glas und Zinn lange Zeit weitgehend prägende Sammlung eines Notars Ernst Wolf aus Altenburg, die sein Vater im selben Jahre 1881 dem Museum schenkte, ohne daß auch nur über die Person des Sammlers bisher etwas nennenswertes mitgeteilt werden könnte.

Sieht man einmal von den „Gegenständen von geschichtlichem Wert" ab, die 1867 die Bundesliquidationskommission aus der Hinterlassenschaft des Paulskirchenparlamentes und aus der Frankfurter Tagungsstätte des Deutschen Bundes dem Museum übergab, so waren in der Regel private Initiativen auch für den weiten Bereich der historischen oder persönlichen Erinnerungsstücke ausschlaggebend, die dem Museum zugetragen, gelegentlich wohl auch aufgedrängt wurden und die Essenwein eine zeitlang in einer eigenen Sammlung historischer Reliquien zusammenfassen wollte: 1862 die Pistolen des zu Stralsund gefallenen Majors von Schill, ebenfalls in den sechziger Jahren

---

[22] August Essenwein: Einige Worte zur Frage über die Aufgaben des germ. Museums. In: Kunst und Gewerbe Jg. 6 (1872), S. 321–323.
[23] Jahresbericht GNM 79 (für 1932), 1932, S. 2.
[24] Dieses Übergewicht der Malerei ist seit 1977 durch die länger befristete Ausstellung „Deutsche Malerei im 19. Jahrhundert aus Beständen der Sammlung Georg Schäfer, Schweinfurt" nochmals verstärkt worden.

den Ladestock Theodor Körners, nachdem 1863 anläßlich der Feier des fünfzigsten Todestages Körners zu solchen Geschenken aufgerufen worden war, 1865 die Arbeitstische der Brüder Grimm, 1871 ein Granatsplitter aus dem Turm des Straßburger Münsters und ein Stück von der weißen Fahne, die dort zum Zeichen der Übergabe der Stadt gehißt worden war, 1914 die Reichsgründungssammlung Paul Tischers und zahlreiche andere Gegenstände dieser Art[25]. Als 1883 der letzte Nachkomme des in russischen Diensten gewesenen Feldmarschalls Burchard Christoph Graf Münnich (1683–1767) die Archivalien dieses Vorfahren und einige Familienbilder dem Museum zu Eigentum übergab, geschah dies unter der ausdrücklichen Vereinbarung, daß die Gegenstände in einer Mönchszelle, und zwar der letzten im Museum in ihrer ursprünglichen Anlage erhaltenen, am Kreuzgang ungetrennt aufgestellt werden müßten und dort im Rahmen des Museumsbetriebes auch besichtigt oder studiert werden könnten[26]. Diese Zelle des Grafen Münnich bestand in dieser Form jahrzehntelang, bis aus konservatorischen Gründen die Verbringung der Archivalien in weniger feuchte Räume notwendig wurde. Mehrfach übergaben Freunde des Museums diesem ihren persönlichen Nachlaß, vor allem Erinnerungsstücke an ihre Familie, die in der Regel in zu diesem Zwecke gefertigten Laden oder Schränken im Museum niedergelegt wurden. Als auf ein bezeichnendes Beispiel dieser Art sei nur auf die Schenkung der Schmuckgegenstände, der Familienbilder, des Adelsdiploms, eines silbernen Stammbaums und von Archivalien durch den kurländischen Majoratsherrn von Katzdangen Carl Freiherrn von Manteuffel, Berlin, in den zwanziger und dreißiger Jahren dieses Jahrhunderts hingewiesen[27]. 1896 ließ sich ein Gönner des Museums sogar in den Museumsräumen bestatten. Der Gedanke des Familiendenkmals wurde vom Museum vor allem im Hinblick auf die Fensterstiftungen gefördert, mit denen sich adelige und bürgerliche Familien im Museum verewigten; zuweilen beschränkten sie sich auch darauf, wenigstens in einem der Säle ihr Wappen anbringen zu lassen. Die regierenden Fürstenhäuser errichteten vielfach außer bestimmten Bauten eigene mit ihrem Namen verbundene Stiftungen, mit deren Hilfe auf ihre Familie bezogene Kunstwerke, vor allem Bildnisse, Medaillen und Abgüsse von Grabdenkmälern, für das Museum beschafft werden sollten. So entstanden unter anderem 1870 die Hohenzollernstiftung, 1885 die Habsburgerstiftung und 1889 die Wittelsbacherstiftung[28]. Dieser Vorstellungsbereich von im Museum zu schaffenden Denkmälern und Erinnerungsstätten, der sich von dem eines altertümersammelnden Instituts im allgemeinen Verständnis weit entfernt, hatte sich im vorigen Jahrhundert mit dem Nürnberger Museum offenbar in besonderer Weise verbunden[29]. Eine detailliertere Untersuchung solcher Phänomene wäre geeignet, nicht nur allgemein das Museumsverständnis des 19. Jahrhunderts, sondern gerade auch den Stellenwert des Germanischen Nationalmuseums im politischen

[25] Chronik des germanischen Museums. In: Anzeiger GNM 1867, Sp. 81–86 (81 grundsätzlich zur Sammlung historischer Reliquien und zu einem für diese Sammlung zu errichtenden Bau). – Chronik des germanischen Museums. In: Anzeiger GNM 1863, Sp. 257–264 (257–258 zum Aufruf anläßlich der Körnerfeier). – Chronik des germanischen Museums. In: Anzeiger GNM 1865, Sp. 113–120 (113) und Jahresbericht GNM 12 (für 1865), 1866, S. 7 (zu den Grimm-Tischen). – Chronik des germanischen Museums. In: Anzeiger GNM 1871, Sp. 49–54 (49–50 zu den Straßburger Gegenständen). – Chronik des germanischen Museums. In: Anzeiger GNM 1914, Sp. 43–46 (44–45) und Jahresbericht GNM 61 (für 1914), 1914, S. 4 (zur Sammlung Tischer).
[26] Faszikel „Vermächtnis Graf von Münnich". Archiv GNM, Altregistratur GNM, Karton 80, lfd. Nr. 68.
[27] Faszikel „Nachlaß Baron Manteuffel" und „Baron von Manteuffel – Katzdangen". Archiv GNM, Altregistratur GNM, Karton 38, lfd. Nr. 63 und Karton 426.
[28] Chronik des germanischen Museums. In: Anzeiger GNM 1870, Sp. 97–102 (97 ausführlich zum Programm der Dynastenstiftungen und zur Hohenzollernstiftung). – Chronik des germanischen Museums. In: Anzeiger GMN 1884–1886, Sp. 171–176 (171 zur Habsburgerstiftung). – Chronik des germanischen Museums. In: Anzeiger GNM 1887–1889, S. 179–187 (179 zur Wittelsbacherstiftung).
[29] Rainer Kahsnitz: Museum und Denkmal. Überlegungen zu Gräbern, historischen Freskenzyklen und Ehrenhallen in Museen. In: Das kunst- und kulturgeschichtliche Museum im 19. Jahrhundert. Vorträge des Symposions im Germanischen Nationalmuseum, Nürnberg. Hrsg. von Bernward Deneke und Rainer Kahsnitz (Studien zur Kunst des neunzehnten Jahrhunderts, Bd. 39). München 1977, S. 152–175.

Denken der Zeit zu beleuchten. Der tiefgreifende Wandel der Stellung des Hauses im Bewußtsein der deutschen Öffentlichkeit, wie er nach dem weitgehenden Verlust seines besonderen nationalen Prestiges wohl bald nach Ablauf der ersten Nachkriegsphase nach dem Ersten Weltkrieg erkennbar wird, könnte möglicherweise in solchen Bereichen deutlicher gemacht werden als in den vorwiegend auf spezielle Sammlungsgebiete bezogenen Darstellungen.

Im vorgelegten Band war es in den einzelnen Kapiteln nur möglich, über die Behandlung von Teilaspekten die Wandlungen des Instituts im Zusammenhang der allgemeinen Museumsgeschichte darzustellen. Bekanntlich waren die Dokumentationsvorhaben von Aufseß mannigfach von Konzepten der historischen Vereine beeinflußt, so daß die Museumsbestände sich ursprünglich um die Leitbegriffe der Geschichte und der überwiegend dem Zuständlichen zugewandten Altertumskunde kristallisierten[30]. Die Verbindung zur Geschichtswissenschaft wurde schon durch die Reformen Essenweins erheblich reduziert, als das Generalrepertorium aufgegeben und das Archiv in seiner Bedeutung zurückgedrängt wurde. Besonders bezeichnend aber scheint für die nach der Jahrhundertwende verstärkt sich vollziehende Abkehr des Museums von den traditionell gepflegten Arbeitsgebieten der Historie und Germanistik die zunehmende Vernachlässigung der in diesem Band nicht ausführlich gewürdigten älteren umfangreichen Buchbestände zur Geschichte und zur deutschen Philologie – namentlich der eindrucksvollen Reihen von Editionen mittelalterlicher Geschichtsquellen – und dann später, etwa seit 1965, die Tendenz, den Charakter der Bibliothek auf den einer „Kunstbibliothek" festzulegen. Hiermit in Zusammenhang steht die weitgehende Aufgabe der spezifisch heraldischen und genealogischen Bemühungen, die, vor allem in der Bibliothek konzentriert, Beamte des Hauses bei der Anlage umfangreicher Sammlungen sowie der Erarbeitung von Karteien und Wappenlexikon jahrzehntelang nahezu vorwiegend beschäftigt und so dem Haus einen Ruf verschafft hatten, der in der Zusammensetzung der Bibliotheksbenutzer bis in die Gegenwart unmittelbar nachwirkt. Ähnliches wäre von der Siegelsammlung wie den sphragistischen Arbeiten und ihrem erheblichen Anteil am Erscheinungsbild des Anzeigers festzustellen, die wohl nicht ohne Zusammenhang mit dem allgemeinen Rückgang des Interesses an dieser historischen Hilfswissenschaft inzwischen in Vergessenheit geraten sind. Der Wandel im Verhältnis zur Historie als einer für das Nationalmuseum zentralen Wissenschaft bezeichnet in gleicher Weise die seit den sechziger Jahren einsetzende Umstrukturierung des Archivs durch Verkäufe der älteren Archivalien an die jeweils „zuständigen" Staats- und Stadtarchive und seine Konzentration auf neue mit den kunstgeschichtlichen Sammelaufgaben der übrigen Abteilungen des Instituts korrespondierenden Aufgaben im „Archiv für Bildende Kunst".

Der Begriff der Altertumskunde wurde bereits in den fünfziger Jahren des 19. Jahrhunderts vielfach durch das Wort Kulturgeschichte ersetzt, eine Entwicklung, die auch in der Neufassung der Satzung von 1870 ihren Ausdruck fand. Diese Kulturgeschichte aber hat sich entgegen verschiedenen Ansätzen – namentlich zwischen 1850 und 1860 sowie in der Zeit des ausgehenden 19. und des beginnenden 20. Jahrhunderts – nicht zu einer eigenen auch die dinglichen Objektivationen einbeziehenden Disziplin entfalten können, wofür – wie in letzter Zeit mehrfach gezeigt worden ist – unter anderem der Primat der politischen Historiographie in Forschung und Lehre der Universitäten ausschlaggebend war[31]. So gewannen denn im Museum andere gegenstandsbezogene Disziplinen

[30] Vgl. Bernward Deneke: Das System der deutschen Geschichts- und Altertumskunde des Hans von und zu Aufseß und die Historiographie im 19. Jahrhundert. In: Anzeiger GNM 1974, S. 144–158.
[31] Bernward Deneke: Die Museen und die Entwicklung der Kulturgeschichte. In: Das kunst- und kulturgeschichtliche Museum im 19. Jahrhundert. Vorträge des Symposions im Germanischen Nationalmuseum, Nürnberg. Hrsg. von Bernward Deneke und Rainer Kahsnitz (Studien zur Kunst des neunzehnten Jahrhunderts, Bd. 39). München 1977, S. 118–132.

Einfluß auf die Interpretation der Museumsaufgaben, mehr sektoral die seit der Jahrhundertwende sich formierende Volkskunde, vor allem aber die Kunstgeschichte, deren Prinzipien, namentlich im Hinblick auf die erforderlichen ästhetischen Qualitäten auch des kulturhistorischen Sammelgutes, Ernst Heinrich Zimmermann in seinem 1920 vorgetragenen Programm für das Germanische Nationalmuseum exemplarisch zur Geltung brachte[32].

Im Blickfeld der Redaktion lag auch die Frage, wie und mit welcher Intensität Einrichtungen und Aufgaben des Museums vermittelt wurden und welches die sich wandelnden gesellschaftlichen und kulturellen Prädispositionen in der Öffentlichkeit für eine Aufgeschlossenheit gegenüber dem Gedanken der zentralen Nationalanstalt waren. Zweifellos haben die mannigfachen, oft auf die einzelnen Sozialgruppen bezugnehmenden Aufrufe nach 1852, eine Vielzahl von Presseberichten namentlich des ersten Jahrzehnts des Bestehens des Museums, das hier nur knapp behandelte Institut der Pflegschaften, aber auch die Ausschüsse zur Geltung des Museums beigetragen. Sie sicherten ihm über Jahrzehnte hin eine hohe Einschätzung bei der Bevölkerung des deutschsprachigen Gebietes, die anläßlich des Jubiläums von 1902 nochmals kumulieren sollte.

In diesem Zusammenhang ist auch die satzungsmäßig gegebene Aufgabe der Förderung des Verständnisses für deutsche Vergangenheit im Auge zu behalten. Sie weist auf die sporadischen Versuche, zentrale Dokumentations- und Forschungsvorhaben an das Institut zu binden – auch Essenweins Programmschrift zur Herausgabe eines Quellenwerks für die Kulturgeschichte des Mittelalters von 1884[33] mag hier genannt sein –, vor allem aber auf Gegebenheiten der Erschließung der Museumsbestände durch Erläuterungen zu den Objekten, durch die zahlreichen zum Teil populär abgefaßten Aufsätze im Anzeiger und in den Mitteilungen, durch Führer und illustrierte Werke, wie etwa durch Tafelwerke, deren Veröffentlichung teilweise nochmals auf den angeschnittenen Aspekt der Beziehung des Instituts zu den Kunstgewerbemuseen hindeutet. Offensichtlich wahrte aber die Anstalt trotz dieser publizistischen Bemühungen Distanz zur vor der Jahrhundertwende sich intensivierenden Volksbildungsbewegung. Jedenfalls wurden die Erörterungen über die Museen als Volksbildungsstätten auf der Konferenz der Zentralstelle für Arbeiterwohlfahrtseinrichtungen, Mannheim 1903[34], von den Vertretern anderer Museen getragen und gefördert. Auch die ausführliche Behandlung der Bedeutung von Vorträgen und Führungen auf der Sitzung des Verwaltungsausschusses im Jahre 1916 – damals etwa umriß der Nürnberger Oberbürgermeister Otto Geßler Erwartungen, die von der Stadt hinsichtlich der Beiträge des Museums zum lokalen Fortbildungswesen gehegt wurden – begegnete der Skepsis der Direktion[35]. Erst später wurden feste Führungszyklen zu ausgewählten Themen installiert und in den dreißiger Jahren vom Interesse der Lokalpresse, die Zusammenfassungen der Ausführungen der Referenten abdruckte, begleitet.

Erst nach dem Kriege von 1939–1945 konnte Museumspädagogik institutionalisiert und Entwicklungen in anderen Ländern angenähert werden. In einer ersten Phase wurde mit Unterstützung der Dienststellen des amerikanischen Landeskommissariats im Refektorium eine Bildungsstätte eingerichtet und am 29. September 1950 eröffnet. Sie war sowohl für die Zusammenarbeit mit den Schulen wie auch zur Unterrichtung von Erwachsenengruppen bestimmt; später in den sechziger Jahren konkretisierte sich in Zusammenarbeit mit der Stadt Nürnberg das Kunstpädagogische

[32] Zu dem Programm Zimmermanns vgl. in diesem Bande S. 931–932.
[33] August von Essenwein: Über die Herausgabe eines umfassenden Quellenwerkes für die Kulturgeschichte des Mittelalters, bestehend aus zwei Hauptabteilungen: Monumenta Iconographica Medii Aevi und Reliquiae Medii Aevi. Eine Denkschrift. Nürnberg 1884.
[34] Die Museen als Volksbildungsstätten. Ergebnisse der 12. Konferenz der Centralstelle für Arbeiter-Wohlfahrtseinrichtungen (Schriften der Centralstelle für Arbeiter-Wohlfahrtseinrichtungen, 25). Berlin 1904.
[35] Protokollband des Verwaltungsausschusses 1916, S. 80–82. Archiv GNM, Altregistratur GNM, Karton 758.

Zentrum, das im Beitrag über die Neubauten kurz behandelt ist. Bei dem wachsenden Interesse an der Geschichte der Bildung im 19. Jahrhundert, namentlich auch der Geschichte und Funktionen der Kunsterziehung, gehört es zu den bleibenden Desideraten, daß die Aktivitäten des Museums zur Nutzung seiner Bestände zusammenfassend gewürdigt werden.

So ist der Band trotz seines Umfangs in mancher Beziehung in der Aufarbeitung und Erschließung von Einzelthemen und -aspekten unvollständig geblieben, oft auch zugunsten der Versuche einer gründlicheren Durchdringung der behandelten Bereiche. Das Museum darf der Hoffnung Ausdruck geben, daß manches Kapitel später separat erforscht werde, zumal zunehmendes Interesse an der Geschichte der Institution Museum auch zu übergreifender und vergleichender Betrachtung einladen dürfte.

Verzeichnisse

Abgekürzt zitierte Literatur

ADB
Allgemeine deutsche Biographie, Bd. 1–56. Leipzig, München 1875–1912.

Altpreuss. Biogr.
Altpreussische Biographie, Bd. 1–3. Marburg a. L. 1961–1975.

Amburger
Erik Amburger: Die Mitglieder der Deutschen Akademie der Wissenschaften zu Berlin 1700–1950. Berlin 1950.

Anzeiger GNM
Anzeiger für Kunde der deutschen Vorzeit. Neue Folge. Organ des germanischen Museums Bd. 1–30 (1853/54–1883). Und: Anzeiger des germanischen Nationalmuseums 1884/1886ff.

Arnim
Max Arnim: Mitglieder-Verzeichnis der Gesellschaft der Wissenschaften zu Göttingen (1751–1927). Göttingen 1928.

Aufseß-Katalog
Hans Freiherr von und zu Aufseß und die Anfänge des Germanischen Nationalmuseums. (Katalog der) Ausstellung im Germanischen Nationalmuseum zum 100. Todestag seines Gründers am 6. Mai 1972. 1. Juli bis 1. Oktober 1972. Nürnberg 1972.

Biogr. Jb.
Biographisches Jahrbuch und deutscher Nekrolog, Bd. 1 (1896) – Bd. 18 (1913). Berlin 1897–1917.

Biographie nationale . . . de Belgique
Biographie nationale. Publiée par l'Académie Royale des Sciences, des Lettres et des Beaux-Arts de Belgique, Tom. 1 ff. Bruxelles 1866 ff.

Biogr. Wörterbuch zur deutschen Geschichte
Biographisches Wörterbuch zur deutschen Geschichte. 2. völlig neu bearbeitete und stark erweiterte Aufl., Bd. 1–3. München 1973–1975.

Brockhaus
Brockhaus' Konversations-Lexikon. 14. vollständig neubearb. Aufl. Neue rev. Jubiläums-Ausg., Bd. 1–17. Leipzig 1901–1904.

Dahlmann-Waitz
Dahlmann-Waitz: Quellenkunde der deutschen Geschichte. Bibliographie der Quellen und der Literatur zur deutschen Geschichte. 10. Aufl. Hrsg. von Hermann Heimpel und Herbert Geuss, Bd. 1. Stuttgart 1969.

Deutschbaltisches biographisches Lexikon
Deutschbaltisches biographisches Lexikon 1710–1960. Köln, Wien 1970.

Deutsches biogr. Jb.
Deutsches biographisches Jahrbuch, Bd. 1 (1914–1916) – 5 (1923); Bd. 10 (1928) – 11 (1929). Berlin, Leipzig 1925–1932.

Dictionnaire de biographie française
Dictionnaire de biographie française, Tom. 1 ff. Paris 1929 ff.

Dictionary of national biography
Dictionary of national biography, Vol. 1–63, Suppl. 1–3. London 1885–1904.

Dt. biogr. Jb.
s. Deutsches biogr. Jb.

Essenwein, Bericht 1870
A(ugust) Essenwein: Das germanische Nationalmuseum zu Nürnberg. Bericht über den gegenwärtigen Stand der Sammlungen und Arbeiten, sowie die nächsten daraus erwachsenden Aufgaben, an den Verwaltungsausschuss erstattet. Nürnberg 1870. – Auch abgedruckt in diesem Band S. 993–1026.

Essenwein, Bericht 1884
A(ugust) Essenwein: Das germanische Nationalmuseum, dessen Sammlungen, sowie der Bedarf zur programmgemäßen Abrundung derselben. Nürnberg 1884. – Ohne das Vorwort, jedoch mit Illustrationen im Text auch abgedruckt in: Anzeiger GNM 1884–1886, S. 1–16, 29–35, 41–52, 57–63, 73–87, 97–101, 113–125, 133–139.

Goedeke
Karl Goedeke: Grundriss zur Geschichte der deutschen Dichtung aus den Quellen. 2. neu bearb. Aufl., Bd. 1–15. Dresden, Berlin 1884–1966.

Hampe, Festschrift
Theodor Hampe: Das Germanische Nationalmuseum von 1852 bis 1902. Festschrift zur Feier seines fünfzigjährigen Bestehens im Auftrage des Direktoriums verfaßt. Leipzig o. J. (1902).

Hektor, Festschrift
E(nno) Hektor: Geschichte des germanischen Museums von seinem Ursprunge bis zum Jahre 1862. Festschrift zur Feier seines zehnjährigen Bestehens. Nürnberg 1863.

Hirschmann, Patriziat
Gerhard Hirschmann: Das Nürnberger Patriziat im Königreich Bayern 1806–1918. Eine sozialgeschichtliche Untersuchung (Nürnberger Forschungen. Einzelarbeiten zur Nürnberger Geschichte, Bd. 16). Nürnberg 1971.

Historisch-biogr. Lexikon der Schweiz
Historisch-biographisches Lexikon der Schweiz, Bd. 1–7, Suppl.-Bd. Neuenburg 1921–1934.

Jahresbericht GNM
Jahresbericht des germanischen Nationalmuseums zu Nürnberg 1 (für 1853/54) 1854 – 83 (für 1936), 1937. Und: Germanisches National-Museum. Jahresbericht 84 (für 1937), 1938–97 (für 1951/54), 1955.

Jeanjot
Paul Jeanjot: Index biographique des membres, correspondants et associés de l'Académie Royale de Belgique de 1769 à 1963. Bruxelles 1964.

Kosch
Wilhelm Kosch: Das katholische Deutschland, Bd. 1–3. Augsburg 1933–1938.

Kürschner
Kürschners Deutscher Gelehrten-Kalender. Ausg. 1 ff. Berlin, Leipzig u. a. 1925 ff.

Kürschner Lit.
Allgemeiner deutscher Literatur-Kalender (später Deutscher Literatur-Kalender). Ausg. 1 ff. Berlin u. a. 1879 ff.

Kürschner Literaturkalender
s. Kürschner Lit.

Lexikon des gesamten Buchwesens
Lexikon des gesamten Buchwesens, Bd. 1–3. Leipzig 1935–1937.

Lexikon für Theologie und Kirche
Lexikon für Theologie und Kirche. 2. völlig neu bearb. Aufl., Bd. 1–10. Freiburg i. Br. 1957–1965.

Meyer
Meyer's Konversations-Lexikon. 3. gänzlich umgearb. Aufl. Leipzig 1874–1878.

MGG
Die Musik in Geschichte und Gegenwart, Bd. 1–14, Suppl.-Bde. 1 ff. Kassel, Basel 1949 ff.

Mitteilungen GNM
Mitteilungen aus dem germanischen Nationalmuseum 1884/1886 – 1920/1921.

NDB
Neue deutsche Biographie, Bd. 1 ff. Berlin 1953 ff.

Nieuw nederlandsch biografisch woordenboek
Nieuw nederlandsch biografisch woordenboek, Deel 1–10. Leiden 1911–1937.

Organismus GNM
Das Germanische Nationalmuseum. Organismus und Sammlungen (Denkschriften des Germanischen Nationalmuseums, Bd. 1). Abth. 1: Organismus und literarische Sammlungen. Abth. 2: Kunst- und Alterthums-Sammlungen. Nürnberg, Leipzig 1856.

Österr. biogr. Lexikon
Österreichisches biographisches Lexikon 1815–1950, Bd. 1 ff. Graz, Köln 1957 ff.

Oettinger
Edouard-Marie Oettinger: Moniteur des dates, contenant un million de renseignements biographiques, généalogiques et historiques, Tom. 1–9. Dresden, Leipzig 1866–1882.

Reichshandbuch
Reichshandbuch der deutschen Gesellschaft. Das Handbuch der Persönlichkeiten in Wort und Bild, Bd. 1–2. Berlin 1930–1931.

RGG
Die Religion in Geschichte und Gegenwart. 3. völlig neu bearb. Aufl., Bd. 1–6, Reg.-Bd. Tübingen 1957–1965.

Schulz, Festschrift
Fritz Traugott Schulz: Das Germanische Museum von 1902–1927. Festschrift zur Feier seines 75jährigen Bestehens. Im Auftrag der Direktion verfaßt. Nürnberg 1927. Erschienen als: Anzeiger GNM 1926/27.

Sitzmann
Edouard Sitzmann: Dictionnaire des biographies des hommes célèbres de l'Alsace depuis les temps les plus reculés jusqu'à nos jours, Tom. 1–2. Rixheim 1909–1910. Nachdruck Paris 1973.

Tätigkeitsbericht GNM
Germanisches Nationalmuseum. Tätigkeitsbericht 1959 ff.

Thieme-Becker
Allgemeines Lexikon der bildenden Künstler von der Antike bis zur Gegenwart. Unter Mitwirkung von . . . hrsg. von Ulrich Thieme und Felix Becker, Bd. 1–37. Leipzig 1907–1950.

Thürauf
Ulrich Thürauf: Gesamtverzeichnis der Mitglieder der Bayerischen Akademie der Wissenschaften in den ersten beiden Jahrhunderten ihres Bestehens 1759–1959 (Geist und Gestalt, Erg.-Bd., 1. Hälfte). München 1963.

Universität Bonn, Verzeichnis
Hundertfünfzig Jahre Rheinische Friedrich-Wilhelms-Universität zu Bonn. 1818–1968, Bd.: Verzeichnis der Professoren und Dozenten der Rheinischen Friedrich-Wilhelms-Universität zu Bonn 1818–1968. Bonn 1968.

Universität Bonn, Geschichtswiss.
Hundertfünfzig Jahre Rheinische Friedrich-Wilhelms-Universität zu Bonn. 1818–1968, Bd.: Bonner Gelehrte. Beiträge zur Geschichte der Wissenschaften in Bonn. Geschichtswissenschaften. Bonn 1968.

Universität Bonn, Philosophie
Hundertfünfzig Jahre Rheinische Friedrich-Wilhelms-Universität zu Bonn. 1818–1968, Bd.: Bonner Gelehrte. Beiträge zur Geschichte der Wissenschaften in Bonn. Philosophie und Altertumswissenschaften. Bonn 1968.

Universität Bonn, Sprachwiss.
Hundertfünfzig Jahre Rheinische Friedrich-Wilhelms-Universität zu Bonn. 1818–1968, Bd.: Bonner Gelehrte. Beiträge zur Geschichte der Wissenschaften in Bonn. Sprachwissenschaften. Bonn 1970.

Universität Bonn, Staatswiss.
Hundertfünfzig Jahre Rheinische Friedrich-Wilhelms-Universität zu Bonn. 1818–1968, Bd.: Bonner Gelehrte. Beiträge zur Geschichte der Wissenschaften in Bonn. Staatswissenschaften. Bonn 1969.

Waetzoldt
Wilhelm Waetzold: Deutsche Kunsthistoriker, Bd. 1–2. Leipzig 1921–1924.

Wegweiser GNM
Wegweiser bzw. Führer durch die Sammlungen des Germanischen Nationalmuseums. – Die genauen bibliographischen Titel im einzelnen in der Bibliographie, S. 1176–1178.

Wurzbach Biogr. Lexikon
Constant von Wurzbach: Biographisches Lexikon des Kaisertums Österreich, Bd. 1–60. Wien 1856–1891.

Zischka
Gert A. Zischka: Allgemeines Gelehrten-Lexikon (Kröners Taschenausgabe, Bd. 306). Stuttgart 1961.

Sonstige Abkürzungen

GelA
Gelehrtenausschuß des Germanischen Nationalmuseums

GNM
Germanisches Nationalmuseum

VwR
Verwaltungsausschuß bzw. (seit 1921) Verwaltungsrat des Germanischen Nationalmuseums

Abbildungsnachweis

Nürnberg, Carl Leidig: 33, 335, 336, 389, 390, 412, 413, 416, 430, 441, 442

Nürnberg, Nürnberger Nachrichten: 109, 118, 373

Nürnberg (?), Georg Schönau, Kgl. bayer. Hofphotograph und Ernst Matthes, Porträtmaler: 420

Nürnberg oder Bamberg, R. Haarf, Hofphotograph: 421

Reproduktion nach Genealogisches Handbuch des Adels. Freiherrliche Häuser, Reihe B, Bd. 2. Glücksburg 1957: 376

Reproduktion nach Werner Hegemann: German Bestelmeyer (Neue Werkkunst). Berlin, Leipzig und Wien, 1929: 295

Reproduktion nach Schulz, Festschrift: 298

Reproduktion nach Volquart Pauls: Hundert Jahre Gesellschaft für Schleswig-Holsteinische Geschichte 1833–1933. Neumünster i. H. 1933: 21

Alle übrigen Abb. nach Aufnahmen unbekannter Photographen im Besitz des GNM (Archiv, Bibliothek, Kupferstichkabinett, Photothek) oder eigenen Aufnahmen des Museums

Zeichnungen 173, 177, 204, 364, 365, 367, 368 von Oktavian Catrici, Nürnberg

Soweit im Text der Aufsätze oder in den Bildtiteln nichts anderes angegeben ist, befinden sich die abgebildeten Gemälde, Zeichnungen, Archivalien, Pläne und Graphiken im GNM

Sachregister zum Germanischen Nationalmuseum
Zusammengestellt von Ursula Mende

Zu Begriffen und Sammlungsgegenständen, die mit Personen- oder Ortsnamen (Künstlern, dargestellten Personen, Stiftern, Leihgebern oder Provenienzen) verbunden sind, siehe allein das Personen- und Ortsregister, S. 1209

Der Hinweis „Abb." bezieht sich sowohl auf die Abbildungen wie auf die Bildtitel. Auf „Anm." wird ausdrücklich nur verwiesen, wenn das entsprechende Stichwort im Text derselben Seite nicht vorkommt.

Personen- und Ortsregister

Zusammengestellt von Ursula Mende

Der Hinweis „Abb." bezieht sich sowohl auf die Abbildungen wie auf die Bildtitel. Auf „Anm." wird ausdrücklich nur verwiesen, wenn das entsprechende Stichwort im Text derselben Seite nicht vorkommt.

Elvert, Christian d' 1076
Elzach, Schuddig (Fasnachtsgestalt) *Abb. 425*
Emmerich, Willibrord-Arche 690
Emmerich, M., Arzt in Nürnberg 867, 868–869
Emminger, Eberhard, Ansicht der Kartause 370 Anm. 52
Emskirchen, Halbbrakteatenfund 653
Ender, Thomas 649
Endert, von 721
Engel, Hugo, Musikinstrumentensammlung 825
Engelberg, Kloster, Miniatur 712
Engelmann, Max *Abb. 384*
England 133 Anm. 16, 136 Anm. 36, 1066
Ennemoser, Josef 1065, 1076
Ennen, Leonhard 1077
Entzenger (Familie) 342
Epischofer, Hans, Messingbecken 773
Erasmus von Rotterdam, Autograph 533 Anm. 81
Erbach, Eberhard zu 834–835
Erbe, Albert 472
Erbse, Pfleger in Rudolstadt 1030
Erbstein, Heinrich Albert 655, 657, 660, 661, 662 Anm. 82, 1118
–, Julius Theodor 371 Anm. 62, 1064, 1077
–, Richard Julius 660, 662 Anm. 82, 835, 1028, 1118
Erfurt, Akademie gemeinnütziger Wissenschaften 1073, 1127
–, Kartause 321, 322, 354–356, *Abb. 204*
–, Städtische Sammlungen 1132
Erhard, Heinrich August 888
–, Johann Christoph 643
–, Ludwig *Abb. 118*
–, Luise *Abb. 117*
Erk, Ludwig Christian 1065, 1077
Erlangen 1039, 1131
–, Burschenschaft Germania 65
–, Kunsthistorisches Institut der Universität 574 Anm. 71
–, Pflegschaft 1031, 1033
–, Universität 307, 825, 827, 1040, 1042, 1043, 1046, 1056, 1061, 1069, 1079, 1087, 1094, 1101, 1104, 1114, 1115, 1116, 1122, 1129, 1142
–, Universitätsbibliothek 234, 236 Anm. 546, 646, 1036, 1061, 1095, 1117
–, Volkshochschule 1131
Erminoldmeister 626, 851 Anm. 111
Ermreuth, Archivalien 529
Erni, Hans 1158
Ernst II., Herzog von Sachsen-Coburg-Gotha 19, 36, 161–163, 358, 378
Ernst, Max 1156
Eskeles, Bernhard und Cecilie, Porträts Ammerling 600
Essellen, Moritz Friedrich Hermann 1077
Essen 1156
–, Ausstellung: Werdendes Abendland an Rhein und Ruhr (1956) 758
–, Finanzierung GNM 232
–, Münsterschatz 690, 711, 722, 738
–, Siegelstempel 658
–, Villa Hügel, Kostümschau 97, 305, 811
Essenwein, August von 26, 38, 47, 48, 131 Anm. 10, 138, 166–194, 197, 202 Anm. 366, 204, 208–215, 318, 320 Anm. 17, 357, 370, 374–448, 473, 554, 562, 574, 576, 599, 625, 718–719, 749, 866, 1030, 1031, 1032, 1035, 1108, 1109, 1112, 1118, 1187, 1188, 1189, 1190, 1191, 1192, 1193, 1194, *Abb. 22, 42*
– –, Apothekenaltertümer 872, 873
– –, Archiv 531–532, 539, 540 Anm. 117, 1024
– –, Aufstellung 746, 928
– –, Ausbau der Kartause 357, 374–448, 450, 454, 465–466, 468–469, 718, 1186, *Abb. 25, 26, 206–266, 284*
– –, Ausstellung (1931) 75, 1145
– –, Bericht (1870) 616, 638–639, 729–730, 746, 816, 993–1026
– –, Bericht (1884) 730, 767, 994 Anm. 1, 997–998 Anm. 1, 1069, 1109, 1190
– –, Bibliothek (Privatbesitz) 28
– –, Bibliothek GNM 1005–1008, 1009–1010, 1022–1024
– –, Büste (Heinrich Schwabe) 49, 442, *Abb. 366*
– –, Gelehrtenausschuß 1065
– –, Gemäldesammlung 584, 590–599, 1004–1005
– –, Kunsthandwerk 721–723, 726–738, 743, 760, 762–769, 776, 781–782, 786, 793, 794, 795, 802, 808, 1009, 1012–1016
– –, Kupferstichkabinett 638–642, 643, 1006–1008
– –, Münzen und Medaillen 651, 662 Anm. 85, 663, 1002–1003, 1018–1019
– –, Musikinstrumente 816, 817, 824, 1008–1009
– –, Skulpturen 651, 999–1001
– –, Volkskundliche Sammlungen 892–895, 900, 908, *Abb. 447*
– –, Vor- und frühgeschichtliche Sammlung 664, 670–678, 1019–1020
– –, Waffen 836–846, 848, 852, 858, 859, 1016–1017, *Abb. 425*
Eßlingen, Archivalien 530
Estorff, G. O. Carl von 665 Anm. 11, 670, 1077
– –, Sammlung 670
Ettleben, Münzfund 653 Anm. 17
Ettmüller, Ernst Moritz Ludwig 1065, 1077
Euler, Ludwig Heinrich 1077
– –, Bibliothek 565, 572, 574, 899, 1069, 1077, *Abb. 327*
Eye, August von 20, 589, 599,

634–636, 637, 638, 670, 709, 713, 715, 719, 761, 794, 891, 895, 1109, 1112, 1119
Ezelsdorf, Goldkegel 97, 300, 664, 685, 1149, 1158, *Abb. 373*

Faber, Conrad (Conrad von Kreuznach) 604
–, Karl von 1043
Fabricius, Paul 648
Fahne, Anton 1077
Falckenburg, Friedrich von, Spinettdeckel 824
Falin, Valentin Michajlovič *Abb. 122*
Falke, Jacob von 636, 714, 719, 761–762, 807, 891, 893, 1067, 1077, 1119
–, Johannes 891 Anm. 38, 927, 1077, 1120
–, Otto von 744, 1036, 1043, *Abb. 61, 74*
Falzner, Herdegen 340 Anm. 92
–, Margarete 340
Faßbender, Joseph, Ausstellung (1957) 311
Fayum, Koptische Gewebe 797
Federsee, Brakteatenfund 656
Feger, Otto 647 Anm. 72
Feil, Joseph 1077
Feininger, Lyonel 649
Felix, Eugen, Sammlung 599, 734, 735, 782
Fentsch, Eduard 1028, 1077
Ferchl, Fritz 876, 877
Ferdinand, Erzherzog von Tirol, Ambraser Sammlung 697, 818, 1040
Ferstel (Ferstl), Heinrich von 1065, 1077, 1118
Feselein, Melchior 598
Fétis, François-Joseph, Musikinstrumentensammlung 818, 820
Fetsch, Johann Georg 1029 Anm. 24
Feuchtmayer, Joseph Anton 626
Feuerbach, Anselm 650
–, Ludwig, Nachlaß 534 Anm. 85
Ficker, Julius von 1078
Fickler, Carl Alois 180 Anm. 240, 181 Anm. 246, 182 Anm. 252, 183 Anm. 256 und 261, 1029, 1043, 1078
Fidicin, Ernst 1078
Fiedler, Josef von 1078
Figueiredo de 74
Firmenich-Richartz, Matthias 1065, 1078
Firnhaber, Friedrich 1078
Fischart, Johann 568
Fischbach, Friedrich 893
Fischer, Referent im bayerischen Kultusministerium 234 Anm. 536, 235 Anm. 543
–, Karl August 1038, *Abb. 74*
Flegel, Georg 605
Flegler, Alexander 527 Anm. 39, 535 Anm. 95, 539 Anm. 113, 1043, 1067 Anm. 15, 1078, 1120

Scharrer, Johannes 588, 918 Anm. 172
Schaumann, Adolf Friedrich Heinrich 1096
Schaumberg (Familie), Adelsarchiv 530 Anm. 53
–, Brauttruhe der Cordula von Aufseß 776
Schedel, Hartmann, Weltchronik 549
Scheel, Jürgen 1058
–, Walter 124, 250, 251
Scheffel, Viktor von 1112
Scheffer von Leonhartshoff, Johann Evangelist 643 Anm. 44
Schega, Franz Andreas 656
Scheiger, Josef von 836, 1097
Schelhorn, Zimmermeister in Nürnberg 366 Anm. 34
Schelling, von, Regierungspräsident Abb. 53
Scheper, Hinnerk 291 Anm. 84
Scheper-Berkenkamp, Lou 291 Anm. 84
Scherer, Wilhelm 1097
Scheßlitzer, Hans, Heiltumsschrein 24, 122, 170, 288, 710–711, 715, 716, 746, 750, 756, 760, 1017, Abb. 81, 386
Scheuffels, Stifter in Schwäbisch-Hall 919 Anm. 181
Scheurl (von Scheurl, Familie), s. a. Nürnberg, Scheurl-Haus
–, Adelsarchiv 530 Anm. 53, 540 Anm. 120
–, Bibliothek (jüngere Scheurl'sche Bibliothek) 562, 572, 1022, Abb. 329
–, Frauenkopfschmuck 813
–, Christoph II. von, Bibliothek 28, 572, 1010, 1011, 1022, Abb. 329
–, Paulus, Bettstatt 782, Abb. 401, 414
–, Theodor von 813 Anm. 117
Scheurleer, Daniel François, Musikinstrumentensammlung 818
Schiedlausky, Günther 102, 113, 756, 1134, Abb. 111
Schifferstadt, Goldhut 301
Schill, Ferdinand von, Pistolen 1192
Schiller, Friedrich von, Schillerfeiern (1859) 150, 1144
–, Karl Georg Wilhelm 1097
Schilling, Edmund 646
–, Johannes 442, 1053, Abb. 366
Schillinger, Heinz 302
Schindler, Heinrich Bruno 1097
Schinnerer, Goldschläger in Fürth 525
–, Adolf 644 Anm. 58
Schirmer, August, Autographensammlung 533
–, Johann Wilhelm 649
Schirren, Karl 1097
Schirrmacher, Friedrich Wilhelm 1097
Schißler, Christoph, astronomisches Taschenbesteck 863

Schlee, Ernst 942
Schleicher (Familie), Tisch 782
–, August 1065, 1097
Schleißheim, Gemäldesammlung 37, 590, 593, 596, s. a. München, Bayerische Staatsgemäldesammlungen
Schlepps, Irmgard 1135
Schlesien, Archivalien 535
–, Denkmalpflegeamt 1126
–, Heimatgedenkstätten im GNM 246, 298, Abb. 106
Schleswig 149 Anm. 95
–, Landesmuseum Schloß Gottorf 1135, 1141
Schleswig-Holstein 173, 1130
–, Kultusministerium 1058
Schlichtegroll, Franz von 806
Schlickeysen, Friedrich Wilhelm Adolf 652, 661, 662 Anm. 84, 1097
Schlözer, Jacob, Waffenrestaurator 834
Schlosser, Julius von 696, 721, 822
Schlüsselfelder (Familie) 568
Schlüsselfelder (Familie), Christophorusfigur 74, 626
–, Schiff 740–741, Abb. 64, 108, 147, 389
Schmid, Anton 1097
–, Carlo 119, Abb. 122
Schmidt, Bronze-Inschrift am Haupteingang des GNM 278 Anm. 52
–, Kaufmann, Archivalien-Angebot 530
–, Adolf 1097
–, Christian Wilhelm 1097
–, Friedrich von 1065, 1097
–, Jacob, Naturwaldhorn 817
–, Karl Wilhelm Adolf 1097
–, Martin Johann (Kremserschmidt) 649
–, Robert 258, 774, 1036, 1038, 1058
–, Rudolf 1135
–, Wilhelm 1098
Schmidt-Helmbrechts, Karl, Entwurf einer Mitgliedskarte des GNM Abb. 59
Schmidt-Ott, Friedrich 932, 1037, 1058, Abb. 74
Schmidt-Rottluff, Karl 650
– –, Ausstellung (1954) 311
Schmitz, Joseph 72, 450, 1058
– –, Nachlaß 534 Anm. 85
Schnaase, Karl 691, 694–695, 710, 719, 1065, 1098
Schneegans, Ludwig 152, 1098
Schneider, Friedrich 738, 739, 1098
– –, Textilsammlung 796
–, Marianne, Puppensammlung 789
Schnell, Eugen Heinrich Maria 1098
–, Johannes 1098
–, L., GNM-Sonderbriefmarke 286
Schneller, Josef 1098
Schnerr, Ch. 918 Anm. 174 und 175, 919 Anm. 177

–, Ernst 1038
Schney (Familie), Adelsarchiv 540 Anm. 120
Schnitzer, Erasmus, Tenorposaune 816
Schnitzler, Hermann 695 Anm. 28, 725, 758, 1125
Schnödt, Ulrich 340
Schnorr von Carolsfeld, Franz 540 Anm. 117
–, Hans 1058, Abb. 61
–, Julius 106, 643
Schnütgen, Alexander 718, 721, 723, 725
– –, Sammlung 702, 725, 734, 795, 796
Schön, Erhard 634
Schönberger, Arno 113, 1135, Abb. 122, 130
– –, Kunsthandwerk 774, 775
– –, Skulpturen 632
Schönborn, Erwein von 371 Anm. 59
–, Lothar Franz von, Handschriftensammlung 697
Schönemann, Otto 661 Anm. 78
Schöner, Johannes, Erdglobus 860, 865, 866
Schönfeld, Johann Heinrich 602, 605
Schönhuth, Ottmar Friedrich Heinrich 1098
Schöning, Ferdinand, Antiquar 532 Anm. 70
Schönlein, Johann Lukas 1098
Schönwerth, Franz Xaver von 890, 1098
Schongauer, Martin 642
Schorn, Johann Paul, Violine 828
Schramm, Percy Ernst 754
Schratz, Wilhelm, Münzsammlung 654, 656, 657 Anm. 49
Schreiber, Alois Wilhelm 914
–, Friedrich 638
–, Georg 233–235, 932, 1037, 1059, Abb. 74
–, Johann Heinrich 1098
–, Wilhelm Ludwig 639
Schreinzer, Karl, Montur-Teile von Streichinstrumenten 828
Schrenck auf Notzing, Karl von 155, 156–157, 1066, 1099
Schreyer, Sebald 352 Anm. 127
Schröder, Albert 934
–, Alfred 1059
–, H., Porträtsammlung 637
–, Kurt von 1037, 1059
Schröer, Karl Julius 1099
Schubert, Friedrich Wilhelm 1099
Schuberth, von, Bevollmächtigter bei der Bundesliquidationskommission 172 Anm. 209
Schudt, Ludwig 1135
Schüller, Maler in Köln 795
Schülzburg, Johannesfigur 626, Abb. 385
Schünemann, Carl, Verlagsspende 554

Wtewael, Joachim 602
Würdinger, Joseph 1105
Württemberg 174, 442, 585
–, Denkmalpflegeamt 1138
–, Finanzierung GNM 162 Anm. 155, 177
–, Funde 685
–, Kultusministerium 162 Anm. 155
–, Landtag 1039
Württemberg-Baden, Finanzierung GNM 253, 254, 266
–, Kultusministerium 253, 254, 256, 257 Anm. 675
Württemberg, Wilhelm Graf von, Herzog von Urach 1105
Würzburg 663 Anm. 96, 1039
–, Archiv 1074
–, Archivalien 537
–, Dom 70
–, Historischer Verein von Unterfranken und Aschaffenburg 1074
–, Kartause 320, 321, 322, 353
–, Mainfränkisches Museum 1036, 1043
–, Münzfund 662
–, Neuzeller Hof, Treppenhaus 461–462, 620, *Abb. 280*
–, Pflegschaft 1028, 1032
–, Polytechnischer Verein 637
–, Residenz 1156
–, Universität 1043, 1074, 1088, 1104, 1124
–, Universitätsbibliothek 697
Wunderlich, Mathias 912 Anm. 142
Wurm, Christian Friedrich 1105
Wurster, Carl 649, 1037, 1063
Wuttke, Heinrich 1105
Wyss, Hans Georg von 1105

Xeller, Johann Christian 648
Xyloctetes, Johannes, Porträt (Holbein) 224

Zacher, Julius August 1105
Zahn, Albert von 1065, 1106
–, Josef Georg von 1106
Zainer, Günter 549
Zarncke, Friedrich Karl Theodor 1106
Zehler, Friedrich 530, 1063
Zeibig, Hartmann Joseph 1106
Zeitblom, Bartholomäus 597
Zeitler, Wilhelm 1063
Zell, Franz 912–913
Zeltner, Johannes 1028, 1037, 1063
Zerbst, Staatsarchiv 1085
Zettler, F. X., Kgl. Bayerische Hofkunstanstalt und Glasmalerei in München, Glasfenster *Abb. 38*
Zeuss, Johann Kaspar 1106
Zick, Januarius 602
Zick, Stephan, anatomische Modelle 868
Ziebill, Otto 259 Anm. 686, 1038, 1063
Ziegler, Hans 93, 257 Anm. 676, 1038, 1039, 1063
Zimmermann, E. (Bibliothekssekretär), Graphiksammlung 637
–, Elise, Vermächtnis 637, 654
Zimmermann, Ernst Heinrich 57, 62, 69, 74, 76, 78, 219 Anm. 441, 220, 221, 222, 223, 224, 225 Anm. 489, 226, 227, 229, 232, 233–237, 288, 475, 552–553, 577, 931, 932, 933, 1142, 1183, 1184, 1194, *Abb. 63, 66, 74*
– –, Aufstellung 746–748, *Abb. 380, 381, 392, 393*
– –, Gemäldesammlung 601–602
– –, Kunsthandwerk 750–752, 770
– –, Kupferstichkabinett 645
– –, Musikinstrumente 818
– –, Skulpturen 624–626
– –, Volkskundliche Sammlungen 933

– –, Waffen 848, 850–852
– –, Wissenschaftliche Instrumente 862, 863
Zimmermann, Franz 910, 936
Zimmern, Adolf, Porträtsammlung 637
Zingerle von Summersberg, Ignaz Vinzenz von 890, 1106
Zink, Fritz 646, 649, 1142
Zinner, Ernst 280, 864
Zirnbauer, Heinz 824
Zittau, Gewerbeverein 1084
Zoege von Manteuffel, Claus 1142
Zöpfl, Heinrich 1036, 1063, 1106
Zollenspieker (Vierlande), Stube 916
Zschille, Richard 735
Zürich 394, 1114
–, Antiquarische Gesellschaft 1085, 1090
–, Industrieschule 1120
–, Landesmuseum 463, 469
–, Naturforschende Gesellschaft 1085
–, Schweizerisches Institut für Kunstwissenschaft 1115
–, Staatsarchiv 1053
–, Technische Hochschule 1020, 1073, 1085, 1120
–, Universität 1040, 1041, 1073, 1077, 1090, 1092, 1105
Zürn, David 620
–, Hans 630
Zwehl, Theodor Carl Nepomuk von 1066, 1106
Zweibrücken, Gemäldegalerie 584
Zweigert, Erich Z. 74, 226
Zwickau, Pflegschaft 24, 1031, 1033
Zwierlein, Freiherr von, Weinspende 26
Zwirner, Ernst Friedrich 1106